해커스공무원

황남기 헌법

진도별 모의고사 기본권편

해설

해커스공무원

차례

해커스공무원 황남기
헌법 진도별 모의고사

문제

진도별 모의고사

차례

해커스공무원 황남기
헌법 진도별 모의고사

중간 테스트

차례

해커스공무원 황남기
헌법 진도별 모의고사

정답과 해설

진도별 모의고사

차례

해커스공무원 황남기
헌법 진도별 모의고사

중간 테스트

해커스공무원
gosi.Hackers.com

해커스공무원 황남기 헌법 진도별 모의고사

진도별 모의고사

정답 및 해설

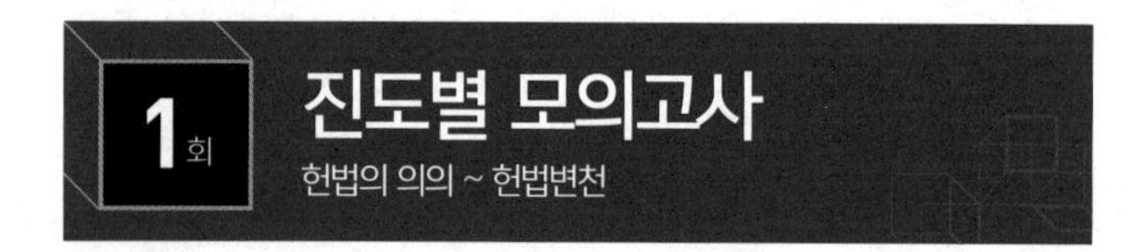

1회 진도별 모의고사
헌법의 의의 ~ 헌법변천

정답

01	②	02	①	03	④	04	②
05	③	06	②	07	③	08	②
09	①	10	①	11	②	12	②
13	④	14	①	15	②	16	④
17	①	18	①	19	①	20	②

01 정답 ②

① [O] 고유한 의미의 헌법은 국가기관의 조직, 권한 부여 등을 규율한 헌법이므로 국가가 있다면 존재하는 헌법이다. 따라서 경국대전도 고유한 헌법이라고 할 수 있다.

❷ [X] 토크빌의 주장은 형식적 의미의 헌법이다. 영국에는 형식적 의미의 헌법이 없다. 정부조직법, 공직선거법은 형식적 의미의 헌법이 아니라 실질적 의미의 헌법에 해당한다.

③ [O] 근대입헌주의헌법은 자유와 권리를 보장을 목적으로 하고 권력분립을 수단으로 하는 헌법이다. 북한헌법과 1899년 대한국국제는 권력 강화를 목적으로 하는 헌법이므로 근대입헌주의헌법으로 볼 수는 없다.

④ [O]

<진정한 입헌주의헌법과 외견적 입헌주의헌법 비교>

구분	진정한 입헌주의헌법	외견적 입헌주의헌법
누가 주도했나	시민	군주
목적	자유와 권리 보장	군주의 권력유지
기본권 본질	자연법적 권리	실정법적 권리 (법률안의 자유)
권력분립	○	군주가 입법권·사법권 최종권한 보유
사상	자유주의	국가우월주의

02 정답 ①

❶ [X] 일반법률의 개정절차에 비하여 엄격한 개정절차를 요구하는 헌법을 경성헌법이라고 하는데, 여기서 '엄격한 개정절차'라 함은 필수적 국민투표절차 요구·가중된 국회 의결정족수·공고절차 등이 모두 포함된다. 따라서 경성헌법이라고 하여 반드시 국민투표를 거쳐야 하는 것은 아니다. 예컨대, 우리 헌법은 건국헌법부터 가중된 의결정족수에 의해 헌법을 개정하도록 하여 경성헌법주의를 취하고 있었으나, 제5차 개정헌법에 와서야 비로소 헌법개정절차에서 국민투표를 필수적으로 거치도록 하였다.

② [O] 정당은 19세기에서는 법적으로 적대시되었고, 제2차 세계대전 이후 독일 헌법에 반영되었다. 따라서 현대사회국가헌법의 특징이다. 또한 위헌법률심판은 실질적 법치주의를 실현하는 가장 중요한 제도로서 현대사회국가헌법의 특징이다.

③ [O] 재산권의 절대적 보장, 기관중심의 권력통제는 근대입헌주의헌법의 특징이나, 기능중심의 권력통제는 현대사회국가헌법의 특징이다.

④ [O] 프랑스 인권선언에 나오는 문구이다. 프랑스 인권선언은 프랑스혁명에서 시민의 자유와 권리 보장(목적)을 위한 권력분립(수단)을 강조하였다. 자유와 권리, 권력분립을 필수적 요소로 하는 헌법은 근대입헌주의헌법이다.

03 정답 ④

① [X] 성문헌법은 대부분 경성헌법이지만 성문헌법이면서도 연성헌법인 1848년 이탈리아 샤르디니아왕국헌법이 있으므로 성문헌법이 개념필수적으로 경성헌법이라고 할 수는 없다.

② [X] 형식적 의미의 헌법은 헌법전을 의미한다. 법규정의 내용에 따라 정의한 개념은 실질적 의미의 헌법에 해당한다.

③ [X] 형식적 의미의 헌법은 헌법전의 형식으로 존재하는 법규범을 말하므로 형식과 관련이 있다. 법형식에 구애됨이 없이 통치관계에 관한 기본적인 법규범 전부를 지칭하는 것은 실질적 의미의 헌법이다.

❹ [O] 형식적 의미의 헌법은 헌법전을 의미하고, 헌법전에 규정된 조항은 내용적으로는 실질적 헌법인 것과는 무관하게 헌법개정의 대상이 될 수 있다.

04 정답 ②

ㄱ. [X] 정당은 제2차 세계대전 이후 본격적으로 헌법에 도입되어었다.

ㄴ. [O] 1776년 미국의 버지니아권리장전에서 출발했다.

ㄷ. [O] 영국에서 출발해서 1791년 헌법에 도입되었다.

ㄹ. [X] 재산권은 근대입헌주의헌법부터 규정되었으니 공공복리 적합성의무는 재산권의 상대적 보장으로서 현대에 도입되었다.

ㅁ. [X] 인간다운 생활을 할 권리는 1919년 바이마르헌법에서 도입되었다.

ㅂ. [X] 환경권은 제2차 세계대전 이후 본격적으로 헌법에 도입되었다.

ㅅ. [X] 위헌법률심판은 1803년 미국에서 판례로 인정되기 시작했는데 실질적 법치주의가 확립된 제2차 세계대전 이후 본격적으로 헌법에 도입되었다.

ㅇ. [X] 사회적 시장경제질서는 현대사회국가헌법의 특징이다.

05 정답 ③

① [O]

<불문헌법>

불문헌법국가	영국, 뉴질랜드, 캐나다, 이스라엘
불문헌법에서 인정되는 것	헌법의 국가창설적 기능, 헌법변천, 헌법해석, 헌법보호
불문헌법에서 인정되지 않는 것	헌법개정, 위헌법률심판

② [O] ❸ [X] 헌법재판소는 「신행정수도의 건설을 위한 특별조치법」 위헌확인(2004.10.21, 2004헌마554)'사건에서 우리 헌법상 관습헌법인 인정될 수 있는지에 관하여 적극적인 입장이다. 다만 관습헌법의 효력과 관련하여 헌법재판소는 관습헌법은 "성문헌법과 마찬가지로 주권자인 국민의 헌법적 결단의 의사표현이며 성문헌

법과 동등한 효력이 있다."라고 판시하고 있지만, 이러한 판시 내용이 관습헌법에 성문헌법을 개폐하는 효력까지 인정하는 것은 아니라고 할 것이다.

④ [O] 헌법재판소는 관습헌법도 헌법개정의 대상이 된다고 한다.

06 정답 ②

① [O] 헌법은 대립하는 정치세력 간 최소한의 타협의 산물이므로 미완성 개방성을 특징으로 한다. 헌법은 대립하는 정치세력 간에 최소한의 합의규범이므로 일반 법률과 달리 입법과정에 있어서 완결성을 추구하지 아니한다.

❷ [X] 행정법은 행정의 실효성 확보를 위한 개별법을 규정하고 있다. 예를 들면 「행정대집행법」, 「국세징수법」을 통해서 그 실효성을 확보하고 있다. 그러나 헌법은 스스로를 보장하기 위해서 헌법재판제도를 규정하고 있으나, 그 실효성을 확보하기 위한 구체적 직접적 강제집행수단을 두고 있지는 않다.

③ [O] 일반적 법률유보는 헌법의 최고규범성을 약화시킬 수 있다. 오히려 기본권 보장을 위해서는 개별적 법률유보가 바람직하다.

④ [O] 헌법은 개방성을 특징으로 하지만, 헌법의 기본원리·국가의 권력구조·문제들을 결정할 절차 등은 구속력 있게 확정되어 있어야 한다.

07 정답 ③

ㄱ. [O] 헌법을 다른 헌법규범과 상호 모순되지 않게 해석해야 헌법의 통일성이 확보된다. 상호 모순되지 않게 해석하려면 헌법조항이 모두 잘 실현될 수 있도록 헌법을 해석해야 조화를 이룰 수 있다. 따라서 헌법의 통일성의 원리에서 실제적 조화의 원리가 도출된다.

ㄴ. [O] 혐연권은 흡연권과 마찬가지로 헌법 제17조, 헌법 제10조에서 그 헌법적 근거를 찾을 수 있다. 나아가 흡연이 흡연자는 물론 간접흡연에 노출되는 비흡연자들의 건강과 생명도 위협한다는 면에서 혐연권은 헌법이 보장하는 건강권과 생명권에 기하여서도 인정된다. 흡연자가 비흡연자에게 아무런 영향을 미치지 않는 방법으로 흡연을 하는 경우에는 기본권의 충돌이 일어나지 않는다. 그러나 흡연자와 비흡연자가 함께 생활하는 공간에서의 흡연행위는 필연적으로 흡연자의 기본권과 비흡연자의 기본권이 충돌하는 상황이 초래된다. 그런데 흡연권은 위와 같이 사생활의 자유를 실질적 핵으로 하는 것이고 혐연권은 사생활의 자유뿐만 아니라 생명권에까지 연결되는 것이므로 혐연권이 흡연권보다 상위의 기본권이라 할 수 있다. 이처럼 상하의 위계질서가 있는 기본권끼리 충돌하는 경우에는 상위기본권우선의 원칙에 따라 하위기본권이 제한될 수 있으므로, 결국 흡연권은 혐연권을 침해하지 않는 한에서 인정되어야 한다(2004.8.26, 2003헌마457).
➡ 상위기본권우선의 원칙을 인정했으므로 헌법규범 간 우열을 인정하고 있다.

ㄷ. [X] 헌법개정의 한계에 관한 규정을 두지 아니하고 헌법의 개정을 법률의 개정과는 달리 국민투표에 의하여 이를 확정하도록 규정하고 있는(헌법 제130조 제2항) 현행의 우리 헌법상으로는 과연 어떤 규정이 헌법핵 내지는 헌법제정규범으로서 상위규범이고 어떤 규정이 단순한 헌법개정규범으로서 하위규범인지를 구별하는 것이 가능하지 아니 하며, 달리 헌법의 각 개별규정 사이에 그 효력상의 차이를 인정하여야 할 아무런 근거도 찾을 수 없다. 헌법제정권과 헌법개정권의 구별론이나 헌법개정한계론은 그 자체로서의 이론적 타당성 여부와 상관없이 우리 헌법재판소가 헌법의 개별규정에 대하여 위헌심사를 할 수 있다는 논거로 원용될 수 있는 것이 아니며, 나아가 헌법은 그 전체로서 주권자인 국민의 결단 내지 국민적 합의의 결과라고 보아야 할 것으로, 헌법의 개별규정을 「헌법재판소법」 제68조 제1항 소정의 공권력 행사의 결과라고 볼 수도 없다(1996.6.13, 94헌바20).

ㄹ. [O] 헌법은 전문과 단순한 개별조항의 상호관련성이 없는 집합에 지나지 않는 것이 아니고 하나의 통일된 가치체계를 이루고 있으며 헌법의 제 규정 가운데는 헌법의 근본가치를 보다 추상적으로 선언한 것도 있고 이를 보다 구체적으로 표현한 것도 있으므로, 이념적·논리적으로는 헌법규범 상호 간의 가치의 우열을 인정할 수 있을 것이다. 그러나 이 때 인정되는 헌법규범 상호 간의 우열은 추상적 가치규범의 구체화에 따른 것으로서 헌법의 통일적 해석을 위하여 유용한 정도를 넘어 헌법의 어느 특정 규정이 다른 규정의 효력을 전면 부인할 수 있는 정도의 효력상의 차등을 의미하는 것이라고는 볼 수 없다(1996.6.13, 94헌바20).

ㅁ. [X] 헌법은 전문과 단순한 개별조항의 상호관련성이 없는 집합에 지나지 아니하는 것이 아니고 하나의 통일된 가치체계를 이루고 있으며 헌법의 제 규정 가운데는 헌법의 근본가치를 보다 추상적으로 선언한 것도 있고 이를 보다 구체적으로 표현한 것도 있으므로, 이념적·논리적으로는 헌법규범 상호 간의 가치의 우열을 인정할 수 있을 것이다. 그러나 이 때 인정되는 헌법규범 상호 간의 우열은 추상적 가치규범의 구체화에 따른 것으로서 헌법의 통일적 해석을 위하여 유용한 정도를 넘어 헌법의 어느 특정 규정이 다른 규정의 효력을 전면 부인할 수 있는 정도의 효력상의 차등을 의미하는 것이라고는 볼 수 없다(1996.6.13, 94헌마118 등).

08 정답 ②

ㄱ. [O] 헌법을 해석하는 기관은 자기에게 배정된 기능의 테두리 내에 머물러야 하고 해석의 방법이나 결론에 의하여 기능의 분배를 변경시켜서는 아니 된다.

ㄴ. [X] 헌법의 사실적 특징으로서 이념성과 정치성을 들 수 있는데, 헌법해석에 있어서도 정치적·사회적 사실을 고려하여 해석하여야 한다.

ㄷ. [O] 헌법재판소가 행하는 구체적 규범통제의 심사기준은 원칙적으로 헌법재판을 할 당시에 규범적 효력을 가지는 현행헌법이다(2013.3.1, 2010헌바132 등).

ㄹ. [O] 헌법이 부여한 입법자의 형성의 자유를 헌법재판소가 헌법의 한계를 넘어 좁히는 것은 헌법에 위반되므로 허용될 수 없다.

ㅁ. [O] 우리는 헌법규정 사이의 우열관계, 헌법규정에 대한 위헌성판단을 인정하지 아니하고 있으므로, 그에 따라 헌법 제106조 법관의 신분보장규정은 헌법 제105조 제4항 법관정년제규정과 병렬적 관계에 있는 것으로 보아 조화롭게 해석하여야 할 것이다(2002.10.31, 2001헌마557).

ㅂ. [X] 헌법의 해석이란 헌법규범의 진정한 의미와 내용을 밝힘으로써 구체적인 헌법 문제를 해결하려는 헌법인식작용이다. 헌법해석은 헌법소송에서만 아니라 입법작용 등 헌법소송과 관련없는 영역에서도 인정된다.

09 정답 ①

❶ [O] 우리나라 헌법재판소는 개정된 조문인 헌법 제29조 제2항도 위헌법률심판이나 헌법소원의 대상이 될 수 없다고 한다.

② [X] 헌법재판소 판례상 헌법조문은 위헌법률심판의 대상이 되지 않으므로 헌법조문의 효력정지는 인정되지 않는다.

③ [X] 헌법개정의 한계에 관한 규정을 두지 아니하고 헌법의 개정을 법률의 개정과는 달리 국민투표에 의하여 이를 확정하도록 규정하고

있는(헌법 제130조 제2항) 현행의 우리 헌법상으로는 과연 어떤 규정이 헌법핵 내지는 헌법제정규범으로서 상위규범이고 어떤 규정이 단순한 헌법개정규범으로서 하위규범인지를 구별하는 것이 가능하지 아니하며, 달리 헌법의 각 개별규정 사이에 그 효력상의 차이를 인정하여야 할 아무런 근거도 찾을 수 없다. 헌법제정권과 헌법개정권의 구별론이나 헌법개정한계론은 그 자체로서의 이론적 타당성 여부와 상관없이 우리 헌법재판소가 헌법의 개별규정에 대하여 위헌심사를 할 수 있다는 논거로 원용될 수 있는 것이 아니며, 나아가 헌법은 그 전체로서 주권자인 국민의 결단 내지 국민적 합의의 결과라고 보아야 할 것으로, 헌법의 개별규정을 「헌법재판소법」 제68조 제1항 소정의 공권력 행사의 결과라고 볼 수도 없다(1996.6.13, 94헌바20).

④ [X] 헌법개정을 권고한 바 있으나 헌법불합치결정한 바도 없고 헌법개정을 명한 바도 없다.

10 정답 ①

ㄱ. [X] 일반적으로 어떤 법률에 대한 여러 갈래의 해석이 가능할 때에는 원칙적으로 헌법에 합치되는 해석, 즉 합헌해석을 하여야 한다.

ㄴ. [X] 합헌적 법률해석은 헌법해석을 수반하지만 헌법의 해석지침이 아니라 법률을 헌법에 부합되도록 해석하는 법률해석기법을 말한다.

ㄷ. [X] 합헌적 법률해석은 법률해석의 지침이다.

ㄹ. [X]

<합헌적 법률해석과 규범통제>

구분	합헌적 법률해석	규범통제
제도의 목적	법률의 효력을 지속시키려는 제도적 표현	헌법의 효력을 지키려는 제도적 표현
헌법의 기능	해석규칙(해석기준)	저촉규칙(심사기준)
이론적 근거	헌법의 최고규범성	헌법의 최고규범성
헌법적 근거 필요성	헌법의 최고규범성에 의해 법이론적으로 인정됨.	헌법의 최고규범성 + 명시적인 법적 근거가 필요(헌법 제111조 제1항)

ㅁ. [X] 합헌적 법률해석은 헌법의 최고규범성에 따른 당연한 결과이므로 헌법에 명시적 규정이 있어야 하는 것은 아니다. 우리나라 헌법에서도 합헌적 법률해석을 인정하는 명문의 규정은 없다.

ㅂ. [X] 합헌적 법률해석은 위헌법률심사와 같은 규범통제과정에서뿐 아니라 법원이 법을 적용하는 과정에서도 발생한다. 따라서 합헌적 법률해석이 규범통제과정에만 이루어지는 것은 아니다.

11 정답 ②

ㄱ. [X] 합헌적 법률해석은 입법자 존중정신에 입각한 법률해석이론이므로 사법소극주의의 표현이다.

ㄴ. [O]

<합헌적 법률해석의 연혁>

- 미국 연방대법원은 1827년 Ogden v. Saunder사건에서 합헌성 추정의 원칙을 확립하여 합헌적 법률해석을 해왔다.
- 이러한 영향 아래 독일 헌법재판소도 합헌적 법률해석을 확립했다.
- 우리나라 헌법재판소와 대법원도 합헌적 법률해석을 재판에 원용하고 있다.

ㄷ. [X] 헌법재판소는 한정위헌결정과 한정합헌결정으로 합헌적 법률해석을 구체화하고 있다.

ㄹ. [O] 헌법재판소가 법률이 재판의 전제가 되는 요건을 갖추고 있는지의 여부를 심판함에 있어서 제청법원의 견해가 명백하게 불합리하여 유지될 수 없는 경우가 아닌 한 그것을 존중하는 이유는 사실관계의 인정, 그에 대한 일반법률의 해석·적용은 헌법재판소보다 당해 사건을 직접 재판하고 있는 제청법원이 보다 정확하게 할 수 있다는 고려뿐만 아니라 일반법률의 해석·적용과 그를 토대로 한 위헌 여부 심사의 기능을 나누어 전자는 법원이 후자는 헌법재판소가 각각 중심적으로 담당한다는 우리 헌법의 권력분립적 기능분담까지 고려한 것이다. 따라서 헌법재판소는 법원이 일반법률의 해석·적용을 충실히 수행한다는 것을 전제하고, 합헌적 법률해석의 요청에 의하여 위헌심사의 관점이 법률해석에 바로 투입되는 경우가 아닌 한 먼저 나서서 일반법률의 해석·적용을 확정하는 일을 가급적 삼가는 것이 바람직하다(2007.4.26, 2004헌가29 등).

ㅁ. [X] 법률이 합헌인 것과 위헌인 것으로 다양한 해석이 가능할 때 법률을 합헌적으로 해석하는 합헌적 법률해석은 헌법재판소뿐 아니라 법원도 재판과정에서 할 수 있다.

12 정답 ②

① [X] 국가 간의 신뢰보호를 위하여 국가 간에 체결된 조약에 대해서 합헌적으로 해석할 수 있다. 따라서 법률뿐 아니라 조약이나 일반적으로 승인된 국제법규도 합헌적 법률해석의 대상이 될 수 있다.

❷ [O] 입법부존중, 민주적 입법기능의 존중을 근거로 한다.

③ [X] 법령소관기관과 자치법규를 소관하는 지방자치단체의 장은 각각 소관 법령등을 헌법과 해당 법령등의 취지에 부합되게 해석·집행할 책임을 진다(「행정기본법」 제40조 제2항).

④ [X] 합헌적 법률해석은 헌법해석·적용에 있어서의 원칙이 아니고 법률해석원칙이다. 법률을 헌법의 취지에 따라 해석해야 한다는 원칙이다.

➡ 합헌적 법률해석의 이론적 근거로는 헌법재판소가 법률을 해석·적용함에 있어서 정당성은 헌법의 최고규범성과 법질서의 통일성, 권력분립의 정신에 바탕을 둔 입법권에 대한 존중(헌법이 허용하는 범위 내에서 입법자가 의도하는 바의 최대한이 가능하면 유지될 것을 요청한다), 법적 안정성의 유지, 국가 간의 신뢰보호 등을 들 수 있다.

13 정답 ④

ㄱ. [O] 법의 목적을 벗어나 법률을 해석한다면 입법행위를 하는 것이므로 입법권의 본질을 침해하게 된다.

ㄴ. [O] 문의적 한계는 합헌적 법률해석의 한계이다. 조약도 문의적 한계를 넘어서 해석해서는 안 된다.

ㄷ. [X] 합헌적 법률해석은 합헌성추정원칙을 근거로 하므로 합헌성추정이 인정되는 경제정책입법에서 주로 허용된다. 물론 정신적 자유규제입법에서도 허용될 순 있으나, 허용의 여지는 좁아진다고 봐야한다.

ㄹ. [O] 법률 또는 법률의 위 조항은 원칙적으로 가능한 범위 안에서 합헌적으로 해석함이 마땅하나 그 해석은 법의 문구와 목적에 따른 한계가 있다. 즉, 법률조항의 문구가 간직하고 있는 말의 뜻을 넘어서 말의 뜻이 완전히 다른 의미로 변질되지 아니하는 범위 내이어야 한다는 문의적 한계와 입법권자가 그 법률의 제정으로써 추구하고자 하는 입법자의 명백한 의지와 입법의 목적을 헛되게 하는

내용으로 해석할 수 없다는 법목적에 따른 한계가 바로 그것이다(1989.7.14, 88헌가5 등).

ㅁ. [O] 헌법수용적 한계는 합헌적 법률해석의 한계이다. 합헌적 법률해석은 헌법규범의 내용을 지나치게 확대해석하여 헌법규범이 가지는 정상적인 수용한도를 넘어서는 안 된다. 즉, 법률의 합헌해석을 빙자하여 헌법을 법률에 맞추어 왜곡하는 해석을 하여서는 안 된다는 것이다.

ㅂ. [X] 헌법수용적 한계를 넘어 헌법을 확대해석한 후 법률의 효력을 존속시키는 것은 헌법을 법률에 맞추어 해석하는 것으로서 허용되어서는 안 된다.

14 정답 ①

❶ [X] 복수면허 의료인들에게 단수면허 의료인과 같이 하나의 의료기관만을 개설할 수 있다고 한 이 사건 법률조항은 '다른 것을 같게' 대우하는 것으로 합리적인 이유를 찾기 어렵다(2007.12.27, 2004헌마1021). ➡ 헌법불합치결정

② [O] 필요적 보호감호제도하에서는 법관이 재범의 위험성이 없다고 판단해도 보호감호요건이 충족된 이상 보호감호를 부과해야 한다. 필요적 보호감호의 법문언상, 법관이 재범의 위험성이 있는 경우에 한해 보호감호를 부과할 수 있다고 해석해서 한정합헌결정을 하는 것은 문의적 한계를 벗어난 법률해석이다.

③ [O] 종업원 등이 저지른 행위의 결과에 대한 법인의 독자적인 책임에 관하여 전혀 규정하지 않은 채, 단순히 법인이 고용한 종업원 등이 업무에 관하여 범죄행위를 하였다는 이유만으로 법인에 대하여 형사처벌을 과하고 있는바, 「수질 및 수생태계 보전에 관한 법률」 제81조가 그 문언상 '법인의 종업원에 대한 선임감독상의 과실 기타 귀책사유'가 명시되어 있지 않더라도 그와 같은 귀책사유가 있는 경우에만 처벌하는 것으로 해석한다는 문의적 한계를 벗어난 법률해석이다.

④ [O] 「군인사법」 제48조 제4항 후단의 '무죄의 선고를 받은 때'의 의미와 관련하여, 형식상 무죄판결뿐 아니라 공소기각재판을 받았다 하더라도 그와 같은 공소기각의 사유가 없었더라면 무죄가 선고될 현저한 사유가 있는 이른바 내용상 무죄재판의 경우도 이에 포함된다고 확대해석함이 법률의 문의적 한계 내의 합헌적 법률해석에 부합한다(대판 2004.8.20, 2004다22377).

15 정답 ②

① [X] 합헌적 법률해석은 법률이 여러 가지 해석을 할 수 있을 때 합헌적으로 법률을 해석하는 것인데 헌법불합치결정은 여러 가지 법률해석이 가능할 때 한 가지 해석을 택하는 결정이 아니다. 법률이 헌법에 위반 될 때 효력 상실을 결정일이 아니라 미래 시점으로 늦추는 결정유형이다. 따라서 헌법불합치결정은 합헌적 법률해석으로 볼 수 없다.

❷ [O] 헌법재판소는 야간시위금지에 대해서는 한정위헌결정을 하였는데, 합헌적 법률해석을 구체적으로 적용한 것이다.

③ [X] 한정합헌결정이나 한정위헌결정은 헌법재판소의 위헌법률심판의 결정유형이지만, 이러한 결적형식들은 합헌적 법률해석의 유형이기도 하다.

④ [X] 법률이 일의적인 경우 합헌적 법률해석은 금지된다.

16 정답 ④

① [O] 「지방공무원법」 제29조의3은 "지방자치단체의 장은 다른 지방자치단체의 장의 동의를 얻어 그 소속 공무원을 전입할 수 있다."라고만 규정하고 있어, 이러한 전입에 있어 지방공무원 본인의 동의가 필요한지에 관하여 다툼의 여지없이 명백한 것은 아니나, 위 법률조항을, 해당 지방공무원의 동의 없이도 지방자치단체의 장 사이의 동의만으로 지방공무원에 대한 전출 및 전입명령이 가능하다고 풀이하는 것은 헌법적으로 용인되지 아니하며, 헌법 제7조에 규정된 공무원의 신분 보장 및 헌법 제15조에서 보장하는 직업선택의 자유의 의미와 효력에 비추어 볼 때 위 법률조항은 해당 지방공무원의 동의가 있을 것을 당연한 전제로 하여 그 공무원이 소속된 지방자치단체의 장의 동의를 얻어서만 그 공무원을 전입할 수 있음을 규정하고 있는 것으로 해석하는 것이 타당하고, 이렇게 본다면 인사교류를 통한 행정의 능률성이라는 입법목적도 적절히 달성할 수 있을 뿐만 아니라 지방공무원의 신분 보장이라는 헌법적 요청도 충족할 수 있게 된다. 따라서 위 법률조항은 헌법에 위반되지 아니한다(2002.11.28, 98헌바101 등).

② [O] 「공무원연금법」 제64조 제3항에 의한 급여의 제한사유인 범죄행위를 공무원으로 재직하던 중에 범한 죄로 한정하여 보는 한, 연금제도와 같은 사회보장 분야에 관한 입법에 있어 입법자가 광범위한 입법형성권을 갖는 점에 비추어 볼 때 이 사건 법률조항이 사유재산권을 보장한 헌법규정에 위반하여 퇴직급여청구권의 본질적인 내용을 침해하거나 입법형성권의 범위를 벗어나 과잉금지의 원칙에 반하는 자의적인 것이라고는 볼 수 없다. 그러나 이 사건 법률조항에 의한 급여 제한의 사유가 퇴직 후에 범한 죄에도 적용되는 것으로 보는 것은, 입법목적을 달성하기 위한 방법의 적정성을 결하고, 공무원이었던 사람에게 입법목적에 비추어 과도한 피해를 주어 법익균형성을 잃는 것으로서 과잉금지의 원칙에 위배하여 재산권의 본질적 내용을 침해하는 것으로 헌법에 위반된다 할 것이다.

➡ 판결주문: 「공무원연금법」 제64조 제3항은 퇴직 후의 사유를 적용하여 「공무원연금법」상의 급여를 제한하는 범위 내에서 헌법에 위반된다(2002.7.18, 2000헌바57).

③ [O] 위 ①의 사례에서는 합헌결정을 하였고, ②의 사례에서는 한정위헌결정을 하였다. 따라서 대법원이 법률을 합헌적으로 해석해 온 경우 한정위헌결정을 내리는 태도를 견지하고 있지 않다. 즉, 합헌적으로 해석한 경우 헌법재판소가 한정위헌결정을 항상 내리는 것은 아니다.

❹ [X] 헌법 제21조 제1항을 기초로 하여 심판대상조항을 보면, 미리 계획도 되었고 주최자도 있지만 「집회 및 시위에 관한 법률」이 요구하는 시간 내에 신고를 할 수 없는 옥외집회인 이른바 '긴급집회'의 경우에는 신고가능성이 존재하는 즉시 신고하여야 하는 것으로 해석된다. 따라서 신고가능한 즉시 신고한 긴급집회의 경우에까지 심판대상조항을 적용하여 처벌할 수는 없다. 따라서 심판대상조항이 과잉금지원칙에 위배하여 집회의 자유를 침해하지 아니한다(2014.1.28, 2011헌바174).

➡ 반대의견은 한정위헌을 주장했으나, 헌법재판소는 합헌결정하였다.

17 정답 ①

❶ [O] 형벌조항이나 조세법의 해석에 있어서는 헌법상의 죄형법정주의, 조세법률주의의 원칙상 엄격하게 법문을 해석하여야 하고 합리적인 이유 없이 확장해석하거나 유추해석할 수는 없는바, '유효한' 법률조항의 불명확한 의미를 논리적·체계적 해석을 통해 합리적으로 보충하는 데에서 더 나아가, 해석을 통하여 전혀 새로운 법률상

의 근거를 만들어 내거나, 기존에는 존재하였으나 실효되어 더 이상 존재한다고 볼 수 없는 법률조항을 여전히 '유효한' 것으로 해석한다면, 이는 법률해석의 한계를 벗어나 '법률의 부존재'로 말미암아 형벌의 부과나 과세의 근거가 될 수 없는 것을 법률해석을 통하여 창설해 내는 일종의 '입법행위'로서 헌법상의 권력분립원칙, 죄형법정주의, 조세법률주의의 원칙에 반한다.

② [X] 과세요건법정주의 및 과세요건명확주의를 포함하는 조세법률주의가 지배하는 조세법의 영역에서는 경과규정의 미비라는 명백한 입법의 공백을 방지하고 형평성의 왜곡을 시정하는 것은 원칙적으로 입법자의 권한이고 책임이지, 법률조항의 법문의 한계 안에서 법률을 해석·적용하여야 하는 법원이나 과세관청의 몫은 아니라 할 것이다.

③ [X] 헌법정신에 맞도록 법률의 내용을 해석·보충하거나 정정하는 '헌법합치적 법률해석' 역시 '유효한' 법률조항의 의미나 문구를 대상으로 하는 것이지, 이를 넘어 이미 실효된 법률조항을 대상으로 하여 헌법합치적인 법률해석을 할 수는 없는 것이어서, 유효하지 않은 법률조항을 유효한 것으로 해석하는 결과에 이르는 것은 '헌법합치적 법률해석'을 이유로도 정당화될 수 없다 할 것이다(2012.5.31, 2009헌바123).

④ [X] 전문개정법이 시행됨으로써 원칙적으로 실효되어 더 이상 존재하지 않게 되었음에도 불구하고, '입법자의 의사 추정', '법률의 공백 방지 및 형평상 이유'를 근거로 명문상 존재하지 않는 과세근거조항을 여전히 존재하는 것으로 해석하고 있으므로, 이는 과세근거를 새로이 창설하는 결과에 이르는 '입법행위'일 뿐만 아니라 헌법상의 조세법률주의의 원칙에도 위배되는 것이라 보지 않을 수 없다(2012.5.31, 2009헌바123).

> **대법원 판례** 법률이 전부 개정된 경우에는 기존 법률을 폐지하고 새로운 법률을 제정하는 것과 마찬가지여서 종전의 본칙은 물론 부칙규정도 모두 소멸하는 것이므로 특별한 사정이 없는 한 종전의 법률 부칙의 경과규정도 실효된다. 이 경우 종전의 법률 부칙의 경과규정이 실효되지 않는다고 볼 '특별한 사정'이 구체적으로 어떠한 경우를 의미하는지에 관해서 대법원은, 종전의 법률규정에 대한 경과규정을 두거나 종전의 규정을 계속 적용한다는 등의 특별한 명시적 규정을 둔 경우 정도로만 해석해 왔으나(대판 2002.7.26, 2001두11168 ; 대판 2004.6.24, 2002두10780 참조), 증권거래소에 상장할 것을 전제로 이 사건 부칙조항에 기한 자산재평가를 실시하였지만 구 「조세감면규제법」 또는 「조세특례제한법 시행령」상의 주식상장기한인 2003.12.31.이 지나도록 주식을 상장하지 않은 법인 및 위 기한 이전에 자산재평가를 취소한 법인에 대하여 과세관청이 이 사건 부칙조항에 근거하여 부과한 과세처분의 취소를 구하는 소송에서, '특별한 사정'을 인정할 수 있다고 해석하였다(대판 2008.11.27, 2006두19419 ; 대판 2008.12.11, 2006두17550 참조).

18 정답 ①

❶ [O] 쉬에스는 헌법제정권력의 주체를 국민으로 한정하였으나, 칼 슈미트는 국민, 신, 소수자, 군주, 등을 헌법제정권력의 주체라고 하였다.

② [X] 우리나라 제헌헌법은 쉬에스의 국민주권론의 영향을 받아 국민투표 없이 제헌의회에서 확정되었다.

③ [X] 헌법제정권력은 주권과 마찬가지로 위임할 수 없다. 주권의 위임을 인정하면 권한의 위임처럼 주권은 위임자의 권력이 아니라 수임자의 권력이 되므로 주권의 위임은 허용되지 않는다. 헌법제정권력의 위임도 마찬가지로 허용되지 않는다. 제헌의회가 헌법을 제정하는 것은 국민의 대행자 또는 대리자로서 헌법을 제정했다고 볼 수 있다.

④ [X] 헌법제정의 결과가 실정헌법이므로 실정법적 한계는 헌법제정의 한계로 볼 수 없다.

19 정답 ①

ㄱ. [O] 헌법개정은 헌법 제128조부터 제130조에 정한 절차에 따라야 하고, 따르지 않는 경우 헌법조항에 위반된다.

ㄴ. [X] 헌법개정이란 헌법의 규범력을 높이기 위해 헌법개정절차에 따라 헌법의 기본적 동일성을 유지하면서 의식적으로 헌법조항을 수정, 삭제, 추가하는 것을 뜻한다. 헌법의 기본적 동일성은 한계, 규범력을 높이기 위한 것은 헌법개정의 필요성이다.

ㄷ. [X] 헌법개정은 헌법변천이 끝나는 곳에서 시작된다. 따라서 헌법의 개정과 변천은 함수관계가 있고 헌법개정은 헌법변천의 제동적, 한계적 기능을 한다.

ㄹ. [X] 헌법변천은 헌법규범의 현실적응력을 높이기 위해 헌법현실을 헌법의 범주로 포섭하는 것이며 헌법변천이 인정되더라도 헌법조항의 효력은 유지된다. 따라서 헌법변천과 헌법개정은 모두 현실과 규범의 괴리를 줄이기 위한 것이다.

ㅁ. [X] 헌법개정은 의식적인 헌법변경행위라는 점에서 암묵적인 헌법변천과 구별된다는 견해가 있다

ㅂ. [O] 헌법개정은 헌법조문을 수정, 삭제, 추가하나, 헌법변천은 헌법조문의 변화 없이 헌법이 새로운 의미를 가지는 것을 뜻한다.

ㅅ. [O] 미국은 4분의 3 이상의 주의회 찬성이 있어야 헌법을 개정할 수 있기 때문에, 개정이 어려워 변천이 널리 인정된다.

20 정답 ②

① [X] 제6차 개정헌법에 따르면 헌법개정은 국회 재적의원 3분의 1 이상의 발의로 제안될 수 있다. 제7차 개헌에서 헌법개정은 대통령과 국회 재적의원 과반수가 제안할 수 있다.

❷ [O] 헌법개정안 국민발안은 제2차 개정헌법부터 제6차 개정헌법까지 규정되었다.

> **1969년 개정헌법 제119조** ① 헌법개정의 제안은 국회의 재적의원 3분의 1 이상 또는 국회의원 선거권자 50만 인 이상의 찬성으로써 한다.

③ [X] 제5차 개정헌법과 제6차 개정헌법에서 대통령의 발의권이 없었다.

④ [X]

> **1969년 개정헌법 제119조** ② 제안된 헌법개정안은 대통령이 30일 이상의 기간 이를 공고하여야 한다.

2회

진도별 모의고사

헌법의 개정 ~ 헌법 보호

정답

01	④	02	②	03	①	04	④
05	④	06	③	07	②	08	④
09	②	10	④	11	④	12	①
13	④	14	④	15	②	16	④
17	③	18	③	19	①	20	①

01

정답 ④

① [O] ② [O]

> **헌법 제128조** ① 헌법개정은 국회 재적의원 과반수 또는 대통령의 발의로 제안된다.
>
> **제130조** ① 국회는 헌법개정안이 공고된 날로부터 60일 이내에 의결하여야 하며, 국회의 의결은 재적의원 3분의 2 이상의 찬성을 얻어야 한다.
> ② 헌법개정안은 국회가 의결한 후 30일 이내에 국민투표에 붙여 국회의원 선거권자 과반수의 투표와 투표자 과반수의 찬성을 얻어야 한다.

③ [O] 국회의 의결과 국민투표를 모두 거쳐 개정된 헌법은 제6차 및 제9차 개정헌법이고, 여야합의로 개정된 것은 제3차와 제9차 개정헌법이다.

❹ [X]

> **헌법 부칙 제1조** 이 헌법은 1988년 2월 25일부터 시행한다. 다만, 이 헌법을 시행하기 위하여 필요한 법률의 제정·개정과 이 헌법에 의한 대통령 및 국회의원의 선거 기타 이 헌법 시행에 관한 준비는 이 헌법 시행 전에 할 수 있다.

02

정답 ②

① [O]

> **1980년 개정헌법 제45조** 대통령의 임기는 7년으로 하며, 중임할 수 없다.

❷ [X] 1980년 헌법에 처음으로 규정되었다.

> **1980년 개정헌법 제129조** ② 대통령의 임기 연장 또는 중임변경을 위한 헌법개정은 그 헌법개정 제안 당시의 대통령에 대하여는 효력이 없다.

③ [O] 헌법 제128조 제2항은 제안 당시 대통령에게는 개정된 임기연장이나 중임허용조항은 적용되지 않는다고 규정하고 있다.

④ [O] 대통령 중임금지조항을 개정할 수는 있으나, 제안 당시 대통령에게는 개정된 임기연장이나 중임허용조항은 적용되지 않는다.

03

정답 ①

❶ [O] 제안된 헌법개정안은 대통령이 20일 이상의 기간 이를 공고하여야 한다(헌법 제129조).

② [X]

> **헌법 제129조** 제안된 헌법개정안은 대통령이 20일 이상의 기간 이를 공고하여야 한다.
>
> **제130조** ① 국회는 헌법개정안이 공고된 날로부터 60일 이내에 의결하여야 하며, 국회의 의결은 재적의원 3분의 2 이상의 찬성을 얻어야 한다.

③ [X] 공고를 통해 국민에게 알린 바 있으므로 수정의결할 수 없다.

④ [X] 제1차 개정헌법은 공고절차를 밟지 않아 개정절차상 하자가 있었다.

04

정답 ④

① [O]

> **헌법 제130조** ② 헌법개정안은 국회가 의결한 후 30일 이내에 국민투표에 붙여 국회의원선거권자 과반수의 투표와 투표자 과반수의 찬성을 얻어야 한다.
>
> 「**국회법**」 **제112조 【표결방법】** ④ 헌법개정안은 기명투표로 표결한다.

② [O] 헌법 제72조의 중요정책 국민투표와 헌법 제130조의 헌법개정안 국민투표는 대의기관인 국회와 대통령의 의사결정에 대한 국민의 승인절차에 해당한다. 대의기관의 선출주체가 곧 대의기관의 의사결정에 대한 승인주체가 되는 것은 당연한 논리적 귀결이다. 재외선거인은 대의기관을 선출할 권리가 있는 국민으로서 대의기관의 의사결정에 대해 승인할 권리가 있으므로, 국민투표권자에는 재외선거인이 포함된다고 보아야 한다. 또한, 국민투표는 선거와 달리 국민이 직접 국가의 정치에 참여하는 절차이므로, 국민투표권은 대한민국 국민의 자격이 있는 사람에게 반드시 인정되어야 하는 권리이다. 이처럼 국민의 본질적 지위에서 도출되는 국민투표권을 추상적 위험 내지 선거기술상의 사유로 배제하는 것은 헌법이 부여한 참정권을 사실상 박탈한 것과 다름없다. 따라서 「국민투표법」 조항은 재외선거인의 국민투표권을 침해한다(2014.7.24, 2009헌마256 등).

③ [O] 국회의결은 재적 3분의 2 이상이므로 재적의원이 300인인 경우 100명이 반대하더라도 200인 찬성으로 헌법을 개정할 수 있다.

> 「**공직선거법**」 **제21조 【국회의 의원 정수】** ① 국회의 의원 정수는 지역구국회의원과 비례대표국회의원을 합하여 300명으로 한다.

❹ [X] 헌법상 필요적 국민투표에 관해서는 의결정족수규정이 있으나 임의적 국민투표에 관해서는 의결정족수규정이 없어 필요적 국민투표에 관련된 의결정족수규정이 임의적 국민투표에 적용될 수 있다는 견해가 제기된다.

> **헌법 제72조** 대통령은 필요하다고 인정할 때에는 외교·국방·통일 기타 국가안위에 관한 중요정책을 국민투표에 붙일 수 있다.
>
> **제130조** ② 헌법개정안은 국회가 의결한 후 30일 이내에 국민투표에 붙여 국회의원 선거권자 과반수의 투표와 투표자 과반수의 찬성을 얻어야 한다.

05 정답 ④

① [X] 헌법개정 발의정족수인 재적 과반수는 소수당의 헌법개정안 발의를 저지할 수 있으므로 소수자 보호에 바람직하지 않다. 그러나 의결정족수 재적 3분의 2는 소수정당이 헌법개정안을 반대하면 개정안이 의결될 수 없으므로 소수자 보호를 위한 제도이다.

② [X]

> **1972년 개정헌법 제124조** ① 헌법의 개정은 대통령 또는 국회 재적의원 과반수의 발의로 제안된다.
> ② 대통령이 제안한 헌법개정안은 국민투표로 확정되며, 국회의원이 제안한 헌법개정안은 국회의 의결을 거쳐 통일주체국민회의의 의결로 확정된다.

③ [X]

<제7차 개정헌법의 개정절차 이원화>

> • 대통령 제안 ➡ 국민투표로 헌법개정안 확정
> • 국회의원 제안 ➡ 국회의결 ➡ 통일주체국민회의에서 확정

❹ [O] 제5차 헌법개정시 국민투표를 거쳤는데, 이는 제4차 개정헌법(제2공화국 헌법)에 근거한 것이 아니라 구 「국가재건비상조치법」에 근거한 것이었다.

06 정답 ③

① [X] 제헌헌법부터 제4차 개정헌법까지는 국민투표를 거치지 않고 확정되었고, 제5차 개정헌법이 처음으로 국민투표를 거쳐 개정된 헌법이다.

② [X] 국민발안도 직접민주적 요소이므로 국민발안을 규정한 제2차 개정헌법에서 직접민주적 요소가 처음 도입되었다.

❸ [O] 헌법개정에서 국민투표는 필수적 절차이며, 국회의결로 국민투표 생략할 수 없다.

④ [X] 제5차 헌법개정시 국민투표를 거쳤는데, 이는 제4차 개정헌법(제2공화국헌법)에 근거한 것이 아니라 구 「국가재건비상조치법」에 근거한 것이었다.

07 정답 ②

① [O] 성문헌법의 개정은 헌법의 조문이나 문구의 명시적이고 직접적인 변경을 내용으로 하는 헌법개정안의 제출에 의하여야 하고, 하위 규범인 법률의 형식으로, 일반적인 입법절차에 의하여 개정될 수는 없다. 한미무역협정의 경우, 국회의 동의를 필요로 하는 조약의 하나로서 법률적 효력이 인정되므로, 그에 의하여 성문헌법이 개정될 수는 없으며, 따라서 한미무역협정으로 인하여 청구인의 헌법 제130조 제2항에 따른 헌법개정절차에서의 국민투표권이 침해될 가능성은 인정되지 아니한다(2013.11.28, 2012헌마166).

❷ [X] 대통령은 헌법개정안에 대해서는 거부권을 행사할 수 없다.

> **헌법 제130조** ③ 헌법개정안이 제2항의 찬성을 얻은 때에는 헌법개정은 확정되며, 대통령은 즉시 이를 공포하여야 한다.

③ [O]

> **헌법 제130조** ② 헌법개정안은 국회가 의결한 후 30일 이내에 국민투표에 붙여 국회의원선거권자 과반수의 투표와 투표자 과반수의 찬성을 얻어야 한다.
> ③ 헌법개정안이 제2항의 찬성을 얻은 때에는 헌법개정은 확정되며, 대통령은 즉시 이를 공포하여야 한다.

④ [O] 제72조의 국민투표로 헌법개정이 가능하다는 학설도 있으나, 헌법개정절차가 헌법에 규정되어 있고 소수자 보호와 의회민주주의 차원에서는 제72조의 국민투표로 헌법을 확정할 수 없으므로 이에 대해 부정적으로 보는 것이 다수설이다.

08 정답 ④

① [O] 헌법을 제·개정할 것인지 여부, 헌법을 개정한다면 어떠한 내용으로 할 것인지 여부의 제반 결정권은 제헌헌법 이래 현행헌법에 이르기까지 국민에게 있으며, 헌법을 개정하거나 폐지하고 다른 내용의 헌법을 모색하는 것은 주권자이자 헌법제·개정권력자인 국민이 보유하는 가장 기본적인 권리로서, 가장 강력하게 보호되어야 할 권리 중의 권리에 해당한다. 그러나 긴급조치 제1호는 민주주의의 본질적인 요소인 국민의 정치적 표현의 자유와 국민의 헌법개정절차에서 가지는 참정권적 기본권인 국민투표권 등의 권리, 청원권 등을 지나치게 제한하는 것이다(2013.3.21, 2010헌바132 등).

② [O] 헌법을 개정하거나 다른 내용의 헌법을 모색하는 것은 주권자인 국민이 보유하는 가장 기본적인 권리로서, 가장 강력하게 보호되어야 할 권리 중의 권리에 해당하고, 집권세력의 정책과 도덕성, 혹은 정당성에 대하여 정치적인 반대의사를 표시하는 것은 헌법이 보장하는 정치적 자유의 가장 핵심적인 부분이다. 정부에 대한 비판 일체를 원천적으로 배제하고 이를 처벌하는 긴급조치 제1호, 제2호는 대한민국 헌법의 근본원리인 국민주권주의와 자유민주적 기본질서에 부합하지 아니하므로 기본권 제한에 있어서 준수하여야 할 목적의 정당성과 방법의 적절성이 인정되지 않는다. 긴급조치 제1호, 제2호는 국민의 유신헌법 반대운동을 통제하고 정치적 표현의 자유를 과도하게 침해하는 내용이어서 국가긴급권이 갖는 내재적 한계를 일탈한 것으로서, 이 점에서도 목적의 정당성이나 방법의 적절성을 갖추지 못하였다(2013.3.21, 2010헌바132 등).

③ [O] 성문헌법의 개정은 헌법의 조문이나 문구의 명시적이고 직접적인 변경을 내용으로 하는 헌법개정안의 제출에 의하여야 하고, 하위 규범인 법률의 형식으로 일반적인 입법절차에 의하여 개정될 수는 없다. 한미무역협정의 경우, 국회의 동의를 필요로 하는 조약의 하나로서 법률적 효력이 인정되므로, 그에 의하여 성문헌법이 개정될 수는 없으며, 따라서 한미무역협정으로 인하여 청구인의 헌법 제130조 제2항에 따른 헌법개정절차에서의 국민투표권이 침해될 가능성은 인정되지 아니한다(2013.11.28, 2012헌마166).

❹ [X] 긴급조치 제1호 제5항에서는 긴급조치에 위반한 자와 긴급조치를 비방한 자를 15년 이하의 징역 및 자격정지에 처하도록 규정하고 있고, 또 전체 국민을 수범자로 하는 일반적 구속력을 가졌다는 점에서, 긴급조치 제1호는 형벌법규의 성격을 가진다고 보아야 한다. 따라서 긴급조치 제1호에도 형법의 일반원칙인 죄형법정주의가 적용되어야 한다. 그러나 긴급조치 제1호 제1항·제2항·제3항은 '헌

법을 부정·반대·왜곡 또는 비방하는 일체의 행위', '헌법의 개정 또는 폐지를 주장·발의·제안 또는 청원하는 일체의 행위', '유언비어를 날조·유포하는 일체의 행위'라고 규정하여 범죄의 구성요건이 추상적이고 모호할 뿐만 아니라, 그 적용범위가 너무 광범위하고 포괄적이어서 통상의 판단능력을 가진 국민이 무엇이 법률에 의하여 금지되는 행위인지를 예견하기 어렵다고 할 것이므로 죄형법정주의의 '명확성의 원칙'을 위반한 것이다(2013.3.21, 2010헌바132 등).

09 정답 ②

① [O] 헌법개정의 국민투표는 제5차 개정헌법에 처음으로 규정되었고 국민발안은 제2차 개정헌법, 제5차 개정헌법, 제6차 개정헌법에 규정되었다. 따라서 양자가 같이 규정된 헌법은 제5차, 제6차 개정헌법이었다.

❷ [X] 국민투표의 효력에 관하여 이의가 있는 투표인은 투표인 10만 인 이상의 찬성을 얻어 중앙선거관리위원회 위원장을 피고로 하여 투표일로부터 20일 이내에 대법원에 제소할 수 있다.

③ [O] 헌법 제1조 제2항은 "대한민국의 주권은 국민에게 있고, 모든 권력은 국민으로부터 나온다."라고 규정한다. 이와 같이 국민이 대한민국의 주권자이며, 국민은 최고의 헌법제정권력이기 때문에 성문헌법의 제·개정에 참여할 뿐만 아니라 헌법전에 포함되지 아니한 헌법사항을 필요에 따라 관습의 형태로 직접 형성할 수 있다. 그렇다면 관습헌법도 성문헌법과 마찬가지로 주권자인 국민의 헌법적 결단의 의사의 표현이며 성문헌법과 동등한 효력을 가진다고 보아야 한다. 국민주권주의는 성문이든 관습이든 실정법 전체의 정립에의 국민의 참여를 요구한다고 할 것이며, 국민에 의하여 정립된 관습헌법은 입법권자를 구속하며 헌법으로서의 효력을 가진다(2004.10.21, 2004헌마554 등).

④ [O] 헌법소원대상이 된다. 이 사건 법률이 정치적 문제를 포함한다고 하더라도 헌법상 기본권인 국민투표권 침해와 직접 관련되는 것이므로 헌법소원의 대상이 된다(2004.10.21, 2004헌마554 등).

10 정답 ④

ㄱ. [O] 우리나라는 성문헌법을 가진 나라로서 기본적으로 우리 헌법전(憲法典)이 헌법의 법원(法源)이 된다. 그러나 성문헌법이라고 하여도 그 속에 모든 헌법사항을 빠짐없이 완전히 규율하는 것은 불가능하고 또한 헌법은 국가의 기본법으로서 간결성과 함축성을 추구하기 때문에 형식적 헌법전에는 기재되지 아니한 사항이라도 이를 불문헌법 내지 관습헌법으로 인정할 소지가 있다. 특히 헌법제정 당시 자명하거나 전제된 사항 및 보편적 헌법원리와 같은 것은 반드시 명문의 규정을 두지 아니하는 경우도 있다. 그렇다고 해서 헌법사항에 관하여 형성되는 관행 내지 관례가 전부 관습헌법이 되는 것은 아니고 강제력이 있는 헌법규범으로서 인정되려면 엄격한 요건들이 충족되어야만 하며, 이러한 요건이 충족된 관습만이 관습헌법으로서 성문의 헌법과 동일한 법적 효력을 가진다(2004.10.21, 2004헌마554 등).

ㄴ. [O] 특히 헌법제정 당시 자명하거나 전제된 사항 및 보편적 헌법원리와 같은 것은 반드시 명문의 규정을 두지 아니하는 경우도 있다(2004.10.21, 2004헌마554 등).

ㄷ. [X] 그렇다고 해서 헌법사항에 관하여 형성되는 관행 내지 관례가 전부 관습헌법이 되는 것은 아니고 강제력이 있는 헌법규범으로서 인정되려면 엄격한 요건들이 충족되어야만 하며, 이러한 요건이 충족된 관습만이 관습헌법으로서 성문의 헌법과 동일한 법적 효력을 가진다(2004.10.21, 2004헌마554 등).

ㄹ. [X] 수도 서울의 관습헌법 여부: 관습헌법이 성립하기 위해서는 관습이 성립하는 사항이 헌법적으로 중요한 기본적 사항이어야 하고 어떤 사항이 헌법에 기본적 사항이냐의 여부는 일반적·추상적 기준으로 재단할 수 없고, 헌법적 원칙성과 중요성 및 헌법원리를 통하여 평가하는 구체적 판단에 의해서 확정되어야 한다. 수도 서울은 국민의 승인을 얻은 국가생활의 기본사항이므로 관습헌법이라 할 수 있다(2004.10.21, 2004헌마554 등).

ㅁ. [X] 관습헌법의 성립에 국민의 합의는 요건이나 국가의 승인은 요건이 아니다. 추상성이 아니라 구체성이다.

11 정답 ④

① [X] 관습헌법은 주권자인 국민에 의하여 유효한 헌법규범으로 인정되는 동안에만 존속하는 것이며, 관습법의 존속요건의 하나인 국민적 합의성이 소멸되면 관습헌법으로서의 법적 효력도 상실하게 된다. 관습헌법의 요건들은 그 성립의 요건일 뿐만 아니라 효력 유지의 요건이다(2004.10.21, 2004헌마554 등).

② [X] 관습헌법 변경은 헌법개정에 의해야 하고 헌법개정은 헌법 제130조의 국민투표로 확정된다. 따라서 관습헌법을 변경하는 「신행정수도의 건설을 위한 특별조치법」은 헌법 제130조의 국민투표권을 침해한다는 것이 헌법재판소의 법정의견이다. 다만, 김영일 재판관은 소수의견인 별개의견에서 제72조의 국민투표권을 침해한다는 주장을 하였다.

③ [X] 관습헌법은 성문헌법과 동일한 효력을 가지므로 헌법개정에 의해서만 개정될 수 있다. 그러나 관습헌법은 헌법개정뿐만 아니라 국민의 합의의 소멸로도 그 효력을 상실한다.

❹ [O] 헌법재판소는 관습헌법이 성문헌법과 동일한 효력을 가진다고 할 수 있어 관습헌법은 헌법개정으로 변경할 수 있다.

12 정답 ①

❶ [X] 입헌국가에서 수도 여부의 판단을 위해 당해 도시에 소재하여야 할 주요기관들과 기능에 대하여 다음과 같이 설명하였다. ⓐ 수도는 국민의 대의기관인 의회를 통한 입법기능이 수행되는 곳으로서 입법기관의 소재지라는 점은 수도의 중요한 요소의 하나이며, ⓑ 국가의 대표기능 내지 통합기능을 담당하는 국가원수인 대통령의 활동이 수행되는 장소는 국민정서상의 상징가치를 가지고 심리적으로 국가통합의 계기를 이루는 것으로 수도성 판단의 본질적인 중요성을 가진다. 나아가 ⓒ 수도는 정부(좁은 의미의 정부로서 행정부)기능을 수행하는 국가기관들의 활동 장소로서 이러한 정부의 기능은 그것이 행사되고 현실화되는 장소에 대하여 수도적인 것의 하나의 계기를 부여한다. 다만, 정부조직의 분산배치는 정책적 고려가 가능하다. 그 밖에 ⓓ 사법권이 행사되는 장소와 도시의 경제적 능력 등은 수도의 필수적인 요소에 해당하지 않는다(2005.11.24, 2005헌마579 등).

② [O] 행정중심복합도시에는 상당수 행정기관들이 국가행정의 중요한 부분을 담당하더라도 위 도시가 수도로서의 지위를 획득하는 것으로 볼 수 없다(2005.11.24, 2005헌마579 등).

③ [O] 대통령과 국무총리가 서울이라는 하나의 도시에 소재하고 있어야 한다는 관습헌법의 존재를 인정할 수 없다는 것이 헌법재판소 판례이므로 국무총리를 세종시로 이전하는 것은 법률로도 가능하다.

④ [O] 국무총리제도가 채택된 이후 대통령과 국무총리가 서울이라는 하나의 도시에 소재하는 것은 관습헌법에 해당하지 않는다(2005.11.24, 2005헌마579 등).

13 정답 ④

① [O] 우리나라는 제2차 개정헌법에 민주공화국, 국민주권, 국가안위에 관한 국민투표를 개정의 한계로 규정하였다가 제5차 개정헌법에서 삭제하였다.

② [O] 칼 슈미트는 헌법개정절차조항에 따라 헌법개정권력이 도출되므로 헌법개정을 통하여는 헌법개정절차조항을 개정할 수 없다고 한다. 따라서 헌법개정절차조항을 헌법핵으로 보고 있다.

③ [O] 국회와 대통령의 소재지는 수도를 결정하는 요소이므로 국회와 대통령의 이전은 수도이전이므로 헌법개정이 필요하다. 그러나 사법권이 행사되는 장소와 도시의 경제적 능력은 수도인지를 결정하는 요소에 해당하지 않으므로 헌법개정이 아닌 방식으로도 변경이 가능하다.

❹ [X] 경성헌법을 연성헌법으로 개정한다면 쉽게 헌법을 개정할 수 있어 헌법개정에 의한 헌법 침해가 발생할 수 있으므로 이는 허용되지 않는다.

14 정답 ④

ㄱ. [O] 국민이 직접 개정하였으므로 개정의 한계가 없다는 주장은 가능하다.

ㄴ. [O] 헌법제정권력과 헌법개정권력을 구별하는 견해는 결단주의 헌법관의 입장으로서 헌법개정의 한계를 긍정한다. 이에 따르면, 헌법제정권력과 개정권력은 구별되고 양자는 상하관계에 있으며 헌법제정권자의 근본적 결단으로서의 헌법을, 조직된 국가권력인 헌법개정권력이 개정할 수는 없다. 다만, 헌법제정권력의 근본적 결단에 근거하여 규범화된 헌법률은 개정될 수 있다. 따라서 헌법개정은 정확한 의미로는 헌법률의 개정이다.

ㄷ. [O] 모든 가치는 주관적이며 상대적이므로 현재의 규범이나 가치에 의해 장래의 세대를 구속하는 것은 부당하다는 가치상대주의는 한계부정설의 논거이다.

ㄹ. [X] 옐리네크는 완성된 사실과 사실의 규범적 효력을 근거로 헌법개정의 한계를 부인한다.

ㅁ. [O] 헌법조항 간 위계질서가 있으면 상위규범은 개정의 한계라고 할 수 있다.

ㅂ. [O] 맞는 지문이다.

ㅅ. [O] 칼슈미트는 헌법과 헌법률의 구별을 인정하고 헌법제정의 한계를 부정하며 헌법개정의 한계는 인정한다. 그러나 헌법과 헌법률의 구별을 부정하는 법실증주의는 헌법제정뿐 아니라 헌법개정의 한계도 인정하지 않는다.

ㅇ. [O] 헌법의 최고규범성을 관철하기 위하여 엄격한 헌법개정절차를 요구하는 경성헌법하에서는, 성문헌법의 규범력을 무시하고 약화시키는 헌법변천에 대해 부정적이다. 다만, 경성헌법하에서는, 헌법개정절차가 까다롭기 때문에 헌법변천이 발생할 여지가 크지만 이 경우에도 헌법변천은 제한적으로 인정될 수 있을 뿐 헌법의 해석과 헌법개정의 한계를 초월할 수는 없다.

ㅈ. [O] 법실증주의는 헌법전 중에 효력을 달리하는 두 종류의 규정이 존재한다고 하는 법적 근거를 발견할 수 없으므로 어느 것이나 최고법규로서 효력이 동일하며, 사실적 측면인 헌법변천을 용납할 수 없기 때문에 헌법규범과 현실 간의 괴리현상을 극복하기 위하여는 헌법개정을 무제한으로 허용할 수밖에 없다.

15 정답 ②

ㄱ. [O]

> **헌법 제67조** ④ 대통령으로 선거될 수 있는 자는 국회의원의 피선거권이 있고 선거일 현재 40세에 달하여야 한다.

ㄴ. [O]

> **헌법 제105조** ③ 대법원장과 대법관이 아닌 법관의 임기는 10년으로 하며, 법률이 정하는 바에 의하여 연임할 수 있다.

ㄷ. [X] 국회의원 피선거권 연령 18세는 헌법에는 규정이 없고 「공직선거법」에 규정이 있다.

ㄹ. [X] 선거권 연령 18세는 「공직선거법」에 규정되어 있고 헌법에 규정되어 있지 않다.

ㅁ. [X] 헌법재판소 재판관의 정년은 헌법에 규정되어 있지 않고 「헌법재판소법」에 규정되어 있다.

ㅂ. [X] 국내주소 5년 요건은 헌법에 규정이 없고 「공직선거법」에 규정되어 있다.

ㅅ. [X]

> **「지방자치법」 제95조 【지방자치단체의 장의 임기】** 지방자치단체의 장의 임기는 4년으로 하며, 3기 내에서만 계속 재임할 수 있다.

ㅇ. [X] 국회의장 임기는 헌법에 규정되어 있지 않고 「국회법」에 2년으로 규정되어 있다.

ㅈ. [O]

> **헌법 제41조** ② 국회의원의 수는 법률로 정하되, 200인 이상으로 한다.

ㅊ. [O]

> **헌법 제47조** ① 국회의 정기회는 법률이 정하는 바에 의하여 매년 1회 집회되며, 국회의 임시회는 대통령 또는 국회 재적의원 4분의 1 이상의 요구에 의하여 집회된다.

ㅋ. [O]

> **헌법 47조** ② 정기회의 회기는 100일을, 임시회의 회기는 30일을 초과할 수 없다.

ㅌ. [O]

> **헌법 제53조** ① 국회에서 의결된 법률안은 정부에 이송되어 15일 이내에 대통령이 공포한다.

ㅍ. [O]

> **헌법 제129조** 제안된 헌법개정안은 대통령이 20일 이상의 기간 이를 공고하여야 한다.

ㅎ. [O]

> **헌법 제94조** 행정각부의 장은 국무위원 중에서 국무총리의 제청으로 대통령이 임명한다.

16

정답 ④

ㄱ. [O]

> **헌법 제70조** 대통령의 임기는 5년으로 하며, 중임할 수 없다.

ㄴ. [O]

> **헌법 제105조** ① 대법원장의 임기는 6년으로 하며, 중임할 수 없다.

ㄷ. [X]

> **헌법 제105조** ② 대법관의 임기는 6년으로 하며, 법률이 정하는 바에 의하여 연임할 수 있다.

ㄹ. [X] ㅈ. [O]

> **헌법 제112조** ① 헌법재판소 재판관의 임기는 6년으로 하며, 법률이 정하는 바에 의하여 연임할 수 있다.

ㅁ. [O]

> **헌법 제98조** ② 원장은 국회의 동의를 얻어 대통령이 임명하고, 그 임기는 4년으로 하며, 1차에 한하여 중임할 수 있다.
> ③ 감사위원은 원장의 제청으로 대통령이 임명하고, 그 임기는 4년으로 하며, 1차에 한하여 중임할 수 있다.

ㅂ. [X] 중앙선거관리위원회 위원의 연임·중임 제한은 헌법에 규정되어 있지 않다.

ㅅ. [X]

> **「지방자치법」 제95조 【지방자치단체의 장의 임기】** 지방자치단체의 장의 임기는 4년으로 하며, 3기 내에서만 계속 재임할 수 있다.

ㅇ. [X]

> **헌법 제43조** 국회의원은 법률이 정하는 직을 겸할 수 없다.

ㅊ. [X] 선거권 연령은 헌법에 없고 「공직선거법」에 18세로 규정되어 있다.

ㅋ. [O]

> **헌법 제67조** ④ 대통령으로 선거될 수 있는 자는 국회의원의 피선거권이 있고 선거일 현재 40세에 달하여야 한다.

ㅌ. [X] 국회의원 피선거권 연령은 헌법에 없고 「공직선거법」에 규정되어 있다.

ㅍ. [O]

> **헌법 제68조** ② 대통령이 궐위된 때 또는 대통령 당선자가 사망하거나 판결 기타의 사유로 그 자격을 상실한 때에는 60일 이내에 후임자를 선거한다.

17

정답 ③

ㄱ. [O] 대법관의 수는 헌법에 규정되어 있지 않으므로 「법원조직법」 개정만으로 대법관의 수를 15인으로 할 수 있다.

ㄴ. [X]

> **헌법 제111조** ② 헌법재판소는 법관의 자격을 가진 9인의 재판관으로 구성하며, 재판관은 대통령이 임명한다.

ㄷ. [X] 헌법 제48조에는 국회부의장 2인을 규정하고 있다.

ㄹ. [O]

> **헌법 제98조** ① 감사원은 원장을 포함한 5인 이상 11인 이하의 감사위원으로 구성한다.

ㅁ. [X]

> **헌법 제88조** ② 국무회의는 대통령·국무총리와 15인 이상 30인 이하의 국무위원으로 구성한다.

ㅂ. [X]

> **헌법 제118조** ① 지방자치단체에 의회를 둔다.

ㅅ. [O]

> **헌법 제117조** ② 지방자치단체의 종류는 법률로 정한다.

ㅇ. [X]

> **헌법 제88조** ① 국무회의는 정부의 권한에 속하는 중요한 정책을 심의한다.

ㅈ. [X]

> **헌법 제101조** ② 법원은 최고법원인 대법원과 각급 법원으로 조직된다.

ㅊ. [O] 고등법원은 헌법상 법원이 아니므로 법률개정으로 폐지할 수 있다.

ㅋ. [O]

> **헌법 제90조** ① 국정의 중요한 사항에 관한 대통령의 자문에 응하기 위하여 국가원로로 구성되는 국가원로자문회의를 둘 수 있다.

ㅌ. [X]

> **헌법 제91조** ① 국가안전보장에 관련되는 대외정책·군사정책과 국내정책의 수립에 관하여 국무회의의 심의에 앞서 대통령의 자문에 응하기 위하여 국가안전보장회의를 둔다.

ㅍ. [X] ㅎ. [X]

> **헌법 제97조** 국가의 세입·세출의 결산, 국가 및 법률이 정한 단체의 회계검사와 행정기관 및 공무원의 직무에 관한 감찰을 하기 위하여 대통령 소속하에 감사원을 둔다.

a. [O] 국가정보원은 「정부조직법」과 「국가정보원법」상 대통령 소속으로 규정되어 있다.

b. [X]

> **헌법 제98조** ① 감사원은 원장을 포함한 5인 이상 11인 이하의 감사위원으로 구성한다.

c. [X]

> **헌법 64조** ② 국회는 의원의 자격을 심사하며, 의원을 징계할 수 있다.
> ③ 의원을 제명하려면 국회 재적의원 3분의 2 이상의 찬성이 있어야 한다.
> ④ 제2항과 제3항의 처분에 대하여는 법원에 제소할 수 없다.

d. [O] 대법원소재지는 수도와 무관하므로 「법원조직법」 개정으로 가능하다.

18 정답 ③

ㄱ. [X] 현행헌법하에서는 사후적·구체적 규범통제만 인정되고 있다.

> **헌법 제107조** ① 법률이 헌법에 위반되는 여부가 재판의 전제가 된 경우에는 법원은 헌법재판소에 제청하여 그 심판에 의하여 재판한다.

ㄴ. [X]

> **헌법 제113조** ① 헌법재판소에서 법률의 위헌결정, 탄핵의 결정, 정당해산의 결정 또는 헌법소원에 관한 인용결정을 할 때에는 재판관 6인 이상의 찬성이 있어야 한다.

➡ 헌법 제113조상 6인 이상의 찬성을 요하는 심판과는 다른 권한쟁의는, 해석상 6인으로 하면 안 된다는 의미도 된다. 따라서 헌법해석상 6인으로 하면 권한쟁의심판 인용결정의 정족수를 6인으로 하려면, 헌법개정이 필요하다.

ㄷ. [X]

> **헌법 제113조** ① 헌법재판소에서 법률의 위헌결정, 탄핵의 결정, 정당해산의 결정 또는 헌법소원에 관한 인용결정을 할 때에는 재판관 6인 이상의 찬성이 있어야 한다.

ㄹ. [O]

> **헌법 제111조** ① 헌법재판소는 다음 사항을 관장한다.
> 5. 법률이 정하는 헌법소원에 관한 심판
>
> **「헌법재판소법」 제68조 【청구사유】** ① 공권력의 행사 또는 불행사로 인하여 헌법상 보장된 기본권을 침해받은 자는 법원의 재판을 제외하고는 헌법재판소에 헌법소원심판을 청구할 수 있다. 다만, 다른 법률에 구제절차가 있는 경우에는 그 절차를 모두 거친 후에 청구할 수 있다.

ㅁ. [O]

> **「헌법재판소법」 제23조 【심판정족수】** ② 재판부는 종국심리에 관여한 재판관 과반수의 찬성으로 사건에 관한 결정을 한다. 다만, 다음 각 호의 어느 하나에 해당하는 경우에는 재판관 6명 이상의 찬성이 있어야 한다.
> 1. 법률의 위헌결정, 탄핵의 결정, 정당해산의 결정 또는 헌법소원에 관한 인용결정을 하는 경우
> ➡ 헌법 제113조 제1항에 규정된 것
> 2. 종전에 헌법재판소가 판시한 헌법 또는 법률의 해석 적용에 관한 의견을 변경하는 경우
> ➡ 헌법 제113조 제1항에 규정되지 않은 것
>
> **헌법 제113조** ① 헌법재판소에서 법률의 위헌결정, 탄핵의 결정, 정당해산의 결정 또는 헌법소원에 관한 인용결정을 할 때에는 재판관 6인 이상의 찬성이 있어야 한다.

ㅂ. [O] 위헌결정 된 법률의 효력 상실시점은 헌법이 아니라 「헌법재판소법」 제47조 제2항과 제3항에 규정되어 있다.

> **「헌법재판소법」 제47조 【위헌결정의 효력】** ② 위헌으로 결정된 법률 또는 법률의 조항은 그 결정이 있는 날부터 효력을 상실한다.

ㅅ. [X]

> **헌법 제111조** ④ 헌법재판소의 장은 국회의 동의를 얻어 재판관 중에서 대통령이 임명한다.

ㅇ. [O] 무자격결정 재적 3분의 2는 헌법에 없고, 「국회법」에 있다.

ㅈ. [X]

> **헌법 제49조** 국회는 헌법 또는 법률에 특별한 규정이 없는 한 재적의원 과반수의 출석과 출석의원 과반수의 찬성으로 의결한다. 가부동수인 때에는 부결된 것으로 본다.

19 정답 ①

❶ [X] 헌법개정의 한계는 헌법의 핵심적인 원리이거나 기본권이므로 헌법개정으로 할 수 없는 것은 헌법변천으로도 할 수 없다. 다만, 헌법변천은 헌법의 흠결을 보충하는 의미를 가져야 되므로 헌법에 위반되는 헌법해석을 헌법변천으로 인정하여서는 안 된다.

② [O] 제1차 개정헌법은 양원제를 규정하였음에도 상원선거가 없어서 단원제로 운영되었고, 군법회의는 제2차 개정헌법에서 처음으로 도입되었으나 제헌헌법하에서도 운영되었다. 이를 헌법변천의 사례로 볼 수 있다. 위헌법률심판은 헌법규정에 의해 채택되었으므로 헌법변천의 예로 보기 힘들다.

③ [O] 독일은 위헌법률심판을 헌법에 규정하였으나, 미국은 이에 대한 규정을 두지 않았고 1803년에 판례를 통하여 처음으로 위헌법률심판을 처음으로 채택하였다.

④ [O] 영국 같은 불문헌법국가에서 헌법변천을 통해서 새로운 헌법이 성립될 수 있다.

20 정답 ①

❶ [O] 법치주의의 특별한 보장자로서 국회와 헌법재판소가 역할을 분담하고 있는 탄핵제도는 '민주적 정당성이 부여되는 주기의 변형'의 결과를 감수하면서도 직무집행상 중대한 위헌·위법행위를 저지른 공직자에게 부여된 민주적 정당성을 박탈함으로써 헌법을 수호하는 '비상적 수단'의 성격을 가진다(2021.10.28, 2021헌나1).

② [X]

<평상시적 헌법수호제도>

사전예방적 헌법수호	사후교정적 헌법수호
• 합리적인 정당정치 구현 • 선거민에 의한 국정 통제 • 국민의 호헌의식 고양	• 위헌법률심사제 • 탄핵제도 • 위헌정당의 강제해산제

• 헌법의 최고법규성 선언 • 헌법준수의무 선언 • 국가권력분립 • 헌법개정의 곤란성 • 공무원의 정치적 중립성 • 방어적 민주주의 채택	• 의회해산제 • 공무원책임제 • 국회의 긴급명령 등에 대한 승인권 • 각료해임건의 및 의결제

③ [X]

<칼 슈미트와 켈젠의 수호자 논쟁(독일)>

칼 슈미트	• 헌법수호자는 국민에 의해 선출된 중립적인 권력인 대통령에게 있다고 하였다. • 의회는 정당의 각축장이 되어 헌법 보장의 역할을 하기 힘들다고 보았다.
켈젠	• 대통령, 의회를 헌법수호자로서 인정하면서도 특히 헌법재판소에 의한 헌법수호를 강조하였다. • 헌법재판소는 사후교정적인 헌법수호를 하므로 켈젠은 사후교정적 방법을 중시했다.

④ [X] 헌법개정방식으로 헌법이 침해될 우려가 있으므로 헌법을 경성화 시키는 것이 헌법 보호를 위해서 필요하다.

3회 진도별 모의고사

헌법 보호 ~ 헌정사

정답

01	②	02	③	03	②	04	②
05	③	06	③	07	④	08	②
09	④	10	④	11	④	12	①
13	②	14	①	15	③	16	③
17	①	18	④	19	③	20	①

01

정답 ②

① [O] 제7차 개정헌법은 긴급조치권을, 제8차 개정헌법은 비상조치권을 각각 규정하였다.

❷ [X] 비상시 헌법수호방법으로는 국가긴급권과 저항권이 있다. 우리 헌법 제76조와 제77조는 긴급재정경제처분 및 명령, 긴급명령, 계엄권을 국가긴급권으로 규정하고 있다. 국가긴급권은 대통령이 행사하므로 비상시 헌법수호자는 대통령이다. 헌법재판소의 헌법재판권은 평상시 헌법 보호수단이다.

③ [O] 형식적 의미의 헌법은 물론 실질적 의미의 헌법도 보호대상이지만 모든 헌법조항이 보호대상이 되는 것은 아니다.

④ [O] 위헌법률심사제는 평상시 헌법 보장제도이고, 저항권과 계엄선포권은 비상시적 헌법 보장제도이다.

02

정답 ③

① [O] 국가긴급권은 국가의 존립이나 헌법질서를 위태롭게 하는 비상사태가 발생한 경우에 국가를 보전하고 헌법질서를 유지하기 위한 헌법 보장의 한 수단이지만, 평상시의 헌법질서에 따른 권력 행사방법만으로는 대처할 수 없는 중대한 위기상황에 대비하여 헌법이 중대한 예외로서 인정한 비상수단이므로, 헌법이 정한 국가긴급권의 발동요건·사후통제 및 국가긴급권에 내재하는 본질적 한계는 엄격히 준수되어야 한다(2015.3.26, 2014헌가5).

② [O] 국가비상사태의 선포를 규정한 특별조치법 제2조는 헌법에 한정적으로 열거된 국가긴급권의 실체적 발동요건 중 어느 하나에도 해당되지 않은 것으로서 '초헌법적 국가긴급권'의 창설에 해당되나, 그 제정 당시의 국내외 상황이 이를 정당화할 수 있을 정도의 '극단적 위기상황'이라 볼 수 없다. 또한 국가비상사태의 해제를 규정한 특별조치법 제3조는 대통령의 판단에 의하여 국가비상사태가 소멸되었다고 인정될 경우에만 비상사태선포가 해제될 수 있음을 정하고 있을 뿐 국회에 의한 민주적 사후통제절차를 규정하고 있지 아니하며, 이에 따라 임시적·잠정적 성격을 지녀야 할 국가비상사태의 선포가 장기간 유지되었다. 그렇다면 국가비상사태의 선포 및 해제를 규정한 특별조치법 제2조 및 제3조는 헌법이 인정하지 아니하는 초헌법적 국가긴급권을 대통령에게 부여하는 법률로서 헌법이 요구하는 국가긴급권의 실체적 발동요건, 사후통제절차, 시간적 한계에 위반되어 위헌이다(2015.3.26, 2014헌가5).

❸ [X] '북한의 남침가능성의 증대'라는 추상적이고 주관적인 상황인식만으로는 긴급조치를 발령할 만한 국가적 위기상황이 존재한다고 보기 부족하고, 주권자이자 헌법개정권력자인 국민이 유신헌법의 문제점을 지적하고 그 개정을 주장하거나 청원하는 활동을 금지하고 처벌하는 긴급조치 제9호는 국민주권주의에 비추어 목적의 정당성을 인정할 수 없다. 다원화된 민주주의 사회에서는 표현의 자유를 보장하고 자유로운 토론을 통해 사회적 합의를 도출하는 것이야말로 국민총화를 공고히 하고 국론을 통일하는 진정한 수단이라는 점에서 긴급조치 제9호는 국민총화와 국론통일이라는 목적에 적합한 수단이라고 보기도 어렵다(2013.3.21, 2010헌바132 등).

④ [O] 헌법이 예정하고 있는 수단으로 제거될 수 없는 국가적 비상사태가 발생해야 하고, 목적은 국가의 존립과 안전의 신속한 회복이다. 따라서 적극적 목적, 공공복리, 새로운 사회질서 확립을 위해 국가긴급권을 행사해서는 안 된다.

03

정답 ②

① [O] 유신헌법에 근거한 긴급조치는 국회의 입법권 행사라는 실질을 전혀 가지지 못한 것으로서, 헌법재판소의 위헌심판대상이 되는 '법률'에 해당한다고 할 수 없고, 긴급조치의 위헌 여부에 대한 심사권은 최종적으로 대법원에 속한다(대판 전합체 2010.12.16, 2010도5986).

❷ [X] 유신헌법 제53조는 긴급조치의 효력에 관하여 명시적으로 규정하고 있지 않다. 그러나 긴급조치는 유신헌법 제53조에 근거한 것으로서 그에 정해진 요건과 한계를 준수해야 한다는 점에서 이를 헌법과 동일한 효력을 갖는 것으로 보기는 어렵다. 한편 이 사건 긴급조치들은 표현의 자유 등 기본권을 제한하고, 형벌로 처벌하는 규정을 두고 있으며, 영장주의나 법원의 권한에 대한 특별한 규정 등을 두고 있다. 유신헌법이 규정하고 있던 적법절차의 원칙(제10조 제1항), 영장주의(제10조 제3항), 죄형법정주의(제11조 제1항), 기본권 제한에 관한 법률유보원칙(제32조 제2항) 등을 배제하거나 제한하고, 표현의 자유 등 국민의 기본권을 직접적으로 제한하는 내용이 포함된 이 사건 긴급조치들의 효력을 법률보다 하위에 있는 것이라고 보기도 어렵다. 결국 이 사건 긴급조치들은 최소한 법률과 동일한 효력을 가지는 것으로 보아야 하고, 따라서 그 위헌 여부 심사권한도 헌법재판소에 전속한다(2013.3.21, 2010헌바132 등).

③ [O]

> **대법원 판례** 유신헌법 제53조 제4항이 사법심사를 배제할 것을 규정하고 있다고 하더라도 이는 사법심사권을 절차적으로 제한하는 것일 뿐 이러한 기본권 보장규정과 충돌되는 긴급조치의 합헌성 내지 정당성까지 담보한다고 할 수 없다. 따라서 이 사건 재심절차를 진행함에 있어, 모든 국민은 유신헌법에 따른 절차적 제한을 받음이 없이 법이 정한 절차에 의해서 긴급조치의 위헌성 유무를 따지는 것이 가능하므로, 이와 달리 유신헌법 제53조 제4항에 근거하여 이루어진 긴급조치에 대한 사법심사가 불가능하다는 취지의 위 대법원 판결 등은 더 이상 유지될 수 없다(대판 2010.12.16, 2010도5986).

> **헌법재판소 판례** 유신헌법 제53조 제4항은 "긴급조치는 사법적 심사의 대상이 되지 아니한다."라고 규정하고 있었다. 그러나 긴급조치의 위헌 여부는 원칙적으로 현행헌법을 기준으로 판단하여야 하는 점에 비추어 보면, 이 사건에서 유신헌법 제53조 제4항 규정의 적용은 배제되고, 모든 국민은 현행헌법에 따라 이 사건 긴급조치들의 위헌성을 다툴 수 있다고 보아야 한다(2013.3.21, 2010헌바132 등).

④ [O]

헌법재판소 판례 헌법재판소의 헌법 해석은 헌법이 내포하고 있는 특정한 가치를 탐색·확인하고 이를 규범적으로 관철하는 작업이므로, 헌법재판소가 행하는 구체적 규범통제의 심사기준은 원칙적으로 헌법재판을 할 당시에 규범적 효력을 가지는 헌법이라 할 것이다. 그러므로 이 사건 긴급조치들의 위헌성을 심사하는 준거규범은 유신헌법이 아니라 현행헌법이라고 봄이 타당하다(2013.3.21, 2010헌바70).

대법원 판례 긴급조치 제1호는 그 발동 요건을 갖추지 못한 채 목적상 한계를 벗어나 국민의 자유와 권리를 지나치게 제한함으로써 헌법상 보장된 국민의 기본권을 침해한 것이므로, 긴급조치 제1호가 해제 내지 실효되기 이전부터 유신헌법에 위배되어 위헌이고, 나아가 긴급조치 제1호에 의하여 침해된 위 각 기본권의 보장규정을 두고 있는 현행헌법에 비추어 보더라도 위헌이다(대판 전합체 2010.12.16, 2010도5986).

04 정답 ②

① [O] 1948년 이래 우리 헌법에는 저항권을 인정하는 명문규정이 없다. 다만, 헌법 전문의 4·19 민주이념 또는 헌법 제10조의 인간존엄성에서 저항권을 도출할 수 있다.

❷ [X] 저항권은 헌법 전문에서 도출하는 견해도 있고 헌법 제10조의 인간의 존엄과 가치에서 도출하는 견해도 있어 헌법 전문의 법적 효력을 부정한다고 해도 저항권을 부정해야 하는 것은 아니다.

③ [O] 4·19를 근거로 보는 견해는 있으나 4·19를 근거로 본 판례는 없다. 다만, 헌법재판소는 저항권을 인정하고는 있다. 저항권은 국가권력에 의하여 헌법의 기본원리에 대한 중대한 침해가 행하여지고 그 침해가 헌법의 존재 자체를 부인하는 것으로서 다른 합법적인 구제수단으로는 목적을 달성할 수 없을 때에 국민이 자기의 권리·자유를 지키기 위하여 실력으로 저항하는 권리이므로, 「국회법」 소정의 협의 없는 개의시간의 변경과 회의일시를 통지하지 아니한 입법과정의 하자는 저항권 행사의 대상이 되지 아니한다(1997.9.25, 97헌가4).

④ [O] 실정권설과 자연권설이 대립하고 있으나, 자연권설로 보는 것이 우리나라 다수설이다. 따라서 저항권을 자연법적 권리로 볼 때 헌법상에 저항권조항이 있다면 저항권조항은 창설적 의미가 아니라 확인적·선언적 의미를 가진다.

05 정답 ③

ㄱ. [X] 저항권이 비록 존재한다고 인정하더라도 그 저항권이 실정법에 근거를 두지 못하고 자연법에만 근거하고 있는 한, 법관은 이를 재판규범으로 원용할 수 없다(대판 1980.5.20, 80도306).

ㄴ. [X] 피고인들이 확성장치 사용, 연설회 개최, 불법행렬, 서명날인운동, 선거운동기간 전 집회 개최 등의 방법으로 특정 후보자에 대한 낙선운동을 함으로써 「공직선거 및 선거부정방지법」에 의한 선거운동 제한 규정을 위반한 피고인들의 같은 법 위반의 각 행위는 위법한 행위로서 허용될 수 없는 것이고, 피고인들의 위 각 행위가 시민불복종운동으로서 헌법상의 기본권 행사범위 내에 속하는 정당행위이거나 형법상 사회상규에 위반되지 아니하는 정당행위 또는 긴급피난의 요건을 갖춘 행위로 볼 수는 없다(대판 2004.04.27, 2002도315).

ㄷ. [X] 저항권은 인간의 존엄성의 유지와 민주주의적 헌법질서 유지를 위해서 행사될 수 있으나, 사회·경제적 개혁수단을 위해 행사될 수 없다.

ㄹ. [O] 논지가 주장하는 위법성조각사유는 실정법질서 내에서만 허용되는 것으로 여기서 일탈하는 행위는 위법성의 조각사유가 될 수 없으며 또 피고인들의 이에 해당하는 행위들이 「형법」 제20조의 어느 것에도 해당한다고 보여지지 아니하며 소위 '저항권'에 의한 행위이므로 위법성이 조각된다고 하는 주장은 그 '저항권' 자체의 개념이 막연할 뿐 아니라 논지에 있어서도 구체적인 설시가 없어 주장의 진의를 파악하기 어려우나 이 점에 관한 극일부 소수의 이론이 주장하는 개념을 살핀다면 그것은 실존하는 실정법적 질서를 무시한 초실정법적인 자연법질서 내에서의 권리주장이며 이러한 전제하에서의 권리로써 실존적 법질서를 무시한 행위를 정당화하려는 것으로 해석되는바, 실존하는 헌법적 질서를 전제로 한 실정법의 범주 내에서 국가의 법적 질서의 유지를 그 사명으로 하는 사법기능을 담당하는 재판권 행사에 대하여는 실존하는 헌법적 질서를 무시하고 초법규적인 권리개념으로써 현행실정법에 위배된 행위의 정당화를 주장하는 것은 그 자체만으로서도 이를 받아드릴 수 없다(대판 1975.4.8, 74도3323).

06 정답 ③

ㄱ. [X] 시민불복종은 양심상 부정의하다고 확신하는 법이나 정책을 개선할 목적으로 법을 위반하여 비폭력적인 방법으로 행하는 공적이고 정치적인 집단적 정치행위이다. 지문은 저항권에 대한 설명이다.

ㄴ. [X] 저항권은 헌법의 기본질서와 가치의 위협에 대해서만 행사될 수 있으나, 시민불복종은 개별 법령에 위반된 경우에도 행사될 수 있다.

ㄷ. [O] 저항권은 다른 구제수단이 없을 경우에만 보충적으로 행사되어야 하나, 시민불복종은 보충성의 제약이 없다.

ㄹ. [O] 저항권과 다르게 시민불복종은 폭력적인 수단은 허용되지 않는다.

ㅁ. [X] 저항권은 공권력의 행사자가 민주적 기본질서를 침해하거나 파괴하려는 경우 이를 회복하기 위하여 국민이 공권력에 대하여 폭력·비폭력, 적극적·소극적으로 저항할 수 있다는 국민의 권리이자 헌법수호제도를 의미한다. 하지만 저항권은 공권력의 행사에 대한 '실력적' 저항이어서 그 본질상 질서교란의 위험이 수반되므로, 저항권의 행사에는 개별헌법조항에 대한 단순한 위반이 아닌 민주적 기본질서라는 전체적 질서에 대한 중대한 침해가 있거나 이를 파괴하려는 시도가 있어야 하고, 이미 유효한 구제수단이 남아 있지 않아야 한다는 보충성의 요건이 적용된다. 또한 그 행사는 민주적 기본질서의 유지, 회복이라는 소극적인 목적에 그쳐야 하고 정치적, 사회적, 경제적 체제를 개혁하기 위한 수단으로 이용될 수 없다(2014.12.19, 2013헌다1).

07 정답 ④

① [O] ② [O] 저항권은 공권력의 행사자가 민주적 기본질서를 침해하거나 파괴하려는 경우 이를 회복하기 위하여 국민이 공권력에 대하여 폭력·비폭력, 적극적·소극적으로 저항할 수 있다는 국민의 권리이자 헌법수호제도를 의미한다. 하지만 저항권은 공권력의 행사에 대한 '실력적' 저항이어서 그 본질상 질서교란의 위험이 수반되므로, 저항권의 행사에는 개별헌법조항에 대한 단순한 위반이 아닌 민주적 기본질서라는 전체적 질서에 대한 중대한 침해가 있거나 이를 파괴하려는 시도가 있어야 하고, 이미 유효한 구제수단이 남아 있지 않아야 한다는 보충성의 요건이 적용된다. 또한 그 행사는 민주적 기본질서의 유지, 회복이라는 소극적인 목적에 그

쳐야 하고 정치적, 사회적, 경제적 체제를 개혁하기 위한 수단으로 이용될 수 없다(2014.12.19, 2013헌다1).

③ [O] 국민, 법인, 정당 그리고 예외적으로 외국인도 될 수 있으나, 국가기관과 지방자치단체는 될 수 없다. 저항권 행사의 주체는 모든 국민이고, 개개인으로서의 국민은 물론 단체나 정당 등도 포함된다. 하지만 국가기관이나 지방자치단체는 그 주체가 되지 못한다.

❹ [X] 통합진보당 해산사유: 이러한 요건에 따라 피청구인 주도세력의 주장을 살펴보면, 우선적으로 그들은 저항권에 '의한' 집권을 주장하고 있다. 그러나 앞서 본 바와 같이 저항권은 민주적 기본질서의 유지, 회복에 있는 것이지 집권이라는 적극적인 목적을 위해서는 사용될 수 없으므로, 이 부분은 저항권 행사가 폭력수단에 의한 집권을 의미하는 것은 아닌지 의심된다. 물론 이러한 주장을 헌법상 인정될 수 있는 이른바 저항권적 상황에서 저항권의 행사에 의하여 기존의 위헌적인 정권을 물러나게 함으로써 민주적 기본질서를 회복하고 그 이후에 민주적인 방법에 의한 집권을 하겠다는 취지로 해석할 여지가 없지는 않다. 그러나 저항권에 의한 집권을 선거에 의한 집권과 함께 지속적으로 주장하는 것은 민주적 기본질서에 대한 전반적인 침해 내지 파괴에 이르지 못하는 경우에도 저항권의 행사를 염두에 둔 것으로 보인다(2014.12.19, 2013헌다1).

08

정답 ②

① [O] 혁명은 목적이 적극적이고 저항권은 소극적이다.

❷ [X] 저항권은 민주적 기본질서의 유지, 회복에 있는 것이지 집권이라는 적극적인 목적을 위해서는 사용될 수 없으므로, 이 부분은 저항권 행사가 폭력수단에 의한 집권을 의미하는 것은 아닌지 의심된다. 물론 이러한 주장을 헌법상 인정될 수 있는 이른바 저항권적 상황에서 저항권의 행사에 의하여 기존의 위헌적인 정권을 물러나게 함으로써 민주적 기본질서를 회복하고 그 이후에 민주적인 방법에 의한 집권을 하겠다는 취지로 해석할 여지가 없지는 않다(2014.12.19, 2013헌다1).

③ [O] 헌법의 기본원리 침해시 저항권 행사가 가능하다고하여 저항권은 인정하였으나, 입법절차상의 하자는 저항권 행사의 대상이 되지 않는다.

> **관련 판례** 저항권은 국가권력에 의하여 헌법의 기본원리에 대한 중대한 침해가 행하여지고 그 침해가 헌법의 존재 자체를 부인하는 것으로서 다른 합법적인 구제수단으로는 목적을 달성할 수 없을 때에 국민이 자기의 권리·자유를 지키기 위하여 실력으로 저항하는 권리이므로, 국회법 소정의 협의 없는 개의시간의 변경과 회의일시를 통지하지 아니한 입법과정의 하자는 저항권 행사의 대상이 되지 아니한다(1997.9.25, 97헌가4).

④ [O] 따라서 소수의 특수집단을 중심으로 한 쿠데타는 국민적 정당성을 확보할 수 없다.

09

정답 ④

① [X] 통합진보당은 우리 헌정사상 최초로 헌법재판소에 의해 위헌정당해산절차로 해산되었다. 그러나 제1공화국의 진보당은 공보실장의 명령으로 해산되었다.

② [X] 우리나라에는 위헌정당해산제도만 도입되었다.

③ [X] 1949년 독일 기본법은 1948년 우리 건국헌법에는 영향을 미치지 않았고, 1960년 제3차 개정헌법부터 영향을 미치기 시작하였으나 기본권 실효제도는 도입되지 않았고, 위헌정당해산제도만 제3차 개정헌법에서 처음 도입되었다.

❹ [O] 계엄선포권은 제헌헌법부터 현행헌법까지 규정되어 왔다.

10

정답 ④

ㄱ. [O] 우리 헌법재판소는 「국가보안법」에 대한 위헌심판에서 '동법은 자유민주적 기본질서에 위해를 줄 명백한 위험성이 있는 경우에 적용하는 한 합헌'이라고 하여 방어적 민주주의를 인정하는 결정을 내린 바 있고(1990.4.2, 89헌가113), 대법원은 "북한이 아직도 우리의 자유민주적 기본질서에 대한 위협이 되고 있음이 분명한 상황에서 북한을 「국가보안법」상의 반국가단체가 아니라고 할 수 없다."라고 판시한 바 있다(대판 1992.8.18, 92도1244).
➡ 따라서 헌법재판소와 대법원은 방어적 민주주의를 인정하고 있다.

ㄴ. [X] 방어적 민주주의란 민주주의의 이름으로 민주주의를 파괴하거나 자유의 이름으로 자유를 파괴하는 민주주의의 적으로부터 민주주의를 방어해야 한다는 것을 말하는바, 이는 민주적 헌법질서의 전복을 기도하는 민주주의의 적은 관용할 수 없다는 철학에 기초하고 있다.

ㄷ. [X] 방어적 민주주의는 민주주의의 상대주의적 가치중립성에 대한 한계이론이다.

ㄹ. [X] 민주적 헌법질서의 전복을 기도하는 민주주의의 적은 관용할 수 없다는 철학에 기초하고 있다.

11

정답 ④

① [X] • 동일성 민주주의: 이념 전제(X), 국민의사 강조(O)
• 방어적 민주주의: 이념 전제(O)

② [X] 방어적 민주주의를 적극적으로 적용하면 표현의 자유와 정당의 자유를 침해할 가능성이 크므로 방어적 민주주의는 소극적·방어적으로 행사되어야 하지 적극적 또는 확대하여 적용해서는 안 된다. 방어적 민주주의를 위한 국가의 개입과 제한도 과잉금지의 원칙에 따라 필요 최소한으로 한정되어야 한다.

③ [X] 위헌정당해산제도와 민주적 기본질서는 특정한 이념을 전제로 하는 방어적 민주주의 실현과 관련이 있다.

❹ [O] 우리 헌법은 기본원칙 이외에 통일 실현의 구체적인 방안이나 과정, 통일 이후 대한민국의 정부형태·조직 등에 관하여 특정하고 있지 아니하므로 그에 관한 논의는 원칙적으로 표현의 자유, 학문의 자유 등 여러 기본권에 의하여 보장되고, 또한 국민의 정치적 의사형성에의 참여를 목적으로 하는 정당의 정당활동의 자유에 속한다. 즉, 통일의 구체적 방안이나 통일 이후의 정부 조직 형태 등은 그 내용이 확정된 것이 아니고, 특정한 방식의 통일정책이 민주적 기본질서에 포함되어 있다고 보기는 어렵다(2014.12.19, 2013헌다1).

12

정답 ①

❶ [X] 1954년 헌법은 국무총리제를 폐지하고, 부통령이 지위를 승계하도록 규정하였다.

② [O] 대통령과 부통령은 국회에서 간선으로 선출되었고 1차에 한하여 중임이 허용되었다.

③ [O] 제헌헌법은 대통령과 부통령을 4년 임기로 국회에서 선출(1차에 한하여 중임)하는 것 외에 의결기관으로서 국무원을 두었으며 대통령이 그 의장이었다.

④ [O]

1952년 개정헌법 제53조 대통령과 부통령은 국민의 보통, 평등, 직접, 비밀투표에 의하여 각각 선거한다.

제32조 양원은 국민의 보통, 평등, 직접, 비밀투표에 의하여 선거된 의원으로써 조직한다.

13

정답 ②

① [X] 제헌헌법은 국무회의를 의결기관으로 규정하였고 제5차 개정헌법은 국무회의를 심의기관으로 규정하였다.

❷ [O] 제5차, 제6차 개정헌법은 국회의원의 국무위원 겸직을 규정하였다.

③ [X] 제8차 개정헌법은 대통령을 대통령 선거인단에서 간접선거로 선출하도록 규정하였다.

④ [X] 국무총리제 폐지와 개별적 불신임제의 도입은 1954년 제2차 개정헌법의 내용이다.

➡ 1952년 헌법은 연대적 불신임, 1954년 헌법은 개별적 불신임

14

정답 ①

❶ [X] 국정감사권은 제헌헌법부터 규정되어 오다가 1972년 유신헌법 때 폐지되어 1987년 현행헌법에서 부활하였다. 국정조사권은 제헌헌법이 아니라 제8차 개정헌법에서 최초로 규정되었다.

② [O] 제헌헌법에서 국회는 단원제였고, 제1차 개정헌법부터 제4차 개정헌법까지 양원제였다.

③ [O] 1948년 제헌헌법은 대통령과 부통령을 4년 임기로 국회에서 선출하도록 하였고, 국회는 임기 4년의 단원제를 채택하였다.

④ [O] 1948년 5월 10일 제헌의회 선거가 있고 1948년 7월 17일 시행된 제헌헌법은 제헌의회 임기를 2년으로 하였다.

15

정답 ③

① [O] 제3차 개정헌법(1960년)은 법관의 자격을 가진 선거인단이 대법원장과 대법관을 선출했다. 건국헌법에서는 정당에 관한 규정은 없었으나 「국회법」에서 정당을 인정하였고, 1960년 헌법에서 처음으로 정당에 관한 명문규정을 두었다. 헌법재판제도는 1960년(제2공화국) 헌법에서 최초로 규정되었다.

② [O]

1960년 개정헌법 제78조 ① 대법원장과 대법관은 법관의 자격이 있는 자로써 조직되는 선거인단이 이를 선거하고 대통령이 확인한다.
② 제1항 이외의 법관은 대법관회의의 결의에 따라 대법원장이 임명한다.

❸ [X] 제5차 개정헌법은 '대법원장과 대법관은 법관추천회의의 제청에 의하여 대통령이 임명하고 일반법관은 대법원판사회의의 의결을 거쳐 대법원장이 임명'한다고 규정하였다.

④ [O] 제7차 개정헌법은 대통령이 모든 법관을 직접 임명했던 유일한 헌법이다. 법관을 징계로 파면할 수 있도록 하여 법원의 독립성을 약화시켰다.

16

정답 ③

① [O] 대통령 피선거권 연령은 1962년 개정 헌법에서 최초로 규정되었다.

1962년 개정헌법 제64조 ② 대통령으로 선거될 수 있는 자는 국회의원의 피선거권이 있고 선거일 현재 계속하여 5년 이상 국내에 거주하고 40세에 달하여야 한다. 이 경우에 공무로 외국에 파견된 기간은 국내 거주기간으로 본다.

1980년 개정헌법 제42조 대통령으로 선거될 수 있는 자는 국회의원의 피선거권이 있고, 선거일 현재 계속하여 5년 이상 국내에 거주하고 40세에 달하여야 한다. 이 경우에 공무로 외국에 파견된 기간은 국내 거주기간으로 본다.

1987년 개정헌법 제67조 ④ 대통령으로 선거될 수 있는 자는 국회의원의 피선거권이 있고 선거일 현재 40세에 달하여야 한다.

② [O]

1972년 개정헌법 제47조 대통령의 임기는 6년으로 한다.

제39조 ① 대통령은 통일주체국민회의에서 토론 없이 무기명투표로 선거한다.
② 통일주체국민회의에서 재적 대의원 과반수의 찬성을 얻은 자를 대통령당선자로 한다.

❸ [X]

1972년 개정헌법 제39조 ① 대통령은 통일주체국민회의에서 토론 없이 무기명투표로 선거한다.

제40조 ① 통일주체국민회의는 국회의원 정수의 3분의 1에 해당하는 수의 국회의원을 선거한다.

④ [O] 선거는 비밀선거원칙 때문에 무기명으로 한다.

17

정답 ①

❶ [X] 언론·출판에 대한 허가나 검열금지, 집회·결사에 대한 허가금지: 제3차-제7차(삭제)-제9차(재규정)

➡ 본질적 내용 침해금지: 제3차-제7차(삭제)-제8차(재규정)

② [O] 형사보상청구권은 최초가 제헌헌법이나 피의자 형사보상청구권은 제9차 개정헌법에서 처음 채택되었다.

③ [O] 건국헌법은 일반적 법률유보에 의한 기본권 제한을 규정하였고, 자유권에 개별적 법률유보를 규정하였으나, 제2공화국 헌법(1960년 헌법)에서는 자유권에 관한 개별적 법률유보조항을 삭제하였고 기본권의 본질적 내용의 침해금지조항을 신설하였다.

④ [O] • 적부심사청구권: 제헌-제7차(삭제)-제8차(재규정)
• 본질적 내용 침해금지원칙: 제3차-제7차(삭제)-제8차(재규정)

18

정답 ④

① [O]

1954년 개정헌법 제7조의2 ① 대한민국의 주권의 제약 또는 영토의 변경을 가져올 국가안위에 관한 중대사항은 국회의 가결을 거친 후

에 국민투표에 부하여 민의원 의원선거권자 3분지 2 이상의 투표와 유효투표 3분지 2 이상의 찬성을 얻어야 한다.
② 전항의 국민투표의 발의는 국회의 가결이 있은 후 1개월 이내에 민의원 의원선거권자 50만 인 이상의 찬성으로써 한다.
③ 국민투표에서 찬성을 얻지 못한 때에는 제1항의 국회의 가결사항은 소급하여 효력을 상실한다.

② [O] 국민발안은 제2차 개정헌법에서부터 제6차 개정헌법까지 규정한 바 있다.

③ [O] 제2차 개정헌법(1954년)은, 대한민국의 주권의 제약 또는 영토의 변경을 가져올 국가안위에 관한 중대사항은 국회의 가결을 거친 후에 국민투표에 부하여 민의원 의원선거권자 3분지 2 이상의 투표와 유효투표 3분지 2 이상의 찬성을 얻도록 하였으며(제7조의2), "헌법개정의 제안은 대통령, 민의원 또는 참의원의 재적의원 3분지 1 이상 또는 민의원 의원선거권자 50만 인 이상의 찬성으로써 한다."라고 규정(제98조 제1항)하여 헌법개정절차에서 국민발안제를 채택하였다. 또한 "제1조, 제2조와 제7조의2의 규정은 개폐할 수 없다."라고 하여 개정한계조항을 두었다(제98조 제6항).

❹ [X] 국민투표권을 최초로 규정한 것은 1954년 제2차 개정헌법이다.

19 정답 ③

① [O] 헌법개정에 국민투표가 최초로 도입된 것은 제3공화국 헌법이며, 따라서 국가재건최고회의가 심의·의결한 후 국민투표에 의해 확정하였으나, 제2공화국 헌법에 따른 것은 아니다.

② [O] 현행헌법은 적법절차조항, 체포·구속시 고지 및 가족에의 통지의무, 형사피해자의 재판절차진술권, 범죄피해자의 국가구조청구권, 최저임금제 실시, 쾌적한 주거생활권 등을 신설하였다.

❸ [X] 제2차부터 제4차 개정헌법까지는 민의원 선거권자 50만 명, 제5차와 제6차 개정헌법에서는 국회의원 선거권자 50만 명도 헌법개정의 발의권자였다.

➡ 제5차, 제6차 개정헌법은 대통령에게 헌법개정의 제안을 인정하지 않았다.

④ [O] 대한민국 임시정부의 법통계승은 현행헌법(1987년 헌법)에 최초로 명문화되었다.

20 정답 ①

❶ [X] 직업의 자유는 제5차 개정헌법(1962년)부터 규정되었다.

② [O] 제헌헌법은 사회적 시장경제질서를 수용하여 근로자의 이익분배균점권(제5차 개정시 삭제), 생활무능력자의 보호, 가족 보호 등 다양한 사회적 기본권을 규정하였다.

③ [O]

1980년 개정헌법 제32조 ② 국가는 사회보장·사회복지의 증진에 노력할 의무를 진다.

제124조 ② 국가는 중소기업의 사업활동을 보호·육성하여야 한다.

제125조 국가는 건전한 소비행위를 계도하고 생산품의 품질향상을 촉구하기 위한 소비자 보호운동을 법률이 정하는 바에 의하여 보장한다.

④ [O] 기본권에 대한 본질적 내용의 침해금지조항은 제3차 개정헌법에서 규정되었다가 제7차 개정헌법에서 폐지되었고, 1980년 제8차 개정헌법에서 다시 규정되었다.

4회 진도별 모의고사

주권론 ~ 국적

정답

01	④	02	①	03	③	04	③
05	④	06	②	07	④	08	④
09	②	10	④	11	②	12	②
13	①	14	①	15	②	16	①
17	③	18	③	19	①	20	③

01

정답 ④

① [O] 공화국과 군주제는 대립되는 국가형태이므로 군주제는 채택될 수 없다. 또한 헌법 제1조 제1항의 민주공화국은 헌법규정의 핵심이므로 개정할 수 없다고 보는 것이 일반적인 견해이다.

② [O] 지방국의 대표로 구성되는 상원이 있어 양원제와 관련성은 있으나 대통령제, 의원내각제와 같은 정부형태와 필연적인 관련성은 없다.

③ [O]

<연방국가와 국가연합의 비교>

구분	연방국가	국가연합
국가성	연방국가가 국가이고 지방국은 대외적으로 주권국가가 아님.	국가연합은 국가가 아니고 구성국이 국가임.
병력보유	연방정부 (예외 있음)	구성국
통치권	연방과 지방국이 분할	구성국만이 가짐.
통합형식	헌법에 의한 영구적 결합	조약에 의한 잠정적 결합
국제법의 주체와 국제법적 책임의 주체	연방정부	구성국

❹ [X] 지방자치단체는 사법권을 가지지 못한다. 다만, 지방자치단체는 자치입법권인 조례제정권을 가진다.

<단일국가와 연방국가와의 비교>

구분	단일국가	연방국가
통치권	중앙에 통치권을 집중시키는 집권주의	지방에 통치권을 분산시키는 분권주의
권력통제	지방자치단체와 중앙정부는 수직적 권력관계이므로 수직적 권력통제	수직적 권력통제 + 수평적 권력통제
사법권	지방자치단체는 사법권을 가지지 못함.	지방국은 사법권을 가짐.

02

정답 ①

❶ [O] 홉스는 권리는 양도할 수 있다고 보아 사회계약의 취소를 허용하지 않으나 로크는 권리는 불가양의 권리로 이해하여 사회계약의 취소를 허용한다.

② [X] 직접민주주의를 주장했던 루소는 국가기관은 국민의 명령에 따라 국가의사결정을 할 수 있다고 보아 국민의 대리기관으로써 국가를 이해한다. 따라서 국민과 국가기관 간의 대표관계를 부정한다.

③ [X] 국민주권은 자유위임을 원칙으로 하므로 국가기관이 국민 뜻에 반하더라도 통제할 수 없으므로 국민의 의사가 반영되기 힘든 반면, 실질적 국민주권에서는 국민의 뜻에 따라서 국가기관이 의사결정을 해야 하므로 국민의 뜻이 반영되기 쉽다. 따라서 반대표이론과 결합되기 쉽다. 반대표이론이란 국민과 국가기관이 의사결정에 공동으로 참여한다는 대표이론이다.

④ [X] 루소가 주창한 실질적 국민주권에서는 국민이 국가의 의사결정에 참여함을 전제로 하나, 아베 쉬에스가 주창한 형식적 국민주권은 국민이 의사결정에 참여하지 않고 시민의 대표 또는 의회가 전권을 가진다는 점에서 그 특징이 있다.

03

정답 ③

① [O] 국민주권에 따르면 제헌의회의 의결을 통해, 인민주권에 따르면 국민투표를 통해 헌법이 제정되어야 한다.

② [O] 루소의 인민주권 또는 실질적 국민주권론에 따르면 국민이 실질적으로 국가의사를 결정할 수 있어야 하나, 형식적 국민주권에 따르면 국민이 직접 국가를 결정할 수 있는 것은 아니고 대표자가 국가의사를 전적으로 담당한다.

❸ [X]

> **헌법 제60조** ① 국회는 상호원조 또는 안전보장에 관한 조약, 중요한 국제조직에 관한 조약, 우호통상항해조약, 주권의 제약에 관한 조약, 강화조약, 국가나 국민에게 중대한 재정적 부담을 지우는 조약 또는 입법사항에 관한 조약의 체결·비준에 대한 동의권을 가진다.

④ [O] 형식적 국민주권에서는 선거라는 절차를 거쳐 선임된 국민대표의 어떤 의사결정이 바로 전체 국민의 의사결정인 양 법적으로 의제된다. 따르면 국민 뜻에 반하는 의사를 결정하더라도 대표자를 파면하는 통제수단이 없다.

04

정답 ③

ㄱ. [O] 개인의 국적선택에 대하여는 나라마다 그들의 국내법에서 많은 제약을 두고 있는 것이 현실이므로, 국적은 아직도 자유롭게 선택할 수 있는 권리에는 이르지 못하였다고 할 것이다. 그러므로 '이중국적자의 국적선택권'이라는 개념은 별론으로 하더라도, 일반적으로 외국인인 개인이 특정한 국가의 국적을 선택할 권리가 자연권으로서 또는 우리 헌법상 당연히 인정된다고는 할 수 없다고 할 것이다 (2006.3.30, 2003헌마806).

ㄴ. [X] ㄷ. [O] 국적은 국가의 생성과 더불어 발생하고 국가의 소멸은 바로 국적의 상실사유가 된다. 국적은 성문의 법령을 통해서가 아니라 국가의 생성과 더불어 존재하는 것이다(2000.8.31, 97헌가12).

ㄹ. [O] 헌법 제2조(대한민국의 국민이 되는 요건은 법률로 정한다)에 따라 국적 부여기준이 입법자에게 위임되어 있다.

ㅁ. [X] 법무부장관은, 헌법 제2조에 의하여 입법자는 국민의 요건을 결정함에 있어서 광범한 재량권이 있으므로 출생지주의를 택할 것인지 혈통주의에 의할 것인지는 입법재량영역이고, 혈통주의를 택하는 경우에도 출생의 장소나 부모 쌍방이 대한민국 국민인지, 출생에 의하여 이중국적자가 될 것인지의 여부 또한 입법재량 문제라고 주장한다. 그러나 헌법의 위임에 따라 국민되는 요건을 법률로 정할 때에는 인간의 존엄과 가치, 평등원칙 등 헌법의 요청인 기본권 보장원칙을 준수하여야 하는 입법상의 제한을 받기 때문에, 국적에 관한 모든 규정은 정책의 당부 즉 입법자가 합리적인 재량의 범위를 벗어난 것인지 여부가 심사기준이 된다는 법무부장관의 주장은 받아들이지 아니한다(2000.8.31, 97헌가12).

ㅂ. [X] 청구인들과 같은 중국 동포들의 현재의 법적 지위는 일반적으로 중국 국적을 가진 외국인으로 보고 있고, 헌법 전문의 '대한민국 임시정부 법통의 계승' 또는 제2조 제2항의 '재외국민 보호의무' 규정이 중국 동포와 같이 특수한 국적상황에 처해 있는 자들의 이중국적 해소 또는 국적선택을 위한 특별법 제정의무를 명시적으로 위임한 것이라고 볼 수 없고, 뿐만 아니라 동 규정 및 그 밖의 헌법 규정으로부터 그와 같은 해석을 도출해 낼 수도 없다(2006.3.30, 2003헌마806).

ㅅ. [X] 헌법 제2조 제1항은 "대한민국의 국민이 되는 요건은 법률로 정한다."라고 하여 기본권의 주체인 국민에 관한 내용을 입법자가 형성하도록 하고 있다. 이는 대한민국 국적의 '취득'뿐만 아니라 국적의 유지, 상실을 둘러싼 전반적인 법률관계를 법률에 규정하도록 위임하고 있는 것으로 풀이할 수 있다(2014.6.26, 2011헌마502).

05 정답 ④

① [O]

> 「국적법」 **제2조 【출생에 의한 국적취득】** ① 다음 각 호의 어느 하나에 해당하는 자는 출생과 동시에 대한민국의 국적을 취득한다.
> 1. 출생한 당시에 부 또는 모가 대한민국의 국민인 자
> 2. 생하기 전에 부가 사망한 경우에는 그 사망 당시에 부가 대한민국의 국민이었던 자
> 3. 부모가 모두 분명하지 아니한 경우나 국적이 없는 경우에는 대한민국에서 출생한 자

➡ 속인주의

② [O]

> 「국적법」 **제2조 【출생에 의한 국적취득】** ① 다음 각 호의 어느 하나에 해당하는 자는 출생과 동시에 대한민국의 국적을 취득한다.
> 1. 출생한 당시에 부 또는 모가 대한민국의 국민인 자
> 2. 출생하기 전에 부가 사망한 경우에는 그 사망 당시에 부가 대한민국의 국민이었던 자
> 3. 부모가 모두 분명하지 아니한 경우나 국적이 없는 경우에는 대한민국에서 출생한 자

➡ 속인주의

③ [O]

> 「국적법」 **제2조 【출생에 의한 국적취득】** ① 다음 각 호의 어느 하나에 해당하는 자는 출생과 동시에 대한민국의 국적을 취득한다.
> 1. 출생한 당시에 부 또는 모가 대한민국의 국민인 자
> 2. 출생하기 전에 부가 사망한 경우에는 그 사망 당시에 부가 대한민국의 국민이었던 자
> 3. 부모가 모두 분명하지 아니한 경우나 국적이 없는 경우에는 대한민국에서 출생한 자

❹ [X]

> 「국적법」 **제2조 【출생에 의한 국적취득】** ② 대한민국에서 발견된 기아는 대한민국에서 출생한 것으로 추정한다.

➡ 속지주의

06 정답 ②

① [X] 귀화가 아니라 국적회복허가에 해당한다.

> 「국적법」 **제4조 【귀화에 의한 국적취득】** ① 대한민국 국적을 취득한 사실이 없는 외국인은 법무부장관의 귀화허가를 받아 대한민국 국적을 취득할 수 있다.
>
> **제9조 【국적회복에 의한 국적취득】** ① 대한민국의 국민이었던 외국인은 법무부장관의 국적회복허가를 받아 대한민국 국적을 취득할 수 있다.

❷ [O] 일반귀화는 국내주소 5년, 간이귀화는 국내주소 3년, 특별귀화는 국내주소가 있을 것을 요하므로 귀화허가를 받으려면 반드시 국내주소가 있어야 한다. 그러나 일반귀화와 간이귀화는 성인을 전제로 하나, 특별귀화는 미성년도 가능하므로 귀화허가가 반드시 성년을 전제로 하는 것은 아니다.

③ [X] 대한민국에서 영주할 수 있는 체류자격을 가지고 있을 것이라는 요건은 일반귀화의 요건이나 간이귀화나 특별귀화의 요건은 아니다.

> 「국적법」 **제5조 【일반귀화요건】** 외국인이 귀화허가를 받기 위해서는 제6조나 제7조에 해당하는 경우 외에는 다음 각 호의 요건을 갖추어야 한다.
> 1. 5년 이상 계속하여 대한민국에 주소가 있을 것
> 1의2. 대한민국에서 영주할 수 있는 체류자격을 가지고 있을 것
> 〈각 호 생략〉
>
> **제6조 【간이귀화요건】** ① 다음 각 호의 어느 하나에 해당하는 외국인으로서 대한민국에 3년 이상 계속하여 주소가 있는 사람은 제5조 제1호 및 제1호의2의 요건을 갖추지 아니하여도 귀화허가를 받을 수 있다.
> 〈각 호 생략〉
>
> **제7조 【특별귀화요건】** ① 다음 각 호의 어느 하나에 해당하는 외국인으로서 대한민국에 주소가 있는 사람은 제5조 제1호·제1호의2·제2호 또는 제4호의 요건을 갖추지 아니하여도 귀화허가를 받을 수 있다.
> 〈각 호 생략〉

④ [X]

> 「국적법」 **제5조 【일반귀화요건】** 외국인이 귀화허가를 받기 위해서는 제6조나 제7조에 해당하는 경우 외에는 다음 각 호의 요건을 갖추어야 한다.
> 3. 법령을 준수하는 등 법무부령으로 정하는 품행 단정의 요건을 갖출 것
>
> **제6조 【간이귀화요건】** ① 다음 각 호의 어느 하나에 해당하는 외국인으로서 대한민국에 3년 이상 계속하여 주소가 있는 사람은 제5조 제1호 및 제1호의2의 요건을 갖추지 아니하여도 귀화허가를 받을

수 있다.
〈각 호 생략〉

제7조 【특별귀화요건】 ① 다음 각 호의 어느 하나에 해당하는 외국인으로서 대한민국에 주소가 있는 사람은 제5조 제1호·제1호의2·제2호 또는 제4호의 요건을 갖추지 아니하여도 귀화허가를 받을 수 있다.
〈각 호 생략〉

07 정답 ④

ㄱ. [X] 귀화허가의 근거규정의 형식과 문언, 귀화허가의 내용과 특성 등을 고려해 보면, 법무부장관은 귀화신청인이 귀화요건을 갖추었다 하더라도 귀화를 허가할 것인지 여부에 관하여 재량권을 가진다고 보는 것이 타당하다(대판 2010.10.28, 2010두6496).

ㄴ. [○] ⓐ 5년 이상 계속하여 대한민국에 주소가 있을 것, ⓑ 대한민국 민법상 성년일 것, ⓒ 품행이 단정할 것, ⓓ 생계를 유지할 능력이 있을 것, ⓔ 국어능력과 대한민국의 풍습에 대한 이해 등 대한민국 국민으로서의 기본 소양이 있을 것을 요건으로 한다(「국적법」 제5조). 간이귀화는 부 또는 모가 대한민국의 국민이었던 자, 대한민국에서 출생한 자로서 부 또는 모가 대한민국에서 출생한 자, 대한민국 양자로서 입양 당시 대한민국의 「민법」에 의하여 성년이었던 자, 배우자가 대한민국의 국민인 외국인을 대상으로 하는 것으로, 일반귀화를 받는 데 필요한 ⓐ 요건이 단축되는 이외에는 나머지 ⓑ 내지 ⓔ 요건을 동일하게 갖추어야 한다(「국적법」 제6조)(2016.7.28, 2014헌바421).

ㄷ. [X] ㄹ. [○] 특별귀화는 부 또는 모가 대한민국의 국민인 자, 대한민국에 특별한 공로가 있는 자, 과학·경제·문화·체육 등 특정 분야에서 매우 우수한 능력을 보유한 자로서 대한민국의 국익에 기여할 것으로 인정되는 자를 대상으로 하는 것으로, 현재 대한민국에 주소가 있는 자는 일반귀화요건 중 ⓐ, ⓑ, ⓓ를 갖추지 아니하여도 귀화가 가능하다(「국적법」 제7조). 일반귀화, 간이귀화, 특별귀화를 불문하고 ⓒ 품행이 단정할 것, ⓔ 국어능력과 대한민국의 풍습에 대한 이해 등 대한민국 국민으로서의 기본 소양이 있을 것의 요건은 갖추어야 귀화가 허가될 수 있다(2016.7.28, 2014헌바421).

ㅁ. [X] 「국적법」 제4조 제1항에 따라 귀화허가를 받은 사람은 법무부장관 앞에서 국민선서를 하고 귀화증서를 수여받은 때에 대한민국 국적을 취득한다. 다만, 법무부장관은 연령, 신체적·정신적 장애 등으로 국민선서의 의미를 이해할 수 없거나 이해한 것을 표현할 수 없다고 인정되는 사람에게는 국민선서를 면제할 수 있다(「국적법」 제4조 제3항).

08 정답 ④

① [X] 부 또는 모가 대한민국 국민이었던 자는 간이귀화의 대상자이므로 대한민국에 3년 이상 주소가 있어야 귀화허가를 받을 수 있다.

② [X]

「국적법」 **제6조 【간이귀화요건】** ① 다음 각 호의 어느 하나에 해당하는 외국인으로서 대한민국에 3년 이상 계속하여 주소가 있는 사람은 제5조 제1호 및 제1호의2의 요건을 갖추지 아니하여도 귀화허가를 받을 수 있다.
1. 부 또는 모가 대한민국의 국민이었던 사람

③ [X] 「국적법」 제6조 제2항 제4호에 따를 때, 거주기간의 요건을 구비하고 법무부장관이 상당하다고 인정하는 자에 한해 귀화허가를 받을 수 있다.

「국적법」 **제6조 【간이귀화요건】** ② 배우자가 대한민국의 국민인 외국인으로서 다음 각 호의 어느 하나에 해당하는 사람은 제5조 제1호 및 제1호의2의 요건을 갖추지 아니하여도 귀화허가를 받을 수 있다.
1. 그 배우자와 혼인한 상태로 대한민국에 2년 이상 계속하여 주소가 있는 사람
2. 그 배우자와 혼인한 후 3년이 지나고 혼인한 상태로 대한민국에 1년 이상 계속하여 주소가 있는 사람
4. 제1호나 제2호의 요건을 충족하지 못하였으나, 그 배우자와의 혼인에 따라 출생한 미성년의 자(子)를 양육하고 있거나 양육하여야 할 사람으로서 제1호나 제2호의 기간을 채웠고 법무부장관이 상당하다고 인정하는 사람

❹ [○]

「국적법」 **제6조 【간이귀화요건】** ② 배우자가 대한민국의 국민인 외국인으로서 다음 각 호의 어느 하나에 해당하는 사람은 제5조 제1호 및 제1호의2의 요건을 갖추지 아니하여도 귀화허가를 받을 수 있다.
1. 그 배우자와 혼인한 상태로 대한민국에 2년 이상 계속하여 주소가 있는 사람
2. 그 배우자와 혼인한 후 3년이 지나고 혼인한 상태로 대한민국에 1년 이상 계속하여 주소가 있는 사람

09 정답 ②

① [X]

「국적법」 **제5조 【일반귀화요건】** 외국인이 귀화허가를 받기 위해서는 제6조나 제7조에 해당하는 경우 외에는 다음 각 호의 요건을 갖추어야 한다.
1. 5년 이상 계속하여 대한민국에 주소가 있을 것

제6조 【간이귀화요건】 ① 다음 각 호의 어느 하나에 해당하는 외국인으로서 대한민국에 3년 이상 계속하여 주소가 있는 사람은 제5조 제1호 및 제1호의2의 요건을 갖추지 아니하여도 귀화허가를 받을 수 있다.
1. 부 또는 모가 대한민국의 국민이었던 사람
2. 대한민국에서 출생한 자로서 부 또는 모가 대한민국에서 출생한 사람
3. 대한민국 국민의 양자로서 입양 당시 대한민국의 「민법」상 성년이었던 사람

❷ [○]

「국적법」 **제7조 【특별귀화요건】** ① 다음 각 호의 어느 하나에 해당하는 외국인으로서 대한민국에 주소가 있는 사람은 제5조 제1호·제1호의2·제2호 또는 제4호의 요건을 갖추지 아니하여도 귀화허가를 받을 수 있다.
2. 대한민국에 특별한 공로가 있는 사람

③ [X]

「국적법」 제6조 【간이귀화요건】 ② 배우자가 대한민국의 국민인 외국인으로서 다음 각 호의 어느 하나에 해당하는 사람은 제5조 제1호 및 제1호의2의 요건을 갖추지 아니하여도 귀화허가를 받을 수 있다.
1. 그 배우자와 혼인한 상태로 대한민국에 2년 이상 계속하여 주소가 있는 사람
2. 그 배우자와 혼인한 후 3년이 지나고 혼인한 상태로 대한민국에 1년 이상 계속하여 주소가 있는 사람

④ [X] 특별귀화의 요건을 갖추려면 대한민국에 주소는 있어야 한다(「국적법」 제7조 제1항 제2호, 제3호 참조).

「국적법」 제7조 【특별귀화요건】 ① 다음 각 호의 어느 하나에 해당하는 외국인으로서 대한민국에 주소가 있는 사람은 제5조 제1호·제1호의2·제2호 또는 제4호의 요건을 갖추지 아니하여도 귀화허가를 받을 수 있다.
1. 부 또는 모가 대한민국의 국민인 사람. 다만, 양자로서 대한민국의 「민법」상 성년이 된 후에 입양된 사람은 제외한다.
2. 대한민국에 특별한 공로가 있는 사람
3. 과학·경제·문화·체육 등 특정 분야에서 매우 우수한 능력을 보유한 사람으로서 대한민국의 국익에 기여할 것으로 인정되는 사람

10 정답 ④

① [O]

「국적법」 제6조 【간이귀화요건】 ② 배우자가 대한민국의 국민인 외국인으로서 다음 각 호의 어느 하나에 해당하는 사람은 제5조 제1호 및 제1호의2의 요건을 갖추지 아니하여도 귀화허가를 받을 수 있다.
3. 제1호나 제2호의 기간을 채우지 못하였으나, 그 배우자와 혼인한 상태로 대한민국에 주소를 두고 있던 중 그 배우자의 사망이나 실종 또는 그 밖에 자신에게 책임이 없는 사유로 정상적인 혼인 생활을 할 수 없었던 사람으로서 제1호나 제2호의 잔여기간을 채웠고 법무부장관이 상당하다고 인정하는 사람

➡ 배우자가 사망한 경우 또는 이혼한 경우에도 대한민국 국적취득을 할 수 있다.

② [O]

「국적법」 제8조 【수반 취득】 ① 외국인의 자(子)로서 대한민국의 「민법」상 미성년인 사람은 부 또는 모가 귀화허가를 신청할 때 함께 국적 취득을 신청할 수 있다.
② 제1항에 따라 국적취득을 신청한 사람은 부 또는 모가 대한민국 국적을 취득한 때에 함께 대한민국 국적을 취득한다.

③ [O]

「국적법」 제4조 【귀화에 의한 국적취득】 ③ 제1항에 따라 귀화허가를 받은 사람은 법무부장관 앞에서 국민선서를 하고 귀화증서를 수여받은 때에 대한민국 국적을 취득한다. 다만, 법무부장관은 연령, 신체적·정신적 장애 등으로 국민선서의 의미를 이해할 수 없거나 이해한 것을 표현할 수 없다고 인정되는 사람에게는 국민선서를 면제할 수 있다.

❹ [X]

「국적법」 제9조 【국적회복에 의한 국적취득】 ① 대한민국의 국민이었던 외국인은 법무부장관의 국적회복허가를 받아 대한민국 국적을 취득할 수 있다.
② 법무부장관은 국적회복허가 신청을 받으면 심사한 후 다음 각 호의 어느 하나에 해당하는 사람에게는 국적회복을 허가하지 아니한다.
1. 국가나 사회에 위해를 끼친 사실이 있는 사람

11 정답 ②

① [X]

「국적법」 제8조 【수반 취득】 ① 외국인의 자(子)로서 대한민국의 「민법」상 미성년인 사람은 부 또는 모가 귀화허가를 신청할 때 함께 국적 취득을 신청할 수 있다.
② 제1항에 따라 국적취득을 신청한 사람은 부 또는 모가 대한민국 국적을 취득한 때에 함께 국적을 취득한다.

❷ [O]

「국적법」 제9조 【국적회복에 의한 국적취득】 ② 법무부장관은 국적회복허가 신청을 받으면 심사한 후 다음 각 호의 어느 하나에 해당하는 사람에게는 국적회복을 허가하지 아니한다.
3. 병역을 기피할 목적으로 대한민국 국적을 상실하였거나 이탈하였던 사람

③ [X] 외국인이 복수국적을 누릴 자유가 우리 헌법상 행복추구권에 의하여 보호되는 기본권이라고 보기 어려우므로, 「국적법」 제10조 제1항에 의하여 청구인 설○혁 등의 재산권, 행복추구권이 침해될 가능성은 없다(2014.6.26, 2011헌마502).

④ [X] 거주·이전의 자유는 국가의 간섭 없이 자유롭게 거주와 체류지를 정할 수 있는 자유로서 정치·경제·사회·문화 등 모든 생활영역에서 개성신장을 촉진함으로써 헌법상 보장되고 있는 다른 기본권들의 실효성을 증대시켜주는 기능을 한다. 구체적으로는 국내에서 체류지와 거주지를 자유롭게 정할 수 있는 자유영역뿐 아니라 나아가 국외에서 체류지와 거주지를 자유롭게 정할 수 있는 '해외여행 및 해외이주의 자유'를 포함하고 덧붙여 대한민국의 국적을 이탈할 수 있는 '국적변경의 자유' 등도 그 내용에 포섭된다고 보아야 한다. 따라서 해외여행 및 해외이주의 자유는 필연적으로 외국에서 체류 또는 거주하기 위해서 대한민국을 떠날 수 있는 '출국의 자유'와 외국체류 또는 거주를 중단하고 다시 대한민국으로 돌아올 수 있는 '입국의 자유'를 포함한다(2004.10.28, 2003헌가18).

12

정답 ②

① [X] 출생에 의한 국적취득은 선천적이고, 국적회복과 귀화는 후천적적인 국적취득이다.

❷ [O]

> 「국적법」 제9조 【국적회복에 의한 국적취득】 ② 법무부장관은 국적회복허가 신청을 받으면 심사한 후 다음 각 호의 어느 하나에 해당하는 사람에게는 국적회복을 허가하지 아니한다.
> 1. 국가나 사회에 위해를 끼친 사실이 있는 사람
> 2. 품행이 단정하지 못한 사람
> 3. 병역을 기피할 목적으로 대한민국 국적을 상실하였거나 이탈하였던 사람
> 4. 국가안전보장·질서유지 또는 공공복리를 위하여 법무부장관이 국적회복을 허가하는 것이 적당하지 아니하다고 인정하는 사람

③ [X]

> 「국적법」 제4조 【귀화에 의한 국적취득】 ① 대한민국 국적을 취득한 사실이 없는 외국인은 법무부장관의 귀화허가를 받아 대한민국 국적을 취득할 수 있다.
>
> 제9조 【국적회복에 의한 국적취득】 ① 대한민국의 국민이었던 외국인은 법무부장관의 국적회복허가를 받아 대한민국 국적을 취득할 수 있다.

④ [X] 귀화는 대한민국 국적을 취득한 사실이 없는 순수한 외국인이 법무부장관의 허가를 받아 대한민국 국적을 취득할 수 있도록 하는 절차인데 비해(「국적법」 제4조 내지 제7조), 국적회복허가는 한때 대한민국 국민이었던 자를 대상으로 한다는 점, 귀화는 일정한 요건을 갖춘 사람에게만 허가할 수 있는 반면(「국적법」 제5조 내지 제7조), 국적회복허가는 일정한 사유에 해당하는 사람에 대해서만 국적회복을 허가하지 아니한다는 점(「국적법」 제9조 제2항)에서 차이가 있다(2020.2.27, 2017헌바434).

> 「국적법」 제9조 【국적회복에 의한 국적취득】 ② 법무부장관은 국적회복허가 신청을 받으면 심사한 후 다음 각 호의 어느 하나에 해당하는 사람에게는 국적회복을 허가하지 아니한다.
> 1. 국가나 사회에 위해를 끼친 사실이 있는 사람
> 2. 품행이 단정하지 못한 사람
> 3. 병역을 기피할 목적으로 대한민국 국적을 상실하였거나 이탈하였던 사람
> 4. 국가안전보장·질서유지 또는 공공복리를 위하여 법무부장관이 국적회복을 허가하는 것이 적당하지 아니하다고 인정하는 사람

13

정답 ①

❶ [O]

> 「국적법」 제10조 【국적취득자의 외국 국적포기의무】 ① 대한민국 국적을 취득한 외국인으로서 외국 국적을 가지고 있는 자는 대한민국 국적을 취득한 날부터 1년 내에 그 외국 국적을 포기하여야 한다.
> ② 제1항에도 불구하고 다음 각 호의 어느 하나에 해당하는 자는 대한민국 국적을 취득한 날부터 1년 내에 외국 국적을 포기하거나 법무부장관이 정하는 바에 따라 대한민국에서 외국 국적을 행사하지 아니하겠다는 뜻을 법무부장관에게 서약하여야 한다.
> 3. 대한민국의 「민법」상 성년이 되기 전에 외국인에게 입양된 후 외국 국적을 취득하고 외국에서 계속 거주하다가 제9조에 따라 국적회복허가를 받은 자

② [X]

> 「국적법」 제10조 【국적취득자의 외국 국적포기의무】 ② 제1항에도 불구하고 다음 각 호의 어느 하나에 해당하는 자는 대한민국 국적을 취득한 날부터 1년 내에 외국 국적을 포기하거나 법무부장관이 정하는 바에 따라 대한민국에서 외국 국적을 행사하지 아니하겠다는 뜻을 법무부장관에게 서약하여야 한다.
> 〈각 호 생략〉

③ [X]

> 「국적법」 제10조 【국적취득자의 외국 국적포기의무】 ② 제1항에도 불구하고 다음 각 호의 어느 하나에 해당하는 자는 대한민국 국적을 취득한 날부터 1년 내에 외국 국적을 포기하거나 법무부장관이 정하는 바에 따라 대한민국에서 외국 국적을 행사하지 아니하겠다는 뜻을 법무부장관에게 서약하여야 한다.
> ③ 제1항 또는 제2항을 이행하지 아니한 자는 그 기간이 지난 때에 대한민국 국적을 상실한다.
>
> 제11조 【국적의 재취득】 ① 제10조 제3항에 따라 대한민국 국적을 상실한 자가 그 후 1년 내에 그 외국 국적을 포기하면 법무부장관에게 신고함으로써 대한민국 국적을 재취득할 수 있다.

④ [X] 외국 국적포기의무를 이행하지 아니하여 대한민국 국적을 상실한 자가 그 후 1년 내에 그 외국 국적을 포기하면 법무부장관에게 신고함으로써 대한민국 국적을 재취득할 수 있다(「국적법」 제11조 제1항).

14

정답 ①

ㄱ. [X]

> 「국적법」 제14조의2 【복수국적자에 대한 국적선택명령】 ① 법무부장관은 복수국적자로서 제12조 제1항 또는 제2항에서 정한 기간 내에 국적을 선택하지 아니한 자에게 1년 내에 하나의 국적을 선택할 것을 명하여야 한다.
> ② 법무부장관은 복수국적자로서 제10조 제2항, 제13조 제1항 또는 같은 조 제2항 단서에 따라 대한민국에서 외국 국적을 행사하지 아니하겠다는 뜻을 서약한 자가 그 뜻에 현저히 반하는 행위를 한 경우에는 6개월 내에 하나의 국적을 선택할 것을 명할 수 있다.

ㄴ. [X]

> 「국적법」 제11조의2 【복수국적자의 법적 지위 등】 ① 출생이나 그 밖에 이 법에 따라 대한민국 국적과 외국 국적을 함께 가지게 된 사람으로서 대통령령으로 정하는 사람(이하 '복수국적자'라 한다)은 대한민국의 법령 적용에서 대한민국 국민으로만 처우한다.

ㄷ. [X] 대한민국의 국민이 미국의 시민권을 취득하면 구 「국적법」 제12조 제4호 소정의 '자진하여 외국의 국적을 취득한 자'에 해당하여 우리나라의 국적을 상실하게 되는 것이지 대한민국과 미국의 '이중국적자'가 되어 구 「국적법」 제12조 제5호의 규정에 따라 법무부장관의 허가를 얻어 대한민국의 국적을 이탈하여야 비로소 대한민

국의 국적을 상실하게 되는 것은 아니다(대판 1999.12.24, 99도3354).

ㄹ. [X]

「국적법」 제11조의2 【복수국적자의 법적 지위 등】 ③ 중앙행정기관의 장이 복수국적자를 외국인과 동일하게 처우하는 내용으로 법령을 제정 또는 개정하려는 경우에는 미리 법무부장관과 협의하여야 한다.

ㅁ. [O]

「국적법」 제14조 【대한민국 국적의 이탈요건 및 절차】 ② 제1항에 따라 국적이탈의 신고를 한 자는 법무부장관이 신고를 수리한 때에 대한민국 국적을 상실한다.

ㅂ. [X]

「국적법」 제14조【대한민국 국적의 이탈요건 및 절차】 ① 복수국적자로서 외국 국적을 선택하려는 자는 외국에 주소가 있는 경우에만 주소지 관할 재외공관의 장을 거쳐 법무부장관에게 대한민국 국적을 이탈한다는 뜻을 신고할 수 있다.

15 정답 ②

① [X] 법무부장관은 복수국적자로서 대한민국에서 외국 국적을 행사하지 아니하겠다는 뜻을 서약한 자가 그 뜻에 현저히 반하는 행위를 한 경우에는 6개월 내에 하나의 국적을 선택할 것을 명할 수 있다(「국적법」 제14조의2 제2항) 그 기간 내 선택하지 아니하면 대한민국 국적을 상실한다. 2013년 국회 8급

❷ [O] 2018년 입시

「국적법」 제14조의2 【복수국적자에 대한 국적선택명령】 ② 법무부장관은 복수국적자로서 제10조 제2항, 제13조 제1항 또는 같은 조 제2항 단서에 따라 대한민국에서 외국 국적을 행사하지 아니하겠다는 뜻을 서약한 자가 그 뜻에 현저히 반하는 행위를 한 경우에는 6개월 내에 하나의 국적을 선택할 것을 명할 수 있다.

③ [X]

「국적법」 제12조 【복수국적자의 국적선택의무】 ① 만 20세가 되기 전에 복수국적자가 된 자는 만 22세가 되기 전까지, 만 20세가 된 후에 복수국적자가 된 자는 그 때부터 2년 내에 제13조와 제14조에 따라 하나의 국적을 선택하여야 한다. 다만, 제10조 제2항에 따라 법무부장관에게 대한민국에서 외국 국저을 행사하지 아니하겠다는 뜻을 서약한 복수국적자는 제외한다.

④ [X]

「국적법」 제14조의2 【복수국적자에 대한 국적선택명령】 ① 법무부장관은 복수국적자로서 제12조 제1항 또는 제2항에서 정한 기간 내에 국적을 선택하지 아니한 자에게 1년 내에 하나의 국적을 선택할 것을 명하여야 한다.
④ 제1항 또는 제2항에 따라 국적선택의 명령을 받고도 이를 따르지 아니한 자는 그 기간이 지난 때에 대한민국 국적을 상실한다.

16 정답 ①

❶ [O] ③ [X] 2018년 비상업무, 2018년 국회 8급

「국적법」 제14조 【대한민국 국적의 이탈요건 및 절차】 ① 복수국적자로서 외국 국적을 선택하려는 자는 외국에 주소가 있는 경우에만 주소지 관할 재외공관의 장을 거쳐 법무부장관에게 대한민국 국적을 이탈한다는 뜻을 신고할 수 있다. 다만, 제2조 제2항 본문 또는 같은 조 제3항에 해당하는 자는 그 기간 이내에 또는 해당 사유가 발생한 때부터만 신고할 수 있다.

② [X] 대한민국의 국민이 미국의 시민권을 취득하면 구 「국적법」 제12조 제4호 소정의 '자진하여 외국의 국적을 취득한 자'에 해당하여 우리나라의 국적을 상실하게 되는 것이지 대한민국과 미국의 '이중국적자'가 되어 구 「국적법」 제12조 제5호의 규정에 따라 법무부장관의 허가를 얻어 대한민국의 국적을 이탈하여야 비로소 대한민국의 국적을 상실하게 되는 것은 아니다(대판 1999.12.24, 99도3354).

④ [X] 2018년 국회 8급, 2020년 경찰승진

「국적법」 제13조 【대한민국 국적의 선택절차】 ① 복수국적자로서 제12조 제1항 본문에 규정된 기간 내에 대한민국 국적을 선택하려는 자는 외국 국적을 포기하거나 법무부장관이 정하는 바에 따라 대한민국에서 외국 국적을 행사하지 아니하겠다는 뜻을 서약하고 법무부장관에게 대한민국 국적을 선택한다는 뜻을 신고할 수 있다.
② 복수국적자로서 제12조 제1항 본문에 규정된 기간 후에 대한민국 국적을 선택하려는 자는 외국 국적을 포기한 경우에만 법무부장관에게 대한민국 국적을 선택한다는 뜻을 신고할 수 있다. 다만, 제12조 제3항 제1호의 경우에 해당하는 자는 그 경우에 해당하는 때부터 2년 이내에는 제1항에서 정한 방식으로 대한민국 국적을 선택한다는 뜻을 신고할 수 있다.
③ 제1항 및 제2항 단서에도 불구하고 출생 당시에 모가 자녀에게 외국 국적을 취득하게 할 목적으로 외국에서 체류 중이었던 사실이 인정되는 자는 외국 국적을 포기한 경우에만 대한민국 국적을 선택한다는 뜻을 신고할 수 있다.

17 정답 ③

① [O] ② [O] 2009년 국회 8급, 2017년 경찰승진

「국적법」 제12조 【복수국적자의 국적선택의 수】 ③ 직계존속 외국에서 영주할 목적 없이 체류한 상태에서 출생한 자는 병역의무의 이행과 관련하여 다음 각 호의 어느 하나에 해당하는 경우에만 제14조에 따른 국적이탈신고를 할 수 있다.
1. 현역·상근예비역·보충역 또는 대체역으로 복무를 마치거나 마친 것으로 보게 되는 경우
2. 전시근로역에 편입된 경우
3. 병역면제처분을 받은 경우

❸ [X]

「국적법」 제13조 【대한민국 국적의 선택절차】 ① 복수국적자로서 제12조 제1항 본문에 규정된 기간 내에 대한민국 국적을 선택하려는 자는 외국 국적을 포기하거나 법무부장관이 정하는 바에 따라 대한민국에서 외국 국적을 행사하지 아니하겠다는 뜻을 서약하고 법무부장관에게 대한민국 국적을 선택한다는 뜻을 신고할 수 있다.

④ [O]

「국적법」 제13조 【대한민국 국적의 선택절차】 ② 복수국적자로서 제12조 제1항 본문에 규정된 기간 후에 대한민국 국적을 선택하려는 자는 외국 국적을 포기한 경우에만 법무부장관에게 대한민국 국적을 선택한다는 뜻을 신고할 수 있다. 다만, 제12조 제3항 제1호의 경우에 해당하는 자는 그 경우에 해당하는 때부터 2년 이내에는 제1항에서 정한 방식으로 대한민국 국적을 선택한다는 뜻을 신고할 수 있다.

18 정답 ③

ㄱ. [O]

「국적법」 제14조의2 【복수국적자에 대한 국적선택명령】 ① 법무부장관은 복수국적자로서 제12조 제1항 또는 제2항에서 정한 기간 내에 국적을 선택하지 아니한 자에게 1년 내에 하나의 국적을 선택할 것을 명하여야 한다.
④ 제1항 또는 제2항에 따라 국적선택의 명령을 받고도 이를 따르지 아니한 자는 그 기간이 지난 때에 대한민국 국적을 상실한다.

ㄴ. [O]

「국적법」 제19조 【법정대리인이 하는 신고 등】 이 법에 규정된 신청이나 신고와 관련하여 그 신청이나 신고를 하려는 자가 15세 미만이면 법정대리인이 대신하여 이를 행한다.

ㄷ. [X] 복수국적자로서 일정한 사유에 해당하는 경우 대한민국 국적의 상실결정을 할 수 있는 「국적법」 제14조의3 규정은 출생에 의하여 대한민국 국적과 외국 국적을 함께 가지게 된 자는 적용 제외에 해당한다.

「국적법」 제14조의3 【대한민국 국적의 상실결정】 ① 법무부장관은 복수국적자가 다음 각 호의 어느 하나의 사유에 해당하여 대한민국의 국적을 보유함이 현저히 부적합하다고 인정하는 경우에는 청문을 거쳐 대한민국 국적의 상실을 결정할 수 있다. 다만, 출생에 의하여 대한민국 국적을 취득한 자는 제외한다.
1. 국가안보, 외교관계 및 국민경제 등에 있어서 대한민국의 국익에 반하는 행위를 하는 경우
2. 대한민국의 사회질서 유지에 상당한 지장을 초래하는 행위로서 대통령령으로 정하는 경우

ㄹ. [X] 법무부장관은, 헌법 제2조에 의하여 입법자는 국민의 요건을 결정함에 있어서 광범한 재량권이 있으므로 출생지주의를 택할 것인지 혈통주의에 의할 것인지는 입법재량영역이고, 혈통주의를 택하는 경우에도 출생의 장소나 부모 쌍방이 대한민국 국민인지, 출생에 의하여 이중국적자가 될 것인지의 여부 또한 입법재량 문제라고 주장한다. 그러나 헌법의 위임에 따라 국민 되는 요건을 법률로 정할 때에는 인간의 존엄과 가치, 평등원칙 등 헌법의 요청인 기본권 보장원칙을 준수하여야 하는 입법상의 제한을 받기 때문에, 국적에 관한 모든 규정은 정책의 당부 즉 입법자가 합리적인 재량의 범위를 벗어난 것인지 여부가 심사기준이 된다는 법무부장관의 주장은 받아들이지 아니한다(2000.8.31, 97헌가12).

19 정답 ①

ㄱ. [X]

「국적법」 제15조 【외국 국적취득에 따른 국적상실】 ① 대한민국의 국민으로서 자진하여 외국 국적을 취득한 자는 그 외국 국적을 취득한 때에 대한민국 국적을 상실한다.

ㄴ. [X]

「국적법」 제15조 【외국 국적취득에 따른 국적상실】 ② 대한민국의 국민으로서 다음 각 호의 어느 하나에 해당하는 자는 그 외국 국적을 취득한 때부터 6개월 내에 법무부장관에게 대한민국 국적을 보유할 의사가 있다는 뜻을 신고하지 아니하면 그 외국 국적을 취득한 때로 소급하여 대한민국 국적을 상실한 것으로 본다.
1. 외국인과의 혼인으로 그 배우자의 국적을 취득하게 된 자

ㄷ. [X]

「국적법」 제15조 【외국 국적취득에 따른 국적상실】 ① 대한민국의 국민으로서 자진하여 외국 국적을 취득한 자는 그 외국 국적을 취득한 때에 대한민국 국적을 상실한다.

ㄹ. [X]

「국적법」 제15조 【외국 국적취득에 따른 국적상실】 ① 대한민국의 국민으로서 자진하여 외국 국적을 취득한 자는 그 외국 국적을 취득한 때에 대한민국 국적을 상실한다.
② 대한민국의 국민으로서 다음 각 호의 어느 하나에 해당하는 자는 그 외국 국적을 취득한 때부터 6개월 내에 법무부장관에게 대한민국 국적을 보유할 의사가 있다는 뜻을 신고하지 아니하면 그 외국 국적을 취득한 때로 소급하여 대한민국 국적을 상실한 것으로 본다.
2. 외국인에게 입양되어 그 양부 또는 양모의 국적을 취득하게 된 자

ㅁ. [X]

「국적법」 제18조 【국적상실자의 권리 변동】 ① 대한민국 국적을 상실한 자는 국적을 상실한 때부터 대한민국의 국민만이 누릴 수 있는 권리를 누릴 수 없다.
② 제1항에 해당하는 권리 중 대한민국의 국민이었을 때 취득한 것으로서 양도할 수 있는 것은 그 권리와 관련된 법령에서 따로 정한 바가 없으면 3년 내에 대한민국의 국민에게 양도하여야 한다.

20 정답 ③

① [X] 청구인들과 같은 중국 동포들의 현재의 법적 지위는 일반적으로 중국국적을 가진 외국인으로 보고 있고, 헌법 전문의 '대한민국 임시정부 법통의 계승' 또는 제2조 제2항의 '재외국민 보호의무'규정이 중국 동포와 같이 특수한 국적상황에 처해 있는 자들의 이중국적 해소 또는 국적선택을 위한 특별법 제정의무를 명시적으로 위임한 것이라고 볼 수 없고, 뿐만 아니라 동 규정 및 그 밖의 헌법규정으로부터 그와 같은 해석을 도출해 낼 수도 없다(2006.3.30, 2003헌마806).

② [X] 헌법 제2조 제1항은 '대한민국의 국민이 되는 요건은 법률로 정한다'고 하여 기본권의 주체인 국민에 관한 내용을 입법자가 형성하도록 하고 있다. 이는 대한민국 국적의 '취득'뿐만 아니라 국적의

유지, 상실을 둘러싼 전반적인 법률관계를 법률에 규정하도록 위임하고 있는 것으로 풀이할 수 있다(2014.6.26, 2011헌마502).

❸ [○] 청구인은 심판대상 법률조항이 국적이탈의 자유 외에 국적선택에 관한 자기결정권, 직업의 자유 등을 침해한다고 주장한다. 그러나 '국적이탈의 자유'의 개념에는 '국적선택에 대한 자기결정권'이 전제되어 있으므로 '국적선택에 대한 자기결정권'을 분리하여 따로 살펴볼 실익은 없고, 특정 직업의 선택이 제한될 여지가 있다는 점은 청구인의 주장에 따르더라도 심판대상 법률조항이 직접적으로 초래하는 불이익이 아니므로, 직업선택의 자유를 침해하는지 여부에 대해서는 살펴보지 않는다(2020.9.24, 2016헌마889).

④ [X] 헌법 제2조(대한민국의 국민이 되는 요건은 법률로 정한다)에 따라 국적 부여기준이 입법자에게 위임되어 있다.

5회 진도별 모의고사

국적 ~ 헌법 전문

정답

01	③	02	④	03	④	04	③
05	④	06	①	07	①	08	③
09	③	10	④	11	①	12	④
13	②	14	③	15	②	16	④
17	②	18	④	19	④	20	②

01 정답 ③

① [X]

「국적법」 제2조 【출생에 의한 국적취득】 ① 다음 각 호의 어느 하나에 해당하는 자는 출생과 동시에 대한민국 국적을 취득한다.
3. 부모가 모두 분명하지 아니한 경우나 국적이 없는 경우에는 대한민국에서 출생한 자
② 대한민국에서 발견된 기아는 대한민국에서 출생한 것으로 추정한다.

② [X] 2020년 지방 7급

「국적법」 제8조 【수반 취득】 ① 외국인의 자(子)로서 대한민국의 「민법」상 미성년인 사람은 부 또는 모가 귀화허가를 신청할 때 함께 국적 취득을 신청할 수 있다.

❸ [O] 혼인으로 국적을 취득한 자가 이혼한 경우 국적을 상실하는 것은 아니다.

관련 판례 일본인 여자가 한국인 남자와의 혼인으로 인하여 한국의 국적을 취득하는 동시에 일본의 국적을 상실한 뒤 이혼하였다 하여 한국 국적을 상실하고 일본 국적을 다시 취득하는 것은 아니고 동녀가 일본국에 복적할 때까지는 여전히 한국 국적을 그대로 유지한다(대결 1976.4.23, 73마1051). 2011년 국회 8급

④ [X] 2019년 국회 8급

「국적법」 제19조 【법정대리인이 하는 신고 등】 이 법에 규정된 신청이나 신고와 관련하여 그 신청이나 신고를 하려는 자가 15세 미만이면 법정대리인이 대신하여 이를 행한다.

02 정답 ④

① [O] 부계혈통주의원칙을 채택한 구법조항은 출생한 당시의 자녀의 국적을 부의 국적에만 맞추고 모의 국적은 단지 보충적인 의미만을 부여하는 차별을 하고 있다. 이렇게 한국인 부와 외국인 모 사이의 자녀와 한국인 모와 외국인 부 사이의 자녀를 차별취급하는 것은, 모가 한국인인 자녀와 그 모에게 불리한 영향을 끼치므로 헌법 제11조 제1항의 남녀평등원칙에 어긋난다(2000.8.31, 97헌가12).

② [O] 구법상 부가 외국인이기 때문에 대한민국 국적을 취득할 수 없었던 한국인 모의 자녀 중에서 신법(부모양계혈통주의조항) 시행 전 10년 동안에 태어난 자에게만 대한민국 국적을 취득하도록 하는 경과규정은 구법조항의 위헌적인 차별로 인하여 불이익을 받은 자를 구제하는 데 신법 시행 당시의 연령이 10세가 되는지 여부는 헌법상 적정한 기준이 아닌 또 다른 차별취급이므로, 부칙조항은 헌법 제11조 제1항의 평등원칙에 위배된다(2000.8.31, 97헌가12).

③ [O] 개정된 부칙조항은 「국적법」이 부모양계혈통주의원칙을 도입함에 따라 개정된 「국적법」 시행 이전에 태어난 모계출생자에게 대한민국 국적을 취득할 기회를 부여함으로써 모계출생자가 받았던 차별을 해소하기 위한 특례를 규정한 것이다. 심판대상조항이 모계출생자에게 신고의무를 부여한 것은 그동안 대한민국 국적자가 아니었던 모계출생자의 국적관계를 조기에 확정하여 법적 불확실성을 조기에 제거하고, 불필요한 행정 낭비를 줄이면서도, 위 모계출생자가 대한민국 국적을 취득할 의사가 있는지 여부를 확인하기 위한 것으로서 합리적인 이유가 있다. 심판대상조항은 특례의 적용을 받는 모계출생자가 그 권리를 조속히 행사하도록 하여 위 모계출생자의 국적·법률관계를 조속히 확정하고, 국가기관의 행정상 부담을 줄일 수 있도록 하며, 위 모계출생자가 권리를 남용할 가능성을 억제하기 위하여 특례기간을 2004.12.31.까지로 한정하고 있는바, 이를 불합리하다고 볼 수 없다(2015.11.26, 2014헌바211).

❹ [X] 청구인은 이 사건 법률조항이 귀화허가 취소권의 행사기간을 따로 정하고 있지 않아 당사자로서는 귀화허가를 언제까지 취소할 수 있는지 예측할 수 없어 명확성원칙 및 포괄위임입법금지원칙에 위반된다고 주장한다. 그러나 청구인의 주장 자체에 의하더라도 이 사건 법률조항에는 귀화허가 취소권의 행사기간의 제한이 없고, 시행령에 그 행사기간이 위임된 바도 없으므로, 명확성원칙 및 포괄위임입법금지원칙은 문제되지 않고, 청구인의 위 주장은 결국 이 사건 법률조항이 기간의 제한 없이 귀화허가를 취소할 수 있도록 규정한 것이 과잉금지원칙에 위반하여 청구인의 거주·이전의 자유 및 행복추구권을 침해하였다는 것이므로, 그에 대한 판단 외에는 별도로 살피지 아니한다(2015.9.24, 2015헌바26).

03 정답 ④

① [O] 자발적으로 외국 국적을 취득한 자에게 대한민국 국적도 함께 보유할 수 있게 허용한다면, 출입국·체류관리가 어려워질 수 있고, 각 나라에서 권리만 행사하고 병역·납세와 같은 의무는 기피하는 등 복수국적을 악용할 우려가 있으며, 복수국적자로 인하여 외교적 보호권이 중첩되는 등의 문제가 발생할 여지도 있다. 따라서 「국적법」 제15조 제1항이 대한민국 국민인 청구인의 거주·이전의 자유 및 행복추구권을 침해한다고 볼 수 없다(2014.6.26, 2011헌마502).

② [O] 이러한 심판대상조항의 입법취지와 용어의 사전적 의미 및 법원의 해석 등을 종합해 보면, 심판대상조항에서의 '품행이 단정할 것'은 '귀화신청자를 대한민국의 새로운 구성원으로서 받아들이는 데 지장이 없을 만한 품성과 행실을 갖춘 것'을 의미한다고 해석할 수 있고, 구체적으로 어떠한 경우가 이에 해당하는지는 귀화신청자의 성별, 연령, 직업, 가족, 경력, 전과관계 등 여러 사정을 종합적으로 고려하여 판단될 것이며, 특히 전과관계도 단순히 범죄를 저지른 사실의 유무뿐만이 아니라 범죄의 내용, 처벌의 정도, 범죄 당시 및 범죄 후의 사정, 범죄일로부터 귀화처분시까지의 기간 등 여러 사정들이 종합적으로 고려될 것이라는 점을 예측할 수 있다. 따라서 심판대상조항의 해석이 불명확하여 수범자의 예측가능성을 해하거나 법 집행기관의 자의적인 집행을 초래할 정도로 불명확하다고는 할 수 없으므로, 명확성원칙에 위배된다고 볼 수 없다(2016.7.28, 2014헌바421).

③ [○] 국적은 국가와 그의 구성원 간의 법적유대이고 보호와 복종관계를 뜻하므로 이를 분리하여 생각할 수 없다. 즉 국적은 국가의 생성과 더불어 발생하고 국가의 소멸은 바로 국적의 상실사유인 것이다. 국적은 성문의 법령을 통해서가 아니라 국가의 생성과 더불어 존재하는 것이므로, 헌법의 위임에 따라 「국적법」이 제정되나 그 내용은 국가의 구성요소인 국민의 범위를 구체화, 현실화하는 헌법사항을 규율하고 있는 것이다(2000.8.31, 97헌가12). 2017년 법무사, 2020년 비상업무 하

❹ [X] 입법취지와 용어의 사전적 의미 및 법원의 일반적인 해석 등을 종합해 보면, 품행이 단정할 것은 귀화신청자를 대한민국의 새로운 구성원으로서 받아들이는 데 지장이 없을 만한 품성과 행실을 갖춘 것을 의미하고, 구체적으로 이는 귀화신청자의 성별, 연령, 직업, 가족, 경력, 전과관계 등 여러 사정을 종합적으로 고려하여 판단될 것임을 예측할 수 있다. 따라서 심판대상조항은 명확성원칙에 위배되지 아니한다(2016.7.28, 2014헌바421). 2017년 법행

04 정답 ③

① [X] '국적이탈의 자유'의 개념에는 '국적선택에 대한 자기결정권'이 전제되어 있으므로 '국적선택에 대한 자기결정권'을 분리하여 따로 살펴볼 실익은 없고, 특정 직업의 선택이 제한될 여지가 있다는 점은 청구인의 주장에 따르더라도 심판대상 법률조항이 직접적으로 초래하는 불이익이 아니므로, 직업선택의 자유를 침해하는지 여부에 대해서는 살펴보지 않는다(2020.9.24, 2016헌마889).

② [X] 청구인은 심판대상법률조항이 '외국에 주소와 생활기반이 있는 복수국적자'와 '국내에 주소와 생활기반이 있는 복수국적자'를 차별하고, 남성과 여성을 차별한다는 취지로 주장하나, 이는 위 과잉금지원칙 위배 여부 판단에서 모두 고려하게 되므로 별도로 살펴보지 않는다(2020.9.24, 2016헌마889).

❸ [○] 심판대상 법률조항의 존재로 인하여 복수국적을 유지하게 됨으로써 대상자가 겪어야 하는 실질적 불이익은 구체적 사정에 따라 상당히 클 수 있다. 국가에 따라서는 복수국적자가 공직 또는 국가안보와 직결되는 업무나 다른 국적국과 이익충돌 여지가 있는 업무를 담당하는 것이 제한될 가능성이 있다. 현실적으로 이러한 제한이 존재하는 경우, 특정 직업의 선택이나 업무 담당이 제한되는 데 따르는 사익 침해를 가볍게 볼 수 없다. 심판대상 법률조항은 과잉금지원칙에 위배되어 청구인의 국적이탈의 자유를 침해한다(2020.9.24, 2016헌마889).

④ [X] 출생신고는 출생자의 부 또는 모가 부담하는 「가족관계의 등록 등에 관한 법률」상 의무이며, 국적이탈신고시에 비로소 출생신고를 하여야 하는 부담은 청구인의 부 또는 모가 「가족관계의 등록 등에 관한 법률」에 따른 출생신고 의무를 이행하지 않았기 때문에 발생하는 문제일 뿐이다. 따라서 심판대상 시행규칙조항은 과잉금지원칙에 위배되어 청구인의 국적이탈의 자유를 침해하지 않는다(2020.9.24, 2016헌마889).

05 정답 ④

① [○] 헌법 제1조 제2항과 헌법 제7조 제1항의 국민은 주권자로서의 국민이므로 법인을 포함하지 않는 자연인으로서의 국민이나, 법인도 평등권의 주체가 되고, 납세의무의 주체가 되므로 헌법 제11조와 제38조는 법인을 포함하는 국민이다.

② [○] 헌법 제7조 제1항과 제29조 제1항에 따른 「국가배상법」상의 공무원은 최광의의 공무원이다.

③ [○] 헌법 제7조 제2항에 따른 「국가공무원법」상의 공무원은 경력직 공무원이고, 헌법 제29조 제1항에 따른 「국가배상법」상의 공무원은 최광의의 공무원이다.

❹ [X] 공무원 중 근로3권의 주체가 되는 공무원은 사실상 노무에 종사하는 공무원에 한정된다.

06 정답 ①

❶ [X] 헌법 전문의 대한민국 임시정부 법통의 계승 또는 제2조 제2항의 재외국민 보호의무규정이 중국 동포와 같이 특수한 국적상황에 처해 있는 자들의 이중국적 해소 또는 국적선택을 위한 특별법 제정의무를 명시적으로 위임한 것이라고 볼 수 없고, 뿐만 아니라 동 규정 및 그 밖의 헌법규정으로부터 그와 같은 해석을 도출해 낼 수도 없다(2006.3.30, 2003헌마806).

② [○] 헌법 제2조 재외국민의 보호조항이 국가로 하여금 특정한 협약에 가입하거나 조약을 체결하여야 하는 입법위임을 한 취지라고 할 수 없다(1998.5.28, 97헌마282). 2012년 국회 9급

③ [○]

> **「재외동포의 출입국과 법적 지위에 관한 법률」 제16조 【국가유공자·독립유공자와 그 유족의 보훈급여금】** 외국 국적 동포는 「국가유공자 등 예우 및 지원에 관한 법률」 또는 「독립유공자예우에 관한 법률」에 따른 보훈급여금을 받을 수 있다.

④ [○] 법률조항이 비거주자에 대하여 상속세 인적 공제 적용을 배제하였다 하더라도 국가가 재외국민을 보호할 의무를 행하지 않은 경우라고는 볼 수 없다(2001.12.20, 2001헌바25).

07 정답 ①

❶ [X] 재외국민과 달리 외국 국적 동포에 대한 「부동산 실권리자명의 등기에 관한 법률」 적용배제: 외국 국적 동포는 외국인이라는 점에 외국인토지법에 의하여 토지의 취득 및 계속 보유에 엄격한 제한을 받고 있었으므로 이를 배제한 것이고 재외국민은 내국인이므로 토지 취득·계속 보유에 별다른 제한이 없었으므로 재외국민과 달리 외국 국적 동포에 대하여 「부동산 실권리자 명의등기에 관한 법률」 적용을 배제한 것은 합리적 이유가 있다(2001.5.31, 99헌가18 등).

② [○] 대한민국 정부수립 이전 재외동포사건: 「재외동포의 출입국과 법적 지위에 관한 법률」이 대한민국 수립 이후의 재외동포에 한하여 그 보호대상으로 한 것은 대한민국 수립 이전의 재외동포를 차별한 것으로 합리적 이유가 없다(2001.11.29, 99헌마494).

③ [○] 주민등록만을 요건으로 주민투표권의 행사 여부가 결정되도록 함으로써 '주민등록을 할 수 없는 국내 거주 재외국민'을 '주민등록이 된 국민인 주민'에 비해 차별하고 있고, 나아가 '주민투표권이 인정되는 외국인'과의 관계에서도 차별을 행하고 있는바, 그와 같은 차별에 아무런 합리적 근거도 인정될 수 없으므로 국내 거주 재외국민의 헌법상 기본권인 평등권을 침해하는 것으로 위헌이다(2007.6.28, 2004헌마643). 2019년 국회 9급, 2011년 법행

④ [○] 양육수당 역시 영유아가 90일 이상 해외에 장기체류하는 경우에는 그 기간 동안 비용의 지원을 정지하도록 하였다(법 제34조의2 제3항). 이와 같은 법의 목적과 보육이념, 보육료·양육수당 지급에 관한 법규정을 종합할 때, 보육료·양육수당은 영유아가 국내에 거주하면서 국내에 소재한 어린이집을 이용하거나 가정에서 양육되는 경우에 지원이 되는 것으로 제도가 마련되어 있다. 단순한 단기체류가 아니라 국내에 거주하는 재외국민, 특히 외국의 영주권을 보유하고 있으나 상당한 기간 국내에서 계속 거주하고 있는 자들

은 「주민등록법」상 재외국민으로 등록·관리될 뿐 '국민인 주민'이라는 점에서는 다른 일반 국민과 실질적으로 동일하므로, 단지 외국의 영주권을 취득한 재외국민이라는 이유로 달리 취급할 아무런 이유가 없어 위와 같은 차별은 청구인들의 평등권을 침해한다(2018.1.25, 2015헌마1047). 2019년 국회 9급

08 정답 ③

① [O] 「대일항쟁기 강제동원 피해조사 및 국외강제동원 희생자 등 지원에 관한 특별법」은 국민이 부담하는 세금을 재원으로 하여 국외강제동원 희생자와 그 유족에게 위로금 등을 지급함으로써 그들의 고통과 희생을 위로해 주기 위한 법으로서 국가가 유족에게 일방적인 시혜를 하는 것이다. 현실적으로 사할린 지역 국외강제동원 희생자와 그 유족들 모두에게 위로금을 지급하기 어려운 예산상의 제약이 따른다면, 대한민국 국민이 부담하는 세금으로 조성되는 위로금 등을 대한민국 국적을 갖고 있는 국외강제동원 희생자와 그 유족에게 우선적으로 지급하는 것은 나름의 불가피한 선택이다. 따라서 대한민국 국적을 갖고 있지 아니한 국외강제동원 희생자의 유족을 위로금 지급대상에서 제외하였다고 하여 이를 현저히 자의적이거나 불합리한 것이라고 볼 수 없으므로 평등원칙에 위배되지 않는다(2015.12.23, 2013헌바11). 2019년 국회 9급

② [O] 국가의 재외국민 보호의무를 규정하고 있는 헌법 제2조 제2항의 보호법익이 이 사건에 그대로 적용된다고 보기 어려우므로, 이 사건 조항이 국제협력요원이 복무 중 사망한 경우 「국가유공자 등 예우 및 지원에 관한 법률」에 의한 보상을 하지 않는다고 하여 국가가 헌법 제2조 제2항에 규정한 재외국민을 보호할 의무를 행하지 않은 경우라고는 볼 수 없다(2010.7.29, 2009헌가13). 2011년 법행

❸ [X] 비거주자에 대하여 상속세 인적공제 적용을 배제하였다 하더라도 국가가 재외국민을 보호할 의무를 행하지 않은 경우라고는 볼 수 없다(2001.12.20, 2001헌바25). 2011년, 2014년 법행

④ [O] 직업이나 학문 등의 사유로 자진출국한 자들이 선거권을 행사하려고 하면 반드시 귀국해야 하고 귀국하지 않으면 선거권 행사를 못하도록 하는 것은 헌법이 보장하는 해외체류자의 국외 거주·이전의 자유, 직업의 자유, 공무담임권, 학문의 자유 등의 기본권을 희생하도록 강요한다는 점에서 부적절하다. 법 제38조 제1항은 정당한 입법목적을 갖추지 못하여 헌법 제37조 제2항에 위반하여 국외거주자의 선거권과 평등권을 침해하고 보통선거원칙에도 위반된다(2007.6.28, 2004헌마644 등). 2011년, 2014년 법행

09 정답 ③

ㄱ. [X] 이 사건 법률조항에서 「공직선거법」 제251조 단서와 같은 특수한 위법성조각사유를 두지 않은 것은 지역농협 임원 선거가 국민주권 내지 대의민주주의 원리의 구현과 직접적인 관계가 없는 단체 내부의 조직구성에 관한 것으로 상대적으로 폭넓은 제한이 허용되고, 후보자비방을 통한 선거부정의 가능성과 그것이 선거에 미치는 영향이 크며, 후보자비방행위의 후유증이 선거 이후에도 지속될 수 있다는 특수한 사정을 고려한 것이고, '비방'의 의미에 대한 합리적 해석과 「형법」상 일반 위법성조각사유의 적용에 의하여 처벌의 범위를 한정할 수 있다(2012.11.29, 2011헌바137).

ㄴ. [O] 헌법상 권력분립의 원리는 지방의회와 지방자치단체의 장 사이에서도 상호견제와 균형의 원리로서 실현되고 있다. 다만 지방자치단체의 장과 지방의회는 정치적 권력기관이긴 하지만 지방자치제도가 본질적으로 훼손되지 않는다면, 중앙·지방 간 권력의 수직적 분배라고 하는 지방자치제의 권력분립적 속성상 중앙정부와 국회 사이의 구성 및 관여와는 다른 방법으로 국민주권·민주주의원리가 구현될 수 있다(2014.1.28, 2012헌바216).

ㄷ. [X] 지방자치기관은 그것도 정치적 권력기관이긴 하지만, 중앙·지방 간 권력의 수직적 분배라고 하는 지방자치제의 권력분립적 속성상, 중앙정치기관의 구성과는 다소 상이한 방법으로 국민주권·민주주의원리가 구현될 수도 있다. 또한, 교육부문에 있어서의 국민주권·민주주의의 요청도, 문화적 권력이라고 하는 국가교육권의 특수성으로 말미암아, 정치부문과는 다른 모습으로 구현될 수 있다(2000.3.30, 99헌바113).

ㄹ. [O] 국민투표권이란 국민이 국가의 특정 사안에 대해 직접 결정권을 행사하는 권리로서, 각종 선거에서의 선거권 및 피선거권과 더불어 국민의 참정권의 한 내용을 이루는 헌법상 기본권이다. 헌법은 외교·국방·통일 기타 국가안위에 관한 중요정책을 결정하는 경우(제72조)와 헌법개정안을 확정하는 경우(제130조 제2항)에 국민투표권을 인정하고 있다. 헌법 제72조에 의한 중요정책에 관한 국민투표는 국가안위에 관계되는 사항에 관하여 대통령이 제시한 구체적인 정책에 대한 주권자인 국민의 승인절차라 할 수 있고, 헌법 제130조 제2항에 의한 헌법개정에 관한 국민투표는 대통령 또는 국회가 제안하고 국회의 의결을 거쳐 확정된 헌법개정안에 대하여 주권자인 국민이 최종적으로 그 승인 여부를 결정하는 절차이다(2007.6.28, 2004헌마644 등).

10 정답 ④

① [X]

> **헌법 제3조** 대한민국의 영토는 한반도와 그 부속도서로 한다.

② [X]

> **「영해 및 접속수역법」 제5조【외국선박의 통항】** ① 외국선박은 대한민국의 평화·공공질서 또는 안전보장을 해치지 아니하는 범위에서 대한민국의 영해를 무해통항할 수 있다. 외국의 군함 또는 비상업용 정부선박이 영해를 통항하려는 경우에는 대통령령으로 정하는 바에 따라 관계 당국에 미리 알려야 한다.

③ [X]

> **「영해 및 접속수역법」 제1조【영해의 범위】** 대한민국의 영해는 기선으로부터 측정하여 그 바깥쪽 12해리의 선까지에 이르는 수역으로 한다. 다만, 대통령령으로 정하는 바에 따라 일정 수역의 경우에는 12해리 이내에서 영해의 범위를 따로 정할 수 있다.

❹ [O] 접속수역은 기선으로부터 24해리까지의 수역 중에서 영해를 제외한 수역이다(「영해 및 접속수역법」 제3조의2).

11 정답 ①

❶ [O] 우리 헌법에 피청구인 또는 대한민국 정부가 현재 중국의 영토인 간도 지역을 회복하여야 할 작위의무가 특별히 규정되어 있다거나 헌법 해석상 그러한 작위의무가 도출된다고 보기 어려울 뿐만 아니라, 중국에 대해 간도협약이 무효임을 주장하여야 하는 어떠한 법적인 의무가 있다고도 볼 수 없다. 따라서, 설령 피청구인이 중국에 대해 간도협약의 무효를 주장하는 등 간도 지역을 우리의 영토로 회복하기 위한 적극적인 행위를 하지 않고 있다고 하더라도,

청구인은 피청구인에 대해 그와 같은 적극적인 공권력 행사를 청구할 수 있는 권리가 있다고 볼 수 없으므로, 이 사건 심판청구는 헌법소원이 허용될 수 없는 공권력의 불행사를 대상으로 한 것이어서 부적법하다(2009.9.22, 2009헌마516).

② [X] 헌법 제117조, 제118조가 제도적으로 보장하고 있는 지방자치의 본질적 내용은 '자치단체의 보장, 자치기능의 보장 및 자치사무의 보장'이라고 할 것이나, 지방자치제도의 보장은 지방자치단체에 의한 자치행정을 일반적으로 보장한다는 것뿐이고, 마치 국가가 영토고권을 가지는 것과 마찬가지로 지방자치단체에게 자신의 관할구역 내에 속하는 영토·영해·영공을 자유로이 관리하고 관할 구역 내의 사람과 물건을 독점적·배타적으로 지배할 수 있는 권리가 부여되어 있다고 할 수는 없다. 청구인이 주장하는 지방자치단체의 영토고권은 우리나라 헌법과 법률상 인정되지 아니한다. 따라서 이 사건 결정이 청구인의 영토고권을 침해한다는 주장은 가지고 있지도 않은 권한을 침해받았다는 것에 불과하여 본안에 들어가 따져볼 필요가 없다(2006.3.30, 2003헌라2).

③ [X]

> **「영해 및 접속수역법」 제3조의2【접속수역의 범위】** 대한민국의 접속수역은 기선으로부터 측정하여 그 바깥쪽 24해리의 선까지에 이르는 수역에서 대한민국의 영해를 제외한 수역으로 한다. 다만, 대통령령으로 정하는 바에 따라 일정 수역의 경우에는 기선으로부터 24해리 이내에서 접속수역의 범위를 따로 정할 수 있다.

④ [X] 영토조항은 건국헌법부터 있었다. 여기에 1954년 헌법에서는 대한민국의 주권의 제약 또는 영토의 변경을 가져올 국가안위에 관한 중요사항은 국회의 가결을 거친 후에 국민투표에 부(付)하여 민의원 의원선거권자 3분지 2 이상의 투표와 유효투표 3분지 2 이상의 찬성을 얻어야 한다는 규정을 두어 국민투표제를 최초로 도입하였다.

12 정답 ④

① [O] 청구인은 이 사건 법률조항들에 북한물품을 포함하는 것은 헌법 제3조에 위반된다고 주장한다. 당해 사건과 같이 단순경유지가 아닌, 북한 이외의 제3국에서 남한으로 물품이 도착된 경우에는 「남북교류협력에 관한 법률」이 적용될 여지가 없고 「관세법」 등의 적용만이 문제되는 것이다. 따라서 이 사건 법률조항들이 위에서 살펴 본 바와 같이 형벌법규의 명확성원칙에 위반되지 아니한 점 및 이 사건 법률조항들과 「남북교류협력에 관한 법률」과의 상호관계 등을 종합하여 보면 청구인의 주장취지는 결국 당해 사건에서 북한 문화재가 단순경유지가 아닌 제3국으로부터 남한지역에 도착한 경우에도 이를 「관세법」상의 수입에 해당하는 것으로 보아 이 사건 법률조항들을 적용할 것인가의 문제, 즉 순수한 법률의 해석과 적용에 관한 문제로서 원칙적으로 헌법재판소의 심판대상이라고 할 수 없고 또한 헌법 제3조의 영토조항과도 관련이 없다고 할 것이다(2006.7.27, 2004헌바68).

② [O] 영토조항은 헌법개정에 의해서 개정될 수 있다는 것이 일반적 견해이다.

③ [O] 영토조항은 제헌헌법에 규정되었다. 평화적 통일원칙은 제7차 개정헌법에 규정되었으나, 자유민주적 기본질서에 입각한 평화적 통일을 처음 규정한 헌법은 현행헌법이다.

❹ [X] 당해 사건과 같이 남한과 북한 주민 사이의 외국환 거래에 대하여는 법 제15조 제3항에 규정되어 있는 '거주자 또는 비거주자' 부분 즉 대한민국 안에 주소를 둔 개인 또는 법인인지 여부가 문제되는 것이 아니라, 「남북교류협력에 관한 법률」(이하 '남북교류법'이라 한다) 제26조 제3항의 '남한과 북한' 즉 군사분계선 이남지역과 그 이북지역의 주민인지 여부가 문제되는 것이다. 즉, 외국환거래의 일방 당사자가 북한의 주민일 경우 그는 이 사건 법률조항의 '거주자' 또는 '비거주자'가 아니라 남북교류법의 '북한의 주민'에 해당하는 것이다. 그러므로, 당해 사건에서 아태위원회가 법 제15조 제3항에서 말하는 '거주자'나 '비거주자'에 해당하는지 또는 남북교류법상 '북한의 주민'에 해당하는지 여부는 법률해석의 문제에 불과한 것이고, 헌법 제3조의 영토조항과는 관련이 없다(2005.6.30, 2003헌바114).

13 정답 ②

① [X] 영토조항이 국민의 주관적 권리를 보장하는 것으로 해석하는 견해는 거의 존재하지 않는다. 영토조항만을 근거로 하여 헌법소원을 청구할 수 없으나 국민의 기본권 침해에 대한 권리구제를 위하여 그 전제조건으로서 영토권을 하나의 기본권으로 간주할 수 있다. (2001.3.21, 99헌마139 등). 2010년 지방 7급

❷ [O] ③ [X] 우리 헌법이 '대한민국의 영토는 한반도와 그 부속도서로 한다'는 영토조항(제3조)을 두고 있는 이상 대한민국의 헌법은 북한지역을 포함한 한반도 전체에 그 효력이 미치고 따라서 북한지역은 당연히 대한민국의 영토가 되므로, 북한을 법 소정의 '외국'으로, 북한의 주민 또는 법인 등을 '비거주자'로 바로 인정하기는 어렵지만, 개별 법률의 적용 내지 준용에 있어서는 남북한의 특수관계적 성격을 고려하여 북한지역을 외국에 준하는 지역으로, 북한주민 등을 외국인에 준하는 지위에 있는 자로 규정할 수 있다고 할 것이다(2005.6.30, 2003헌바114). 2017년 법무사, 2021년 국가 7급

④ [X] 이 사건 협정조항은 어업에 관한 협정으로서 배타적경제수역을 직접 규정한 것이 아니고, 이러한 점들은 이 사건 협정에서의 이른바 중간수역에 대해서도 동일하다고 할 것이어서 독도가 중간수역에 속해 있다 할지라도 독도의 영유권 문제나 영해 문제와는 직접적인 관련을 가지지 아니하므로, 이 사건 협정조항이 헌법상 영토조항을 위반하였다고 할 수 없다(2009.2.26, 2007헌바35) 2018년 비상업무 하

14 정답 ③

ㄱ. [O] 이 사건 협정조항은 어업에 관한 협정으로서 배타적경제수역을 직접 규정한 것이 아니고, 이러한 점들은 이 사건 협정에서의 이른바 중간수역에 대해서도 동일하다고 할 것이어서 독도가 중간수역에 속해 있다 할지라도 독도의 영유권 문제나 영해 문제와는 직접적인 관련을 가지지 아니하므로, 이 사건 협정조항이 헌법상 영토조항을 위반하였다고 할 수 없다(2009.2.26, 2007헌바35).

ㄴ. [X] 북한지역 역시 대한민국의 영토에 속하는 한반도의 일부를 이루는 것이어서 대한민국의 주권이 미칠 뿐이고 대한민국의 주권과 부딪치는 어떠한 국가단체의 주권을 법리상 인정할 수 없는 점에 비추어 볼 때 그러한 사정은 그가 대한민국 국적을 취득하고 이를 유지함에 있어 아무런 영향을 끼칠 수 없다(대판 1996.11.12, 96누1221).

ㄷ. [X] 조선인을 부친으로 하여 출생한 자는 남조선과도정부법률 제11호 국적에 관한 임시조례의 규정에 따라 조선 국적을 취득하였다가 제헌헌법의 공포와 동시에 대한민국의 국적을 취득하였다 할 것이고, 설사 그가 북한법의 규정에 따라 북한 국적을 취득하여 중국 주재 북한대사관으로부터 북한의 해외공민증을 발급받은 자라 하더라도 북한지역 역시 대한민국의 영토에 속하는 한반도의 일부를 이루는 것이어서 대한민국의 주권이 미칠 뿐이고 대한민국의 주권

과 부딪치는 어떠한 국가단체의 주권을 법리상 인정할 수 없는 점에 비추어 볼 때 그러한 사정은 그가 대한민국 국적을 취득하고 이를 유지함에 있어 아무런 영향을 끼칠 수 없다(대판 1996.11.12, 96누1221). 2004년 사시

ㄹ. [X] 청구인과 같은 탈북의료인에게 국내 의료면허를 부여할 것인지 여부는 북한의 의학교육 실태와 탈북의료 인의 의료수준, 탈북의료인의 자격증명방법 등을 고려하여 입법자가 그의 입법형성권의 범위 내에서 규율할 사항이지, 헌법조문이나 헌법해석에 의하여 바로 입법자에게 국내 의료면허를 부여할 입법의무가 발생한다고 볼 수는 없다.

15 정답 ②

① [O] 조선인을 부친으로 하여 출생한 자는 남조선과도정부법률 제11호 국적에 관한 임시조례의 규정에 따라 조선국적을 취득하였다가 제헌헌법의 공포와 동시에 대한민국의 국적을 취득하였다 할 것이고, 설사 그가 북한법의 규정에 따라 북한 국적을 취득하여 중국주재 북한대사관으로부터 북한의 해외공민증을 발급받은 자라 하더라도 북한지역 역시 대한민국의 영토에 속하는 한반도의 일부를 이루는 것이어서 대한민국의 주권이 미칠 뿐이고 대한민국의 주권과 부딪치는 어떠한 국가단체의 주권을 법리상 인정할 수 없는 점에 비추어 볼 때 그러한 사정은 그가 대한민국 국적을 취득하고 이를 유지함에 있어 아무런 영향을 끼칠 수 없다(대판 1996.11.12, 96누1221).

❷ [X] 국제연합 가입으로 북한이 국가로 승인되었다고 할 수 없으므로 북한 주민은 여전히 대한민국 국민이다.

③ [O] 북한 주민은 「대일항쟁기 강제동원 피해조사 및 국외강제동원 희생자 등 지원에 관한 특별법」상 위로금 지급 제외대상인 '대한민국 국적을 갖지 아니한 사람'에 해당하지 않는다(대판 2016.1.28, 2011두24675).

④ [O] 북한 주민은 대한민국 국민이고 대한민국 국민은 헌법 제14조 거주·이전의 자유 주체이므로 북한 주민은 입국의 자유를 누린다.

16 정답 ④

① [O] 마약거래범죄자라는 이유로 보호대상자로 결정되지 못한 북한이탈주민도 「북한이탈주민의 보호 및 정착지원에 관한 법률」에 따른 정착지원시설 보호, 거주지 보호, 학력 및 자격인정, 국민연금 특례 등의 보호 및 지원을 받을 수 있고, 일정한 요건 아래 「국민기초생활 보장법」에 따른 급여 등을 받을 수 있는 등으로 인간다운 생활을 위한 객관적인 최소한의 보장을 받고 있으므로, 이 사건 법률조항이 마약거래범죄자인 북한이탈주민의 인간다운 생활을 할 권리를 침해한다고 볼 수 없다(2014.3.27, 2012헌바192).

② [O] 「의료법」 제5조는 의사면허 등 의료면허의 취득에 관하여 규정하면서 국내대학 졸업자와 외국대학 졸업자를 구별하여 그 요건을 달리 정하고 있는데, 북한의 의과대학이 헌법 제3조의 영토조항에도 불구하고 국내대학으로 인정될 수 없고 또한 보건복지부장관이 인정하는 외국의 대학에도 해당하지 아니하므로, 북한의 의과대학 등을 졸업한 탈북의료인의 경우 국내 의료면허취득은 「북한이탈주민의 보호 및 정착지원에 관한 법률」 제14조에 의할 수밖에 없다. 그러나 위 조항도 북한이탈주민의 자격인정과 관련하여 포괄적인 규율을 하고 있을 뿐, 결국 「의료법」 등 관계 법령이 정하는 바에 따라 자격인정 여부가 결정되므로 탈북의료인의 국내 면허취득에 관하여는 명확한 입법이 없는 상태이다(2006.11.30, 2006헌마679).

③ [O] 이 사건 민원회신은, "북한이탈주민의 자격인정을 정한 「북한이탈주민의 보호 및 정착지원에 관한 법률」 제14조와 한의사 등 의료면허의 취득요건을 정한 「의료법」 제5조 등 관련 법령조항의 취지에 비추어 볼 때, 탈북의료인에게 바로 대한민국의 한의사 면허를 부여할 수 없다."라는 취지의 법적 견해를 청구인에게 알리는 정도의 의미밖에 없고, 이로 인하여 청구인의 면허취득이 확정적으로 불가능해지는 것은 아니라고 할 것이므로, 청구인의 기본권을 직접 제한하는 공권력의 행사에 해당하지 아니한다(2006.11.30, 2006헌마679).

❹ [X] 2005년 사시

> **「북한이탈주민의 보호 및 정착지원에 관한 법률」 제2조 【정의】** 이 법에서 사용하는 용어의 뜻은 다음과 같다.
> 1. '북한이탈주민'이란 군사분계선 이북지역(이하 '북한'이라 한다)에 주소, 직계가족, 배우자, 직장 등을 두고 있는 사람으로서 북한을 벗어난 후 외국 국적을 취득하지 아니한 사람을 말한다.

17 정답 ②

① [X] 헌법 전문으로부터 국민의 주관적 권리와 의무는 도출되지 않으나, 헌법 전문으로부터 헌법의 원리는 도출되고 국가는 이 원리를 준수하거나 실현할 의무를 지므로 국가의 의무는 도출된다.

❷ [O] 국민주권원리 등은 우리나라 헌법의 연혁적·이념적 기초로서 헌법이나 법률해석에서의 해석기준으로 작용한다고 할 수 있지만 그에 기하여 곧바로 국민의 개별적 기본권성을 도출해내기는 어려우며, 헌법 전문에 기재된 대한민국 임시정부의 법통을 계승하는 부분에 위배된다는 점이 청구인들의 법적 지위에 현실적이고 구체적인 영향을 미친다고 볼 수도 없다. 건국 60년 기념사업 추진행위에 의해 청구인들이 내심의 동요와 혼란을 겪었을지라도 이로써 헌법상 보호되는 명예권이나 행복추구권의 침해가능성 및 법적 관련성이 인정되지 아니한다(2008.11.27, 2008헌마517).

③ [X]

<헌법의 전문과 일반법령의 공포문과의 비교>

구분	헌법의 전문	법령의 공포문
의의	제정권자의 근본적인 결단	공포기관에서 붙인 것
본문과의 관계	헌법의 일부	법령의 일부가 아님.
규범적 효력	O	X
위치	표제와 본문 사이	법령의 표제 앞

④ [X] 헌법 전문이 최초 개정된 것은 제5차 개정헌법이다(4·19 의거와 5·16 혁명의 이념에 입각).

18 정답 ④

① [X] 사할린 지역 강제동원 희생자의 범위를 1990.9.30.까지 사망 또는 행방불명된 사람으로 제한하고, 대한민국 국적을 갖고 있지 않은 유족을 위로금 지급대상에서 제외한 것은 합리적 이유가 있어 입법재량의 범위를 벗어난 것으로 볼 수 없으므로, 심판대상조항이 '정의·인도와 동포애로써 민족의 단결을 공고히' 할 것을 규정한 헌법 전문의 정신에 위반된다고 볼 수 없다(2015.12.23, 2013헌바11).

② [X] 1871년 비스마르크헌법은 헌법제정경위를 전문에 기술하여 법적 효력이 있느냐에 대해서는 거의 논의되지 아니하였다. 그러나 바

이마르헌법 전문에 헌법의 원리 등이 포함된 내용을 규정됨으로써 헌법 전문이 법적 효력이 있느냐에 대한 논의가 전개되었다. 법실증주의자들은 헌법에 포함되어 있는 이념적 요소를 무시하고 전문은 단지 선언적인 의미를 가질 뿐이어서 법적 효력이 없다고 하였다. 이에 비해 슈미트는 헌법 전문은 국민의 근본적인 정치적 결단의 표현이며 명령적인 것이므로 법적 효력이 있다고 주장하였고, 스멘트는 헌법 전문은 사회적 통합의 당위적 목표와 방향을 나타낸 것이므로 법적 효력이 있다고 하였다.

③ [X] 헌법의 이념적·가치적 요소를 무시하는 법실증주의자들은 헌법 전문은 법적 구속력을 가진 규정이 아니라 단지 선언적인 것에 불과하다고 하나, 결단주의자들은 헌법의 효력 근거는 헌법제정권자의 실존적인 정치적 의지에 있다고 보기 때문에 헌법제정권력의 소재를 밝히고 있는 헌법 전문의 규범적 효력을 당연히 긍정한다.

❹ [O] 미국 연방대법원은 "헌법 전문은 엄밀하게 말해서 헌법은 아니고, 다만 헌법에 앞서 위치할 뿐이다. 헌법 전문은 이것을 근거로 정부권력의 근거도 될 수 없을 뿐만 아니라 기본권 보장의 근거도 될 수 없다."라고 하여 규범적 효력을 부인한다.

19 정답 ④

- 헌법 전문에 규정하고 있는 것: A, B, D, G, I, J, L
- 헌법 전문에 규정되어 있지 않은 것: C, E, F, H, K, M, N, O

C: 헌법 제119조 제1항	E: 제9조
H: 제3조	K: 제6조 제1항
M: 제69조	N: 제5조 제1항
O: 제10조	

20 정답 ②

① [X]

> **헌법 제1조** ① 대한민국은 민주공화국이다.
> ② 대한민국의 주권은 국민에게 있고, 모든 권력은 국민으로부터 나온다.

❷ [O] '헌법 전문에 기재된 3·1 정신'은 우리나라 헌법의 연혁적·이념적 기초로서 헌법이나 법률해석에서의 해석기준으로 작용한다고 할 수 있지만, 그에 기하여 곧바로 국민의 개별적 기본권성을 도출해 낼 수는 없다고 할 것이므로, 헌법소원의 대상인 '헌법상 보장된 기본권'에 해당하지 아니한다. 2021년 지방 7급

③ [X] 헌법 전문에 기하여 곧바로 국민의 개별적 기본권성을 도출해낼 수는 없다(2001.3.21, 99헌마139 등). 2016년 법행

④ [X] 헌법은 국가유공자 인정에 관하여 명문 규정을 두고 있지 않다. 그러나 헌법은 전문에서 '3·1 운동으로 건립된 대한민국 임시정부의 법통을 계승'한다고 선언하고 있다. 이는 대한민국이 일제에 항거한 독립운동가의 공헌과 희생을 바탕으로 이룩된 것임을 선언한 것이고, 그렇다면 국가는 일제로부터 조국의 자주독립을 위하여 공헌한 독립유공자와 그 유족에 대하여는 응분의 예우를 하여야 할 헌법적 의무를 지닌다고 보아야 할 것이다. 다만 그러한 의무는 국가가 독립유공자의 인정절차를 합리적으로 마련하고 독립유공자에 대한 기본적 예우를 해주어야 한다는 것을 뜻할 뿐이며, 당사자가 주장하는 특정인을 반드시 독립유공자로 인정하여야 하는 것을 뜻할 수는 없다(2005.6.30, 2004헌마859). 2021년 지방 7급

6회 진도별 모의고사

헌법 전문 ~ 법치주의

정답

01	②	02	③	03	①	04	②
05	②	06	③	07	②	08	③
09	③	10	④	11	③	12	②
13	②	14	①	15	③	16	①
17	③	18	④	19	②	20	④

01 정답 ②

① [○] 헌법 전문은 헌법의 이념 내지 가치를 제시하고 있는 헌법규범의 일부로서 헌법으로서의 규범적 효력을 나타내기 때문에 구체적으로는 헌법소송에서의 재판규범인 동시에 헌법이나 법률해석에서의 해석기준이 되고, 입법형성권 행사의 한계와 정책결정의 방향을 제시하며, 나아가 모든 국가기관과 국민이 존중하고 지켜가야 하는 최고의 가치규범이다. 우리 헌법 전문은 "유구한 역사와 전통에 빛나는 우리 대한민국은 3·1 운동으로 건립된 대한민국 임시정부의 법통 … 을 계승하고 ….”라고 하여, 대한민국헌법이 성립된 유래와 대한민국이 대한민국임시정부의 법통을 계승하고 있음을 밝히고 있다(2006.3.30, 2003헌마806). 2017년 행시

❷ [X] 비록 태평양전쟁 관련 강제동원자들에 대한 국가의 지원이 충분하지 못한 점이 있다하더라도, 국내 강제동원자들을 위하여 국가가 아무런 보호조치를 취하지 아니하였다든지 아니면 국가가 취한 조치가 전적으로 부적합하거나 매우 불충분한 것임이 명백한 경우라고 단정하기는 어렵다. 따라서 이 사건 법률조항이 국민에 대한 국가의 기본권 보호의무에 위배된다는 청구인의 주장은 이유 없다(2011.2.24, 2009 헌마94). 2019년 서울 7급 2차

③ [○] 헌법 전문, 제2조 제2항, 제10조와 이 사건 협정 제3조의 문언에 비추어 볼 때, 피청구인이 이 사건 협정 제3조에 따라 분쟁해결의 절차로 나아갈 의무는 일본국에 의해 자행된 조직적이고 지속적인 불법행위에 의하여 인간의 존엄과 가치를 심각하게 훼손당한 자국민들이 배상청구권을 실현하도록 협력하고 보호하여야 할 헌법적 요청에 의한 것으로서, 그 의무의 이행이 없으면 청구인들의 기본권이 중대하게 침해될 가능성이 있으므로, 피청구인의 작위의무는 헌법에서 유래하는 작위의무로서 그것이 법령에 구체적으로 규정되어 있는 경우라고 할 것이다(2011.8.30, 2006헌마788). 2019년 서울 7급 2차

④ [○] 헌법 전문 등에 비추어 볼 때, 피청구인(외무부장관)의 이 사건 의무는 일본국에 의해 자행된 조직적이고 지속적인 불법행위에 의하여 인간의 존엄과 가치를 심각하게 훼손당한 자국민들이 배상청구권을 실현하도록 협력하고 보호하여야 할 헌법적 요청에 의한 것으로서, 그 의무의 이행이 없으면 청구인들의 기본권이 중대하게 침해될 가능성이 있으므로, 헌법에서 유래하는 작위의무로서 그것이 법령에 구체적으로 규정되어 있는 경우라고 할 것이다(2011.8.30, 2006헌마788). 2017년 변시

02 정답 ③

ㄱ. [○]

> **1972년 개정헌법 전문** 유구한 역사와 전통에 빛나는 우리 대한국민은 3·1 운동의 숭고한 독립정신과 4·19 의거 및 5·16 혁명의 이념을 계승하고 조국의 평화적 통일의 역사적 사명에 입각하여 자유민주적 기본질서를 더욱 공고히 하는 새로운 민주공화국을 건설함에 있어서, 정치·경제·사회·문화의 모든 영역에 있어서 각인의 기회를 균등히 하고 능력을 최고도로 발휘하게 하며 책임과 의무를 완수하게 하여, 안으로는 국민생활의 균등한 향상을 기하고 밖으로는 항구적인 세계평화에 이바지함으로써 우리들과 우리들의 자손의 안전과 자유와 행복을 영원히 확보할 것을 다짐하면서, 1948년 7월 12일에 제정되고 1962년 12월 26일에 개정된 헌법을 이제 국민투표에 의하여 개정한다.

ㄴ. [○] 헌법 전문은 헌법전의 일부를 구성하는 헌법의 일부이다. 다만, 모든 성문헌법의 필수적 구성요소라고 볼 수는 없다. 전문이 없는 성문헌법도 적지 않다.

ㄷ. [X] 헌법 전문은 공포문과 달리 헌법의 일부이다.

ㄹ. [X] 임시정부 법통 계승은 1948년 헌법에 없었고 현행헌법에서 추가되었다.

> **1948년 제헌헌법 전문** 유구한 역사와 전통에 빛나는 우리들 대한국민은 기미 삼일운동으로 대한민국을 건립하여 세계에 선포한 위대한 독립정신을 계승하여 ….

ㅁ. [○] 헌법 전문은 '… 1948년 7월 12일에 제정되고 8차에 걸쳐 개정된 헌법을 이제 국회의 의결을 거쳐 국민투표에 의하여 개정한다' 고 규정하여 헌법개정권자가 국민임을 밝히고 있다.

03 정답 ①

ㄱ. [○] 권력은 가분적이고 위임가능하나, 주권은 양도할 수 없고 가분성도 인정되지 않는다. 주권은 오직 국민만이 가질 수 있기 때문에 그러하다.

ㄴ. [○] 통일정신, 국민주권원리 등은 우리나라 헌법의 연혁적·이념적 기초로서 헌법이나 법률해석에서의 해석기준으로 작용한다고 할 수 있지만 그에 기하여 곧바로 국민의 개별적 기본권성을 도출해내기는 어려우며, 헌법 전문에 기재된 대한민국 임시정부의 법통을 계승하는 부분에 위배된다는 점이 청구인들의 법적 지위에 현실적이고 구체적인 영향을 미친다고 볼 수도 없다(2008.11.27, 2008헌마517).

ㄷ. [X] 지역농협 임원 선거는, 헌법에 규정된 국민주권 내지 대의민주주의 원리의 구현 및 지방자치제도의 실현이라는 이념과 직접적인 관계를 맺고 있는 「공직선거법」상 선거와 달리, 자율적인 단체 내부의 조직구성에 관한 것으로서 공익을 위하여 그 선거과정에서 표현의 자유를 상대적으로 폭넓게 제한하는 것이 허용된다. 공적인 역할을 수행하는 결사 또는 그 구성원들이 기본권의 침해를 주장하는 경우에 과잉금지원칙 위배 여부를 판단할 때에는, 순수한 사적인 임의결사의 기본권이 제한되는 경우의 심사에 비해서는 완화된 기준을 적용할 수 있다(2012.12.27, 2011헌마562 등).

ㄹ. [X] 헌법 제41조 제1항에 의한 선거원칙은 보통·평등·직접·비밀·자유 선거인데 「공직선거법」 제188조의 규정처럼 유효투표의 다수를 얻은 자를 당선인으로 결정하도록 하는 것이 헌법에서 선언된 위와 같은 선거원칙에 위반된다고 할 근거는 찾아볼 수 없다. 선거의

대표성 확보는 모든 선거권자들에게 차등 없이 투표참여의 기회를 부여하고, 그 투표에 참여한 선거권자들의 표를 동등한 가치로 평가하여 유효투표 중 다수의 득표를 얻은 자를 당선인으로 결정하는 현행 방식에 의해 충분히 구현된다고 해야 하는 것이다. 그리고 차등 없이 투표참여의 기회를 부여했음에도 불구하고 자발적으로 투표에 참가하지 않은 선거권자들의 의사도 존중해야 할 필요가 있다. 따라서 유효투표의 다수를 얻은 후보자를 당선인으로 결정하게 한 「공직선거법」 규정도 선거의 대표성의 본질이나 국민주권 원리를 침해하는 것이 아니다(2003.11.27, 2003헌마259 등).

ㅁ. [X] 국민주권의 원리는 국민이 국가의사의 형성에 직접적으로 참여하는 특정한 방식으로만 국가권력을 행사할 것을 요구하는 것은 아니며, 우리 헌법은 국민주권의 행사방식으로 대의제를 원칙으로 하면서, 예외적으로 직접민주주의적 요소를 가미하고 있으나 국민이 직접 국민투표를 제안할 권리는 인정하고 있지 않음을 고려할 때 주민발안권의 인정 여부나 구체적 범위가 국민주권의 원리의 한 내용을 이루고 있다고는 볼 수 없다(2009.7.30, 2007헌바75).

04

정답 ②

① [X] 루소는 경험적인 국민의사는 언제나 추정적·잠재적 의사와 동일하다고 보고 국민의 의사는 대표될 수 없으므로 국민의 의사에 따라 국가의사결정이 이루어져야 한다고 주장하였다. 즉, 루소는 주권이 대표될 수 없으며 국회의원은 국민의 대표가 아니라 대리인이라고 하여 대표관계를 부인한다. 루소에 따르면 국회의원은 국민의 명령에 기속되어 국민의 일반의사를 법률로 제정할 의무를 지게 된다.

❷ [○] 형식적 국민주권은 주권자로서 국민의 개념을 이념적 통일체로서 전체 국민으로 파악하고, 국민은 주권의 보유자이지만 구체적인 국가의사결정에 있어서 주권의 행사자는 국민대표가 된다.

> **관련 판례** 형식적 국민주권이론의 가장 중요하고 본질적인 특징은 국민을 개인으로서가 아니라 전체 국민이라고 형식적이고 추상적으로 보는 점이다. 이 전체국민이 주권자라고 할 때 국민 각자가 과연 그 권리를 소유하고 행사할 수 있는 지위와 능력을 실제로 가지고 있느냐 하는 것이 가장 기본적인 문제점이 된다(1989.9.8, 88헌가6).

③ [X] 장 보댕은 군주주권을 주장했고, 국민주권이론을 체계화한 것은 알투시우스와 루소이다. 2014년 국가 7급

④ [X] 헌법상 권력분립의 원리는 지방의회와 지방자치단체의 장 사이에서도 상호견제와 균형의 원리로서 실현되고 있다. 다만 지방자치단체의 장과 지방의회는 정치적 권력기관이긴 하지만 지방자치제도가 본질적으로 훼손되지 않는다면, 중앙·지방 간 권력의 수직적 분배라고 하는 지방자치제의 권력분립적 속성상 중앙정부와 국회 사이의 구성 및 관여와는 다른 방법으로 국민주권·민주주의원리가 구현될 수 있다. 따라서 지방의회와 지방자치단체의 장 사이에서의 권력분립제도에 따른 상호견제와 균형은 현재 우리 사회 내 지방자치의 수준과 특성을 감안하여 국민주권·민주주의원리가 최대한 구현될 수 있도록 하는 효율적이고도 발전적인 방식이 되어야 한다(2014.1.28, 2012헌바216). 2019년 5급 승진

05

정답 ②

① [X] 자유위임은 의회 내에서의 정치의사형성에 정당의 협력을 배척하는 것이 아니며, 의원이 정당과 교섭단체의 지시에 기속되는 것을 배제하는 근거가 되는 것도 아니다. 또한 국회의원의 국민대표성을 중시하는 입장에서도 특정 정당에 소속된 국회의원이 정당기속 내지는 교섭단체의 결정에 위반하는 정치활동을 한 이유로 제재를 받는 경우, 국회의원 신분을 상실하게 할 수는 없으나 '정당 내부의 사실상의 강제' 또는 소속 '정당으로부터의 제명'은 가능하다고 보고 있다. 그렇다면, 당론과 다른 견해를 가진 소속 국회의원을 당해 교섭단체의 필요에 따라 다른 상임위원회로의 전임(사·보임)하는 조치는 특별한 사정이 없는 한 헌법상 용인될 수 있는 '정당 내부의 사실상 강제'의 범위 내에 해당한다고 할 것이다(2003.10.30, 2002헌라1).

❷ [○] 특정 정당에 소속된 국회의원이 정당기속 내지는 교섭단체의 결정(소위 '당론')에 위반하는 정치활동을 한 이유로 제재를 받는 경우, 국회의원 신분을 상실하게 할 수는 없으나 '정당내부의 사실상의 강제' 또는 소속 '정당으로부터의 제명'은 가능하다고 보고 있다(2003.10.30, 2002헌라1). 2015년 사시

③ [X] 지문의 전단은 옳은 내용이지만 후단이 틀린 내용이다. 현행헌법은 국회의원의 자유위임의 원칙에 대한 명문규정을 두고 있지 아니하며 헌법재판소는 헌법의 개별조문을 통해 국회의원의 자유위임의 원칙을 도출하고 있다. 2015년 사시

> **관련 판례** 자유위임제도를 명문으로 채택하고 있는 헌법하에서는 국회의원은 선거모체인 선거구의 선거인이나 정당의 지령에도 법적으로 구속되지 아니하며, 정당의 이익보다 국가의 이익을 우선한 양심에 따라 그 직무를 집행하여야 하며, 국회의원의 정통성은 정당과 독립된 정통성이다. 헌법 제7조 제1항의 "공무원은 국민전체에 대한 봉사자이며, 국민에 대해 책임을 진다."라는 규정, 제45조의 "국회의원은 국회에서 직무상 행한 발언과 표결에 관하여 국회 외에서 책임을 지지 아니한다."라는 규정 및 제46조 제2항의 "국회의원은 국가이익을 우선하여 양심에 따라 직무를 행한다."라는 규정들을 종합하여 볼 때, 헌법은 국회의원을 자유위임의 원칙하에 두었다고 할 것이다(1994.4.28, 92헌마153).

④ [X] 중요정책에 대한 국민투표는 임의적이므로 국민투표절차를 거치지 아니하고 중요정책을 대통령은 결정할 수 있다. 2020년 경찰경채

> **헌법 제72조** 대통령은 필요하다고 인정할 때에는 외교·국방·통일 기타 국가안위에 관한 중요정책을 국민투표에 붙일 수 있다.

06

정답 ③

① [X] 민주적 기본질서는 방어적 민주주의, 가치지향적 민주주의를 근거로 한다. 민주적 기본질서는 방어적 민주주의에서 방어할 대상이다.

② [X] 헌법 전문과 제4조는 자유민주적 기본질서를, 헌법 제8조 제4항은 민주적 기본질서를 규정하고 있다. 자유민주적 기본질서는 헌법 전문에 제7차 개정헌법으로 도입되었고, 제8조 제4항의 민주적 기본질서는 제3차 개정헌법으로 도입되었다.

❸ [○] 우리 헌법 제8조 제4항이 의미하는 민주적 기본질서는, 개인의 자율적 이성을 신뢰하고 모든 정치적 견해들이 각각 상대적 진리성과 합리성을 지닌다고 전제하는 다원적 세계관에 입각한 것으로서, 모든 폭력적·자의적 지배를 배제하고, 다수를 존중하면서도 소수를 배려하는 민주적 의사결정과 자유·평등을 기본원리로 하여 구성되고 운영되는 정치적 질서를 말하며, 구체적으로는 국민주권의 원리, 기본적 인권의 존중, 권력분립제도, 복수정당제도 등이 현행헌법상 주요한 요소라고 볼 수 있다(2014.12.19, 2013헌다1).

④ [X] 모든 폭력적·자의적 지배를 배제하고, 다수를 존중하면서도 소수를 배려하는 민주적 의사결정과 자유·평등을 기본원리로 하여 구

성되고 운영되는 정치적 질서를 말하며, 구체적으로는 국민주권의 원리, 기본적 인권의 존중, 권력분립제도, 복수정당제도 등이 현행 헌법상 주요한 요소라고 볼 수 있다(2014.12.19, 2013헌다1).

07 정답 ②

① [X] 방어적 민주주의는 민주주의의 적에 대해서 위헌정당해산과 기본권 실효를 통해서 정치활동을 억제함으로써 민주주의의 이념과 가치를 지키려는 민주주의이다. 따라서 관용의 한계를 인정하는 민주주의는 방어적 민주주의이다.

❷ [O] 루소와 칼 슈미트는 동일성 민주주의자이다. 동일성 민주주의에서는 치자와 피치자의 의사가 동일해야 한다. 따라서 직접 민주주의에 대해 우호적이다.

③ [X] 지문은 상대적 민주주의에 대한 설명이다.

④ [X] 다수결원칙은 민주주의를 실현시키기 위한 하나의 수단임에도 불구하고, 상대적 민주주의는 다수결원칙을 민주주의의 본질로 보는 오류를 범하고 있다.

08 정답 ③

① [O] 헌법 제8조 제4항이 의미하는 '민주적 기본질서'는, 개인의 자율적 이성을 신뢰하고 모든 정치적 견해들이 각각 상대적 진리성과 합리성을 지닌다고 전제하는 다원적 세계관에 입각한 것으로서, 모든 폭력적·자의적 지배를 배제하고, 다수를 존중하면서도 소수를 배려하는 민주적 의사결정과 자유·평등을 기본원리로 하여 구성되고 운영되는 정치적 질서를 말하며, 구체적으로는 국민주권의 원리, 기본적 인권의 존중, 권력분립제도, 복수정당제도 등이 현행 헌법상 주요한 요소라고 볼 수 있다(2014.12.19, 2013헌다1). 2021년 지방 7급

② [O] 정당은 국민과 국가의 중개자로서 정치적 도관(導管)의 기능을 수행하여 주체적·능동적으로 국민의 다원적 정치의사를 유도·통합함으로써 국가정책의 결정에 직접 영향을 미칠 수 있는 규모의 정치적 의사를 형성하고 있다. 정당은 국민의 정치적 의사형성의 담당자이며 매개자이자 민주주의에 있어서 필수불가결한 요소이기 때문에, 정당의 자유로운 설립과 활동은 민주주의 실현의 전제조건이라고 할 수 있다(2014.1.28, 2012헌가431 등). 2021년 지방 7급

❸ [X] 모든 정당의 존립과 활동은 최대한 보장되며, 설령 어떤 정당이 민주적 기본질서를 부정하고 이를 적극적으로 공격하는 것으로 보인다 하더라도 국민의 정치적 의사형성에 참여하는 정당으로서 존재하는 한 우리 헌법에 의해 최대한 두텁게 보호되므로, 단순히 행정부의 통상적인 처분에 의해서는 해산될 수 없고, 오직 헌법재판소가 그 정당의 위헌성을 확인하고 해산의 필요성을 인정한 경우에만 정당정치의 영역에서 배제된다는 것이다(2014.12.19, 2013헌다1). 2021년 지방 7급

④ [O] 현대의 민주주의가 종래의 순수한 대의제 민주주의에서 정당국가적 민주주의의 경향으로 변화하고 있음은 주지하는 바와 같다. 다만, 국회의원의 국민대표성보다는 오늘날 복수정당제하에서 실제적으로 정당에 의하여 국회가 운영되고 있는 점을 강조하려는 견해와, 반대로 대의제 민주주의원리를 중시하고 정당국가적 현실은 기본적으로 국회의원의 전체 국민대표성을 침해하지 않는 범위내에서 인정하려는 입장이 서로 맞서고 있다. 국회의원의 원내활동을 기본적으로 각자에 맡기는 자유위임은 자유로운 토론과 의사형성을 가능하게 함으로써 당내 민주주의를 구현하고 정당의 독재화 또는 과두화를 막아주는 순기능을 갖는다. 그러나 자유위임은 의회 내에서의 정치의사형성에 정당의 협력을 배척하는 것이 아니며, 의원이 정당과 교섭단체의 지시에 기속되는 것을 배제하는 근거가 되는 것도 아니다(2003.10.30, 2002헌라1).

09 정답 ③

① [O] 고용노동부장관의 청구인 전국교직원 노동조합에 대한 2013.9.23.자 시정요구는 청구인 전국교직원 노동조합의 권리·의무에 변동을 일으키는 행정행위에 해당하나, 청구인 전교조는 이 사건 시정요구에 대하여 다른 불복절차를 거치지 아니하고 곧바로 헌법소원심판을 청구하였으므로, 이에 대한 헌법소원은 보충성 요건을 결하였다(2015.5.28, 2013헌마671 등).

② [O] 「노동조합 및 노동관계조정법 시행령」 제9조 제2항은 법률의 구체적이고 명시적인 위임 없이 법률이 정하고 있지 아니한 법외노조 통보에 관하여 규정함으로써 헌법이 보장하는 노동3권을 본질적으로 제한하는 것으로 법률유보의 원칙에 위반되어 그 자체로 무효이므로 그에 기초한 위 법외노조 통보는 법적 근거를 상실하여 위법하다(대판 전합체 2020.9.3, 2016두32992).

❸ [X] 대통령은 법률에서 구체적으로 범위를 정하여 위임받은 사항과 법률을 집행하기 위하여 필요한 사항에 관하여만 대통령령을 발할 수 있으므로, 법률의 시행령은 모법인 법률에 의하여 위임받은 사항이나 법률이 규정한 범위 내에서 법률을 현실적으로 집행하는 데 필요한 세부적인 사항만을 규정할 수 있을 뿐, 법률에 의한 위임이 없는 한 법률이 규정한 개인의 권리·의무에 관한 내용을 변경·보충하거나 법률에 규정되지 아니한 새로운 내용을 규정할 수는 없다(대판 전합체 2020.9.3, 2016두32992).

④ [O] 대판 전합체 2020.9.3, 2016두32992

10 정답 ④

ㄷ. [X] 켈젠은 법의 영역에서 정치·문화·사실적 요소는 모두 배제한 순수법학을 주장한다.

ㅁ. [X] 예측가능성도 법치국가원리에 당연히 포함된다는 것이 헌법재판소 결정례이다(1996.4.25, 94헌마119).

ㅂ. [X] 법치주의는 안정성을 민주주의는 유동성을 그 본질로 한다.

ㅅ. [X] ㅇ. [X] 신뢰보호원칙은 법치주의에서 파생된 원칙이다(1995.6.29, 94헌바39).

ㅈ. [X] 규정될 사항이 다양한 사실관계일 때는 명확성 요건은 완화된다.

11 정답 ③

① [X] 영국에서의 법의 지배는 실체적 정당성을 요구하므로 법의 내용적 타당성 여부에 관하여 사법심사를 인정한다. 이러한 전통이 미국의 위헌법률심판제도 성립에 영향을 끼쳤다.

② [X] 법의 지배는 국가의 구조적 원리가 아니라 인간의 자유를 보호하기 위한 절차적 원리이기 때문에 구조적 성격을 가진 법치국가원리와는 구별된다.

❸ [O] 사회적 법치주의는 1949년의 독일 기본법에 도입되었다. 법치주의와 사회국가원리는 상호보완적이다.

④ [X] 슈미트는 배분의 원리에 따라 법치국가원리를 비정치적 영역인 자유영역을 보장하는 수단의 원리로 이해했다.

12

정답 ②

① [X] 헌법에는 법치주의에 대한 명문규정이 없다. 헌법은 법치주의를 그 기본원리의 하나로 하고 있으며, 법치주의는 행정작용에 국회가 제정한 형식적 법률의 근거가 요청된다는 법률유보를 그 핵심적 내용의 하나로 하고 있다.

❷ [O] 법치국가의 형식적 이해는 민주주의에 대한 형식적 이해와 더불어 나치의 '합법적 불법통치'를 가능하게 하였으며, 이에 대한 비판으로 제2차 세계대전 이후 독일 기본법하에서는 법치국가를 실질적으로 이해하여 국가질서의 내용적 정당성까지도 묻는 실질적 법치국가론을 강조하였다.

③ [X] 켈젠은 법은 규범이고 정치는 사실이라 보아 양자를 단절하였다. 정치와 법을 연결한 자는 칼 슈미트와 스멘트이다. 슈미트는 헌법을 헌법제정권자의 근본적 결단이라고 하여 사실로부터 규범이 도출된다고 한다. 2004년 사시

④ [X] 예측가능성도 법치국가원리에 당연히 포함된다는 것이 헌법재판소 판례이다. 2000년 행시

13

정답 ②

① [O] 독일에서의 법치국가사상은 영국에 비해 상당히 늦어졌으나 다른 나라에 비해 매우 독특한 형태로 발전하였다. 독일의 법치국가사상은 19세기 초에는 개인의 자유와 재산의 보호를 중심으로 법치국가를 규정하는 형식적·실질적 요소를 포괄하는 국가권리로서 관념되었다. 그러나 19세기 후반 독일의 법치국가의 발전은 영국, 미국과는 달리 민주주의와 법치주의의 결합이 결여된 형태로 나타났고, 나아가 실증주의가 헌법의 영역을 지배하게 되면서 법치국가원리는 곧 합법성과 동일시되는 경향을 보이게 되었던 것이다. 2008년 사시

❷ [X] 법치주의원리를 구조적 원리로 보는 것은 통합주의의 입장이다. 슈미트는 비정치적 영역인 자유의 보장원리로 볼 뿐이다. 2008년 법행

③ [O] 구조적 원리로 보는 통합주의와 제한의 원리로 보는 결단주의, 법실증주의가 있다.

④ [O] 헌법 제66조 제2항 및 제69조에 규정된 대통령의 '헌법을 준수하고 수호해야 할 의무'는 헌법상 법치국가원리가 대통령의 직무집행과 관련하여 구체화된 헌법적 표현이다. '헌법을 준수하고 수호해야 할 의무'가 이미 법치국가원리에서 파생되는 지극히 당연한 것임에도, 헌법은 국가의 원수이자 행정부의 수반이라는 대통령의 막중한 지위를 감안하여 제66조 제2항 및 제69조에서 이를 다시 한번 강조하고 있다. 이러한 헌법의 정신에 의한다면, 대통령은 국민 모두에 대한 '법치와 준법의 상징적 존재'인 것이다(2017.3.10, 2016헌나1).

14

정답 ①

❶ [O] 법정형벌에 의한 기본권의 제한은 범죄행위의 무게 및 그 범행자의 부책에 상응하는 정당한 비례성을 감안하여 기본권의 제한은 필요한 최소한에 그쳐야 한다는 헌법상의 법치국가원리에서 나오는 과잉입법금지의 원칙에도 반하는 것이라고 아니할 수 없어 이는 기본권의 본질적 내용을 침해할 수 없다는 헌법 제37조 제2항에 위반되는 것이라고 할 것이다(1992.4.28, 90헌바24). 2017년 행시

② [X] 어떤 행위를 범죄로 규정하고 이를 어떻게 처벌할 것인가 하는 문제 즉, 범죄의 설정과 법정형의 종류 및 범위의 선택 문제는 그 범죄의 죄질과 보호법익에 대한 고려뿐만 아니라 우리의 역사와 문화, 입법 당시의 시대적 상황, 국민 일반의 가치관과 법감정 그리고 범죄 예방을 위한 형사정책적 측면 등 여러 가지 요소를 종합적으로 고려하여 입법자가 결정할 사항으로서 입법재량 내지 형성의 자유가 인정되어야 할 분야이다. 그러나 우리 헌법은 국가권력의 남용으로부터 국민의 기본권을 보호하려는 법치국가의 실현을 기본이념으로 하고 있고, 법치국가의 개념은 범죄에 대한 법정형을 정함에 있어 죄질과 그에 따른 행위자의 책임 사이에 적절한 비례관계가 지켜질 것을 요구하는 실질적 법치국가의 이념을 포함하고 있으므로, 형벌이 죄질과 책임에 상응하도록 적절한 비례성을 지켜야 한다(2010.11.25, 2009헌바27). 2020년 5급 승진

③ [X] 법치주의는 안정성을 민주주의는 유동성을 그 본질로 한다. 문제 선지는 민주주의와 법치주의가 혼동된 지문이다.

④ [X] 사법(司法)의 본질은 법 또는 권리에 관한 다툼이 있거나 법이 침해된 경우에 독립적인 법원이 원칙적으로 직접 조사한 증거를 통한 객관적 사실인정을 바탕으로 법을 해석·적용하여 유권적인 판단을 내리는 작용이라고 할 것이다. 그런데 「반국가행위자의 처벌에 관한 특별조치법」 제7조 제7항이 특정 사안에 있어 법관으로 하여금 증거조사에 의한 사실판단도 하지 말고, 최초의 공판기일에 공소사실과 검사의 의견만을 듣고 결심하여 형을 선고하라는 것은 입법에 의해서 사법의 본질적인 중요부분을 대체시켜버리는 것에 다름아니어서 우리 헌법상의 권력분립원칙에 어긋나는 것이다(1996.1.25, 95헌가5). 2005년 사시

15

정답 ③

① [O] '체계정당성'의 원리라는 것은 동일 규범 내에서 또는 상이한 규범 간에 (수평적 관계이건 수직적 관계이건) 그 규범의 구조나 내용 또는 규범의 근거가 되는 원칙면에서 상호 배치되거나 모순되어서는 안 된다는 하나의 헌법적 요청이다. 즉, 이는 규범 상호 간의 구조와 내용 등이 모순됨이 없이 체계와 균형을 유지하도록 입법자를 기속하는 헌법적 원리라고 볼 수 있다. 이처럼 규범 상호 간의 체계정당성을 요구하는 이유는 입법자의 자의를 금지하여 규범의 명확성, 예측가능성 및 규범에 대한 신뢰와 법적 안정성을 확보하기 위한 것이고 이는 국가공권력에 대한 통제와 이를 통한 국민의 자유와 권리의 보장을 이념으로 하는 법치주의원리로부터 도출되는 것이라고 할 수 있다(2004.11.25, 2002헌바66). 2021년 국가 7급

② [O] 일반적으로 일정한 공권력작용이 체계정당성에 위반한다고 해서 곧 위헌이 되는 것은 아니고, 그것이 위헌이 되기 위해서는 결과적으로 비례의 원칙이나 평등의 원칙 등 일정한 헌법의 규정이나 원칙을 위반하여야 한다(2010.6.24, 2007헌바101 등). 2015년 서울 7급, 2021년 국가 7급

❸ [X] '체계정당성'의 원리라는 것은 동일 규범 내에서 또는 상이한 규범 간에 (수평적 관계이건 수직적 관계이건) 그 규범의 구조나 내용 또는 규범의 근거가 되는 원칙면에서 상호 배치되거나 모순되어서는 안 된다는 하나의 헌법적 요청이다. 즉 이는 규범 상호 간의 구조와 내용 등이 모순됨이 없이 체계와 균형을 유지하도록 입법자를 기속하는 헌법적 원리라고 볼 수 있다. 이처럼 규범 상호 간의 체계정당성을 요구하는 이유는 입법자의 자의를 금지하여 규범의 명확성, 예측가능성 및 규범에 대한 신뢰와 법적 안정성을 확보하기 위한 것이고, 이는 국가공권력에 대한 통제와 이를 통한 국민의 자유와 권리의 보장을 이념으로 하는 법치주의원리로부터 도출되는 것이라고 할 수 있다. 그러나 일반적으로 일정한 공권력작용이 체계정당성에 위반한다고 해서 곧 위헌이 되는 것은 아니다. 즉 체계정당성 위반 자체가 바로 위헌이 되는 것은 아니고, 이는 비례의 원칙이나 평등원칙 위반 내지 입법의 자의금지 위반 등의 위헌성을 시사하는 하나의 징후일 뿐이다. 그러므로 체계정당성 위반은

비례의 원칙이나 평등원칙 위반 내지 입법자의 자의금지 위반 등 일정한 위헌성을 시사하기는 하지만 아직 위헌은 아니고, 그것이 위헌이 되기 위해서는 결과적으로 비례의 원칙이나 평등의 원칙 등 일정한 헌법의 규정이나 원칙을 위반하여야 한다(2004.11.25, 2002헌바66). 2021년 국가 7급

④ [O] 체계정당성의 원리는 동일 규범 내에서 또는 상이한 규범 간에 그 규범의 구조나 내용 또는 규범의 근거가 되는 원칙면에서 상호 배치되거나 모순되어서는 안 된다는 하나의 헌법적 요청이며, 국가 공권력에 대한 통제와 이를 통한 국민의 자유와 권리의 보장을 이념으로 하는 법치주의원리로부터 도출되는데, 이러한 체계정당성 위반은 비례의 원칙이나 평등의 원칙 등 일정한 헌법의 규정이나 원칙을 위반하여야만 비로소 위헌이 되며, 체계정당성의 위반을 정당화할 합리적인 사유의 존재에 대하여는 입법재량이 인정된다(2004.11.25, 2002헌바66). 2014년 국가 7급

16 정답 ①

❶ [X] 체계정당성(Systemgerechtigkeit)의 원리란 '규범상호 간의 구조와 내용 등이 모순됨이 없이 체계와 균형을 유지하도록 입법자를 기속하는 헌법적 원리'로 풀이될 수 있다. 체계정당성의 위반을 정당화할 합리적인 사유의 존재에 대하여는 입법의 재량이 인정되어야 한다. 다양한 입법의 수단 가운데서 어느 것을 선택할 것인가 하는 것은 원래 입법의 재량에 속하기 때문이다. 그러므로 이러한 점에 관한 입법의 재량이 현저히 한계를 일탈한 것이 아닌 한 위헌의 문제는 생기지 않는다고 할 것이다(2010.6.24, 2007헌바101 등). 2010년 사시

② [O] 체계정당성의 원리는 동일 규범 내에서 또는 상이한 규범 간에 그 규범의 구조나 내용 또는 규범의 근거가 되는 원칙면에서 상호 배치되거나 모순되어서는 안 된다는 하나의 헌법적 요청이며, 국가 공권력에 대한 통제와 이를 통한 국민의 자유와 권리의 보장을 이념으로 하는 법치주의원리로부터 도출되는데, 이러한 체계정당성 위반은 비례의 원칙이나 평등의 원칙 등 일정한 헌법의 규정이나 원칙을 위반하여야만 비로소 위헌이 되며, 체계정당성의 위반을 정당화할 합리적인 사유의 존재에 대하여는 입법재량이 인정된다(2004.1.25, 2002헌바66). 2021년 소방간부

③ [O] 자기책임의 원리는 인간의 자유와 유책성, 그리고 인간의 존엄성을 진지하게 반영한 원리로서 그것이 비단 민사법이나 형사법에 국한된 원리라기보다는 근대법의 기본이념으로서 법치주의에 당연히 내재하는 원리로 볼 것이고 헌법 제13조 제3항은 그 한 표현에 해당하는 것으로서 자기책임의 원리에 반하는 제재는 그 자체로서 헌법 위반을 구성한다고 할 것이다(2003.7.24, 2001헌가25). 2008년 국가 7급, 2021년 소방간부

④ [O] '책임 없는 자에게 형벌을 부과할 수 없다'는 형벌에 관한 책임주의는 형사법의 기본원리로서, 헌법상 법치국가의 원리에 내재하는 원리인 동시에 헌법 제10조의 취지로부터 도출되는 원리이고, 법인의 경우도 자연인과 마찬가지로 책임주의원칙이 적용된다(2016.3.31, 2016헌가4). 2016년 변시, 2017년 경찰승진, 2020년 국가 7급

17 정답 ③

① [O] 헌법 제75조는 행정부에 입법을 위임하는 수권법률의 명확성원칙에 관한 것으로서, 법률의 명확성원칙이 행정입법에 관하여 구체화된 특별규정이다. 법률의 명확성원칙은 '법률의 수권은 그 내용, 목적, 범위에 있어서 충분히 확정되고 제한되어 있어서 국민이 행정의 행위를 어느 정도 예측할 수 있어야 한다'는 것을 의미한다(2003.7.24, 2002헌바82). 2017년 법무사

② [O] 모든 법규범의 문언을 순수하게 기술적 개념만으로 구성하는 것은 입법기술적으로 불가능하고 또 바람직하지도 않기 때문에 어느 정도 가치개념을 포함한 일반적, 규범적 개념을 사용하지 않을 수 없다. 따라서 명확성의 원칙이란 기본적으로 최대한이 아닌 최소한의 명확성을 요구하는 것이다. 그러므로 법문언이 해석을 통해서, 즉 법관의 보충적인 가치판단을 통해서 그 의미 내용을 확인해낼 수 있고, 그러한 보충적 해석이 해석자의 개인적인 취향에 따라 좌우될 가능성이 없다면 명확성의 원칙에 반한다고 할 수 없다 할 것이다(1998.4.30, 95헌가16). 2016년 소방간부

❸ [X] 설사 법 문언의 불확정적인 측면이 다소 있더라도, 장기간에 걸쳐 집적된 법원의 동일한 취지의 판례가 가지는 법률보충적 기능을 통하여 이 불명확성은 이미 치유 내지 제거되었다. 따라서 이 사건 심판대상조항은 명확성원칙에 위반되지 아니한다(2014.7.24, 2012헌바277). 2015년 국회 9급

④ [O] 위임입법의 구체성·명확성의 요구 정도는 각종 법률이 규제하고자 하는 대상의 종류와 성질에 따라 달라질 것이지만, 특히 처벌법규나 조세법규와 같이 국민의 기본권을 직접적으로 제한하거나 침해할 소지가 있는 법규에서는 구체성·명확성의 요구가 강화되어 그 위임의 요건과 범위가 일반적인 급부행정법규의 경우보다 더 엄격하게 제한적으로 규정되어야 하는 반면에, 규율대상이 지극히 다양하거나 수시로 변화하는 성질의 것일 때에는 위임의 구체성·명확성의 요건이 완화된다(2012.2.23, 2011헌가13). 2021년 변시

18 정답 ④

① [X] 명확성의 원칙은 모든 법률에 있어서 동일한 정도로 요구되는 것은 아니고 개개의 법률이나 법조항의 성격에 따라 요구되는 정도에 차이가 있을 수 있으며, 각각의 구성요건의 특수성과 그러한 법률이 제정되게 된 배경이나 상황에 따라 달라질 수 있지만, 일반론으로는 어떤 규정이 부담적 성격을 가지는 경우에는 수익적 성질을 가지는 경우에 비하여 명확성의 원칙이 더욱 엄격하게 요구된다(1992.2.25, 89헌가104) 2015년 국회 9급

② [X] 규정될 사항이 다양한 사실관계일 때는 명확성 요건은 완화된다(2000.2.24, 98헌바37). 2005년 사시, 2017년 경찰승진

③ [X] 명확성의 원칙에서 명확성의 정도는 모든 법률에 있어서 동일한 정도로 요구되는 것은 아니고 개개의 법률이나 법조항의 성격에 따라 요구되는 정도에 차이가 있을 수 있으며 각각의 구성요건의 특수성과 그러한 법률이 제정되게 된 배경이나 상황에 따라 달라질 수 있다고 할 것이다(1992.2.25, 89헌개04). 2020년 5급 승진

❹ [O] 법률의 명확성원칙은 입법자가 법률을 제정함에 있어서 개괄조항이나 불확정 법개념의 사용을 금지하는 것이 아니다. 법률이 불확정개념을 사용하는 경우라도 법률해석을 통하여 행정청과 법원의 자의적인 적용을 배제하는 객관적인 기준을 얻는 것이 가능하다면 법률의 명확성원칙에 부합하는 것이다(2004.7.15, 2003헌바35 등). 2016년 소방간부

19 정답 ②

① [X] 구 「검사징계법」 제2조 제3호의 '검사로서의 체면이나 위신을 손상하는 행위'의 의미는, 공직자로서의 검사의 구체적 언행과 그에 대한 검찰 내부의 평가 및 사회 일반의 여론, 그리고 검사의 언행이 사회에 미친 파장 등을 종합적으로 고려하여 구체적인 상황에 따라 건전한 사회통념에 의하여 판단할 수 있으므로 명확성원칙에

위배되지 아니한다(2011.12.29, 2009헌바282). 2013년 변시, 2017년 경찰승진

❷ [O] 집행명령은 그 모법에 종속하며 그 범위 안에서 모법을 현실적으로 집행하는 데 필요한 세칙을 규정할 수 있을 뿐이므로 위임명령과 달리 새로운 권리, 의무에 관한 사항을 규정할 수 없다(2001.2.22, 2000헌마604). 2017년 법행

③ [X] 헌법 제95조에서는 법률에서 대통령령에 위임하는 경우 구체적 위임을 요구하고 있어 포괄위임은 금지된다. 따라서 법규명령에 위임하는 경우 반드시 구체적 위임을 요구한다.

④ [X] 식품의약품안전처장이 국민보건을 위하여 필요하면 판매를 목적으로 하는 식품 또는 식품첨가물에 관한 제조·가공·사용·조리·보존방법에 관한 기준을 고시하도록 하고 이를 위반한 경우 처벌하도록 한 「식품위생법」 형벌의 구성요건 일부에 해당하는 식품의 제조방법기준을 고시에 위임하고 있는데, 식품의 제조방법기준을 정하는 작업에는 전문적·기술적 지식이 요구되고 식품산업의 발전에 따른 탄력적·기술적 대응과 규율이 필요하므로, 심판대상조항이 이를 식품의약품안전처 고시에 위임하는 것은 불가피하다. 그러므로 심판대상조항이 식품의 제조방법기준을 식품의약품안전처 고시에 위임한 것이 헌법에서 정한 위임입법의 형식을 갖추지 못하여 헌법에 위반된다고 할 수 없다(2019.11.28, 2017헌바449). 2020년 5급 승진

20

정답 ④

① [O] 헌법 제117조 제1항에서 규정하고 있는 '법령'에 법률 이외에 헌법 제75조 및 제95조 등에 의거한 '대통령령', '총리령' 및 '부령'과 같은 법규명령이 포함되는 것은 물론이지만, 헌법재판소의 "법령의 직접적인 위임에 따라 수임행정기관이 그 법령을 시행하는데 필요한 구체적 사항을 정한 것이면, 그 제정형식은 비록 법규명령이 아닌 고시, 훈령, 예규 등과 같은 행정규칙이더라도, 그것이 상위법령의 위임한계를 벗어나지 아니하는 한, 상위법령과 결합하여 대외적인 구속력을 갖는 법규명령으로서 기능하게 된다고 보아야 한다."라고 판시한 바에 따라, 헌법 제117조 제1항에서 규정하는 '법령'에는 법규명령으로서 기능하는 행정규칙이 포함된다(2002.10.31, 2002헌라2). 2017년 법행

② [O] 헌법 제75조는 "대통령은 법률에서 구체적으로 범위를 정하여 위임받은 사항과 법률을 집행하기 위하여 필요한 사항에 관하여 대통령령을 발할 수 있다."라고 규정하고 있다. 따라서 대통령은 법률에서 구체적으로 범위를 정하여 위임받은 사항과 법률을 집행하기 위하여 필요한 사항에 관하여만 대통령령을 발할 수 있으므로, 법률의 시행령은 모법인 법률에 의하여 위임받은 사항이나 법률이 규정한 범위 내에서 법률을 현실적으로 집행하는 데 필요한 세부적인 사항만을 규정할 수 있을 뿐, 법률에 의한 위임이 없는 한 법률이 규정한 개인의 권리·의무에 관한 내용을 변경·보충하거나 법률에 규정되지 아니한 새로운 내용을 규정할 수는 없다(대판 전합체 2020.9.3, 2016두32992). 2021년 변시

③ [O] 헌법 제75조에 근거한 포괄위임금지원칙은 법률에 이미 대통령령 등 하위법규에 규정될 내용 및 범위의 기본사항이 구체적으로 규정되어 있어서 누구라도 당해 법률로부터 하위법규에 규정될 내용의 대강을 예측할 수 있어야 함을 의미하므로, 위임입법이 대법원규칙인 경우에도 수권법률에서 이 원칙을 준수하여야 하는 것은 마찬가지이다. 다만, 대법원규칙으로 규율될 내용들은 소송에 관한 절차와 같이 법원의 전문적이고 기술적인 사무에 관한 것이 대부분일 것인바, 법원의 축적된 지식과 실제적 경험의 활용, 규칙의 현실적 적응성과 적시성의 확보라는 측면에서 수권법률에서의 위임의 구체성·명확성의 정도는 다른 규율영역에 비해 완화될 수 있을 것이다(2016.6.30, 2013헌바370 등). 2017년 지방 7급

❹ [X] 헌법 제75조는 위임입법의 근거조문임과 동시에 그 범위와 한계를 제시하고 있다. 여기서 '법률에서 구체적인 범위를 정하여 위임받은 사항'이란 법률에 이미 대통령령으로 규정될 내용 및 범위의 기본사항이 구체적으로 규정되어 있어서 누구라도 당해 법률로부터 대통령령에 규정될 내용의 대강을 예측할 수 있어야 함을 의미한다(2016.9.29, 2014헌바114).

➡ 관련 분야의 평균인을 기준으로 하는 것이 아니다. 2017년 지방 7급

7회 진도별 모의고사

법치주의 ~ 소급입법금지원칙

정답

01	④	02	③	03	①	04	②
05	①	06	④	07	④	08	①
09	④	10	④	11	③	12	④
13	①	14	④	15	①	16	④
17	②	18	②	19	②	20	③

01 정답 ④

① [O] 위임의 구체성·명확성의 요구 정도는 그 규율대상의 종류와 성격에 따라 달라질 것이지만, 처벌법규나 조세를 부과하는 조세법규와 같이 국민의 기본권을 직접적으로 제한하거나 침해할 소지가 있는 법규에서는 구체성·명확성의 요구가 강화되어 그 위임의 요건과 범위가 더 엄격하게 규정되어야 하는 반면에, 일반적인 급부행정이나 조세감면혜택을 부여하는 조세법규의 경우에는 위임의 구체성 내지 명확성의 요구가 완화되어 그 위임의 요건과 범위가 덜 엄격하게 규정될 수 있으며, 그리고 규율대상이 지극히 다양하거나 수시로 변화하는 성질의 것일 때에는 위임의 구체성·명확성의 요건이 완화되어야 할 것이다. 또한 위임조항 자체에서 위임의 구체적 범위를 명백히 규정하고 있지 않다고 하더라도 당해 법률의 전반적 체계와 관련 규정에 비추어 위임조항의 내재적인 위임의 범위나 한계를 객관적으로 분명히 확정할 수 있다면 이를 포괄적인 백지위임에 해당하는 것으로는 볼 수 없다(2005.4.28, 2003헌가23).

② [O] 헌법 제75조, 제95조의 문리해석상 및 법리해석상 포괄적인 위임입법의 금지는 법규적 효력을 가지는 행정입법의 제정을 그 주된 대상으로 하고 있다. 위임입법을 엄격한 헌법적 한계 내에 두는 이유는 무엇보다도 권력분립의 원칙에 따라 국민의 자유와 권리에 관계되는 사항은 국민의 대표기관이 정하는 것이 원칙이라는 법리에 기인한 것이다. 그런데 법률이 행정부가 아니거나 행정부에 속하지 않는 공법적 기관의 정관에 특정 사항을 정할 수 있다고 위임하는 경우에는 그러한 권력분립의 원칙을 훼손할 여지가 없다. 이는 자치입법에 해당되는 영역이므로 자치적으로 정하는 것이 바람직하다. 따라서 법률이 정관에 자치법적 사항을 위임한 경우에는 헌법 제75조, 제95조가 정하는 포괄적인 위임입법의 금지는 원칙적으로 적용되지 않는다고 봄이 상당하다(2006.3.30, 2005헌바31). 2015년 지방 7급

③ [O] 위임입법의 법리는 헌법의 근본원리인 권력분립주의와 의회주의 내지 법치주의에 바탕을 두는 것이기 때문에 행정부에서 제정된 대통령령에서 규정한 내용이 정당한 것인지 여부와 위임의 적법성은 직접적인 관계가 없다. 따라서 대통령령으로 규정한 내용이 헌법에 위반될 경우라도 그 대통령령의 규정이 위헌으로 되는 것은 별론으로 하고 그로 인하여 정당하고 적법하게 입법권을 위임한 수권법률조항까지 위헌으로 되는 것은 아니다(1997.9.25, 96헌바18 등). 2015년 지방 7급

❹ [X] 범죄와 형벌에 관한 사항에 있어서도 위임입법의 근거와 한계에 관한 헌법 제75조는 적용되는 것이고, 다만 법률에 의한 처벌법규의 위임은 헌법이 특히 인권을 최대한 보장하기 위하여 죄형법정주의와 적법절차를 규정하고, 법률에 의한 처벌을 강조하고 있는 기본권 보장 우위사상에 비추어 바람직하지 못한 일이므로, 그 요건과 범위가 보다 엄격하게 제한적으로 적용되어야 하는바, 따라서 처벌법규의 위임을 하기 위하여는 첫째, 특히 긴급한 필요가 있거나 미리 법률로써 자세히 정할 수 없는 부득이한 사정이 있는 경우에 한정되어야 하며, 둘째, 이러한 경우에도 법률에서 범죄의 구성요건은 처벌대상행위가 어떠한 것일 것이라고 예측할 수 있을 정도로 구체적으로 정하고, 셋째, 형벌의 종류 및 그 상한과 폭을 명백히 규정하여야 하되, 위임입법의 위와 같은 예측가능성의 유무를 판단함에 있어서는 당해 특정 조항 하나만을 가지고 판단할 것이 아니고 관련 법조항 전체를 유기적·체계적으로 종합하여 판단하여야 한다(1997.5.29, 94헌바22). 2015년 지방 7급

02 정답 ③

① [X] 헌법 제75조에 근거한 포괄위임금지원칙은 법률에 이미 대통령령 등 하위법규에 규정될 내용 및 범위의 기본사항이 구체적으로 규정되어 있어서 누구라도 당해 법률로부터 하위법규에 규정될 내용의 대강을 예측할 수 있어야 함을 의미하므로, 위임입법이 대법원규칙인 경우에도 수권법률에서 이 원칙을 준수하여야 하는 것은 마찬가지이다. 다만, 대법원규칙으로 규율될 내용들은 소송에 관한 절차와 같이 법원의 전문적이고 기술적인 사무에 관한 것이 대부분일 것인바, 법원의 축적된 지식과 실제적 경험의 활용, 규칙의 현실적 적응성과 적시성의 확보라는 측면에서 수권법률에서의 위임의 구체성·명확성의 정도는 다른 규율영역에 비해 완화될 수 있을 것이다(2016.6.30, 2013헌바370 등). 2021년 변시

② [X] 행정규칙은 법규명령과 같은 엄격한 제정 및 개정절차를 필요로 하지 아니하므로, 기본권을 제한하는 내용의 입법을 위임할 때에는 법규명령에 위임하는 것이 원칙이고, 고시와 같은 형식으로 입법위임을 할 때에는 법령이 전문적·기술적 사항이나 경미한 사항으로서 업무의 성질상 위임이 불가피한 사항에 한정된다. 그리고 그러한 사항이라 하더라도 포괄위임금지원칙상 법률의 위임은 반드시 구체적·개별적으로 한정된 사항에 대하여 행하여져야 한다(2014.7.24, 2013헌바183 등). 2021년 변시

❸ [O] 법률이 정관에 자치법적 사항을 위임한 경우에는 헌법상의 포괄위임입법금지의 원칙이 원칙적으로 적용되지 않는다고 볼 것이다. 그러나 공법적 기관의 정관 규율사항이라도 그러한 정관의 제정주체가 사실상 행정부에 해당하거나, 기타 권력분립의 원칙에서 엄격한 위임입법의 한계가 준수될 필요가 있는 경우에는 헌법 제75조, 제95조의 포괄위임입법금지원칙이 적용되어야 할 것이다(2001.4.26, 2000헌마122). 2016년 5급 승진

④ [X] 헌법에 의하여 위임입법이 용인되는 한계인 법률에서 구체적으로 범위를 정하여 위임받은 사항이라 함은 법률에 이미 대통령령으로 규정될 내용 및 범위의 기본사항이 구체적으로 규정되어 있어서 누구라도 당해 법률로부터 대통령령에 규정될 내용의 대강을 예측할 수 있어야 한다는 것을 의미한다. 위임입법의 위와 같은 구체성 내지 예측가능성의 요구 정도는 문제된 그 법률이 의도하는 규제대상의 종류와 성질에 따라 달라질 것임은 물론이고, 그 예측가능성의 유무를 판단함에 있어서는 당해 특정 조항 하나만을 가지고 판단할 것이 아니고 관련 법조항 전체를 유기적·체계적으로 종합 판단하여야 하며, 각 대상법률의 성질에 따라 구체적·개별적으로 검토하여야 한다(1997.5.29, 94헌바22). 2016년 사시

03 정답 ①

❶ [X] 토지등소유자가 도시환경정비사업을 시행하는 경우 사업시행인가 신청시 필요한 토지등소유자의 동의는, 개발사업의 주체 및 정비구역 내 토지등소유자를 상대로 수용권을 행사하고 각종 행정처분을 발할 수 있는 행정주체로서의 지위를 가지는 사업시행자를 지정하는 문제로서, 그 동의요건을 정하는 것은 국민의 권리와 의무의 형성에 관한 기본적이고 본질적인 사항이므로 국회가 스스로 행하여야 하는 사항에 속하는 것임에도 불구하고, 사업시행인가신청에 필요한 동의정족수를 토지등소유자가 자치적으로 정하여 운영하는 규약에 정하도록 한 것은 법률유보원칙에 위반된다(2012.4.24, 2010헌바1).

② [O] 행정규칙은 법규명령과 같은 엄격한 제정 및 개정절차를 필요로 하지 아니하므로, 기본권을 제한하는 내용의 입법을 위임할 때에는 법규명령에 위임하는 것이 원칙이고, 고시와 같은 형식으로 입법위임을 할 때에는 법령이 전문적·기술적 사항이나 경미한 사항으로서 업무의 성질상 위임이 불가피한 사항에 한정된다(2014.7.24, 2013헌바183 등).

③ [O] 법률에서 위임받은 사항을 전혀 규정하지 아니하고 그대로 재위임하는 것은 허용되지 않으며 위임받은 사항에 관하여 대강을 정하고 그중의 특정 사항을 범위를 정하여 하위법령에 다시 위임하는 경우에만 재위임이 허용된다(1996.2.29, 94헌마213). 2016년 사시

④ [O] 운전면허 취소 또는 정지처분의 요건으로서 구호조치를 취하지 않은 경우의 개별적 유형을 입법자가 반드시 법률로 규율하여야 하는 것은 아니다. 따라서 이 사건 취소조항이 기본권 제한의 본질적인 사항을 하위법령에 위임함으로써 법률유보원칙에 위배된다고 할 수 없다(2019.8.29, 2018헌바4).

04 정답 ②

① [O] 기본권 제한에 관한 법률유보원칙은 '법률에 근거한 규율'을 요청하는 것이고, 심판대상조항은 학교법인의 회계규칙 기타 예산 또는 회계에 관하여 필요한 사항은 교육부장관이 정하도록 한 「사립학교법」 제33조, 이를 사립학교경영자에게 준용하도록 한 「사립학교법」 제51조에 근거한 것이므로 법률유보원칙에 위반된다고 볼 수 없다(2019.7.25, 2017헌마1038 등).

❷ [X] 이 사건 CCTV 설치행위는 교도관의 육안에 의한 시선계호를 CCTV 장비에 의한 시선계호로 대체한 것에 불과하므로, 이 사건 CCTV 설치행위에 대한 특별한 법적 근거가 없더라도 일반적인 계호활동을 허용하는 법률규정에 의하여 허용된다고 보아야 한다. CCTV는 교도관의 시선에 의한 감시를 대신하는 기술적 장비에 불과하므로, 교도관의 시선에 의한 감시가 허용되는 이상 CCTV에 의한 감시 역시 가능하다고 할 것이다(2008.5.29, 2005헌마137 등).

③ [O] 「노동조합 및 노동관계조정법 시행령」 제9조 제2항은 법률이 정하고 있지 아니한 사항에 관하여, 법률의 구체적이고 명시적인 위임도 없이 헌법이 보장하는 노동3권에 대한 본질적인 제한을 규정한 것으로서 법률유보원칙에 반한다(대판 전합체 2020.9.3, 2016두32992).

④ [O] 법외노조 통보는 적법하게 설립된 노동조합의 법적 지위를 박탈하는 중대한 침익적 처분으로서 원칙적으로 국민의 대표자인 입법자가 스스로 형식적 법률로써 규정하여야 할 사항이고, 행정입법으로 이를 규정하기 위하여는 반드시 법률의 명시적이고 구체적인 위임이 있어야 한다. 그런데 「노동조합 및 노동관계조정법 시행령」 제9조 제2항은 법률의 위임 없이 법률이 정하지 아니한 법외노조 통보에 관하여 규정함으로써 헌법상 노동3권을 본질적으로 제한하고 있으므로 그 자체로 무효이다(대판 전합체 2020.9.3, 2016두32992).

05 정답 ①

❶ [O] 일반적으로 기본권 침해 관련 영역에서는 급부행정영역에서보다 위임의 구체성의 요구가 강화된다는 점, 이 사건 응시 제한이 검정고시 응시자에게 미치는 영향은 응시자격의 영구적인 박탈인 만큼 중대하다고 할 수 있는 점 등에 비추어 보다 엄격한 기준으로 법률유보원칙의 준수 여부를 심사하여야 할 것인바, 고졸검정고시규칙과 고입검정고시규칙이 '검정고시에 합격한 자'에 대하여만 응시자격 제한을 공고에 위임했다고 볼 근거도 없으므로, 이 사건 응시 제한은 위임받은 바 없는 응시자격의 제한을 새로이 설정한 것으로서 기본권 제한의 법률유보원칙에 위배하여 청구인의 교육을 받을 권리 등을 침해한다(2012.5.31, 2010헌마139 등).

② [X] 자동차 등을 이용한 범죄행위의 모든 유형이 기본권 제한의 본질적인 사항으로서 입법자가 반드시 법률로써 규율하여야 하는 사항이라고 볼 수 없고, 법률에서 운전면허의 필요적 취소사유인 살인, 강간 등 자동차 등을 이용한 범죄행위에 대한 예측가능한 기준을 제시한 이상, 심판대상조항은 법률유보원칙에 위배되지 아니한다(2015.5.28, 2013헌가6). ➡ 과잉금지원칙 위반

③ [X] 인구주택총조사의 조사항목은 시의성을 가지고 시대와 상황에 따라 변경될 수 있는 사항이므로, 법률에서 직접 정해야 하는 불변의 본질적인 사항이라고 보기 어렵다. 따라서 인구주택총조사의 모든 조사항목을 입법자가 반드시 법률로 규율하여야 한다고 볼 수 없다. 나아가 심판대상행위는 「통계법」 제5조의3에 근거하여 이루어졌으므로, 법률유보원칙에 위배되어 청구인의 개인정보자기결정권을 침해하지 않는다(2017.7.27, 2015헌마1094).

④ [X] 지방의회의원에 대하여 유급 보좌 인력을 두는 것은 지방의회의원의 신분·지위 및 그 처우에 관한 현행법령상의 제도에 중대한 변경을 초래하는 것으로서 국회의 법률로 규정하여야 할 입법사항이다(대판 2017.3.30, 2016추5087).

06 정답 ④

① [O] 수신료의 금액은 이사회가 심의·결정하고, 공사가 공보처장관의 승인을 얻어 이를 부과·징수하도록 한 「한국방송공사법」 제36조는 수신료의 본질적 사항에 해당하는 수신료 금액에 관하여 국회의 결정 내지 관여를 배제한 채 공사로 하여금 수신료의 금액을 전적으로 결정하도록 한 것은 법률유보원칙에 위반된다(1999.5.27, 98헌바70).
➡ 헌법불합치결정, 잠정적 적용 허용.

② [O] 헌법 제75조는 입법의 위임은 구체적으로 범위를 정하여 해야 한다는 한계를 제시하고 있는바, 적어도 국민의 헌법상 기본권 및 기본의무와 관련된 중요한 사항 내지 본질적인 내용에 대한 정책형성기능만큼은 입법부가 담당하여 법률의 형식으로써 수행해야 하지, 행정부나 사법부에 그 기능을 넘겨서는 안 된다. 국회의 입법절차는 국민의 대표로 구성된 다원적·인적 구성의 합의체에서 공개적 토론을 통하여 국민의 다양한 견해와 이익을 인식하고 교량하여 공동체의 중요한 의사결정을 하는 과정이다. 일반 국민과 야당의 비판을 허용하고 그들의 참여가능성을 개방하고 있다는 점에서 전문관료들만에 의하여 이루어지는 행정입법절차와는 달리 공익의 발견과 상충하는 이익 간의 정당한 조정에 보다 적합한 민주적 과정이라 할 수 있다. 그리고 이러한 견지에서, 규율대상이 기본권적 중요성을 가질수록 그리고 그에 관한 공개적 토론의 필요성 내지 상충하는 이익 간 조정의 필요성이 클수록, 그것이 국회의

법률에 의해 직접 규율될 필요성 및 그 규율밀도의 요구 정도는 그만큼 더 증대되는 것으로 보아야 한다(2004.3.25, 2001헌마882).

③ [○] 특정 사안과 관련하여 법률에서 하위법령에 위임을 한 경우에 모법의 위임범위를 확정하거나 하위법령이 위임의 한계를 준수하고 있는지 여부를 판단할 때에는, 하위법령이 규정한 내용이 입법자가 형식적 법률로 스스로 규율하여야 하는 본질적 사항으로서 의회유보의 원칙이 지켜져야 할 영역인지, 당해 법률규정의 입법목적과 규정 내용, 규정의 체계, 다른 규정과의 관계 등을 종합적으로 고려하여야 하고, 위임규정 자체에서 의미 내용을 정확하게 알 수 있는 용어를 사용하여 위임의 한계를 분명히 하고 있는데도 문언적 의미의 한계를 벗어났는지나, 하위법령의 내용이 모법 자체로부터 위임된 내용의 대강을 예측할 수 있는 범위 내에 속한 것인지, 수권규정에서 사용하고 있는 용어의 의미를 넘어 범위를 확장하거나 축소하여서 위임 내용을 구체화하는 단계를 벗어나 새로운 입법을 한 것으로 평가할 수 있는지 등을 구체적으로 따져 보아야 한다(대판 전합체 2015.8.20, 2012두23808).

❹ [X] 헌법상 법치주의의 한 내용인 법률유보의 원칙은 국민의 기본권 실현에 관련된 영역에 있어서 국가 행정권의 행사에 관하여 적용되는 것이지, 기본권규범과 관련없는 경우에까지 준수되도록 요청되는 것은 아니라 할 것인데, 청원경찰은 근무의 공공성 때문에 일정한 경우에 공무원과 유사한 대우를 받고 있는 등으로 일반 근로자와 공무원의 복합적 성질을 가지고 있지만, 그 임면주체는 국가 행정권이 아니라 「청원경찰법」상의 청원주로서 그 근로관계의 창설과 존속 등이 본질적으로 사법상 고용계약의 성질을 가지는바, 청원경찰의 징계로 인하여 사적 고용계약상의 문제인 근로관계의 존속에 영향을 받을 수 있다 하더라도 이는 국가 행정주체와 관련되고 기본권의 보호가 문제되는 것이 아니어서 여기에 법률유보의 원칙이 적용될 여지가 없으므로, 그 징계에 관한 사항을 법률에 정하지 않았다고 하여 법률유보의 원칙에 위반된다 할 수 없다(2010.2.25, 2008헌바160). 2020년 경찰경채

07 정답 ④

① [X] 특정 사안과 관련하여 법률에서 하위법령에 위임을 한 경우에 모법의 위임범위를 확정하거나 하위법령이 위임의 한계를 준수하고 있는지 여부를 판단할 때에는, 하위법령이 규정한 내용이 입법자가 형식적 법률로 스스로 규율하여야 하는 본질적 사항으로서 의회유보의 원칙이 지켜져야 할 영역인지, 당해 법률규정의 입법목적과 규정 내용, 규정의 체계, 다른 규정과의 관계 등을 종합적으로 고려하여야 하고, 위임규정 자체에서 의미 내용을 정확하게 알 수 있는 용어를 사용하여 위임의 한계를 분명히 하고 있는데도 문언적 의미의 한계를 벗어났는지나, 하위법령의 내용이 모법 자체로부터 위임된 내용의 대강을 예측할 수 있는 범위 내에 속한 것인지, 수권규정에서 사용하고 있는 용어의 의미를 넘어 범위를 확장하거나 축소하여서 위임 내용을 구체화하는 단계를 벗어나 새로운 입법을 한 것으로 평가할 수 있는지 등을 구체적으로 따져 보아야 한다(대판 전합체 2015.8.20, 2012두23808). 2016년 법원

② [X] 헌법재판소는 TV수신료 관련 판례에서 "오늘날 법률유보원칙은 단순히 행정작용이 법률에 근거를 두기만 하면 충분한 것이 아니라, 국가공동체와 그 구성원에게 기본적이고도 중요한 의미를 갖는 영역, 특히 국민의 기본권 실현에 관련된 영역에 있어서는 행정에 맡길 것이 아니라 국민의 대표자인 입법자 스스로 그 본질적 사항에 대하여 결정하여야 한다는 요구까지 내포하는 것으로 이해하여야 한다."라고 그 의의를 밝혔으며 계속해서 "TV 수신료 금액은 이사회가 심의결정하고, 공사가 공보처장관의 승인을 얻어 이를 부과 징수 한다."라고 규정한 「한국방송공사법」 제36조 제1항은 국민의 재산권 보장 측면에서 기본권 실현에 관련된 영역임에도 불구하고 그 수신료 금액결정에 국회의 관여와 결정을 배제한 채 공사로 하여금 수신료 금액을 결정하기로 하고 있으므로 "법률유보원칙에 반한다."라고 하여 헌법불합치결정을 내렸다(1999.5.27, 98헌바70).

③ [X]
- 텔레비전방송수신료는 대다수 국민의 재산권 보장의 측면이나 한국방송공사에게 보장된 방송자유의 측면에서 국민의 기본권실현에 관련된 영역에 속하고, 수신료 금액의 결정은 납부의무자의 범위 등과 함께 수신료에 관한 본질적인 중요한 사항이므로 국회가 스스로 행하여야 하는 사항에 속하는 것임에도 불구하고 「한국방송공사법」 제36조 제1항에서 국회의 결정이나 관여를 배제한 채 한국방송공사로 하여금 수신료 금액을 결정해서 문화관광부장관의 승인을 얻도록 한 것은 법률유보원칙에 위반된다(1999.5.27, 98헌바70). 2016년 법원
- 수신료는 국민의 재산권보장의 측면에서나 한국방송공사에게 보장된 방송자유의 측면에서나 국민의 기본권 실현에 관련된 영역에 속하고, 그중 수신료의 금액, 수신료 납부의무자의 범위, 수신료의 징수절차는 수신료 부과·징수의 본질적인 요소이며 따라서 입법자가 스스로 결정하여야 할 사항이라고 판시하였다(헌재 1999.5.27, 98헌바70).
- 수신료 징수업무를 한국방송공사가 직접 수행할 것인지 제3자에게 위탁할 것인지, 위탁한다면 누구에게 위탁하도록 할 것인지, 위탁받은 자가 자신의 고유업무와 결합하여 징수업무를 할 수 있는지는 징수업무 처리의 효율성 등을 감안하여 결정할 수 있는 사항으로서 국민의 기본권제한에 관한 본질적인 사항이 아니라 할 것이다. 따라서 「방송법」 제64조 및 제67조 제2항은 법률유보의 원칙에 위반되지 아니한다(헌재 2008.2.28, 2006헌바70).

❹ [○] 「군행형법」 제15조는 제2항에서 수용자의 면회는 교화 또는 처우상 특히 부적당하다고 인정되는 사유가 없는 한 이를 허가하여야 한다고 규정하여 면회의 횟수를 제한하지 않는 자유로운 면회를 전제로 하면서, 제6항에서 "면회에의 참여…에 관하여 필요한 사항은 대통령령으로 정한다."라고 규정함으로써, 면회에의 참여에 관한 사항만을 대통령령으로 정하도록 위임하고 있고 면회의 횟수에 관하여는 전혀 위임한 바가 없다. 따라서 이 사건 시행령규정이 미결수용자의 면회횟수를 매주 2회로 제한하고 있는 것은 법률의 위임 없이 접견교통권을 제한하는 것으로서, 헌법 제37조 제2항 및 제75조에 위반된다(2003.11.27, 2002헌마193). 2015년 서울 7급

08 정답 ①

❶ [X] 전기요금의 산정이나 부과에 필요한 세부적인 기준을 정하는 것은 전문적이고 정책적인 판단을 요할 뿐 아니라 기술의 발전이나 환경의 변화에 즉각적으로 대응할 필요가 있다. 전기요금의 결정에 관한 내용을 반드시 입법자가 스스로 규율해야 하는 부분이라고 보기 어려우므로, 심판대상조항은 의회유보원칙에 위반되지 아니한다(2021.4.29, 2017헌가25).

② [○] 상장규정이 자치규정이라는 점에서는 정관과 차이가 없으므로, 법률이 자치적인 사항을 정관으로 정하도록 한 경우에 포괄위임금지원칙은 원칙적으로 적용되지 않는다고 본 판단은 상장규정에도 동일하게 적용된다고 봄이 타당하다(2021.5.27, 2019헌바332).

③ [○] 심판대상조항에 의한 기본권 제한은 위 통지의 발송시 송달의 효력을 인정하기 때문에 발생하는 것이므로, 구체적인 발송의 방법은 입법자가 법률로써 스스로 규율하여야 할 본질적인 사항으로 보기 어렵다. 따라서 심판대상조항은 법률유보원칙에 위반되지 아니한다(2021.4.29, 2017헌바390).

④ [○] 입주자대표회의는 공법상의 단체가 아닌 사법상의 단체로서, 이러

한 특정 단체의 구성원이 될 수 있는 자격을 제한하는 것이 국가적 차원에서 형식적 법률로 규율되어야 할 본질적 사항이라고 보기 어렵다. 또한, 입주자대표회의 구성에 있어서 본질적인 부분은 입주자들이 국가나 사업주체의 관여 없이 자치활동의 일환으로 입주자대표회의를 구성할 수 있다는 것인데, 「주택법」 제43조 제3항은 입주자가 입주자대표회의를 구성할 수 있다고 규정하고 있어 이미 본질적인 부분이 입법되어 있으므로 입주자대표회의의 구성원인 동별 대표자가 될 수 있는 자격이 반드시 법률로 규율하여야 하는 사항이라고 볼 수 없다. 따라서 심판대상조항은 법률유보원칙을 위반하지 아니한다(2016.7.28, 2014헌바158 등).

09

정답 ④

ㄱ. [O] 신체의 자유는 다른 기본권 행사의 전제가 되는 핵심적 기본권이고, 집회의 자유는 인격 발현에 기여하는 기본권이자 표현의 자유와 함께 대의민주주의 실현의 기본 요소다. 집회나 시위 해산을 위한 살수차 사용은 이처럼 중요한 기본권에 대한 중대한 제한이므로, 살수차 사용요건이나 기준은 법률에 근거를 두어야 한다(2018.5.31, 2015헌마476).

ㄴ. [O] 위해성 경찰장비 사용의 위험성과 기본권 보호 필요성에 비추어 볼 때, 「경찰관 직무집행법」과 이 사건 대통령령에 규정된 위해성 경찰장비의 사용방법은 법률유보원칙에 따라 엄격하게 제한적으로 해석하여야 한다. 위해성 경찰장비는 본래의 사용방법에 따라 지정된 용도로 사용되어야 하며 다른 용도나 방법으로 사용하기 위해서는 반드시 법령에 근거가 있어야 한다(2018.5.31, 2015헌마476).

ㄷ. [X] 국민의 기본권과 관련 있는 중요한 법규적 사항은 최소한 법률의 구체적 위임을 받은 법규명령에 규정되어야 한다. 그럼에도 불구하고 「경찰관 직무집행법」이나 이 사건 대통령령 등 법령의 구체적 위임 없이 국민의 생명과 신체에 심각한 위험을 초래할 수 있는 살수차를 이용한 혼합살수방식을 규정하고 있는 이 사건 지침은 법률유보원칙에 위배된다. 따라서 이 사건 지침만을 근거로 한 이 사건 혼합살수행위 역시 법률유보원칙에 위배하여 청구인들의 신체의 자유와 집회의 자유를 침해한 공권력 행사로 헌법에 위반된다(2018.5.31, 2015헌마476).

ㄹ. [X] 법령에 근거를 두고 있으나 과잉금지원칙 위반으로 보고 있다.

> **관련 판례** 이 사건 근거조항들은 살수차의 사용요건 등을 정한 것으로서 집회·시위 현장에서 경찰의 살수행위라는 구체적 집행행위를 예정하고 있다. 경찰관은 이 사건 근거조항들에 의하여 직사살수를 할 것인지 여부를 개별적·구체적 집회 또는 시위 현장에서 재량적 판단에 따라 결정하므로, 기본권에 대한 침해는 이 사건 근거조항들이 아니라 구체적 집행행위인 '직사살수행위'에 의하여 비로소 발생하는 것이다.
>
> 이 사건 직사살수행위를 통하여 청구인 백▽▽가 홀로 경찰 기동버스에 매여 있는 밧줄을 잡아당기는 행위를 억제함으로써 얻을 수 있는 공익은 거의 없거나 미약하였던 반면, 청구인 백▽▽는 이 사건 직사살수행위로 인하여 사망에 이르렀으므로, 이 사건 직사살수행위는 법익의 균형성도 충족하지 못하였다(2020.4.23, 2015헌마1149).

ㅁ. [X] 선지는 반대의견이다. 헌법재판소의 법정의견은 과잉금지원칙 위반 여부만 심리했다. 보았다. 그러나 보충의견은 법률유보원칙에도 위반된다고 보았다.

> **법정의견** 대규모의 불법·폭력 집회나 시위를 막아 시민들의 생명·신체와 재산을 보호한다는 공익은 중요한 것이지만, 당시의 상황에 비추어 볼 때 이러한 공익의 존재 여부나 그 실현 효과는 다소 가상적이고 추상적인 것이라고 볼 여지도 있고, 비교적 덜 제한적인 수단에 의하여도 상당 부분 달성될 수 있었던 것으로 보여 일반 시민들이 입은 실질적이고 현존하는 불이익에 비하여 결코 크다고 단정하기 어려우므로 법익의 균형성 요건도 충족하였다고 할 수 없다. 따라서 이 사건 통행제지행위는 과잉금지원칙을 위반하여 청구인들의 일반적 행동자유권을 침해한 것이다(2011.6.30, 2009헌마406).
>
> **보충의견** 경찰의 임무 또는 경찰관의 직무 범위를 규정한 「경찰법」 제3조, 「경찰관 직무집행법」 제2조는 그 성격과 내용 및 아래와 같은 이유로 '일반적 수권조항'이라 하여 국민의 기본권을 구체적으로 제한 또는 박탈하는 행위의 근거조항으로 삼을 수는 없으므로 위 조항 역시 이 사건 통행제지행위 발동의 법률적 근거가 된다고 할 수 없다. 따라서 경찰청장의 이 사건 통행제지행위는 법률적 근거를 갖추지 못한 것이므로 법률유보원칙에도 위반하여 청구인들의 일반적 행동자유권을 침해한 것이다.
>
> **반대의견** 시의적절하고 효율적인 경찰권 행사를 위한 현실적 필요성이 있다는 점과 경찰권 발동의 근거가 되는 일반조항을 인정하더라도 경찰권 발동에 관한 조리상의 원칙이나 법원의 통제에 의해 그 남용이 억제될 수 있다는 점을 종합해 보면, 경찰 임무의 하나로서 '기타 공공의 안녕과 질서유지'를 규정한 「경찰법」 제3조 및 「경찰관 직무집행법」 제2조는 일반적 수권조항으로서 경찰권 발동의 법적 근거가 될 수 있다고 할 것이므로, 위 조항들에 근거한 이 사건 통행제지행위는 법률유보원칙에 위배된 것이라고 할 수 없다.

10

정답 ④

① [O] 부진정소급입법은 원칙적으로 허용된다. 따라서 헌법 제13조 제2항이 금하고 있는 소급입법은 진정소급효를 가지는 법률이다.

② [O] 진정소급입법은 원칙적으로 허용되지 아니하나, 진정소급입법이 예외적으로 허용되는 경우로는 일반적으로 ⓐ 국민이 소급입법을 예상할 수 있었거나 법적 상태가 불확실하고 혼란스러웠거나 하여 보호할 만한 신뢰의 이익이 적은 경우와 ⓑ 소급입법에 의한 당사자의 손실이 없거나 아주 경미한 경우, ⓒ 그리고 신뢰보호의 요청에 우선하는 심히 중대한 공익상의 사유가 소급입법을 정당화하는 경우 등을 들 수 있다(1998.9.30, 97헌바38).

③ [O] 기존의 법에 의하여 형성되어 이미 굳어진 개인의 법적 지위를 사후입법을 통하여 박탈하는 것 등을 내용으로 하는 진정소급입법은 개인의 신뢰보호와 법적 안정성을 내용으로 하는 법치국가원리에 의하여 특단의 사정이 없는 한 헌법적으로 허용되지 아니하는 것이 원칙이고, 다만 일반적으로 국민이 소급입법을 예상할 수 있었거나 법적 상태가 불확실하고 혼란스러워 보호할 만한 신뢰이익이 적은 경우와 소급입법에 의한 당사자의 손실이 없거나 아주 경미한 경우 그리고 신뢰보호의 요청에 우선하는 심히 중대한 공익상의 사유가 소급입법을 정당화하는 경우 등에는 예외적으로 진정소급입법이 허용된다(1999.7.22, 97헌바76 등).

❹ [X] 일반적으로 소급입법이 금지되는 주된 이유는 문제된 사안이 발생하기 전에 그 사안을 일반적으로 규율할 수 있는 입법을 통하여 행위시법으로 충분히 처리할 수 있었음에도 불구하고, 권력자에 의해 사후에 제정된 법을 통해 과거의 일들이 자의적으로 규율됨으로써 법적 신뢰가 깨뜨려지고 국민의 권리가 침해되는 것을 방지하기 위함이다. 따라서 소급입법이 예외적으로 허용되기 위해서는 '그럼에도 불구하고 소급입법을 허용할 수밖에 없는 공익상의 이유'가 인정되어야 한다. 이러한 필요성도 없이 단지 소급입법을 예상할 수 있었다는 사유만으로 소급입법을 허용하는 것은 헌법 제13조 제2항의 소급입법금지원칙을 형해화시킬 수 있으므

로 예외사유에 해당하는지 여부는 매우 엄격하게 판단하여야 한다(2013.8.29, 2010헌바354 등).

11 정답 ③

① [O] 소급입법은 새로운 입법으로 이미 종료된 사실관계 또는 법률관계에 작용케 하는 진정소급입법과 현재 진행 중인 사실관계 또는 법률관계에 작용케 하는 부진정소급입법으로 나눌 수 있는바, 부진정소급입법은 원칙적으로 허용되지만 소급효를 요구하는 공익상의 사유와 신뢰보호의 요청 사이의 교량과정에서 신뢰보호의 관점이 입법자의 형성권에 제한을 가하게 되는 데 반하여, 기존의 법에 의하여 형성되어 이미 굳어진 개인의 법적 지위를 사후입법을 통하여 박탈하는 것 등을 내용으로 하는 진정소급입법은 개인의 신뢰보호와 법적 안정성을 내용으로 하는 법치국가원리에 의하여 특단의 사정이 없는 한 헌법적으로 허용되지 아니하는 것이 원칙이고, 다만 일반적으로 국민이 소급입법을 예상할 수 있었거나 법적 상태가 불확실하고 혼란스러워 보호할 만한 신뢰이익이 적은 경우와 소급입법에 의한 당사자의 손실이 없거나 아주 경미한 경우 그리고 신뢰보호의 요청에 우선하는 심히 중대한 공익상의 사유가 소급입법을 정당화하는 경우 등에는 예외적으로 진정소급입법이 허용된다(1999.7.22, 97헌바76 등).

② [O] 부진정소급입법에 속하는 입법에 대해서는 일반적으로 과거에 시작된 구성요건 사항에 대한 신뢰는 더 보호될 가치가 있다고 할 것이기 때문에 신뢰보호의 원칙에 대한 심사가 장래 입법에 비해서보다는 일반적으로 더 강화되어야 할 것이다(1995.10.26, 94헌바12).

❸ [X] 과거의 사실관계 또는 법률관계를 규율하기 위한 소급입법의 태양에는 이미 과거에 완성된 사실·법률관계를 규율의 대상으로 하는 이른바 진정소급효의 입법과 이미 과거에 시작하였으나 아직 완성되지 아니하고 진행과정에 있는 사실·법률관계를 규율의 대상으로 하는 이른바 부진정소급효의 입법이 있다. 헌법 제13조 제2항이 금하고 있는 소급입법은 전자, 즉 진정소급효를 가지는 법률만을 의미하는 것으로서, 이에 반하여 후자, 즉 부진정소급효의 입법은 원칙적으로 허용되는 것이다. 다만, 이 경우에 있어서도 소급효를 요구하는 공익상의 사유와 신뢰보호의 요청 사이의 비교형량과정에서 신뢰보호의 관점이 입법자의 형성권에 제한을 가하게 된다(1999.4.29, 94헌바37 등). 2020년 법원서기보

④ [O] 디엔에이신원확인정보의 수집·이용은 수형인등에게 심리적 압박으로 인한 범죄예방효과를 가진다는 점에서 보안처분의 성격을 지니지만, 처벌적인 효과가 없는 비형벌적 보안처분으로서 소급입법금지원칙이 적용되지 않는다. 이 사건 법률의 소급적용으로 인한 공익적 목적이 당사자의 손실보다 더 크므로, 이 사건 부칙조항이 법률 시행 당시 디엔에이감식시료 채취 대상범죄로 실형이 확정되어 수용 중인 사람들까지 이 사건 법률을 적용한다고 하여 소급입법금지원칙에 위배되는 것은 아니다(2014.8.28, 2011헌마28 등).

12 정답 ④

① [X] 새로운 입법으로 이미 종료된 사실관계에 작용케 하는 진정소급입법은 헌법적으로 허용되지 않는 것이 원칙이며 특단의 사정이 있는 경우에만 예외적으로 허용될 수 있는 반면, 현재 진행 중인 사실관계에 작용케 하는 부진정소급입법은 원칙적으로 허용되지만 소급효를 요구하는 공익상의 사유와 신뢰보호의 요청 사이의 교량과정에서 신뢰보호의 관점이 입법자의 형성권에 제한을 가하게 된다(1998.11.26, 97헌바58).

② [X] 진정소급입법은 원칙적으로 허용되지 아니하나, 진정소급입법이 예외적으로 허용되는 경우로는 일반적으로 ㉠ 국민이 소급입법을 예상할 수 있었거나 법적 상태가 불확실하고 혼란스러웠거나 하여 보호할 만한 신뢰의 이익이 적은 경우와 ㉡ 소급입법에 의한 당사자의 손실이 없거나 아주 경미한 경우, ㉢ 그리고 신뢰보호의 요청에 우선하는 심히 중대한 공익상의 사유가 소급입법을 정당화하는 경우 등을 들 수 있다(1998.9.30, 97헌바38). 2008년 사시

③ [X] 퇴역연금 등의 급여액산정의 기초를 종전에 '퇴직 당시의 보수월액'으로 하던 것을 '평균보수월액'으로 변경한 것이 소급입법에 의한 재산권 침해가 아니라고 한 사례소급입법은 진정소급입법과 부진정소급입법으로 구분되는바, 20년 이상 군인으로 복무하면서 퇴역연금에 대한 기여금을 납입해온 사람이 법 개정 이후 퇴직하는 경우 장차 받게 될 퇴역연금에 대한 급여액의 산정기초를 종전에 '퇴직 당시의 보수월액'으로 하던 것을 '최종 3년간 평균보수월액'으로 변경한 것이므로, 위 퇴역연금에 대한 기대는 재산권의 성질을 가지고 있으나 확정되지 아니한 형성 중에 있는 권리로서 이는 아직 완성되지 아니하고 진행과정에 있는 사실 또는 법률관계를 규율대상으로 하는 이른바 부진정소급입법에 해당되는 것이어서 원칙적으로 허용된다고 할 것이므로, 이는 종래의 법적 상태의 존속을 신뢰한 청구인들에 대한 신뢰보호만이 문제될 뿐 소급입법에 의한 재산권박탈의 문제는 아니므로, 위 법률조항은 소급입법에 의한 재산권박탈금지의 원칙을 선언하고 있는 헌법 제13조 제2항에 위반되지 아니한다(2003.9.25, 2001헌마194).

❹ [O] 진행 중의 사건에 적용되는 것은 부진정소급효를 가지며 원칙적으로 허용된다. 2014년 국가 7급

13 정답 ①

❶ [O] 이른바 부진정소급입법의 예로 볼 여지가 있다. 그러나 여기서 발생하는 문제는 종래의 법적 상태에서 새로운 법적 상태로 이행하는 과정에서 불가피하게 발생하는 법치국가적 문제, 구체적으로 신뢰보호의 문제이므로 이러한 청구인의 주장은 위 신뢰보호원칙 위반 여부의 판단에 포섭된다 할 것이다(2009.9.24, 2007헌마872). 2015년 국회 9급

② [X] 소급입법은 새로운 입법으로 이미 종료된 사실관계 또는 법률관계에 작용케 하는 진정소급입법과 현재 진행 중인 사실관계 또는 법률관계에 작용케 하는 부진정소급입법으로 나눌 수 있는바, 부진정소급입법은 원칙적으로 허용되지만 소급효를 요구하는 공익상의 사유와 신뢰보호의 요청 사이의 교량과정에서 신뢰보호의 관점이 입법자의 형성권에 제한을 가하게 된다(1999.7.22, 97헌바76 등).

③ [X] 청구인들은 이 사건 귀속조항이 소유권을 박탈하면서도 아무런 보상을 하지 않고 있으므로 재산권의 본질적 내용을 침해하는 것이라고 주장하나, 3·1 운동의 정신을 담고 있는 헌법 전문 및 정의의 실현 등을 위해 친일재산을 강제적으로 국가에 귀속시키고자 하는 「친일반민족행위자 재산의 국가귀속에 관한 법률」의 취지에 비추어, 이러한 귀속은 과잉금지원칙에 반하지 않는 한 이에 대하여 아무런 보상을 하지 않는 것이 오히려 헌법이념에 부합하는 것이라 할 수 있다. 따라서 이 부분 주장도 받아드릴 수 없다(2011.3.31, 2008헌바141 등). 2012년 사시

④ [X] 소급입법 과세금지원칙은 조세법률관계에 있어서 법적 안정성을 보장하고 납세자의 신뢰이익의 보호에 기여한다. 따라서 새로운 입법으로 과거에 소급하여 과세하거나 또는 이미 납세의무가 존재하는 경우에도 소급하여 중과세하는 것은 소급입법 과세금지원칙에 위반된다(2008.5.29, 2006헌바99). 2013년 지방 7급

14 　정답 ④

① [X] 법인세를 부당환급받은 법인은 소급입법을 통하여 이자상당액을 포함한 조세채무를 부담할 것이라고 예상할 수 없었고, 환급세액과 이자상당액을 법인세로서 납부하지 않을 것이라는 신뢰는 보호할 필요가 있다. 나아가 개정 전 「법인세법」 아래에서도 환급세액을 부당이득반환청구를 통하여 환수할 수 있었으므로, 신뢰보호의 요청에 우선하여 진정소급입법을 하여야 할 매우 중대한 공익상 이유가 있다고 볼 수도 없다(2014.7.24, 2012헌바105).

② [X] 법 시행일 이후에 이행기가 도래하는 퇴직연금에 대하여 소득과 연계하여 그 일부의 지급을 정지할 수 있도록 한 「공무원연금법」 제47조 제2항은 이미 발생하여 이행기에 도달한 퇴직연금수급권의 내용을 변경함이 없이 법 시행일 이후의 법률관계, 다시 말해 장래 이행기가 도래하는 퇴직연금수급권의 내용을 변경함에 불과하고, 이미 종료된 과거의 사실관계 또는 법률관계에 새로운 법률이 소급적으로 적용되어 과거를 법적으로 새로이 평가하는 진정소급입법에는 해당하지 아니하므로 소급입법에 의한 재산권 침해는 문제될 여지가 없다(2008.2.28, 2005헌마872 등 ; 대판 2014.4.24, 2013두26552).

③ [X] 이 사건 부칙조항은 이미 총포소지허가를 받은 자들에 대하여 기존에 받은 허가를 취소하거나 여기에 어떠한 변경을 가하는 것이 아니고, 종전에는 직접 보관하던 공기총을 앞으로는 별도의 지정된 장소에 보관하도록 한 조항에 불과하다. 즉, 이 사건 부칙조항은 개정된 법률이 시행되기 전에 있었던 총포보관행위를 규율하는 것이 아니라 그 시행 이후의 총포보관행위를 규율하는 규정에 해당한다 할 것이므로, 이를 가지고서 과거에 이미 확정된 법률관계에 소급하여 적용하는 것이라 할 수는 없다. 따라서 이 사건 부칙조항은 헌법 제13조 제2항이 금하는 소급입법에 해당하지 아니하고, 다만 총포소지허가를 받은 자가 해당 공기총을 직접 보관할 수 있을 것이라고 종래의 법적 상태의 존속을 신뢰한 청구인에 대한 신뢰보호가 문제될 뿐이다(2019.6.28, 2018헌바400).

❹ [O] 20년 이상 군인으로 복무하면서 퇴역연금에 대한 기여금을 납입해 온 사람이 퇴직하는 경우 장차 받게 될 퇴역연금에 대한 기대는 재산권의 성질을 가지고 있으나 확정되지 아니한 형성 중에 있는 권리이므로, 퇴역연금급여액의 산정기초를 종전의 '퇴직 당시의 보수월액'에서 '최종 3년간 평균보수월액'으로 변경한 것은 부진정소급입법에 해당되는 것이어서 원칙적으로 허용된다. 연금수급권의 내용이 처음부터 불가변적으로 확정된 재산권임을 전제로 한 소급입법금지의 원칙에 위배된다는 청구인들의 위 주장은 받아들일 수 없고, 다만 그 내용의 변경이 신뢰보호의 원칙에 위배되는 것인지 여부가 문제될 뿐이다(2003.9.25, 2001헌마194).

15 　정답 ①

❶ [X] 심판대상조항은 개정조항이 시행되기 전 환급세액을 수령한 부분까지 사후적으로 소급하여 개정된 징수조항을 적용하는 것으로서 헌법 제13조 제2항에 따라 원칙적으로 금지되는 이미 완성된 사실·법률관계를 규율하는 진정소급입법에 해당한다. 법인세를 부당환급받은 법인은 소급입법을 통하여 이자상당액을 포함한 조세채무를 부담할 것이라고 예상할 수 없었고, 환급세액과 이자상당액을 법인세로서 납부하지 않을 것이라는 신뢰는 보호할 필요가 있다. 나아가 개정 전 「법인세법」 아래에서도 환급세액을 부당이득반환청구를 통하여 환수할 수 있었으므로, 신뢰보호의 요청에 우선하여 진정소급입법을 하여야 할 매우 중대한 공익상 이유가 있다고 볼 수도 없다(2014.7.24, 2012헌바105).

② [O] 상조회사에 대한 선수금보전의무조항은 현재 진행 중인 사실관계에 적용되는 것이어서 진정소급입법에 해당된다고 볼 수 없으므로 소급입법금지원칙에 위배되지 아니한다. 선불식 할부계약에 있어 소비자가 선불식으로 납입금을 지급한 후 상조업자의 폐업이나 자금 부족 등으로 그 대금을 환불하거나 용역을 이행할 능력이 없을 때 소비자의 피해를 보상한다는 정책적 목적의 실현은 매우 중대한 공익이다. 따라서 선불식 할부거래업자에게 개정 법률이 시행되기 전에 체결된 선불식 할부계약에 대하여도 소비자피해보상보험계약 등을 체결할 의무를 부과한 할부거래에 관한 법률조항은 소급입법금지원칙과 신뢰보호원칙에 위배되지 아니한다(2017.7.27, 2015헌바240).

③ [O] 이 사건 부칙조항은 헌법 제13조 제2항이 금하는 소급입법에 해당하지 아니하고, 다만 총포소지허가를 받은 자가 해당 공기총을 직접 보관할 수 있을 것이라고 종래의 법적 상태의 존속을 신뢰한 청구인에 대한 신뢰보호가 문제될 뿐이다(2019.6.28, 2018헌바400).

④ [O] 이 사건 법률조항은 1990년 개정 「민법」 시행일 이후에 비로소 완성되는 법률관계를 규율대상으로 하는 것일 뿐 1990년 개정 「민법」 시행 이전에 이미 완성된 법률관계인 계모의 사망에 따른 상속관계를 규율하여 이전의 지위를 박탈하는 것이 아니므로, 헌법 제13조 제2항이 금하는 소급입법에 해당하지 아니한다(2020.2.27, 2017헌바249).

16 　정답 ④

① [O] 심판대상조항은 개정된 「저작권법」이 시행되기 전에 있었던 과거의 음원 사용행위에 대한 것이 아니라 개정된 법률 시행 이후에 음원을 사용하는 행위를 규율하고 있으므로 진정소급입법에 해당하지 않으며, 저작인접권이 소멸한 음원을 무상으로 사용하는 것은 저작인접권자의 권리가 소멸함으로 인하여 얻을 수 있는 반사적 이익에 불과할 뿐이므로, 심판대상조항은 헌법 제13조 제2항이 금지하는 소급입법에 의한 재산권 박탈에 해당하지 아니한다(2013.11.28, 2012헌마770). 2018년 경찰승진

② [O] 법 위반행위가 행해지고 아무리 오랜 시간이 경과하더라도 그 위반행위의 결과가 현존하는 한 이를 시정하거나 원상회복해야 할 공익상 필요는 중대하므로, 이 사건 부칙조항은 신뢰보호원칙에 위반되지 아니한다(2019.11.28, 2016헌바459 등).

③ [O] 이 사건 부칙조항은 이미 이행기가 도래하여 청구인들이 퇴직연금을 모두 수령한 부분에까지 사후적으로 소급하여 적용되는 것으로서 헌법 제13조 제2항에 의하여 원칙적으로 금지되는 이미 완성된 사실·법률관계를 규율하는 소급입법에 해당한다. 헌법재판소의 위 헌법불합치결정에 따라 개선입법이 이루어질 것이 미리 예정되어 있기는 하였으나 그 결정이 내려진 2007.3.29.부터 잠정적용 시한인 2008.12.31.까지 상당한 시간적 여유가 있었는데도 국회에서 개선입법이 이루어지지 아니하였다. 그에 따라 청구인들이 2009.1.1.부터 2009.12.31.까지 퇴직연금을 전부 지급받았는데 이는 전적으로 또는 상당 부분 국회가 개선입법을 하지 않은 것에 기인한 것이다. 그럼에도 이미 받은 퇴직연금 등을 환수하는 것은 국가기관의 잘못으로 인한 법집행의 책임을 퇴직공무원들에게 전가시키는 것이며, 퇴직급여를 소급적으로 환수당하지 않을 것에 대한 청구인들의 신뢰이익이 적다고 할 수도 없다. 이 사건 부칙조항은 헌법 제13조 제2항에서 금지하는 소급입법에 해당하며 예외적으로 소급입법이 허용되는 경우에도 해당하지 아니하므로, 소급입법금지원칙에 위반하여 청구인들의 재산권을 침해한다(2013.8.29, 2011헌바391 등).

❹ [X] 소급입법에 의한 재산권 침해 여부: 이 사건 감액조항에 따라 퇴직연금의 일부가 감액하여 지급되지만, 이는 이 사건 부칙조항의 시행일인 2010.1.1.이후에 지급받는 퇴직연금부터 적용된다. 즉 이

사건 부칙조항은 이미 발생하여 이행기에 도달한 퇴직연금수급권의 내용을 변경함이 없이 이 사건 부칙조항의 시행 이후의 법률관계, 다시 말해 장래에 이행기가 도래하는 퇴직연금 수급권의 내용을 변경함에 불과하므로, 이미 종료된 과거의 사실관계 또는 법률관계에 새로이 법률이 소급적으로 적용되어 과거를 법적으로 새로이 평가하는 진정소급입법에는 해당하지 아니한다. 위와 같이 보호해야 할 퇴직연금 수급자의 신뢰는 합리적이고 정당한 것이라고 보기 어려운 반면, 이 사건 부칙조항에 의하여 보호되는 공익은 매우 중대하다고 할 것이므로, 이 사건 부칙조항이 헌법상 신뢰보호의 원칙에 위반된다고 볼 수도 없다(2016.6.30., 2014헌바365).

17 정답 ②

① [O] 과거에 완성된 사실 또는 법률관계를 규율의 대상으로 하는 이른바 진정소급입법에 있어서는 입법권자의 입법형성권보다도 당사자가 구법질서에 기대하였던 신뢰보호의 견지에서 그리고 법적 안정성을 도모하기 위하여 특단의 사정이 없는 한 구법에 의하여 이미 얻은 자격 또는 권리를 존중할 입법의무가 있다 할 것이고, 이미 과거에 시작하였으나 아직 완성되지 아니하고 진행과정에 있는 사실 또는 법률관계를 규율의 대상으로 하는 이른바 부진정소급입법의 경우에는 구법질서에 대하여 기대했던 당사자의 신뢰보호보다는 광범위한 입법권자의 입법형성권을 경시하여서는 아니 될 것이므로, 특단의 사정이 없는 한 새 입법을 하면서 구법관계 내지 구법상의 기대이익을 존중하여야 할 의무가 발생하지는 않는다(1989.3.17, 88헌마1).

❷ [X] 이 사건 법률조항들이 종전 「약사법」에 의하여 약국개설 등록을 받은 장소에서 법 시행일 후 1년 뒤에는 청구인들의 기존 약국을 더 이상 운영할 수 없도록 한 것은, 이미 개설 등록된 청구인들의 기존 약국의 효력이나 이제까지의 약국영업과 관련한 사법상의 법률효과를 소급하여 부인하는 것이 아니므로, 헌법 제13조 제2항에서 의미하는 소급입법에 해당되지 아니한다(2003.10.30, 2001헌마700).

③ [O] 이 사건 법률조항은 1990년 개정 「민법」 시행일 이후에 비로소 완성되는 법률관계를 규율대상으로 하는 것일 뿐 1990년 개정 「민법」 시행 이전에 이미 완성된 법률관계인 계모의 사망에 따른 상속관계를 규율하여 이전의 지위를 박탈하는 것이 아니므로, 헌법 제13조 제2항이 금하는 소급입법에 해당하지 아니한다(2020.2.27, 2017헌바249).

④ [O] 「언론중재 및 피해구제 등에 관한 법률」(이하 '언론중재법'이라 한다) 시행 전의 언론보도로 인한 정정보도청구에 대하여도 언론중재법을 적용하도록 규정한 언론중재법 부칙 제2조는 이미 종결된 과거의 법률관계를 소급하여 새로이 규율하는 것이기 때문에 소위 진정소급입법에 해당한다(2006.6.29, 2005헌마165 등).

18 정답 ②

① [X] 이 사건 심판대상조항은 구 「수산업법」의 시행일 이전까지 존재하던 관행어업권에 관하여 규율하는 바 없이 장래에 대하여 관행어업권의 행사방법에 관하여 규제할 뿐이므로 그 규정의 법적 효과가 시행일 이전의 시점에까지 미친다고 할 수 없다. 그리고 이 사건 심판대상조항은 종전의 「수산업법」에 의하여 인정되던 관행어업권을 일방적으로 박탈하는 것이 아니고, 일정한 기간 내에 등록만 하면 관행어업권을 인정하여 주는 것이므로 이를 가리켜 재산권을 소급적으로 박탈하는 규정이라고 할 수 없다(1999.7.22, 97헌바76 등). 2018년 법행

❷ [O] 구법 아래에서 하자가 발생한 경우에 공동주택 소유자들이 지녔던 신뢰이익의 보호가치, 부칙 제3항이 진정소급입법으로서 하자담보청구권을 박탈하는 점에서의 침해의 중대성, 신법을 통하여 실현하고자 하는 공익목적의 중요성 정도를 종합적으로 비교형량하여 볼 때, 부칙 제3항이 신법 시행 전에 발생한 하자에 대하여서까지 「주택법」을 적용하도록 한 것은 당사자의 신뢰를 헌법에 위반된 방법으로 침해하는 것으로서, 신뢰보호원칙에 위배된다(2008.7.31, 2005헌가16).

③ [X] 이 사건 심판대상조항은 이미 발생하여 이행기에 도달한 퇴직연금수급권의 내용을 변경함이 없이 이 사건 심판대상조항 시행 이후의 법률관계, 다시 말해 장래 이행기가 도래하는 퇴직연금 수급권의 내용을 변경함에 불과하므로, 이미 종료된 과거의 사실관계 또는 법률관계에 새로운 법률이 소급적으로 적용되어 과거를 법적으로 새로이 평가하는 진정소급입법에는 해당하지 아니한다(2008.2.28, 2005헌마872 등).

④ [X] 이 사건 법률조항들은 현재 공무원으로 재직 중인 자가 퇴직하는 경우 장차 받게 될 퇴직연금의 지급시기를 변경한 것으로, 아직 완성되지 아니한 사실 또는 법률관계를 규율대상으로 하는 부진정소급입법에 해당되는 것이어서 원칙적으로 허용되고, 입법목적으로 달성하고자 하는 연금재정 안정 등의 공익이 손상되는 신뢰에 비하여 우월하다고 할 것이어서 신뢰보호원칙에 위배된다고 볼 수 없다. 따라서 이 사건 법률조항들은 공무원의 재산권을 침해하지 아니한다(2015.12.23, 2013헌바259).

19 정답 ②

① [O] 이 사건 법령들은 1945.9.25, 1945.12.6. 각 공포되었음에도 이 사건 무효조항은 1945.8.9.을 기준으로 하여 일본인 소유의 재산에 대한 거래를 전부 무효로 하고 있고, 이 사건 귀속조항은 이 사건 무효조항의 적용대상이 되는 일본인 재산을 1945.9.25.로 소급하여 전부 미군정청의 소유가 되도록 정하고 있어서, 진정소급입법으로서의 성격을 갖는다(2021.1.28, 2018헌바88).

❷ [X] 헌법 제13조 제2항은 '모든 국민은 소급입법에 의하여 … 재산권을 박탈당하지 아니한다'고 하여 소급입법을 금지하고 있다. 이 사건 법령들이 제정·공포될 당시에는 위 조항과 같은 헌법규정이 존재하지 아니하였으나, 앞서 살펴 본 바와 같이 이 사건 법령들은 제헌 헌법 제100조에 의하여 대한민국 법질서 내로 편입되었고, 「구 법령 정리에 관한 특별조치법」 제1조 내지 제3조에 따라 1962.1.20. 폐지되었음에도 귀속재산의 처리와 관련하여 여전히 유효한 재판규범으로서 실질적 규범력을 갖추고 있으므로, 현행헌법에 따라 소급입법금지원칙에 위반되는지 여부를 살펴 볼 필요가 있다(2021.1.28, 2018헌바88).

③ [O] 일본인들이 불법적인 한일병합조약을 통하여 조선 내에서 축적한 재산을 1945.8.9. 상태 그대로 일괄 동결시키고 그 산일과 훼손을 방지하여 향후 수립될 대한민국에 이양한다는 공익은, 한반도 내의 사유재산을 자유롭게 처분하고 일본 본토로 철수하고자 하였던 일본인이나, 일본의 패망 직후 일본인으로부터 재산을 매수한 한국인들에 대한 신뢰보호의 요청보다 훨씬 더 중대하다. 심판대상조항은 소급입법금지원칙에 대한 예외로서 헌법 제13조 제2항에 위반되지 아니한다(2021.1.28, 2018헌바88).

④ [O] 한국인이 일본인으로부터 취득한 재산임에도 심판대상조항에 따라 귀속재산으로 인정되어 재산권이 제한될 수도 있으나, 이는 소급입법으로 인한 부수적인 결과에 불과하다. 결국 청구인들의 위 주장은 소급입법에 의하여 재산권이 박탈당하였다는 주장에 다름 아니므로, 이에 대하여는 별도로 판단하지 아니한다(2021.1.28, 2018헌바88).

20 정답 ③

① [O] 심판대상조항이 보조금 지원을 받아 배출가스저감장치를 부착한 특정 경유자동차의 소유자로 하여금 폐차 등을 위하여 자동차 등록을 말소하는 경우에 배출가스저감장치를 반납하도록 하는 것은 위 장치에 관한 소유자의 자유로운 사용·처분을 금지함으로써 재산권을 제한하므로, 이러한 제한이 헌법적으로 허용될 수 있는지 여부가 문제된다(2019.12.27, 2015헌바45).

② [O] 청구인은 심판대상조항이 헌법 제23조 제3항에 따른 정당한 보상이 없는 수용이라고 주장하는바, 심판대상조항에 의한 재산권 제한의 성격과 그에 따른 위헌심사기준이 문제되므로 이를 살펴보고, 나아가 심판대상조항이 재산권을 침해하는지 살펴본다(2019.12.27, 2015헌바45).

➡ 헌법재판소는 헌법 제23조 제1항과 제2항에 따른 제한의 문제로 보았다.

❸ [X] 마지막으로 심판대상조항이 소급입법금지원칙에 위배되지 않는다 하더라도, 심판대상조항의 신설이나 개정 전에는 반납의무를 부담하지 않았던 소유자로 하여금 새로이 반납의무를 부담하게 함으로써 종래의 법적 상태에 대한 소유자의 신뢰를 침해하여 신뢰보호원칙에 위배되는지 살펴본다(2019.12.27, 2015헌바45).

④ [O] 심판대상조항은 이미 종료된 사실·법률관계가 아니라, 현재 진행 중인 사실관계, 즉 특정 경유자동차에 배출가스저감장치를 부착하여 운행하고 있는 소유자에 대하여 심판대상조항의 신설 또는 개정 이후에 '폐차나 수출 등을 위한 자동차등록의 말소'라는 별도의 요건사실이 충족되는 경우에 배출가스저감장치를 반납하도록 한 것으로서 부진정소급입법에 해당하며, 이 조항이 신설되기 전에 이미 배출가스저감장치를 부착하였던 소유자들이 자동차 등록 말소 후 경제적 잔존가치가 있는 장치의 사용 및 처분에 관한 신뢰를 가졌다고 하더라도, 위와 같은 공익의 중요성이 더 크다고 할 것이므로, 이 조항이 신뢰보호원칙을 위반하여 재산권을 침해한다고 보기도 어렵다(2019.12.27, 2015헌바45).

8회 진도별 모의고사

시혜적 소급입법 ~ 경제질서

정답

01	④	02	④	03	④	04	③
05	①	06	①	07	④	08	②
09	①	10	②	11	④	12	①
13	③	14	②	15	②	16	①
17	①	18	①	19	②	20	①

01

정답 ④

① [X] 개정된 신법이 피적용자에게 유리한 경우에 이른바 시혜적 소급입법을 할 것인지의 여부는 입법재량의 문제로서 그 판단은 일차적으로 입법기관에 맡겨져 있으며, 이와 같은 시혜적 조치를 할 것인가 하는 문제는 국민의 권리를 제한하거나 새로운 의무를 부과하는 경우와는 달리 입법자에게 보다 광범위한 입법형성의 자유가 인정된다(2006.5.25, 2005헌바15).

② [X] 신법이 피적용자에게 유리한 경우에는 이른바 시혜적인 소급입법이 가능하지만 이를 입법자의 의무라고는 할 수 없고, 그러한 소급입법을 할 것인지의 여부는 입법재량의 문제로서 그 판단은 일차적으로 입법기관에 맡겨져 있으며, 이와 같은 시혜적 조치를 할 것인가 하는 문제는 국민의 권리를 제한하거나 새로운 의무를 부과하는 경우와는 달리 입법자에게 보다 광범위한 입법형성의 자유가 인정된다(1995.12.28, 95헌마196). 2018년 국회 9급

③ [X] 시혜적인 소급입법이 가능하나, 입법자의 의무라고는 할 수 없다(1995.12.28, 95헌마196).

❹ [O] 소방공무원이 재난·재해현장에서 화재진압이나 인명구조작업 중 입은 위해뿐만 아니라 그 업무수행을 위한 긴급한 출동·복귀 및 부수활동 중 위해에 의하여 사망한 경우까지 그 유족에게 순직공무원보상을 하여 주는 제도를 도입하면서 이 사건 부칙조항이 신법을 소급하는 경과규정을 두지 않았다고 하더라도 소급적용에 따른 국가의 재정부담, 법적 안정성 측면 등을 종합적으로 고려하여 입법정책적으로 정한 것이므로 입법재량의 범위를 벗어나 불합리한 차별이라고 할 수 없다(2012.8.23, 2011헌바169).

02

정답 ④

① [X] 시혜적 소급입법에 대한 입법자의 재량이 넓어 완화된 심사를 하나, 위헌가능성이 없는 것은 아니다. 시혜적 소급입법에 의한 혜택의 부여는 평등원칙에 위반될 수도 있다.

② [X] 개정된 신법이 피적용자에게 유리한 경우에 이른바 시혜적인 소급입법을 하여야 한다는 입법자의 의무가 헌법상의 원칙들로부터 도출되지는 아니한다. 따라서 이러한 시혜적 소급입법을 할 것인지의 여부는 입법재량의 문제로서 그 판단은 일차적으로 입법기관에 맡겨져 있는 것이므로 이와 같은 시혜적 조치를 할 것인가를 결정함에 있어서는 국민의 권리를 제한하거나 새로운 의무를 부과하는 경우와는 달리 입법자에게 보다 광범위한 입법형성의 자유가 인정된다(1998.11.26, 97헌바67).

③ [X] 침익적 법을 소급적용한 경우 엄격하게 위헌심사를 하나, 시혜적 법의 소급입법에 대해서는 다른 심사기준이 적용된다. 즉, 합리적 재량의 범위를 벗어나 현저하게 불합리하고 불공정한 것이 아닌 한 헌법에 위반된다고 할 수는 없다.

❹ [O] 구 「조세감면규제법」 제7조의2 제5항과 구 「법인세법」 제10조의3 규정에 따라 증자소득공제를 기대하고 증자를 한 경우, 그러한 구법은 기업이 증자를 통하여 재무구조 개선을 하도록 유도하기 위한 목적으로 제정된 것이고, 한편 구법이 위헌·무효라거나 내용이 모호하거나, 특별히 공익 내지 형평성에 문제가 있다고는 할 수 없으며, 청구인의 경우 구법상의 증자소득공제율이 조만간에 개정될 것을 예견하였다는 사정도 보이지 않으며, 또한 소득공제율을 축소하는 것으로 개정된 규정이 투자유인이라는 입법목적의 달성 정도에 따라 합리적으로 개정된 것이라 하더라도 이로서 청구인과 같이 구법을 신뢰한 국민들의 기대권을 압도할 만큼 공익의 필요성이 긴절한 것이라고도 보여지지 아니한다면, 적어도 입법자로서는 구법에 따른 국민의 신뢰를 보호하는 차원에서 상당한 기간 정도의 경과규정을 두는 것이 바람직한데도 그러한 조치를 하지 않아 결국 청구인의 신뢰가 상당한 정도로 침해되었다고 판단된다(1995.10.26, 94헌바12).

03

정답 ④

① [X] 현행헌법은 신뢰보호원칙을 규정하고 있지 않고 법치주의에서 도출된다. 2016년 서울 7급

② [X] 조세법의 영역에 있어서는 국가가 조세·재정정책을 탄력적·합리적으로 운용할 필요성이 매우 큰 만큼, 조세에 관한 법규·제도는 신축적으로 변할 수밖에 없다는 점에서 납세의무자로서는 구법질서에 의거한 신뢰를 바탕으로 적극적으로 새로운 법률관계를 형성하였다든지 하는 특별한 사정이 없는 한 원칙적으로 세율 등 현재의 세법이 변함없이 유지되리라고 기대하거나 신뢰할 수는 없다(2002.2.28, 99헌바4). 2018년 경찰경채

③ [X] 부재자의 경우 원칙적으로는 실종선고가 확정되면 실종기간이 만료된 때 사망한 것으로 간주되어 그 때부터 상속이 개시되는바(「민법」 제28조, 제997조), 심판대상조항은 개정 「민법」 시행 후에 비로소 실종이 선고되는 경우에 적용되는 것으로서 과거에 이미 확정된 법률관계에 소급하여 적용하는 것이라 할 수 없으므로, 헌법 제13조 제2항이 금하는 소급입법에 해당하지 아니한다(2016.10.27, 2015헌바203 등).

❹ [O] 신뢰보호원칙은 법률이나 그 하위법규뿐만 아니라 국가관리의 입시제도와 같이 국·공립대학의 입시전형을 구속하여 국민의 권리에 직접 영향을 미치는 제도운영지침의 개폐에도 적용되는 것이다(1997.7.16, 97헌마38). 2020년 국회 9급

04

정답 ③

ㄱ. [O] 판사임용자격에 관한 「법원조직법」 규정이 지난 40여 년 동안 유지되어 오면서, 국가는 입법행위를 통하여 사법시험에 합격한 후 사법연수원을 수료한 즉시 판사임용자격을 취득할 수 있다는 신뢰의 근거를 제공하였다고 보아야 하며, 수년간 상당한 노력과 시간을 들인 끝에 사법시험에 합격한 후 사법연수원에 입소하여 사법연수생의 지위까지 획득한 청구인들의 경우 사법연수원 수료로써 판사임용자격을 취득할 수 있으리라는 신뢰이익은 보호가치가 있다고 할 것이다. 이 사건에서 청구인들의 신뢰이익에 대비되는 공익이 중대하고 장기적 관점에서 필요한 것이라 하더라도, 이 사건 심판대상조항을 이 사건 「법원조직법」 개정 당시 이미 사법연수원에

입소한 사람들에게도 반드시 시급히 적용해야 할 정도로 긴요하다고는 보기 어렵고, 종전 규정의 적용을 받게 된 사법연수원 2년차들과 개정 규정의 적용을 받게 된 사법연수원 1년차들인 청구인들 사이에 위 공익의 실현 관점에서 이들을 달리 볼 만한 합리적인 이유를 찾기도 어려우므로, 이 사건 심판대상조항이 개정법 제42조 제2항을 법 개정 당시 이미 사법연수원에 입소한 사람들에게 적용되도록 한 것은 신뢰보호원칙에 반한다고 할 것이다(2012.11.29, 2011헌마786 등).

ㄴ. [X] 사회환경이나 경제여건의 변화에 따른 정책적인 필요에 의하여 공권력행사의 내용은 신축적으로 바뀔 수 밖에 없고, 그 바뀐 공권력행사에 의하여 발생된 새로운 법질서와 기존의 법질서와의 사이에는 어느 정도 이해관계의 상충이 불가피하므로 국민들의 국가의 공권력 행사에 관하여 가지는 모든 기대 내지 신뢰가 절대적인 권리로서 보호되는 것은 아니라고 할 것이다(1996.4.25, 94헌마119). 2020년 국가 7급

ㄷ. [X] 종전 세무사법에 따라 세무사의 자격이 있던 변호사는 개정 규정에도 불구하고 세무사 자격이 있는 것으로 변호사의 세무사 자격에 관한 경과조치를 정하고 있는 세무사법 부칙: 법적 상태의 존속에 대한 개인의 신뢰는 그가 어느 정도로 법적 상태의 변화를 예측할 수 있었는지, 또는 예측하였어야 하는지 여부에 따라 상이한 강도를 가진다(2002.11.28, 2002헌바45). 이 사건의 경우 청구인들이 「세무사법」이 2017.12.26. 법률 제15288호로 개정되기 전까지는 변호사 자격을 취득함으로써 자동으로 세무사 자격까지 부여받을 수 있다는 신뢰를 가지고 있었다는 점은 일응 인정할 수 있다. 그러나 세무사제도가 정착되고 세무대리시장의 수급이 안정됨에 따라 세무사 자격 자동부여제도는 그 범위를 점차 축소하는 방향으로 꾸준히 개정되어 왔고, 그 결과 「세무사법」이 2017.12.26. 법률 제15288호로 개정되기 전에는 세무사 자격 자동부여대상으로 변호사만이 마지막으로 남아있었을 뿐인데, 이와 같은 시대적 추세에 비추어 볼 때 법조인이 되고자 하는 청구인들이 가지고 있던 신뢰, 즉 변호사 자격을 취득하기만 하면 세무사 자격 역시 자동으로 취득할 수 있다는 신뢰가 강도 높게 보호할 필요가 있는 신뢰라고 보기는 어렵다. 이 사건 부칙조항은 전문자격이 세분화되는 시대상황에 발맞추어 변호사 자격 소지자에 대한 특혜시비를 없애고 세무사 자격시험에 응시하는 일반 국민과의 형평을 도모함과 동시에 세무 분야의 전문성을 제고함으로써 소비자에게 고품질의 세무서비스를 제공한다는 이 사건 법률조항의 공익적 목적에 맞추어 경과조치를 규정한 것이다. 앞서 본 바와 같이 청구인들의 신뢰는 입법자에 의하여 꾸준히 축소되어 온 세무사 자격 자동부여제도에 관한 것으로서 그 보호의 필요성이 크다고 보기 어렵고, 설령 그것이 보호가치가 있는 신뢰라고 하더라도 변호사의 자격을 가진 청구인들은 「변호사법」 제3조에 따라 변호사의 직무로서 세무대리를 할 수 있는 점을 고려하면 신뢰이익을 침해받는 정도가 이 사건 부칙조항이 달성하고자 하는 세무 분야의 전문성 제고 및 소비자에 대한 고품질의 세무서비스 제공이라는 공익에 비하여 크다고 보기도 어렵다. 따라서 이 사건 부칙조항은 신뢰보호원칙을 위배하여 청구인들의 직업선택의 자유를 침해하지 않는다(2021.7.15, 2018헌마279).

ㄹ. [O] 심판대상조항은 개정된 「저작권법」이 시행되기 전에 있었던 과거의 음원 사용행위에 대한 것이 아니라 개정된 법률 시행 이후에 음원을 사용하는 행위를 규율하고 있으므로 진정소급입법에 해당하지 않으며, 저작인접권이 소멸한 음원을 무상으로 사용하는 것은 저작인접권자의 권리가 소멸함으로 인하여 얻을 수 있는 반사적 이익에 불과할 뿐이므로, 심판대상조항은 헌법 제13조 제2항이 금지하는 소급입법에 의한 재산권 박탈에 해당하지 아니한다(2013.11.28, 2012헌마770).

ㅁ. [X] 경력공무원이라 하여 반드시 세무사로서 필요한 전문적 지식이나 자질에 대한 객관적인 검증절차를 거친 것은 아니므로 그들도 일반 응시자와 마찬가지로 세무사 자격시험을 통한 통상의 검증절차를 거치도록 하고, 다만 그 경력을 감안하여 시험과목의 일부면제 제도를 채택한 입법자의 판단이 그 내용이나 방법에 있어서 반드시 합리성을 결여한 것이라고 보기도 어렵다. 그렇다면 이 사건 법률조항이 국세 관련 경력공무원에게 세무사 자격을 부여하지 않는 것이 반드시 재량의 범위를 넘어 명백히 불합리하다고 할 수는 없으므로, 이 사건 법률조항은 청구인들의 직업선택의 자유를 침해하는 것이 아니다(2001.9.27, 2000헌마152).

05 정답 ①

❶ [O] 입법자는 새로운 인식을 수용하고 변화한 현실에 적절하게 대처해야 하기 때문에, 국민은 현재의 법적 상태가 항상 지속되리라는 것을 원칙적으로 신뢰할 수 없다. 법률의 존속에 대한 개인의 신뢰는 법적 상태의 변화를 예측할 수 있는 정도에 따라서 달라지므로, 신뢰보호 가치의 정도는 개인이 어느 정도로 법률개정을 예측할 수 있었는가에 따라서 결정된다(2003.10.30, 2001헌마700 등). 2019년 경찰승진

② [X] 개인의 신뢰이익에 대한 보호가치는 법령에 따른 개인의 행위가 국가에 의하여 일정 방향으로 유인된 신뢰의 행사인지, 아니면 단지 법률이 부여한 기회를 활용한 것으로서 원칙적으로 사적 위험부담의 범위에 속하는 것인지 여부에 따라 달라진다. 만일 법률에 따른 개인의 행위가 단지 법률이 반사적으로 부여하는 기회의 활용을 넘어서 국가에 의하여 일정방향으로 유인된 것이라면 특별히 보호가치가 있는 신뢰이익이 인정될 수 있고, 원칙적으로 개인의 신뢰보호가 국가의 법률개정이익에 우선된다고 볼 여지가 있다(2002.11.28, 2002헌바45). 2017년 법무사

③ [X] 친일재산 환수 문제는 귀속조항은 진정소급입법에 해당하나, 헌법 제13조 제2항에 반하지 않는다(2011.3.31, 2008헌바141 등).

④ [X] 건설업자가 시공자격 없는 자에게 전문공사를 하도급한 행위에 대하여 과징금 부과처분을 하는 경우, 구체적인 부과기준에 대하여 처분시의 법령이 행위시의 법령보다 불리하게 개정되었고 어느 법령을 적용할 것인지에 대하여 특별한 규정이 없다면 행위시의 법령을 적용하여야 한다(대판 2002.12.10, 2001두3228).

06 정답 ①

❶ [O] 청구인들이 개정 전 규칙에 의하여 성능점검부 발행업자로서 보호받아야 할 신뢰이익은 규칙 개정의 이익에 절대적으로 우선하는 것은 아니라고 할 것이다. 그런데, 개정 규칙의 부칙 제1항에 의하여 청구인들의 성능점검부 발행업무는 즉시 배제되는 것이 아니라 6개월간의 유예기간을 두어 성능점검 인력의 활용과 시설의 매각이나 업종변경에 대한 준비기간을 두고 있고, 그 유예기간이 개정 전 규칙에 의하여 행하던 성능점검부 발행업자로서의 신뢰이익을 보호하기에 지나치게 짧은 기간이라고 할 수도 없다(2006.1.26, 2005헌마424).

② [X] 경과규정에 의하여 물가연동제의 방식에 의한 연금액의 조정을 기존의 퇴직연금수급자들에 대하여 적용하도록 함으로써 달성하려는 공익은 연금재정의 악화를 개선하여 연금제도의 유지·존속을 도모하려는 데에 있고 그와 같은 공익적 가치는 매우 크다고 하지 않을 수 없다. 퇴직연금수급권의 성격상 그 급여의 구체적인 내용은 불변적인 것이 아니라, 국가의 재정, 다음 세대의 부담 정도, 사회정책적 상황 등에 따라 변경될 수 있는 것이고, 공무원연금제도는 공무원신분 보장의 본질적 요소라고 하더라도 적정한 신뢰는 "퇴직 후에 연금을 받는다."라는 데에 대한 것이지, "퇴직 후에 현 제도 그대로의 연금액을 받는다."라는 데에 대한 것으로 볼 수는

없다. 그렇다면 보호해야 할 퇴직연금수급자의 신뢰의 가치는 크지 않고 신뢰의 손상 또한 연금액의 상대적인 감소로서 그 정도가 심하지 않은 반면, 연금재정의 파탄을 막고 공무원연금제도를 건실하게 유지하는 것은 긴급하고도 대단히 중요한 공익이므로 위 법률조항이 헌법상 신뢰보호의 원칙에 위배된다고는 볼 수 없다(2005.6.30, 2004헌바42). 2015년 국회 8급

③ [X] 당사자의 귀책사유 없이 인사상 불이익을 받지 않는다는 공무원으로서의 법적 지위를 기존의 법질서에 의하여 이미 확보하고 있었고 그와 같은 법적 지위는 구 헌법의 공무원의 신분 보장규정에 의하여 보호되고 있었다면, 「국가보위입법회의법」이라는 새로운 법률에서 공무원의 위와 같은 기득권을 부칙규정(제4항)으로 박탈하고 있는 것은 신뢰보호의 원칙에 위배되는 것으로서 입법형성권의 한계를 벗어난 위헌적인 것이다(1989.12.18, 89헌마32 등).

④ [X] 위법건축물에 대하여 종전처럼 과태료만이 부과될 것이라고 기대한 신뢰는 제도상의 공백에 따른 반사적인 이익에 불과하여 그 보호가치가 그리 크지 않은 데다가, 이미 이행강제금 도입으로 인한 국민의 혼란이나 부담도 많이 줄어든 상태인 반면, 이행강제금제도 도입 전의 위법건축물이라 하더라도 이행강제금을 부과함으로써 위법상태를 치유하여 건축물의 안전, 기능, 미관을 증진하여야 한다는 공익적 필요는 중대하다 할 것이다. 따라서 이 사건 부칙조항은 신뢰보호원칙에 위배된다고 볼 수 없다(2015.10.21, 2013헌바248). 2016년 서울 7급

07 정답 ④

① [X] 신뢰보호원칙은 법률이나 그 하위법규뿐만 아니라 국가관리의 입시제도와 같이 국·공립대학의 입시전형을 구속하여 국민의 권리에 직접 영향을 미치는 제도운영지침의 개폐에도 적용되는 것이다(1997.7.16, 97헌마38).

➡ 세무사, 변리사시험, 대학입시제도 등 각종 시험제도에서도 신뢰보호원칙이 적용된다. 2008년 국가 7급

② [X] 신뢰보호원칙은 법률의 개정에도 적용된다.

> **관련 판례** 위 법률조항은 종전의 규정에 의한 폐기물재생처리신고업자의 사업이 개정 규정에 의한 폐기물중간처리업에 해당하는 경우에 영업을 계속하기 위하여는 법 시행일부터 1년 이내에 개정 규정에 의한 폐기물중간처리업의 허가를 받도록 함으로써 법률개정을 통하여 신고제에서 허가제로 직업요건을 강화하는 과정에서 신뢰보호를 위한 경과조치를 규정하고 있다. 위 법률조항은 종전의 규정에 의한 폐기물재생처리신고업자가 법개정으로 인한 상황 변화에 적절히 대처할 수 있도록 상당한 유예기간을 두고 있고, 그 기간은 2000.7.1. 대통령령 제16891호로 개정된 「도시계획법 시행령」 부칙 제3조에 의하여 도시계획결정에 관한 새로운 유예기간이 추가된 점에 비추어 볼 때 지나치게 짧은 것이라고 할 수 없으므로, 위 법률조항은 종전의 규정에 의한 폐기물재생처리신고업자의 신뢰이익을 충분히 보호하고 있는 것으로서 과잉금지의 원칙에 위반하여 청구인들의 직업결정의 자유를 침해하는 것이라고 볼 수 없다(2000.7.20, 99헌마452).

③ [X] 신뢰보호원칙은 법적 안정성의 객관적 측면이 아니라 주관적 측면이다. 2005년 사시, 2017년 경찰승진, 2021년 경찰승진

❹ [O] 한 지역의 고교평준화 여부는 그 지역의 실정과 주민의 의사에 따라 탄력적으로 운용할 필요성이 있어 광명시가 비평준화 지역으로 남아 있을 것이라는 청구인들의 신뢰는 헌법상 보호하여야 할 가치나 필요성이 있다고 보기 어렵고, 고등학교 지원을 시·도 단위로 하도록 하고 광명시 등 일부 도시를 비평준화 지역으로 유지시킬 경우 경기도 내에서 중학교 교육의 정상화나 학교 간 격차 해소 등 고교평준화정책의 목적을 실질적으로 달성하기가 어려운 점을 감안하면 청구인들의 신뢰가 공익보다 크다고 볼 수도 없으므로, 이 사건 조례조항은 신뢰보호의 원칙에 위반되지 아니하며 청구인들의 학교선택권을 침해한다고 할 수 없다(2012.11.29, 2011헌마827).

08 정답 ②

① [O] 위법건축물에 대하여 종전처럼 과태료만이 부과될 것이라고 기대한 신뢰는 제도상의 공백에 따른 반사적인 이익에 불과하여 그 보호가치가 그리 크지 않은 데다가, 이미 이행강제금 도입으로 인한 국민의 혼란이나 부담도 많이 줄어든 상태인 반면, 이행강제금제도 도입 전의 위법건축물이라 하더라도 이행강제금을 부과함으로써 위법상태를 치유하여 건축물의 안전, 기능, 미관을 증진하여야 한다는 공익적 필요는 중대하다 할 것이다. 따라서 이 사건 부칙조항은 신뢰보호원칙에 위배된다고 볼 수 없다(2015.10.21, 2013헌바248).

❷ [X] 어업면허의 우선순위에 관하여 청구인에게 헌법상 보호가치 있는 신뢰이익이 존재한다고 보기 어렵고, 존재하더라도 그 보호가치가 크다고 볼 수 없다. 반면 심판대상조항은 어업인의 공동이익과 일정한 지역의 어업개발을 위하여 어촌계 등에 어업면허를 함으로써 어민들의 소득향상과 어촌사회의 발전을 도모하기 위한 규정으로서 공익적인 가치를 지닌다. 따라서 심판대상조항은 신뢰보호원칙에 반하지 아니한다(2019.7.25, 2017헌바133).

③ [O] 구 「수산업법」 제2조 제7호, 제40조, 부칙 및 구 「공유수면매립법」 제6조로 인하여 청구인들이 침해받은 신뢰이익은 등록에 관계없이 인정받던 권리를 등록하여야 하는 정도이고, 위 조항은 종래에 존재하던 관행어업권자를 정리함으로써 관행어업권자의 지위를 공고히 하고 불법어업으로 인한 폐해를 방지하며 불법어업자의 무분별한 관행어업권 주장을 배제하여 어업질서를 확립하기 위하여 개정된 것이며, 관행어업권자들이 침해받은 신뢰이익이 이 사건 심판대상조항으로 달성하고자 하는 공익목적에 우선하여 보호되어야 할 정도로 중대한 것이라고 할 수 없다(1999.7.22, 97헌바76 등).

④ [O] 청구인들의 신뢰는 보호할 필요성이 있는 합리적이고도 정당한 신뢰라 할 것이고, 개정법 제3조 등의 개정으로 말미암아 청구인들이 입게 된 불이익의 정도, 즉 신뢰이익의 침해 정도는 중대하다고 아니할 수 없는 반면, 일반 응시자와의 형평을 제고한다는 공익은 위와 같은 신뢰이익 제한을 헌법적으로 정당화할 만한 사유라고 보기 어렵다. 그러므로 위 「세무사법」 부칙 제3항은 충분한 공익적 목적이 인정되지 아니함에도 청구인들의 기대가치 내지 신뢰이익을 과도하게 침해한 것으로서 헌법에 위반된다. 또한 2000.12.31. 현재 자격부여요건을 충족한 자와 그렇지 못한 청구인들 사이에는 단지 근무기간에 있어서의 양적인 차이만 존재할 뿐, 본질적인 차이는 없고, 세무사 자격 부여제도의 폐지와 관련된 조항의 시행일만을 2001.1.1.로 늦추어 1년의 유예기간을 두고 있는 것 자체가 합리적 근거 없는 자의적 조치이므로, 위 부칙조항은 합리적인 이유 없이, 자의적으로 설정된 기준을 토대로 위 부칙조항의 적용대상자와 청구인들을 차별취급하는 것으로서 평등의 원칙에도 위반된다(2001.9.27, 2000헌마152).

09 정답 ①

❶ [X] 청구인들은 2014.1.1.부터 치과의원에서 전문과목을 표시할 수 있게 되면 모든 전문과목의 진료를 할 수 있을 것이라고 신뢰하였다고 주장하나, 이와 같은 신뢰는 장래의 법적 상황을 청구인들이

미리 일정한 방향으로 예측 내지 기대한 것에 불과하므로 심판대상조항은 신뢰보호원칙에 위배되어 직업수행의 자유를 침해한다고 볼 수 없다(2015.5.28, 2013헌마799).

➡ 그러나 헌법재판소는 전문과목을 표시한 치과의원은 그 표시한 전문과목에 해당하는 환자만을 진료하여야 한다고 규정한 「의료법」 조항에 대하여 과잉금지원칙에 위배되어 청구인의 직업수행의 자유를 침해하고, 평등권을 침해한다고 하여 위헌결정하였다.

② [○] 사립유치원은 「교육기본법」, 「초·중등교육법」, 「유아교육법」에 따른 학교로서 이 사건 규칙 제정 당시부터 그 적용을 받아 왔고, 그 회계의 예산과목에 대하여 심판대상조항 신설 이전에도 [별표 3], [별표 4]의 적용을 받아왔는바, 사립유치원 설립자의 자율적인 경영 및 이윤추구가 가능하다는 신뢰가 형성되었다거나 그러한 신뢰가 보호할 만한 정도에 이르렀다고 보기는 어려우므로, 심판대상조항이 신뢰보호의 원칙에 위반된다고 볼 수 없다(2019.7.25, 2017헌마1038 등).

③ [○] 법 위반행위가 행해지고 아무리 오랜 시간이 경과하더라도 그 위반행위의 결과가 현존하는 한 이를 시정하거나 원상회복해야 할 공익상 필요는 중대하므로, 이 사건 부칙조항은 신뢰보호원칙에 위반되지 아니한다(2019.11.28, 2016헌바459 등).

④ [○] 청구인들이 신뢰한 개정 이전의 구 「법원조직법」 제42조 제2항에 의하더라도 판사임용자격을 가지는 자는 '사법시험에 합격하여 사법연수원의 소정 과정을 마친 자'로 되어 있었고, 청구인들이 사법시험에 합격하여 사법연수원에 입소하기 이전인 2011.7.18. 이미 「법원조직법」이 개정되어 판사임용자격에 일정 기간의 법조경력을 요구함에 따라 구 「법원조직법」이 제공한 신뢰가 변경 또는 소멸되었다. 그렇다면, 청구인들의 신뢰에 대한 보호가치가 크다고 볼 수 없고, 반면 충분한 사회적 경험과 연륜을 갖춘 판사로부터 재판을 받도록 하여 국민의 기본권을 보장하고 사법에 대한 국민의 신뢰를 보호하려는 공익은 매우 중대하다. 따라서 이 사건 심판대상조항이 신뢰보호원칙에 위반하여 청구인들의 공무담임권을 침해한다고 볼 수 없다(2014.5.29, 2013헌마127 등).

10

정답 ②

① [○] 다수인이 이용하는 PC방과 같은 공중이용시설 전체를 금연구역으로 지정함으로써 청소년을 비롯한 비흡연자의 간접흡연을 방지하고 혐연권을 보장하여 국민 건강을 증진시키기 위해 개정된 이 사건 금연구역조항의 입법목적은 정당하며, 그 방법도 적절하다. 이 사건 부칙조항이 이 사건 금연구역조항의 시행을 유예한 2년의 기간은 법개정으로 인해 변화된 상황에 적절히 대처하는 데 있어 지나치게 짧은 기간이라 볼 수 없으므로, 이 사건 금연구역조항과 부칙조항은 신뢰보호원칙에 위배되지 않는다(2013.6.27, 2011헌마315 등).

❷ [X] 개인의 신뢰이익에 대한 보호가치는 법령에 따른 개인의 행위가 국가에 의하여 일정 방향으로 유인된 신뢰의 행사인지, 아니면 단지 법률이 부여한 기회를 활용한 것으로서 원칙적으로 사적 위험부담의 범위에 속하는 것인지 여부에 따라 달라진다. 만일 법률에 따른 개인의 행위가 단지 법률이 반사적으로 부여하는 기회의 활용을 넘어서 국가에 의하여 일정 방향으로 유인된 것이라면 특별히 보호가치가 있는 신뢰이익이 인정될 수 있고, 원칙적으로 개인의 신뢰보호가 국가의 법률개정이익에 우선된다고 볼 여지가 있다(2007.4.26, 2003헌마947 등 ; 2002.11.28, 2002헌바45 등).

③ [○] 청소년 학생의 보호라는 공익상 필요에 의하여 학교 환경위생정화구역 안에서의 노래연습장의 시설·영업을 금지하고서 이미 설치된 노래연습장시설을 폐쇄 또는 이전하도록 하면서 경제적 손실을 최소화할 수 있도록 1998. 12. 31.까지 약 5년간의 유예기간을 주는 한편 … 신뢰보호의 원칙에 어긋난다고 할 수 없다(1999.7.22, 98헌마480 등).

④ [○] 이른바 부진정소급입법의 예로 볼 여지가 있다. 그러나 여기서 발생하는 문제는 종래의 법적 상태에서 새로운 법적 상태로 이행하는 과정에서 불가피하게 발생하는 법치국가적 문제, 구체적으로 신뢰보호의 문제이므로 이러한 청구인의 주장은 위 신뢰보호원칙 위반 여부의 판단에 포섭된다 할 것이다(2009.9.24, 2007헌마872).

11

정답 ④

① [X] 개인의 신뢰이익에 대한 보호가치는 법령에 따른 개인의 행위가 국가에 의하여 일정 방향으로 유인된 신뢰의 행사인지, 아니면 단지 법률이 부여한 기회를 활용한 것으로서 원칙적으로 사적 위험부담의 범위에 속하는 것인지 여부에 따라 달라진다. 만일 법률에 따른 개인의 행위가 단지 법률이 반사적으로 부여하는 기회의 활용을 넘어서 국가에 의하여 일정 방향으로 유인된 것이라면 특별히 보호가치가 있는 신뢰이익이 인정될 수 있고, 원칙적으로 개인의 신뢰보호가 국가의 법률개정이익에 우선된다고 볼 여지가 있다(2002.11.28, 2002헌바45 등).

② [X] 개인의 신뢰이익에 대한 보호가치는 법령에 따른 개인의 행위가 국가에 의하여 일정 방향으로 유인된 신뢰의 행사인지, 아니면 단지 법률이 부여한 기회를 활용한 것으로서 원칙적으로 사적 위험부담의 범위에 속하는 것인지 여부에 따라 달라진다. 만일 법률에 따른 개인의 행위가 단지 법률이 반사적으로 부여하는 기회의 활용을 넘어서 국가에 의하여 일정 방향으로 유인된 것이라면 특별히 보호가치가 있는 신뢰이익이 인정될 수 있고, 원칙적으로 개인의 신뢰보호가 국가의 법률개정이익에 우선된다고 볼 여지가 있다(2002.11.28, 2002헌바45). 2019년 경찰승진

③ [X] '헌법에서 유래하는 국가의 보호의무'까지는 요청할 수는 없다. 즉, 미임용자들이 위헌적 법률에 기초한 신뢰이익이 보호되지 않는다는 이유를 들어 교육공무원의 공개전형을 통한 선발을 규정한 현행 「교육공무원법」을 위헌이라고 하거나, 위헌적 법률에 기초한 신뢰이익을 보장하기 위한 법률을 제정하지 않은 부작위를 위헌이라고 주장할 수는 없는 것이다(2006.3.30, 2005헌마598).

관련 판례 국·공립사범대학 졸업자들의 우선임용제도 자체가 헌법에 위반된다는 결정이 선고된 이상, 위헌결정 당시의 국립사범대학 졸업자 또는 재학생들이 우선적으로 임용될 것이라는 점에 대하여 가졌던 기대 또는 신뢰는 법적으로 보호될 수 없다(1995.12.28, 95헌마196). 2019년 변시, 2020년 경찰승진

❹ [○] 구법질서가 더 이상 적절하지 아니하다는 입법자의 정책적인 판단에 의한 이 사건 법률조항의 입법으로 말미암아 청구인들이 구법질서에서 누리던 신뢰가 손상되었다 하더라도 이를 일컬어 헌법적 한계를 넘는 위헌적인 공권력 행사라고는 평가할 수 없다(2001.6.28, 2001헌마132). 2008년 국회 8급

12

정답 ①

❶ [○] 이 사건의 경우 국가가 장기간에 걸쳐 추진된 주정배정제도, 1도1사원칙에 의한 통폐합정책 및 자도소주구입명령제도를 통하여 신뢰의 근거를 제공하고 국가가 의도하는 일정한 방향으로 소주제조업자의 의사결정을 유도하려고 계획하였으므로, 자도소주구입명령

제도에 대한 소주제조업자의 강한 신뢰보호이익이 인정된다. 그러나 이러한 신뢰보호도 법률개정을 통한 능력경쟁의 실현이라는 보다 우월한 공익에 직면하여 종래의 법적 상태의 존속을 요구할 수는 없다 할 것이고, 다만 개인의 신뢰는 적절한 경과규정을 통하여 고려되기를 요구할 수 있는 데 지나지 않는다 할 것이다. 따라서 지방소주제조업자는 신뢰보호를 근거로 하여 결코 자도소주구입명령제도의 합헌성을 주장하는 근거로 삼을 수는 없다 할 것이고, 주어진 경과기간이 장기간 경쟁을 억제하는 국가정책으로 인하여 약화된 지방소주제조업자의 경쟁력을 회복하기에 너무 짧다거나 아니면 지방소주업체에 대한 경쟁력 회복을 위하여 위헌적인 것이 아닌 다른 적절한 조치를 주장할 수 있을 뿐이다(1996.12.26, 96헌가18). 2019년 변시

② [X] 신뢰보호원칙은 법률의 개정에도 적용된다.

관련 판례 위 법률조항은 종전의 규정에 의한 폐기물재생처리신고업자가 법 개정으로 인한 상황 변화에 적절히 대처할 수 있도록 상당한 유예기간을 두고 있고, 그 기간은 2000.7.1. 대통령령 제16891호로 개정된 「도시계획법 시행령」 부칙 제3조에 의하여 도시계획결정에 관한 새로운 유예기간이 추가된 점에 비추어 볼 때 지나치게 짧은 것이라고 할 수 없으므로, 위 법률조항은 종전의 규정에 의한 폐기물재생처리신고업자의 신뢰이익을 충분히 보호하고 있는 것으로서 과잉금지의 원칙에 위반하여 청구인들의 직업결정의 자유를 침해하는 것이라고 볼 수 없다(2000.7.20, 99헌마452).

③ [X] 자사고는 「초·중등교육법」 제61조에 따른 학교인데 위 조항은 신입생 선발시기에 관하여 자사고에 특별한 신뢰를 부여하였다고 볼 수 없다. 또한 입학전형에 관한 사항은 고등학교 교육에 대한 수요 및 공급의 상황과 각종 고등학교별 특성 등을 고려하여 정할 필요성이 있고, 전기학교로 규정할 것인지 여부는 특정 분야에 재능이나 소질을 가진 학생을 후기학교보다 먼저 선발할 필요성이 인정되는지에 따라 달라질 수 있는 가변적인 성격을 가지고 있다. 자사고가 당초 도입취지와 달리 운영되고 있음은 앞서 본 바와 같고 자사고가 전기학교로 유지되리라는 기대 내지 신뢰는 자사고의 교육과정을 도입취지에 충실하게 운영할 것을 전제로 한 것이므로 그 전제가 충족되지 않은 이상 청구인 학교법인의 신뢰를 보호하여야 할 가치나 필요성은 그만큼 약하다. 고교서열화 및 입시경쟁 완화라는 공익은 매우 중대하고, 자사고를 전기학교로 유지할 경우 우수학생 선점 문제를 해결하기 곤란하여 고교서열화 현상을 완화시키기 어렵다는 점, 청구인 학교법인의 신뢰의 보호가치가 작다는 점을 고려하면 이 사건 동시선발조항은 신뢰보호원칙에 위배되지 아니한다(2019.4.11, 2018헌마221) 2021년 경찰경채

④ [X] 이 사건에서 개인의 신뢰이익에 대비되는 공익은 적정한 전투력을 구비한 국군의 편성, 유지라고 하는 중요한 문제에 직접적으로 관련되어 있다. 입법자는 병무행정에서의 형평성 논란 등을 불식시키고 궁극적으로 국군의 적정한 전투력 유지에 악영향을 미칠 수 있는 요소를 제거하기 위하여 위와 같이 법률을 개정한 것으로 보이고, 따라서 법률의 개정으로 인하여 달성하려는 공익은 이로 인하여 받을 청구인의 불이익에 비하여 훨씬 더 크다고 할 것이다. 따라서 이 사건 법률조항은 헌법상의 신뢰보호원칙에 위배된다고 볼 수 없다(2002.11.28, 2002헌바45). 2015년 서울 7급

13 정답 ③

① [O] 2000.7.1.부터 시행되는 최고보상제도(「산업재해보상보험법」 제38조 제6항)를 2000.7.1. 전에 장해사유가 발생하여 장해보상연금을 수령하고 있던 수급권자에게도 2년 6월의 유예기간 후 2003.1.1.부터 적용하는 「산업재해보상보험법」 부칙 제7조 중 '2002.12.31.까지는' 부분은 신뢰보호원칙에 위배하여 재산권을 침해한다. 즉 심판대상조항은 실제 평균임금이 노동부장관이 고시하는 한도금액 이상일 경우 그 한도금액을 실제임금으로 의제하는 최고보상제도를 2003.1.1.부터 기존 피재근로자인 청구인들에도 적용함으로써, 평균임금에 대한 청구인들의 정당한 법적 신뢰를 심각하고 예상하지 못한 방법으로 제약하여 청구인들에게 불이익을 초래하였다. 그리고 장해급여제도에 사회보장수급권으로서의 성격도 있는 이상 소득재분배의 도모나 새로운 산재보상사업의 확대를 위한 자금마련의 목적으로 최고보상제를 도입하는 것 자체는 입법자의 결단으로서 형성적 재량권의 범위 내에 있다고 보더라도, 그러한 입법자의 결단은 최고보상제도 시행 이후에 산재를 입는 근로자들부터 적용될 수 있을 뿐, 제도 시행 이전에 이미 재해를 입고 산재보상수급권이 확정적으로 발생한 청구인들에 대하여 그 수급권의 내용을 일시에 급격히 변경하여 가면서까지 적용할 수 있는 것은 아니라고 보아야 할 것이다. 따라서 심판대상조항은 신뢰보호의 원칙에 위배하여 청구인들의 재산권을 침해하는 것으로서 헌법에 위반된다(2009.5.28, 2005헌바20 등). 2015년 변시

② [O] 백화점 셔틀버스 운행금지 사회환경이나 경제여건의 변화에 따라 구법질서가 더 이상 적절하지 아니하다는 입법자의 정책적인 판단에 의한 백화점 셔틀버스 운행금지하는 구 「자동차운수사업법」으로 말미암아 청구인들이 구법질서에서 누리던 신뢰가 손상되었다 하더라도 이를 일컬어 헌법적 한계를 넘는 위헌적인 공권력 행사라고는 평가할 수 없다(2001.6.28, 2001헌마132).

❸ [X] 제공하고 국가가 의도하는 일정한 방향으로 소주제조업자의 의사결정을 유도하려고 계획하였으므로, 자도소주구입명령제도에 대한 소주제조업자의 강한 신뢰보호이익이 인정된다. 그러나 이러한 신뢰보호도 법률개정을 통한 '능력경쟁의 실현'이라는 보다 우월한 공익에 직면하여 종래의 법적 상태의 존속을 요구할 수는 없다 할 것이고, 다만 개인의 신뢰는 적절한 경과규정을 통하여 고려되기를 요구할 수 있는 데 지나지 않는다 할 것이다. 따라서 지방소주제조업자는 신뢰보호를 근거로 하여 결코 자도소주구입명령제도의 합헌성을 주장하는 근거로 삼을 수는 없다 할 것이고, 주어진 경과기간이 장기간 경쟁을 억제하는 국가정책으로 인하여 약화된 지방소주제조업자의 경쟁력을 회복하기에 너무 짧다거나 아니면 지방소주업체에 대한 경쟁력회복을 위하여 위헌적인 것이 아닌 다른 적절한 조치를 주장할 수 있을 뿐이다(1996.12.26, 96헌가18).

④ [O] 법률의 개정시 구법질서에 대한 당사자의 신뢰가 합리적이고도 정당하며 법률의 개정으로 야기되는 당사자의 손해가 극심하여 새로운 입법으로 달성하고자 하는 공익적 목적이 그러한 당사자의 신뢰의 파괴를 정당화할 수 없다면 그러한 새 입법은 신뢰보호의 원칙상 허용될 수 없다. 그러나 사회환경이나 경제여건의 변화에 따른 필요성에 의하여 법률은 신축적으로 변할 수밖에 없고, 변경된 새로운 법질서와 기존의 법질서 사이에는 이해관계의 상충이 불가피하다. 따라서 국민이 가지는 모든 기대 내지 신뢰가 헌법상 권리로서 보호될 것은 아니고, 신뢰의 근거 및 종류, 상실된 이익의 중요성, 침해의 방법 등에 의하여 개정된 법규·제도의 존속에 대한 개인의 신뢰가 합리적이어서 권리로서 보호할 필요성이 인정되어야 한다(1992.10.1, 92헌마68 등).

14 정답 ②

① [O] 신뢰이익은 위헌적 법률의 존속에 관한 것에 불과하여 위헌적인 상태를 제거해야 할 법치국가적 공익과 비교형량해 보면 공익이 신뢰이익에 대하여 원칙적인 우위를 차지하기 때문에 합헌적인 법률에 기초한 신뢰이익과 동일한 정도의 보호, 즉 '헌법에서 유래하는 국가의 보호의무'까지는 요청할 수는 없다(2006.3.30, 2005헌마598). 2010년 사시

❷ [X] 연금수급자의 신뢰의 가치는 그리 크지 않은 반면, 군인연금 재정의 파탄을 막고 군인연금제도를 건실하게 유지하려는 공익적 가치는 긴급하고 또한 중요한 것이므로, 이 사건 정지조항이 헌법상 신뢰보호의 원칙에 위반된다고 할 수 없다(2007.10.25, 2005헌바68 등). 2020년 국회 9급

③ [O] 종전 종합생활기록부제도의 문제점을 보완하기 위하여 과목별 석차의 기록방법 등 세부적인 사항을 개선, 변경한 데 불과하므로 이로 인하여 청구인들의 헌법상 보호할 가치가 있는 신뢰가 침해되었다고 볼 수 없다(1997.7.16, 97헌마38). 2017년 승진

④ [O] 피청구인이 제5회 지방고등고시 시행계획을 공고하면서 그 최종시험시행일을 예년과 달리 연도 말인 1999.12.14.로 정함으로써 청구인의 연령이 응시상한연령을 5일 초과하게 하여 청구인이 제2차 시험에 응시할 수 있는 자격을 박탈한 것은 청구인의 정당한 신뢰를 해한 것일 뿐 아니라, 법치주의의 한 요청인 예측가능성의 보장을 위반하여 청구인의 공무담임권을 침해한 것에 해당한다(2000.1.27, 99헌마123). 2017년 국회 8급

15

정답 ②

① [O] 세무당국에 사업자등록을 하고 운전교습에 종사하였다 하더라도 자동차운전학원으로 등록한 경우에만 자동차운전교습업을 영위할 수 있도록 법률을 개정하는 것은 관련자들의 정당한 신뢰를 침해하는 것은 아니다(2003.9.25, 2001헌마447 등).

❷ [X] 비록 세무당국에 사업자등록을 하고 운전교습업에 종사하였다고 하더라도, 사업자등록은 과세행정상의 편의를 위하여 납세자의 인적사항 등을 공부에 등재하는 행위에 불과하므로 운전교습업의 계속에 대하여 국가가 신뢰를 부여하였다고 보기도 어렵다(2003.9.25, 2001헌마447 등).

③ [O] 심판대상조항이 「형사소송법」의 공소시효에 관한 조항의 적용을 배제하고 새롭게 규정된 조항을 적용하도록 하였다고 하더라도, 이로 인하여 제한되는 성폭력 가해자의 신뢰이익이 공익에 우선하여 특별히 헌법적으로 보호해야 할 가치나 필요성이 있다고 보기 어렵다. 따라서 심판대상조항은 신뢰보호원칙에 반한다고 할 수 없다(2021.6.24, 2018헌바457).

④ [O] 국민이 어떤 법률이나 제도가 장래에도 그대로 존속될 것이라는 합리적인 신뢰를 바탕으로 하여 일정한 법적 지위를 형성한 경우, 국가는 그와 같은 법적 지위와 관련된 법규나 제도의 개폐에 있어서 법치국가의 원칙에 따라 국민의 신뢰를 최대한 보호하여 법적 안정성을 도모하여야 한다. 법률의 제정이나 개정시 구법질서에 대한 당사자의 신뢰가 합리적이고 정당하며, 법률의 제정이나 개정으로 야기되는 당사자의 손해가 극심하여 새로운 입법으로 달성하고자 하는 공익적 목적이 그러한 당사자의 신뢰의 파괴를 정당화할 수 없다면, 그러한 새로운 입법은 신뢰보호의 원칙을 위배한다(2004.12.16, 2003헌마226 등).

16

정답 ①

❶ [X] 「개발이익 환수에 관한 법률」 시행 전에 개발사업에 착수한 사업시행자에 대하여도 개발부담금을 부과함으로써 그러한 사업자가 지니고 있던 개발부담금의 미부과에 대한 신뢰가 손상된다 하여도 그 손상의 정도 및 손해는 비교적 크지 않음에 반하여 이로써 달성하려고 하는 공익은 훨씬 크므로 이와 같은 신뢰의 손상은 신뢰보호의 원칙에 위배되는 것이 아니다(2001.2.22, 98헌바19). 2018년 법행

② [O] 구법질서가 더 이상 적절하지 아니하다는 입법자의 정책적인 판단에 의한 이 사건 법률조항의 입법으로 말미암아 청구인들이 구법질서에서 누리던 신뢰가 손상되었다 하더라도 이를 일컬어 헌법적 한계를 넘는 위헌적인 공권력 행사라고는 평가할 수 없다(2001.6.28, 2001헌마132).

③ [O] 법률의 개정시 구법질서에 대한 당사자의 신뢰가 합리적이고도 정당하며 법률의 개정으로 야기되는 당사자의 손해가 극심하여 새로운 입법으로 달성하고자 하는 공익적 목적이 그러한 당사자의 신뢰의 파괴를 정당화할 수 없다면 그러한 새 입법은 신뢰보호의 원칙상 허용될 수 없다(2015.2.26, 2012헌마400). 2006년 사시, 2015년 국회 8급, 2017년 법행, 2018년 국회 8급, 2018년 경찰경채, 2019년 국가 7급, 2021년 경찰승진

④ [O] 경과조치를 두지 않고 그대로 신법을 시행하면 신뢰보호원칙이라는 헌법원칙에 반하는 결과를 초래하는 경우에는 이를 방지하기 위하여 필수적으로 경과조치를 규정하여야 할 것이다. 반대로 신법을 그대로 적용하더라도 신뢰보호원칙에 반하지 않는 경우, 즉 개정 법령의 공익이 개인의 신뢰이익보다 우위에 있는 경우에는 경과조치를 두지 않고 신법을 즉시 시행할 수도 있다. 공익이 신뢰보호가치보다 크다면 신뢰보호원칙에 반하지 않으므로 경과규정을 두지 않아도 된다. 2018년 경찰경채

17

정답 ①

❶ [X] 우리 헌법은 바이마르헌법을 계수하였으므로 본기본법에 규정되어 있는 사회국가원리를 명문으로 규정하고 있지는 않지만, 헌법의 전문, 사회적 기본권의 보장(헌법 제31조 내지 제36조), 경제영역에서 적극적으로 계획하고 유도하고 재분배하여야 할 국가의 의무를 규정하는 경제에 관한 조항(헌법 제119조 제2항 이하) 등과 같이 사회국가원리의 구체화된 여러 표현을 통하여 사회국가원리를 수용하였다. 사회국가란 한마디로, 사회정의의 이념을 헌법에 수용한 국가, 사회현상에 대하여 방관적인 국가가 아니라 경제·사회·문화의 모든 영역에서 정의로운 사회질서의 형성을 위하여 사회현상에 관여하고 간섭하고 분배하고 조정하는 국가이며, 궁극적으로는 국민 각자가 실제로 자유를 행사할 수 있는 그 실질적 조건을 마련해 줄 의무가 있는 국가이다(2002.12.18, 2002헌마52). 2013년 법원 9급

② [O] 현대민주주의국가에 이르러서는 사회국가원리에 입각한 공직제도의 중요성이 특히 강조되고 있다. 즉 모든 공무원들에게 보호가치 있는 이익과 권리를 인정해 주고, 공무원에게 자유의 영역이 확대될 수 있도록 공직자의 직무의무를 가능한 선까지 완화하며, 공직자들의 직무환경을 최대한으로 개선해 주고, 공직수행에 상응하는 생활부양을 해 주고, 퇴직 후나 재난, 질병에 대처한 사회보장의 혜택을 마련하는 것 등을 그 내용으로 한다. 그런데, 공무원의 생활보장의 가장 일차적이며 기본적인 수단은 '그 일자리의 보장'이라는 점에서 오늘날 사회국가원리에 입각한 공직제도에서 개개 공무원의 공무담임권 보장의 중요성은 더욱 큰 의미를 가지고 있다고 할 것이다(2004.9.23, 2004헌가12). 2012년 사시

③ [O] 헌법 제15조의 직업의 자유 또는 헌법 제32조의 근로의 권리, 사회국가원리 등에 근거하여 실업방지 및 부당한 해고로부터 근로자를 보호하여야 할 국가의 의무를 도출할 수는 있을 것이나, 국가에 대한 직접적인 직장존속보장청구권을 근로자에게 인정할 헌법상의 근거는 없다. 이와 같이 우리 헌법상 국가에 대한 직접적인 직장존속보장청구권을 인정할 근거는 없으므로 근로관계의 당연승계를 보장하는 입법을 반드시 하여야 할 헌법상의 의무를 인정할 수 없다. 따라서 「한국보건산업진흥원법」 부칙 제3조가 기존 연구기관의 재산상의 권리·의무만을 새로이 설립되는 한국보건산업진흥원에 승계시키고, 직원들의 근로관계가 당연히 승계되는 것으로 규정하지 않았다 하여 위헌이라 할 수 없다(2002.11.28, 2001헌바50). 2012년 사시

④ [○] 장애인의 복지를 향상해야 할 국가의 의무가 다른 다양한 국가과제에 대하여 최우선적인 배려를 요청할 수 없을 뿐 아니라, 나아가 헌법의 규범으로부터는 '장애인을 위한 저상버스의 도입'과 같은 구체적인 국가의 행위의무를 도출할 수 없는 것이다. 국가에게 헌법 제34조에 의하여 장애인의복지를 위하여 노력을 해야 할의무가 있다는 것은, 장애인도 인간다운 생활을 누릴 수 있는 정의로운 사회질서를 형성해야 할국가의 일반적인 의무를 뜻하는 것이지, 장애인을 위하여 저상버스를 도입해야 한다는 구체적 내용의 의무가 헌법으로부터 나오는 것은 아니다(2002.12.18, 2002헌마52). 2013년 변시

18

정답 ①

❶ [○] 법치국가를 국가작용의 형식적 합헌성만을 지향하는 형식적(시민적) 법치국가로 이해하는 경우, 그 결론은 필연적으로 사회국가와 법치국가의 이율배반에 이를 수밖에 없다. 그러나 현대의 법치국가는 형식적 법치국가임과 아울러 국가작용의 내용적 정당성을 지향하는 실질적 법치국가이기 때문에 이러한 견해는 더 이상 유지될 수 없다(홍성방 헌법학 167면).

② [X] 국가에게 헌법 제34조에 의하여 장애인의 복지를 위하여 노력을 해야 할 의무가 있다는 것은, 장애인도 인간다운 생활을 누릴 수 있는 정의로운 사회질서를 형성해야 할 국가의 일반적인 의무를 뜻하는 것이지, 장애인을 위하여 저상버스를 도입해야 한다는 구체적 내용의 의무가 헌법으로부터 나오는 것은 아니다(2002.12.18, 2002헌마52). 2016년 변시

③ [X] 사회적 약자를 위한 우대조치는 실질적 평등정신에 부합되므로 사회적 약자를 위한 입법조치에 대해서는 엄격한 심사보다는 자의금지원칙에 따라 평등 위반 여부를 심사하는 것이 타당하다. 2010년 사시

④ [X] 사회국가원리로부터 사회적 기본권이 도출되지 않는다는 것이 일반적 견해이나, 입법자는 사회국가원리를 실현할 법적 의무를 진다. 따라서 사회국가원리로부터 국가의 의무는 도출될 수 있다.

19

정답 ②

① [○] 사회국가원리는 소득의 재분배의 관점에서 경제적 약자에 대한 보험료의 지원을 허용할 뿐만 아니라, 한걸음 더 나아가 정의로운 사회질서의 실현을 위하여 이를 요청하는 것이다. 따라서 국가가 저소득층 지역가입자를 대상으로 소득수준에 따라 보험료를 차등 지원하는 것은 사회국가원리에 의하여 정당화되는 것이다(2000.6.29, 99헌마289). 2017년 국가 7급

❷ [X]

<사회국가원리의 헌법적 수용>

구분	사회국가조항	사회적 기본권
독일 기본법	○	X
바이마르헌법, 우리나라 현행헌법	X (명시적 조항 無)	○

③ [○] 사회국가는 사회적 문제를 해결하는 데 인격의 자유로운 발전과 사회의 자율을 우선하며, 이러한 개인과 사회의 노력이 기능하지 않을 때에만 국가는 부차적으로 도움을 제공하고 배려하며 조정한다는 기본적 사고를 바탕으로 한다는 점에서 넓은 의미에서 보충성의 원리에 기초하고 있다. 2010년 국회 8급

④ [○] 조세나 보험료와 같은 공과금의 부과에 있어서 사회국가원리는 입법자의 결정이 자의적인가를 판단하는 하나의 중요한 기준을 제공하며, 일반적으로 입법자의 결정을 정당화하는 헌법적 근거로서 작용한다. 특히 경제적 약자나 중소기업에 대한 조세감면혜택 등과 같이 사회정책적 고려에 기초한 차별대우가 자의적인가를 판단하는 경우에 사회국가원리는 입법자의 형성권을 정당화하는 하나의 헌법적 가치결정을 의미한다(2000.6.29, 99헌마289). 2015년 국회 9급

20

정답 ①

❶ [○] 헌법 제119조는 헌법상 경제질서에 관한 일반조항으로서 국가의 경제정책에 대한 하나의 헌법적 지침이고, 동 조항이 언급하는 '경제적 자유와 창의'는 직업의 자유, 재산권의 보장, 근로3권과 같은 경제에 관한 기본권 및 비례의 원칙과 같은 법치국가원리에 의하여 비로소 헌법적으로 구체화된다. 따라서 이 사건에서 청구인들이 헌법 제119조 제1항과 관련하여 주장하는 내용은 구체화된 헌법적 표현인 경제적 기본권을 기준으로 심사되어야 한다(2002.10.31, 99헌바76 등). 2018년 국회 9급

② [X] 심판대상조항에 따라 허가받은 지역 밖에서 이송업을 하는 것이 제한되므로 청구인 회사의 직업수행의 자유가 제한된다. 청구인 회사는 영업의 자유와 일반적 행동의 자유도 침해되고 헌법상 경제질서에도 위배된다고 주장하지만, 심판대상조항과 가장 밀접한 관계에 있는 직업수행의 자유 침해 여부를 판단하는 이상 이 부분 주장에 대해서는 별도로 판단하지 아니한다(2018.2.22, 2016헌바100).

➡ 직업의 자유 침해도 아니다.

③ [X] 헌법의 기본원리는 헌법의 이념적 기초인 동시에 헌법을 지배하는 지도원리로서 입법이나 정책결정의 방향을 제시하며 공무원을 비롯한 모든 국민·국가기관이 헌법을 존중하고 수호하도록 하는 지침이 되며, 구체적 기본권을 도출하는 근거로 될 수는 없으나 기본권의 해석 및 기본권 제한입법의 합헌성 심사에 있어 해석기준의 하나로서 작용한다(1996.4.25, 92헌바47).

④ [X] 우리 헌법은 헌법 제119조 이하의 경제에 관한 장에서 '균형 있는 국민경제의 성장과 안정, 적정한 소득의 분배, 시장의 지배와 경제력남용의 방지, 경제주체 간의 조화를 통한 경제의 민주화, 균형 있는 지역경제의 육성, 중소기업의 보호육성, 소비자 보호 등'의 경제영역에서의 국가목표를 명시적으로 규정함으로써 국가가 경제정책을 통하여 달성하여야 할 '공익'을 구체화하고, 동시에 헌법 제37조 제2항의 기본권 제한을 위한 일반법률유보에서의 '공공복리'를 구체화하고 있다. 그러나 경제적 기본권의 제한을 정당화하는 공익이 헌법에 명시적으로 규정된 목표에만 제한되는 것은 아니고, 헌법은 단지 국가가 실현하려고 의도하는 전형적인 경제목표를 예시적으로 구체화하고 있을 뿐이므로 기본권의 침해를 정당화할 수 있는 모든 공익을 아울러 고려하여 법률의 합헌성 여부를 심사하여야 한다(1996.12.26, 96헌가18).

9회 진도별 모의고사
경제질서 ~ 문화국가원리

정답

01	④	02	②	03	③	04	②
05	①	06	②	07	④	08	①
09	②	10	③	11	②	12	①
13	②	14	③	15	①	16	②
17	④	18	①	19	②	20	④

01 정답 ④

① [○] 「국토이용관리법」이 규제하고자 하는 것은 모든 사유지가 아니고 투기우심지역 또는 지가폭등지역의 토지에 한정하고 있다는 점과 규제기간이 5년이내인 점, 설사 규제되더라도 거래목적, 거래면적, 거래가격 등에 있어서 기준에 위배되지 않는 한 당연히 당국의 거래허가를 받을 수 있어 처분권이 완전히 금지되는 것은 아닌 점 및 당국의 거래불허가처분에 대하여서는 불복방법이 마련되어 있는 점 등을 종합해 볼 때 토지거래허가제는(토지 등의 거래계약이 허가되었을 경우에는 제한의 해제로서 별 문제될 것이 없고 토지 등의 거래계약이 불허가되었을 경우에도) 사유재산제도의 부정이라 보기는 어렵고 다만 그 제한의 한 형태라고 봐야 할 것이다. 생산이 자유롭지 않은 토지에 대하여 처분의 자유를 인정하지 않고 이를 제한할 수 밖에 없음은 실로 부득이한 것이며 토지거래허가제는 헌법이 명문으로 인정하고 있는 (헌법 제122조) 재산권의 제한의 한 형태로서 재산권의 본질적인 침해라고는 할 수 없는 것이다(1989.12.22, 88헌가13).

② [○] 은행의 자율적 처리과정에서 공권력의 의견제시는 별론, 그렇지 않고 법치국가적 절차에 따르지 않는 공권력의 발동개입은 그것이 위정자의 정치적·정책적 결단이나 국가의 금융정책과 관련된다는 이유로 합헌적인 조치가 될 수 없으며, 이 경우는 이른바 관치경제이고 관치금융밖에 될 수 없는 것이다. 더 나아가 이는 관(官)의 이상비대화 내지 정경유착의 고리형성의 요인이 될 수 있다. 대저 사기업인 은행의 자율에 맡기지 않고 공권력이 가부장적·적극적으로 개입함은 기업 스스로의 문제해결능력, 즉 자생력만 마비시키는 것이며 시장경제원리에의 적응력을 위축시킬 뿐인 것이므로 기업의 경제상의 자유와 창의의 존중을 기본으로 하는 헌법 제119조 제1항의 규정과는 합치될 수 없는 것이다(1993.7.29, 89헌마31).

③ [○] 전국 각도에 균등하게 하나씩의 소주제조기업을 존속케 하려는 「주세법」에서는 수정되어야 할 구체적인 지역간의 차이를 확인할 수 없고, 따라서 1도1소주제조업체의 존속유지와 지역경제의 육성 간에 상관관계를 찾아볼 수 없으므로 '지역경제의 육성'은 기본권의 침해를 정당화할 수 있는 공익으로 고려하기 어렵다. 중소기업의 보호란 공익이 자유경쟁질서 안에서 발생하는 중소기업의 불리함을 국가의 지원으로 보완하여 경쟁을 유지하고 촉진시키려는 데 그 목적이 있으므로, 이 사건 법률조항이 규정한 구입명령제도는 이러한 공익을 실현하기에 적합한 수단으로 보기 어렵다(1996.12.26, 96헌가18).

❹ [X] 자유시장 경제질서를 기본으로 하면서도 사회국가원리를 수용하고 있는 우리 헌법의 이념에 비추어 일반불법행위책임에 관하여는 과실책임의 원리를 기본원칙으로 하면서 이 사건 법률조항과 같은 특수한 불법행위책임에 관하여 위험책임의 원리를 수용하는 것은 입법정책에 관한 사항으로서 입법자의 재량에 속한다고 할 것이다. 따라서 이 사건 법률조항이 아래에서 보는 바와 같이 운행자의 재산권을 본질적으로 제한하거나 평등의 원칙에 위반되지 아니하는 이상 위험책임의 원리에 기하여 무과실책임을 지운 것만으로 헌법 제119조 제1항의 자유시장 경제질서나 청구인이 주장하는 헌법 전문 및 헌법 제13조 제3항의 연좌제금지의 원칙에 위반된다고 할 수 없다(1998.5.28, 96헌가4 등).

02 정답 ②

① [○] 헌법 제119조 제2항은 '국가는 … 시장의 지배와 경제력의 남용을 방지하기 위하여 … 경제에 관한 규제와 조정을 할 수 있다'고 규정함으로써, '독점규제와 공정거래유지'라는 경제정책적 목표를 개인의 경제적 자유를 제한할 수 있는 정당한 공익의 하나로 하고 있다. 이 사건 고시 내용에 의한 신문판매업자에 대한 규제는 신문업에 있어서의 시장의 지배와 경제력의 남용을 방지하기 위한 경제적 규제로서 헌법 제119조 제2항에 의하여 정당화될 수 있는 정도의 것이며, 따라서 결국 이는 헌법 제119조 제1항을 포함한 우리 헌법의 경제질서조항에 위반되지 아니한다고 할 것이다(2002.7.18, 2001헌마605).

❷ [X] 공기업이란 국가, 지방자치단체 및 그에 의하여 설립된 법인이 사회공공의 이익을 위하여 직접 경영하거나 경영에 참가하는 기업을 말한다. 국가 또는 지방자치단체는 사회공공의 복리를 증진하기 위하여 개인자본으로는 합리적인 경영을 기대하기 어려운 기간산업이라든가 국민의 기본적인 생활수단 또는 국토방위 등에 직결되어 있어 성질상 사인에게 경영시키는 것이 적합하지 않은 사업을 관리·경영할 필요가 있기 때문에, 사인의 경제생활에 개입하여 그것을 감독·유도할 뿐 아니라 직접 기업체를 설립하여 그와 같은 공익사업을 수행하고 있다(2001.11.29, 2001헌바4).

③ [○] 경제 관련 헌법규정은 비례원칙이 전면적으로 적용되는 것이 아니라, 경제목적 달성에 필요한 수단선택에는 광범위한 입법자의 재량이 있으므로 방법의 적정성만이 적용되고 다수의 수단을 통제하는 침해최소성과 법익균형성은 적용되지 않는다. 경제적 기본권 침해 관련에는 비례원칙이 전면적으로 적용되므로 경제적 기본권에는 위배되지만 헌법 경제규정에는 위반되지 않는 경우가 발생할 수 있다.

④ [○] 유사수신행위 규제: 법령에 의한 인·허가없이 불특정 다수인으로부터 자금을 조달하는 것을 업으로 하는 유사수신행위를 금지하는 「유사수신행위의 규제에 관한 법률」 제3조는 사기적·투기적 금융거래를 규제함으로써 선량한 거래자를 보호하고 금융질서를 확립하는데 그 취지가 있으므로 경제주체 간의 부조화를 방지하고 금융시장의 공정성을 확보하기 위해 마련된 이 사건 법률조항은 헌법 제119조 제2항에 의하여 뒷받침될 수 있으며 우리 헌법의 경제질서에 반하는 것은 아니다(2003.3.27, 2002헌바4).

03 정답 ③

① [X] 국가에 대하여 경제에 관한 규제와 조정을 할 수 있도록 규정한 헌법 제119조 제2항이 보유세 부과 그 자체를 금지하는 취지로 보이지 아니하므로 주택 등에 보유세인 종합부동산세를 부과하는 그 자체를 헌법 제119조에 위반된다고 보기 어렵다(2008.11.13, 2006헌바112 등).

② [X] 현대에 있어서의 조세의 기능은 국가재정 수요의 충당이라는 고전적이고도 소극적인 목표에서 한 걸음 더 나아가, 국민이 공동의 목

표로 삼고 있는 일정한 방향으로 국가사회를 유도하고 그러한 상태를 형성한다는 보다 적극적인 목적을 가지고 부과되는 것이 오히려 일반적인 경향이 되고 있다. 이러한 조세의 유도적·형성적 기능은 '균형 있는 국민경제의 성장 및 안정과 적정한 소득의 분배를 유지하고, 시장의 지배와 경제력의 남용을 방지하며, 경제주체 간의 조화를 통한 경제의 민주화를 위하여' 국가로 하여금 경제에 관한 규제와 조정을 할 수 있도록 한 제119조 제2항에 의하여 그 헌법적 정당성이 뒷받침되고 있다(1994.7.29, 92헌바49 등).

❸ [O] 제헌헌법에서는 제6장(제84조 ~ 제89조)에 경제를 별도로 규정하고 있었다. 시장경제질서는 제2차 개정헌법부터이고, 개인의 자유와 창의는 제5차 개정헌법에서 추가되었다.

> **1954년 개정헌법 제84조** 대한민국의 경제질서는 모든 국민에게 생활의 기본적 수요를 충족할 수 있게 하는 사회정의의 실현과 균형있는 국민경제의 발전을 기함을 기본으로 삼는다. 각인의 경제상 자유는 이 한계 내에서 보장된다.
>
> **1962년 개정헌법 제111조** ① 대한민국의 경제질서는 개인의 경제상의 자유와 창의를 존중함을 기본으로 한다.

④ [X] 시장경제질서는 제헌헌법이 아니라, 제2차 개정헌법부터 도입되었다.

04 정답 ②

① [X] 자유시장 경제질서를 기본으로 하면서도 사회국가원리를 수용하고 있는 우리 헌법의 이념에 비추어, 일반불법행위책임에 관하여는 과실책임의 원리를 기본원칙으로 하면서 이 사건 법률조항과 같은 특수한 불법행위책임에 관하여 위험책임의 원리를 수용하는 것은 입법정책에 관한 사항으로서 입법자의 재량에 속한다고 할 것이므로, 이 사건 법률조항이 위험책임의 원리에 기하여 무과실책임을 지운 것만으로 자유시장 경제질서에 위반된다고 할 수 없다(1998.5.28, 96헌가4 등).

❷ [O] 우리 헌법상 경제질서는 '개인과 기업의 경제상의 자유와 창의의 존중'이라는 기본원칙과 '경제의 민주화 등 헌법이 직접 규정하는 특정 목적을 위한 국가의 규제와 조정의 허용'이라는 실천원리로 구성되고, 어느 한쪽이 우월한 가치를 지닌다고 할 수는 없다. 따라서 헌법 제119조 제2항에 따라 이루어진 경제규제에 관한 입법의 해석과 적용에 관하여도, 위와 같은 기본원칙이 훼손되지 않고 실천원리가 그 한계를 벗어나지 않으면서도 기능을 발휘할 수 있도록 하여야 한다(대판 전합체 2015.11.19, 2015두295).

③ [X] 「국토이용관리법」상의 규제구역 내의 '토지 등의 거래계약'허가에 관한 관계 규정의 내용과 그 입법취지에 비추어 볼 때 토지의 소유권 등 권리를 이전 또는 설정하는 내용의 거래계약은 관할 관청의 허가를 받아야만 그 효력이 발생하고 허가를 받기 전에는 물권적 효력은 물론 채권적 효력도 발생하지 아니하여 무효라고 보아야 할 것인바, 다만 허가를 받기 전의 거래계약이 처음부터 허가를 배제하거나 잠탈하는 내용의 계약일 경우에는 확정적으로 무효로서 유효화될 여지가 없으나 이와 달리 허가받을 것을 전제로 한 거래계약(허가를 배제하거나 잠탈하는 내용의 계약이 아닌 계약은 여기에 해당하는 것으로 본다)일 경우에는 허가를 받을 때까지는 법률상 미완성의 법률행위로서 소유권 등 권리의 이전 또는 설정에 관한 거래의 효력이 전혀 발생하지 않음은 위의 확정적 무효의 경우와 다를 바 없지만, 일단 허가를 받으면 그 계약은 소급하여 유효한 계약이 되고 이와 달리 불허가가 된 때에는 무효로 확정되므로 허가를 받기까지는 유동적 무효의 상태에 있다고 보는 것이 타당하므로 허가받을 것을 전제로 한 거래계약은 허가받기 전의 상태에서는 거래계약의 채권적 효력도 전혀 발생하지 않으므로 권리의 이전 또는 설정에 관한 어떠한 내용의 이행청구도 할 수 없으나 일단 허가를 받으면 그 계약은 소급해서 유효화되므로 허가 후에 새로이 거래계약을 체결할 필요는 없다(대판 전합체 1991.12.24, 90다12243).

④ [X] 적정한 소득분배는 헌법 119조 제2항의 경제목표 중 하나일 뿐이므로 항상 우선되는 목표라고 할 수 없다. 2016년 경찰승진

05 정답 ①

❶ [X] 입법자가 사인 간의 약정이자를 제한함으로써 경제적 약자를 보호하려는 직접적인 방법을 선택할 것인가 아니면 이를 완화하거나 폐지함으로써 자금시장의 왜곡을 바로잡아 경제를 회복시키고 자유와 창의에 기한 경제발전을 꾀하는 한편 경제적 약자의 보호 문제는 「민법」상의 일반원칙에 맡길 것인가는 입법자의 위와 같은 재량에 속하는 것이라 할 것이다(2001.1.18, 2000헌바7).

② [O] 헌법 제119조 제1항은 '대한민국의 경제질서는 개인과 기업의 경제상의 자유와 창의를 존중함을 기본으로 한다'고 하여 시장경제의 원리에 입각한 경제체제임을 천명하였는바, 이는 기업의 생성·발전·소멸은 어디까지나 기업의 자율에 맡긴다는 기업자유의 표현이며 국가의 공권력은 특단의 사정이 없는 한 이에 대한 불개입을 원칙으로 한다는 뜻이다(1993.7.29, 89헌마31). 2014년 국가 7급, 2016년 경찰승진

③ [O] 우리 헌법은 헌법 제119조 이하의 경제에 관한 장에서 '균형 있는 국민경제의 성장과 안정, 적정한 소득의 분배, 시장의 지배와 경제력남용의 방지, 경제주체 간의 조화를 통한 경제의 민주화, 균형 있는 지역경제의 육성, 중소기업의 보호육성, 소비자 보호 등'의 경제영역에서의 국가목표를 명시적으로 규정함으로써 국가가 경제정책을 통하여 달성하여야 할 공익을 구체화하고, 동시에 헌법 제37조 제2항의 기본권 제한을 위한 일반법률유보에서의 공공복리를 구체화하고 있다. 그러나 경제적 기본권의 제한을 정당화하는 공익이 헌법에 명시적으로 규정된 목표에만 제한되는 것은 아니고, 헌법은 단지 국가가 실현하려고 의도하는 전형적인 경제목표를 예시적으로 구체화하고 있을 뿐이므로 기본권의 침해를 정당화할 수 있는 모든 공익을 아울러 고려하여 법률의 합헌성 여부를 심사하여야 한다(1996.12.26, 96헌가18).

④ [O] 자경농지의 양도소득세 면제의 요건으로 농지소재지 거주요건을 둔 것과 헌법상 경자유전의 원칙: 헌법 제121조 제1항은 전근대적인 법률관계인 소작제도의 청산을 의미하며 나아가 헌법은 부재지주로 인하여 야기되는 농지이용의 비효율성을 제거하기 위하여 경자유전의 원칙을 국가의 의무로서 천명하고 있는 것이다. 구 「조세특례제한법」 제69조 제1항 제1호의 입법목적이 외지인의 농지투기를 방지하고 조세부담을 덜어주어 농업·농촌을 활성화하는 데 있음을 고려하면 위 규정은 경자유전의 원칙을 실현하기 위한 것으로 볼 것이지 경자유전의 원칙에 위배된다고 볼 것은 아니다(2003.11.27, 2003헌바2).

06 정답 ②

① [O] 조세는 사회국가원리 실현을 위한 국가재원 확보라는 적극적 의미도 가지고 있다. 이는 소득불균형 시정을 목표로 하는 헌법 제119조 제2항과 관련이 있다. 2006년 사시, 2008년 지방 7급 변형

❷ [X] 법률조항은 과잉금지원칙에 위배하여 청구인의 직업선택의 자유를 침해하는 것이라고 할 수 없다. 어떤 분야의 경제활동을 사인간의 사적 자치에 완전히 맡길 경우 심각한 사회적 폐해가 예상되는

데도 국가가 아무런 관여를 하지 않는다면 공정한 경쟁질서가 깨어지고 경제주체 간의 부조화가 일어나게 되어 오히려 헌법상의 경제질서에 반하는 결과가 초래될 것이므로, 경제주체 간의 부조화를 방지하고 금융시장의 공정성을 확보하기 위하여 마련된 위 법률조항은 우리 헌법의 경제질서에 위배되는 것이라 할 수 없다(2003.2.27, 2002헌바4). 2015년 국회 8급

③ [O] 독과점 규제는 국가의 경쟁정책에 의하여 실현되고 경쟁정책의 목적은 공정하고 자유로운 경쟁의 촉진에 있다. 독점규제의 목표는 「독점규제 및 공정거래에 관한 법률」이 그 규제의 목표를 보다 구체화하고 있는바, … 독과점 규제의 목적이 경쟁의 회복에 있다면 이 목적을 실현하는 수단 또한 자유롭고 공정한 경쟁을 가능하게 하는 방법이어야 한다(1996.12.26, 96헌가18). 2006년 사시, 2008년 지방 7급 변형, 2019년 소방간부

④ [O] 헌법 제35조 제1항, 제120조 제1항·제2항에 근거하여 국가는 자연자원 보호와 환경보전을 위하여 강력한 규제·조정의 권한을 가지므로 지하수 보호라는 환경정책 실현을 위하여 수질개선부담금과 같은 환경부담금을 부과·징수하는 방법을 선택할 수 있다 할 것이고, … 이렇듯 소중한 지하수자원을 소모해 가면서 이윤을 획득하는 먹는샘물 제조업에 대하여는 상당한 정도 고율의 부담금을 부과하더라도 헌법상 용인된다 할 것이다(1998.12.24, 98헌가1). 2006년 사시, 2008년 지방 7급 변형

07 정답 ④

① [O] 헌법 제123조는 농수산업정책, 지역적 경제촉진과 중소기업정책의 필요성을 구체적으로 강조함으로써, 지역간의 경제적 차이를 조정하고, 국민경제적 이유에서 일정 경제부문이 변화한 시장조건에 적응하는 것을 용이하게 하거나 또는 경쟁에서의 상이한 조건을 수정하기 위하여, 경제적으로 낙후한 지역이나 일정 경제부문을 지원할 국가의 과제를 규정하고 있다. 즉 국가가 보조금이나 세제상의 혜택 등을 통하여 시장의 형성과정에 지역적으로 또는 경제부문별로 관여함으로써, 시장에서의 경쟁이 국가의 지원조치에 의하여 조정된 새로운 기초 위에서 이루어질 수 있도록 하는 것이 헌법 제123조의 목적이다(1996.12.26, 96헌가18). 2004년 사시

② [O] 이 사건 조항에 의한 의료광고의 금지는 새로운 의료인들에게 자신의 기능이나 기술 혹은 진단 및 치료방법에 관한 광고와 선전을 할 기회를 배제함으로써, 기존의 의료인과의 경쟁에서 불리한 결과를 초래할 수 있는데, 이는 자유롭고 공정한 경쟁을 추구하는 헌법상의 시장경제질서에 부합되지 않는다(2005.10.27, 2003헌가3). 2015년 국회 8급

③ [O] 명의신탁의 효력과 관련된 규정들은 헌법 제37조 제2항의 질서유지 또는 공공복리를 위하여 필요한 조항으로서, 헌법 제119조 제1항의 자본주의적 시장경제질서 내지 제10조의 행복추구권에 내재된 사적 자치의 원칙 및 재산권 보장의 원칙의 본질을 침해하였다고 볼 수 없다(2001.5.31, 99헌가18 등). 2009년 법무사

❹ [X] 농지의 효율적인 이용과 관리를 통한 안정적인 식량생산기반의 유지 및 헌법상 경자유전의 원칙을 실현한다는 공익은, 청구인이 제한받게 되는 농지에 대한 재산권 행사의 제한이라는 사익보다 현저히 크다고 할 것이다. 따라서 이 사건 법률조항은 과잉금지원칙에 반하여 재산권을 침해한다고 볼 수 없다(2013.6.27, 2011헌바278). 2016년 사시

08 정답 ①

❶ [X] 무가지 경품 제한 신문판매업자의 무가지 경품류를 유료신문대금의 20% 내로 제한하는 제2호는 시장의 지배와 경제력의 남용을 방지하기 위하여 국가가 경제에 대한 규제와 조정을 할 수 있다는 헌법 제119조 제2항에 근거한 독점규제와 공정한 거래유지라는 정당한 공익을 실현하려는 것으로써 그 공익이 사익적 가치보다 크므로 자유시장 경제질서와 과잉금지원칙에 위반되지 않는다(2002.7.18, 2001헌마605). 2008년 국가 7급

② [O] 헌법 제119조 제2항의 규정은 대한민국의 경제질서가 개인과 기업의 창의를 존중함을 기본으로 하도록 하고 있으나, 그것이 자유방임적 시장경제질서를 의미하는 것은 아니다. 따라서 입법자가 외국영화에 의한 국내 영화시장의 독점이 초래되고, 국내 영화의 제작업은 황폐하여진 상태에서 외국영화의 수입업과 이를 상영하는 소비시장만이 과도히 비대하여질 우려가 있다는 판단하에서, 이를 방지하고 균형 있는 영화산업의 발전을 위하여 국산영화의무상영제를 둔 것이므로, 이를 들어 헌법상 경제질서에 반한다고는 볼 수 없다(1995.7.21, 94헌마125). 2011년 사시

③ [O] 이러한 규제는 '시장의 지배와 경제력의 남용을 방지하며, 경제주체 간의 조화를' 도모하기 위한 것으로서 헌법상 경제질서를 위반하는 것이 아니다(2001.5.31, 2000헌바43 등). 2004년 사시

④ [O] 도시개발사업의 경우에는 개발계획에 따른 도시개발사업의 원활한 추진을 위하여 도시개발구역에 있는 국·공유지를 일괄하여 시행자에게 처분할 필요성이 강하게 요청된다고 할 것이다. 그렇다면, 「도시 및 주거환경정비법」 제66조 제4항이 정비구역 안에 있는 국공유지의 점유자에게 수의계약에 의한 우선매수 또는 임차자격을 부여함에 대하여 이 사건 법률조항이 도시개발구역에 있는 국공유지의 점유자에게 우선매수자격을 부여하지 않고 있다고 하더라도, … 시장경제질서를 규정한 헌법 제119조 제1항에도 위반되지 아니한다(2009.11.26, 2008헌마711). 2015년 국가 7급

09 정답 ②

① [O] 결국 현행헌법이 보장하는 소비자 보호운동이란 공정한 가격으로 양질의 상품 또는 용역을 적절한 유통구조를 통해 적절한 시기에 안전하게 구입하거나 사용할 소비자의 제반 권익을 증진할 목적으로 이루어지는 구체적 활동을 의미하고, 단체를 조직하고 이를 통하여 활동하는 형태, 즉 근로자의 단결권이나 단체행동권에 유사한 활동뿐만 아니라, 하나 또는 그 이상의 소비자가 동일한 목표로 함께 의사를 합치하여 벌이는 운동이면 모두 이에 포함된다 할 것이다. 이 소비자 보호운동이 보장됨으로써 비로소 소비자는 단순한 상품이나 정보의 구매자로서가 아니라 상품의 구매 및 소비과정에서 발생하는 생산자 또는 공급자로부터의 부당한 지배와 횡포를 배제하고 소비자의 이익을 수호하는 소비주체로서의 지위를 누릴 수 있게 된다(2011.12.29, 2010헌바54 등). 2019년 경찰경채

❷ [X] 개별소비자나 소비자단체가 '운동의 주체'인데, 2인 이상이 의사를 합치하여 조직적 활동을 벌인 것이라면 「소비자보호법」상 등록된 소비자단체에 한정되지 않으며, 잠재적으로 소비자가 될 가능성이 있다면 누구나 운동의 주체가 될 수 있다. 불매운동의 목표로서의 '소비자의 권익'이란 원칙적으로 사업자가 제공하는 물품이나 용역의 소비생활과 관련된 것으로서 상품의 질이나 가격, 유통구조, 안전성 등 시장적 이익에 국한된다. 또한, '소비자불매운동의 대상'은 물품등을 공급하는 사업자나 공급자를 직접 상대방으로 하는 경우가 대부분이지만, 해당 물품 등의 사업자를 고립시키기 위하여 그 사업자의 거래상대방인 제3자에 대하여 사업자와의 거래를 단절하도록 요구하고 이를 관철하기 위하여 사업자의 거래상대

방을 대상으로 불매운동을 실행하는 경우도 예상할 수 있다. 한편, 불매운동이 예정하고 있는 '불매행위'에는, 단순히 불매운동을 검토하고 있다는 취지의 의견을 표현하는 행위뿐만 아니라, 다른 소비자들에게 불매운동을 촉구하는 행위, 불매운동 실행을 위한 조직행위, 직접적으로 불매를 실행하는 행위 등이 모두 포괄될 수 있다(2011.12.29, 2010헌바54 등).

③ [O] 청구인은 재판제도는 국가가 국민에게 제공하는 법률서비스인데 이 사건 법률조항이 배당이의의 소에 있어서 법률서비스에 대한 소비자로서의 국민의 권리를 부당하게 제한한다고 주장한다. 살피건대, 헌법 제124조는 "국가는 건전한 소비행위를 계도하고 생산품의 품질향상을 촉구하기 위한 소비자 보호운동을 법률이 정하는 바에 의하여 보장한다."라고 규정하고 있는바, 위 조항에 의하여 보호되는 것은 사적 경제영역에서 영리를 추구하는 기업이 제공하는 물품 또는 서비스를 이용하는 소비자가 기업에 대하여 갖는 권리에 관한 것인 반면, 헌법 제27조에 규정된 재판청구권은 국가에 대하여 재판을 청구할 수 있는 주관적 공권에 관한 것이므로 사적 영역에 적용되는 소비자의 권리를 국가가 제공하는 재판제도의 이용의 문제에 적용할 수 없다고 할 것이다(2005.3.31, 2003헌바92).

④ [O] 구매력을 무기로 소비자가 자신의 선호를 시장에 실질적으로 반영하려는 시도인 소비자불매운동은 모든 경우에 있어서 그 정당성이 인정될 수는 없고, 헌법이나 법률의 규정에 비추어 정당하다고 평가되는 범위에 해당하는 경우에만 형사책임이나 민사책임이 면제된다고 할 수 있다(2011.12.29, 2010헌바54 등).

10

정답 ③

① [O] 헌법과 법률이 보장하고 있는 한계를 넘어선 소비자불매운동은 정당성을 결여한 것으로서 정당행위 기타 다른 이유로 위법성이 조각되지 않는 한 업무방해죄로 형사처벌할 수 있다. 따라서 집단적으로 이루어진 소비자불매운동 중 정당한 헌법적 허용한계를 벗어나 타인의 업무를 방해하는 결과를 가져오기에 충분한 집단적 행위를 처벌하는 「형법」 제314조 제1항 중 '제313조의 방법 중 기타 위계 또는 위력으로써 사람의 업무를 방해한 자' 부분, 「형법」 제30조 자체는 소비자 보호운동을 보장하는 헌법의 취지에 반하지 않는다(2011.12.29, 2010헌바54 등).

② [O] 구매력을 무기로 소비자가 자신의 선호를 시장에 실질적으로 반영하려는 시도인 소비자불매운동은 모든 경우에 있어서 그 정당성이 인정될 수는 없고, 헌법이나 법률의 규정에 비추어 정당하다고 평가되는 범위에 해당 하는 경우에만 형사책임이나 민사책임이 면제된다고 할 수 있다(2011.12.29, 2010헌바54 등).

❸ [X] 일간신문을 구매하는 소비자의 입장에서 볼 때, 해당 신문의 정치적 입장이나 보도논조는 신문에 실리는 정보 또는 지식의 품질이나 구매력과 밀접한 연관성이 있어서 신문의 구매 여부를 결정하는 중요한 요소로서 신문이라는 상품의 품질이나 가격의 핵심적 부분을 차지하고 있다는 점에 비추어 볼 때, 청구인들이 문제삼고 있는 조중동 일간신문의 정치적 입장이나 보도논조의 편향성은 '소비자의 권익'과 관련되는 문제로서 불매운동의 목표가 될 수 있다 할 것이다(2011.12.29, 2010헌바54 등).

④ [O] 불매운동이 예정하고 있는 '불매행위'에는, 단순히 불매운동을 검토하고 있다는 취지의 의견을 표현하는 행위뿐만 아니라, 다른 소비자들에게 불매운동을 촉구하는 행위, 불매운동 실행을 위한 조직행위, 직접적으로 불매를 실행하는 행위 등이 모두 포괄될 수 있다(2011.12.29, 2010헌바54). 2020년 경찰승진

11

정답 ②

① [O] 이렇게 헌법적으로 보장되어 있는 소비자 보호운동 가운데서 구매력을 무기로 소비자가 자신의 선호를 시장에 실질적으로 반영하고자 하는 시도로서 소비자불매운동이란, '하나 또는 그 이상의 운동주도세력이 소비자의 권익을 향상시킬 목적으로 개별 소비자들로 하여금 시장에서 특정 상품의 구매를 억지하거나 제3자로 하여금 그렇게 하도록 설득하는 조직화된 행위'를 의미한다(2011.12.29, 2010헌바54 등). 2017년 서울 7급

❷ [X] '소비자불매운동의 대상'은 물품 등을 공급하는 사업자나 공급자를 직접 상대방으로 하는 경우가 대부분이지만, 해당 물품 등의 사업자를 고립시키기 위하여 그 사업자의 거래상대방인 제3자에 대하여 사업자와의 거래를 단절하도록 요구하고 이를 관철하기 위하여 사업자의 거래상대방을 대상으로 불매운동을 실행하는 경우도 예상할 수 있다. 나아가, 불매운동이 예정하고 있는 '불매행위'에는 단순히 불매운동을 검토하고 있다는 취지의 의견을 표현하는 행위뿐만 아니라, 다른 소비자들에게 불매운동을 촉구하는 행위, 불매운동 실행을 위한 조직행위, 직접적으로 불매를 실행하는 행위 등이 모두 포괄될 수 있다(2011.12.29, 2010헌바54 등).

③ [O] 소비자가 구매력을 무기로 상품이나 용역에 대한 자신들의 선호를 시장에 실질적으로 반영하기 위한 집단적 시도인 소비자불매운동은 본래 '공정한 가격으로 양질의 상품 또는 용역을 적절한 유통구조를 통해 적절한 시기에 안전하게 구입하거나 사용할 소비자의 제반 권익을 증진할 목적'에서 행해지는 소비자 보호운동의 일환으로서 헌법 제124조를 통하여 제도로서 보장되나, 그와는 다른 측면에서 일반 시민들이 특정한 사회, 경제적 또는 정치적 대의나 가치를 주장·옹호하거나 이를 진작시키기 위한 수단으로서 소비자불매운동을 선택하는 경우도 있을 수 있다(대판 2013.3.14, 2010도410).

④ [O] 결국 현행헌법이 보장하는 소비자 보호운동이란 '공정한 가격으로 양질의 상품 또는 용역을 적절한 유통구조를 통해 적절한 시기에 안전하게 구입하거나 사용할 소비자의 제반 권익을 증진할 목적으로 이루어지는 구체적 활동'을 의미하고, 단체를 조직하고 이를 통하여 활동하는 형태, 즉 근로자의 단결권이나 단체행동권에 유사한 활동뿐만 아니라, 하나 또는 그 이상의 소비자가 동일한 목표로 함께 의사를 합치하여 벌이는 운동이면 모두 이에 포함된다 할 것이다. 이 소비자 보호운동이 보장됨으로써 비로소 소비자는 단순한 상품이나 정보의 구매자로서가 아니라 상품의 구매 및 소비과정에서 발생하는 생산자 또는 공급자로부터의 부당한 지배와 횡포를 배제하고 소비자의 이익을 수호하는 소비주체로서의 지위를 누릴 수 있게 된다(2011.12.29, 2010헌바54 등).

12

정답 ①

ㄱ. [O] 법상 보장되는 소비자 보호운동의 일환으로 행해지는 소비자불매운동은 헌법이나 법률의 규정에 비추어 정당하다고 평가되는 범위에 해당하는 경우에만 형사책임이나 민사책임이 면제된다. 구체적으로는, ⓐ 객관적으로 진실한 사실을 기초로 행해져야 하고, ⓑ 소비자불매운동에 참여하는 소비자의 의사결정의 자유가 보장되어야 하며, ⓒ 불매운동을 하는 과정에서 폭행, 협박, 기물파손 등 위법한 수단이 동원되지 않아야 하고, ⓓ 특히 물품 등의 공급자나 사업자 이외의 제3자를 상대로 불매운동을 벌일 경우 그 경위나 과정에서 제3자의 영업의 자유 등 권리를 부당하게 침해하지 않을 것이 요구된다(2011.12.29, 2010헌바54 등).

ㄴ. [X] 소비자가 구매력을 무기로 상품이나 용역에 대한 자신들의 선호를 시장에 실질적으로 반영하기 위한 집단적 시도인 소비자불매운동

은 본래 '공정한 가격으로 양질의 상품 또는 용역을 적절한 유통구조를 통해 적절한 시기에 안전하게 구입하거나 사용할 소비자의 제반 권익을 증진할 목적'에서 행해지는 소비자 보호운동의 일환으로서 헌법 제124조를 통하여 제도로서 보장되나, 그와는 다른 측면에서 일반 시민들이 특정한 사회, 경제적 또는 정치적 대의나 가치를 주장·옹호하거나 이를 진작시키기 위한 수단으로서 소비자불매운동을 선택하는 경우도 있을 수 있다(대판 2013.3.14, 2010도410). 2017년 서울 7급, 2020년 경찰승진

ㄷ. [X] 일간신문을 구매하는 소비자의 입장에서 볼 때, 해당 신문의 정치적 입장이나 보도논조는 신문에 실리는 정보 또는 지식의 품질이나 구매력과 밀접한 연관성이 있어서 신문의 구매 여부를 결정하는 중요한 요소로서 신문이라는 상품의 품질이나 가격의 핵심적 부분을 차지하고 있다는 점에 비추어 볼 때, 청구인들이 문제삼고 있는 조중동 일간신문의 정치적 입장이나 보도논조의 편향성은 '소비자의 권익'과 관련되는 문제로서 불매운동의 목표가 될 수 있다 할 것이다(2011.12.29, 2010헌바54 등). 2018년 법행

ㄹ. [X] 광고주들에 대한 소비자불매운동의 정당성 여부를 판단함에 있어 이 사건 청구인들이 불매운동의 수단으로 선택한 '무차별적 전화걸기' 자체가 가지는 위력도 충분히 고려해야 할 것이다. 항의전화 횟수, 그와 더불어 행해진 홈페이지 글남기기 등과 어울려 조직적으로 계획된 비정상적인 전화공세는, 그 내용의 정당성 여부를 떠나서 계속해서 걸려오는 전화 그 자체만으로도 심리적 압박과 두려움을 느낄 정도의 물리력 행사로서 사회통념의 허용한도를 벗어나 피해자의 자유의사를 제압하기에 족한 '위력'이 될 수도 있기 때문이다(2011.12.29, 2010헌바54 등). 2018년 법행

ㅁ. [X] 헌법이 보장하는 소비자 보호운동이란 '공정한 가격으로 양질의 상품 또는 용역을 적절한 유통구조를 통해 적절한 시기에 안전하게 구입하거나 사용할 소비자의 제반 권익을 증진할 목적으로 이루어지는 구체적 활동'을 의미하고, 단체를 조직하고 이를 통하여 활동하는 형태, 즉 근로자의 단결권이나 단체행동권에 유사한 활동뿐만 아니라, 하나 또는 그 이상의 소비자가 동일한 목표로 함께 의사를 합치하여 벌이는 운동이면 모두 이에 포함된다 할 것이다(2011.12.29, 2010헌바54, 등). 2020년 변시

13 정답 ②

① [X] (1) 축협의 결성이나 가입이 강제되지 아니하고, 조합원의 임의탈퇴나 해산이 허용되며, 조합장은 조합원 중에서 조합원이 선출하는 등 그 목적이나 설립·관리면에서 자주적인 단체로서 공법인이라고 하기보다는 사법인이라고 할 것이다. 축협중앙회 및 축협(지역별·업종별 축협)의 특성들에 의하면, 이들은 공법인적 성격과 사법인적 성격을 함께 구비하고 있는 중간적 성격의 단체인 것은 분명하나, 우선 '지역별·업종별 축협'은 그 '존립목적' 및 '설립형식'에서의 자주성에 비추어 볼 때, 오로지 국가의 목적을 위하여 존재하고 국가에 의하여 설립되는 공법인이라기보다는 사법인에 가깝다고 할 수밖에 없을 것이다(2000.6.1, 99헌마553).

(2) 농지개량조합은 농지소유자의 조합가입이 강제되는 점, 조합원의 출자에 의하여 조합재산이 형성되는 것이 아니라 국가 등이 설치한 농업생산기반시설을 그대로 인수하는 점, 조합과 그 직원과의 관계는 공법상의 특별권력관계인 점, 주요사업인 농업생산기반시설의 정비·유지·관리사업은 농업생산성의 향상 등 그 조합원들의 권익을 위한 것만이 아니고 수해의 방지 및 수자원의 적정한 관리 등 일반 국민들에게도 직접 그 영향을 미치는 고도의 공익성을 띠고 있는 점 등 농지개량조합의 조직, 재산의 형성·유지 및 그 목적과 활동 전반에 나타나는 매우 짙은 공적인 성격을 고려하건대, 이를 공법인이라고 봄이 상당하므로 헌법소원의 청구인적격을 인정할 수 없다(2000.11.30, 99헌마190).

❷ [O] 이 사건 심판대상조항과 특히 관련되는 것이 조합공개의 원칙이다. 조합공개의 원칙이란 "협동조합에의 가입은 자발적이어야 하며, 조합의 서비스를 이용하는 동시에 조합원으로서의 책임을 부담하려고 하는 모든 사람에게 인위적 제한이나 차별대우가 없이 문호가 개방되어야 한다."라는 원칙을 말하는 것으로, 이 원칙에 따라 조합에의 가입과 탈퇴의 자유가 보장되어야 함은 물론이고 조합 구성원의 자주적인 판단에 따라 자유롭게 조합이 설립될 것도 보장되어야 한다. 따라서 조합원은 반드시 하나의 조합에의 가입만에 한정할 것이 아니고 그 필요에 따라 자유로이 복수의 조합을 설립하여 가입하는 것도 가능한 것이 원칙이고, 어느 시점에서의 조합의 육성에 대한 정책, 기존 조합의 이익·권익 옹호 등의 관계에서 새로운 조합 설립을 저지하는 것은 협동조합의 본질을 해하는 것이 되는 것이다. 그런데 이 사건 심판대상조항은 조합구역을 같이 하는 동종의 업종별축협이 복수로 설립되는 것을 금하고 있으므로 이와 같은 제한은 달리 특별한 사정이 없는 한 조합공개의 원칙에 반한다고 하겠다(1996.4.25, 92헌바47).

③ [X] 살피건대, 헌법 제21조가 규정하는 결사의 자유에서의 결사란 자연인 또는 법인이 공동목적을 위하여 자유의사에 기하여 결합한 단체를 말하는 것으로 공적 책무의 수행을 목적으로 하는 공법상의 결사는 이에 포함되지 아니한다고 할 것인바, 앞에서 살핀 바와 같이 농지개량조합을 공법인으로 보는 이상, 농지개량조합은 헌법상 결사의 자유가 뜻하는 헌법상 보호법익의 대상이 되는 단체로 볼 수 없고(1994.2.24, 92헌바43), 따라서 이 사건에서 농지개량조합이 해산됨으로써 청구인 김정권이 조합원의 지위를 상실하였다고 하더라도 이로써 그의 결사의 자유가 침해되었다고 할 것은 아니다(2000.11.30, 99헌마190).

④ [X] 청구인들 대리인은 농지개량조합 해산으로 청구인 김정권이 조합원으로서의 업무수행을 하지 못하게 됨으로써 그의 직업의 자유를 침해받았다고 주장하여, 법인의 설립·존속과 무관하게 조합원의 지위 자체가 직업이라는 것을 전제로 하는 듯한 주장을 하나, 조합원이라는 지위는 '생활의 기본적 수요를 충족시키기 위한 계속적인 소득활동'으로 정의되는 직업의 자유에서 말하는 직업에 해당한다고 할 수 없으므로, 이 부분 주장은 더 나아가 살펴볼 필요도 없이 이유 없다(2000.11.30, 99헌마190).

14 정답 ③

① [X] 사영기업의 국유 또는 공유로의 이전'은 일반적으로 공법적 수단에 의하여 사기업에 대한 소유권을 국가나 기타 공법인에 귀속시키고 사회정책적·국민경제적 목표를 실현할 수 있도록 그 재산권의 내용을 변형하는 것을 말하며, 또 사기업의 '경영에 대한 통제 또는 관리'라 함은 비록 기업에 대한 소유권의 보유주체에 대한 변경은 이루어지지 않지만 사기업 경영에 대한 국가의 광범위하고 강력한 감독과 통제 또는 관리의 체계를 의미한다고 할 것이다(1998.10.29, 97헌마345).

② [X] 「광업법」 제5조 제1항에 의하면 광업권은 광구에서 등록을 한 광물과 이와 동일광상 중에 부존하는 다른 광물을 채굴 및 취득하는 권리이고, 대법원은 광업권은 물권으로서 광구에서 등록된 광물을 지중으로부터 독점적이고도 배타적으로 채굴·취득할 수 있는 권리라고 하고 있다. 여기에 앞에서 본 대법원 99도1981 판결의 취지를 보태어 보면, 광업권이 미치는 범위는 어디까지나 광물을 채굴·취득하기 위한 한도 내에서만 인정되는 것일 뿐, 암석에 광물이 포함되어 있음을 기화로 그와 같은 광물이 포함되어 있는 광석을 석재용으로 판매하기 위하여 채취하는 것은 광업권 설정의 목적을 벗어나는 것으로서 광업권의 범위에 속하지 아니한다고 보아

야 할 것이다(2004.7.15, 2002헌바47).

❸ [O] 헌법 제123조 제5항은 국가에게 '농·어민의 자조조직을 육성할 의무'와 '자조조직의 자율적 활동과 발전을 보장할 의무'를 아울러 규정하고 있는데, 이러한 국가의 의무는 자조조직이 제대로 활동하고 기능하는 시기에는 그 조직의 자율성을 침해하지 않도록 하는 소극적 의무를 다하면 된다고 할 수 있지만, 그 조직이 제대로 기능하지 못하고 향후의 전망도 불확실한 경우라면 단순히 그 조직의 자율성을 보장하는 것에 그쳐서는 아니 되고, 적극적으로 이를 육성하여야 할 의무까지도 수행하여야한다고 할 것이다(2000.6.1, 99헌마553).

④ [X] 헌법 제126조는 사영기업의 국공유화나 사영기업의 경영의 관리·통제를 법률로 하도록 규정하고 있다.

15 정답 ①

❶ [X] 헌법 제123조 제5항은 국가에게 '농·어민의 자조조직을 육성할 의무'와 '자조조직의 자율적 활동과 발전을 보장할 의무'를 아울러 규정하고 있는데, 이러한 국가의 의무는 자조조직이 제대로 활동하고 기능하는 시기에는 그 조직의 자율성을 침해하지 않도록 하는 소극적 의무를 다하면 된다고 할 수 있지만, 그 조직이 제대로 기능하지 못하고 향후의 전망도 불확실한 경우라면 단순히 그 조직의 자율성을 보장하는 것에 그쳐서는 아니 되고, 적극적으로 이를 육성하여야 할 의무까지도 수행하여야한다고 할 것이다(2000.6.1, 99헌마553).

② [O] 헌법 제126조는 법률이 정하는 경우를 제외하고는, 사영기업을 국유 또는 공유로 이전하거나 그 경영을 통제 또는 관리할 수 없다고 하므로 법률로 할 수 있다.

③ [O] 이 사건 법률조항들이 규정하는 운송수입금 전액관리제로 인하여 청구인들이 기업경영에 있어서 영리추구라고 하는 사기업 본연의 목적을 포기할 것을 강요받거나 전적으로 사회·경제정책적 목표를 달성하는 방향으로 기업활동의 목표를 전환해야 하는 것도 아니고, 그 기업경영과 관련하여 국가의 광범위한 감독과 통제 또는 관리를 받게 되는 것도 아니며, 더구나 청구인들 소유의 기업에 대한 재산권이 박탈되거나 통제를 받게 되어 그 기업이 사회의 공동재산의 형태로 변형된 것도 아니므로, 이 사건 법률조항들이 헌법 제126조에 위반된다고 볼 수 없다(1998.10.29, 97헌마345).

④ [O] 국방상 또는 국민경제상 긴절한 필요로 인하여 법률이 정하는 경우를 제외하고는 사영기업을 국유 또는 공유로 이전하거나 그 경영을 통제 또는 관리할 수 없다고 규정하여 사영기업의 경영권에 대한 불간섭의 원칙을 보다 구체적으로 밝히고 있다. 따라서 국가의 공권력이 부실기업의 처분정리를 위하여 그 경영권에 개입코자 한다면 적어도 긴절한 필요 때문에 정한 법률상의 규정이 없이는 불가능한 일이고, 다만 근거법률은 없지만 부실기업의 정리에 개입하는 예외적인 길은 부실기업 때문에 국가가 중대한 재정·경제상의 위기에 처하게 된 경우 공공의 안녕질서의 유지상 부득이하다하여 요건에 맞추어 긴급명령(제5공화국 헌법하에서는 비상조치)을 발하여 이를 근거로 할 것이고, 그렇게 하는 것만이 합헌적인 조치가 될 수 있는 것이다(1993.7.29, 89헌마31).

16 정답 ②

① [X]

> **헌법 제119조** ② 국가는 균형 있는 국민경제의 성장 및 안정과 적정한 소득의 분배를 유지하고, 시장의 지배와 경제력의 남용을 방지하며, 경제주체 간의 조화를 통한 경제의 민주화를 위하여 경제에 관한 규제와 조정을 할 수 있다.

❷ [O]

> **헌법 제121조** ① 국가는 농지에 관하여 경자유전의 원칙이 달성될 수 있도록 노력하여야 하며, 농지의 소작제도는 금지된다.
> ② 농업생산성의 제고와 농지의 합리적인 이용을 위하거나 불가피한 사정으로 발생하는 농지의 임대차와 위탁경영은 법률이 정하는 바에 의하여 인정된다.

③ [X]

> **헌법 제123조** ③ 국가는 중소기업을 보호·육성하여야 한다.

④ [X]

> **헌법 제120조** ② 국토와 자원은 국가의 보호를 받으며, 국가는 그 균형 있는 개발과 이용을 위하여 필요한 계획을 수립한다.

17 정답 ④

ㄱ. [X] 한국은행의 독립성 보장규정은 없다.

ㄴ. [X]

> **헌법 제121조** ② 농업생산성의 제고와 농지의 합리적인 이용을 위하거나 불가피한 사정으로 발생하는 농지의 임대차와 위탁경영은 법률이 정하는 바에 의하여 인정된다.
>
> **제122조** 국가는 국민 모두의 생산 및 생활의 기반이 되는 국토의 효율적이고 균형 있는 이용·개발과 보전을 위하여 법률이 정하는 바에 의하여 그에 관한 필요한 제한과 의무를 과할 수 있다.

ㄷ. [O]

> **헌법 제127조** ② 국가는 국가표준제도를 확립한다.

ㄹ. [O]

> **헌법 제121조** ① 국가는 농지에 관하여 경자유전의 원칙이 달성될 수 있도록 노력하여야 하며, 농지의 소작제도는 금지된다.

ㅁ. [O]

> **헌법 제123조** ④ 국가는 농수산물의 수급균형과 유통구조의 개선에 노력하여 가격안정을 도모함으로써 농·어민의 이익을 보호한다.

ㅂ. [X] 독과점 규제와 조정은 제8차 개정헌법 내용이고, 현행헌법은 시장의 지배와 경제력의 남용을 방지하며, 경제주체 간의 조화를 통한 경제의 민주화를 위하여 경제에 관한 규제와 조정을 할 수 있다.

ㅅ. [X]

> **헌법 제120조** ② 광물 기타 중요한 지하자원, 수산자원, 수력과 경제상 이용할 수 있는 자연력은 법률이 정하는 바에 의하여 일정한 기간 그 채취·개발 또는 이용을 특허할 수 있다.

➡ 풍력에 관한 규정은 없다.

ㅇ. [X] 환경 보호운동의 보장규정은 없고, 소비자 보호운동 보장규정은 있다(헌법 제124조 참조).

ㅈ. [O]

> **헌법 제127조** ① 국가는 과학기술의 혁신과 정보 및 인력의 개발을 통하여 국민경제의 발전에 노력하여야 한다.

ㅊ. [X] 소비자의 권리는 규정되어 있지 않고, 소비자 보호운동은 규정되어 있다.

> **헌법 제124조** 국가는 건전한 소비행위를 계도하고 생산품의 품질향상을 촉구하기 위한 소비자 보호운동을 법률이 정하는 바에 의하여 보장한다.

ㅋ. [X]

> **1948년 제헌헌법 제85조** 광물 기타 중요한 지하자원, 수산자원, 수력과 경제상 이용할 수 있는 자연력은 국유로 한다. 공공필요에 의하여 일정한 기간 그 개발 또는 이용을 특허하거나 또는 특허를 취소함은 법률의 정하는 바에 의하여 행한다.

ㅌ. [X]

> **1948년 제헌헌법 제87조** 중요한 운수, 통신, 금융, 보험, 전기, 수리, 수도, 가스 및 공공성을 가진 기업은 국영 또는 공영으로 한다.

ㅍ. [O]

> **헌법 제123조** ③ 국가는 중소기업을 보호·육성하여야 한다.

ㅊ. [X]

> **1948년 제헌헌법 제86조** 농지는 농민에게 분배하며 그 분배의 방법, 소유의 한도, 소유권의 내용과 한계는 법률로써 정한다.
>
> **헌법 제121조** ① 국가는 농지에 관하여 경자유전의 원칙이 달성될 수 있도록 노력하여야 하며, 농지의 소작제도는 금지된다.
> ② 농업생산성의 제고와 농지의 합리적인 이용을 위하거나 불가피한 사정으로 발생하는 농지의 임대차와 위탁경영은 법률이 정하는 바에 의하여 인정된다.

a. [X]

> **헌법 제123조** ④ 국가는 농수산물의 수급균형과 유통구조의 개선에 노력하여 가격안정을 도모함으로써 농·어민의 이익을 보호한다.

18 정답 ①

❶ [O]

> **「농지법」 제6조 【농지 소유 제한】** ① 농지는 자기의 농업경영에 이용하거나 이용할 자가 아니면 소유하지 못한다.
> ② 제1항에도 불구하고 다음 각 호의 어느 하나에 해당하는 경우에는 농지를 소유할 수 있다. 다만, 소유 농지는 농업경영에 이용하도록 하여야 한다(제2호 및 제3호는 제외한다)
> 4. 상속(상속인에게 한 유증을 포함한다)으로 농지를 취득하여 소유하는 경우

② [X]

> **헌법 제123조** ② 국가는 지역 간의 균형있는 발전을 위하여 지역경제를 육성할 의무를 진다.
> ③ 국가는 중소기업을 보호·육성하여야 한다.

③ [X] 헌법 제123조 제5항은 국가에게 '농·어민의 자조조직을 육성할 의무'와 '자조조직의 자율적 활동과 발전을 보장할 의무'를 아울러 규정하고 있는데, 이러한 국가의 의무는 자조조직이 제대로 활동하고 기능하는 시기에는 그 조직의 자율성을 침해하지 않도록 하는 소극적 의무를 다하면 된다고 할 수 있지만, 그 조직이 제대로 기능하지 못하고 향후의 전망도 불확실한 경우라면 단순히 그 조직의 자율성을 보장하는 것에 그쳐서는 아니되고, 적극적으로 이를 육성하여야 할 의무까지도 수행하여야 한다고 할 것이다(2000.6.1, 99헌마553).

④ [X] 이 사건 법률조항들이 규정하는 운송수입금 전액관리제로 인하여 청구인들이 기업경영에 있어서 영리추구라고 하는 사기업 본연의 목적을 포기할 것을 강요받거나 전적으로 사회·경제정책적 목표를 달성하는 방향으로 기업활동의 목표를 전환해야 하는 것도 아니고, 그 기업경영과 관련하여 국가의 광범위한 감독과 통제 또는 관리를 받게 되는 것도 아니며, 더구나 청구인들 소유의 기업에 대한 재산권이 박탈되거나 통제를 받게 되어 그 기업이 사회의 공동재산의 형태로 변형된 것도 아니므로, 이 사건 법률조항들이 헌법 제126조에 위반된다고 볼 수 없다(1998.10.29, 97헌마345).
2020년 변시

19 정답 ②

① [X] 우리나라는 건국헌법 이래 문화국가의 원리를 헌법의 기본원리로 채택하고 있다(2004.5.27, 2003헌가1 등).

❷ [O] 국가의 표현영역에 대한 개입 어떤 표현이 가치 없거나 유해하다는 주장만으로 국가에 의한 표현 규제가 정당화되지 않는다. 그 표현의 해악을 시정하는 1차적 기능은 시민사회 내부에 존재하는 사상의 경쟁메커니즘에 맡겨져 있기 때문이다. 그러나 대립되는 다양한 의견과 사상의 경쟁메커니즘에 의하더라도 그 표현의 해악이 처음부터 해소될 수 없는 성질의 것이거나 또는 다른 사상이나 표현을 기다려 해소되기에는 너무나 심대한 해악을 지닌 표현은 언론·출판의 자유에 의한 보장을 받을 수 없고 국가에 의한 내용 규제가 광범위하게 허용된다(1998.4.30, 95헌가1).

③ [X] 헌법 전문과 헌법 제9조에서 말하는 '전통', '전통문화'란 역사성과 시대성을 띤 개념으로 이해하여야 한다. 과거의 어느 일정 시점에서 역사적으로 존재하였다는 사실만으로 모두 헌법의 보호를 받는 전통이 되는 것은 아니다(2005.2.3, 2001헌가9 등).

④ [X] 오늘날 문화국가에서의 문화정책은 그 초점이 문화 그 자체에 있

는 것이 아니라 문화가 생겨날 수 있는 문화풍토를 조성하는 데 두어야 한다(2004.5.27, 2003헌가1 등).

20 정답 ④

① [X] 문화국가원리는 국가의 문화국가실현에 관한 과제 또는 책임을 통하여 실현되는바, 국가의 문화정책과 밀접 불가분의 관계를 맺고 있다. 과거 국가절대주의사상의 국가관이 지배하던 시대에는 국가의 적극적인 문화간섭정책이 당연한 것으로 여겨졌다. 그러나 오늘날에 와서는 국가가 어떤 문화현상에 대하여도 이를 선호하거나, 우대하는 경향을 보이지 않는 불편부당의 원칙이 가장 바람직한 정책으로 평가받고 있다(2004.5.27, 2003헌가1 등). 2015년 법행

② [X] 헌법은 문화국가를 실현하기 위하여 보장되어야 할 정신적 기본권으로 양심과 사상의 자유, 종교의 자유, 언론·출판의 자유, 학문과 예술의 자유 등을 규정하고 있는바, 개별성·고유성·다양성으로 표현되는 문화는 사회의 자율영역을 바탕으로 한다고 할 것이고, 이들 기본권은 견해와 사상의 다양성을 그 본질로 하는 문화국가원리의 불가결의 조건이라고 할 것이다. 문화국가원리의 실현과 문화정책문화국가원리는 국가의 문화국가실현에 관한 과제 또는 책임을 통하여 실현되는바, 국가의 문화정책과 밀접 불가분의 관계를 맺고 있다. 과거 국가절대주의사상의 국가관이 지배하던 시대에는 국가의 적극적인 문화간섭정책이 당연한 것으로 여겨졌다. 그러나 오늘날에 와서는 국가가 어떤 문화현상에 대하여도 이를 선호하거나, 우대하는 경향을 보이지 않는 불편부당의 원칙이 가장 바람직한 정책으로 평가받고 있다(2004.5.27, 2003헌가1 등).

③ [X] 피청구인들의 이 사건 지원배제지시는 청구인들의 표현의 자유를 중대하게 제한하는 것으로서 이를 위해서는 법률상 근거를 필요로 하고 그 요건과 절차 또한 준수할 것이 요구된다. … 위와 같은 법률상 보장된 제도 및 절차를 고려할 때, 청와대 및 문화체육관광부가 예술위 등의 개별적 문화예술계 지원사업 심의과정에 사전적으로 개입하여 신청자들의 정치적 견해를 기준으로 지원을 배제하도록 지시할 법적 근거는 존재하지 않는다. 게다가 이 사건 지원배제 지시는 법률상 마련된 요건이나 절차를 적극적으로 배제하고자 하는 의도로 이루어졌다. 따라서 이 사건 지원배제지시는 아무런 법률적 근거 없이 법률에서 정한 요건이나 절차를 전혀 갖추지 않은 채 이루어진 행위로서 법률유보원칙에 위반된다(2020.12.23, 2017헌마416).

❹ [O] 헌법 전문과 헌법 제9조에서 말하는 '전통', '전통문화'란 역사성과 시대성을 띤 개념으로 이해하여야 한다. 과거의 어느 일정 시점에서 역사적으로 존재하였다는 사실만으로 모두 헌법의 보호를 받는 전통이 되는 것은 아니다. 역사적 전승으로서 오늘의 헌법이념에 반하는 것은 헌법 전문에서 타파의 대상으로 선언한 '사회적 폐습'이 될 수 있을지언정 헌법 제9조가 '계승·발전'시키라고 한 전통문화에는 해당하지 않는다고 보는 것이 우리 헌법의 자유민주주의원리, 전문, 제9조, 제36조 제1항을 아우르는 조화적 헌법해석이라 할 것이다. 결론적으로 전래의 어떤 가족제도(호주제)가 헌법 제36조 제1항이 요구하는 개인의 존엄과 양성평등에 반한다면 헌법 제9조를 근거로 그 헌법적 정당성을 주장할 수는 없다(2005.2.3, 2001헌가9 등).

10회 진도별 모의고사

문화국가원리 ~ 국제평화주의

정답

01	③	02	③	03	③	04	②
05	④	06	③	07	③	08	③
09	②	10	③	11	②	12	④
13	③	14	③	15	④	16	④
17	③	18	④	19	②	20	②

01

정답 ③

① [X] 문화국가원리의 이러한 특성은 문화의 개방성 내지 다원성의 표지와 연결되는데, 국가의 문화육성의 대상에는 원칙적으로 모든 사람에게 문화창조의 기회를 부여한다는 의미에서 모든 문화가 포함된다. 따라서 엘리트문화뿐만 아니라 서민문화, 대중문화도 그 가치를 인정하고 정책적인 배려의 대상으로 하여야 한다(2004.5.27, 2003헌가1 등). 2021년 국가 7급

② [X] 국가는 문화에 대해 중립성을 준수해야 한다. 그러나 선량한 풍속과 사회질서를 침해하는 문화활동은 국가가 제한할 수 있고, 문화를 보호·육성할 의무도 있다. 따라서 철저한 중립적 태도는 틀린 지문이다.

❸ [O] 헌법은 "국가는 전통문화의 계승·발전과 민족문화의 창달에 노력하여야 한다."라고 규정한 우리 헌법 제9조에 근거하여 제정된 것으로서, 국가의 문화재에 관한 사무를 관장하던 관할 행정관청이 어떤 사찰을 전통사찰로 지정하는 행위는 해당 사찰을 국가의 '보존공물'로 지정하는 처분에 해당한다고 보아야 한다. 또한, 헌법 제9조의 규정취지와 민족문화유산의 본질에 비추어 볼 때, 국가가 민족문화유산을 보호하고자 하는 경우 이에 관한 헌법적 보호법익은 '민족문화유산의 존속' 그 자체를 보장하는 것이고, 원칙적으로 민족문화유산의 훼손 등에 관한 가치보상이 있는지 여부는 이러한 헌법적 보호법익과 직접적인 관련이 없다(2003.1.30, 2001헌바64).

④ [X] 문화재는 '인위적·자연적으로 형성된 국가적·민족적·세계적 유산으로서 역사적·예술적·학술적·경관적 가치가 큰 것'으로, 그 성질상 수가 한정적이고, 대체불가능하며, 손상되는 경우 회복이나 재생이 현저히 곤란한 재화라는 점, 국가의 전통문화 계승·발전과 민족문화 창달에 노력할 의무를 규정한 우리 헌법 제9조의 정신에 비추어 그에 관한 재산권 행사에 일반적인 재산권 행사보다 강한 사회적 의무성이 인정된다. 따라서 일정한 문화재에 대한 보유·보관을 금지하는 것은 문화재에 관한 재산권 행사의 사회적 제약을 구체화한 것으로 재산권의 내용과 한계를 정하는 것이며 헌법 제23조 제3항의 보상을 요하는 수용 등과는 구별된다. 다만 위와 같은 입법 역시 다른 기본권에 대한 제한입법과 마찬가지로 비례의 원칙을 준수하여야 하며, 재산권의 본질적 내용인 사적 유용성과 처분권을 부인해서는 아니 된다(2007.7.26, 2003헌마377).

02

정답 ③

① [X] 국가는 문화적 가치에 대해서는 불편부당의 원칙에 따라 중립적 입장을 지켜야 한다. 다만, 지문은 전적이라는 용어를 사용하여 틀린 문장으로 하고 있는 듯하다. 그러나 상당히 주관적인 용어사용으로서 국가의 문화조성의무는 인정되나, 문화적 가치에 대해서는 국가가 개입해서는 안 된다는 견해를 강조하는 입장에서는 옳은 지문으로 볼 수 있다. 다만, 출제자는 헌법질서를 부정하거나 인간 존엄의 가치와 배치되는 문화적 가치에 대해서는 국가가 개입할 수 있다고 생각하여 전적이라는 용어를 사용하여 틀린 지문으로 한 것으로 보인다.

② [X] 호주제는 남계혈통을 중시하여 혼인과 가족생활에서 여성을 부당하게 차별하므로 헌법 제36조에 위반된다. 전통문화도 헌법이념인 개인의 존엄과 양성의 평등에 반하는 것이어서는 안 된다는 한계가 도출되므로 전래의 가족제도가 헌법 제36조 제1항이 요구하는 개인의 존엄과 양성평등에 반한다면 헌법 제9조(전통문화 계승·발전)를 근거로 그 헌법적 정당성을 주장할 수 없다(2005.2.3, 2001헌가9).

❸ [O] 오늘날 종교적인 의식 또는 행사가 하나의 사회공동체의 문화적인 현상으로 자리 잡고 있으므로, 어떤 의식, 행사, 유형물 등이 비록 종교적인 의식, 행사 또는 상징에서 유래되었다고 하더라도 그것이 이미 우리 사회공동체 구성원들 사이에서 관습화된 문화요소로 인식되고 받아들여질 정도에 이르렀다면, 이는 정교분리원칙이 적용되는 종교의 영역이 아니라 헌법적 보호가치를 지닌 문화의 의미를 갖게 된다. 그러므로 이와 같이 이미 문화적 가치로 성숙한 종교적인 의식, 행사, 유형물에 대한 국가 등의 지원은 일정 범위 내에서 전통문화의 계승·발전이라는 문화국가원리에 부합하며 정교분리원칙에 위배되지 않는다(대판 2009.5.28, 2008두16933).

④ [X] 우리나라는 건국헌법 이래 문화국가의 원리를 헌법의 기본원리로 채택하고 있다. … 문화국가원리는 국가의 문화국가 실현에 관한 과제 또는 책임을 통하여 실현되는바, 국가의 문화정책과 밀접 불가분의 관계를 맺고 있다. 과거 국가절대주의사상의 국가관이 지배하던 시대에는 국가의 적극적인 문화간섭정책이 당연한 것으로 여겨졌다. 그러나 오늘날에 와서는 국가가 어떤 문화현상에 대하여도 이를 선호하거나, 우대하는 경향을 보이지 않는 불편부당의 원칙이 가장 바람직한 정책으로 평가받고 있다. 오늘날 문화국가에서의 문화정책은 그 초점이 문화 그 자체에 있는 것이 아니라 문화가 생겨날 수 있는 문화풍토를 조성하는 데 두어야 한다(2004.5.27, 2003헌가1 등).

03

정답 ③

① [O] 이 사건 지원배제지시는 특정한 정치적 견해를 표현한 청구인들을, 그러한 정치적 견해를 표현하지 않은 다른 신청자들과 구분하여 정부지원사업에서 배제하여 차별적으로 취급한 것인데, 헌법상 문화국가원리에 따라 정부는 문화의 다양성·자율성·창조성이 조화롭게 실현될 수 있도록 중립성을 지키면서 문화를 육성하여야 함에도, 청구인들의 정치적 견해를 기준으로 이들을 문화예술계 지원사업에서 배제되도록 한 것은 자의적인 차별행위로서 청구인들의 평등권을 침해한다(2020.12.23, 2017헌마416).

② [O] 피청구인들이 이러한 중립성을 보장하기 위하여 법률에서 정하고 있는 제도적 장치를 무시하고 정치적 견해를 기준으로 청구인들을 문화예술계 정부지원사업에서 배제되도록 차별취급한 것은 헌법상 문화국가원리와 법률유보원칙에 반하는 자의적인 것으로 정당화될 수 없다(2020.12.23, 2017헌마416).

❸ [X] 국가 및 지방자치단체에게 초·중등교육과정에 지역어 보전 및 지

역의 실정에 적합한 기준과 내용의 교과를 편성하지 아니한 부분에 대한 심판청구가 적법하려면 헌법 규범에서 국가 및 지방자치단체에게 '초·중등교육과정에 지역어 보전 및 지역의 실정에 적합한 기준과 내용의 교과를 편성할 구체적인 의무'가 나온다고 인정되어야 할 것이다. 헌법이 국가 및 지방자치단체에게 청구인들이 주장하는 바와 같은 작위의무가 있다고 명시한 바 없고, 헌법 제10조(행복추구권), 제31조(교육을 받을 권리), 제9조(전통문화의 계승·발전과 민족문화의 창달에 노력할 국가의무)로부터도 위와 같은 작위의무가 도출된다고 할 수 없다(2009.5.28, 2006헌마618).

④ [O] 우리 헌법재판소는 문화예술기금 확보를 위한 부담금을 위헌으로 보았으나, 영화발전기금 확보를 위한 부담금에 대해서는 합헌결정을 하였다.

관련 판례 특별부담금으로서의 문예진흥기금의 납입금은 그 헌법적 허용한계를 일탈하여 헌법에 위반된다. … 공연관람자 등이 예술감상에 의한 정신적 풍요를 느낀다면 그것은 헌법상의 문화국가원리에 따라 국가가 적극 장려할 일이지, 이것을 일정한 집단에 의한 수익으로 인정하여 그들에게 경제적 부담을 지우는 것은 헌법의 문화국가이념(제9조)에 역행하는 것이다(2003.12.18, 2002헌가2).

비교 판례 영화발전기금의 안정적 재원 마련을 위한 영화상영관 입장권에 대한 부과금제도는 과잉금지원칙에 반하여 영화관 관람객의 재산권과 영화관 경영자의 직업수행의 자유를 침해하였다고 볼 수 없다(2008.11.27, 2007헌마860).

04

정답 ②

① [O] 문예진흥기금이 공연관람자 등의 집단적 이익을 위해서 사용되는 것도 아니다. 현실적으로 문예진흥기금은 문예진흥을 위한 다양한 용도로 사용되고 있지만, 그것이 곧바로 공연관람자들의 집단적 이익을 위한 사용이라고 말할 수는 없는 것이다. 공연 등을 보는 국민이 예술적 감상의 기회를 가진다고 하여 이것을 집단적 효용성으로 평가하는 것도 무리이다. 공연관람자 등이 예술감상에 의한 정신적 풍요를 느낀다면 그것은 헌법상의 문화국가원리에 따라 국가가 적극 장려할 일이지, 이것을 일정한 집단에 의한 수익으로 인정하여 그들에게 경제적 부담을 지우는 것은 헌법의 문화국가이념(제9조)에 역행하는 것이다(2003.12.18, 2002헌가2).

❷ [X] 문화국가원리의 이러한 특성은 문화의 개방성 내지 다원성의 표지와 연결되는데, 국가의 문화육성의 대상에는 원칙적으로 모든 사람에게 문화 창조의 기회를 부여한다는 의미에서 모든 문화가 포함된다. 따라서 엘리트문화뿐만 아니라 서민문화, 대중문화도 그 가치를 인정하고 정책적인 배려의 대상으로 하여야 한다(2004.5.27, 2003헌가1 등).

③ [O] 헌법은 문화국가를 실현하기 위하여 보장되어야 할 정신적 기본권으로 양심과 사상의 자유, 종교의 자유, 언론·출판의 자유, 학문과 예술의 자유 등을 규정하고 있는바, 개별성·고유성·다양성으로 표현되는 문화는 사회의 자율영역을 바탕으로 한다고 할 것이고, 이들 기본권은 견해와 사상의 다양성을 그 본질로 하는 문화국가원리의 불가결의 조건이라고 할 것이다(2004.5.27, 2003헌가1 등). 2015년 사시

④ [O] 헌법 전문과 헌법 제9조에서 말하는 '전통', '전통문화'란 역사성과 시대성을 띤 개념으로서 헌법의 가치질서, 인류의 보편가치, 정의와 인도정신 등을 고려하여 오늘날의 의미로 포착하여야 하며, 가족제도에 관한 전통·전통문화란 적어도 그것이 가족제도에 관한 헌법이념인 개인의 존엄과 양성의 평등에 반하는 것이어서는 안 된다는 한계가 도출되므로, 전래의 어떤 가족제도가 헌법 제36조 제1항이 요구하는 개인의 존엄과 양성평등에 반한다면 헌법 제9조를 근거로 그 헌법적 정당성을 주장할 수는 없다(2005.2.3, 2001헌가9 등). 2015년 사시

05

정답 ④

① [O] 단지 일부 지나친 고액과외교습을 방지하기 위하여 모든 학생으로 하여금 오로지 학원에서만 사적으로 배울 수 있도록 규율한다는 것은 어디에도 그 예를 찾아볼 수 없는 것일 뿐만 아니라 자기결정과 자기책임을 생활의 기본원칙으로 하는 헌법의 인간상이나 개성과 창의성, 다양성을 지향하는 문화국가원리에도 위반되는 것이다(2000.4.27, 98헌가16 등). 2010년 지방 7급

② [O] 헌법 제22조 제2항은 "저작자·발명가·과학기술자와 예술가의 권리는 법률로써 보호한다."라고 하여, 학문과 예술의 자유를 제도적으로 뒷받침하고 학문과 예술의 자유에 내포된 문화국가실현의 실효성을 높이기 위하여 저작자 등의 권리 보호를 국가의 과제로 규정하고 있는바, 저작자 등의 권리를 보호하는 것은 학문과 예술을 발전·진흥시키고 문화국가를 실현하기 위하여 불가결하다(2011.2.24, 2009헌바13 등). 2013년 사시

③ [O] 이 사건 법률조항은 극장운영자의 표현의 자유 및 예술의 자유도 필요한 이상으로 과도하게 침해하고 있으며, 표현·예술의 자유의 보장과 공연장 및 영화상영관 등이 담당하는 문화국가형성의 기능의 중요성을 간과하고 있다. 따라서 이 사건 법률조항은 표현의 자유 및 예술의 자유를 침해하는 위헌적인 규정이다(2004.5.27, 2003헌가1 등). 2011년 사시

❹ [X] 각종 개발행위로 인한 무분별한 문화재 발굴로부터 매장문화재를 보호하는 것이어서 입법목적의 정당성, 방법의 적절성이 인정되고, 사업시행자가 발굴조사비용을 감당하기 어렵다고 판단하는 경우에는 더 이상 사업시행에 나아가지 아니할 수 있고, 대통령령으로 정하는 경우에는 예외적으로 국가 등이 발굴비용을 부담할 수 있는 완화규정을 두고 있어 침해최소성원칙, 법익균형성원칙에도 반하지 아니하므로, 과잉금지원칙에 위배되지 아니한다(2011.7.28, 2009헌바244). 2015년 사시

06

정답 ③

① [X] 한미연합 군사훈련은 1978. 한미연합사령부의 창설 및 1979.2.15. 한미연합연습 양해각서의 체결 이후 연례적으로 실시되어 왔고, 특히 이 사건 연습은 대표적인 한미연합 군사훈련으로서, 피청구인이 2007.3.경에 한 이 사건 연습결정이 새삼 국방에 관련되는 고도의 정치적 결단에 해당하여 사법심사를 자제하여야 하는 통치행위에 해당된다고 보기 어렵다(2009.5.28, 2007헌마369). 2016년 변시

② [X] 미군기지의 이전은 공공정책의 결정 내지 시행에 해당하는 것으로서 인근 지역에 거주하는 사람들의 삶을 결정함에 있어서 사회적 영향을 미치게 되나, 개인의 인격이나 운명에 관한 사항은 아니며 각자의 개성에 따른 개인적 선택에 직접적인 제한을 가하는 것이 아니다. 따라서 그와 같은 사항은 헌법상 자기결정권의 보호범위에 포함된다고 볼 수 없다(2006.2.23, 2005헌마268). 2021년 변시

❸ [O] 헌법 제6조 제2항에 의하면 외국인은 국제법과 조약이 정하는 바에 의하여 그 지위가 보장되는데, 우리나라에 효력이 있는 국제법과 조약 중 국내에 주소 등을 두고 있지 아니한 외국인이 소를 제기한 경우에 소송비용담보 제공명령을 금지하는 국제법이나 조약을 찾아볼 수 없고, 이 사건 법률조항은 그 적용대상을 외국인으로

한정하고 있지 아니할 뿐만 아니라 외국인을 포함하여 국내에 주소 등을 두고 있지 아니한 원고의 재판청구권을 침해한다고 볼 수 없으므로, 이 사건 법률조항은 헌법 제6조 제2항에 위배되지 아니한다(1996.8.29, 93헌바57). 2021년 변시

④ [X] 이 사건 조약 제2조 제1의 (나)항에 의하면 이 사건 조약 발효당시 미군이 사용 중인 시설과 구역에 대하여 여는 사용공여의 합의가 있는 것으로 간주되나 이 조항을 당해 재산의 소유자에 대한 관계에서 공용수용·사용 또는 제한을 한 경우와 같이 권리의 변동을 초래하는 것으로 해석할 수는 없으므로, 이 조항에 의한 법률효과로서 사인의 재산권에 대한 침해가 발생할 여지는 없다. 국가가 미리 적법한 소유권 또는 사용권 취득을 마치지 않은 사인의 특정재산을 사실상 공여된 시설과 구역으로 취급함으로써 국가(대한민국) 또는 미군이 그 재산을 권원 없이 사용하거나 그 밖의 방법으로 사인의 재산권을 침해하는 사태가 있다 하더라도, 그것은 위 조항 자체에 내재된 위헌성에서 비롯된 결과라고는 볼 수 없으므로 위 조항이 국민의 재산권을 침해한다고는 할 수 없다(1999.4.29, 97헌가14).

07

정답 ③

① [O] 우리나라는 2003.2. 개정교토협약에 가입하였고, 2006.2.부터 개정교토협약이 발효된 이상 국내법과 마찬가지로 이를 준수할 의무가 있다. 그러나 개정교토협약이 국내법과 같은 효력을 가진다고 하더라도, 곧 헌법적 효력을 갖는 것이라고 볼 만한 근거는 없는 바, 위 조항의 위헌성 심사의 척도가 될 수는 없다. 그 밖에 청구인은 외국의 입법례를 들어 위 조항이 국제기준에 반한다고 주장하나, 외국의 입법례가 곧 위헌법률심판의 재판규범이 된다고 볼 수 없고, 청구인이 주장하는 외국의 입법례가 일반적으로 승인된 국제법규로서 국내법과 같은 효력이 있다고 볼 수도 없다. 결국 위 조항은 헌법상 국제법 존중주의원칙에 위배된다고 할 수 없다 (2015.6.25, 2013헌바193).

② [O] 우리 헌법은 제5조 제1항에서 침략전쟁을 금지할 뿐 자위전쟁까지 금지하는 것은 아니다. 2005년 사시

❸ [X] 이 사건 파견결정은 그 성격상 국방 및 외교에 관련된 고도의 정치적 결단을 요하는 문제로서, 헌법과 법률이 정한 절차를 지켜 이루어진 것임이 명백하므로, 대통령과 국회의 판단은 존중되어야 하고 헌법재판소가 사법적 기준만으로 이를 심판하는 것은 자제되어야 한다. 이에 대하여는 설혹 사법적 심사의 회피로 자의적 결정이 방치될 수도 있다는 우려가 있을 수 있으나 그러한 대통령과 국회의 판단은 궁극적으로는 선거를 통해 국민에 의한 평가와 심판을 받게 될 것이다(2004.4.29, 2003헌마814). 2016년 변시

④ [O] 강제집행은 채권자의 신청에 의하여 국가의 집행기관이 채권자를 위하여 채무명의에 표시된 사법상의 이행청구권을 국가권력에 의하여 강제적으로 실현하는 법적 절차를 지칭하는 것이므로, 강제집행권은 국가가 보유하는 통치권의 한 작용으로서 민사사법권에 속하는 것이고, 채권자인 청구인들은 국가에 대하여 강제집행권의 발동을 구하는 공법상의 권능인 강제집행청구권만을 보유하고 있을 따름으로서, 청구인들이 침해받았다고 주장하는 권리는 헌법 제23조 제3항 소정의 '재산권'에 해당하지 아니한다. 또한 협약 제32조 제1항은 "파견국은 외교관 및 제37조에 따라 면제를 향유하는 자에 대한 재판관할권의 면제를 포기할 수 있다."라고 규정하고, 같은 조 제4항은 "민사 또는 행정소송에 관한 재판관할권으로부터의 면제의 포기는 동 판결의 집행에 관한 면제의 포기를 의미하는 것으로 간주되지 아니한다. 판결의 집행으로부터의 면제를 포기하기 위하여서는 별도의 포기를 필요로 한다."라고 규정함으로써 외교관 등은 판결의 집행으로부터의 면제를 포기할 수도 있는 것이므로, 협약에 가입하는 것이 바로 헌법 제23조 제3항 소정 '공공필요에 의한 재산권의 제한'에 해당하는 것도 아니다. 청구인들로서는 위 임대차계약을 체결할 때 혹은 그 후에라도 판결의 집행으로부터의 면제를 포기받을 수 있었을 터인데도(위 임대차계약이 청구인들의 의사에 반하여 이루어졌다는 자료는 없다) 이에 이르지 아니하여 강제집행이 불가능하게 된 것이니 이를 수인할 수밖에 없다. 결국 이 사건에서와 같이 외국의 대사관저에 대하여 강제집행을 할 수 없다는 이유로 집달관이 청구인들의 강제집행신청의 접수를 거부하여 강제집행이 불가능하게 된 경우 국가가 청구인들에게 손실을 보상하는 법률을 제정하여야 할 헌법상의 명시적인 입법위임은 인정되지 아니하고, 헌법의 해석으로도 그러한 법률을 제정함으로써 청구인들의 기본권을 보호하여야 할 입법자의 행위의무 내지 보호의무가 발생하였다고 볼 수도 없다(1998.5.28, 96헌마44).

08

정답 ③

① [O] 국제법과 국내법을 하나의 법질서로 볼 때 국제법우위와 국내법우위가 논의된다.

② [O] 국제법적으로, 조약은 국제법 주체들이 일정한 법률효과를 발생시키기 위하여 체결한 국제법의 규율을 받는 국제적 합의를 말하며 서면에 의한 경우가 대부분이지만 예외적으로 구두합의도 조약의 성격을 가질 수 있다(2019.12.27, 2016헌마253).

❸ [X] '시민적 및 정치적 권리에 관한 국제규약'(이하 '자유권규약'이라 한다)의 조약상 기구인 자유권규약위원회의 견해는 규약을 해석함에 있어 중요한 참고기준이 되고, 규약 당사국은 그 견해를 존중하여야 한다. 특히 우리나라는 자유권규약을 비준함과 동시에, 자유권규약위원회의 개인통보 접수·심리권한을 인정하는 내용의 선택의정서에 가입하였으므로, 대한민국 국민이 제기한 개인통보에 대한 자유권규약위원회의 견해(Views)를 존중하고, 그 이행을 위하여 가능한 범위에서 충분한 노력을 기울여야 한다. 다만, 자유권규약위원회의 심리가 서면으로 비공개로 진행되는 점 등을 고려하면, 개인통보에 대한 자유권규약위원회의 견해(Views)에 사법적인 판결이나 결정과 같은 법적 구속력이 인정된다고 단정하기는 어렵다. 또한, 자유권규약위원회의 견해가 규약 당사국의 국내법질서와 충돌할 수 있고, 그 이행을 위해서는 각 당사국의 역사적, 사회적, 정치적 상황 등이 충분히 고려될 필요가 있으므로, 우리 입법자가 자유권규약위원회의 견해(Views)의 구체적인 내용에 구속되어 그 모든 내용을 그대로 따라야만 하는 의무를 부담한다고 볼 수는 없다(2018.7.26, 2011헌마306 등). 2021년 지방 7급

④ [O] 비자기집행조약은 조약만으로는 집행이 안 되므로 법률을 요한다. 2014년 국회 8급

09

정답 ②

① [O] 조약의 개념에 관하여 우리 헌법상 명문의 규정은 없다. 다만, 헌법 제60조 제1항에서 국회는 상호원조 또는 안전보장에 관한 조약, 중요한 국제조직에 관한 조약, 우호통상항해조약, 주권의 제약에 관한 조약, 강화조약, 국가나 국민에게 중대한 재정적 부담을 지우는 조약 또는 입법사항에 관한 조약의 체결·비준에 대한 동의권을 가진다고 규정하고 있으며, 헌법 제73조는 대통령에게 조약체결권을 부여하고 있고, 헌법 제89조 제3호에서 조약안은 국무회의의 심의를 거치도록 규정하고 있다(2019.12.27, 2016헌마253).

❷ [X] 국제법적으로 조약은 국제법 주체들이 일정한 법률효과를 발생시키기 위하여 체결한 국제법의 규율을 받는 국제적 합의를 말하며

서면에 의한 경우가 대부분이지만 예외적으로 구두합의도 조약의 성격을 가질 수 있다(2019.12.27, 2016헌마253).

③ [O] 국가는 경우에 따라 조약과는 달리 법적 효력 내지 구속력이 없는 합의도 하는데, 이러한 합의는 많은 경우 일정한 공동목표의 확인이나 원칙의 선언과 같이 구속력을 부여하기에는 너무 추상적이거나 구체성이 없는 내용을 담고 있으며, 대체로 조약체결의 형식적 절차를 거치지 않는다(2019.12.27, 2016헌마253).

④ [O] 조약과 비구속적 합의를 구분함에 있어서는 합의의 명칭, 합의가 서면으로 이루어졌는지 여부, 국내법상 요구되는 절차를 거쳤는지 여부와 같은 형식적 측면 외에도 합의의 과정과 내용·표현에 비추어 법적 구속력을 부여하려는 당사자의 의도가 인정되는지 여부, 법적 효력을 부여할 수 있는 구체적인 권리·의무를 창설하는지 여부 등 실체적 측면을 종합적으로 고려하여야 한다(2019.12.27, 2016헌마253).

10 정답 ③

① [O] 조약의 개념에 관하여 우리 헌법상 명문의 규정은 없다. 다만, 헌법 제60조 제1항에서 국회는 상호원조 또는 안전보장에 관한 조약, 중요한 국제조직에 관한 조약, 우호통상항해조약, 주권의 제약에 관한 조약, 강화조약, 국가나 국민에게 중대한 재정적 부담을 지우는 조약 또는 입법사항에 관한 조약의 체결·비준에 대한 동의권을 가진다고 규정하고 있으며, 헌법 제73조는 대통령에게 조약체결권을 부여하고 있고, 헌법 제89조 제3호에서 조약안은 국무회의의 심의를 거치도록 규정하고 있다(2019.12.27, 2016헌마253).

② [O] ❸ [X] 이 사건 합의의 절차와 형식에 있어서나 실질에 있어서 구체적 권리·의무의 창설이 인정되지 않고, 이 사건 합의를 통해 일본군 '위안부' 피해자들의 권리가 처분되었다거나 대한민국 정부의 외교적 보호권한이 소멸하였다고 볼 수 없는 이상 이 사건 합의가 일본군 '위안부' 피해자들의 법적 지위에 영향을 미친다고 볼 수 없다(2019.12.27, 2016헌마253).

④ [O] 2019.12.27, 2016헌마253

11 정답 ②

ㄱ. [X] 국제연합인권선언은 선언적 의미만 가지고 있을 뿐 보편적인 법적 구속력을 갖지 못한다(1991.7.22, 89헌가106).

ㄴ. [X] 조약이란 조약, 협약, 협정, 규약 등 명칭을 불문하고 국제법률관계를 설정하기 위하여 체결한 국제법 주체 상호 간의 문서에 의한 합의를 말하는데, 신사협정은 법적 구속력이 없는 정치협정에 불과하기 때문에 조약에 해당되지 않는다. 2008년 사시

ㄷ. [X] 중국과의 합의로 그 연장 여부가 최종적으로 결정된 것으로 볼 수 없는 점에 비추어 헌법적으로 정부가 반드시 공포하여 국내법과 같은 효력을 부여해야 한다고 단정할 수 없다. 따라서 공포에 대한 헌법규정의 위반 여부와는 별도로 청구인들의 정보공개청구가 없었던 이 사건의 경우 이 사건 조항을 사전에 마늘재배농가들에게 공개할 정부의 의무가 존재한다고 볼 특별한 사정이 있다고 보기는 어려우므로 이 사건 부작위에 대한 심판청구는 부적법한 것으로 판단된다(2004.12.16, 2002헌마579). 2008년 사시

ㄹ. [O] 미국산 쇠고기 수입위생조건고시는 조약이 아니라 행정규칙이므로 국회의 동의를 받아야 하는 것은 아니다(2008.12.26, 2008헌마419). 2011년 사시

ㅁ. [X] 외교통상부장관이 2006.1.19. 미합중국 국무장관과 발표한 '동맹 동반자 관계를 위한 전략대화 출범에 관한 공동성명'은 공동성명도 조약도 아니다. 국회동의가 필요 없는 '조약'이라고 해서 틀린 지문이다. 2017년 경찰승진

ㅂ. [X] 소위 남북합의서는 남북관계를 '나라와 나라사이의 관계가 아닌 통일을 지향하는 과정에서 잠정적으로 형성되는 특수관계'임을 전제로 하여 이루어진 합의문서인바, 이는 한민족공동체 내부의 특수관계를 바탕으로 한 당국 간의 합의로서 남북당국의 성의 있는 이행을 상호 약속하는 일종의 공동성명 또는 신사협정에 준하는 성격을 가짐에 불과하다(1997.1.16, 92헌바6 등). 2010년 국회 8급

12 정답 ④

① [O] 이 사건 조항[국제통화기금협정 제9조(지위, 면제 및 특권) 제3항(사법절차의 면제) 및 제8항(직원 및 피용자의 면제와 특권), 전문기구의 특권과 면제에 관한 협약 제4절, 제19절(a)]은 각 국회의 동의를 얻어 체결된 것으로서, 헌법 제6조 제1항에 따라 국내법적, 법률적 효력을 가지는바, 가입국의 재판권 면제에 관한 것이므로 성질상 국내에 바로 적용될 수 있는 법규범으로서 위헌법률심판의 대상이 된다(2001.9.27, 2000헌바20).

② [O] 조약과 헌법의 효력관계에 대하여 국제협조주의를 근거로 국가 간의 합의인 조약이 우선한다는 조약우위설과 조약체결이 헌법에 의하여 인정되고 있는 점 등을 근거로 하는 헌법우위설의 견해대립이 있다. 통설은 헌법우위설이다.

③ [O] 국가는 경우에 따라 조약과는 달리 법적 효력 내지 구속력이 없는 합의도 하는데, 이러한 합의는 많은 경우 일정한 공동목표의 확인이나 원칙의 선언과 같이 구속력을 부여하기에는 너무 추상적이거나 구체성이 없는 내용을 담고 있으며, 대체로 조약체결의 형식적 절차를 거치지 않는다(2019.12.27, 2016헌마253).

❹ [X] 2017년 법무사

> **헌법 제73조** 대통령은 조약을 체결·비준하고, 외교사절을 신임·접수 또는 파견하며, 선전포고와 강화를 한다.

13 정답 ③

① [X] 국회의 동의권은 헌법에 명시적 규정이 있다. 국회의원의 조약에 대한 권한은 규정이 없다.

> **헌법 제60조** ① 국회는 상호원조 또는 안전보장에 관한 조약, 중요한 국제조직에 관한 조약, 우호통상항해조약, 주권의 제약에 관한 조약, 강화조약, 국가나 국민에게 중대한 재정적 부담을 지우는 조약 또는 입법사항에 관한 조약의 체결·비준에 대한 동의권을 가진다.
> ② 국회는 선전포고, 국군의 외국에의 파견 또는 외국군대의 대한민국 영역 안에서의 주류에 대한 동의권을 가진다.

② [X] 헌법 제60조에 열거된 조약은 국회의 동의가 필요로 하나, 그렇지 않은 조약은 국회의 동의 없이 체결·비준할 수 있다.

> **헌법 제60조** ① 국회는 상호원조 또는 안전보장에 관한 조약, 중요한 국제조직에 관한 조약, 우호통상항해조약, 주권의 제약에 관한 조약, 강화조약, 국가나 국민에게 중대한 재정적 부담을 지우는 조약 또는 입법사항에 관한 조약의 체결·비준에 대한 동의권을 가진다.

❸ [O] 헌법 제89조에 따라 조약은 반드시 국무회의 심의를 요한다.

④ [X] 헌법 제60조는 일정한 조약을 나열해서 국회의 동의를 받도록 하

였으나 헌법 제89조는 조약을 나열하지 않고 조약안을 국무회의 심의 대상으로 규정하고 있으므로 모든 조약을 그 대상으로 한다.

14 정답 ③

ㄱ. [O] 조약비준권은 대통령에게 있으므로 국회의 동의가 있더라도 대통령은 그 조약을 체결·비준해야 하는 것은 아니다.

ㄴ. [X] 어업조약은 헌법 제60조에서 삭제되었다.

> **헌법 제60조** ① 국회는 상호원조 또는 안전보장에 관한 조약, 중요한 국제조직에 관한 조약, 우호통상항해조약, 주권의 제약에 관한 조약, 강화조약, 국가나 국민에게 중대한 재정적 부담을 지우는 조약 또는 입법사항에 관한 조약의 체결·비준에 대한 동의권을 가진다.
> ② 국회는 선전포고, 국군의 외국에의 파견 또는 외국군대의 대한민국 영역 안에서의 주류에 대한 동의권을 가진다.

ㄷ. [O] **대한민국 외교부장관과 일본국 외무부대신이 2015.12.28. 공동발표한 일본군 위안부 피해자 문제 관련 합의(이하 '이 사건 합의'라 한다)가 헌법소원심판청구의 대상이 되는지 여부(소극)**

(1) 조약과 비구속적 합의를 구분함에 있어서는 합의의 명칭, 합의가 서면으로 이루어졌는지 여부, 국내법상 요구되는 절차를 거쳤는지 여부와 같은 형식적 측면 외에도 합의의 과정과 내용·표현에 비추어 법적 구속력을 부여하려는 당사자의 의도가 인정되는지 여부, 법적 효과를 부여할 수 있는 구체적인 권리·의무를 창설하는지 여부 등 실체적 측면을 종합적으로 고려하여야 한다. 비구속적 합의의 경우, 그로 인하여 국민의 법적 지위가 영향을 받지 않는다고 할 것이므로, 이를 대상으로 한 헌법소원심판청구는 허용되지 않는다.

(2) 이 사건 합의는 양국 외교장관의 공동발표와 정상의 추인을 거친 공식적인 약속이지만, 서면으로 이루어지지 않았고, 통상적으로 조약에 부여되는 명칭이나 주로 쓰이는 조문 형식을 사용하지 않았으며, 헌법이 규정한 조약체결 절차를 거치지 않았다. 또한 합의 내용상 합의의 효력에 관한 양 당사자의 의사가 표시되어 있지 않을 뿐만 아니라, 구체적인 법적 권리·의무를 창설하는 내용을 포함하고 있지도 않다. 이 사건 합의를 통해 일본군 '위안부' 피해자들의 권리가 처분되었다거나 대한민국 정부의 외교적 보호권한이 소멸하였다고 볼 수 없는 이상 이 사건 합의가 일본군 '위안부' 피해자들의 법적 지위에 영향을 미친다고 볼 수 없으므로 위 피해자들의 배상청구권 등 기본권을 침해할 가능성이 있다고 보기 어렵고, 따라서 이 사건 합의를 대상으로 한 헌법소원심판청구는 허용되지 않는다(2019.12.27, 2016헌마253).

ㄹ. [X] 2018년 행시

> **헌법 제60조** ① 국회는 상호원조 또는 안전보장에 관한 조약, 중요한 국제조직에 관한 조약, 우호통상항해조약, 주권의 제약에 관한 조약, 강화조약, 국가나 국민에게 중대한 재정적 부담을 지우는 조약 또는 입법사항에 관한 조약의 체결·비준에 대한 동의권을 가진다.

ㅁ. [O] 이 사건 조약은 그 명칭이 '협정'으로 되어 있어 국회의 관여없이 체결되는 행정협정처럼 보이기도 하나 우리나라의 입장에서 볼 때에는 외국군대의 지위에 관한 것이고, 국가에게 재정적 부담을 지우는 내용과 입법사항을 포함하고 있으므로 국회의 동의를 요하는 조약으로 취급되어야 한다(1999.4.29, 97헌가14).

15 정답 ④

① [O] 우리 현행헌법 제6조 제1항은 조약이 바로 국내법과 같은 효력을 가지므로 일원론에 근거한 것으로 해석된다.

② [O] 국회 동의는 조약의 국내법적 효력 발생요건이므로 국회의 동의를 받지 아니한 경우 조약은 국내법적으로는 효력을 상실한다. 다만, 조약은 국가 간 합의이므로 국제법적으로는 효력을 유지한다.

③ [O] 마라케쉬협정도 적법하게 체결되어 공포된 조약이므로 국내법과 같은 효력을 갖는 것이어서 그로 인하여 새로운 범죄를 구성하거나 범죄자에 대한 처벌이 가중된다고 하더라도 이것은 국내법에 의하여 형사처벌을 가중한 것과 같은 효력을 갖게 되는 것이다. 따라서 마라케쉬협정에 의하여 「관세법」 위반자의 처벌이 가중된다고 하더라도 이를 들어 법률에 의하지 아니한 형사처벌이라거나 행위시의 법률에 의하지 아니한 형사처벌이라고 할 수 없다(1998.11.26, 97헌바65). 2012년 사시, 2015년 변시

❹ [X] 헌법 제6조 제1항은 "국내법과 같은 효력을 가진다."로 규정되어 있다.

16 정답 ④

① [O] '대한민국과 일본국 간의 어업에 관한 협정'은 우리나라 정부가 일본 정부와의 사이에서 어업에 관해 체결·공포한 조약으로서 헌법 제6조 제1항에 의하여 국내법과 같은 효력을 가지므로, 그 체결행위는 고권적 행위로서 '공권력의 행사'에 해당한다(2001.3.21, 99헌마139 등).
➡ 이에 반해 '한일어업협정 합의의사록'은 조약에 해당하지 않는다고 보았다.

② [O] 헌법 제6조 제1항의 국내법과 같은 효력이란 반드시 법률과 동일한 효력만을 의미하는 것은 아니며, 법률·명령 등과 같은 효력을 갖는다는 의미이다.

③ [O] 헌법 제6조에서는 "헌법에 의하여 체결·공포된 조약과 일반적으로 승인된 국제법규는 국내법과 같은 효력을 가진다"라고 규정하여 조약의 효력근거를 '헌법'에 두고 있다. 국회의 동의를 요하는 조약에는 법률의 효력을 인정하며 국회의 동의를 요하지 않는 조약에는 명령의 효력을 인정하고 있어 헌법보다 하위의 효력을 인정한다.

❹ [X] 독일은 국제법의 일반원칙은 법률보다 상위효력을 가진다고 하나, 우리 헌법재판소는 이를 인정한 바 없다.

17 정답 ③

① [X] 1960년 UNESCO와 ILO가 채택한 '교원의 지위에 관한 권고'는 입법적으로 고려할 만하나, 직접적으로 국내법적인 효력을 가진다고 할 수 없다(1991.7.22, 89헌가106).

② [X] 국제노동기구협약 제135호 '기업의 근로자대표에게 제공되는 보호 및 편의에 관한 협약' 제2조 제1항은 "근로자대표에 대하여 그 지위나 활동을 이유로 불리한 조치를 할 수 없고, 근로자대표가 직무를 신속·능률적으로 수행할 수 있도록 기업으로부터 적절할 편의가 제공되어야 한다."라고 정하고 있는데, 노조전임자에 대한 급여지급금지에 대한 절충안으로 근로시간 면제제도가 도입된 이상, 이 사건 「노동조합 및 노동관계조정법」 조항들이 위 협약에 배치된다고 보기 어렵다. 따라서 이 사건 「노동조합 및 노동관계조정법」 조항들은 국제법존중주의 원칙에 위배되지 않는다(2004.5.29, 2010헌마606).

❸ [O] 헌법 제6조 제1항의 국제법 존중주의는 우리나라가 가입한 조약과 일반적으로 승인된 국제법규가 국내법과 같은 효력을 가진다는 것으로서 조약이나 국제법규가 국내법에 우선한다는 것은 아니다(2001.4.26, 99헌가13)고 하여 국제법규가 국내법률보다 우선적 효력을 가지는 것은 아니라고 한다. 또한 헌법재판소는 부정수표 발행인에 대해 형사처벌을 하는 것은 계약상 의무의 이행불능만을 이유로 처벌하는 것이 아니라 사기적인 죄질에 대하여 처벌하는 것이므로 국제연합인권규약 제11조의 명문(계약상 의무 이행불능을 이유로 한 처벌금지)에 정면으로 배치되는 것은 아니다(2001.4.26, 99헌가13).

④ [X] 국제노동기구의 결사의 자유위원회의 권고는 법적 구속력이 없으므로 권고에 반하더라도 국내법률조항이 위헌으로써 효력을 상실하는 것은 아니다.

18 정답 ④

① [O] 헌법 제6조 제1항의 일반적으로 승인된 국제법규에는 성문국제법규, 국제관습법, 우리나라가 체결한 조약이 아니더라도 국제사회에서 일반적으로 규범력이 인정되고 있는 조약이 포함된다.

② [O] 우리나라가 1990.4.10. 가입한 시민적·정치적 권리에 관한국제규약(International Covenant on Civil and Political Rights)에 따라 바로 양심적 병역 거부권이 인정되거나 양심적 병역 거부에 관한 법적인 구속력이 발생한 다고 보기 곤란하고, 양심적 병역 거부권을 명문으로 인정한 국제인권조약은 아직까지 존재하지 않으며, 유럽 등의 일부국가에서 양심적 병역 거부권이 보장된다고 하더라도 전 세계적으로 양심적 병역 거부권의 보장에 관한 국제관습법이 형성되었다고 할 수 없어 양심적 병역 거부가 일반적으로 승인된 국제법규로서 우리나라에 수용될 수는 없으므로, 이 사건 법률조항에 의하여 양심적 병역 거부자를 형사처벌한다고 하더라도 국제법존중의 원칙을 선언하고 있는 헌법 제6조 제1항에 위반된다고 할 수 없다(2011.8.30, 2008헌가22 등).

③ [O] 국제형사재판소에 관한 로마규정은 일반적으로 승인된 국제법규로서가 아니라 헌법에 의하여 체결·공포된 조약으로서 국내법과 같은 효력을 갖는다(2004.12.14, 2004헌마889).

❹ [X] 헌법 제6조 제1항의 국제법존중주의는 우리나라가 가입한 조약과 일반적으로 승인된 국제법규가 국내법과 같은 효력을 가진다는 것으로서 조약이나 국제법규가 국내법에 우선한다는 것은 아니다(2001.4.26, 99헌가13).

19 정답 ②

ㄱ. [O]

구분	위헌 법률 심판	제68조 제2항 헌법소원	제68조 제1항 헌법소원	법원의 명령규칙·심사 (헌법 제107조 제2항)
국회의 동의를 요하는 조약	○	○	○	X
국회의 동의를 요하지 않는 조약	X	X	○	○

ㄴ. [X] 국회의 동의를 요하지 않는 조약은 명령적 효력을 가지므로 각급 법원이 헌법 제107조 제2항 명령·규칙 심사의 대상으로 할 수 있다. 법원이 조약을 위헌·위법이라고 결정한 경우 당해 사건에 한하여 적용이 거부된다. 법규명령적 성격을 가지는 조약이라면 헌법재판소가 「헌법재판소법」 제68조 제1항의 헌법소원심판에 대상이 되며 헌법재판소가 위헌결정한 경우 조약은 국내법적으로 일반적 효력이 상실된다.

ㄷ. [O]

> **헌법 제107조** ② 명령·규칙 또는 처분이 헌법이나 법률에 위반되는 여부가 재판의 전제가 된 경우에는 대법원은 이를 최종적으로 심사할 권한을 가진다.

ㄹ. [X] 국회의 동의를 받지 않은 조약은 각급 법원이 헌법 제107조 제2항 명령·규칙 심사의 대상으로 할 수 있다. 조약이 위헌·위법일 경우 당해 사건에 한하여 적용이 거부된다. 법규명령적 성격을 가지는 조약이라면 헌법재판소가 「헌법재판소법」 제68조 제1항에 따라 통제할 수 있다. 헌법재판소가 위헌결정한 경우에는 조약은 일반적 효력이 상실된다.

ㅁ. [O] 헌법재판소가 위헌결정한 조약은 국내법적으로는 효력이 상실되나, 국제법적 효력은 유지한다.

20 정답 ②

ㄱ. [O] ㄹ. [O] ㅁ. [O] ㅂ. [O] 2001.3.21, 99헌마139 등

ㄴ. [X] 청구인들이 침해받았다고 주장하는 기본권 가운데 '헌법 전문에 기재된 3·1 정신'은 우리나라 헌법의 연혁적·이념적 기초로서 헌법이나 법률해석에서의 해석기준으로 작용한다고 할 수 있지만, 그에 기하여 곧바로 국민의 개별적 기본권성을 도출해낼 수는 없다고 할 것이므로, 본안판단의 대상으로부터 제외하기로 한다(2001.3.21, 99헌마139 등).

ㄷ. [O] 청구인들이 침해받았다고 주장하는 '경제적 기본권'은 구체적으로 무엇을 의미하는지가 명백하지 아니하나, 그것을 '경제생활영역에서의 기본권'을 의미하는 것으로 파악하여, 그렇다면 그것의 주된 대상은 재산권과 직업선택의 자유가 될 것이므로 '경제적 기본권'에 대한 주장은 이들 양자에 대한 부분으로 융해하여, 별도로 고찰하지 않기로 한다(2001.3.21, 99헌마139 등).

ㅅ. [X] 이 사건 협정의 합의의사록은 한일 양국 정부의 어업질서에 관한 양국의 협력과 협의 의향을 선언한 것으로서, 이러한 것들이 곧바로 구체적인 법률관계의 발생을 목적으로 한 것으로는 보기 어렵다할 것이므로, 합의의사록은 조약에 해당하지 아니하고, 이를 국회에 상정하지 아니한 것이 국회의 의결권과 국민의 정치적 평등권을 침해하였다고 볼 수 없다(2001.3.21, 99헌마139 등).

ㅇ. [O] 이 사건 협정은 배타적경제수역을 직접 규정한 것이 아닐 뿐만 아니라 배타적경제수역이 설정된다 하더라도 영해를 제외한 수역을 의미하며, 이러한 점들은 이 사건 협정에서의 이른바 중간수역에 대해서도 동일하다고 할 것이므로 독도가 중간수역에 속해 있다 할지라도 독도의 영유권 문제나 영해 문제와는 직접적인 관련을 가지지 아니한 것임은 명백하다 할 것이다(2001.3.21, 99헌마139 등).

11회 진도별 모의고사

통일의 원칙 ~ 지방자치단체

정답

01	④	02	④	03	①	04	④
05	③	06	③	07	④	08	②
09	④	10	①	11	①	12	①
13	①	14	③	15	③	16	④
17	①	18	②	19	③	20	④

01

정답 ④

ㄱ. [X] ㄴ. [O] 소위 남북합의서는 남북관계를 '나라와 나라 사이의 관계가 아닌 통일을 지향하는 과정에서 잠정적으로 형성되는 특수관계'임을 전제로 하여 이루어진 합의문서인바, 이는 한민족공동체 내부의 특수관계를 바탕으로 한 당국 간의 합의로서 남북당국의 성의 있는 이행을 상호 약속하는 일종의 공동성명 또는 신사협정에 준하는 성격을 가짐에 불과하다(1997.1.16, 92헌바6 등). 2019년 입시

ㄷ. [O] 북한이 남·북한의 유엔동시가입, 소위 남북합의서의 채택·발효 및 「남북교류협력에 관한 법률」 등의 시행 후에도 적화통일의 목표를 버리지 않고 각종 도발을 자행하고 있으며 남·북한의 정치, 군사적 대결이나 긴장관계가 조금도 해소되고 있지 않음이 현실인 이상, 국가의 존립·안전과 국민의 생존 및 자유를 수호하기 위하여 신·구 「국가보안법」의 해석·적용상 북한을 반국가단체로 보고 이에 동조하는 반국가활동을 규제하는 것 자체가 헌법이 규정하는 국제평화주의나 평화통일의 원칙에 위반된다고 할 수 없다(1997.1.16, 92헌바6 등). 2011년 사시

ㄹ. [X] 이는 한민족공동체 내부의 특수관계를 바탕으로 한 당국 간의 합의로서 남북당국의 성의 있는 이행을 상호 약속하는 일종의 공동성명 또는 신사협정에 준하는 성격을 가짐에 불과하다(1997.1.16, 92헌바6 등). 2003년 입시

ㅁ. [O] 「남북교류협력에 관한 법률」과 「국가보안법」은 적용영역이 다르므로 양자는 특별법과 일반법의 관계가 성립하지 않는다. 또한 전자의 시행으로 「국가보안법」의 효력이 상실되는 것은 아니다(1993.7.29, 92헌바48).

ㅂ. [X] 일찍이 헌법재판소는 "남북합의서는 남북관계를 '나라와 나라 사이의 관계가 아닌 통일을 지향하는 과정에서 잠정적으로 형성되는 특수관계'임을 전제로 하여 이루어진 합의문서인바, 이는 한민족공동체 내부의 특수 관계를 바탕으로 한 당국 간의 합의로서 남북당국의 성의 있는 이행을 상호 약속하는 일종의 공동성명 또는 신사협정에 준하는 성격을 가짐에 불과하다."라고 판시하였고, 대법원도 "남북합의서는 … 남북한 당국이 각기 정치적인 책임을 지고 상호 간에 그 성의 있는 이행을 약속한 것이기는 하나 법적 구속력이 있는 것은 아니어서 이를 국가 간의 조약 또는 이에 준하는 것으로 볼 수 없고, 따라서 국내법과 동일한 효력이 인정되는 것도 아니다."라고 판시하여, 남북합의서가 법률이 아님은 물론 국내법과 동일한 효력이 있는 조약이나 이에 준하는 것으로 볼 수 없다는 것을 명백히 하였다. 따라서 설사 이 사건 법률조항이 남북합의서의 내용과 배치되는 점을 포함하고 있다고 하더라도, 그것은 이 사건 법률조항이 헌법에 위반되는지의 여부를 판단하는 데에 아무런 관련이 없다고 할 것이다(2000.7.20, 98헌바63).

02

정답 ④

ㄱ. [O] ㄴ. [X] 1987.10.29. 공포한 현행헌법 부칙 제5조는 현행헌법 시행 당시의 법령은 현행헌법에 위배되지 아니하는 한 그 효력을 지속한다고 하여 법령의 지속효에 관한 규정을 두고 있다. 그렇다면 국가보위입법회의에서 제정된 법률은 '그 내용'이 현행헌법에 저촉된다고 하여 이를 다투는 것은 별론으로 하고 '그 제정절차'에 하자가 있음을 이유로 하여 이를 다툴 수는 없다고 보아야 할 것이므로, 이 부분에 관한 청구인들의 주장은 이를 받아들일 수 없다(1997.1.16, 92헌바6 등).

ㄷ. [O] 북한이 남·북한의 유엔동시가입, 소위 남북합의서의 채택·발효 및 「남북교류협력에 관한 법률」 등의 시행 후에도 대남적화노선을 고수하면서 우리 자유민주주의체제의 전복을 획책하고 지금도 각종 도발을 계속하고 있음이 엄연한 현실인 점에 비추어, 국가의 존립·안전과 국민의 생존 및 자유를 수호하기 위하여 「국가보안법」의 해석·적용상 북한을 반국가단체로 보고 이에 동조하는 반국가활동을 규제하는 것 자체가 헌법이 규정하는 국제평화주의나 평화통일의 원칙에 위반된다고 할 수 없다(1997.1.16, 89헌마240).

ㄹ. [X] 헌법 제37조 제2항도 「국가보안법」의 근거로 보는 견해가 있다.

<「국가보안법」의 근거>

- 헌법 제3조를 근거로 보는 설: 북한은 헌법 제3조상 반국가단체이고 국가보안법은 대한민국의 존립과 자유민주적 기본질서에 위해를 주는 반국가단체의 활동을 규제하는 법이므로 헌법 제3조가 「국가보안법」의 근거이다.
- 헌법 제37조 제2항설: 「국가보안법」은 언론의 자유, 거주·이전의 자유, 양심의 자유 등을 제한하는 법이므로 기본권 제한입법의 헌법상 근거인 헌법 제37조 제2항이 「국가보안법」의 근거가 된다.

ㅁ. [O] 북한의 이중적 성격 현 단계에 있어서의 북한은 조국의 평화적 통일을 위한 대화와 협력의 동반자임과 동시에 대남적화노선을 고수하면서 우리 자유민주체제의 전복을 획책하고 있는 반국가단체라는 성격도 함께 갖고 있음이 엄연한 현실인 점에 비추어, 헌법 제4조가 천명하는 자유민주적 기본질서에 입각한 평화적 통일정책을 수립하고 이를 추진하는 한편 국가의 안전을 위태롭게 하는 반국가활동을 규제하기 위한 법적 장치로서, 전자를 위하여는 「남북교류협력에 관한 법률」 등의 시행으로써 이에 대처하고 후자를 위하여는 「국가보안법」의 시행으로써 이에 대처하고 있는 것이다(1993.7.29, 92헌바48).

ㅂ. [O] 「국가보안법」과 「남북교류협력에 관한 법률」은 상호 그 입법목적과 규제대상을 달리하고 있으며 따라서 구 「국가보안법」 제6조 제1항 소정의 잠입·탈출죄와 「남북교류협력에 관한 법률」 제27조 제2항 제1호 소정의 죄는 각기 그 구성요건을 달리하고 있는 것이므로 위 두 법률조항에 관하여 「형법」 제1조 제2항이 적용될 수 없고, 청구인에 대한 공소장기재의 공소사실을 보면 청구인의 행위에 관하여는 「남북교류협력에 관한 법률」은 적용될 여지가 없다고 할 것이므로 그 법률 제3조의 위헌 여부가 당해 형사사건에 관한 재판의 전제가 된 경우라고 할 수 없다(1993.7.29, 92헌바48). 2009년 사시, 2015년 5급 승진

ㅅ. [X] 「남북교류협력에 관한 법률」과 「국가보안법」은 적용영역이 다르므로 양자는 특별법과 일반법의 관계가 성립하지 않는다. 또한 전자의 시행으로 「국가보안법」의 효력이 상실되는 것은 아니다(1993.7.29, 92헌바48). 2016년 경찰승진

ㅇ. [O] 피의자 구속기간을 최장 50일로 하는 「국가보안법」 제19조를 찬

양고무죄·불고지죄에 적용하는 경우 「국가보안법」 제7조의 찬양·고무죄와 제10조의 불고지죄는 범죄구성요건이 복잡한 것도 아니고 증거수집이 어려운 것도 아니므로 일반 형사사건의 피의자 최장구속기간인 30일보다 20일이나 많은 50일을 피의자 구속기간으로 하는 「국가보안법」 제19조는 과잉금지원칙에 위반된다(1992.4.14, 90헌마82).

ㅈ. [X] 1991.5.31. 개정 전후의 「국가보안법」 제3조, 제5조, 제8조, 제9조에 해당하는 범죄에 대한 수사에 있어서는 그 피의자들에 대한 구속기간을 최소한의 범위 내에서 연장할 상당한 이유가 있으며, 또 그 구속기간의 연장에는 지방법원 판사의 허가를 받도록 되어 있어서 수사기관의 부당한 장기구속에 대한 법적 방지장치도 마련되어 있으므로 「국가보안법」 제19조 중 위 각 죄에 관한 구속기간의 연장 부분은 헌법에 규정된 평등의 원칙, 신체의 자유, 무죄추정의 원칙 및 신속한 재판을 받을 권리 등을 침해하는 위헌법률조항이라고 할 수 없다(1997.6.26, 96헌가8 등).

03 정답 ①

ㄱ. [X] 통일원칙은 전문과 대통령 선서문에 제7차 개정헌법에서 최초로 규정되었다. 2015년 사시

ㄴ. [X] 흡수통일의 개념이 모호하기는 하나 무력에 의한 흡수통일은 허용되지 않는다. 독일과 같이 동독의 붕괴로 인한 흡수통일은 허용될 수 있듯이 무력에 의한 방법이 아닌 통일은 평화통일원칙에 위반되지 않는다. 2004년 사시

ㄷ. [X] 영토조항이 제7차 개정헌법에서 평화통일원칙의 도입으로 사문화되었다는 견해도 있으나, 영토조항은 여전히 그 효력을 유지하고 있으므로 사문화되고 있다고 견해가 일치하고 있지는 않다.

ㄹ. [X] 북한은 조국의 평화적 통일을 위한 대화와 협력의 동반자임과 동시에 적화통일노선을 고수하면서 우리의 자유민주주의 체제를 전복하고자 획책하는 반국가단체의 성격도 아울러 가지고 있고, 반국가단체 등을 규율하는 「국가보안법」의 규범력이 상실되었다고 볼 수는 없다(대판 전합체 2008.4.17, 2003도758). 2010년 국회 8급

ㅁ. [X] 헌법상의 여러 통일 관련 조항들은 국가의 통일의무를 선언한 것이기는 하지만, 그로부터 국민 개개인의 통일에 대한 기본권, 특히 국가기관에 대하여 통일과 관련된 구체적인 행동을 요구하거나 일정한 행동을 할 수 있는 권리가 도출된다고 볼 수 없다(2000.7.20, 98헌바63). 2021년 국가 7급

04 정답 ④

① [O] 북한은 조국의 평화적 통일을 위한 대화와 협력의 동반자임과 동시에 대남적화노선을 고수하면서 우리 자유민주체제의 전복을 획책하고 있는 반국가단체라는 성격도 함께 갖고 있음이 엄연한 현실인 점에 비추어, 헌법 제4조가 천명하는 자유민주적 기본질서에 입각한 평화적 통일정책을 수립하고 이를 추진하는 한편 국가의 안전을 위태롭게 하는 반국가활동을 규제하기 위한 법적 장치로서, 전자를 위하여는 「남북교류협력에 관한 법률」 등의 시행으로써 이에 대처하고 후자를 위하여는 「국가보안법」의 시행으로써 이에 대처하고 있는 것이다(1993.7.29, 92헌바48). 2003년 입시

② [O] 「남북교류협력에 관한 법률」과 「국가보안법」은 상호 그 입법목적과 규제대상을 달리하고 있는 것이므로, 「남북교류협력에 관한 법률」 등이 공포·시행되었다 하여 「국가보안법」의 필요성이 소멸되거나 북한의 반국가단체성이 소멸되었다고는 할 수 없다(1997.1.16, 89헌마240). 2004년 사시

③ [O] 통일부장관이 북한 주민 등과의 접촉을 원하는 자로부터 승인신청을 받아 구체적인 내용을 검토하여 승인 여부를 결정하는 절차는 현 단계에서는 불가피하므로 「남북교류협력에 관한 법률」 제9조 제3항은 평화통일을 선언한 헌법 전문, 헌법 제4조, 헌법 제66조 제3항 및 기타 헌법상의 통일조항에 위배된다고 볼 수 없다(2000.7.20, 98헌바63). 2016년 5급 승진

❹ [X] 포괄위임입법금지의 원칙이란 법률이 대통령령 등의 하위법규에 입법을 위임할 경우에는 법률로써 그 위임의 범위를 구체적으로 정하여야 하며, 일반적이고 포괄적인 입법위임은 허용되지 아니한다는 것을 뜻하는 것이므로, 통일부장관의 승인권에 관한 기준이나 구체적 내용 등을 대통령령 등에 위임하지 아니하고 있는 이 사건 법률조항에 관하여 포괄위임금지의 원칙이 적용될 여지는 없다(2000.7.20, 98헌바63). 2004년 사시

05 정답 ③

① [X] 북한이 반국가단체인 것은 헌법 제3조의 해석에 근거한 것이고, 「국가보안법」이 북한을 반국가단체로 규정하고 있지는 않다.

> **관련 판례** 청구인 김○륜은 반국가단체조항의 반국가단체에 북한이 포함된다고 해석하는 것이 헌법에 위반된다는 취지로 주장한다. 그러나 북한이 반국가단체조항의 '반국가단체'에 해당되는지 여부는 형사재판절차에서의 사실인정 내지 구체적 사건에서의 법률조항의 포섭·적용에 관한 문제일 뿐이므로, 위 청구인의 주장은 당해 사건 재판의 기초가 되는 사실관계의 인정이나 평가 또는 개별적·구체적 사건에서 법률조항의 단순한 포섭·적용에 관한 문제를 다투거나 의미 있는 헌법문제를 주장하지 않으면서 법원의 법률해석이나 재판 결과를 다투는 것에 불과하여 현행의 규범통제제도에 어긋나는 것으로서 허용될 수 없다. 따라서 위 청구인의 심판청구 중 반국가단체조항에 대한 부분은 부적법하다(2015.4.30, 2012헌바95).

② [X] 유엔가입으로 가맹국 간의 국가승인효과는 발생하지 않는다.

❸ [O] 영토조항에 따르면 북한지역도 대한민국 영토이므로 북한은 국가가 아니라 대한민국만이 유일한 국가이다. 대법원 판례에 따르면 영토조항에 근거하여 북한지역에도 대한민국의 주권이 미칠 뿐이므로 대한민국 주권과 부딪히는 어떠한 국가단체의 주권을 법리상 인정할 수 없다고 하여 북한의 국가성을 부정하고 북한을 반국가단체로 보고 있다.

④ [X] 북한의 이중적 성격 현 단계에 있어서의 북한은 조국의 평화적 통일을 위한 대화와 협력의 동반자임과 동시에 대남적화노선을 고수하면서 우리 자유민주체제의 전복을 획책하고 있는 반국가단체라는 성격도 함께 갖고 있음이 엄연한 현실인 점에 비추어, 헌법 제4조가 천명하는 자유민주적 기본질서에 입각한 평화적 통일정책을 수립하고 이를 추진하는 한편 국가의 안전을 위태롭게 하는 반국가활동을 규제하기 위한 법적 장치로서, 전자를 위하여는 「남북교류협력에 관한 법률」 등의 시행으로써 이에 대처하고 후자를 위하여는 「국가보안법」의 시행으로써 이에 대처하고 있는 것이다(1993.7.29, 92헌바48).

06 정답 ③

① [O]

> 「남북관계 발전에 관한 법률」 제3조 【남한과 북한의 관계】 ① 남한과 북한의 관계는 국가 간의 관계가 아닌 통일을 지향하는 과정에서 잠정적으로 형성되는 특수관계이다.
> ② 남한과 북한 간의 거래는 국가 간의 거래가 아닌 민족내부의 거래로 본다.

② [O]

> 「남북관계 발전에 관한 법률」 제21조 【남북합의서의 체결·비준】 ① 대통령은 남북합의서를 체결·비준하며, 통일부장관은 이와 관련된 대통령의 업무를 보좌한다.
> ② 대통령은 남북합의서를 비준하기에 앞서 국무회의의 심의를 거쳐야 한다.
> ③ 국회는 국가나 국민에게 중대한 재정적 부담을 지우는 남북합의서 또는 입법사항에 관한 남북합의서의 체결·비준에 대한 동의권을 가진다.

❸ [X]

> 「남북관계 발전에 관한 법률」 제21조 【남북합의서의 체결·비준】 ④ 대통령이 이미 체결·비준한 남북합의서의 이행에 관하여 단순한 기술적·절차적 사항만을 정하는 남북합의서는 남북회담대표 또는 대북특별사절의 서명만으로 발효시킬 수 있다.

④ [O]

> 남북관계 발전에 관한 법률 제22조 【남북합의서의 공포】 제21조의 규정에 의하여 국회의 동의 또는 국무회의의 심의를 거친 남북합의서는 「법령 등 공포에 관한 법률」의 규정에 따라 대통령이 공포한다.

07 정답 ④

① [X] 최초의 지방선거 실시 및 지방의회 구성은 1952년이며, 1972년 제7차 개정헌법(유신헌법)에서 지방의회는 조국통일이 이루어질 때까지 구성하지 않음을 명시하였다.

② [X]

<헌법상 지방자치제도의 연혁>

구분	내용
제1공화국	• 건국헌법에서 현행법과 동일한 내용의 지방자치제도를 도입, 6·25의 발발로 그 시행이 지연됨. • 1952년 최초로 지방의회 구성
제2공화국 (1960년)	헌법에서는 지방자치제도를 실시함.
제3공화국 (1961년)	군사정권에 의해서 지방의회 해산되고, 지방자치법의 효력이 정지됨.
제4공화국 (1972년)	헌법 부칙은 "헌법에 의한 지방의회는 조국통일시까지 구성을 아니한다."라고 규정
제5공화국 (1980년)	헌법 부칙은 헌법에 의한 "지방의회는 재정자립도를 감안하여 순차적으로 구성하되 그 시기는 법률로 정한다."라고 규정. 그러나 법률이 제정되지 아니함.
제6공화국 (1987년)	지방의회 구성에 관한 유예규정이 폐지되고, 1988년 「지방자치법」 전면 개정됨. ➡ 현행헌법에 근거하여 1991년 각급 지방의회가 구성됨.

③ [X] 헌법 제117조 제1항은 "지방자치단체는 주민의 복리에 관한 사무를 처리하고 재산을 관리하며, 법령의 범위 안에서 자치에 관한 규정을 제정할 수 있다."라고 규정하여 지방자치를 제도적으로 보장하고 있다(2014.3.27, 2012헌라4).

➡ 기본권은 최대보장의 원칙이 적용되나, 제도 보장은 최소보장의 원칙이 적용된다.

❹ [O] 헌법 제117조 제1항에서 주민의 복리에 관한 사무를 처리하도록 규정하여 자치사무를 처리할 권한을 헌법에서 직접 위임되어 있으나, 단체위임사무 처리권한은 헌법에서 직접 위임하고 있지 않고 「지방자치법」 제13조에서 규정하고 있다.

> 헌법 제117조 ① 지방자치단체는 주민의 복리에 관한 사무를 처리하고 재산을 관리하며, 법령의 범위 안에서 자치에 관한 규정을 제정할 수 있다.
> 「지방자치법」 제13조 【지방자치단체의 사무범위】 ① 지방자치단체는 관할 구역의 자치사무와 법령에 따라 지방자치단체에 속하는 사무를 처리한다.
> ② 제1항에 따른 지방자치단체의 사무를 예시하면 다음 각 호와 같다. 다만, 법률에 이와 다른 규정이 있으면 그러하지 아니하다.
> 〈각 호 생략〉

08 정답 ②

ㄱ. [O] 지방자치단체는 그 조직을 구성할 권한, 즉 조직고권(자치조직권)을 가지고 있다 할 것이다. 이 조직고권은 지방자치단체가 자신의 조직을 자주적으로 정하는 권능으로서 자치행정을 실시하기 위한 행정조직을 국가의 간섭으로부터 벗어나 스스로 결정하는 권한을 말하고, 이러한 조직고권이 제도적으로 보장되지 않을 때에는 지방자치단체의 자치행정은 그 실현이 불가능하게 될 것이다(2008.6.26, 2005헌라7).

ㄴ. [X] 지방자치단체는 자치사법권을 가지지 못한다. 2011년 법원

ㄷ. [X] 헌법상 제도적으로 보장된 자치권 가운데에는 소속 공무원에 대한 인사와 처우를 스스로 결정하고 자치사무의 수행에 있어 다른 행정주체(특히 국가)로부터 합목적성에 관하여 명령·지시를 받지 않는 권한도 포함된다고 볼 수 있다. 다만, 지방자치의 본질상 자치행정에 대한 국가의 관여는 가능한 한 배제하는 것이 바람직하지만, 지방자치도 국가적 법질서의 테두리 안에서만 인정되는 것이고, 지방행정도 중앙행정과 마찬가지로 국가행정의 일부이므로, 지방자치단체가 어느 정도 국가적 감독, 통제를 받는 것은 불가피하다. 즉, 지방자치단체의 존재 자체를 부인하거나 각종 권한을 말살하는 것과 같이 그 본질적 내용을 침해하지 않는 한 법률에 의한 통제는 가능하다(2008.5.29, 2005헌라3).

ㄹ. [O] 헌법 제117조 제1항은 "지방자치단체는 주민의 복리에 관한 사무를 처리하고 재산을 관리하며, 법령의 범위 안에서 자치에 관한 규정을 제정할 수 있다."라고 규정하여 지방자치제도의 보장과 지방자치단체의 자치권을 규정하고 있다. 헌법이 규정하는 이러한 자치권 가운데에는 자치에 관한 규정을 스스로 제정할 수 있는 자치입법권은 물론이고 그밖에 그 소속 공무원에 대한 인사와 처우를 스

스로 결정하고 이에 관련된 예산을 스스로 편성하여 집행하는 권한이 성질상 당연히 포함된다. 다만, 이러한 헌법상의 자치권의 범위는 법령에 의하여 형성되고 제한된다(2002.10.31, 2001헌라1).

09 정답 ④

① [X] 지방자치단체의 자치권은 헌법상 보장을 받고 있으므로 비록 법령에 의하여 이를 제한하는 것이 가능하다고 하더라도 그 제한이 불합리하여 자치권의 본질을 훼손하는 정도에 이른다면 이는 헌법에 위반된다고 보아야 할 것이다(2002.10.31, 2002헌라2).

② [X] 이러한 지방자치제의 헌법적 보장은 국민주권의 기본원리에서 출발하여 주권의 지역적 주체인 주민에 의하여 자기통치를 실현하는 것으로 요약될 수 있고, 이러한 지방자치의 본질적이고 핵심적인 내용은 입법 기타 중앙정부의 침해로부터 보호되어야 한다는 것이 헌법상의 요청이기도 하다(2009.3.26, 2007헌마843).

③ [X] 지방자치단체의 자치권은 헌법상 보장을 받고 있으므로 비록 법령에 의하여 이를 제한하는 것이 가능하다고 하더라도 그 제한이 불합리하여 자치권의 본질을 훼손하는 정도에 이른다면 이는 헌법에 위반된다고 보아야 할 것이다(2002.10.31, 2002헌라2).

❹ [O] 헌법상 제도적으로 보장된 자치권 가운데에는 소속 공무원에 대한 인사와 처우를 스스로 결정하고 자치사무의 수행에 있어 다른 행정주체(특히 국가)로부터 합목적성에 관하여 명령·지시를 받지 않는 권한도 포함된다고 볼 수 있다. 다만, 지방자치의 본질상 자치행정에 대한 국가의 관여는 가능한 한 배제하는 것이 바람직하지만, 지방자치도 국가적 법질서의 테두리 안에서만 인정되는 것이고, 지방행정도 중앙행정과 마찬가지로 국가행정의 일부이므로, 지방자치단체가 어느 정도 국가적 감독, 통제를 받는 것은 불가피하다. 즉, 지방자치단체의 존재 자체를 부인하거나 각종 권한을 말살하는 것과 같이 그 본질적 내용을 침해하지 않는 한 법률에 의한 통제는 가능하다(2008.5.29, 2005헌라3).

10 정답 ①

❶ [X] 2019년 비상업무

> 「지방재정법」 제23조 【보조금의 교부】 ① 국가는 정책상 필요하다고 인정할 때 또는 지방자치단체의 재정 사정상 특히 필요하다고 인정할 때에는 예산의 범위에서 지방자치단체에 보조금을 교부할 수 있다.
> ② 특별시·광역시·특별자치시·도·특별자치도(이하 '시·도'라 한다)는 정책상 필요하다고 인정할 때 또는 시·군 및 자치구의 재정 사정상 특히 필요하다고 인정할 때에는 예산의 범위에서 시·군 및 자치구에 보조금을 교부할 수 있다.
> ③ 제1항 및 제2항에 따라 지방자치단체에 보조금을 교부할 때에는 법령이나 조례에서 정하는 경우와 국가정책상 부득이한 경우 외에는 재원 부담 지시를 할 수 없다.

② [O] 이상의 법리를 고려하면, 심판대상조항에도 불구하고 일정한 부과금은 지역축협에 대하여 여전히 부과될 수 있다. 심판대상조항의 입법취지, 적용범위, 요건을 고려하면, 심판대상조항이 지방자치단체의 자치수입권을 불합리하게 제한하여 자치수입권의 본질을 훼손하는 정도에 이른다고 볼 수 없다. 따라서 심판대상조항은 헌법 제117조 제1항에 위반되지 아니한다(2021.3.25, 2018헌바348).

③ [O] 심판대상조항의 입법연혁에 따르면, 부과금은 공과에서 조세를 제외한 개념임을 알 수 있다. 지역축산업협동조합을 육성하고 발전시키려는 심판대상조항의 입법취지를 고려한다면, 면제효과가 발생하는 대표적인 부과금은 지역축산업협동조합이 업무를 수행하거나 재산을 취득 또는 보유하는 과정에서 부과받는 부담금이 될 것이다. 부담금에 대한 일반법인 「부담금관리 기본법」 제2조, 제3조에 따라 지역축산업협동조합이 면제받을 수 있는 부담금을 파악할 수 있다. 그렇다면 심판대상조항 중 '조세 외의 부과금' 부분은 명확성원칙에 위반되지 아니한다(2021.3.25, 2018헌바348).

④ [O] 그중 자치재정권은 지방자치단체가 법령의 범위 내에서 수입과 지출을 자신의 책임하에 운영할 수 있는 권한으로서, 지방자치단체가 법령의 범위 내에서 국가의 지시를 받지 않고 자기책임하에 재정에 관한 사무를 스스로 관장할 수 있는 권한을 말한다. 자치재정권 중에서 자치수입권은 지방자치단체가 법령의 범위 내에서 자기책임하에 그에 허용된 수입원으로부터 수입정책을 결정할 수 있는 권한을 말하는데, 이에는 지방세, 분담금 등의 공과금을 부과·징수할 수 있는 권한 등이 포함된다. 그리고 자치지출권은 지방자치단체가 그의 재정수단을 예산의 범위 내에서 그의 업무수행을 위해 자기책임하에 지출 사용할 수 있는 권한을 말한다. 이러한 지방자치단체의 자치재정권은 절대적인 것은 아니고, 「지방세법」, 「지방재정법」, 「지방공기업법」 등 법률에 의하여 형성되고 제한을 받는 것이다(2010.10.28, 2007헌라4).

11 정답 ①

❶ [X]

> **헌법 제118조** ② 지방의회의 조직·권한·의원선거와 지방자치단체의 장의 선임방법 기타 지방자치단체의 조직과 운영에 관한 사항은 법률로 정한다.

② [O] 지방자치단체의 권한에 부정적인 영향을 주어서 법적으로 문제되는 경우에는 사실행위나 내부적인 행위도 권한쟁의심판의 대상이 되는 처분에 해당한다고 할 것이므로, 건설교통부장관의 이 사건 역명결정은 권한쟁의심판의 대상이 되는 처분에 해당한다(2006.3.30, 2003헌라2).

③ [O] 지방자치단체의 사무 중 국가가 지방자치단체의 장 등에게 위임한 기관위임사무는 그 처리의 효과가 국가에 귀속되는 국가의 사무로서 지방자치단체의 사무라 할 수 없고, 지방자치단체의 장은 기관위임사무의 집행권한과 관련된 범위에서는 그 사무를 위임한 국가기관의 지위에 서게 될 뿐 지방자치단체의 기관이 아니므로, 지방자치단체는 기관위임사무의 집행에 관한 권한의 존부 및 범위에 관한 권한분쟁을 이유로 기관위임사무를 집행하는 국가기관 또는 다른 지방자치단체의 장을 상대로 권한쟁의심판을 청구할 수 없다 할 것이다(2011.9.29, 2009헌라3).

④ [O] 2019.8.29, 2018헌마129

12 정답 ①

❶ [O] 헌법 제118조 제1항 및 제2항은 지방의회의 설치와 지방의회의원 선거를 규정함으로써 주민들이 지방의회의원을 선출할 수 있는 선거권 및 주민들이 지방의회의원이라는 선출직공무원에 취임할 수 있는 공무담임권을 기본권으로 보호하고 있다(2013.2.28, 2012헌마131).

② [X] 헌법 제118조는 제1항에서 "지방자치단체에 의회를 둔다."라는 규정을 두고, 제2항에서 "지방의회의 … 의원선거 … 에 관한 사항은 법률로 정한다."라고 함으로써 지방의회의원 선거권이 헌법상의 기본권임을 분명히 하고 있다(2007.6.28, 2004헌마644).

③ [X]

> **헌법 제117조** ② 지방자치단체의 종류는 법률로 정한다.
>
> **제118조** ② 지방의회의 조직·권한·의원선거와 지방자치단체의 장의 선임방법 기타 지방자치단체의 조직과 운영에 관한 사항은 법률로 정한다.

④ [X] 지방의회의원에 대해서는 헌법 제118조 제2항에서 "지방의회의 … 의원 '선거' … 에 관한 사항은 법률로 정한다."라고 하여 지방의회의원의 선출은 선거를 통해야 함을 천명하고 그 구체적인 방법이나 내용은 법률에 유보하여, 이러한 선거권이 헌법 제24조가 보장하는 기본권임을 분명히 하고 있다. 반면에 지방자치단체의 장에 대해서는 헌법 제118조 제2항에서 " … 지방자치단체의 장의 '선임방법' … 에 관한 사항은 법률로 정한다."라고만 규정하여 지방의회의원의 '선거'와는 문언상 구별하고 있으므로, 지방자치단체의 장 선거권이 헌법상 보장되는 기본권인지 여부가 문제된다(2016.10.27, 2014헌마797).

⑤ [X] 지방자치단체의 장 선거권을 지방의회의원 선거권, 나아가 국회의원 선거권 및 대통령 선거권과 구별하여 하나는 법률상의 권리로, 나머지는 헌법상의 권리로 이원화하는 것은 허용될 수 없다. 그러므로 지방자치단체의 장 선거권 역시 다른 선거권과 마찬가지로 헌법 제24조에 의해 보호되는 기본권으로 인정하여야 한다(2016.10.27, 2014헌마797).

13

정답 ①

❶ [○] 자치제도의 보장은 지방자치단체에 의한 자치행정을 일반적으로 보장한다는 것뿐이고 특정 자치단체의 존속을 보장한다는 것은 아니기 때문에, 지방자치단체의 중층구조 또는 지방자치단체로서 특별시·광역시 및 도와 함께 시·군 및 구를 계속하여 존속하도록 할지 여부는 입법자의 입법형성권에 속한다(2006.4.27, 2005헌마1190).

② [X] 헌법 제117조 제2항은 지방자치단체의 종류를 법률로 정하도록 규정하고 있을 뿐 지방자치단체의 종류 및 구조를 명시하고 있지 않으므로 이에 관한 사항은 기본적으로 입법자에게 위임된 것으로 볼 수 있다. 헌법상 지방자치제도 보장의 핵심영역 내지 본질적 부분이 특정 지방자치단체의 존속을 보장하는 것이 아니며 지방자치단체에 의한 자치행정을 일반적으로 보장하는 것이므로, 현행법에 따른 지방자치단체의 중층구조 또는 지방자치단체로서 특별시·광역시 및 도와 함께 시·군 및 구를 계속하여 존속하도록 할지 여부는 결국 입법자의 입법형성권의 범위에 들어가는 것으로 보아야 한다. 같은 이유로 일정 구역에 한하여 당해 지역 내의 지방자치단체인 시·군을 모두 폐지하여 중층구조를 단층화하는 것 역시 입법자의 선택범위에 들어가는 것이다(2006.4.27, 2005헌마1190).

③ [X] 헌법 제117조 제2항은 지방자치단체의 종류를 법률로 정하도록 규정하고 있을 뿐 지방자치단체의 종류 및 구조를 명시하고 있지 않으므로 이에 관한 사항은 기본적으로 입법자에게 위임된 것으로 볼 수 있다. 헌법상 지방자치제도 보장의 핵심영역 내지 본질적 부분이 특정 지방자치단체의 존속을 보장하는 것이 아니며 지방자치단체에 의한 자치행정을 일반적으로 보장하는 것이므로, 현행법에 따른 지방자치단체의 중층구조 또는 지방자치단체로서 특별시·광역시 및 도와 함께 시·군 및 구를 계속하여 존속하도록 할지 여부는 결국 입법자의 입법형성권의 범위에 들어가는 것으로 보아야 한다. 같은 이유로 일정 구역에 한하여 당해 지역 내의 지방자치단체인 시·군을 모두 폐지하여 중층구조를 단층화하는 것 역시 입법자의 선택범위에 들어가는 것이다(2006.4.27, 2005헌마1190).

④ [X] 헌법 제117조 제2항은 지방자치단체의 종류를 법률로 정하도록 규정하고 있을 뿐 지방자치단체의 종류 및 구조를 명시하고 있지 않으므로 이에 관한 사항은 기본적으로 입법자에게 위임된 것으로 볼 수 있다. 헌법상 지방자치제도 보장의 핵심영역 내지 본질적 부분이 특정 지방자치단체의 존속을 보장하는 것이 아니며 지방자치단체에 의한 자치행정을 일반적으로 보장하는 것이므로, 현행법에 따른 지방자치단체의 중층구조 또는 지방자치단체로서 특별시·광역시 및 도와 함께 시·군 및 구를 계속하여 존속하도록 할지 여부는 결국 입법자의 입법형성권의 범위에 들어가는 것으로 보아야 한다. 같은 이유로 일정 구역에 한하여 당해 지역 내의 지방자치단체인 시·군을 모두 폐지하여 중층구조를 단층화하는 것 역시 입법자의 선택범위에 들어가는 것이다(2006.4.27, 2005헌마1190).

14

정답 ③

① [○] 헌법상 지방자치제도 보장의 핵심영역 내지 본질적 부분이 지방자치단체에 의한 자치행정을 일반적으로 보장하는 것이라면, 현행법에 따른 지방자치단체의 중층구조 또는 지방자치단체로서 특별시·광역시 및 도와 함께 시·군 및 구를 계속하여 존속하도록 할지 여부는 결국 입법자의 입법형성권의 범위에 들어가는 것으로 보아야 한다. 같은 이유로 일정 구역에 한하여 모든 자치단체를 전면적으로 폐지하거나 지방자치단체인 시·군이 수행해 온 자치사무를 국가의 사무로 이관하는 것이 아니라 당해 지역 내의 지방자치단체인 시·군을 모두 폐지하여 중층구조를 단층화하는 것 역시 입법자의 선택범위에 들어가는 것이다(2006.4.27, 2005헌마1190).

② [○] 지방자치단체의 종류는 법률로 정하도록 되어 있으므로 기초자치단체를 폐지할 수 있고 광역자치단체 폐지할 수도 있으나, 헌법 제118조 제1항상 지방자치단체가 있다면 반드시 의회를 둬야 하므로 법률로 지방의회를 폐지할 수 없다.

> **헌법 제117조** ② 지방자치단체의 종류는 법률로 정한다.
>
> **제118조** ① 지방자치단체에 의회를 둔다.

❸ [X] 헌법 제117조 제1항에 의해 지방자치단체에게 보장된 지방자치권은 절대적인 것이 아니고 법령에 의하여 형성되는 것이므로, 입법자는 지방자치에 관한 사항을 형성하면서 지방자치단체의 지방자치권을 제한할 수 있다. 그러나 법령에 의하여 지방자치단체의 지방자치권을 제한하는 것이 가능하다고 하더라도, 지방자치단체의 존재 자체를 부인하거나 각종 권한을 말살하는 것과 같이 그 제한이 불합리하여 지방자치권의 본질적인 내용을 침해하여서는 아니 된다. 국회의 입법에 의하여 지방자치권이 침해되었는지 여부를 심사함에 있어서는 지방자치권의 본질적 내용이 침해되었는지 여부만을 심사하면 족하고, 기본권침해를 심사하는 데 적용되는 과잉금지원칙이나 평등원칙 등을 적용할 것은 아니다(2010.10.28, 2007헌라4).

④ [○] 헌법 제118조 제1항은 지방자치단체에 지방의회를 둔다고 규정하고 있으므로 지방의회를 폐지하려면 헌법을 개정해야 한다.

15 정답 ③

ㄱ. [X] 2014년 서울 7급

「지방자치법」 제3조 【지방자치단체의 법인격과 관할】 ① 지방자치단체는 법인으로 한다.

ㄴ. [X] 시·군·구는 기초지방자치단체이고 특별시, 광역시, 도는 광역지방자치단체이다. 2020년 국회 9급

「지방자치법」 제2조 【지방자치단체의 종류】 ① 지방자치단체는 다음의 두 가지 종류로 구분한다.
1. 특별시, 광역시, 특별자치시, 도, 특별자치도
2. 시, 군, 구

ㄷ. [O] 주민투표 실시에 관한 「지방자치법」 제13조의2는 규정문언상 임의규정으로 되어 있고, 실시 여부도 지방자치단체의 장의 재량사항으로 되어 있으며 아직 「주민투표법」이 제정되지도 아니하였으며, 주민투표절차는 위에서 살펴본 바와 같이 청문절차의 일환이고 그 결과에 구속적 효력이 없다. 따라서 이 사건 법률의 제정과정에서 주민투표를 실시하지 아니하였다고 하여 적법절차원칙을 위반하였다고는 할 수 없다(1994.12.29, 94헌마201).

ㄹ. [O] 특히 지방자치단체의 폐지와 관련한 입법절차에 청문절차가 요구되는 것은 입법자가 공공복리를 이유로 지방자치단체의 폐지결정을 내리기 전에 일반적으로 상반되는 이익들 간의 형량이 선행되어야 하고 이러한 이익형량은 이해관계자들의 참여 없이는 적정하게 이루어질 수 없기 때문이다. 국회는 이러한 절차를 통하여 비로소 자신의 결정에 앞서 중요한 사항들에 관한 포괄적이고 신빙성 있는 지식을 얻게 되는 것이다. 그러므로 자치단체의 폐지에 대한 이해관계자들의 참여 즉, 의견개진의 기회부여는 문제가 된 사항의 본질적 내용과 그 근거에 관하여 이해관계인에게 고지하고 그에 관한 의견의 진술기회를 부여함으로써 그 진술된 의견이 국회에 입법자료를 제공하는 기능을 하도록 하면 족하며, 입법자가 그 의견에 반드시 구속되는 것으로 볼 수는 없다(2006.4.27, 2005헌마1190). 2013년 사시

ㅁ. [O] 지방자치단체의 폐치·분합에 관한 것은 지방자치단체의 자치행정권 중 지역고권의 보장 문제이나, 대상지역 주민들은 그로 인하여 인간다운 생활공간에서 살 권리, 평등권, 정당한 청문권, 거주이전의 자유, 선거권, 공무담임권, 인간다운 생활을 할 권리, 사회보장·사회복지수급권 및 환경권 등을 침해받게 될 수도 있다는 점에서 기본권과도 관련이 있어 헌법소원의 대상이 될 수 있다(1994.12.29, 94헌마201).

ㅂ. [X] 지방자치단체를 폐치·분합하는 법률은 헌법 제10조의 인간의 존엄과 가치 및 행복추구권에서 파생되는 인간다운 생활공간에서 살 권리, 헌법 제11조의 평등권, 헌법 제12조의 적법절차 보장에서 파생되는 정당한 청문권, 헌법 제24조, 제25조의 선거권, 공무담임권을 침해할 수 있으므로 기본권 관련성이 인정된다(1994.12.29, 94헌마201).

16 정답 ④

① [X] 기초자치단체의 명칭변경도 법률로 정한다.

② [X]

「지방자치법」 제5조 【지방자치단체의 명칭과 구역】 ① 지방자치단체의 명칭과 구역은 종전과 같이 하고, 명칭과 구역을 바꾸거나 지방자치단체를 폐지하거나 설치하거나 나누거나 합칠 때에는 법률로 정한다.
② 제1항에도 불구하고 지방자치단체의 구역변경 중 관할 구역 경계변경(이하 '경계변경'이라 한다)과 지방자치단체의 한자 명칭의 변경은 대통령령으로 정한다. 이 경우 경계변경의 절차는 제6조에서 정한 절차에 따른다.
③ 다음 각 호의 어느 하나에 해당할 때에는 관계 지방의회의 의견을 들어야 한다. 다만, 「주민투표법」 제8조에 따라 주민투표를 한 경우에는 그러하지 아니하다.
1. 지방자치단체를 폐지하거나 설치하거나 나누거나 합칠 때
2. 지방자치단체의 구역을 변경할 때(경계변경을 할 때는 제외한다)
3. 지방자치단체의 명칭을 변경할 때(한자 명칭을 변경할 때를 포함한다)

③ [X] 일정 구역에 한하여 당해 지역 내의 지방자치단체인 시·군을 모두 폐지하여 중층구조를 단층화하는 것 역시 입법자의 선택범위에 들어가는 것이다(2006.4.27, 2005헌마1190).

❹ [O] 행정구 주민이 지방자치단체로서의 행정구 대표자를 선출할 수 없다고 하더라도, 여전히 기초지방자치단체인 시와 광역자치단체인 도의 대표자 선출에 참여할 수 있어, 행정구에서도 지방자치행정에 대한 주민참여가 제도적으로 동일하게 유지되고 있다. 따라서 임명조항이 주민들의 민주적 요구를 수용하는 지방자치제와 민주주의의 본질과 정당성을 훼손할 위험이 있다고 단정할 수 없다. 인구가 적거나 비슷한 다른 기초자치단체 주민에 비하여, 행정구에 거주하는 청구인이 행정구의 구청장이나 구의원을 선출하지 못하는 차이가 있지만, 이러한 차별취급이 자의적이거나 불합리하다고 보기 어려우므로, 임명조항은 행정구 주민의 평등권을 침해하지 아니한다(2019.8.29, 2018헌마129).

17 정답 ①

❶ [O] 헌법은 지방자치단체의 종류와 단계를 입법자의 광범위한 형성에 맡기고 있고, 기초자치단체가 성립하는 면적이나 인구 등의 규모에 대하여 규정하고 있지 않다. 일정한 인구 이상의 주민이 거주하는 행정구가 지방자치단체의 지위를 가지게 된다면, 주민자치와 통제를 통한 책임행정이라는 민주주의의 실현과 주민 선호의 특성에 따른 대응이 가능해지는 긍정적인 면을 상정할 수 있다. 반면 지방자치단체가 구, 시, 도라는 3단계 구조가 됨에 따라, 시 및 이웃 구와의 협력관계 약화, 시와 구의 중복행정, 구 사이 재정자립도 차이에 따른 행정서비스 불균형 등의 비효율성도 나타날 수 있다. 행정구의 경우 기초자치단체인 시 관할 구역 안에 있는 것을 감안하여 지방자치단체의 지위를 부여하지 않고, 현행 지방자치의 일반적인 모습인 2단계 지방자치단체의 구조를 형성한 입법자의 선택이 현저히 자의적이라고 보기 어렵다(2019.8.29, 2018헌마129).

② [X] ③ [X]

「지방자치법」 제5조 【지방자치단체의 명칭과 구역】 ① 지방자치단체의 명칭과 구역은 종전과 같이 하고, 명칭과 구역을 바꾸거나 지방자치단체를 폐지하거나 설치하거나 나누거나 합칠 때에는 법률로 정한다.
② 제1항에도 불구하고 지방자치단체의 구역변경 중 관할 구역 경계변경(이하 '경계변경'이라 한다)과 지방자치단체의 한자 명칭의 변경은 대통령령으로 정한다. 이 경우 경계변경의 절차는 제6조에서 정한 절차에 따른다.

④ [X]

> 「지방자치법」 제5조 【지방자치단체의 명칭과 구역】 ③ 다음 각 호의 어느 하나에 해당할 때에는 관계 지방의회의 의견을 들어야 한다. 다만, 「주민투표법」 제8조에 따라 주민투표를 한 경우에는 그러하지 아니하다.
> 1. 지방자치단체를 폐지하거나 설치하거나 나누거나 합칠 때
> 2. 지방자치단체의 구역을 변경할 때(경계변경을 할 때는 제외한다)
> 3. 지방자치단체의 명칭을 변경할 때(한자 명칭을 변경할 때를 포함한다)

18

정답 ②

① [O] 「지방자치법」 제4조 제1항에 규정된 지방자치단체의 구역은 주민·자치권과 함께 자치단체의 구성요소이고, 자치권이 미치는 관할 구역의 범위에는 육지는 물론 바다도 포함되므로, 공유수면에 대해서도 지방자치단체의 자치권한이 미친다(2015.7.30, 2010헌라2). 2010년 사시, 2017년 변시, 2018년 비상업무

❷ [X] 국가가 영토고권을 가지는 것과 마찬가지로, 지방자치단체에게 자신의 관할 구역 내에 속하는 영토, 영해, 영공을 자유로이 관리하고 관할 구역 내의 사람과 물건을 독점적, 배타적으로 지배할 수 있는 권리가 부여되어 있다고 할 수는 없다(2006.3.30, 2003헌라2).

③ [O] 지금까지 우리 법체계에서는 공유수면의 행정구역 경계에 관한 명시적인 법령상의 규정이 존재한 바 없으므로, 공유수면에 대한 행정구역 경계가 불문법상으로 존재한다면 그에 따라야 한다. 그리고 만약 해상경계에 관한 불문법도 존재하지 않으면, 주민, 구역과 자치권을 구성요소로 하는 지방자치단체의 본질에 비추어 지방자치단체의 관할 구역에 경계가 없는 부분이 있다는 것을 상정할 수 없으므로, 헌법재판소가 지리상의 자연적 조건, 관련 법령의 현황, 연혁적인 상황, 행정권한 행사 내용, 사무 처리의 실상, 주민의 사회·경제적 편익 등을 종합하여 형평의 원칙에 따라 합리적이고 공평하게 해상경계선을 획정할 수밖에 없다(2015.7.30, 2010헌라2).

④ [O] 지방자치단체 사이의 불문법상 해상경계가 성립하기 위해서는 관계 지방자치단체·주민들 사이에 해상경계에 관한 일정한 관행이 존재하고, 그 해상경계에 관한 관행이 장기간 반복되어야 하며, 그 해상경계에 관한 관행을 법규범이라고 인식하는 관계 지방자치단체·주민들의 법적 확신이 있어야 한다. 국가기본도에 표시된 해상경계선은 그 자체로 불문법상 해상경계선으로 인정되는 것은 아니나, 관할 행정청이 국가기본도에 표시된 해상경계선을 기준으로 하여 과거부터 현재에 이르기까지 반복적으로 처분을 내리고, 지방자치단체가 허가, 면허 및 단속 등의 업무를 지속적으로 수행하여 왔다면 국가기본도상의 해상경계선은 여전히 지방자치단체 관할 경계에 관하여 불문법으로서 그 기준이 될 수 있다(2021.2.25, 2015헌라7).

19

정답 ③

① [X] 공유수면의 매립은 막대한 사업비와 장기간의 시간 등이 투입될 뿐 아니라 해당 해안지역의 갯벌 등 가치 있는 자연자원의 상실 내지 환경의 파괴를 동반하는 등 국가 전체적으로 중대한 영향을 미치는 사업이고, 일반적으로 공유수면은 인근 어민의 어업활동에 이용되는 반면, 매립지는 주체와 목적이 명확하게 정해져 있어 매립지의 이용은 그 구체적인 내용에 있어서도 상당히 다르다. 따라서 공유수면의 경계를 그대로 매립지의 '종전' 경계로 인정하기는 어렵다(2020.7.16, 2015헌라3).

② [X] 개정 「지방자치법」의 취지와 공유수면과 매립지의 성질상 차이 등을 종합하여 볼 때, 신생 매립지는 개정 「지방자치법」 제4조 제3항에 따라 같은 조 제1항이 처음부터 배제되어 종전의 관할 구역과의 연관성이 단절되고, 행정안전부장관의 결정이 확정됨으로써 비로소 관할 지방자치단체가 정해지며, 그 전까지 해당 매립지는 어느 지방자치단체에도 속하지 않는다 할 것이다. 그렇다면 이 사건 매립지의 매립 전 공유수면에 대한 관할권을 가졌을 뿐인 청구인들이, 그 후 새로이 형성된 이 사건 매립지에 대해서까지 어떠한 권한을 보유하고 있다고 볼 수 없으므로, 이 사건에서 청구인들의 자치권한이 침해되거나 침해될 현저한 위험이 있다고 보기는 어렵다(2020.7.16, 2015헌라3).

❸ [O]

> 「지방자치법」 제5조 【지방자치단체의 명칭과 구역】 ④ 제1항 및 제2항에도 불구하고 다음 각 호의 지역이 속할 지방자치단체는 제5항부터 제8항까지의 규정에 따라 행정안전부장관이 결정한다.
> 1. 「공유수면 관리 및 매립에 관한 법률」에 따른 매립지
> 2. 「공간정보의 구축 및 관리 등에 관한 법률」 제2조 제19호의 지적공부에 등록이 누락된 토지

④ [X]

> 「지방자치법」 제5조 【지방자치단체의 명칭과 구역】 ⑨ 관계 지방자치단체의 장은 제4항부터 제7항까지의 규정에 따른 행정안전부장관의 결정에 이의가 있으면 그 결과를 통보받은 날부터 15일 이내에 대법원에 소송을 제기할 수 있다.

20

정답 ④

① [X] 고속도로의 건설이나 그 역의 명칭결정과 같은 일은 국가의 사무임이 명백하고, 국가의 사무에 대하여는 지방자치단체의 주민들이 자치권 또는 주민권을 내세워 다툴 수 없다고 할 것이다. 즉 청구인들이 주장하는 지방자치단체 주민으로서의 자치권 또는 주민권은 '헌법에 의하여 직접 보장된 개인의 주관적 공권'이 아니어서, 그 침해를 이유로 헌법소원심판을 청구할 수 없다(2006.3.30, 2003헌마837).

② [X] 우리 헌법은 법률이 정하는 바에 따른 '선거권'과 '공무담임권' 및 국가안위에 관한 중요정책과 헌법개정에 대한 '국민투표권'만을 헌법상의 참정권으로 보장하고 있으므로, 지방자치법 제13조의2에서 규정한 주민투표권은 그 성질상 선거권, 공무담임권, 국민투표권과 전혀 다른 것이어서 이를 법률이 보장하는 참정권이라고 할 수 있을지언정 헌법이 보장하는 참정권이라고 할 수는 없다(2001.6.28, 2000헌마735). 2015년 사시

③ [X] 구 「지방자치법」은 주민에게 주민투표권(제13조의2)과 조례의 제정 및 개폐청구권(제13조의3) 및 감사청구권(제13조의4)을 부여함으로써 주민이 지방자치사무에 직접 참여할 수 있는 길을 열어 놓고 있다. 그렇지만 이러한 제도는 어디까지나 입법에 의하여 채택된 것일 뿐, 헌법이 이러한 제도의 도입을 보장하고 있는 것은 아니고, 조례제정·개폐청구권을 주민들의 지역에 관한 의사결정에 참여에 관한 권리 내지 주민발안권으로 이해하더라도 이러한 권리를 헌법이 보장하는 기본권인 참정권이라고 할 수는 없다(2001.6.28, 2000헌마735).

❹ [O] 「지방자치법」은 지방의회와 지방자치단체의 장에게 독자적 권한을 부여하고 상호 견제와 균형을 이루도록 하고 있으므로, 법률에 특별한 규정이 없는 한 조례로써 견제의 범위를 넘어서 고유권한을 침해하는 규정을 둘 수 없다 할 것인바, 위 「지방자치법」 제13조

의2 제1항에 의하면, 주민투표의 대상이 되는 사항이라 하더라도 주민투표의 시행 여부는 지방자치단체의 장의 임의적 재량에 맡겨져 있음이 분명하므로, 지방자치단체의 장의 재량으로서 투표 실시 여부를 결정할 수 있도록 한 법규정에 반하여 지방의회가 조례로 정한 특정한 사항에 관하여는 일정한 기간 내에 반드시 투표를 실시하도록 규정한 조례안은 지방자치단체의 장의 고유권한을 침해하는 규정이다(대판 2002.4.26, 2002추23). 2016년 법행

12회 진도별 모의고사

지방자치단체

정답

01	④	02	③	03	②	04	②
05	③	06	③	07	④	08	④
09	③	10	③	11	①	12	④
13	②	14	④	15	①	16	①
17	③	18	②	19	①	20	①

01 정답 ④

① [X] 「지방자치법」 제13조의2가 주민투표의 법률적 근거를 마련하면서, 주민투표에 관련된 구체적 절차와 사항에 관하여는 따로 법률로 정하도록 하였다고 하더라도 주민투표에 관련된 구체적인 절차와 사항에 대하여 입법하여야 할 헌법상 의무가 국회에게 발생하였다고 할 수는 없다(2001.6.28, 2000헌마735).

② [X] 주민투표권은 헌법상 보호되는 기본권이 아니라 법률이 보장하는 권리이므로, 심판대상조항이 청구인의 평등권을 침해하는지에 대한 판단은 투표일 전 19일 이전에 전입신고한 자와 투표일 전 19일 이후에 전입신고한 자를 차별취급하는 것에 합리적 이유가 있는지에 대한 심사로 충분한데, 투표인명부가 확정되기 위해서는 투표인명부 작성 5일, 투표인명부 열람 3일, 이의신청에 대한 결정 1일, 불복신청 1일, 불복신청에 대한 결정 1일 등 합계 11일과 이의신청 및 불복신청에 대한 결정의 통지기간이 필요하고, 확정된 투표인명부는 8일간 인터넷 홈페이지에서 확인될 수 있도록 하여야 하므로, 법령에서 정한 절차를 모두 거치기 위해서는 최소한 19일의 기간이 필요하다. 따라서 투표인명부 작성기준일을 투표일 전 19일로 정한 것은 합리적인 이유가 있으므로 심판대상조항은 청구인의 평등권을 침해한다고 볼 수 없다(2013.7.25, 2011헌마676).

③ [X] 지방자치단체의 주요결정사항에 관한 주민투표와 국가정책사항에 관한 주민투표 사이의 본질적인 차이를 감안하여, 이 사건 법률조항에 의하여 지방자치단체의 주요결정사항에 관한 주민투표와는 달리 주민투표소송의 적용을 배제하고 있는 것이므로, 이 사건 법률조항이 현저히 불합리하게 입법재량의 범위를 벗어나 청구인들의 주민투표소송 등 재판청구권을 침해하였다고 보기는 어렵다. 또한 이 사건 법률조항이 국가정책에 관한 주민투표의 경우에 주민투표소송을 배제함으로써 지방자치단체의 주요결정사항에 관한 주민투표의 경우와 달리 취급하였다 하더라도, 이는 양자 사이의 본질적인 차이를 감안한 것으로서 입법자의 합리적인 입법형성의 영역 내의 것이라 할 것이고, 따라서 자의적인 차별이라고는 보기 어려우므로, 이 사건 법률조항이 청구인들의 평등권을 침해한다고 볼 수 없다(2009.3.26, 2006헌마99).

❹ [O] 중앙행정기관의 장은 제8조의 주민투표의 실시 여부 및 구체적 실시구역에 관해 상당한 범위의 재량을 가진다고 볼 수 있다. 이를 감안할 때, 실시요구를 받은 지방자치단체 내지 지방자치단체장으로서는 주민투표 발의에 관한 결정권한, 의회의 의견표명을 비롯하여 투표 시행에 관련되는 권한을 가지게 된다고 하더라도, 나아가 지방자치단체가 중앙행정기관장으로부터 제8조의 주민투표 실시요구를 받지 않은 상태에서 일정한 경우 중앙행정기관에게 실시요구를 해 줄 것을 요구할 수 있는 권한까지 가지고 있다고 보기는 어렵다. 그렇다면 주민투표법 제8조의 주민투표 실시가 자치사무인지 여부를 떠나 피청구인 행정자치부장관이 청구인들에게 주민투표 실시요구를 하지 않은 상태에서 청구인들에게 실시권한이 발생하였다고 볼 수는 없다(2005.12.22, 2005헌라5).

02 정답 ③

① [X]

> 「주민투표법」 제8조 【국가정책에 관한 주민투표】 ① 중앙행정기관의 장은 지방자치단체를 폐지하거나 설치하거나 나누거나 합치는 경우 또는 지방자치단체의 구역을 변경하거나 주요시설을 설치하는 등 국가정책의 수립에 관하여 주민의 의견을 듣기 위하여 필요하다고 인정하는 때에는 주민투표의 실시구역을 정하여 관계 지방자치단체의 장에게 주민투표의 실시를 요구할 수 있다. 이 경우 중앙행정기관의 장은 미리 행정안전부장관과 협의하여야 한다.
> ② 지방자치단체의 장은 제1항의 규정에 의하여 주민투표의 실시를 요구받은 때에는 지체 없이 이를 공표하여야 하며, 공표일부터 30일 이내에 그 지방의회의 의견을 들어야 한다.
> ③ 제2항의 규정에 의하여 지방의회의 의견을 들은 지방자치단체의 장은 그 결과를 관계 중앙행정기관의 장에게 통지하여야 한다.

② [X] 주민투표를 실시하고자 하는 때에는 그 지방의회 재적의원 과반수의 출석과 출석의원 과반수의 동의를 얻어야 한다(「주민투표법」 제9조 제6항).

❸ [O] 2019년 비상업무

> 「주민투표법」 제9조 【주민투표의 실시요건】 ⑤ 지방의회는 재적의원 과반수의 출석과 출석의원 3분의 2 이상의 찬성으로 그 지방자치단체의 장에게 주민투표의 실시를 청구할 수 있다.

④ [X]

> 「주민투표법」 제9조 【주민투표의 실시요건】 ② 18세 이상 주민 중 제5조 제1항 각 호의 어느 하나에 해당하는 사람(같은 항 각 호 외의 부분 단서에 따라 주민투표권이 없는 자는 제외한다. 이하 '주민투표청구권자'라 한다)은 주민투표청구권자 총수의 20분의 1 이상 5분의 1 이하의 범위 안에서 지방자치단체의 조례로 정하는 수 이상의 서명으로 그 지방자치단체의 장에게 주민투표의 실시를 청구할 수 있다.

03 정답 ②

ㄱ. [X] 주민투표의 대상, 발의자, 발의요건은 「주민투표법」에 규정되어 있다.

> 「지방자치법」 제18조 【주민투표】 ② 주민투표의 대상·발의자·발의요건, 그 밖에 투표절차 등에 관한 사항은 따로 법률로 정한다.

ㄴ. [X] 지방자치단체장은 투표운동을 할 수 없으나, 지방의원은 투표운동을 할 수 있다.

「주민투표법」 제21조 【투표운동기간 및 투표운동을 할 수 없는 자】
② 다음 각 호의 어느 하나에 해당하는 자는 투표운동을 할 수 없다.
1. 주민투표권이 없는 자
2. 공무원(그 지방의회의 의원을 제외한다)

ㄷ. [O]

「주민투표법」 제7조 【주민투표의 대상】 ① 주민에게 과도한 부담을 주거나 중대한 영향을 미치는 지방자치단체의 주요결정사항으로서 그 지방자치단체의 조례로 정하는 사항은 주민투표에 부칠 수 있다.
② 제1항의 규정에 불구하고 다음 각 호의 사항은 이를 주민투표에 부칠 수 없다.
1. 법령에 위반되거나 재판 중인 사항
2. 국가 또는 다른 지방자치단체의 권한 또는 사무에 속하는 사항
3. 지방자치단체가 수행하는 다음 각 목의 어느 하나에 해당하는 사무의 처리에 관한 사항
가. 예산 편성·의결 및 집행
나. 회계·계약 및 재산관리
3의2. 지방세·사용료·수수료·분담금 등 각종 공과금의 부과 또는 감면에 관한 사항
4. 행정기구의 설치·변경에 관한 사항과 공무원의 인사·정원 등 신분과 보수에 관한 사항
5. 다른 법률에 의하여 주민대표가 직접 의사결정주체로서 참여할 수 있는 공공시설의 설치에 관한 사항. 다만, 제9조 제5항의 규정에 의하여 지방의회가 주민투표의 실시를 청구하는 경우에는 그러하지 아니하다.
6. 동일한 사항(그 사항과 취지가 동일한 경우를 포함한다)에 대하여 주민투표가 실시된 후 2년이 경과되지 아니한 사항

ㄹ. [O]

「주민투표법」 제5조 【주민투표권】 ① 18세 이상의 주민 중 제6조 제1항에 따른 투표인명부 작성기준일 현재 다음 각 호의 어느 하나에 해당하는 사람에게는 주민투표권이 있다. 다만, 「공직선거법」 제18조에 따라 선거권이 없는 사람에게는 주민투표권이 없다.
1. 그 지방자치단체의 관할 구역에 주민등록이 되어 있는 사람
2. 출입국관리 관계 법령에 따라 대한민국에 계속 거주할 수 있는 자격(체류자격변경허가 또는 체류기간연장허가를 통하여 계속 거주할 수 있는 경우를 포함한다)을 갖춘 외국인으로서 지방자치단체의 조례로 정한 사람

ㅁ. [X]

「주민투표법」 제25조 【주민투표소송 등】 ① 주민투표의 효력에 관하여 이의가 있는 주민투표권자는 주민투표권자 총수의 100분의 1 이상의 서명으로 제24조 제3항에 따라 주민투표 결과가 공표된 날부터 14일 이내에 관할 선거관리위원회 위원장을 피소청인으로 하여 시·군·구의 경우에는 시·도 선거관리위원회에, 시·도의 경우에는 중앙선거관리위원회에 소청할 수 있다.
② 소청인은 제1항에 따른 소청에 대한 결정에 불복하려는 경우 관할 선거관리위원회 위원장을 피고로 하여 그 결정서를 받은 날(결정서를 받지 못한 때에는 결정기간이 종료된 날을 말한다)부터 10일 이내에 시·도의 경우에는 대법원에, 시·군·구의 경우에는 관할 고등법원에 소를 제기할 수 있다.

04 정답 ②

① [X] 주민투표에 부쳐진 사항은 주민투표권자 총수의 4분의 1 이상의 투표와 유효투표수 과반수의 득표로 확정된다(「주민투표법」 제24조 제1항 본문).

❷ [O]

「주민투표법」 제24조 【주민투표결과의 확정】 ① 주민투표에 부쳐진 사항은 주민투표권자 총수의 4분의 1 이상의 투표와 유효투표수 과반수의 득표로 확정된다. 다만, 다음 각 호의 어느 하나에 해당하는 경우에는 찬성과 반대 양자를 모두 수용하지 아니하거나, 양자택일의 대상이 되는 사항 모두를 선택하지 아니하기로 확정된 것으로 본다.
1. 전체 투표수가 주민투표권자 총수의 4분의 1에 미달되는 경우
2. 주민투표에 부쳐진 사항에 관한 유효득표수가 동수인 경우
⑤ 지방자치단체의 장 및 지방의회는 주민투표 결과 확정된 내용대로 행정·재정상의 필요한 조치를 하여야 한다.
⑥ 지방자치단체의 장 및 지방의회는 주민투표 결과 확정된 사항에 대하여 2년 이내에는 이를 변경하거나 새로운 결정을 할 수 없다. 다만, 제1항 단서의 규정에 의하여 찬성과 반대 양자를 모두 수용하지 아니하거나 양자택일의 대상이 되는 사항 모두를 선택하지 아니하기로 확정된 때에는 그러하지 아니하다.

③ [X] 지방자치단체의 결정사항에 대한 주민투표의 경우, 지방자치단체의 장 및 지방의회는 주민투표 결과에 구속되고, 주민투표 결과에 의하여 확정된 내용대로 행정·재정상의 필요한 조치를 하여야 할 법적인 의무를 부담하며(「주민투표법」 제24조 제5항), 주민투표로 확정된 사항에 대하여 2년 이내에는 이를 변경하거나 새로운 결정을 할 수 없다(2007.6.28, 2004헌마643).

④ [X] 지방자치단체의 결정사항에 대한 주민투표는 법적 구속력이 있으므로 주민투표 결과에 의하여 확정된 내용대로 행정·재정상 필요한 조치를 취할 의무를 부담하나, 국가정책에 관한 주민투표는 경우는 법적 구속력이 인정되지 아니하므로 이에 따른 행정·재정상의 필요한 조치를 취할 의무는 없다.

관련 판례 국가정책에 관한 주민투표에 대하여는 그 실시 여부 및 구체적 실시구역에 관하여 중앙행정기관의 장에게 상당한 범위의 재량을 인정하고(제8조 제1항), 그 주민투표 결과에 대해서도 법적 구속력을 인정하지 않고 단순한 자문적인 주민의견 수렴절차에 그치도록 하고 있다(2007.6.28, 2004헌마643).

05 정답 ③

① [O]

「주민조례발안에 관한 법률」 제2조 【주민조례청구권자】 18세 이상의 주민으로서 다음 각 호의 어느 하나에 해당하는 사람(「공직선거법」 제18조에 따른 선거권이 없는 사람은 제외한다. 이하 '청구권자'라 한다)은 해당 지방자치단체의 의회(이하 '지방의회'라 한다)에 조례를 제정하거나 개정 또는 폐지할 것을 청구(이하 '주민조례청구'라 한다)할 수 있다.
1. 해당 지방자치단체의 관할 구역에 주민등록이 되어 있는 사람

② [O]

「주민조례발안에 관한 법률」 제2조 【주민조례청구권자】 18세 이상의 주민으로서 다음 각 호의 어느 하나에 해당하는 사람(「공직선거법」 제18조에 따른 선거권이 없는 사람은 제외한다. 이하 '청구권자'라 한다)은 해당 지방자치단체의 의회(이하 '지방의회'라 한다)에 조례를 제정하거나 개정 또는 폐지할 것을 청구(이하 '주민조례청구'라 한다)할 수 있다.
2. 「출입국관리법」 제10조에 따른 영주할 수 있는 체류자격 취득일 후 3년이 지난 외국인으로서 같은 법 제34조에 따라 해당 지방자치단체의 외국인등록대장에 올라 있는 사람

❸ [X]

「주민조례발안에 관한 법률」 제2조 【주민조례청구권자】 18세 이상의 주민으로서 다음 각 호의 어느 하나에 해당하는 사람(「공직선거법」 제18조에 따른 선거권이 없는 사람은 제외한다. 이하 '청구권자'라 한다)은 해당 지방자치단체의 의회(이하 '지방의회'라 한다)에 조례를 제정하거나 개정 또는 폐지할 것을 청구(이하 '주민조례청구'라 한다)할 수 있다.

④ [O]

「주민조례발안에 관한 법률」 제4조 【주민조례청구 제외대상】 다음 각 호의 사항은 주민조례청구 대상에서 제외한다.
1. 법령을 위반하는 사항
2. 지방세·사용료·수수료·부담금을 부과·징수 또는 감면하는 사항
3. 행정기구를 설치하거나 변경하는 사항
4. 공공시설의 설치를 반대하는 사항

06 정답 ③

① [X]

「주민조례발안에 관한 법률」 제5조 【주민조례청구요건】 ① 청구권자가 주민조례청구를 하려는 경우에는 다음 각 호의 구분에 따른 기준 이내에서 해당 지방자치단체의 조례로 정하는 청구권자 수 이상이 연대 서명하여야 한다.
1. 특별시 및 인구 800만 이상의 광역시·도: 청구권자 총수의 200분의 1

② [X]

「주민조례발안에 관한 법률」 제12조 【청구의 수리 및 각하】 ③ 지방의회의 의장은 「지방자치법」 제76조 제1항에도 불구하고 이 조 제1항에 따라 주민조례청구를 수리한 날부터 30일 이내에 지방의회의 의장 명의로 주민청구조례안을 발의하여야 한다.

❸ [O]

「주민조례발안에 관한 법률」 제13조 【주민청구조례안의 심사절차】 ① 지방의회는 제12조 제1항에 따라 주민청구조례안이 수리된 날부터 1년 이내에 주민청구조례안을 의결하여야 한다. 다만, 필요한 경우에는 본회의 의결로 1년 이내의 범위에서 한 차례만 그 기간을 연장할 수 있다.

④ [X]

「주민조례발안에 관한 법률」 제13조 【주민청구조례안의 심사절차】 ③ 「지방자치법」 제79조 단서에도 불구하고 주민청구조례안은 제12조 제1항에 따라 주민청구조례안을 수리한 당시의 지방의회의원의 임기가 끝나더라도 다음 지방의회의원의 임기까지는 의결되지 못한 것 때문에 폐기되지 아니한다.

07 정답 ④

① [X] 동작구 지방자치단체의 18세 이상의 주민으로서 150명을 넘지 않는 범위 내에서 조례가 정하는 주민 수의 연서로 감사를 청구할 수 있다(「지방자치법」 제21조 제1항).

② [X] ③ [X] 시·도의 경우에는 주무부장관에게, 시·군 및 자치구의 경우에는 시·도지사에게 감사를 청구할 수 있다(「지방자치법」 제21조 제1항).

❹ [O]

「지방자치법」 제21조 【주민의 감사청구】 ① 지방자치단체의 18세 이상의 주민으로서 다음 각 호의 어느 하나에 해당하는 사람(「공직선거법」 제18조에 따른 선거권이 없는 사람은 제외한다. 이하 이 조에서 '18세 이상의 주민'이라 한다)은 시·도는 300명, 제198조에 따른 인구 50만 이상 대도시는 200명, 그 밖의 시·군 및 자치구는 150명 이내에서 그 지방자치단체의 조례로 정하는 수 이상의 18세 이상의 주민이 연대 서명하여 그 지방자치단체와 그 장의 권한에 속하는 사무의 처리가 법령에 위반되거나 공익을 현저히 해친다고 인정되면 시·도의 경우에는 주무부장관에게, 시·군 및 자치구의 경우에는 시·도지사에게 감사를 청구할 수 있다.
1. 해당 지방자치단체의 관할 구역에 주민등록이 되어 있는 사람
2. 「출입국관리법」 제10조에 따른 영주할 수 있는 체류자격 취득일 후 3년이 경과한 외국인으로서 같은 법 제34조에 따라 해당 지방자치단체의 외국인등록대장에 올라 있는 사람
③ 제1항에 따른 청구는 사무처리가 있었던 날이나 끝난 날부터 3년이 지나면 제기할 수 없다.

08 정답 ④

① [O] 「지방자치법」 제21조 제1항 제2호

② [O]

「지방자치법」 제21조 【주민의 감사청구】 ② 다음 각 호의 사항은 감사청구의 대상에서 제외한다.
1. 수사나 재판에 관여하게 되는 사항
2. 개인의 사생활을 침해할 우려가 있는 사항
3. 다른 기관에서 감사하였거나 감사 중인 사항. 다만, 다른 기관에서 감사한 사항이라도 새로운 사항이 발견되거나 중요 사항이 감사에서 누락된 경우와 제22조 제1항에 따라 주민소송의 대상이 되는 경우에는 그러하지 아니하다.
4. 동일한 사항에 대하여 제22조 제2항 각 호의 어느 하나에 해당하는 소송이 진행 중이거나 그 판결이 확정된 사항

③ [O]

「지방자치법」 제21조 【주민의 감사청구】 ⑪ 주무부장관이나 시·도지사는 주민감사청구를 처리(각하를 포함한다)할 때 청구인의 대표자에게 반드시 증거제출 및 의견진술의 기회를 주어야 한다.

❹ [X]

「지방자치법」 제21조 【주민의 감사청구】 ⑨ 주무부장관이나 시·도지사는 감사청구를 수리한 날부터 60일 이내에 감사청구된 사항에 대하여 감사를 끝내야 하며, 감사 결과를 청구인의 대표자와 해당 지방자치단체의 장에게 서면으로 알리고, 공표하여야 한다. 다만, 그 기간에 감사를 끝내기가 어려운 정당한 사유가 있으면 그 기간을 연장할 수 있으며, 기간을 연장할 때에는 미리 청구인의 대표자와 해당 지방자치단체의 장에게 알리고, 공표하여야 한다.

09 정답 ③

① [O]

「지방자치법」 제22조 【주민소송】 ① 제21조 제1항에 따라 공금의 지출에 관한 사항, 재산의 취득·관리·처분에 관한 사항, 해당 지방자치단체를 당사자로 하는 매매·임차·도급계약이나 그 밖의 계약의 체결·이행에 관한 사항 또는 지방세·사용료·수수료·과태료 등 공금의 부과·징수를 게을리한 사항을 감사청구한 주민은 다음 각 호의 어느 하나에 해당하는 경우에 그 감사청구한 사항과 관련이 있는 위법한 행위나 업무를 게을리한 사실에 대하여 해당 지방자치단체의 장(해당 사항의 사무처리에 관한 권한을 소속 기관의 장에게 위임한 경우에는 그 소속 기관의 장을 말한다. 이하 이 조에서 같다)을 상대방으로 하여 소송을 제기할 수 있다.

② [O]

「지방자치법」 제22조 【주민소송】 ① … 감사 청구한 주민은 … 소송을 제기할 수 있다.
1. 주무부장관이나 시·도지사가 감사청구를 수리한 날부터 60일(제21조 제9항 단서에 따라 감사기간이 연장된 경우에는 연장된 기간이 끝난 날을 말한다)이 지나도 감사를 끝내지 아니한 경우

❸ [X]

「지방자치법」 제22조 【주민소송】 ⑨ 제2항에 따른 소송은 해당 지방자치단체의 사무소 소재지를 관할하는 행정법원(행정법원이 설치되지 아니한 지역에서는 행정법원의 권한에 속하는 사건을 관할하는 지방법원 본원을 말한다)의 관할로 한다.

④ [O]

「지방자치법」 제22조 【주민소송】 ⑥ 소송의 계속 중에 소송을 제기한 주민이 사망하거나 제16조에 따른 주민의 자격을 잃으면 소송절차는 중단된다. 소송대리인이 있는 경우에도 또한 같다.

10 정답 ③

① [O]

「지방자치법」 제22조 【주민소송】 ⑤ 제2항 각 호의 소송이 진행 중이면 다른 주민은 같은 사항에 대하여 별도의 소송을 제기할 수 없다.

② [O]

「지방자치법」 제22조 【주민소송】 ⑥ 소송의 계속 중에 소송을 제기한 주민이 사망하거나 제16조에 따른 주민의 자격을 잃으면 소송절차는 중단된다. 소송대리인이 있는 경우에도 또한 같다.
⑦ 감사청구에 연대 서명한 다른 주민은 제6항에 따른 사유가 발생한 사실을 안 날부터 6개월 이내에 소송절차를 수계할 수 있다. 이 기간에 수계절차가 이루어지지 아니할 경우 그 소송절차는 종료된다.

❸ [X]

「지방자치법」 제22조 【주민소송】 ⑭ 제2항에 따른 소송에서 당사자는 법원의 허가를 받지 아니하고는 소의 취하, 소송의 화해 또는 청구의 포기를 할 수 없다.

④ [O]

「행정소송법」 제3조 【행정소송의 종류】 행정소송은 다음의 네 가지로 구분한다.
3. 민중소송: 국가 또는 공공단체의 기관이 법률에 위반되는 행위를 한 때에 직접 자기의 법률상 이익과 관계없이 그 시정을 구하기 위하여 제기하는 소송

제45조 【소의 제기】 민중소송 및 기관소송은 법률이 정한 경우에 법률에 정한 자에 한하여 제기할 수 있다.

11 정답 ①

❶ [O] 헌법 제7조 제1항이 "공무원은 … 국민에 대하여 책임을 진다."라고 규정하고 있기는 하나, 공무원의 파면권을 명문으로 규정한 일본국 헌법 제15조 제1항과 달리 국민에 대한 정치적·윤리적 책임이라고 해석되는 이상, 위 규정이 국민소환권이나 국민의 공무원 파면권의 헌법적 근거가 될 수도 없다. 그렇다고 주민소환권의 권리 내용 또는 보호영역이 비교적 명확하여 권리 내용을 규범 상대방에게 요구하거나 재판에 의하여 그 실현을 보장받을 수 있는 구체적 권리로서의 실질을 가지고 있다고 할 수도 없으므로, 헌법 제37조 제1항에서 말하는 '헌법에서 열거되지 아니한 기본권'으로 볼 수도 없다(2009.3.26, 2007헌마843).

② [X] ③ [X] 주민소환제 자체는 지방자치의 본질적인 내용이라고 할 수 없으므로 이를 보장하지 않는 것이 위헌이라거나 어떤 특정한 내용의 주민소환제를 반드시 보장해야 한다는 헌법적인 요구가 있다고 볼 수는 없다(2009.3.26, 2007헌마843).

④ [X] 주민소환제를 규범적인 차원에서 정치적인 절차로 설계할 것인지, 아니면 사법적인 절차로 할 것인지는 현실적인 차원에서 입법자가 여러 가지 사정을 고려하여 정책적으로 결정할 사항이라 할 것이다. 그런데 「주민소환에 관한 법률」에 주민소환의 청구사유를 두지 않은 것은 입법자가 주민소환을 기본적으로 정치적인 절차로 설정한 것으로 볼 수 있고, 외국의 입법례도 청구사유에 제한을 두지 않는 경우가 많다는 점을 고려할 때 우리의 주민소환제는 기본

적으로 정치적인 절차로서의 성격이 강한 것으로 평가될 수 있다 할 것이다(2009.3.26, 2007헌마843).

12

정답 ④

① [X] 주민소환투표의 청구시 주민소환의 청구사유를 명시하지 아니하고 주민소환 청구사유의 진위 여부에 대한 확인을 규정하지 아니하고 있는 「주민소환에 관한 법률」 규정은 공무담임권을 침해하지 않는다(2011.3.31, 2008헌마355).

② [X] 「주민소환에 관한 법률」 제21조 제1항의 입법목적은 행정의 정상적인 운영과 공정한 선거관리라는 정당한 공익을 달성하려는 데 있고, 주민소환투표가 공고된 날로부터 그 결과가 공표될 때까지 주민소환투표대상자의 권한 행사를 정지하는 것은 위 입법목적을 달성하기 위한 상당한 수단이 되는 점, 위 기간 동안 권한 행사를 일시 정지한다 하더라도 이로써 공무담임권의 본질적인 내용이 침해된다고 보기 어려운 점, 권한 행사의 정지기간은 통상 20일 내지 30일의 비교적 단기간에 지나지 아니하므로, 이 조항이 달성하려는 공익과 이로 인하여 제한되는 주민소환투표대상자의 공무담임권이 현저한 불균형 관계에 있지 않은 점 등을 고려하면, 위 조항이 과잉금지의 원칙에 반하여 과도하게 공무담임권을 제한하는 것으로 볼 수 없다(2009.3.26, 2007헌마843).

③ [X] 「주민소환에 관한 법률」은 주민소환의 청구사유에 대한 규정을 하고 있지 않다.

❹ [O] 이 사건 법률조항은 대의제의 본질적인 부분을 침해하지 않도록 극히 예외적이고 엄격한 요건을 갖춘 경우에 한하여 주민소환을 인정하려는 제도적 고려에서, 서명요청이라는 표현의 방법을 '소환청구인 서명부를 제시'하거나 '구두로 주민소환투표의 취지나 이유를 설명'하는 방법, 두 가지로만 엄격히 제한함으로써, ⓐ 주민소환투표청구가 정치적으로 악용·남용되는 것을 방지함과 동시에, ⓑ 서명요청활동단계에서 흑색선전이나 금품 살포와 같은 부정한 행위가 이루어지는 것을 방지하여 주민소환투표청구권자의 진정한 의사가 왜곡되는 것을 방지하려고 하였는바, 위 입법목적은 정당하고 수단은 적절하다. 이 사건 법률조항으로 인하여 제한되는 개인의 표현의 자유 등 사익에 비하여 주민소환투표제도의 부작용 억제를 통한 대의제 원리의 보장과 소환대상자의 공무담임권 보장, 지방행정의 안정성 보장이라는 공익이 훨씬 크므로, 법익균형성 요건도 충족한다. 따라서, 이 사건 법률조항은 표현의 자유를 제한함에 있어 과잉금지원칙을 위반하지 않는다(2011.12.29, 2010헌바368).

13

정답 ②

ㄱ. [X]

> 「주민소환에 관한 법률」 제7조 【주민소환투표의 청구】 ① 전년도 12월 31일 현재 주민등록표 및 외국인등록표에 등록된 제3조 제1항 제1호 및 제2호에 해당하는 자(이하 '주민소환투표청구권자'라 한다)는 해당 지방자치단체의 장 및 지방의회의원(비례대표선거구시·도의회의원 및 비례대표선거구자치구·시·군의회의원은 제외하며, 이하 '선출직 지방공직자'라 한다)에 대하여 다음 각 호에 해당하는 주민의 서명으로 그 소환사유를 서면에 구체적으로 명시하여 관할 선거관리위원회에 주민소환투표의 실시를 청구할 수 있다.

ㄴ. [X] 주민소환은 제3조의 규정에 의한 주민소환투표권자 총수의 3분의 1 이상의 투표와 유효투표 총수 과반수의 찬성으로 확정된다.

ㄷ. [X]

> 「주민소환에 관한 법률」 제3조 【주민소환투표권】 ① 제4조 제1항의 규정에 의한 주민소환투표인명부 작성기준일 현재 다음 각 호의 어느 하나에 해당하는 자는 주민소환투표권이 있다.
> 2. 19세 이상의 외국인으로서 「출입국관리법」 제10조의 규정에 따른 영주의 체류자격 취득일 후 3년이 경과한 자 중 같은 법 제34조의 규정에 따라 당해 지방자치단체 관할 구역의 외국인등록대장에 등재된 자

ㄹ. [O]

> 「주민소환에 관한 법률」 제8조 【주민소환투표의 청구제한기간】 제7조 제1항 내지 제3항의 규정에 불구하고, 다음 각 호의 어느 하나에 해당하는 때에는 주민소환투표의 실시를 청구할 수 없다.
> 1. 선출직 지방공직자의 임기 개시일부터 1년이 경과하지 아니한 때
> 2. 선출직 지방공직자의 임기 만료일부터 1년 미만일 때
> 3. 해당 선출직 지방공직자에 대한 주민소환투표를 실시한 날부터 1년 이내인 때

ㅁ. [O]

> 「주민소환에 관한 법률」 제23조 【주민소환투표의 효력】 ① 제22조 제1항의 규정에 의하여 주민소환이 확정된 때에는 주민소환투표대상자는 그 결과가 공표된 시점부터 그 직을 상실한다.
> ② 제1항의 규정에 의하여 그 직을 상실한 자는 그로 인하여 실시하는 이 법 또는 「공직선거법」에 의한 해당보궐선거에 후보자로 등록할 수 없다.

14

정답 ④

① [O]

> 「주민소환에 관한 법률」 제21조 【권한 행사의 정지 및 권한대행】 ① 주민소환투표대상자는 관할선거관리위원회가 제12조제2항의 규정에 의하여 주민소환투표안을 공고한 때부터 제22조제3항의 규정에 의하여 주민소환투표결과를 공표할 때까지 그 권한행사가 정지된다.

② [O]

> 「주민소환에 관한 법률」 제21조 【권한 행사의 정지 및 권한대행】 ② 제1항의 규정에 의하여 지방자치단체의 장의 권한이 정지된 경우에는 부지사·부시장·부군수·부구청장(이하 '부단체장'이라 한다)이 「지방자치법」 제124조제4항의 규정을 준용하여 그 권한을 대행하고, 부단체장이 권한을 대행할 수 없는 경우에는 「지방자치법」 제124조제5항의 규정을 준용하여 그 권한을 대행한다.

③ [O]

> 「주민소환에 관한 법률」 제23조 【주민소환투표의 효력】 ① 제22조 제1항의 규정에 의하여 주민소환이 확정된 때에는 주민소환투표대상자는 그 결과가 공표된 시점부터 그 직을 상실한다.

❹ [X] 주민소환제 자체는 지방자치의 본질적인 내용이라고 할 수 없으므로 이를 보장하지 않는 것이 위헌이라거나 어떤 특정한 내용의 주민소환제를 반드시 보장해야 한다는 헌법적인 요구가 있다고 볼 수는 없다(2009.3.26, 2007헌마843).

15 정답 ①

❶ [O]

「지방자치법」 제20조 【규칙의 제정과 개정·폐지 의견 제출】 ① 주민은 제29조에 따른 규칙(권리·의무와 직접 관련되는 사항으로 한정한다)의 제정, 개정 또는 폐지와 관련된 의견을 해당 지방자치단체의 장에게 제출할 수 있다.

② [X]

「지방자치법」 제54조 【임시회】 ③ 지방의회의 의장은 지방자치단체의 장이나 조례로 정하는 수 이상의 지방의회의원이 요구하면 15일 이내에 임시회를 소집하여야 한다. 〈단서 생략〉

③ [X]

「지방자치법」 제103조 【사무직원의 정원과 임면 등】 ② 지방의회의 의장은 지방의회 사무직원을 지휘·감독하고 법령과 조례·의회규칙으로 정하는 바에 따라 그 임면·교육·훈련·복무·징계 등에 관한 사항을 처리한다.

④ [X]

「지방자치법」 제14조 【지방자치단체의 종류별 사무배분기준】 ③ 시·도와 시·군 및 자치구는 사무를 처리할 때 서로 겹치지 아니하도록 하여야 하며, 사무가 서로 겹치면 시·군 및 자치구에서 먼저 처리한다.

16 정답 ①

❶ [X]

「지방자치법」 제73조 【의결정족수】 ① 회의는 이 법에 특별히 규정된 경우 외에는 재적의원 과반수의 출석과 출석의원 과반수의 찬성으로 의결한다.
② 지방의회의 의장은 의결에서 표결권을 가지며, 찬성과 반대가 같으면 부결된 것으로 본다.

② [O]

「지방자치법」 제91조 【의원의 자격심사】 ① 지방의회의원은 다른 의원의 자격에 대하여 이의가 있으면 재적의원 4분의 1 이상의 찬성으로 지방의회의 의장에게 자격심사를 청구할 수 있다.

제92조 【자격상실 의결】 ① 제91조 제1항의 심사대상인 지방의회의원에 대한 자격상실 의결은 재적의원 3분의 2 이상의 찬성이 있어야 한다.

③ [O]

「지방자치법」 제108조 【지방자치단체의 장의 임기】 지방자치단체의 장의 임기는 4년으로 하며, 3기 내에서만 계속 재임할 수 있다.

④ [O]

「지방자치법」 제142조 【예산의 편성 및 의결】 ① 지방자치단체의 장은 회계연도마다 예산안을 편성하여 시·도는 회계연도 시작 50일 전까지, 시·군 및 자치구는 회계연도 시작 40일 전까지 지방의회에 제출하여야 한다.
② 시·도의회는 제1항의 예산안을 회계연도 시작 15일 전까지, 시·군 및 자치구의회는 회계연도 시작 10일 전까지 의결하여야 한다.

17 정답 ③

① [X] 금고 이상의 형이 선고되어 확정되지 않은 경우는 헌법재판소의 헌법불합치결정에 따라 삭제되었다.

「지방자치법」 제124조 【지방자치단체의 장의 권한대행 등】 ① 지방자치단체의 장이 다음 각 호의 어느 하나에 해당되면 부지사·부시장·부군수·부구청장(이하 이 조에서 '부단체장'이라 한다)이 그 권한을 대행한다.
1. 궐위된 경우
2. 공소제기된 후 구금상태에 있는 경우
3. 「의료법」에 따른 의료기관에 60일 이상 계속하여 입원한 경우

② [X]

「지방자치법」 제124조 【지방자치단체의 장의 권한대행 등】 ② 지방자치단체의 장이 그 직을 가지고 그 지방자치단체의 장 선거에 입후보하면 예비후보자 또는 후보자로 등록한 날부터 선거일까지 부단체장이 그 지방자치단체의 장의 권한을 대행한다.

❸ [O]

「지방자치법」 제122조 【지방자치단체의 장의 선결처분】 ① 지방자치단체의 장은 지방의회가 지방의회의원이 구속되는 등의 사유로 제73조에 따른 의결정족수에 미달될 때와 지방의회의 의결사항 중 주민의 생명과 재산 보호를 위하여 긴급하게 필요한 사항으로서 지방의회를 소집할 시간적 여유가 없거나 지방의회에서 의결이 지체되어 의결되지 아니할 때에는 선결처분을 할 수 있다.

④ [X]

「지방자치법」 제122조 【지방자치단체의 장의 선결처분】 ② 제1항에 따른 선결처분은 지체 없이 지방의회에 보고하여 승인을 받아야 한다.
③ 지방의회에서 제2항의 승인을 받지 못하면 그 선결처분은 그때부터 효력을 상실한다.

18 정답 ②

① [O] 「지방의회의원선거법」 제35조 및 「지방자치법」 제33조 제1항 제6호 중 농업협동조합. 수산업협동조합·축산업협동조합의 조합장에 대한 부분은 국민의 참정권을 제한함에 있어서 합리성 없는 차별대우의 입법이라 할 것이므로 헌법에 위반된다(1991.3.11, 90헌마28).

❷ [X] 정부투자기관 직원의 입후보를 제한하는 선거법은 위헌, 겸직금지하는 「지방자치법」은 합헌이다.

> **관련 판례** 겸직 제한(기각)
> 행정부의 영향력하에 있는 정부투자기관의 직원이 지방의회에 진출할 수 있도록 하는 것은 '권력분립'의 원칙에 위배되고, 결과적으로 주민의 이익과 지역의 균형된 발전을 목적으로 하는 지방자치의 제도적 취지에도 어긋난다 할 것이다(1995.5.25, 91헌마67).

③ [O] 금고 이상의 형을 선고받았더라도 불구속상태에 있는 이상 자치단체장이 직무를 수행하는 데는 아무런 지장이 없으므로 직무를 정지시키고 부단체장에게 그 권한을 대행시킬 필요가 없으므로 이 사건 법률조항은 공무담임권을 침해한다(2010.9.2, 2010헌마418).

④ [O] 이 사건 법률조항의 입법목적은 주민의 복리와 자치단체행정의 원활하고 효율적인 운영에 초래될 것으로 예상되는 위험을 미연에 방지하려는 것이다. 정식 형사재판절차를 앞두고 있는 '공소제기된 후'부터 시작하여 '구금상태에 있는' 동안만 직무를 정지시키고 있어 그 침해가 최소한에 그치도록 하고 있고, 이 사건 법률조항이 달성하려는 공익은 매우 중대한 반면, 일시적·잠정적으로 직무를 정지당할 뿐 신분을 박탈당하지도 않는 자치단체장의 사익에 대한 침해는 가혹하다고 볼 수 없으므로 과잉금지원칙에 위반되지 않는다(2011.4.28, 2010헌마474).

19 정답 ①

❶ [O] 기관위임사무는 법령의 위임이 있어야 조례제정이 허용되나 자치사무와 단체위임사무는 위임이 없어도 법령에 저촉되지 않으면 조례제정이 허용된다. 2005년, 2011년 사시

자치사무와 단체위임사무	법령의 위임이 없어도 조례를 제정할 수 있다. 법령에 위반되지 않으면 그것으로 족한다.
기관위임사무	법령의 위임이 없으면 조례를 제정할 수 없으나, 위임이 있으면 제정할 수 있다.

② [X] 「지방자치법」 제28조, 제13조에 의하면, 지방자치단체가 자치조례를 제정할 수 있는 사항은 지방자치단체의 고유사무인 자치사무와 개별법령에 의하여 지방자치단체에 위임된 단체위임사무에 한하는 것이고, 국가사무가 지방자치단체의 장에게 위임된 기관위임사무는 원칙적으로 자치조례의 제정범위에 속하지 않는다 할 것이고, 다만 기관위임사무에 있어서도 그에 관한 개별법령에서 일정한 사항을 조례로 정하도록 위임하고 있는 경우에는 위임받은 사항에 관하여 개별법령의 취지에 부합하는 범위 내에서 이른바 위임조례를 정할 수 있다(대판 2000.5.30, 99추85). 2016년 서울 7급

③ [X] 지방자치단체가 자치조례를 제정할 수 있는 것은 원칙적으로 이러한 자치사무와 단체위임사무에 한하므로, 국가사무가 지방자치단체의 장에게 위임된 기관위임사무와 같이 지방자치단체의 장이 국가기관의 지위에서 수행하는 사무일 뿐 지방자치단체 자체의 사무라고 할 수 없는 것은 원칙적으로 자치조례의 제정범위에 속하지 않는다. 기관위임사무에 있어서도 그에 관한 개별법령에서 일정한 사항을 조례로 정하도록 위임하고 있는 경우에는 지방자치단체의 자치조례제정권과 무관하게 이른바 위임조례를 정할 수 있다고 하겠으나 이 때에도 그 내용은 개별법령이 위임하고 있는 사항에 관한 것으로서 개별법령의 취지에 부합하는 것이라야만 하고, 그 범위를 벗어난 경우에는 위임조례로서의 효력도 인정할 수 없다(대판 1999.9.17, 99추30).

④ [X] 「지방자치법」 제22조 본문, 제113조, 「지방자치법 시행령」 제75조, 「지방교육자치에 관한 법률」 제18조 제1항, 제32조, 지방교육행정기관의 행정기구와 정원기준 등에 관한 규정 제3조 제1항 제2호·제3호, 제25조 제1항·제2항의 규정 내용을 종합하면, 시·도교육청의 직속기관을 포함한 지방교육행정기관의 행정기구(이하 '기구'라 한다)의 설치는 기본적으로 법령의 범위 안에서 조례로써 결정할 사항이다. 교육감은 시·도의 교육·학예에 관한 사무를 집행하는 데 필요한 때에는 법령 또는 조례가 정하는 바에 따라 기구를 직접 설치할 권한과 이를 위한 조례안의 제안권을 가지며, 설치된 기구 전반에 대하여 조직편성권을 가질 뿐이다. 지방의회는 교육감의 지방교육행정기구 설치권한과 조직편성권을 견제하기 위하여 조례로써 직접 교육행정기관을 설치·폐지하거나 교육감이 조례안으로써 제안한 기구의 축소, 통폐합, 정원 감축의 권한을 가진다(대판 2021.9.16, 2020추5138).

20 정답 ①

❶ [O] 지방자치단체는 그 고유사무인 자치사무와 개별법령에 의하여 지방자치단체에 위임된 단체위임사무에 관하여 자치조례를 제정할 수 있지만 그 경우라도 주민의 권리 제한 또는 의무 부과에 관한 사항이나 벌칙은 법률의 위임이 있어야 하며, 기관위임사무에 관하여 제정되는 이른바 위임조례는 개별법령에서 일정한 사항을 조례로 정하도록 위임하고 있는 경우에 한하여 제정할 수 있으므로, 주민의 권리 제한 또는 의무 부과에 관한 사항이나 벌칙에 해당하는 조례를 제정할 경우에는 그 조례의 성질을 묻지 아니하고 법률의 위임이 있어야 하고 그러한 위임 없이 제정된 조례는 효력이 없다(대판 2007.12.13, 2006추52). 2019년 법행

② [X] 지방자치단체는 그 내용이 주민의 권리의 제한 또는 의무의 부과에 관한 사항이거나 벌칙에 관한 사항이 아닌 한, 법률의 위임이 없더라도 조례를 제정할 수 있다 할 것인데, 청주시의회에서 의결한 청주시행정정보공개조례안은 행정에 대한 주민의 알 권리의 실현을 그 근본내용으로 하면서도 이로 인한 개인의 권익 침해가능성을 배제하고 있으므로 이를 들어 주민의 권리를 제한하거나 의무를 부과하는 조례라고는 단정할 수 없고, 따라서 그 제정에 있어서 반드시 법률의 개별적 위임이 따로 필요한 것은 아니다. 행정정보공개조례안이 국가위임사무가 아닌 자치사무 등에 관한 정보만을 공개대상으로 하고 있다고 풀이되는 이상 반드시 전국적으로 통일된 기준에 따르게 할 것이 아니라 지방자치단체가 각 지역의 특성을 고려하여 자기 고유사무와 관련된 행정정보의 공개사무에 관하여 독자적으로 규율할 수 있다(대판 1992.6.23, 92추17).

③ [X] 행정정보의 공개제도는 이미 오래전부터 세계 각국에서 채택하여 시행되어 오고 있는 실정으로서 우리나라의 경우에도 그와 관련된 입법이 바람직한 것은 부인할 수 없으나(이러한 의미에서 원고도 행정정보공개제도 자체가 위헌, 위법이라는 주장은 하지 않고 있다), 뒤에서 보는 바와 같이 정보공개조례안은 국가위임사무가 아닌 자치사무 등에 관한 정보만을 공개대상으로 하고 있다고 풀이되는 이상 반드시 전국적으로 통일된 기준에 따르게 할 것이 아니라 지방자치단체가 각 지역의 특성을 고려하여 자기 고유사무와 관련된 행정정보의 공개사무에 관하여 독자적으로 규율할 수 있다고 보여지므로 구태여 국가의 입법미비를 들어 이러한 지방자치단체의 자주적인 조례제정권의 행사를 가로막을 수는 없다고 하여야

할 것이다(대판 1992.6.23, 92추17).

④ [X] 이 사건 조례 제5조 제3항은 학교구성원인 청구인들의 표현의 자유를 제한하는 것으로 「지방자치법」 제28조 단서 소정의 주민의 권리 또는 의무 부과에 관한 사항을 규율하는 조례에 해당한다고 볼 여지가 있다. 그런데 조례의 제정권자인 지방의회는 지역적인 민주적 정당성을 지니고 있으며, 헌법이 지방자치단체에 대해 포괄적인 자치권을 보장하고 있는 취지에 비추어, 조례에 대한 법률의 위임은 반드시 구체적으로 범위를 정하여 할 필요가 없으며 포괄적인 것으로 족하다(2019.11.28, 2017헌마1356).

13회 진도별 모의고사

지방자치단체 ~ 제도적 보장

정답

01	③	02	④	03	①	04	①
05	④	06	②	07	③	08	②
09	②	10	②	11	④	12	③
13	③	14	③	15	④	16	②
17	②	18	②	19	①	20	④

01

정답 ③

ㄱ. [X] 「지방자치법」 제28조 단서는 지방자치단체가 법령의 범위 안에서 그 사무에 관하여 조례를 제정하는 경우에 벌칙을 정할 때에는 법률의 위임이 있어야 한다고 규정하고 있는데, 개정된 「지방자치법」 제27조는 지방자치단체는 조례로써 조례 위반에 대하여 1,000만 원 이하의 과태료만을 부과할 수 있도록 규정하고 있으므로, 조례 위반에 형벌을 가할 수 있도록 규정한 조례안 규정들은 현행 「지방자치법」 제27조에 위반되고, 적법한 법률의 위임 없이 제정된 것이 되어 「지방자치법」 제15조 단서에 위반되고, 나아가 죄형법정주의를 선언한 헌법 제12조 제1항에도 위반된다(대판 1995.6.30, 93추83).

> **「지방자치법」 제28조 【조례】** ① 지방자치단체는 법령의 범위에서 그 사무에 관하여 조례를 제정할 수 있다. 다만, 주민의 권리 제한 또는 의무 부과에 관한 사항이나 벌칙을 정할 때에는 법률의 위임이 있어야 한다.

ㄴ. [X] 과태료는 형법에 해당하지 않으므로 죄형법정주의에 위반되지 않는다.

> **「지방자치법」 제34조 【조례 위반에 대한 과태료】** ① 지방자치단체는 조례를 위반한 행위에 대하여 조례로써 1천만 원 이하의 과태료를 정할 수 있다.

ㄷ. [O] 법률에서 위임받은 사항을 전혀 규정하지 않고 재위임하는 것은 복위임금지원칙에 반할 뿐 아니라 위임명령의 제정형식에 관한 수권법의 내용을 변경하는 것이 되므로 허용되지 않으나 위임받은 사항에 관하여 대강을 정하고 그중의 특정 사항을 범위를 정하여 하위법령에 다시 위임하는 경우에는 재위임이 허용된다. 이러한 법리는 조례가 「지방자치법」 제22조 단서에 따라 주민의 권리 제한 또는 의무 부과에 관한 사항을 법률로부터 위임받은 후, 이를 다시 지방자치단체장이 정하는 '규칙'이나 '고시' 등에 재위임하는 경우에도 마찬가지이다(대판 2015.1.15, 2013두14238).

ㄹ. [O] 「지방자치법」 제13조 제1항과 제28조 등의 관련 규정에 의하면 지방자치단체는 원칙적으로 그 고유사무인 자치사무와 법령에 의하여 위임된 단체위임사무에 관하여 이른바 자치조례를 제정할 수 있는 외에, 개별법령에서 특별히 위임하고 있을 경우에는 그러한 사무에 속하지 아니하는 기관위임사무에 관하여도 그 위임의 범위 내에서 이른바 위임조례를 제정할 수 있지만, 조례가 규정하고 있는 사항이 그 근거 법령 등에 비추어 볼 때 자치사무나 단체위임사무에 관한 것이라면 이는 자치조례로서 「지방자치법」 제28조가 규정하고 있는 '법령의 범위 안'이라는 사항적 한계가 적용될 뿐, 위임조례와 같이 국가법에 적용되는 일반적인 위임입법의 한계가 적용될 여지는 없다(대판 2000.11.24, 2000추29).

02

정답 ④

① [X] 조례의 제정권자인 지방의회는 선거를 통해서 그 지역적인 민주적 정당성을 지니고 있는 주민의 대표기관이고 헌법이 지방자치단체에 포괄적인 자치권을 보장하고 있는 취지로 볼 때, 조례에 대한 법률의 위임은 법규명령에 대한 법률의 위임과 같이 반드시 구체적으로 범위를 정하여 할 필요가 없으며 포괄적인 것으로 족하다(1995.4.20, 92헌마264 등).

② [X] 「지방자치법」 제28조에 의하면 지방자치단체는 그 내용이 주민의 권리의 제한 또는 의무의 부과에 관한 사항이거나 벌칙에 관한 사항이 아닌 한 법률의 위임이 없더라도 그의 사무에 관하여 조례를 제정할 수 있는바, 지방자치단체의 세 자녀 이상 세대 양육비 등 지원에 관한 조례안은 저출산 문제의 국가적·사회적 심각성을 십분 감안하여 향후 지방자치단체의 출산을 적극 장려토록 하여 인구정책을 보다 전향적으로 실효성 있게 추진하고자 세 자녀 이상 세대 중 세 번째 이후 자녀에게 양육비 등을 지원할 수 있도록 하는 것으로서, 위와 같은 사무는 지방자치단체 고유의 자치사무 중 주민의 복지증진에 관한 사무를 규정한 「지방자치법」 제9조 제2항 제2호 '라'목에서 예시하고 있는 아동·청소년 및 부녀의 보호와 복지증진에 해당되는 사무이고, 또한 위 조례안에는 주민의 편의 및 복리증진에 관한 내용을 담고 있어 그 제정에 있어서 반드시 법률의 개별적 위임이 따로 필요한 것은 아니다(대판 2006.10.12, 2006추38)

③ [X] 지방자치단체의 조례는 그것이 자치조례에 해당하는 것이라도 법령에 위반되지 않는 범위 안에서만 제정할 수 있어서 법령에 위반되는 조례는 그 효력이 없지만 (「지방자치법」 제28조), 조례가 규율하는 특정 사항에 관하여 그것을 규율하는 국가의 법령이 이미 존재하는 경우에도 조례가 법령과 별도의 목적에 기하여 규율함을 의도하는 것으로서 그 적용에 의하여 법령의 규정이 의도하는 목적과 효과를 전혀 저해하는 바가 없는 때 또는 양자가 동일한 목적에서 출발한 것이라고 할지라도 국가의 법령이 반드시 그 규정에 의하여 전국에 걸쳐 일률적으로 동일한 내용을 규율하려는 취지가 아니고 각 지방자치단체가 그 지방의 실정에 맞게 별도로 규율하는 것을 용인하는 취지라고 해석되는 때에는 그 조례가 국가의 법령에 위배되는 것은 아니라고 보아야 한다(2007.12.13, 2006추52).

❹ [O] 이 사건 조례 제5조 제3항은 학교구성원인 청구인들의 표현의 자유를 제한하는 것으로 「지방자치법」 제22조 단서 소정의 주민의 권리 또는 의무 부과에 관한 사항을 규율하는 조례에 해당한다고 볼 여지가 있다. 그런데 조례의 제정권자인 지방의회는 지역적인 민주적 정당성을 지니고 있으며, 헌법이 지방자치단체에 대해 포괄적인 자치권을 보장하고 있는 취지에 비추어, 조례에 대한 법률의 위임은 반드시 구체적으로 범위를 정하여 할 필요가 없으며 포괄적인 것으로 족하다(2019.11.28, 2017헌마1356).

03

정답 ①

❶ [X] 법률이 주민의 권리·의무에 관한 사항에 관하여 구체적으로 아무런 범위도 정하지 아니한 채 조례로 정하도록 포괄적으로 위임하였다고 하더라도, 행정관청의 명령과는 달라, 조례도 주민의 대표기관인 지방의회의 의결로 제정되는 지방자치단체의 자주법인 만큼, 지

방자치단체가 법령에 위반되지 않는 범위 내에서 주민의 권리의무에 관한 사항을 조례로 제정할 수 있는 것이다(대판 1991.8.27, 90누6613).

② [O] 국민의 권리·의무에 관한 사항이라 하여 모두 입법부에서 제정한 법률만으로 다 정할 수는 없어 예외적으로 하위법령에 위임하는 것을 허용하지 않을 수 없다 하더라도 그러한 위임은 반드시 구체적이고 개별적으로 한정된 사항에 대하여 행해져야 한다. 그렇지 아니하고 일반적이고 포괄적인 위임을 한다면 이는 사실상 입법권을 백지위임하는 것이나 다름이 없어 의회입법의 원칙이나 법치주의를 부인하는 것이 되며, 특히 법률에 의한 처벌법규의 위임은, 헌법이 특별히 인권을 최대한으로 보장하기 위하여 죄형법정주의와 적법절차를 규정하고, 법률에 의한 처벌을 특별히 강조하고 있는 기본권 보장 우위사상에 비추어 바람직스럽지 못한 일이므로, 그 요건과 범위가 보다 엄격하게 제한적으로 적용되어야 한다. 따라서 처벌법규의 위임은 특히 긴급한 필요가 있거나 미리 법률로써 자세히 정할 수 없는 부득이한 사정이 있는 경우에 한정되어야 한다(1998.3.26, 96헌가20).

③ [O] 이 법률조항에서 과세면제 조례를 미리 내무부장관의 허가를 얻도록 한 것은 그 조례 내용이 조세법률주의와 조세평등주의원칙에 어긋나지 아니하는지, … 권한의 남용 여부를 심사하고 전체적인 「지방세법」 체계와 조화를 유지할 수 있도록 하기 위한 제도적 장치로서의 역할을 하는 것이다. … 따라서 이 법률조항은 헌법에 위반되지 아니한다(1998.4.30, 96헌바62). 2004년 행시

④ [O] 조례에 의한 규제가 지역의 여건이나 환경 등 그 특성에 따라 다르게 나타나는 것은 헌법이 지방자치단체의 자치입법권을 인정한 이상 당연히 예상되는 불가피한 결과이므로, 이 사건 심판대상규정으로 인하여 청구인들이 다른 지역의 주민들에 비하여 더한 규제를 받게 되었다 하더라도 이를 두고 헌법 제11조 제1항의 평등권이 침해되었다고 볼 수는 없다(1995.4.20, 92헌마264 등).

04 정답 ①

❶ [O]

> **「지방자치법」 제32조 【조례와 규칙의 제정절차 등】** ① 조례안이 지방의회에서 의결되면 지방의회의 의장은 의결된 날부터 5일 이내에 그 지방자치단체의 장에게 이송하여야 한다.

② [X]

> **「지방자치법」 제32조 【조례와 규칙의 제정절차 등】** ② 지방자치단체의 장은 제1항의 조례안을 이송받으면 20일 이내에 공포하여야 한다.

③ [X]

> **「지방자치법」 제32조 【조례와 규칙의 제정절차 등】** ③ 지방자치단체의 장은 이송받은 조례안에 대하여 이의가 있으면 제2항의 기간에 이유를 붙여 지방의회로 환부하고, 재의를 요구할 수 있다. 이 경우 지방자치단체의 장은 조례안의 일부에 대하여 또는 조례안을 수정하여 재의를 요구할 수 없다.

④ [X]

> **「지방자치법」 제32조 【조례와 규칙의 제정절차 등】** ④ 지방의회는 제3항에 따라 재의요구를 받으면 조례안을 재의에 부치고 재적의원 과반수의 출석과 출석의원 3분의 2 이상의 찬성으로 전(前)과 같은 의결을 하면 그 조례안은 조례로서 확정된다.

05 정답 ④

① [X]

> **「지방자치법」 제32조 【조례와 규칙의 제정절차 등】** ⑤ 지방자치단체의 장이 제2항의 기간에 공포하지 아니하거나 재의요구를 하지 아니하더라도 그 조례안은 조례로서 확정된다.

② [X]

> **「지방자치법」 제32조 【조례와 규칙의 제정절차 등】** ⑥ 지방자치단체의 장은 제4항 또는 제5항에 따라 확정된 조례를 지체 없이 공포하여야 한다. 이 경우 제5항에 따라 조례가 확정된 후 또는 제4항에 따라 확정된 조례가 지방자치단체의 장에게 이송된 후 5일 이내에 지방자치단체의 장이 공포하지 아니하면 지방의회의 의장이 공포한다.

③ [X]

> **「지방자치법」 제32조 【조례와 규칙의 제정절차 등】** ① 조례안이 지방의회에서 의결되면 지방의회의 의장은 의결된 날부터 5일 이내에 그 지방자치단체의 장에게 이송하여야 한다.
> ② 지방자치단체의 장은 제1항의 조례안을 이송받으면 20일 이내에 공포하여야 한다.

❹ [O]

> **「지방자치법」 제32조 【조례와 규칙의 제정절차 등】** ⑧ 조례와 규칙은 특별한 규정이 없으면 공포한 날부터 20일이 지나면 효력을 발생한다.

06 정답 ②

① [X] 조례안재의결 무효확인소송에서의 심리대상은 지방의회에 재의를 요구할 당시 이의사항으로 지적되어 재의결에서 심의의 대상이 된 것에 국한된다(대판 2007.12.13, 2006추52).

❷ [O] 의결의 일부에 대한 효력배제는 결과적으로 전체적인 의결의 내용을 변경하는 것에 다름 아니어서 의결기관인 지방의회의 고유권한을 침해하는 것이 될 뿐 아니라, 그 일부만의 효력배제는 자칫 전체적인 의결 내용을 지방의회의 당초 의도와는 다른 내용으로 변질시킬 우려가 있으며, 또 재의요구가 있는 때에는 재의요구에서 지적한 이의사항이 의결의 일부에 관한 것이라고 하여도 의결 전체가 실효되고 재의결만이 의결로서 효력을 발생하는 것이어서 의결의 일부에 대한 재의요구나 수정재의요구가 허용되지 않는 점에 비추어 보아도 재의결의 내용 전부가 아니라 그 일부만이 위법한 경우에도 대법원은 의결 전부의 효력을 부인할 수밖에 없다(대판 1992.7.28, 92추31).

③ [X] 조례에 대한 무효확인소송을 제기함에 있어서 「행정소송법」 제38조 제1항, 제13조에 의하여 피고적격이 있는 처분 등을 행한 행정청은, 행정주체인 지방자치단체 또는 지방자치단체의 내부적 의결기관으로서 지방자치단체의 의사를 외부에 표시한 권한이 없는 지방의회가 아니라, 구 「지방자치법」 제19조 제2항, 제92조에 의하여 지방자치단체의 집행기관으로서 조례로서의 효력을 발생시키는 공포권이 있는 지방자치단체의 장이다(대판 1996.9.20, 95누8003).

④ [X] 조례는 지방자치단체가 그 자치입법권에 근거하여 자주적으로 지방의회의 의결을 거쳐 제정한 법규이기 때문에 조례 자체로 인하여

직접 그리고 현재 자기의 기본권을 침해받은 자는 그 권리구제의 수단으로서 조례에 대한 헌법소원을 제기할 수 있다(1995.4.20, 92헌마264).

07

정답 ③

① [O] 교육부장관이 정한 기본적인 교육과정과 대통령령에 정한 교과 외의 교육 내용에 관한 결정 및 그에 대한 지도는 전국적으로 통일하여 규율되어야 할 사무가 아니라 각 지역과 학교의 실정에 맞는 규율이 허용되는 사무라고 할 것인 점 등에 비추어 보면, 학기당 2시간 정도의 인권교육의 편성·실시는 「지방자치법」 제9조 제2항 제5호가 지방자치단체의 사무로 예시한 교육에 관한 사무로서 초등학교·중학교·고등학교 등의 운영·지도에 관한 사무에 속한다(대판 2015.5.14, 2013추98).

② [O] 법령이나 조례는 당해 지방자치단체 내에서만 효력을 가진다.

❸ [X] 헌법 제117조 제1항은 "지방자치단체는 주민의 복리에 관한 사무를 처리하고 재산을 관리하며, 법령의 범위 안에서 자치에 관한 규정을 제정할 수 있다."라고 규정하여 지방자치를 제도적으로 보장하고 있다(2014.3.27, 2012헌라4).

➡ 기본권은 최대보장의 원칙이 적용되나 제도 보장은 최소보장의 원칙이 적용된다.

④ [O] 지방자치단체의 존재 자체를 부인하거나 각종 권한을 말살하는 것과 같이 그 본질적 내용을 침해하지 않는 한 법률에 의한 통제는 가능하다. 그런데 이 사건 법률조항에 의하여 지방자치단체는 총량을 초과하는 경우의 허가권 행사가 제한될 뿐 그 밖에는 여전히 주민의 복리에 관한 사무를 처리할 수 있는 것이므로, 이 사건 법률조항이 지방자치의 본질적 내용을 침해하여 지방자치에 관한 헌법 제117조 제1항에 위반된다고 할 수 없다(2001.11.29, 2000헌바78).

08

정답 ②

① [X] 피청구인 강남구선거관리위원회가 2006년 지방선거를 앞두고 강남구의회가 다음해 예산을 편성할 때 지방선거에 소요되는 비용을 산입하도록 예상되는 비용을 미리 통보한 행위는 청구인 서울특별시 강남구의 법적 지위에 어떤 변화도 가져온다고 볼 수 없으므로 권한쟁의심판의 대상이 되는 처분에 해당한다고 볼 수 없다(2008.6.26, 2005헌라7).

❷ [O] 우리 헌법은 제116조 제2항에서 '선거에 관한 경비는 법률이 정하는 경우를 제외하고는 정당 또는 후보자에게 부담시킬 수 없다'고 규정하고 있는바, 이는 단지 선거공영제도를 천명하고 있는 것이므로 위 규정이 있다고 하여 각종 선거의 선거비용 부담주체가 정당이나 후보자 이외에는 반드시 국가여야 한다는 것은 아니며, 선거의 성격이 무엇이냐에 그 경비 부담주체도 달라질 수 있다(2008.6.26, 2005헌라7).

③ [X] ④ [X] 지방의회의원과 지방자치단체장을 선출하는 지방선거는 지방자치단체의 기관을 구성하고 그 기관의 각종 행위에 정당성을 부여하는 행위라 할 것이므로 지방선거사무는 지방자치단체의 존립을 위한 자치사무에 해당하고, 따라서 법률을 통하여 예외적으로 다른 행정주체에게 위임되지 않는 한, 원칙적으로 지방자치단체가 처리하고 그에 따른 비용도 지방자치단체가 부담하여야 한다(2008.6.26, 2005헌라7).

09

정답 ②

① [O] 지방자치단체는 기관위임사무의 집행에 관한 권한의 존부 및 범위에 관한 권한분쟁을 이유로 기관위임사무를 집행하는 국가기관 또는 다른 지방자치단체의 장을 상대로 권한쟁의심판청구를 할 수 없다고 할 것이므로, 청구인의 피청구인 태안군수에 대한 심판청구는 지방자치단체의 권한에 속하지 아니하는 사무에 관한 심판청구로 부적법하다(2009.7.30, 2005헌라2).

❷ [X] 지방자치단체의 장은 국가기관의 지위에서 국가위임사무를 처리하고 그 결과는 국가에 귀속된다. 따라서 기관위임사무는 지방자치단체사무가 아니다.

③ [O] 건설교통부장관은 지방자치단체의 장이 기관위임사무인 국토이용계획사무를 처리함에 있어 자신과 의견이 다를 경우 행정협의조정위원회에 협의·조정신청을 하여 그 협의·조정결정에 따라 의견불일치를 해소할 수 있고, 법원에 의한 판결을 받지 않고서도 행정권한의 위임 및 위탁에 관한 규정이나 구 「지방자치법」에서 정하고 있는 지도·감독을 통하여 직접 지방자치단체의 장의 사무처리에 대하여 시정명령을 발하고 그 사무처리를 취소 또는 정지할 수 있으며, 지방자치단체의 장에게 기간을 정하여 직무이행명령을 하고 지방자치단체의 장이 이를 이행하지 아니할 때에는 직접 필요한 조치를 할 수도 있으므로, 국가가 국토이용계획과 관련한 지방자치단체의 장의 기관위임사무의 처리에 관하여 지방자치단체의 장을 상대로 취소소송을 제기하는 것은 허용되지 않는다(대판 2007.9.20, 2005두6935).

④ [O]

「지방자치법」 제29조 【규칙】 지방자치단체의 장은 법령 또는 조례의 범위에서 그 권한에 속하는 사무에 관하여 규칙을 제정할 수 있다.

➡ 지방자치단체의 장의 권한에 속하는 사무에는 기관위임사무도 포함된다.

10

정답 ②

① [O] 구 교육공무원법령 등에 따라 교육감 소속 장학관 등의 임용권은 대통령 내지 교육부장관으로부터 교육감에게 위임되어 있고, 「교육공무원법」상 '임용'은 직위해제, 정직, 해임, 파면까지 포함하고 있는 점 등에 비추어 보면, 교육감 소속 교육장 등에 대한 징계의결요구 내지 그 신청사무 또한 징계사무의 일부로서 대통령, 교육부장관으로부터 교육감에게 위임된 국가위임사무이다(2013.12.26, 2012헌라3 등). 2015년 국회 8급

❷ [X] 지방자치단체의 폐치·분합에 관한 것은 지방자치단체의 자치행정권 중 지역고권의 보장 문제임과 동시에, 다른 한편으로는 그로 인하여 기본권의 침해 문제가 발생하게 된다(1994.12.29, 94헌마201).

③ [O] 지방자치단체의 권한에 부정적인 영향을 주어서 법적으로 문제되는 경우에는 사실행위나 내부적인 행위도 권한쟁의심판의 대상이 되는 처분에 해당한다고 할 것이므로, 건설교통부장관의 이 사건 역명 결정은 권한쟁의심판의 대상이 되는 처분에 해당한다(2006.3.30, 2003헌라2).

④ [O] 「지방재정법」 제36조 제1항은 "지방자치단체는 법령 및 조례로 정하는 범위에서 합리적인 기준에 따라 그 경비를 산정하여 예산에 계상하여야 한다."라고 규정하고 있다. 여기서 '법령 및 조례로 정하는 범위에서'란 예산안이 예산편성기준 등에 관하여 직접 규율하는 법령이나 조례에 반해서는 안 될 뿐만 아니라 당해 세출예산의 집행목적이 법령이나 조례에 반해서도 안 된다는 것을 의미한다고 보는 것이 타당하므로, 지방의회가 의결한 예산의 집행목

적이 법령이나 조례에 반하는 경우 당해 예산안 의결은 효력이 없다(대판 2013.1.16, 2012추84).

11 정답 ④

ㄱ. [O] 단체위임사무에 대한 통제로서 타당하다.

> 「지방자치법」 제188조 【위법·부당한 명령이나 처분의 시정】 ① 지방자치단체의 사무에 관한 지방자치단체의 장(제103조 제2항에 따른 사무의 경우에는 지방의회의 의장을 말한다. 이하 이 조에서 같다)의 명령이나 처분이 법령에 위반되거나 현저히 부당하여 공익을 해친다고 인정되면 시·도에 대해서는 주무부장관이, 시·군 및 자치구에 대해서는 시·도지사가 기간을 정하여 서면으로 시정할 것을 명하고, 그 기간에 이행하지 아니하면 이를 취소하거나 정지할 수 있다.

ㄴ. [O]

> 「지방자치법」 제188조 【위법·부당한 명령이나 처분의 시정】 ② 주무부장관은 지방자치단체의 사무에 관한 시장·군수 및 자치구의 구청장의 명령이나 처분이 법령에 위반되거나 현저히 부당하여 공익을 해침에도 불구하고 시·도지사가 제1항에 따른 시정명령을 하지 아니하면 시·도지사에게 기간을 정하여 시정명령을 하도록 명할 수 있다.

ㄷ. [O]

> 「지방자치법」 제188조 【위법·부당한 명령이나 처분의 시정】 ④ 주무부장관은 시·도지사가 시장·군수 및 자치구의 구청장에게 제1항에 따라 시정명령을 하였으나 이를 이행하지 아니한 데 따른 취소·정지를 하지 아니하는 경우에는 시·도지사에게 기간을 정하여 시장·군수 및 자치구의 구청장의 명령이나 처분을 취소하거나 정지할 것을 명하고, 그 기간에 이행하지 아니하면 주무부장관이 이를 직접 취소하거나 정지할 수 있다.

ㄹ. [X]

> 「지방자치법」 제188조 【위법·부당한 명령이나 처분의 시정】 ⑤ 제1항부터 제4항까지의 규정에 따른 자치사무에 관한 명령이나 처분에 대한 주무부장관 또는 시·도지사의 시정명령, 취소 또는 정지는 법령을 위반한 것에 한정한다.

ㅁ. [X]

> 「지방자치법」 제188조 【위법·부당한 명령이나 처분의 시정】 ⑥ 지방자치단체의 장은 제1항, 제3항 또는 제4항에 따른 자치사무에 관한 명령이나 처분의 취소 또는 정지에 대하여 이의가 있으면 그 취소처분 또는 정지처분을 통보받은 날부터 15일 이내에 대법원에 소를 제기할 수 있다.

12 정답 ③

ㄱ. [O] 「지방자치법」 제189조 제1항상 국가위임사무나 시·도위임사무로 규정하고 있으므로, 「지방자치법」 제189조 제1항은 기관위임사무에 한해 적용된다.

ㄴ. [X]

> 「지방자치법」 제189조 【지방자치단체의 장에 대한 직무이행명령】 ① 지방자치단체의 장이 법령에 따라 그 의무에 속하는 국가위임사무나 시·도위임사무의 관리와 집행을 명백히 게을리하고 있다고 인정되면 시·도에 대해서는 주무부장관이, 시·군 및 자치구에 대해서는 시·도지사가 기간을 정하여 서면으로 이행할 사항을 명령할 수 있다.

ㄷ. [O]

> 「지방자치법」 제189조 【지방자치단체의 장에 대한 직무이행명령】 ② 주무부장관이나 시·도지사는 해당 지방자치단체의 장이 제1항의 기간에 이행명령을 이행하지 아니하면 그 지방자치단체의 비용부담으로 대집행 또는 행정상·재정상 필요한 조치(이하 이 조에서 '대집행 등'이라 한다)를 할 수 있다. 이 경우 행정대집행에 관하여는 「행정대집행법」을 준용한다.

ㄹ. [O]

> 「지방자치법」 제189조 【지방자치단체의 장에 대한 직무이행명령】 ③ 주무부장관은 시장·군수 및 자치구의 구청장이 법령에 따라 그 의무에 속하는 국가위임사무의 관리와 집행을 명백히 게을리하고 있다고 인정됨에도 불구하고 시·도지사가 제1항에 따른 이행명령을 하지 아니하는 경우 시·도지사에게 기간을 정하여 이행명령을 하도록 명할 수 있다.
> ④ 주무부장관은 시·도지사가 제3항에 따른 기간에 이행명령을 하지 아니하면 제3항에 따른 기간이 지난 날부터 7일 이내에 직접 시장·군수 및 자치구의 구청장에게 기간을 정하여 이행명령을 하고, 그 기간에 이행하지 아니하면 주무부장관이 직접 대집행 등을 할 수 있다.

ㅁ. [X]

> 「지방자치법」 제189조 【지방자치단체의 장에 대한 직무이행명령】 ⑥ 지방자치단체의 장은 제1항 또는 제4항에 따른 이행명령에 이의가 있으면 이행명령서를 접수한 날부터 15일 이내에 대법원에 소를 제기할 수 있다. 이 경우 지방자치단체의 장은 이행명령의 집행을 정지하게 하는 집행정지결정을 신청할 수 있다.

13 정답 ③

① [X]

> 「지방자치법」 제192조 【지방의회 의결의 재의와 제소】 ① 지방의회의 의결이 법령에 위반되거나 공익을 현저히 해친다고 판단되면 시·도에 대해서는 주무부장관이, 시·군 및 자치구에 대해서는 시·도지사가 해당 지방자치단체의 장에게 재의를 요구하게 할 수 있고, 재의요구 지시를 받은 지방자치단체의 장은 의결사항을 이송받은 날부터 20일 이내에 지방의회에 이유를 붙여 재의를 요구하여야 한다.

② [X]

> 「지방자치법」 제192조 【지방의회 의결의 재의와 제소】 ② 시·군 및 자치구의회의 의결이 법령에 위반된다고 판단됨에도 불구하고 시·도지사가 제1항에 따라 재의를 요구하게 하지 아니한 경우 주무부장

관이 직접 시장·군수 및 자치구의 구청장에게 재의를 요구하게 할 수 있고, 재의요구지시를 받은 시장·군수 및 자치구의 구청장은 의결사항을 이송받은 날부터 20일 이내에 지방의회에 이유를 붙여 재의를 요구하여야 한다.

❸ [O]

「지방자치법」 제192조 【지방의회 의결의 재의와 제소】 ③ 제1항 또는 제2항의 요구에 대하여 재의한 결과 재적의원 과반수의 출석과 출석의원 3분의 2 이상의 찬성으로 전과 같은 의결을 하면 그 의결사항은 확정된다.

④ [X]

「지방자치법」 제192조 【지방의회 의결의 재의와 제소】 ④ 지방자치단체의 장은 제3항에 따라 재의결된 사항이 법령에 위반된다고 판단되면 재의결된 날부터 20일 이내에 대법원에 소를 제기할 수 있다. 이 경우 필요하다고 인정되면 그 의결의 집행을 정지하게 하는 집행정지결정을 신청할 수 있다.

14

정답 ③

① [X] 「감사원법」 규정들의 구체적 내용을 살펴보면 감사원의 직무감찰권의 범위에 인사권자에 대하여 징계 등을 요구할 권한이 포함되고, 위법성뿐 아니라 부당성도 감사의 기준이 되는 것은 명백하며, 지방자치단체의 사무의 성격이나 종류에 따른 어떠한 제한이나 감사기준의 구별도 찾아볼 수 없다(2008.5.29, 2005헌라3).

② [X] 청구인들은 지방자치권의 헌법상 보장이라는 취지에 비추어 볼 때 국가기관인 감사원에 의한 지방자치단체의 자치사무에 대한 감사는 「지방자치법」 제171조나 「국정감사 및 조사에 관한 법률」 제7조 제2호에 준하여 합법성 감사에 한정되어야 한다고 주장하나, 위와 같이 헌법이 감사원을 독립된 외부감사기관으로 정하고 있는 취지, 국가기능의 총체적 극대화를 위하여 중앙정부와 지방자치단체는 서로 행정기능과 행정책임을 분담하면서 중앙행정의 효율성과 지방행정의 자주성을 조화시켜 국민과 주민의 복리증진이라는 공동목표를 추구하는 협력관계에 있다는 점에 비추어 보면, 감사원에 의한 지방자치단체의 자치사무에 대한 감사를 합법성 감사에 한정하고 있지 아니한 이 사건 관련 규정은 그 목적의 정당성과 합리성을 인정할 수 있다(2008.5.29, 2005헌라3).

❸ [O] 「감사원법」은 현행헌법개정 전후에 걸쳐 지방자치단체에 대한 감사범위에 관하여 별다른 개정 없이 제24조 제1항 제2호에 '지방자치단체의 사무와 그에 소속한 지방공무원의 직무'에 대한 감찰권을 그대로 두었는데, 「감사원법」에는 감사범위를 제한하는 이 사건 관련 규정 단서와 같은 규정이 없고 헌법기관이라는 감사원의 성격상 감사원의 지방자치단체에 대한 감사는 합법성 감사에 한정되지 않고 자치사무에 대하여도 합목적성 감사가 가능하여 국가감독권 행사로서 지방자치단체의 자치사무에 대한 감사원의 사전적·포괄적 감사가 인정되는 터에 여기에다 중앙행정기관에도 사전적·포괄적 감사를 인정하게 되면 지방자치단체는 그 자치사무에 대해서도 국가의 불필요한 중복감사를 면할 수 없게 된다(2009.5.28, 2006헌라6).

④ [X] 「감사원법」은 지방자치단체의 위임사무나 자치사무의 구별 없이 합법성 감사뿐만 아니라 합목적성 감사도 허용하고 있는 것으로 보이므로, 감사원의 지방자치단체에 대한 이 사건 감사는 법률상 권한 없이 이루어진 것은 아니다. 헌법이 감사원을 독립된 외부감사기관으로 정하고 있는 취지, 중앙정부와 지방자치단체는 서로 행정기능과 행정책임을 분담하면서 중앙행정의 효율성과 지방행정의 자주성을 조화시켜 국민과 주민의 복리증진이라는 공동목표를 추구하는 협력관계에 있다는 점을 고려하면 지방자치단체의 자치사무에 대한 합목적성 감사의 근거가 되는 이 사건 관련 규정은 그 목적의 정당성과 합리성을 인정할 수 있다(2008.5.29, 2005헌라3).

15

정답 ④

① [X] 헌법 제74조는 대통령의 국군통수권을 규정하고 있으나, 군사재판권은 군사법원에 있다. 2006년 사시

② [X]

헌법 제74조 ① 대통령은 헌법과 법률이 정하는 바에 의하여 국군을 통수한다.
② 국군의 조직과 편성은 법률로 정한다.

③ [X] 우리 헌법은 문민통제원칙상 군통수권을 대통령에게 부여하고 있고(헌법 제74조) 이러한 군통수권에는 군령권과 군정권이 모두 포함된다. 따라서 국방부장관이 군정, 군령 모두를 통할하여 관리하게 되고(「국군조직법」 제8조 참조), 이 중 군을 조직·편성·관리하는 양병권에 해당하는 군정권은 각군 참모총장에게, 군을 동원·작전·지휘하는 군령권은 합동참모의장에게 그 권한이 인정된다(「국군조직법」 제10조 제2항 및 제9조 제2항 등 참조). 2016년 사시

❹ [O] 우리 헌법 제74조 제1항은 "대통령은 헌법과 법률이 정하는 바에 의하여 국군을 통수한다."라고 규정함으로써, 대통령이 국군의 최고사령관이자 최고의 지휘·명령권자임을 밝히고 있다. 국군통수권은 군령과 군정에 관한 권한을 포괄하고, 여기서 군령이란 국방목적을 위하여 군을 현실적으로 지휘·명령하고 통솔하는 용병작용을, 군정이란 군을 조직·유지·관리하는 양병작용을 말한다(2016.2.25, 2013헌바111).

16

정답 ②

① [X]

헌법 제74조 ① 대통령은 헌법과 법률이 정하는 바에 의하여 국군을 통수한다.
② 국군의 조직과 편성은 법률로 정한다.

❷ [O] 2016년 사시

헌법 제60조 ① 국회는 상호원조 또는 안전보장에 관한 조약, 중요한 국제조직에 관한 조약, 우호통상항해조약, 주권의 제약에 관한 조약, 강화조약, 국가나 국민에게 중대한 재정적 부담을 지우는 조약 또는 입법사항에 관한 조약의 체결·비준에 대한 동의권을 가진다.
② 국회는 선전포고, 국군의 외국에의 파견 또는 외국 군대의 대한민국 영역 안에서의 주류에 대한 동의권을 가진다.

③ [X]

헌법 제89조 다음 사항은 국무회의의 심의를 거쳐야 한다.
6. 군사에 관한 중요사항
16. 검찰총장·합동참모의장·각군참모총장·국립대학교총장·대사 기타 법률이 정한 공무원과 국영기업체관리자의 임명

④ [X] 2016년 사시

> **헌법 제77조** ④ 계엄을 선포한 때에는 대통령은 지체 없이 국회에 통고하여야 한다.
> ⑤ 국회가 재적의원 과반수의 찬성으로 계엄의 해제를 요구한 때에는 대통령은 이를 해제하여야 한다.

⑤ [X] 국방의 의무는 외부 적대세력의 직·간접적인 침략행위로부터 국가의 독립을 유지하고 영토를 보전하기 위한 의무로서, 원칙적으로 국방의무의 내용을 법률로써 구체적으로 형성할 수 있는 입법자가 국가의 안보상황, 재정능력 등의 여러가지 사정을 고려하여 국가의 독립을 유지하고 영토를 보전함에 필요한 범위 내에서 결정할 사항이고, 예외적으로 국가의 안위에 관계되는 중대한 교전상태 등의 경우에는 대통령이 헌법 제76조 제2항에 근거하여 법률의 효력을 가지는 긴급명령을 통하여 결정할 수도 있는 사항이라고 보아야 한다. 한편 징집대상자의 범위를 결정하는 문제는 그 목적이 국가안보와 직결되어 있고, 그 성질상 급변하는 국내외 정세 등에 탄력적으로 대응하면서 '최적의 전투력'을 유지할 수 있도록 합목적적으로 정해야 하는 사항이기 때문에, 본질적으로 입법자의 입법형성권이 매우 광범위하게 인정되어야 하는 영역이다(2002.11.28, 2002헌바45). 2006년 사시

17 정답 ②

ㄱ. [X] 미국은 1787년 제정헌법에서는 권리장전이 없었으나, 1791년 수정헌법에서 인권규정 10개조가 추가되었다.

ㄴ. [O] 1919년 바이마르헌법은 인간다운 생활을 할 권리를 최초로 규정해 현대사회국가헌법의 효시로 평가된다. 1949년 독일 본헌법은 사회적 기본권을 규정하지 않고 사회국가원리를 규정하였다.

ㄷ. [O] 영국 인권선언의 특징은 주요사건시마다 국민의 자유와 권리를 재확인하고 절차적 보장에 중점을 둔 데 비해 미국, 프랑스의 인권선언은 천부적 인권선언에 중점을 두었다.

ㄹ. [O] 행복추구권은 로크사상의 영향하에 버지니아권리장전과 미국 독립선언에 규정되었으나, 인간의 존엄과 가치는 칸트사상의 영향하에서 국제연합헌장, 세계인권선언, 독일 기본법에 규정되었다. 저항권은 버지니아권리장전과 독립선언에 규정되어 있었다.

ㅁ. [O] 1789년 인간과 시민의 권리에 관한 권리선언은 1985년에 프랑스 제5공 헌법에 수용되어 규범적 효력을 아직도 가지고 있다.

ㅂ. [X] 독일 기본법은 사회적 기본권규정이 없고 사회국가원리규정만을 두고 있다.

18 정답 ②

① [O] 켈젠(H. Kelsen)은 기본권을 국가가 법률에 규정해야만 인정되는 법률상의 자유로 보아, 헌법 기본권만으로는 국가에 대한 청구권이 발생하지 않는다고 한다. 2015년 서울 7급

❷ [X] 기본권의 이중성, 양면성은 통합주의 학파인 헤세(K. Hesse)가 주장했다.

③ [O] 「헌법재판소법」은 헌법소원심판을 청구할 수 있는 경우를 공권력의 행사 또는 불행사로 인하여 헌법상 보장된 기본권을 침해받은 경우로 정하고 있으므로 법률에서 창설된 권리의 침해에 대해서는 헌법소원심판을 청구할 수 없다. 사적 자치나 계약의 자유는 헌법이 보장하는 원리인 동시에 기본권이고, 이는 다시 민법에서 확인되어 구체화되어 있다(정종섭, 헌법학원론 230면).

④ [O] 칼 슈미트에 따르면 자유는 전국가적 권리이고 국가의 부작위를 청구하는 소극적 권리라고 이해한다.

19 정답 ①

❶ [X] 기본권의 대사인적 효력이 인정되는 것은 바로 기본권의 객관적 질서로서의 성격이 인정되기 때문이다. 기본권의 주관적 공권성에서 인정되는 기본권의 효력은 대국가적 효력이다.

② [O] 기본권은 권리이므로 이중성이 인정되더라도 1차적 의미는 주관적 권리 또는 방어적 권리로서의 성격이다.

③ [O] 기본권의 이중성을 인정하지 않으려고 하는 견해는 기본권이 가지는 주관적 공권으로서의 성격의 약화를 우려하는 태도이나, 사실 기본권이 가지는 객관적 질서로서의 성격을 인정하는 취지는 바로 기본권의 주관적 공권으로서의 성격을 강화하자는 것이므로 크게 문제될 것이 없다 할 것이다.

④ [O] 헌법재판소 판례에 따르면 직업의 자유와 양심의 자유는 주관적 권리성과 객관적 질서의 성격을 모두 지닌다.

20 정답 ④

① [X] 슈미트는 "자유는 제도가 아니다."라며 자유와 제도를 엄격하게 구분하였다. 모든 국가권력은 자유를 최대한 보장하여야 하지만, 제도는 입법기관이 이를 폐지하거나 본질을 침해하지 않는다면 최소한의 보장이 가능하다. 자유는 제도와 이처럼 본질적으로 다르다.

② [X] 보장되는 제도는 헌법규정에 의해 창설되는 제도도 아니고 전 국가적 제도도 아닌 역사적·전통적으로 형성된 객관적 질서이다. 제도적 보장은 기존제도를 그대로 유지하려는 것 역시 아니다. 19세기 제한차등선거제도는 20세기에서 그대로 수용될 수 없기 때문이다.

③ [X] 제도적 보장이론은 칼 슈미트의 이론이고 자유와 제도를 엄격히 구별한다. 제도적 기본권이론은 자유와 제도를 동일시하는 이론인데, 자유가 제도를 통해 구체화되고 실현된다는 스멘트의 주장에 영향을 받은 이론이다.

❹ [O] 선거제도는 1919년 바이마르헌법에 규정되었는데, 선거제도는 이미 19세기에도 있었으므로 헌법에 의해 창설된 것은 아니다. 바이마르헌법의 선거제도조항은 전국가적 제도도 아닌 역사적·전통적으로 형성된 객관적 질서를 보장한 것으로 볼 수 있다.

14회 진도별 모의고사

제도적 보장 ~ 기본권 주체성

정답

01	③	02	③	03	①	04	③
05	④	06	②	07	②	08	③
09	④	10	①	11	①	12	④
13	③	14	③	15	③	16	④
17	③	18	②	19	④	20	②

01

정답 ③

ㄱ. [X] 제도적 보장은 법률이 아니라 헌법에 규정함으로써 장래에 법발전, 법형성의 방침과 범주를 미리 규율하는 데 그 취지가 있다.

ㄴ. [O] ㄹ. [O] 헌법에 의하여 일정한 제도가 보장되면 입법자는 그 제도를 설정하고 유지할 입법의무를 지게 될 뿐만 아니라 헌법에 규정되어 있기 때문에 법률로써 이를 폐지할 수 없고, 비록 내용을 제한한다고 하더라도 그 본질적 내용을 침해할 수는 없다(1997.4.24, 95헌바48).

ㄷ. [X] 제도적 보장조항에 반하는 법률은 헌법에 위반되므로 제도적 보장 또한 재판 규범성으로서의 기능을 할 수 있다.

02

정답 ③

ㄱ. [O] 제도적 보장은 헌법개정권력을 구속하지 못하므로 헌법개정의 대상이 되나 집행권, 사법권, 입법권을 구속하므로 위헌법률심판뿐 아니라 헌법소원에서도 재판규범이 된다. 다만 제도적 보장은 주관적 권리가 아니므로 제도적 보장 침해를 이유로 헌법소원심판을 청구할 수 없다.

ㄴ. [X] 제도적 보장은 기본권 보장의 경우와는 달리 그 본질적 내용을 침해하지 아니하는 범위 안에서 입법자에게 제도의 구체적인 내용과 형태의 형성권을 폭넓게 인정한다는 의미에서 '최소한 보장의 원칙'이 적용될 뿐인 것이다. 직업공무원제도는 헌법이 보장하는 제도적 보장 중의 하나임이 분명하므로 입법자는 직업공무원제도에 관하여 '최소한 보장'의 원칙의 한계 안에서 폭넓은 입법형성의 자유를 가진다(1997.4.24, 95헌바48).

ㄷ. [O] 직업공무원제도와 공무담임권처럼 헌법은 제7조 제2항과 제25조에서 이를 중복적으로 보장하고 있다.

ㄹ. [X] 제도적 보장은 제도의 본질적 내용을 헌법에 규정함으로써 법률에 의한 제도의 폐기를 방지하는 데 그 목적이 있다. 제도의 본질적 내용은 헌법에 의해 결정되나 세부적인 내용은 입법을 통해 결정될 수 있다.

ㅁ. [O] 제도 보장이 궁극적으로는 기본권을 보충, 강화한다는 관점에서, 양자 간의 관련성을 인정해야 한다. 이때, 그 관련성의 강약의 정도에 차이가 있을 수 있다. 헌법 제23조 재산권규정의 경우, 기본권 보장인 동시에 제도 보장이 되는 보장병존형에 해당한다.

ㅂ. [X] 제도적 보장은 기본권 보장의 경우와는 달리 그 본질적 내용을 침해하지 아니하는 범위 안에서 입법자에게 제도의 구체적인 내용과 형태의 형성권을 폭넓게 인정한다는 의미에서 '최소한 보장의 원칙'이 적용될 뿐인 것이다. 직업공무원제도는 헌법이 보장하는 제도적 보장 중의 하나임이 분명하므로 입법자는 직업공무원제도에 관하여 '최소한 보장'의 원칙의 한계 안에서 폭넓은 입법 형성의 자유를 가진다(1997.4.24, 95헌바48).

ㅅ. [X] 교육을 받을 권리와 교육제도의 관계는 교육을 받을 권리가 주가 되고, 제도가 이에 수반되는 형태이다.

03

정답 ①

ㄱ. [O] 피의자·피고인의 구속 여부를 불문하고 조언과 상담을 통하여 이루어지는 변호인의 조력자로서의 역할은 변호인선임권과 마찬가지로 변호인의 조력을 받을 권리의 내용 중 가장 핵심적인 것이 되고, 변호인과 상담하고 조언을 구할 권리는 변호인의 조력을 받을 권리의 내용 중 구체적인 입법형성이 필요한 다른 절차적 권리의 필수적인 전제요건으로서 변호인의 조력을 받을 권리 그 자체에서 막바로 도출되는 것이다(2004.9.23, 2000헌마138).

ㄴ. [O] '알 권리'의 법적 성질을 위와 같이 이해한다고 하더라도 헌법 규정만으로 이를 실현할 수 있는가 아니면 구체적인 법률의 제정이 있어야 하는가에 관하여 견해가 나뉠 수 있으나, 본건 서류에 대한 열람·복사 민원의 처리는 법률의 제정이 없더라도 불가능한 것이 아니라 할 것이다(1989.9.4, 88헌마22).

ㄷ. [O] 헌법 제27조 제3항 제1문은 "모든 국민은 신속한 재판을 받을 권리를 가진다."라고 규정하고 있다. 그러나 신속한 재판을 받을 권리의 실현을 위해서는 구체적인 입법형성이 필요하며, 다른 사법절차적 기본권에 비하여 폭넓은 입법재량이 허용된다. 특히 신속한 재판을 위해서 적정한 판결선고기일을 정하는 것은 법률상 쟁점의 난이도, 개별사건의 특수상황, 접수된 사건량 등 여러가지 요소를 복합적으로 고려하여 결정되어야 할 사항인데, 이때 관할 법원에게는 광범위한 재량권이 부여된다. 따라서 법률에 의한 구체적 형성 없이는 신속한 재판을 위한 어떤 직접적이고 구체적인 청구권이 발생하지 아니한다(1999.9.16, 98헌마75).

ㄹ. [O] 의무교육의 무상원칙을 규정한 헌법 제31조 제3항은 초등교육에 관하여는 직접적인 효력규정으로서 개인이 국가에 대하여 입학금·수업료 등을 면제받을 수 있는 헌법상의 권리라고 볼 수 있으나, 무상의 중등교육을 받을 권리는 법률에서 중등교육을 의무교육으로서 시행하도록 규정하기 전에는 헌법상 권리로서 보장되는 것은 아니다. 따라서 초등학교 무상교육을 받을 권리가 구체적 권리라면 중등학교 무상교육을 받을 권리는 추상적 권리이다(1991.2.11, 90헌가27).

ㅁ. [X] 인간다운 생활을 할 권리로부터 인간의 존엄에 상응하는 최소한의 물질적인 생활의 유지에 필요한 급부를 요구할 수 있는 구체적인 권리가 상황에 따라서는 직접 도출될 수 있다고 할 수는 있어도, 동 기본권이 직접 그 이상의 급부를 내용으로 하는 구체적인 권리를 발생케 한다고는 볼 수 없다고 할 것이다(1998.2.27, 97헌가10 등).

ㅂ. [O] 헌법 제34조 제2항 및 제6항의 국가의 사회보장·사회복지 증진의 무나 재해예방노력의무 등의 성질에 비추어 국가가 어떠한 내용의 산재보험을 어떠한 범위와 방법으로 시행할지 여부는 입법자의 재량영역에 속하는 문제이고, 산재피해 근로자에게 인정되는 산재보험수급권도 그와 같은 입법재량권의 행사에 의하여 제정된 산재보험법에 의하여 비로소 구체화되는 '법률상의 권리'이며, 개인에게 국가에 대한 사회보장·사회복지 또는 재해예방 등과 관련된 적극적 급부청구권은 인정하고 있지 않다(2005.7.21, 2004헌바2).

ㅅ. [O] 대판 1997.7.22, 96다56153

ㅇ. [O] 대법원은 만나고 싶은 사람을 만날 권리는 행복추구권에서 직접

보호되므로, 「형사소송법」의 수용자의 접견권규정은 선언적·확인적 의미를 가진다고 한 바 있다.

04 정답 ③

ㄱ. [O] 헌법재판소 판례에 따르면 학교 운영의 자유는 헌법 제10조, 제31조 제1항 제4항에서 도출될 수 있는 기본권이다.

ㄴ. [O] 헌법 제10조가 정하고 있는 행복추구권에서 파생되는 자기결정권 내지 일반적 행동자유권은 이성적이고 책임감 있는 사람의 자기의 운명에 대한 결정·선택을 존중하되 그에 대한 책임은 스스로 부담함을 전제로 한다(2004.6.24, 2002헌가27).

ㄷ. [O] 연차유급휴가에 관한 권리는 인간의 존엄성을 보장받기 위한 최소한의 근로조건을 요구할 수 있는 권리로서 근로의 권리의 내용에 포함된다 할 것이다(2008.9.25, 2005헌마586).

ㄹ. [X] 청구인들이 평화적 생존권이란 이름으로 주장하고 있는 평화란 헌법의 이념 내지 목적으로서 추상적인 개념에 지나지 아니하고, 평화적 생존권은 이를 헌법에 열거되지 아니한 기본권으로서 특별히 새롭게 인정할 필요성이 있다거나 그 권리 내용이 비교적 명확하여 구체적 권리로서의 실질에 부합한다고 보기 어려워 헌법상 보장된 기본권이라고 할 수 없다(2009.5.28, 2007헌마369).

ㅁ. [X] 청구인들이 침해받았다고 주장하고 있는 신체의 자유, 주거의 자유, 변호인의 조력을 받을 권리, 재판청구권 등은 성질상 인간의 권리에 해당한다고 볼 수 있으므로, 위 기본권들에 관하여는 청구인들의 기본권 주체성이 인정된다. 그러나 '국가인권위원회의 공정한 조사를 받을 권리'는 헌법상 인정되는 기본권이라고 하기 어렵고, 이 사건 보호 및 강제퇴거가 청구인들의 노동3권을 직접 제한하거나 침해한 바 없음이 명백하므로, 위 기본권들에 대하여는 본안판단에 나아가지 아니한다(2012.8.23, 2008헌마430).

ㅂ. [X] 육아휴직신청권은 헌법 제36조 제1항 등으로부터 개인에게 직접 주어지는 헌법적 차원의 권리라고 볼 수는 없고, 입법자가 입법의 목적, 수혜자의 상황, 국가예산, 전체적인 사회보장수준, 국민정서 등 여러 요소를 고려하여 제정하는 입법에 적용요건, 적용대상, 기간 등 구체적인 사항이 규정될 때 비로소 형성되는 법률상의 권리이다(2008.10.30, 2005헌마1156).

ㅅ. [X] 헌법상 조세의 효율성과 타당한 사용에 대한 감시는 국회의 주요 책무이자 권한으로 규정되어 있어(헌법 제54조, 제61조) 재정지출의 효율성 또는 타당성과 관련된 문제에 대한 국민의 관여는 선거를 통한 간접적이고 보충적인 것에 한정되며, 재정지출의 합리성과 타당성 판단은 재정 분야의 전문성을 필요로 하는 정책판단의 영역으로서 사법적으로 심사하는 데에 어려움이 있을 수 있다. 게다가 재정지출에 대한 국민의 직접적 감시권을 기본권으로 인정하게 되면 재정지출을 수반하는 정부의 모든 행위를 개별 국민이 헌법소원으로 다툴 수 있게 되는 문제가 발생할 수 있다. 따라서 청구인이 주장하는 재정사용의 합법성과 타당성을 감시하는 납세자의 권리를 헌법에 열거되지 않은 기본권으로 볼 수 없으므로 그에 대한 침해의 가능성 역시 인정될 수 없다(2005.11.24, 2005헌마579 등).

ㅇ. [O] 헌법 제37조 제1항은 "국민의 자유와 권리는 헌법에 열거되지 아니한 이유로 경시되지 아니한다."라고 규정하고 있다. 이는 헌법에 명시적으로 규정되지 아니한 자유와 권리라도 헌법 제10조에서 규정한 인간의 존엄과 가치를 위하여 필요한 것일 때에는 이를 모두 보장함을 천명하는 것이다. 이러한 기본권으로서 일반적 행동자유권과 명예권 등을 들 수 있다(2002.1.31, 2001헌바43).

ㅈ. [X] 우리 헌법은 간접적인 참정권으로 선거권(헌법 제24조), 공무담임권(헌법 제25조)을, 직접적인 참정권으로 국민투표권(헌법 제72조, 제130조)을 규정하고 있을 뿐 주민투표권을 기본권으로 규정한 바가 없고 제117조, 제118조에서 제도적으로 보장하고 있는 지방자치단체의 자치의 내용도 자치단체의 설치와 존속 그리고 그 자치기능 및 자치사무로서 지방자치단체의 자치권의 본질적 사항에 관한 것이므로 주민투표권을 헌법상 보장되는 기본권이라고 하거나 헌법 제37조 제1항의 '헌법에 열거되지 아니한 권리'의 하나로 보기 어렵다(2005.12.22, 2004헌마530).

ㅊ. [O] '부모의 자녀에 대한 교육권'은 비록 헌법에 명문으로 규정되어 있지는 아니하지만, 이는 모든 인간이 국적과 관계없이 누리는 양도할 수 없는 불가침의 인권으로서 혼인과 가족생활을 보장하는 헌법 제36조 제1항, 행복추구권을 보장하는 헌법 제10조 및 '국민의 자유와 권리는 헌법에 열거되지 아니한 이유로 경시되지 아니한다'고 규정하는 헌법 제37조 제1항에서 나오는 중요한 기본권이다(2000.4.27, 98헌가16 등).

ㅋ. [O] 범죄경력자료는 어떤 범죄로 언제 어떤 처벌을 받았는지 하는 개인경력에 관한 정보를 말하고, 개인의 명예와 관련되어 인격주체성을 특징짓는 사항으로 개인의 동일성을 식별할 수 있게 하는 정보라 할 수 있으므로, 범죄경력자료의 보존으로 인해 제한되는 기본권은 뒤에서 보는 바와 같이 헌법상 열거되지 아니한 기본권으로 인정되는 '개인정보자기결정권'이다(2012.7.26, 2010헌마446).

ㅌ. [X] 주민소환권의 권리 내용 또는 보호영역이 비교적 명확하여 권리 내용을 규범 상대방에게 요구하거나 재판에 의하여 그 실현을 보장받을 수 있는 구체적 권리로서의 실질을 가지고 있다고 할 수도 없으므로, 헌법 제37조 제1항에서 말하는 '헌법에서 열거되지 아니한 기본권'으로 볼 수도 없다(2009.5.28, 2007헌마369).

ㅍ. [O] 다른 기본권의 전제적 기본권으로 간주할 수 있다.

ㅎ. [O] 지방자치단체의 장 선거권을 지방의회의원 선거권, 나아가 국회의원 선거권 및 대통령 선거권과 구별하여 하나는 법률상의 권리로, 나머지는 헌법상의 권리로 이원화하는 것은 허용될 수 없다. 그러므로 지방자치단체의 장 선거권 역시 다른 선거권과 마찬가지로 헌법 제24조에 의해 보호되는 기본권으로 인정하여야 한다(2016.10.27, 2014헌마797).

a. [X] 국회구성권은 헌법에 규정된 권리도 아니지만, 헌법상 해석으로도 인정되지 않는다.

b. [X] 법률안 심의·표결권은 명시적 규정은 없다. 헌법상 인정되는 권한이나, 기본권은 아니다.

c. [O] 기업의 경쟁의 자유는 직업의 자유에서 도출된다.

d. [X] 직장존속청구권은 헌법상 인정되지 않는다.

e. [O] 노동조합에 가입하지 아니할 자유는 헌법 제21조의 결사의 자유와 행복추구권에서 도출된다.

f. [O] 미결수용자가 변호인이 아닌 자와 접견할 권리는 헌법 제10조의 행복추구권과 헌법 제27조 제4항의 무죄추정에서 도출되는 기본권이다.

g. [X] 헌법상의 여러 통일관련 조항들은 국가의 통일의무를 선언한 것이기는 하지만, 그로부터 국민 개개인의 통일에 대한 기본권, 특히 국가기관에 대하여 통일과 관련된 구체적인 행위를 요구하거나 일정한 행동을 할 수 있는 권리가 도출된다고 볼 수는 없다(2000.7.20, 98헌바63).

05 정답 ④

① [O] 「헌법재판소법」 제68조 제1항 소정의 헌법소원은 기본권의 주체이어야만 청구할 수 있는데, 단순히 '국민의 권리'가 아니라 '인간의 권리'로 볼 수 있는 기본권에 대해서는 외국인도 기본권의 주체가 될 수 있다(2001.11.29, 99헌마494).

② [O] 「헌법재판소법」 제68조 제1항은 공권력의 행사 또는 불행사로 인하여 기본권을 침해받은 자가 헌법소원의 심판을 청구할 수 있다고 규정하고 있으므로, 기본권의 주체가 될 수 있는 자만이 헌법소원을 청구할 수 있고, 이때 기본권의 주체가 될 수 있는 '자'라 함은 통상 출생 후의 인간을 가리키는 것이다(2010.5.27, 2005헌마346).

③ [O] ❹ [X] 기본권 보유능력과 기본권 행위능력은 반드시 일치하지 않는다. 예를 들어, 5살 아이는 기본권 보유능력은 있지만(신체의 자유), 기본권 행위능력은 제한된다(선거권의 행사). 2007년 사시

06

정답 ②

① [X] 모든 국민이 선거권의 보유능력을 가진다. 다만, 선거권 연령을 18세로 한정한 「공직선거법」으로 기본권 행사능력을 가진다. 따라서 행사능력을 제한하는 것이다. 2020년 경찰경채

❷ [O] 태아도 기본권 보유능력을 가지나, 태아는 「민법」상의 권리능력은 가지지 못하는 것이 원칙이다. 따라서 기본권 보유능력은, 「민법」상의 권리능력과 일치하지 않는다.

③ [X] 외국인이 기본권 주체가 된다는 것은 외국인이 기본권 보유·향유 능력을 가진다는 의미이다.

④ [X] 대통령의 피선거권 행사능력은 헌법이 직접 제한하고 있으나(헌법 제67조 제4항, 40세), 선거권(「공직선거법」 제15조, 18세)과 국회의원 피선거권 행사능력(「공직선거법」 제16조, 18세)은 법률에서 제한하고 있다.

07

정답 ②

① [X] 만일 자신의 사후에 시체가 본인의 의사와는 무관하게 처리될 수 있다고 한다면 기본권 주체인 살아있는 자의 자기결정권이 보장되고 있다고 보기는 어렵다. 따라서 본인의 생전 의사에 관계없이 인수자가 없는 시체를 해부용으로 제공하도록 규정하고 있는 이 사건 법률조항은 청구인의 시체의 처분에 대한 자기결정권을 제한한다고 할 것이다(2015.11.26, 2012헌마940).

❷ [O] 국민과 유사한 지위에 있는 '외국인'은 원칙적으로 기본권의 주체가 될 수 있다(1994.12.29, 93헌마120). 청구인들이 침해되었다고 주장하는 인간의 존엄과 가치, 행복추구권은 대체로 '인간의 권리'로서 외국인도 주체가 될 수 있다고 보아야 하고, 평등권도 인간의 권리로서 참정권 등에 대한 성질상의 제한 및 상호주의에 따른 제한이 있을 수 있을 뿐이다(2001.11.29, 99헌마494). 평등권의 주체는 국민과 법인, 외국인 모두가 될 수 있다.

③ [X] 헌법 제24조의 선거권과 피선거권은 헌법상 참정권으로 외국인은 주체가 될 수 없다. 다만 「공직선거법」 제15조에 따라 「출입국관리법」 제10조에 따른 영주의 체류자격 취득일 후 3년이 경과한 외국인으로서 같은 법 제34조에 따라 해당 지방자치단체의 외국인등록대장에 올라 있는 사람은 지방의원, 지방자치단체장 선거권은 있으나, 이는 외국인이 누리는 법률상 권리이다. 그러나 외국인은 피선거권은 없다. 2011년 사시

④ [X] '부모의 자녀에 대한 교육권'은 비록 헌법에 명문으로 규정되어 있지는 아니하지만, 이는 모든 인간이 국적과 관계없이 누리는 양도할 수 없는 불가침의 인권으로서 혼인과 가족생활을 보장하는 헌법 제36조 제1항, 행복추구권을 보장하는 헌법 제10조 및 '국민의 자유와 권리는 헌법에 열거되지 아니한 이유로 경시되지 아니한다'고 규정하는 헌법 제37조 제1항에서 나오는 중요한 기본권이다(2000.4.27, 98헌가16 등).

08

정답 ③

① [X] 헌법상 근로의 권리는 '일할 자리에 관한 권리'만이 아니라 '일할 환경에 관한 권리'도 의미하는데, '일할 환경에 관한 권리'는 인간의 존엄성에 대한 침해를 방어하기 위한 권리로서 외국인에게도 인정되며, 건강한 작업환경, 일에 대한 정당한 보수, 합리적인 근로조건의 보장 등을 요구할 수 있는 권리 등을 포함한다. 여기서의 근로조건은 임금과 그 지불방법, 취업시간과 휴식시간 등 근로계약에 의하여 근로자가 근로를 제공하고 임금을 수령하는 데 관한 조건들이고, 이 사건 출국만기보험금은 퇴직금의 성질을 가지고 있어서 그 지급시기에 관한 것은 근로조건의 문제이므로 외국인인 청구인들에게도 기본권 주체성이 인정된다(2016.3.31, 2014헌마367).

② [X] 근로의 권리란 인간이 자신의 의사와 능력에 따라 근로관계를 형성하고, 타인의 방해를 받음이 없이 근로관계를 계속 유지하며, 근로의 기회를 얻지 못한 경우에는 국가에 대하여 근로의 기회를 제공하여 줄 것을 요구할 수 있는 권리를 말하며, 이러한 근로의 권리는 사회권적 기본권의 성격이 강하므로 이에 대한 외국인의 기본권 주체성을 전면적으로 인정하기는 어렵다. 그러나 근로의 권리는 '일할 자리에 관한 권리'만이 아니라 '일할 환경에 관한 권리'도 함께 내포하고 있는바, 후자는 자유권적 기본권의 성격도 갖고 있어 건강한 작업환경, 일에 대한 정당한 보수, 합리적인 근로조건의 보장 등을 요구할 수 있는 권리 등을 포함한다고 할 것이므로 외국인 근로자라고 하여 이 부분에까지 기본권 주체성을 부인할 수는 없다. 즉 근로의 권리의 구체적인 내용에 따라, 국가에 대하여 고용증진을 위한 사회적·경제적 정책을 요구할 수 있는 권리는 사회권적 기본권으로서 국민에 대하여만 인정해야 하지만, 최소한의 근로조건을 요구할 수 있는 권리로서 자유권적 기본권의 성격도 아울러 가지므로 이러한 경우 외국인 근로자에게도 그 기본권 주체성을 인정함이 타당하다(2002.11.28, 2001헌바50).

❸ [O] 「헌법재판소법」 제68조 제1항 소정의 헌법소원은 기본권의 주체이어야만 청구할 수 있는데, 단순히 '국민의 권리'가 아니라 '인간의 권리'로 볼 수 있는 기본권에 대해서는 외국인도 기본권의 주체가 될 수 있다. 나아가 청구인들이 불법체류 중인 외국인들이라 하더라도, 불법체류라는 것은 관련 법령에 의하여 체류자격이 인정되지 않는다는 것일 뿐이므로, '인간의 권리'로서 외국인에게도 주체성이 인정되는 일정한 기본권에 관하여 불법체류 여부에 따라 그 인정 여부가 달라지는 것은 아니다(2012.8.23, 2008헌마430).

④ [X] 「헌법재판소법」 제68조 제1항 소정의 헌법소원은 기본권의 주체이어야만 청구할 수 있는데, 단순히 '국민의 권리'가 아니라 '인간의 권리'로 볼 수 있는 기본권에 대해서는 외국인도 기본권의 주체가 될 수 있다. 나아가 청구인들이 불법체류 중인 외국인들이라 하더라도, 불법체류라는 것은 관련 법령에 의하여 체류자격이 인정되지 않는다는 것일 뿐이므로, '인간의 권리'로서 외국인에게도 주체성이 인정되는 일정한 기본권에 관하여 불법체류 여부에 따라 그 인정 여부가 달라지는 것은 아니다. 청구인들이 침해받았다고 주장하고 있는 신체의 자유, 주거의 자유, 변호인의 조력을 받을 권리, 재판청구권 등은 성질상 인간의 권리에 해당한다고 볼 수 있으므로, 위 기본권들에 관하여는 청구인들의 기본권 주체성이 인정된다. 그러나 '국가인권위원회의 공정한 조사를 받을 권리'는 헌법상 인정되는 기본권이라고 하기 어렵고, 이 사건 보호 및 강제퇴거가 청구인들의 노동3권을 직접 제한하거나 침해한 바 없음이 명백하므로, 위 기본권들에 대하여는 본안판단에 나아가지 아니한다(2012.8.23, 2008헌마430).

09 정답 ④

ㄱ. [O] 「노동조합 및 노동관계조정법」(이하 '노동조합법'이라 한다)상 근로자란 타인과의 사용종속관계하에서 근로를 제공하고 그 대가로 임금 등을 받아 생활하는 사람을 의미하며, 특정한 사용자에게 고용되어 현실적으로 취업하고 있는 사람뿐만 아니라 일시적으로 실업상태에 있는 사람이나 구직 중인 사람을 포함하여 노동3권을 보장할 필요성이 있는 사람도 여기에 포함되는 것으로 보아야 한다. 그리고 출입국관리법령에서 외국인고용제한규정을 두고 있는 것은 취업활동을 할 수 있는 체류자격(이하 '취업자격'이라고 한다) 없는 외국인의 고용이라는 사실적 행위 자체를 금지하고자 하는 것뿐이지, 나아가 취업자격 없는 외국인이 사실상 제공한 근로에 따른 권리나 이미 형성된 근로관계에서 근로자로서의 신분에 따른 노동관계법상의 제반 권리 등의 법률효과까지 금지하려는 것으로 보기는 어렵다. 따라서 타인과의 사용종속관계하에서 근로를 제공하고 그 대가로 임금 등을 받아 생활하는 사람은 노동조합법상 근로자에 해당하고, 노동조합법상의 근로자성이 인정되는 한, 그러한 근로자가 외국인인지 여부나 취업자격의 유무에 따라 노동조합법상 근로자의 범위에 포함되지 아니한다고 볼 수는 없다(대판 전합체 2015.6.25, 2007두4995).

ㄴ. [X] 외국인(비록 위장취업을 위하여 불법입국한 외국인이라 할지라도)이 국내 사업주와 불법으로 근로계약을 체결하였더라도 그 계약은 유효하고, 그 외국인은 「근로기준법」상의 근로자에 해당된다고 보아야 한다. 따라서 「근로기준법」상의 근로자 보호규정은 외국인인 근로자에게도 적용되어야 한다. 그 결과 외국인인 근로자의 임금채권도 보호되어야 하고 그가 업무상 부상 등을 입은 경우에는 「산업재해보상보험법」도 적용받아야 마땅하다고 본다(대판 1995.9.15, 94누12067). 2004년 사시

ㄷ. [X] 국가배상청구권과 범죄피해자청구권은 상호 보증하에서 외국인에게 인정되나, 형사보상청구권은 헌법 제28조의 해석으로 바로 외국인에게 인정된다.

ㄹ. [O] 2004년 사시

> **「국가배상법」 제7조 【외국인에 대한 책임】** 이 법은 외국인이 피해자인 경우에는 해당 국가와 상호 보증이 있을 때에만 적용한다.

10 정답 ①

❶ [O] 외국인에게 입국의 자유가 인정되지 아니하는 이상 거주이전의 자유 침해 주장에 대하여는 별도로 판단하지 아니한다(2014.4.24, 2011헌마474 등). 2016년 국회 8급

② [X] 직장선택의 자유는 인간의 존엄과 가치 및 행복추구권과도 밀접한 관련을 가지는 만큼 단순히 국민의 권리가 아닌 인간의 권리로 보아야 할 것이므로 권리의 성질상 참정권, 사회권적 기본권, 입국의 자유 등과 같이 외국인의 기본권 주체성을 전면적으로 부정할 수는 없고, 외국인도 제한적으로라도 직장선택의 자유를 향유할 수 있다고 보아야 한다(2000.8.31, 97헌가12). 2018년 경찰승진

③ [X] 직업의 자유 중 이 사건에서 문제되는 직장선택의 자유는 인간의 존엄과 가치 및 행복추구권과도 밀접한 관련을 가지는 만큼 단순히 국민의 권리가 아닌 인간의 권리로 보아야 할 것이므로 외국인도 제한적으로라도 직장선택의 자유를 향유할 수 있다고 보아야 한다. 청구인들이 이미 적법하게 고용허가를 받아 적법하게 우리나라에 입국하여 우리나라에서 일정한 생활관계를 형성, 유지하는 등, 우리 사회에서 정당한 노동인력으로서의 지위를 부여받은 상황임을 전제로 하는 이상, 이 사건 청구인들에게 직장선택의 자유에 대한 기본권 주체성을 인정할 수 있다 할 것이다(2011.9.29, 2007헌마1083 등).

④ [X] 기본권 주체성의 인정 문제와 기본권 제한의 정도는 별개의 문제이므로 외국인에게 근로의 권리에 대한 기본권 주체성을 인정한다는 것이 곧바로 우리 국민과 동일한 수준의 보장을 한다는 것을 의미하는 것은 아니다(2016.3.31, 2014헌마367). 직업의 자유 중 이 사건에서 문제되는 직장선택의 자유는 인간의 존엄과 가치 및 행복추구권과도 밀접한 관련을 가지는 만큼 단순히 국민의 권리가 아닌 인간의 권리로 보아야 할 것이므로 권리의 성질상 참정권, 사회권적 기본권, 입국의 자유 등과 같이 외국인의 기본권 주체성을 전면적으로 부정할 수는 없고, 외국인도 제한적으로라도 직장선택의 자유를 향유할 수 있다고 보아야 한다. 한편 기본권 주체성의 인정 문제와 기본권 제한의 정도는 별개의 문제이므로, 외국인에게 직장선택의 자유에 대한 기본권 주체성을 인정한다는 것이 곧바로 이들에게 우리 국민과 동일한 수준의 직장선택의 자유가 보장된다는 것을 의미하는 것은 아니라고 할 것이다(2011.9.29, 2007헌마1083 등).

11 정답 ①

❶ [O] 청구인들은 자동차매매사업조합이라는 명칭을 사용하고 있어서 청구인들의 실체가 조합인지 사단법인인지 의문이 들 수 있으나, 「자동차관리법」 제67조 제2항은 그 성격이 법인임을 명시하고 있고 자연인에게 적용되는 기본권규정이라도 언론·출판의 자유, 재산권의 보장 등과 같이 성질상 법인이 누릴 수 있는 기본권에 관한 규정은 당연히 법인에게도 적용하여야 할 것이므로 법인도 사단법인·재단법인 또는 영리법인·비영리법인을 가리지 아니하고 위 한계 내에서는 헌법상 보장된 기본권이 침해되었음을 이유로 헌법소원심판을 청구할 수 있다(2006.1.26, 2005헌마424).

② [X] 국가나 국가기관 또는 국가조직의 일부나 공법인은 기본권의 '수범자(Adressat)'이지 기본권의 주체로서 그 '소지자(Trager)'가 아니고, 오히려 국민의 기본권을 보호 내지 실현해야 할 '책임'과 '의무'를 지니고 있는 지위에 있을 뿐이다(1994.12.29, 93헌마120). 2019년 법행

③ [X] 자연인과 달리 법인은 신체의 자유, 생명권과 같은 인간의 권리의 주체가 될 수 없으므로 제한적인 기본권 주체이다.

④ [X] 법인도 사단법인, 재단법인 또는 영리법인·비영리법인을 가리지 않고 헌법상 보장된 기본권이 침해되었음을 이유로 헌법소원을 청구할 수 있다(1991.6.13, 90헌마56).

12 정답 ④

① [X] 법인 아닌 사단·재단이라고 하더라도 대표자의 정함이 있고 독립된 사회적 조직체로서 활동하는 때에는 성질상 법인이 누릴 수 있는 기본권을 침해당하게 되면 그의 이름으로 헌법소원심판을 청구할 수 있다(1991.6.3, 90헌마56).

② [X] 법인의 설립이나 지점 등의 설치, 활동거점의 이전 등은 법인이 그 존립이나 통상적인 활동을 위하여 필연적으로 요구되는 기본적인 행위유형들이라 할 것이므로 이를 제한하는 것은 결국 헌법상 보장된 직업수행의 자유와 거주·이전의 자유를 제한하는 것인가의 문제가 된다(1996.3.28, 94헌바42).

③ [X] 우리 헌법은 법인 내지 단체의 기본권 향유능력에 대하여 명문의 규정을 두고 있지는 않지만 본래 자연인에게 적용되는 기본권이라도 그 성질상 법인이 누릴 수 있는 기본권은 법인에게도 적용된다(1991.6.3, 90헌마56). … 법인도 법인의 목적과 사회적 기능에 비추어 볼 때 그 성질에 반하지 않는 범위 내에서 인격권의 한 내

용인 사회적 신용이나 명예 등의 주체가 될 수 있고 법인이 이러한 사회적 신용이나 명예 유지 내지 법인격의 자유로운 발현을 위하여 의사결정이나 행동을 어떻게 할 것인지를 자율적으로 결정하는 것도 법인의 인격권의 한 내용을 이룬다고 할 것이다. 그렇다면 이 사건 심판대상조항은 방송사업자의 의사에 반한 사과행위를 강제함으로써 방송사업자의 인격권을 제한하는바, 이러한 제한이 그 목적과 방법 등에 있어서 헌법 제37조 제2항에 의한 헌법적 한계 내의 것인지 살펴본다(2012.8.23, 2009헌가27). 2020년 국가 7급

❹ [○] 법실증주의은 실정법적 지위를 가진다면 기본권의 주체성을 인정한다. 「민법」상 또는 「상법」상 법인은 실정법상 지위를 인정받으므로 기본권의 주체가 된다.

13 정답 ③

① [X] 법인은 실정법에 의해 법인격성을 인정받으므로 전국가적으로 존재할 수 없어 칼 슈미트의 기본권관에 의할 때 법인에게는 기본권 주체성을 인정하기 어렵다.

② [X] 법인 아닌 사단·재단이라고 하더라도 대표자의 정함이 있고 독립된 사회적 조직체로서 활동하는 때에는 성질상 법인이 누릴 수 있는 기본권을 침해당하게 되면 그의 이름으로 헌법소원심판을 청구할 수 있다(1991.6.3, 90헌마56).

❸ [○] 기본권의 보장에 관한 각 헌법규정의 해석상 국민(또는 국민과 유사한 지위에 있는 외국인과 사법인)만이 기본권의 주체라 할 것이고, 국가나 국가기관 또는 국가조직의 일부나 공법인은 기본권의 '수범자'이지 기본권의 주체로서 그 '소지자'가 아니고 오히려 국민의 기본권을 보호 내지 실현해야 할 책임과 의무를 지니고 있는 지위에 있을 뿐이므로, 공법인인 지방자치단체의 의결기관인 청구인 의회는 기본권의 주체가 될 수 없고 따라서 헌법소원을 제기할 수 있는 적격이 없다(1998.3.26, 96헌마345).

④ [X] 국가 및 그 기관 또는 조직의 일부나 공법인은 원칙적으로는 기본권의 '수범자'로서 기본권의 주체가 되지 못하고, 다만 국민의 기본권을 보호 내지 실현하여야 할 책임과 의무를 지니는 데 그칠 뿐이므로, 공직자가 국가기관의 지위에서 순수한 직무상의 권한 행사와 관련하여 기본권 침해를 주장하는 경우에는 기본권의 주체성을 인정하기 어려우나, 그 외의 사적인 영역에 있어서는 기본권의 주체가 될 수 있다. 청구인은 선출직공무원인 하남시장으로서 주민소환투표가 발의된 경우 주민소환 투표대상자의 권한을 정지시키는 이 사건 법률조항으로 인하여 공무담임권 등이 침해된다고 주장하여, 순수하게 직무상의 권한 행사와 관련된 것이라기보다는 공직의 상실이라는 개인적인 불이익과 연관된 공무담임권을 다투고 있으므로, 기본권의 주체성이 인정된다(2009.3.26, 2007헌마843).

14 정답 ③

① [X]

<기본권에 있어서 독일과 우리나라 헌법의 규정상 차이>

구분	독일 기본법	우리 헌법
내국법인의 기본권 주체성규정	○	X
기본권의 양면성·이중성규정	○	X
기본권의 대사인적 효력규정	단결권	헌법 제21조 제4항
기본권 법률유보조항	일반적 법률유보 조항 X 개별적 법률유보 조항 ○	일반적 법률유보 조항 ○ 개별적 법률유보 조항 ○
인간의 존엄과 가치규정	○	○
행복추구권규정	X	○
생명권규정	○	X
급부청구권	X	○
환경	국가목표규정으로서 환경조항	환경권조항

② [X] 청구인의 경우 공법상 재단법인인 방송문화진흥회가 최다출자자인 방송사업자로서 「방송법」 등 관련 규정에 의하여 공법상의 의무를 부담하고 있지만, 「상법」에 의하여 설립된 주식회사로 설립목적은 언론의 자유의 핵심 영역인 방송사업이므로 이러한 업무수행과 관련하여 당연히 기본권 주체가 될 수 있고, 그 운영을 광고수익에 전적으로 의존하고 있는 만큼 이를 위해 사경제주체로서 활동하는 경우에도 기본권 주체가 될 수 있는바, 이 사건 심판청구는 청구인이 그 운영을 위한 영업활동의 일환으로 방송광고를 판매하는 지위에서 그 제한과 관련하여 이루어진 것이므로 그 기본권 주체성을 인정할 수 있다(2013.9.26, 2012헌마271).

❸ [○] 위 시설에 관한 권리·의무의 주체로서 당사자능력이 있는 청구인 ○○학원이 헌법소원을 제기하여 권리구제를 받는 절차를 밟음으로써 족하다고 할 것이고, 위 학교에 대하여 별도로 헌법소원의 당사자능력을 인정하여야 할 필요는 없다고 할 것이므로 동 학교의 이 사건 헌법소원심판청구는 부적법하다(1993.7.29, 89헌마123).

④ [X] 대한예수교장로회 신학연구원은 장로회총회의 단순한 내부기구가 아니라 그와는 별개의 비법인 재단에 해당되므로 헌법소원심판상의 당사자능력을 갖추었다고 볼 것이다(2000.3.30, 99헌바14).

15 정답 ③

① [○] 청구인 사단법인 한국급식협회는 단체급식업을 운영하고 있는 자 등을 그 회원으로 하여, 단체급식업에 대한 식품안전 및 위생을 확보하여 국민보건향상에 기여하고 단체급식업의 건전한 발전을 도모함을 목적으로 하여 설립된 법인으로서, 기본권의 성질상 자연인에게만 인정되는 것이 아닌 한, 청구인 협회도 기본권의 주체가 될 수 있고 기본권을 직접 침해당한 경우에는 청구인 협회의 이름으로 헌법소원심판을 청구할 수 있는 헌법소원심판청구능력도 있다(2008.2.28, 2006헌마1028).

② [○] 헌법재판소는 사단법인인 한국영화인협회와 신문편집인협회, 노동조합, 상공회의소 등의 기본권 주체성을 인정한 바 있다. 또한, 사법상 법인이 아닌 사단인 정당과 법인이 아닌 재단인 대한예수교장로회 신학연구원의 기본권 주체성을 인정하는 등 사법상 법인이 아닌 단체도 기본권 주체가 될 수 있다는 입장이다. 즉, 기본권 주체성은 사법상 법인격의 취득 여부를 기준으로 하지는 않는다.

❸ [X] 헌법재판소는 대학의 자율성은 헌법 제22조 제1항이 보장하고 있는 학문의 자유의 확실한 보장수단으로 꼭 필요한 것으로서 대학에게 부여된 헌법상의 기본권으로 보고 있다. 그러나 대학의 자치의 주체를 기본적으로 대학으로 본다고 하더라도 교수나 교수회의 주체성이 부정된다고 볼 수는 없고, 가령 학문의 자유를 침해하는 대학의 장에 대한 관계에서는 교수나 교수회가 주체가 될 수 있고, 또한 국가에 의한 침해에 있어서는 대학 자체 외에도 대학 전구성

원이 자율성을 갖는 경우도 있을 것이므로 문제되는 경우에 따라서 대학, 교수, 교수회 모두가 단독, 혹은 중첩적으로 주체가 될 수 있다고 보아야 할 것이다(2006.4.27, 2005헌마1047). 2011년 사시

④ [O] 2015.7.30, 2014헌가7

16 정답 ④

① [O] 학설상으로는 특히 법인 기타 단체의 기본권 주체성을 둘러싼 논의가 있는데, 그중에서도 공법인에 관해서는 아주 예외적인 경우에 그 주체성이 긍정될 수 있다고 한다. 즉 국가로부터 조직상 독립되어 있고, 주로 그 활동영역을 보호대상으로 하는 그러한 기본권만을 인정할 수 있다고 한다. 예컨대 한국방송공사의 언론의 자유의 주체성을 긍정적으로 바라보고 있다.

② [O] 기본권 보장규정인 헌법 제2장은 그 제목을 '국민의 권리와 의무'로 하고 있고, 제10조 내지 제39조는 "모든 국민은 … 권리를 가진다."라고 규정하고 있으므로 공권력의 행사자인 국가, 지방자치단체나 그 기관 또는 국가조직의 일부나 공법인은 국민의 기본권을 보호 내지 실현해야 할 '책임'과 '의무'를 지는 주체로서 헌법소원을 청구할 수 없다. 다만 공법인이나 이에 준하는 지위를 가진 자라 하더라도 공무를 수행하거나 고권적 행위를 하는 경우가 아닌 사경제주체로서 활동하는 경우나 조직법상 국가로부터 독립한 고유업무를 수행하는 경우, 그리고 다른 공권력 주체와의 관계에서 지배복종관계가 성립되어 일반 사인처럼 그 지배하에 있는 경우 등에는 기본권 주체가 될 수 있다. 이러한 경우에는 이들이 기본권을 보호해야 하는 국가적 기능을 담당하고 있다고 볼 수 없기 때문이다(2013.9.26, 2012헌마271).

③ [O] 헌법상 기본권의 주체가 될 수 있는 법인은 원칙적으로 사법인에 한하는 것이고, 공법인은 헌법의 수범자이지 기본권의 주체가 될 수 없다. 또 예외적으로 공법인적 성질을 가지는 법인이 기본권의 주체가 되는 경우에도 그 공법인적 성격으로 인한 제한을 받지 않을 수 없다(2000.6.1, 99헌마553).

❹ [X] 공법인이 사경제주체로서 활동하는 경우 조직법상 국가로부터 독립하여 고유한 업무영역을 가지고 있는 법인의 경우(국·공립의 교육기관·방송기관·지방자치단체), 공법인이 개인의 이익과 결합하여 개인의 이익을 대변하여 국가에 대항하는 구조를 취하고 있는 활동을 하는 경우, 다른 공법인과 관계에서 지배복종의 관계가 성립하여 다른 공법인의 지배하에 있는 경우에는 그 활동의 영역에 한하여 기본권의 주체가 될 수 있다(정종섭, 247면). 공법인이 다른 공법인에 대해 기본권관계인 복종관계가 성립하는 경우 기본권의 주체가 된다. 다만, 공법인이 국가와 지시·감독관계에 있는 경우에는 기본권의 주체가 될 수 없다(이광윤, 헌법실무연구 3권, 161-180면, 장영수).

17 정답 ③

① [O] 공제회는 「학교안전사고 예방 및 보상에 관한 법률」에 의하여 설립된 공공단체로서, 국가로부터 존립목적을 부여받아 행정목적을 수행하는 공법인적 특성을 갖고 있다. 반면, 공제회는 「민법」이 적용되던 과거 학교안전공제회와 동일한 성격의 단체일 뿐, 행정관청 또는 그로부터 행정권한을 위임받은 단체로 보기 어렵다. 이처럼 공제회는 공법인적 성격과 사법인적 성격을 겸유하고 있는데, 공제회가 일부 공법인적 성격을 갖고 있다고 하더라도 공무를 수행하거나 고권적 행위를 하는 경우가 아닌 사경제주체로서 활동하는 경우나 조직법상 국가로부터 독립한 고유업무를 수행하는 경우, 그리고 다른 공권력 주체와의 관계에서 지배복종관계가 성립되어 일반 사인처럼 그 지배하에 있는 경우 등에는 기본권 주체가 될 수 있다(2015.7.30, 2014헌가7).

② [O] 정부와 민간이 함께 주주로서 참여하는 주식회사 형태의 공사혼합기업인 한국전력공사는 그 과제수행을 행정의 방식이 아닌 영업의 방식에 의하고 있고 그 과제의 수행방식과 비용부담의 문제를 결정하는 것은 영업의 자유 등 기본권의 문제이므로 기본권 주체성이 인정된다고 하였다(2005.2.24, 2001헌바71).

❸ [X] 입법권은 헌법 제40조에 의하여 국가기관으로서의 국회에 속하는 것이고, 국회의원이 국회 내에서 행사하는 질의권·토론권 및 표결권 등은 입법권 등 공권력을 행사하는 국가기관인 국회의 구성원의 지위에 있는 국회의원에게 부여된 권한으로서 국회의원 개인에게 헌법이 보장하는 권리 즉 기본권으로 인정된 것이라고 할 수는 없다(1995.2.23, 91헌마231). 2010년 법무사

④ [O] 청구인 의회(서울시의회)는 기본권의 주체가 될 수 없고 따라서 헌법소원을 제기할 적격이 없다(1998.3.26, 96헌마345).

18 정답 ②

① [X] 지방자치단체의 장은 기본권의 주체가 될 수 없는 것이 원칙이지만(1999.5.29, 98헌마214), 일반 국민의 지위에서는 기본권의 주체가 될 수 있다. 지문과 같이 지방자치단체의 장이 주민의 기본권을 보호하기 위한 행위를 하는 것은 일반 국민의 지위에서가 아닌 지방자치단체의 장의 지위에 기한 것이므로 기본권 주체가 될 수 없다.

❷ [O] 지방자치단체의 장이 주민의 복리를 증진하기 위하여 활동하는 것은 지방자치단체의 장의 지위에 기한 것이므로 기본권 주체로서의 기본권 행사에 해당하지 아니한다.

③ [X] 청구인은 선출직 공무원인 하남시장으로서 이 사건 법률조항으로 인하여 공무담임권 등이 침해된다고 주장하여, 순수하게 직무상의 권한행사와 관련된 것이라기보다는 공직의 상실이라는 개인적인 불이익과 연관된 공무담임권을 다투고 있으므로, 이 사건에서 청구인에게는 기본권의 주체성이 인정된다 할 것이다(1995.3.23, 95헌마53).

④ [X] 국가 및 그 기관 또는 조직의 일부나 공법인은 원칙적으로는 기본권의 '수범자'로서 기본권의 주체가 되지 못하고, 다만 국민의 기본권을 보호 내지 실현하여야 할 책임과 의무를 지니는 데 그칠 뿐이므로(1994.12.29, 93헌마120), 공직자가 국가기관의 지위에서 순수한 직무상의 권한 행사와 관련하여 기본권 침해를 주장하는 경우에는 기본권의 주체성을 인정하기 어렵다 할 것이나, 그 외의 사적인 영역에 있어서는 기본권의 주체가 될 수 있는 것이다(2009.3.26, 2007헌마843).

19 정답 ④

ㄱ. [O] 상공회의소는 상공업의 발전을 꾀함을 목적으로 하는 조직으로 목적이나 설립, 관리 면에서 자주적인 단체로 사법인이라고 할 것이므로 상공회의소와 관련해서도 결사의 자유는 보장된다고 할 것이다(2006.5.25, 2004헌가1).

ㄴ. [O] 법인 등 결사체도 그 조직과 의사형성에 있어서, 그리고 업무수행에 있어서 자기결정권을 가지므로 결사의 자유의 주체가 된다고 봄이 상당하다(2000.6.1, 99헌마553).

ㄷ. [O] 헌법상 기본권인 선거권 및 국민투표권은 대한민국 국적을 가진 자연인인 대한민국 국민에게만 인정되는 것이고, 그 권리의 성질상 법인이나 단체는 선거권 및 국민투표권 행사의 주체가 될 수

없으므로, 재외국민의 참정권 실현을 위해 설립된 단체인 청구인 ○○유권자총연합회는 위 조항에 의하여 선거권 등의 기본권을 제한받는 자라 할 수 없다(2014.7.24, 2009헌마256 등).

ㄹ. [X] 인천전문대학 기성회 이사회는 인천전문대학 기성회로부터 독립된 별개의 단체가 아니고, 인천전문대학 기성회 내부에 설치된 회의 기관 가운데 하나에 불과하다. 따라서 인천전문대학 기성회 이사회는 그 이름으로 헌법소원심판을 청구할 수 있는 헌법소원심판 청구능력이 있다고 할 수 없으므로 인천전문대학 기성회 이사회의 이 사건 헌법소원심판청구는 부적법하다(2010.7.29, 2009헌마149).

ㅁ. [X] 기본권 보장규정인 헌법 제2장의 제목이 '국민의 권리와 의무'이고, 그 제10조 내지 제39조에서 "모든 국민은 … 권리를 가진다." 라고 규정하고 있으므로 국민만이 기본권의 주체라 할 것이고, 공권력의 행사자인 국가, 지방자치단체나 그 기관 또는 국가조직의 일부나 공법인은 기본권의 주체가 아니라 단지 국민의 기본권을 보호 내지 실현해야 할 책임과 의무를 지는 지위에 있을 뿐이다. 그러므로 지방자치단체의 장인 이 사건 청구인은 기본권의 주체가 될 수 없으므로 청구인의 재판청구권 침해 주장은 더 나아가 살필 필요 없이 이유 없다(2014.6.26, 2013헌바122).

20 정답 ②

① [O] 대통령도 국민의 한사람으로서 제한적으로나마 기본권의 주체가 될 수 있는바, 대통령은 소속 정당을 위하여 정당활동을 할 수 있는 사인으로서의 지위와 국민 모두에 대한 봉사자로서 공익실현의 의무가 있는 헌법기관으로서의 지위를 동시에 갖는데 최소한 전자의 지위와 관련하여는 기본권 주체성을 갖는다고 할 수 있다(2008.1.17, 2007헌마700).

❷ [X] 지방자치단체는 기본권의 주체가 되지 않는다.

③ [O] 공정한 재판을 위해선 국가가 소송의 당사자라면 국가도 사법절차의 원리(공격 방어의 기회 보장, 무기대등원칙) 등을 원용할 수 있어야 한다.

④ [O] 일반적으로 청구인과 같은 경찰공무원은 기본권의 주체가 아니라 국민 모두에 대한 봉사자로서 공공의 안전 및 질서유지라는 공익을 실현할 의무가 인정되는 기본권의 수범자라 할 것인바, 검사가 발부한 형집행장에 의하여 검거된 벌금미납자의 신병에 관한 업무는 국가조직영역 내에서 수행되는 공적 과제 내지 직무영역에 대한 것으로 이와 관련해서 청구인은 국가기관의 일부 또는 그 구성원으로서 공법상의 권한을 행사하는 공권력 행사의 주체일 뿐, 기본권의 주체라 할 수 없으므로 이 사건에서 청구인에게 헌법소원을 제기할 청구인적격을 인정할 수 없다(2009.3.24, 2009헌마118).

15회 진도별 모의고사

기본권의 효력 ~ 기본권 충돌

정답

01	②	02	①	03	②	04	③
05	④	06	③	07	②	08	②
09	④	10	③	11	②	12	②
13	①	14	②	15	①	16	②
17	③	18	①	19	③	20	③

01 정답 ②

① [X] 입법자의 형성의 자유가 인정되더라도 기본권 효력에 구속되는 한계를 지닌다. 모든 국가기관이 기본권의 구속을 받는 헌법국가에서 기본권의 구속으로부터 자유로운 국가행위의 영역은 인정되지 않는다(2001.3.21, 99헌마139 등).

❷ [O] 헌법 제10조에서 규정하듯이 모든 국가권력은 국민의 기본권에 기속되므로 원칙적으로 기본권에 기속되는 국가권력은 모두 헌법소원의 대상이 된다고 하여야 할 것이다(2005.5.26, 2004헌마671).

③ [X] 통치행위를 포함하여 모든 국가작용은 국민의 기본권적 가치를 실현하기 위한 수단이라는 한계를 반드시 지켜야 하는 것이고, 헌법재판소는 헌법의 수호와 국민의 기본권 보장을 사명으로 하는 국가기관이므로, 비록 고도의 정치적 결단에 의하여 행해지는 국가작용이라고 할지라도 그것이 국민의 기본권 침해와 직접 관련되는 경우에는 당연히 헌법재판소의 심판대상이 될 수 있는 것이다(1996.2.29, 93헌마186).

④ [X] 사법에 대한 구속력의 근거로는 헌법 제27조(재판청구권) 및 제103조(법관의 독립)을 적시하고 있다. 법원의 사법작용에 있어서 재판절차 및 재판내용도 기본권 존중의 원칙에 기속된다. 그러나 「헌법재판소법」 제68조 제1항에서 법원의 재판에 대한 헌법소원을 금지하고 있기 때문에, 사법작용에 대한 기본권 기속을 실현하는 데에는 일정한 한계가 있다(성낙인, 헌법학 260면, 정종섭, 헌법학원론 259면).

02 정답 ①

❶ [X] 국가의 작위를 통해 대사인적 효력은 실현된다. 국가의 부작위를 강조하는 사상 등은 대사인적 효력과 무관하다.

<기본권의 대사인적 효력과의 관련 유무>

긍정적으로 관련성이 있는 것	관련성이 없는 것
• 공법과 사법 구별의 상대화 • 국가와 사회영역 구별의 상대화 • 사회적 법치국가 • 사회국가원리 • 기본권의 객관적 질서 또는 기본권의 다층구조적 성격, 양면성 이론 • 국가의 기본권 보호의무 • 헌법의 최고규범성 • 법질서의 통일성 유지	• 주관적 공권 • 국가와 사회, 공법과 사법의 엄격한 구별 • 사적자치 신장 • 작은 정부 지향 • 칼 슈미트의 자유주의 기본권 이론 • 시민적 법치국가 • 자연권사상

② [O] 우리 현행헌법은 근로의 권리와 근로3권의 대사인적 효력을 직접 규정하고 있지 않으며, 다만 헌법해석론적으로 근로의 권리와 근로3권이 사인 간에 직접 적용된다는 것이 다수설일 뿐이다.

➡ 독일 기본법 제9조 제3항은 모든 근로자는 근로조건과 경제적 지위향상을 위해서 단체를 조직할 권리를 가지며, 이 권리를 제한하거나 방해할 목적의 어떠한 협약이나 조치도 위법하고 무효하다고 하여 근로자의 단결권이 사인인 고용주에게도 그 효력을 미칠 수 있는 헌법적 근거를 제시해 주고 있다.

> **헌법 제33조** ① 근로자는 근로조건의 향상을 위하여 자주적인 단결권·단체교섭권 및 단체행동권을 가진다.

③ [O] 기본권의 대사인적 효력은 국가에 의한 기본권 침해시 발생하는 문제라면 기본권의 제3자적 효력은 기본권이 사회적 압력단체나 사인에 의해서도 침해될 수 있다는 현실적 문제에서 출발한 이론이다.

④ [O] 국가배상청구권 같은 권리는 처음부터 국가에 대한 권리이므로 대사인적 효력이 인정될 수 없는 권리이므로 기본권의 직접적인 대사인적 효력을 주장하는 학자의 경우에도 모든 기본권의 효력이 사법질서에 전적으로 미쳐야 한다고 하지는 않는다. 2004년 사시

03 정답 ②

ㄱ. [X] 기본권의 이중성이론, 기본권의 객관적 질서에 입각한 대사인적 효력을 인정하는 견해는 독일의 이론이다.

ㄴ. [X] 미국 연방대법원은 기본권의 자연권성을 전제로 하여, 사인의 행위를 국가행위로 간주하여 기본권의 효력을 적용시키는 판례이론을 만들어 냈다. 따라서 사인의 행위를 국가의 행위라고 의제하여 기본권이 적용되는 것이지, 사법상의 조리(Common Sense)를 매개로 하여 기본권이 직접 적용되는 것이 아니다.

ㄷ. [X]

<독일 헌법재판소의 대사인적 효력과 미국 연방대법원의 국가행위의제이론>

구분	독일 헌법재판소의 대사인적 효력	미국 연방대법원의 국가행위의제이론
기본권의 성격	기본권의 이중성	천부인권사상, 자연법사상
기본권의 객관적 질서	○	X
기본권의 사인 간 적용	사법의 일반원칙을 매개로 기본권을 간접 적용	사인의 행위를 국가행위로 의제한 후 기본권을 직접 적용

ㄹ. [O] 미국 연방대법원은 기본권의 자연권성을 전제로 하여, 사인의 행위를 국가행위로 간주하여 기본권의 효력을 적용시키는 판례이론을 만들어 냈다.

ㅁ. [O] 미국 수정헌법 제14조 due process of law는 '어느 주도 정당한 사법절차에 의하지 아니하고 국민의 생명, 자유, 재산을 박탈해서는 안 된다'고 규정하고 있다. 미국은 자연법사상과 천부인권사상의 영향 아래서 기본권의 효력은 국가에만 미치고 사인에게는 미칠 수 없다는 입장이었다. 그러나 사인 간 기본권 효력을 인정할 필요성이 생기자 사인의 행위를 국가행위로 간주하여 기본권 효력을 적용시킬 수밖에 없었다. 2005년 법행

04

정답 ③

① [X] 기본권은 사인 간 관계에서도 그 효력이 인정된다. 미국에서는 사인의 행위에 의해 다른 사인의 기본권이 침해된 경우 사인의 행위를 국가의 행위로 의제하여 기본권의 효력을 인정하고 있다. 이를 국가행위의제이론, 사정부이론이라고 한다. 이에 비해 독일은 기본권은 주관적 권리이자 객관적 질서라는 이중성이론에 따라 기본권을 사법의 일반원칙을 매개로 하여 기본권을 적용하는 간접효력설이 다수설이다. 우리나라도 간접효력설이 다수설이나, 근로의 권리나 근로3권은 직접 적용된다. 평등권, 사생활의 비밀과 자유, 통신의 비밀을 침해받지 않을 권리, 주거의 자유, 양심의 자유, 종교의 자유 등은 사인 간에 간접 적용된다. 그러나 국가배상청구권과 형사보상청구권, 범죄피해자구조청구권 등에 대해서는 사인 간의 효력을 부정하는 것이 일반적이다. 2017년 소방간부

② [X] 직접효력설은 전체 법질서의 통일성을 강조함으로써 사법질서의 독자성을 훼손한다는 비판을 받고 있다. 오히려 간접효력설은 전체 법질서와 사법질서의 독자성을 조화시키려는 입장이다. 2004년 사시

❸ [O] 대사인 간에 직접 적용되는 기본권의 범위에 대하여 학자마다 견해가 다른데, 근로3권이 직접적용된다고 보는 견해(권영성), 언론·출판의 자유가 직접 적용된다고 보는 견해(허영), 근로3권, 언론·출판의 자유, 인간의 존엄과 가치, 행복추구권, 참정권이 직접 적용된다고 보는 견해(김철수) 등으로 갈린다. 2009년 법무사

④ [X] 헌법 제11조는 "모든 국민은 법 앞에 평등하다. 누구든지 성별·종교 또는 사회적 신분에 의하여 정치적·경제적·사회적·문화적 생활의 모든 영역에 있어서 차별을 받지 아니한다."라고 규정하여 평등의 원칙을 선언함과 동시에 모든 국민에게 평등권을 보장하고 있다. 따라서 사적 단체를 포함하여 사회공동체 내에서 개인이 성별에 따른 불합리한 차별을 받지 아니하고 자신의 희망과 소양에 따라 다양한 사회적·경제적 활동을 영위하는 것은 그 인격권 실현의 본질적 부분에 해당하므로 평등권이라는 기본권의 침해도 「민법」 제750조의 일반규정을 통하여 사법상 보호되는 인격적 법익 침해의 형태로 구체화되어 논하여질 수 있고, 그 위법성 인정을 위하여 반드시 사인 간의 평등권 보호에 관한 별개의 입법이 있어야만 하는 것은 아니다(대판 2011.1.27, 2009다19864).

05

정답 ④

① [X] 기본권규정은 그 성질상 사법관계에 직접 적용될 수 있는 예외적인 것을 제외하고는 사법상의 일반원칙을 규정한 민법 제2조, 제103조, 제750조, 제751조 등의 내용을 형성하고 그 해석 기준이 되어 간접적으로 사법관계에 효력을 미치게 된다(대판 2011.1.27, 2009다19864).

② [X] 기본권규정은 그 성질상 사법관계에 직접 적용될 수 있는 예외적인 것을 제외하고는 사법상의 일반원칙을 규정한 민법 제2조, 제103조, 제750조, 제751조 등의 내용을 형성하고 그 해석기준이 되어 간접적으로 사법관계에 효력을 미치게 된다(대판 전합체 2010.4.22, 2008다38288).

③ [X] 기본권규정은 그 성질상 사법관계에 직접 적용될 수 있는 예외적인 것을 제외하고는 사법상의 일반원칙을 규정한 「민법」 제2조, 제103조, 제750조, 제751조 등의 내용을 형성하고 그 해석기준이 되어 간접적으로 사법관계에 효력을 미치게 된다. 종교의 자유라는 기본권의 침해와 관련한 불법행위의 성립 여부도 위와 같은 일반규정을 통하여 사법상으로 보호되는 종교에 관한 인격적 법익 침해 등의 형태로 구체화되어 논하여져야 한다(대판 전합체 2010.4.22, 2008다38288). 1998년 사시

❹ [O] 남성 회원에게는 별다른 심사 없이 총회의결권 등을 가지는 총회원 자격을 부여하면서도 여성 회원의 경우에는 지속적인 요구에도 불구하고 원천적으로 총회원 자격심사에서 배제하여 온 것은, 우리 사회의 건전한 상식과 법감정에 비추어 용인될 수 있는 한계를 벗어나 사회질서에 위반되는 것으로서 여성 회원들의 인격적 법익을 침해하여 불법행위를 구성한다(대판 2011.1.27, 2009다19864).

06

정답 ③

① [O] 간접효력설에 따르면, 헌법의 기본권은 사법의 일반조항을 매개로 하여 사인 간의 법률관계에 적용되므로, 사인 간의 법률행위가 무효가 되기 위해서는 사법의 일반조항에 위배됨을 주장하여야 한다.

② [O] 직접효력설은 사법의 독자성을 무시했다는 비판을 받았다. 이에 간접효력설은 헌법의 최고규범성보다는 사법의 독자성에 더 큰 비중을 두고 사인 상호 간의 법률관계에 적용되는 것은 일차적으로 사법이고 헌법상 기본권은 사법의 일반원칙을 매개로 하여 간접적으로 적용되는 것이 바람직하다는 입장이다.

❸ [X] 모든 기본권이 직접 적용된다는 전면적 직접효력설을 주장하는 학자는 드물고, 일정한 기본권만이 사인 간에 직접 적용된다는 한정적 직접효력설이 주장되고 있다.

구분	직접효력설	간접효력설
적용방식	사인 간에 기본권을 직접 적용	사법의 일반원칙을 매개로 기본권을 간접 적용
강조점	법질서의 통일성을 우선함.	법질서 통일성과 사법의 독자성 조화
문제점	사법의 독자성, 계약의 자유, 사적 자치가 무시됨.	법관에게 지나친 재량권을 줌.
법원	초기 독일 연방노동법원	독일 연방헌법재판소

④ [O] 기본권규정 중 성질상 사인 간에 적용될 수 없는 기본권, 즉 청원권, 재판청구권, 형사보상청구권 등의 청구권적 기본권, 불리한 진술거부권, 변호인의 도움을 받을 권리, 무죄추정원리 등 사법절차적 기본권에는 대사인적 효력이 적용될 여지가 없다.

07

정답 ②

① [O] 간접효력설에 따르면 사인 간의 법률관계를 규율하는 것은 우선 사법이기 때문에 헌법이 기본권의 직접적 사인효력을 명시하고 있는 경우를 제외하고는 헌법상의 기본권규정이 사법질서에서 직접적으로 적용될 수는 없고 기본권은 사법의 일반조항이라는 매개수단을 통하여 간접적으로 사인 상호 간에도 적용된다. 2008년 국회 8급

❷ [X] 독일과 우리나라의 통설인 간접효력설은 기본권의 양면성 또는 이중성을 인정하는 입장에서 기본권의 객관적 질서에 따라 기본권의 대사인적 효력을 인정하려고 한다.

③ [O] 간접적용설은 사법관계에서 사법의 일반원칙이 적용되고 기본권은 사법의 일반원칙을 매개로 하여 기본권이 적용되다는 이론이므로 사법관계에서 사법의 일반원칙이 적용되어 사적 자치가 잘 보장된다. 이에 반해 직접적용설은 사법관계에 기본권이 직접 적용되므로 사적 자치가 인정되기 힘들다. 1998년 사시

④ [O] 평등권, 사생활의 비밀과 자유, 통신의 비밀을 침해받지 않을 권리, 주거의 자유, 양심의 자유, 종교의 자유 등은 사인 간에 간접 적용된다.

08 정답 ②

ㄱ. [X] 헌법상의 근로3권조항, 언론·출판의 자유조항, 연소자와 여성의 근로의 특별보호조항을 사인 간의 사적인 법률관계에 직접 적용되는 기본권이라는 견해가 있으나, 헌법재판소가 이를 인정한 것은 아니다. 국가배상청구권과 형사보상청구권은 원칙적으로 국가권력만을 구속한다고 하여 그 대사인적 효력은 부인되나, 헌법재판소가 부인한 것은 아니다. 2012년 변시

ㄴ. [O] 근로자의 근로의 권리와 근로3권은 성질상 사인 사이에서도 직접적으로 적용되는 기본권이라는 것이 다수설이다. 1998년 사시

ㄷ. [O] 기본권규정 중 청구권적 기본권, 사법절차적 기본권, 참정권 등은 개인과 국가 간에서만 적용될 수 있는 기본권이다. 2009년 법무사

ㄹ. [X] 평등권은 사인 간에 간접 적용된다.

ㅁ. [O] 기본권규정 중 성질상 사인 간에 적용될 수 없는 기본권, 즉 청원권, 재판청구권, 형사보상청구권 등의 청구권적 기본권, 불리한 진술거부권, 변호인의 도움을 받을 권리, 무죄추정원리 등 사법절차적 기본권에는 대사인적 효력이 적용될 여지가 없다.

ㅂ. [O] 독일 기본법 제9조 제3항은 "근로조건 및 경제조건을 유지하고 또 개선하기 위하여 단체를 결성하는 권리는 각 개인 및 모든 직업에 대하여 보장된다. 이 권리를 제한하거나 또는 방해하려고 하는 합의는 무효이며, 이를 목적으로 한 조치는 위법이다."라고 규정하고 있다. 반면 우리 헌법에는 독일 기본법에서와는 달리 '근로자의 단결권'에 관해서 직접적 사인효력을 인정하는 명문규정이 없고, 사인간의 기본권효력을 부인하는 명문규정도 없다. 2008년 사시

09 정답 ④

① [X] ② [X]

<기본권의 경합과 충돌 비교>

구분	기본권 경합	기본권 충돌
기본권의 주체	단수	복수
기본권의 종류	다른 기본권, 반드시 상이한 기본권이어야 함.	다른 기본권 간에도 발생하나, 동일한 기본권 간에도 발생함.
기본권 침해주체	국가	사인
기본권의 효력	대국가적 효력	대사인적 효력과 대국가적 효력
해결방법	• 최강효력설 • 최약효력설	법익형량, 규범조화적 해석, 규범영역분석이론, 수인한도론

③ [X] 경합하는 기본권 중에 제한가능성과 제한 정도가 가장 적은, 즉 국가에 대한 효력이 가장 강한 기본권을 우선 적용하려는 최강효력설과 가장 약한 기본권을 우선시하려는 최약효력설이 있는데, 최강효력설이 다수설이다.

❹ [O] 기본권 경합이란 하나의 기본권 주체가 국가에 대하여 하나의 동일한 사건에서 둘 또는 그 이상의 기본권을 동시에 주장하는 경우를 말하고, 기본권 충돌이란 상이한 기본권의 주체가 상충하는 권익을 실현하기 위하여 국가에 대하여 각기 대립되는 기본권의 효력을 주장하는 경우를 말한다.

10 정답 ③

① [X] 경합은 공권력 행사에 의한 단일한 기본권 주체의 복수의 기본권이 문제가 되는 경우이고 충돌은 대립하는 복수의 기본권 주체가 서로 대립적으로 국가에 대해 주장하는 경우이다. 보수규정은 공권력 행사로 단일한 기본권 주체의 복수 기본권이 문제가 되는 경우이므로 기본권 경합의 문제이다. 공권력인 입법권에 의한 기본권 침해 문제이고 단일한 기본권 주체이므로 기본권 경합의 문제가 논의 될 수 있으나 충돌의 문제는 아니다.

② [X] 상업적 광고는 예술의 자유에서 보장되지 않고, 재산권, 영업의 자유는 경합관계이다.

❸ [O] 근로자의 노동3권은 근로조건의 향상을 위한 권리이므로, 이라크 전쟁을 반대하기 위한 집회에서 주장할 수 있는 기본권이 아니다. 이라크전쟁 반대의 집회에서는 집회의 자유만 인정된다. 따라서 기본권 경합이 발생하지 않는 유사경합이다.

④ [X] 대학병원에 보관된 시신을 훔친 것은 예술의 자유에서 보호되지 않으므로 시체에 대한 자기결정권과 예술의 자유는 유사충돌이다. 강연은 예술의 자유에서 보호되지 않으므로 집회를 제지당했다면 예술의 자유와 집회의 자유는 유사경합이다.

11 정답 ②

① [O] 청구인은 이 사건 법률조항에 의하여 인간의 존엄과 가치 및 행복추구권, 사생활의 비밀과 자유가 침해된다고 주장하나, 위 기본권들은 모두 개인정보자기결정권의 헌법적 근거로 거론되는 것으로서 청구인의 개인정보에 대한 공개와 이용이 문제되는 이 사건에서 개인정보자기결정권 침해 여부를 판단하는 이상 별도로 판단하지 않는다(2016.6.30, 2015헌마924).

❷ [X] 이 사건 법률조항에 의한 표현 및 예술의 자유의 제한은 극장 운영자의 직업의 자유에 대한 제한을 매개로 하여 간접적으로 제약되는 것이라 할 것이고, 입법자의 객관적인 동기 등을 참작하여 볼 때 사안과 가장 밀접한 관계에 있고 또 침해의 정도가 가장 큰 주된 기본권은 직업의 자유라고 할 것이다. 따라서 이하에서는 직업의 자유의 침해 여부를 중심으로 살피는 가운데 표현·예술의 자유의 침해 여부에 대하여도 부가적으로 살펴보기로 한다(2004.5.27, 2003헌가1 등).

③ [O] 청구인은 이 사건 조항이 평등권, 행복추구권, 직업선택의 자유, 공무담임권, 재산권을 침해한다고 주장한다. 이 사건 조항은 후보자등록에 5억 원을 요구함으로써 재산에 따라 공직기회를 차별하고 있으므로, 평등권, 재산권, 공무담임권이 모두 관련된다. 이는 하나의 규제로 인해 여러 기본권이 동시에 제약을 받는 기본권 경합에 해당하는데, 그러한 경우 기본권 침해를 주장하는 의도 및 기본권을 제한하는 입법자의 객관적 동기 등을 참작하여 사안과 가장 밀접한 관계에 있고 또 침해의 정도가 큰 주된 기본권을 중심으로 해서 그 제한의 한계를 따져 보게 된다(2008.11.27, 2007헌마1024).

④ [O] 종교인 또는 종교단체가 사회취약계층이나 빈곤층을 위해 양로시설과 같은 사회복지시설을 마련하여 선교행위를 하는 것은 오랜 전통으로 확립된 선교행위의 방법이며, 사회적 약자를 위한 시설을 지어 도움을 주는 것은 종교의 본질과 관련이 있다. 따라서 심판대상조항에 의하여 신고의 대상이 되는 양로시설에 종교단체가 운영하는 양로시설을 제외하지 않는 것은 자유로운 양로시설 운영을 통한 선교의 자유, 즉 종교의 자유 제한의 문제를 불러온다. 청구인은 심판대상조항이 노인들의 거주·이전의 자유 및 인간다운 생활을 할 권리를 침해한다고 주장한다. 그러나 심판대상조항은 종교단체에서 운영하는 양로시설도 일정 규모 이상의 경우 신고하

도록 한 규정일 뿐, 거주이전의 자유나 인간다운 생활을 할 권리의 제한을 불러온다고 볼 수 없으므로 이에 대해서는 별도로 판단하지 아니한다(2016.6.30, 2015헌바46).

12

정답 ②

① [O] 이 사건 심판대상조항들과 같이 어떠한 법령이 수범자의 직업의 자유와 행복추구권 양자를 제한하는 외관을 띠는 경우 두 기본권의 경합 문제가 발생하는데, 보호영역으로서 '직업'이 문제되는 경우 직업의 자유와 행복추구권은 서로 특별관계에 있어 기본권의 내용상 특별성을 갖는 직업의 자유의 침해 여부가 우선하므로, 행복추구권 관련 위헌 여부의 심사는 배제된다고 보아야 한다(2003.9.25, 2002헌마519).

❷ [X] 청구인은 심판대상조항에 의해 표현의 자유 또는 예술창작의 자유가 제한된다고 주장하나, 심판대상조항은 집필문을 창작하거나 표현하는 것을 금지하거나 이에 대한 허가를 요구하는 조항이 아니라 이미 표현된 집필문을 외부의 특정한 상대방에게 발송할 수 있는지 여부에 대해 규율하는 것이므로, 제한되는 기본권은 헌법 제18조에서 정하고 있는 통신의 자유로 봄이 상당하다. 따라서 심판대상조항이 사전검열에 해당한다는 청구인의 주장에 대해서는 판단하지 아니하고, 통신의 자유 침해 여부에 대해서만 판단하기로 한다(2016.5.26, 2013헌바98).

③ [O] 제한 정도가 상이한 기본권들이 경합하는 경우 그 해결책으로 첫째, 제한의 가능성이 보다 큰, 따라서 효력이 보다 약한 기본권을 우선시켜야 한다는 주장(최약효력설)과 둘째, 제한의 가능성이 보다 적은, 따라서 효력이 보다 강한 기본권을 우선시켜야 한다는 주장(최강효력설)이 대립한다.

④ [O] 언론의 자유에 의하여 보호되는 것은 정보의 획득에서부터 뉴스와 의견의 전파에 이르기까지 언론의 기능과 본질적으로 관련되는 모든 활동이다. 이런 측면에서 인터넷신문을 발행하려는 사업자가 취재 인력 3인 이상을 포함하여 취재 및 편집 인력 5인 이상을 상시 고용하지 않는 경우 인터넷신문으로 등록할 수 없도록 하는 고용조항은 인터넷신문의 발행을 제한하는 효과를 가지고 있으므로 언론의 자유를 제한하는 규정에 해당한다. 그런데 고용조항의 입법목적이 인터넷신문의 신뢰성 제고이고, 「신문 등의 진흥에 관한 법률」 규정들은 언론사로서의 인터넷신문의 규율 및 보호를 위한 규정들이므로 고용조항으로 인하여 청구인들의 직업수행의 자유보다는 언론의 자유가 보다 직접적으로 제한된다고 보인다(2016.10.27, 2015헌마1206 등).

13

정답 ①

ㄱ. [X] 일반적 기본권과 특별기본권이 경합하는 경우 특별기본권의 침해 여부를 심사하면 된다.

> **관련 판례** 공직의 경우 공무담임권은 직업선택의 자유에 대하여 특별기본권이어서 후자의 적용을 배제하므로, 교육공무원 정년규정의 경우 직업선택의 자유는 문제되지 않는다(2000.12.14, 99헌마112 등).

ㄴ. [X] 사생활 비밀과 통신비밀이 경합하는 경우 특별한 기본권이 통신비밀의 침해 여부를 심사하면 족하므로 사생활 비밀 침해 여부를 판단할 필요는 없다(2010.12.28, 2009헌가30).

ㄷ. [O] 행복추구권은 보충적 권리이므로 개인정보자기결정권이 적용되면 별도로 행복추구권 침해 여부는 판단할 필요는 없다.

ㄹ. [O] 청구인은 심판대상조항이 노인들의 거주·이전의 자유 및 인간다운 생활을 할 권리를 침해한다고 주장한다. 그러나 심판대상조항은 종교단체에서 운영하는 양로시설도 일정 규모 이상의 경우 신고하도록 한 규정일 뿐, 거주이전의 자유나 인간다운 생활을 할 권리의 제한을 불러온다고 볼 수 없으므로 이에 대해서는 별도로 판단하지 아니한다. 청구인은 심판대상조항이 법인의 인격권 및 법인운영의 자유를 침해한다고 주장하나, 위에서 본 바와 같이 종교단체의 복지시설 운영은 종교의 자유의 영역이므로 종교의 자유를 침해하는지 여부에 대한 문제로 귀결된다(2016.6.30, 2015헌바46).

14

정답 ②

① [O] 청구인은 심판대상조항이 사회보장·사회복지 증진에 노력할 국가의 의무를 게을리한 것이어서 헌법 제34조 제2항에 위배되고, 산재보험에서 불평등한 결과를 가져옴으로써 공정한 재판을 받을 권리와 행복추구권을 침해한다는 주장도 한다. 그러나 청구인 주장의 실질적 취지는 결국 심판대상조항이 평등원칙에 위배된다는 내용과 다름없으므로 이 부분은 별도로 판단하지 아니한다(2016.9.29, 2014헌바254).

❷ [X] 청구인들이 의료인(치과전문의)의 지위와 의료소비자(환자)의 지위를 동시에 갖고 있기는 하나, 이 사건에서는 위 조항이 치과전문의의 직업수행의 자유 및 평등권을 침해하는지 여부가 주된 쟁점이고, 의료소비자의 선택권이 제한되는 것은 치과전문의의 진료영역을 제한함에 따라 발생하는 효과이므로, 치과전문의의 직업수행의 자유 및 평등권의 침해 여부를 판단하는 과정에서 이를 함께 고려하는 것으로 충분하다. 따라서 환자의 자기결정권 침해 여부는 별도로 판단하지 아니한다(2015.5.28, 2013헌마799).

③ [O] 청구인들은 위 조항에 따라 초·중등학교에서 정식 교원으로 채용되어 근무하는 사람들과 비교하여 평등권이 침해된다고 주장한다. 그런데 이 문제는 위 조항에서 구직 중인 교원이나 해직 교원의 교원노조 가입자격을 제한하고 있는 데 기인하는 것이므로, 단결권 침해 여부에 대해 판단하는 이상 평등권 침해 여부를 별도로 판단하지 않는다(2015.5.28, 2013헌마671 등).

④ [O] 위 조항이 혼인 해소 후 300일 이전에 출산한 여성과 그 이후에 출산한 여성에 차이를 두는 것은 위 조항이 혼인 해소 후 300일을 친생추정의 기준으로 삼고 있기 때문인데, 그 기준이 합리적인가에 관하여 인격권 등의 침해 여부를 검토하면서 판단하는 이상 이에 관한 평등권 침해 주장은 다시 별도로 판단하지 아니한다(2015.4.30, 2013헌마623).

15

정답 ①

❶ [O] 청구인은 심판대상조항에 따라 음식점 시설 전체를 금연구역으로 지정하여 운영하여야 할 의무를 부담하게 되었으나, 음식점의 개설·영업행위 자체가 금지되는 것은 아니다. 심판대상조항은 청구인이 선택한 직업을 영위하는 방식과 조건을 규율하고 있으므로 청구인의 직업수행의 자유를 제한한다. 한편, 심판대상조항은 청구인으로 하여금 음식점 시설과 그 내부 장비 등을 철거하거나 변경하도록 강제하는 내용이 아니므로, 이로 인하여 청구인의 음식점 시설 등에 대한 권리가 제한되어 재산권이 침해되는 것은 아니다(2016.6.30, 2015헌마813).

② [X] 심판대상조항은 청구인의 신체의 자유를 제한하는 것은 아니다. 심판대상조항은 위험성을 가진 재화의 제조·판매조건을 제약함으로써 최고속도 제한이 없는 전동킥보드를 구입하여 사용하고자 하는 소비자의 자기결정권 및 일반적 행동자유권을 제한할 뿐이다(2020.2.27, 2017헌마1339).

③ [X] 심판대상조항은 법무법인 구성원변호사의 재산을 법무법인 채무를 위한 책임재산에 제공하게 한다는 점에서 재산권을 제한하고, 이러한 무한연대책임의 부과는 법무법인 구성원변호사로서 변호사 업무를 수행하거나 법무법인을 결성함에 실질적인 제약이 되기 때문에 직업선택의 자유와 결사의 자유를 제한하며, 자기책임의 원칙 및 사적자치의 원칙에도 위반될 소지가 있다. 하나의 규제로 인하여 여러 기본권이 동시에 제약을 받는 기본권 경합의 경우에는 기본권 침해를 주장하는 청구인들의 의도 및 기본권을 제한하는 입법자의 객관적 동기 등을 참작하여 사안과 가장 밀접한 관계가 있고 또 침해의 정도가 큰 주된 기본권을 중심으로 해서 그 제한의 한계를 따져 보아야 하는바, 이 사건의 주된 쟁점은 무한연대책임의 부과로 인하여 청구인들의 재산권이 침해되는지 여부이므로 심판대상조항이 청구인들의 재산권을 침해하는지 여부를 중심으로 판단한다(2016.3.31, 2014헌마1046).

④ [X] 인간의 존엄과 가치 및 행복추구권, 사생활의 비밀과 자유가 침해된다고 주장하나, 위 기본권들은 모두 개인정보자기결정권의 헌법적 근거로 거론되는 것으로서 청구인의 개인정보에 대한 공개와 이용이 문제되는 이 사건에서 개인정보자기결정권 침해 여부를 판단하는 이상 별도로 판단하지 않는다(2016.6.30, 2015헌마924).

16

정답 ②

① [X] 이 사안은 국가가 태아의 생명 보호를 위해 확정적으로 만들어 놓은 자기낙태죄조항이 임신한 여성의 자기결정권을 제한하고 있는 것이 과잉금지원칙에 위배되어 위헌인지 여부에 대한 것이다. 자기낙태죄조항의 존재와 역할을 간과한 채 임신한 여성의 자기결정권과 태아의 생명권의 직접적인 충돌을 해결해야 하는 사안으로 보는 것은 적절하지 않다. … 낙태갈등상황이 전개된다는 것은 '가해자 대 피해자'의 관계로 임신한 여성과 태아의 관계를 고정시켜서는 태아의 생명 보호를 위한 바람직한 해법을 찾기 어렵다는 것을 시사해 준다. 이러한 특성은 추상적인 형량에 의하여 양자택일 방식으로 선택된 어느 하나의 법익을 위해 다른 법익을 희생할 것이 아니라, 실제적 조화의 원칙에 따라 양 기본권의 실현을 최적화할 수 있는 해법을 모색하고 마련할 것을 국가에 요청하고 있다(2019.4.11, 2017헌바127).

❷ [O] 기본권 충돌은 대사인적 효력의 문제이므로 양면성이론, 객관적 질서론을 근거로 한다. 따라서 기본권을 국가로부터의 자유로 이해하는 슈미트의 기본권관에서는 이론적으로 문제시되기 어렵다.

③ [X] 학생이 가지는 소극적 종교행위의 자유 및 소극적 신앙고백의 자유는 부작위에 의하여 자신의 종교적 신념을 외부로 표현하고 실현하는 기본권이라는 점에서 학교법인이 가지는 종교교육의 자유와의 사이에서 위계질서를 논하기는 어려우며 양자의 기본권 모두 인격적 가치 및 자유권적 가치를 가지므로 추상적인 이익형량만으로는 우선하는 기본권을 정할 수 없다(대판 전합체 2010.4.22, 2008다38288).

④ [X] 고등학교 평준화정책에 따른 학교 강제배정제도가 위헌이 아니라고 하더라도 여전히 종립학교(종교단체가 설립한 사립학교)가 가지는 종교교육의 자유 및 운영의 자유와 학생들이 가지는 소극적 종교행위의 자유 및 소극적 신앙고백의 자유 사이에 충돌이 생기게 되는데, 이와 같이 하나의 법률관계를 둘러싸고 두 기본권이 충돌하는 경우에는 구체적인 사안에서의 사정을 종합적으로 고려한 이익형량과 함께 양 기본권 사이의 실제적인 조화를 꾀하는 해석 등을 통하여 이를 해결하여야 하고, 그 결과에 따라 정해지는 양 기본권 행사의 한계 등을 감안하여 그 행위의 최종적인 위법성 여부를 판단하여야 한다(대판 전합체 2010.4.22, 2008다38288).

17

정답 ③

① [X] 흡연자들의 흡연권이 인정되듯이, 비흡연자들에게도 흡연을 하지 아니할 권리 내지 흡연으로부터 자유로울 권리가 인정된다. 흡연권은 사생활의 자유를 실질적 핵으로 하는 것이고 혐연권은 사생활의 자유뿐만 아니라 생명권에까지 연결되는 것이므로 혐연권이 흡연권보다 상위의 기본권이라 할 수 있다. 이처럼 상하의 위계질서가 있는 기본권끼리 충돌하는 경우에는 상위기본권우선의 원칙에 따라 하위기본권이 제한될 수 있으므로, 결국 흡연권은 혐연권을 침해하지 않는 한에서 인정되어야 한다(2004.8.26, 2003헌마457).

② [X] ❸ [O] 흡연권은 사생활의 자유를 실질적 핵으로 하는 것이고 혐연권은 사생활의 자유뿐만 아니라 생명권에까지 연결되는 것이므로 혐연권이 흡연권보다 상위의 기본권이라 할 수 있다. 이처럼 상하의 위계질서가 있는 기본권끼리 충돌하는 경우에는 상위기본권우선의 원칙에 따라 하위기본권이 제한될 수 있으므로, 결국 흡연권은 혐연권을 침해하지 않는 한에서 인정되어야 한다(2004.8.26, 2003헌마457).

④ [X] 흡연권은 사생활의 자유를 실질적 핵으로 하는 것이고 혐연권은 사생활의 자유뿐만 아니라 생명권에까지 연결되는 것이므로 혐연권이 흡연권보다 상위의 기본권이라 할 수 있다. 이처럼 상하의 위계질서가 있는 기본권끼리 충돌하는 경우에는 상위기본권우선의 원칙에 따라 하위기본권이 제한될 수 있으므로, 결국 흡연권은 혐연권을 침해하지 않는 한에서 인정되어야 한다(2004.8.26, 2003헌마457).

18

정답 ①

❶ [O] 두 기본권이 충돌하는 경우 그 해법으로는 기본권의 서열이론, 법익형량의 원리, 실제적 조화의 원리(=규범조화적 해석) 등을 들 수 있다. 헌법재판소는 기본권 충돌의 문제에 관하여 충돌하는 기본권의 성격과 태양에 따라 그때그때마다 적절한 해결방법을 선택, 종합하여 이를 해결하여 왔다. 예컨대, 「국민건강증진법 시행규칙」 제7조 위헌확인 사건에서 흡연권과 혐연권의 관계처럼 상하의 위계질서가 있는 기본권끼리 충돌하는 경우에는 상위기본권우선의 원칙에 따라 하위기본권이 제한될 수 있다고 보아서 흡연권은 혐연권을 침해하지 않는 한에서 인정된다고 판단한 바 있다(2004.8.26, 2003헌마457). 또, 「정기간행물의 등록 등에 관한 법률」 제16조 제3항 등 위헌 여부에 관한 헌법소원사건에서 동법 소정의 정정보도청구권(반론권)과 보도기관의 언론의 자유가 충돌하는 경우에는 헌법의 통일성을 유지하기 위하여 상충하는 기본권 모두가 최대한으로 그 기능과 효력을 발휘할 수 있도록 하는 조화로운 방법이 모색되어야 한다고 보고, 결국은 정정보도청구제도가 과잉금지의 원칙에 따라 그 목적이 정당한 것인가 그러한 목적을 달성하기 위하여 마련된 수단 또한 언론의 자유를 제한하는 정도가 인격권과의 사이에 적정한 비례를 유지하는 것인가의 관점에서 심사를 한 바 있다(2005.11.24, 2002헌바95 등). 2006년 사시

② [X] 법익형량의 원칙의 전제: 기본권은 타인의 기본권을 침해하지 않는 범위 내에서 법적인 보호를 받을 수 있다는 인식이 전제되어야 하고, 기본권 상호 간에 일정한 위계질서가 있다는 가설이 전제되어야 한다.

③ [X]

<법익형량과 규범조화적 해석 비교>

구분	법익형량(이익형량)	규범조화적 해석
기본권 간의 위계질서 전제	O	X

④ [X] 대안식 해결방식으로 논의되는 대표적인 사례이고, 대안식 해결방법은 규범조화적 해석의 해결방법 중 하나이다.

19

정답 ③

① [X] 친양자가 될 자의 헌법 제36조 제1항 및 헌법 제10조에 의한 가족생활에서의 기본권을 보장하기 위해 친생부모의 동의를 무시하고 친양자 입양을 성립시키는 경우에는 친생부모의 기본권이 제한되게 되고, 친생부모의 친족관계 유지에 대한 기본권을 보장하기 위해 친생부모가 동의하지 않는 이상 무조건 친양자 입양이 성립되지 않는다고 보는 경우에는 친양자가 될 자의 기본권이 제한될 가능성이 발생한다. 결국 친양자 입양은 친생부모의 기본권과 친양자가 될 자의 기본권이 서로 대립·충돌하는 관계라고 볼 수 있다(2012.5.31, 2010헌바87).

② [X] 이 사건 법률조항은 채권자에게 채권의 실효성 확보를 위한 수단으로서 채권자취소권을 인정함으로써, 채권자의 재산권과 채무자와 수익자의 일반적 행동의 자유 내지 계약의 자유 및 수익자의 재산권이 서로 충돌하게 되는바, 위와 같은 채권자와 채무자 및 수익자의 기본권들이 충돌하는 경우에 기본권의 서열이나 법익의 형량을 통하여 어느 한 쪽의 기본권을 우선시키고 다른 쪽의 기본권을 후퇴시킬 수는 없다고 할 것이다(2007.10.25, 2005헌바96).

❸ [O] 이 사건 심판대상조항들은 헌법 제10조 및 제34조 제5항에 의한 헌법적 요청에 따라 시각장애인 복지정책의 일환으로 규정된 것인바, 기본권 충돌시의 법익형량의 원칙에 따르면 시각장애인의 '생존권'이 비시각장애인의 '직업의 자유'보다 우선한다(2010.7.29, 2008헌마664 등).

④ [X] 정보주체의 동의 없이 개인정보를 공개함으로써 침해되는 인격적 법익과 정보주체의 동의 없이 자유롭게 개인정보를 공개하는 표현행위로서 보호받을 수 있는 법적 이익이 하나의 법률관계를 둘러싸고 충돌하는 경우에는 개인정보에 관한 인격권 보호에 의하여 얻을 수 있는 이익(비공개 이익)과 표현행위에 의하여 얻을 수 있는 이익(공개 이익)을 구체적으로 비교 형량하여, 어느 쪽 이익이 더욱 우월한 것으로 평가할 수 있는지에 따라 그 행위의 최종적인 위법성 여부를 판단하여야 한다(대판 전합체 2011.9.2, 2008다42430).

20

정답 ③

① [X] 헌법재판소는 「정기간행물의 등록 등에 관한 법률」 제16조 제3항, 제19조 제3항의 위헌 여부에 관한 헌법소원사건에서 "피해자의 반론권과 보도기관의 언론의 자유가 상충하는 동법 제16조는 기본권상충의 규범조화적 해석방법에 따른 과잉금지원칙에 위배되지 아니한다."라고 판시한 바 있다(1991.9.16, 89헌가165).

② [X] 교사의 수업권과 학생의 수학권이 충돌한 경우 수업권을 내세워 수학권을 침해할 수 없다(1992.11.12, 89헌마88).

❸ [O] 이 사건 헌법소원심판청구는 교원의 교원단체 및 노동조합 가입에 관한 정보의 공개를 요구하는 학부모들의 알 권리와 그 정보의 비공개를 요청하는 정보주체인 교원의 개인정보자기결정권이 충돌하는 경우로서, 이와 같이 두 기본권이 충돌하는 경우에는 헌법의 통일성을 유지하기 위하여 상충하는 기본권 모두 최대한으로 그 기능과 효력을 발휘할 수 있도록 조화로운 방법이 모색되어야 한다(2011.12.29, 2010헌마293).

④ [X] 이 사건 법률조항은 다른 한편으로는 위법하게 취득한 타인 간의 대화 내용을 공개하는 자를 처벌함으로써 그 대화 내용을 공개하는 자의 표현의 자유를 제한하게 된다. 즉, 위법하게 취득한 타인 간의 대화내용이 민주국가에서 여론의 형성 등 공익을 위해 일반에게 공개할 필요가 있는 것이라 하더라도 이 사건 법률조항이 그 대화내용의 공개를 금지함으로써, 이를 공개하려고 하거나 공개한 자는 표현의 자유를 제한받게 되는 것이다. 따라서 이 사건 법률조항에 의하여 대화자의 통신의 비밀과 공개자의 표현의 자유라는 두 기본권이 충돌하게 된다. 이와 같이 두 기본권이 충돌하는 경우 헌법의 통일성을 유지하기 위하여 상충하는 기본권 모두 최대한으로 그 기능과 효력을 발휘할 수 있도록 조화로운 방법이 모색되어야 하므로, 과잉금지원칙에 따라서 이 사건 법률조항의 목적이 정당한 것인가, 그러한 목적을 달성하기 위하여 마련된 수단이 표현의 자유를 제한하는 정도와 대화의 비밀을 보호하는 정도 사이에 적정한 비례를 유지하고 있는가의 관점에서 심사하기로 한다(2011.8.30, 2009헌바42).

16회 진도별 모의고사

기본권 충돌 ~ 본질적 내용 침해금지

정답

01	④	02	②	03	②	04	④
05	③	06	④	07	①	08	①
09	③	10	②	11	③	12	①
13	②	14	①	15	①	16	④
17	①	18	②	19	③	20	④

01 정답 ④

① [O] 심판대상조항이 공연히 타인을 모욕한 경우에 이를 처벌하는 것은 위와 같이 헌법 제10조에 의하여 보장되는 외부적 명예를 보호하기 위함이다. 그와 반면에 심판대상조항은 표현의 자유를 제한하고 있으므로 결국 심판대상조항에 의하여 명예권과 표현의 자유라는 두 기본권이 충돌하게 된다. 이와 같이 두 기본권이 충돌하는 경우 헌법의 통일성을 유지하기 위하여 상충하는 기본권 모두 최대한으로 그 기능과 효력을 발휘할 수 있도록 조화로운 방법이 모색되어야 할 것이고, 결국은 과잉금지원칙에 따라서 심판대상조항의 목적이 정당한 것인가, 그러한 목적을 달성하기 위하여 마련된 수단이 표현의 자유를 제한하는 정도와 명예를 보호하는 정도 사이에 적정한 비례를 유지하고 있는가의 관점에서 심사하기로 한다(2013.6.27, 2012헌바37).

② [O] 개인적 단결권과 집단적 단결권이 충돌하는 경우 기본권의 서열이론이나 법익형량의 원리에 입각하여 어느 기본권이 더 상위기본권이라고 단정할 수는 없다. 왜냐하면 개인적 단결권은 헌법상 단결권의 기초이자 집단적 단결권의 전제가 되는 반면에, 집단적 단결권은 개인적 단결권을 바탕으로 조직·강화된 단결체를 통하여 사용자와 사이에 실질적으로 대등한 관계를 유지하기 위하여 필수불가결한 것이기 때문이다(2005.11.24, 2002헌바95 등).

③ [O] 이 사건 법률조항은 노동조합의 조직유지·강화를 위하여 당해 사업장에 종사하는 근로자의 3분의 2 이상을 대표하는 노동조합(이하 '지배적 노동조합'이라 한다)의 경우 단체협약을 매개로 한 조직강제[이른바 유니언 숍(Union Shop) 협정의 체결]를 용인하고 있다. 이 경우 근로자의 단결하지 아니할 자유와 노동조합의 적극적 단결권(조직강제권)이 충돌하게 되나, 근로자에게 보장되는 적극적 단결권이 단결하지 아니할 자유보다 특별한 의미를 갖고 있고, 노동조합의 조직강제권도 이른바 자유권을 수정하는 의미의 생존권(사회권)적 성격을 함께 가지는 만큼 근로자 개인의 자유권에 비하여 보다 특별한 가치로 보장되는 점 등을 고려하면, 노동조합의 적극적 단결권은 근로자 개인의 단결하지 않을 자유보다 중시된다고 할 것이고, 또 노동조합에게 위와 같은 조직강제권을 부여한다고 하여 이를 근로자의 단결하지 아니할 자유의 본질적인 내용을 침해하는 것으로 단정할 수는 없다.

❹ [X] 헌법재판소는, ⓐ 노동조합의 적극적 단결권과 근로자의 단결하지 아니할 자유 충돌은 법익형량을 통하여, ⓑ 노동조합의 집단적 단결권과 근로자의 단결선택권 충돌은 규범조화적 해석을 통해 해결하고 있다.

관련 판례 노동조합의 가입을 강제함으로써 근로자의 단결하지 아니할 자유가 제한됨으로 근로자의 단결하지 아니할 자유와 노동조합의 적극적 단결권 충돌이 발생한다. 근로자의 단결하지 아니할 자유는 헌법 제10조의 일반적 행동의 자유와 헌법 제21조의 결사의 자유에서 근거를 찾을 수 있고, 노동조합의 적극적 단결권은 헌법 제33조에서 보호된다. 근로3권은 특별법적 권리로써 우선적으로 보장되어야 하므로 근로자 개인의 자유권에 비하여 노동조합의 적극적 단결권을 우선시하더라도 근로자의 단결하지 아니할 자유 침해라고 할 수 없다. … 특정한 노동조합의 조합원이 될 것을 고용조건으로 할 경우 근로자의 단결하지 아니할 자유 뿐 아니라 단결선택권도 제한된다. 근로자의 단결선택권과 노동조합의 집단적 단결권이 충돌하는 경우 어느 기본권이 더 상위 기본권이라고 단정할 수 없다. 이 사건 법률조항이 근로자의 단결선택권을 제한하고 있으나 근로자의 3분의 2 이상을 대표하는 노동조합에 한해 근로자의 노동조합 가입을 강제함으로써 근로자의 단결선택권과 노동조합의 집단적 단결권 사이에 균형을 도모하고 있으므로 비례원칙에 위반되지 아니한다(2005.11.24, 2002헌바95).

02 정답 ②

① [X] 기본권의 보호영역은 법률에 의한 형량이 아니라 헌법해석에 의해 결정된다. 기본권 보호영역은 시대사상, 국가의 경제적 능력 등에 따라 달라지므로 헌법조항만으로 결정되는 것이 아니라 구체적 상황에서 결정된다.

❷ [O] 음란표현이 언론·출판의 자유의 보호영역에 해당하지 아니한다고 해석할 경우 음란표현에 대하여는 언론·출판의 자유의 제한에 대한 헌법상의 기본원칙, 예컨대 명확성의 원칙, 검열금지의 원칙 등에 입각한 합헌성 심사를 하지 못하게 될 뿐만 아니라, 기본권 제한에 대한 헌법상의 기본원칙, 예컨대 법률에 의한 제한, 본질적 내용의 침해금지원칙 등도 적용하기 어렵게 되는 결과, 모든 음란표현에 대하여 사전검열을 받도록 하고 이를 받지 않은 경우 형사처벌을 하거나, 유통목적이 없는 음란물의 단순소지를 금지하거나, 법률에 의하지 아니하고 음란물출판에 대한 불이익을 부과하는 행위 등에 대한 합헌성 심사도 하지 못하게 됨으로써, 결국 음란표현에 대한 최소한의 헌법상 보호마저도 부인하게 될 위험성이 농후하게 된다는 점을 간과할 수 없다. 이 사건 법률조항의 음란표현은 헌법 제21조가 규정하는 언론·출판의 자유의 보호영역 내에 있다고 볼 것인바, 종전에 이와 견해를 달리하여 음란표현은 헌법 제21조가 규정하는 언론·출판의 자유의 보호영역에 해당하지 아니한다는 취지로 판시한 우리 재판소의 의견(1998.4.30, 95헌가16)을 변경한다(2009.5.28, 2006헌바109 등).

③ [X] 성적 자기결정권도 국가적·사회적 공동생활의 테두리 안에서 타인의 권리, 공중도덕, 사회윤리, 공공복리 등을 존중해야 할 내재적 한계가 있다(1990.9.10, 89헌마82). ➡ 간통죄 사건

④ [X] 헌법 제21조 제4항,(언론의 자유) 제23조 제2항(재산권), 제29조 제2항, (국가배상청구권), 제33조 제2항(근로3권), 제8조 제4항(정당의 자유)가 대표적인 개별적 헌법유보조항이다. 헌법17조는 사생활의 비밀과 자유를 직접 제한하고 있지 않다.

03 정답 ②

① [O] '사업인정고시가 있은 후에 3년 이상 토지가 공익용도로 사용된 경우' 토지소유자에게 매수 혹은 수용청구권을 인정한 「공익사업을 위한 토지 등의 취득 및 보상에 관한 법률」 제72조 제1호가 불법적인 토지사용의 경우를 배제한 것 입법자에 의한 재산권의 내용과

한계의 설정은 기존에 성립된 재산권을 제한할 수도 있고, 기존에 없던 것을 새롭게 형성하는 것일 수도 있다. 이 사건 조항은 종전에 없던 재산권을 새로이 형성한 것에 해당되므로, 역으로 그 형성에 포함되어 있지 않은 것은 재산권의 범위에 속하지 않는다. 그러므로 청구인들이 주장하는바 '불법적인 사용의 경우에 인정되는 수용청구권'이란 재산권은 존재하지 않으므로, 이 사건 조항이 그러한 재산권을 제한할 수는 없다(2005.7.21, 2004헌바57). 2020년 경찰경채

❷ [X] 개별적 헌법유보란 개별헌법조항에서 직접 기본권을 제한하는 것을 말하는데, 여기에는 군인·군무원 등의 국가배상청구를 금지하는 헌법 제29조 제2항, 정당의 목적과 활동을 제한하는 헌법 제8조 제4항, 언론의 자유를 직접 제한하는 헌법 제21조 제4항, 재산권을 제한하는 헌법 제23조 제2항, 공무원의 근로3권을 제한하는 헌법 제33조 제2항 등이 있다.

③ [O] 생명권 역시 헌법 제37조 제2항에 의한 일반적 법률유보의 대상이 될 수 있다(1996.11.28, 95헌바1). 2009년 사시

④ [O] 헌법 제37조 제2항은 모든 자유와 권리를 제한하는 일반적 법률유보조항이고, 헌법 제12조는 신체의 자유를 제한하는 개별적 법률유보조항이다.

04

정답 ④

① [X] 일반적 법률유보조항은 헌법 제37조 제2항이다. 그러나 일반적 헌법유보조항은 없다.

② [X] 헌법 제77조 제3항(비상계엄이 선포된 때에는 법률이 정하는 바에 의하여 영장제도, 언론·출판·집회·결사의 자유, 정부나 법원의 권한에 관하여 특별한 조치를 할 수 있다)은 비상계엄으로 제한할 수 있는 기본권 유형을 명시적으로 규정하고 있으나, 헌법 제76조는 긴급명령으로 제한할 수 있는 기본권 유형을 규정하고 있지 않다. 다만, 헌법해석관점에서 긴급명령으로 제한할 수 있는 기본권의 유형은 모든 기본권이고 긴급재정경제명령으로 제한할 수 있는 기본권의 유형은 경제적 기본권이다.

③ [X] 기본권의 내재적 한계이론으로서 독일에서 논의되는 것은 3한계이론, 개념내재적한계이론, 국가공동체유보이론, 규범조화를 위한 한계이론 등이 있다. 3단계이론은 직업의 제한이론이고, 특별희생이론은 재산권의 사회기속성이론이다.

❹ [O] 긴급명령과 긴급재정경제명령은 헌법 제76조에 따라 법률의 효력을 가지므로 법률의 수권 없이도 기본권 제한이 가능하다.

05

정답 ③

ㄱ. [O] 기본권을 제한할 때에는 헌법 및 법률이나 법률적 효력을 가지는 규범에 근거하여야 한다. 따라서 법률 또는 법률적 효력을 가지는 규범에 근거하지 않는 한 하위명령에 의해서 기본권을 제한할 수 없다.

ㄴ. [O] 헌법 제37조 제2항은 국민의 자유와 권리를 제한하는 근거와 그 제한의 한계를 설정하여 국민의 자유와 권리의 제한은 '법률'로써만 할 수 있다고 규정하고 있는바, 이는 기본권의 제한이 원칙적으로 국회에서 제정한 형식적 의미의 법률에 의해서만 가능하다는 것을 의미하고, 직접 법률에 의하지 아니하는 예외적인 경우라 하더라도 엄격히 법률에 근거하여야 한다는 것을 또한 의미하는데, 기본권을 제한하는 공권력의 행사가 법률에 근거하지 아니하고 있다면, 이는 헌법 제37조 제2항에 위반하여 국민의 기본권을 침해하는 것이다(2000.12.14, 2000헌마659).

ㄷ. [X] 헌법 제37조 제2항은 기본권 제한에 관한 일반적 법률유보조항이라고 할 수 있는데 법률유보의 원칙은 '법률에 의한 규율'을 요청하는 것이 아니라 '법률에 근거한 규율'을 요청하는 것이기 때문에 기본권의 제한에는 법률의 근거가 필요할 뿐이고 기본권 제한의 형식이 반드시 법률의 형식일 필요는 없는 것이다. 그러나 비록 그렇다 하더라도, 헌법 제75조는 "대통령은 법률에서 구체적으로 범위를 정하여 위임받은 사항과 법률을 집행하기 위하여 필요한 사항에 관하여 대통령령을 발할 수 있다."라고 규정하여 위임입법의 근거를 마련함과 아울러 위임입법의 범위와 한계를 명시하고 있으므로, 대통령령으로 면회의 횟수를 제한하는 경우에는 반드시 그에 관한 법률의 위임이 있어야 하고 그 위임은 구체적으로 범위를 정하여 위임하는 것이 아니면 안 된다(2003.11.27, 2002헌마193).

ㄹ. [O] 헌법 제37조 제2항 전단에 근거한 기본권의 제한은 원칙적으로 '법률'의 형식으로써만 가능하고, 이때의 법률이란 국회가 제정한 형식적 의미의 법률을 말한다.

06

정답 ④

① [X] 법률의 효력을 갖는 조약과 일반적으로 승인된 국제법규는 국내법과 동일한 효력을 가지므로 조약과 국제법규에 의해서도 기본권 제한은 가능하다.

② [X] **「금융산업의 구조개선에 관한 법률」 제2조 제3호 가목, 제10조 제1항 제2호, 제2항에서 입법사항을 금융감독위원회의 고시에 위임한 것이 헌법에 위반되는지 여부(소극)**

금융감독위원회의 고시와 같은 형식으로 입법위임을 할 때에는 적어도 「행정규제기본법」 제4조 제2항 단서에서 정한 바와 같이 법령이 전문적·기술적 사항이나 경미한 사항으로서 업무의 성질상 위임이 불가피한 사항에 한정된다 할 것이고, 그러한 사항이라 하더라도 포괄위임금지의 원칙상 법률의 위임은 반드시 구체적·개별적으로 한정된 사항에 대하여 행하여져야 한다. 「금융산업 구조개선에 관한 법률」 제2조 제3호 가목은 부실금융기관을 결정할 때 '부채와 자산의 평가 및 산정'의 기준에 관하여, 위 법률 제10조 제1항·제2항은 적기시정조치의 기준과 내용에 관하여 금융감독위원회의 고시에 위임하고 있는바, 위와 같이 입법위임된 사항은 전문적·기술적인 것으로 업무의 성질상 금융감독위원회의 고시로 위임함이 불가피한 사항일 뿐만 아니고, 위 각 법률규정 자체에서 금융감독위원회의 고시로 규제될 내용 및 범위의 기본사항이 구체적으로 규정되어 있어 누구라도 위 규정으로부터 금융감독위원회의 고시에 규정될 내용의 대강을 예측할 수 있다 할 것이어서, 포괄위임입법금지를 선언한 헌법 제75조에 위반되지 아니한다(2004.10.28, 99헌바91).

③ [X] 법률유보원칙이란 헌법상 보장된 국민의 자유나 권리를 제한할 때에는 그 제한의 본질적인 사항에 관한 한 입법자가 법률로써 스스로 규율하여야 한다는 것이지, 모든 사항을 입법자가 법률로써 규율하여야 한다는 것이 아니다. 2008년 국회 8급

❹ [O] 법률의 명확성원칙은 입법자가 법률을 제정함에 있어서 개괄조항이나 불확정 법개념의 사용을 금지하는 것이 아니다. 법률이 불확정개념을 사용하는 경우라도 법률해석을 통하여 행정청과 법원의 자의적인 적용을 배제하는 객관적인 기준을 얻는 것이 가능하다면 법률의 명확성원칙에 부합하는 것이다(2004.7.15, 2003헌바35 등).

07

정답 ①

❶ [X] ② [O] 개별사건법률금지의 원칙이 법률제정에 있어서 입법자가 평등원칙을 준수할 것을 요구하는 것이기 때문에, 특정 규범이 개별사건법률에 해당한다 하여 곧바로 위헌을 뜻하는 것은 아니며, 특정 법률 또는 법률조항이 단지 하나의 사건만을 규율하려고 한

다 하더라도 이러한 차별적 규율이 합리적인 이유로 정당화될 수 있는 경우에는 합헌적일 수 있으므로, 개별사건법률의 위헌 여부는 그 형식만으로 가려지는 것이 아니라, 평등의 원칙이 추구하는 실질적 내용이 정당한지 아닌지를 따져야 비로소 가려진다(1996.2.16, 96헌가2 등). 2004년, 2015년 사시

③ [O] 처분적 법률을 금지하는 명시적 규정은 없다. 개별사건법률금지의 원칙이 법률제정에 있어서 입법자가 평등원칙을 준수할 것을 요구하는 것이기 때문에, 특정 규범이 개별사건법률에 해당한다 하여 곧바로 위헌을 뜻하는 것은 아니며, 특정 법률 또는 법률조항이 단지 하나의 사건만을 규율하려고 한다 하더라도 이러한 차별적 규율이 합리적인 이유로 정당화될 수 있는 경우에는 합헌적일 수 있으므로, 개별사건법률의 위헌 여부는 그 형식만으로 가려지는 것이 아니라, 평등의 원칙이 추구하는 실질적 내용이 정당한지 아닌지를 따져야 비로소 가려진다(1996.2.16, 96헌가2 등). 2011년 사시

④ [O] 개별사건법률은 원칙적으로 평등원칙에 위배되는 자의적 규정이라는 강한 의심을 불러일으키는 것이지만, 개별법률금지의 원칙은 법률제정에 있어서 입법자가 평등원칙을 준수할 것을 요구하는 것이기 때문에 특정 규범이 개별사건법률에 해당한다하여 곧 바로 위헌을 뜻하는 것은 아니며, 이러한 차별적 규율이 합리적인 이유로 정당화될 수 있는 경우에는 합헌적일 수 있다(1996.2.16, 96헌가2 등). 2007년 사시

08 정답 ①

❶ [X] 이 사건 조항은 보안관찰처분대상자 모두에게 적용되는 일반적·추상적인 법률규정으로서 법률이 직접 출소 후 신고의무를 부과하고 있다고 하더라도 처분적 법률 내지 개인적 법률에 해당된다고 볼 수 없으므로 권력분립원칙에 위반되지 아니한다고 할 것이다(2003.6.26, 2001헌가17 등).

② [O] 「국가보위입법회의법」 부칙 제4항 후단이 규정하고 있는 "… 그 소속 공무원은 이 법에 의한 후임자가 임명될 때까지 그 직을 가진다."라는 내용은 행정집행이나 사법재판을 매개로 하지 아니하고 직접 국민에게 권리나 의무를 발생하게 하는 법률, 즉 법률이 직접 자동집행력을 갖는 처분적 법률의 예에 해당하는 것이며 따라서 국가보위입법회의의 의장 등의 면직발령은 위 법률의 후속조치로서 당연히 행하여져야 할 사무적 행위에 불과하다고 할 것이다. 그런데 위 부칙 제4항은 공무원에게 귀책사유의 유무를 불문하고 면직시키는 것으로 규정하고 있기 때문에 헌법상 보장되고 있는 공무원의 신분 보장규정(구 헌법 제6조 제2항, 헌법 제7조 제2항)과의 관계에서 그 위헌 여부가 문제되는 것이다(1989.12.18, 89헌마32 등). 2007년 사시

③ [O] 「5·18민주화운동 등에 관한 특별법」 제2조는 제1항에서 "1979년 12월 12일과 1980년 5월 18일을 전후하여 발생한 … 헌정질서파괴행위에 대하여 … 공소시효의 진행이 정지된 것으로 본다."라고 규정함으로써, 특별법이 이른바 12·12 사건과 5·18 사건에만 적용됨을 명백히 밝히고 있으므로 다른 유사한 상황의 불특정 다수의 사건에 적용될 가능성을 배제하고 오로지 위 두 사건에 관련된 헌정질서파괴범만을 그 대상으로 하고 있어 특별법 제정 당시 이미 적용의 인적 범위가 확정되거나 확정될 수 있는 내용의 것이므로 개별사건법률임을 부인할 수는 없다(1996.2.16, 96헌가2). 2014년 사시

④ [O] 이 사건 폐지법은 세무대학 설치의 법적 근거로 제정된 기존의 「세무대학설치법」을 폐지함으로써 세무대학을 폐교하는 법적 효과를 발생하는 것이므로, 동법은 세무대학과 그 폐지만을 규율목적으로 삼는 처분법률의 형식을 띤다. 그러나 이와 같은 처분법률의 형식은 폐지대상인 「세무대학설치법」 자체가 이미 처분법률에 해당하는 것이므로, 이를 폐지하는 법률도 당연히 그에 상응하여 처분법률의 형식을 띨 수밖에 없는 필연적 현상이다. 한편 어떤 법률이 개별사건법률 또는 처분법률의 성격을 띠고 있다고 해서 그것만으로 헌법에 위반되는 것은 아니다. 따라서 아래에서 보는 바와 같이 정부의 조직 및 기능 조정을 위해 세무대학을 폐지해야 할 합리적 이유가 있는 것이므로 이 사건 폐지법은 그 처분법률의 성격에도 불구하고 헌법적으로 정당하다 할 것이다(2001.2.22, 99헌마613). 2014년 사시

09 정답 ③

ㄱ. [X]

다수의견 이 사건 규칙에 의한 그러한 '주의 또는 경고'는 2006.10.27. 개정되기 전 구 방송법 제100조 제1항에 나열된 제재조치에는 포함되지 아니한 것이었다. 이 사건 경고의 경우 법률(구 「방송법」 제100조 제1항)에서 명시적으로 규정된 제재보다 더 가벼운 것을 하위 규칙에서 규정한 경우이므로, 그러한 제재가 행정법에서 요구되는 법률유보원칙에 어긋났다고 단정하기 어려운 측면이 있다. 그러나 만일 그것이 기본권 제한적 효과를 지니게 된다면, 이는 행정법적 법률유보원칙의 위배 여부에도 불구하고 헌법 제37조 제2항에 따라 엄격한 법률적 근거를 지녀야 한다. 이 사건 경고가 피청구인이 방송사업자에게 방송표현 내용에 대한 경고를 함으로써 해당 방송에 대하여 제재를 가하는 것이라고 볼 때, 그 효과는 방송사업자의 대외적 평가에 영향을 주며, 위에서 언급되었듯이 방송평가에서 2점의 감점대상이 되므로 방송사업자는 방송위원회의 재허가 추천 여부에서 불이익을 입을 수 있다. 그러한 불이익은 결국 방송표현 내용에 대한 제재를 의미하고 표현의 자유를 제한하는 효과를 지니는 것이므로 헌법 제37조 제2항이 요구하는 엄격한 법률적 근거를 지녀야 하는 것이다. 이런 전제에서 살펴보면, 「공직선거법」 제8조의2 제7항에 따른 위임에 근거하여 제정된 이 사건 규칙 제11조 제2항은 심의위원회가 법률의 위임에 따라 정할 수 있는 '제재조치'의 범위를 벗어난 것이라고 보아야 한다.

반대의견 본래의 무거운 제재조치를 할 수 있는 요건에 해당함에도 그보다 가벼운 조치를 취하는 경우에는 이로써 새롭게 국민의 기본권이 제한되는 것은 아니므로 반드시 엄격한 법률적 근거가 요구되는 것은 아니라고 할 것이다. 그럼에도 구 「방송법」 제100조 제1항에서 명시적으로 규정된 제재보다 더 가벼운 제재라 할지라도 기본권 제한적 효과를 지니게 된다면 행정법적 법률유보의 원칙 위배 여부에도 불구하고 헌법 제37조 제2항에 따라 엄격한 법률적 근거를 지녀야 한다고 보는 다수의견은 타당하지 아니하다. 이 사건 규칙 제11조 제2항은 「공직선거법」 제8조의2 제5항의 규정 내용과 제7항의 위임취지에 맞게 제정된 것으로서 헌법상 법률유보원칙에 위반되지 아니한다(2007.11.29, 2004헌마290).

ㄴ. [X] 「도로교통법」 제41조 제2항 전단에 규정된 '교통안전과 위험방지의 필요성'이란 음주 측정을 요구할 대상자의 운전으로 야기된 개별적·구체적인 위험방지를 위하여 필요한 경우뿐 아니라, 잠재적 음주운전자의 계속적인 음주운전을 차단함으로써 잠재적인 교통관련자의 위해를 방지할 가능성이 있다면 충족되는 것으로 넓게 해석하여야 하고, 음주운전으로 인한 피해를 예방할 공익의 중대성과 그 수단의 효율성에 비해 일제단속식 음주단속으로 인하여 받는 국민의 불이익은 교통체증으로 인한 약간의 시간적 손실, 주관적·정서적 불쾌감 정도에 불과하여 비교적 경미하므로 도로를 차단하고 불특정 다수인을 상대로 실시하는 일제단속식 음주단속은 「도로교통법」 제41조 제2항 전단에 근거를 둔 적법한 경찰작용이다(2004.1.29, 2002헌마293).

ㄷ. [O] 「공중위생관리법」 제4조 제7항은 건전한 영업질서유지를 위하여 영업자가 준수하여야 할 사항에 관하여 구체적 범위를 정하여 보

건복지부령으로 정하도록 위임하고 있고, 위 규정은 건전한 영업 질서 유지를 위한 규정에 해당된다. 따라서 위 규정이 법률의 위임이 없거나 또는 그 위임범위를 벗어난 법률유보원칙에 반한다고 볼 수 없다(2008.1.17, 2005헌마1215).

ㄹ. [O] 일반적으로 기본권 침해 관련 영역에서는 급부행정영역에서보다 위임의 구체성의 요구가 강화된다는 점, 이 사건 응시 제한이 검정고시 응시자에게 미치는 영향은 응시자격의 영구적인 박탈인 만큼 중대하다고 할 수 있는 점 등에 비추어 보다 엄격한 기준으로 법률유보원칙의 준수 여부를 심사하여야 할 것인바, 고졸검정고시규칙과 고입검정고시규칙은 이미 응시자격이 제한되는 자를 특정적으로 열거하고 있으면서 달리 일반적인 제한사유를 두지 않고 또 그 제한에 관하여 명시적으로 위임한 바가 없으며, 단지 '고시의 기일·장소·원서접수 기타 고시시행에 관한 사항' 또는 '고시 일시와 장소, 원서접수기간과 그 접수처 기타 고시시행에 관하여 필요한 사항'과 같이 고시시행에 관한 기술적·절차적인 사항만을 위임하였을 뿐, 특히 '검정고시에 합격한 자'에 대하여만 응시자격 제한을 공고에 위임했다고 볼 근거도 없으므로, 이 사건 응시 제한은 위임받은 바 없는 응시자격의 제한을 새로이 설정한 것으로서 기본권 제한의 법률유보원칙에 위배하여 청구인의 교육을 받을 권리 등을 침해한다(2012.5.31, 2010헌마139 등).

ㅁ. [X] 이 사건 CCTV 설치행위는 「형의 집행 및 수용자의 처우에 관한 법률」 및 「교도관직무규칙」 등에 규정된 교도관의 계호활동 중 육안에 의한 시선계호를 CCTV 장비에 의한 시선계호로 대체한 것에 불과하므로, 이 사건 CCTV 설치행위에 대한 특별한 법적 근거가 없더라도 일반적인 계호활동을 허용하는 법률규정에 의하여 허용된다고 보아야 한다(2008.5.29, 2005헌마137 등).

10 정답 ②

ㄱ. [O] 자유와 권리 제한은 헌법 제37조 제2항에 따라 과잉금지원칙이 적용된다. 고졸검정고시 또는 고입검정고시에 합격한 자는 해당 검정고시에 다시 응시할 수 없도록 응시자격을 제한한 것이 해당 검정고시 합격자의 교육을 받을 권리를 제한하므로 과잉금지원칙이 적용된다.

ㄴ. [X] 「교원의 노동조합 설립 및 운영 등에 관한 법률」의 적용대상을 「초·중등교육법」 제19조 제1항의 교원이라고 규정함으로써, 고등교육법에서 규율하는 대학 교원들의 단결권을 인정하지 않는 「교원의 노동조합 설립 및 운영 등에 관한 법률」은 교원의 단결권을 침해한다. 대학 교원을 교육공무원 아닌 대학 교원과 교육공무원인 대학 교원으로 나누어, 각각의 단결권에 대한 제한이 헌법에 위배되는지 여부에 관하여 살펴보기로 하되, 교육공무원 아닌 대학 교원에 대해서는 과잉금지원칙 위배 여부를 기준으로, 교육공무원인 대학 교원에 대해서는 입법형성의 범위를 일탈하였는지 여부를 기준으로 나누어 심사하기로 한다(2018.8.30, 2015헌가38).

ㄷ. [O] 직업수행의 자유의 보호영역에 속하지만 인격발현과 개성신장에 미치는 효과가 중대한 것은 아니다. 그러므로 상업광고 규제에 관한 비례의 원칙 심사에 있어서 침해의 최소성원칙은 같은 목적을 달성하기 위하여 달리 덜 제약적인 수단이 없을 것인지 혹은 입법목적을 달성하기 위하여 필요한 최소한의 제한인지를 심사하기 보다는 입법목적을 달성하기 위하여 필요한 범위 내의 것인지를 심사하는 정도로 완화되는 것이 상당하다(2016.3.31, 2014헌마794).

ㄹ. [O] 이 사건 중복지원금지조항은 고등학교 진학 기회에 있어서의 평등이 문제된다. 비록 고등학교 교육이 의무교육은 아니지만 매우 보편화된 일반교육임을 고려할 때 고등학교 진학 기회의 제한은 당사자에게 미치는 제한의 효과가 커 엄격히 심사하여야 하므로 차별목적과 차별 정도가 비례원칙을 준수하는지 살펴야 한다(2019.4.11, 2018헌마221).

ㅁ. [O] 헌법 제36조 제1항에 의하여 보장되는 가족생활에서의 인간으로서의 존엄에 관한 기본권의 내용으로서 미성년인 가족구성원이 성년인 가족으로부터 부양과 양육, 보호 등을 받는 것은 법제도 형성 이전의 인간의 자연적인 생활 모습과 관련되는 것이다. 따라서 이러한 기본권은 사회적 기본권인 헌법 제34조 제1항의 인간다운 생활권과는 달리 자유권적 성격을 가지므로, 이를 제한하는 입법은 헌법 제37조 제2항의 과잉금지원칙을 준수하여야 할 것이다(2011.2.24, 2009헌바89).

11 정답 ③

ㄱ. [부인] '북한의 남침가능성의 증대'라는 추상적이고 주관적인 상황인식만으로는 긴급조치를 발령할 만한 국가적 위기상황이 존재한다고 보기 부족하고, 주권자이자 헌법개정권력자인 국민이 유신헌법의 문제점을 지적하고 그 개정을 주장하거나 청원하는 활동을 금지하고 처벌하는 긴급조치 제9호는 국민주권주의에 비추어 목적의 정당성을 인정할 수 없다(2013.3.21, 2010헌바132 등).

ㄴ. [인정] 인생의 황금기에 해당하는 20대 초·중반의 소중한 시간을 사회와 격리된 채 통제된 환경에서 자기개발의 여지없이 군복무 수행에 바침으로써 국가·사회에 기여하였고, 그 결과 공무원채용시험 응시 등 취업준비에 있어 제대군인이 아닌 사람에 비하여 상대적으로 불리한 처지에 놓이게 된 제대군인의 사회복귀를 지원한다는 것은 입법정책적으로 얼마든지 가능하고 또 매우 필요하다고 할 수 있으므로 이 입법목적은 정당하다(1999.12.23, 98헌마363).

ㄷ. [부인] 피의자신문에 참여한 변호인이 피의자 옆에 앉는다고 하여 피의자 뒤에 앉는 경우보다 수사를 방해할 가능성이 높아진다거나 수사기밀을 유출할 가능성이 높아진다고 볼 수 없으므로, 이 사건 후방착석요구행위의 목적의 정당성과 수단의 적절성을 인정할 수 없다. 이 사건 후방착석요구행위로 얻어질 공익보다는 변호인의 피의자신문참여권 제한에 따른 불이익의 정도가 크므로, 법익의 균형성 요건도 충족하지 못한다. 따라서 이 사건 후방착석요구행위는 변호인인 청구인의 변호권을 침해한다(2017.11.30, 2016헌마503).

ㄹ. [부인] 이 사건 법률조항의 경우 입법목적에 정당성이 인정되지 않는다. 여성이 혼전 성관계를 요구하는 상대방 남자와 성관계를 가질 것인가의 여부를 스스로 결정한 후 자신의 결정이 착오에 의한 것이라고 주장하면서 상대방 남성의 처벌을 요구하는 것은 여성 스스로가 자신의 성적 자기결정권을 부인하는 행위이다. 또한 혼인빙자간음죄가 다수의 남성과 성관계를 맺는 여성 일체를 '음행의 상습 있는 부녀'로 낙인찍어 보호의 대상에서 제외시키고 보호대상을 '음행의 상습 없는 부녀'로 한정함으로써 여성에 대한 남성우월적 정조관념에 기초한 가부장적·도덕주의적 성 이데올로기를 강요하는 셈이 된다(2009.11.26, 2008헌바58 등).

ㅁ. [부인] 현대의 자유민주주의사회에서 동성동본금혼을 규정한 「민법」 제809조 제1항은 이제 사회적 타당성 내지 합리성을 상실하고 있음과 아울러 '인간으로서의 존엄과 가치 및 행복추구권'을 규정한 헌법이념 및 '개인의 존엄과 양성의 평등'에 기초한 혼인과 가족생활의 성립·유지라는 헌법규정에 정면으로 배치될 뿐 아니라 남계혈족에만 한정하여 성별에 의한 차별을 함으로써 헌법상의 평등의 원칙에도 위반된다 할 것이다. 이 사건 법률조항은 헌법 제10조, 제11조 제1항, 제36조 제1항에 위반될 뿐만 아니라 그 입법목적이 이제는 혼인에 관한 국민의 자유와 권리를 제한할 '사회질서'나 '공공복리'에 해당될 수 없다는 점에서 헌법 제37조 제2항에도 위반된다 할 것이다(1997.7.16, 95헌가6 등).

ㅂ. [인정] 시험성적이 공개될 경우 변호사시험 대비에 치중하게 된다는 우

려가 있으나, 좋은 성적을 얻기 위해 노력하는 것은 당연하고 시험 성적을 공개하지 않는다고 하여 변호사시험 준비를 소홀히 하는 것도 아니다. 오히려 시험성적을 공개하는 경우 경쟁력 있는 법률가를 양성할 수 있고, 각종 법조직역에 채용과 선발의 객관적 기준을 제공할 수 있다. 따라서 변호사시험 성적의 비공개는 기존 대학의 서열화를 고착시키는 등의 부작용을 낳고 있으므로 수단의 적절성이 인정되지 않는다. 또한 법학교육의 정상화나 교육 등을 통한 우수 인재 배출, 대학원 간의 과다경쟁 및 서열화 방지라는 입법목적은 법학전문대학원 내의 충실하고 다양한 교과과정 및 엄정한 학사관리 등과 같이 알 권리를 제한하지 않는 수단을 통해서 달성될 수 있고, 변호사시험 응시자들은 자신의 변호사시험 성적을 알 수 없게 되므로, 심판대상조항은 침해의 최소성 및 법익의 균형성 요건도 갖추지 못하였다. 따라서 심판대상조항은 과잉금지원칙에 위배하여 청구인들의 알 권리를 침해한다(2015.6.25, 2011헌마769 등).

ㅅ. [인정] 비전문적인 영세경비업체의 난립을 막고 전문경비업체를 양성하며, 경비원의 자질을 높이고 무자격자를 차단하여 불법적인 노사분규 개입을 막고자 하는 입법목적 자체는 정당하다고 보여진다(2002.4.25, 2001헌마614). 2015년 사시

ㅇ. [인정] 심판대상조항은 선량한 성풍속 및 일부일처제에 기초한 혼인제도를 보호하고 부부간 정조의무를 지키게 하기 위한 것으로 그 입법목적의 정당성은 인정된다. 만일 간통을 하면 형사적으로 처벌된다는 두려움 때문에 간통행위에 이르지 못하게 하여 혼인관계가 유지되게 하는 효과가 있다는 것이다. 그러나 이러한 심리적 사전 억제수단에 실효성이 있는지는 의문이다. … 이와 같은 사정을 종합해 보면, 선량한 성풍속 및 일부일처제에 기초한 혼인제도를 보호하고 부부간 정조의무를 지키게 하고자 간통행위를 처벌하는 심판대상조항은 그 수단의 적절성과 침해최소성을 갖추지 못하였다고 할 것이다(2015.2.26, 2009헌바17 등).

ㅈ. [인정] 심판대상조항은 다른 사람의 자동차 등을 훔친 범죄행위에 대한 행정적 제재를 강화하여 자동차 등의 운행과정에서 야기될 수 있는 교통상의 위험과 장해를 방지함으로써 안전하고 원활한 교통을 확보하고자 하는 것으로서 그 입법목적이 정당하다. 다른 사람의 자동차 등을 훔친 경우 운전면허를 필요적으로 취소하도록 하는 것은 이러한 입법목적을 달성하는 데 기여할 수 있으므로 수단의 적정성도 인정된다. 자동차 등의 절도 범죄로 야기되는 교통상의 위험과 장해를 방지하기 위하여 그에 대한 행정적 제재를 강화할 필요가 있다 하더라도, 위와 같이 임의적 운전면허 취소 또는 정지사유로 규정하면서 철저한 단속과 엄격한 법집행 등을 통해 불법의 정도에 상응하는 제재수단을 선택하도록 하는 것으로도 충분히 그 목적을 달성하는 것이 가능하다. 따라서 심판대상조항은 침해의 최소성원칙에 위반된다(2017.5.25, 2016헌가6).

ㅊ. [인정] 자기낙태죄조항은 태아의 생명을 보호하기 위한 것으로서 그 입법목적이 정당하고, 낙태를 방지하기 위하여 임신한 여성의 낙태를 형사처벌하는 것은 이러한 입법목적을 달성하는 데 적합한 수단이다. 자기낙태죄조항이 달성하고자 하는 태아의 생명 보호라는 공익은 중요한 공익이나, 결정가능기간 중 다양하고 광범위한 사회적·경제적 사유를 이유로 낙태갈등상황을 겪고 있는 경우까지도 낙태를 금지하고 형사처벌하는 것이 태아의 생명 보호라는 공익에 기여하는 실효성 내지 정도가 그다지 크다고 볼 수 없다. 반면 앞서 보았듯이 자기낙태죄조항에 따른 형사처벌로 인하여 임신한 여성의 자기결정권이 제한되는 정도는 매우 크다. 결국, 입법자는 자기낙태죄조항을 형성함에 있어 태아의 생명 보호와 임신한 여성의 자기결정권의 실제적 조화와 균형을 이루려는 노력을 충분히 하지 아니하여 태아의 생명 보호라는 공익에 대하여만 일방적이고 절대적인 우위를 부여함으로써 공익과 사익 간의 적정한 균형관계를 달성하지 못하였다. 따라서, 자기낙태죄조항은 입법목적을 달성하기 위하여 필요한 최소한의 정도를 넘어 임신한 여성의 자기결정권을 제한하고 있어 침해의 최소성을 갖추지 못하고 있으며, 법익균형성의 원칙도 위반하였다고 할 것이므로, 과잉금지원칙을 위반하여 임신한 여성의 자기결정권을 침해하는 위헌적인 규정이다(2019.4.11, 2017헌바127).

목적이 정당하지 않음.	• 사기죄 피의자 수사과정 촬영 허용 • 긴급조치 제1호 • 변호인 후방착석요구 • 혼인빙자간음죄 • 재외국민, 선거권과 피선거권 부정 • 사립대학 교원, 교원노조가입금지 • 동성동본 혼인금지
목적은 정당하나 방법의 적정하지 않은 것	• 제대군인가산점 • 공무원과 사립교원 재직 중 사유로 퇴직금 제한 • 변호사 개업지 제한 • 경비업 외 영업금지 • 자도소주구입강제도 • 미결구금일수를 형기에 포함할 것인지를 법관의 재량에 맡긴 형법 • 변호사시험 성적 비공개 • 정당후원회금지 • 간통죄
목적과 방법 적정, 최소성원칙 위반	• 국가유공자 가족 가산점 10% • 양심적 병역 거부를 인정하지 않은 「병역법」 제5조의 병종조항 • 자기낙태죄 • 의석이 없고 100분의 2 미만 득표한 정당등록 취소 • 국회, 법원, 총리공관 100미터 이내 옥외집회금지 • 청원경찰, 근로3권 부정 • 주민등록변경을 허용하지 않은 주민등록 • 수형자 선거권 전면적 제한

12 정답 ①

❶ [O] 심판대상조항의 보호법익은 일부일처제에 기초한 혼인제도이다. 그러나 일단 간통행위가 발생한 이후에는 심판대상조항이 혼인생활 유지에 전혀 도움을 주지 못한다. 간통죄는 친고죄이고, 고소권의 행사는 혼인이 해소되거나 이혼소송을 제기한 후에라야 가능하므로, 고소권의 발동으로 기존의 가정은 파탄을 맞게 된다. 설사 나중에 고소가 취소된다고 하더라도 부부감정이 원상태로 회복되기를 기대하기 어려우므로, 간통죄는 혼인제도 내지 가정질서의 보호에 기여할 수 없다. 더구나 간통죄로 처벌받은 사람이 고소를 한 배우자와 재결합할 가능성은 거의 없으며, 간통에 대한 형사처벌과정에서 부부갈등이 심화되어 원만한 가정질서를 보호할 수도 없다. 결국, 간통행위를 처벌함으로써 혼인제도를 보호한다는 의미는, 일방 배우자로 하여금, 만일 간통을 하면 형사적으로 처벌된다는 두려움 때문에 간통행위에 이르지 못하게 하여 혼인관계가 유지되게 하는 효과가 있다는 것이다. 그러나 이러한 심리적 사전 억제수단에 실효성이 있는지는 의문이다(2015.2.26, 2009헌바17 등).

② [X] 자기낙태죄조항은 태아의 생명을 보호하기 위한 것으로서 그 입법목적이 정당하고, 낙태를 방지하기 위하여 임신한 여성의 낙태를 형사처벌하는 것은 이러한 입법목적을 달성하는 데 적합한 수단이다. 자기낙태죄조항이 달성하고자 하는 태아의 생명 보호라는 공익은 중요한 공익이나, 결정가능기간 중 다양하고 광범위한 사회적·경제적 사유를 이유로 낙태갈등상황을 겪고 있는 경우까지도 낙태를 금지하고 형사처벌하는 것이 태아의 생명 보호라는 공익에 기여하는 실효성 내지 정도가 그다지 크다고 볼 수 없다. 반면 앞서 보았듯이 자기낙태죄조항에 따른 형사처벌로 인하여 임신한 여

성의 자기결정권이 제한되는 정도는 매우 크다. 결국, 입법자는 자기낙태죄조항을 형성함에 있어 태아의 생명 보호와 임신한 여성의 자기결정권의 실제적 조화와 균형을 이루려는 노력을 충분히 하지 아니하여 태아의 생명 보호라는 공익에 대하여만 일방적이고 절대적인 우위를 부여함으로써 공익과 사익 간의 적정한 균형관계를 달성하지 못하였다. 따라서, 자기낙태죄조항은 입법목적을 달성하기 위하여 필요한 최소한의 정도를 넘어 임신한 여성의 자기결정권을 제한하고 있어 침해의 최소성을 갖추지 못하고 있으며, 법익균형성의 원칙도 위반하였다고 할 것이므로, 과잉금지원칙을 위반하여 임신한 여성의 자기결정권을 침해하는 위헌적인 규정이다(2019.4.11, 2017헌바127).

③ [X] 심판대상조항은 집행유예자와 수형자에 대하여 전면적·획일적으로 선거권을 제한하고 있다. 심판대상조항의 입법목적에 비추어 보더라도, 구체적인 범죄의 종류나 내용 및 불법성의 정도 등과 관계없이 일률적으로 선거권을 제한하여야 할 필요성이 있다고 보기는 어렵다. 범죄자가 저지른 범죄의 경중을 전혀 고려하지 않고 수형자와 집행유예자 모두의 선거권을 제한하는 것은 침해의 최소성 원칙에 어긋난다(2014.1.28, 2012헌마409 등).

④ [X] 변호사시험 성적의 비공개는 기존 대학의 서열화를 고착시키는 등의 부작용을 낳고 있으므로 수단의 적절성이 인정되지 않는다. 또한 법학교육의 정상화나 교육 등을 통한 우수 인재 배출, 대학원 간의 과다경쟁 및 서열화 방지라는 입법목적은 법학전문대학원 내의 충실하고 다양한 교과과정 및 엄정한 학사관리 등과 같이 알 권리를 제한하지 않는 수단을 통해서 달성될 수 있고, 변호사시험 응시자들은 자신의 변호사시험 성적을 알 수 없게 되므로, 심판대상조항은 침해의 최소성 및 법익의 균형성 요건도 갖추지 못하였다(2015.6.25, 2011헌마769 등).

13

정답 ②

ㄱ. [X] 지문은 보충의견이다.

법정의견 교사 임용시험에 있어서 사범대 가산점과 복수·부전공 가산점은 적용대상에서 제외된 자에 대한 공무담임권 제한의 성격이 중대하고 서로 경쟁관계에 놓여 있는 응시자들 중 일부 특정 집단만 우대하는 결과를 가져오는 점에서, 그 가산점들에 관하여는 법률에서 적어도 그 적용대상이나 배점 등 기본적인 사항을 직접 명시적으로 규정하고 있어야 함에도 「교육공무원법」 제11조 제2항은 단지 "… 공개전형의 실시에 관하여 필요한 사항은 대통령령으로 정한다."라고만 할 뿐, 가산점 항목에 관하여는 아무런 명시적 언급도 하지 않고 있으므로 대전광역시 교육감이 대전광역시 공립중등학교 교사임용후보자 선정경쟁시험에서 대전, 충남 지역 소재 사범계대학 또는 한국교원대학교의 졸업자(졸업예정자) 중 교원경력이 없는 자로서 대전광역시 관내 고등학교를 졸업하고 교육감의 추천을 받아 입학한 자에게 제1차 시험 배점의 5%에 해당하는 가산점을 주도록 한 것과 부전공 교사자격증 소지자 또는 복수전공 교사자격증 소지자에게 제1차 시험 배점의 3 내지 5%에 해당하는 가산점을 주도록 한 것은 아무런 법률적 근거가 없는 것이어서 헌법 제37조 제2항에 반한다(2004.3.25, 2001헌마882).

보충의견 「교육공무원법」 등 관련 법률에서 사범계대학 출신의 교사자격과 비사범계대학 출신의 교사 자격의 차별을 예정하고 있지 않고, 비사범계대학 출신자들의 교사로서의 소명감이나 자질이 사범계대학 출신자의 그것에 훨씬 못 미치는 것으로 단정할 만한 실증적 근거가 없으며, 비사범계대학 출신자에 대해 교사 자격 취득을 제도적으로 허용하고 있는 이상, 국가는 비사범대학 출신자들의 임용에 관한 정당한 기대이익도 보호할 책무가 있으므로 사범계 대학 출신자에 대한 가산점 부여는 객관적 타당성을 인정할 수 없고, 복수·부전공 교사 자격 소지자가 실제로 복수의 교과목 모두를 충분히 전문성 있게 가르칠 능력을 갖추었는지에 관한 실증적 근거가 지나치게 빈약하고 미임용 교원의 적체 해소에 부정적이며 교사의 전문성이 저하될 수도 있다는 점에서 복수·부전공 가산점을 통해 추구되는 공익적 성과는 그로 인한 부정적 효과와 합리적 비례관계를 이루고 있다고 하기 어려우므로 위와 같은 사범대 가산점 및 복수·부전공 가산점 항목은 헌법 제37조 제2항의 법률유보원칙에 위배되는 외에 실체적으로도 위헌이다.

ㄴ. [X] 후보자등록신청시 정당에게 후보자 1명마다 일정한 금액을 기탁금으로 납부하도록 하는 것은 비례대표국회의원선거에서 정당의 무분별한 후보자 추천을 예방하는 데 기여할 수 있고, 기탁금으로 과태료 및 행정대집행비용을 사전에 확보할 수 있으므로 위와 같은 입법목적 달성에 유효한 수단이 될 수 있다. 다만 1천 5백만 원의 비례대표국회의원의 기탁금은 최소성원칙에 위배된다(2016.12.29, 2015헌마509 등).

ㄷ. [O] (1) 목적의 정당성: 비전문적인 영세경비업체의 난립을 막고 전문경비업체를 양성하며, 경비원의 자질을 높이고 무자격자를 차단하여 불법적인 노사분규 개입을 막고자 하는 입법목적 자체는 정당하다고 보여진다.

(2) 방법의 적절성: 먼저 '경비업체의 전문화'라는 관점에서 보면, 현대의 첨단기술을 바탕으로 한 소위 디지털시대에 있어서 경비업은 단순한 경비 자체만으로는 '전문화'를 이룰 수 없고 오히려 경비장비의 제조·설비·판매업이나 네트워크를 통한 정보산업, 시설물 유지관리, 나아가 경비원교육업 등을 포함하는 '토탈서비스(total service)'를 절실히 요구하고 있는 추세이므로, 경비업체로 하여금 일체의 겸영을 금지하는 것이 적절한 방법이라고는 볼 수 없다(2002.4.25, 2001헌마614).

ㄹ. [O] 이 사건 조항이 규정하는 가산점제도의 목적은 국가에 공헌하면서 신체적·정신적, 재정적 어려움을 겪어 통상 일반인에 비해 수험준비가 상대적으로 미흡하게 되는 국가유공자 등과 그 유·가족에게 가산점을 부여함으로써 우선적 근로기회를 제공하여 생활안정을 도모하고, 이들이 국가에 봉사할 수 있는 기회를 부여하는 데 있다. 이러한 입법목적은 헌법 제32조 제6항의 취지를 반영한 것이거나, 헌법 제37조 제2항의 공공복리의 달성을 위한 것으로서 정당하다. 또한 그러한 가산점제도는 국가유공자와 그 유족 등이 공직에 채용될 수 있도록 지원하는 역할을 함으로써 입법목적의 달성을 촉진하고 있다고 할 것이므로 정책수단으로서의 적합성도 가지고 있다. 이 사건 조항으로 인한 공무담임권의 차별효과는 앞서 본 바와 같이 심각한 반면, 국가유공자 가족들에 대하여 아무런 인원 제한도 없이 매 시험마다 10%의 높은 가산점을 부여해야만 할 필요성은 긴요한 것이라고 보기 어렵고, 입법목적을 감안하더라도 일반 응시자들의 공무담임권에 대한 차별효과가 지나친 것이다(2006.2.23, 2004헌마675).

ㅁ. [O] 제대군인의 사회복귀를 지원한다는 것은 입법정책적으로 얼마든지 가능하고 또 매우 필요하다고 할 수 있으므로 이 입법목적은 정당하다. '여성과 장애인에 대한 차별금지와 보호'에도 저촉되므로 정책수단으로서의 적합성과 합리성을 상실한 것이다(1999.12.23, 98헌마363).

ㅂ. [O] 「형법」 제57조 제1항은 해당 법관으로 하여금 미결구금일수를 형기에 산입하되, 그 산입범위는 재량에 의하여 결정하도록 하고 있는바, 이처럼 미결구금일수 산입범위의 결정을 법관의 자유재량에 맡기는 이유는 피고인이 고의로 부당하게 재판을 지연시키는 것을 막아 형사재판의 효율성을 높이고, 피고인의 남상소를 방지하여 상소심 법원의 업무부담을 줄이는 데 있다. 「형법」 제57조 제1항 중 '또는 일부' 부분이 상소제기 후 미결구금일수의 일부가 산입되지 않을 수 있도록 하여 피고인의 상소의사를 위축시킴으로써 남상소를 방지하려 하는 것은 입법목적 달성을 위한 적절한 수단이

라고 할 수 없고, 남상소를 방지한다는 명목으로 오히려 구속 피고인의 재판청구권이나 상소권의 적정한 행사를 저해한다. 더욱이 구속 피고인이 고의로 재판을 지연하거나 부당한 소송행위를 하였다고 하더라도 이를 이유로 미결구금기간 중 일부를 형기에 산입하지 않는 것은 처벌되지 않는 소송상의 태도에 대하여 형벌적 요소를 도입하여 제재를 가하는 것으로서 적법절차의 원칙 및 무죄추정의 원칙에 반한다(2009.6.25, 2007헌바25).

14 정답 ①

❶ [O] 우리 재판소가 방법의 적절성으로 심사하는 내용은 입법자가 선택한 방법이 최적의 것이었는가 하는 것이 아니고, 그 방법이 입법목적 달성에 유효한 수단인가 하는 점에 한정되는 것이다(2006.6.29, 2002헌바80 등). 2012년 변시

② [X] ④ [X] 국가작용에 있어서 취해진 어떠한 조치나 선택된 수단은 그것이 달성하려는 사안의 목적에 적합하여야 함은 당연하지만 그 조치나 수단이 목적 달성을 위하여 유일무이한 것일 필요는 없는 것이다. 국가가 어떠한 목적을 달성함에 있어서는 어떠한 조치나 수단 하나만으로서 가능하다고 판단할 경우도 있고 다른 여러 가지의 조치나 수단을 병과하여야 가능하다고 판단하는 경우도 있을 수 있으므로 과잉금지의 원칙이라는 것이 목적 달성에 필요한 유일의 수단선택을 요건으로 하는 것이라고 할 수는 없는 것이다(1989.12.22, 88헌가13). 2010년 법무사, 2015년 변시

③ [X] 입법목적을 달성하기 위하여 가능한 여러 수단들 가운데 구체적으로 어느 것을 선택할 것인가의 문제가 기본적으로 입법재량에 속하는 것이기는 하다. 그러나 위 입법재량이라는 것도 자유재량을 말하는 것은 아니므로 입법목적을 달성하기 위한 수단으로서 반드시 가장 합리적이며 효율적인 수단을 선택하여야 하는 것은 아니라고 할지라도 적어도 현저하게 불합리하고 불공정한 수단의 선택은 피하여야 할 것이다(1996.4.25, 92헌바47). 2016년 법원 9급

15 정답 ①

❶ [O] 과잉금지의 원칙은 국민의 기본권을 제한함에 있어서 국가작용의 한계를 명시한 것으로서 목적의 정당성, 방법의 적정성, 피해의 최소성, 법익의 균형성을 의미하는 것으로서 그 어느 하나에라도 저촉되면 위헌이 된다는 헌법상의 원칙을 말한다(1992.12.24, 92헌가8). 2016년 5급 승진

② [X] 과잉금지원칙의 한 내용인 최소침해원칙은 입법목적의 달성에 있어 동일한 효과를 나타내는 수단 중에서 되도록 당사자의 기본권을 덜 침해하는 수단을 채택하라는 헌법적 요구로서, 설령 입법자가 택한 수단보다 국민의 기본권을 덜 침해하는 수단이 존재하더라도 그 다른 수단이 효과 측면에서 입법자가 선택한 수단과 동등하거나 유사하다고 단정할 만한 명백한 근거가 없는 이상, 과잉금지원칙에 위반된다고는 할 수 없다(2012.8.23, 2010헌가65 등).

③ [X] 침해의 최소성의 관점에서 우선 기본권을 적게 제한하는 기본권 행사의 방법에 관한 규제로써 공익을 실현할 수 있는가를 시도하고 이러한 방법으로는 공익의 달성이 어렵다고 판단되는 경우에 비로소 그 다음 단계인 기본권 행사 여부에 관한 규제를 선택해야 한다(1998.5.28, 96헌가5).

④ [X] 입법자가 임의적 규정으로도 법의 목적을 실현할 수 있는 경우에 구체적 사안의 개별성과 특수성을 고려할 수 있는 가능성을 일체 배제하는 필요적 규정을 둔다면 이는 비례의 원칙의 한 요소인 '최소침해성의 원칙'에 위배된다(2004.7.15, 2003헌바35 등 ; 2006.12.28, 2005헌바87).

16 정답 ④

① [X] 입법자가 임의적 규정으로도 법의 목적을 실현할 수 있는 경우에 구체적 사안의 개별성과 특수성을 고려할 수 있는 가능성을 일체 배제하는 필요적 규정을 둔다면, 이는 비례의 원칙의 한 요소인 '최소침해의 원칙'에 위배된다(1998.5.28, 96헌가12).

② [X] 입법자의 형성의 자유 안에서 어떠한 기본권 제한수단을 선택하는가는 입법자의 재량이므로 가장 완화된 수단이 선택되지 않은 것이 언제나 최소침해성의 원칙에 반하는 것은 아니다.

③ [X] 최소침해성의 원칙의 적용을 배제할 수 없다. 헌법재판소는 과잉금지원칙 4가지 원칙 중 어느 하나라도 위반되면 헌법에 위반된다고 한다.

> **반대의견** 헌법의 기본정신(헌법 제37조 제2항의 규정은 기본권 제한입법의 수권규정인 성질과 아울러 기본권 제한입법의 한계규정의 성질을 지니고 있다)에 비추어 볼 때 기본권의 본질적인 내용의 침해가 설사 없다고 하더라도 과잉금지의 원칙에 위반되면 역시 위헌임을 면하지 못한다고 할 것인데, 과잉금지의 원칙은 국가작용의 한계를 명시하는 것인데 목적의 정당성, 방법의 적정성, 피해의 최소성, 법익의 균형성을 의미하는 것으로서 그 어느 하나에라도 저촉되면 위헌이 된다는 헌법상의 원칙이다(1989.12.22, 88헌가13).

❹ [O] 긴급재정경제명령이 아래에서 보는 바와 같은 헌법 제76조 소정의 요건과 한계에 부합하는 것이라면 그 자체로 목적의 정당성, 수단의 적정성, 피해의 최소성, 법익의 균형성이라는 기본권 제한의 한계로서의 과잉금지원칙을 준수하는 것이 되는 것이다. 그러므로 이 사건 긴급명령이 헌법 제76조가 정하고 있는 요건과 한계에 부합하는 것인지 살펴본다(1996.2.29, 93헌마186).

17 정답 ①

❶ [X] 헌법 제37조 제2항의 규정은 기본권 제한입법의 수권규정인 성질과 아울러 기본권 제한입법의 한계규정의 성질을 지니고 있다(1989.12.22, 88헌가13).

② [O] 어느 범죄에 대한 법정형이 그 죄질의 경중과 이에 대한 행위자의 책임에 비하여 지나치게 가혹한 것이어서 전체 형벌체계상 현저히 균형을 잃게 되고 이로 인하여 다른 범죄자와의 관계에 있어서 헌법상 평등의 원리에 반하게 된다거나, 그러한 유형의 범죄에 대한 형벌 본래의 기능과 목적을 달성함에 있어 필요한 정도를 일탈함으로써 헌법 제37조 제2항으로부터 파생되는 비례의 원칙 혹은 과잉금지의 원칙에 반하는 것으로 평가되는 등 입법재량권이 헌법규정이나 헌법상의 제 원리에 반하여 자의적으로 행사된 경우가 아닌 한, 법정형의 높고 낮음은 단순한 입법정책 당부의 문제에 불과하고 헌법 위반의 문제는 아니라 할 것이다(1995.4.20, 91헌바11).

③ [O] 법익균형성원칙은 입법자가 기본권 제한을 통해 실현하려는 공익과 제한되는 기본권의 법익 간에 균형이 이루어져야 한다는 원칙이다. 즉 달성하려는 공익이 제한되는 사익(기본권)보다 커야 한다는 원칙이다.

④ [O]

> **헌법 제77조** ③ 비상계엄이 선포된 때에는 법률이 정하는 바에 의하여 영장제도, 언론·출판·집회·결사의 자유, 정부나 법원의 권한에 관하여 특별한 조치를 할 수 있다.

18

정답 ②

① [O] ③ [O]

<이중기준의 원칙>

구분	경제적 기본권을 제한하는 법률	정신적 자유권을 제한하는 법률
합헌성 추정	O	합헌성 추정배제, 위헌성 추정
위헌심사기준	완화된 심사기준	엄격한 심사기준
입증책임	위헌이라고 주장하는 자 (사인, 법원)	합헌이라고 방어하는 자 (입법부, 행정부)

❷ [X] 정당설립의 자유에 대한 제한은 오늘날의 정치현실에서 차지하는 정당의 중요성 때문에 원칙적으로 허용되지 않는다는 것이 헌법의 결정이므로 정당설립의 자유를 제한하는 법률의 경우에는 입법수단이 입법목적을 달성할 수 있다는 것을 어느 정도 확실하게 예측될 수 있어야 한다. 다시 말하면, 헌법재판소는 정당설립의 자유에 대한 제한의 합헌성의 판단과 관련하여 '수단의 적합성' 및 '최소침해성'을 심사함에 있어서 입법자의 판단이 명백하게 잘못되었다는 소극적인 심사에 그치는 것이 아니라, 입법자로 하여금 법률이 공익의 달성이나 위험의 방지에 적합하고 최소한의 침해를 가져오는 수단이라는 것을 어느 정도 납득시킬 것을 요청한다. 만일, 정당설립의 자유와 같이 원칙적으로 제한될 수 없다는 것을 헌법이 명시적으로 밝히고 있는 경우에도, 헌법재판소가 '법률이 그를 통하여 달성하려는 목적을 실현하기에 명백하게 부적합한가'만을 심사한다면, 입법자는 중대한 공익이나 방지해야 할 위험이 현존함을 주장하여 입법목적의 달성에 조금이라도 기여하는, 생각할 수 있는 모든 입법수단을 동원하게 될 것이기 때문이다(1999.12.23, 99헌마135).

④ [O] 경제적 자유(직업선택의 자유)에 그치는 것이 아니라 인신의 자유와 표현의 자유로서의 측면을 가지는 복합적 기본권이라는 점에서 그에 대한 제한을 하는 경우, 그 제한사유가 후자의 측면과 관련이 있다면 정신적 자유의 제한시 적용되는 것과 유사한 엄격한 기준(이른바 '이중기준의 이론')을 적용하여 해석하거나 필요최소한도의 규제수단을 채택하여야 할 것이다(서울고법 2007.5.3, 2006누20268).

19

정답 ③

① [O] 기본권 제한의 내용상의 한계로 헌법 제37조 제2항의 본질적 내용의 침해금지원칙이 있는데, 이는 제3차 개정헌법에 신설되어 제7차 개정헌법에서 폐지된 뒤 제8차 개정헌법에 다시 규정되었다. 2006년 입시

② [O] 기본권을 국가안전보장, 질서유지와 공공복리를 위하여 필요한 경우에는 법률로써 제한할 수 있으나 그 본질적인 내용은 침해할 수 없다. 기본권의 본질적 내용은 만약 이를 제한하는 경우에는 기본권 그 자체가 무의미하여지는 경우에 그 본질적인 요소를 말하는 것으로서, 이는 개별 기본권마다 다를 수 있을 것이다(1995.4.20, 92헌바29). 2015년 변시

❸ [X] 모든 기본권은 절대적으로 침해할 수 없는 핵심영역이 있고 침해할 수 없는 한계가 본질적 내용이다. 이 침해할 수 없는 내용을 인간의 존엄성으로 보는 견해(Dürig)가 있고, 기본권이 공권력에 의한 제한으로 그 핵심영역이 손상되거나 그 실체의 온전성을 상실하는 경우 본질적 내용이 침해되었다고 보는 핵심영역설이 있다. 2001년 사시

④ [O] '본질적 내용'을 개별적인 경우에 따라 상대적으로 이해하는 견해에 의하면, 본질적 내용은 비례원칙에 따라 결정될 수 있다. 본질적 내용이라도 공익이 본질적 내용보다 법익이 크다면 비본질적 내용으로 전환된다. 따라서 기본권 제한의 공적 필요성과 기본권 제한 내용을 비교형량해서 기본권의 본질적 내용을 확정하게 된다. 2009년 사시

20

정답 ④

① [O] 본질적 내용을 절대적으로 본다는 어떠한 경우에도 생명권의 본질적 내용은 침해할 수 없으므로 사형제도는 생명권의 본질적 내용 침해금지원칙에 위배되어 위헌이 될 가능성이 높다. 우리 헌법재판소는 사형제도에 대해 합헌결정한 바 있으며 상대설을 취한 판례로 평가된다. 상대설은 기본권의 본질적 내용이 비례원칙에 따라 결정된다고 한다. 2005년 사시

② [O] 생명권에 대한 제한은 곧 생명권의 완전한 박탈을 의미한다 할 것이므로, 사형이 비례의 원칙에 따라서 최소한 동등한 가치가 있는 다른 생명 또는 그에 못지 아니한 공공의 이익을 보호하기 위한 불가피성이 충족되는 예외적인 경우에만 적용되는 한, 그것이 비록 생명을 빼앗는 형벌이라 하더라도 헌법 제37조 제2항 단서에 위반되는 것으로 볼 수는 없다 할 것이다(1996.11.28, 95헌바1). 2012년 변시

➡ 우리 헌법재판소는 사형제도에 대해 합헌결정한 바 있으며 상대설을 취한 판례로 평가된다. 상대설은 기본권의 본질적 내용이 비례원칙에 따라 결정된다고 한다.

③ [O] 본질적 내용을 절대적으로 본다는 어떠한 경우에도 생명권의 본질적 내용은 침해할 수 없으므로 사형제도는 생명권의 본질적 내용 침해금지원칙에 위배되어 위헌이 될 가능성이 높다. 2010년 사시

❹ [X] 기본권 제한이 비본질적인 내용 부분일 경우 과잉금지원칙에 반할 수는 있으나, 본질적 내용을 침해한다고 할 수는 없다. 2008년 법원 9급

⑤ [O] 생명의 보호와 공공의 이익을 위하여 불가피한 경우 생명을 빼앗는 형벌이라 하더라도 본질적 내용 침해금지원칙에 위반되지 아니한다(1996.11.28, 95헌바1).

17회 진도별 모의고사

특별권력관계 ~ 인간의 존엄성과 가치

정답

01	③	02	②	03	③	04	②
05	①	06	④	07	④	08	④
09	②	10	②	11	④	12	①
13	②	14	②	15	④	16	②
17	④	18	③	19	②	20	③

01 정답 ③

① [O] 특별권력관계의 유형으로는 국가와 공무원의 관계(복무관계), 국·공립학교와 재학생의 관계(재학관계), 교도소와 수형자의 관계(수감관계), 국·공립병원과 전염병환자의 관계(입원관계), 국·공립공원과 이용자의 관계(이용관계) 등을 들 수 있다.

② [O] 전통적인 특별권력관계의 이론에서는 특별권력관계는 일반권력관계에 적용되는 법치주의의 원리가 적용되지 아니하는 '법으로부터 자유로운 영역'이라고 하였다. 따라서 이와 같은 경우에는 권력주체가 구체적인 법률의 근거가 없을지라도 포괄적 지배권을 발동하여 상대방의 자유를 제한하고 명령·강제할 수 있게 된다.

❸ [X] 특별권력관계를 기본관계와 내부관계(경영수행관계)로 나누어 기본관계에서 이루어지는 행정작용을 행정처분으로 보아 법이 침투할 수 있는 영역으로 보아 사법심사의 대상으로 보았으나, 내부관계의 경우에는 법이 침투할 수 없는 행정영역으로 인정하였다.

④ [O] 오늘날에는 기본권 보장의 원리에 비추어 법치주의가 전면적으로 적용되어야 하는 점에서는 이론이 없다. 따라서 기본권 제한의 경우에도 법치주의가 전면적으로 적용되는 이상 헌법 또는 법률의 근거가 있어야 한다.

02 정답 ②

① [O] 대법원은 구청장의 동장에 대한 면직처분에 대하여 "특별권력관계에서도 위법·부당한 특별권력의 발동으로 인하여 권리를 침해당한 자는 그 위법·부당한 처분의 취소를 구할 수 있다."(대판 1982.7.27, 80누86)라고 판시하여 사법심사를 긍정하였다.

❷ [X] 경찰공무원을 비롯한 공무원의 근무관계인 이른바 특별권력관계에 있어서도 일반행정법관계에 있어서와 마찬가지로 행정청의 위법한 처분 또는 공권력의 행사·불행사 등으로 인하여 권리 또는 법적 이익을 침해당한 자는 행정소송 등에 의하여 그 위법한 처분 등의 취소를 구할 수 있다고 보아야 할 것이다(1993.12.23, 92헌마247).

③ [O] 헌법 제27조가 재판청구권을 기본권의 하나로 보장하고 있고 헌법 제37조에 따른 기본권의 제한방식으로서 법률유보를 선언한 법치주의원리에 비추어 볼 때, 군인에 대한 징계가 재판청구권을 행사하였음을 그 사유로 하는 때에는 그러한 재판청구권의 행사를 제한할 수 있는 법률의 근거가 있어야만 한다. 또한 그러한 법률 규정은 군인에 대한 징계처분이 형사처벌에 못지않은 불이익이 뒤따르는 점을 감안할 때 징계권자의 자의를 방지하고 수범자가 무엇이 금지되는 행위이고 무엇이 허용되는 행위인지를 사전에 예측하여 자신의 행동을 결정할 수 있을 정도의 명확성을 갖추어야 하고, 만일 그렇지 아니함에도 이를 징계의 근거가 되는 의무규범으로 삼는 것은 허용될 수 없다(대판 전합체 2018.3.22, 2012두26401).

④ [O] 원심이 사전건의의무의 근거 중의 하나로 삼은 군인복무규율 제25조 제4항은 "군인은 복무와 관련된 고충사항을 진정·집단서명 기타 법령이 정하지 아니한 방법을 통하여 군 외부에 그 해결을 요청하여서는 아니 된다."라고 규정하고 있다. 이는 군인으로 하여금 복무와 관련한 불이익한 처분 등 고충사항을 '법령이 정하지 아니한 방법'을 통해 해결하려고 해서는 안 된다는 의무를 부과한 것으로, 이를 반대로 해석하면 복무와 관련된 사항을 '법령에 의한 방법'으로 해결하라는 의미라고 할 수 있다. 그리고 법령에 의한 방법의 대표적인 것이 바로 헌법소원 등 재판청구권의 행사임은 의심할 여지가 없다. 따라서 군인복무규율 제24조와 제25조의 규정만으로는 원고에게 이 사건 헌법소원청구에 앞서 사전건의절차를 거쳐야 할 의무가 있다고 보기 어려우므로 이를 전제로 원고가 사전건의의무 등을 위반하였음을 징계사유로 삼을 수 없다(대판 전합체 2018.3.22, 2012두26401).

03 정답 ③

① [O] 사관생도는 군 장교를 배출하기 위하여 국가가 모든 재정을 부담하는 특수교육기관인 육군3사관학교의 구성원으로서, 학교에 입학한 날에 육군 사관생도의 병적에 편입하고 준사관에 준하는 대우를 받는 특수한 신분관계에 있다(「육군3사관학교 설치법 시행령」 제3조). 따라서 그 존립목적을 달성하기 위하여 필요한 한도 내에서 일반 국민보다 상대적으로 기본권이 더 제한될 수 있으나, 그러한 경우에도 법률유보원칙, 과잉금지원칙 등 기본권 제한의 헌법상 원칙들을 지켜야 한다(대판 2018.8.30, 2016두60591).

② [O] 육군3사관학교 사관생도인 甲이 4회에 걸쳐 학교 밖에서 음주를 하여 '사관생도 행정예규' 제12조에서 정한 품위유지의무를 위반하였다는 이유로 육군3사관학교장이 교육운영위원회의 의결에 따라 갑에게 퇴학처분을 한 사안에서, 첫째 사관학교의 설치목적과 교육목표를 달성하기 위하여 사관학교는 사관생도에게 교내 음주행위, 교육·훈련 및 공무수행 중의 음주행위, 사적 활동이더라도 신분을 나타내는 생도 복장을 착용한 상태에서 음주하는 행위, 생도 복장을 착용하지 않은 상태에서 사적 활동을 하는 때에도 이로 인하여 사회적 물의를 일으킴으로써 품위를 손상한 경우 등에는 이러한 행위들을 금지하거나 제한할 필요가 있으나 여기에 그치지 않고 나아가 사관생도의 모든 사적 생활에서까지 예외 없이 금주의무를 이행할 것을 요구하는 것은 사관생도의 일반적 행동자유권은 물론 사생활의 비밀과 자유를 지나치게 제한하는 것이고, 둘째 구 예규 및 예규 제12조에서 사관생도의 모든 사적 생활에서까지 예외 없이 금주의무를 이행할 것을 요구하면서 제61조에서 사관생도의 음주가 교육 및 훈련 중에 이루어졌는지 여부나 음주량, 음주 장소, 음주행위에 이르게 된 경위 등을 묻지 않고 일률적으로 2회 위반시 원칙으로 퇴학조치하도록 정한 것은 사관학교가 금주제도를 시행하는 취지에 비추어 보더라도 사관생도의 기본권을 지나치게 침해하는 것이므로, 위 금주조항은 사관생도의 일반적 행동자유권, 사생활의 비밀과 자유 등 기본권을 과도하게 제한하는 것으로서 무효인데도 위 금주조항을 적용하여 내린 퇴학처분이 적법하다고 본 원심판결에 법리를 오해한 잘못이 있다(대판 2018.8.30, 2016두60591).

❸ [X] 상명하복에 의한 지휘통솔체계의 확립이 필수적인 군의 특수성에 비추어 군인은 상관의 명령에 복종하여야 한다. 구 군인복무규율 제23조 제1항은 그와 같은 취지를 규정하고 있다. 군인이 일반적

인 복종의무가 있는 상관의 지시나 명령에 대하여 재판청구권을 행사하는 경우에는 재판청구권이 군인의 복종의무와 외견상 충돌하는 모습으로 나타날 수 있다. 그러나 상관의 지시나 명령 그 자체를 따르지 않는 행위와 상관의 지시나 명령은 준수하면서도 그것이 위법·위헌이라는 이유로 재판청구권을 행사하는 행위는 구별되어야 한다. 법원이나 헌법재판소에 법적 판단을 청구하는 것 자체로는 상관의 지시나 명령에 직접 위반되는 결과가 초래되지 않으며, 재판절차가 개시되더라도 종국적으로는 사법적 판단에 따라 위법·위헌 여부가 판가름 나므로 재판청구권 행사가 곧바로 군에 대한 심각한 위해나 혼란을 야기한다고 상정하기도 어렵다. 상관의 지시나 명령을 준수하는 이상 그에 대하여 소를 제기하거나 헌법소원을 청구하였다는 사실만으로 상관의 지시나 명령을 따르지 않겠다는 의사를 표명한 것으로 간주할 수도 없다. 종래 군인이 상관의 지시나 명령에 대하여 사법심사를 청구하는 행위를 무조건 하극상이나 항명으로 여겨 극도의 거부감을 보이는 태도 역시 모든 국가권력에 대하여 사법심사를 허용하는 법치국가의 원리에 반하는 것으로 마땅히 배격되어야 한다. 따라서 군인이 상관의 지시나 명령에 대하여 재판청구권을 행사하는 경우에 그것이 위법·위헌인 지시와 명령을 시정하려는 데 목적이 있을 뿐, 군 내부의 상명하복관계를 파괴하고 명령불복종수단으로서 재판청구권의 외형만을 빌리거나 그 밖에 다른 불순한 의도가 있지 않다면, 정당한 기본권의 행사이므로 군인의 복종의무를 위반하였다고 볼 수 없다(대판 전합체 2018.3.22, 2012두26401).

④ [O] 구 군인복무규율 제13조 제1항은 "군인은 군무 외의 일을 위한 집단행위를 하여서는 아니 된다."라고 규정하고 있다. 여기에서 '군무 외의 일을 위한 집단행위'란 군인으로서 군복무에 관한 기강을 저해하거나 기타 본분에 배치되는 등 군무의 본질을 해치는 특정 목적을 위한 다수인의 행위를 말한다. 법령에 군인의 기본권 행사에 해당하는 행위를 금지하거나 제한하는 규정이 없는 이상, 그러한 행위가 군인으로서 군복무에 관한 기강을 저해하거나 기타 본분에 배치되는 등 군무의 본질을 해치는 특정 목적이 있다고 하기 위해서는 권리 행사로서의 실질을 부인하고 이를 규범위반행위로 보기에 충분한 구체적·객관적 사정이 인정되어야 한다. 즉 군인으로서 허용된 권리 행사를 함부로 집단행위에 해당하는 것이라고 단정하여서는 아니 된다(대판 전합체 2018.3.22, 2012두26401).

04

정답 ②

① [O] 행정처분에 대한 법원의 취소소송이 확정된 경우의 원래의 행정처분(원행정처분)에 대한 헌법소원심판청구를 받아들여 이를 취소하는 것은, 원행정처분을 심판의 대상으로 삼았던 법원의 재판이 예외적으로 헌법소원심판의 대상이 되어 그 재판 자체까지 취소되는 경우에 한하고, 이와는 달리 법원의 재판이 취소되지 아니하는 경우에는 확정판결의 기판력으로 인하여 원행정처분은 헌법소원심판의 대상이 되지 아니한다(1998.5.28, 91헌마98 등). 2012년 국가 7급

❷ [X] 청구인 사단법인 한국기자협회는 전국의 신문·방송·통신사 소속 현직 기자들을 회원으로 두고 있는 「민법」상 비영리 사단법인으로서, 「언론중재 및 피해구제에 관한 법률」 제2조 제12호에 따른 언론사에는 해당한다. 그런데 심판대상조항은 언론인 등 자연인을 수범자로 하고 있을 뿐이어서 청구인 사단법인 한국기자협회는 심판대상조항으로 인하여 자신의 기본권을 직접 침해당할 가능성이 없다. 또 사단법인 한국기자협회가 그 구성원인 기자들을 대신하여 헌법소원을 청구할 수도 없으므로, 위 청구인의 심판청구는 기본권 침해의 자기관련성을 인정할 수 없어 부적법하다(2016.7.28, 2015헌마236 등).

③ [O] 유치장 수용자에 대한 신체수색은 유치장의 관리주체인 경찰이 피의자 등을 유치함에 있어 피의자 등의 생명·신체에 대한 위해를 방지하고, 유치장 내의 안전과 질서유지를 위하여 실시하는 것으로서 그 우월적 지위에서 피의자 등에게 일방적으로 강제하는 성격을 가진 것이므로 권력적 사실행위라 할 것이며, 이는 헌법소원심판청구의 대상이 되는 「헌법재판소법」 제68조 제1항의 공권력의 행사에 포함된다((2002.7.18, 2000헌마327).

④ [O] 단체는 원칙적으로 단체 자신의 기본권을 직접 침해당한 경우에만 그의 이름으로 헌법소원심판을 청구할 수 있을 뿐이고 그 구성원을 위하여 또는 구성원을 대신하여 헌법소원심판을 청구할 수 없다 할 것인데, 청구인 사단법인 한국영화인협회는 그 자신의 기본권이 침해당하고 있음을 이유로 하여 이 사건 헌법소원심판을 청구한 것이 아니고, 그 단체에 소속된 회원들인 영화인들의 헌법상 보장된 예술의 자유와 표현의 자유가 침해당하고 있음을 이유로 하여 이 사건 헌법소원심판을 청구하여 자기관련성의 요건을 갖추지 못하였다(1991.6.3, 90헌마56). 2017년 법행

05

정답 ①

❶ [X] ③ [O] 국가의 기본권 보호의무란 사인인 제3자에 의한 생명이나 신체에 대한 침해로부터 이를 보호하여야 할 국가의 의무를 말하는 것으로 이 사건처럼 국가가 직접 주방용 오물분쇄기의 사용을 금지하여 개인의 기본권을 제한하는 경우에는 국가의 기본권 보호의무 위반 여부가 문제되지 않는다(2018.6.28, 2016헌마1151).

② [O] 청구인 정○○, 권○○은 심판대상조항이 지뢰피해자의 생명권, 신체의 자유, 인간의 존엄 등 기본권을 보호하는 데 매우 불충분하여 국가의 기본권 보호의무를 위반한 것이라고 주장한다. 그런데 이는 결국 심판대상조항이 위로금을 산정함에 있어 사고 당시의 월평균임금을 기준으로 하고 조정지급액의 상한을 2천만 원으로 한정한 것이 인간다운 생활을 할 권리를 침해한다는 주장과 다르지 아니하다. 뿐만 아니라, 헌법 제10조 후문이 규정하는 국가의 기본권 보호의무란 기본권적 법익을 기본권 주체인 사인에 의한 위법한 침해 또는 침해의 위험으로부터 보호하여야 하는 국가의 의무를 말하며, 주로 사인인 제3자에 의한 개인의 생명이나 신체의 훼손에서 문제되는바(2009.2.26, 2005헌마764 등 참조), 이 사건은 제3자에 의한 개인의 생명이나 신체의 훼손이 문제되는 사안이 아니므로, 이에 관하여 별도로 판단하지 아니한다(2019.12.27, 2018헌바236 등).

④ [O] 헌법 제10조 제2문은 "국가는 개인이 가지는 불가침의 기본적 인권을 확인하고 이를 보장할 의무를 진다."라고 규정함으로써, 소극적으로 국가권력이 국민의 기본권을 침해하는 것을 금지하는 데 그치지 아니하고, 나아가 적극적으로 국민의 기본권을 타인의 침해로부터 보호할 의무를 부과하고 있다. 이러한 국가의 기본권 보호의무로부터 국가 자체가 불법적으로 국민의 생명권, 신체의 자유 등 기본권을 침해하는 경우 그에 대한 손해배상을 해 주어야 할 국가의 작위의무가 도출된다고 볼 수 있다(2003.1.30, 2002헌마358).

06

정답 ④

ㄱ. [X] 헌법 제10조의 규정에 의하면, 국가는 개인이 가지는 불가침의 기본적 인권을 확인하고 이를 보장할 의무를 지고 기본권은 공동체의 객관적 가치질서로서의 성격을 가지므로, 적어도 생명·신체의 보호와 같은 중요한 기본권적 법익 침해에 대해서는 그것이 국가가 아닌 제3자로서의 사인에 의해서 유발된 것이라고 하더라도 국가가 적극적인 보호의 의무를 진다(2020.3.26, 2017헌마1281).

ㄴ. [O] 환경피해는 생명·신체의 보호와 같은 중요한 기본권적 법익 침해로 이어질 수 있는 점 등을 고려할 때, 일정한 경우 국가는 사인인 제3자에 의한 국민의 환경권 침해에 대해서도 적극적으로 기본권 보호조치를 취할 의무를 부담한다(2020.3.26, 2017헌마1281).

ㄷ. [X] 국가가 국민의 건강하고 쾌적한 환경에서 생활할 권리를 보호할 의무를 진다고 하더라도, 국가의 기본권 보호의무를 입법자가 어떻게 실현하여야 할 것인가 하는 문제는 원칙적으로 권력분립과 민주주의의 원칙에 따라 국민에 의하여 직접 민주적 정당성을 부여받고 자신의 결정에 대하여 정치적 책임을 지는 입법자의 책임범위에 속한다(2020.3.26, 2017헌마1281).

ㄹ. [O] 「동물보호법」, 「장사 등에 관한 법률」, 「동물장묘업의 시설설치 및 검사기준」 등 관계 규정에서 동물장묘시설의 설치 제한지역을 상세하게 규정하고, 매연, 소음, 분진, 악취 등 오염원 배출을 규제하기 위한 상세한 시설 및 검사기준을 두고 있는 등의 사정을 고려할 때, 심판대상조항에서 동물장묘업 등록에 관하여 「장사 등에 관한 법률」 제17조 외에 다른 지역적 제한사유를 규정하지 않았다는 사정만으로 청구인들의 환경권을 보호하기 위한 입법자의 의무를 과소하게 이행하였다고 평가할 수는 없다. 따라서 심판대상조항은 청구인들의 환경권을 침해하지 않는다(2020.3.26, 2017헌마1281).

07

정답 ④

① [O] 기본권 보호의무란 기본권적 법익을 기본권 주체인 사인에 의한 위법한 침해 또는 침해의 위험으로부터 보호하여야 하는 국가의 의무를 말하며, 주로 사인인 제3자에 의한 개인의 생명이나 신체의 훼손에서 문제되는데, 이는 타인에 의하여 개인의 신체나 생명 등 법익이 국가의 보호의무 없이는 무력화될 정도의 상황에서만 적용될 수 있다. 이 사건에서는 교통사고를 방지하는 다른 보호조치에도 불구하고 국가가 형벌권이란 최종적인 수단을 사용하여야만 가장 효율적으로 국민의 생명과 신체권을 보호할 수 있는가가 문제된다. 만일 형벌이 법익을 가장 효율적으로 보호할 수 있는 유일한 방법임에도 불구하고 국가가 형벌권을 포기한 것이라면 국가는 기본권 보호의무를 위반함으로써 생명·신체의 안전과 같은 청구인들의 중요한 기본권을 침해한 것이 될 것이다(2009.2.26, 2005헌마764 등).

② [O] 국가의 보호의무에서 피해자는 국가에 작위를 요구하므로 적극적 지위를 가진다.

③ [O] 국민의 기본권에 대한 국가의 적극적 보호의무는 궁극적으로 입법자의 입법행위를 통하여 비로소 실현될 수 있는 것이기 때문에, 입법자의 입법행위를 매개로 하지 아니하고 단순히 기본권이 존재한다는 것만으로 헌법상 광범위한 방어적 기능을 갖게 되는 기본권의 소극적 방어권으로서의 측면과 근본적인 차이가 있다(2008.7.31, 2004헌바81).

❹ [X] 국가가 국민의 기본권 보호의무를 이행함에 있어 그 행위의 형식에 관하여도 폭 넓은 형성의 자유가 인정되고, 그것도 반드시 법령에 의하여 이행하여야 하는 것은 아니며, 이 사건 고시와 같이 국가가 쇠고기 소비자의 생명·신체의 안전에 관한 보호의무를 이행하기 위하여 취한 행위의 경우 법령의 위임이 없거나 그 위임의 범위를 벗어난 것이라는 사유만으로는 보호의무를 위반하거나 그로 인하여 소비자의 기본권을 침해한 것으로 볼 수 없으므로, 청구인들의 이 부분 주장은 더 나아가 판단할 필요 없이 이유 없다(2008.12.26, 2008헌마419 등).

08

정답 ④

① [O] ② [O] 우리 헌법은 제10조 제2문에서 "국가는 개인이 가지는 불가침의 기본적 인권을 확인하고 이를 보장할 의무를 진다."라고 규정함으로써 국가의 적극적인 기본권 보호의무를 선언하고 있는바, 이러한 국가의 기본권 보호의무 선언은 국가가 국민과의 관계에서 국민의 기본권보호를 위해 노력하여야 할 의무가 있다는 의미뿐만 아니라 국가가 사인 상호 간의 관계를 규율하는 사법질서를 형성하는 경우에도 헌법상 기본권이 존중되고 보호되도록 할 의무가 있다는 것을 천명한 것이다(2008.7.31, 2004헌바81).

➡ 국가의 기본권 보호의무는 단순한 도덕적·윤리적 의무가 아니라 법적인 의무라고 보아야 한다.

③ [O] 국가가 국민의 생명·신체의 안전을 보호할 의무를 진다 하더라도 국가의 보호의무를 입법자 또는 그로부터 위임받은 집행자가 어떻게 실현하여야 할 것인가 하는 문제는 원칙적으로 권력분립과 민주주의의 원칙에 따라 국민에 의하여 직접 민주적 정당성을 부여받고 자신의 결정에 대하여 정치적 책임을 지는 입법자의 책임범위에 속하므로, 헌법재판소는 단지 제한적으로만 입법자 또는 그로부터 위임받은 집행자에 의한 보호의무의 이행을 심사할 수 있는 것이다(2009.2.26, 2005헌마764 등).

❹ [X] 국가가 국민의 생명·신체의 안전에 대한 보호의무를 다하지 않았는지 여부를 헌법재판소가 심사할 때에는 국가가 이를 보호하기 위하여 적어도 적절하고 효율적인 최소한의 보호조치를 취하였는가 하는 이른바 '과소보호금지원칙'의 위반 여부를 기준으로 삼아, 국민의 생명·신체의 안전을 보호하기 위한 조치가 필요한 상황인데도 국가가 아무런 보호조치를 취하지 않았든지 아니면 취한 조치가 법익을 보호하기에 전적으로 부적합하거나 매우 불충분한 것임이 명백한 경우에 한하여 국가의 보호의무의 위반을 확인하여야 하는 것이다(2009.2.26, 2005헌마764 등).

09

정답 ②

① [X] 헌법상의 기본권은 모든 국가권력을 기속하므로 행정권력 역시 이러한 기본권 보호의무에 따라 기본권이 실효적으로 보장될 수 있도록 행사되어야 하고, 외교행위라는 영역도 사법심사의 대상에서 완전히 배제되는 것으로는 볼 수 없다. 특정 국민의 기본권이 관련되는 외교행위에 있어서, 앞서 본 바와 같이 법령에 규정된 구체적 작위의무의 불이행이 헌법상 기본권 보호의무에 대한 명백한 위반이라고 판단되는 경우에는 기본권 침해행위로서 위헌이라고 선언되어야 한다. 결국 피청구인의 재량은 침해되는 기본권의 중대성, 기본권 침해 위험의 절박성, 기본권의 구제가능성, 진정한 국익에 반하는지 여부 등을 종합적으로 고려하여 국가기관의 기본권 기속성에 합당한 범위 내로 제한될 수밖에 없다(2011.8.30, 2006헌마788).

❷ [O] 국가가 국민의 건강하고 쾌적한 환경에서 생활할 권리를 보호할 의무를 진다고 하더라도, 국가의 기본권 보호의무를 입법자 또는 그로부터 위임받은 집행자가 어떻게 실현하여야 할 것인가 하는 문제는 원칙적으로 권력분립과 민주주의의 원칙에 따라 국민에 의하여 직접 민주적 정당성을 부여받고 자신의 결정에 대하여 정치적 책임을 지는 입법자의 책임범위에 속한다. 헌법재판소는 단지 제한적으로만 입법자 또는 그로부터 위임받은 집행자에 의한 보호의무의 이행을 심사할 수 있다(2019.12.27, 2018헌마730).

③ [X] 이러한 보호의 차별화 내지 차등화가 정당화될 수 있는지 여부는 '기본권 보호의무의 이행'이라는 관점에서 논의될 성질의 것이지 과잉금지원칙의 관점에서 논의될 성질의 것은 아니다. 왜냐하면 과잉금지원칙은 국가가 국민의 소극적 방어권으로서의 기본권을

제한하는 경우에 적용되는 법리이지, 이 사건의 경우와 같이 국가와의 관계에서 개인의 기본권이 문제되는 것이 아니라 사인 상호간에 기본권적 법익 침해가 문제되어 국가가 생명발전의 각 단계에서 그 각 단계별로 생명 보호를 위해 어떤 수단을 투입하는 것이 바람직할 것인가를 판단하는 경우에 적용되는 법리가 아니기 때문이다(2008.7.31, 2004헌바81).

④ [X] 국가의 신체와 생명에 대한 보호의무는 교통과실범의 경우 발생한 침해에 대한 사후처벌뿐 아니라, 무엇보다도 우선적으로 운전면허 취득에 관한 법규 등 전반적인 교통 관련 법규의 정비, 운전자와 일반 국민에 대한 지속적인 계몽과 교육, 교통안전에 관한 시설의 유지 및 확충, 교통사고 피해자에 대한 보상제도 등 여러 가지 사전적·사후적 조치를 함께 취함으로써 이행된다 할 것이므로, 형벌은 국가가 취할 수 있는 유효적절한 수많은 수단 중의 하나일 뿐이지, 결코 형벌까지 동원해야만 보호법익을 유효적절하게 보호할 수 있다는 의미의 최종적인 유일한 수단이 될 수는 없다 할 것이다. 따라서 이 사건 법률조항은 국가의 기본권 보호의무의 위반 여부에 관한 심사기준인 과소보호금지의 원칙에 위반한 것이라고 볼 수 없다(2009.2.26, 2005헌마764 등). 다만, 이 판결에서는 업무상 과실 또는 중대한 과실로 인하여 '중상해'를 입은 경우까지 면책되도록 한 것은 중상해를 입은 피해자의 재판절차진술권과 평등권을 침해한 것이라고 하였다. 2009년 국회 8급

10 정답 ②

ㄱ. [X] 심판대상조항이 선거운동의 자유를 감안하여 선거운동을 위한 확성장치를 허용할 공익적 필요성이 인정된다고 하더라도 정온한 생활환경이 보장되어야 할 주거지역에서 출근 또는 등교 이전 및 퇴근 또는 하교 이후 시간대에 확성장치의 최고출력 내지 소음을 제한하는 등 사용시간과 사용지역에 따른 수인한도 내에서 확성장치의 최고출력 내지 소음 규제기준에 관한 규정을 두지 아니한 것은, 국민이 건강하고 쾌적하게 생활할 수 있는 양호한 주거환경을 위하여 노력하여야 할 국가의 의무를 부과한 헌법 제35조 제3항에 비추어 보면, 적절하고 효율적인 최소한의 보호조치를 취하지 아니하여 국가의 기본권 보호의무를 과소하게 이행한 것으로서, 청구인의 건강하고 쾌적한 환경에서 생활할 권리를 침해하므로 헌법에 위반된다(2019.12.27, 2018헌마730).

ㄴ. [O] 현재로서는 흡연과 폐암 등의 질병 사이에 필연적인 관계가 있다거나 흡연자 스스로 흡연 여부를 결정할 수 없을 정도로 의존성이 높아서 국가가 개입하여 담배의 제조 및 판매 자체를 금지하여야만 한다고 보기는 어렵다. 또한, 「담배사업법」은 담배성분의 표시나 경고문구의 표시, 담배광고의 제한 등 여러 규제들을 통하여 직접흡연으로부터 국민의 생명·신체의 안전을 보호하려고 노력하고 있다. 따라서 「담배사업법」이 국가의 보호의무에 관한 과소보호금지 원칙을 위반하여 청구인의 생명·신체의 안전에 관한 권리를 침해하였다고 볼 수 없다(2015.4.30, 2012헌마38).

ㄷ. [O] 피청구인은 행정부의 수반으로서 국가가 국민의 생명과 신체의 안전 보호의무를 충실하게 이행할 수 있도록 권한을 행사하고 직책을 수행하여야 하는 의무를 부담한다. 하지만 국민의 생명이 위협받는 재난상황이 발생하였다고 하여 피청구인이 직접 구조활동에 참여하여야 하는 등 구체적이고 특정한 행위의무까지 바로 발생한다고 보기는 어렵다. 세월호 참사에 대한 피청구인의 대응조치에 미흡하고 부적절한 면이 있었다고 하여 곧바로 피청구인이 생명권 보호의무를 위반하였다고 인정하기는 어렵다(2017.3.10, 2016헌나1).

ㄹ. [O] '한약(생약)제제 등의 품목허가·신고에 관한 규정'(식품의약품안전처고시): 심판대상조항에 의하여 일정한 한약서에 수재된 품목으로서 품목허가·신고를 할 때 안전성·유효성 심사가 면제되는 품목은 사용경험이 풍부하여 안전성·유효성이 확인되고, 위험성이 상대적으로 낮은 제제에 한정되어 있으며, 한약서에 수재된 품목이더라도 안전성을 저해할 우려가 있는 경우에는 안전성·유효성 심사대상에 다시 포함됨으로써 국민의 건강을 보호하기 위한 규제방안이 마련되어 있다. 그뿐만 아니라 의약품이 시판된 후에도 의약품의 안전성·유효성과 적정한 사용을 확인하기 위한 조사의 실시, 안전관리를 위한 부작용 사례보고, 허가사항의 변경 및 의약품재평가 등을 통한 사후규제절차도 마련되어 있다. 이러한 사정들을 종합하여 보면, 심판대상조항이 일정한 한약서에 수재된 처방에 해당하는 품목의 한약제제를 안전성·유효성 심사대상에서 제외하였더라도, 국가가 국민의 보건권을 보호하는 데 적절하고 효율적인 최소한의 조치를 취하지 아니하였다고는 볼 수 없다. 따라서 심판대상조항은 국민의 보건권에 관한 국가의 보호의무를 위반하지 아니하고, 청구인들의 보건권을 침해하지 아니한다(2018.5.31, 2015헌마1181).

ㅁ. [O] 이 사건에서와 같이 외국의 대사관저에 대하여 강제집행을 할 수 없다는 이유로 집달관이 청구인의 강제집행의 신청의 접수를 거부하여 강제집행의 불가능하게 된 경우 국가가 청구인에게 손실을 보상하는 법률을 제정하여야 할 헌법상의 명시적인 입법위임은 인정되지 아니하고, 헌법의 해석으로도 그러한 법률을 제정함으로써 청구인들의 기본권을 보호하여야 할 입법자의 행위의무 내지 보호의무가 발생하였다고 볼 수 없다(1998.5.28, 96헌마44).

ㅂ. [O] 국가는 원전의 건설·운영을 산업통상자원부장관의 전원개발사업 실시계획 승인만으로 가능하도록 한 것이 아니라, 「원자력안전법」에서 규정하고 있는 건설허가 및 운영허가 등의 절차를 거치도록 하고 있다. 원전 사고로 인한 방사능 피해는 전원개발사업 실시계획 승인단계에서가 아니라 원전의 건설·운영과정에서 발생하므로 원전 건설·운영의 허가단계에서 보다 엄격한 기준을 마련하여 원전으로 인한 피해가 발생하지 않도록 조치들을 강구하고 있다. 따라서 이 사건 승인조항에서 원전 건설을 내용으로 하는 전원개발사업 실시계획에 대한 승인권한을 다른 전원개발과 마찬가지로 산업통상자원부장관에게 부여하고 있다 하더라도, 국가가 국민의 생명·신체의 안전을 보호하기 위하여 필요한 최소한의 보호조치를 취하지 아니한 것이라고 보기는 어렵다(2016.10.27, 2015헌바358).

ㅅ. [O] 국가는 원자력안전규제 체계를 갖추고 원자력발전소의 건설·운영 전반에 걸쳐 원전의 안전관리를 위한 규제 장치들을 두면서, 예상 가능한 '자연재해'와 '인위적 사건'을 고려하여 이를 초과하는 여분의 설계를 하도록 함으로써 원전 사고의 위험에 대비하는 한편, 이러한 설계기준을 벗어나 노심의 손상을 가져오는 '중대사고'에 대하여는 원자력안전위원회의 정책 등 행정적 조치를 통하여 관리해 오다가, 2015.6.22. 「원자력안전법」을 개정하면서 법령 차원에서 이를 관리하고 있다. '중대사고'를 비롯한 원전 사고가 본격적으로 문제되는 것은 원전이 운영허가를 받고 실질적으로 운영되기 시작한 이후라는 점과 그 밖에 원전의 안전 관련 조치 등을 종합적으로 고려하면, 이 사건 각 고시조항에서 평가서 초안 및 평가서 작성시 '중대사고'에 대한 평가를 제외하도록 하였다고 하여, 국가가 국민의 생명·신체의 안전을 보호하는 데 적절하고 효율적인 최소한의 조치조차 취하지 아니한 것이라고 보기는 어렵다(2016.10.27, 2012헌마121).

ㅈ. [X] 외교관계에 관한 비엔나협약 제32조 제1항과 제4항에 의하여 외교관 등을 파견한 국가는 판결의 집행으로부터의 면제의 특권을 포기할 수도 있는 것이므로 위 협약에 가입하는 것이 바로 헌법 제23조 제3항 소정의 '공공필요에 의한 재산권의 제한'에 해당하는 것은 아니다. 이 사건에서와 같이 외국의 대사관저에 대하여 강제집행을 할 수 없다는 이유로 집달관이 청구인의 강제집행의 신청의 접수를 거부하여 강제집행의 불가능하게 된 경우 국가가 청구인에게 손실을 보상하는 법률을 제정하여야 할 헌법상의 명시적인 입법위임은 인정되지 아니하고, 헌법의 해석으로도 그러한 법

률을 제정함으로써 청구인들의 기본권을 보호하여야 할 입법자의 행위의무 내지 보호의무가 발생하였다고 볼 수 없다(1998.5.28, 96헌마44).

11

정답 ④

① [O] 이 사건 고시가 개정 전 고시에 비하여 완화된 수입위생조건을 정한 측면이 있다 하더라도, 미국산 쇠고기의 수입과 관련한 위험상황 등과 관련하여 개정 전 고시 이후에 달라진 여러 요인들을 고려하고 지금까지의 관련 과학기술 지식과 OIE 국제기준 등에 근거하여 보호조치를 취한 것이라면, 이를 들어 피청구인이 자의적으로 재량권을 행사하였다거나 합리성을 상실하였다고 하기 어렵다 할 것이다(2008.12.26, 2008헌마419 등).

② [O] 환경상 위해로부터 지역주민을 포함한 국민의 건강을 보호하고 쾌적한 환경을 보전하기 위한 제도적 장치들을 다각적으로 마련하고 있다. 따라서 환경기준참고조항이 산업단지 조성사업 등 환경영향평가 대상사업의 사업계획 등에 대한 승인 및 그 시행으로 인하여 초래될 수 있는 환경상 위해로부터 국민의 생명·신체의 안전을 보호하기 위하여 필요한 최소한의 보호조치를 취하지 아니한 것이라고 보기 어려우므로, 국가의 기본권 보호의무에 위배되었다고 할 수 없다(2016.12.29, 2015헌바280).

③ [O] 일제동원 피해자들에게 금전적 지원을 해 주는 것만이 유일한 기본권 보호의 방법이라고 볼 헌법적 근거는 존재하지 아니한다. 국가가 그동안 잘 알려지지 않았던 국내 강제동원자들을 비롯한 강제동원자들에 대한 진상 파악을 위하여 구 「일제강점하 강제동원피해 진상규명 등에 관한 특별법」을 제정하여 일정한 절차를 거쳐 신청자들을 강제동원 피해자로 지정하여 그들의 희생을 기리는 조치를 취한 점 등을 종합적으로 고려하여 볼 때, 비록 태평양전쟁 관련 강제동원자들에 대한 국가의 지원이 충분하지 못한 점이 있다하더라도, 국내 강제동원자들을 위하여 국가가 아무런 보호조치를 취하지 아니하였다든지 아니면 국가가 취한 조치가 전적으로 부적합하거나 매우 불충분한 것임이 명백한 경우라고 단정하기는 어렵다. 따라서 이 사건 법률조항이 국민에 대한 국가의 기본권 보호의무에 위배된다는 청구인의 주장은 이유 없다(2011.2.24, 2009헌마94).

❹ [X] 「환경정책기본법」상의 환경기준은 행정기관을 직접 기속하거나 국민의 권리·의무를 규율하는 것이 아니라 행정이 달성·유지하기 위해 노력해야 할 목표에 불과함을 고려할 때, 환경기준참고조항이 사업자로 하여금 환경영향평가를 실시할 때 환경기준을 준수하도록 의무를 부과하지 않고 환경보전목표의 설정에 있어 참고하여야 할 기준으로 삼도록 한 것은 환경기준의 법적 성질 및 환경영향평가제도의 본지에 부합한다. 국가는 환경 관련 법령에서 환경영향평가 대상사업의 시행 전 사업계획 등에 대한 승인단계에서부터 시행 후 산업단지 등의 조성 및 운영단계에 이르기까지, 나름대로 환경상 위해로부터 지역주민을 포함한 국민의 건강을 보호하고 쾌적한 환경을 보전하기 위한 제도적 장치들을 다각적으로 마련하고 있다. 따라서 환경기준참고조항이 산업단지 조성사업 등 환경영향평가 대상사업의 사업계획 등에 대한 승인 및 그 시행으로 인하여 초래될 수 있는 환경상 위해로부터 국민의 생명·신체의 안전을 보호하기 위하여 필요한 최소한의 보호조치를 취하지 아니한 것이라고 보기 어려우므로, 국가의 기본권 보호의무에 위배되었다고 할 수 없다(2016.12.29, 2015헌바280).

12

정답 ①

ㄱ. [O] 모든 인간은 헌법상 생명권의 주체가 되며, 형성 중의 생명인 태아에게도 생명에 대한 권리가 인정되어야 한다. 따라서 태아도 헌법상 생명권의 주체가 된다. 따라서 태아도 헌법상 생명권의 주체가 되며, 국가는 헌법 제10조에 따라 태아의 생명을 보호할 의무가 있다(2008.7.31, 2004헌바81).

ㄴ. [O] 이 사건 법률조항들의 경우에도 '살아서 출생한 태아'와는 달리 '살아서 출생하지 못한 태아'에 대해서는 손해배상청구권을 부정함으로써 후자에게 불리한 결과를 초래하고 있으나 이러한 결과는 사법(私法)관계에서 요구되는 법적 안정성의 요청이라는 법치국가이념에 의한 것으로 헌법적으로 정당화된다 할 것이므로, 그와 같은 차별적 입법조치가 있다는 이유만으로 곧 국가가 기본권 보호를 위해 필요한 최소한의 입법적 조치를 다하지 않아 그로써 위헌적인 입법적 불비나 불완전한 입법상태가 초래된 것이라고 볼 수 없다(2008.7.31, 2004헌바81). 2017년 법무사

ㄷ. [O] 입법자는 「형법」과 「모자보건법」 등 관련 규정들을 통하여 태아의 생명에 대한 직접적 침해 위험을 규범적으로 충분히 방지하고 있으므로, 이 사건 법률조항들이 태아가 사산한 경우에 한해서 태아 자신에게 불법적인 생명 침해로 인한 손해배상청구권을 인정하지 않고 있다고 하여 단지 그 이유만으로 입법자가 태아의 생명 보호를 위해 국가에게 요구되는 최소한의 보호조치마저 취하지 않은 것이라 비난할 수 없다(2008.7.31, 2004헌바81).

ㄹ. [O] 태아도 생명권의 주체가 되며 국가는 태아의 생명을 보호할 의무가 있지만, 그 생명 침해로 인한 손해배상청구권이 태아의 생명권으로부터 직접 도출된다고 보기 어렵고, 생명의 발전과정에 대해 언제나 동일한 법적 효과를 부여해야 하는 것은 아니므로 태아가 살아서 출생할 것을 조건으로 손해배상청구권을 인정한다고 해도 국가가 생명권 보호의무를 위반한 것은 아니다(2008.7.31, 2004헌바81). 2002년 사시

ㅁ. [O] 태아는 형성 중의 인간으로서 생명을 보유하고 있으므로 국가는 태아를 위하여 각종 보호조치들을 마련해야 할 의무가 있다. 하지만 그와 같은 국가의 기본권 보호의무로부터 태아의 출생 전에, 또한 태아가 살아서 출생할 것인가와는 무관하게, 태아를 위하여 「민법」상 일반적 권리능력까지도 인정하여야 한다는 헌법적 요청이 도출되지는 않는다(2008.7.31, 2004헌바81). 2014년 사시

13

정답 ②

① [X] 헌법 전문, 제2조 제2항, 제10조와 이 사건 협정 제3조의 문언에 비추어 볼 때, 피청구인이 이 사건 협정 제3조에 따라 분쟁해결의 절차로 나아갈 의무는 일본국에 의해 자행된 조직적이고 지속적인 불법행위에 의하여 인간의 존엄과 가치를 심각하게 훼손당한 자국민들이 배상청구권을 실현하도록 협력하고 보호하여야 할 헌법적 요청에 의한 것으로서, 그 의무의 이행이 없으면 청구인들의 기본권이 중대하게 침해될 가능성이 있으므로, 피청구인의 작위의무는 헌법에서 유래하는 작위의무로서 그것이 법령에 구체적으로 규정되어 있는 경우라고 할 것이다. 특히, 우리 정부가 직접 일본군 위안부 피해자들의 기본권을 침해하는 행위를 한 것은 아니지만, 일본에 대한 배상청구권의 실현 및 인간으로서의 존엄과 가치의 회복에 대한 장애상태가 초래된 것은 우리 정부가 청구권의 내용을 명확히 하지 않고 '모든 청구권'이라는 포괄적인 개념을 사용하여 이 사건 협정을 체결한 것에도 책임이 있다는 점에 주목한다면, 그 장애상태를 제거하는 행위로 나아가야 할 구체적 의무가 있음을 부인하기 어렵다(2011.8.30, 2006헌마788).

❷ [○] 이 사건 협정 제3조 제1항은 '본 협정의 해석 및 실시에 관한 양체약국의 분쟁은 우선 외교적인 경로를 통하여 해결한다'고 규정하고, 제2항은 제1항의 규정에 의하여 해결할 수 없는 분쟁은 중재에 의하여 해결하도록 규정하고 있다. 즉, 위 규정들은 협정체결 당시 그 해석에 관한 분쟁의 발생을 예상하여 그 해결의 주체를 협정체결 당사자인 각 국가로 정하면서, 분쟁해결의 원칙 및 절차를 정한 것이다. 그러므로 피청구인은 위 분쟁이 발생한 이상, 협정 제3조에 의한 분쟁해결절차에 따라 외교적 경로를 통하여 해결하여야 하고, 그러한 해결의 노력이 소진된 경우 이를 중재에 회부하여야 하는 것이 원칙이다(2011.8.30, 2006헌마788).

③ [X] 일본국에 의하여 광범위하게 자행된 반인도적 범죄행위에 대하여 일본군 위안부 피해자들이 일본에 대하여 가지는 배상청구권은 헌법상 보장되는 재산권일 뿐 아니라, 그 배상청구권의 실현은 무자비하게 지속적으로 침해된 인간으로서의 존엄과 가치 및 신체의 자유를 사후적으로 회복한다는 의미를 가지는 것이므로, 그 배상청구권의 실현을 가로막는 것은 헌법상 재산권 문제에 국한되지 않고 근원적인 인간으로서의 존엄과 가치의 침해와 직접 관련이 있다(2011.8.30, 2006헌마788).

④ [X] 피청구인은 이 사건 협정 제3조에 의한 분쟁해결조치를 취하면서 일본 정부의 금전배상책임을 주장할 경우 일본 측과의 소모적인 법적 논쟁이나 외교관계의 불편을 초래할 수 있다는 이유를 들어 청구인들이 주장하는 구체적 작위의무의 이행을 하기 어렵다고 주장한다. 그러나, 국제정세에 대한 이해를 바탕으로 한 전략적 선택이 요구되는 외교행위의 특성을 고려한다고 하더라도, '소모적인 법적 논쟁으로의 발전가능성' 또는 '외교관계의 불편'이라는 매우 불분명하고 추상적인 사유를 들어, 그것이 기본권 침해의 중대한 위험에 직면한 청구인들에 대한 구제를 외면하는 타당한 사유가 된다거나 또는 진지하게 고려되어야 할 국익이라고 보기는 힘들다. 오히려, 과거의 역사적 사실 인식의 공유를 향한 노력을 통해 일본 정부로 하여금 피해자에 대한 법적 책임을 다하도록 함으로써 한·일 양국 및 양 국민의 상호이해와 상호신뢰가 깊어지게 하고, 이를 역사적 교훈으로 삼아 다시는 그와 같은 비극적 상황이 연출되지 않도록 하는 것이 진정한 한·일관계의 미래를 다지는 방향인 동시에, 진정으로 중요한 국익에 부합하는 것이라고 할 것이다(2011.8.30, 2006헌마788).

14 정답 ②

ㄱ. [○] 이 사건 법률조항은 자동차 수의 증가와 자가운전 확대에 즈음하여 운전자들의 종합보험 가입을 유도하여 교통사고 피해자의 손해를 신속하고 적절하게 구제하고, 교통사고로 인한 전과자 양산을 방지하기 위한 것으로 그 목적의 정당성이 인정되며, 그 수단의 적절성도 인정된다. 그러나 교통사고 피해자가 신체의 상해로 인하여 생명에 대한 위험이 발생하거나 불구 또는 불치나 난치의 질병에 이르게 된 경우, 즉 중상해를 입은 경우(「형법」 제258조 제1항 및 제2항 참조), 사고발생 경위, 피해자의 특이성(노약자 등)과 사고발생에 관련된 피해자의 과실 유무 및 정도 등을 살펴 가해자에 대하여 정식기소 이외에도 약식기소 또는 기소유예 등 다양한 처분이 가능하고 정식기소된 경우에는 피해자의 재판절차진술권을 행사할 수 있게 하여야 함에도, 이 사건 법률조항에서 가해차량이 종합보험 등에 가입하였다는 이유로 「교통사고처리 특례법」 제3조 제2항 단서조항에 해당하지 않는 한 무조건 면책되도록 한 것은 기본권침해의 최소성에 위반된다(2009.2.26, 2005헌마764 등).

ㄴ. [X] 이 사건 법률조항이 교통사고로 인한 피해자에게 중상해가 아닌 상해의 결과만을 야기한 경우 가해 운전자에 대하여 가해차량이 종합보험 등에 가입되어 있음을 이유로 공소를 제기하지 못하도록 규정한 한도 내에서는, 그 제정목적인 교통사고로 인한 피해의 신속한 회복을 촉진하고 국민생활의 편익을 도모하려는 공익과 동 법률조항으로 인하여 침해되는 피해자의 재판절차에서의 진술권과 비교할 때 상당한 정도 균형을 유지하고 있으며, 단서조항에 해당하지 않는 교통사고의 경우에는 대부분 가해 운전자의 주의의무 태만에 대한 비난가능성이 높지 아니하고, 경미한 교통사고 피의자에 대하여는 비형벌화하려는 세계적인 추세 등에 비추어도 위와 같은 목적의 정당성, 방법의 적절성, 피해의 최소성, 이익의 균형성을 갖추었으므로 과잉금지의 원칙에 반하지 않는다(2009.2.26, 2005헌마764 등).

ㄷ. [○] 단서조항에 해당하지 않는 교통사고로 중상해를 입은 피해자와 단서조항에 해당하는 교통사고의 중상해 피해자 및 사망사고의 피해자 사이의 차별 문제는 교통사고 운전자의 기소 여부에 따라 피해자의 헌법상 보장된 재판절차진술권이 행사될 수 있는지 여부가 결정되어 이는 기본권 행사에 있어서 중대한 제한을 구성하기 때문에 엄격한 심사기준에 의하여 판단한다(2009.2.26, 2005헌마764).

ㄹ. [○] 교통사고로 인하여 중상해를 입은 결과, 식물인간이 되거나 평생 심각한 불구 또는 난치의 질병을 안고 살아가야 하는 피해자의 경우, 그 결과의 불법성이 사망사고 보다 결코 작다고 단정할 수 없으므로, 교통사고로 인하여 피해자가 사망한 경우와 달리 중상해를 입은 경우 가해운전자를 기소하지 않음으로써 그 피해자의 재판절차진술권을 제한하는 것 또한 합리적인 이유가 없는 차별취급이라고 할 것이다. 따라서 이 사건 법률조항으로 인하여 단서조항에 해당하지 아니하는 교통사고로 중상해를 입은 피해자를 단서조항에 해당하는 교통사고의 중상해 피해자 및 사망사고의 피해자와 재판절차진술권의 행사에 있어서 달리 취급한 것은, 단서조항에 해당하지 아니하는 교통사고로 중상해를 입은 피해자들의 평등권을 침해하는 것이라 할 것이다(2009.2.26, 2005헌마764).

ㅁ. [○] 국가의 신체와 생명에 대한 보호의무는 교통과실범의 경우 발생한 침해에 대한 사후처벌뿐 아니라, 무엇보다도 우선적으로 운전면허 취득에 관한 법규 등 전반적인 교통 관련 법규의 정비, 운전자와 일반 국민에 대한 지속적인 계몽과 교육, 교통안전에 관한 시설의 유지 및 확충, 교통사고 피해자에 대한 보상제도 등 여러 가지 사전적·사후적 조치를 함께 취함으로써 이행된다 할 것이므로, 형벌은 국가가 취할 수 있는 유효적절한 수많은 수단 중의 하나일 뿐이지, 결코 형벌까지 동원해야만 보호법익을 유효적절하게 보호할 수 있다는 의미의 최종적인 유일한 수단이 될 수는 없다 할 것이다. 따라서 이 사건 법률조항은 국가의 기본권 보호의무의 위반 여부에 관한 심사기준인 과소보호금지의 원칙에 위반한 것이라고 볼 수 없다(2009.2.26, 2005헌마764).

ㅂ. [X] 「교통사고처리 특례법」 제4조 제1항 본문 중 업무상 과실 또는 중대한 과실로 인한 교통사고로 말미암아 피해자로 하여금 상해에 이르게 한 경우 공소를 제기할 수 없도록 한 부분이 과소보호금지원칙에 위배되지 않았으나, 교통사고 피해자가 업무상 과실 또는 중대한 과실로 인하여 '중상해'를 입은 경우 「교통사고처리 특례법」 제4조 제1항 본문 중 업무상 과실 또는 중대한 과실로 인한 교통사고로 말미암아 피해자로 하여금 상해에 이르게 한 경우 공소를 제기할 수 없도록 한 부분은 과잉금지원칙에 위배되어 재판절차진술권을 침해한다.

15 정답 ④

ㄱ. [X]

> **「국가인권위원회법」 제8조【위원의 신분 보장】** 위원은 금고 이상의 형의 선고에 의하지 아니하고는 본인의 의사에 반하여 면직되지 아니한다. 다만, 위원이 장기간의 심신쇠약으로 직무를 수행하기가 극

히 곤란하게 되거나 불가능하게 된 경우에는 전체 위원 3분의 2 이상의 찬성에 의한 의결로 퇴직하게 할 수 있다.

ㄴ. [O] 이 사건 법률조항은 위원의 직무상의 공정성과 염결성을 확보하기 위한 입법목적을 가진 것이지만 그 효과와 입법목적 사이의 연관성이 객관적으로 명확하지 아니하여 국민생활에 기초가 되는 중요한 기본권인 참정권과 직업선택의 자유를 제한함에 있어서 갖추어야 할 수단의 적합성이 결여되었고, 위 기본권 제한으로 인한 피해가 최소화되지 못하였으며, 동 피해가 중대한 데 반하여 이 사건 법률조항을 통하여 달성하려는 공익적 효과는 상당히 불확실한 것으로서 과잉금지의 원칙에 위배된다(2004.1.29, 2002헌마788).

ㄷ. [X] 국가인권위원회 위원장은 인사청문특별위원회 인사청문이 아니라 소관 상임위원회인 국회운영위원회 인사청문을 거친다.

> **「국가인권위원회법」 제5조 【위원회의 구성】** ⑤ 위원장은 위원 중에서 대통령이 임명한다. 이 경우 위원장은 국회의 인사청문을 거쳐야 한다.
>
> **「국회법」 제65조의2 【인사청문회】** ② 상임위원회는 다른 법률에 따라 다음 각 호의 어느 하나에 해당하는 공직후보자에 대한 인사청문 요청이 있는 경우 인사청문을 실시하기 위하여 각각 인사청문회를 연다.
> 1. 대통령이 임명하는 헌법재판소 재판관, 중앙선거관리위원회 위원, 국무위원, 방송통신위원회 위원장, 국가정보원장, 공정거래위원회 위원장, 금융위원회 위원장, 국가인권위원회 위원장, 고위공직자범죄수사처장, 국세청장, 검찰총장, 경찰청장, 합동참모의장, 한국은행 총재, 특별감찰관 또는 한국방송공사 사장의 후보자

ㄹ. [X]

> **「국가인권위원회법」 제5조 【위원회의 구성】** ① 위원회는 위원장 1명과 상임위원 3명을 포함한 11명의 인권위원(이하 '위원'이라 한다)으로 구성한다.
> ② 위원은 다음 각 호의 사람을 대통령이 임명한다.
> 1. 국회가 선출하는 4명(상임위원 2명을 포함한다)
> 2. 대통령이 지명하는 4명(상임위원 1명을 포함한다)
> 3. 대법원장이 지명하는 3명
>
> ⑥ 위원장과 상임위원은 정무직공무원으로 임명한다.

ㅁ. [X]

> **「국가인권위원회법」 제9조 【위원의 결격사유】** ① 다음 각 호의 어느 하나에 해당하는 사람은 위원이 될 수 없다.
> 3. 정당의 당원

16 정답 ②

ㄱ. [X] 국회의 입법 또는 법원·헌법재판소의 재판은 제외되고 헌법 제10조 내지 제22조에 보장된 인권을 침해시 진정할 수 있다.

> **「국가인권위원회법」 제30조 【위원회의 조사대상】** ① 다음 각 호의 어느 하나에 해당하는 경우에 인권 침해나 차별행위를 당한 사람 또는 그 사실을 알고 있는 사람이나 단체는 위원회에 그 내용을 진정할 수 있다.
> 1. 국가기관, 지방자치단체, 「초·중등교육법」 제2조, 「고등교육법」 제2조와 그 밖의 다른 법률에 따라 설치된 각급 학교, 「공직선거법」 제3조의2 제1항에 따른 공직유관단체 또는 구금·보호시설의 업무수행(국회의 입법 및 법원·헌법재판소의 재판은 제외한다)과 관련하여 대한민국헌법 제10조부터 제22조까지의 규정에서 보장된 인권을 침해당하거나 차별행위를 당한 경우
> 2. 법인, 단체 또는 사인(私人)으로부터 차별행위를 당한 경우

ㄴ. [O] 법인, 단체 또는 사인(私人)으로부터 차별행위를 당한 경우도 진정할 수 있다.

> **「국가인권위원회법」 제30조 【위원회의 조사대상】** ① 다음 각 호의 어느 하나에 해당하는 경우에 인권 침해나 차별행위를 당한 사람 또는 그 사실을 알고 있는 사람이나 단체는 위원회에 그 내용을 진정할 수 있다.
> 1. 국가기관, 지방자치단체 「초·중등교육법」 제2조, 「고등교육법」 제2조와 그 밖의 다른 법률에 따라 설치된 각급 학교, 「공직선거법」 제3조의2 제1항에 따른 공직유관단체 또는 구금·보호시설의 업무수행(국회의 입법 및 법원·헌법재판소의 재판은 제외한다)과 관련하여 대한민국헌법 제10조부터 제22조까지의 규정에서 보장된 인권을 침해당하거나 차별행위를 당한 경우
> 2. 법인, 단체 또는 사인(私人)으로부터 차별행위를 당한 경우

ㄷ. [O] 인권 침해를 알고 있는 사람이라면 진정할 수 있다.

ㄹ. [X] 인권 침해를 알고 있는 사람이라면 진정할 수 있으므로 법률상 이익을 가지지 않아도 되므로 원고적격을 요하지 않는다.

ㅁ. [O]

> **「국가인권위원회법」 제30조 【위원회의 조사대상】** ③ 위원회는 제1항의 진정이 없는 경우에도 인권 침해나 차별행위가 있다고 믿을 만한 상당한 근거가 있고 그 내용이 중대하다고 인정할 때에는 직권으로 조사할 수 있다.

ㅂ. [O]

> **「국가인권위원회법」 제43조 【조정위원회의 조정의 효력】** 제42조 제2항에 따른 조정과 같은 조 제6항에 따라 이의를 신청하지 아니하는 경우의 조정을 갈음하는 결정은 재판상 화해와 같은 효력이 있다.

ㅅ. [O] 국가인권위원회는 징계를 요구할 수 있는 권한은 없고, 권고에 그친다.

ㅇ. [O]

> **「국가인권위원회법」 제2조 【정의】** 이 법에서 사용하는 용어의 뜻은 다음과 같다.
> 3. '평등권 침해의 차별행위'란 합리적인 이유 없이 성별, 종교, 장애, 나이, 사회적 신분, 출신 지역(출생지, 등록기준지, 성년이 되기 전의 주된 거주지 등을 말한다), 출신 국가, 출신 민족, 용모 등 신체 조건, 기혼·미혼·별거·이혼·사별·재혼·사실혼 등 혼인 여부, 임신 또는 출산, 가족 형태 또는 가족 상황, 인종, 피부색, 사상 또는 정치적 의견, 형의 효력이 실효된 전과, 성적 지향, 학력, 병력 등을 이유로 한 다음 각 목의 어느 하나에 해당하는 행위를 말한다. 다만, 현존하는 차별을 없애기 위하여 특정한 사람(특정한 사람들의 집단을 포함한다. 이하 이 조에서 같다)을 잠정적으로 우대하는 행위와 이를 내용으로 하는 법령의 제정·개정 및 정책의 수립·집행은 평등권 침해의 차별행위(이하 '차별행위'라 한다)로 보지 아니한다.
> 〈각 목 생략〉

ㅈ. [O]

> 「국가인권위원회법」 제44조 【구제조치 등의 권고】 ① 위원회가 진정을 조사한 결과 인권 침해나 차별행위가 일어났다고 판단할 때에는 피진정인, 그 소속 기관·단체 또는 감독기관(이하 '소속기관 등'이라 한다)의 장에게 다음 각 호의 사항을 권고할 수 있다.
> 1. 제42조 제4항 각 호에서 정하는 구제조치의 이행
> 2. 법령·제도·정책·관행의 시정 또는 개선

17

정답 ④

① [O] 2007년 사시

> 「국가인권위원회법」 제34조 【수사기관과 위원회의 협조】 ① 진정의 원인이 된 사실이 범죄행위에 해당한다고 믿을 만한 상당한 이유가 있고 그 혐의자의 도주 또는 증거 인멸 등을 방지하거나 증거 확보를 위하여 필요하다고 인정할 경우에 위원회는 검찰총장 또는 관할 수사기관의 장에게 수사의 개시와 필요한 조치를 의뢰할 수 있다.

② [O] 2007년 사시

> 「국가인권위원회법」 제37조 【질문·검사권】 ① 위원회는 제36조의 조사에 필요한 자료 등이 있는 곳 또는 관계인에 관하여 파악하려면 그 내용을 알고 있다고 믿을 만한 상당한 이유가 있는 사람에게 질문하거나 그 내용을 포함하고 있다고 믿을 만한 상당한 이유가 있는 서류와 그 밖의 물건을 검사할 수 있다.

③ [O]

> 「국가인권위원회법」 제20조 【관계 기관 등과의 협의】 ① 관계 국가행정기관 또는 지방자치단체의 장은 인권의 보호와 향상에 영향을 미치는 내용을 포함하고 있는 법령을 제정하거나 개정하려는 경우 미리 위원회에 통지하여야 한다.

❹ [X]

> 「국가인권위원회법」 제47조 【피해자를 위한 법률구조 요청】 ① 위원회는 진정에 관한 위원회의 조사, 증거의 확보 또는 피해자의 권리 구제를 위하여 필요하다고 인정하면 피해자를 위하여 대한법률구조공단 또는 그 밖의 기관에 법률구조를 요청할 수 있다.
> ② 제1항에 따른 법률구조 요청은 피해자의 명시한 의사에 반하여 할 수 없다.

18

정답 ③

① [X]

> 「국가인권위원회법」 제20조 【관계 기관 등과의 협의】 ① 관계 국가행정기관 또는 지방자치단체의 장은 인권의 보호와 향상에 영향을 미치는 내용을 포함하고 있는 법령을 제정하거나 개정하려는 경우 미리 국가인권위원회에 통보하여야 한다.

② [X] 국가인권위원회는 수사기관이 아니므로 압수·수색의 권한은 없다.

❸ [O] 법원의 재판도 국민의 기본권을 침해할 가능성이 없지 아니하나, 기본권 침해에 대한 보호의무를 담당하는 법원에 의한 기본권 침해의 가능성은 입법기관인 국회나 집행기관인 행정부에 의한 경우보다 상대적으로 적고, 상급심법원이 하급심법원이 한 재판이 기본권을 침해하는지 여부에 관하여 다시 심사할 기회가 있다는 점에서 다른 기관에 의한 기본권 침해의 경우와는 본질적인 차이가 있어 차별을 정당화하므로, 평등의 원칙에 위반된 것이라고 할 수 없다(2004.8.26, 2002헌마302).

④ [X]

> 「국가인권위원회법」 제36조 【조사의 방법】 ④ 제1항과 제2항에 따른 피진정인에 대한 출석 요구는 인권 침해행위나 차별행위를 한 행위당사자의 진술서만으로는 사안을 판단하기 어렵고, 제30조 제1항에 따른 인권 침해행위나 차별행위가 있었다고 볼 만한 상당한 이유가 있는 경우에만 할 수 있다.

19

정답 ②

ㄱ. [O] 인간의 존엄성조항은 1962년 제3공화국의 제5차 헌법개정에서 신설되었다. 1980년 제5공화국의 제8차 헌법개정 때 행복추구권이 추가되면서 현행헌법까지 이어지고 있다.

ㄴ. [X] 인간의 존엄과 가치는 기본권이 보장되어야 할 이념적 가치이다. 개별적 기본권이 실현되어야만 인간의 존엄성이 실현될 수 있기 때문에 그러하다. 그러나 평등원칙은 기본권을 실현할 때 방법적 기초에 해당한다. 즉, 기본권을 국가는 평등하게 실현해야 하기 때문이다.

ㄷ. [X] 인간의 존엄과 가치는 헌법의 최고원리로서 제한할 수 없으나, 인간의 존엄과 가치로부터 도출되는 구체적 권리는 제한할 수 있다. 행복추구권은 행복을 추구하기 위해 안전띠를 매지 않을 자유, 대마를 흡연할 자유까지 보호하므로 질서유지를 위해 법률로 제한할 수 있다.

ㄹ. [O] 인간의 존엄과 가치가 주관적 권리인지 여부에 대해 학설은 대립한다. 긍정설을 취한 헌법재판소 판례에 따르면 인간의 존엄과 가치 침해를 이유로 헌법소원심판을 청구할 수 있다.

ㅁ. [X] 인간의 존엄과 가치는 정신이상자나 유아처럼 행사할 능력이 없는 자도 그 주체가 된다.

20

정답 ③

ㄱ. [O] 이 사건 규정의 태아 성별고지금지는 낙태, 특히 성별을 이유로 한 낙태를 방지함으로써 성비의 불균형을 해소하고 태아의 생명권을 보호하기 위해 입법된 것이므로 그 목적이 정당하다 할 것이다. 한편, 남아선호사상 내지 그 경향이 완전히 근절되었다고 단언하기 어려운 오늘날의 현실에서 태아의 성별에 대한 고지를 금지하면 성별을 이유로 하는 낙태를 예방할 수 있는 가능성을 배제할 수 없다. 그러므로 이 사건 규정은 성별을 이유로 하는 낙태 방지라는 입법목적에 어느 정도 기여할 수 있을 것으로 예상되므로 수단의 적합성 또한 인정된다고 할 것이다. 낙태를 형사처벌하도록 하고 있는 「형법」 규정이 현재는 거의 사문화되어 낙태의 근절에 큰 기여를 하지 못하고 있으므로 이러한 상황에서는 성별을 이유로 한 낙태라도 근절시키기 위해서는 이 사건 규정과 같은 입법이 필요하다는 견해가 있을 수 있다. 그러나 이러한 문제는 또 다른 낙태 규제제도를 신설하는 방법으로 해결하기보다는 법 집행을 실효성 있게 하여 제도가 목적에 실질적으로 기여하도록 하는 방법을 통

해 해결하여야 할 것이다. 만약 낙태 근절의 확고한 의지를 가지고 형법상의 낙태죄를 엄격하게 집행한다면 성별을 이유로 한 낙태는 물론, 다른 원인으로 인한 낙태도 근절시킬 수 있을 것이다. 그런데 낙태를 범죄로 규정하여 「형법」으로 처벌하고 있는 마당에 엄중한 법 집행을 통하여 그 실효성을 도모하기보다, 성별을 이유로 한 낙태 근절에 과연 효과가 있는지도 불분명한 태아의 성별고지 금지를 임신기간 전 기간에 걸쳐 강제하는 것은 피해의 최소성원칙에 반하는 것이라 할 것이다(2008.7.31, 2004헌마1010 등).

ㄴ. [O] 국가에 의한 기본권 제한이고 사인에 의한 기본권 침해시 기본권 보호의무의 문제는 아니므로 과잉금지원칙 위반 여부가 심사기준이 된다(2008.7.31, 2004헌마1010 등).

ㄷ. [O] 이 사건 규정은, 의료인은 태아 또는 임부에 대한 진찰이나 검사를 통하여 알게된 태아의 성별을 임부 본인, 그 가족 기타 다른 사람이 알 수 있도록 하여서는 아니 된다고 규정하여 의료인이 태아의 성별 정보에 대하여 임부나 그 가족 기타 다른 사람에게 고지하는 것을 금지하고 있다. 그런데 태아의 성별에 관한 정보는 의료인이 산모와 태아의 건강을 위한 의료행위 수행과정에서 알게 되는 정보로서, 의료인이 진료 결과 전반에 관하여 산모나 그 가족에게 이를 고지하는 것은 의료인의 직업수행의 내용에 당연히 포함된다 할 것이므로, 이러한 정보 제공을 금지하는 것은 의료인의 자유로운 직업수행을 제한한다고 할 것이다(2008.7.31, 2004헌마1010 등).

ㄹ. [X] 낙태 그 자체의 위험성으로 인하여 낙태가 사실상 이루어질 수 없는 임신 후반기에는 태아에 대한 성별고지를 예외적으로 허용하더라도 성별을 이유로 한 낙태가 행해질 가능성은 거의 없다고 할 것이다. 그럼에도 불구하고 성별을 이유로 하는 낙태가 임신기간의 전 기간에 걸쳐 이루어질 것이라는 전제하에, 이 사건 규정이 낙태가 사실상 불가능하게 되는 시기에 이르러서도 태아에 대한 성별 정보를 태아의 부모에게 알려 주지 못하게 하는 것은 의료인과 태아의 부모에 대한 지나친 기본권 제한으로서 피해의 최소성 원칙을 위반하는 것이다(2008.7.31, 2004헌마1010 등).

ㅁ. [X] 이 사건 구 「의료법」 제19조의2 제2항 및 개정 「의료법」 제20조 제2항에 대하여 위헌결정을 하여야 할 것이지만, 만약 단순위헌결정을 하여 당장 그 효력을 상실시킬 경우에는 태아의 성별고지금지에 대한 근거규정이 사라져 법적 공백상태가 발생하게 될 것이고, 이는 낙태가 불가능하게 되는 시기를 포함하여 임신기간 전 기간에 걸쳐 태아의 성별고지를 금지하는 것이 의료인과 태아 부모의 기본권을 지나치게 침해한다는 이 사건 위헌결정의 취지와는 달리, 임신기간 전 기간에 걸쳐 태아의 성별고지를 가능하게 하는 부당한 결과를 야기하게 될 것이다. 따라서, 이 사건 심판대상규정들에 대하여 단순위헌결정을 하는 대신 헌법불합치결정을 하기로 한다(2008.7.31, 2004헌마1010 등).

ㅂ. [O] 태아의 성별에 관한 정보는 의료인이 산모와 태아의 건강을 위한 의료행위 수행과정에서 알게 되는 정보로서, 의료인이 진료 결과 전반에 관하여 산모나 그 가족에게 이를 고지하는 것은 의료인의 직업수행의 내용에 당연히 포함된다 할 것이므로, 이러한 정보 제공을 금지하는 것은 의료인의 자유로운 직업수행을 제한한다고 할 것이다. 한편, 헌법 제10조로부터 도출되는 일반적 인격권에는 각 개인이 그 삶을 사적으로 형성할 수 있는 자율영역에 대한 보장이 포함되어 있음을 감안할 때, 장래 가족의 구성원이 될 태아의 성별 정보에 대한 접근을 국가로부터 방해받지 않을 부모의 권리는 이와 같은 일반적 인격권에 의하여 보호된다고 보아야 할 것인바, 이 사건 규정은 일반적 인격권으로부터 나오는 부모의 태아 성별 정보에 대한 접근을 방해받지 않을 권리를 제한하고 있다고 할 것이다(2008.7.31, 2004헌마1010 등).

ㅅ. [X] 청구인은 부모의 알 권리 침해를 주장했으나, 헌법재판소는 알 권리 문제는 아닌 것으로 보았다.

18회 진도별 모의고사

인간의 존엄과 가치 ~ 행복추구권

정답

01	④	02	③	03	①	04	①
05	③	06	④	07	③	08	③
09	③	10	②	11	③	12	③
13	②	14	①	15	①	16	②
17	④	18	③	19	②	20	①

01 정답 ④

ㄱ. [X] 선지는 반대의견인 합헌의견이다. 법정의견은 독자적으로 생존할 수 있는 시점인 임신 22주를 기준으로 낙태 허용을 판단할 수 있다고 한다.

> **법정의견** 태아가 모체를 떠난 상태에서 독자적으로 생존할 수 있는 시점인 임신 22주 내외에 도달하기 전이면서 동시에 임신 유지와 출산 여부에 관한 자기결정권을 행사하기에 충분한 시간이 보장되는 시기(이하 착상시부터 이 시기까지를 '결정가능기간'이라 한다)까지의 낙태에 대해서는 국가가 생명 보호의 수단 및 정도를 달리 정할 수 있다고 봄이 타당하다(2019.4.11, 2017헌바127).
>
> **합헌의견** 태아와 출생한 사람은 생명의 연속적인 발달과정 아래 놓여 있다고 볼 수 있으므로, 인간의 존엄성의 정도나 생명 보호의 필요성과 관련하여 태아와 출생한 사람 사이에 근본적인 차이가 있다고 보기 어렵다. 따라서 태아 역시 헌법상 생명권의 주체가 된다. 태아의 생명권 보호라는 입법목적은 매우 중대하고, 낙태를 원칙적으로 금지하고 이를 위반할 경우 형사처벌하는 것 외에 임신한 여성의 자기결정권을 보다 덜 제한하면서 태아의 생명 보호라는 공익을 동등하게 효과적으로 보호할 수 있는 다른 수단이 있다고 보기 어렵다.

ㄴ. [X] 국가가 생명을 보호하는 입법적 조치를 취함에 있어 인간생명의 발달단계에 따라 그 보호 정도나 보호수단을 달리하는 것은 불가능하지 않다. 태아가 모체를 떠난 상태에서 독자적으로 생존할 수 있는 시점인 임신 22주 내외에 도달하기 전이면서 동시에 임신 유지와 출산 여부에 관한 자기결정권을 행사하기에 충분한 시간이 보장되는 시기(이하 착상시부터 이 시기까지를 '결정가능기간'이라 한다)까지의 낙태에 대해서는 국가가 생명 보호의 수단 및 정도를 달리 정할 수 있다고 봄이 타당하다(2019.4.11, 2017헌바127).

ㄷ. [X] 「모자보건법」에서 정한 자기낙태의 위법성을 조각하는 정당화사유는 ⓐ 본인이나 배우자의 우생학적·유전학적 정신장애나 신체질환, ⓑ 본인이나 배우자의 전염성 질환, ⓒ 강간 또는 준강간에 의한 임신, ⓓ 혼인할 수 없는 혈족 또는 인척 간의 임신, ⓔ 모체의 건강에 대한 위해나 위해 우려이다. 위 사유들은 대부분 「형법」 제22조의 긴급피난이나 제20조의 정당행위로서 위법성 조각이 가능하거나, 임신의 유지와 출산에 대한 기대가능성이 없음을 이유로 책임조각이 가능하다고 보는 시각까지 있을 정도로 매우 제한적이고 한정적인 사유들이다. 위 사유들에는 '임신 유지 및 출산을 힘들게 하는 다양하고 광범위한 사회적·경제적 사유에 의한 낙태갈등상황'이 전혀 포섭되지 않는다. 즉, 위 사유들은 임신한 여성의 자기결정권을 보장하기에는 불충분하다(2019.4.11, 2017헌바127).

ㄹ. [O] 헌법불합치결정의 필요성과 잠정적용의 필요성: 자기낙태죄조항과 의사낙태죄조항의 위헌성은 「모자보건법」에서 정한 사유에 해당하지 않는다면 결정가능기간 중에 다양하고 광범위한 사회적·경제적 사유로 인하여 낙태갈등상황을 겪고 있는 경우까지도 예외 없이 전면적·일률적으로 임신의 유지 및 출산을 강제하고, 이를 위반하여 낙태한 경우 형사처벌함으로써 임신한 여성의 자기결정권을 과도하게 침해한다는 점에 있는 것이고, 태아의 생명을 보호하기 위하여 낙태를 금지하고 형사처벌하는 것 자체가 모든 경우에 헌법에 위반된다고 볼 수는 없다(2019.4.11, 2017헌바127).

ㅁ. [X] 선지는 단순위헌의견이다. 헌법재판소는 헌법불합치결정하였고 헌법재판소 법정의견은 사회적·경제적 사유가 낙태 정당화사유에 포함되어 있지 않다고 하면서 법 개정으로 사회적·경제적 사유를 추가할 것을 요구하는 헌법불합치결정하였다. 그러나 단순위헌의견은 임신 제1삼분기에는 어떠한 사유를 요구함이 없이 낙태를 허용하자고 하였다(2019.4.11, 2017헌바127).

ㅂ. [O] 자기낙태죄조항은 태아의 생명을 보호하기 위한 것으로서, 정당한 입법목적을 달성하기 위한 적합한 수단이다. 자기낙태죄조항은 입법목적을 달성하기 위하여 필요한 최소한의 정도를 넘어 임신한 여성의 자기결정권을 제한하고 있어 침해의 최소성을 갖추지 못하였고, 태아의 생명 보호라는 공익에 대하여만 일방적이고 절대적인 우위를 부여함으로써 법익균형성의 원칙도 위반하였으므로, 과잉금지원칙을 위반하여 임신한 여성의 자기결정권을 침해한다(2019.4.11, 2017헌바127).

02 정답 ③

① [O] 헌법 제10조로부터 도출되는 일반적 인격권에는 각 개인이 그 삶을 사적으로 형성할 수 있는 자율영역에 대한 보장이 포함되어 있음을 감안할 때, 장래 가족의 구성원이 될 태아의 성별 정보에 대한 접근을 국가로부터 방해받지 않을 부모의 권리는 이와 같은 일반적 인격권에 의하여 보호된다고 보아야 할 것이다(2008.7.31, 2004헌마1010 등).

② [O] 헌법 제10조로부터 도출되는 일반적 인격권에는 개인의 명예에 관한 권리도 포함되는바, 이 사건 법률조항에 근거하여 반민규명위원회의 조사대상자 선정 및 친일반민족행위결정이 이루어지면, 조사대상자의 사회적 평가가 침해되어 헌법 제10조에서 유래하는 일반적 인격권이 제한받는다고 할 수 있다. 다만 이 사건 결정의 조사대상자를 비롯하여 대부분의 조사대상자는 이미 사망하였을 것이 분명하나, 조사대상자가 사자(死者)의 경우에도 인격적 가치에 대한 중대한 왜곡으로부터 보호되어야 하고, 사자(死者)에 대한 사회적 명예와 평가의 훼손은 사자(死者)와의 관계를 통하여 스스로의 인격상을 형성하고 명예를 지켜온 그들의 후손의 인격권, 즉 유족의 명예 또는 유족의 사자(死者)에 대한 경애추모의 정을 침해한다고 할 것이다(2010.10.28, 2007헌가23).

❸ [X] 이동전화번호를 구성하는 숫자가 개인의 인격 내지 인간의 존엄과 관련성을 가진다고 보기 어렵고, 이 사건 이행명령으로 인하여 청구인들의 개인정보가 청구인들의 의사에 반하여 수집되거나 이용되지 않으며, 이동전화번호는 유한한 국가자원으로서 청구인들의 번호이용은 사업자와의 서비스 이용계약관계에 의한 것일 뿐이므로 이 사건 이행명령으로 청구인들의 인격권, 개인정보자기결정권, 재산권이 제한된다고 볼 수 없다(2013.7.25, 2011헌마63 등).

④ [O] 성명은 개인의 정체성과 개별성을 나타내는 인격의 상징으로서 개인이 사회 속에서 자신의 생활영역을 형성하고 발현하는 기초가 되는 것이라 할 것이므로 자유로운 성의 사용 역시 헌법상 인격권으로부터 보호된다고 할 수 있다. 그리고 헌법 제36조 제1항은 "혼인과 가족생활은 개인의 존엄과 양성의 평등을 기초로 성립되

고 유지되어야 하며 국가는 이를 보장한다."라고 규정하여 개인의 존엄과 양성의 평등을 기초로 한 가족제도를 헌법적 차원에서 보장하고 있는바, 성은 혈통을 상징하는 기호로서 개인의 혈통관계를 어떻게 성으로 반영할 것인지의 문제이며 이는 가족제도의 한 내용을 이루는 것이다(2005.12.22, 2003헌가5 등).

03

정답 ①

❶ [X] 이 사건 심판대상조항으로 인해 초래되는 방송사업자의 기본권 제한 측면은 시청자 등 국민들로 하여금 방송사업자가 객관성이나 공정성 등을 저버린 방송을 했다는 점을 스스로 인정한 것으로 생각하게 만듦으로써 방송에 대한 신뢰가 무엇보다 중요한 방송사업자에 대하여 그 사회적 신용이나 명예를 저하시키고 법인격의 자유로운 발현을 저해하는 것인바, 방송사업자의 인격권에 대한 제한의 정도가 이 사건 심판대상조항이 추구하는 공익에 비해 결코 작다고 할 수 없다. 그렇다면 이 사건 심판대상조항은 법익의 균형성원칙에도 위배된다. 따라서 이 사건 심판대상조항은 과잉금지원칙에 위배되어 방송사업자의 인격권을 침해한다(2012.8.23, 2009헌가27).

② [O] 이 사건 법률조항에 근거하여 친일반민족행위반민규명위원회의 조사대상자 선정 및 친일반민족행위결정이 이루어지면, 조사대상자의 사회적 평가에 영향을 미치므로 헌법 제10조에서 유래하는 일반적 인격권이 제한받는다. 다만 이러한 결정에 있어서 대부분의 조사대상자는 이미 사망하였을 것이 분명하나, 조사대상자가 사자(死者)의 경우에도 인격적 가치에 대한 중대한 왜곡으로부터 보호되어야 한다. 사자에 대한 사회적 명예와 평가의 훼손은 사자와의 관계를 통하여 스스로의 인격상을 형성하고 명예를 지켜온 그들의 후손의 인격권, 즉 유족의 명예 또는 유족의 사자에 대한 경애추모의 정을 제한하는 것이다(2010.10.28, 2007헌가23).

③ [O] 청소년 성매수 범죄자들이 자신의 신상과 범죄사실이 공개됨으로써 수치심을 느끼고 명예가 훼손된다고 하더라도 그 보장 정도에 있어서 일반인과는 차이를 둘 수밖에 없어, 그들의 인격권과 사생활의 비밀의 자유도 그것이 본질적인 부분이 아닌 한 넓게 제한될 여지가 있다(2003.6.26, 2002헌가14).

④ [O] 심판대상조항은 청구인의 인격권과 행복추구권을 제한한다. 또한, 헌법 제36조 제1항은 개인의 자율적 의사와 양성의 평등에 기초한 혼인과 가족생활의 자유로운 형성을 국가가 보장할 것을 규정하고 있다. 그런데 심판대상조항은 진실한 혈연관계에 부합하지 아니하고 당사자들이 원하지도 아니하는 친자관계를 강요하고 있으므로, 개인의 존엄과 양성의 평등에 기초한 혼인과 가족생활에 관한 기본권을 제한한다. 친생부인의 소 진행과정에서 발생할 수 있는 사생활 공개의 문제는 소송법상 변론 및 소송기록 비공개제도의 운영에 관련된 문제로서 심판대상조항으로 말미암아 청구인의 사생활의 비밀과 자유가 제한된다고 보기는 어렵다. 또 여성의 재혼금지기간을 규정하던 구 「민법」 제811조가 폐지된 이상 심판대상조항으로 인하여 청구인의 혼인의 자유 및 성적 자기결정권이 제한된다고 보기도 어렵다. 그리고 심판대상조항으로 인하여 청구인이 절차가 간단한 유전자검사 대신 절차가 복잡하고 상대적으로 많은 비용이 들어가는 친생부인의 소를 거치게 됨으로써 경제적 부담이 발생한다고 할지라도, 이러한 불이익은 친생부인의 소를 제기함에 따른 간접효과로서 반사적 불이익에 불과할 뿐 이를 헌법이 보장하는 재산권의 제한으로 보기는 어렵다. 나아가 심판대상조항이 혼인 해소 후 300일 이전에 출산한 여성과 그 이후에 출산한 여성에 차이를 두는 것은 심판대상조항이 혼인 해소 후 300일을 친생추정의 기준으로 삼고 있기 때문인데, 그 기준이 합리적인가에 관하여 인격권 등의 침해 여부를 검토하면서 판단하는 이상 이에 관한 평등권 침해 주장은 다시 별도로 판단하지 아니한다(2015.4.30, 2013헌마623).

04

정답 ①

❶ [X] 청구인은 공인이 아니며 보험사기를 이유로 체포된 피의자에 불과해 신원공개가 허용되는 어떠한 예외사유에도 해당한다고 보기 어렵다. 나아가 피청구인은 기자들에게 청구인이 경찰서 내에서 수갑을 차고 얼굴을 드러낸 상태에서 조사받는 모습을 촬영할 수 있도록 허용한 것인바, 앞서 본 예외적 사유가 없는 청구인에 대한 이러한 수사 장면의 공개 및 촬영은 이를 정당화할 만한 어떠한 공익목적도 인정하기 어려우므로 촬영허용행위는 목적의 정당성 자체가 인정되지 아니한다. 결국 촬영허용행위는 과잉금지원칙에 위반되어 청구인의 인격권을 침해하였다고 할 것이다(2014.3.27, 2012헌마652).

② [O] 수사기관에 의한 피의자의 초상 공개에 따른 인격권 제한의 문제는 위와 같은 무죄추정에 관한 헌법적 원칙, 수사기관의 피의자에 대한 인권 존중의무(「형사소송법」 제198조 제2항), 수사기관에 의한 인격권 침해가 피의자 및 그 가족에게 미치게 될 영향의 중대성 및 파급효 등을 충분히 고려하여 헌법적 한계의 준수 여부를 엄격히 판단하여야 한다(2014.3.27, 2012헌마652).

③ [O] 심판대상행위 중 촬영허용 부분은 이미 종료된 행위로서 소의 이익이 없어 각하될 가능성이 크므로, 헌법소원심판을 청구하는 외에 다른 효과적인 구제방법이 있다고 보기 어렵다. 그러나 보도자료 배포행위는 수사기관이 공판청구 전에 피의사실을 대외적으로 알리는 것으로서 「형법」 제126조의 피의사실공표죄에 해당하는지가 문제된다. 만약 피청구인의 행위가 피의사실공표죄에 해당하는 범죄행위라면, 수사기관을 상대로 고소하여 행위자를 처벌받게 하거나 처리 결과에 따라 「검찰청법」에 따른 항고를 거쳐 재정신청을 할 수 있으므로, 위와 같은 권리구제절차를 거치지 아니한 채 곧바로 제기한 이 부분 심판청구는 보충성 요건을 갖추지 못하였다(2014.3.27, 2012헌마652).

④ [O] 기록에 의하면, 피청구인이 언론사 기자들의 취재 요청에 응하여 청구인이 경찰서 내에서 조사받는 모습을 촬영할 수 있도록 허용하고 기자실에서 청구인의 피의사실과 관련한 보도자료를 배포한 사실을 인정할 수 있다. 수사기관이 촬영에 협조하지 않는 이상 기자들이 수사관서 내에서 피의자의 조사장면을 촬영하는 것은 불가능하고, 수사기관이 피의자 개인보다 훨씬 더 우월적 지위에 있어 취재 및 촬영과정에서 사실상 피의자의 의사가 반영되기 어렵다. 피청구인이 청구인의 의사에 관계없이 언론사의 취재 요청에 응하여 청구인의 모습을 촬영할 수 있도록 허용한 이상, 이미 청구인으로서는 수갑을 차고 얼굴을 드러낸 상태에서 조사받는 모습을 언론사에 공개당하는 불이익을 입게 된 것이다. 결국 심판대상행위들은 권력적 사실행위로서 헌법소원심판청구의 대상이 되는 공권력의 행사에 해당한다(2014.3.27, 2012헌마652).

05

정답 ③

① [X] 국제전범재판에 관한 국제법적 원칙, 우리 헌법 전문, 제5조 제1항, 제6조의 문언 등을 종합하면, 국내의 모든 국가기관은 헌법과 법률에 근거하여 국제전범재판소의 국제법적 지위와 판결의 효력을 존중하여야 한다. 따라서 한국인 BC급 전범들이 국제전범재판에 따른 처벌로 입은 피해와 관련하여 피청구인에게 이 사건 협정 제3조에 따른 분쟁해결절차에 나아가야 할 구체적 작위의무가 인정된다고 보기 어렵다. 한국인 BC급 전범들이 일제의 강제동원으로 인하여 입은 피해의 경우에는 일본의 책임과 관련하여 이 사건 협정의 해석에 관한 한·일 양국 간의 분쟁이 현실적으로 존재하는지 여부가 분명하지 않으므로, 피청구인에게 이 사건 협정 제3조에 따른 분쟁해결절차로 나아갈 작위의무가 인정된다고 보기 어렵다.

설령 한국과 일본 사이에 이 사건 협정의 해석상의 분쟁이 존재한다고 보더라도, 피청구인이 그동안 외교적 경로를 통하여 한국인 BC급 전범 문제에 관한 전반적인 해결 및 보상 등을 일본 측에 지속적으로 요구하여 온 이상, 피청구인은 이 사건 협정 제3조에 따른 자신의 작위의무를 불이행하였다고 보기 어렵다(2021.8.31, 2014헌마888).

② [X] 피청구인들이 청구인 정○○에게 직접 사과하거나, 무고하게 청구인 정○○이 무기징역을 선고받고 복역한 사건에 대해 명시적으로 대국민 사과를 하지 아니한 것은 사실이다. 그러나 피청구인들은 진실규명결정이 이루어진 사건의 일괄 처리를 위한 이행계획을 수립하거나, 포괄적인 국가 사과 등을 계획한 후 이를 추진하고 있으며, 가해자들에게도 진실규명결정통지서를 송달하였다. 물론 이러한 조치가 청구인 정○○의 기대에 미치지 못할 수는 있으나, 외부에서 강제할 수 없는 화해의 성격을 고려할 때, 피청구인들이 자신들이 독자적으로 이행할 수 있는 한도 내에서 가해자가 스스로 반성하고 피해자가 용서의 마음을 가질 수 있도록 하기 위해 필요한 조치를 이행하였다면, 가해자와 피해자인 청구인 정○○ 사이의 화해를 적극 권유하여야 할 헌법에서 유래하는 작위의무를 이행한 것으로 보아야 한다. 그리고 피해자인 청구인 정○○에게 이러한 의무를 이행한 이후 청구인 정○○이 사망한 이상, 피청구인들이 그 유족인 청구인 이○○ 등에 대해서 재차 이러한 작위의무를 부담하는 것은 아니므로 헌법소원의 대상이 되는 공권력의 불행사가 있었다고 할 수 없다(2021.9.30, 2016헌마1034).

❸ [○] 국가의 조직적이고 적극적인 불법행위로 인해 기본권을 유린당하고 인간의 존엄과 가치를 훼손당한 피해자의 인간의 존엄과 가치를 회복시켜야 할 의무는 국가가 국민에 대하여 부담하는 가장 근본적인 보호의무에 속하며, 「진실·화해를 위한 과거사정리 기본법」(이하 '과거사정리법'이라 한다)은 국가에 대하여 진실규명사건 피해자의 훼손되었던 인간의 존엄과 가치를 회복시켜야 할 의무를 부과한 것이다. … 과거사정리법의 제정경위 및 입법목적, 과거사정리법의 제 규정 등을 종합적으로 살펴볼 때, 과거사정리법 제36조 제1항과 제39조는 '진실규명결정에 따라 규명된 진실에 따라 국가와 피청구인들을 포함한 정부의 각 기관은 피해자의 명예회복을 위해 적절한 조치를 취하고, 가해자와 피해자 사이의 화해를 적극 권유하기 위하여 필요한 조치를 취하여야 할 구체적 작위의무'를 규정하고 있는 조항으로 볼 것이고, 이러한 피해자에 대한 작위의무는 헌법에서 유래하는 작위의무로서 그것이 법령에 구체적으로 규정되어 있는 경우라고 할 것이다(2021.9.30, 2016헌마1034).

④ [X] 헌법이나 헌법해석상으로 피청구인들이 진실규명사건의 피해자인 청구인 정○○ 및 피해자의 배우자, 자녀, 형제인 청구인들에게 「국가배상법」에 의한 배상이나 「형사보상 및 명예회복에 관한 법률」에 의한 보상과는 별개로 배상·보상을 하거나 위로금을 지급하여야 할 작위의무가 도출되지 아니한다. 또한 「진실·화해를 위한 과거정리사 기본법」 제34조, 제36조 제1항이나 '고문 및 그 밖의 잔혹한·비인도적인 또는 굴욕적인 대우나 처벌의 방지에 관한 협약' 제14조로부터도 피청구인들이 청구인들에게 직접 금전적인 피해의 배상이나 보상, 위로금을 지급하여야 할 헌법에서 유래하는 작위의무가 도출된다고 볼 수 없다. 따라서 배상조치 부작위는 헌법소원의 대상이 되는 공권력의 불행사에 해당하지 아니한다(2021.9.30, 2016헌마1034).

06

정답 ④

① [○] '심판대상조항 중 법인의 종업원 관련 부분'은 종업원 등의 범죄행위에 관하여 비난할 근거가 되는 법인의 의사결정 및 행위구조, 즉 종업원 등이 저지른 행위의 결과에 대한 법인의 독자적인 책임에 관하여 전혀 규정하지 않은 채, 단순히 법인이 고용한 종업원 등이 업무에 관하여 범죄행위를 하였다는 이유만으로 법인에 대하여 형사 처벌을 과하고 있는바, 이는 다른 사람의 범죄에 대하여 그 책임 유무를 묻지 않고 형벌을 부과하는 것으로서, 헌법상 법치국가의 원리 및 죄형법정주의로부터 도출되는 책임주의원칙에 반한다(2013.10.24, 2013헌가18).

② [○] 종업원이 고정조치의무를 위반하여 화물을 적재하고 운전한 경우 그를 고용한 법인을 면책사유 없이 형사처벌하도록 규정한 구 「도로교통법」은 종업원이 법인의 업무에 관하여 운전 중 실은 화물이 떨어지지 아니하도록 덮개를 씌우거나 묶는 등 확실하게 고정될 수 있도록 필요한 조치를 하지 아니한 채 운전한 사실이 인정되면, 곧바로 법인에 대해서도 형벌을 부과하도록 정하고 있다. 그 결과 종업원의 고정조치의무 위반행위와 관련하여 선임·감독상 주의의무를 다하여 아무런 잘못이 없는 법인도 형사처벌되게 되었는바, 이는 다른 사람의 범죄에 대하여 그 책임 유무를 묻지 않고 형사처벌하는 것이므로 헌법상 법치국가원리 및 죄형법정주의로부터 도출되는 책임주의원칙에 위배된다. 따라서 심판대상조항은 헌법을 위반한다(2016.10.27, 2016헌가10).

③ [○] 심판대상조항 중 법인의 종업원 관련 부분은 종업원 등의 범죄행위에 관하여 비난할 근거가 되는 법인의 의사결정 및 행위구조, 즉 종업원 등이 저지른 행위의 결과에 대한 법인의 독자적인 책임에 관하여 전혀 규정하지 않은 채, 단순히 법인이 고용한 종업원 등이 업무에 관하여 범죄행위를 하였다는 이유만으로 법인에 대하여 형벌을 부과하도록 정하고 있는바, 이는 다른 사람의 범죄에 대하여 그 책임 유무를 묻지 않고 형사처벌하는 것이므로 헌법상 법치국가원리로부터 도출되는 책임주의원칙에 위배된다(2020.4.23, 2019헌가25).

❹ [X] 법인은 기관을 통하여 행위하므로 법인이 대표자를 선임한 이상 그의 행위로 인한 법률효과는 법인에게 귀속되어야 하고, 법인 대표자의 범죄행위에 대하여는 법인이 자신의 행위에 대한 책임을 부담하는 것이다. 법인 대표자의 법규 위반행위에 대한 법인의 책임은 법인 자신의 법규 위반행위로 평가될 수 있는 행위에 대한 법인의 직접책임이므로, 대표자의 고의에 의한 위반행위에 대하여는 법인이 고의책임을, 대표자의 과실에 의한 위반행위에 대하여는 법인이 과실책임을 부담한다. 따라서 심판대상조항 중 법인의 대표자 관련 부분은 법인의 직접 책임을 근거로 하여 법인을 처벌하므로 책임주의원칙에 위배되지 않는다(2020.4.23, 2019헌가25).

07

정답 ③

① [X] 비록 연명치료 중단에 관한 결정 및 그 실행이 환자의 생명단축을 초래한다 하더라도 이를 생명에 대한 임의적 처분으로서 자살이라고 평가할 수 없고, 오히려 인위적인 신체 침해행위에서 벗어나서 자신의 생명을 자연적인 상태에 맡기고자 하는 것으로서 인간의 존엄과 가치에 부합한다 할 것이다. 그렇다면 환자가 장차 죽음에 임박한 상태에 이를 경우에 대비하여 미리 의료인 등에게 연명치료 거부 또는 중단에 관한 의사를 밝히는 등의 방법으로 죽음에 임박한 상태에서 인간으로서의 존엄과 가치를 지키기 위하여 연명치료의 거부 또는 중단을 결정할 수 있다 할 것이고, 위 결정은 헌법상 기본권인 자기결정권의 한 내용으로서 보장된다 할 것이다(2009.11.26, 2008헌마385).

② [X] 이 사건 심판대상인 '공권력의 불행사'라는 것은 '연명치료 중단 등에 관한 법률의 입법부작위'인바, 위 입법부작위(또는 입법의무의 이행에 따른 입법행위)의 직접적인 상대방은 연명치료 중단으로 사망에 이르는 환자이고, 그 자녀들은 위 입법부작위로 말미암아 '환자가 무의미한 연명치료로 자연스런 죽음을 뒤로한 채 병상에 누어있는 모습'을 지켜보아야 하는 정신적 고통을 감수하고, 환자의 부양의무자로서 연명치료에 소요되는 의료비 등 경제적 부담

을 안을 수 있다는 점에 이해관계를 갖지만, 이와 같은 정신적 고통이나 경제적 부담은 간접적, 사실적 이해관계에 그친다고 보는 것이 타당하므로, 연명치료 중인 환자의 자녀들이 제기한 이 사건 입법부작위에 관한 헌법소원은 자신 고유의 기본권의 침해에 관련되지 아니하여 부적법하다(2009.11.26, 2008헌마385).

❸ [○] 환자 본인이 제기한 '연명치료 중단 등에 관한 법률'의 입법부작위의 위헌확인에 관한 헌법소원심판청구는 국가의 입법의무가 없는 사항을 대상으로 한 것으로서 「헌법재판소법」 제68조 제1항 소정의 '공권력의 불행사'에 대한 것이 아니므로 부적법하다(2009.11.26, 2008헌마385).

④ [X] 환자의 사전의료지시가 없는 상태에서 회복불가능한 사망의 단계에 진입한 경우에는 환자에게 의식의 회복가능성이 없으므로 더 이상 환자 자신이 자기결정권을 행사하여 진료행위의 내용 변경이나 중단을 요구하는 의사를 표시할 것을 기대할 수 없다. 그러나 환자의 평소 가치관이나 신념 등에 비추어 연명치료를 중단하는 것이 객관적으로 환자의 최선의 이익에 부합한다고 인정되어 환자에게 자기결정권을 행사할 수 있는 기회가 주어지더라도 연명치료의 중단을 선택하였을 것이라고 볼 수 있는 경우에는, 그 연명치료 중단에 관한 환자의 의사를 추정할 수 있다고 인정하는 것이 합리적이고 사회상규에 부합된다(대판 전합체 2009.5.21, 2009다17417).

08

정답 ③

① [○] 이미 의식의 회복가능성을 상실하여 더 이상 인격체로서의 활동을 기대할 수 없고 자연적으로는 이미 죽음의 과정이 시작되었다고 볼 수 있는 회복불가능한 사망의 단계에 이른 후에는, 의학적으로 무의미한 신체 침해행위에 해당하는 연명치료를 환자에게 강요하는 것이 오히려 인간의 존엄과 가치를 해하게 된다(대판 전합체 2009.5.21, 2009다17417).

② [○] 환자가 회복불가능한 사망의 단계에 이르렀을 경우에 대비하여 미리 의료인에게 자신의 연명치료 거부 내지 중단에 관한 의사를 밝힌 경우(이하 '사전의료지시'라 한다)에는, 비록 진료 중단시점에서 자기결정권을 행사한 것은 아니지만 사전의료지시를 한 후 환자의 의사가 바뀌었다고 볼 만한 특별한 사정이 없는 한 사전의료지시에 의하여 자기결정권을 행사한 것으로 인정할 수 있다(대판 전합체 2009.5.21, 2009다17417).

❸ [X] 환자의 평소 가치관이나 신념 등에 비추어 연명치료를 중단하는 것이 객관적으로 환자의 최선의 이익에 부합한다고 인정되어 환자에게 자기결정권을 행사할 수 있는 기회가 주어지더라도 연명치료의 중단을 선택하였을 것이라고 볼 수 있는 경우에는, 그 연명치료 중단에 관한 환자의 의사를 추정할 수 있다고 인정하는 것이 합리적이고 사회상규에 부합된다. 이러한 환자의 의사 추정은 객관적으로 이루어져야 한다(대판 전합체 2009.5.21, 2009다17417).

④ [○] 환자 측이 직접 법원에 소를 제기한 경우가 아니라면, 환자가 회복불가능한 사망의 단계에 이르렀는지 여부에 관하여는 전문의사 등으로 구성된 위원회 등의 판단을 거치는 것이 바람직하다(대판 전합체 2009.5.21, 2009다17417).

09

정답 ③

① [X] 우리 헌법에는 생명권에 관한 명문의 규정이 존재하지 않는다. 다만 해석론으로서 헌법적 근거에 대하여는 견해가 대립하나, 이를 헌법상 권리로 보는 데에는 이견이 없다. 판례 역시 이를 헌법상 기본권으로 보고 있다. 우리나라와 달리 독일 기본법(제2조 제2항 전단)이나 일본 헌법(제13조)은 생명권을 헌법상 권리로 규정하고 있다.

② [X] 모든 인간은 헌법상 생명권의 주체가 되며, 형성 중의 생명인 태아에게도 생명에 대한 권리가 인정되어야 한다. 따라서 태아도 헌법상 생명권의 주체가 되며, 국가는 헌법 제10조에 따라 태아의 생명을 보호할 의무가 있다(2008.7.31, 2004헌바81).

❸ [○] 생명은 인간의 권리이므로 법인은 주체가 될 수 없다.

④ [X] 군대 내 명령체계유지 및 국가방위라는 이유만으로 가해자와 상관 사이에 명령복종관계가 있는지 여부를 불문하고 전시와 평시를 구분하지 아니한 채 다양한 동기와 행위태양의 범죄를 동일하게 평가하여 사형만을 유일한 법정형으로 규정하고 있는 이 사건 법률조항은, 범죄의 중대성 정도에 비하여 심각하게 불균형적인 과중한 형벌을 규정함으로써 죄질과 그에 따른 행위자의 책임 사이에 비례관계가 준수되지 않아 인간의 존엄과 가치를 존중하고 보호하려는 실질적 법치국가의 이념에 어긋나고, 형벌체계상 정당성을 상실한 것이다(2007.11.29, 2006헌가13). 2020년 입시

10

정답 ②

① [X] 우리 헌법은 사형에 대하여 이를 허용하거나 부정하는 명시적 규정을 두고 있지 아니하나 헌법 제12조와 헌법 제110조 제4항 단서의 문언해석상 간접적이나마 법률에 의하여 사형이 형벌로 정해질 수 있음을 인정하고 있는 것으로 보인다(1996.11.28, 95헌바1).

❷ [○] 사형제도가 위헌인지 여부의 문제는 성문헌법을 비롯한 헌법의 법원을 토대로 헌법규범의 내용을 밝혀 사형제도가 그러한 헌법규범에 위반하는지 여부를 판단하는 것으로서 헌법재판소에 최종적인 결정권한이 있는 반면, 사형제도를 법률상 존치시킬 것인지 또는 폐지할 것인지의 문제는 사형제도의 존치가 필요하거나 유용한지 또는 바람직한지에 관한 평가를 통하여 민주적 정당성을 가진 입법부가 결정할 입법정책적 문제이지 헌법재판소가 심사할 대상은 아니다(2010.2.25, 2008헌가23).

③ [X] 헌법은 절대적 기본권을 명문으로 인정하고 있지 아니하며, 헌법 제37조 제2항에서는 국민의 모든 자유와 권리는 국가안전보장·질서유지 또는 공공복리를 위하여 필요한 경우에 한하여 법률로써 제한할 수 있도록 규정하고 있어, 비록 생명이 이념적으로 절대적 가치를 지닌 것이라 하더라도 생명에 대한 법적 평가가 예외적으로 허용될 수 있다고 할 것이므로, 생명권 역시 헌법 제37조 제2항에 의한 일반적 법률유보의 대상이 될 수밖에 없다(2010.2.25, 2008헌가23).

④ [X] 생명의 보호와 공공의 이익을 위하여 불가피한 경우 생명을 빼앗는 형벌이라 하더라도 본질적 내용 침해금지원칙에 위반되지 아니한다(1996.11.28, 95헌바1).

11

정답 ③

① [○] 배아를 임신목적뿐만 아니라 연구목적으로 이용할 수 있도록 허용하는 법률이 시행된 경우 법학자, 윤리학자, 철학자, 의사 등의 직업인으로 이루어진 청구인들의 청구는 청구인들이 이 사건 심판대상조항으로 인해 불편을 겪는다고 하더라도 사실적·간접적 불이익에 불과한 것이고, 청구인들에 대한 기본권 침해의 가능성 및 자기관련성을 인정하기 어렵다(2010.5.27, 2005헌마346).

② [○] 출생 전 형성 중의 생명에 대해서 헌법적 보호의 필요성이 크고 일정한 경우 그 기본권 주체성이 긍정된다고 하더라도, 어느 시점부터 기본권 주체성이 인정되는지, 또 어떤 기본권에 대해 기본권 주체성이 인정되는지는 생명의 근원에 대한 생물학적 인식을 비롯

한 자연과학·기술 발전의 성과와 그에 터 잡은 헌법의 해석으로부터 도출되는 규범적 요청을 고려하여 판단하여야 할 것이다(2010.5.27, 2005헌마346).

❸ [X] 초기배아는 수정된 배아라는 점에서 형성 중인 생명의 첫걸음을 떼었다고 볼 여지가 있기는 하나 아직 모체에 착상되거나 원시선이 나타나지 않은 이상 현재의 자연과학적 인식수준에서 독립된 인간과 배아 간의 개체적 연속성을 확정하기 어렵다고 봄이 일반적이라는 점, 배아의 경우 현재의 과학기술수준에서 모태 속에서 수용될 때 비로소 독립적인 인간으로의 성장가능성을 기대할 수 있다는 점, 수정 후 착상 전의 배아가 인간으로 인식된다거나 그와 같이 취급하여야 할 필요성이 있다는 사회적 승인이 존재한다고 보기 어려운 점 등을 종합적으로 고려할 때, 기본권 주체성을 인정하기 어렵다. 그러나 오늘날 생명공학 등의 발전과정에 비추어 인간의 존엄과 가치가 갖는 헌법적 가치질서로서의 성격을 고려할 때 인간으로 발전할 잠재성을 갖고 있는 초기배아라는 원시생명체에 대하여도 위와 같은 헌법적 가치가 소홀히 취급되지 않도록 노력해야 할 국가의 보호의무가 있음을 인정하지 않을 수 없다 할 것이다(2010.5.27, 2005헌마346).

④ [O] 배아의 경우 형성 중에 있는 생명이라는 독특한 지위로 인해 국가에 의한 적극적인 보호가 요구된다는 점, 배아의 관리·처분에는 공공복리 및 사회 윤리적 차원의 평가가 필연적으로 수반되지 않을 수 없다는 점에서도 그 제한의 필요성은 크다고 할 것이다. 그러므로 배아생성자의 배아에 대한 자기결정권은 자기결정이라는 인격권적 측면에도 불구하고 배아의 법적 보호라는 헌법적 가치에 명백히 배치될 경우에는 그 제한의 필요성이 상대적으로 큰 기본권이라 할 수 있다(2010.5.27, 2005헌마346).

12 정답 ③

① [X] 이 사건 심판대상조항이 배아에 대한 5년의 보존기간 및 보존기관 경과 후 폐기의무를 규정한 것은 그 입법목적의 정당성과 방법의 적절성이 인정되며, 입법목적을 실현하면서 기본권을 덜 침해하는 수단이 명백히 존재한다고 할 수 없는 점, 5년 동안의 보존기간이 임신을 원하는 사람들에게 배아를 이용할 기회를 부여하기에 명백히 불합리한 기간이라고 볼 수 없는 점, 배아 수의 지나친 증가와 그로 인한 사회적 비용의 증가 및 부적절한 연구목적의 이용가능성을 방지하여야 할 공익적 필요성의 정도가 배아생성자의 자기결정권이 제한됨으로 인한 불이익의 정도에 비해 작다고 볼 수 없는 점 등을 고려하면, 이 사건 심판대상조항이 피해의 최소성에 반하거나 법익의 균형성을 잃었다고 보기 어렵다(2010.5.27, 2005헌마346).

② [X] 수정 후 착상 전의 배아가 인간으로 인식된다거나 그와 같이 취급하여야 할 필요성이 있다는 사회적 승인이 존재한다고 보기 어려운 점 등을 종합적으로 고려할 때, 초기배아에 대한 국가의 보호필요성이 있음은 별론으로 하고, 청구인 1, 2의 기본권 주체성을 인정하기 어렵다. 다만, 오늘날 생명공학 등의 발전과정에 비추어 인간의 존엄과 가치가 갖는 헌법적 가치질서로서의 성격을 고려할 때 인간으로 발전할 잠재성을 갖고 있는 초기배아라는 원시생명체에 대하여도 위와 같은 헌법적 가치가 소홀히 취급되지 않도록 노력해야 할 국가의 보호의무가 있음을 인정하지 않을 수 없다 할 것이다(2010.5.27, 2005헌마346).

❸ [O] '연명치료 중단에 관한 자기결정권'을 보장하는 방법으로서 '법원의 재판을 통한 규범의 제시'와 '입법' 중 어느 것이 바람직한가는 입법정책의 문제로서 국회의 재량에 속한다 할 것이다. 그렇다면 헌법해석상 '연명치료 중단 등에 관한 법률'을 제정할 국가의 입법의무가 명백하다고 볼 수 없다. 결국 환자 본인이 제기한 '연명치료 중단 등에 관한 법률'의 입법부작위의 위헌확인에 관한 헌법소원 심판청구는 국가의 입법의무가 없는 사항을 대상으로 한 것으로서 「헌법재판소법」 제68조 제1항 소정의 '공권력의 불행사'에 대한 것이 아니므로 부적법하다(2009.11.26, 2008헌마385).

④ [X] 초기배아는 수정이 된 배아라는 점에서 형성 중인 생명의 첫걸음을 떼었다고 볼 여지가 있기는 하나 아직 모체에 착상되거나 원시선이 나타나지 않은 이상 현재의 자연과학적 인식수준에서 독립된 인간과 배아 간의 개체적 연속성을 확정하기 어렵다고 봄이 일반적이라는 점, 배아의 경우 현재의 과학기술수준에서 모태 속에서 수용될 때 비로소 독립적인 인간으로의 성장가능성을 기대할 수 있다는 점, 수정 후 착상 전의 배아가 인간으로 인식된다거나 그와 같이 취급하여야 할 필요성이 있다는 사회적 승인이 존재한다고 보기 어려운 점 등을 종합적으로 고려할 때, 기본권 주체성을 인정하기 어렵다(2010.5.27, 2005헌마346).

13 정답 ②

① [X] 청구인들은 시민이 공물을 이용할 수 있는 요건을 갖추는 한 공물을 사용·이용하게 해달라고 국가에 대하여 청구할 수 있는 권리, 즉 공물이용권이 행복추구권에 포함되는 청구권적 기본권이라고 주장한다. 그러나 헌법 제10조의 행복추구권은 국민이 행복을 추구하기 위한 활동을 국가권력의 간섭 없이 자유롭게 할 수 있다는 포괄적인 의미의 자유권으로서의 성격을 갖는 것인바, 청구인들이 주장하는 공물을 사용·이용하게 해달라고 청구할 수 있는 권리는 청구인들의 주장 자체에 의하더라도 청구권의 영역에 속하는 것이므로 이러한 권리가 포괄적인 자유권인 행복추구권에 포함된다고 할 수 없다. 그러나 일반 공중의 사용에 제공된 공공용물을 그 제공목적대로 이용하는 것은 일반사용 내지 보통사용에 해당하는 것으로 따로 행정주체의 허가를 받을 필요가 없는 행위이고, 구 '서울특별시 서울광장의 사용 및 관리에 관한 조례'도 사용허가를 받아야 하는 광장의 사용은 불특정 다수 시민의 자유로운 광장 이용을 제한하는 경우로 정하여(위 조례 제2조 제1호) 개별적으로 서울광장을 통행하거나 서울광장에서 여가활동이나 문화활동을 하는 것은 아무런 제한 없이 허용하고 있다. 이처럼 일반 공중에게 개방된 장소인 서울광장을 개별적으로 통행하거나 서울광장에서 여가활동이나 문화활동을 하는 것은 일반적 행동자유권의 내용으로 보장됨에도 불구하고, 피청구인이 이 사건 통행제지행위에 의하여 청구인들의 이와 같은 행위를 할 수 없게 하였으므로 청구인들의 일반적 행동자유권의 침해 여부가 문제된다(2011.6.30, 2009헌마406).

❷ [O] 계약자유의 원칙이란 계약을 체결할 것인가의 여부, 체결한다면 어떠한 내용의, 어떠한 상대방과의 관계에서, 어떠한 방식으로 계약을 체결하느냐 하는 것도 당사자 자신이 자기의사로 결정하는 자유뿐만 아니라, 원치 않으면 계약을 체결하지 않을 자유를 말하여, 이는 헌법상의 행복추구권 속에 함축된 일반적 행동자유권으로부터 파생되는 것이라 할 것이다(1991.6.3, 89헌마204).

③ [X] 헌법 제10조의 행복추구권은 국민이 행복을 추구하기 위하여 필요한 급부를 국가에 적극적으로 요구할 수 있는 것을 내용으로 하는 것이 아니라, 국민이 행복을 추구하기 위한 활동을 국가권력의 간섭 없이 자유롭게 할 수 있다는 포괄적인 의미의 자유권으로서의 성격을 가지므로, 사회보험의 일종인 「국민건강보험법」에 의하여 요양급여를 요구하는 것이 자유권의 영역에 속한다고 볼 수 없는 이상, 이를 요구할 권리가 포괄적 자유권인 행복추구권의 내용에 포함된다고 할 수 없어서 A형 혈우병 환자에 대한 유전자재조합제제의 요양급여 여부를 결정하고 있는 이 사건 고시조항이 행복추구권을 침해한다고 보기는 어렵다(2012.6.27, 2010헌마716).

④ [X] 헌법 제10조의 행복추구권은 국민이 행복을 추구하기 위하여 필요한 급부를 국가에 적극적으로 요구할 수 있는 것을 내용으로 하는 것이 아니라, 국민이 행복을 추구하기 위한 활동을 국가권력의 간

섭 없이 자유롭게 할 수 있다는 포괄적인 의미의 자유권으로서의 성격을 가진다고 할 것이므로 자유권이나 자유권의 제한영역에 관한 규정이 아닌 이 사건 심판대상조항은 청구인들의 행복추구권을 침해하는 규정이라고 할 수는 없다(2008.10.30, 2006헌바35).

14 정답 ①

❶ [O] 이 사건 규정은 보상금수급권에 대한 일정 요건하의 지급정지를 규정하고 있는 것으로 자유권이나 자유권의 제한영역에 관한 규정이 아니므로, 이 사건 규정이 행복추구권을 침해한다고 할 수는 없다(2000.6.1, 98헌마216).

② [X] **서울특별시 서울광장통행저지행위 위헌확인**
거주·이전의 자유는 거주지나 체류지라고 볼 만한 정도로 생활과 밀접한 연관을 갖는 장소를 선택하고 변경하는 행위를 보호하는 기본권인바, 이 사건에서 서울광장이 청구인들의 생활형성의 중심지인 거주지나 체류지에 해당한다고 할 수 없고, 서울광장에 출입하고 통행하는 행위가 그 장소를 중심으로 생활을 형성해 나가는 행위에 속한다고 볼 수도 없으므로 청구인들의 거주·이전의 자유가 제한되었다고 할 수 없다. 통행제지행위는 과잉금지원칙을 위반하여 청구인들의 일반적 행동자유권을 침해한 것이다(2011.6.30, 2009헌마406). 2013년 사시

③ [X] 헌법 제10조의 행복추구권에서 파생하는 일반적 행동자유권은 모든 행위를 하거나 하지 않을 자유를 내용으로 하나, 그 보호대상으로서의 행동이란 국가가 간섭하지 않으면 자유롭게 할 수 있는 행위 내지 활동을 의미하고, 이를 국가권력이 가로막거나 강제하는 경우 자유권의 침해로서 논의될 수 있다 할 것인데, 병역의무의 이행으로서의 현역병 복무는 국가가 간섭하지 않으면 자유롭게 할 수 있는 행위에 속하지 않으므로, 현역병으로 복무할 권리가 일반적 행동자유권에 포함된다고 할 수 없다(2010.12.28, 2008헌마527).

④ [X] 청구인들이 평화적 생존권이란 이름으로 주장하고 있는 평화란 헌법의 이념 내지 목적으로서 추상적인 개념에 지나지 아니하고, 평화적 생존권은 이를 헌법에 열거되지 아니한 기본권으로서 특별히 새롭게 인정할 필요성이 있다거나 그 권리 내용이 비교적 명확하여 구체적 권리로서의 실질에 부합한다고 보기 어려워 헌법상 보장된 기본권이라고 할 수 없다(2009.5.28, 2007헌마369).

15 정답 ①

ㄱ. [O] 이 사건 분묘는 구 「장사 등에 관한 법률」 제17조가 적용되지 아니하여 그 설치기간에 제한이 없으나, 이를 이장하여 새로 설치하는 분묘는 새로운 분묘로 취급되어 이 사건 부칙조항에 의해 구법 제17조의 설치기간 제한을 받게 되는바, 이로써 청구인은 부모의 분묘를 가꾸고 봉제사를 하고자 하는 권리를 제한당한다고 할 수 있다. 청구인은 이러한 권리가 헌법 제34조의 사회보장권이라고 하나, 이는 헌법 제10조의 행복추구권의 한 내용으로 봄이 타당하다(2009.9.24, 2007헌마872).

ㄴ. [O] 2009.5.28, 2006헌마618

ㄷ. [O] 헌법 제10조 전문은 행복추구권을 보장하고 있고, 행복추구권은 그의 구체적인 표현으로서 일반적 행동자유권과 개성의 자유로운 발현권을 포함한다. 일반적 행동자유권에는 적극적으로 자유롭게 행동을 하는 것은 물론 소극적으로 행동을 하지 않을 자유, 즉 부작위의 자유도 포함된다. 일반적 행동자유권은 가치있는 행동만 그 보호영역으로 하는 것은 아닌 것으로, 그 보호영역에는 개인의 생활방식과 취미에 관한 사항도 포함되며, 여기에는 위험한 스포츠를 즐길 권리와 같은 위험한 생활방식으로 살아갈 권리도 포함된다(2003.10.30, 2002헌마518).

ㄹ. [O] 참정권과 입국의 자유에 대한 외국인의 기본권 주체성이 인정되지 않고, 외국인이 대한민국 국적을 취득하면서 자신의 외국 국적을 포기한다 하더라도 이로 인하여 재산권 행사가 직접 제한되지 않으며, 외국인이 복수 국적을 누릴 자유가 우리 헌법상 행복추구권에 의하여 보호되는 기본권이라고 보기 어려우므로, 외국인의 기본권 주체성 내지 기본권 침해가능성을 인정할 수 없다(2014.6.26, 2011헌마502). 2016년 법원, 2019년 변시

ㅁ. [O] 타인이나 단체에 대한 기부행위는 공동체의 결속을 도모하고 사회생활에서 개인의 타인과의 연대를 확대하는 기능을 하므로 자본주의와 시장경제의 흠결을 보완하는 의미에서 국가·사회적으로 장려되어야 할 행위이다. 또한 기부행위자 본인은 자신의 재산을 사회적 약자나 소외 계층을 위하여 출연함으로써 자기가 속한 사회에 공헌하였다는 행복감과 만족감을 실현할 수 있으므로, 이는 헌법상 인격의 자유로운 발현을 위하여 필요한 행동을 할 수 있어야 한다는 의미의 행복추구권과 그로부터 파생되는 일반적 행동자유권의 행사로서 당연히 보호되어야 한다(2014.2.27, 2013헌바106).

ㅂ. [O] 결혼식 등의 당사자가 자신을 축하하러 온 하객들에게 주류와 음식물을 접대하는 행위는 인류의 오래된 보편적인 사회생활의 한 모습으로서 개인의 일반적인 행동의 자유영역에 속하는 행위이므로 이는 헌법 제37조 제1항에 의하여 경시되지 아니하는 기본권이며 헌법 제10조가 정하고 있는 행복추구권에 포함되는 일반적 행동자유권으로서 보호되어야 할 기본권이다. … '가정의례의 참뜻에 비추어 합리적인 범위 안'이란 개념은 그 대강의 범위를 예측하여 이를 행동의 준칙으로 삼기에는 부적절한 것이며, 법집행자의 자의를 초래할 우려가 크다고 할 것이므로 이 사건 규정은 결국 죄형법정주의의 명확성원칙을 위배하여 청구인의 일반적 행동자유권을 침해하였다고 보아야 할 것이다(1998.10.15, 98헌마168).

ㅅ. [O] 개인의 인격권, 행복추구권에는 개인의 자기운명결정권이 전제되는 것이고, 이 자기운명결정권에는 성행위 여부 및 그 상대방을 결정할 수 있는 성적 자기결정권이 또한 포함되어 있으며, 간통죄의 규정이 개인의 성적 자기결정권을 제한하는 것임은 틀림없다(1990.9.10, 89헌마82). 2020년 소방간부

ㅇ. [O] 헌법 제10조는 "모든 국민은 인간으로서의 존엄과 가치를 가지며, 행복을 추구할 권리를 가진다. 국가는 개인이 가지는 불가침의 기본적 인권을 확인하고 이를 보장할 의무를 진다."라고 규정하여 개인의 인격권과 행복추구권을 보장하고 있다. 개인의 인격권·행복추구권에는 개인의 자기운명결정권이 전제되는 것이고, 이 자기운명결정권에는 임신과 출산에 관한 결정, 즉 임신과 출산의 과정에 내재하는 특별한 희생을 강요당하지 않을 자유가 포함되어 있다(2012.8.23, 2010헌바402).

ㅈ. [O] 헌법 제10조가 정하고 있는 행복추구권에서 파생되는 자기결정권 내지 일반적 행동자유권은 이성적이고 책임감 있는 사람의 자기의 운명에 대한 결정·선택을 존중하되 그에 대한 책임은 스스로 부담함을 전제로 한다(2004.6.24, 2002헌가27). 2008년 사시

ㅊ. [O] 이 사건 법률조항은 '의료행위'를 개인의 경제적 소득활동의 기반이자 자아실현의 근거로 삼으려는 청구인의 기본권, 즉 직업선택의 자유를 제한하거나, 또는 청구인이 의료행위를 지속적인 소득활동이 아니라 취미, 일시적 활동 또는 무상의 봉사활동으로 삼는 경우에는 헌법 제10조의 행복추구권에서 파생하는 일반적 행동의 자유를 제한하는 규정이다(2002.12.18, 2001헌마370). 2019년 법행

16

정답 ②

① [O] 일반적 행동자유권의 보호영역에는 가치 있는 행동뿐만 아니라 개인의 생활방식과 취미에 관한 사항도 포함되며, 여기에는 위험한 스포츠를 즐길 권리와 같은 위험한 생활방식으로 살아갈 권리도 포함된다. 따라서 운전 중 휴대용 전화를 사용할 자유는 헌법 제10조의 행복추구권에서 나오는 일반적 행동자유권의 보호영역에 속한다(2021.6.24, 2019헌바5).

❷ [X] 일반 공중의 사용에 제공된 공공용물을 그 제공목적대로 이용하는 것은 일반사용 내지 보통사용에 해당하는 것으로 따로 행정주체의 허가를 받을 필요가 없는 행위이고, 구 '서울특별시 서울광장의 사용 및 관리에 관한 조례'도 사용허가를 받아야 하는 광장의 사용은 불특정 다수 시민의 자유로운 광장 이용을 제한하는 경우로 정하여(위 조례 제2조 제1호) 개별적으로 서울광장을 통행하거나 서울광장에서 여가활동이나 문화활동을 하는 것은 아무런 제한 없이 허용하고 있다. 이처럼 일반 공중에게 개방된 장소인 서울광장을 개별적으로 통행하거나 서울광장에서 여가활동이나 문화활동을 하는 것은 일반적 행동자유권의 내용으로 보장됨에도 불구하고, 피청구인이 이 사건 통행제지행위에 의하여 청구인들의 이와 같은 행위를 할 수 없게 하였으므로 청구인들의 일반적 행동자유권의 침해 여부가 문제된다(2011.6.30, 2009헌마406).

③ [O] 학교운영위원의 지위는 그 신분에 있어서 「국가공무원법」상의 결격사유가 적용되기는 하나 어디까지나 무보수 봉사직의 성격을 가지므로 헌법상 보호되는 피선거권의 대상으로서의 공무원으로 보기 어려우므로 이 사건 법률조항은 피선거권과 관련되지 않는다. 학교운영위원은 무보수 봉사직이므로 그 활동을 생활의 기본적 수요를 충족시키는 계속적인 소득활동으로 보기 어려운바, 이 사건 법률조항이 직업선택의 자유와 관련되는 것은 아니라 할 것이다. 일반적 행동자유권은 모든 행위를 할 자유와 행위를 하지 않을 자유를 뜻하고, 자신이 속한 부분사회의 자치적 운영에 참여하는 것은 사회공동체의 유지, 발전을 위하여 필요한 행위로서 특정한 기본권의 보호범위에 들어가지 않는 경우에는 일반적 행동자유권의 대상이 된다 할 것인바, 이 사건 법률조항은 학교운영위원 선거에 있어서 직원대표 입후보규정을 두지 않고 있어 직원대표위원활동을 통하여 사회형성에 적극적으로 참여하는 행위를 제한하고 있으므로 행복추구권에서 파생되는 일반적 행동자유권과 관련된다고 볼 수 있다(2007.3.29, 2005헌마1144).

④ [O] 자신이 마실 물을 선택할 자유, 수돗물 대신 먹는 샘물을 음용수로 이용할 자유는 헌법 제10조에 규정된 행복추구권의 내용을 이룬다(1998.12.24, 98헌가1).

17

정답 ④

① [O] 헌법이 보장하는 행복추구권이 공동체의 이익과 무관하게 무제한의 경제적 이익의 도모를 보장하는 것이라고 볼 수 없으므로, 위와 같은 경제적 고려와 공동체의 이익을 위한 목적에서 비롯된 국산영화의무상영제가 공연장 경영자의 행복추구권을 침해한 것이라고 보기 어렵다(1995.7.21, 94헌마125).

② [O] 기부를 하고자 하는 자의 재산권 보장이란 관점에서 보더라도 기부를 하고자 하는 자에게는 기부금품의 모집행위와 관계없이 자신의 재산을 기부행위를 통하여 자유로이 처분할 수 있는 가능성은 법 제3조에 의한 제한에도 불구하고 변함없이 남아 있으므로, 법 제3조가 기부를 하고자 하는 자의 재산권 행사를 제한하지 아니한다. 국가의 간섭을 받지 아니하고 자유로이 기부행위를 할 수 있는 기회의 보장은 헌법상 보장된 재산권의 보호범위에 포함되지 않는다. 그렇다면 법 제3조에 의하여 제한되는 기본권은 행복추구권이다(1998.5.28, 96헌가5).

③ [O] 구입명령제도는 소주판매업자의 직업의 자유는 물론 소주제조업자의 경쟁 및 기업의 자유, 즉 직업의 자유와 소비자의 행복추구권에서 파생된 자기결정권을 지나치게 침해하는 위헌적인 규정이다(1996.12.26, 96헌가18).

❹ [X] 청구인들은 검정고시 재응시를 제한하는 것이 평등권을 침해한다는 취지로 주장하나, 그 내용은 바로 '균등하게 교육을 받을 권리'의 제한에 다름 아니므로 교육을 받을 권리의 침해 여부에 대한 판단에서 같이 이루어질 문제이고, 그 밖에 행복추구권, 자기결정권 등의 침해에 대하여도 주장하고 있으나, 이 사건과 가장 밀접한 관련을 가지고 핵심적으로 다투어지는 사항은 교육을 받을 권리이므로, 이하에서는 이 사건 응시 제한이 교육을 받을 권리를 침해하는지 여부를 판단하기로 한다. '검정고시에 합격한 자'에 대하여만 응시자격 제한을 공고에 위임했다고 볼 근거도 없으므로, 이 사건 응시제한은 위임받은 바 없는 응시자격의 제한을 새로이 설정한 것으로서 기본권 제한의 법률유보원칙에 위배하여 청구인의 교육을 받을 권리 등을 침해한다(2012.5.31, 2010헌마139 등).

18

정답 ③

① [O] 헌법 제10조는 개인의 인격권과 행복추구권을 보장하고 있고, 인격권과 행복추구권은 개인의 자기운명결정권을 전제로 한다. 이 자기운명결정권에는 성행위 여부 및 그 상대방을 결정할 수 있는 성적 자기결정권이 포함되어 있으므로, 심판대상조항은 개인의 성적 자기결정권을 제한한다. 또한, 심판대상조항은 개인의 성생활이라는 내밀한 사적 생활영역에서의 행위를 제한하므로 헌법 제17조가 보장하는 사생활의 비밀과 자유 역시 제한한다(2015.2.26, 2009헌바17 등).

② [O] 여가생활 또는 오락으로 잠수용 스쿠버다이빙을 즐기면서 수산자원을 포획하거나 채취하지 못함으로 인하여 청구인이 입는 불이익에 비해 수산자원을 보호해야 할 공익은 현저히 크다고 할 것이므로, 이 사건 규칙조항은 침해의 최소성과 법익의 균형성도 갖추었다. 따라서 이 사건 규칙조항은 청구인의 일반적 행동의 자유를 침해하지 아니한다(2016.10.27, 2013헌마450).

❸ [X] 이 사건 법률조항에 의하여 형의 집행유예와 동시에 사회봉사명령을 선고받은 청구인은 자신의 의사와 무관하게 사회봉사를 하지 않을 수 없게 되어 헌법 제10조의 행복추구권에서 파생하는 일반적 행동의 자유를 제한받게 된다. 청구인은 이 사건 법률조항이 신체의 자유를 제한한다고 주장하나, 이 사건 법률조항에 의한 사회봉사명령은 청구인에게 근로의무를 부과함에 그치고 공권력이 신체를 구금하는 등의 방법으로 근로를 강제하는 것은 아니어서 이 사건 법률조항이 신체의 자유를 제한한다고 볼 수 없다(2012.3.29, 2010헌바100).

④ [O] 심판대상조항이 공무원의 휴일에 관하여 최소한의 필요한 보장조차 하지 않아 인간으로서의 인격이나 본질적 가치를 훼손할 정도에 이른다고 볼 수는 없으므로, 심판대상조항은 청구인들의 인간으로서의 존엄과 가치를 침해한다고 볼 수 없다. 또한, 행복추구권은 포괄적인 의미의 자유권으로서의 성격을 갖는 것인데, 심판대상조항은 휴일 보장에 관한 것으로서 자유권의 제한영역에 관한 규정이 아니므로, 심판대상조항은 청구인들의 행복추구권을 침해한다고도 볼 수 없다(2015.5.28, 2013헌마343).

19 정답 ②

① [O] 개정 전 「국가보안법」 제9조 제2항에서 규제대상이 되는 편의 제공은 그 문언해석상 그 적용범위가 넓고 불명확하므로 헌법 제10조 소정의 행복추구권에서 파생하는 일반적 행동자유권은 물론, 도움은 말로도 줄 수 있는 것이라면 제21조 소정의 표현의 자유마저 위축시킬 수 있다(1992.4.14, 90헌바23).

❷ [X] **「형법」 제304조 중 '혼인을 빙자하여 음행의 상습 없는 부녀를 기망하여 간음한 자' 부분이 헌법 제37조 제2항의 과잉금지원칙을 위반하여 남성의 성적자기결정권 및 사생활의 비밀과 자유를 침해하는지 여부(적극)**
이 사건 법률조항이 혼인빙자간음행위를 형사처벌함으로써 남성의 성적 자기결정권을 제한하는 것임은 틀림없고, 나아가 이 사건 법률조항은 남성의 성생활이라는 내밀한 사적 생활영역에서의 행위를 제한하므로 우리 헌법 제17조가 보장하는 사생활의 비밀과 자유 역시 제한하는 것으로 보인다(2009.11.26, 2008헌바58 등).

③ [O] 심판대상조항은 동별 대표자선거의 입후보자가 1명인 경우 그 선출요건에 대하여 규정하고 있을 뿐 입주자대표회의의 구성과 운영에의 참여 자체를 제한하거나 동별 대표자를 선출할 권리 또는 그 선거에 입후보할 기회를 제한하고 있지 아니하므로, 청구인의 일반적 행동자유권을 제한한다고 보기 어렵다(2015.7.30, 2012헌마957).

④ [O] 이 사건 각 심판대상조항이 폭행, 협박, 위계, 위력, 그 밖의 방법에 의한 응급진료에 대한 방해행위를 제재하고 있다고 하여 응급환자로 하여금 응급의료종사자의 모든 조치에 수긍할 의무를 부과하거나 응급의료종사자의 진료를 거부할 수 없도록 하는 것이 아니다. 즉, 이 사건 각 심판대상조항은 응급환자 본인의 의료에 관한 자기결정권을 직접 제한하거나 그러한 제한을 규범의 목적으로 하고 있지 않다. 응급환자 본인의 행위가 위법성이 인정되지 않는 범위 내에 있다면 이 사건 각 심판대상조항에 의한 규율의 대상이 되지 아니하므로 자기결정권 내지 일반적 행동의 자유의 제한 문제가 발생하지 않는다(2019.6.28, 2018헌바128).

20 정답 ①

❶ [X] 의료인이 아닌 자의 의료행위를 금지하는 「의료법」 조항은 '의료행위'를 개인의 경제적 소득활동의 기반이자 자아실현의 근거로 삼으려는 청구인의 기본권, 즉 직업선택의 자유를 제한하거나, 또는 청구인이 의료행위를 지속적인 소득활동이 아니라 취미, 일시적 활동 또는 무상의 봉사활동으로 삼는 경우에는 헌법 제10조의 행복추구권에서 파생하는 일반적 행동의 자유를 제한하는 규정이다(2002.12.18, 2001헌마370).

② [O] 심판대상조항의 입법목적은 도로 외의 곳에서 일어나는 음주운전으로 인한 사고의 위험을 방지하여 국민의 생명과 안전, 재산을 보호하고자 하는 것이다. 이러한 입법목적의 정당성은 충분히 인정되고, 심판대상조항이 장소를 불문하고 음주운전을 금지하고 위반할 경우 처벌함으로써 입법목적을 달성하는 데 기여하므로 수단의 적합성도 인정된다. 음주운전의 경우 운전조작능력과 상황대처능력이 저하되어 일반 교통에 제공되지 않는 장소에 진입하거나 그 장소에서 주행할 가능성이 음주운전이 아닌 경우에 비하여 상대적으로 높다. 따라서 구체적 장소를 열거하거나 일부 장소만으로 한정하여서는 음주운전으로 인한 교통사고를 강력히 억제하려는 입법목적을 달성하기 어렵다. 음주운전은 사고의 위험성이 높고 그로 인한 피해도 심각하며 반복의 위험성도 높다는 점에서 음주운전으로 인한 교통사고의 위험을 방지할 필요성은 절실한 반면, 그로 인하여 제한되는 사익은 도로 외의 곳에서 음주운전을 할 수 있는 자유로서 인격과 관련성이 있다거나 사회적 가치가 높은 이익이라 할 수 없으므로 법익의 균형성 또한 인정된다. 따라서 심판대상조항은 일반적 행동의 자유를 침해하지 아니한다(2016.2.25, 2015헌가11).

③ [O] 헌법 제10조의 행복추구권은 국민이 행복을 추구하기 위하여 필요한 급부를 국가에게 적극적으로 요구할 수 있는 것을 내용으로 하는 것이 아니라, 국민이 행복을 추구하기 위한 활동을 국가 권력의 간섭 없이 자유롭게 할 수 있다는 포괄적인 의미의 자유권으로서의 성격을 가진다. 그런데 이 사건 규정은 보상금수급권에 대한 일정 요건하의 지급정지를 규정하고 있는 것으로 자유권이나 자유권의 제한영역에 관한 규정이 아니므로, 이 사건 규정이 행복추구권을 침해한다고 할 수는 없다(2000.6.1, 98헌마216).

④ [O] 운전 중 휴대용 전화를 사용할 자유는 헌법 제10조의 행복추구권에서 나오는 일반적 행동자유권의 보호영역에 속한다. 이 사건 법률조항은 운전 중 휴대용 전화를 사용하지 아니할 의무를 지우고 이에 위반했을 때 형벌을 부과하고 있으므로 청구인의 일반적 행동자유권을 제한한다(2021.6.24, 2019헌바5).

19회 진도별 모의고사

행복추구권

정답

01	④	02	②	03	④	04	②
05	②	06	④	07	②	08	②
09	①	10	②	11	②	12	③
13	④	14	①	15	①	16	②
17	③	18	②	19	③	20	④

01 정답 ④

ㄱ. [X] 청구인들은 인천국제공항도로를 사용하도록 강제된 것이 아니고, 청구인들의 선택에 따라 이용할 수 있으므로 이 사건 심판대상은 일반적 행동자유권 제한으로 볼 수 없다(2005.12.22, 2004헌바64).

ㄴ. [O] 주민등록은 거주하는 사람의 결단에 따른 행동과는 무관한 것이므로 이를 일반적 행동자유권의 내용으로 볼 수 없고, 따라서 위 법률조항은 영내 기거 현역병의 일반적 행동자유권을 제한하지 않는다(2011.6.30, 2009헌마59).

ㄷ. [X] 좌석안전띠를 매지 않을 자유는 헌법 제10조의 행복추구권에서 나오는 일반적 행동자유권의 보호영역에 속한다. 이 사건 심판대상조항들은 운전할 때 좌석안전띠를 매야 할 의무를 지우고 이에 위반했을 때 범칙금을 부과하고 있으므로 청구인의 일반적 행동의 자유에 대한 제한이 존재한다(2003.10.30, 2002헌마518).

ㄹ. [O] 운전할 때 운전자가 좌석안전띠를 착용하는 문제는 더 이상 사생활영역의 문제가 아니어서 사생활의 비밀과 자유에 의하여 보호되는 범주를 벗어난 행위라고 볼 것이므로, 이 사건 심판대상조항들은 청구인의 사생활의 비밀과 자유를 침해하는 것이라 할 수 없다(2003.10.30, 2002헌마518).

ㅁ. [X] 자동차를 운전하며 좌석안전띠를 맬 것인지의 여부에 대하여 고민할 수는 있겠으나, 그 고민 끝에 제재를 받지 않기 위하여 어쩔 수 없이 좌석안전띠를 매었다 하여 청구인이 내면적으로 구축한 인간양심이 왜곡·굴절되고 청구인의 인격적인 존재가치가 허물어진다고 할 수는 없다. 따라서 운전 중 운전자의 좌석안전띠 착용은 양심의 자유의 보호영역에 속하지 아니하므로 이 사건 심판대상조항들은 청구인의 양심의 자유를 침해하는 것이라 할 수 없다(2003.10.30, 2002헌마518).

02 정답 ②

① [X] 이 사건 규정은 성별고지금지의무의 주체를 의료인으로 정하고 있으므로 태아의 부모는 이 사건 규정에 의해 직접적으로 기본권 제한을 당하지 않는다고 볼 여지가 있다. 그러나 이러한 의료인에 대한 태아의 성별고지금지로 인하여 출산 전에 태아의 성별을 알 수 없게 되는 것은 임부와 그 가족들이다. 즉, 이 사건 규정이 없다면 의료인은 임부나 그 가족이 태아의 성별에 대해 알고자 하는 경우 진료를 통해 알게 된 태아의 성별을 알려주는 것이 일반적이라 할 것인데, 이 사건 규정이 의료인으로 하여금 태아의 성별을 알려줄 수 없도록 강제하고 있어 임부나 그 가족은 태아의 성별을 알 수 없게 되는 것이다. 따라서 이 사건 규정은 출산 전에 임부나 그 가족이 태아의 성별을 알 수 있는 길을 직접적으로 제한하고 있다고 할 것이다(2008.7.31, 2004헌마1010 등).

❷ [O] 징계결정 공개조항과 가장 밀접하게 관련되고 가장 침해 정도가 큰 기본권은 일반적 인격권이므로 이를 중심으로 과잉금지원칙 위반 여부를 판단한다. 청구인은 이외에도 이 사건 징계결정 공개조항으로 인하여 청구인의 재산권이 침해된다고 주장한다. 그러나 청구인이 주장하는 변호사 영업에의 타격은 인격권의 침해에 따른 사실적 효과에 불과하고, 징계결정 공개조항이 직접 청구인의 재산권을 제한하는 것은 아니다(2018.7.26, 2016헌마1029).

③ [X] 헌법 제10조는 "모든 국민은 인간으로서의 존엄과 가치를 가지며, 행복을 추구할 권리를 가진다."라고 규정하여 모든 기본권 보장의 종국적 목적(기본이념)이라 할 수 있는 인간의 본질이며 고유한 가치인 개인의 인격권과 행복추구권을 보장하고 있다. 그리고 개인의 인격권, 행복추구권에서 개인의 자기결정권이 파생된다(1990.9.10, 89헌마82 참조). 만일 자신의 사후에 시체가 본인의 의사와는 무관하게 처리될 수 있다고 한다면 기본권 주체인 살아있는 자의 자기결정권이 보장되고 있다고 보기는 어렵다. 따라서 본인의 생전 의사에 관계없이 인수자가 없는 시체를 해부용으로 제공하도록 규정하고 있는 이 사건 법률조항은 청구인의 시체의 처분에 대한 자기결정권을 제한한다고 할 것이다(2015.11.26, 2012헌마940).

④ [X] 우리 헌법은 사형에 대하여 이를 허용하거나 부정하는 명시적 규정을 두고 있지 아니하나 헌법 제12조와 헌법 제110조 제4항 단서의 문언 해석상 간접적이나마 법률에 의하여 사형이 형벌로 정해질 수 있음을 인정하고 있는 것으로 보인다(1996.11.28, 95헌바1).

03 정답 ④

① [O] 청소년의 인격권은 성인과 마찬가지로 인간의 존엄성 및 행복추구권을 보장하는 헌법 제10조에 의하여 보호되어야 한다. 따라서 청소년은 국가의 교육권한과 부모의 교육권의 범주 내에서 자신의 교육에 관하여 스스로 결정할 권리, 즉 자유롭게 교육을 받을 권리를 가진다. 「학교폭력예방 및 대책에 관한 법률」 제17조 제1항은 학교폭력 가해학생에 대하여 취할 수 있는 조치로서 이 사건 징계조치조항은 위와 같은 조치를 병과할 수 있도록 하고 출석정지조치에 대해서는 그 기간의 제한을 두지 않음으로써, 청구인들의 자유롭게 교육을 받을 권리, 즉 학습의 자유를 제한한다(2019.4.11, 2017헌바140 등).

② [O] 청구인들은 치과대학을 졸업하고 국가시험에 합격하여 치과의사 면허를 받았을 뿐만 아니라, 전공의수련과정을 사실상 마쳤다. 그런데 현행 「의료법」과 위 규정에 의하면 치과전문의의 전문과목은 10개로 세분화되어 있고, 일반치과의까지 포함하면 11가지의 치과의가 존재할 수 있는데도 이를 시행하기 위한 시행규칙의 미비로 청구인들은 일반치과의로서 존재할 수 밖에 없는 실정이다. 따라서 이로 말미암아 청구인들은 직업으로서 치과전문의를 선택하고 이를 수행할 자유(직업의 자유)를 침해당하고 있다. 또한 청구인들은 전공의수련과정을 사실상 마치고도 치과전문의 자격시험의 실시를 위한 제도가 미비한 탓에 치과전문의 자격을 획득할 수 없었고 이로 인하여 형벌의 위험을 감수하지 않고는 전문과목을 표시할 수 없게 되었으므로(「의료법」 제55조 제2항, 제69조 참조) 행복추구권을 침해받고 있고, 이 점에서 전공의수련과정을 거치지 않은 일반 치과의사나 전문의시험이 실시되는 다른 의료 분야의 전문의에 비하여 불합리한 차별을 받고 있다(1998.7.16, 96헌마246).

③ [O] 심판대상조항은 피조사자에게 자료제출의무를 부과하고, 허위자료를 제출하는 경우 형사처벌하는 조항으로, 피조사자의 일반적 행동

자유권을 제한한다. 청구인은 심판대상조항이 인간으로서의 존엄과 가치, 인격권도 침해한다고 주장하나, 심판대상조항과 가장 밀접한 관련이 있는 일반적 행동자유권의 침해 여부를 판단하는 이상 이에 대해서는 별도로 살피지 아니한다(2019.9.26, 2016헌바381).

❹ [X] 이 사건 법률조항은 국민 누구나가 의료행위를 할 수 있는 것이 아니라 의과대학을 졸업하고 국가시험에 합격하여 면허를 받은 자만이 의료행위를 할 수 있도록 규정함으로써 일정 직업의 정상적인 수행을 보장하기 위하여 요구되는 최소한의 요건, 예컨대 학력, 경력, 일정 자격요건 등을 규정하는 조항이다. 이로써 이 사건 법률조항은 '의료행위'를 개인의 경제적 소득활동의 기반이자 자아실현의 근거로 삼으려는 청구인의 기본권, 즉 직업선택의 자유를 제한하거나, 또는 청구인이 의료행위를 지속적인 소득활동이 아니라 취미, 일시적 활동 또는 무상의 봉사활동으로 삼는 경우에는 헌법 제10조의 행복추구권에서 파생하는 일반적 행동의 자유를 제한하는 규정이다(2002.12.18, 2001헌마370).

04 정답 ②

① [X] 헌법 제10조 전문의 행복추구권은 다른 개별적 기본권이 적용되지 않는 경우에 한하여 보충적으로 적용되는 기본권이므로, 선거권 및 평등권의 침해 여부를 판단하는 이 사건에 있어서는 행복추구권 침해 여부를 별도로 판단하지 않기로 한다(2009.10.29, 2007헌마1462).

❷ [O] 학원교습시간 제한으로 학원원장의 직업수행의 자유, 학생들의 인격권, 부모의 자녀에 대한 교육권이 제한된다(2009.10.29, 2008헌마454).

③ [X] 보호영역으로서 '직업'이 문제되는 경우 직업의 자유와 행복추구권은 서로 특별관계에 있어 기본권의 내용상 특별성을 갖는 직업의 자유의 침해 여부가 우선하므로, 행복추구권 관련 위헌 여부의 심사는 배제된다고 보아야 한다(2003.9.25, 2002헌마519).

④ [X] 헌법 제10조에서 규정하고 있는 행복추구권은 원칙적으로 다른 구체적인 기본권에 대한 보충적 성격이 강하므로, 교도소장이 교도소 독거실 내 화장실 창문과 철격자 사이에 안전철망을 설치한 행위를 다투는 이 사건에서는 우선적으로 적용되는 환경권을 주 기본권으로 삼아 판단하기로 한다(2014.6.26, 2011헌마150).

05 정답 ②

① [O] 학교폭력 가해학생에 내려진 불이익조치에 대해 보호자의 의견 진술 기회 청구인들은 학교폭력과 관련하여 가해학생에 대한 조치 중 전학과 퇴학을 제외한 나머지 조치에 대해 재심을 제한하는 「학교폭력예방 및 대책에 관한 법률」이 행복추구권을 침해한다고 주장하는데, 가해학생에 내려진 불이익조치에 대해 재심을 제한함으로써 가해학생 보호자의 의견 진술 기회가 제한되는 것은 행복추구권 등에 근거한 학부모의 자녀교육권 침해 문제를 발생시킨다. 또 피해학생 측과 달리 가해학생 측에는 전학과 퇴학의 경우에만 재심을 허용하고 있다는 점에서 평등권 침해 여부가 문제될 수 있다. 나아가 「학교폭력예방 및 대책에 관한 법률」 제17조 제9항('특별교육이수규정')은 가해학생에 취해지는 조치가 특별교육일 경우 그 학생의 보호자에게도 함께 교육을 받도록 의무화하는 규정으로, 이는 행복추구권에서 파생되는 일반적 행동자유권 침해 문제를 발생시킨다(2013.10.24, 2012헌마832).

❷ [X] 청소년의 인격권은 성인과 마찬가지로 인간의 존엄성 및 행복추구권을 보장하는 헌법 제10조에 의하여 보호되어야 한다. 따라서 청소년은 국가의 교육권한과 부모의 교육권의 범주 내에서 자신의 교육에 관하여 스스로 결정할 권리, 즉 자유롭게 교육을 받을 권리를 가진다. 「학교폭력예방 및 대책에 관한 법률」 제17조 제1항은 학교폭력 가해학생에 대하여 취할 수 있는 조치로서 이 사건 징계조치조항은 위와 같은 조치를 병과할 수 있도록 하고 출석정지조치에 대해서는 그 기간의 제한을 두지 않음으로써, 청구인들의 자유롭게 교육을 받을 권리, 즉 학습의 자유를 제한한다(2019.4.11, 2017헌바140 등).

③ [O] 이 사건 법령조항 및 조례조항(광명시를 교육감이 추첨에 의하여 고등학교를 배정하는 지역에 포함시킨 '경기도교육감이 고등학교의 입학전형을 실시하는 지역에 관한 조례')에 의하여 학생인 청구인 임○민, 인○온에 대하여는 헌법 제10조에 의하여 인정되는 자신의 능력과 개성, 적성에 맞는 학교를 선택할 권리가 제한된다(2012.11.29, 2011헌마827).

④ [O] 이 사건 징계조치조항에서 수개의 조치를 병과하고 출석정지기간의 상한을 두지 않음으로써 구체적 사정에 따라 다양한 조치를 취할 수 있도록 한 것은 피해학생의 보호 및 가해학생의 선도·교육을 위하여 바람직하다고 할 것이고, 이 사건 징계조치조항이 가해학생에 대하여 수개의 조치를 병과할 수 있도록 하고 출석정지조치를 취함에 있어 기간의 상한을 두고 있지 않다고 하더라도, 가해학생의 학습의 자유에 대한 제한이 입법목적 달성에 필요한 최소한의 정도를 넘는다고 볼 수 없다(2019.4.11, 2017헌바140 등).

06 정답 ④

① [X] 청구인들은 심판대상조항이 자기결정권과 일반적 행동자유권 외에도 행복추구권을 침해한다고 주장하나, 행복추구권은 자기결정권과 일반적 행동자유권의 헌법적 근거로 거론되는 것으로서 위 각 조항의 자기결정권 및 일반적 행동자유권에 대한 침해 여부를 판단함으로써 행복추구권의 침해 여부에 대한 판단이 함께 이루어지므로 그 침해 여부를 별도로 다루지 아니한다. 따라서 이 사건에서는 심판대상조항이 피성년후견인이 될 사람의 자기결정권 및 일반적 행동자유권을 침해하는지 여부에 관하여 살펴본다(2019.12.27, 2018헌바130).

② [X] 성년후견개시심판조항에 의하여 제한되는 피성년후견인의 기본권이 위 조항에 의하여 달성되는 피성년후견인 본인의 신상과 재산의 보호 강화, 피성년후견인 보호에 드는 사회적 비용의 효율적 운용 및 거래의 안전이라는 법익보다 크다고 보기 어려우므로 성년후견개시심판조항은 법익의 균형성도 갖추었다. 따라서 성년후견개시심판조항이 과잉금지원칙에 위배되어 피성년후견인이 될 사람의 자기결정권 및 일반적 행동자유권을 침해하였다고 볼 수 없다(2019.12.27, 2018헌바130).

③ [X] 감정조항이 피성년후견인이 될 사람에 대한 감정의 주체를 단순히 의사라고만 규정하였다고 해서 침해의 최소성에 위배된 것으로는 볼 수 없다. 또한 감정조항은 구체적인 사안에서 법관의 판단을 통하여 적합한 감정주체인 의사를 결정할 수 있도록 함으로써, 후견의 필요성을 면밀히 검토함과 동시에 후견의 접근성을 높일 수 있도록 하므로 제한되는 기본권에 비해 달성되는 피성년후견인 본인의 보호라는 법익이 더욱 중대하다. 따라서 감정조항은 법익의 균형성도 갖추었다(2019.12.27, 2018헌바130).

❹ [O] 성년후견인 관련 조항에 의하여 피성년후견인의 기본권이 제한되는 정도가 위 조항에 의하여 달성되는 피성년후견인 본인의 신상과 재산의 보호 강화, 피성년후견인 보호에 드는 사회적 비용의 효율적 운용 및 거래안전이라는 법익보다 크다고 보기 어려우므로, 법익의 균형성도 갖추었다(2019.12.27, 2018헌바161).

07

정답 ②

① [O] 교도관이 마약류사범에게 검사의 취지와 방법을 설명하고 반입금지품을 제출하도록 안내한 후 외부와 차단된 검사실에서 같은 성별의 교도관 앞에 돌아서서 하의속옷을 내린 채 상체를 숙이고 양손으로 둔부를 벌려 항문을 보이는 방법으로 실시한 정밀신체검사는 수용자에 대한 생명·신체에 대한 위해를 방지하고 구치소 내의 안전과 질서를 유지하기 위한 것이고(목적의 정당성), … 청구인이 수인하여야 할 모욕감이나 수치심에 비하여 반입금지품을 차단함으로써 얻을 수 있는 수용자들의 생명과 신체의 안전, 구치소 내의 질서유지 등의 공익이 보다 크므로(법익 균형성), 과잉금지의 원칙에 위배되었다고 할 수 없다(2006.6.29, 2004헌마826).

❷ [X] 이 사건 청구인들로 하여금 유치기간 동안 위와 같은 구조의 화장실을 사용하도록 강제한 피청구인의 행위는 인간으로서의 기본적 품위를 유지할 수 없도록 하는 것으로서, 수인하기 어려운 정도라고 보여지므로 전체적으로 볼 때 비인도적·굴욕적일 뿐만 아니라 동시에 비록 건강을 침해할 정도는 아니라고 할지라도 헌법 제10조의 인간의 존엄과 가치로부터 유래하는 인격권을 침해하는 정도에 이르렀다고 판단된다(2001.7.19, 2000헌마546).

③ [O] 청구인이 이 사건 방실에 수용된 기간, 접견 및 운동으로 이 사건 방실 밖에서 보낸 시간 등 제반 사정을 참작하여 보더라도, 청구인은 이 사건 방실에서 신체적·정신적 건강이 악화되거나 인격체로서의 기본 활동에 필요한 조건을 박탈당하는 등 극심한 고통을 경험하였을 가능성이 크다. 따라서 청구인이 인간으로서 최소한의 품위를 유지할 수 없을 정도로 과밀한 공간에서 이루어진 이 사건 수용행위는 청구인의 인간으로서의 존엄과 가치를 침해한다(2016.12.29, 2013헌마142). 2017년 국회 9급, 2019년 지방 7급

④ [O] 이 사건 신체검사는 교정시설의 안전과 질서를 유지하기 위한 것으로 그 목적이 정당하고, 항문 부위에 대한 금지물품의 은닉 여부를 효과적으로 확인할 수 있는 적합한 검사방법으로 그 수단이 적절하다. 교정시설을 이감·수용할 때마다 전자영상 신체검사를 실시하는 것은 수용자가 금지물품을 취득하여 소지·은닉하고 있을 가능성을 배제할 수 없고, 외부관찰 등의 방법으로는 쉽게 확인할 수 없기 때문이다. 이 사건 신체검사는 사전에 검사의 목적과 방법을 고지한 후, 다른 사람이 볼 수 없는 차단된 장소에서 실시하는 등 검사받는 사람의 모욕감 내지 수치심 유발을 최소화하는 방법으로 실시하였는바, 기본권 침해의 최소성 요건을 충족하였다. 또한 이 사건 신체검사로 인하여 수용자가 느끼는 모욕감이나 수치심이 결코 작다고 할 수는 없지만, 흉기 기타 위험물이나 금지물품을 교정시설 내로 반입하는 것을 차단함으로써 수용자 및 교정시설 종사자들의 생명·신체의 안전과 교정시설 내의 질서를 유지한다는 공적인 이익이 훨씬 크다 할 것이므로, 법익의 균형성 요건 또한 충족된다. 이 사건 신체검사는 필요한 최소한도를 벗어나 과잉금지원칙에 위배되어 청구인의 인격권 내지 신체의 자유를 침해한다고 볼 수 없다(2011.5.26, 2010헌마775).

08

정답 ②

ㄱ. [X] 이 사건 호송행위는 교정시설 안에서보다 높은 수준의 계호가 요구되는 호송과정에서 교정사고와 타인에 대한 위해를 예방하기 위한 것이다. 교도인력만으로 수형자를 호송한다면 많은 인력을 필요로 하고, 그것이 교정사고 예방에 효과적이라 단정할 수도 없으며, 이 사건에서 보호장비가 사용된 시간과 일반에 공개된 시간이 최소한도로 제한되었으며, 최근 그 동선이 일반에의 공개를 최소화하는 구조로 설계되는 추세에 있다. 교정사고의 예방 등을 통한 공익이 수형자가 입게 되는 자유 제한보다 훨씬 크므로, 이 사건 호송행위는 청구인의 인격권 내지 신체의 자유를 침해하지 아니한다(2014.5.29, 2013헌마280).

ㄴ. [O] 심판대상조항은 수용자의 의료보장수급권을 직접 제약하는 규정이 아니며, 입법재량을 벗어나 수용자의 건강권을 침해하거나 국가의 보건의무를 저버린 것으로 볼 수 없으므로 수용자의 건강권, 인간의 존엄성, 행복추구권, 인간다운 생활을 할 권리를 침해하는 것이라 할 수 없다(2005.2.24, 2003헌마31 등).

ㄷ. [O] ○○교도소장이 수용자의 동절기 취침시간을 21:00으로 정한 행위는 수용자인 청구인의 일반적 행동자유권을 침해하지 않는다(2016.6.30, 2015헌마36). 2018년 비상업무

ㄹ. [O] 위와 같은 불이익은 규율 준수를 통하여 수용질서를 유지한다는 공익에 비하여 크다고 할 수 없다. 따라서 위 조항은 청구인의 일반적 행동의 자유를 침해하지 아니한다(2016.5.26, 2014헌마45). 2017년 국회 8급, 2019년 경찰승진

ㅁ. [O] 청구인이 그 주장과 같이 법률상 근거 없이 의무도 없는 소변채취를 강요당하였다면 헌법 제10조의 인간의 존엄과 가치 및 행복추구권에 의하여 보장되는 일반적인 행동의 자유권[하기 싫은 일(소변을 받아 제출하는 일)을 하지 않을 자유, 자기 신체상태나 정보에 대하여 외부에 알리지 않을 자유]과 헌법 제12조에 의하여 보장되는 신체의 자유의 침해 여부가 문제가 된다고 할 것이다(2006.7.27, 2005헌마277).

ㅂ. [X] 교도소 수용거실에 조명을 켜 둔 행위는 교정시설의 안전과 질서유지를 위해서는 수용거실 안에 일정한 수준의 조명을 유지할 필요가 있다. 수용자의 도주나 자해 등을 막기 위해서는 취침시간에도 최소한의 조명은 유지할 수밖에 없다. 조명점등행위는 '법무시설 기준규칙'이 규정하는 조도기준의 범위 안에서 이루어지고 있는데, 이보다 더 어두운 조명으로도 교정시설의 안전과 질서유지라는 목적을 같은 정도로 달성할 수 있다고 볼 수 있는 자료가 없다. 또 조명점등행위로 인한 청구인의 권익 침해가 교정시설 안전과 질서유지라는 공익 보호보다 더 크다고 보기도 어렵다. 그렇다면 조명점등행위가 과잉금지원칙에 위배하여 청구인의 기본권을 침해한다고 볼 수 없다(2018.8.30, 2017헌마440). 2017년 지방 7급

09

정답 ①

❶ [X] 이 사건 운동화착용불허행위는 시설 바깥으로의 외출이라는 기회를 이용한 도주를 예방하기 위한 것으로서 그 목적이 정당하고, 위와 같은 목적을 달성하기 위한 적합한 수단이라 할 것이다. 또한 신발의 종류를 제한하는 것에 불과하여 법익 침해의 최소성과 균형성도 갖추었다 할 것이므로, 이 사건 운동화착용불허행위가 기본권 제한에 있어서의 과잉금지원칙에 반하여 청구인의 인격권과 행복추구권을 침해하였다고 볼 수 없다(2011.2.24, 2009헌마209). 2014년 법행, 2019년 비상업무 하

② [O] 민사재판에서 법관이 당사자의 복장에 따라 불리한 심증을 갖거나 불공정한 재판진행을 하게 될 우려가 있다고 볼 수는 없으므로, 심판대상조항이 민사재판에 당사자로 출석하는 수형자의 사복착용을 불허하는 것으로 공정한 재판을 받을 권리가 침해되는 것은 아니다. 수형자가 민사법정에 출석하기까지 교도관이 반드시 동행하므로 수용자의 신분이 드러나게 되어 재소자용 의류로 인해 인격권과 행복추구권이 제한되는 정도는 제한적이고, 형사법정 이외의 법정 출입 방식은 미결수용자와 교도관 전용 통로 및 시설이 존재하는 형사재판과 다르며, 계호의 방식과 정도도 확연히 다르다. 따라서 심판대상조항이 민사재판에 당사자로 출석하는 수형자에 대해 사복착용을 불허하는 것은 청구인의 인격권과 행복추구권을 침해하지 아니한다(2015.12.23, 2013헌마712). 2016년 국회 8급, 2018년 경찰승진

③ [O] 수사 및 재판단계에서 유죄가 확정되지 아니한 미결수용자에게 재

소자용 의류를 입게 하는 것은 미결수용자로 하여금 모욕감이나 수치심을 느끼게 하고, 심리적인 위축으로 방어권을 제대로 행사할 수 없게 하여 실체적 진실의 발견을 저해할 우려가 있으므로, 도주 방지 등 어떠한 이유를 내세우더라도 그 제한은 정당화될 수 없어 헌법 제37조 제2항의 기본권 제한에서의 비례원칙에 위반되는 것으로서, 무죄추정의 원칙에 반하고 인간으로서의 존엄과 가치에서 유래하는 인격권과 행복추구권, 공정한 재판을 받을 권리를 침해하는 것이다(1999.5.27, 97헌마137 등). 2010년 법행

④ [O] 심판대상조항이 형사재판의 피고인으로 출석하는 수형자에 대하여 사복착용을 허용하지 아니한 것은 청구인의 공정한 재판을 받을 권리, 인격권, 행복추구권을 침해한다(2015.12.23, 2013헌마712). 2016년 국회 8급

10 정답 ②

① [O] 「4·16 세월호참사 피해구제 및 지원 등을 위한 특별법」은 세월호참사로 인하여 피해를 입은 사람의 피해를 신속하게 구제하기 위한 목적으로 제정되었고, 국가가 소송 이외의 간이한 방법으로 피해자에게 배상금 등을 우선 지급한 다음 국가 이외의 다른 책임자들에게 구상권 등을 행사하도록 하는 수단을 마련하였다. 이 사건 법률조항은 신청인이 배상금 등 지급결정에 동의한 경우 재판상 화해와 같은 효력을 부여함으로써 지급절차를 신속히 종결하고 배상금 등을 지급할 수 있도록 한 규정으로, 그 입법목적의 정당성과 수단의 적절성이 인정된다(2017.6.29, 2015헌마654).

❷ [X] 이 사건 시행령규정으로 인하여 제한되는 청구인들의 일반적 행동의 자유는 재판단계에서 법원이 이 규정을 해석하기 전에 일상생활에서 자신의 의사를 결정하고 그에 따른 행위를 하는 데 대한 자유권이다. 따라서 재판단계에 이르러 이 규정이 아무런 법적 구속력이 없는 것이라고 해석될 가능성이 있다고 하여 청구인들의 자유권을 제한하는 공권력의 행사가 되지 않는다고 할 수는 없다. 청구인들로서는 헌법소원 이외에 이와 같은 자유권 제한을 다툴 수 있는 방법이 없으므로, 이 사건 시행령규정은 헌법소원의 대상이 되는 공권력의 행사로 보아야 한다(2017.6.29, 2015헌마654).

③ [O] 「4·16 세월호참사 피해구제 및 지원 등을 위한 특별법」(이하 '세월호피해지원법'이라 한다) 제16조는 지급절차를 신속히 종결함으로써 세월호 참사로 인한 피해를 신속하게 구제하기 위한 것이다. 세월호피해지원법 제16조가 지급결정에 재판상 화해의 효력을 인정함으로써 확보되는 배상금 등 지급을 둘러싼 분쟁의 조속한 종결과 이를 통해 확보되는 피해구제의 신속성 등의 공익은 그로 인한 신청인의 불이익에 비하여 작다고 보기는 어려우므로, 법익의 균형성도 갖추고 있다. 따라서 세월호피해지원법 제16조는 청구인들의 재판청구권을 침해하지 않는다(2017.6.29, 2015헌마654).

④ [O] 「4·16 세월호참사 피해구제 및 지원 등을 위한 특별법」(이하 '세월호피해지원법'이라 한다)은 배상금 등의 지급 이후 효과나 의무에 관한 일반규정을 두거나 이에 관하여 범위를 정하여 하위법규에 위임한 바가 전혀 없다. 따라서 세월호피해지원법 제15조 제2항의 위임에 따라 시행령으로 규정할 수 있는 사항은 지급신청이나 지급에 관한 기술적이고 절차적인 사항일 뿐이다. 신청인에게 지급결정에 대한 동의의 의사표시 전에 숙고의 기회를 보장하고, 그 법적 의미와 효력에 관하여 안내해 줄 필요성이 인정된다 하더라도, 세월호피해지원법 제16조에서 규정하는 동의의 효력범위를 초과하여 세월호 참사 전반에 관한 일체의 이의제기를 금지시킬 수 있는 권한을 부여받았다고 볼 수는 없다. 따라서 이의제기금지조항은 법률유보원칙을 위반하여 법률의 근거 없이 대통령령으로 청구인들에게 세월호 참사와 관련된 일체의 이의제기금지의무를 부담시킴으로써 일반적 행동의 자유를 침해한다(2017.6.29, 2015헌마654).

11 정답 ②

ㄱ. [O] 미결수용자가 가족과 접견하는 것이 헌법 제10조가 보장하고 있는 인간으로서의 존엄과 가치 및 행복추구권 가운데 포함되는 헌법상의 기본권인 것과 마찬가지로 미결수용자의 가족이 미결수용자와 접견하는 것 역시 헌법 제10조가 보장하고 있는 인간으로서의 존엄과 가치 및 행복추구권 가운데 포함되는 헌법상의 기본권이라고 보아야 할 것이다(2021.11.25, 2018헌마598).

ㄴ. [X] 미결수용자는 적법하게 구속되어 외부와의 접촉이 차단된 상태이므로 미결수용자의 가족이 접견교통권을 행사하려면 국가가 별도로 접견교통의 수단과 절차를 마련해 주어야 한다. 그런데 입법자는 「형의 집행 및 수용자의 처우에 관한 법률」에 대면(제41조), 편지수수(제43조), 전화통화(제44조)만을 접견교통의 수단으로 규정하였을 뿐이고, 미결수용자의 가족이 인터넷화상접견이나 스마트접견과 같이 영상통화를 이용하여 접견할 권리가 접견교통권의 핵심적 내용에 해당되어 헌법에 의해 직접 보장된다고 보기도 어렵다. 이와 같이 영상통화를 이용한 접견이 접견교통권의 보호영역에 포함되지 않는 이상, 인터넷화상접견대상자 지침조항 및 스마트접견대상자 지침조항에 의한 접견교통권 제한이나 행복추구권 또는 일반적 행동자유권의 제한 역시 인정하기 어렵다(2021.11.25, 2018헌마598).

ㄷ. [O] 입법자는 「형의 집행 및 수용자의 처우에 관한 법률」에 대면(제41조), 편지수수(제43조), 전화통화(제44조)만을 접견교통의 수단으로 규정하였을 뿐이고, 미결수용자의 가족이 인터넷화상접견이나 스마트접견과 같이 영상통화를 이용하여 접견할 권리가 접견교통권의 핵심적 내용에 해당되어 헌법에 의해 직접 보장된다고 보기도 어렵다. 이와 같이 영상통화를 이용한 접견이 접견교통권의 보호영역에 포함되지 않는 이상, 인터넷화상접견대상자 지침조항 및 스마트접견대상자 지침조항에 의한 접견교통권 제한이나 행복추구권 또는 일반적 행동자유권의 제한 역시 인정하기 어렵다(2021.11.25, 2018헌마598).

ㄹ. [X] 법무부장관이 법무부훈령인 수용관리 및 계호업무 등에 관한 지침을 제정하여 수형자에 한하여 인터넷화상접견과 스마트접견제도를 도입하였으므로, 인터넷화상접견대상자 지침조항과 스마트접견대상자 지침조항에 의하여 미결수용자의 배우자와 수형자의 배우자와의 사이에 차별이 발생한다. 이러한 차별은 인터넷화상접견대상자 지침조항 및 스마트접견대상자 지침조항이라는 법적 근거에 의해 발생한 것이고, 영상통화가 과거에 비해 상당히 보편화된 상황에서 인터넷화상접견이나 스마트접견이 실시된 지도 약 6년 내지 9년이 경과하였으며, 코로나바이러스 확산 등으로 인하여 비대면 접견의 수요가 증가한 실정 등을 종합해 보면, 위와 같은 차별은 단순히 사실상의 이익의 차별이라기보다는 법으로 보호할 가치가 있는 이익의 차별에 해당된다. 따라서 인터넷화상접견대상자 지침조항 및 스마트접견대상자 지침조항에 의해 청구인의 평등권이 제한된다(2021.11.25, 2018헌마598).

ㅁ. [O] 영상통화방식의 접견은 헌법이 명문으로 특별히 평등을 요구하는 영역에 속하지 않고, 달리 인터넷화상접견대상자 지침조항 및 스마트접견대상자 지침조항에 의한 중대한 기본권의 제한 역시 인정할 수 없다. 따라서 위 각 지침조항에 의한 평등권 침해 여부는 차별에 합리적 이유가 있는지를 살펴보는 방식으로 심사하는 것이 적절하다(2021.11.25, 2018헌마598).

12 정답 ③

ㄱ. [O] 이 사건 법률조항은 우리 사회의 중대한 공익이며 헌법 제36조 제1항으로부터 도출되는 일부일처제를 실현하기 위한 것이다. 이 사

건 법률조항은 중혼을 혼인무효사유가 아니라 혼인 취소사유로 정하고 있는데, 혼인 취소의 효력은 기왕에 소급하지 아니하므로 중혼이라 하더라도 법원의 취소판결이 확정되기 전까지는 유효한 법률혼으로 보호받는다. 후혼의 취소가 가혹한 결과가 발생하는 경우에는 구체적 사건에서 법원이 권리남용의 법리 등으로 해결하고 있다. 따라서 중혼 취소청구권의 소멸에 관하여 아무런 규정을 두지 않았다 하더라도, 이 사건 법률조항이 현저히 입법재량의 범위를 일탈하여 후혼배우자의 인격권 및 행복추구권을 침해하지 아니한다(2014.7.24, 2011헌바275).

ㄴ. [O] 부모가 자녀의 이름을 지어주는 것은 자녀의 양육과 가족생활을 위하여 필수적이더라도, 가족생활의 핵심적 요소라 할 수 있으므로, '부모가 자녀의 이름을 지을 자유'는 혼인과 가족생활을 보장하는 헌법 제36조 제1항과 행복추구권을 보장하는 헌법 제10조에 의하여 보호받는다(2016.7.28, 2015헌마964). 2019년 국가 7급, 2020년 소방간부

ㄷ. [O] 「민법」 제정 이후의 사회적·법률적·의학적 사정변경을 전혀 반영하지 아니한 채, 이미 혼인관계가 해소된 이후에 자가 출생하고 생부가 출생한 자를 인지하려는 경우마저도, 아무런 예외 없이 그 자를 전남편의 친생자로 추정함으로써 친생부인의 소를 거치도록 하는 심판대상조항은 입법형성의 한계를 벗어나 모가 가정생활과 신분관계에서 누려야 할 인격권, 혼인과 가족생활에 관한 기본권을 침해한다(2015.4.30, 2013헌마623). 2017년 국가 7급, 2018년 법원

ㄹ. [X] "협의상 이혼을 하려는 부부는 두 사람이 함께 등록기준지 또는 주소지를 관할하는 가정법원에 출석하여 협의이혼의사확인신청서를 제출하고 이혼에 관한 안내를 받아야 한다."라고 규정하여 부부가 함께 법원에 직접 출석하여 협의이혼의사확인신청서를 제출하도록 강제하는 「가족관계의 등록에 관한 규칙」 제73조 제1항은 협의이혼을 하려는 사람들의 일반적 행동자유권을 침해하지 않는다(2016.6.30, 2015헌마894). 2018년 비상업무

ㅂ. [O] 이 사건 법률조항은 '법률적인 친자관계를 진실에 부합시키고자 하는 부(夫)의 이익'과 '친자관계의 신속한 확정을 통하여 법적 안정을 찾고자 하는 자(子)의 이익'을 합리적으로 조정함으로써 친생부인의 소의 제척기간에 관한 입법재량의 한계를 벗어났다고 보기 어려워, 부(夫)가 가정생활과 신분관계에서 누려야 할 인격권, 행복추구권 및 개인의 존엄과 양성의 평등에 기초한 혼인과 가족생활에 관한 기본권을 침해하지 아니한다(2015.3.26, 2012헌바357). 2016년 법무사, 2017년 국가 7급

ㅅ. [O] 부성주의 자체는 합헌이나 부가 사망하였거나 부모가 이혼하여 모가 단독으로 친권을 행사하고 양육할 것이 예상되는 경우 혼인외 자를 부가 인지하였으나 모가 단독으로 양육하고 있는 경우 등에 있어서 부성을 사용토록 강제하면서 모의 성의 사용을 허용하지 않은 것은 헌법 제36조 제1항에 위반된다. 이 사건 법조항에 대하여 위헌결정을 선고할 경우 부성주의원칙 자체까지 위헌으로 선언되는 결과를 초래하게 되므로 헌법불합치결정을 선고하되 2007.12.31.까지 잠정적용을 명한다(2005.12.22, 2003헌가56). 2016년 5급 승진

ㅇ. [X] 결혼식 하객들에게 주류와 음식물을 접대하는 행위는 인류의 오래된 보편적인 사회생활의 한 모습으로서 일반적 행동자유권의 보호대상이다(1998.10.15, 98헌마168). 2018년 비상업무

ㅈ. [X] 또한 간통죄의 보호법익인 혼인과 가정의 유지는 당사자의 자유로운 의지와 애정에 맡겨야지, 형벌을 통하여 타율적으로 강제될 수 없는 것이며, 현재 간통으로 처벌되는 비율이 매우 낮고, 간통행위에 대한 사회적 비난 역시 상당한 수준으로 낮아져 간통죄는 행위규제규범으로서 기능을 잃어가고, 형사정책상 일반예방 및 특별예방의 효과를 거두기도 어렵게 되었다. 부부 간 정조의무 및 여성 배우자의 보호는 간통한 배우자를 상대로 한 재판상 이혼청구, 손해배상청구 등 민사상의 제도에 의해 보다 효과적으로 달성될 수 있고, 오히려 간통죄가 유책의 정도가 훨씬 큰 배우자의 이혼수단으로 이용되거나 일시 탈선한 가정주부 등을 공갈하는 수단으로 악용되고 있기도 하다. 결국 심판대상조항은 과잉금지원칙에 위배하여 국민의 성적 자기결정권 및 사생활의 비밀과 자유를 침해하는 것으로서 헌법에 위반된다(2015.2.26, 2009헌바17 등).

ㅊ. [O] 민법 제847조 제1항은 친생부인의 소의 제척기간과 그 기산점에 관하여 '그 출생을 안 날로부터 1년 내'라고 규정하고 있으나, 일반적으로 친자관계의 존부는 특별한 사정이나 어떤 계기가 없으면 이를 의심하지 아니하는 것이 통례임에 비추어 볼 때, 친생부인의 소의 제척기간의 기산점을 단지 그 '출생을 안 날로부터'라고 규정한 것은 부에게 매우 불리한 규정일 뿐만 아니라, '1년'이라는 제척기간 그 자체도 그 동안에 변화된 사회현실여건과 혈통을 중시하는 전통관습 등 여러 사정을 고려하면 현저히 짧은 것이어서, 결과적으로 위 법률조항은 입법재량의 범위를 넘어서 친자관계를 부인하고자 하는 부로부터 이를 부인할 수 있는 기회를 극단적으로 제한함으로써 자유로운 의사에 따라 친자관계를 부인하고자 하는 부의 가정생활과 신분관계에서 누려야 할 인격권, 행복추구권 및 개인의 존엄과 양성의 평등에 기초한 혼인과 가족생활에 관한 기본권을 침해하는 것이다(1997.3.27, 95헌가14 등). 2010년 법행

ㅋ. [X] 이 사건 법률조항이 인지청구의 제소기간을 정함에 있어 혼인외 출생자가 부 또는 모와의 사이에 친자관계가 존재함을 알았는지 여부를 고려하지 아니하고 단순히 '사망한 사실을 안 날로부터 1년 내'라고 규정한 것은 혼인외 출생자의 인지청구 자체가 현저히 곤란하게 되거나 사실상 불가능하게 되는 것은 아니다. 따라서 이 사건 법률조항이 인지청구의 소의 제소기간을 부 또는 모의 사망을 안 날로부터 1년 내로 규정한 것은 과잉금지원칙에 위배되지 아니하므로 인지청구를 하고자 하는 국민의 인간으로서의 존엄과 가치 그리고 행복을 추구하는 기본권을 침해하는 것은 아니다(2001.5.31, 98헌바9). 2010년 법행

ㅌ. [X] 부모가 자녀의 이름을 지어주는 것은 자녀의 양육과 가족생활을 위하여 필수적인 것이고, 가족생활의 핵심적 요소라 할 수 있으므로, '부모가 자녀의 이름을 지을 자유'는 혼인과 가족생활을 보장하는 헌법 제36조 제1항과 행복추구권을 보장하는 헌법 제10조에 의하여 보호받는다(2016.7.28, 2015헌마964). 2020년 변시

13 정답 ④

① [X] 구 「먹는물관리법」 제28조 제1항은 국민에게 먹는 샘물에 대한 원칙적 선택권을 인정하는 가운데 수질개선부담금을 부과함으로써 가격전가를 통하여 먹는 샘물의 소비자에게 경제적 부담을 가하는 것에 그치고 있는데 그 부담의 정도가 지나치지 아니하며, 더욱이 먹는 샘물을 마시는 사람은 유한한 환경재화인 지하수를 소비하는 사람이므로 이들에 대하여 환경보전에 대한 비용을 부담하게 할 수도 있는 것이므로 위 법률조항으로 인하여 국민이 마시고 싶은 물을 자유롭게 선택할 권리를 빼앗겨 행복추구권을 침해받는다고 할 수 없다(1998.12.24, 98헌가1).

② [X] 일정한 요건하에 객관성과 공정성을 갖춘 기관의 심사를 거쳐 변경할 수 있도록 한다면 주민등록번호 변경절차를 악용하려는 시도를 차단할 수 있으며, 사회적으로 큰 혼란을 불러일으키지도 않을 것이다. 따라서 주민등록번호 변경에 관한 규정을 두고 있지 않은 심판대상조항은 과잉금지원칙에 위배되어 개인정보자기결정권을 침해한다(2015.12.23, 2013헌바68 등).

③ [X] 헌법 제10조에서 파생되는 것이기는 하지만 명문의 규정은 없다.

관련 판례 헌법 제10조가 정하고 있는 행복추구권에서 파생되는 자기결정권 내지 일반적 행동자유권은 이성적이고 책임감 있는 사람의

자기 운명에 대한 결정·선택을 존중하되 그에 대한 책임은 스스로 부담함을 전제로 한다(2015.3.26, 2012헌바381 등).

❹ [O] 시신 자체의 제공과는 구별되는 장기나 인체조직에 있어서는 본인이 명시적으로 반대하는 경우 이식·채취될 수 없도록 규정하고 있음에도 불구하고, 이 사건 법률조항은 본인이 해부용 시체로 제공되는 것에 대해 반대하는 의사표시를 명시적으로 표시할 수 있는 절차도 마련하지 않고 본인의 의사와는 무관하게 해부용 시체로 제공될 수 있도록 규정하고 있다는 점에서 침해의 최소성원칙을 충족했다고 보기 어렵고, 실제로 해부용 시체로 제공된 사례가 거의 없는 상황에서 이 사건 법률조항이 추구하는 공익이 사후 자신의 시체가 자신의 의사와는 무관하게 해부용 시체로 제공됨으로써 침해되는 사익보다 크다고 할 수 없으므로 이 사건 법률조항은 청구인의 시체 처분에 대한 자기결정권을 침해한다(2015.11.26, 2012헌마940). 2019년 국가 7급

14 정답 ①

❶ [X] 부모의 자녀에 대한 교육권은 비록 헌법에 명문으로 규정되어 있지는 아니하지만, 혼인과 가족생활을 보장하는 헌법 제36조 제1항, 행복추구권을 보장하는 헌법 제10조 및 헌법 제37조 제1항에서 나오는 중요한 기본권이며, 이러한 부모의 자녀교육권이 학교영역에서는 자녀의 교육진로에 관한 결정권 내지는 자녀가 다닐 학교를 선택하는 권리로 구체화된다(2009.4.30, 2005헌마514). 2018년 국회 8급

비교 판례 부모의 학교선택권은 미성년인 자녀의 교육을 받을 권리를 실효성 있게 보장하기 위한 것이므로, 미성년인 자녀의 교육을 받을 권리의 근거규정인 헌법 제31조 제1항에서 헌법적 근거를 찾을 수 있을 것이다(1995.2.23, 91헌마204).

② [O] 양육권은 공권력으로부터 자녀의 양육을 방해받지 않을 권리라는 점에서는 자유권적 기본권으로서의 성격을, 자녀의 양육에 관하여 국가의 지원을 요구할 수 있는 권리라는 점에서는 사회권적 기본권으로서의 성격을 아울러 가지고 있다고 할 수 있고, 이 사건 법률조항과 같이 육아휴직을 신청할 수 있는 대상 군인을 제한하는 것은 사회권적 기본권으로서의 양육권을 제한하는 것으로 볼 수 있다(2008.10.30, 2005헌마1156).

③ [O] 헌법 제31조가 보호하는 교육의 자주성·전문성·정치적 중립성은 국가의 안정적인 성장 발전을 도모하기 위하여서는 교육이 외부세력의 부당한 간섭에 영향받지 않도록 교육자 내지 교육전문가에 의하여 주도되고 관할되어야 할 필요가 있다는 데서 비롯된 것인 바, 비록 심판대상조항에 의하여 사립학교 교육의 자주성·전문성이 어느 정도 제한된다고 하더라도, 그 입법취지 및 학교운영위원회의 구성과 성격 등을 볼 때, 사립학교 학교운영위원회제도가 현저히 자의적이거나 비합리적으로 사립학교의 공공성만을 강조하고 사립학교의 자율성을 제한한 것이라 보기 어렵다(2001.11.29, 2000헌마278).

④ [O] 자녀의 양육과 교육에 있어서 부모의 교육권은 교육의 모든 영역에서 존중되어야 하며, 다만, 학교교육의 범주 내에서는 국가의 교육권한이 헌법적으로 독자적인 지위를 부여받음으로써 부모의 교육권과 함께 자녀의 교육을 담당하지만, 학교 밖의 교육영역에서는 원칙적으로 부모의 교육권이 우위를 차지한다(2000.4.27, 98헌가16 등).

15 정답 ①

❶ [O] 학교제도에 관한 국가의 규율권한과 부모의 교육권이 서로 충돌하는 경우, 어떠한 법익이 우선하는가의 문제는 구체적인 경우마다 법익형량을 통하여 판단해야 하는데, 자녀가 의무교육을 받아야 할지의 여부와 그의 취학연령을 부모가 자유롭게 결정할 수 없다는 것은 부모의 교육권에 대한 과도한 제한이 아니다(2000.4.27, 98헌가16 등). 2013년 변시

② [X] 자녀의 양육과 교육에 있어서 부모의 교육권은 교육의 모든 영역에서 존중되어야 하며, 다만, 학교교육에 관한 한, 국가는 헌법 제31조에 의하여 부모의 교육권으로부터 원칙적으로 독립된 독자적인 교육권한을 부여받음으로써 부모의 교육권과 함께 자녀의 교육을 담당하지만, 학교 밖의 교육영역에서는 원칙적으로 부모의 교육권이 우위를 차지한다(2000.4.27, 98헌가16 등). 2021년 경찰승진

③ [X] ④ [X] 자녀의 양육과 교육에 있어서 부모의 교육권은 교육의 모든 영역에서 존중되어야 하며, 다만, 학교교육의 범주 내에서는 국가의 교육권한이 헌법적으로 독자적인 지위를 부여받음으로써 부모의 교육권과 함께 자녀의 교육을 담당하지만, 학교 밖의 교육영역에서는 원칙적으로 부모의 교육권이 우위를 차지한다(2000.4.27, 98헌가16). 2014년 국가 7급, 2016년 입시

16 정답 ②

① [O] 자녀의 양육과 교육은 일차적으로 부모의 천부적인 권리인 동시에 부모에게 부과된 의무이기도 하다. '부모의 자녀에 대한 교육권'은 비록 헌법에 명문으로 규정되어 있지는 아니하지만, 이는 모든 인간이 누리는 불가침의 인권으로서 혼인과 가족생활을 보장하는 헌법 제36조 제1항, 행복추구권을 보장하는 헌법 제10조 및 "국민의 자유와 권리는 헌법에 열거되지 아니한 이유로 경시되지 아니한다."라고 규정하는 헌법 제37조 제1항에서 나오는 중요한 기본권이다(2000.4.27, 98헌가16 등). 2021년 경찰승진

❷ [X] ③ [O] 자녀의 양육과 교육에 있어서 부모의 교육권은 교육의 모든 영역에서 존중되어야 하며, 다만, 학교교육에 관한 한, 국가는 헌법 제31조에 의하여 부모의 교육권으로부터 원칙적으로 독립된 독자적인 교육권한을 부여받음으로써 부모의 교육권과 함께 자녀의 교육을 담당하지만, 학교 밖의 교육영역에서는 원칙적으로 부모의 교육권이 우위를 차지한다(2000.4.27, 98헌가16, 98헌마429). 2008년 사시, 2020년 변시

④ [O] 자녀에 대한 교육의 책임과 결과는 궁극적으로 그 부모에게 귀속된다는 점에서, 국가는 제2차적인 교육의 주체로서 교육을 위한 기본조건을 형성하고 교육시설을 제공하는 기관일 뿐이다. 따라서 국가는 자녀의 전반적인 성장과정을 모두 규율하려고 해서는 아니되며, 재정적으로 가능한 범위내에서 피교육자의 다양한 성향과 능력이 자유롭게 발현될 수 있는 학교제도를 마련하여야 한다(2000.4.27, 98헌가16). 2012년 사시

17 정답 ③

① [X] 부모의 자녀교육권은 다른 기본권과는 달리, 기본권의 주체인 부모의 자기결정권이라는 의미에서 보장되는 자유가 아니라, 자녀의 보호와 인격발현을 위하여 부여되는 기본권이다. 다시 말하면, 부모의 자녀교육권은 자녀의 행복이란 관점에서 보장되는 것이며, 자녀의 행복이 부모의 교육에 있어서 그 방향을 결정하는 지침이 된다(2000.4.27, 98헌가16 등).

② [X] 헌법 제31조가 보호하는 교육의 자주성·전문성·정치적 중립성은 국가의 안정적인 성장 발전을 도모하기 위하여서는 교육이 외부세력의 부당한 간섭에 영향받지 않도록 교육자 내지 교육전문가에 의하여 주도되고 관할되어야 할 필요가 있다는 데서 비롯된 것인바, 비록 심판대상조항에 의하여 사립학교 교육의 자주성·전문성이 어느 정도 제한된다고 하더라도, 그 입법취지 및 학교운영위원회의 구성과 성격 등을 볼 때, 사립학교 학교운영위원회제도가 현저히 자의적이거나 비합리적으로 사립학교의 공공성만을 강조하고 사립학교의 자율성을 제한한 것이라 보기 어렵다(2001.11.29, 2000헌마278).

❸ [O] 헌법 제31조가 보호하는 교육의 자주성·전문성·정치적 중립성은 국가의 안정적인 성장 발전을 도모하기 위하여서는 교육이 외부세력의 부당한 간섭에 영향받지 않도록 교육자 내지 교육전문가에 의하여 주도되고 관할되어야 할 필요가 있다는 데서 비롯된 것인바, 비록 심판대상조항에 의하여 사립학교 교육의 자주성·전문성이 어느 정도 제한된다고 하더라도, 그 입법취지 및 학교운영위원회의 구성과 성격 등을 볼 때, 사립학교 학교운영위원회제도가 현저히 자의적이거나 비합리적으로 사립학교의 공공성만을 강조하고 사립학교의 자율성을 제한한 것이라 보기 어렵다(2001.11.29, 2000헌마278).

④ [X] 일반적으로 부모의 그러한 교육권으로부터 바로 학부모의 학교참여권(참가권)이 도출된다고 보기는 어렵겠지만, 학부모가 미성년자인 학생의 교육과정에 참여할 당위성은 부정할 수 없다. 그러므로 입법자가 학부모의 집단적인 교육참여권을 법률로써 인정하는 것은 헌법상 당연히 허용된다고 할 것이다. 설사 이 사건 조항에 의하여 사립학교 교육의 자주성·전문성이 어느 정도 제한된다고 하더라도, 그 제한이 법률에 의한 것이며 사립학교의 자주성·전문성 내지 자율성과 공공성을 조화시키는 범위 내에서 규정된 것이라면 그 제한이 헌법에 반한다고 하기 어렵다(2001.11.29, 2000헌마278). 2010년 지방 7급

18 정답 ②

① [X] 일반적으로 부모의 그러한 교육권으로부터 바로 학부모의 학교참여권(참가권)이 도출된다고 보기는 어렵겠지만, 학부모가 미성년자인 학생의 교육과정에 참여할 당위성은 부정할 수 없다. 그러므로 입법자가 학부모의 집단적인 교육참여권을 법률로써 인정하는 것은 헌법상 당연히 허용된다고 할 것이다. 설사 이 사건 조항에 의하여 사립학교 교육의 자주성·전문성이 어느 정도 제한된다고 하더라도, 그 제한이 법률에 의한 것이며 사립학교의 자주성·전문성 내지 자율성과 공공성을 조화시키는 범위 내에서 규정된 것이라면 그 제한이 헌법에 반한다고 하기 어렵다(2001.11.29, 2000헌마278). 2012년 사시

❷ [O] **「초·중등교육법」 제47조 제2항 등 위헌확인**

헌법은 국가의 교육권한과 부모의 교육권의 범주 내에서 학생에게도 자신의 교육에 관하여 스스로 결정할 권리, 즉 자유롭게 교육을 받을 권리를 부여하고, 학생은 국가의 간섭을 받지 아니하고 자신의 능력과 개성, 적성에 맞는 학교를 자유롭게 선택할 권리를 가진다(2012.11.29, 2011헌마827).

③ [X] 학부모가 자녀를 교육시킬 학교를 선택할 권리인 학교선택권도 자녀에 대한 부모교육권에 포함된다(1995.2.23, 91헌마204).

④ [X] 부모의 자녀에 대한 교육권은 비록 헌법에 명문으로 규정되어 있지는 아니하지만, 혼인과 가족생활을 보장하는 헌법 제36조 제1항, 행복추구권을 보장하는 헌법 제10조 및 헌법 제37조 제1항에서 나오는 중요한 기본권이며, 이러한 부모의 자녀교육권이 학교영역에서는 자녀의 교육진로에 관한 결정권 내지는 자녀가 다닐 학교를 선택하는 권리로 구체화된다(2009.4.30, 2005헌마514).

19 정답 ③

① [O] 초·중등학교 재학 중인 학생은 아직 성숙하지 못한 인격체이긴 하지만, 부모와 국가에 의한 교육의 단순한 대상이 아닌 독립적인 인격체이며, 그의 인격권은 성인과 마찬가지로 인간의 존엄성 및 행복추구권을 보장하는 헌법 제10조에 의하여 보호되므로, 이들은 국가의 교육권한과 부모의 자녀교육권의 범주 내에서 자신의 교육에 관하여 스스로 결정할 권리를 가진다. 이 사건 한자 관련 고시는 한자를 국어과목에서 분리하여 학교 재량에 따라 선택적으로 가르치도록 하고 있으므로, 국어교과의 내용으로 한자를 배우고 일정 시간 이상 필수적으로 한자교육을 받음으로써 교육적 성장과 발전을 통해 자아를 실현하고자 하는 학생들의 자유로운 인격발현권을 제한한다(2016.11.24, 2012헌마854).

② [O] 오늘날 영화 및 공연을 중심으로 하는 문화산업은 높은 부가가치를 실현하는 첨단산업으로서의 의미를 가지고 있다. 따라서 직업교육이 날로 강조되는 대학교육에 있어서 문화에의 손쉬운 접근가능성은 중요한 기본권으로서의 의미를 갖게 된다. 이 사건 법률조항은 대학생의 자유로운 문화향유에 관한 권리 등 행복추구권을 침해하고 있다. 아동과 청소년은 부모와 국가에 의한 단순한 보호의 대상이 아닌 독자적인 인격체이며, 그의 인격권은 성인과 마찬가지로 인간의 존엄성 및 행복추구권을 보장하는 헌법 제10조에 의하여 보호된다. 따라서 헌법이 보장하는 인간의 존엄성 및 행복추구권은 국가의 교육권한과 부모의 교육권의 범주 내에서 아동에게도 자신의 교육환경에 관하여 스스로 결정할 권리, 그리고 자유롭게 문화를 향유할 권리를 부여한다고 할 것이다. 이 사건 법률조항은 아동·청소년의 문화향유에 관한 권리 등 인격의 자유로운 발현과 형성을 충분히 고려하고 있지 아니하므로 아동·청소년의 자유로운 문화향유에 관한 권리 등 행복추구권을 침해하고 있다(2004.5.27, 2003헌가1 등). 2016년 사시

❸ [X] 학원 교습시간 제한으로 학원원장의 직업수행의 자유, 학생들의 인격권, 부모의 자녀에 대한 교육권이 제한된다(2009.10.29, 2008헌마454).

④ [O] 이 사건 공문서조항은 공문서를 한글로 작성하여 공적 영역에서 원활한 의사소통을 확보하고 효율적·경제적으로 공적 업무를 수행하기 위한 것이다. 국민들은 공문서를 통하여 공적 생활에 관한 정보를 습득하고 자신의 권리·의무와 관련된 사항을 알게 되므로 우리 국민 대부분이 읽고 이해할 수 있는 한글로 작성할 필요가 있다. 한자어를 굳이 한자로 쓰지 않더라도 앞뒤 문맥으로 그 뜻을 이해할 수 있는 경우가 대부분이고, 뜻을 정확히 전달하기 위하여 필요한 경우에는 괄호 안에 한자를 병기할 수 있으므로 한자혼용방식에 비하여 특별히 한자어의 의미 전달력이나 가독성이 낮아진다고 보기 어렵다. 따라서 이 사건 공문서조항은 청구인들의 행복추구권을 침해하지 아니한다(2016.11.24, 2012헌마854). 2021년 국가 7급

20 정답 ④

① [O] 이 사건 고시 부분은 초등학생의 전인적 성장을 도모하고, 영어 사교육 시장의 과열을 방지하기 위한 것으로, 그 목적의 정당성이 인정되고, 이 사건 고시 부분으로 영어교육의 편제와 시간 배당을 통제하는 것은 위 목적을 달성하기 위한 적절한 수단이다. 사립학교에게 그 특수성과 자주성이 인정된다고 하더라도, 자율적인 교육과정의 편성은 국가수준의 교육과정 내에서 허용될 수 있는 것이

지, 이를 넘어 허용한다면 교육의 기회에 불평등을 조장하는 결과를 초래하여, 종국에는 사회적 양극화를 초래하는 주요한 요소가 될 것이다. 따라서 이 사건 고시 부분은 청구인들의 인격의 자유로운 발현권과 자녀교육권을 침해하지 않는다(2016.2.25, 2013헌마838).

② [O] 현재 한글전용이 보편화되어 있어 대부분의 문서와 책, 언론기사 등이 한글 위주로 작성되어 있고, 한자는 한글만으로 뜻의 구별이 안 되거나 생소한 단어의 경우 그 정확한 이해를 돕기 위해 부기하는 정도로만 표기되고 있다. 한자어는 굳이 한자로 쓰지 않더라도 앞뒤 문맥으로 그 뜻을 이해할 수 있는 경우가 대부분이고, 특정 낱말이 한자로 어떻게 표기되는지를 아는 것이 어휘능력이나 독해력, 사고력 향상에 결정적인 요소가 된다고 보기 어렵다. 특히 요즘에는 인터넷이 상용화되어 한글만 사용하더라도 지식과 정보 습득에 아무런 문제가 없다. 이러한 점들을 종합하면, 한자를 국어과목의 일환이 아닌 독립과목으로 편제하고 학교 재량에 따라 선택적으로 가르치도록 하였다고 하여 학생들의 자유로운 인격발현권이나 부모의 자녀교육권을 침해한다고 볼 수 없다(2016.11.24, 2012헌마854).

③ [O] 종교행사와 종교과목 수업을 실시하면서 참가 거부가 사실상 불가능한 분위기를 조성하고 대체과목을 개설하지 않는 등 신앙을 갖지 않거나 학교와 다른 신앙을 가진 학생의 기본권을 고려하지 않은 것은, 우리 사회의 건전한 상식과 법감정에 비추어 용인될 수 있는 한계를 벗어나 학생의 종교에 관한 인격적 법익을 침해하는 위법한 행위이다(대판 전합체 2010.4.22, 2008다38288).

❹ [X] 이 사건 징계조치조항에서 수개의 조치를 병과하고 출석정지기간의 상한을 두지 않음으로써 구체적 사정에 따라 다양한 조치를 취할 수 있도록 한 것은 피해학생의 보호 및 가해학생의 선도·교육을 위하여 바람직하다고 할 것이고, 이 사건 징계조치조항보다 가해학생의 학습의 자유를 덜 제한하면서, 피해학생에게 심각한 피해와 지속적인 영향을 미칠 수 있는 학교폭력에 구체적·탄력적으로 대처하고, 피해학생을 우선적으로 보호하면서 가해학생도 선도·교육하려는 입법목적을 이 사건 징계조치조항과 동일한 수준으로 달성할 수 있는 입법의 대안이 있다고 보기 어렵다. 따라서 이 사건 징계조치 조항이 가해학생에 대하여 수개의 조치를 병과할 수 있도록 하고 출석정지조치를 취함에 있어 기간의 상한을 두고 있지 않다고 하더라도, 가해학생의 학습의 자유에 대한 제한이 입법목적 달성에 필요한 최소한의 정도를 넘는다고 볼 수 없다(2019.4.11, 2017헌바140 등).

20회 진도별 모의고사
평등권 ~ 행복추구권

정답

01	③	02	①	03	②	04	③
05	②	06	②	07	③	08	④
09	②	10	③	11	①	12	④
13	①	14	②	15	③	16	①
17	③	18	①	19	①	20	③

01 정답 ③

① [O] 병역의무 이행의 일환으로 병역의무 이행 중에 입는 불이익은 헌법 제39조 제2항에서 규정하고 있는 병역의무의 이행으로 인한 불이익에 해당하지 않는다. 분할복무를 신청하여 복무중단 중인 사회복무요원은 소집해제되기 전까지 여전히 사회복무요원으로서의 신분을 유지하고 있으므로, 심판대상조항에 따라 대학에서의 수학행위가 제한되는 것은 병역의무 이행 중에 입는 불이익에 해당할 뿐 병역의무의 이행으로 인한 불이익에 해당하지 않는다(2021.6.24, 2018헌마526).

② [O] 국방의 의무' 및 '병역의무'의 내용과 범위는 입법자가 헌법에 위반되지 않는 범위에서 어떠한 내용을 '국방의 의무' 또는 '병역의 무'로 규정하느냐에 따라 결정된다고 볼 수 있다. 「병역법」은 보충역의 복무형태 중 하나로 사회복무요원의 복무를 규정하여 병역의 무를 형성하고 있다. 따라서 입법자는 사회복무요원에 대한 구체적인 병역의무의 내용과 범위를 정하는 사항에 관하여 폭넓은 입법형성권을 갖는다(2021.6.24, 2018헌마526).

❸ [X] 사회복무요원은 구 「병역법 시행령」 제65조의3 제4호 단서에 따라 근무시간 후에 방송통신에 의한 수업이나 원격수업으로 수학할 수 있고, 개인적으로 수학하는 것도 전혀 제한되지 않는다. 따라서 심판대상조항은 과잉금지원칙에 반하여 청구인의 교육을 통한 자유로운 인격발현권을 침해하지 않는다(2021.6.24, 2018헌마526).

④ [O] 우리나라는 군사력에 의한 실효적인 국토방위를 위해 18세 이상의 남자에게 일반적인 병역의무를 부과하여 전투력을 형성하고 있고(「병역법」 제3조 제1항, 제8조), 장기간 병역의무를 이행하는 것은 의무복무자에 대한 상당한 부담이 되기 때문에, 전체 병역제도가 효율적으로 운영되기 위해서는 다른 종류의 병역 사이에 병역부담의 형평을 유지할 필요가 있다. 따라서 입법자가 법률로 사회복무요원에 대한 병역의무의 내용과 범위를 정할 때에도 이와 같은 사정을 고려하여 입법형성권을 행사하여야 한다(2021.6.24, 2018헌마526).

02 정답 ①

❶ [O] 이 사건 시행규칙조항은 수송용 LPG가 적절한 가격에 안정적으로 수급될 수 있는 환경을 조성하고, 그 사용에 있어 안전관리가 충분히 이루어질 수 있도록 하며, LPG의 가격을 상대적으로 저렴하게 유지하여 공공요금의 안정, 취약계층에 대한 복지혜택 부여, 공공기관 등의 재정 절감 등 국가정책상 요구되는 공익상 필요에 기여하기 위한 것으로 그 입법목적은 정당하다. 일반인들은 LPG 승용자동차 중 경형 승용자동차, 승차정원 7명 이상인 승용자동차, 하이브리드자동차의 경우에는 용도에 관계없이 자유롭게 운행할 수 있고, 이 사건 시행규칙조항 단서에 따라 국가유공자 등이나 장애인 등이 소유·사용하는 LPG승용자동차로서 등록 후 5년이 경과하면 그 운행에 아무런 제한을 받지 않는다. 이 사건 시행규칙조항에 의하여 제한되는 사익은, 일반인들이 LPG승용자동차를 자유롭게 운행할 수 없거나 LPG승용자동차의 소유자들이 자신들의 차량을 처분함에 있어 일정 기간 동안 그 상대방이 제한되는 것으로, 이 사건 시행규칙조항으로 달성하려는 공익에 비하여 크다고 보기 어렵다. 따라서 이 사건 시행규칙조항은 LPG승용자동차를 소유하고 있거나 LPG승용자동차를 운행하려는 청구인들의 일반적 행동자유권 및 재산권을 침해하지 않는다(2017.12.28, 2015헌마997).

② [X] 본인인증조항을 통하여 달성하고자 하는 게임과몰입 및 중독 방지라는 공익은 매우 중대하므로 법익의 균형성도 갖추었다. 따라서 본인인증조항은 청구인들의 일반적 행동의 자유 및 개인정보자기결정권을 침해하지 아니한다(2015.3.26, 2013헌마517).

③ [X] 이 사건 모법조항은 사행성 조장이나 청소년에게 해로운 영향을 미치는 경품 제공행위를 막기 위하여 게임제공업자가 게임이용자에게 제공하는 경품의 종류와 경품 제공방식을 규율하려는 것으로, 사행성 조장이나 청소년 유해성의 판단근거가 되는 '경품의 종류 및 경품 제공방식'이라는 사항은 어느 정도 전문적·기술적인 것으로 그 규율영역의 특성상 소관 부처인 문화관광부의 고시로 위임함이 요구되는 사항이라고 볼 수 있다(2008.11.27, 2005헌마161 등).

④ [X] 전국기능경기대회 입상자 중 해당 종목 '1, 2위 상위득점자'가 아닌 나머지 입상자는 국제기능올림픽 대표선발전에도 출전할 수 없으므로, 전국기능경기대회 입상자의 국내기능경기대회 재도전 금지는 결국 국제기능올림픽 대표선발전에 출전할 기회까지 봉쇄하는 결과가 된다. 따라서 이 사건 시행령조항이 전국기능경기대회 입상자의 국내기능경기대회 참가를 전면적으로 금지하는 것은 입법형성권의 한계를 넘어선 것으로서 청구인들의 행복추구권을 침해한다(2015.10.21, 2013헌마757).

03 정답 ②

ㄱ. [O] 변호사 정보 제공 웹사이트 운영자가 변호사들의 개인신상정보를 기반으로 변호사들의 인맥지수를 산출하여 공개하는 서비스를 제공한 것은, 인맥지수의 사적·인격적 성격, 산출과정에서 왜곡가능성, 인맥지수 이용으로 인한 변호사들의 이익 침해와 공적 폐해의 우려, 그에 반하여 이용으로 달성될 공적인 가치의 보호 필요성 정도 등을 종합적으로 고려하면, 운영자가 변호사들의 개인신상정보를 기반으로 한 인맥지수를 공개하는 표현행위에 의하여 얻을 수 있는 법적 이익이 이를 공개하지 않음으로써 보호받을 수 있는 변호사들의 인격적 법익에 비하여 우월하다고 볼 수 없어, 결국 운영자의 인맥지수 서비스 제공행위는 변호사들의 개인정보에 관한 인격권을 침해하는 위법한 것이다(대판 전합체 2011.9.2, 2008다42430). 2014년 법행

ㄴ. [O] 징계결정 공개조항은 전문적인 법률지식, 윤리적 소양, 공정성 및 신뢰성을 갖추어야 할 변호사가 징계를 받은 경우 국민이 이러한 사정을 쉽게 알 수 있도록 하여 변호사를 선택할 권리를 보장하고, 변호사의 윤리의식을 고취시킴으로써 법률사무에 대한 전문성, 공정성 및 신뢰성을 확보하여 국민의 기본권을 보호하며 사회정의를 실현하기 위한 것으로서 입법목적의 정당성이 인정된다. 또 대한변호사협회 홈페이지에 변호사에 대한 징계정보를 공개하여 국민으로 하여금 징계정보를 검색할 수 있도록 하는 것은 그 입법목적을 달성하는 데 있어서 유효·적절한 수단이다. 또한 징계정보 공

개조항은 공개되는 정보의 범위, 공개기간, 공개영역, 공개방식 등을 필요한 범위로 제한하고 있고, 입법목적의 달성에 동일한 효과가 있으면서 덜 침해적인 다른 대체수단이 존재하지 아니하므로, 침해 최소성의 원칙에 위배되지 않는다. 나아가 징계결정 공개조항으로 인하여 징계대상 변호사가 입게 되는 불이익이 공익에 비하여 크다고 할 수 없으므로, 법익의 균형성에 위배되지도 아니한다. 따라서 징계결정 공개조항은 과잉금지원칙에 위배되지 아니하므로 청구인의 인격권을 침해하지 아니한다(2018.7.26, 2016헌마1029).

ㄷ. [O] 헌법 제119조 제2항의 규정은 대한민국의 경제질서가 개인과 기업의 창의를 존중함을 기본으로 하도록 하고 있으나, 그것이 자유방임적 시장경제질서를 의미하는 것은 아니다. 따라서 입법자가 외국 영화에 의한 국내 영화시장의 독점이 초래되고, 국내 영화의 제작업은 황폐하여진 상태에서 외국 영화의 수입업과 이를 상영하는 소비시장만이 과도히 비대하여질 우려가 있다는 판단하에서, 이를 방지하고 균형 있는 영화산업의 발전을 위하여 국산영화의무상영제를 둔 것이므로, 이를 들어 헌법상 경제질서에 반한다고는 볼 수 없다(1995.7.21, 94헌마125).

ㄹ. [O] **탁주의 공급구역제한제도를 규정하고 있는 「주세법」 제5조 제3항이 헌법에 위반되는지 여부(소극, 재판관 5인의 위헌의견이 있으나 법률의 위헌결정을 위한 심판정족수에는 이르지 못하여 합헌결정된 사례)**

국민보건에 직접적인 영향을 미치는 주류의 특성상 주류제조·판매와 관련되는 직업의 자유 내지 영업의 자유에 대하여는 폭넓은 국가적 규제가 가능하고, 또 입법자의 입법형성권의 범위도 광범위하게 인정되는 분야라고 할 수 있다. 탁주의 공급구역 제한제도는 국민보건위생을 보호하고, 탁주제조업체 간의 과당경쟁을 방지함으로써 중소기업보호·지역경제육성이라는 헌법상의 경제목표를 실현한다는 정당한 입법목적을 가진 것으로서 그 입법목적을 달성하기에 이상적인 제도라고까지는 할 수 없을지라도 전혀 부적합한 것이라고 단정할 수 없고, 탁주의 공급구역 제한제도가 비록 탁주제조업자나 판매업자의 직업의 자유 내지 영업의 자유를 다소 제한한다고 하더라도 그 정도가 지나치게 과도하여 입법형성권의 범위를 현저히 일탈한 것이라고 볼 수는 없다(1999.7.22, 98헌가5).

ㅁ. [O] 범죄혐의가 없음이 명백한 사안인데도 이에 대하여 검찰관이 자의적이고 타협적으로 기소유예처분을 했다면 이는 헌법 제11조 제1항의 평등권, 헌법 제10조의 행복추구권을 침해한 것이다(1989.10.27, 89헌마56).

ㅂ. [X] 외모라는 신상정보의 특성에 비추어 보면 변경되는 정보의 보관을 위하여 정기적으로 사진을 제출하게 하는 방법 외에는 다른 대체수단을 찾기 어렵고, 등록의무자에게 매년 새로 촬영된 사진을 제출하게 하는 것이 그리 큰 부담은 아닐 뿐만 아니라, 의무 위반시 제재방법은 입법자에게 재량이 있으며 형벌 부과는 입법재량의 범위 내에 있고 또한 명백히 잘못 되었다고 할 수는 없으며, 법정형 또한 비교적 경미하므로 침해의 최소성원칙 및 법익균형성원칙에도 위배되지 아니한다. 따라서 이 사건 심판대상조항은 일반적 행동의 자유를 침해하지 아니한다(2015.7.30, 2014헌바257).

04

정답 ③

ㄱ. [O] 노래연습장에 18세 미만자의 출입을 금지하는 것은 18세 미만의 청소년들의 행복추구권을 침해한 것이라고 할 수 없다(1996.2.29, 94헌마13).

ㄴ. [X] 당구는 올림픽에서 정식경기종목으로 채택되어 있었던 사정 등을 감안하면 당구는 운동임이 분명하므로 당구장 출입에 연령 제한을 둔 것은 합리적 이유가 없으므로 당구장영업자에게 18세 미만 출입자금지 표시의무를 부과한 것은 평등권, 직업선택의 자유 침해이다. 18세 미만자의 행복추구권에 대한 침해이기도 하다(1993.5.13, 92헌마80).

ㄷ. [O] 피보호관찰자에 대한 체계적인 지도와 보살핌으로 건전한 사회복귀를 촉진하고 효율적인 재범방지를 위한 활동을 통하여 사회를 보호하기 위한 것으로 그 목적의 정당성 및 수단의 적절성이 인정된다. 정신질병의 특성상 가종료 결정 당시의 증상만을 기준으로 보호관찰기간을 정하는 것은 적절한 관리가 되지 않을 수 있으며, 보호관찰을 부과하지 아니할 정도로 치료가 된 상태라면 가종료가 아닌 치료감호 종료사유에 해당된다는 점, 법은 보호관찰기간이 만료되기 전에라도 보호관찰이 종료될 수 있도록 여러 장치를 두고 있는 점 등을 고려할 때, 침해의 최소성원칙에 위배되지 아니하고, 법익의 균형성도 갖추고 있으므로, 위 조항은 청구인의 일반적 행동의 자유를 침해하지 않는다(2012.12.27, 2011헌마285).

ㄹ. [X] 심판대상조항은 청소년의 건강한 성장과 발달 및 인터넷게임 중독을 예방하려는 것으로, 인터넷게임 자체는 오락 내지 여가활동의 일종으로 부정적이라고 볼 수 없으나, 우리나라 청소년의 높은 인터넷게임 이용률, 인터넷게임에 과몰입되거나 중독될 경우에 나타나는 부정적 결과 및 자발적 중단이 쉽지 않은 인터넷게임의 특성 등을 고려할 때, 위 조항이 과도한 규제라고 보기 어렵다. 여성가족부장관으로 하여금 2년마다 적절성 여부를 평가하도록 하고, 시험용 또는 교육용 게임물에 대해서 그 적용을 배제하는 등 피해를 최소화하는 장치도 마련되어 있으며, 본인 또는 법정대리인의 자발적 요청을 전제로 하는 「게임산업진흥에 관한 법률」상 선택적 셧다운제는 그 이용률이 지극히 저조한 점 등에 비추어 대체수단이 되기에는 부족하다. 따라서 위 조항이 인터넷게임 제공자의 직업수행의 자유, 여가와 오락 활동에 관한 청소년의 일반적 행동자유권 및 부모의 자녀교육권을 침해한다고 볼 수 없다(2014.4.24, 2011헌마659 등).

ㅁ. [O] 이수명령조항이 달성하고자 하는 공익의 중요성을 고려하면 일정기간 동안 일정 장소에 참석하여 성폭력 치료프로그램을 이수하여야 하는 불이익은 그다지 큰 불이익이라고 볼 수 없다. 따라서 이수명령조항은 일반적 행동자유권을 침해한다고 볼 수 없다. 이수명령은 형벌과 본질적 차이가 있는 보안처분에 해당하므로, 동일한 범죄행위에 대하여 형벌과 병과되더라도 이중처벌금지원칙에 위배된다고 할 수 없다(2016.12.29, 2016헌바153).

ㅂ. [O] 미신고 옥외집회·시위 또는 신고범위를 넘는 집회·시위에서 단순참가자들에 대한 경찰의 촬영행위는 비록 그들의 행위가 불법행위로 되지 않는다 하더라도 주최자에 대한 「집회 및 시위에 관한 법률」 위반에 대한 증거를 확보하는 과정에서 불가피하게 이루어지는 측면이 있다. 경찰이 신고범위를 벗어난 동안에만 집회참가자들을 촬영한 행위가 과잉금지원칙을 위반하여 집회참가자인 청구인들의 일반적 인격권, 개인정보자기결정권 및 집회의 자유를 침해한다고 볼 수 없다(2018.8.30, 2014헌마843).

05

정답 ②

ㄱ. [O] 헌법 제10조의 행복추구권에서 파생되는 일반적 행동자유권의 보호영역에는 개인의 생활방식과 취미에 관한 사항이 포함된다(2008.4.24, 2006헌마954). 이 사건 규칙조항은 비어업인이 잠수용 스쿠버장비를 사용하여 수산자원을 포획·채취하는 것을 규제함으로써, 지속적인 소득활동이 아니라 취미나 오락을 위하여 자신이 원하는 방법으로 수산자원을 포획·채취하고자 하는 청구인의 일반적 행동의 자유를 제한한다(2016.10.27, 2013헌마450).

ㄴ. [O] 이러한 재정 투명성 및 외부감사의 필요성은 해당 법인의 재정규모가 클수록 더 커지는데, 위 조항은 세입의 평균이 30억 원 이상인 법인에게만 외부감사를 두도록 함으로써 법인의 규모에 따라

외부감사의 선임요건을 합리적으로 제한하고 있으므로 침해의 최소성이 인정된다. 위 조항을 통해 달성되는 공익은 그로 인한 사회복지법인 운영의 자유 제한보다 커서 법익 균형성도 인정되므로, 위 조항은 사회복지법인의 법인운영의 자유를 침해하지 아니한다(2014.1.28, 2012헌마654).

ㄷ. [○] 본인인증조항을 통하여 달성하고자 하는 게임과몰입 및 중독 방지라는 공익은 매우 중대하므로 법익의 균형성도 갖추었다. 따라서 본인인증조항은 청구인들의 일반적 행동의 자유 및 개인정보자기결정권을 침해하지 아니한다(2015.3.26, 2013헌마517) 2016년 사시

ㄹ. [X] 기부금품의 모집에 허가를 받도록 한 것은 기부금품을 모집할 일반적 행동의 자유를 침해하지 않는다(2010.2.25, 2008헌바83). 2011년 사시, 2011년 법행

ㅁ. [○] 형사사법정보시스템과 육군 장교 관련 데이터베이스를 연동하여 신분을 확인하는 방법 또는 범죄경력자료를 조회하는 방법 등은 군사보안 및 기술상의 한계가 존재하고 파악할 수 있는 약식명령의 범위도 한정되므로, 자진신고의무를 부과하는 방법과 같은 정도로 입법목적을 달성하기 어렵다. 청구인들이 자진신고의무를 부담하는 것은 수사 및 재판단계에서 의도적으로 신분을 밝히지 않은 행위에서 비롯된 것으로서 이미 예상가능한 불이익인 반면, '군사법원에서 약식명령을 받아 확정된 경우'와 그 신분을 밝히지 않아 '민간법원에서 약식명령을 받아 확정된 경우' 사이에 발생하는 인사상 불균형을 방지함으로써 군 조직의 내부 기강 및 질서를 유지하고자 하는 공익은 매우 중대하다. 20년도 육군지시 자진신고조항 및 21년도 육군지시 자진신고조항은 과잉금지원칙에 반하여 일반적 행동의 자유를 침해하지 않는다(2021.8.31, 2020헌마12 등).

ㅂ. [○] 심판대상조항은 예비군 훈련을 정당한 사유 없이 받지 아니한 경우 형사처벌을 가하는 조항으로, 예비군대원의 일반적 행동자유권을 제한한다. 심판대상조항은 법정형에 하한을 두지 않아 양형조건을 고려하여 선고형을 조절할 수 있고, 정당한 사유가 있는 경우는 처벌하지 않는다. 따라서 심판대상조항은 과잉금지원칙에 반하여 청구인의 일반적 행동자유권을 침해하지 아니한다(2021.2.25, 2016헌마757).

06

정답 ②

ㄱ. [○] 우리 헌법의 재산권 보장은 사유재산의 처분과 그 상속을 포함하는 것인바, 유언자가 생전에 최종적으로 자신의 재산권에 대하여 처분할 수 있는 법적 가능성을 의미하는 유언의 자유는 생전증여에 의한 처분과 마찬가지로 헌법상 재산권의 보호를 받는다. 유언자가 자필증서에 의한 유언으로 유증을 하는 경우 그 방식을 모두 구비하지 않으면 설사 유언자의 의사가 진정한 것이라고 하더라도 유언의 효력이 부인되어 유언자의 진의를 관철할 수 없게 되는바, 이는 자신의 재산권을 자유롭게 처분할 수 있는 권능을 제한하는 것으로 헌법 제23조 제1항에서 보장되는 유언자의 재산권에 대한 제한이 된다. 한편 유언의 자유는 단순한 재산권 처분의 권능 이외에도 사적 자치의 실현이라는 의미를 지닌다는 점에서 유언을 할지의 여부, 그 구체적인 내용의 선택, 유언의 방식 등은 기본적으로 개인의 자유로운 의사결정에 맡겨져 있다. 그러므로 이 사건 법률조항과 같이 자필증서에 의한 유언에 있어서 그 방식을 제한하는 것은 헌법 제10조의 행복추구권에서 파생된 유언자의 일반적 행동의 자유를 제한하는 것이 된다(2011.9.29, 2010헌바250 등).

ㄴ. [X] 보험회사를 상대로 손해배상청구소송을 제기한 교통사고 피해자들의 장해 정도에 관한 증거자료를 수집할 목적으로 보험회사 직원이 피해자들의 일상생활을 촬영한 행위는 초상권 및 사생활의 비밀과 자유를 침해하는 불법행위에 해당한다(대판 2006.10.13, 2004다16280).

ㄷ. [○] 「진실·화해를 위한 과거사정리 기본법」 제36조 제1항의 '유가족'과 제39조의 '유족'이라는 문언상의 차이를 고려할 때, 명예회복과 관련하여 피청구인들은 피해자의 사망 여부와 무관하게 피해자뿐만 아니라 피해자의 가족 및 유족 모두의 명예회복을 위해 적절한 조치를 취하여야 할 의무를 부담한다고 할 것이나, 화해 권유와 관련하여서는 피해자의 생존 당시에는 피해자와 가해자 사이의 화해를 적극 권유하여야 할 의무만을 부담하고, 이러한 의무가 이행되지 아니한 채로 피해자가 사망한 이후에야 비로소 그 유족들에게 이러한 의무를 부담한다고 해석된다(2021.9.30, 2016헌마1034).

ㄹ. [○] 헌법 제10조 전문은 행복추구권을 보장하고 있는데, 인간으로서의 존엄과 가치를 실현하고 행복을 추구하기 위하여서는 누구나 자유로이 의사를 결정하고 그에 기하여 자율적인 생활을 형성할 수 있어야 하므로, 행복추구권은 그의 구체적인 표현으로서 일반적 행동자유권을 포함한다(1991.6.3, 89헌마204 참조). 일반적 행동자유권은 적극적으로 자유롭게 행동을 하는 것은 물론 소극적으로 행동을 하지 않을 자유도 포함되며, 가치 있는 행동만 보호영역으로 하는 것은 아니다. 심판대상조항은 환각물질의 섭취 또는 흡입행위를 금지하고 형벌을 가함으로써 청구인의 일반적 행동자유권을 제한하고 있다. 일반적 행동자유권은 개인의 인격발현과 밀접히 관련되어 있으므로 최대한 존중되어야 하는 것이지만, 헌법 제37조 제2항에 따라 국가안전보장, 질서유지 또는 공공복리를 위하여 법률로 제한될 수 있다(2021.10.28, 2018헌바367).

ㅁ. [○] 환각물질은 섭취하거나 흡입할 경우 흥분·환각 또는 마취의 작용을 일으키고 사람의 육체와 정신을 피폐하게 하는 물질이며, 환각물질 섭취·흡입에 따른 비정상적인 심리상태에서의 범죄가 발생할 위험성도 있다. 심판대상조항에서 환각물질의 섭취·흡입을 금지하고 이를 처벌하는 것은 이와 같은 국민보건과 건전한 사회질서에 발생하는 폐해를 방지하기 위한 것이다. 환각물질의 유해성과 중독성, 환각물질 섭취·흡입이 근절되지 않는 상황, 환각상태에서 다른 범죄로 나아갈 위험성을 고려하면 행위자에 대한 형사처벌이 불가피하므로 심판대상조항이 침해의 최소성에 반한다고 할 수 없고, 심판대상조항으로 인한 개인적 쾌락이나 만족의 제한보다 국민건강 증진 및 사회적 위험 감소라는 공익이 월등히 중대하다. 그렇다면 심판대상조항이 과잉금지원칙을 위반하여 일반적 행동자유권을 침해한다고 할 수 없다(2021.10.28, 2018헌바367).

ㅂ. [○] 이 사건 선의취득 배제조항이 일정한 동산문화재에 대하여 무권리자로부터의 소유권 취득을 부정하는 것은 그 대상이 되는 문화재의 양도인과 양수인 사이의 거래행위 그 자체의 내용, 방식, 효력에 대하여 직접적인 제약을 가하는 것은 아니므로, 이로 인해 동산문화재를 목적물로 하는 청구인의 계약의 자유가 침해된다고 볼 수는 없다(2009.7.30, 2007헌마870).

07

정답 ③

① [X] 청구인들은 사립유치원 설립·경영자로서 심판대상조항이 정하는 예산과목 구분에 따라 유치원 운영과 관련한 수입·지출을 관리할 의무를 부담하고 있으므로, 심판대상조항은 청구인들의 사립학교 운영의 자유를 제한한다. 심판대상조항과 관련한 청구인들의 주장, 입법자의 입법동기 등을 고려하면 심판대상조항은 사립유치원 운영의 자유와 가장 밀접한 관계에 있다. 따라서 직업의 자유에 대한 침해 여부는 따로 판단하지 아니한다(2019.7.25, 2017헌마1038 등).

② [X] 사립유치원의 세입·세출예산과목을 규정할 뿐 교사 등 시설물 자체에 대한 청구인들의 소유권이나 처분권에는 어떠한 영향도 미치지 않는다. 심판대상조항에 의한 별도의 재산권 제한은 인정되지 않는다(2019.7.25, 2017헌마1038 등).

❸ [O] 청구인들은 개인병원, 어린이집, 국·공립학교와의 관계에서 심판대상조항이 청구인들의 평등권을 침해한다고 주장한다. 그러나 사립유치원은 국가 및 지방자치단체의 재정지원을 받는 점에서 개인병원과 본질적 차이가 있으므로 비교집단이 될 수 없다. 또한 어린이집의 경우 청구인들의 주장과 달리 사립유치원과 거의 동일한 정도의 회계관리가 이루어지고 있으므로 차별취급 자체가 존재하지 않는다. 한편 사립유치원 역시 공공성이 강조되는 교육을 담당하는 「사립학교법」상 학교라는 점에서 국 · 공립학교나 다른 사립학교와 본질적 차이가 없으므로 이들을 동일하게 취급한다고 하여 평등원칙에 위반된다고 볼 수 없다. 결국 심판대상조항으로 인한 평등권 침해는 문제되지 않는다(2019.7.25, 2017헌마1038 등).

④ [X] **사립유치원 설립·경영자의 사립유치원 운영의 자유를 침해하는지 여부(소극)**

개인이 설립한 사립유치원 역시 사립학교법·유아교육법상 학교로서 공교육 체계에 편입되어 그 공공성이 강조되고 공익적인 역할을 수행하며, 국가 및 지방자치단체로부터 재정지원 및 세제혜택을 받고 있다. 따라서 사립유치원의 재정 및 회계의 투명성은 그 유치원에 의하여 수행되는 교육의 공공성과 직결된다. 심판대상조항이 규정한 예산과목의 내용은 유치원의 재정 건전성 확보를 위해 그 필요성이 인정되고, 일정 부분 사립유치원에 운영의 자율성을 보장하고 있으며, 교육감이 예산과목 구분을 조정할 수 있도록 함으로써 구체적 타당성도 도모하고 있다. 비록 심판대상조항의 사립유치원 세입·세출예산과목에 청구인들이 주장하는 바와 같은 항목들(유치원 설립을 위한 차입금 및 상환금, 유치원 설립자에 대한 수익배당, 통학 및 업무용 차량 이외의 설립자 개인 차량의 유류대 등)을 두지 않았다고 하더라도, 그러한 사정만으로는 심판대상조항이 현저히 불합리하거나 자의적이라고 볼 수 없다. 따라서 심판대상조항이 입법형성의 한계를 일탈하여 사립유치원 설립·경영자의 사립유치원 운영의 자유를 침해한다고 볼 수 없다(2019.7.25, 2017헌마1038 등).

08 정답 ④

① [X] 우리 헌법이 선언하고 있는 '인간의 존엄성'과 '법 앞에 평등'(헌법 제10조, 제11조 제1항)이란 행정부나 사법부에 의한 법 적용상의 평등을 뜻하는 것 외에도 입법권자에게 정의와 형평의 원칙에 합당하게 합헌적으로 법률을 제정하도록 하는 것을 명령하는 이른바 법 내용상의 평등을 의미한다(1992.4.28, 90헌바24), 법 내용의 평등도 요구되므로 평등은 입법자를 구속한다. 2013년 사시

② [X] 법의 내용도 평등해야 한다는 견해는 법 적용 평등이 아니라 법 내용의 평등을 의미한다.

관련 판례 법 앞에의 평등은 법 적용상의 평등(법집행의 평등)만을 의미하는 것이 아니라 법 내용상의 평등(법제정의 평등)을 의미하고 있기 때문에, 입법 내용이 정의와 형평에 반하거나 자의적으로 이루어진 경우에는 평등권 등의 기본권을 본질적으로 침해한 입법권의 행사로 위헌성을 면하기 어렵다(1992.4.28, 90헌바24).

③ [X] 법내용평등설은 평등이 입법자를 구속한다는 입법자구속설이고, 법적용평등설이 입법자를 구속하지 않고 집행부·사법부만 구속한다는 견해로서 법실증주의자들에 의해 제시된 학설이다.

<법적용평등설과 법내용평등설>

- 법적용평등설(입법자 비구속설): 법 앞의 평등은 법을 구체적으로 집행하고 적용하는 집행과 사법에 대한 규제의 원리일 뿐이다. 따라서 제11조 평등원칙은 입법자를 구속하지 못한다. 법적용평등설은 형식적 법치주의와 법실증주의의 소산이다.
- 법내용평등설(입법자 구속설): 법 앞에 평등은 법집행·적용뿐 아니라 법의 제정(법의 내용)까지도 평등해야 한다는 모든 국가작용에 대한 규제원리이다. 실질적 법치주의에 따르면 모든 법률은 평등원칙에 위반되지 않아야 한다.

❹ [O] 법 앞에의 평등은 법 적용상의 평등만을 의미하는 것이 아니라 법 내용상의 평등을 의미하고 있기 때문에, 입법 내용이 정의와 형평에 반하거나 자의적으로 이루어진 경우에는 평등권 등의 기본권을 본질적으로 침해한 입법권의 행사로 위헌성을 면하기 어렵다(1992.4.28, 90헌바24).

09 정답 ②

① [O] 유사한 성격의 규율대상에 대하여 이미 입법이 있다 하더라도, 평등원칙을 근거로 입법자에게 청구인들에게도 적용될 입법을 하여야 할 헌법상의 의무가 발생한다고 볼 수 없다. 왜냐하면 평등원칙은 원칙적으로 입법자에게 헌법적으로 아무런 구체적인 입법의무를 부과하지 않고, 다만, 입법자가 평등원칙에 반하는 일정 내용의 입법을 하게 되면, 이로써 피해를 입게 된 자는 직접 당해 법률조항을 대상으로 하여 평등원칙의 위반 여부를 다툴 수 있을 뿐이기 때문이다(2003.1.30, 2002헌마358).

❷ [X] 공개전형의 실시와 그 방법에 관하여 규정하고 있는 「교육공무원법」 제11조, 「교육공무원임용령」 제9조, 제11조는 교사의 신규임용에 있어 양성평등의 구현과는 아무런 관련이 없으므로 위 법률조항들에 의해 청구인의 기본권이 침해될 가능성은 없다고 할 것이다. 달리 말하자면, 청구인은 위 법률조항들에서 양성평등채용목표제를 규정하지 않은 것을 부진정입법부작위의 형태로 다투고 있지만 이는 입법자가 양성평등채용목표제와 같은 양성평등의 구현을 위한 어떠한 입법적 규율을 하였으나 그 내용이 불충분한 것이라기보다 양성평등의 구현에 관한 입법적 규율 자체가 있다고 보기 어렵다는 점에서 그 실질은 진정입법부작위에 다름 아니며, 위에서 본 바와 같이 진정입법부작위에 대한 심판청구는 부적법하다(2006.5.25, 2005헌마362).

③ [O] 이 사건 조항의 위헌성은 국가유공자 등과 그 가족에 대한 가산점 제도 자체가 입법정책상 전혀 허용될 수 없다는 것이 아니고, 그 차별의 효과가 지나치다는 것에 기인한다. 그렇다면 입법자는 공무원시험에서 국가유공자의 가족에게 부여되는 가산점의 수치를, 그 차별효과가 일반 응시자의 공무담임권 행사를 지나치게 제약하지 않는 범위 내로 낮추고, 동시에 가산점 수혜대상자의 범위를 재조정하는 등의 방법으로 그 위헌성을 치유하는 방법을 택할 수 있을 것이다. 따라서 이 사건 조항의 위헌성의 제거는 입법부가 행하여야 할 것이므로 이 사건 조항에 대하여는 헌법불합치결정을 하기로 한다. 한편 입법자가 이 사건 조항을 개정할 때까지 가산점 수혜대상자가 겪을 법적 혼란을 방지할 필요가 있으므로, 그 때까지 이 사건 조항의 잠정적용을 명한다(2006.2.23, 2004헌마675 등).

④ [O] 조례에 의한 규제가 지역의 여건이나 환경 등 그 특성에 따라 다르게 나타나는 것은 헌법이 지방자치단체의 자치입법권을 인정한 이상 당연히 예상되는 불가피한 결과이므로, 이 사건 조항으로 인하여 청구인들이 다른 지역의 주민들에 비하여 더한 규제를 받게 되었다 하더라도 평등권이 침해되었다고 볼 수는 없다(2009.10.29, 2008헌마454).

10 정답 ③

① [O] 가사 그것이 본질적으로 동일하다고 보더라도 이를 근거로 입법자에게 청구인들에게도 적용될 유사한 내용의 입법을 하여야 할 헌법상의 의무가 발생한다고 볼 수 없다. 왜냐하면 평등원칙은 원칙적으로 입법자에게 헌법적으로 아무런 구체적인 입법의무를 부과하지 않고, 다만, 입법자가 평등원칙에 반하는 일정 내용의 입법을 하게 되면, 이로써 피해를 입게 된 자는 직접 당해 법률조항을 대상으로 하여 평등원칙의 위반 여부를 다툴 수 있을 뿐이기 때문이다(2003.1.30, 2002헌마358).

② [O] 헌법재판소는 "헌법상 평등의 원칙은 국가가 언제 어디에서 어떤 계층을 대상으로 하여 기본권에 관한 사항이나 제도의 개선을 시작할 것인지를 선택하는 것을 방해하지 않는다. 말하자면 국가는 합리적인 기준에 따라 능력이 허용하는 범위 내에서 법적 가치의 상향적 구현을 위한 제도의 단계적인 개선을 추진할 수 있는 길을 선택할 수 있어야 한다. 그것이 허용되지 않는다면 모든 사항과 계층을 대상으로 하여 동시에 제도의 개선을 추진하는 예외적인 경우를 제외하고는 어떠한 제도의 개선도 평등의 원칙 때문에 그 시행이 불가능하다는 결과에 이르게 되어 불합리할 뿐만 아니라 평등의 원칙이 실현하고자 하는 가치에도 어긋나기 때문이다."라고 판시하여, 제도의 단계적 개선을 추진하는 경우 언제 어디에서 어떤 계층을 대상으로 하여 제도 개선을 시작할 것인지를 선택하는 것에 대하여 입법자에게 형성의 자유를 인정하고 있다(2008.12.26, 2007헌바128).

❸ [X] 중학교 의무교육을 일시에 전면실시하는 대신 단계적으로 확대실시하도록 한 것은 주로 전면실시에 따르는 국가의 재정적 부담을 고려한 것으로 실질적 평등의 원칙에 부합된다(1991.2.11, 90헌가27).

④ [O] 국가라 할지라도 국고작용으로 인한 민사관계에 있어서는 일반인과 같이 원칙적으로 대등하게 다루어져야 하며 국가라고 하여 우대하여야 할 헌법상의 근거가 없다(1991.5.13, 89헌가97).

11 정답 ①

❶ [O]

> **헌법 제32조** ④ 여자의 근로는 특별한 보호를 받으며, 고용·임금 및 근로조건에 있어서 부당한 차별을 받지 아니한다.

② [X] 차별금지사유로 헌법에 규정된 성별·종교 또는 사회적 신분뿐 아니라 헌법에 규정되어 있지 않은 인종에 의한 차별도 금지되므로 차별금지사유는 예시적이다.

> **헌법 제11조** ① 모든 국민은 법 앞에 평등하다. 누구든지 성별·종교 또는 사회적 신분에 의하여 정치적·경제적·사회적·문화적 생활의 모든 영역에 있어서 차별을 받지 아니한다.

③ [X] 헌법 제11조는 "모든 국민은 법앞에 평등하다. 누구든지 성별·종교 또는 사회적 신분에 의하여 정치적·경제적·사회적·문화적 생활의 모든 영역에 있어서 차별을 받지 아니한다."라고 규정하고 있어 헌법상으로는 '국적'에 의한 차별이 명시적으로 규정되어 있지는 않다. 그런데 근로관계에 있어서 헌법상 평등원칙을 구체화한 「근로기준법」 제5조는 "사용자는 근로자에 대하여 … 국적·신앙 또는 사회적 신분을 이유로 근로조건에 대한 차별적 처우를 하지 못한다."라고 규정하여 '국적'에 의한 차별을 명시적으로 금지하고 있고, 이를 위반하는 경우에는 500만 원 이하의 벌금에 처하도록 규정되어 있다(2007.8.30, 2004헌마670).

④ [X] 구 「남녀차별금지 및 구제에 관한 법률」 제2조 제1호 '남녀차별'이라 함은 정치적·경제적·사회적·문화적 생활의 모든 영역에서 인간으로서의 기본적 자유를 인식·향유하거나 권리를 행사함에 있어서 합리적인 이유 없이 성별을 이유로 행하여지는 모든 구별·배제 또는 제한을 말한다. 이 경우 남성과 여성에 대한 적용조건이 양성 중립적이거나 성별에 관계없는 표현으로 제시되었다고 하더라도 그 조건을 충족시킬 수 있는 남성 또는 여성이 다른 한 성에 비하여 현저히 적고 그로 인하여 특정 성에게 불리한 결과를 초래하며 그 조건이 정당한 것임을 입증할 수 없는 때에도 이를 남녀차별로 본다. 다만, 특정 성이 불가피하게 요구되는 경우에는 이를 남녀차별로 보지 아니한다.

12 정답 ④

① [O] 헌법 제11조 제1항은 "모든 국민은 법 앞에 평등하다. 누구든지 성별·종교 또는 사회적 신분에 의하여 정치적·경제적·사회적·문화적 생활의 모든 영역에 있어서 차별을 받지 아니한다."라고 규정한다. 여기서 사회적 신분이란 사회에서 장기간 점하는 지위로서 일정한 사회적 평가를 수반하는 것을 의미한다 할 것인데, 청구인들이 고위공직자라는 이유로 수사처의 수사 등을 받게 되는 것은 고위공직자라는 사회적 신분에 따른 차별이라 할 수 있다(2021.1.28, 2020헌마264 등).

② [O] 고위공직자는 권력형 부정사건을 범할 가능성이 비고위공직자에 비하여 높고 그 범죄로 인한 부정적인 파급효과가 크며 높은 수준의 청렴성이 요구되고, 그 가족의 경우 고위공직자와 생활공동체를 형성하는 밀접·긴밀한 관계에 있으므로, 고위공직자나 그 가족 등에 한하여 수사처의 수사나 기소의 대상으로 하고 그 대상이 되는 범죄를 한정하여 규정한 것에는 합리적인 이유가 있다. 수사처에 의한 수사 등의 대상에는 퇴직한 사람도 포함되나, 이는 범죄에 연루된 현직 고위공직자가 사직을 통해 수사처의 수사 등을 회피하는 행태를 방지하고 국가의 투명성과 공직사회의 신뢰성 제고라는 수사처의 설치목적에 기여하기 위한 것이므로, 불합리하다고 할 수 없다. 수사처에 의한 수사 등에 적용되는 절차나 내용, 방법 등은 일반 형사소송절차와 같으므로, 수사처의 수사 등의 대상이 된다고 하여 대상자에게 실질적인 불이익이 발생한다거나 대상자의 법적 지위가 불안정해진다고 볼 수 없다. 수사처가 고위공직자에 대한 수사 등의 주체가 됨으로써 부실·축소 수사 또는 표적수사가 이루어지거나 무리한 기소가 있을 수 있다는 우려를 뒷받침할 객관적·실증적인 근거가 없다. 따라서 구 「고위공직자 범죄수사처 설치 및 운영에 관한 법률」 제2조 및 같은 법 제3조 제1항이 청구인들을 합리적 이유 없이 차별하여 청구인들의 평등권을 침해한다고 할 수 없다(2021.1.28, 2020헌마264 등).

③ [O] 「국가인권위원회법」 제2조 제3호에 성희롱행위는 평등권 침해의 차별행위로 나열되어 있다. 2016년 지방 7급

❹ [X] 위 관습법은 절가(絶家)된 가의 유산 귀속을 정할 때 출가한 여성을 가적(家籍)에 남아 있는 가족보다 후순위로 정함으로써 출가한 여성을 차별취급한다는 점에서 평등원칙 위배 여부가 문제된다. 청구인은 위 관습법이 사회적 특수계급을 인정하지 않는 헌법 제11조 제2항에 위반된다고 주장하지만, 위 관습법이 신분계급 등 사회적 특수계급을 인정하는 내용이 아닌 것은 분명하다(2016.4.28, 2013헌바396 등).

13 정답 ①

❶ [X] 헌법상 평등의 원칙은 국가가 언제 어디에서 어떤 계층을 대상으로

하여 제도의 개선을 시작할 것인지를 선택하는 것을 방해하지 않으며, 국가는 합리적인 기준에 따라 능력이 허용하는 범위 내에서 법적 가치의 상향적 구현을 위한 제도의 단계적 개선을 추진할 수 있으므로 가능한 지역에서 먼저 재외국민의 투표를 실시한다고 하여 평등원칙에 대한 침해가 문제될 여지는 없다(2007.6.28, 2004헌마644 등).

② [O] 국민의 기본권을 제한하고 부담을 부과하는 소위 '침해적 법률'의 경우에는 규범의 수범자가 당사자로서 자신의 기본권 침해를 주장하게 되지만, 이 사건과 같이 '수혜적 법률'의 경우에는 반대로 수혜범위에서 제외된 자가 그 법률에 의하여 평등권이 침해되었다고 주장하는 당사자에 해당되고, 당해 법률에 대한 위헌 또는 헌법불합치결정에 따라 수혜집단과의 관계에서 평등권 침해상태가 회복될 가능성이 있다면 기본권 침해성이 인정된다. 청구인들은 이 사건 심판대상규정으로 말미암아 「재외동포의 출입국과 법적 지위에 관한 법률」의 수혜대상에서 제외되었다는 평등권 침해를 주장하는 것이므로 기본권 침해성을 인정할 수 있다. 수혜적 법률에 의해서도 기본권 침해가 되었다고 하여 헌법소원청구를 할 수 있다(2001.11.29, 99헌마494).

③ [O] 이 사건 법령조항들의 내용은 일정한 군 복무기간을 공무원 재직기간에 산입할 수 있도록 하여 군복무를 마친 자에 대해 일종의 혜택을 부여하는 것이라 할 수 있는바, 그러한 수혜적 성격의 법률에는 입법자에게 광범위한 입법형성의 자유가 인정되므로 그 내용이 합리적인 근거를 가지지 못하여 현저히 자의적일 경우에만 헌법에 위반된다(2012.11.29, 2011헌마533).

④ [O] 법원은 수혜적 법률에 대해서는 평등원칙 위반을 이유로 헌법재판소에 위헌제청할 수 있다. 헌법재판소가 평등원칙에 위배된다하여 헌법불합치결정을 하면 법원은 수혜대상에서 제외되었던 자에 대해 혜택을 부여하는 법으로 개정되면 개정된 법률을 적용한다. 따라서 수혜적 법률의 위헌 여부는 재판의 전제성이 인정될 수 있다.

14 정답 ②

① [X] 미국 연방대법원은 성별에 의한 차별에 대해 평등원칙 심사기준으로서 중간심사를 하였는데, 우리 헌법재판소는 제대군인가산점 사건에서는 엄격한 심사를 하였고, 남성에 한해 병역의무를 지우는 「병역법」에 대해서는 자의금지원칙에 따라 심사하였다.

<미국 평등원칙 심사기준>

구분	목적	수단	적용
합리성 심사	합법적 목적	합리적 관련성	경제정책에서 차별
중간 심사	중요한 이익	실질적 관련성	성별차별
엄격한 심사	압도적 이익	필수적 관련성	인종차별

❷ [O] 미국 연방대법원의 판례에 의해 발전된 것으로 사회통합을 위해서는 기회의 균등만 가지고는 부족하므로 결과의 평등을 실현하기 위해 여성, 노약자, 소수민족, 사회적 약자에 대해 특별대우나 특별급여를 부여하여 실질적 평등을 실현해야 한다는 이론이다.

③ [X] 현존하는 차별을 없애기 위하여 특정한 사람(특정한 사람들의 집단을 포함한다)을 잠정적으로 우대하는 행위와 이를 내용으로 하는 법령의 제정·개정 및 정책의 수립·집행은 평등권 침해의 차별행위로 보지 아니한다(「국가인권위원회법」 제2조).

④ [X] 공무원 임용에 있어서 여성채용목표제는 기회의 균등보다는 결과의 평등을 통해 현존하는 차별을 시정하려는 제도였다. 우선처우론은 기회의 균등으로는 현존하는 차별을 시정할 수 없다는 한계를 인정하고 결과의 평등을 실현하고자 하는 이론이다.

15 정답 ③

① [O] 헌법이 요구하는 평등원칙은 입법자에게 본질적으로 같은 것을 자의적으로 다르게, 본질적으로 다른 것을 자의적으로 같게 취급하는 것을 금하고 있다. 그러므로 비교대상을 이루는 두 개의 사실관계 사이에 서로 상이한 취급을 정당화할 수 있을 정도의 차이가 없음에도 불구하고 두 사실관계를 서로 다르게 취급한다면, 입법자는 이로써 평등권을 침해한 것으로 볼 수 있다(1996.12.26, 96헌가18).

② [O] 식품, 먹는 샘물 등의 먹는 물 또는 주류는 해당 법규정의 의미와 목적에 비추어 볼 때 이 사건 법률조항들이 규율하는 대상인 의약품과 동일한 성질의 물품이라 할 수 없으므로 이러한 물품을 매매하는 식품판매업자 등은 평등원칙을 심사함에 있어 의약품 도매상과 비교집단이 될 수 없다. 따라서 양자 간에 차별취급이 존재한다고 볼 수 없으므로 평등권을 침해하지 않는다(2014.4.24, 2012헌마811).

❸ [X] 청구인들은 청구인들이 속한 일산도시설계지구에 대해서만 이러한 가구 수 제한을 하는 것은 다른 지역 주민들에 비하여 불합리한 차별을 하는 것으로 평등원칙에 위배된다고 주장하는바, 일산도시설계지구 내에 거주하는 주민들과 일산도시설계지구를 제외한 모든 지역에 거주하는 주민들 간에는 평등권 침해를 논할 비교집단이 설정되지 않는다고 할 것이므로 더 나아가 살펴볼 필요 없이 이유 없다(2003.6.26, 2002헌마402). 2009년 사시

④ [O] 사학연금제도와 산업재해보상보험제도는 사회보장의 형태로서 사회보험이라는 점에 공통점이 있을 뿐, 각종 보험급여의 수급권자·수급요건·보험급여 지급의 효과, 재정조성주체 등에서 큰 차이가 있어 「사립학교교직원 연금법」상의 유족급여수급권자와 「산업재해보상보험법」상의 유족급여수급권자가 본질적으로 동일한 비교집단이라고 보기 어렵고, 따라서 「산업재해보상보험법」이 형제자매를 유족으로 규정하고 있는 것과 달리 「사립학교교직원 연금법」이 유족의 범위에 형제자매를 제외하고 있다 하여 본질적으로 동일한 것을 다르게 취급한다고 볼 수 없어 차별 자체가 존재하지 않는다 할 것이므로, 헌법상 평등의 원칙에 위배된다고 할 수 없다(2010.4.29, 2009헌바102).

16 정답 ①

ㄱ. [X] 「군인연금법」상의 상이연금이나 「공무원연금법」상의 장해연금(공무원 본인이 원하는 바에 따라 일시금 형태의 장해보상금을 받을 수 있다. 이하 장해연금과 장해보상금을 포함하여 '장해연금 등'이라 한다)은 모두 공무수행 중 발생한 질병이나 부상 등을 그 지급원인으로 하여 군인이나 공무원의 퇴직 이후 본인 또는 그 유족의 생활안정과 복리향상을 위해 지급되는 것이므로(「군인연금법」 제1조, 「공무원연금법」 제1조), 그 지급의 필요성이나 당위성의 측면에서 두 집단이 본질적인 차이가 있다고 보기 어렵고, 또한 상이연금수급권을 규정한 「군인연금법」과 장해연금수급권을 규정한 「공무원연금법」의 각 입법취지와 목적 등을 비교해 보더라도 그 기본적인 관점에서 모두 동일하다고 볼 수 있으므로, 「공무원연금법」의 적용을 받는 공무원과 「군인연금법」의 적용을 받은 군인은 이러한 측면에서 본질적인 차이가 없는 동일한 집단으로서 의미있는 비교집단이 된다고 할 것이다.
폐질상태의 원인이 이미 군 복무 중 발생하여 퇴직 이전에 그 폐질상태가 확정될 가능성이 있었으나 그 질병의 특수성이나 치료의 곤란성 등으로 그러한 상태가 발견되지 못하다가 퇴직 이후에야 비로소 폐질상태가 확정된 경우가 충분히 있을 수 있는데, 이러한 현상은 특히 청구인과 같이 정신과적 질병을 가진 군인의 경우에

많이 나타날 수 있다. 따라서 폐질상태가 언제 확정되었는지의 문제는 상당히 우연한 사정에 의하여 좌우될 가능성이 많으므로, 어떠한 질병이 군 복무 중 공무수행으로 인하여 발생한 것임이 분명하고 또한 그것이 폐질상태에 이른 것으로 확정될 수 있는 것이라면, 그 폐질상태가 확정된 시점과 관계없이, 폐질의 정도와 위험성, 퇴직 이후의 생활에 미치는 영향 및 보호할 만한 가치나 필요성 유무 등의 측면에서 볼 때 위 두 비교집단은 본질적으로 동일하다고 보아야 할 것이다. 폐질상태의 확정이 퇴직 이전에 이루어진 군인과 그 이후에 이루어진 군인을 차별취급하고 있는데, 군인이나 일반 공무원이 공직수행 중 얻은 질병으로 퇴직 이후 폐질상태가 확정된 것이라면 그 질병이 퇴직 이후의 생활에 미치는 정도나 사회보장의 필요성 등의 측면에서 차이가 없을 뿐만 아니라 폐질상태가 확정되는 시기는 근무환경이나 질병의 특수성 등 우연한 사정에 의해 좌우될 수 있다는 점에서 볼 때, 위와 같은 차별취급은 합리적인 이유가 없어 정당화되기 어려우므로 평등의 원칙을 규정한 헌법 제11조 제1항에 위반된다(2010.6.24, 2008헌바128).

ㄴ. [O] 다른 자격시험과 변호사시험은 응시기회 제한조항에 의한 차별취급이 문제되는 본질적으로 동일한 비교집단으로 볼 수 없다. 이처럼 다른 자격시험 내지 사법시험 응시자와 변호사시험 응시자를 본질적으로 동일한 비교집단으로 볼 수 없으므로 응시기회 제한조항에 의한 평등권 침해 문제는 발생하지 아니한다(2016.9.29, 2016헌마47 등).

ㄷ. [X] 공무원과 일반 근로자는 그 지위와 직무의 성격을 달리하며, 공무원연금과 국민연금은 공적연금제도의 성격을 가진 사회보험이라는 공통점을 제외하고는 보험가입자, 제도의 목적과 기능, 성격, 보호대상과 급여의 종류, 비용부담 등에 있어 큰 차이가 있고, 이에 따라 이 사건 법률조항과 「국민연금법」 제67조는 입법목적과 기능에도 차이가 있어, 가입 중에 질병이나 부상으로 장애가 있는 때에는 그것이 업무와 인과관계가 인정되지 않는 경우에도 가입자에 대하여 장애연금을 지급하도록 한 「국민연금법」 제67조의 의미와 목적이 이 사건 법률조항과 같다고 할 수 없으므로, 「공무원연금법」의 적용을 받는 공무원과 「국민연금법」의 적용을 받는 일반 근로자가 본질적으로 동일한 비교집단이라고 보기 어렵다. 또한, 공상으로 폐질상태에 이른 공무원과 비공상장해 공무원은 폐질상태로 인하여 보호를 받을 사실상의 필요성이 있는 공무원이라는 점만이 같을 뿐, 국가에 의한 보호의 필요성 및 보호가치에 있어 큰 차이가 있고, 공무원연금제도의 입법취지와 이 사건 법률조항의 의미와 목적에 비추어 보더라도 같다고 할 수 없으므로, 본질적으로 동일한 비교집단이라고 보기 어렵다. 따라서 이 사건 법률조항은 청구인의 평등권을 침해한다고 할 수 없다(2011.11.24, 2010헌마510).

ㄹ. [O] 주민투표권은 헌법상의 열거되지 아니한 권리 등 그 명칭의 여하를 불문하고 헌법상의 기본권성이 부정된다는 것이 우리 재판소의 일관된 입장이라 할 것인데, 이 사건에서 그와 달리 보아야 할 아무런 근거를 발견할 수 없다. 그렇다면 이 사건 심판청구는 「헌법재판소법」 제68조 제1항의 헌법소원을 통해 그 침해 여부를 다툴 수 있는 기본권을 대상으로 하고 있는 것이 아니므로 그러한 한에서 이유 없다. 하지만 주민투표권이 헌법상 기본권이 아닌 법률상의 권리에 해당한다 하더라도 비교집단 상호 간에 차별이 존재할 경우에 헌법상의 평등권 심사까지 배제되는 것은 아니다(2007.6.28, 2004헌마643).

17

정답 ③

① [O] 전체 여성 중의 극히 일부분만이 제대군인에 해당될 수 있는 반면, 남자의 대부분은 제대군인에 해당하므로 가산점제도는 실질적으로 성별에 의한 차별이고, 가산점을 받을 수 있는 현역복무를 하게 되는지 여부는 병역의무자의 의사와 관계없이 징병검사의 판정결과, 학력, 병력수급의 사정에 따라 정해지는 것이므로 가산점제도는 현역복무나 상근예비역 소집근무를 할 수 있는 신체건장한 남자와 그렇지 못한 남자, 즉 병역면제자와 보충역복무를 하게 되는 자를 차별하는 제도이다(1999.12.23, 98헌마36). 2009년 사시

② [O] 정부수립 이후 이주동포와 정부수립 이전 이주동포는 이미 대한민국을 떠나 그들이 거주하고 있는 외국의 국적을 취득한 우리의 동포라는 점에서 같고, 국외로 이주한 시기가 대한민국 정부수립 이전인가 이후인가는 결정적인 기준이 될 수 없는데도, 이 사건 심판대상규정이 청구인들과 같은 정부수립 이전 이주동포를 「재외동포의 출입국과 법적 지위에 관한 법률」의 적용대상에서 제외한 것은 합리적 이유 없이 정부수립 이전 이주동포를 차별하는 자의적인 입법이어서 헌법 제11조의 평등원칙에 위배된다(2001.11.29, 99헌마494). 2009년 사시

❸ [X] 경찰공무원과 군인의 관계를 보건대, 경찰공무원은 국민의 생명·신체 및 재산의 보호와 범죄의 예방·진압 및 수사, 치안정보의 수집, 교통의 단속 기타 공공의 안녕과 질서유지를 그 임무로 하고(「경찰법」 제3조), 군인은 전시와 평시를 막론하고 국방의 의무를 수행하기 위한 군에 복무하면서 대한민국의 자유와 독립을 보전하고 국토를 방위하며 국민의 생명과 재산을 보호하고 나아가 국제평화의 유지에 이바지함을 그 사명으로 하므로(「국군조직법」 제4조 제1항, 군인복무규율 제4조 제2호), 경찰공무원과 군인은 주된 임무가 다르지만, 양자 모두 국민의 생명·신체 및 재산에 대한 구체적이고 직접적인 위험을 예방하고 보호하는 업무를 수행하면서 그 과정에서 생명과 신체에 대한 상당한 위험을 부담한다. 나아가 국가비상사태, 대규모의 테러 또는 소요사태가 발생하였거나 발생할 우려가 있는 경우에는 경찰공무원은 치안유지를 위하여 군인에 상응하는 고도의 위험을 무릅쓰고 부여된 업무를 수행하여야만 한다. 이를 고려하여 볼 때, 직무의 곤란성과 책임의 정도에 따라 결정되는 공무원보수의 책정에 있어서(「국가공무원법」 제46조 제1항), 경찰공무원과 군인은 본질적으로 동일·유사한 집단이라고 할 것이다. 따라서 평등권 심사에 있어서 의미 있는 비교집단인 경찰공무원과 군인 사이에 차별취급이 존재하는지 여부 및 차별취급의 정당성을 살펴보기로 한다(2008.12.26, 2007헌마444).

④ [O] 주류·청량음료 제조업자 등 지하수를 사용하는 다른 경우와 달리 먹는 샘물 제조업자에 대해서만 수질개선부담금을 부과하는 것은, 먹는 샘물이 수돗물과 마찬가지로 음용수로 사용된다는 점에서 수돗물과 대체적·경쟁적 관계에 있어서 그 음용이 보편화되면 그만큼 국가가 추진하는 수돗물 수질개선정책이 위축되는 관계에 있는 점, 먹는 샘물의 이용이 일반화될 경우 먹는 샘물용 지하수 개발 및 취수가 기하급수적으로 증가되어 그만큼 지하수자원의 고갈 및 오염의 우려가 높아진다는 점, 국민의 대다수가 수돗물을 음용수로 이용하고 있는 상황에서 국가의 수돗물정책이 포기되거나 제대로 실현되지 못한다면 수돗물을 이용하는 대다수 국민의 먹는 물 비용부담이 증가되고, 특히 먹는 샘물을 선택할 경제적 능력이 부족한 저소득층 국민들로 하여금 질낮은 수돗물을 마시게 하는 결과를 초래하게 되는 점 등 여러 가지 사정을 종합적으로 고려할 때 합리적 이유가 있다고 할 것이어서 평등원칙에 위배되지 아니한다(1998.12.24, 98헌가1).

18

정답 ①

❶ [O] 경찰공무원은 국민의 생명·신체 및 재산의 보호와 범죄의 예방·진압 및 수사, 치안정보의 수집, 교통의 단속 기타 공공의 안녕과 질서유지를 그 임무로 하는데 반하여(「경찰법」 제3조), 일반직공무원은 기술·연구 또는 행정일반에 대한 업무를 담당하므로(「국가공무원법」 제2조 제2항 제1호), 업무의 성격, 위험성 및 직무의 곤

관성 정도가 전혀 유사하지 않고, 따라서 경찰공무원과 일반직공무원을 보수 책정에 있어서 의미 있는 비교집단으로 보기 어렵다(2008.12.26, 2007헌마444). 2015년 사시

② [X] **공무상 질병 또는 부상으로 '퇴직 이후에 폐질상태가 확정된 군인'에 대해서 상이연금 지급에 관한 규정을 두지 아니한 「군인연금법」**(2010.6.24, 2008헌바128) 2011년 사시

(1) 퇴직 이후에 폐질상태가 확정된 군인과 「공무원연금법」이 적용되는 공무원과의 차별취급의 존부 등 먼저 '「공무원연금법」의 적용을 받는 공무원'과 '「군인연금법」의 적용을 받는 군인'이 본질적으로 동일한 집단이라고 평가할 수 있는지 여부에 관하여 살피건대, 양자는 모두 공무수행 중 발생한 질병이나 부상 등을 그 지급원인으로 하여 군인이나 공무원의 퇴직 이후 본인 또는 그 유족의 생활안정과 복리향상을 위해 지급되는 것이므로(「군인연금법」 제1조, 「공무원연금법」 제1조), 그 지급의 필요성이나 당위성의 측면에서 두 집단이 본질적인 차이가 있다고 보기 어렵고, 또한 상이연금수급권을 규정한 군인연금법과 장해연금수급권을 규정한 「공무원연금법」의 각 입법취지와 목적 등을 비교해 보더라도 그 기본적인 관점에서 모두 동일하다고 볼 수 있으므로, 「공무원연금법」의 적용을 받는 공무원과 「군인연금법」의 적용을 받은 군인은 이러한 측면에서 본질적인 차이가 없는 동일한 집단으로서 의미 있는 비교집단이 된다고 할 것이다. 그럼에도 이 사건 법률조항은 위와 같이 일반 공무원의 경우에는 폐질상태로 퇴직한 경우뿐만 아니라 퇴직 후 폐질상태가 된 경우에도 「공무원연금법」 소정의 장해연금 등을 받을 수 있는 것과 달리, 군인의 경우에는 퇴직 이전의 질병 또는 부상이 원인이 되어 퇴직 이후에 비로소 폐질상태가 된 경우에 대해서는 상이연금을 지급한다는 규정을 두고 있지 아니함으로써 실질적으로 군인의 상이연금수급권을 제한하거나 수혜의 대상에서 일정한 범위의 군인을 제외시키고 있으므로, 이러한 측면에서 차별취급이 존재한다고 보아야 한다.

(2) **퇴직 이전 폐질상태가 확정된 군인과 퇴직 이후에 폐질상태가 확정된 군인의 차별취급 여부**
이 사건 법률조항에 규정된 폐질상태라 함은 질병 또는 부상이 치유되었으나 신체에 영구적인 정신적 또는 육체적 훼손상태가 잔존하여, 질병 또는 부상에 대한 치료의 효과를 기대할 수 없게 되었거나 그 증상이 고정된 상태에 이르게 된 것을 지칭하는 것으로, 폐질상태의 원인이 이미 군 복무 중 발생하여 퇴직 이전에 그 폐질상태가 확정될 가능성이 있었으나 그 질병의 특수성이나 치료의 곤란성 등으로 그러한 상태가 발견되지 못하다가 퇴직 이후에야 비로소 폐질상태가 확정된 경우가 충분히 있을 수 있는데, 이러한 현상은 특히 청구인과 같이 정신과적 질병을 가진 군인의 경우에 많이 나타날 수 있다. 따라서 폐질상태가 언제 확정되었는지의 문제는 상당히 우연한 사정에 의하여 좌우될 가능성이 많으므로, 어떠한 질병이 군 복무 중 공무수행으로 인하여 발생한 것임이 분명하고 또한 그것이 폐질상태에 이른 것으로 확정될 수 있는 것이라면, 그 폐질상태가 확정된 시점과 관계없이, 폐질의 정도와 위험성, 퇴직 이후의 생활에 미치는 영향 및 보호할 만한 가치나 필요성 유무 등의 측면에서 볼 때 위 두 비교집단은 본질적으로 동일하다고 보아야 할 것이다.

③ [X] 2005.6.24. '납북피해자 지원 등에 관한 법률안'의 내용에 의하면 애초에 지원의 대상으로 고려되었던 자들의 범위에는 '6·25 전쟁 중에 납북된 자'들도 포함되었고, 6·25 전쟁 중 납북자와 군사정전에 관한 협정 체결 이후 납북자는 비록 전시와 정전상태에서 발생한 납북이라는 점에서는 차이가 있으나, 대한민국 국민으로서 남북 대치 상황에서 본인의 의사에 반하여 남한에서 북한에 들어가 거주하게 되었다는 점에서는 이 사건 법률조항의 의미와 목적 등에 비추어 본질적으로 동일·유사한 집단이라고 할 것이다. 6·25 전쟁 중 납북자를 납북피해자 보상 제외는 납북 여부에 관한 판단 기준의 불명확성, 전쟁이라는 특수한 상황에서 발생하였다는 점을 감안한 것이므로 이를 자의적인 차별로서 청구인의 평등권을 침해한다고 할 수 없다(2009.6.25, 2008헌마393). 2011년 사시

④ [X] 평등의 원칙은 입법자에게 본질적으로 같은 것을 자의적으로 다르게, 본질적으로 다른 것을 자의적으로 같게 취급하는 것을 금하고 있다. 그러므로 비교의 대상을 이루는 두 개의 사실관계 사이에 서로 상이한 취급을 정당화할 수 있을 정도의 차이가 없음에도 불구하고 두 사실관계를 서로 다르게 취급한다면, 입법자는 이로써 평등권을 침해하게 된다. 그러나 서로 비교될 수 있는 사실관계가 모든 관점에서 완전히 동일한 것이 아니라 단지 일정 요소에 있어서만 동일한 경우에, 비교되는 두 사실관계를 법적으로 동일한 것으로 볼 것인지 아니면 다른 것으로 볼 것인지를 판단하기 위하여는 어떠한 요소가 결정적인 기준이 되는가가 문제된다. 두 개의 사실관계가 본질적으로 동일한가의 판단은 일반적으로 당해 법률조항의 의미와 목적에 달려있다(1996.12.26, 96헌가18).

19 정답 ①

❶ [X] 세무직국가공무원 공개경쟁채용시험에서 가산점을 부여하는 심판대상조항으로 인하여 제한되는 기본권은 공직취임의 기회와 관련된다는 점에서 공무담임권이라 볼 수 있다. 청구인은 평등권 침해도 주장하나, 공직취임 기회의 자의적 차별 여부가 문제되는 이 사건에서 평등권 침해 문제는 공무담임권 침해 문제와 중복되므로 별도로 판단하지 않는다(2020.6.25, 2017헌마1178).

② [O] 청구인은 본인확인제가 인터넷이라는 매체에 글을 쓰고자 하는 자에 대하여만 본인확인절차를 거치도록 함으로써 다른 매체에 글을 쓰는 자와 합리적 이유 없이 차별취급하여 인터넷에 글을 쓰고자 하는 자의 평등권을 침해한다고 주장하나, 청구인이 주장하는 차별취급은 본인확인제가 인터넷상의 익명표현의 자유를 제한함에 따라 부수적으로 발생할 수밖에 없는 결과일 뿐인 것으로서 그에 관한 판단은 익명표현의 자유의 침해 여부에 관한 판단과 동일하다고 할 것이므로 별도로 판단하지 아니한다(2012.8.23, 2010헌마47 등).

③ [O] 주민투표권이 헌법상 기본권이 아닌 법률상의 권리에 해당한다 하더라도 비교집단 상호 간에 차별이 존재할 경우에 헌법상의 평등권 심사까지 배제되는 것은 아니다(2007.6.28, 2004헌마643).

④ [O] 재판연구원 및 검사의 신규임용에 있어서 서류전형 이후 법학전문대학원 졸업예정자에게만 필기전형이나 실무기록평가를 치르게 하는 것은 법학전문대학원마다 교육 및 훈련과정이 다르고 변호사시험 성적도 공개되지 않아 통일적으로 이들의 실무수행능력을 평가할 자료가 부족하기 때문이고, 사법연수원 수료예정자의 경우 사법연수원에서 민·형사기록 파악 및 각종 재판실무 등에 대한 교육과 훈련을 받고 이를 평가하는 절차를 통일적으로 거치기 때문에 임용단계에서 이를 위한 별도의 절차를 거치지 않는 것일 뿐이므로, 이 사건 공고가 법학전문대학원 졸업예정자에게 어떠한 특혜를 부여하거나, 사법연수원 수료예정자인 청구인들을 차별하기 위한 것이라 할 수 없다. 또한 이 사건 공고는 위와 같이 사법연수원과 법학전문대학원의 교육제도 및 평가과정의 차이를 반영한 것일 뿐이고 법학전문대학원 졸업예정자에게 필기전형이나 실무기록평가를 치르도록 하는 것 외에 양 집단 간 임용절차상 아무런 차이가 없으므로, 이 사건 공고가 각각의 선발인원을 별도로 내정하기 위하여 임용절차를 이원화한 것이라고 단정할 수 없다. 따라서 이 사건 공고는 청구인들의 공무담임권이나 평등권을 침해할 가능성이 있다고 할 수 없다(2015.4.30, 2013헌마504).

20

정답 ③

① [O] 독립유공자 손자녀의 경우, 유공자의 사망이나 장해에 따른 영향이 자녀와 비교하여 덜 직접적이며 물질적·정신적 고통의 정도가 동등하다고 보기 어려우므로, 그에 대한 보호와 예우 필요성은 유공자의 자녀와 비교하여 상대적으로 적다. 또한, 독립유공자 손자녀에게는 교육지원, 취업지원 등 비금전적 예우가 제공될 수 있으므로, 그 손자녀가 아무런 예우를 받지 못한다고 할 수 없다. 그러므로 심판대상조항이 보상금을 받을 권리의 이전과 관련하여 독립유공자의 손자녀를 달리 취급하고 있더라도 이것이 현저하게 합리성을 잃은 자의적인 차별이라 할 수 없으며, 심판대상조항은 청구인의 평등권을 침해하지 않는다(2020.3.26, 2018헌마331).

② [O] 조부모에 대한 부양가능성이나 나이가 많은 손자녀가 협조하지 않는 경우 등을 고려하면 그 실효성을 인정하기도 어렵다. 비금전적 보훈혜택 역시 유족에 대한 보상금 지급과 동일한 정도로 유족들의 생활 보호에 기여한다고 볼 수 없으므로, 이 사건 심판대상조항은 합리적인 이유 없이 상대적으로 나이가 적은 손자녀인 청구인을 차별하여 평등권을 침해한다(2013.10.24, 2011헌마724).

❸ [X] 2014.5.21. 법률 제12668호로 개정된 「독립유공자예우에 관한 법률」(이하 '독립유공자법'이라 한다)은 대통령령으로 정하는 생활수준 등을 고려하여 손자녀 1명에게 보상금을 지급하도록 한바, 유족의 생활 안정과 복지 향상을 도모하기 위하여 보상금이 가장 필요한 손자녀에게 보상금을 지급하여 보상금 수급권의 실효성을 보장하면서 아울러 국가의 재정부담능력도 고려하였다. 아울러 독립유공자법은 2018.4.6. 법률 제15550호 개정으로 제14조의5를 신설하여 독립유공자법 제12조에 따른 보상금을 받지 아니하는 손자녀에게 생활안정을 위한 지원금을 지급할 수 있도록 한바, 보상금을 지급받지 못하는 손자녀들에 대한 생활보호 대책을 마련하고 독립유공자법에 따른 보훈에 있어 손자녀 간의 형평성도 고려하였다. 위와 같은 사정을 종합해 볼 때, 심판대상조항에 나타난 입법자의 선택이 명백히 그 재량을 일탈한 것이라고 보기 어려우므로 심판대상조항은 청구인의 평등권을 침해하지 아니한다(2018.6.28, 2015헌마304).

④ [O] 애국지사가 1945.8.14. 이전에 사망한 경우에는 유족들이 받은 생활의 어려움이 더 컸을 것이므로 이들에 대한 배려의 필요성이 더 크다는 점에서 순국선열 또는 1945.8.14. 이전에 사망한 애국지사의 손자녀에게는 보상금수급권을 인정하면서 1945.8.15. 이후에 사망한 애국지사의 손자녀에게는 인정하지 않은 것에는 합리적인 차별의 이유가 있다할 것이다. 그렇다면 이 사건 법률조항이 입법재량의 범위를 벗어난 자의적인 차별로서 평등권을 침해한다고 볼 수 없다(2011.4.28, 2009헌마610).

21회 진도별 모의고사

평등권

정답

01	③	02	④	03	②	04	④
05	②	06	④	07	②	08	②
09	②	10	①	11	④	12	①
13	①	14	③	15	②	16	②
17	①	18	①	19	②	20	③

01 정답 ③

① [X] 헌법에서 특별히 평등을 요구하고 있는 경우 즉, 헌법이 스스로 차별의 근거로 삼아서는 아니 되는 기준을 제시하거나 차별을 특히 금지하고 있는 영역을 제시하고 있는 경우 엄격한 심사척도(비례성원칙에 따른 심사)를 적용한다고 하였으나 입증책임 전환을 인정하지는 않았다.

> **관련 판례** 헌법재판소에서는 평등위반 여부를 심사함에 있어서, 헌법에서 특별히 평등을 요구하고 있는 경우 즉, 헌법이 스스로 차별의 근거로 삼아서는 아니되는 기준을 제시하거나 차별을 특히 금지하고 있는 영역을 제시하고 있는 경우와 차별적 취급으로 인하여 관련 기본권에 대한 중대한 제한을 초래하게 되는 경우에는 엄격한 심사척도(비례성원칙에 따른 심사)를 적용하고, 그 밖의 경우에는 완화된 심사척도(자의금지원칙에 따른 심사)에 의한다는 원칙을 적용하고 있다(2003.3.27, 2002헌마573).

② [X] 평등원칙은 행위규범으로서 입법자에게, 객관적으로 같은 것은 같게 다른 것은 다르게, 규범의 대상을 실질적으로 평등하게 규율할 것을 요구하고 있다. 그러나 헌법재판소의 심사기준이 되는 통제규범으로서의 평등원칙은 단지 자의적인 입법의 금지기준만을 의미하게 되므로 헌법재판소는 입법자의 결정에서 차별을 정당화할 수 있는 합리적인 이유를 찾아 볼 수 없는 경우에만 평등원칙의 위반을 선언하게 된다. 즉, 헌법에 따른 입법자의 평등실현의무는 헌법재판소에 대하여는 단지 자의금지원칙으로 그 의미가 한정 축소된다(1997.1.16, 90헌마110 등).

❸ [O] 평등의 의미에 대해 절대적 평등설과 합리적 근거 또는 정당한 이유가 있는 한 차별 내지 불평등은 허용된다는 상대적 평등설이 있으나 후자가 통설이다. 차별이 정당한지를 심사하는 기준은 독일은 자의금지원칙이고, 영미는 합리성심사기준이다.

④ [X] 헌법재판소에서는 평등위반 여부를 심사함에 있어서, 헌법에서 특별히 평등을 요구하고 있는 경우 즉, 헌법이 스스로 차별의 근거로 삼아서는 아니되는 기준을 제시하거나 차별을 특히 금지하고 있는 영역을 제시하고 있는 경우와 차별적 취급으로 인하여 관련 기본권에 대한 중대한 제한을 초래하게 되는 경우에는 엄격한 심사척도(비례성원칙에 따른 심사)를 적용하고, 그 밖의 경우에는 완화된 심사척도(자의금지원칙에 따른 심사)에 의한다는 원칙을 적용하고 있다(2003.3.27, 2002헌마573).

02 정답 ④

① [X] 자의심사의 경우에는 차별을 정당화하는 합리적인 이유가 있는지만을 심사하기 때문에 그에 해당하는 비교대상 간의 사실상의 차이나 입법목적의 발견·확인에 그치는 반면에, 비례심사의 경우에는 단순히 합리적인 이유의 존부 문제가 아니라 차별을 정당화하는 이유와 차별 간의 상관관계에 대한 심사, 즉 비교대상 간의 사실상의 차이의 성질과 비중 또는 입법목적의 비중과 차별의 정도에 적정한 균형관계가 이루어져 있는가를 심사한다(2001.2.22, 2000헌마25).

② [X] 자의심사의 경우에는 차별을 정당화하는 합리적인 이유가 있는지만을 심사하기 때문에 그에 해당하는 비교대상 간의 사실상의 차이나 입법목적(차별목적)의 발견·확인에 그치는 반면에, 비례심사의 경우에는 단순히 합리적인 이유의 존부 문제가 아니라 차별을 정당화하는 이유와 차별 간의 상관관계에 대한 심사, 즉 비교대상 간의 사실상의 차이의 성질과 비중 또는 입법목적(차별목적)의 비중과 차별의 정도에 적정한 균형관계가 이루어져 있는가를 심사한다(2001.2.22, 2000헌마25).

③ [X] 헌법에서 특별히 평등을 요구하고 있는 경우나 차별적 취급으로 인하여 관련 기본권에 중대한 제한을 초래하는 경우 이외에는 완화된 심사척도인 자의금지원칙에 의하여 심사하면 족하다(2011.10.25, 2010헌마661).

❹ [O]

자의금지	비례심사
완화된 심사	엄격한 심사
입법형성의 자유가 넓은 영역에서 적용	입법형성의 자유가 좁은 영역에서 적용
초기 헌법재판소 판례부터 심사기준	제대군인 가산점제도사건에서부터 본격적으로 도입
일반적 심사기준	차별금지영역에서 차별 또는 차별로 인해 기본권 제한이 발생한 경우

03 정답 ②

① [X] 헌법에서 특별히 평등을 요구하고 있는 경우 엄격한 심사척도가 적용될 수 있다. 헌법이 스스로 차별의 근거로 삼아서는 아니 되는 기준을 제시하거나 차별을 특히 금지하고 있는 영역을 제시하고 있다면 그러한 기준을 근거로 한 차별이나 그러한 영역에서의 차별에 대하여 엄격하게 심사하는 것이 정당화된다. 다음으로 차별적 취급으로 인하여 관련 기본권에 대한 중대한 제한을 초래하게 된다면 입법형성권은 축소되어 보다 엄격한 심사척도가 적용되어야 할 것이다. … 엄격한 심사를 한다는 것은 자의금지원칙에 따른 심사, 즉 합리적 이유의 유무를 심사하는 것에 그치지 아니하고 비례성원칙에 따른 심사, 즉 차별취급의 목적과 수단 간에 엄격한 비례관계가 성립하는지를 기준으로 한 심사를 행함을 의미한다(1999.12.23, 98헌마363).

❷ [O] 평등 위반 여부를 심사함에 있어 엄격한 심사척도에 의할 것인지, 완화된 심사척도에 의할 것인지는 입법자에게 인정되는 입법형성권의 정도에 따라 달라지게 될 것이다(1999.12.23, 98헌마363).

③ [X] 침익적 법을 소급적용한 경우 엄격하게 위헌심사를 하나 시혜적 법의 소급입법에 대해서는 다른 심사기준이 적용된다. 즉 합리적 재량의 범위를 벗어나 현저하게 불합리하고 불공정한 것이 아닌 한 헌법에 위반된다고 할 수는 없다.

④ [X] 헌법재판소에서는 평등 위반 여부를 심사함에 있어서, 헌법에서 특별히 평등을 요구하고 있는 경우 즉, 헌법이 스스로 차별의 근거로 삼아서는 아니되는 기준을 제시하거나 차별을 특히 금지하고 있는 영역을 제시하고 있는 경우와 차별적 취급으로 인하여 관련 기본권에 대한 중대한 제한을 초래하게 되는 경우에는 엄격한 심사척도를 적용하고, 그 밖의 경우에는 완화된 심사척도에 의한다는 원칙을 적용하고 있다(2003.3.27, 2002헌마573).

04

정답 ④

① [○] 헌법원리로부터 도출되는 차별금지의 명령은 헌법 제11조 제1항의 평등원칙과 결합하여 혼인과 가족을 부당한 차별로부터 보호하고자 하는 목적을 지니고 있고, 따라서 특정한 조세 법률조항이 혼인이나 가족생활을 근거로 부부 등 가족이 있는 자를 혼인하지 아니한 자 등에 비하여 차별취급하는 것이라면 비례의 원칙에 의한 심사에 의하여 정당화되지 않는 한 헌법 제36조 제1항에 위반된다 할 것이다(2011.11.24, 2009헌바146).

② [○] 친고죄의 경우든 비친고죄의 경우든 위 조항이 재판절차진술권의 중대한 제한을 초래한다고 보기는 어려우므로, 위 조항이 평등원칙에 위반되는지 여부에 대한 판단은 완화된 자의심사에 따라 차별에 합리적인 이유가 있는지를 따져보는 것으로 족하다(2011.2.24, 2008헌바56).

③ [○] 헌법 제36조 제1항에 의하여 보장되는 가족생활에서의 인간으로서의 존엄에 관한 기본권의 내용으로서 미성년인 가족구성원이 성년인 가족으로부터 부양과 양육, 보호 등을 받는 것은 법제도 형성 이전의 인간의 자연적인 생활 모습과 관련되는 것이다. 따라서 이러한 기본권은 사회적 기본권인 헌법 제34조 제1항의 인간다운 생활권과는 달리 자유권적 성격을 가지므로, 이를 제한하는 입법은 헌법 제37조 제2항의 과잉금지원칙을 준수하여야 할 것이다(2013.9.26, 2011헌가42).

❹ [X] 5인 재판관은 비례원칙을 적용하여 평등권 침해로 보았다. 그러나 6인에 미치지 못하여 평등권 침해로 볼 수는 없다. 5인만 비례원칙을 적용했고 주문은 합헌이므로 비례원칙을 적용했다고 할 수 없다. 4인은 자의심사를 기준으로 했다고 할 수 있다. 결론에서 합리적 이유 없는 불평등이라고 할 수 없다고 했기 때문이다. 선지에서 '비례의 원칙이 적용되나'가 옳지 않다. 법정의견은 주문이 합헌이니 4인의 재판관의 의견이고 자의금지원칙을 적용하였다.

> **법정의견** 구체적 규율 내용이 다른 「민법」에서 「입양특례법」과 달리 독신자를 친양자의 양친에서 제외하였다 하여, 이를 두고 합리적 이유 없는 불평등이라고 할 수 없다. 따라서 심판대상조항은 독신자의 평등권을 침해한다고 볼 수 없다(2013.9.26, 2011헌가42).
>
> **위헌의견** 평등권 침해 여부를 심사함에 있어 엄격한 심사척도에 의할 것인지, 완화된 심사척도에 의할 것인지는 입법자에게 인정되는 입법형성권의 정도에 따라 달라지는바, 헌법에서 특별히 평등을 요구하고 있는 경우나 차별적 취급으로 인하여 관련 기본권에 대한 중대한 제한을 초래하게 되는 경우에는 입법형성권은 축소되고 보다 엄격한 심사척도가 적용되어야 한다고 하면서 비례원칙을 적용하였다.

05

정답 ②

① [X] 이 사건 복수·부전공 가산점은 헌법이 정하고 있는 차별금지사유나 영역에는 해당하지 아니하므로, 평등실현요청에 위배되는지 여부를 심사하기 위한 기준을 설정함에 있어서는 이 사건 복수·부전공 가산점으로 인한 차별이 공직취임에 대한 중대한 제한인지 여부가 문제된다. 그런데 중등교사 임용시험에서 이 사건 복수·부전공 가산점을 받지 못하는 자가 입을 수 있는 불이익은 공직에 진입하는 것 자체에 대한 제약이라는 점에서 당해 기본권에 대한 중대한 제한이므로 이 사건 복수·부전공 가산점규정의 위헌 여부에 대하여는 엄격한 심사척도를 적용함이 상당하다(2006.6.29, 2005헌가13).

❷ [○] 이 사건 법률조항은 교육위원 선거에서 비경력자를 교육경력자에 비하여 차별취급하고 있고, 이로 인하여 비경력자가 다수득표를 하고도 낙선하게 되는 것은 공무담임권에 대한 중대한 제한을 초래하는 것이므로 평등권에 관한 엄격한 기준인 비례성원칙에 따른 심사를 함이 타당하지만, 엄격한 심사기준에 의하여 살펴보더라도 이 사건 법률조항에 의한 차별은 헌법상 보호되는 교육의 자주성·전문성을 보장하기 위한 것으로서 입법목적이 정당하고, 입법목적을 달성하기 위한 적정한 방법으로서 차별취급의 적합성을 갖고 있으며, 차별취급으로 인한 공익과 침해되는 이익 간의 비례성도 있다고 인정되므로, 이 사건 법률조항이 헌법상의 평등원칙에 위배된다고 볼 수 없다(2003.3.27, 2002헌마573).

③ [X] 병역의무 이행자들에 대한 보수는 병역의무 이행과 교환적 대가관계에 있는 것이 아니라 병역의무 이행의 원활한 수행을 장려하고 병역의무 이행자들의 처우를 개선하여 병역의무 이행에 전념하게 하려는 정책적 목적으로 지급되는 수혜적인 성격의 보상이므로, 병역의무 이행자들에게 어느 정도의 보상을 지급할 것인지는 전체 병력규모와 보충역 복무인원, 복무환경과 처우, 국가의 재정부담 능력, 물가수준의 변화 등을 고려할 수밖에 없어 이를 정할 때에는 상당한 재량이 인정된다. 따라서 그 내용이 현저히 불합리하지 않은 한 헌법에 위반된다고 할 수 없다(2020.9.24, 2017헌마643).

④ [X] 교육시설 중 '고등학교'의 진학이 문제되는바, 교육부의 2018년 교육기본통계에 의하면 2018년도 우리나라 전체 중학교 졸업자의 약 99.7%가 고등학교 과정에 진학하였다. 비록 고등학교 교육이 의무교육은 아니지만 매우 보편화된 일반교육임을 알 수 있다. 따라서 고등학교 진학 기회의 제한은 대학 등 고등교육기관에 비하여 당사자에게 미치는 제한의 효과가 더욱 크므로 보다 더 엄격히 심사하여야 한다. 따라서 이 사건 중복지원금지조항의 차별목적과 차별의 정도가 비례원칙을 준수하는지 살펴본다(2019.4.11, 2018헌마221).

06

정답 ④

① [X] 이 사건 부칙조항은 혼인한 남성 등록의무자와 이미 개정 전 「공직자윤리법」 조항에 따라 재산등록을 한 혼인한 여성 등록의무자를 달리 취급하고 있는바, 이 사건 부칙조항이 평등원칙에 위배되는지 여부를 판단함에 있어서는 엄격한 심사척도를 적용하여 비례성 원칙에 따른 심사를 하여야 한다(2021.9.30, 2019헌가3).

② [X] 헌법이 '장애인'을 차별금지영역으로 정하였다고 보기는 어렵고, 헌법 제34조 제5항은 국가가 장애자 등 사회적 약자에 대하여 생존의 최소한의 수준에서 보호하여야 한다는 취지이고, 장애인과 비장애인 간에 동등한 취급을 규정한 것은 아니다. 심판대상조항이 중증장애인후보자에 대하여만 특정한 선거운동방법을 금지·제한하는 내용이 아니라, 중증장애인후보자와 비장애인후보자를 '동등하게' 취급하였다는 점이 결과적으로는 불평등을 초래하였다는 것은 관련 기본권에 대한 중대한 제한을 초래한 것으로 볼 수 없다. 따라서 이 경우의 평등심사는 완화된 기준에 의한다(2009.2.26, 2006헌마626).

③ [X] 선거방송대담·토론회의 초청 후보대상자의 기준을 언론기관의 여론조사 평균지지율 100분의 5를 기준으로 제한한 「공직선거법」 제82조의2 제4항 제1호 다목 및 제3호 다목은 선거운동의 방법

과 기회를 제한하는 것으로서, 이는 헌법이 차별을 특히 금지하고 있는 영역이거나 차별적 취급으로 인하여 관련 기본권에 대한 중대한 제한을 초래하고 있다고 볼 수 없으므로, 완화된 심사원칙인 자의금지원칙에 따라 심사함이 타당하다(2009.3.26, 2007헌마1327 등).

❹ [O] 국가가 구체적으로 국가유공자로서 예우할 보훈의 대상 및 범위를 어떻게 정할 것인가는 국가의 경제수준, 재정능력, 전체적인 사회보장의 수준, 국민감정 등을 종합적으로 고려하여 결정하는 것으로서, 이 사건 법률조항이 평등원칙에 위반되는지 여부는 그 차별에 현저한 불합리성이 있는지 여부, 즉 입법자의 자의성이 있는지 여부로 결정된다(200510.27, 2004헌바37).

07 정답 ②

① [X] 이 사건 법률조항에 의하여 직업수행의 자유가 일부 제한된다고 하여 관련 기본권에 대한 중대한 침해가 있다고 볼 수 없으므로, 완화된 심사기준 즉, 차별기준 내지 방법의 합리성 여부가 헌법적 정당성 여부의 판단기준이 된다고 하겠다(2002.9.19, 2000헌바84).

❷ [O] 「도로교통법」 등 행정법규 위반자에 대한 행정제재의 종류와 범위를 선택하는 문제는 기본적으로 당해 행정목적과 위반행위의 태양 등 여러 사정을 고려하여 입법자가 결정할 사항으로 원칙적으로 폭 넓은 입법재량 내지 입법형성권의 범위 내에 있는 것이므로 이 사건 벌칙조항에 관련한 평등권 심사의 경우 자의금지원칙에 위배되는지 여부를 판단하면 될 것이다(2007.12.27, 2005헌바95).

③ [X] 전과자도 사회적 신분에 해당된다고 할 것이다. 그러나 누범을 가중처벌하는 것은 전범에 대한 형벌의 경고적 기능을 무시하고 다시 범죄를 저질렀다는 점에서 비난가능성이 많고, 누범이 증가하고 있다는 현실에서 사회방위, 범죄의 특별예방 및 일반예방이라는 형벌목적에 비추어 보아, 「형법」 제35조가 누범에 대하여 형을 가중한다고 해서 그것이 인간의 존엄성 존중이라는 헌법의 이념에 반하는 것도 아니며, 누범을 가중하여 처벌하는 것은 사회방위, 범죄의 특별예방 및 일반예방, 더 나아가 사회의 질서유지의 목적을 달성하기 위한 하나의 수단이기도 하는 것이므로 이는 합리적 근거 있는 차별이어서 헌법상의 평등의 원칙에 위배되지 아니한다(1995.2.23, 93헌바43).

④ [X] 특정한 조세 법률조항이 혼인이나 가족생활을 근거로 부부 등 가족이 있는 자를 혼인하지 아니한 자 등에 비하여 차별취급하는 것이라면 비례의 원칙에 의한 심사에 의하여 정당화되지 않는 한 헌법 제36조 제1항에 위반된다 할 것인데, 종합부동산세의 과세방법을 '인별 합산'이 아니라 '세대별 합산'으로 규정한 것은 혼인한 자 또는 가족과 함께 세대를 구성한 자를 비례의 원칙에 반하여 개인별로 과세되는 독신자, 사실혼 관계의 부부, 세대원이 아닌 주택 등의 소유자 등에 비하여 불리하게 차별하여 취급하고 있으므로, 헌법 제36조 제1항에 위반된다(2008.11.13, 2006헌바112 등).

08 정답 ②

ㄱ. [X] 이 사건 법률조항이 규율하는 사항에 관하여는 입법자에게 비교적 넓은 입법형성권이 인정된다고 할 것이고, 따라서 동 조항이 갖고 있는 차별취급의 문제가 평등원칙에 위반되는지 여부를 심사함에 있어서는 완화된 심사척도에 의하는 것이 적절하다고 할 것이다. 경선을 포기한 대통령 선거 경선후보자에 대하여도 정치자금의 적정한 제공이라는 입법목적을 실현할 필요가 있는 것이며, 이들에 대하여 후원회로부터 지원받은 후원금 총액을 회수함으로써 경선에 참여한 대통령 선거 경선후보자와 차별하는 이 사건 법률조항의 차별은 합리적인 이유가 있는 차별이라고 하기 어렵다(2009.12.29, 2007헌마1412).

ㄴ. [O] 위 조항에 의한 차별은 공무원의 유급휴일에 관한 것으로서 헌법에서 특별히 평등을 요구하는 영역에 관련된 경우이거나 관련 기본권에 대한 중대한 제한을 초래하게 되는 경우에 해당하지 않는다. 따라서 위 조항이 청구인들의 평등권을 침해하는지 여부를 판단함에 있어서는 위 조항에 의한 차별에 합리적인 이유가 있는지 여부를 심사하는 것으로 충분하다(2015.5.28, 2013헌마343).

ㄷ. [X] 위 법률조항은 헌법이 특별히 양성평등을 요구하는 경우나 관련 기본권에 중대한 제한을 초래하는 경우의 차별취급을 그 내용으로 하고 있다고 보기 어려우며, 징집대상자의 범위결정에 관하여는 입법자의 광범위한 입법형성권이 인정된다는 점에 비추어 위 법률조항이 평등권을 침해하는지 여부는 완화된 심사기준에 따라 판단하여야 한다(2010.11.25, 2006헌마328).

ㄹ. [O] 심판대상조항으로 인하여 10년 임대주택의 임차인과 5년 임대주택의 임차인 사이의 차별취급이 평등권을 침해하는지 여부를 심사할 때에는 완화된 심사기준인 자의금지원칙을 적용한다(2021.4.29, 2019헌마202).

ㅁ. [X] 구 「고위공직자범죄수사처 설치 및 운영에 관한 법률」(이하 '공수처법'이라 한다) 제2조 및 공수처법 제3조 제1항에 따라 고위공직자범죄 등에 대한 수사 등은 경찰이나 검찰이 아닌 수사처에서 수행할 수 있게 된다. 이는 수사 등의 주체만을 달리하는 것으로서, 수사처의 수사 등에 적용되는 절차나 내용, 방법 등이 일반 형사소송절차와 다르지 않는 이상 헌법에서 특별히 평등을 요구하는 영역에 관한 것이거나 관련 기본권에 중대한 제한을 초래하게 되는 경우에 해당하지 않는다. 따라서 고위공직자라는 점이 헌법 제11조 제1항 후문의 사회적 신분이라고 하더라도, 고위공직자범죄 등에 대한 수사 등의 주체를 수사처로 정한 구 공수처법 제2조 및 공수처법 제3조 제1항이 청구인들의 평등권을 침해하는지 여부는 차별에 합리적인 이유가 있는지 여부를 심사하여 판단하기로 한다(2021.1.28, 2020헌마264 등).

09 정답 ②

① [O] 우리 헌법은 '근로', '혼인과 가족생활' 등 인간의 활동의 주요 부분을 차지하는 영역으로서 성별에 의한 불합리한 차별적 취급을 엄격하게 통제할 필요가 있는 영역에 대하여는 양성평등 보호규정(제32조 제4항, 제36조 제1항)을 별도로 두고 있다(2010.11.25, 2006헌마328).

❷ [X]

> **1948년 개정 헌법 제20조** 혼인은 남녀동권을 기본으로 하며 혼인의 순결과 가족의 건강은 국가의 특별한 보호를 받는다.
>
> **1980년 개정헌법 제34조** ① 혼인과 가족생활은 개인의 존엄과 양성의 평등을 기초로 성립되고 유지되어야 한다.
> ② 모든 국민은 보건에 관하여 국가의 보호를 받는다.
>
> **1987년 개정헌법 헌법 제36조** ① 혼인과 가족생활은 개인의 존엄과 양성의 평등을 기초로 성립되고 유지되어야 하며, 국가는 이를 보장한다.
> ② 국가는 모성의 보호를 위하여 노력하여야 한다.

③ [O] 헌법 제36조 제1항은 "혼인과 가족생활은 개인의 존엄과 양성의 평등을 기초로 성립되고 유지되어야 하며, 국가는 이를 보장한다." 라고 규정하고 있는데, 헌법 제36조 제1항은 혼인과 가족생활을 스스로 결정하고 형성할 수 있는 자유를 기본권으로서 보장하고,

혼인과 가족에 대한 제도를 보장한다. 그리고 헌법 제36조 제1항은 혼인과 가족에 관련되는 공법 및 사법의 모든 영역에 영향을 미치는 헌법원리 내지 원칙규범으로서의 성격도 가지는데, 이는 적극적으로는 적절한 조치를 통해서 혼인과 가족을 지원하고 제3자에 의한 침해 앞에서 혼인과 가족을 보호해야 할 국가의 과제를 포함하며, 소극적으로는 불이익을 야기하는 제한조치를 통해서 혼인과 가족을 차별하는 것을 금지해야 할 국가의 의무를 포함한다. 이러한 헌법원리로부터 도출되는 차별금지명령은 헌법 제11조 제1항에서 보장되는 평등원칙을 혼인과 가족생활영역에서 더욱 더 구체화함으로써 혼인과 가족을 부당한 차별로부터 특별히 더 보호하려는 목적을 가진다(2002.8.29, 2001헌바82).

④ [O] "혼인과 가족생활은 개인의 존엄과 양성의 평등을 기초로 성립되고 유지되어야 하며, 국가는 이를 보장한다."라고 규정하고 있는 헌법 제36조 제1항은, 인간의 존엄과 양성의 평등이 가족생활에 있어서도 보장되어야 한다는 요청에서 인간다운 생활을 보장하는 기본권 보장의 성격을 갖는 동시에 그 제도적 보장의 성격도 갖고 있는 것으로 파악된다(1990.9.10, 89헌마82).

10

정답 ①

❶ [O] 출생 당시에 부 또는 모가 대한민국의 국민인 자(子)는 출생과 동시에 대한민국 국적을 취득한다(「국적법」 제2조 제1항). 대한민국 국민으로 태어난 아동에 대하여 국가가 출생신고를 받아주지 않거나 절차가 복잡하고 시간도 오래 걸려 출생신고를 받아주지 않는 것과 마찬가지 결과가 발생한다면 이는 아동으로부터 사회적 신분을 취득할 기회를 박탈함으로써 인간으로서의 존엄과 가치, 행복추구권 및 아동의 인격권을 침해하는 것이다(헌법 제10조). 현대사회에서 개인이 국가가 운영하는 제도를 이용하려면 주민등록과 같은 사회적 신분을 갖추어야 하고, 사회적 신분의 취득은 개인에 대한 출생신고에서부터 시작한다. 대한민국 국민으로 태어난 아동은 태어난 즉시 '출생등록될 권리'를 가진다. 이러한 권리는 '법 앞에 인간으로 인정받을 권리'로서 모든 기본권 보장의 전제가 되는 기본권이므로 법률로써도 이를 제한하거나 침해할 수 없다(대결 2020.6.8, 2020스575).

② [X] 선지는 반대의견이다.

> **법정의견** 입양이나 재혼 등과 같이 가족관계의 변동과 새로운 가족관계의 형성에 있어서 구체적인 사정들에 따라서는 양부 또는 계부 성으로의 변경이 개인의 인격적 이익과 매우 밀접한 관계를 가짐에도 부성의 사용만을 강요하여 성의 변경을 허용하지 않는 것은 개인의 인격권을 침해한다(2005.12.22, 2003헌가5).
>
> **반대의견** 재혼이나 입양 사실이 노출됨으로써 개인이 받는 불이익이라는 것은 재혼이나 입양에 대한 사회적 편견 내지 사시(斜視)가 그 원인이지 부성주의가 그 원인은 아니다. 물론 계부나 양부의 성으로 성을 변경하지 못하면 재혼이나 입양사실이 노출될 가능성이 커질 수 있지만 성의 변경을 허용한다고 해서 그러한 사실이 노출될 가능성을 전부 막을 수도 없거니와 경우에 따라서는 성의 변경사실 자체가 오히려 그 개인의 가족사를 그대로 노출할 수도 있다. 재혼 가정이나 입양가정의 가족 구성원이 받는 불이익의 직접적인 원인이 이와 같이 따로 있음에도 불구하고 그와 같은 불이익의 발생에 간접적이고 우연적인 연계를 가질 뿐인 부성주의를 여기에 끌고 들어와 그 위헌성을 비난하는 것은 문제의 소재와 비난의 대상을 잘못 파악한 것이다.

③ [X] 헌법 제36조 제1항에서 규정하는 '혼인'이란 양성이 평등하고 존엄한 개인으로서 자유로운 의사의 합치에 의하여 생활공동체를 이루는 것으로서 법적으로 승인받은 것을 말하므로, 법적으로 승인되지 아니한 사실혼은 헌법 제36조 제1항의 보호범위에 포함된다고 보기 어렵다(2014.8.28, 2013헌바119).

④ [X] 육아휴직신청권은 헌법 제36조 제1항 등으로부터 개인에게 직접 주어지는 헌법적 차원의 권리라고 볼 수는 없고, 입법자가 입법의 목적, 수혜자의 상황, 국가예산, 전체적인 사회보장수준, 국민정서 등 여러 요소를 고려하여 제정하는 입법에 적용요건, 적용대상, 기간 등 구체적인 사항이 규정될 때 비로소 형성되는 법률상의 권리이다(2008.10.30, 2005헌마1156).

11

정답 ④

① [O] 혼인으로 새로이 1세대를 이루는 자를 위하여 상당한 기간 내에 보유 주택 수를 줄일 수 있도록 하고 그러한 경과규정이 정하는 기간 내에 양도하는 주택에 대해서는 혼인 전의 보유 주택 수에 따라 양도소득세를 정하는 등의 완화규정을 두는 것과 같은 손쉬운 방법이 있음에도 이러한 완화규정을 두지 아니한 것은 최소침해성원칙에 위배된다고 할 것이고, 이 사건 법률조항으로 인하여 침해되는 것은 헌법이 강도 높게 보호하고자 하는 헌법 제36조 제1항에 근거하는 혼인에 따른 차별금지 또는 혼인의 자유라는 헌법적 가치라 할 것이므로 이 사건 법률조항이 달성하고자 하는 공익과 침해되는 사익 사이에 적절한 균형관계를 인정할 수 없어 법익균형성원칙에도 반한다. 결국 이 사건 법률조항은 과잉금지원칙에 반하여 헌법 제36조 제1항이 정하고 있는 혼인에 따른 차별금지원칙에 위배되고, 혼인의 자유를 침해한다(2011.11.24, 2009헌바146). ➡ 다만, 재산권 침해는 아니다.

② [O] 이 사건 법률조항은 친생부모의 친권이 상실되거나 사망 그 밖의 사유로 동의할 수 없는 경우를 제외하고는 친생부모의 동의가 있어야 친양자 입양을 청구할 수 있도록 규정하여 친양자가 될 자의 가족생활에 관한 기본권 등을 제한하고 있는바, 친양자 입양은 친생부모와 그 자녀 사이의 친족관계를 완전히 단절시키는 등 친생부모의 지위에 중대한 영향을 미치는 점, 친생부모 역시 헌법 제10조 및 제36조 제1항에 근거한 가족생활에 관한 기본권을 보유하고 있다는 점에 비추어 볼 때 그 입법목적은 정당하고, 나아가 이 사건 법률조항은 친양자 입양에 있어 무조건 친생부모의 동의를 요하도록 하고 있는 것이 아니라, '친생부모의 친권이 상실되거나 사망 기타 그 밖의 사유로 동의할 수 없는 경우'에는 그 동의 없이도 친양자 입양이 가능하도록 예외규정을 두어 기본권 제한의 비례성을 준수하고 있으므로 헌법에 위반되지 아니한다(2012.5.31, 2010헌바87).

③ [O] 심판대상조항으로 인하여 양자가 혼인관계를 바탕으로 한 안정된 가정에 입양되어 더 나은 양육조건에서 성장할 수 있게 되므로 양자의 복리가 증진되는 반면, 독신자는 친양자 입양을 할 수 없게 되어 가족생활의 자유가 다소 제한되지만 여전히 일반입양은 할 수 있으므로 제한되는 사익이 위 공익보다 결코 크다고 할 수 없다. 결국 심판대상조항은 과잉금지원칙에 위반하여 독신자의 가족생활의 자유를 침해한다고 볼 수 없다(2013.9.26, 2011헌가42).

❹ [X] 부부자산소득합산과세가 추구하는 공익은 입법정책적 법익에 불과한 반면, 이로 인하여 침해되는 것은 헌법이 강도 높게 보호하고자 하는 혼인을 근거로 한 차별금지라는 헌법적 가치이므로, 달성하고자 하는 공익과 침해되는 사익 사이에 적정한 균형관계를 인정할 수 없다. 그러므로 부부자산소득합산과세는 혼인한 부부를 비례의 원칙에 반하여 사실혼관계의 부부나 독신자에 비하여 차별하는 것으로서 헌법 제36조 제1항에 위반된다(2005.5.26, 2004헌가6).

12 정답 ①

❶ [○] 혼인한 남성 등록의무자와 달리 혼인한 여성 등록의무자의 경우에만 본인이 아닌 배우자의 직계존·비속의 재산을 등록하도록 하는 것은 여성의 사회적 지위에 대한 그릇된 인식을 양산하고, 가족관계에 있어 시가와 친정이라는 이분법적 차별구조를 정착시킬 수 있으며, 이것이 사회적 관계로 확장될 경우에는 남성우위·여성비하의 사회적 풍토를 조성하게 될 우려가 있다. 이는 성별에 의한 차별금지 및 혼인과 가족생활에서의 양성의 평등을 천명하고 있는 헌법에 정면으로 위배되는 것으로 그 목적의 정당성을 인정할 수 없다. 따라서 이 사건 부칙조항은 평등원칙에 위배된다(2021.9.30, 2019헌가3).

② [X] 위 조항은 부부간 증여의 경우 일정한 혜택을 부여한 규정이고, 남녀를 구별하지 않고 적용되는 규정이므로, 헌법상 혼인과 가족생활 보장 및 양성의 평등원칙에 반하지 않는다(2012.12.27, 2011헌바132).

③ [X] 이 사건 법률조항은 헌법 제10조, 제11조 제1항, 제36조 제1항에 위반될 뿐만 아니라 그 입법목적이 이제는 혼인에 관한 국민의 자유와 권리를 제한할 '사회질서'나 '공공복리'에 해당될 수 없다는 점에서 헌법 제37조 제2항에도 위반된다 할 것이다(1997.7.16, 95헌가6 등).

④ [X] 호주제는 남계혈통을 중시하여 혼인과 가족생활에서 여성을 부당하게 차별하므로 헌법 제36조에 위반된다. 전통문화도 헌법이념인 개인의 존엄과 양성의 평등에 반하는 것이어서는 안 된다는 한계가 도출되므로 전래의 가족제도가 헌법 제36조 제1항이 요구하는 개인의 존엄과 양성평등에 반한다면 헌법 제9조(전통문화계승 발전)를 근거로 그 헌법적 정당성을 주장할 수 없다(2005.2.3, 2001헌가9 등).

13 정답 ①

❶ [X] 이 사건 세대별 합산규정으로 인한 조세부담의 증가라는 불이익은 이를 통하여 달성하고자 하는 조세회피의 방지 등 공익에 비하여 훨씬 크고, 조세회피의 방지와 경제생활 단위별 과세의 실현 및 부동산 가격의 안정이라는 공익은 입법정책상의 법익인 데 반해 혼인과 가족생활의 보호는 헌법적 가치라는 것을 고려할 때 법익균형성도 인정하기 어렵다. 따라서 이 사건 세대별 합산규정은 혼인한 자 또는 가족과 함께 세대를 구성한 자를 비례의 원칙에 반하여 개인별로 과세되는 독신자, 사실혼관계의 부부, 세대원이 아닌 주택 등의 소유자 등에 비하여 불리하게 차별하여 취급하고 있으므로, 헌법 제36조 제1항에 위반된다(2008.11.13, 2006헌바112 등).

② [O] 「민법」 제정 이후의 사회적·법률적·의학적 사정변경을 전혀 반영하지 아니한 채, 이미 혼인관계가 해소된 이후에 자가 출생하고 생부가 출생한 자를 인지하려는 경우마저도, 아무런 예외 없이 그 자를 전남편의 친생자로 추정함으로써 친생부인의 소를 거치도록 하는 심판대상조항은 입법형성의 한계를 벗어나 모가 가정생활과 신분관계에서 누려야 할 인격권, 혼인과 가족생활에 관한 기본권을 침해한다(2015.4.30, 2013헌마623).

③ [O] ④ [O] 부성주의 자체는 합헌이나 부가 사망하였거나 부모가 이혼하여 모가 단독으로 친권을 행사하고 양육할 것이 예상되는 경우 혼인의 자를 부가 인지하였으나 모가 단독으로 양육하고 있는 경우 등에 있어서 부성을 사용토록 강제하면서 모의 성의 사용을 허용하지 않은 것은 헌법 제36조 제1항에 위반된다. 이 사건 법조항에 대하여 위헌결정을 선고할 경우 부성주의원칙 자체까지 위헌으로 선언되는 결과를 초래하게 되므로 헌법불합치결정을 선고하되 2007.12.31.까지 잠정적용을 명한다(2005.12.22, 2003헌가55 등).

⑤ [O] '한정승인제도'와 '상속포기제도'는 그 방식 및 법률효과 등 여러 가지 측면에서 본질적으로 상이한 제도이기 때문에, '한정승인신고를 한 집단'과 '상속포기신고를 한 집단'은 본질적으로 동일한 '두 개의 비교집단'이라고 볼 수 없고, 따라서 <u>'특별한정승인제도'만을 규정하고 '특별상속포기제도'를 규정하지 아니한 이 사건 법률조항으로 인하여 한정승인신고가 아닌 상속포기신고를 한 청구인들의 평등권이 침해되었다고 볼 수 없다</u>(2003.12.18, 2002헌바91 등).

14 정답 ③

① [X] 이 사건 법률조항은 1990년 개정 「민법」 시행 이전의 계모의 사망에 따른 상속관계를 규율하는 것이 아니므로 헌법 제13조 제2항이 금하는 소급입법에 해당하지 아니한다. 한편 이 사건 법률조항에 따라 1990년 개정 「민법」 시행 이전에 성립된 계모자관계의 경우 이후 계모 또는 계자가 사망하더라도 상호 간에 상속이 인정되지 아니하는 것은, 그 상속에 대한 기대가 구체적이라고 보기 어렵고, 일률적으로 상속제도를 정비할 공익이 상대적으로 커서 현저히 자의적인 입법형성이라고 할 수 없으므로, 재산권 보장에 관한 신뢰보호원칙에 위반된다고 볼 수 없다(2011.2.24, 2009헌바89 등). 2014년 사시

② [X] 다른 혼인 취소사유에 비해 중혼의 반사회성·반윤리성이 훨씬 무겁다는 점에서 중혼과 동의 없는 혼인·근친혼 등은 본질적으로 그 성격과 차원을 달리 하므로, 이들 사이에 평등원칙 위배 여부를 논할 비교집단이 설정된다고 보기 어렵다. 따라서 이 사건 법률조항은 평등원칙에 위반되지 않는다(2014.7.24, 2011헌바275).

❸ [O] 이 사건 주택분 종합부동산세 부과규정은, 납세의무자 중 적어도 주거 목적으로 한 채의 주택만을 보유하고 있는 자로서, 그중에서도 특히 일정한 기간 이상 이를 보유하거나 또는 그 보유기간이 이에 미치지 않는다 하더라도 <u>과세대상 주택 이외에 별다른 재산이나 수입이 없어 조세지불능력이 낮거나 사실상 거의 없는 자 등에 대하여 주택분 종합부동산세를 부과함에 있어서는</u> 그 보유의 동기나 기간, 조세지불능력 등과 같이 정책적 과세의 필요성 및 주거생활에 영향을 미치는 정황 등을 고려하여 납세의무자의 예외를 두거나 과세표준 또는 세율을 조정하여 납세의무를 감면하는 등의 과세 예외조항이나 조정장치를 두어야 할 것임에도 이와 같은 주택 보유의 정황을 고려하지 아니한 채 다른 일반 주택 보유자와 동일하게 취급하여 일률적 또는 무차별적으로, 그것도 재산세에 비하여 상대적으로 고율인 누진세율을 적용하여 결과적으로 다액의 종합부동산세를 부과하는 것이므로, 그 입법목적의 달성에 필요한 정책수단의 범위를 넘어 과도하게 주택 보유자의 재산권을 제한하는 것으로서 피해의 최소성 및 법익균형성의 원칙에 어긋난다고 보지 않을 수 없다(2008.11.13, 2006헌바112 등).

④ [X]

> **법정의견** 중국, 베트남, 필리핀, 캄보디아, 몽골, 우즈베키스탄, 태국(이하 '특정 7개국'이라 한다) 국적의 배우자인 청구인이 이 사건 프로그램을 이수하여야 하는지 여부는 이 사건 심판대상조항에 의하여 바로 확정되는 것이 아니라, 행정청이 청구인의 경우는 운영사항의 면제사유에 해당하지 않는다고 보아 청구인에게 이 사건 프로그램을 이수한 후 이 사건 프로그램을 이수하였다는 증명서를 첨부하거나 초청장에 이 사건 프로그램 이수번호를 기재하도록 요구하는 때 또는 이 사건 프로그램을 이수하였다는 증명서를 첨부하지도 않고 초청장에 이 사건 프로그램 이수번호를 기재하지도 않았다는 이유로 사증발급을 거부하는 처분을 하는 때에 비로소 확정된다고 할 것이다. 따라서 이 사건 심판대상조항에 대해 기본권 침해의 직접성이 인정되지 아니한다(2013.11.28, 2011헌마520).

반대의견 특정 7개국 국적의 외국인과 혼인한 한국인을 규정하고 있는바, 특정 7개국은 출입국행정, 국제결혼 등 제반 여건에 대하여 각기 다른 사정을 가지고 있는 나라들로 각 국가마다 합리적인 선정이 유가 있어야 할 것이지만, 그러한 이유를 찾아볼 수 없다. 그러므로 이 사건 심판대상조항이 특정 7개국 국적의 외국인과 혼인한 한국인에게 이 사건 프로그램 이수를 의무화하는 것은 청구인의 평등권과 혼인의 자유, 가족결합권을 침해하는 것이다.

15 정답 ②

ㄱ. [X] 헌법 제32조 제6항은 "국가유공자·상이군경 및 전몰군경의 유가족은 법률이 정하는 바에 의하여 우선적으로 근로의 기회를 부여받는다."라고 규정하여 근로 기회의 부여에 있어 국가유공자 등을 우대해야 할 헌법적 의무를 입법자에게 부과하고 있다. 그러나 입법자는 위 헌법규정에서 명시하고 있는 대상에 대해서뿐만 아니라 보호대상으로 명시하고 있지 않은 자에 대해서도 위 조항 및 헌법 전문에 나타난 대한민국의 건국이념 등을 고려하여 국가보훈적 예우가 필요하다고 판단되는 경우 이들을 특별히 배려하는 입법을 할 수 있으며, 그것이 현저히 자의적인 경우가 아니라면 평등권 침해라고 보기 어렵다(2016.9.29, 2014헌마541).

ㄴ. [O] 헌법재판소는 종전 판례에서 국가유공자 가족에 대한 가산점제도가 헌법 제32조 제6항에 근거를 두고 있다고 보아 완화된 비례심사기준을 적용하였으나, 판례 변경을 통해 국가유공자 가족에 대한 가산점 부여의 헌법상 근거를 부정함으로써 엄격한 비례심사기준을 적용하였다. 종전 결정은 국가유공자와 그 가족에 대한 가산점제도는 모두 헌법 제32조 제6항에 근거를 두고 있으므로 평등권 침해 여부에 관하여 보다 완화된 기준을 적용한 비례심사를 하였으나, 국가유공자 본인의 경우는 별론으로 하고, 그 가족의 경우는 위에서 본 바와 같이 헌법 제32조 제6항이 가산점제도의 근거라고 볼 수 없으므로 그러한 완화된 심사는 부적절한 것이다(2006.2.23, 2004헌마675 등).

ㄷ. [O] 국가유공자 가족에 대한 가산점은 헌법 제32조 제6항에 근거하고 있지 않아 엄격한 비례심사를 해야 하나, 국가유공자, 상이군경, 전몰군경의 유가족에 대한 가산점에 대한 가산점제도는 헌법 제32조 제6항에 근거를 두고 있으므로 완화된 비례심사기준(중간심사)을 적용함이 타당하다.

ㄹ. [X] 국가유공자 본인의 가산점은 헌법 제32조 제6항에 근거를 두고 있으므로 비례원칙을 적용하되 완화된 적용을, 국가유공자 가족의 가산점은 헌법 제32조 제6항에 근거를 두고 있지 않은바 엄격한 비례원칙을 적용해야 한다.

ㅁ. [O] 사건 복수·부전공 가산점은 헌법이 정하고 있는 차별금지사유나 영역에는 해당하지 아니하므로, 평등실현요청에 위배되는지 여부를 심사하기 위한 기준을 설정함에 있어서는 이 사건 복수·부전공 가산점으로 인한 차별이 공직취임에 대한 중대한 제한인지 여부가 문제된다. 그런데 중등교사 임용시험에서 이 사건 복수·부전공 가산점을 받지 못하는 자가 입을 수 있는 불이익은 공직에 진입하는 것 자체에 대한 제약이라는 점에서 당해 기본권에 대한 중대한 제한이므로 이 사건 복수·부전공 가산점규정의 위헌 여부에 대하여는 엄격한 심사척도를 적용함이 상당하다(2006.6.29, 2005헌가13).

16 정답 ②

ㄱ. [X] 가산점제도의 목적은 제대군인의 사회복귀를 지원하는 것으로 정당하나, 공직수행능력과 합리적 관련성을 인정할 수 없는 성별을 기준으로 한 제대군인 가산점제도는 차별취급의 적합성을 상실한 것이다. 또한 제대군인 가산점제도가 추구하는 공익은 헌법적 법익이 아니라 입법정책적 법익에 불과하나, 이로 인해서 침해되는 것은 고용상의 남녀평등, 장애인에 대한 차별금지라는 헌법적 가치이므로 법익균형성을 상실한 제도이므로 평등권 침해이고 공무담임권 침해이다(1999.12.23, 98헌마363).

ㄴ. [O] 가산점제도의 목적은 제대군인의 사회복귀를 지원하는 것으로 정당하나, 공직수행능력과 합리적 관련성을 인정할 수 없는 성별을 기준으로 한 제대군인 가산점제도는 차별취급의 적합성을 상실한 것이다. 또한 제대군인 가산점제도가 추구하는 공익은 헌법적 법익이 아니라 입법정책적 법익에 불과하나, 이로 인해서 침해되는 것은 고용상의 남녀평등, 장애인에 대한 차별금지라는 헌법적 가치이므로 법익균형성을 상실한 제도이므로 평등권 침해이고 공무담임권 침해이다(1999.12.23, 98헌마363).

ㄷ. [O] 제대군인 가산점제도는 영구적 제도이나, 여성채용목표제는 잠정적 조치라는 면에서 제대군인 가산점제도가 야기하는 위헌성을 여성채용목표제는 상쇄, 감쇄, 치유할 수 없다는 것이 헌법재판소 판례이다(1999.12.23, 98헌마363).

ㄹ. [X] 채용목표제는 이른바 잠정적 우대조치의 일환으로 시행되는 제도이다. 잠정적 우대조치라 함은, 종래 사회로부터 차별을 받아 온 일정집단에 대해 그동안의 불이익을 보상하여 주기 위하여 그 집단의 구성원이라는 이유로 취업이나 입학 등의 영역에서 직·간접적으로 이익을 부여하는 조치를 말한다. 여성채용목표제와 같은 잠정적 우대조치의 특징으로는 이러한 정책이 개인의 자격이나 실적보다는 집단의 일원이라는 것을 근거로 하여 혜택을 준다는 점, 기회의 평등보다는 결과의 평등을 추구한다는 점, 항구적 정책이 아니라 구제목적이 실현되면 종료하는 임시적 조치라는 점 등을 들 수 있다. 이러한 여성공무원채용목표제로 가산점제도의 위헌성이 제거되거나 감쇄되는 것으로 볼 수 없다(1999.12.23, 98헌마363).

17 정답 ①

❶ [O] 헌법에서 특별히 평등을 요구하고 있는 경우와 차별적 취급으로 인하여 관련 기본권에 대한 중대한 제한을 초래하게 된다면 입법형성권은 축소되어 보다 엄격한 심사척도가 적용되어야 할 것인바, 제대군인 가산점제도는 헌법 제32조 제4항이 특별히 남녀평등을 요구하고 있는 '근로' 내지 '고용'의 영역에서 남성과 여성을 달리 취급하는 제도이고, 또한 헌법 제25조에 의하여 보장된 공무담임권이라는 기본권의 행사에 중대한 제약을 초래하는 것이기 때문에 엄격한 심사척도가 적용된다(1999.12.23, 98헌마363).

② [X] 전체 여성 중의 극히 일부분만이 제대군인에 해당될 수 있는 반면, 남자의 대부분은 제대군인에 해당하므로 가산점제도는 실질적으로 성별에 의한 차별이고, 가산점을 받을 수 있는 현역복무를 하게 되는지 여부는 병역의무자의 의사와 관계없이 징병검사의 판정결과, 학력, 병력수급의 사정에 따라 정해지는 것이므로 가산점제도는 현역복무나 상근예비역 소집근무를 할 수 있는 신체건장한 남자와 그렇지 못한 남자, 즉 병역면제자와 보충역복무를 하게 되는 자를 차별하는 제도이다(1999.12.23, 98헌마363).

③ [X] 헌법 제39조 제1항에서 국방의 의무를 국민에게 부과하고 있는 이상 「병역법」에 따라 군복무를 하는 것은 국민이 마땅히 하여야 할 이른바 신성한 의무를 다 하는 것일 뿐, 그러한 의무를 이행하였다고 하여 이를 특별한 희생으로 보아 일일이 보상하여야 한다고 할 수는 없는 것이므로, 헌법 제39조 제2항은 병역의무를 이행한 사람에게 보상조치를 취하거나 특혜를 부여할 의무를 국가에게 지우는 것이 아니라, 법문 그대로 병역의무의 이행을 이유로 불이

익한 처우를 하는 것을 금지하고 있을 뿐인데, 「제대군인지원에 관한 법률」 제8조 제1항 및 제3항, 동법 시행령 제9조에 의한 가산점제도는 이러한 헌법 제39조 제2항의 범위를 넘어 제대군인에게 일종의 적극적 보상조치를 취하는 제도라고 할 것이므로 이를 헌법 제39조 제2항에 근거한 제도라고 할 수 없고, 제대군인은 헌법 제32조 제6항에 규정된 '국가유공자·상이군경 및 전몰군경의 유가족'에 해당하지 아니하므로 이 헌법조항도 가산점제도의 근거가 될 수 없으며, 달리 헌법상의 근거를 찾아볼 수 없다(1999.12.23, 98헌마363).

④ [X] 가산점제도는 이러한 헌법 제39조 제2항의 범위를 넘어 제대군인에게 일종의 적극적 보상조치를 취하는 제도라고 할 것이므로 이를 헌법 제39조 제2항에 근거한 제도라고 할 수 없다. 헌법 제32조 제6항은 "국가유공자·상이군경 및 전몰군경의 유가족은 법률이 정하는 바에 의하여 우선적으로 근로의 기회를 부여받는다."라고 규정하고 있으나, 제대군인은 여기서 말하는 '국가유공자·상이군경 및 전몰군경의 유가족'에 해당하지 아니한다. 구 「국가유공자 예우 등에 관한 법률」에 의하더라도 국가유공자에 해당하지 아니하며(제4조), 단지 입법의 편의상 국가유공자를 위한 가산점제도를 제대군인에게 준용하였을 뿐이었고(제70조), 이 법이 제정되면서부터는 제대군인을 국가유공자와 분리하여 별도로 규율하고 있다. 그러므로 헌법 제32조 제6항도 가산점제도의 근거가 될 수 없고, 달리 헌법상의 근거를 찾아볼 수 없다. 이와 같이 가산점제도에 헌법적 근거가 없는 이상 이 제도는 제대군인의 사회복귀를 돕겠다는 취지하에 입법정책적으로 도입된 것에 불과하다 할 것이다(1999.12.23, 98헌마363).

18 정답 ①

❶ [X] 재정조달목적뿐만 아니라 부담금의 부과 자체로써 국민의 행위를 특정한 방향으로 유도하거나 특정한 공법적 의무의 이행 또는 공공출연으로부터의 특별한 이익과 관련된 집단 간의 형평성 문제를 조정하여 특정한 사회·경제정책을 실현하기 위한 '정책실현목적 부담금'으로 구분할 수 있다. 전자의 경우에는 공적 과제가 부담금 수입의 지출단계에서 비로소 실현되나, 후자의 경우에는 공적 과제의 전부 혹은 일부가 부담금의 부과단계에서 이미 실현된다(2019.12.27, 2017헌가21).

② [O] 골프장 부가금은 국민체육의 진흥을 위한 각종 사업에 사용될 국민체육진흥계정의 재원을 마련하는 데에 그 부과의 목적이 있을 뿐, 그 부과 자체로써 골프장 부가금 납부의무자의 행위를 특정한 방향으로 유도하거나 골프장 부가금 납부의무자 이외의 다른 집단과의 형평성 문제를 조정하고자 하는 등의 목적이 있다고 보기 어렵다. 게다가 뒤에서 보는 바와 같이 심판대상조항이 골프장 부가금을 통해 추구하는 공적 과제는 국민체육진흥계정의 집행단계에서 비로소 실현된다고 할 수 있으므로, 골프장 부가금은 재정조달목적 부담금에 해당한다(2019.12.27, 2017헌가21).

③ [O] 평등원칙의 적용에 있어서 부담금의 문제는 합리성의 문제로서 자의금지원칙에 의한 심사대상인데, 선별적 부담금의 부과라는 차별이 합리성이 있는지 여부는 그것이 행위형식의 남용으로서 앞서 본 부담금의 헌법적 정당화 요건을 갖추었는지 여부와 관련이 있다.

④ [O] 골프장 부가금은 일반 국민에 비해 특별히 객관적으로 밀접한 관련성을 가진다고 볼 수 없는 골프장 부가금 징수대상 시설 이용자들을 대상으로 하는 것으로서 합리적 이유가 없는 차별을 초래하므로, 헌법상 평등원칙에 위배된다.

19 정답 ②

① [X] 「부담금관리 기본법」 제3조에 따른 [별표 제68호]도 「재건축초과이익 환수에 관한 법률」 제3조에 따른 재건축부담금을 같은 법에서 말하는 부담금 중 하나로서 열거하고 있다. 다만 어떤 공과금이 조세인지 아니면 부담금인지는 단순히 법률에서 그것을 무엇으로 성격규정하고 있느냐를 기준으로 할 것이 아니라, 그 실질적인 내용을 결정적인 기준으로 삼아야 한다(2019.12.27, 2014헌바381).

❷ [O] 이 사건 재건축부담금은 국토해양부장관이 주택재건축사업에서 발생되는 초과이익을 환수함으로써 주택가격의 안정과 사회적 형평을 제고한다는 특정한 공적 과제의 수행을 위하여, 구 「도시 및 주거환경정비법」에 의하여 주택재건축사업을 하기 위하여 설립된 조합(또는 조합원)이라는 특정 부류의 법인 또는 사람들에게 특정한 반대급부 없이 일정한 금전을 강제적·일률적으로 부과하는 것이다. 또한 이렇게 마련된 부과금은 국민주택기금, 도시·주거환경정비기금 또는 국민주택사업특별회계로 귀속되어 별도로 관리·운용되고 (구 「재건축초과이익 환수에 관한 법률」 제4조), 국민주택의 건설, 임대주택의 건설·관리 등 제한된 용도로만 지출된다는 점에서, 법률상 규정된 과세요건이 충족되면 국민이면 누구나 부담하는 일반적인 재정책임, 즉 일종의 일반부담으로서 정부의 재정수요를 충당하기 위하여 보상이나 반대급부 없이 국민으로부터 강제적으로 징수하는 조세와는 그 목적과 기능이 구별되므로, 재건축부담금은 조세가 아닌 부담금에 해당한다(2019.12.27, 2014헌바381).

③ [X] 이 사건 재건축부담금제도는 재건축사업으로 발생하는 초과이익의 사유화로 인하여 발생하는 소득구조의 불균형과 계층 간 갈등, 주택가격의 폭등을 방지함으로써 주택가격의 안정과 사회적 형평을 기하고, 주거환경(노후·불량주택)을 개선하고자 하는 재건축사업이 본래의 목적대로 추진되도록 유도하고자 마련된 것이다. 그렇다면 이는 재정조달목적이 아예 없다고는 할 수 없지만, 대체로 부담금의 부과 자체로 특정한 사회·경제정책의 실현을 목적으로 하는 '정책실현목적의 유도적·조정적 부담금'이라고 할 것이다(2019.12.27, 2014헌바381).

④ [X] 주택재개발사업과 주택재건축사업은 그 사업목적과 대상, 강제성의 정도, 구체적인 사업의 시행방식 및 절차, 개발이익 환수의 방식과 정도가 모두 다르다고 할 것이어서, 개발이익 환수의 필요성 측면에서 주택재건축사업과 주택재개발사업이 동일하다고 볼 수 없다. 그렇다면 주택재건축사업과 주택재개발사업은 이 사건 재건축부담금 부과와 관련하여 헌법적으로 의미 있는 비교집단이라고 볼 수 없으므로, 주택재개발사업이 아닌 주택재건축사업에 한하여 재건축부담금을 부과하도록 한 이 사건 환수조항 등은 헌법상 평등원칙에 위반된다고 할 수 없다(2019.12.27, 2014헌바381).

20 정답 ③

① [X] '국가 또는 지방자치단체가 재정수요를 충족시키기 위하여 반대급부 없이 법률에 규정된 요건에 해당하는 모든 자에 대하여 일반적 기준에 의하여 부과하는 금전급부'라는 조세로서의 특징을 지니고 있다는 점에서 실질적인 조세라 할 것이다(2020.5.27, 2018헌바465).

② [X] 과점주주에 해당하기만 하면 회사로부터 배당 등으로 실제 이익을 얻었는지 여부나 보유주식의 실제 가치가 어떠한지를 불문하고 무조건 제2차 납부의무를 부담하게 하는 것이 지나치다는 것으로서, 이는 심판대상조항이 헌법 제37조 제2항에 규정된 기본권 제한의 입법한계를 벗어나 청구인의 재산권을 침해한다는 주장과 다르지 않다. 따라서 과잉금지원칙 위반 여부에 대하여 판단하는 이상 실질적 조세법률주의 위반 여부에 대하여는 별도로 판단하지 않기로

한다(2020.5.27, 2018헌바465).

❸ [O] 개발부담금은 비록 그 명칭이 '부담금'이고 「국세기본법」이나 「지방세기본법」에서 나열하고 있는 국세나 지방세의 목록에 빠져 있다고 하더라도, '국가 또는 지방자치단체가 재정수요를 충족시키기 위하여 반대급부 없이 법률에 규정된 요건에 해당하는 모든 자에 대하여 일반적 기준에 의하여 부과하는 금전급부'라는 조세로서의 특징을 지니고 있다는 점에서 실질적인 조세라 할 것이다(2020.5.27, 2018헌바465).

④ [X] 심판대상조항이 비상장법인의 과점주주에게만 개발부담금에 대한 제2차 납부의무를 부과하는 것은 개발부담금의 징수를 확보하면서도 상장법인과는 다르게 주로 친족, 친지 등으로 구성된 폐쇄적인 회사인 비상장법인만의 특성을 고려한 합리적인 차별이므로, 평등원칙에 위배되지 않는다(2020.5.27, 2018헌바465).

22회 진도별 모의고사

평등권 ~ 신체의 자유

정답

01	④	02	③	03	③	04	③
05	①	06	②	07	②	08	③
09	②	10	③	11	②	12	③
13	②	14	①	15	③	16	①
17	①	18	④	19	①	20	④

01 정답 ④

① [X] 심판대상조항이 법관의 명예퇴직수당 정년잔여기간을 계산함에 있어 정년퇴직일 전에 임기만료일이 먼저 도래하는 경우 '다른 경력직공무원'과 달리 임기만료일을 정년퇴직일로 보도록 하여 청구인과 같은 퇴직 법관의 평등권을 침해하고 있는지 여부를 살펴 보기로 한다(2020.4.23, 2017헌마321).

② [X] 심판대상조항은 법관 명예퇴직수당에 있어 정년잔여기간의 계산에 관하여 정하고 있는 규정으로서, 헌법에서 특별히 평등을 요구하고 있다거나, 차별적 취급으로 인하여 관련 기본권에 관한 중대한 제한을 초래하는 경우에 해당한다고 보기 어려우므로, 자의금지원칙에 의하여 심사하기로 한다.

③ [X] 심판대상조항으로 인하여 법관이 연령정년만을 기준으로 정년잔여기간을 산정하는 다른 경력직공무원에 비하여, 명예퇴직수당 지급 여부 및 액수 등에 있어 불이익을 볼 가능성이 있다 하더라도, 이를 자의적인 차별이라 볼 수는 없다.

❹ [O] 명예퇴직제도의 재량성, 평등원칙에 관한 일반법리와 법관의 명예퇴직수당액에 대한 산정기준, 헌법상의 법관 임기제, 법관의 자진퇴직 및 군복무기간의 근속연수 가산에 따른 결과 등에 관한 여러 사정들을 종합하면, 명예퇴직수당수급권의 형성에 관한 폭넓은 재량에 기초하여 구 「법관 및 법원공무원 명예퇴직수당 등 지급규칙」(2011.1.31, 대법원규칙 제2320호로 개정되기 전의 것) 제3조 제5항 본문에서 법관의 명예퇴직수당액에 대하여 정년잔여기간만을 기준으로 하지 아니하고 임기잔여기간을 함께 반영하여 산정하도록 한 것이 합리적인 이유 없이 동시에 퇴직하는 법관들을 자의적으로 차별하는 것으로서 평등원칙에 위배된다고 볼 수 없다(대판 2016.5.24, 2013두14863).

02 정답 ③

ㄱ. [O] 자율형 사립고등학교를 후기학교로 정하여 신입생을 일반고와 동시에 선발하도록 한 「초·중등교육법 시행령」은 법률에 위임근거가 있는 것인지, 즉 법률유보원칙 위반 여부가 문제될 뿐이므로 포괄위임금지원칙 위반 여부는 문제되지 아니한다.

ㄴ. [O] 청구인 학교법인은 자사고가 전기학교로 유지될 것이라는 신뢰가 침해되었다고 주장하므로 이 사건 동시선발조항이 신뢰보호원칙에 위배되는지 여부를 살펴본다. 청구인 학생 및 학부모는 청구인 학교법인과 별개로 자사고가 전기학교로 유지될 것이라는 신뢰를 침해당하였다고 주장한다. 그러나 이 사건 동시선발조항은 자사고 진학 준비에 어떠한 영향을 미친다고 보기 어렵고, 청구인 학생이 자사고가 전기학교일 경우만을 전제로 한 어떠한 입시준비행위가 있었다고 할 수 없으므로, 신뢰행위 자체가 존재하지 아니한다. 따라서 청구인 학생 및 학부모의 신뢰보호원칙 위반 주장은 더 나아가 살펴보지 아니한다.

ㄷ. [X] 청구인 학생 및 학부모는, 심판대상조항으로 인하여 자사고를 지원하는 학생은 ⓐ 과학고에 지원하는 학생과 달리 해당 자사고를 제외한 후기학교에 지원이 불가능하고, ⓑ 평준화지역 일반고에 지원하는 학생과 달리 중복지원이 불가능하므로, 심판대상조항은 청구인 학생 및 학부모의 평등권을 침해한다고 주장한다. 그러나 평등원칙 위반의 특수성은 대상 법률이 정하는 '법률효과' 자체가 위헌이 아니라, 그 법률효과가 수범자의 한 집단에만 귀속하여 '다른 집단과 사이에 차별'이 발생한다는 점에 있기 때문에, 평등원칙의 위반을 인정하기 위해서는 우선 법 적용에 관련하여 상호 배타적인 '두 개의 비교집단'을 일정한 기준에 따라서 구분할 수 있어야 한다. 전기학교 지원은 누구나 할 수 있고, 전기학교에 지원하였다가 불합격한 학생은 다시 후기학교에 지원할 수 있다(시행령 제85조 제2항 참조). 그렇다면 전기학교 지원자와 후기학교 지원자는 상호 배타적인 두 개의 비교집단이라고 볼 수 없다. 따라서 이 사건 중복지원금지조항이 청구인 학생 및 학부모를 평준화지역 일반고에 지원하는 학생과 달리 취급하여 청구인 학생 및 학부모의 평등권을 침해하는지 여부만을 살펴본다.

ㄹ. [O] 「초·중등교육법」은 고등학교 교육제도와 그 운영에 관하여 기본적인 사항을 이미 규정하고 있고, 다만 고등학교의 입학방법과 절차 등 입학전형에 관한 사항은 각 지역과 시점에 따라 달라지는 고등학교 교육에 대한 수요 및 공급의 상황과, 각종 고등학교별 특성 등을 고려하여야 할 필요성으로 인하여 행정입법에 위임하고 있다(제47조 제2항). 따라서 심판대상조항이 신입생 선발시기와 지원 방법을 대통령령으로 규정한 것 자체가 교육제도 법정주의에 위반된다고 보기는 어렵다.

ㅁ. [X] 시행령은 입학전형 실시권자나 학생 모집 단위 등도 그대로 유지하여 자사고의 사학운영의 자유 제한을 최소화하였다. 또한 일반고 경쟁력 강화만으로 고교서열화 및 입시경쟁 완화에 충분하다고 단정할 수 없다. 따라서 이 사건 동시선발조항은 국가가 학교제도를 형성할 수 있는 재량권한의 범위 내에 있다.

ㅂ. [O] 자사고가 전기학교로 유지되리라는 기대 내지 신뢰는 자사고의 교육과정을 도입취지에 충실하게 운영할 것을 전제로 한 것이므로 그 전제가 충족되지 않은 이상 청구인 학교법인의 신뢰를 보호하여야 할 가치나 필요성은 그만큼 약하다. 고교서열화 및 입시경쟁 완화라는 공익은 매우 중대하고, 자사고를 전기학교로 유지할 경우 우수학생 선점 문제를 해결하기 곤란하여 고교서열화 현상을 완화시키기 어렵다는 점, 청구인 학교법인의 신뢰의 보호가치가 작다는 점을 고려하면 이 사건 동시선발조항은 신뢰보호원칙에 위배되지 아니한다.

ㅅ. [O] 과학고는 '과학 분야의 인재 양성'이라는 설립취지나 전문적인 교육과정의 측면에서 과학 분야에 재능이나 소질을 가진 학생을 후기학교보다 먼저 선발할 필요성을 인정할 수 있으나, 자사고의 경우 교육과정 등을 고려할 때 후기학교보다 먼저 특정한 재능이나 소질을 가진 학생을 선발할 필요성은 적다. 따라서 이 사건 동시선발조항이 자사고를 후기학교로 규정함으로써 과학고와 달리 취급하고, 일반고와 같이 취급하는 데에는 합리적인 이유가 있으므로 청구인 학교법인의 평등권을 침해하지 아니한다.

ㅇ. [X] 이 사건 중복지원금지조항은 고등학교 진학 기회에 있어서의 평등이 문제된다. 비록 고등학교 교육이 의무교육은 아니지만 매우 보편화된 일반교육임을 고려할 때 고등학교 진학 기회의 제한은 당사자에게 미치는 제한의 효과가 커 엄격히 심사하여야 하므로 차별목적과 차별 정도가 비례원칙을 준수하는지 살펴야 한다.

ㅈ. [○] 자사고에 지원하였다가 불합격한 평준화지역 소재 학생들은 이 사건 중복지원금지조항으로 인하여 원칙적으로 평준화지역 일반고에 지원할 기회가 없고, 통학이 힘든 먼 거리의 비평준화지역의 학교에 진학하거나 학교의 장이 입학전형을 실시하는 고등학교에 정원미달이 발생할 경우 추가선발에 지원하여야 하고 그조차 곤란한 경우 고등학교 재수를 하여야 하는 등 고등학교 진학 자체가 불투명하게 되기도 한다. 이 사건 중복지원금지조항은 중복지원금지 원칙만을 규정하고 자사고 불합격자에 대하여 아무런 고등학교 진학 대책을 마련하지 않았다. 결국 이 사건 중복지원금지조항은 고등학교 진학 기회에 있어서 자사고 지원자들에 대한 차별을 정당화할 수 있을 정도로 차별목적과 차별 정도 간에 비례성을 갖춘 것이라고 볼 수 없다(2019.4.11, 2018헌마221).

03

정답 ③

① [○] 특정 범죄에 대한 형벌이 그 자체로는 책임과 형벌 간의 비례원칙에 위반되지 않더라도, 죄질과 보호법익이 유사한 범죄에 대한 형벌과 비교할 때 현저히 형벌체계의 균형성을 잃은 것이 명백한 경우에는, 인간의 존엄성과 가치를 보장하는 헌법의 기본원리에 위배될 뿐만 아니라 법의 내용에 있어서도 평등원칙에 반하여 위헌이라 할 수 있다(2016.6.30, 2015헌바132).

② [○] 형벌체계에 있어서 법정형의 균형은 한치의 오차도 없이 반드시 실현되어야 하는 헌법상의 절대원칙은 아니다. 중요한 것은 범죄와 형벌 사이의 간극이 너무 커서 형벌 본래의 목적과 기능에 본질적으로 반하고 실질적 법치국가의 원리에 비추어 허용될 수 없을 정도인지가 문제될 뿐이다(2006.4.27, 2014헌바60 등).

❸ [X] 어떤 유형의 범죄에 대하여 특별히 형을 가중할 필요가 있는 경우라 하더라도, 그 가중의 정도가 통상의 형사처벌과 비교하여 현저히 형벌체계상의 정당성과 균형을 잃은 것이 명백한 경우에는 인간의 존엄성과 가치를 보장하는 헌법의 기본원리에 위배될 뿐 아니라 법의 내용에 있어서도 평등원칙에 반하는 위헌적 법률이 된다(2004.12.16, 2003헌가12).

④ [○] 강제추행죄의 피해자들은 심각한 정신적·정서적 장애를 경험할 수 있고, 그 후유증으로 장기간 사회생활에 큰 지장을 받을 수 있는데, 사생활의 중심으로 개인의 인격과 불가분적으로 연결되어 있어 개인의 생명, 신체, 재산의 안전은 물론 인간 행복의 최소한의 조건이자 개인의 사적 영역으로서 보장되어야 하는 주거에서 강제추행을 당한다면 그로 인한 피해는 보다 심각할 수 있다. 이 사건 법률조항의 법정형은 무기징역 또는 5년 이상의 징역이므로 행위자에게 정상을 참작할 만한 특별한 사정이 있는 때에는 법관은 작량감경을 통하여 얼마든지 집행유예를 선고할 수 있고, 그 불법의 중대성에 비추어 볼 때 법정형에 벌금을 규정하지 않은 것이 불합리하다고 할 수도 없다. 그러므로 이 사건 법률조항은 책임과 형벌 간의 비례원칙에 위반되지 아니한다(2013.7.25, 2012헌바320).

04

정답 ③

ㄱ. [○] 심판대상조항은 이 사건 「형법」 조항과 똑같은 구성요건을 규정하면서 법정형의 상한에 '사형'을 추가하고 하한을 2년에서 5년으로 올려놓았다. 이러한 경우 검사는 심판대상조항을 적용하여 기소하는 것이 특별법 우선의 법리에 부합할 것이나, 이 사건 「형법」 조항을 적용하여 기소할 수도 있으므로 어느 법률조항이 적용되는지에 따라 심각한 형의 불균형이 초래된다. 심판대상조항은 이 사건 「형법」 조항의 구성요건 이외에 별도의 가중적 구성요건 표지 없이 법적용을 오로지 검사의 기소재량에만 맡기고 있어 법집행기관 스스로도 혼란을 겪을 수 있고, 수사과정에서 악용될 소지도 있다. 따라서 심판대상조항은 형벌체계상의 균형을 잃은 것이 명백하므로 평등원칙에 위반된다(2014.11.27, 2014헌바224 등).

ㄴ. [○] 형사법상 책임원칙은 기본권의 최고이념인 인간의 존엄과 가치에 근거한 것으로, 형벌은 범행의 경중과 행위자의 책임 즉 형벌 사이에 비례성을 갖추어야 함을 의미한다. 따라서 기본법인 「형법」에 규정되어 있는 구체적인 법정형은 개별적인 보호법익에 대한 통일적인 가치체계를 표현하고 있다고 볼 때, 사회적 상황의 변경으로 인해 특정 범죄에 대한 형량이 더 이상 타당하지 않을 때에는 원칙적으로 법정형에 대한 새로운 검토를 요하나, 특별한 이유로 형을 가중하는 경우에도 형벌의 양은 행위자의 책임의 정도를 초과해서는 안 된다. 이 사건 법률조항을 포함한 「폭력행위 등 처벌에 관한 법률」 제3조 제2항은 동 조항의 적용대상인 「형법」 본조에 대하여 일률적으로 5년 이상의 유기징역에 처하는 것으로 규정하고 있다. 그런데 위 각 「형법」상의 범죄는 죄질과 행위의 태양 및 그 위험성이 사뭇 다르고, 이에 따라 원래의 법정형은 낮게는 폭행(제260조 제1항)이나 협박(제283조 제1항)과 같이 구류 또는 과료가 가능한 것에서부터 높게는 상해(제257조 제1항) 또는 공갈(제350조)과 같이 10년 이하의 징역에 이르기까지 그 경중에 차이가 많음을 알 수 있다. 그럼에도 불구하고, 그 행위가 야간에 행해지고 흉기 기타 위험한 물건을 휴대하였다는 사정만으로 일률적으로 5년 이상의 유기징역형에 처하도록 규정한 것은 실질적 법치국가 내지는 사회적 법치국가가 지향하는 죄형법정주의의 취지에 어긋날 뿐만 아니라 기본권을 제한하는 입법을 함에 있어서 지켜야 할 헌법적 한계인 과잉금지의 원칙 내지는 비례의 원칙에도 어긋난다(2004.12.16, 2003헌가12).

ㄷ. [X] 흉기 기타 위험한 물건을 휴대하여 폭행죄를 범하는 경우, 검사는 「폭력행위 등 처벌에 관한 법률」상 폭행죄조항을 적용하여 기소하는 것이 특별법 우선의 법리에 부합하나, 「형법」 제261조를 적용하여 기소할 수도 있다. 그런데 위 두 조항 중 어느 조항이 적용되는지에 따라 피고인에게 벌금형이 선고될 수 있는지 여부가 달라지고, 징역형의 하한을 기준으로 최대 6배에 이르는 심각한 형의 불균형이 발생한다. 따라서 「폭력행위 등 처벌에 관한 법률」상 폭행죄조항은 형벌체계상의 정당성과 균형을 잃은 것이 명백하므로, 인간의 존엄성과 가치를 보장하는 헌법의 기본원리에 위배될 뿐만 아니라 그 내용에 있어서도 평등원칙에 위배된다(2015.9.24, 2015헌가17).

ㄹ. [○] 성매매에 제공되는 사실을 알면서 건물을 제공하는 행위를 처벌하는 구 「성매매알선 등 행위의 처벌에 관한 법률」 제19조 제1항 제1호 중 '성매매에 제공되는 사실을 알면서 건물을 제공하는 행위'에 관한 부분(이하 '이 사건 법률조항'이라 한다)이 처벌하는 건물제공행위는 성매매를 알선·권유·유인·강요하는 행위와 마찬가지로 성매매에 일정한 기여를 하는 행위로서 성매매의 물적 기반을 제공하여 성매매 및 성매매알선을 용이하게 하고 성매매알선으로 인한 재산상 이익을 취득하게 되므로 그 비난가능성이 결코 낮지 않고, 성매매에 사용될 건물을 제공하여 막대한 임대수입을 거두는 등의 경우에는 일회적인 성매매알선보다 불법성이 클 수 있으며, 이 사건 법률조항은 징역형과 벌금형이 선택적으로 규정되어 있어 구체적인 사안에서 합리적인 양형이 가능하므로 형벌체계의 균형성을 상실하여 평등원칙에 위반된다고 볼 수 없다(2012.12.27, 2011헌바235). 2013년 사시

ㅁ. [X] 「형법」상 모욕죄는 피해자에 대한 구체적 사실이 아닌 추상적 판단과 감정을 표현하고, 「형법」상 사자명예훼손죄는 생존한 사람이 아닌 사망한 사람에 대한 허위사실 적시라는 점에서 불법성이 감경된다. 반면, 「정보통신망 이용촉진 및 정보보호 등에 관한 법률」의 명예훼손죄는 비방할 목적으로 정보통신망을 이용하여 거짓사실을 적시한다는 점에서 불법성이 가중된다는 차이가 있다. … 친고죄·반의사불벌죄 여부를 달리 정한 것이므로, 심판대상조문은

형벌체계상 균형을 상실하지 않아 평등원칙에 위반되지 아니한다(2021.4.29, 2018헌바113).

05 정답 ①

ㄱ. [O] 공적 노후소득 보장에 있어 국민기초생활 보장제도와 기초연금제도가 담당하는 역할 및 전체 체계를 고려할 때, 소득 하위 70% 노인에게 기초연금을 지급하여 국민연금의 사각지대 해소 및 노인 전반의 소득수준 향상을 도모하고, 기초연금 지급 후에도 여전히 「국민기초생활 보장법」상의 최저생활기준을 충족시키지 못하는 노인에 한하여 추가적으로 「국민기초생활 보장법」상의 급여를 제공하도록 한 것이 그 자체로 입법재량을 일탈하였다고 보기는 어려운 점, 기초연금을 「국민기초생활 보장법」상 이전소득에서 제외할 경우 상당한 재정적 부담이 따를 것으로 보이는 점, 국가는 수급자를 대상으로 개인균등할 주민세 비과세, 에너지바우처 지원 등 다양한 감면제도를 운영하고 있는 점 등을 종합하여 보면, 이 사건 시행령조항이 청구인들과 같이 기초연금수급으로 인하여 기초생활 보장급여수급액이 감소하거나 수급권을 일부 또는 전부 상실하는 노인을 자의적으로 차별하고 있다고 단정하기 어렵다. 따라서 이 사건 시행령조항은 청구인들의 평등권을 침해하지 않는다(2019.12.27, 2017헌마1299).

ㄴ. [O] 심판대상조항의 의미와 목적 등을 고려할 때 '선거일 이전에 행하여진 선거범죄' 가운데 '선거일 이전에 후보 자격을 상실한 자'와 '선거일 이전에 후보 자격을 상실하지 아니한 자'는 본질적으로 동일한 집단이라 할 것이다. 따라서 심판대상이 양자의 공소시효 기산점을 '당해 선거일 후'로 같게 적용하더라도, 이는 본질적으로 같은 것을 같게 취급한 것이므로 차별이 발생한다고 보기 어렵다. 심판대상조항은 '선거일 이전에 행하여진 선거범죄'의 공소시효 기산점을 '당해 선거일 후'로 정하여, 「공직선거법」 제268조 제1항에서 '선거일 후에 행하여진 선거범죄'의 공소시효 기산점을 '그 행위가 있는 날부터'로 정하고, 「형사소송법」 제252조 제1항에서 '다른 일반범죄'에 관한 공소시효의 기산점을 '범죄행위의 종료한 때로부터'로 정한 것과 달리 취급하고 있다. 그러나 이는 선거로 인한 법적 불안정상태를 신속히 해소하면서도 선거의 공정성을 보장함과 동시에 선거로 야기된 정국의 불안을 특정한 시기에 일률적으로 종료시키기 위한 입법자의 형사정책적 결단 등에서 비롯된 것이므로, 그 합리성을 인정할 수 있다. 따라서 심판대상조항은 평등원칙에 위반되지 않는다(2020.3.26, 2019헌바71).

ㄷ. [O] 심판대상조항이 신법 조항의 소급적용을 위한 경과규정을 두지 않음으로써 개정법 시행일 전에 통상의 출퇴근 사고를 당한 비혜택 근로자를 보호하기 위한 최소한의 조치도 취하지 않은 것은, 산재보험의 재정상황 등 실무적 여건이나 경제상황 등을 고려한 것이라고 하더라도, 그 차별을 정당화할 만한 합리적인 이유가 있는 것으로 보기 어렵고, 이 사건 헌법불합치결정의 취지에도 어긋난다. 따라서 심판대상조항은 헌법상 평등원칙에 위반된다(2019.9.26, 2018헌바218).

ㄹ. [X] 「의료법」 제33조 제2항 단서에 대하여 헌법재판소는 2007.12.27. '복수면허 의료인도 하나의 의료기관 만을 개설하도록 하는 것은 복수면허 의료인의 직업의 자유와 평등권을 침해한다'는 이유로 헌법불합치 결정을 하였다(2007.12.27, 2004헌마1021). 이에 「의료법」이 2009.1.30. 법률 제9386호로 개정되면서 종전에 제33조 제2항 단서 전단에 있던 내용이 제33조 제8항 본문으로 이동하고, 그 단서에 "다만, 2 이상의 의료인 면허를 소지한 자가 의원급 의료기관을 개설하려는 경우에는 하나의 장소에 한하여 면허 종별에 따른 의료기관을 함께 개설할 수 있다."라는 내용이 추가되었다. 그 후 「의료법」이 2012.2.1. 법률 제11252호로 개정될 때 제4조 제2항이 신설되어 의료인은 다른 의료인의 명의로 의료기관을 개설하거나 운영할 수 없게 되었고, 제33조 제8항 본문도 이 사건 금지조항 부분이 추가되면서 의료인은 둘 이상의 의료기관을 개설·운영할 수 없는 것으로 개정되었으며, 위반시 처벌조항인 제87조 제1항 제2호에도 이 사건 처벌조항 부분이 추가되었다. … 이 사건 법률조항은 수범자를 의료인으로 한정하여, 의료법인 등은 위 조항의 적용을 받지 않고 둘 이상의 의료기관을 운영할 수 있다. 그러나 의료법인 등은 설립에서부터 국가의 관리를 받고, 이사회나 정관에 의한 통제가 가능하며, 명시적으로 영리추구가 금지된다. 이처럼 의료인 개인과 의료법인 등의 법인은 중복운영을 금지할 필요성에서 차이가 있으므로, 의료인과 의료법인 등을 달리 취급하는 것은 합리적인 이유가 인정된다. 따라서 이 사건 법률조항은 평등원칙에 반하지 않는다(2019.8.29, 2014헌바212).

ㅁ. [O] 복수면허 의료인이든, 단수면허 의료인이든 '하나의' 의료기관만을 개설할 수 있다는 점에서는 '같은' 대우를 받는다. 그런데 복수면허 의료인은 의과대학과 한의과대학을 각각 졸업하고, 의사와 한의사 자격 국가고시에 모두 합격하였다. 따라서 단수면허 의료인에 비하여 양방 및 한방의 의료행위에 대하여 상대적으로 지식 및 능력이 뛰어나거나, 그가 행하는 양방 및 한방의 의료행위의 내용과 그것이 인체에 미치는 영향 등에 대하여도 상대적으로 더 유용한 지식과 정보를 취득하고 이를 분석하여 적절하게 대처할 수 있다고 평가될 수 있다. 복수면허 의료인들에게 단수면허 의료인과 같이 하나의 의료기관만을 개설할 수 있다고 한 이 사건 법률조항은 '다른 것을 같게' 대우하는 것으로 합리적인 이유를 찾기 어렵다(2007.12.27, 2004헌마1021).

06 정답 ②

ㄱ. [X] 의료급여수급자와 건강보험가입자는 사회보장의 한 형태인 의료보장의 대상인 점에서만 공통점이 있다고 할 수 있을 뿐 그 선정방법, 법적 지위, 재원조달방식, 자기 기여 여부 등에서는 명확히 구분된다. 따라서 의료급여수급자와 건강보험가입자는 본질적으로 동일한 비교집단이라 보기 어렵고 의료급여수급자를 대상으로 선택병의원제 및 비급여항목 등을 달리 규정하고 있는 것을 두고, 본질적으로 동일한 것을 다르게 취급하고 있다고 볼 수는 없으므로 이 사건 개정법령의 규정이 청구인들의 평등권을 침해한다고 볼 수 없다(2009.11.26, 2007헌마734).

ㄴ. [O] 폐질상태의 확정이 퇴직 이전에 이루어진 군인과 그 이후에 이루어진 군인을 차별취급하고 있는데, 군인이나 일반 공무원이 공직수행 중 얻은 질병으로 퇴직 이후 폐질상태가 확정된 것이라면 그 질병이 퇴직 이후의 생활에 미치는 정도나 사회보장의 필요성 등의 측면에서 차이가 없을 뿐만 아니라 폐질상태가 확정되는 시기는 근무환경이나 질병의 특수성 등 우연한 사정에 의해 좌우될 수 있다는 점에서 볼 때, 위와 같은 차별취급은 합리적인 이유가 없어 정당화되기 어려우므로 평등의 원칙을 규정한 헌법 제11조 제1항에 위반된다(2010.6.24, 2008헌바128).

ㄷ. [O] '금고 이상의 형을 받았다가 재심으로 무죄판결을 받은 사람'은 군복무 중 급여 제한사유에 해당함이 없이 직무상 의무를 다한 성실한 군인이라는 점에서 '수사 중이거나 형사재판 계속 중이었다가 불기소처분 등을 받은 사람'과 차이가 없다. 급여 제한사유에 해당하지 않는 사람임이 뒤늦게라도 밝혀졌다면, 수사 중이거나 형사재판 계속 중이어서 잠정적·일시적으로 지급을 유보하였던 경우인지, 아니면 당해 형사절차가 종료되어 확정적으로 지급을 제한하였던 경우인지에 따라 잔여퇴직급여에 대한 이자 가산 여부를 달리 할 이유가 없다. 또한 이들은 '퇴직급여 등을 본래 지급받을 수 있었던 때 지급받지 못하고 일정한 기간이 경과한 후에 지급받는다'는 점에서도 차이가 없다. 금고 이상의 형이 확정되었다가 재심에서 무죄판결을 받은 사람은 처음부터 유죄판결이 없었던 것과

같은 상태가 되었으므로 '유죄판결을 받지 않았다면 본래 퇴직급여 등을 받을 수 있었던 날'에 퇴직급여를 지급받을 수 있었던 사람들이다. 따라서 미지급기간 동안 잔여퇴직급여에 발생하였을 경제적 가치의 증가를 전혀 반영하지 않고 잔여퇴직급여 원금만을 지급하는 것은 제대로 된 권리 회복이라고 볼 수 없다. 이러한 점들을 종합하면, 잔여 퇴직급여에 대한 이자 지급 여부에 있어 양자를 달리 취급하는 것은 합리적 이유 없는 차별로서 평등원칙을 위반한다(2016.7.28, 2015헌바20).

ㄹ. [X] 생활지원금을 비롯한 「부마민주항쟁 관련자의 명예회복 및 보상 등에 관한 법률」상 보상금 등은 국가가 관련자의 경제활동이나 사회생활에 미치는 영향, 생활 정도 등을 고려하여 지급대상자와 지원금의 액수를 정하여 지급할 수 있으므로, 이 사건 생활지원금조항이 일정한 요건을 갖춘 자들에 한하여 생활지원금을 지급할 수 있도록 하는 것이 불합리하다고 보기 어렵다. 따라서 심판대상조항은 청구인의 평등권을 침해하지 아니한다(2019.4.11, 2016헌마418).

ㅁ. [O] 애국지사는 일제의 국권침탈에 반대하거나 항거한 사실이 있는 당사자로서 조국의 자주독립을 위하여 직접 공헌하고 희생한 사람이지만, 순국선열의 유족은 일제의 국권침탈에 반대하거나 항거하다가 그로 인하여 사망한 당사자의 유가족으로서 「독립유공자예우에 관한 법률」(이하 '독립유공자법'라 한다)이 정하는 바에 따라 그 공로에 대한 예우를 받는 지위에 있다. 독립유공자의 유족에 대하여 국가가 독립유공자법에 의한 보상을 하는 것은 유족 그 자신이 조국의 자주독립을 위하여 직접 공헌하고 희생하였기 때문이 아니라, 독립유공자의 공헌과 희생에 대한 보은과 예우로서 그와 한가족을 이루고 가족공동체로서 함께 살아온 그 유족에 대하여서도 그에 상응한 예우를 하기 위함이다. 애국지사 본인과 순국선열의 유족은 본질적으로 다른 집단이므로, 같은 서훈 등급임에도 순국선열의 유족보다 애국지사 본인에게 높은 보상금 지급액 기준을 두고 있다 하여 곧 청구인의 평등권이 침해되었다고 볼 수 없다(2018.1.25, 2016헌마319).

07 정답 ②

ㄱ. [O] 「보훈보상대상자 지원에 관한 법률」 제11조 제1항 제2호 중 '부모 중 선순위자 1명에 한정하여 보상금을 지급하는 부분', 같은 법 제12조 제2항 제1호 중 '부모 중 나이가 많은 사람을 우선하는 부분'은 국가가 보훈보상대상자의 유족인 부모에게 보상금을 지급함에 있어 합리적인 이유 없이 보상금수급권자의 수를 일률적으로 제한하고, 부모 중 나이가 많은 자와 그렇지 않은 자를 합리적인 이유 없이 차별하고 있으므로 나이가 적은 부모의 평등권을 침해하여 헌법에 위반된다(2018.6.28, 2016헌가14).

> **비교 판례** 독립유공자의 유족보상금 지급에 있어서는 국가의 재정부담능력이 허락하는 한도에서 보상금 총액을 일정액으로 제한하되 생활정도에 따라 보상금을 분할해서 지급하는 방법이 가능하며, 보상금수급권자의 범위를 경제적으로 어려운 자에게 한정하는 방법도 가능함에도 불구하고, 이 사건 심판대상조항이 일률적으로 1명의 손자녀에게만 보상금을 지급하도록 하여 나머지 손자녀들의 생활보호를 외면하는 것은 독립유공자 유족의 생활유지 및 보장을 위한 실질적 보상의 입법취지에 반한다. 이 사건 심판대상조항은 합리적인 이유 없이 상대적으로 나이가 적은 손자녀인 청구인을 차별하여 평등권을 침해한다(2013.10.24, 2011헌마724).

ㄴ. [O] 이 사건 법률조항이 6·25 전몰군경자녀 중 나이가 많은 자를 이 사건 수당의 선순위수급권자로 정하는 것은 이 사건 수당이 가지는 사회보장적 성격에 부합하지 아니하고, 나이가 많다는 우연한 사정을 기준으로 이 사건 수당의 지급순위를 정하는 것으로 합리적인 이유가 없다. 따라서 이 사건 법률조항은 나이가 적은 6·25 전몰군경자녀의 평등권을 침해한다(2021.3.25, 2018헌가6).

ㄷ. [X] 사후양자의 경우 양자가 되는 시점에 이미 독립유공자가 사망하였으므로, 독립유공자와 생계를 같이하였거나 부양받는 상황에서 그의 희생으로 인하여 사회·경제적으로 예전보다 불리한 지위에 놓이게 될 여지가 없다. 사후양자와 일반양자는 생활의 안정과 복지의 향상을 도모할 필요성의 면에서 보면 상당한 차이가 있으므로, 본문조항이 서로를 달리 취급하는 것은 헌법상 평등원칙에 위반되지 않는다(2021.5.27, 2018헌바277).

ㄹ. [X] 1945.8.15. 이후에 독립유공자에게 입양된 양자가 독립유공자등을 부양한 사실이 없는 경우 유족의 범위에서 제외하는 것은 독립유공자와 양자 상호 간의 희생분담 등을 고려한 것으로서 현저히 불합리한 차별이라고 보기는 어렵다. 따라서 단서조항이 헌법상 평등원칙에 위반된다고 볼 수 없다(2021.5.27, 2018헌바277).

08 정답 ③

ㄱ. [X] 대한민국 국적을 가지고 있는 영유아 중에서 재외국민인 영유아를 보육료·양육수당의 지원대상에서 제외함으로써, 청구인들과 같이 국내에 거주하면서 재외국민인 영유아를 양육하는 부모를 차별하는 보건복지부지침은 영유아에 대한 보육료·양육수당 지급에 있어 국내거주 재외국민을 대한민국 국적을 보유하고 국내에 주민등록을 두고 있는 국민에 비해 차별하고 있으며, 그와 같은 차별에 아무런 합리적 근거도 인정될 수 없으므로 청구인들의 헌법상 기본권인 평등권을 침해한다(2018.1.25, 2015헌마1047). 2018년 국가 7급

ㄴ. [O] 등록신청시를 기준으로 그 이후부터만 보상금수급권을 인정하는 제도를 채택하지 아니하고 전·공상 및 순직 등의 사유가 발생한 때부터 보상금수급권을 인정하게 되면 등록을 지체한 채 오랜 세월이 지나 전·공상과 여타 사유로 인한 증상이 병발한 경우 그 구별이 어렵게 되는 점을 고려한 것이므로 그 나름대로 합리성을 갖추고 있다고 할 것이고 객관적으로 정의와 형평에 반한다거나 자의적인 것이라고 할 수 없으므로 헌법 제11조에서 보장한 평등의 원칙에 위반되지 않는다(2006.11.30, 2005헌바25). 2002년 사시

ㄷ. [X] 보건복지부장관이 2002년도 최저생계비를 고시함에 있어 장애로 인한 추가지출비용을 반영한 별도의 최저생계비를 결정하지 않은 채 가구별 인원 수만을 기준으로 최저생계비를 결정한 것은 생활능력 없는 장애인가구 구성원의 인간의 존엄과 가치 및 행복추구권, 인간다운 생활을 할 권리, 평등권을 침해하였다고 할 수 없다(2004.10.28, 2002헌마328). 2017년 국회 8급

ㄹ. [X] 국제협력요원은 자신들의 의사에 기하여 봉사활동을 통한 병역의무 이행을 선택한 점에서 행정관서요원과 다르다. 행정관서요원제도는 방위제도가 폐지되면서, 여전히 현역병 등으로 입영하여 군복무를 이행할 수 없는 신체적 사유 등이 있는 병역의무자의 경우 이들을 행정관서요원으로 소집하여 병역의무를 이행하도록 하기 위하여 고안된 제도임에 반하여, 국제협력요원은 국제봉사요원이 개발도상국에서 자발적으로 봉사활동을 하게 된 것이 국제사회에 긍정적인 영향을 끼치고 있다는 점을 감안하여, 위와 같은 국제봉사활동을 체계적·지속적으로 계속할 자원을 병역의무자 중에서 충원한다는 차원에서 마련된 것에 기인한다는 차이가 있으므로, 입법자가 위와 같은 차이들에 근거하여 국제협력요원과 행정관서요원을 달리 취급하는 것을 입법형성권을 벗어난 자의적인 것이라고 할 수 없어, 이 사건 조항은 헌법상의 평등권을 침해하지 아니한다(2010.7.29, 2009헌가13). 2015년 국회 8급

ㅁ. [O] 1983.1.1. 이후 출생한 A형 혈우병 환자에 한하여 유전자재조합제제에 대한 요양급여를 인정하는 이 사건 고시조항이 수혜자 한

정의 기준으로 정한 환자의 출생시기는 우연한 사정에 기인하는 결과의 차이일 뿐, 이러한 차이로 인해 A형 혈우병 환자들에 대한 치료제인 유전자재조합제제의 요양급여 필요성이 달라진다고 할 수는 없으므로, A형 혈우병 환자들의 출생시기에 따라 이들에 대한 유전자재조합제제의 요양급여 허용 여부를 달리 취급하는 것은 합리적인 이유가 있는 차별이라고 할 수 없다. 따라서 이 사건 고시조항은 청구인들의 평등권을 침해하는 것이다(2012.6.27, 2010헌마716).

ㅂ. [O] 애국지사는 일제의 국권침탈에 반대하거나 항거한 사실이 있는 당사자로서 조국의 자주독립을 위하여 직접 공헌하고 희생한 사람이지만, 순국선열의 유족은 일제의 국권침탈에 반대하거나 항거하다가 그로 인하여 사망한 당사자의 유가족으로서 「독립유공자예우에 관한 법률」이 정하는 바에 따라 그 공로에 대한 예우를 받는 지위에 있다. 독립유공자의 유족에 대하여 국가가 「독립유공자예우에 관한 법률」에 의한 보상을 하는 것은 유족 그 자신이 조국의 자주독립을 위하여 직접 공헌하고 희생하였기 때문이 아니라, 독립유공자의 공헌과 희생에 대한 보은과 예우로서 그와 한가족을 이루고 가족공동체로서 함께 살아온 그 유족에 대하여서도 그에 상응한 예우를 하기 위함이다. 애국지사 본인과 순국선열의 유족은 본질적으로 다른 집단이므로, 같은 서훈 등급임에도 순국선열의 유족보다 애국지사 본인에게 높은 보상금 지급액 기준을 두고 있다 하여 곧 청구인의 평등권이 침해되었다고 볼 수 없다(2018.1.25, 2016헌마319).

09 정답 ②

① [O] 국가가 국가의 재정부담능력 등을 고려하여 일반적으로 강제동원으로 인한 정신적 고통이 더욱 크다고 볼 수 있는 국외 강제동원자 집단을 우선적으로 처우하는 것이 객관적으로 정의와 형평에 반한다거나 자의적인 차별이라고 보기는 어렵고, 달리 이 사건 법률조항이 청구인의 기본권을 침해하거나 헌법에 위반된다고 볼 수 없다(2012.7.26, 2011헌바352).

❷ [X] 지방자치단체장은 특정 정당을 정치적 기반으로 할 수 있는 선출직공무원으로 임기가 4년이고 계속 재임도 3기로 제한되어 있어, 장기근속을 전제로 하는 공무원을 주된 대상으로 하고 이들이 재직 기간 동안 납부하는 기여금을 일부 재원으로 하여 설계된 「공무원연금법」의 적용대상에서 지방자체단체장을 제외하는 것에는 합리적 이유가 있다. 선출직공무원의 경우 선출 기반 및 재임가능성이 모두 투표권자에게 달려 있고, 정해진 임기가 대체로 짧으며, 공무원연금의 전체 기금은 기본적으로 기여금 및 국가 또는 지방자치단체의 비용으로 운용되는 것이므로 공무원연금급여의 종류를 구별하여 기여금 납부를 전제로 하지 않는 급여의 경우 선출직 공무원에게 지급이 가능하다고 보기도 어렵다. 따라서 심판대상조항은 청구인들의 평등을 침해하지 않는다(2014.6.26, 2012헌마459).

③ [O] 특히 65세 미만의 비교적 젊은 나이인 경우, 일반적 생애주기에 비추어 사회활동이나 경제활동이 활발한 때이므로 자립 욕구나 자립지원의 필요성이 높고, 노인성 질병의 조기 발견에 따른 치료효과나 재활의 가능성이 높은 편이라고 할 수 있으므로 노인성 질병이 발병하였다고 하여 곧 사회생활이 객관적으로 불가능하다거나, 가내에서의 장기요양의 욕구·필요성이 급격히 증가한다고 평가할 것은 아니다. 회복이 어려운 퇴행성 질환의 특성을 고려한다고 하더라도, 노인성 질병의 진행경과가 질병의 종류 및 개인의 상황에 따라 다른 특성을 보이며, 의학의 발전에 따라 치료 및 현상유지의 가능성이 높아지고 있는 점에 대한 고려가 필요하다. 그럼에도 단지 노인성 질병이 있다는 이유만으로 일률적으로 활동지원급여신청자격을 제한하는 것에 어떤 합리적 이유가 있다고 보기 어렵다. 활동지원급여와 장기요양급여의 수급자 선정 및 수급량 결정을 위한 조사의 내용과 방식이 상이함에 따라 특정인에 대하여 활동지원급여 수급이 장기요양급여 수급보다 반드시 유리하다고 보기는 어렵다. 그러나 앞서 살핀 것과 같이 활동지원급여의 경우 월한도액이 최고 6,480,000원(1구간)에 이르고 15구간으로 세분화되어 있는 반면, 장기요양급여는 월한도액이 최고 1,498,300원(1등급)이고 5등급으로 구분되어 있어 급여량 편차가 매우 크다. 또한 활동지원급여의 경우 자립생활에 초점이 있으므로 가내에서의 일상생활 지원뿐만 아니라 사회활동참여 등이 가능하도록 폭넓은 일상생활 지원을 하는 반면, 장기요양급여는 주로 가내에서의 일상생활 보조 및 간병, 시설 수용을 전제로 한 지원에 초점을 두고 있어서, 장기요양급여로서의 가정방문급여를 통해서는 여행(수련회, 나들이)이나 취미활동 동행을 제공받을 수 없다(장기요양급여 제공기준 및 급여비용 산정방법 등에 관한 고시 제15조 제1항). 장기요양급여의 재가급여는 집 안에서의 일상생활 영위에 초점을 두고 급여의 내용이 설계되어 있기 때문에 활동지원급여를 대체하거나 일상에서 자립요구를 충족시키기 어려운 부분이 있다. 이를 종합하면, 심판대상조항이 65세 미만의 장애인 가운데 일정한 노인성 질병이 있다는 이유만으로 활동지원급여를 신청할 수 없도록 하는 것은 자립욕구나 재활가능성을 고려하지 않은 것으로서 합리적 이유가 있다고 보기 어렵다(2020.12.23, 2017헌가22 등).

④ [O] 「공무원연금법」과 「군인연금법」은 구조적인 유사성에도 불구하고 구체적인 급여체계에 상당한 차이가 있다. 상이연금은 장해연금과 달리 장해보상금, 공무상요양비, 「국가유공자 등 예우에 관한 법률」에 따른 보상금 등을 중복하여 지급받을 수 있고, 상이연금수급자는 공무원으로 임용된 후 퇴직할 때 「공무원연금법」에 의하여 지급받을 수 있는 퇴직연금과 지급 정지되었던 상이연금을 함께 받을 수 있다. 두 연금체계의 구조 및 다른 급여제도를 전체적으로 고려할 때 상이연금수급자가 장해연금수급자에 비해 불리하다고 단정하기 어렵고 평등원칙에 위배된다고 볼 수 없다(2019.12.27, 2017헌바169).

10 정답 ③

ㄱ. [O] 이 사건 금지조항이 질병 예방·치료 효능이 있는 식품과 그러한 효능이 없는 식품에 대하여 의약품으로 오인·혼동할 우려가 있는 광고를 한 경우를 동일하게 금지한다고 하더라도 이는 본질적으로 다른 것을 같게 취급한 것이라고 할 수 없다. 그렇다면 이 사건 금지조항은 평등원칙에 위반되지 않는다(2019.7.25, 2017헌바513).

ㄴ. [O] 「가축분뇨의 관리 및 이용에 관한 법률」에 따른 신고를 하지 않은 개 사육시설에 대해서는 다른 법령에 의한 국가의 관리·감독이 전혀 이루어지지 않고 있는 사정을 고려하면, 개 사육시설을 이행기간 특례에서 제외한 것을 두고 현저하게 합리성이 결여되어 있다고 보기 어렵다. 그렇다면 심판대상조항은 개 사육시설 설치자인 청구인들의 평등권을 침해한다고 할 수 없다(2019.8.29, 2018헌마297).

ㄷ. [X] 특정인의 병역감경은 그의 병역부담을 다른 이에게 전가하는 결과를 가져오므로, 병역감경대상자를 설정할 때에는 합리적인 기준에 따라 그 범위를 최소화할 필요가 있다. 따라서 심판대상조항은 청구인의 평등권을 침해하지 않는다(2019.7.25, 2017헌마323).

ㄹ. [X] 현역병은 엄격한 규율이 적용되는 내무생활을 하면서 총기·폭발물 사고 등 위험에 노출되어 있는데, 병역의무 이행에 대한 보상의 정도를 결정할 때 위와 같은 현역병 복무의 특수성을 반영할 수 있으며, 사회복무요원은 생계유지를 위하여 필요한 경우 복무기관의 장의 허가를 얻어 겸직할 수 있는 점 등을 고려하면, 심판대상조항이 사회복무요원에게 현역병의 봉급과 동일한 보수를 지급하면서 중식비, 교통비, 제복 등을 제외한 다른 의식주 비용을 추가로 지급하지 않는다 하더라도, 사회복무요원을 현역병에 비하여 합리적

이유 없이 자의적으로 차별한 것이라고 볼 수 없다. 따라서 심판대상조항은 청구인들의 평등권을 침해하지 아니한다(2019.2.28, 2017헌마374 등).

ㅁ. [X] 행복추구권은 국민이 행복을 추구하기 위한 활동을 국가권력의 간섭 없이 자유롭게 할 수 있다는 포괄적인 의미의 자유권으로서의 성격을 갖는 것인데, 심판대상조항은 사회복무요원의 급여에 관한 것으로서 자유권의 제한영역에 관한 규정이 아니므로, 심판대상조항이 청구인들의 행복추구권을 제한한다고 할 수 없다(2019.4.11, 2018헌마920).

ㅂ. [O] 병역의무 이행자들에게 어느 정도의 보상을 지급할 것인지는 전체 병력규모 및 보충역 복무인원과 국가의 재정부담능력, 물가수준의 변화 등에 따라 정하여질 수밖에 없어, 이를 정할 때에는 상당한 재량이 인정되므로, 그 내용이 현저히 불합리한 경우에 한하여 헌법에 위반된다고 할 수 있다. 따라서 이하에서는 심판대상조항이 현역병에 비하여 사회복무요원을 합리적 이유 없이 자의적으로 차별하였는지 여부에 대하여 살펴보기로 한다(2019.4.11, 2018헌마920).

11 정답 ②

ㄱ. [X] 물리치료사가 의사, 치과의사의 지도하에 업무를 할 수 있도록 정한 구 「의료기사 등에 관한 법률」은 한의사의 평등권과 직업의 자유를 침해하지 않는다(2014.5.29, 2011헌마552).

ㄴ. [O] 이 사건 유족범위조항이 사망한 가입자 등에 의하여 생계를 유지하고 있지 않은 자녀 또는 25세 이상인 자녀를 유족연금을 받을 수 있는 자녀의 범위에 포함시키지 않았다고 하더라도, 그 차별이 현저하게 불합리하거나 자의적인 차별이라고 볼 수 없다. 따라서 이 사건 유족범위조항은 청구인들의 평등권을 침해하지 않는다(2019.2.28, 2017헌마432).

ㄷ. [O] 통관질서의 적정을 해하였다는 점에서 관세포탈과 국내 유통 위험이 없는 물품의 무신고 수입행위와 그렇지 않은 물품의 무신고 수입행위, 무신고 수출행위와 무신고 수입행위가 각각 다르지 않고 일반예방적 차원에서 이를 모두 엄하게 징벌할 필요도 있다. 따라서 이 사건 몰수·추징조항은 평등원칙에 위반되지 아니한다(2021.7.15, 2020헌바201).

ㄹ. [X] 미결수용자는 수사나 재판절차가 진행 중이므로 증거인멸 시도 등 접견제도를 남용할 위험이 수형자에 비해 상대적으로 크고, 미결수용자의 배우자도 거주지 인근 교정시설을 방문하여 그 곳에 설치된 영상통화 설비를 이용하여 실시하는 화상접견은 할 수 있다. 수형자의 배우자와 미결수용자의 배우자 사이에 차별을 둔 데에는 합리적인 이유가 있으므로, 이 사건 지침조항들은 청구인의 평등권을 침해하지 않는다(2021.11.25, 2018헌마598).

ㅁ. [O] 심판대상조항은 「마약류 관리에 관한 법률」상 제2조 제3호 가목 향정신성의약품 원료식물 흡연·섭취의 경우와 같은 벌금형을 규정하고 있으나, 가장 위험성이 낮다고 평가되는 마약류 등의 사용에 비해 징역형을 더 낮게 규정하고 벌금형의 상한만 정한 채 하한을 두지 않아 법원에서 그 죄질과 비난가능성에 따라 적절한 선고형을 정하도록 하고 있으므로, 형벌체계상 균형을 상실하여 평등원칙에 위반된다고 할 수 없다(2021.10.28, 2018헌바367).

12 정답 ③

ㄱ. [O] 다이옥신이 포함된 제초제는 인체에 강한 독성을 나타내는 것으로 알려져 있는 반면 모뉴론의 인체 유해성은 과학적으로 충분히 밝혀진 바 없다. 특히 남방한계선 인접지역에서 살포된 모뉴론은 상업용 제초제로서 군사용으로 만들어진 다이옥신이 포함된 제초제보다 독성이 약하고 불순물이 적을 개연성이 높다. 따라서 이 사건 성분조항이 다이옥신이 들어 있는 제초제만을 고엽제로 규정한 것에는 합리적 이유가 있으므로, 평등권을 침해하지 아니한다(2021.12.23, 2019헌바376).

ㄴ. [O] 예비장교후보생의 경우에는 매해 인력 운용을 고려하여 선발 규모를 정할 수 있는 반면, 법무사관후보생은 법학전문대학원을 졸업한 후 판사·검사 또는 변호사의 자격을 취득한 병역판정검사대상자, 현역병입영대상자 및 사회복무요원 소집대상자의 규모에 따라 편입 규모가 결정되므로, 임용 예정 연도를 기준으로 연 나이에 따라 그 규모를 확정할 필요성이 크다. 심판대상조항이 법무사관후보생을 예비장교후보생과 달리 취급하는 데에는 합리적 이유가 인정된다. 따라서 심판대상조항은 청구인의 평등권을 침해하지 아니한다(2021.12.23, 2020헌마1631).

ㄷ. [X] 산업연수생이 연수라는 명목하에 사업주의 지시·감독을 받으면서 사실상 노무를 제공하고 수당 명목의 금품을 수령하는 등 실질적인 근로관계에 있는 경우에도, 「근로기준법」이 보장한 근로기준 중 주요사항을 외국인 산업연수생에 대하여만 적용되지 않도록 하는 것은 합리적인 근거를 찾기 어렵다. 「근로기준법」 제5조와 '국제연합의 경제적·사회적 및 문화적 권리에 관한 국제규약' 제4조에 따라 '동등한 가치의 노동에 대하여 동등한 근로조건을 향유할 권리'를 제한하기 위하여는 법률에 의하여만 하는바, 이를 행정규칙에서 규정하고 있으므로 위 법률유보의 원칙에도 위배된다. 그렇다면, 이 사건 노동부 예규는 청구인의 평등권을 침해한다고 할 것이다(2007.8.30, 2004헌마670).

ㄹ. [X] 실업급여의 지급목적, 경제활동인구의 연령별 비율, 보험재정상태 등을 모두 고려하여 '65세 이후 고용된 자'의 경우 「고용보험법」상 고용안정·직업능력개발사업의 지원대상에는 포함되지만, 실업급여를 적용하지 않도록 한 데에는 합리적 이유가 있다. 따라서 그러한 적용 제외조항이 65세 이후 고용된 후 이직한 청구인의 평등권을 침해하지 아니한다(2018.6.28, 2017헌마238).

ㅁ. [O] 우리 「형법」이 사람의 생명을 박탈한 고의적인 살인범마저 사형·무기 또는 5년 이상의 유기징역형으로 규정하여 작량감경할 사유가 있는 경우에는 집행유예의 선고가 가능하도록 폭넓은 법정형을 정하고 있는 것과 비교하여 보아도, 이 사건 해당 범죄는 비록 사체유기 내지 유기치사라는 제2의 고의의 범행이 결합되기는 하지만 그 원인행위나 기본적인 구성요건은 우발적인 과실범인 업무상과실치사상에서 비롯되는 것인데 이를 가지고 사형, 무기징역 또는 10년 이상의 유기징역형으로 한정하여 집행유예선고의 여지마저 제한하고 있는 것은 형벌체계상의 정당성을 잃은 과중한 법정형이라 아니할 수 없다(1992.4.28, 90헌바24).

ㅂ. [O] 대학·산업대학·전문대학에서 의무기록사 관련 학문을 전공한 사람에 대해서는 의무기록사 국가시험 응시자격을 부여하고, 사이버대학에서 같은 학문을 전공한 사람에 대해서는 의무기록사 국가시험에 응시할 수 없도록 한 「의료기사 등에 관한 법률」 제4조 제1항 제1호 중 '의무기록사'에 관한 부분은 사이버대학에서 의무기록사 관련 학문을 전공한 사람의 평등권을 침해하지 않는다(2016.10.27, 2014헌마1037).

ㅅ. [X] 법관은 국가의 통치권인 입법·행정·사법의 주요 3권 중 사법권을 담당하고 그 권한을 행사하는 국가기관이고, 다른 국가기관이나 그 종사자와는 달리 헌법과 법률에 의하여 그 양심에 따라 독립하여 심판하는 기관으로서(헌법 제103조), 법관 하나 하나가 법을 선언·판단하는 독립된 기관이며, 그에 따라 사법권의 독립을 위하여 헌법에 의하여 그 신분을 고도로 보장받고 있다(헌법 제106조). 따라서 법관의 정년을 설정함에 있어서, 입법자는 위와 같은 헌법상 설정된 법관의 성격과 그 업무의 특수성에 합치되어야 하고, 관료제도를 근간으로 하는 계층구조적인 일반 행정공무원과 달리 보아야 함은 당연하므로, 고위법관과 일반법관을 차등하여 정년을

설정함은 일응 문제가 있어 보이나, 사법도 심급제도를 염두에 두고 있다는 점과 위에서 살펴본 몇 가지 이유를 감안하여 볼 때, 일반법관의 정년을 대법원장이나 대법관보다 낮은 63세로, 대법관의 정년을 대법원장보다 낮은 65세로 설정한 것이 위헌이라고 단정할 만큼 불합리하다고 보기는 어렵다고 할 것이다(2002.10.31, 2001헌마557).

13 정답 ②

ㄱ. [X] 국가에 대한 공헌과 희생, 업무의 위험성의 정도, 국가의 재정상태 등을 고려하여 화재진압, 구조·구급 업무수행 또는 이와 관련된 교육훈련 이외의 사유로 직무수행 중 사망한 소방공무원에 대하여 순직군경으로서의 보훈혜택을 부여하지 않는다고 해서 이를 합리적인 이유 없는 차별에 해당한다고 볼 수 없다(2005.9.29, 2004헌바53).

ㄴ. [X] 전기자전거의 도주를 일반자전거의 도주에 비하여 무거운 형으로 처벌하는 것은, 전기자전거는 구조적 특성상 장거리를 일정한 속도로 주행할 수 있어 도주할 우려가 크고, 도주했을 때 교통질서상 초래되는 위험과 피해자가 입을 생명·신체상 피해의 중대성이 일반자전거보다 더 심각하다는 점을 고려한 것으로서 합리적인 이유가 있다. 행위태양이나 피해 정도에 비추어 비난가능성이 상대적으로 가벼운 사안은 법관이 집행유예나 벌금형을 선고할 수 있고, 교통사고로 인한 피해가 경미한 사안은 구호조치의 필요성을 부정하여 처벌대상에서 제외할 수 있으므로, 위 조항은 평등원칙에 위배되지 아니한다(2016.2.25, 2013헌바113).

ㄷ. [O] 개설등록이 취소된다 하더라도 부동산 중개의뢰인을 비롯한 제3자가 입게 될 피해는 그리 크다고 할 수 없는 반면, 심판대상조항으로 인한 공익은 매우 중대하므로 심판대상조항은 법익균형성도 갖추었다. 따라서 심판대상조항은 과잉금지원칙에 반하여 직업선택의 자유를 침해하지 않는다. 공인중개사는 다른 자격제도와 달리 부동산 거래 전반에 직접 관여하면서 매우 광범위하게 국민의 주거생활에 영향을 미치므로, 다른 자격제도보다 가중된 요건을 두었다고 하더라도 자의적인 차별취급으로 보기 어렵다. 따라서 심판대상조항은 평등권을 침해하지 않는다(2015.5.28, 2013헌가7). 2016년 사시

ㄹ. [O] 입법자가 국·공립학교와는 달리 사립학교를 설치·경영하는 학교법인 등이 당해 학교에 운영위원회를 둘 것인지의 여부를 스스로 결정할 수 있도록 한 것은 사립학교의 특수성과 자주성을 존중하는 데 그 목적이 있으므로 결국 위 조항이 국·공립학교의 학부모에 비하여 사립학교의 학부모를 차별취급한 것은 합리적이고 정당한 사유가 있어 평등권을 침해한 것이 아니다(1999.3.25, 97헌마130).

ㅁ. [O] 6개월 미만 근무한 월급근로자 또한 전직을 위한 시간적 여유를 갖거나 실직으로 인한 경제적 곤란으로부터 보호받아야 할 필요성이 있다. 그럼에도 불구하고 합리적 이유 없이 '월급근로자로서 6개월이 되지 못한 자'를 해고예고제도의 적용대상에서 제외한 이 사건 법률조항은 근무기간이 6개월 미만인 월급근로자의 근로의 권리를 침해하고, 평등원칙에도 위배된다(2015.12.23, 2014헌바3).

ㅂ. [O] 사업장 규모나 재정여건의 부족 또는 사업주의 일방적 의사나 개인 사정 등으로 출퇴근용 차량을 제공받지 못하거나 그에 준하는 교통수단을 지원받지 못하는 비혜택근로자는 비록 산재보험에 가입되어 있다 하더라도 출퇴근 재해에 대하여 보상을 받을 수 없는데, 이러한 차별을 정당화할 수 있는 합리적 근거를 찾을 수 없다. 통상의 출퇴근 재해를 「산업재해보상보험법」상 업무상 재해로 인정할 경우 산재보험 재정상황이 악화되거나 사업주 부담 보험료가 인상될 수 있다는 문제점은 보상대상을 제한하거나 근로자에게도 해당 보험료의 일정 부분을 부담시키는 방법 등으로 어느 정도 해결할 수 있다. 반면에 통상의 출퇴근 중 재해를 입은 비혜택근로자는 가해자를 상대로 불법행위책임을 물어도 충분한 구제를 받지 못하는 것이 현실이고, 심판대상조항으로 초래되는 비혜택근로자와 그 가족의 정신적·신체적 혹은 경제적 불이익은 매우 중대하다. 따라서 심판대상조항은 합리적 이유 없이 비혜택근로자를 자의적으로 차별하는 것이므로, 헌법상 평등원칙에 위배된다(2016.9.29, 2014헌바254).

14 정답 ①

ㄱ. [X] 심판대상조항은 과잉금지원칙을 위반하여 세무사 자격 보유 변호사인 청구인 신○우의 직업선택의 자유를 침해하므로 헌법에 위반된다. 청구인 신○우는 심판대상조항이 위 청구인의 평등권을 침해하고 조세법률주의에 위반된다는 주장도 하나, 심판대상조항이 청구인 신○우의 직업선택의 자유를 침해하여 헌법에 위반된다고 판단하는 이상, 위 주장들에 대해서는 더 나아가 판단하지 아니한다(2018.4.26, 2016헌마116).

> **반대의견** 입법자가 세무관청과 관련된 실무적 업무에 필요한 세무회계 및 세법 지식이 검증된 공인회계사에게 세무대리업무등록부에 등록을 하면 세무조정업무를 할 수 있도록 허용하면서도, 세무사 자격 보유 변호사의 세무조정업무수행은 제한하는 것을 두고 입법재량을 현저히 남용하였다거나 재량의 범위를 벗어난 것이라고 볼 수는 없다. 심판대상조항은 청구인의 평등권을 침해하지 아니한다.

ㄴ. [X] 다른 전문직에 비하여 변호사는 포괄적인 직무영역과 그에 따른 더 엄격한 직무의무를 부담하고 있는바, 이는 변호사 직무의 공공성 및 그 포괄적 직무범위에 따른 사회적 책임성을 고려한 것으로서, 다른 전문직과 비교하여 차별취급의 합리적 이유가 있다고 할 것이므로, 「변호사법」 제29조는 변호사의 평등권을 침해하지 아니한다(2013.5.30, 2011헌마131). 2014년 변시

ㄷ. [X] 1차 의료기관의 전문과목 표시와 관련하여 의사전문의, 한의사전문의와 치과전문의 사이에 본질적인 차이가 있다고 볼 수 없으므로, 의사전문의, 한의사전문의와 달리 치과전문의의 경우에만 전문과목의 표시를 이유로 진료범위를 제한하는 것은 합리적인 근거를 찾기 어렵고, 치과일반의는 전문과목을 불문하고 모든 치과환자를 진료할 수 있음에 반하여, 치과전문의는 치과의원에서 전문과목을 표시하였다는 이유로 자신의 전문과목 이외의 다른 모든 전문과목의 환자를 진료할 수 없게 되는바, 이는 보다 상위의 자격을 갖춘 치과의사에게 오히려 훨씬 더 좁은 범위의 진료행위만을 허용하는 것으로서 합리적인 이유를 찾기 어렵다. 따라서 심판대상조항은 청구인들의 평등권을 침해한다(2015.5.28, 2013헌마799).

ㄹ. [X] 입법자는 피해자의 사후적인 구제와 손해의 공평·타당한 부담과 분배를 참작하고, 자신의 자유의사와 위험판단에 따라 법률행위를 한 계약관계의 채권자와는 달리 고의로 가한 불법행위로 인한 손해배상청구권의 채권자는 채무자와 무관한 불특정한 피해자가 될 수 있고, 고의에 의한 불법행위라는 반규범적 행위를 억제할 필요성 등을 고려하여, 개인회생절차에 따른 면책결정이 있는 경우에 '채무불이행으로 인한 손해배상채무'와 달리 '채무자가 고의로 가한 불법행위로 인한 손해배상채무'는 면책되지 아니하는 내용으로 입법한 것으로, 이 사건 법률조항은 그 차별취급에 합리적인 이유가 있으므로 평등원칙에 위배되지 아니한다(2011.10.25, 2009헌바234).

ㅁ. [O] 「민법」상 손해배상청구권 등 금전채권은 10년의 소멸시효기간이 적용되는 데 반해, 사인이 국가에 대하여 가지는 손해배상청구권 등 금전채권은 심판대상조항으로 인하여 5년의 소멸시효기간이 적용되므로, 금전채권의 채무자가 사인인 경우와 국가인 경우 사

이에 차별취급이 존재한다. 그러나 국가의 채권·채무관계를 조기에 확정하고 예산 수립의 불안정성을 제거하여 국가재정을 합리적으로 운용할 필요성이 있는 점, 국가의 채무는 법률에 의하여 엄격하게 관리되므로 채무이행에 대한 신용도가 매우 높은 반면, 법률상태가 조속히 확정되지 않을 경우 국가 예산 편성의 불안정성이 커지게 되는 점, 특히 손해배상청구권과 같이 예측가능성이 낮고 불안정성이 높은 채무의 경우 단기간에 법률관계를 안정시켜야 할 필요성이 큰 점, 일반사항에 관한 예산·회계 관련 기록물들의 보존기간이 5년인 점 등에 비추어 보면, 차별취급에 합리적인 사유가 존재한다고 할 것이다. 따라서 심판대상조항은 평등원칙에 위배되지 아니한다(2018.2.22, 2016헌바470).

ㅂ. [X] 법무사, 세무사, 변리사 등 다른 전문자격 시험들과 공인회계사시험은 본질적으로 서로 같지 아니하므로 다른 시험에서 학점이수제도를 두지 않고 있다는 이유로 이 사건 법률조항이 공인회계사 시험에 응시하려는 자들을 자의적으로 차별하고 있다고 볼 수는 없다. 한편 학점이수제도에 대해서는 공인회계사의 전문성 강화라는 정당한 입법목적이 인정되고, 학점이수 대상이 공인회계사 업무와 밀접 한 관련이 있는 과목에 한정되어 있을 뿐 아니라 학점이수요건 충족을 위한 다양한 수단을 마련하고 있으며, 학점이수제도가 대학교육의 정상화 및 국가인력자원 배분의 효율성 증진이라는 공익에 기여하는 측면이 있으므로, 학점이수요건을 갖추지 아니한 사람이 공인회계사시험에 응시하기 위해서는 사전에 별도의 노력을 들여야 한다고 하더라도 이를 가리켜 자의적인 차별취급이라고 할 수는 없다(2012.11.29, 2011헌마801).

ㅅ. [X] 다른 보충역의 경우에도 기왕의 복무기간의 장단을 불문하고 '현역병 내지 행정관서요원의 의무복무기간/종전의 의무복무기간'의 비율에 따른 기간을 이미 복무한 것으로 인정받도록 하고 있다. 이러한 점을 종합해 볼 때, 기왕의 복무기간 인정 여부에 관하여 1년 미만을 종사하다가 편입 취소된 산업기능요원만 다른 병역의무자들과 달리 취급하는 것은 합리적 이유 없는 차별취급으로서 청구인의 평등권을 침해한다(2011.11.24, 2010헌마746).

15

정답 ③

ㄱ. [O] 공중보건의사와 의무 분야의 현역 장교(군의관)는 보충역과 현역이라는 차이만 있을 뿐 선발대상과 의무복무기간이 동일하고, 공중보건의사의 편입 취소사유인 국가공무원 임용 결격사유와 군의관의 제적 또는 신분 상실사유인 「군인사법」상 임용 결격사유는 서로 유사하나 복무 중 「군인사법」 임용 결격사유에 해당하여 제적되거나 그 신분이 상실되면 보충역의 장교에 편입될 뿐 더 이상 실역에 복무하지 않는 데 반하여 이 사건 법률조항은 국가공무원 임용 결격사유에 해당하여 공중보건의사 편입이 취소된 사람을 의무복무기간에 기왕의 복무기간을 전혀 반영하지 않고서 현역병으로 입영하게 하거나 공익근무요원으로 소집하도록 하여 합리적 이유 없이 차별하고 있다(2010.7.29, 2008헌가28).

ㄴ. [X] 경찰공무원과 일반직공무원, 검사, 군인은 각기 해당 법령에 의해 부여된 고유의 업무를 행하며, 해당 법령들은 그러한 업무와 조직의 특성을 고려하여 임용 결격사유와 임용 결격기간을 달리 규정하고 있는 것이므로, 위 법률조항은 평등원칙에 위배된다고 할 수 없다(2010.9.30, 2009헌바122).

ㄷ. [O] 이 사건 법률조항은 국가가 운영하는 우체국보험에 가입한다는 사정만으로, 일반 보험회사의 인보험에 가입한 경우와는 달리 그 수급권이 사망, 장해나 입원 등으로 인하여 발생한 것인지, 만기나 해약으로 발생한 것인지 등에 대한 구별조차 없이 그 전액에 대하여 무조건 압류를 금지하여 우체국보험 가입자를 보호함으로써 우체국보험 가입자의 채권자를 일반 인보험 가입자의 채권자에 비하여 불합리하게 차별취급하는 것이므로, 헌법 제11조 제1항의 평등원칙에 위반된다(2008.5.29, 2006헌바5). 2012년 사시

ㄹ. [O] 학교폭력에 대해 가해학생에게 내려진 조치는 피해학생에게도 중대한 영향을 미치는데, 가해학생은 자신에 대한 모든 조치에 대해 당사자로서 소송을 제기할 수 있지만, 피해학생은 그 조치의 당사자가 아니므로 결과에 불만이 있더라도 소송을 통한 권리구제를 도모할 수 없다. 따라서 가해학생에 대한 모든 조치에 대해 피해학생 측에는 재심을 허용하면서, 소송으로 다툴 수 있는 가해학생 측에는 퇴학과 전학의 경우에만 재심을 허용하고 나머지 조치에 대해서는 재심을 허용하지 않더라도 가해학생과 그 보호자의 평등권을 침해한다고 볼 수 없다(2013.10.24, 2012헌마832).

ㅁ. [X] 술에 취한 상태에서 운전한 자에 대한 행정제재의 경우 그 음주정도와 경위, 교통사고 유무 등 구체적·개별적 사정에 비추어 면허의 정지 또는 취소 여부를 결정할 필요가 상당하고, 또한 이미 교통사고로 사람을 사상한 도주차량운전자의 경우 그 불법에 상응하는 정도의 제재를 가할 필요성 못지않게 피해자에 대한 실질적 구제가 중요하므로 탄력적인 행정제재를 통하여 사고운전자의 자진신고를 유도하여 원활한 피해배상이 이루어지도록 행정제재에 재량의 여지를 둘 필요가 적지 않은 점 등에 비추어 보면, 음주운전자와 도주차량운전자에 대하여 임의적 면허 취소를 규정하고 있다고 하여 음주측정거부자에 대해 필요적 면허 취소를 규정한 이 사건 법률조항이 법상 면허 취소·정지사유 간의 체계를 파괴할 만큼 형평성에서 벗어나 평등권을 침해한다고 볼 수도 없다(2007.12.27, 2005헌바95).

16

정답 ①

ㄱ. [X] 헌법재판소는 2007.1.17. 2005헌마1111 등 결정 및 2008.7.31. 2007헌바90 등 결정에서 이미 이 사건 법률조항과 동일한 내용의 구 「도로교통법」 조항에 대하여 헌법에 위반되지 않는다는 결정을 선고한 바 있다. 위 결정에서 헌법재판소는 통행의 자유(일반적 행동의 자유) 침해 여부에 대하여, … 기본권의 침해 정도가 경미하여 피해 최소성원칙에 위배된다고 보기도 어렵다고 하였다. 또한 평등권 침해 여부에 대하여, 이륜차는 운전자가 외부에 노출되는 구조로 말미암은 사고위험성과 사고결과의 중대성 때문에 고속도로 등의 통행이 금지되는 것이므로 구조적 위험성이 적은 일반 자동차와 비교할 때 불합리한 차별이라고 볼 수 없다고 하였는바, 이 사건에서도 위 결정과 달리 판단하여야 할 새로운 사정변경이 없다(2011.11.24, 2011헌바51).

ㄴ. [X] 이 사건 개설조항은 안마사 자격인정을 받은 자만이 안마시술소 등을 개설할 수 있도록 함으로써 일반 국민에게 제공되는 안마의 질을 담보하고, 시각장애인들이 목표를 가지고 자아를 실현할 수 있도록 보다 적극적인 기회를 제공하며, 시각장애인 안마사들이 열악한 환경에서 노동력을 착취당하는 것을 방지한다는 공익 달성에 기여하는 반면, 이 사건 개설조항으로 인하여 비시각장애인들이 안마시술소 등을 개설할 수 없게 된다고 할지라도, 이들에게는 다양한 다른 직업을 선택할 수 있는 가능성이 존재하므로, 이로 인해 제한되는 비시각장애인의 사익이 공익에 비하여 크다고 볼 수도 없으므로, 이 사건 개설조항은 법익의 균형성도 갖추고 있다. 따라서 이 사건 개설조항은 과잉금지원칙에 위배하여 안마시술소 등을 개설하여 운영하고자 하는 비시각장애인의 직업선택의 자유 및 평등권을 침해하지 아니한다(2013.6.27, 2011헌가39).

ㄷ. [X] 상속은 상속인의 의사와 상관없이 피상속인의 사망이라는 우발적인 사정에 의하여 피상속인이 생전에 가지고 있던 재산상의 권리·의무가 포괄적으로 승계되는 것인 반면, 증여는 당사자가 증여의 시기나 증여 여부를 선택할 수 있다는 점에서 상속과 증여는 엄연히 구분되는 점, 상속의 경우는 증여와 비교할 때 변칙증여의 수단으로 악용될 가능성이 없는 데다가, 비상장주식을 상속받은 자의 물납신청은 비상장주식 이외의 다른 상속재산이 없는 경우 등에

한하여 극히 예외적으로 허용하고 있는 점, 물납제도는 조세의 현금납부원칙에 대한 예외로 특별히 인정된 것으로서 물납의 허용범위를 정하는 것은 입법정책적 재량의 영역에 속하는 것으로 보아야 하는 점 등을 고려하여 보면, 비상장주식을 증여받는 경우와는 달리 이를 상속받은 경우에만 예외적으로 물납을 허용하는 데에는 합리적인 이유가 있다. 따라서 이 사건 법률조항이 평등원칙에 위배된다고 할 수 없다(2015.4.30, 2013헌바137 등).

ㄹ. [O] 제소금지규정은 재임용에서 탈락한 사립대학 교원의 권리구제절차를 형성하면서 분쟁의 당사자이자 재심절차의 피청구인인 학교법인에게는 교원소청심사특별위원회의 재심결정에 대하여 소송으로 다투지 못하게 함으로써 그 소속 대학 교원과 사법상의 고용계약관계에 있고 재심절차에서 그 결정의 효력을 받는 일방당사자의 지위에 있는 학교법인의 제소권만을 부인하는 것은 헌법 제11조의 평등원칙에 위배된다(2006.4.27, 2005헌마1119).

ㅁ. [X] 이 사건 부칙조항은 징역이나 금고 이상의 실형을 선고받아 그 형이 확정된 전과자 중에서 이 사건 법률 시행 당시에 수용 중인 사람에 대하여만 채취조항 등을 적용하고, 이미 형집행이 종료되어 구금이 해제된 사람은 대상에서 제외하여 수형 중인 사람과 집행이 종료된 사람을 차별하고 있다. 그러나 이 사건 법률 시행 당시 이미 출소한 사람은 범행으로부터 상당 기간이 경과하여 재범의 위험성 또한 현재 수용 중인 사람보다 낮다고 볼 수 있고, 출소 후 평온하게 사회생활을 영위하고 있는 사람에게까지 소급하여 디엔에이감식시료를 채취하고 디엔에이신원확인정보를 수록하는 것은 지나치다고 보인다. 따라서 이미 형집행이 종료되어 구금이 해제된 사람과는 달리 수용 중인 사람에 대하여만 채취조항 등을 적용할 수 있도록 하는 이 사건 부칙조항은 그 차별에 합리성이 있으므로, 평등권을 침해한다고 볼 수 없다(2014.8.28, 2011헌마28 등).

ㅂ. [X] 공익 침해행위의 효율적인 발각과 규명을 위해서는 내부 공익신고가 필수적인데, 내부 공익신고자는 조직 내에서 배신자라는 오명을 쓰기 쉬우며, 공익신고로 인하여 신분상, 경제상 불이익을 받을 개연성이 높다. 이 때문에 보상금이라는 경제적 지원조치를 통해 내부 공익신고를 적극적으로 유도할 필요성이 인정된다. 반면, '내부 공익신고자가 아닌 공익신고자'(이하 '외부 공익신고자'라 한다)는 공익신고로 인해 불이익을 입을 개연성이 높지 않기 때문에 공익신고 유도를 위한 보상금 지급이 필수적이라 보기 어렵다. 「공익신고자 보호법」상 보상금의 의의와 목적을 고려하면, 이와 같이 공익신고 유도 필요성에 있어 차이가 있는 내부 공익신고자와 외부 공익신고자를 달리 취급하는 것에 합리성을 인정할 수 있다(2021.5.27, 2018헌바127).

17 정답 ①

ㄱ. [O] 1993.12.31. 이전에 출생한 재외국민 2세와 1994.1.1. 이후 출생한 재외국민 2세는 병역의무의 이행을 연기하고 있다는 점에서 차이가 없고, 3년을 초과하여 국내에 체재한 경우 실질적인 생활의 근거지가 대한민국에 있다고 볼 수 있어 더 이상 특례를 인정해야 할 필요가 있다는 점에서도 동일하다. … 병역의무의 평등한 이행을 확보하기 위하여 출생년도와 상관없이 모든 재외국민 2세를 동일하게 취급하는 것은 합리적인 이유가 있으므로, 심판대상조항은 청구인들의 평등권을 침해하지 아니한다(2021.5.27, 2019헌마177 등).

ㄴ. [X] 부정청탁금지조항과 금품수수금지조항 및 신고조항과 제재조항은 전체 민간부문을 대상으로 하지 않고 사립학교 관계자와 언론인만 '공직자 등'에 포함시켜 공직자와 같은 의무를 부담시키고 있는데, 이들 조항이 청구인들의 일반적 행동자유권 등을 침해하지 않는 이상, 민간부문 중 우선 이들만 '공직자 등'에 포함시킨 입법자의 결단이 자의적 차별이라 보기는 어렵다. 교육과 언론은 공공성이 강한 영역으로 공공부문과 민간부문이 함께 참여하고 있고, 참여주체의 신분에 따른 차별을 두기 어려운 분야이다. 따라서 사립학교 관계자와 언론인 못지않게 공공성이 큰 민간 분야 종사자에 대해서 「부정청탁 및 금품등 수수의 금지에 관한 법률」이 적용되지 않는다는 이유만으로 부정청탁금지조항과 금품수수금지조항 및 신고조항과 제재조항이 청구인들의 평등권을 침해한다고 볼 수 없다(2016.7.28, 2015헌마236 등).

ㄷ. [X] 직무와 관련 없는 사유 중에도 공무원으로서 법률적·사회적 비난가능성이 큰 범죄가 존재하는 점, 명예퇴직수당의 법적 성격에 비추어 그 환수요건에 관하여 넓은 입법적 재량이 허용되는 점, 형사재판과정에서 해당 사유를 참작한 법관의 양형에 의하여 구체적 부당함이 보정될 수 있는 점 등에 비추어 볼 때, 위 법률조항이 '직무와 관련 없는 사유로 금고 이상의 형을 받은 명예퇴직자'와 '직무와 관련 있는 사유로 금고 이상의 형을 받은 명예퇴직자'를 동등하게 취급하는 데는 합리적 이유가 있다고 할 것이어서, 평등원칙에 위반되지 아니한다(2010.11.25, 2010헌바93).

ㄹ. [X] 무주택 세대주의 주거수요는 많은 반면 국민임대주택 건설에는 막대한 재원의 투입이 요구되는 것이므로 그 자격과 우선순위를 일정하게 제한하는 것은 불가피한 점, 주거비 부담이 큰 2인 이상의 가구에게는 상대적으로 큰 평형의 주택을 공급함으로써 주거수준의 실질적 평등을 기함과 동시에 보다 많은 수의 저소득층이 주거안정을 도모할 수 있는 점 등에 비추어 보면, 이 사건 심판대상조항이 단독세대주에게만 40제곱미터 이하 주택에 한하여 입주자로 선정될 수 있도록 제한을 둔 것은 합리적인 이유가 있는 차별이므로 청구인의 평등권이 침해된다고 볼 수 없다(2010.5.27, 2009헌마338).

ㅁ. [X] 이 사건 법률조항들은 입양기관을 운영하고 있지 않은 다른 사회복지법인과 달리 입양기관을 운영하는 사회복지법인으로 하여금 '기본생활지원을 위한 미혼모자가족복지시설'을 설치·운영할 수 없게 함으로써 입양기관을 운영하는 사회복지법인과 그렇지 않는 사회복지법인을 다르게 취급하고 있으므로, 청구인들의 평등권을 제한한다. 또한 법인운영의 자유를 침해하는 것도 아니다(2014.5.29, 2011헌마363).

18 정답 ④

① [X] 공중보건의사는 장교의 지위에 있는 군의관과 입법연혁, 선발과정, 보수, 수행업무의 내용 등 여러 가지 면에서 동일하거나 유사한 측면이 있다는 점을 고려하면, 군사교육소집기간의 복무기간 산입 여부와 같은 정책적인 사항에 대하여 전문연구요원과 달리 규정한다고 해서 이를 부당한 차별취급이라고 단정하기는 어렵다. 따라서 심판대상조항이 전문연구요원과 달리 공중보건의사의 군사교육소집기간을 복무기간에 산입하지 않은 데에는 합리적 이유가 있으므로, 청구인들의 평등권을 침해하지 않는다(2020.9.24, 2019헌마472 등).

② [X] ③ [X] 재판관 5인의 인용결정과 재판관 4인의 각하의견으로 기각결정되었다(2020.10.29, 2016헌마86).

❹ [O] 이 사건 법률조항들은 입양기관을 운영하고 있지 않은 다른 사회복지법인과 달리 입양기관을 운영하는 사회복지법인으로 하여금 '기본생활지원을 위한 미혼모자가족복지시설'을 설치·운영할 수 없게 함으로써 입양기관을 운영하는 사회복지법인과 그렇지 않는 사회복지법인을 다르게 취급하고 있으므로, 청구인들의 평등권을 제한한다(2014.5.29, 2011헌마363).

19 정답 ①

ㄱ. [X] ㄴ. [X]

> **헌법 제12조** ① 모든 국민은 신체의 자유를 가진다. 누구든지 법률에 의하지 아니하고는 체포·구속·압수·수색 또는 심문을 받지 아니하며, 법률과 적법한 절차에 의하지 아니하고는 처벌·보안처분 또는 강제노역을 받지 아니한다.

ㄷ. [X] 장기 3년 이상의 형에 해당하는 죄의 경우 사후영장을 청구할 수 있다. 2016년 법무사

> **헌법 제12조** ③ 체포·구속·압수 또는 수색을 할 때에는 적법한 절차에 따라 검사의 신청에 의하여 법관이 발부한 영장을 제시하여야 한다. 다만, 현행범인인 경우와 장기 3년 이상의 형에 해당하는 죄를 범하고 도피 또는 증거인멸의 염려가 있을 때에는 사후에 영장을 청구할 수 있다.

ㄹ. [X] 48시간이 아니라 즉시이다. 2016년 법무사

> **헌법 제12조** ④ 누구든지 체포 또는 구속을 당한 때에는 즉시 변호인의 조력을 받을 권리를 가진다. 다만, 형사피고인이 스스로 변호인을 구할 수 없을 때에는 법률이 정하는 바에 의하여 국가가 변호인을 붙인다.

ㅁ. [X] 검찰에는 청구할 수 없다. 2016년 법무사

> **헌법 제12조** ⑥ 누구든지 체포 또는 구속을 당한 때에는 적부의 심사를 법원에 청구할 권리를 가진다.

ㅂ. [X] 대통령령에 의해서는 체포·구속·압수·수색 또는 심문을 받게 할 수 없다.

> **헌법 제12조** ① 모든 국민은 신체의 자유를 가진다. 누구든지 법률에 의하지 아니하고는 체포·구속·압수·수색 또는 심문을 받지 아니하며, 법률과 적법한 절차에 의하지 아니하고는 처벌·보안처분 또는 강제노역을 받지 아니한다.

ㅅ. [X]

> **헌법 제12조** ② 모든 국민은 고문을 받지 아니하며, 형사상 자기에게 불리한 진술을 강요당하지 아니한다.

ㅇ. [X]

> **헌법 제12조** ④ 누구든지 체포 또는 구속을 당한 때에는 즉시 변호인의 조력을 받을 권리를 가진다. 다만, 형사피고인이 스스로 변호인을 구할 수 없을 때에는 법률이 정하는 바에 의하여 국가가 변호인을 붙인다.

ㅈ. [X]

> **헌법 제12조** ⑦ 피고인의 자백이 고문·폭행·협박·구속의 부당한 장기화 또는 기망 기타의 방법에 의하여 자의로 진술된 것이 아니라고 인정될 때 또는 정식재판에 있어서 피고인의 자백이 그에게 불리한 유일한 증거일 때에는 이를 유죄의 증거로 삼거나 이를 이유로 처벌할 수 없다.

20 정답 ④

ㄱ. [X] 디엔에이감식시료 채취 대상범죄로 이미 징역이나 금고 이상의 실형을 선고받아 그 형이 확정되어 수용 중인 사람에게 디엔에이감식시료 채취 및 디엔에이확인정보의 수집·이용에 관한 신법 규정을 적용할 수 있도록 규정한 「디엔에이신원확인정보의 이용 및 보호에 관한 법률」 부칙조항은 범죄수사와 범죄예방목적을 달성하기 위하여 재범의 위험성이 높은 대상범죄를 범한 기존 수형인 등에 대하여도 신법을 적용함으로써 디엔에이신원확인정보데이터베이스제도의 목적을 보다 실효성 있게 달성하고자 하는 공익은 상대적으로 더 크므로 과잉금지원칙에 위배되어 신법 시행 전에 형이 확정되어 수용 중인 사람의 신체의 자유 및 개인정보자기결정권을 침해한다고 볼 수 없다(2014.8.28, 2011헌마28 등).

ㄴ. [O] 청구인들은 상습적으로 교정질서를 문란케 하는 등 교정사고의 위험성이 높은 엄중격리대상자들인바, 이들에 대한 계구사용행위, 동행계호행위 및 1인 운동장을 사용하게 하는 처우는 그 목적의 정당성 및 수단의 적정성이 인정되며, 필요한 경우에 한하여 부득이한 범위 내에서 실시되고 있다고 할 것이고, 이로 인하여 수형자가 입게 되는 자유 제한에 비하여 교정사고를 예방하고 교도소 내의 안전과 질서를 확보하는 공익이 더 크다고 할 것이다(2008.5.29, 2005헌마137 등).

ㄷ. [X] 보호입원기간도 최초부터 6개월이라는 장기로 정해져 있고, 이 또한 계속적인 연장이 가능하여 보호입원이 치료의 목적보다는 격리의 목적으로 이용될 우려도 큰 점, 보호입원절차에서 정신질환자의 권리를 보호할 수 있는 절차들을 마련하고 있지 않은 점, 기초정신보건심의회의 심사나 「인신보호법」상 구제청구만으로는 위법·부당한 보호입원에 대한 충분한 보호가 이루어지고 있다고 보기 어려운 점 등을 종합하면, 심판대상조항은 침해의 최소성원칙에 위배된다. 심판대상조항이 정신질환자를 신속·적정하게 치료하고, 정신질환자 본인과 사회의 안전을 도모한다는 공익을 위한 것임은 인정되나, 정신질환자의 신체의 자유 침해를 최소화할 수 있는 적절한 방안을 마련하지 아니함으로써 지나치게 기본권을 제한하고 있다. 따라서 심판대상조항은 법익의 균형성 요건도 충족하지 못한다(2016.9.29, 2014헌가9).

ㄹ. [X] 청구인이 이 사건 심판청구를 제기한 후 청구인이 제기한 난민불인정처분 취소소송에서 취소판결이 확정되어 청구인에 대한 보호가 해제되었으므로, 보호명령의 취소를 구하는 당해 사건은 소의 이익이 없어 부적법하게 되었다. 따라서 이미 확정된 당해 사건에 대한 재심이 개시된다고 하더라도 심판대상조항의 위헌 여부에 따라 재판의 주문이나 재판의 내용과 효력에 관한 법률적 의미가 달라지지 아니하므로, 이 사건 심판청구는 재판의 전제성 요건을 갖추지 못하여 부적법하다(2016.4.28, 2013헌바196).

ㅁ. [O] 위 조항은 형사법률에 저촉되는 행위 또는 규율 위반행위를 한 피보호감호자에 대하여 징벌처분을 내릴 수 있도록 함으로써 수용시설의 안전과 공동생활의 질서를 유지하기 위한 것으로, 행위의 내용에 비하여 중한 징벌이 부과되지 않도록 하고, 징벌의 필요성을 고려하여 징벌을 감면할 수 있도록 한 점 등을 고려하면, 과잉금지원칙에 위배되어 청구인의 신체의 자유 등 기본권을 침해하지 않는다(2016.5.26, 2015헌바378). 2019년 경찰승진

ㅂ. [O] 이 사건 법률조항으로 말미암아 작업이 강제됨으로써 제한되는 수형자의 개인적 이익에 비하여 징역형 수형자 개개인에 대한 재사회화와 이를 통한 사회질서유지 및 공공복리라는 공익이 더 크므로 법익의 균형성도 인정되므로, 이 사건 법률조항은 신체의 자유를 침해하지 아니한다(2012.11.29, 2011헌마318).

ㅅ. [X] 치료감호의 기간을 미리 법정하지 않고 계속 수용하여 치료할 수 있도록 하는 것은 정신장애자의 개선 및 재활과 사회의 안전에 모두 도움이 되고 이로서 달성되는 사회적 공익은 상당히 크다고 할

수 있다. 한편, 피치료감호자는 계속적인 치료감호를 통하여 정신장애로부터의 회복을 기대할 수 있는 이익도 있을 뿐만 아니라, 가종료, 치료위탁 등 법적 절차를 통하여 장기수용의 폐단으로부터 벗어날 수도 있으므로, 이 사건 법률조항이 치료감호에 기간을 정하지 아니함으로 말미암아 초래될 수 있는 사익의 침해는 그로써 얻게 되는 공익에 비하여 크다고 볼 수 없다. 따라서 이 사건 법률조항은 과잉금지의 원칙에 위배되지 아니하므로 청구인의 신체의 자유를 침해하는 것이라고 볼 수 없다. 이 사건 법률조항은 법관의 선고에 의하여 개시된 치료감호를 사회보호위원회가 그 종료 여부를 결정하도록 규정하고 있으나, 피치료감호자 등은 치료감호의 종료 여부를 심사·결정하여 줄 것을 사회보호위원회에 신청할 수 있고, 위원회가 신청을 기각하는 경우에 이들은 그 결정에 대하여 행정소송을 제기하여 법관에 의한 재판을 받을 수 있다고 해석되므로, 피치료감호자 등의 재판청구권이 침해된 것이 아니다(2005.2.3, 2003헌바1). 2017년 서울 7급

ㅇ. [O] 관광진흥개발기금의 설치 목적이 관광사업의 발전 등을 위한 것이고, 위 기금의 용도가 관광사업 기반시설의 건설 등을 위한 대여나 보조로 법령에 의해 명시적으로 한정되어 있으며, 엄격한 절차에 의해 운용되는 점 등에 비추어 볼 때, 위 기금은 강한 공공성을 가진 것이다. 따라서 민간 전문가가 기금운용정책 전반에 관하여 문화체육관광부장관을 보좌하는 직무를 수행함에 있어서 청렴성이나 공정성이 필요하다. 위 조항은 민간 전문가를 모든 영역에서 공무원으로 의제하는 것이 아니라 직무의 불가매수성을 담보한다는 요청에 의해 금품수수행위 등 직무 관련 비리행위를 엄격히 처벌하기 위해 「형법」 제129조 등의 적용에 대하여만 공무원으로 의제하고 있으므로 입법목적 달성에 필요한 정도를 넘어선 과잉형벌이라고 할 수 없고, 신체의 자유 등 헌법상 기본권 제한의 정도가 달성하려는 공익에 비하여 중하다고 할 수 없다(2014.7.24, 2012헌바188). 2021년 국가 7급

ㅈ. [O] 청구인은 위 조항이 신체의 자유를 제한한다고 주장하나, 이수명령은 청구인에게 성폭력 치료프로그램의 이수의무를 부과함에 그치고 신체를 구금하는 등의 방법으로 성폭력 치료프로그램 이수를 강제하는 것은 아니어서 신체의 자유를 제한한다고 볼 수 없다(2012.3.29, 2010헌바100).

ㅊ. [O] 이 사건 법률조항은 사람이 차도를 걸어서 통행하는 것을 직접 금지하고 있지 아니하고, 또한 도보에 의한 신체이동으로 차량에 의한 신체이동을 저해하는 경우를 처벌하기 위한 목적으로 만들어진 조항도 아니다. 또한 이 사건 법률조항은 차량의 통행을 불가능하게 하거나 현저히 곤란하게 할 위험이 있는 때에 한하여 적용되는 것이 아니라, 도보에 의한 통행을 불가능하게 하는 경우에도 적용될 수 있는 중립적인 규정이다. 따라서 이 사건 법률조항이 차량에 의한 신체이동을 도보에 의한 신체이동보다 우위에 두어 도보에 의한 신체이동의 자유를 침해하는 것이라 볼 수 없다(2013.6.27, 2012헌바194).

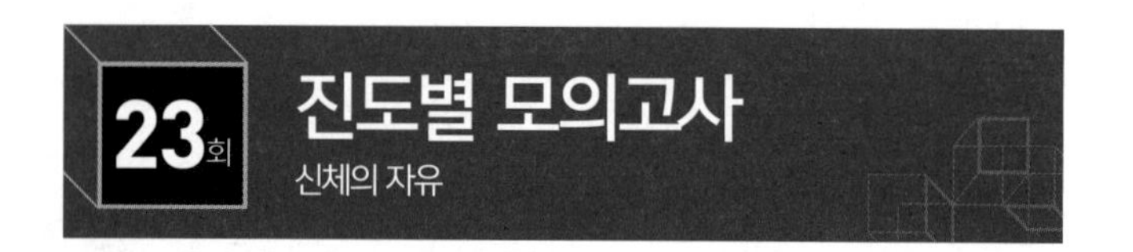

23회 진도별 모의고사
신체의 자유

정답

01	①	02	①	03	②	04	①
05	④	06	③	07	②	08	②
09	②	10	③	11	③	12	④
13	④	14	②	15	④	16	②
17	④	18	④	19	③	20	①

01 정답 ①

❶ [X] 법정의견에 따르면 검사의 치료명령청구는 헌법에 위반되지 않는다.

> **반대의견** 심판대상조항들에 의한 재범 억제효과는 제한적이거나 한시적이고 그 달성 여부가 불확실하나, 피치료자가 받게 되는 불이익은 심대하므로, 심판대상조항들은 인간의 존엄과 가치에 반하여 법익균형성이 인정되지 않는다. 따라서 심판대상조항들은 모두 과잉금지원칙에 위배되어 치료명령 피청구인의 신체의 자유 등 기본권을 침해하는 것으로서 헌법에 위반된다(2015.12.23, 2013헌가9).

② [O] 「성폭력범죄자의 성충동 약물치료에 관한 법률」(이하 '성충동약물치료법'이라 한다)에 의하면, 장기형이 선고되는 경우 치료명령의 선고시점과 집행시점 사이에 상당한 시간적 간극이 존재하게 되고, 장기간의 수감생활 중의 사정변경으로 인하여 집행시점에서 치료의 필요성이 없게 된 경우 불필요한 치료의 가능성이 있으며, 이를 배제할 수 있는 절차가 없음에도 선고시점에서 치료명령청구가 이유 있는 때에는 치료명령을 선고하도록 한 성충동약물치료법 제8조 제1항은 위와 같은 범위에서 침해의 최소성이 인정되지 않는다. 앞서 침해의 최소성과 관련하여 본 바와 같이, 장기형 선고로 인한 치료명령의 선고시점과 집행시점의 상당한 시간적 간극으로 인하여 집행시점에서 발생할 수 있는 불필요한 치료와 관련해서는 피치료자의 침해되는 사익이 더 크다고 볼 수 있으므로 법익균형성을 인정하기 어렵다(2015.12.23, 2013헌가9).

③ [O] 검사의 치료명령청구에 관한 「성폭력범죄자의 성충동 약물치료에 관한 법률」 제4조 제1항은 과잉금지원칙에 위배되지 아니하나, 법원의 치료명령선고에 관한 「성폭력범죄자의 성충동 약물치료에 관한 법률」 제8조 제1항은 집행시점에서 불필요한 치료를 막을 수 있는 절차가 마련되어 있지 않은 점과 관련하여 과잉금지원칙을 위배하여 피치료자의 신체의 자유 등 기본권을 침해한다(2015.12.23, 2013헌가9).

④ [O] 심판대상조항들은 피치료자의 정신적 욕구와 신체기능에 대한 통제를 그 내용으로 하는 것으로서 신체의 완전성이 훼손당하지 아니할 자유를 포함하는 헌법 제12조의 신체의 자유를 제한하고, 사회공동체의 일반적인 생활규범의 범위 내에서 사생활을 자유롭게 형성해 나가고 그 설계 및 내용에 대해서 외부로부터의 간섭을 받지 아니할 권리인 헌법 제17조의 사생활의 자유를 제한한다. 또한 심판대상조항들은 피치료자의 동의를 요건으로 하지 않으므로, 환자가 질병의 치료 여부 및 방법 등을 결정할 수 있는 신체에 관한 자기결정권 내지 성행위 여부 등에 관한 성적 자기결정권 등 헌법 제10조에서 유래하는 개인의 자기운명결정권을 제한한다. 그 밖에 강제적인 성적 욕구·기능의 통제 자체로 대상자로 하여금 물적 취급을 받는 느낌, 모욕감과 수치심을 가지게 할 수 있으므로 헌법 제10조로부터 유래하는 인격권 역시 제한한다(2015.12.23, 2013헌가9).

02 정답 ①

❶ [X] 이 사건 보호장비 사용행위는 도주 등의 교정사고를 예방하기 위한 것으로서 그 목적이 정당하고, 상체승의 포승과 앞으로 사용한 수갑은 이송하는 경우의 보호장비로서 적절하다. 그리고 피청구인은 청구인에 대하여 이동시간에 해당하는 시간 동안에만 보호장비를 사용하였고, 수형자를 장거리 호송하는 경우에는 도주 등 교정사고 발생가능성이 높아지는 만큼 포승이나 수갑 등 어느 하나의 보호장비만으로는 계호에 불충분하며, 장시간 호송하는 경우에 수형자가 수갑을 끊거나 푸는 것을 최대한 늦추거나 어렵게 하기 위하여 수갑 2개를 채운 행위가 과하다고 보기 어렵고, 청구인과 같이 강력범죄를 범하고 중한 형을 선고받았으며 선고형량에 비하여 형집행이 얼마 안 된 수형자의 경우에는 좀 더 엄중한 계호가 요구된다고 보이므로, 최소한의 범위 내에서 보호장비가 사용되었다고 할 수 있다. 또한 이 사건 보호장비 사용행위로 인하여 제한되는 신체의 자유 등에 비하여 도주 등의 교정사고를 예방함으로써 수형자를 이송함에 있어 안전과 질서를 보호할 수 있는 공익이 더 크다 할 것이므로 법익의 균형성도 갖추었다(2012.7.26, 2011헌마426).

② [O] 이 사건 호송행위는 교정시설 안에서보다 높은 수준의 계호가 요구되는 호송과정에서 교정사고와 타인에 대한 위해를 예방하기 위한 것이다. 교도인력만으로 수형자를 호송한다면 많은 인력을 필요로 하고, 그것이 교정사고 예방에 효과적이라 단정할 수도 없으며, 이 사건에서 보호장비가 사용된 시간과 일반에 공개된 시간이 최소한도로 제한되었으며, 최근 그 동선이 일반에의 공개를 최소화하는 구조로 설계되는 추세에 있다. 교정사고의 예방 등을 통한 공익이 수형자가 입게 되는 자유 제한보다 훨씬 크므로, 이 사건 호송행위는 청구인의 인격권 내지 신체의 자유를 침해하지 아니한다(2014.5.29, 2013헌마280).

③ [O] 검사실에서의 계구사용을 원칙으로 하면서 심지어는 검사의 계구해제 요청이 있더라도 이를 거절하도록 규정한 계호근무준칙의 이 사건 준칙조항은 원칙과 예외를 전도한 것으로서 신체의 자유를 침해하므로 헌법에 위반된다. 도주를 하거나 소요, 폭행 또는 자해를 할 위험이 있었다고 인정하기 어려움에도 불구하고 여러 날, 장시간에 걸쳐 피의자 신문을 하는 동안 계속 계구를 사용한 것은 막연한 도주나 자해의 위험 정도에 비해 과도한 대응으로서 신체의 자유를 제한함에 있어 준수되어야 할 피해의 최소성 요건을 충족하지 못하였고, 심리적 긴장과 위축으로 실질적으로 열등한 지위에서 신문에 응해야 하는 피의자의 방어권 행사에도 지장을 주었다는 점에서 법익균형성도 갖추지 못하였다(2005.5.26, 2004헌마49).

④ [O] 출정시 피청구인인 ○○교도소장이 민사법정 내에서 청구인으로 하여금 양손수갑 2개를 앞으로 사용하고 상체승을 한 상태에서 변론을 하도록 한 행위는 민사법정 내 교정사고를 예방하고 법정질서 유지를 위한 것으로 청구인의 인격권과 신체의 자유를 침해하지 아니한다(2018.6.28, 2017헌마181).

03 정답 ②

ㄱ. [O] 상소제기 후 상소 취하시까지의 미결구금을 형기에 산입하지 아니하는 것은 헌법상 무죄추정의 원칙 및 적법절차의 원칙, 평등원칙 등을 위배하여 합리성과 정당성 없이 신체의 자유를 지나치게 제

한하는 것이고, 따라서 '상소제기 후 미결구금일수의 산입'에 관하여 규정하고 있는 이 사건 법률조항들이 상소제기 후 상소 취하시까지의 미결구금일수를 본형에 산입하도록 규정하지 아니한 것은 헌법에 위반된다(2009.12.29, 2008헌가13 등).

ㄴ. [X] 피고인이 미결구금일수로서 본형에의 산입을 요구하는 기간은 공소의 목적을 달성하기 위하여 어쩔 수 없이 이루어진 강제처분의 기간이 아니라 피고인이 범행 후 미국으로 도주하였다가 대한민국 정부와 미합중국정부 간의 범죄인 인도조약에 따라 체포된 후 인도절차를 밟기 위한 기간에 불과하여 본형에 산입될 미결구금일수에 해당한다고 볼 수 없을 뿐 아니라, 원심이 피고인에 대한 미결구금일수를 일부라도 본형에 산입한 이상 상고이유에서 지적하는 바와 같이 미결구금일수의 산입에 관한 법리를 오해하여 판결에 영향을 미친 위법이 없다(대판 2009.5.28, 2009도1446).

ㄷ. [X] 이 사건 법률조항에 의하여 청구인과 형사사건에서 미결구금일수가 본형에 산입되는 자와의 차별취급이 존재하나, 소년원 수용이라는 보호처분은 도망이나 증거인멸을 방지하여 수사, 재판 또는 형의 집행을 원활하게 진행하기 위한 것이 아니라 반사회성 있는 소년을 교화하고 건전한 성장을 돕기 위한 것으로서 그 차별대우를 정당화하는 합리적 이유가 존재하므로 청구인의 평등권도 침해하지 아니한다(2015.12.23, 2014헌마768).

ㄹ. [X] 검사 상소제기일로부터 미결구금일수를 본형에 산입하도록 한 「형사소송법」 제482조는 검사가 상소하기 전의 구금일수에 대해서는 산입할 근거가 없어 검사가 상소를 언제 제기하느냐에 따라서 법원이 선고한 형에 변경을 가져오게 되므로 피고인의 신체의 자유를 침해하게 되고, 검사가 상소를 제기한 시점에 따라 형이 달라지므로 평등원칙에도 위반된다(2000.7.20, 99헌가7).

ㅁ. [X] 미결구금을 허용하는 것 자체가 헌법상 무죄추정의 원칙에서 파생되는 불구속수사의 원칙에 대한 예외인데, 「형법」 제57조 제1항 중 '또는 일부 부분'은 그 미결구금일수 중 일부만을 본형에 산입할 수 있도록 규정하여 그 예외에 대하여 사실상 다시 특례를 설정함으로써, 기본권 중에서도 가장 본질적인 신체의 자유에 대한 침해를 가중하고 있다(2000.7.20, 99헌가7).

ㅂ. [X] 미결구금은 신체의 자유를 침해받는 피의자 또는 피고인의 입장에서 보면 실질적으로 자유형의 집행과 다를 바 없으므로, 인권 보호 및 공평의 원칙상 형기에 전부 산입되어야 한다. 따라서 「형법」 제57조 제1항 중 '또는 일부 부분'은 헌법상 무죄추정의 원칙 및 적법절차의 원칙 등을 위배하여 합리성과 정당성 없이 신체의 자유를 침해한다(2009.6.25, 2007헌바25).

ㅅ. [X] 수형자에 따라 실제 복역하는 자유형의 일수에 차이가 나는 경우가 있는데 이는 자유형의 형기를 '연월'로 규정하고 있고, 한 달의 일수가 28일에서 31일까지 차이가 있으며, 형기기산의 시작과 끝이 연중 어느 구간에 걸쳐 있느냐에 따라 실제 일수가 같지 않다는 점에서 기인한다. 이 사건 법률조항에 의해 자유형의 형기 산정은 '역수'에 따라 계산되는데, 이는 형기 산정의 명확성과 편의성을 도모하기 위한 것이고, 태양력의 오차를 시정하기 위한 윤달이 주기적으로 생성되고, 형기를 연월로 정하는 이상 실제 복역일수에 차이가 생길 수밖에 없으며, 2월이 형기에 포함되지 않은 경우에 비하여 1, 2일 덜 복역하게 되는 등 결과적으로 이 사건 법률조항이 수형자에게 일반적으로 유리하거나 불리하다고 볼 수 없다는 점에 비추어 볼 때, 윤달이 있는 해에 형집행대상이 되는 경우에 관하여 형기를 감하여 주는 보완규정을 두지 않았다고 하더라도 신체의 자유를 침해하지 아니한다(2013.5.30, 2011헌마861).

04 정답 ①

❶ [O] 적법하게 성립한 긴급명령은 형식 면에서는 명령이지만, 실질적으로는 국회가 제정한 법률과 동일한 효력을 가진다. 따라서 긴급명령으로써 국민의 권리를 제한하거나 의무를 부과할 수 있음은 물론 기존의 법률을 개정하거나 폐지할 수 있고 그 적용을 정지할 수도 있다.

② [X] 헌법 제6조 제1항은 "헌법에 의하여 체결·공포된 조약과 일반적으로 승인된 국제법규는 국내법과 같은 효력을 가진다."라고 규정하여 적법하게 체결되어 공포된 조약은 국내법과 같은 효력을 가진다고 규정하고 있다. 마라케쉬협정도 적법하게 체결되어 공포된 조약이므로 국내법과 같은 효력을 갖는 것이어서 그로 인하여 새로운 범죄를 구성하거나 범죄자에 대한 처벌이 가중된다고 하더라도 이것은 국내법에 의하여 형사처벌을 가중한 것과 같은 효력을 갖게 되는 것이다. 따라서 마라케쉬협정에 의하여 「관세법」 위반자의 처벌이 가중된다고 하더라도 이를 들어 법률에 의하지 아니한 형사처벌이라거나 행위시의 법률에 의하지 아니한 형사처벌이라고 할 수 없다(1998.11.26, 97헌바65).

③ [X] 죄형법정주의원칙은 죄와 형을 입법부가 제정한 형식적 의미의 법률로 규정하는 것을 그 핵심적 내용으로 하고, 나아가 형식적 의미의 법률로 규정하더라도 그 법률조항이 처벌하고자 하는 행위가 무엇이며 그에 대한 형벌이 어떠한 것인지를 누구나 예견할 수 있도록 구성요건을 명확하게 규정하여 개인의 법적 안정성을 보호하고, 국가형벌권의 자의적인 행사로부터 개인의 자유와 권리를 보장하려는 법치국가 「형법」의 기본원칙이다(1993.3.11, 92헌바33).

④ [X] 헌법 제117조 제1항은 "지방자치단체는 주민의 복리에 관한 사무를 처리하고 재산을 관리하며, 법령의 범위 안에서 자치에 관한 규정을 제정할 수 있다."라고 규정하여 법률의 위임이 있는 경우에는 조례에 의하여 소속 공무원에 대한 인사와 처우를 스스로 결정하는 권한이 있다고 할 것이므로, 제58조 제2항이 노동운동을 하더라도 형사처벌에서 제외되는 공무원의 범위에 관하여 당해 지방자치단체에 조례제정권을 부여하고 있다고 하여 헌법에 위반된다고 할 수 없다(2005.10.27, 2003헌바50 등).

05 정답 ④

ㄱ. [X] 이 사건 법률조항은 조합원에 한하지 않고 모든 국민을 수범자로 하는 형벌조항이며, 또 금지되고 허용되는 선거운동이 무엇인지 여부가 형사처벌의 구성요건에 관련되는 주요사항임에도 불구하고, 그에 대한 결정을 입법자인 국회가 스스로 정하지 않고 헌법이 위임입법의 형식으로 예정하고 있지도 않은 특수법인의 정관에 위임하는 것은 사실상 그 정관 작성권자에게 처벌법규의 내용을 형성할 권한을 준 것이나 다름없으므로, 정관에 구성요건을 위임하고 있는 이 사건 법률조항은 범죄와 형벌에 관하여는 입법부가 제정한 형식적 의미의 법률로써 정하여야 한다는 죄형법정주의원칙에 비추어 허용되기 어렵다(2010.7.29, 2008헌바106).

ㄴ. [O] 죄형법정주의의 기본적 요청으로서 법률주의는 범죄와 형벌이 입법부가 제정한 형식적 의미의 '법률'로 정하여져야 함을 의미한다. 그러나 현대국가의 기능 증대와 사회현상의 복잡화로 인한 입법부의 전문적·기술적 한계 등의 이유로, 합리적인 이유가 있으면 예외적으로 구성요건의 내용 중 일부를 법률에서 고시 등으로 수권하는 것을 허용하지 않을 수 없다(2013.6.27, 2011헌바8 등).

ㄷ. [X] 위임입법의 불가피성은 범죄와 형벌에 관한 사항에 있어서도 마찬가지이며, 헌법재판소는 위임입법의 근거와 한계에 관한 헌법 제75조는 처벌법규에도 적용되는 것이고, 다만 법률에 의한 처벌법규의 위임은 헌법이 특히 인권을 최대한 보장하기 위하여 죄형법정

주의와 적법절차를 규정하고, 법률에 의한 처벌을 강조하고 있는 기본권보장 우위사상에 비추어 바람직하지 못한 일이므로, 그 요건과 범위가 보다 엄격하게 제한적으로 적용되어야 한다(1997.5.29, 94헌바22).

ㄹ. [X] 식품의약품안전처장이 국민보건을 위하여 필요하면 판매를 목적으로 하는 식품 또는 식품첨가물에 관한 제조·가공·사용·조리·보존 방법에 관한 기준을 고시하도록 하고 이를 위반한 경우 처벌하도록 한 「식품위생법」이 형벌의 구성요건 일부에 해당하는 식품의 제조방법기준을 고시에 위임하고 있는데, 식품의 제조방법기준을 정하는 작업에는 전문적·기술적 지식이 요구되고 식품산업의 발전에 따른 탄력적·기술적 대응과 규율이 필요하므로, 심판대상조항이 이를 식품의약품안전처 고시에 위임하는 것은 불가피하다. 그러므로 심판대상조항이 식품의 제조방법기준을 식품의약품안전처 고시에 위임한 것이 헌법에서 정한 위임입법의 형식을 갖추지 못하여 헌법에 위반된다고 할 수 없다(2019.11.28, 2017헌바449).

ㅁ. [O] 국민의 권리·의무에 관한 사항이라 하여 모두 입법부에서 제정한 법률만으로 정할 수는 없어 불가피하게 예외적으로 하위법령에 위임하는 것이 허용되는바, 위임입법의 형식은 원칙적으로 헌법 제75조, 제95조에서 예정하고 있는 대통령령, 총리령 또는 부령 등의 법규명령의 형식을 벗어나서는 아니 된다(2020.6.25, 2018헌바278).

ㅂ. [X] 「신용협동조합법」 제27조의2 제2항 내지 제4항은 구체적으로 허용되는 선거운동의 기간 및 방법을 시행령이나 시행규칙이 아닌 정관에 맡기고 있어 정관으로 정하기만 하면 임원 선거운동의 기간 및 방법에 관한 추가적인 규제를 설정할 수 있도록 열어 두고 있다. 이는 범죄와 형벌은 입법부가 제정한 형식적 의미의 법률로 정하여야 한다는 죄형법정주의를 위반한 것이므로 헌법에 위반된다(2020.6.25, 2018헌바278).

ㅅ. [O] 형벌 구성요건의 실질적 내용을 법률에서 직접 규정하지 아니하고 금고의 정관에 위임한 것은 범죄와 형벌에 관하여는 입법부가 제정한 형식적 의미의 '법률'로써 정하여야 한다는 죄형법정주의 원칙에 위반된다(2001.1.18, 99헌바112). 2018년 국회 8급

ㅇ. [O] 단체협약에 위반한 자 처벌하는 구 「노동조합법」 제46조의3은 그 구성요건을 '단체협약에 … 위반한 자'라고만 규정함으로써 범죄구성요건의 외피만 설정하였을 뿐 구성요건의 실질적 내용을 직접 규정하지 아니하고 모두 단체협약에 위임하고 있어 죄형법정주의의 기본적 요청인 '법률주의'에 위배되고, 그 구성요건도 지나치게 애매하고 광범위하여 죄형법정주의의 명확성의 원칙에 위배된다(1998.3.26, 96헌가20).

06

정답 ③

① [X] 청구인은 심판대상조항에 의한 감치제도는 「형법」 규정에 존재하지 않는 형벌을 규정한 것으로서 죄형법정주의에 위반된다는 주장도 하고 있으나, 감치는 형벌에 해당하지 않아 죄형법정주의의 영역에 포섭될 수 없을 뿐만 아니라, 청구인의 주장은 결국 「형법」 상의 형벌이 아닌 감치를 통하여 채무자를 구금하는 것이 채무자의 신체의 자유를 침해한다는 것이므로, 이 부분 주장에 대하여는 별도로 판단하지 아니한다(2014.9.25, 2013헌마11).

② [X] 과태료는 행정상의 질서유지를 위한 행정질서벌에 해당할 뿐 형벌이라고 할 수 없어 죄형법정주의의 규율대상에 해당하지 아니한다(1998.5.28, 96헌바83).

❸ [O] 보호감호는 신체의 자유를 박탈하는 보안처분이어서 형벌불소급원칙이 적용되나, 형벌과 달리 과거 행위에 대한 제재가 아니라 장래의 범죄 발생 예방을 위한 보안처분이어서 이중처벌금지원칙은 적용되지 않는다.

④ [X] 구 「노동조합법」(1986.12.31. 법률 제3925호로 최종 개정되었다가 1996.12.31. 법률 제5244호로 공포된 「노동조합 및 노동관계조정법」의 시행으로 폐지된 것) 제46조의3은 그 구성요건을 '단체협약에 … 위반한 자'라고만 규정함으로써 범죄구성요건의 외피만 설정하였을 뿐 구성요건의 실질적 내용을 직접 규정하지 아니하고 모두 단체협약에 위임하고 있어 죄형법정주의의 기본적 요청인 '법률'주의에 위배되고, 그 구성요건도 지나치게 애매하고 광범위하여 죄형법정주의의 명확성의 원칙에 위배된다(1998.3.26, 96헌가20).

07

정답 ②

ㄱ. [X] 이 사건 법률조항이 치료감호의 종료시점을 일정한 기간의 도과시점으로 하지 않고 감호의 필요가 없을 정도로 치유된 때로 정한 것은, 치료감호가 지향하는 정신장애 범죄자의 치료를 통한 사회복귀와 시민의 안전 확보라는 목적을 확실하게 달성하기 위한 취지이므로 그 입법목적은 정당하다. 그리고 치료감호의 종료시점을 치유의 완성시점으로 정한 것은 보안처분의 본질에 부합하고, 치료감호의 목표인 피치료감호자의 개선과 사회보호를 위한 효과적이고 적절한 하나의 수단이 된다. 이 사건 법률조항은 과잉금지의 원칙에 위배되지 아니하므로 청구인의 신체의 자유를 침해하는 것이라고 볼 수 없다(2005.2.3, 2003헌바1).

ㄴ. [O] 전자장치 부착명령은 전통적 의미의 형벌이 아닐 뿐 아니라, 성폭력범죄자의 성행교정과 재범방지를 도모하고 국민을 성폭력범죄로부터 보호한다고 하는 공익을 목적으로 하며, 의무적 노동의 부과나 여가시간의 박탈을 내용으로 하지 않고 전자장치의 부착을 통해서 피부착자의 행동 자체를 통제하는 것도 아니라는 점에서 처벌적인 효과를 나타낸다고 보기 어렵다. 또한 부착명령에 따른 피부착자의 기본권 침해를 최소화하기 위하여 피부착자에 관한 수신자료의 이용을 엄격하게 제한하고, 재범의 위험성이 없다고 인정되는 경우에는 부착명령을 가해제할 수 있도록 하고 있다. 그러므로 이 사건 부착명령은 형벌과 구별되는 비형벌적 보안처분으로서 소급효금지원칙이 적용되지 아니한다(2012.12.27, 2010헌가82 등).

ㄷ. [O] 형사제재에 관한 종래의 일반론에 따르면 형벌은 본질적으로 행위자가 저지른 과거의 불법에 대한 책임을 전제로 부과되는 제재를 뜻함에 반하여, 보안처분은 행위자의 장래 위험성에 근거하여 범죄자의 개선을 통해 범죄를 예방하고 장래의 위험을 방지하여 사회를 보호하기 위해서 형벌에 대신하여 또는 형벌을 보충하여 부과되는 자유의 박탈과 제한 등의 처분을 뜻하는 것으로서 양자는 그 근거와 목적을 달리하는 형사제재이다. 연혁적으로도 보안처분은 형벌이 적용될 수 없거나 형벌의 효과를 기대할 수 없는 행위자를 개선·치료하고, 이러한 행위자의 위험성으로부터 사회를 보호하기 위한 형사정책적인 필요성에 따라 만든 제재이므로 형벌과 본질적인 차이가 있다. 즉, 형벌과 보안처분은 다 같이 형사제재에 해당하지만, 형벌은 책임의 한계 안에서 과거 불법에 대한 응보를 주된 목적으로 하는 제재이고, 보안처분은 장래 재범위험성을 전제로 범죄를 예방하기 위한 제재이다(2012.12.27, 2010헌가82 등).

ㄹ. [O] 보안처분은 형벌과는 달리 행위자의 장래 재범 위험성에 근거하는 것으로서, 행위시가 아닌 재판시의 재범위험성 여부에 대한 판단에 따라 보안처분 선고를 결정하므로 원칙적으로 재판 당시 현행법을 소급적용할 수 있다고 보는 것이 타당하고 합리적이다. 그러나 보안처분의 범주가 넓고 그 모습이 다양한 이상, 보안처분에 속한다는 이유만으로 일률적으로 소급입법금지원칙이 적용된다거나 그렇지 않다고 단정해서는 안 되고, 보안처분이라는 우회적인 방법으로 형벌불소급의 원칙을 유명무실하게 하는 것을 허용해서도 안 된다. 따라서 보안처분이라 하더라도 형벌적 성격이 강하여 신체의 자유를 박탈하거나 박탈에 준하는 정도로 신체의 자유를 제한하는 경우에는 소급입법금지원칙을 적용하는 것이 법치주의 및 죄형법정주

의에 부합한다(2014.8.28, 2011헌마28 등). 2020년 소방간부

ㅁ. [O] 치료감호의 기간을 미리 법정하지 않고 계속 수용하여 치료할 수 있도록 하는 것은 정신장애자의 개선 및 재활과 사회의 안전에 모두 도움이 되고 이로서 달성되는 사회적 공익은 상당히 크다고 할 수 있다. 한편, 피치료감호자는 계속적인 치료감호를 통하여 정신장애로부터의 회복을 기대할 수 있는 이익도 있을 뿐만 아니라, 가종료, 치료위탁 등 법적 절차를 통하여 장기수용의 폐단으로부터 벗어날 수도 있으므로, 이 사건 법률조항이 치료감호에 기간을 정하지 아니함으로 말미암아 초래될 수 있는 사익의 침해는 그로써 얻게 되는 공익에 비하여 크다고 볼 수 없다. 따라서 이 사건 법률조항은 과잉금지의 원칙에 위배되지 아니하므로 청구인의 신체의 자유를 침해하는 것이라고 볼 수 없다(2005.2.3, 2003헌바1).

ㅂ. [O] 헌법 제12조 제1항이 '처벌, 보안처분 또는 강제노역'을 나란히 열거하고 있는 규정형식에 비추어 보면 처벌 또는 강제노역에 버금가는 심대한 기본권의 제한을 수반하는 보안처분에는 위에서 본 좁은 의미의 적법절차의 원칙이 엄격히 적용되어야 할 것이나, 보안처분의 종류에는 「사회보호법」상의 보호감호처분이나 구 「사회안전법」상의 보안감호처분과 같이 피감호자를 일정한 감호시설에 수용하는 전면적인 자유박탈적인 조치부터 이 법상의 보안관찰처분과 같이 단순히 피보안관찰자에게 신고의무를 부과하는 자유 제한적인 조치까지 다양한 형태와 내용의 것이 존재하므로 각 보안처분에 적용되어야 할 적법절차의 원리의 적용범위 내지 한계에도 차이가 있어야 함은 당연하다 할 것이어서, 결국 각 보안처분의 구체적 자유박탈 내지 제한의 정도를 고려하여 그 보안처분의 심의·결정에 법관의 판단을 필요로 하는지 여부를 결정하여야 한다고 할 것이다(1997.11.27, 92헌바28).

ㅅ. [X] 「사회보호법」 제5조에 정한 보호감호와 형벌은 비록 다같이 신체의 자유를 박탈하는 수용처분이라는 점에서 집행상 뚜렷한 구분이 되지 않는다고 하더라도 그 본질, 추구하는 목적과 기능이 전혀 다른 별개의 제도이므로 형벌과 보호감호를 서로 병과하여 선고한다 하여 헌법 제13조 제1항에 정한 이중처벌금지의 원칙에 위반되는 것은 아니라 할 것이다(1989.7.14, 88헌가5 등).

ㅇ. [O] 신속한 재판을 받을 권리의 실현을 위해서는 구체적인 입법형성이 필요하며, 법률에 의한 구체적 형성 없이는 신속한 재판을 위한 어떤 직접적이고 구체적인 청구권이 발생하지 아니한다. 따라서 피청구인들이 위 보안처분들의 효력만료 전까지 판결을 선고해야 할 구체적인 의무가 헌법상으로 직접 도출된다고는 볼 수 없다. 그렇다면 피청구인들이 위와 같이 판결을 선고해야 할 구체적인 행위를 요구할 수 있는 청구인들의 권리가 헌법 제27조 제3항 제1문상의 신속한 재판을 받을 권리로부터 발생하지 아니한다고 할 것이므로, 위 보안처분들의 효력이 만료되는 시점까지 판결을 선고하지 아니한 것은 피청구인들의 공권력의 불행사라고는 할 수 없다(1999.9.16, 98헌마75).

08 정답 ②

① [X] 행위의 가벌성은 행위에 대한 소추가능성의 전제조건이지만 소추가능성은 가벌성의 조건이 아니므로 공소시효의 정지규정을 과거에 이미 행한 범죄에 대하여 적용하도록 하는 법률이라 하더라도 그 사유만으로 헌법 제12조 제1항 및 제13조 제1항에 규정한 죄형법정주의의 파생원칙인 형벌불소급의 원칙에 언제나 위배되는 것으로 단정할 수는 없다(1996.2.16, 96헌가2 등).

❷ [O] 형사처벌의 근거가 되는 것은 법률이지 판례가 아니고, 「형법」 조항에 관한 판례의 변경은 그 법률조항의 내용을 확인하는 것에 지나지 아니하여 이로써 그 법률조항 자체가 변경된 것이라고 볼 수는 없으므로, 행위 당시의 판례에 의하면 처벌대상이 되지 아니하는 것으로 해석되었던 행위를 판례의 변경에 따라 확인된 내용의 「형법」 조항에 근거하여 처벌한다고 하여 그것이 헌법상 평등의 원칙과 형벌불소급의 원칙에 반한다고 할 수는 없다(대판 1999.9.17, 97도3349).

③ [X] 형벌불소급의 원칙은 '행위의 가벌성'에 관한 것이기 때문에 소추가능성에만 연관될 뿐이고 가벌성에는 영향을 미치지 않는 공소시효에 관한 규정은 원칙적으로 그 효력범위에 포함되지 않는다. 따라서 공소시효의 정지규정을 과거에 이미 행한 범죄에 대하여 적용하도록 하는 법률이라 하더라도 그 사유만으로 헌법 제12조 제1항 및 제13조 제1항에 규정한 죄형법정주의의 파생원칙인 형벌불소급의 원칙에 언제나 위배되는 것으로 단정할 수는 없다(2021.6.24, 2018헌바457).

④ [X] 공소시효의 정지규정을 과거에 이미 행한 범죄에 대하여 적용하도록 하는 법률이라 하더라도 그 사유만으로 헌법 제12조 제1항 및 제13조 제1항에 규정한 죄형법정주의의 파생원칙인 형벌불소급의 원칙에 언제나 위배되는 것으로 단정할 수는 없다(2021.6.24, 2018헌바457).

09 정답 ②

① [X] 공소시효의 정지규정을 과거에 이미 행한 범죄에 대하여 적용하도록 하는 법률이라 하더라도 그 사유만으로 헌법 제12조 제1항 및 제13조 제1항에 규정한 죄형법정주의의 파생원칙인 형벌불소급의 원칙에 언제나 위배되는 것으로 단정할 수는 없다(2021.6.24, 2018헌바457).

❷ [O] 형벌불소급원칙이란 형벌법규는 시행된 이후의 행위에 대해서만 적용되고 시행 이전의 행위에 대해서는 소급하여 불리하게 적용되어서는 안 된다는 원칙인바, 이 사건 부칙조항은 개정된 법률 이전의 행위를 소급하여 형사처벌하도록 규정하고 있는 것이 아니라 형사처벌을 규정하고 있던 행위시법이 사후폐지되었음에도 신법이 아닌 행위시법에 의하여 형사처벌하도록 규정한 것으로서, 헌법 제13조 제1항의 형벌불소급원칙 보호영역에 포섭되지 아니한다(2015.2.26, 2012헌바268).

③ [X] 관세형벌은 그 시대의 국가경제정책, 수출입정책, 국민들의 수출입에 관한 질서의식 등을 고려하여 그 시대의 경제적·사회적 상황에 맞추어 국가재정권과 통관질서의 유지를 보호하기 위한 적절한 형벌의 종류와 범위를 정할 수밖에 없는 제재이므로 「관세법」이 1993.12.31. 법률 제4674호로 개정되기 전의 시대상황 즉, 관세율이 높고 부정수출입행위가 국가경제에 미치는 영향이 더 컸던 점 등에 비추어 개정 전에 범한 범죄에 대해 무겁게 처벌할 필요가 있다는 이유에서 구 「관세법」 부칙(1993.12.31. 법률 제4674호로 개정될 당시의 부칙) 제4조가 개정법 시행 이전의 범죄에 대하여 신법보다 무거운 구법을 적용하도록 규정한 것은 어디까지나 입법형성의 자유 범위 내에 속하는 입법정책의 문제라 할 것이다(1998.11.26, 97헌바67).

④ [X] 디엔에이신원확인정보의 수집·이용은 수형인 등에게 심리적 압박으로 인한 범죄예방효과를 가진다는 점에서 보안처분의 성격을 지니지만, 처벌적인 효과가 없는 비형벌적 보안처분으로서 소급입법금지원칙이 적용되지 않는다. 이 사건 법률의 소급적용으로 인한 공익적 목적이 당사자의 손실보다 더 크므로, 이 사건 부칙조항이 법률 시행 당시 디엔에이감식시료 채취 대상범죄로 실형이 확정되어 수용 중인 사람들까지 이 사건 법률을 적용한다고 하여 소급입법금지원칙에 위배되는 것은 아니다(2014.8.28, 2011헌마28 등).

10 정답 ③

① [O] 전자감시제도는 범죄행위를 한 자에 대한 응보를 주된 목적으로 그 책임을 추궁하는 사후적 처분인 형벌과 구별되어 그 본질을 달리하는 것으로서 형벌에 관한 소급입법금지의 원칙이 그대로 적용되지 않으므로, 위 법률이 개정되어 부착명령기간을 연장하도록 규정하고 있더라도 그것이 소급입법금지의 원칙에 반한다고 볼 수 없다(대판 2010.12.23, 2010도11996).

② [O] 아동·청소년 성범죄로 형이 확정된 자에게 의료기관의 개설을 금지하는 취업조항을 법 시행 후 형이 확정된 자부터 적용하도록 한 「아동·청소년의 성보호에 관한 법률」은 형벌불소급원칙에 반하지 않는다. 취업 제한이 형벌이 아니기 때문이다(2016.3.31, 2013헌마585 등).

❸ [X] 보안처분은 형벌과는 달리 행위자의 장래 재범위험성에 근거하는 것으로서, 행위시가 아닌 재판시의 재범위험성 여부에 대한 판단에 따라 보안처분 선고를 결정하므로 원칙적으로 재판 당시 현행법을 소급적용할 수 있다고 보는 것이 타당하고 합리적이다. 그러나 보안처분의 범주가 넓고 그 모습이 다양한 이상, 보안처분에 속한다는 이유만으로 일률적으로 소급입법금지원칙이 적용된다거나 그렇지 않다고 단정해서는 안 되고, 보안처분이라는 우회적인 방법으로 형벌불소급의 원칙을 유명무실하게 하는 것을 허용해서도 안 된다. 따라서 보안처분이라 하더라도 형벌적 성격이 강하여 신체의 자유를 박탈하거나 박탈에 준하는 정도로 신체의 자유를 제한하는 경우에는 소급입법금지원칙을 적용하는 것이 법치주의 및 죄형법정주의에 부합한다(2014.8.28, 2011헌마28 등).

④ [O] 헌법 제13조 제1항 전단은 소급적인 범죄구성요건의 제정과 소급적인 형벌의 가중을 엄격히 금하고 있다. 헌법재판소는 이 형벌불소급원칙을 엄격히 해석하여, 비형벌적 보안처분에는 이 원칙이 적용되지 않는다고 판단해 왔다. 「성폭력범죄의 처벌 등에 관한 특례법」상 신상정보 등록의 목적은 범죄수사와 범죄예방에 있고, 신상정보라는 개인정보의 수집·보관·처리·이용은 개인정보자기결정권을 제한할 수 있으나 구금과 같이 신체의 자유를 박탈하거나 직접적으로 제한하는 것이 아니고, 형벌에 대신하여 부과하거나 그에 상응하는 정도로 자유를 제한하지도 않으며, 등록대상자의 일반적 행동에 아무런 제한도 부과하지 않는다. 따라서 신상정보의 등록은 형법이 규정하고 있는 형벌에 해당하지 않으므로, 헌법 제13조 제1항 전단의 형벌불소급원칙이 적용되지 아니한다(2016.9.29, 2015헌마913).

11 정답 ③

ㄱ. [X] 청구인들은 노역장유치조항이 벌금을 납입할 자력이 있는 자와 없는 자를 차별한다고 주장하나, 이 조항은 경제적 능력의 유무와 상관없이 모든 벌금미납자에게 적용되고, 벌금의 납입능력에 따른 노역장유치가능성의 차이는 이 조항이 예정하고 있는 차별이 아니라 벌금형이라는 재산형이 가지고 있는 본질적인 성격에서 비롯된 것일 뿐이므로, 노역장유치조항이 경제적 능력이 있는 자와 없는 자를 차별한다고 볼 수 없다(2017.10.26, 2015헌바239 등)

ㄴ. [X] 노역장유치는 그 실질이 신체의 자유를 박탈하는 것으로서 징역형과 유사한 형벌적 성격을 가지고 있으므로 형벌불소급원칙의 적용대상이 된다(2017.10.26, 2015헌바239 등).

ㄷ. [X] 형벌불소급원칙이 적용되는 '처벌'의 범위를 「형법」이 정한 형벌의 종류에만 한정되는 것으로 보게 되면, 「형법」이 정한 형벌 외의 형태로 가해질 수 있는 형사적 제재나 불이익은 소급적용이 허용되는 결과가 되어, 법적 안정성과 예측가능성을 보장하여 자의적 처벌로부터 국민을 보호하고자 하는 형벌불소급원칙의 취지가 몰각될 수 있다. 형벌불소급원칙에서 의미하는 '처벌'은 단지 「형법」에 규정되어 있는 형식적 의미의 형벌 유형에 국한되지 않는다(2017.10.26, 2015헌바239).

ㄹ. [X] 별개의견으로 제시된 의견이다. 헌법재판소의 법정의견은 형벌불소급원칙 위반이라고 한다.

ㅁ. [X] 형벌불소급원칙에서 의미하는 '처벌'은 「형법」에 규정되어 있는 형식적 의미의 형벌유형에 국한되지 않으며, 범죄행위에 따른 제재의 내용이나 실제적 효과가 형벌적 성격이 강하여 신체의 자유를 박탈하거나 이에 준하는 정도로 신체의 자유를 제한하는 경우에는 형벌불소급원칙이 적용되어야 한다.

ㅂ. [O] 노역장유치조항은 노역장유치가 고액 벌금의 납입을 회피하는 수단으로 이용되는 것을 막고 1일 환형유치금액에 대한 형평성을 제고하기 위한 것으로, 이러한 입법목적은 정당하다. 1억 원 이상의 벌금을 선고하는 경우 노역장유치기간의 하한을 법률에 정해 두게 되면, 벌금의 납입을 심리적으로 강제할 수 있고 1일 환형유치금액 사이의 지나친 차이를 좁혀 형평성을 도모할 수 있으므로, 노역장유치조항은 입법목적 달성에 적절한 수단이다.

ㅅ. [O] 노역장유치조항은 고액 벌금형을 단기의 노역장유치로 무력화시키지 못하도록 하고, 1일 환형유치금액 사이에 지나친 차이가 발생하지 않게 함으로써 노역장유치제도의 공정성과 형평성을 제고하기 위한 것으로, 이러한 공익은 매우 중대하다. 반면, 그로 인하여 청구인들이 입게 되는 불이익은 선고된 벌금을 납입하지 아니한 경우에 일정기간 이상 노역장에 유치되어 신체의 자유를 제한받게 되는 것이다. 노역장유치는 벌금을 납입하지 않는 경우를 대비한 것으로 벌금을 납입한 때에는 집행될 여지가 없고, 노역장유치로 벌금형이 대체되는 점 등을 고려하면, 청구인들이 입게 되는 불이익이 노역장유치조항으로 달성하고자 하는 공익에 비하여 크다고 할 수 없다.따라서 노역장유치조항은 법익 균형성 요건을 충족한다.

ㅇ. [X] 부칙조항은 노역장유치조항의 시행 전에 행해진 범죄행위에 대해서도 공소제기의 시기가 노역장유치조항의 시행 이후이면 이를 적용하도록 하고 있는바, 부칙조항은 범죄행위 당시 보다 불이익한 법률을 소급하여 적용하도록 하는 것이라고 할 수 있으므로, 헌법상 형벌불소급원칙에 위반된다.

12 정답 ④

ㄱ. [X] 범죄의 성립과 처벌은 법률에 의하여야 한다는 죄형법정주의 본래의 취지에 비추어 볼 때 정당방위와 같은 위법성조각사유규정에도 죄형법정주의의 명확성원칙은 적용된다 할 것이다(2001.6.28, 99헌바31).

ㄴ. [X] 법률조항이 규율하고자 하는 내용 중 일부를 괄호 안에 규정하는 것 역시 단순한 입법기술상의 문제에 불과할 뿐, 괄호 안에 규정되어 있다는 사실만으로 그 내용이 중요한 의미를 가지는 것이 아니라고 볼 아무런 근거가 없으며 일반 국민이 법률조항을 해석함에 있어서도 괄호 안에 기재된 내용은 중요한 의미를 갖지 않는 것으로 받아들일 것이라는 주장은 객관적인 사실과 자료들에 의해 전혀 뒷받침되지 못하여 받아들이기 어렵다(2010.3.25, 2009헌바121).

ㄷ. [O] 죄형에 관한 법률조항이 그 내용을 해당 시행령에 포괄적으로 위임하고 있는지 여부는 죄형법정주의의 명확성원칙의 위반 여부가 문제인 동시에 포괄적 위임금지 여부의 문제가 된다(2004.8.26, 2004헌바14).

ㄹ. [O] 명확성의 원칙에서 명확성의 정도는 모든 법률에 있어서 동일한 정도로 요구되는 것은 아니고 개개의 법률이나 법조항의 성격에 따라 요구되는 정도에 차이가 있을 수 있으며 각각의 구성요건의

특수성과 그러한 법률이 제정되게 된 배경이나 상황에 따라 달라질 수 있다고 할 것이다. 즉, 죄형법정주의가 지배되는 형사 관련 법률에서는 명확성의 정도가 강화되어 더 엄격한 기준이 적용된다(죄형법정주의상의 명확성원칙). 그러나 일반적인 법률에서는 명확성의 정도가 그리 강하게 요구되지 않기 때문에 상대적으로 완화된 기준이 적용된다(일반적 명확성원칙)(2009.9.24, 2007헌바114). 2013년 변시

ㅁ. [X] 죄형법정주의의 원칙에서 파생되는 명확성의 원칙은 법률이 처벌하고자 하는 행위가 무엇이며 그에 대한 형벌이 어떠한 것인지를 누구나 예견할 수 있고, 그에 따라 자신의 행위를 결정할 수 있도록 구성요건을 명확하게 규정하는 것을 의미한다. 그러나 처벌법규의 구성요건이 명확하여야 한다고 하여 모든 구성요건을 단순한 서술적 개념으로 규정하여야 하는 것은 아니고, 다소 광범위하여 법관의 보충적인 해석을 필요로 하는 개념을 사용하였다고 하더라도 통상의 해석방법에 의하여 건전한 상식과 통상적인 법감정을 가진 사람이면 당해 처벌법규의 보호법익과 금지된 행위 및 처벌의 종류와 정도를 알 수 있도록 규정하였다면 처벌법규의 명확성에 배치되는 것이 아니다(대판 2014.1.29, 2013도12939).

ㅂ. [O] 명확성의 원칙은 모든 법률에 있어서 동일한 정도로 요구되는 것은 아니고 개개의 법률이나 법조항의 성격에 따라 요구되는 정도에 차이가 있을 수 있으며, 각각의 구성요건의 특수성과 그러한 법률이 제정되게 된 배경이나 상황에 따라 달라질 수 있지만, 일반론으로는 어떤 규정이 부담적 성격을 가지는 경우에는 수익적 성질을 가지는 경우에 비하여 명확성의 원칙이 더욱 엄격하게 요구된다(1992.2.25, 89헌가104).

ㅅ. [X] 처벌법규나 조세를 부과하는 조세법규와 같이 국민의 기본권을 직접적으로 제한하거나 침해할 소지가 있는 법규에서는 구체성·명확성의 요구가 강화되어 그 위임의 요건과 범위가 더 엄격하게 규정되어야 하는 반면, 일반적인 급부행정이나 조세감면 혜택을 부여하는 조세법규의 경우에는 위임의 구체성·명확성의 요구가 완화되어 위임의 요건과 범위가 덜 엄격하게 규정될 수 있으며, 규율대상이 지극히 다양하거나 수시로 변화하는 성질의 것일 때에도 마찬가지다(2006.12.28, 2005헌바59).

➡ 급부행정이나 규율대상이 지극히 다양하거나 수시로 변화하는 성질의 것일 때에도 명확성원칙이 적용되나 명확성의 정도는 완화된다.

13 정답 ④

① [O] 심판대상조항들의 내용만으로는 금지되는 행위 유형의 실질의 대강조차 파악할 수 없다는 주장은 심판대상조항들 중 하위법령에 규정될 내용을 정하고 있는 부분의 불명확성을 다투는 것으로 결국 포괄위임금지원칙 위반의 문제로 포섭되는바 명확성원칙 위배 여부에 대해서는 별도로 판단하지 않기로 한다(2021.2.25, 2017헌바222).

② [O] 죄형법정주의는 자유주의, 권력분립, 법치주의 및 국민주권의 원리에 입각한 것으로서 무엇이 범죄이며 그에 대한 형벌이 어떠한 것인가는 반드시 국민의 대표로 구성된 입법부가 제정한 법률로써 정하여야 한다는 원칙을 의미한다. 그런데 아무리 권력분립이나 법치주의가 민주정치의 원리라 하더라도 현대국가의 사회적 기능 증대와 사회현상의 복잡화에 따라 국민의 권리·의무에 관한 사항이라 하여 모두 입법부에서 제정한 법률만으로 다 정할 수는 없기 때문에 합리적인 이유가 있으면 예외적으로 이를 위임하는 것이 허용된다(2021.2.25, 2017헌바222).

③ [O] 헌법 제40조, 제75조, 제95조의 의미를 살펴보면, 국회가 입법으로 행정기관에게 구체적인 범위를 정하여 위임한 사항에 관하여는 당해 행정기관이 법 정립의 권한을 갖게 되고, 이때 입법자는 그 규율의 형식도 선택할 수 있으므로, 헌법이 인정하고 있는 위임입법의 형식은 예시적인 것으로 보아야 한다. 법률이 일정한 사항을 행정규칙에 위임하더라도 그 행정규칙은 위임된 사항만을 규율할 수 있고, 이는 국회입법의 원칙과 상치되지 않는다. 다만, 행정규칙은 법규명령과 같은 엄격한 제정 및 개정절차를 필요로 하지 아니하므로, 기본권을 제한하는 내용의 입법을 위임할 때에는 법규명령에 위임하는 것이 원칙이고, 고시와 같은 형식으로 입법위임을 할 때에는 법령이 전문적·기술적 사항이나 경미한 사항으로서 업무의 성질상 위임이 불가피한 사항에 한정된다(2021.2.25, 2017헌바222).

❹ [X] 헌법 제40조, 제75조, 제95조의 의미를 살펴보면, 국회가 입법으로 행정기관에게 구체적인 범위를 정하여 위임한 사항에 관하여는 당해 행정기관이 법 정립의 권한을 갖게 되고, 이때 입법자는 그 규율의 형식도 선택할 수 있으므로, 헌법이 인정하고 있는 위임입법의 형식은 예시적인 것으로 보아야 한다. 법률이 일정한 사항을 행정규칙에 위임하더라도 그 행정규칙은 위임된 사항만을 규율할 수 있고, 이는 국회입법의 원칙과 상치되지 않는다. 다만, 행정규칙은 법규명령과 같은 엄격한 제정 및 개정절차를 필요로 하지 아니하므로, 기본권을 제한하는 내용의 입법을 위임할 때에는 법규명령에 위임하는 것이 원칙이고, 고시와 같은 형식으로 입법위임을 할 때에는 법령이 전문적·기술적 사항이나 경미한 사항으로서 업무의 성질상 위임이 불가피한 사항에 한정된다(2021.2.25, 2017헌바222).

14 정답 ②

ㄱ. [X] 정당한 명령 또는 규칙을 준수할 의무가 있는 자가 이를 위반하거나 준수하지 아니한 때에 형사처벌을 하도록 규정한 것은 죄형법정주의의 명확성원칙에 위배되지 않는다(2011.3.31, 2009헌가12).

ㄴ. [O] '계쟁'이란 분쟁 당사자들의 법적인 다툼 또는 그 상태를 의미한다. 심판대상조항의 문언, 입법취지, 관련법의 유사 규정의 내용과 체계 등을 종합적으로 고려할 때, 심판대상조항의 '계쟁권리'는 분쟁처리기관에 계속 중인 사건에서 다툼의 대상이 되는 권리를 의미하고, 심판대상조항에 의하여 '변호사가 본인이 대리하는 사건에서 문제가 되는 계쟁권리를 양수하는 것 자체가 금지된다'는 점을 충분히 예측할 수 있다. 통상적인 법 감정과 전문성을 지닌 변호사라면 심판대상조항의 의미 내용을 충분히 이해할 수 있고, 구체적인 내용은 법관의 통상적인 해석 및 적용에 의하여 보완될 수 있으므로 명확성원칙에 위반되지 아니한다(2021.10.28, 2020헌바488).

ㄷ. [X] 하객들에 대한 음식접대에 있어서 '가정의례의 참뜻'이란 개념은, 결혼식 혹은 회갑연의 하객들에게 어떻게 음식이 접대되는 것이 그 참뜻에 맞는 것인지는 종래 우리 관습상 혼례식의 성격 등을 볼 때 쉽게 예상되기 어렵고, 그간 「가정의례에 관한 법률」이 오랫동안 시행되어 가정의례의 참뜻에 대한 인식은 확립되었다고 볼 수도 없어, 결국 그 대강의 범위를 예측하여 이를 행동의 준칙으로 삼기에 부적절하다. 또한 '합리적인 범위 안'이란 개념도 가정의례 자체가 우리나라의 관습 내지 풍속에 속하고, 성격상 서구적 의미의 '합리성'과 친숙할 수 있는 것도 아니며, 또한 양과 질과 가격에 있어 편차가 많고 접대받을 사람의 범위가 다양하므로 주류 및 음식물을 어떻게 어느만큼 접대하는 것이 합리적인 범위인지를 일반 국민이 판단하기란 어려울 뿐 아니라 그 대강을 예측하기도 어렵다. 이 사건 규정은 결국 죄형법정주의의 명확성원칙을 위배하여 청구인 이○규의 일반적 행동자유권을 침해하였다(1998.10.15, 98헌마168).

ㄹ. [O] 이 사건 법률조항은 표현의 자유에 대한 제한입법이며, 동시에 형벌조항에 해당하므로, 엄격한 의미의 명확성원칙이 적용된다. 그

런데 이 사건 법률조항은 '공익을 해할 목적'의 허위의 통신을 금지하는바, 여기서의 '공익'은 형벌조항의 구성요건으로서 구체적인 표지를 정하고 있는 것이 아니라, 헌법상 기본권 제한에 필요한 최소한의 요건 또는 헌법상 언론·출판의 자유의 한계를 그대로 법률에 옮겨 놓은 것에 불과할 정도로 그 의미가 불명확하고 추상적이다. 따라서 어떠한 표현행위가 '공익'을 해하는 것인지, 아닌지에 관한 판단은 사람마다의 가치관, 윤리관에 따라 크게 달라질 수밖에 없으며, 이는 판단주체가 법전문가라 하여도 마찬가지이고, 법집행자의 통상적 해석을 통하여 그 의미 내용이 객관적으로 확정될 수 있다고 보기 어렵다. 나아가 현재의 다원적이고 가치상대적인 사회구조하에서 구체적으로 어떤 행위상황이 문제되었을 때에 문제되는 공익은 하나로 수렴되지 않는 경우가 대부분인바, 공익을 해할 목적이 있는지 여부를 판단하기 위한 공익간 형량의 결과가 언제나 객관적으로 명백한 것도 아니다. 결국, 이 사건 법률조항은 수범자인 국민에 대하여 일반적으로 허용되는 '허위의 통신' 가운데 어떤 목적의 통신이 금지되는 것인지 고지하여 주지 못하고 있으므로 표현의 자유에서 요구하는 명확성의 요청 및 죄형법정주의의 명확성원칙에 위배하여 헌법에 위반된다(2010.12.28, 2008헌바157 등).

ㅁ. [X] 헌재 2014헌가16 등 결정 이후에 심판대상조항은 법률이 처벌하고자 하는 행위에 상습절도가 포함되는지 여부에 대하여 수범자가 예견할 수 없고, 범죄의 성립 여부에 대하여 법률전문가에게조차 법해석상 혼란을 야기할 수 있을 정도로 불명확한 상태로 존속하게 되었으므로, 심판대상조항의 구성요건은 죄형법정주의의 명확성원칙에 위배된다. 심판대상조항은 그 법정형에 대하여 "그 죄에 대하여 정한 형의 단기의 2배까지 가중한다."라고 규정하고 있는데, 여기서 '그 죄에 대하여 정한 형'이 「특정범죄 가중처벌 등에 관한 법률」 제5조의4 제1항의 죄에 대하여 정한 형을 가리키는 것인지, 형법 제332조가 정한 형을 가리키는 것인지 불명확하다. 심판대상조항은 법정형이 불명확하다는 측면에서도 죄형법정주의의 내용인 형벌법규의 명확성원칙에 위배된다(2015.11.26, 2013헌바343).

ㅂ. [X] 「아동·청소년의 성보호에 관한 법률」(이하 '아동청소년성보호법'이라 한다)의 입법목적, 가상의 '아동·청소년이용음란물의 규제 배경, 법정형의 수준 등을 고려할 때, '아동·청소년으로 인식될 수 있는 사람'은 일반인의 입장에서 실제 아동·청소년으로 오인하기에 충분할 정도의 사람이 등장하는 경우를 의미함을 알 수 있고, '아동·청소년으로 인식될 수 있는 표현물' 부분도 아동·청소년을 상대로 한 비정상적 성적 충동을 일으키기에 충분한 행위를 담고 있어 아동·청소년을 대상으로 한 성범죄를 유발할 우려가 있는 수준의 것에 한정된다고 볼 수 있으며, 기타 법관의 양식이나 조리에 따른 보충적인 해석에 의하여 판단 기준이 구체화되어 해결될 수 있으므로, 위 부분이 불명확하다고 할 수 없다. '그 밖의 성적 행위' 부분도 아동청소년성보호법 제2조 제4호에서 예시하고 있는 '성교행위, 유사 성교행위, 신체의 전부 또는 일부를 접촉·노출하는 행위로서 일반인의 성적 수치심이나 혐오감을 일으키는 행위, 자위행위'와 같은 수준으로 일반인으로 하여금 성적 수치심이나 혐오감을 일으키기에 충분한 행위, 즉 음란한 행위를 의미함을 알 수 있고, 무엇이 아동·청소년을 대상으로 한 음란한 행위인지 법에서 일률적으로 정해놓는 것은 곤란하므로 포괄적 규정형식을 택한 불가피한 측면이 있다. 따라서 심판대상조항은 죄형법정주의의 명확성원칙에 위배되지 아니한다(2015.6.25, 2013헌가17 등). 2016년 사시

ㅅ. [X] '운용'은 사전적 의미로 '무엇을 움직이게 하거나 부리어 쓰는 것'으로 다수의 법령에서 일반적 용어로 사용되고 있고, '방해'는 사전적으로 '남의 일에 간섭하고 막아 해를 끼치는 것'을 의미하는데, 종전 헌법재판소 및 대법원의 해석 내용, 대법원이 여러 사안에서 '운용을 방해할 수 있는 프로그램'인지 여부를 판단해 온 기준 등을 종합하면, 정보통신시스템, 데이터 또는 프로그램 등의 운용을 방해하는 악성프로그램에 해당하는지 여부를 그 사용용도 및 기술적 구성, 작동방식, 정보통신시스템 등에 미치는 영향, 프로그램 설치에 대한 운용자의 동의 여부 등을 종합적으로 고려하여 판단할 수 있다. 따라서 금지조항 중 '운용을 방해할 수 있는 부분'이 죄형법정주의의 명확성원칙에 위반된다고 볼 수 없다(2021.7.15, 2018헌바428).

15 정답 ④

ㄱ. [X] 이 사건 집행정지 요건조항에서 집행정지 요건으로 규정한 '회복하기 어려운 손해'는 대법원 판례에 의하여 '특별한 사정이 없는 한 금전으로 보상할 수 없는 손해로서 이는 금전보상이 불능인 경우 내지는 금전보상으로는 사회관념상 행정처분을 받은 당사자가 참고 견딜 수 없거나 또는 참고 견디기가 현저히 곤란한 경우의 유형, 무형의 손해'를 의미한 것으로 해석할 수 있고, '긴급한 필요'란 손해의 발생이 시간상 임박하여 손해를 방지하기 위해서 본안판결까지 기다릴 여유가 없는 경우를 의미하는 것으로, 이는 집행정지가 임시적 권리구제제도로서 잠정성, 긴급성, 본안소송에의 부종성의 특징을 지니는 것이라는 점에서 그 의미를 쉽게 예측할 수 있다. 이와 같이 심판대상조항은 법관의 법 보충작용을 통한 판례에 의하여 합리적으로 해석할 수 있고, 자의적인 법해석의 위험이 있다고 보기 어려우므로 명확성원칙에 위배되지 않는다(2018.1.25, 2016헌바208).

ㄴ. [O] 심판대상조항의 입법목적이 소비자로 하여금 공인회계사 자격을 갖춘 자와 그렇지 못한 자를 용이하게 구별할 수 있도록 하여 무자격자의 명칭사칭으로 인한 폐해를 방지하기 위한 것이라는 점 등을 고려하면, '유사한 명칭의 사용'이란 '그 명칭의 사용으로 인하여 일반인으로 하여금 명칭사용자를 공인회계사로 오인하도록 할 위험성이 있는 경우'를 의미한다고 해석할 수 있고, 이러한 위험성이 있는지 여부는 사용한 '명칭'이 무엇이냐에 따라 일률적으로 결정할 수 없으며, 그 명칭사용 당시의 상황, 사용의 맥락 등을 종합적으로 고려하여 판단할 것임을 충분히 예측할 수 있으므로, 죄형법정주의의 명확성원칙에 위반된다고 할 수 없다(2020.9.24, 2017헌바412).

ㄷ. [X] 이 사건 법률조항에 규정된 부정한 방법의 개념이 약간의 모호함에도 불구하고 법률해석을 통하여 충분히 구체화될 수 있고, 이로써 행정청과 법원의 자의적인 법적용을 배제하는 객관적인 기준을 제공하고 있으므로 이 사건 조항은 법률의 명확성원칙에 위반되지 않는다(2004.7.15, 2003헌바35 등). 2019년 경찰승진

ㄹ. [O] 심판대상조항의 불명확성을 해소하기 위해 노출이 허용되지 않는 신체부위를 예시적으로 열거하거나 구체적으로 특정하여 분명하게 규정하는 것이 입법기술상 불가능하거나 현저히 곤란하지도 않다. 예컨대 이른바 바바리맨의 성기노출행위를 규제할 필요가 있다면 노출이 금지되는 신체부위를 성기로 명확히 특정하면 될 것이다. 따라서 심판대상조항은 죄형법정주의의 명확성원칙에 위배된다(2016.11.24, 2016헌가3). 2019년 경찰승진

ㅁ. [O] 구 「의료기기법」 제24조 제1항은 "누구든지 제14조 제2항의 규정에 의하여 품목허가를 받지 아니한 의료기기를 판매·임대·수여 또는 사용하여서는 아니되며, 수리·판매·임대·수여 또는 사용의 목적으로 제조·수입·수리·저장 또는 진열하여서는 아니 된다."라고 규정하고 있는바, 위 규정은 수입품목허가를 받지 않은 의료기기에 대하여, 이를 판매·임대·수여 또는 사용하는 행위는 그 목적을 불문하고 금지하고, 이를 제조·수입·수리·저장 또는 진열하는 행위는 수리·판매·임대·수여 또는 사용의 목적이 있는 경우에 이를 금지하는 것으로 일의적으로 해석된다. 또한 '사용'이란 "어떤 목적이나 기능에 맞게 필요로 하거나 소용이 되는 곳에 쓰다."라는

뜻이고, 이 사건 금지조항이 사용의 의미를 한정하고 있지 않으므로, 어느 의료기기가 질병의 진단·치료·경감·처치 또는 예방의 목적 달성에 효과가 있는 것인지 여부를 판단하기 위하여 테스트 목적으로 그 기기를 사용하는 것 역시 이 사건 금지조항이 정한 의료기기의 '사용'에 해당한다. 따라서 이 사건 금지조항이 명확성원칙에 위배된다고 할 수 없다(2015.7.30, 2014헌바6).

ㅂ. [O] 심판대상조항에서 규정하는 '건조물'이란 주위벽 또는 기둥과 지붕 또는 천정으로 구성된 구조물로서 사람이 기거하거나 출입할 수 있는 장소를 말하고 그 위요지를 포함하며, 위요지는 건조물에 필수적으로 부속하는 부분으로서 그 관리인에 의하여 일상생활에서 감시·관리가 예정되어 있고 건조물에 대한 사실상의 평온을 보호할 필요성이 있는 부분을 말한다. 위요지가 되기 위해서는 건조물에 인접한 그 주변 토지로서 관리자가 외부와의 경계에 문과 담 등을 설치하여 그 토지가 건조물의 이용을 위하여 제공되었다는 것이 명확히 드러나야 하므로(대판 2010.3.11, 2009도12609 등 참조) 법 집행기관이 심판대상조항을 자의적으로 해석할 염려가 없다. 따라서 심판대상조항이 죄형법정주의의 명확성원칙에 위배된다고 볼 수 없다(2020.9.24, 2018헌바383).

ㅅ. [X] 치과전문의가 되기 위해서는 치과의사 면허를 받은 자가 치과전공의 수련과정을 거쳐 치과전문의 자격시험에 합격해야 하므로, 심판대상조항의 수범자인 치과전문의는 각 전문과목의 진료 내용과 진료영역 및 전문과목 간의 차이점 등을 알 수 있다. 따라서 심판대상조항은 명확성원칙에 위배되어 직업수행의 자유를 침해한다고 볼 수 없다(2015.5.28, 2013헌마799).

16 정답 ②

ㄱ. [X] 공공수역에 다량의 토사를 유출하거나 버려 상수원 또는 하천·호소를 현저히 오염되게 한 자를 처벌하는 이 사건 벌칙규정이나 관련 법령 어디에도 '토사'의 의미나 '다량'의 정도, '현저히 오염'되었다고 판단할 만한 기준에 대하여 아무런 규정도 하지 않고 있으므로, 일반 국민으로서는 자신의 행위가 처벌대상인지 여부를 예측하기 어렵고, 감독 행정관청이나 법관의 자의적인 법해석과 집행을 초래할 우려가 매우 크므로 이 사건 벌칙규정은 죄형법정주의의 명확성원칙에 위배된다(2013.7.25, 2011헌가26 등).

ㄴ. [O] 심판대상조항의 '대부조건 등에 관한 광고'는 '대부계약에 대한 청약의 유인으로서의 광고'를 의미한다고 합리적으로 해석할 수 있으므로 심판대상조항은 명확성원칙에 위배되지 않는다(2013.7.25, 2012헌바67). 2014년 지방 7급

ㄷ. [O] 인가를 받지 아니하고 학교의 명칭을 사용하거나 인적·물적 교육시설을 갖추고 학생을 모집하여 그로 하여금 교육을 받게 함으로써 사실상 학교의 형태로 운영하는 행위를 의미하므로, 이 사건 법률조항은 죄형법정주의의 명확성원칙에 위배되지 않는다. 이를 방치할 경우 생길 수 있는 사회적 폐해를 고려하여 설립인가제로써 최소한의 규제를 하는 것이므로 이 사건 법률조항은 사립학교 설립의 자유 등 기본권을 침해한다고 볼 수 없다(2020.10.29, 2019헌바374).

ㄹ. [O] 심판대상조항 중 '부정한 방법'이란 사회통념에 비추어볼 때 올바르지 아니하거나 허용되지 않는 비정상적인 방법으로서 권한이 없거나 사용규칙·방법에 위반한 일체의 이용 방식 내지 수단을 뜻하고, '대가를 지급하지 아니하고' 부분은 특정 유료자동설비의 이용을 위해 당해 유료자동설비의 제공자 내지 소유자에 대하여 지급할 것으로 정해진 통상의 요금이 지급되지 않도록 하는 일체의 방식으로 해석할 수 있다. 따라서 심판대상조항은 죄형법정주의의 명확성원칙에 위반되지 않는다(2021.10.28, 2019헌바448).

ㅁ. [X] **약국개설자로 하여금 약국 이외의 장소에서 의약품을 판매할 수 없도록 하고 있는 「약사법」 제50조 제1항 이 죄형법정주의의 명확성원칙에 위반되는지 여부(소극)**
이 사건 금지조항의 문언, 입법취지, 관련 규정의 내용, 법원의 해석 등을 종합하여 볼 때, 위 조항은 의약품의 주문, 조제, 인도, 복약지도 등 의약품의 판매를 구성하는 일련의 행위 전부 또는 주요 부분이 약국 내에서 이루어지거나 그와 동일하게 볼 수 있는 방법으로 이루어져야 한다는 것을 의미함을 충분히 예견할 수 있다. 따라서 이 사건 금지조항은 죄형법정주의의 명확성원칙에 위반되지 않는다(2021.12.23, 2019헌바87).

ㅂ. [O] 이 사건 「미성년자보호법」 조항의 불량만화에 대한 정의 중 전단 부분의 '음란성 또는 잔인성을 조장할 우려'라는 표현을 보면, '음란성'은 법관의 보충적인 해석을 통하여 그 규범 내용이 확정될 수 있는 개념이라고 할 수 있으나, 한편 '잔인성'에 대하여는 아직 판례상 개념규정이 확립되지 않은 상태이고 그 사전적 의미는 '인정이 없고 모짊'이라고 할 수 있는바, 이에 의하면 미성년자의 감정이나 의지, 행동 등 그 정신생활의 모든 영역을 망라하는 것으로서 살인이나 폭력 등 범죄행위를 이루는 것에서부터 윤리적·종교적·사상적 배경에 따라 도덕적인 판단을 달리할 수 있는 영역에 이르기까지 천차만별이어서 법집행자의 자의적인 판단을 허용할 여지가 높고, 여기에 '조장' 및 '우려'까지 덧붙여지면 사회통념상 정당한 것으로 볼 여지가 많은 것까지 처벌의 대상으로 할 수 있게 되는바, 이와 같은 경우를 모두 처벌하게 되면 그 처벌범위가 너무 광범위해지고, 일정한 경우에만 처벌하게 된다면 어느 경우가 그에 해당하는지 명확하게 알 수 없다. 다음으로 불량만화에 대한 정의 중 후단 부분의 '범죄의 충동을 일으킬 수 있게'라는 표현은 그것이 과연 확정적이든 미필적이든 고의를 품도록 하는 것에만 한정되는 것인지, 인식의 유무를 가리지 않고 실제로 구성요건에 해당하는 행위로 나아가게 하는 일체의 것을 의미하는지, 더 나아가 단순히 그 행위에 착수하는 단계만으로도 충분한 것인지, 결과까지 의욕하거나 실현하도록 하여야만 하는 것인지를 전혀 알 수 없어 그 규범 내용이 확정될 수 없는 것이다. 그러므로, 이 사건 「미성년자보호법」 조항은 법관의 보충적인 해석을 통하여도 그 규범 내용이 확정될 수 없는 모호하고 막연한 개념을 사용함으로써 그 적용범위를 법집행기관의 자의적인 판단에 맡기고 있으므로, 죄형법정주의에서 파생된 명확성의 원칙에 위배된다(2002.2.28, 99헌가8). 2021년 국가 7급

17 정답 ④

ㄱ. [O] 게임물 관련 사업자가 이 사건 시행령조항이 정하는 경품지급기준을 초과하는 경품을 제공하는 등 이 사건 의무조항 중 단서 부분을 위반하여 경품을 제공하였다면, 이는 곧 이 사건 의무조항이 금지하는 '사행성을 조장하는 경품 제공행위'에 해당한다고 해석된다. 이와 같이 건전한 상식과 통상적인 법감정을 가진 사람들은 어떠한 행위가 이 사건 의무조항이 정하는 구성요건에 해당되는지 여부를 충분히 파악할 수 있다고 판단되고, 그것이 지나치게 불명확하여 법 집행기관의 자의적인 해석을 가능하게 한다고 보기는 어려우므로, 이 사건 의무조항은 죄형법정주의의 명확성원칙에 위배되지 아니한다(2020.12.23, 2017헌바463 등).

ㄴ. [X] 이 사건 법률조항이 규정하는 '법률사건'이란 '법률상의 권리·의무의 발생·변경·소멸에 관한 다툼 또는 의문에 관한 사건'을 의미하고, '알선'이란 법률사건의 당사자와 그 사건에 관하여 대리 등의 법률사무를 취급하는 상대방(변호사 포함) 사이에서 양자 간에 법률사건이나 법률사무에 관한 위임계약 등의 체결을 중개하거나 그 편의를 도모하는 행위를 말하는바, 이 사건 법률조항에 의하여 금지되고, 처벌되는 행위의 의미가 문언상 불분명하다고 할 수 없으

므로 이 사건 법률조항은 죄형법정주의의 명확성원칙에 위배되지 않는다(2013.2.28, 2012헌바62). 2013년 변시

ㄷ. [X] '건전한 통신윤리'라는 개념은 다소 추상적이기는 하나, 전기통신회선을 이용하여 정보를 전달함에 있어 우리 사회가 요구하는 최소한의 질서 또는 도덕률을 의미하고, '건전한 통신윤리의 함양을 위하여 필요한 사항으로서 대통령령이 정하는 정보'란 이러한 질서 또는 도덕률에 저해되는 정보로서 심의 및 시정요구가 필요한 정보를 의미한다고 할 것이며, 정보통신영역의 광범위성과 빠른 변화속도, 그리고 다양하고 가변적인 표현형태를 문자화하기에 어려운 점을 감안할 때, 위와 같은 함축적인 표현은 불가피하다고 할 것이어서, 이 사건 법률조항이 명확성의 원칙에 반한다고 할 수 없다(2012.2.23, 2011헌가13). 2013년 변시

ㄹ. [O] 「게임산업진흥에 관한 법률」 및 이 사건 의무조항의 입법목적, 관련 조항들을 유기적·체계적으로 종합하여 해석해보면, 대통령령으로 정해질 경품의 종류는 완구류·문구류 및 이와 유사한 것들이고, 현금을 비롯한 상품권 및 유가증권과 같은 환가성이 높은 물건, 청소년에게 유해한 영향을 끼치는 물건이 제외될 것이라는 점이 어렵지 않게 예측된다. 또한 이 사건 의무조항이 위임하는 '경품의 지급기준'에 관하여 대통령령으로 정하여질 내용은 게임물의 사행화는 억제하되 게임이용자의 흥미는 유발시킬 있는 정도의 최소한의 금액이 그 기준이 되고, '경품의 제공방법'은 경품의 환전이나 재매입 등의 우려가 없는 등 사행성을 제거할 수 있는 방법이 될 것이라는 점에 대한 대강의 예측이 가능하다. 따라서 이 사건 의무조항은 죄형법정주의 내지 포괄위임금지원칙에 위배되지 아니한다(2020.12.23, 2017헌바463 등).

ㅁ. [O] 심판대상조항 중 '개인정보를 처리하거나 처리하였던 자' 부분 및 '업무' 부분은 모두 해당 부분의 의미가 문언상 명백하고, 법관의 법 보충작용인 해석을 통하여 위 조항들이 각 규정하고 있는 구체적인 의미와 내용을 명확히 정립하고 구체화할 수 있어, 건전한 상식과 통상적인 법감정을 가진 사람은 해당 부분의 의미와 내용을 명확히 이해하고 구별할 수 있으므로 죄형법정주의의 명확성원칙에 위반되지 아니한다(2020.12.23, 2018헌바222).

ㅂ. [X] 산업재해발생에 관한 보고를 하지 않는 경우를 처벌하는 구 「산업안전보건법」 조항은 형사처벌법규의 구성요건을 이루는 조항이면서도 그 내용 중 '이 법 또는 이 법에 의한 명령의 시행을 위하여 필요한 사항'의 의미범위가 명확하지 아니하여 수범자로 하여금 그 내용을 예측하여 자신의 행위를 결정하기 어렵게 하고 있으므로, 죄형법정주의에서 요구하는 명확성의 원칙에 위배된다(2010.2.25, 2008헌가6). 2012년 사시

ㅅ. [X] 이 사건 규정의 '다중'은 단체를 구성하지는 못하였으나 다수인이 모여 집합을 이루고 있는 것을 말하는 것으로서 집단적 위력을 보일 정도의 다수 혹은 그에 의해 압력을 느끼게 해 불안을 줄 정도의 다수를 의미하고, '위력'이라 함은 다중의 형태로 집결한 다수 인원으로 사람의 의사를 제압하기에 족한 세력을 의미한다고 할 것이다. 따라서 이 사건 규정은 죄형법정주의의 명확성원칙에 위반된다고 볼 수 없다(2008.11.27, 2007헌가24).

18

정답 ④

ㄱ. [O] 의료법인·의료기관 또는 의료인이 '치료효과를 보장하는 등 소비자를 현혹할 우려가 있는 내용의 광고'를 한 경우 형사처벌하도록 규정한 「의료법」 제89조 중 제56조 제2항은 명확성원칙에 위반되지도 않고, 표현의 자유를 침해한다고 할 수도 없다(2014.9.25, 2013헌바28). 2013년 변시

ㄴ. [X] 이 사건 「국가공무원법」 규정의 '공무 외의 일을 위한 집단 행위'는 언론·출판·집회·결사의 자유를 보장하고 있는 헌법 제21조 제1항과 「국가공무원법」의 입법취지, 「국가공무원법」상 공무원의 성실의무와 직무전념의무 등을 종합적으로 고려할 때, '공익에 반하는 목적을 위하여 직무전념의무를 해태하는 등의 영향을 가져오거나, 공무에 대한 국민의 신뢰에 손상을 가져올 수 있는 공무원 다수의 결집된 행위'를 말하는 것으로 한정 해석되므로 명확성원칙에 위반된다고 볼 수 없다(2014.8.28, 2011헌바32 등). 2013년 변시

ㄷ. [X] 정부출연연구기관의 조직과 업무에 따라서 그 직원에게 요구되는 청렴성의 요구는 정도를 달리할 수 있으며, 그 정도에 따라 뇌물죄의 적용에 있어 공무원으로 의제할지 여부를 결정하는 것이 바람직한데, 정부출연연구기관의 업무영역 및 조직상의 특성은 각 기관별로 상이하고, 유동적이므로 입법자가 국회제정의 형식적 법률에 비하여 더 탄력성이 있는 대통령령 등 하위법규에 의제 범위를 위임할 입법기술상의 필요성이 인정된다. 또한 이 사건 법률조항이 '간부직원 중 대통령령이 정하는 직원'과 같이 한정적으로 명시하고 있지 않다고 하더라도 그 규정형식상 '임원'과 같이 주요 업무에 종사하는 직원에 한정하여 규정될 것임을 충분히 예측할 수 있다. 따라서 이 사건 법률조항이 포괄위임에 해당되어 죄형법정주의 위반이라 볼 수는 없다(2006.11.30, 2004헌바86 등). 2017년 법원

ㄹ. [O] 유사군복은 '군복과 형태·색상 및 구조 등이 유사하여 외관상으로는 식별이 극히 곤란한 물품으로서 국방부령이 정하는 것'이다. 유사군복을 정의한 조항에서 법 집행자에게 판단을 위한 합리적 기준이 제시되고 있어 심판대상조항이 자의적으로 해석되고 적용될 여지가 크다고 할 수 없다. 따라서 심판대상조항은 죄형법정주의의 명확성원칙에 위반되지 아니한다(2019.4.11, 2018헌가14).

ㅁ. [X] 심판대상조항의 수범자인 이송업자는 처벌조항이 처벌하고자 하는 행위가 무엇이고 그에 대한 형벌이 어떤 것인지 예견할 수 있으며, 심판대상조항의 합리적인 해석이 가능하므로, 심판대상조항은 죄형법정주의의 명확성원칙에 위배되지 아니한다(2018.2.22, 2016헌바100). 2020년 변시

ㅂ. [O] 이 사건 호별 방문조항에도 불구하고 예외적으로 선거운동을 위하여 지지호소를 할 수 있는 '기타 다수인이 왕래하는 공개된 장소'란, 해당 장소의 구조와 용도, 외부로부터의 접근성 및 개방성의 정도 등을 종합적으로 고려할 때 '관혼상제의 의식이 거행되는 장소와 도로·시장·점포·다방·대합실'과 유사하거나 이에 준하여 일반인의 자유로운 출입이 가능한 개방된 곳을 의미한다고 충분히 해석할 수 있다. 따라서 이 사건 지지호소조항은 죄형법정주의 명확성원칙에 위반된다고 할 수 없다(2019.5.30, 2017헌바458).

ㅅ. [O] 이 사건 금지조항은 식품광고가 질병 예방·치료 효능에 관하여 광고하였는지 여부 및 그 효능의 유무와는 상관없이, 식품광고로서의 한계를 벗어나 의약품으로 오인·혼동할 정도에 이른 경우를 금지한다고 볼 수 있다. 그렇다면 건전한 상식과 통상적인 법감정을 가진 사람은 이 사건 금지조항으로 인하여 어떠한 행위가 금지되고 있는지 충분히 알 수 있고 법관의 자의적인 해석으로 확대될 염려가 없다고 할 것이므로, 이 사건 금지조항은 죄형법정주의의 명확성원칙에 위반되지 않는다(2019.7.25, 2017헌바513).

ㅇ. [X] 「공동단체등 위탁선거에 관한 법률」(이하 '위탁선거법'이라 한다)상 '선거운동'이라 함은 위탁선거법 제3조에서 규정한 위탁선거에서 특정 후보자의 당선 내지 이를 위한 득표에 필요한 모든 행위 또는 특정 후보자의 낙선에 필요한 모든 행위 중 당선 또는 낙선을 위한 것이라는 목적의사가 객관적으로 인정될 수 있는 능동적, 계획적 행위를 말하는 것으로 풀이할 수 있다. 위탁선거법 제23조 제2호의 '입후보와 선거운동을 위한 준비행위'에서 '입후보'는 위탁선거에 후보자로 나서는 것을 의미하고, '선거운동을 위한 준비행위'라 함은 비록 선거를 위한 행위이기는 하나 특정 후보자의 당선을 목적으로 표를 얻기 위한 행위가 아니라 단순히 장래의 선거운동을 위한 내부적·절차적 준비행위를 가리키는 것으로, 선거운동에 해당하지 아니하는 것을 의미한다. 선거운동과 선거운동에 이르지 않는 '입후보와 선거운동을 위한 준비행위'를 위와 같이 풀

이할 수 있으므로, 건전한 상식과 통상적인 법감정을 가진 사람이면 누구나 그러한 표지를 갖춘 '선거운동'과 '입후보와 선거운동을 위한 준비행위'를 구분할 수 있고, 법집행자의 자의를 허용할 소지를 제거할 수 있다. 그러므로 심판대상조항들 중 '선거운동' 부분은 헌법 제12조 제1항이 요구하는 죄형법정주의의 명확성원칙에 위배된다고 할 수 없다(2019.7.25, 2018헌바85).

ㅁ. [X] '성적 욕망 또는 수치심을 유발할 수 있는 다른 사람의 신체'는 구체적, 개별적, 상대적으로 판단할 수밖에 없는 개념이고, 사회와 시대의 문화, 풍속 및 가치관의 변화에 따라 수시로 변화하는 개념이므로, 심판대상조항이 다소 개방적이거나 추상적인 표현을 사용하면서 그 의미를 법관의 보충적 해석에 맡긴 것은 어느 정도 불가피하다. 법원은 이에 대해 합리적인 해석기준을 제시하고 그 기준에 따라 심판대상조항의 해당 여부를 판단하고 있으므로, 법 집행기관이 심판대상조항을 자의적으로 해석할 염려가 있다고 보기도 어렵다. 따라서 심판대상조항은 죄형법정주의의 명확성원칙에 위배되지 아니한다(2019.11.28, 2017헌바182 등).

ㅂ. [X] 자동차보유자란 자동차의 소유자나 자동차를 사용할 권리가 있는 자로서 자동차에 대한 운행을 지배하여 그 이익을 향수하는 자라는 것을 충분히 알 수 있고, 법 집행기관이 이를 자의적으로 해석할 염려가 있다고도 보기 어렵다. 따라서 자동차보유자의 범위가 불명확하여 심판대상조항들이 죄형법정주의의 명확성원칙에 위반된다고 볼 수 없다(2019.11.28, 2018헌바134).

19 정답 ③

ㄱ. [O] 심판대상조항과 관련하여 「파견근로자보호 등에 관한 법률」(이하 '파견법'이라 한다)이 제공하고 있는 정보는 파견사업주가 '공중도덕상 유해한 업무'에 취업시킬 목적으로 근로자를 파견한 경우 불법파견에 해당하여 처벌된다는 것뿐이다. 파견법 전반에 걸쳐 심판대상조항과 유의미한 상호관계에 있는 다른 조항을 발견할 수 없고, 파견법 제5조, 제16조 등 일부 관련성이 인정되는 규정은 심판대상조항 해석기준으로 활용하기 어렵다. 결국, 심판대상조항의 입법목적, 파견법의 체계, 관련 조항 등을 모두 종합하여 보더라도 '공중도덕상 유해한 업무'의 내용을 명확히 알 수 없다. 아울러 심판대상조항에 관한 이해관계기관의 확립된 해석기준이 마련되어 있다거나, 법관의 보충적 가치판단을 통한 법문해석으로 심판대상조항의 의미 내용을 확인할 수 있다는 사정을 발견하기도 어렵다. 심판대상조항은 건전한 상식과 통상적 법감정을 가진 사람으로 하여금 자신의 행위를 결정해 나가기에 충분한 기준이 될 정도의 의미 내용을 가지고 있다고 볼 수 없으므로 죄형법정주의의 명확성원칙에 위배된다(2016.11.24, 2015헌가23). 2020년 변시

ㄴ. [O] '정당한 사유'의 문언적 의미와 입영의무 이행을 강제하는 취지, 그에 대한 예외사유 허용의 필요성 등을 종합하여 보면, 심판대상조항의 '정당한 사유'는 병역의무자가 의도적으로 병역의무를 면탈하기 위해서가 아니라 불가피한 사유로 인해 입영하지 아니한 경우로서, 그러한 미입영을 형사처벌의 대상으로 삼는 것이 부당하거나 가혹한 사유를 의미한다고 볼 수 있고, 수범자로서도 그와 같은 '정당한 사유'의 의미를 충분히 예측할 수 있다. 따라서 심판대상조항은 죄형법정주의의 명확성원칙에 위배되지 아니한다(2021.2.25, 2017헌바526).

ㄷ. [O] 심판대상조항은 환경부장관이 특정공산품의 제조 등 금지 또는 제한을 명하기에 앞서 해당 특정공산품 사용이 공공하수도에 유입되는 하수의 오염도를 상당한 정도로 증가시켜 하수처리를 곤란하게 하는 등 공중위생 또는 공공수역의 수질환경에 해를 끼칠 위험성이 있는지를 판단하도록 규율한 것임을 충분히 이해할 수 있다. 그렇다면 심판대상조항은 죄형법정주의의 명확성원칙에 위배되지 않는다(2021.3.25, 2018헌바375).

ㄹ. [X] 이 사건 법률조항은 육로 등의 손괴에 의한 교통방해, 육로 등을 불통하게 하는 방법에 의한 교통방해 이외에 '기타 방법'에 의한 교통의 방해를 금지한다. 교통방해의 유형 및 기준 등을 입법자가 일일이 세분하여 구체적으로 한정한다는 것은 입법기술상 불가능하거나 현저히 곤란하므로 위와 같은 예시적 입법형식은 그 필요성이 인정될 수 있으며, '기타의 방법'에 의한 교통방해는 육로 등을 손괴하거나 불통하게 하는 행위에 준하여 의도적으로, 또한 직접적으로 교통장해를 발생시키거나 교통의 안전을 위협하는 행위를 하여 교통을 방해하는 경우를 의미하는 것으로서 그 의미가 불명확하다고 볼 수 없다. 나아가 '교통방해'는 교통을 불가능하게 하는 경우뿐 아니라 교통을 현저하게 곤란하게 하는 경우도 포함하고, 여기서 교통을 현저하게 곤란하게 하는 경우에 해당하는지 여부는 교통방해행위가 이루어진 장소의 특수성과 본래적 용도, 일반적인 교통의 흐름과 왕래인의 수인가능성 등 제반 상황을 종합하여 합리적으로 판단될 수 있다. 따라서 이 사건 법률조항은 죄형법정주의의 명확성원칙에 위배되지 않는다(2010.3.25, 2009헌가2).

20 정답 ①

ㄱ. [O] 이 사건 법률조항 중 '직접'의 사전적 의미, 이 사건 법률조항의 입법연혁, 「의료법」 관련 규정들을 종합적으로 고려하면, 이 사건 법률조항에서 말하는 '직접 진찰한'은 의료인이 '대면하여 진료를 한'으로 해석되는 외에는 달리 해석의 여지가 없고, … 죄형법정주의의 명확성원칙에 위배된다고 할 수 없다(2012.3.29, 2010헌바83).

ㄴ. [O] 이 사건 법률조항에서 직접 청소년유해매체물의 범위를 확정하지 아니하고 행정기관(청소년보호위원회 등)에 위임하여 그 행정기관으로 하여금 청소년유해매체물을 확정하도록 하는 것은 부득이하다고 할 것이다. 또 법 제10조 제1항은 청소년유해매체물의 결정기준으로서 청소년에게 성적인 욕구를 자극하는 선정적이거나 음란한 것, 포악성이나 범죄의 충동을 일으킬 수 있는 것 등을 규정하여 어떤 매체물이 청소년보호위원회 등에 의하여 청소년유해매체물로 결정·확인될지 그 대강을 예측할 수 있도록 하고 있으며, 법 제21조 등과 법 시행규칙은 청소년유해매체물의 결정을 관보에 고시하고 주기적으로 청소년유해매체물목록표를 작성하도록 하고 있으므로 처벌의 대상행위가 무엇인지는 이러한 절차를 통하여 보다 명확해지게 된다. 따라서 이 사건 법률조항이 형벌법규의 위임의 한계를 벗어나거나 불명확하여 죄형법정주의에 위반된다고 할 수 없다(2000.6.29, 99헌가16).

ㄷ. [O] '음란'의 개념과는 달리 '저속'의 개념은 그 적용범위가 매우 광범위할 뿐만 아니라 법관의 보충적인 해석에 의한다 하더라도 그 의미 내용을 확정하기 어려울 정도로 매우 추상적이다. 이 '저속'의 개념에는 출판사등록이 취소되는 성적 표현의 하한이 열려 있을 뿐만 아니라 폭력성이나 잔인성 및 천한 정도도 그 하한이 모두 열려 있기 때문에 출판을 하고자 하는 자는 어느 정도로 자신의 표현 내용을 조절해야 되는지를 도저히 알 수 없도록 되어 있어 명확성의 원칙 및 과도한 광범성의 원칙에 반한다(1998.04.30, 95헌가16).

ㄹ. [O] 이 사건 「특정범죄 가중처벌 등에 관한 법률」(이하 '특정범죄가중법'이라 한다) 조항의 입법취지 및 관련 법조항 등을 종합하면, 건전한 상식과 통상적 법감정을 가진 사람이라면 이 사건 특정범죄가중법 조항은 「형법」 제329조 내지 제331조의 죄 또는 그 미수죄로 세 번 이상 징역형을 받은 사람이 「형법」 제329조 내지 제331조의 죄(미수범을 포함한다)를 범한 경우에 적용되는 것임을 충분히 예견할 수 있다. 따라서 이 사건 특정범죄가중법 조항은 죄형법정주의의 명확성원칙에 위반되지 않는다(2019.7.25, 2018헌바209 등).

ㅁ. [○] '운영'의 사전적 의미와 이에 대한 법원의 해석, 「의료법」 개정의 취지 및 그 규정형식 등을 종합하여 볼 때, 이 사건 법률조항에서 금지하는 '의료기관 중복운영'이란, '의료인이 둘 이상의 의료기관에 대하여 그 존폐·이전, 의료행위 시행 여부, 자금 조달, 인력·시설·장비의 충원과 관리, 운영성과의 귀속·배분 등의 경영사항에 관하여 의사결정권한을 보유하면서 관련 업무를 처리하거나 처리하도록 하는 경우'를 의미하는 것으로 충분히 예측할 수 있고, 그 구체적인 내용은 법관의 통상적인 해석·적용에 의하여 보완될 수 있다. 따라서 이 사건 법률조항은 죄형법정주의의 명확성원칙에 반하지 않는다(2019.8.29, 2014헌바212 등).

정답

01	②	02	①	03	①	04	①
05	④	06	①	07	①	08	④
09	②	10	④	11	④	12	③
13	①	14	①	15	②	16	①
17	②	18	③	19	②	20	④

01 정답 ②

ㄱ. [X] 금치처분을 받은 자에 대한 접견, 서신수발을 금지한 구 「행형법 시행령」 제145조는 헌법에 위반되지 않으나, 운동을 금지한 구 「행형법 시행령」 제145조는 신체의 자유 침해이다(2004.12.16, 2002헌마478).

ㄴ. [O] 굳이 집필행위를 제한하고자 하는 경우에도 집필행위 자체는 허용하면서 집필시간을 축소하거나 집필의 횟수를 줄이는 방법으로도 충분히 달성될 수 있을 것으로 보인다. 예외 없이 일체의 집필행위를 금지하는 것은 표현의 자유를 침해한다(2005.2.24, 2003헌마289).

ㄷ. [O] 「형의 집행 및 수용자의 처우에 관한 법률」 제112조 제3항 본문 중 제108조 제13호에 관한 부분은 금치의 징벌을 받은 사람에 대해 금치기간 동안 실외운동을 원칙적으로 정지하는 불이익을 가함으로써, 규율의 준수를 강제하여 수용시설 내의 안전과 질서를 유지하기 위한 것으로서 목적의 정당성 및 수단의 적합성이 인정된다. 실외운동은 구금되어 있는 수용자의 신체적·정신적 건강을 유지하기 위한 최소한의 기본적 요청이고, 수용자의 건강 유지는 교정교화와 건전한 사회복귀라는 형 집행의 근본적 목표를 달성하는 데 필수적이다. 그런데 위 조항은 금치처분을 받은 사람에 대하여 실외운동을 원칙적으로 금지하고, 다만 소장의 재량에 의하여 이를 예외적으로 허용하고 있다. 그러나 소란, 난동을 피우거나 다른 사람을 해할 위험이 있어 실외운동을 허용할 경우 금치처분의 목적 달성이 어려운 예외적인 경우에 한하여 실외운동을 제한하는 덜 침해적인 수단이 있음에도 불구하고, 위 조항은 금치처분을 받은 사람에게 원칙적으로 실외운동을 금지한다. 나아가 위 조항은 예외적으로 실외운동을 허용하는 경우에도, 실외운동의 기회가 부여되어야 하는 최저기준을 법령에서 명시하고 있지 않으므로, 침해의 최소성원칙에 위배된다. 위 조항은 수용자의 정신적·신체적 건강에 필요 이상의 불이익을 가하고 있고, 이는 공익에 비하여 큰 것이므로 위 조항은 법익의 균형성 요건도 갖추지 못하였다. 따라서 위 조항은 청구인의 신체의 자유를 침해한다(2016.5.26, 2014헌마45).

ㄹ. [O] 「형의 집행 및 수용자의 처우에 관한 법률」 제112조 제3항 본문 중 제108조 제4호에 관한 부분은 금치의 징벌을 받은 사람에 대해 금치기간 동안 공동행사 참가 정지라는 불이익을 가함으로써, 규율의 준수를 강제하여 수용시설 내의 안전과 질서를 유지하기 위한 것으로서, 목적의 정당성 및 수단의 적합성이 인정된다. 금치처분을 받은 사람은 최장 30일 이내의 기간 동안 공동행사에 참가할 수 없으나, 서신수수, 접견을 통해 외부와 통신할 수 있고, 종교상담을 통해 종교활동을 할 수 있다. 또한, 위와 같은 불이익은 규율 준수를 통하여 수용질서를 유지한다는 공익에 비하여 크다고 할 수 없다. 따라서 위 조항은 청구인의 통신의 자유, 종교의 자유를 침해하지 아니한다(2016.5.26, 2014헌마45). 2018년 입시

ㅁ. [X] 「형의 집행 및 수용자의 처우에 관한 법률」 제112조 제3항 본문 중 제108조 제6호에 관한 부분은 금치의 징벌을 받은 사람에 대해 금치기간 동안 텔레비전 시청 제한이라는 불이익을 가함으로써, 규율의 준수를 강제하여 수용시설 내의 안전과 질서를 유지하기 위한 것으로서 목적의 정당성 및 수단의 적합성이 인정된다. 금치처분은 금치처분을 받은 사람을 징벌거실 속에 구금하여 반성에 전념하게 하려는 목적을 가지고 있으므로 그에 대하여 일반 수용자와 같은 수준으로 텔레비전 시청이 이뤄지도록 하는 것은 교정실무상 어려움이 있고, 금치처분을 받은 사람은 텔레비전을 시청하는 대신 수용시설에 보관된 도서를 열람함으로써 다른 정보원에 접근할 수 있다. 또한, 위와 같은 불이익은 규율 준수를 통하여 수용질서를 유지한다는 공익에 비하여 크다고 할 수 없다. 따라서 위 조항은 청구인의 알 권리를 침해하지 아니한다(2016.5.26, 2014헌마45). 2018년 입시

ㅂ. [O] 이 사건 집필 제한조항에 의하여 가장 직접적으로 제한되는 것은 표현의 자유라고 볼 수 있고, 이 사건 서신수수 제한조항이 직접적으로 제한하고 있는 것은 외부인과 서신을 이용한 교통·통신의 자유이다. 그러나 이 사건 집필 제한조항이 청구인의 표현의 자유를 침해하는 것은 아니고, 이 사건 서신수수 제한조항이 청구인의 통신의 자유를 침해하지 아니한다(2014.8.28, 2012헌마623). 2018년 변시

02 정답 ①

❶ [X] 보호법익과 죄질이 서로 다른 둘 또는 그 이상의 범죄를 동일 선상에 놓고 그중 어느 한 범죄의 법정형을 기준으로 하여 단순한 평면적인 비교로써 다른 범죄의 법정형의 과중 여부를 판정하여서는 아니 된다(1995.4.20, 93헌바40).

② [O] 「특정범죄 가중처벌 등에 관한 법률」 제11조 제1항에서는 마약 매수의 영리범·상습범, 단순범, 미수범, 예비범·음모범의 경우를 가리지 않고 일률적으로 영리범·상습범의 법정형과 동일한 사형·무기 또는 10년 이상의 징역에 처하도록 하고 있다. 위 「특정법죄 가중처벌 등에 관한 법률」 조항은 그나마 존재하던 「마약류 관리에 관한 법률」상의 단순범과 영리범의 구별조차 소멸시켜 불법의 정도, 죄질의 차이 및 비난가능성에 있어서의 질적 차이를 무시함으로써 죄질과 책임에 따라 적절하게 형벌을 정하지 못하게 하는 바, 책임과 형벌 간의 비례성원칙과 실질적 법치국가원리에 위반된다(2003.11.27, 2002헌바24).

③ [O] **은닉, 보유·보관된 당해 문화재의 필요적 몰수를 규정한 구 법 해당 조항이 책임과 형벌 간 비례원칙에 위배되는지 여부(적극)**
문화재는 원칙적으로 사적 소유권의 객체가 될 수 있고, 문화재의 은닉이나 도굴된 문화재인 정을 알고 보유 또는 보관하는 행위의 태양이 매우 다양함에도 구체적 행위태양이나 적법한 보유권한의 유무 등에 관계없이 필요적 몰수형을 규정한 것은 형벌 본래의 기능과 목적을 달성함에 있어 필요한 정도를 현저히 일탈하여 지나치게 과중한 형벌을 부과하는 것으로 책임과 형벌 간의 비례원칙에 위배된다(2007.7.26, 2003헌마377).

④ [O] 민간 전문가를 모든 영역에서 공무원으로 의제하는 것이 아니라 직무의 불가매수성을 담보한다는 요청에 의해 금품수수행위 등 직무 관련 비리행위를 엄격히 처벌하기 위해 「형법」 제129조 등의 적용에 대하여만 공무원으로 의제하고 있으므로 입법목적 달성에 필요한 정도를 넘어선 과잉형벌이라고 할 수 없고, 신체의 자유 등 헌법상 기본권 제한의 정도가 달성하려는 공익에 비하여 중하다고 할 수 없다(2014.7.24, 2012헌바188).

03

정답 ①

❶ [X] 강도는 먼저 폭행·협박을 사용하고 그 다음에 재물을 탈취하는 것이지만, 준강도는 먼저 재물을 탈취하거나 또는 이의 실행 중에 폭행·협박을 사용한다는 점에서 차이가 있을 뿐, 절도범행의 실행 중 또는 실행 직후에 발각되었을 때 폭행·협박의 범행을 유발할 수도 있는 특별한 위험상황을 배제할 수 없고 그와 같은 상황이 일어난다면 그 행위의 죄질이 강도와 등가로 평가할 수 있기 때문이다. 절도가 체포를 면탈할 목적으로 폭행·협박한 것을 준강도로 처벌하는 「형법」 제335조는 그 행위의 죄질이 강도와 등가로 평가할 수 있기 때문인 것이므로 국민의 신체의 자유권을 제한함에 있어서 범죄와 형벌간의 균형성과 최소성을 상실하여 과잉금지의 원칙을 위배하였다고 할 수 없다(1997.8.21, 96헌바9).

② [O] 벌금형의 필요적 병과는 수뢰액의 다과를 불문하고 수뢰행위의 반사회성, 반윤리성에 터 잡아 수뢰범에 대하여 경제적인 불이익을 가함으로써 공무원 등의 청렴성, 공직 등의 불가매수성 및 순수성을 확보하고, 이에 대한 사회적 신뢰를 회복하기 위한 입법목적에서 비롯되었으므로 심판대상조항이 「특정범죄 가중처벌 등에 관한 법률」 적용을 받는 수뢰죄뿐 아니라 「형법」 적용을 받는 수뢰죄에도 벌금형을 필요적으로 병과하도록 하였다 하더라도 형벌과 책임 사이의 비례관계를 벗어난 것이라고 할 수 없다. 결국, 심판대상조항이 그 범죄의 죄질 및 이에 따른 행위자의 책임에 비하여 지나치게 가혹한 것이어서 형벌과 책임 간의 비례원칙에 위배되었다고 볼 수 없다(2017.7.27, 2016헌바42).

③ [O] 「형법」상 단순한 주거침입, 폭행, 협박, 재물손괴는 서로 다른 법정형으로 처벌되고 있음에도 불구하고, '다중의 위력으로써' 이들 범죄를 범하게 되면 이 사건 규정은 「폭력행위 등 처벌에 관한 법률」(이하 '폭처법'이라 한다) 제3조 제1항에 의하여 모두 같은 법정형인 1년 이상의 유기징역에 처해진다. 그런데 폭처법이 '다중의 위력으로써' 위와 같은 범죄를 범하는 경우 가중처벌하는 것은 집단범죄가 가지는 개인적, 사회적 위험성 때문이다. 따라서 폭처법에서 '다중의 위력으로써'라는 행위 요소가 더하여지는 경우 형법에서와는 달리 모두 같게 처벌하고 있다고 하더라도 이것이 형벌과 책임 간의 비례성을 상실하고 있다고 볼 수 없다(2008.11.27, 2007헌가24).

④ [O] 단순절도죄에 비하여 죄질과 범정이 더 무겁고, 범인이 절도의 의사로 범행에 착수하였다가 거주자 등과 맞닥뜨릴 경우 거주자 등에게 다른 위해를 끼칠 가능성을 배제할 수 없으므로 일반에 대한 위험성 및 피해자에 대한 구체적 위험이 증가한다는 점 등을 고려한 입법정책적 결단에 기초한 것으로서 범죄의 죄질 및 이에 따른 행위자의 책임에 비하여 지나치게 가혹한 형벌이라고 보기 어려우므로 책임과 형벌 간의 비례원칙에 위배된다고 할 수 없다(2020.9.24, 2018헌바383).

04

정답 ①

❶ [X] 식품의 제조방법기준을 위반한 식품의 제조·판매행위는 소매가격의 액수가 그 죄의 경중을 가늠하는 중요한 기준이므로 제조·판매한 식품의 연간 소매가격을 기준으로 하여 징역형의 기간과 벌금형의 필요적 병과 여부에 차이를 두는 것은 합리적인 이유가 있어 심판대상조항이 형벌체계의 균형성을 상실하여 평등원칙에 위반된다고 할 수 없다(2019.11.28, 2017헌바449).

② [O] 강도상해죄 또는 강도치상죄는 재산범죄의 가중유형이라기보다는 오히려 상해죄나 폭행치상죄의 가중유형으로 설정된 것으로서, 법정형이 일반형사범의 법정형을 정하는 일반원리를 무시하고 지나치게 가혹한 형벌을 규정한 것이라고 볼 수 없다. 살인죄의 경우 범행의 동기 등 정상에 참작할 만한 사유가 있는 경우도 있고 그 행위태양이 다양함에도 불구하고 단일조항으로 처단하고 있어 형 선택의 폭을 비교적 넓게 규정한 것은 수긍할 만한 합리적 이유가 있고, 그와 비교할 때 강도상해죄 또는 강도치상죄는 행위태양이나 동기가 비교적 단순하여 죄질과 정상의 폭이 넓지 않고 일반적으로 행위자의 책임에 대한 비난가능성도 크므로, 강도상해죄 또는 강도치상죄의 법정형의 하한이 살인죄의 그것보다 높다고 해서 합리성과 비례성의 원칙을 위반하였다고 볼 수 없다(2021.6.24, 2020헌바527).

③ [O] 주거의 사실상의 평온, 사생활의 비밀과 자유는 현대사회에서 중요한 가치를 가지며, 피해자의 사생활 영역에 대한 물리력의 행사로 이루어지는 수색행위로 인한 보호법익의 침해 정도가 결코 낮지 않다는 점을 고려하면 이 사건 법률조항은 책임과 형벌 간의 비례원칙에 위배되지 아니한다(2019.7.25, 2018헌가7 등)

④ [O] 동종의 범행으로 세 번 이상 징역형을 받은 사람이 다시 누범기간 내에 범한 절도 범행의 불법성과 비난가능성을 무겁게 평가하여 징벌의 강도를 높여 이와 같은 범죄를 예방하여야 한다는 형사정책적 판단에 따른 것으로, 이와 같은 입법자의 결단이 입법재량의 범위를 벗어난 것이라고 볼 수 없다. 따라서 이 사건 「특정범죄 가중처벌 등에 관한 법률」 조항이 책임과 형벌 간의 비례원칙에 위반되는 과잉형벌에 해당한다고 할 수 없다(2019.7.25, 2018헌바209 등).

05

정답 ④

① [X] 이 사건 법률조항 중 제1호 부분은 수수액이 5,000만 원 이상인 경우에는 범인의 성행, 전과 유무, 범행의 동기, 범행 후의 정황 등 죄질과 상관없이 무기 또는 10년 이상의 징역에 처하도록 규정하고 있어, 법관으로 하여금 작량감경을 하더라도 별도의 법률상 감경사유가 없는 한 집행유예를 선고할 수 없도록 함으로써 법관의 양형선택과 판단권을 극도로 제한하고 있는 바, 이는 살인죄(사형, 무기 또는 5년 이상의 징역)의 경우에도 작량감경의 사유가 있는 경우에는 집행유예가 가능한 것과 비교할 때 매우 부당하고, 행위불법의 크기와 행위자 책임의 정도를 훨씬 초과하는 과중하고 가혹한 형벌을 규정한 것이라는 의심을 가지기에 충분하다(2006.4.27, 2006헌가5).

② [X] 금융회사 임직원의 청렴성과 그 직무의 불가매수성이므로 금융회사 임직원이 금품 등을 약속한 경우가 현실적으로 금품 등을 수수한 경우에 비해 언제나 불법의 크기가 작다고 볼 수 없고, 5천만 원 이상의 상당한 금품 등을 약속한 이상 금융회사 임직원의 청렴성과 그 직무수행의 불가매수성에 대한 침해가 현저히 이루어졌다는 판단에 근거한 것으로 이러한 판단이 부당하다고 볼 수 없다(2020.10.29, 2019헌가15).

③ [X] 수재행위의 경우 수수액이 증가하면서 범죄에 대한 비난가능성도 높아지므로 수수액을 기준으로 단계적 가중처벌을 하는 것에는 합리적 이유가 있다. 그리고 가중처벌의 기준을 1억 원으로 정하면서 징역형의 하한을 10년으로 정한 것은 그 범정과 비난가능성을 높게 평가한 입법자의 합리적 결단에 의한 것인바, 가중처벌조항은 책임과 형벌 간의 비례원칙에 위배되지 아니한다(2020.3.26, 2017헌바129 등).

❹ [O] 가해자가 흉기 등을 휴대하고 강제추행을 하면서 피해자에게 상해까지 가하였다면 이는 피해자의 항거불능의 상태를 이용하여 성적 자기결정권은 물론 신체의 안전성까지도 동시에 해쳤다는 점에서 그 불법성은 더 커질 것이므로 더욱 엄벌에 처할 필요가 있다. 따라서 흉기 등 휴대에 의한 특수강제추행상해죄의 보호법익, 죄질, 형사정책적 목적 등을 종합적으로 고려하여 보면, 심판대상조항이

규정한 법정형이 형벌 본래의 목적과 기능을 달성함에 있어 필요한 정도를 일탈한, 지나치게 과중한 형벌이라고 보기는 어려우므로, 심판대상조항은 책임과 형벌 간의 비례의 원칙에 위배되지 아니한다(2020.3.26, 2018헌바206).

06 정답 ①

❶ [O] 응급환자의 생명과 건강을 보호하기 위하여 응급환자 본인을 포함한 누구라도 폭행, 협박, 위력, 위계, 그 밖의 방법으로 응급의료종사자의 응급환자에 대한 진료를 방해하는 행위를 하는 것을 금지하는 것으로 과중한 형벌을 규정하고 있다고 볼 수 없다(2019.6.28, 2018헌바128).

② [X] 심판대상조항은 음주치료나 음주운전 방지장치 도입과 같은 비형벌적 수단에 대한 충분한 고려 없이 과거 위반 전력 등과 관련하여 아무런 제한도 두지 않고 죄질이 비교적 가벼운 유형의 재범 음주운전행위에 대해서까지 일률적으로 가중처벌하도록 하고 있으므로 형벌 본래의 기능에 필요한 정도를 현저히 일탈하는 과도한 법정형을 정한 것이다. 그러므로 심판대상조항은 책임과 형벌 간의 비례원칙에 위반된다(2021.11.25, 2019헌바446 등).

③ [X] 나목 향정신성의약품은 오용하거나 남용할 경우 심한 신체적 또는 정신적 의존성을 일으키는 약물 또는 이를 함유하는 물질이다. 인체에 심각한 위해를 가하는 이러한 향정신성의약품에 대한 접근을 원칙적으로 차단하기 위해서는 그 유통 및 확산에 작용하는 일체의 행위를 중한 법정형으로 처벌할 필요성이 인정된다. 「마약류 관리에 관한 법률」은 나목 향정신성의약품과 관련하여 금지되는 행위유형이 가지는 사회적 위험성 내지 불법성의 정도, 영리목적 또는 상습성 유무 등 여러 기준을 고려하여 법정형을 차등적으로 정하고 있다. 심판대상조항도 나목 향정신성의약품의 매수 등 일정한 행위유형에 관하여 제조나 수출입 등의 경우에 비해서는 낮고 장소·시설 제공 등의 경우에 비해서는 높은 법정형을 규정하는 등 불법과 책임에 상응하는 처벌이 이루어질 수 있도록 하고 있다. 심판대상조항은 징역형과 벌금형을 선택형으로 규정하고 있고, 법정형 하한에 제한이 없다. 이와 같은 점을 종합하여 보면, 심판대상조항의 법정형이 지나치게 가혹하다거나 필요한 정도를 벗어나 책임과 형벌의 비례원칙에 위배된다고 볼 수 없다(2021.10.28, 2019헌바414).

④ [X] 환각물질은 오용이나 남용의 우려가 크고 신체적 또는 정신적 의존성을 일으키는 물질이라는 점에서 그 죄질과 책임이 가볍다고 볼 수 없다. 심판대상조항은 감경 없이도 집행유예선고가 가능하고 비교적 적은 금액의 벌금형 선고도 가능하여 피고인의 책임에 상응하는 형이 선고될 수 있다. 따라서 심판대상조항은 책임과 형벌 간의 비례원칙에 위반된다고 할 수 없다(2021.10.28, 2018헌바367).

07 정답 ①

❶ [X] 헌법 제13조 제1항이 정한 '이중처벌금지의 원칙'은 동일한 범죄행위에 대하여 국가가 형벌권을 거듭 행사할 수 없도록 함으로써 국민의 기본권 특히 신체의 자유를 보장하기 위한 것이므로, 그 '처벌'은 원칙적으로 범죄에 대한 국가의 형벌권 실행으로서의 과벌을 의미하는 것이고, 국가가 행하는 일체의 제재나 불이익처분을 모두 그에 포함된다고 할 수는 없다(2008.7.31, 2007헌바85).

② [O] 징계나 민사상 손해배상절차 또는 「형법」에 근거하지 않는 다른 절차는 헌법 제13조 제1항에서 말하는 '처벌'에 해당되지 않으므로, 이와 같은 절차가 개시되더라도 이중처벌금지원칙에 위배되는 것이 아니다.

③ [O] 이중처벌금지의 원칙은 처벌 또는 제재가 '동일한 행위'를 대상으로 행해질 때에 적용될 수 있는 것이고, 그 대상이 동일한 행위인지의 여부는 기본적 사실관계가 동일한지 여부에 의하여 가려야 할 것이다(1994.6.30, 92헌바38).

④ [O] 형사판결은 국가주권의 일부분인 형벌권 행사에 기초한 것으로서, 외국의 형사판결은 원칙적으로 우리 법원을 기속하지 않으므로 동일한 범죄행위에 관하여 다수의 국가에서 재판 또는 처벌을 받는 것이 배제되지 않는다. 따라서 이중처벌금지원칙은 동일한 범죄에 대하여 대한민국 내에서 거듭 형벌권이 행사되어서는 안 된다는 뜻으로 새겨야 할 것이다. 대법원도 이와 같은 전제에서 "피고인이 동일한 행위에 관하여 외국에서 형사처벌을 과하는 확정판결을 받았다 하더라도 이런 외국 판결은 우리나라에서는 기판력이 없으므로 여기에 일사부재리원칙이 적용될 수 없다."라고 판시한 바 있다. 또한, '시민적 및 정치적 권리에 관한 국제규약' 제14조 제7항은 "어느 누구도 각국의 법률 및 형사절차에 따라 이미 확정적으로 유죄 또는 무죄선고를 받은 행위에 관하여서는 다시 재판 또는 처벌을 받지 아니한다."라고 규정하고 있다. 유엔 인권이사회(Human Rights Committee)도 위 조항의 일사부재리원칙이 다수 국가의 관할에 대하여 적용되는 것이 아니며, 단지 판결이 내려진 국가에 대한 관계에서 이른바 이중위험(double jeopardy)을 금지하는 것으로 보고 있다. 따라서 헌법상 일사부재리원칙은 외국의 형사판결에 대하여는 적용되지 아니한다고 할 것이므로, 이 사건 법률조항은 헌법 제13조 제1항의 이중처벌금지원칙에 위반되지 아니한다(2015.5.28, 2013헌바129).

08 정답 ④

① [O] 구 「건축법」 제54조 제1항에 의한 형사처벌의 대상이 되는 범죄의 구성요건은 당국의 허가 없이 건축행위 또는 건축물의 용도변경행위를 한 것이고, 동법 제56조의2 제1항에 의한 과태료는 건축법령에 위반되는 위법건축물에 대한 시정명령을 받고도 건축주 등이 이를 시정하지 아니할 때 과하는 것이므로, 양자는 처벌 내지 제재대상이 되는 기본적 사실관계로서의 행위를 달리하는 것이다. … 이러한 점에 비추어 구 「건축법」 제54조 제1항에 의한 무허가 건축행위에 대한 형사처벌과 동법 제56조2 제1항에 의한 과태료의 부과는 헌법 제13조 제1항이 금지하는 이중처벌에 해당한다고 할 수 없다(1994.6.30, 92헌바38).

② [O] 운전면허 취소처분은 「형법」상에 규정된 형(刑)이 아니고, 그 절차도 일반 형사소송절차와는 다를 뿐만 아니라, 주취 중 운전금지라는 행정상 의무의 존재를 전제하면서 그 이행을 확보하기 위해 마련된 수단이라는 점에서 형벌과는 다른 목적과 기능을 가지고 있다고 할 것이므로, 운전면허 취소처분을 이중처벌금지원칙에서 말하는 '처벌'로 보기 어렵다. 따라서 이 사건 법률조항은 이중처벌금지원칙에 위반되지 아니한다(2010.3.25, 2009헌바83).

③ [O] 헌법 제13조 제1항 후단의 이중처벌금지원칙은 실체판결이 확정되어 판결의 실체적 확정력(기판력)이 발생하면 그 후 동일한 사건에 대하여 거듭 심판할 수 없다는 '일사부재리의 원칙'이 국가형벌권의 기속원리로 헌법상 선언된 것으로서 약식재판뿐만 아니라 즉결심판에서도 적용되는 원칙이다. 즉 판결의 기판력은 법관에 의한 재판에서 의해서만 발생하는데, 약식재판도 이러한 재판에 해당함은 물론이고 시·군법원 등의 즉결심판도 헌법과 법률이 정한 법관에 의한 재판이므로 재판이 확정되면 기판력이 발생하여 동 원칙이 적용되는 것이다.

❹ [X] 누범을 가중처벌하는 것은 전범을 다시 처벌하는 것이 아니라 재차 범죄를 범함으로써 행위의 책임이 가중되어 있기 때문이므로 이중처벌금지원칙에 위반되지 아니한다(1995.2.23, 93헌바43). 상습범 가중처벌은 이중처벌이 아니다(1995.3.23, 93헌바59).

09 정답 ②

① [O] 입법자는 외국에서 형의 집행을 받은 자에게 어떠한 요건 아래, 어느 정도의 혜택을 줄 것인지에 대하여, 우리의 역사와 문화, 시대적 상황, 외국에서 처벌받은 자의 실질적인 불이익을 감안하는 것에 대한 국민 일반의 가치관과 법감정, 국가권력의 독점에 의하여 이루어지는 형벌의 특수성 및 국가사법권의 독자성 등 여러 요소를 종합적으로 고려하여 정할 수 있고, 이러한 점에서 입법자에게는 일정 부분 재량권이 인정된다. 그러나 신체의 자유는 정신적 자유와 더불어 헌법이념의 핵심인 인간의 존엄과 가치를 구현하기 위한 가장 기본적인 자유로서 모든 기본권 보장의 전제조건이므로 최대한 보장되어야 하는바(1992.4.14, 90헌마82 참조), 외국에서 실제로 형의 집행을 받았음에도 불구하고 우리 형법에 의한 처벌시 이를 전혀 고려하지 않는다면 신체의 자유에 대한 과도한 제한이 될 수 있으므로 그와 같은 사정은 어느 범위에서든 반드시 반영되어야 하고, 이러한 점에서 입법형성권의 범위는 다소 축소될 수 있다(2015.5.28, 2013헌바129).

❷ [X] '시민적 및 정치적 권리에 관한 국제규약' 제14조 제7항은 "어느 누구도 각국의 법률 및 형사절차에 따라 이미 확정적으로 유죄 또는 무죄선고를 받은 행위에 관하여서는 다시 재판 또는 처벌을 받지 아니한다."라고 규정하고 있다. 유엔 인권이사회(Human Rights Committee)도 위 조항의 일사부재리원칙이 다수 국가의 관할에 대하여 적용되는 것이 아니며, 단지 판결이 내려진 국가에 대한 관계에서 이른바 이중위험(double jeopardy)을 금지하는 것으로 보고 있다(유엔 인권이사회 결정 No. 204/1986 참조). 따라서 헌법상 일사부재리원칙은 외국의 형사판결에 대하여는 적용되지 아니한다고 할 것이므로, 이 사건 법률조항은 헌법 제13조 제1항의 이중처벌금지원칙에 위반되지 아니한다(2015.5.28, 2013헌바129).

③ [O] 헌법 제13조 제1항의 이중처벌금지원칙은 대한민국 내에서 구속력을 가지므로 이 사건 법률조항은 헌법상 이중처벌금지원칙에 반하지 않는다. 따라서 동일한 범죄로 외국에서 형의 집행을 받고 다시 국내에서 처벌을 받은 자와 국내에서만 형의 집행을 받은 자는 '본질적으로 동일한 비교집단'이라고 할 수 없어 차별취급 여부를 논할 수 없으므로 평등원칙 위반이라는 주장은 이유 없다(2015.5.28, 2013헌바129).

④ [O] 이 사건 법률조항은 우리 「형법」에 의한 처벌시 외국에서의 형 집행의 반영 여부를 법관의 재량에 맡김으로써 위와 같은 사정이 반영되지 아니한 채 별도로 처벌받을 수 있도록 하고 있으므로, 형의 종류에 따라 청구인의 신체의 자유 내지 재산권 등을 제한한다. 국가형벌권의 행사 및 그 한계는 신체의 자유와 가장 밀접한 관계에 있다고 할 것이므로, 이하에서는 이 사건 법률조항이 신체의 자유를 제한함에 있어 그 헌법적 한계를 지키고 있는지 여부를 판단하기로 한다(2015.5.28, 2013헌바129).

10 정답 ④

① [X] 적법절차원칙은 1949년 독일 헌법에 규정이 없고, 우리나라 제9차 개정헌법에서 규정되었다.

② [X] 적법절차원칙은 1791년 미국 연방헌법에 규정되어 있다.

③ [X] 적법절차의 원칙은 헌법조항에 규정된 형사절차상의 제한된 범위 내에서만 적용되는 것이 아니라 국가작용으로서 기본권 제한과 관련되든 관련되지 않든 모든 입법작용과 행정작용에도 광범위하게 적용되는 것이다(1992.12.24, 92헌가8).

❹ [O] 적법절차원칙이 적용되는 대상은 신체상 불이익뿐 아니라, 정신적, 재산적 불이익에도 적용된다. 따라서 헌법 제12조 제1항과 제3항은 예시적 조항이다.

11 정답 ④

① [O] 우리 현행헌법에서는 제12조 제1항의 처벌, 보안처분, 강제노역 등 및 제12조 제3항의 영장주의와 관련하여 각각 적법절차의 원칙을 규정하고 있지만, 이는 그 대상을 한정적으로 열거하고 있는 것이 아니라 그 적용대상을 예시한 것에 불과하다고 해석하는 것이 우리의 통설적 견해이다(1992.12.24, 92헌가8).

② [O] ③ [O] 적법절차원칙에서 도출할 수 있는 중요한 절차적 요청 중의 하나로, 당사자에게 적절한 고지를 행할 것 및 당사자에게 의견 및 자료 제출의 기회를 부여할 것 등이 있으나, 이 원칙이 구체적으로 어떠한 절차를 어느 정도로 요구하는지 일률적으로 말하기 어렵고, 규율되는 사항의 성질, 관련 당사자의 사익, 절차의 이행으로 제고될 가치, 국가작용의 효율성, 절차에 소요되는 비용, 불복의 기회 등 다양한 요소들을 형량하여 개별적으로 판단할 수밖에 없다(2008.1.17, 2007헌마700).

❹ [X] 적법절차의 원칙은 단순히 입법권의 유보 제한이라는 한정적인 의미에 그치는 것이 아니라, 모든 국가작용을 지배하는 독자적인 헌법의 기본원리로서 해석되어야 할 원칙이라는 점에서, 입법권의 유보적 한계를 선언하는 과잉입법금지의 원칙과는 구별된다(1992.12.24, 92헌가8).

12 정답 ③

① [X] 적법절차의 원칙에 의하여 그 성질상 보안처분의 범주에 드는 모든 처분의 개시 내지 결정에 법관의 판단을 필요로 한다고 단정할 수 없고, 보안처분의 개시에 있어 그 결정기간 내지 절차와 당해 보안처분으로 인한 자유 침해의 정도와의 사이에 비례의 원칙을 충족하면 적법절차의 원칙은 준수된다고 보아야 할 것이다(1997.11.27, 92헌바28).

② [X] 압수물은 검사의 이익을 위해서 뿐만 아니라 이에 대한 증거신청을 통하여 무죄를 입증하고자 하는 피고인의 이익을 위해서도 존재하므로 사건종결시까지 이를 그대로 보존할 필요성이 있다. 따라서 사건종결 전 일반적 압수물의 폐기를 규정하고 있는 「형사소송법」 제130조 제2항은 엄격히 해석할 필요가 있으므로, 위 법률조항에서 말하는 '위험발생의 염려가 있는 압수물'이란 사람의 생명, 신체, 건강, 재산에 위해를 줄 수 있는 물건으로서 보관 자체가 대단히 위험하여 종국판결이 선고될 때까지 보관하기 매우 곤란한 압수물을 의미하는 것으로 보아야 하고, 이러한 사유에 해당하지 아니하는 압수물에 대하여는 설사 피압수자의 소유권 포기가 있다 하더라도 폐기가 허용되지 아니한다고 해석하여야 한다. 피청구인은 이 사건 압수물을 보관하는 것 자체가 위험하다고 볼 수 없을 뿐만 아니라 이를 보관하는 데 아무런 불편이 없는 물건임이 명백함에도 압수물에 대하여 소유권 포기가 있다는 이유로 이를 사건종결 전에 폐기하였는바, 위와 같은 피청구인의 행위는 적법절차의 원칙을 위반하고, 청구인의 공정한 재판을 받을 권리를 침해한 것이다(2012.12.27, 2011헌마351).

❸ [O] 정부는 이 사건 세무대학폐지법률안을 국회에 제출하기에 앞서 「행정절차법」 제41조와 「법제업무 운영규정」 제15조에 따라 입법예고를 통해 이해당사자는 물론 전 국민에게 세무대학 폐지의 의사를 미리 공표하였으며, 헌법 제89조에 따라 국무회의의 심의를 거치는 등 헌법과 법률이 정한 절차와 방법을 준수하였다. 따라서 국회가 이 사건 폐지법을 제정하는 과정에서 별도의 청문절차를 거치지 않았다고 해서 그것만으로 곧 헌법 제12조의 적법절차를 위반하였다고 볼 수는 없다(2001.2.22, 99헌마613).

④ [X] 우리 헌법은 제12조 제3항에서 "체포·구속·압수 또는 수색을 할 때에는 적법한 절차에 따라 검사의 신청에 의하여 법관이 발부한

영장을 제시하여야 한다."라고 규정하고 있을 뿐, 압수수색에 관한 통지절차 등을 따로 규정하고 있지 않으므로 압수수색의 사전통지나 집행 당시의 참여권의 보장은 압수수색에 있어 국민의 기본권을 보장하고 헌법상의 적법절차원칙의 실현을 위한 구체적인 방법의 하나일 뿐 헌법상 명문으로 규정된 권리는 아니다(2012.12.27, 2011헌바225).

13 정답 ①

ㄱ. [○] 국가기관이 국민과의 관계에서 공권력을 행사함에 있어서 준수해야 할 법원칙으로서 형성된 적법절차의 원칙을 국가기관에 대하여 헌법을 수호하고자 하는 탄핵소추절차에는 직접 적용할 수 없다(2004.5.14, 2004헌나1).

ㄴ. [X] 법원에 의한 범죄인 인도심사는 국가형벌권의 확정을 목적으로 하는 형사절차와 같은 전형적인 사법절차의 대상에 해당되는 것은 아니며, 법률(「범죄인 인도법」)에 의하여 인정된 특별한 절차라 볼 것이다. 그렇다면 심급제도에 대한 입법재량의 범위와 범죄인 인도심사의 법적 성격, 그리고 「범죄인 인도법」에서의 심사절차에 관한 규정 등을 종합할 때, 이 사건 법률조항이 범죄인 인도심사를 서울고등법원의 단심제로 하고 있다고 해서 적법절차원칙에서 요구되는 합리성과 정당성을 결여한 것이라 볼 수 없다(2003.1.30, 2001헌바95).

ㄷ. [X] 미란다원칙은 고지절차와 관련이 있으므로 적법절차의 원칙이 적용된다.

ㄹ. [X] 국회의 탄핵소추절차는 국회와 대통령이라는 헌법기관 사이의 문제이고, 국회의 탄핵소추의결에 의하여 사인으로서의 대통령의 기본권이 침해되는 것이 아니라, 국가기관으로서의 대통령의 권한행사가 정지되는 것이다. 따라서 국가기관이 국민과의 관계에서 공권력을 행사함에 있어서 준수해야 할 법원칙으로서 형성된 적법절차의 원칙을 국가기관에 대하여 헌법을 수호하고자 하는 탄핵소추절차에는 직접 적용할 수 없다(2004.5.14, 2004헌나1).

ㅁ. [X] 헌법 제12조 제3항의 규정취지를 공판단계에서의 영장발부에도 검사의 신청이 필요한 것으로 해석하는 것은 신체의 자유를 보장하기 위한 사법적 억제의 대상인 수사기관이 사법적 억제의 주체인 법관을 통제하는 결과를 낳아 오히려 영장주의의 본질에 반한다고 할 것이기 때문이다(1997.3.27, 96헌바28 등).

14 정답 ①

❶ [○] 헌법 제12조 제1항 후문은 "누구든지 … 법률과 적법한 절차에 의하지 아니하고는 처벌·보안처분 또는 강제노역을 받지 아니한다." 라고 하여 적법절차의 원칙을 선언하고 있다. 이 헌법규정이 보안처분을 처벌 또는 강제노역과 나란히 열거하고 있다는 규정의 형식에 비추어 보거나 보안처분이 처벌 또는 강제노역에 버금가는 중대한 기본권의 제한을 수반한다는 그 내용에 비추어 보거나 보안처분에도 적법절차의 원칙이 적용되어야 함은 당연한 것이다. 다만, 보안처분에는 다양한 형태와 내용이 존재하므로 각 보안처분에 적용되어야 할 적법절차의 범위 내지 한계에도 차이가 있어야 할 것이다(2005.2.3, 2003헌바1).

② [X] 적법절차는 불이익처분을 받은 자에 대한 사전고지와 의견진술 기회 보장을 요구한다.

③ [X] **수뢰죄를 범하여 금고 이상의 형의 선고유예를 받은 국가공무원은 별도의 징계절차를 거치지 아니하고 당연퇴직하도록 한 「국가공무원법」 제69조 단서 중 '「형법」 제129조 제1항'에 관한 부분이 적법절차원칙에 위배되는지 여부(소극)**

범죄행위로 인하여 형사처벌을 받은 공무원에 대하여 신분상 불이익처분을 하는 법률을 제정함에 있어 어느 방법을 선택할 것인가는 원칙적으로 입법자의 재량에 속한다. 일정한 사항이 법정 당연퇴직사유에 해당하는지 여부만이 문제되는 당연퇴직의 성질상 그 절차에서 당사자의 진술권이 반드시 보장되어야 하는 것은 아니고, 심판대상조항이 청구인의 공무담임권 등을 침해하지 아니하는 이상 적법절차원칙에 위반되지 아니한다(2013.7.25, 2012헌바409).

> **비교 판례** 금고 이상의 형의 선고유예를 받은 경우에는 공무원직에서 당연히 퇴직하는 것으로 규정한 「국가공무원법」 제69조 중 제33조 제1항 제5호 부분은 과잉금지원칙에 위배하여 헌법 제25조의 공무담임권을 침해한다(2003.10.30, 2002헌마684 등).

④ [X] 적법절차의 원칙이란 입법·집행·사법 등 모든 국가작용은 절차상의 적법성을 갖추어야 할 뿐만 아니라, 공권력의 행사의 근거가 되는 법률의 실체적 내용도 합리성과 정당성을 갖추어야 한다는 헌법원리를 말하므로, 실체법상 적정 문제의 법리로까지 확대된 것이다.

> **참조 판례** 적법절차라 함은 인신의 구속이나 처벌 등 형사절차만이 아니라 국가작용으로서의 모든 입법작용과 행정작용에도 광범위하게 적용되는 독자적인 헌법원리의 하나로 절차가 형식적 법률로 정하여지고 그 법률에 합치하여야 할 뿐만 아니라 적용되는 법률의 내용에 있어서도 합리성과 정당성을 갖춘 적정한 것이어야 한다는 것을 의미한다. 그러므로 적법절차의 원리는 자의적인 공권력이 행사되는 것을 방지함으로써 기본적 인권을 보호하는 것을 이념으로 하고 있다고 할 것이다(1996.2.16, 96헌가2).

15 정답 ②

ㄱ. [X] 사법경찰관 등이 체포영장을 소지하고 피의자를 체포하는 경우, 범죄사실의 요지와 구속의 이유 및 변호인 선임권 등을 고지하여야 하는 시기 … 사법경찰관 등이 체포영장을 소지하고 피의자를 체포하기 위하여는 체포 당시에 피의자에 대한 범죄사실의 요지, 구속의 이유와 변호인을 선임할 수 있음을 말하고 변명할 기회를 주어야 하는데, 이와 같은 고지는 체포를 위한 실력 행사에 들어가기 이전에 미리 하여야 하는 것이 원칙이나, 달아나는 피의자를 쫓아가 붙들거나 폭력으로 대항하는 피의자를 실력으로 제압하는 경우에는 붙들거나 제압하는 과정에서 하거나, 그것이 여의치 않은 경우에라도 일단 붙들거나 제압한 후에 지체 없이 행하여야 한다(대판 2004.8.30, 2004도3212).

ㄴ. [○] 각급 선거관리위원회의 의결을 거쳐 행하는 사항에 대하여는 원칙적으로 행정절차에 관한 규정이 적용되지 않는바(「행정절차법」 제3조 제2항 제4호), 이는 권력분립의 원리와 선거관리위원회 의결절차의 합리성을 고려한 것으로 보인다. 또한 선거운동의 특성상 선거법 위반행위인지 여부와 그에 대한 조치는 가능하면 신속하게 결정되어야 할 뿐 아니라, 「선거관리위원회법」 제14조의2의 조치가 위반행위자에 대하여 종국적 법률효과를 발생시키는 것도 아니므로, 위반행위자에게 의견진술의 기회를 보장하는 것이 반드시 필요하거나 적절하다고 보기는 어렵다. 이와 같이 선거관리의 특성, 이 사건 조치가 규율하는 행위의 성격, 위 조치의 제재효과 및 기본권 침해의 정도 등을 종합하여 볼 때, 청구인에게 위 조치 전에 의견진술의 기회를 부여하지 않은 것이 적법절차원칙에 어긋나서 청구인의 기본권을 침해한다고 볼 수 없다(2008.1.7, 2007헌마700).

ㄷ. [○] 헌법 제12조 제1항 후문에는 "법률과 적법한 절차에 의하지 아니하고는 처벌·보안처분 또는 강제노역을 받지 아니한다."라고 규정하고 있는바, 보안처분의 일종인 보안관찰처분을 행하면서 성립절차상의 중대한 하자로 효력을 인정할 수 없고 외관상으로만 존재하는 처벌규정을 근거로 한 범죄경력을 그 기초로 삼는다면 그 처벌의 직접적 근거가 된 판결의 유·무효 여부를 떠나 위 헌법규정에서 말하는 '법률과 적법한 절차'에 의하여 이루어지는 보안처분이라 할 수 없을 것이다(2001.4.26, 98헌바79 등).

ㄹ. [X] 「공직선거 및 선거부정방지법」 제265조에 의한 후보자책임의 법적 구조의 특징, 배우자에게 재판절차라는 완비된 절차적 보장이 주어진다는 점, 당선무효라는 효과를 발생시킴에 있어 후보자에게 변명·방어의 기회를 따로 부여하는 절차를 마련할 경우 나타날 수 있는 문제점 등을 종합하면 후보자에 대하여 그러한 절차를 따로 마련하지 않았다는 점만으로 적법절차원칙에 어긋난다고 볼 수 없다(2005.12.22, 2005헌마19).

16 정답 ①

ㄱ. [○] 구 「택지개발촉진법」은 이 사건 예정지구를 지정함에 있어 당사자들에게 사전에 적절한 고지를 하고 의견제출의 기회를 부여하고 있으며 사후불복의 기회도 주는 등 절차적인 투명성을 확보하면서 주민과 이해 관계기관의 절차적 참여를 나름대로 보장해 주고 있는 것으로 평가할 수 있으며 위와 같은 절차를 보장하고 있는 이상 택지개발예정지구지정에 있어 토지소유자들 중 일정 비율 이상의 동의 내지 찬성을 요건으로 하고 있지 않고 또 주민들의 의견청취 결과에 반드시 구속되지 않더라도 이를 두고 적법절차원칙에 위배되었다고 할 수는 없다(2007.10.4, 2006헌바91).

ㄴ. [○] 조사단계에서 징벌혐의의 고지와 의견진술의 기회 부여가 이루어진다는 점 등을 종합하여 볼 때, 분리수용 및 처우 제한에 대해 법원에 의한 개별적인 통제절차를 두고 있지 않다는 점만으로 이 사건 분리수용 및 이 사건 처우 제한이 적법절차원칙에 위반된 것이라고 볼 수는 없다(2014.9.25, 2012헌마523).

ㄷ. [○] 과징금의 부과 여부 및 그 액수의 결정권자인 위원회는 합의제 행정기관으로서 그 구성에 있어 일정한 정도의 독립성이 보장되어 있고, 과징금 부과절차에서는 통지, 의견진술의 기회 부여 등을 통하여 당사자의 절차적 참여권을 인정하고 있으며, 행정소송을 통한 사법적 사후심사가 보장되어 있으므로, 이러한 점들을 종합적으로 고려할 때 과징금 부과절차에 있어 적법절차원칙에 위반되거나 사법권을 법원에 둔 권력분립의 원칙에 위반된다고 볼 수 없다(2003.7.24, 2001헌가25).

ㄹ. [○] 심판대상조항이 수사 중인 사건에 대해 징계절차를 진행하지 아니하는 경우 징계시효가 연장되도록 한 것은, 적정한 징계를 위해 징계절차를 진행하지 아니할 수 있도록 한 것이 오히려 징계를 방해하게 되는 불합리한 결과를 막기 위해서이다. 수사 중인 사건에 대하여 징계절차를 진행하지 아니하더라도 징계혐의자는 수사가 종료되는 장래 어느 시점에서 징계절차가 진행될 수 있다는 점을 충분히 예측하여 대비할 수 있고, 수사가 종료되어 징계절차가 진행되는 경우에도 징계혐의자는 관련 법령에 따라 방어권을 충분히 보호받을 수 있다. 심판대상조항을 통해 달성되는 공정한 징계제도 운용이라는 이익은, 징계혐의자가 징계절차를 진행하지 아니함을 통보받지 못하여 징계시효가 연장되었음을 알지 못함으로써 입는 불이익보다 크다. 그렇다면 심판대상조항이 징계시효 연장을 규정하면서 징계절차를 진행하지 아니함을 통보하지 아니한 경우에는 징계시효가 연장되지 않는다는 예외규정을 두지 않았다고 하더라도 적법절차원칙에 위배되지 아니한다(2017.6.29, 2015헌바29).

ㅁ. [X] 심급제도에 대한 입법재량의 범위와 범죄인 인도심사의 법적 성격, 그리고 「범죄인 인도법」에서의 심사절차에 관한 규정 등을 종합할 때, 이 사건 법률조항이 범죄인 인도심사를 서울고등법원의 단심제로 하고 있다고 해서 적법절차원칙에서 요구되는 합리성과 정당성을 결여한 것이라 볼 수 없다(2003.1.30, 2001헌바95).

17 정답 ②

① [○] 이 사건 법률조항은 피의자의 신원확인을 원활하게 하고 수사활동에 지장이 없도록 하기 위한 것으로, 수사상 피의자의 신원확인은 피의자를 특정하고 범죄경력을 조회함으로써 타인의 인적 사항 도용과 범죄 및 전과사실의 은폐 등을 차단하고 형사사법제도를 적정하게 운영하기 위해 필수적이라는 점에서 그 목적은 정당하고, 지문채취는 신원확인을 위한 경제적이고 간편하면서도 확실성이 높은 적절한 방법이다. 또한 이 사건 법률조항은 형벌에 의한 불이익을 부과함으로써 심리적·간접적으로 지문채취를 강제하고 그것도 보충적으로만 적용하도록 하고 있어 피의자에 대한 피해를 최소화하기 위한 고려를 하고 있으며, 지문채취 그 자체가 피의자에게 주는 피해는 그리 크지 않은 반면 일단 채취된 지문은 피의자의 신원을 확인하는 효과적인 수단이 될 뿐 아니라 수사절차에서 범인을 검거하는 데에 중요한 역할을 한다. 한편, 이 사건 법률조항에 규정되어 있는 법정형은 「형법」상의 제재로서는 최소한에 해당되므로 지나치게 가혹하여 범죄에 대한 형벌 본래의 목적과 기능을 달성함에 필요한 정도를 일탈하였다고 볼 수도 없다(2004.9.23, 2002헌가17 등). 2015년 법행

❷ [X] 위원회가 신청을 기각하는 경우에 이들은 그 결정에 대하여 행정소송을 제기하여 법관에 의한 재판을 받을 수 있으므로 법관이 아닌 사회보호위원회의 치료감호 종료 여부 결정은 재판청구권 침해가 아니다(2005.2.3, 2003헌바1).

③ [○] 「변호사법」 제15조에서 변호사에 대해 형사사건으로 공소가 제기되었다는 사실만으로 업무정지명령을 발하게 한 것은 아직 유무죄가 가려지지 아니한 범죄의 혐의사실뿐 확증 없는 상태에서 유죄로 추정하는 것이 되며 이를 전제로 한 불이익한 처분이라 할 것이다. … 이상과 같은 이유로 「변호사법」 제15조는 직업선택의 자유를 규정한 헌법 제15조, 무죄추정의 원칙을 규정한 동 제27조 제4항에 위반된 것이 명백하므로, 「헌법재판소법」 제45조에 의하여 주문과 같이 결정한다(1990.11.19, 90헌가48).

④ [○] 이 사건 법률조항은 비록 범인의 당해 관서에의 출두를 확보하고 범인의 도주를 방지함으로써 관세범에 대한 형벌권의 신속하고도 적절한 행사를 도모하려는 입법목적을 지닌다 할지라도, 재판이나 청문의 절차도 밟지 아니하고 압수한 물건에 대한 피의자의 재산권을 박탈하여 국고귀속시킴으로써 그 실질은 몰수형을 집행한 것과 같은 효과를 발생하게 하는 내용의 법률규정이라고 볼 수밖에 없으므로 헌법 제12조 제1항 후문에 정한 적법절차의 원칙에 위배된다(1997.5.29, 96헌가17). 2016년 서울 7급

18 정답 ③

ㄱ. [○] 국회입법에 대하여는 원칙적으로 일반 국민의 지위에서 적법절차에서 파생되는 청문권은 인정되지 아니하므로 청구인들의 경우 이 사건 법률에 의하여 그러한 기본권을 침해받을 가능성은 없다(2005.11.24, 2005헌마579 등).

ㄴ. [○] 심판대상조항에 따른 출국금지결정은 성질상 신속성과 밀행성을 요하므로, 출국금지대상자에게 사전통지를 하거나 청문을 실시하도록 한다면 국가형벌권 확보라는 출국금지제도의 목적을 달성하는 데 지장을 초래할 우려가 있다. 나아가 출국금지 후 즉시 서면

으로 통지하도록 하고 있고, 이의신청이나 행정소송을 통하여 출국금지결정에 대해 사후적으로 다툴 수 있는 기회를 제공하여 절차적 참여를 보장해 주고 있으므로 적법절차원칙에 위배된다고 보기 어렵다(2015.9.24, 2012헌바302). 2016년 지방 7급

ㄷ. [X] 「도로교통법」상 범칙금 납부통고는 위반행위에 대한 제재를 신속·간편하게 종결할 수 있게 하는 제도로서, 이에 불복하여 범칙금을 납부하지 아니한 자에게는 재판절차라는 완비된 절차적 보장이 주어진다. 「도로교통법」 위반사례가 격증하고 있는 현실에서 통고처분에 대한 이의제기 등 행정청 내부절차를 추가로 둔다면 절차의 중복과 비효율을 초래하고 신속한 사건처리에 저해가 될 우려도 있다. 따라서 이 사건 즉결심판청구조항에서 의견진술 등의 별도의 절차를 두지 않은 것이 현저히 불합리하여 적법절차원칙에 위배된다고 보기 어렵다(2014.8.28, 2012헌바433). 2016년 지방 7급

ㄹ. [O] 과징금의 부과 여부 및 그 액수의 결정권자인 위원회는 합의제 행정기관으로서 그 구성에 있어 일정한 정도의 독립성이 보장되어 있고, 과징금 부과절차에서는 통지, 의견진술의 기회 부여 등을 통하여 당사자의 절차적 참여권을 인정하고 있으며, 행정소송을 통한 사법적 사후심사가 보장되어 있으므로, 이러한 점들을 종합적으로 고려할 때 과징금 부과절차에 있어 적법절차원칙에 위반되거나 사법권을 법원에 둔 권력분립의 원칙에 위반된다고 볼 수 없다(2003.7.24, 2001헌가25). 2010년 국회 8급

ㅁ. [X] 이 사건 법률조항은 수거에 앞서 청문이나 의견제출 등 절차 보장에 관한 규정을 두고 있지 않으나, 행정상 즉시강제는 목전에 급박한 장해에 대하여 바로 실력을 가하는 작용이라는 특성에 비추어 사전적 절차와 친하기 어렵다는 점을 고려하면, 이를 이유로 적법절차의 원칙에 위반되는 것으로는 볼 수 없다(2002.10.31, 2000헌가12).

19 정답 ②

ㄱ. [X] 헌법 제12조 제1항은 법률과 적법한 절차에 의하지 아니하고는 처벌·보안처분 또는 강제노역을 받지 아니한다고 하여 적법절차원칙을 규정하고 있는바, 적법절차원칙은 형사소송절차에 국한되지 않고 모든 국가작용 전반에 대하여 적용된다.

ㄴ. [X] 적법절차원칙에서 도출할 수 있는 중요한 절차적 요청 중의 하나로 당사자에게 적절한 고지를 행할 것, 당사자에게 의견 및 자료 제출의 기회를 부여할 것을 들 수 있다. 그러나 적법절차원칙이 구체적으로 어떠한 절차를 어느 정도로 요구하는지는 일률적으로 말하기 어렵고, 규율되는 사항의 성질, 관련 당사자의 사익, 절차의 이행으로 제고될 가치, 국가작용의 효율성, 절차에 소요되는 비용, 불복의 기회 등 다양한 요소들을 형량하여 개별적으로 판단할 수밖에 없다.

ㄷ. [X] 제3자에게 범죄가 인정됨을 전제로 제3자에 대하여 형사적 제재를 가하는 것이 아니라, 특정 공무원범죄를 범한 범인에 대한 추징판결의 집행 대상을 제3자가 취득한 불법재산 등에까지 확대하여 제3자에게 물적 유한책임을 부과하는 것이다.

ㄹ. [O] 심판대상조항에 따라 추징판결을 집행함에 있어서 형사소송절차와 같은 엄격한 절차가 요구된다고 보기는 어렵다. 심판대상조항에 따른 추징판결의 집행은 그 성질상 신속성과 밀행성을 요구하는데, 제3자에게 추징판결의 집행사실을 사전에 통지하거나 의견제출의 기회를 주게 되면 제3자가 또다시 불법재산 등을 처분하는 등으로 인하여 집행의 목적을 달성할 수 없게 될 가능성이 높다.

ㅁ. [X] 심판대상조항에 따라 추징판결을 집행함에 있어서 형사소송절차와 같은 엄격한 절차가 요구된다고 보기는 어렵다. 심판대상조항에 따른 추징판결의 집행은 그 성질상 신속성과 밀행성을 요구하는데, 제3자에게 추징판결의 집행사실을 사전에 통지하거나 의견제출의 기회를 주게 되면 제3자가 또다시 불법재산 등을 처분하는 등으로 인하여 집행의 목적을 달성할 수 없게 될 가능성이 높다. 따라서 심판대상조항이 제3자에 대하여 특정 공무원범죄를 범한 범인에 대한 추징판결을 집행하기에 앞서 제3자에게 통지하거나 의견을 진술할 기회를 부여하지 않은 데에는 합리적인 이유가 있다. 나아가 제3자는 심판대상조항에 의한 집행에 관한 검사의 처분이 부당함을 이유로 재판을 선고한 법원에 재판의 집행에 관한 이의신청을 할 수 있다(「형사소송법」 제489조). 또한 제3자는 각 집행절차에서 소송을 통해 불복하는 등 사후적으로 심판대상조항에 의한 집행에 대하여 다툴 수 있다. 따라서 심판대상조항은 적법절차원칙에 위배된다고 볼 수 없다.

ㅂ. [O] 특정 공무원범죄로 취득한 불법재산의 철저한 환수를 통하여 국가형벌권의 실현을 보장하고 공직사회의 부정부패 요인을 근원적으로 제거하고자 하는 심판대상조항의 입법목적은 우리 사회에서 매우 중대한 의미를 지닌다. 반면, 심판대상조항으로 인하여 제3자는 그 정황을 알고 취득한 불법재산 및 그로부터 유래한 재산에 대하여 집행을 받게 되는데, 그 범위는 범인이 특정 공무원범죄의 범죄행위로 얻은 재산과 그 재산에서 비롯된 부분으로 한정되고, 제3자는 사후적으로 집행에 관한 법원의 판단을 받을 수 있다. 그렇다면 심판대상조항으로 인하여 제3자가 받는 불이익이 심판대상조항이 달성하고자 하는 공익보다 중대하다고 보기 어려우므로, 심판대상조항은 법익의 균형성원칙에도 위배되지 않는다. 따라서 심판대상조항이 과잉금지원칙에 반하여 재산권을 침해한다고 볼 수 없다(2020.2.27, 2015헌가4).

20 정답 ④

① [O] 헌법 제13조 제1항이 정한 '이중처벌금지의 원칙'은 동일한 범죄행위에 대하여 국가가 형벌권을 거듭 행사할 수 없도록 함으로써 국민의 기본권 특히 신체의 자유를 보장하기 위한 것이므로, 그 '처벌'은 원칙으로 범죄에 대한 국가의 형벌권 실행으로서의 과벌을 의미하는 것이고, 국가가 행하는 일체의 제재나 불이익처분을 모두 그에 포함된다고 할 수는 없다.
구 「건축법」 제54조 제1항에 의한 형사처벌의 대상이 되는 범죄의 구성요건은 당국의 허가 없이 건축행위 또는 건축물의 용도변경행위를 한 것이고, 동법 제56조의2 제1항에 의한 과태료는 건축법령에 위반되는 위법건축물에 대한 시정명령을 받고도 건축주 등이 이를 시정하지 아니할 때 과하는 것이므로, 양자는 처벌 내지 제재대상이 되는 기본적 사실관계로서의 행위를 달리하는 것이다. 그리고, 전자가 무허가건축행위를 한 건축주 등의 행위 자체를 위법한 것으로 보아 처벌하는 것인 데 대하여, 후자는 위법건축물의 방치를 막고자 행정청이 시정조치를 명하였음에도 건축주 등이 이를 이행하지 아니한 경우에 행정명령의 실효성을 확보하기 위하여 제재를 과하는 것이므로 양자는 그 보호법익과 목적에서도 차이가 있고, 또한 무허가건축행위에 대한 형사처벌시에 위법건축물에 대한 시정명령의 위반행위까지 평가된다고 할 수 없으므로 시정명령 위반행위가 무허가건축행위의 불가벌적 사후행위라고 할 수도 없다. 이러한 점에 비추어 구 「건축법」 제54조 제1항에 의한 무허가건축행위에 대한 형사처벌과 동법 제56조2 제1항에 의한 과태료의 부과는 헌법 제13조 제1항이 금지하는 이중처벌에 해당한다고 할 수 없다(1994.6.30, 92헌바38).

② [O] 「질서위반행위규제법」의 시행으로 과태료재판에도 여러 총칙적 규정들이 도입되어 위 법 시행 전과 달리 고의·과실, 위법성의 인식이나 책임능력이 없는 자에게 과태료 부과가 불가능해졌다(「질서위반행위규제법」 제7조, 제8조, 제9조).

③ [O] 무릇 어떤 행정법규 위반행위에 대하여, 이를 단지 간접적으로 행정상의 질서에 장해를 줄 위험성이 있음에 불과한 경우(단순한 의

무태만 내지 의무 위반)로 보아 행정질서벌인 과태료를 과할 것인가, 아니면 직접적으로 행정목적과 공익을 침해한 행위로 보아 행정형벌을 과할 것인가, 그리고 행정형벌을 과할 경우 그 법정형의 형종과 형량을 어떻게 정할 것인가는, 당해 위반행위가 위의 어느 경우에 해당하는가에 대한 법적 판단을 그르친 것이 아닌 한 그 처벌 내용은 기본적으로 입법권자가 제반 사정을 고려하여 결정할 그 입법재량에 속하는 문제라고 할 수 있다(1994.4.28, 91헌바14).

❹ [X] 적법절차원칙이 헌법 제12조 제1항과 제12조 제3항이 규정한 형벌, 보안처분, 강제노역과 영장에 한정하여 적용된다는 제한적 열거설도 있지만 다수설과 판례는 신체의 자유와 관련한 불이익뿐만 아니라 국민의 모든 기본권에 대한 불이익을 야기하는 모든 국가작용에 적용된다는 예시설의 입장이다. 2016년 법행

25회 진도별 모의고사
신체의 자유

정답

01	④	02	②	03	②	04	③
05	②	06	③	07	①	08	④
09	④	10	②	11	②	12	②
13	③	14	④	15	①	16	②
17	③	18	④	19	③	20	③

01 정답 ④

① [O] 헌법 제12조 제3항의 영장주의는 헌법 제12조 제1항의 적법절차원칙의 특별규정이므로, 헌법상 영장주의원칙에 위배되는 이 사건 법률조항은 헌법 제12조 제1항의 적법절차원칙에도 위배된다(2012.6.27, 2011헌가36). 2014년 사시

② [O] 헌법은 제12조 제1항에서 적법절차의 원칙을 선언한 후 같은 조 제2항 내지 제7항에서 적법절차의 원칙으로부터 도출될 수 있는 내용 가운데 특히 중요한 몇 가지 원칙을 열거하고 있는바, 영장주의란 형사절차와 관련하여 체포·구속·압수 등의 강제처분을 함에 있어서는 사법권 독립에 의하여 그 신분이 보장되는 법관이 발부한 영장에 의하지 않으면 아니 된다는 원칙이고, 따라서 영장주의의 본질은 신체의 자유를 침해하는 강제처분을 함에 있어서는 중립적인 법관이 구체적 판단을 거쳐 발부한 영장에 의하여야만 한다는 데에 있다고 할 수 있다(1997.3.27, 96헌바28 등). 2019년 법원

③ [O] 헌법 제12조 제3항은 "현행범인인 경우와 장기 3년 이상의 형에 해당하는 죄를 범하고 도피 또는 증거인멸의 염려가 있을 때에는 사후에 영장을 청구할 수 있다."라고 규정함으로써, 사전영장주의에 대한 예외를 명문으로 인정하고 있다. 이와 달리 헌법 제16조 후문은 영장주의에 대한 예외를 명문화하고 있지 않다. 현행범인 체포의 경우에는 헌법 제16조의 영장주의의 예외를 인정할 수 있다. 긴급체포의 경우 역시 헌법 제16조의 영장주의의 예외를 인정할 수 있다. 체포영장에 의한 체포의 경우에는 체포영장이 발부된 피의자가 타인의 주거 등에 소재할 개연성이 소명되고, 그 장소를 수색하기에 앞서 별도로 수색영장을 발부받기 어려운 긴급한 사정이 있는 경우에 한하여 현행범인 체포, 긴급체포의 경우와 마찬가지로 영장주의의 예외를 인정할 수 있다고 보아야 한다(2018.4.26, 2015헌바370). 2019년 법원

❹ [X] 헌법 제12조 제3항의 영장주의는 법관이 발부한 영장에 의하지 아니하고는 수사에 필요한 강제처분을 하지 못한다는 원칙으로 소변을 받아 제출하도록 한 것은 교도소의 안전과 질서유지를 위한 것으로 수사에 필요한 처분이 아닐 뿐만 아니라 검사대상자들의 협력이 필수적이어서 강제처분이라고 할 수도 없어 영장주의의 원칙이 적용되지 않는다(2006.7.27, 2005헌마277).

02 정답 ②

ㄱ. [X] 영장주의가 행정상 즉시강제에도 적용되는지에 관하여는 논란이 있으나, 행정상 즉시강제는 상대방의 임의이행을 기다릴 시간적 여유가 없을 때 하명 없이 바로 실력을 행사하는 것으로서, 그 본질상 급박성을 요건으로 하고 있어 법관의 영장을 기다려서는 그 목적을 달성할 수 없다고 할 것이므로, 원칙적으로 영장주의가 적용되지 않는다고 보아야 할 것이다(2002.10.31, 2000헌가12).

ㄴ. [X] 헌법 제12조 제3항의 영장주의는 법관이 발부한 영장에 의하지 아니하고는 수사에 필요한 강제처분을 하지 못한다는 원칙으로 소변을 받아 제출하도록 한 것은 교도소의 안전과 질서유지를 위한 것으로 수사에 필요한 처분이 아닐 뿐만 아니라 검사대상자들의 협력이 필수적이어서 강제처분이라고 할 수도 없어 영장주의의 원칙이 적용되지 않는다(2006.7.27, 2005헌마277).

ㄷ. [O] 「도로교통법」 제41조 제2항에 규정된 음주측정은 성질상 강제될 수 있는 것이 아니며 궁극적으로 당사자의 자발적 협조가 필수적인 것이므로 이를 두고 법관의 영장을 필요로 하는 강제처분이라 할 수 없다(1997.3.27, 96헌가11).

ㄹ. [O] 이 사건 녹음조항에 따라 접견 내용을 녹음·녹화하는 것은 직접적으로 물리적 강제력을 수반하는 강제처분이 아니므로 영장주의가 적용되지 않아 영장주의에 위배된다고 할 수 없다(2016.11.24, 2014헌바401).

ㅁ. [O] 이 사건 법률조항에 의한 지문채취의 강요는 영장주의에 의하여야 할 강제처분이라 할 수 없다. 또한 수사상 필요에 의하여 수사기관이 직접강제에 의하여 지문을 채취하려 하는 경우에는 반드시 법관이 발부한 영장에 의하여야 하므로 영장주의원칙은 여전히 유지되고 있다고 할 수 있다(2004.9.23, 2002헌가17 등).

03 정답 ②

① [O] 사실조회행위는 강제력이 개입되지 아니한 임의수사에 해당하므로, 이에 응하여 이루어진 이 사건 정보 제공행위에도 영장주의가 적용되지 않는다. 그러므로 이 사건 정보 제공행위가 영장주의에 위배되어 청구인들의 개인정보자기결정권을 침해한다고 볼 수 없다(2018.8.30, 2014헌마368).

❷ [X] 법에서 의무를 지우는 것만 가지고는 영장주의가 적용되지 아니한다. 영장주의가 적용되려면 수사기관이 물리적 강제력을 행사하는 경우이여야 한다. 예를 들어 「도로교통법」에서 음주측정은 의무가 부과되어 있으나, 음주측정을 함에 있어서는 영장이 필요한 것은 아니다.

③ [O] 법무부장관의 출국금지결정은 형사재판에 계속 중인 국민의 출국의 자유를 제한하는 행정처분일 뿐이고, 영장주의가 적용되는 신체에 대하여 직접적으로 물리적 강제력을 수반하는 강제처분이라고 할 수는 없다. 따라서 심판대상조항이 헌법 제12조 제3항의 영장주의에 위배된다고 볼 수 없다(2015.9.24, 2012헌바302).

④ [O] 통신사실 확인자료 제공요청은 수사 또는 내사의 대상이 된 가입자 등의 동의나 승낙을 얻지 아니하고도 공공기관이 아닌 전기통신사업자를 상대로 이루어지는 것으로 「통신비밀보호법」이 정한 수사기관의 강제처분이다. 이러한 통신사실 확인자료 제공요청과 관련된 수사기관의 권한남용 및 그로 인한 정보주체의 기본권 침해를 방지하기 위해서는 법원의 통제를 받을 필요가 있으므로, 통신사실 확인자료 제공요청에는 헌법상 영장주의가 적용된다(2018.6.28, 2012헌마191 등).

04 정답 ③

① [O] 헌법 제12조 제3항에 의하여 법관이 발부한 영장의 제시가 있어야 함에도 불구하고 동행명령장을 법관이 아닌 지방의회 의장이 발부하고 이에 기하여 증인의 신체의 자유를 침해하여 증인을 일정 장소에 인치하도록 규정된 조례안은 영장주의원칙을 규정한 헌법 제12조 제3항에 위반된 것이다(대판 1995.6.30, 93추83). 따라서 영장의 제시가 있어야 한다.

② [O] 2008.1.10, 2007헌마1468

> **5인 재판관 의견** 영장주의 위반과 과잉금지 위반으로 신체의 자유를 침해한다.
>
> **2인 재판관 의견** 영장주의 위반은 아니나, 과잉금지 위반으로 행복추구권을 침해한다.
>
> **1인 재판관 의견** 과잉금지 위반으로 신체의 자유를 침해한다.

❸ [X]

> **「국회에서의 증언·감정 등에 관한 법률」 제6조 【증인에 대한 동행명령】** ① 국정감사나 국정조사를 위한 위원회는 증인이 정당한 이유 없이 출석하지 아니하는 때에는 그 의결로 해당 증인에 대하여 지정한 장소까지 동행할 것을 명령할 수 있다.
> ② 제1항의 동행명령을 할 때에는 위원회의 위원장이 동행명령장을 발부한다.

④ [O] 지방의회에서의 사무감사·조사를 위한 증인의 동행명령장제도도 증인의 신체의 자유를 억압하여 일정 장소로 인치하는 것으로서 헌법 제12조 제3항의 '체포 또는 구속'에 준하는 사태로 보아야 하고, 거기에 현행범 체포와 같이 사후에 영장을 발부받지 아니하면 목적을 달성할 수 없는 긴박성이 있다고 인정할 수는 없으므로, 헌법 제12조 제3항에 의하여 법관이 발부한 영장의 제시가 있어야 함에도 불구하고 동행명령장을 법관이 아닌 지방의회 의장이 발부하고 이에 기하여 증인의 신체의 자유를 침해하여 증인을 일정 장소에 인치하도록 규정된 조례안은 영장주의원칙을 규정한 헌법 제12조 제3항에 위반된 것이다(대판 1995.6.30, 93추83).

05 정답 ②

ㄱ. [X] 경비계엄으로는 특별한 기본권 제한조치를 할 수 없다. 헌법 제77조 제3항에 따라 비상계엄이 선포된 때에는 영장제도에 관하여 특별한 조치를 할 수 있다.

ㄴ. [O] 우리 헌법제정권자가 제헌헌법(제9조) 이래 현행헌법(제12조 제3항)에 이르기까지 채택하여 온 영장주의의 본질은 신체의 자유를 침해하는 강제처분을 함에 있어서는 인적·물적 독립을 보장받는 제3자인 법관이 구체적 판단을 거쳐 발부한 영장에 의하여야만 한다는 데에 있으므로, 우선 형식적으로 영장주의에 위배되는 법률은 곧바로 헌법에 위반되고, 나아가 형식적으로는 영장주의를 준수하였더라도 실질적인 측면에서 입법자가 합리적인 선택범위를 일탈하는 등 그 입법형성권을 남용하였다면 그러한 법률은 자의금지원칙에 위배되어 헌법에 위반된다고 보아야 한다. 이 사건 법률조항은 수사기관이 법관에 의하여 발부된 영장 없이 일부 범죄혐의자에 대하여 구속 등 강제처분을 할 수 있도록 규정하고 있을 뿐만 아니라, 그와 같이 영장 없이 이루어진 강제처분에 대하여 일정한 기간 내에 법관에 의한 사후영장을 발부받도록 하는 규정도 마련하지 아니함으로써, 수사기관이 법관에 의한 구체적 판단을 전혀 거치지 않고서도 임의로 불특정한 기간 동안 피의자에 대한 구속 등 강제처분을 할 수 있도록 하고 있는바, 이는 이 사건 법률조항의 입법목적과 그에 따른 입법자의 정책적 선택이 자의적이었는지 여부를 따질 필요도 없이 형식적으로 영장주의의 본질을 침해한다고 하지 않을 수 없다(2012.12.27, 2011헌가5).

ㄷ. [X] 헌법 제12조 제3항은 "현행범인인 경우와 장기 3년 이상의 형에 해당하는 죄를 범하고 도피 또는 증거인멸의 염려가 있을 때에는 사후에 영장을 청구할 수 있다."라고 규정함으로써, 사전영장주의에 대한 예외를 명문으로 인정하고 있다. 이와 달리 헌법 제16조 후문은 영장주의에 대한 예외를 명문화하고 있지 않다. 그러나 현행범인 체포의 경우에는 헌법 제16조의 영장주의의 예외를 인정할 수 있다. 긴급체포의 경우 역시 헌법 제16조의 영장주의의 예외를 인정할 수 있다. 체포영장에 의한 체포의 경우에는 체포영장이 발부된 피의자가 타인의 주거 등에 소재할 개연성이 소명되고, 그 장소를 수색하기에 앞서 별도로 수색영장을 발부받기 어려운 긴급한 사정이 있는 경우에 한하여 현행범인 체포, 긴급체포의 경우와 마찬가지로 영장주의의 예외를 인정할 수 있다고 보아야 한다(2018.4.26, 2015헌바370 등).

ㄹ. [X] 음주운전 중 교통사고를 야기한 후 운전자가 의식불명상태에 빠져 있는 등으로 호흡조사에 의한 음주측정이 불가능하고 채혈에 대한 동의를 받을 수도 없으며 법원으로부터 감정처분허가장이나 사전 압수영장을 발부받을 시간적 여유도 없는 긴급한 상황이 발생한 경우에는 수사기관은 예외적인 요건하에 음주운전범죄의 증거 수집을 위하여 운전자의 동의나 사전 영장 없이 혈액을 채취하여 압수할 수 있으나, 이 경우에도 「형사소송법」에 따라 사후에 지체 없이 법원으로부터 압수영장을 받아야 한다. 따라서 음주운전 여부에 대한 조사과정에서 운전자 본인의 동의를 받지 아니하고 또한 법원의 영장도 없이 채혈조사를 한 결과를 근거로 한 운전면허 정지·취소처분은 「도로교통법」 제44조 제3항을 위반한 것으로서 특별한 사정이 없는 한 위법한 처분으로 볼 수밖에 없다(대판 2016.12.27, 2014두46850).

ㅁ. [X] 청구인은 이 사건 영창조항이 헌법상 영장주의에 위배된다는 주장도 하나, 헌법 제12조 제3항에서 규정하고 있는 영장주의란 형사절차와 관련하여 체포·구속·압수·수색의 강제처분을 할 때 신분이 보장되는 법관이 발부한 영장에 의하지 않으면 안 된다는 원칙으로, 형사절차가 아닌 징계절차에도 그대로 적용된다고 볼 수 없다. 따라서 이 사건 영창조항이 헌법상 영장주의에 위반되는지 여부는 더 나아가 판단하지 아니한다(2016.3.31, 2013헌바190).

ㅂ. [O] 법원이 피고인의 구속 또는 그 유지 여부의 필요성에 관하여 한 재판의 효력이 검사나 다른 기관의 이견이나 불복이 있다 하여 좌우되거나 제한받는다면 이는 영장주의에 위반된다고 할 것인바, 구속집행정지결정에 대한 검사의 즉시항고를 인정하는 이 사건 법률조항은 검사의 불복을 그 피고인에 대한 구속집행을 정지할 필요가 있다는 법원의 판단보다 우선시킬 뿐만 아니라, 사실상 법원의 구속집행정지결정을 무의미하게 할 수 있는 권한을 검사에게 부여한 것이라는 점에서 헌법 제12조 제3항의 영장주의원칙에 위배된다(2012.6.27, 2011헌가36).

06 정답 ③

ㄱ. [X] 피의자의 재구속 등에 관련하여 '실질적 가중요건'을 규정할 것인지 아니면 '절차적 가중요건'을 규정할 것인지 여부와 같이 법률의 구체적 내용을 정하는 문제는 원칙적으로 입법자가 제반 사정을 고려하여 결정할 사항이라는 점 등 여러 사정에 비추어 볼 때, 입법자가 동일한 입법목적을 구현하기 위하여 이 사건 법률조항에 근거한 구속영장 재청구에 관련하여 '절차적 가중요건'만을 규정하는 정책적 선택을 하였다는 사정만으로 입법형성권을 자의적으로 행사하였다고 보기는 어렵다(2003.12.18, 2002헌마593).

ㄴ. [X] 헌법 제16조에 의하면 모든 국민은 주거의 자유를 침해받지 아니하고 주거에 대한 압수나 수색을 할 때에는 검사의 신청에 의하여 법관이 발부한 영장을 제시하여야 한다고 규정하고 있다. 그러나 헌법 제18조에 의하면 모든 국민은 통신의 비밀을 침해받지 아니한다고 규정하고 있을 뿐이다. 통신제한조치에 대해서는 헌법이 아닌 「통신비밀보호법」에서 규정하고 있다.

ㄷ. [O] 법무부장관의 출국금지결정은 형사재판에 계속 중인 국민의 출국의 자유를 제한하는 행정처분일 뿐이고, 영장주의가 적용되는 신체에 대하여 직접적으로 물리적 강제력을 수반하는 강제처분이라고 할 수는 없다. 따라서 심판대상조항이 헌법 제12조 제3항의 영장주의에 위배된다고 볼 수 없다(2015.9.24, 2012헌바302).

ㄹ. [O] 이 사건 영장절차조항에 의한 디엔에이감식시료채취영장청구시에는 판사가 채취대상자의 의견을 직접 청취하거나 적어도 서면으로 채취대상자의 의견을 확인하는 절차가 명문화되어 있지 않다. 또한 디엔에이감식시료채취영장이 발부된 경우에는 불복할 수 있는 규정이 마련되어 있지 않다. 이 사건 영장절차조항이 디엔에이감식시료채취영장 발부과정에서 자신의 의견을 진술할 기회를 절차적으로 보장하고 있지 않을 뿐만 아니라, 발부 후 그 영장 발부에 대하여 불복할 수 있는 기회를 주거나 채취행위의 위법성확인을 청구할 수 있도록 하는 구제절차를 마련하고 있지 않음으로써, 채취대상자의 재판청구권은 형해화되고 채취대상자는 범죄수사 내지 예방의 객체로만 취급받게 된다. 따라서 이 사건 영장절차조항은 과잉금지원칙을 위반하여 청구인들의 재판청구권을 침해한다(2018.8.30, 2016헌마344).

07 정답 ①

❶ [O] 심판대상조항은 피조사자에게 자료제출의무를 부과하고, 허위자료를 제출하는 경우 형사처벌하는 조항으로, 피조사자의 일반적 행동자유권을 제한한다. 청구인은 심판대상조항이 인간으로서의 존엄과 가치, 인격권도 침해한다고 주장하나, 심판대상조항과 가장 밀접한 관련이 있는 일반적 행동자유권의 침해 여부를 판단하는 이상 이에 대해서는 별도로 살피지 아니한다(2019.9.26, 2016헌바381).

② [X] 선거관리위원회의 본질적 기능은 선거의 공정한 관리 등 행정기능이고, 그 효과적인 기능 수행과 집행의 실효성을 확보하기 위한 수단으로서 선거범죄 조사권을 인정하고 있다. 심판대상조항에 의한 자료제출요구는 위와 같은 조사권의 일종으로서 행정조사에 해당하고, 선거범죄혐의의 유무를 명백히 하여 공소의 제기와 유지 여부를 결정하기 위하여 범인을 발견·확보하고 증거를 수집·보전하기 위한 수사기관의 활동인 수사와는 근본적으로 그 성격을 달리한다.

③ [X] 심판대상조항에 의한 자료제출요구는 그 성질상 대상자의 자발적 협조를 전제로 할 뿐이고 물리적 강제력을 수반하지 아니한다. 심판대상조항은 피조사자로 하여금 자료제출요구에 응할 의무를 부과하고, 허위 자료를 제출한 경우 형사처벌하고 있으나, 이는 형벌에 의한 불이익이라는 심리적, 간접적 강제수단을 통하여 진실한 자료를 제출하도록 함으로써 조사권 행사의 실효성을 확보하기 위한 것이다.

④ [X] 심판대상조항에 의한 자료제출요구는 그 성질상 대상자의 자발적 협조를 전제로 할 뿐이고 물리적 강제력을 수반하지 아니한다. 심판대상조항은 피조사자로 하여금 자료제출요구에 응할 의무를 부과하고, 허위 자료를 제출한 경우 형사처벌하고 있으나, 이는 형벌에 의한 불이익이라는 심리적, 간접적 강제수단을 통하여 진실한 자료를 제출하도록 함으로써 조사권 행사의 실효성을 확보하기 위한 것이다. 이와 같이 심판대상조항에 의한 자료제출요구는 행정조사의 성격을 가지는 것으로 수사기관의 수사와 근본적으로 그 성격을 달리하며, 청구인에 대하여 직접적으로 어떠한 물리적 강제력을 행사하는 강제처분을 수반하는 것이 아니므로 영장주의의 적용대상이 아니다(2019.9.26, 2016헌바381).

08 정답 ④

① [X] ③ [X]

법정의견 헌법 제12조 제3항에서 규정하고 있는 영장주의란 형사절차와 관련하여 체포·구속·압수·수색의 강제처분을 할 때 신분이 보장되는 법관이 발부한 영장에 의하지 않으면 안 된다는 원칙으로, 형사절차가 아닌 징계절차에도 그대로 적용된다고 볼 수 없다. 따라서 이 사건 영창조항이 헌법상 영장주의에 위반되는지 여부는 더 나아가 판단하지 아니한다(2016.3.31, 2013헌바190).

반대의견 헌법재판소는 헌법 제12조에 규정된 '신체의 자유'는 수사기관 뿐만 아니라 일반 행정기관을 비롯한 다른 국가기관 등에 의하여도 직접 제한될 수 있으므로, 헌법 제12조 소정의 '체포·구속' 역시 포괄적인 개념으로 해석해야 한다고 하면서, 모든 형태의 공권력 행사기관이 '체포' 또는 '구속'의 방법으로 '신체의 자유'를 제한하는 사안에 대하여는 체포·구속적부심사청구권을 규정한 헌법 제12조 제6항이 적용된다고 하였다(2004.3.25, 2002헌바104 참조). 그렇다면 헌법 제12조 제3항의 '체포·구속'도 수사기관뿐만 아니라 그 밖의 모든 형태의 공권력행사기관이 행하는 '체포' 또는 '구속'을 포함한다고 보는 것이 논리적으로 일관된 해석이다.

② [X]

법정의견 대간첩작전 또는 치안유지와 같이 전투경찰대가 수행하는 국가적 기능의 중요성과 일사불란한 지휘권 체계 확립의 필요성 등을 고려했을 때, 전투경찰순경의 복무기강을 엄정히 하고 단체적 전투력과 작전수행의 원활함 및 신속함을 달성하고자 하는 공익은 영창처분으로 인하여 전투경찰순경이 받게 되는 일정 기간 동안의 신체의 자유 제한 정도에 비해 결코 작다고 볼 수 없다. 따라서 이 사건 영창조항은 법익의 균형성원칙도 충족하였다(2016.3.31, 2013헌바190).

반대의견 전투경찰순경에 대한 영창처분은 신체에 대한 구금에 해당함에도 불구하고, 그 사유가 지나치게 포괄적으로 규정되어 있어 경미한 행위에도 제한이 적용될 수 있고, 영창처분의 보충적 적용도 규정되어 있지 아니하며, 그 구제절차 역시 실효성이 거의 없다. 따라서 이 사건 영창조항은 전투경찰순경의 신체의 자유를 필요 이상으로 과도하게 제한하고 있으므로, 침해의 최소성원칙에 어긋난다.

❹ [O] 헌법 제12조 제1항은 "… 법률과 적법한 절차에 의하지 아니하고는 처벌·보안처분 또는 강제노역을 받지 아니한다."라고 규정하여 적법절차원칙을 선언하고 있는데, 이 원칙은 형사소송절차에 국한되지 않고 모든 국가작용 전반에 대하여 적용된다고 할 것이므로 (2003.7.24, 2001헌가25), 전투경찰순경의 인신구금을 그 내용으로 하는 영창처분에 있어서도 헌법상 적법절차원칙이 준수될 것이 요청된다(2016.3.31, 2013헌바190).

09 정답 ④

① [O] 현행 「군인사법」에 따르면 병과 하사관은 군인이라는 공통점을 제외하고는 그 복무의 내용과 보직, 진급, 전역체계, 보수와 연금 등의 지급에서 상당한 차이가 있으며, 그 징계의 종류도 달리 규율하고 있다. 따라서 병과 하사관은 영창처분의 차별취급을 논할 만한 비교집단이 된다고 보기 어려우므로, 평등원칙 위배 여부는 더 나

아가 살피지 아니한다(2020.9.24, 2017헌바157 등).

② [○] 심판대상조항은 병의 복무규율준수를 강화하고, 복무기강을 엄정히 하기 위하여 제정된 것으로 군의 지휘명령체계의 확립과 전투력 제고를 목적으로 하는바, 그 입법목적은 정당하고, 심판대상조항은 병에 대하여 강력한 위하력을 발휘하므로 수단의 적합성도 인정된다(2020.9.24, 2017헌바157 등).

③ [○] 심판대상조항에 의한 영창처분은 징계처분임에도 불구하고 신분상 불이익 외에 신체의 자유를 박탈하는 것까지 그 내용으로 삼고 있어 징계의 한계를 초과한 점, 심판대상조항에 의한 영창처분은 그 실질이 구류형의 집행과 유사하게 운영되므로 극히 제한된 범위에서 형사상 절차에 준하는 방식으로 이루어져야 하는데, 영창처분이 가능한 징계사유는 지나치게 포괄적이고 기준이 불명확하여 영창처분의 보충성이 담보되고 있지 아니한 점, 심판대상조항은 징계위원회의 심의·의결과 인권담당 군법무관의 적법성 심사를 거치지만, 모두 징계권자의 부대 또는 기관에 설치되거나 소속된 것으로 형사절차에 견줄만한 중립적이고 객관적인 절차라고 보기 어려운 점, 심판대상조항으로 달성하고자 하는 목적은 인신구금과 같이 징계를 중하게 하는 것으로 달성되는 데 한계가 있고, 병의 비위행위를 개선하고 행동을 교정할 수 있도록 적절한 교육과 훈련을 제공하는 것 등으로 가능한 점, 이와 같은 점은 일본, 독일, 미국 등 외국의 입법례를 살펴보더라도 그러한 점 등에 비추어 심판대상조항은 침해의 최소성원칙에 어긋난다. 군대 내 지휘명령체계를 확립하고 전투력을 제고한다는 공익은 매우 중요한 공익이나, 심판대상조항으로 과도하게 제한되는 병의 신체의 자유가 위 공익에 비하여 결코 가볍다고 볼 수 없어, 심판대상조항은 법익의 균형성 요건도 충족하지 못한다(2020.9.24, 2017헌바157 등).

❹ [X] 반대의견이다. 헌법재판소의 법정의견은 영장주의에 대한 의견이 없다. 다만, 전경에 대한 징계 사건에서 영장주의가 영창에 적용되지 않는다는 것이 헌법재판소 법정의견이었다(2020.9.24, 2017헌바157 등).

10

정답 ②

① [X] 헌법상 공소권이 있는 검사에게만 반드시 영장신청권이 인정되어야 하는 것은 아니다. 수사처검사가 공익의 대표자로서 수사대상자의 기본권을 보호하는 역할을 하는 한 수사처검사가 영장신청권을 행사한다고 하여 이를 영장주의원칙에 위반된다고 할 수 없고, 공소권의 존부와 영장신청권의 행사 가부를 결부시켜야 한다는 주장은 직무와 지위의 문제를 동일하게 본 것으로 받아들이기 어렵다(2021.1.28, 2020헌마264).

❷ [○] 우리 헌법이 영장주의를 실현하는 과정에서 수사단계에서의 영장신청권자를 검사로 한정한 것은 검찰의 다른 수사기관에 대한 수사지휘권을 확립시켜 종래 빈번히 야기되었던 검사 아닌 다른 수사기관의 영장신청에서 오는 인권유린의 폐해를 방지하고, 반드시 법률전문가인 검사를 거치도록 함으로써 다른 수사기관의 무분별한 영장신청을 막아 기본권 침해가능성을 줄이는 데에 그 목적이 있다(2021.1.28, 2020헌마264).

③ [X] 이처럼 영장신청권자를 검사로 한정한 취지를 고려할 때, 영장신청권자로서의 '검사'는 '검찰권을 행사하는 국가기관'인 검사로서 공익의 대표자이자 인권옹호기관으로서의 지위에서 그에 부합하는 직무를 수행하는 자를 의미하는 것이지, 「검찰청법」상 검사만을 지칭하는 것으로 보기 어렵다(2021.1.28, 2020헌마264).

④ [X] 공소제기 및 유지행위가 「검찰청법」상 검사의 주된 직무에 해당한다고 할 것이나, 앞서 살펴본 바와 같이 헌법에서 검사를 영장신청권자로 한정한 취지는 검사가 공익의 대표자로서 인권을 옹호하는 역할을 하도록 하는 데에 있고, 검사가 공소제기 및 유지행위를 수행하기 때문에 검사를 영장신청권자로 한정한 것으로 볼 수는 없다.

11

정답 ②

① [○] 이 사건 긴급체포조항은 그 문언으로 볼 때 특정한 범죄의 존재나 그 범죄와 특정 피의자의 연관관계에 대하여 객관적이고 합리적인 혐의가 존재하고 객관적이고 합리적인 증거자료에 의하여 그 혐의가 어느 정도 뒷받침될 수 있어야 한다는 것을 의미함을 충분히 예측할 수 있고, 법관의 보충적인 가치판단을 통하여 그 의미 내용을 확인할 수 있으므로 명확성원칙에 위반되지 아니한다(2021.3.25, 2018헌바212).

❷ [X] 헌법 제12조 제3항 단서는 "현행범인인 경우와 장기 3년 이상의 형에 해당하는 죄를 범하고 도피 또는 증거인멸의 염려가 있을 때에는 사후에 영장을 청구할 수 있다."라고 규정함으로써, 현행범인을 체포하는 경우와 일정한 요건을 갖춘 긴급한 경우에는 예외적으로 법관이 사전에 발부한 영장을 제시하지 않아도 체포할 수 있도록 허용하고 있다(2021.3.25, 2018헌바212).

③ [○] 「형사소송법」은 긴급체포를 예외적으로만 허용하고 있고 피의자 석방시 석방의 사유 등을 법원에 통지하도록 하고 있으며 긴급체포된 피의자도 체포적부심사를 청구할 수 있어 긴급체포제도의 남용을 예방하고 있다.

④ [○] 이 사건 영장청구조항은 사후 구속영장의 청구시한을 체포한 때부터 48시간으로 정하고 있다. 이는 긴급체포의 특수성, 긴급체포에 따른 구금의 성격, 형사절차에 불가피하게 소요되는 시간 및 수사 현실 등에 비추어 볼 때 입법재량을 현저하게 일탈한 것으로 보기 어렵다. 또한 이 사건 영장청구조항은 체포한 때로부터 48시간 이내라 하더라도 피의자를 구속할 필요가 있는 때에는 지체 없이 구속영장을 청구하도록 함으로써 사후영장청구의 시간적 요건을 강화하고 있다. 따라서 이 사건 영장청구조항은 헌법상 영장주의에 위반되지 아니한다.

12

정답 ②

① [○] 헌법 제27조 제4항은 "형사피고인은 유죄의 판결이 확정될 때까지는 무죄로 추정한다."라고 하여 무죄추정의 원칙을 규정하고 있다. 이러한 무죄추정의 원칙은 프랑스 인권선언과 세계인권선언에서 명문화되었다.

❷ [X] 제8차 개정헌법에서 신설된 규정: 행복추구권, 형사피고인의 무죄추정, 연좌제금지, 사생활의 비밀과 자유, 적정임금조항, 평생교육에 관한 권리, 환경권

> **관련 판례** 헌법 제27조 제4항은 "형사피고인은 유죄의 판결이 확정될 때까지 무죄로 추정된다."라고 하여 이른바 무죄추정의 원칙을 선언하였는데 공소가 제기된 형사피고인에게 무죄추정의 원칙이 적용되는 이상, 아직 공소제기조차 되지 아니한 형사피의자에게 무죄추정의 원칙이 적용되는 것은 너무도 당연한 일이며 이 무죄추정의 원칙은 언제나 불리한 처지에 놓여 인권이 유린되기 쉬운 피의자, 피고인의 지위를 옹호하여 형사절차에서 그들의 불이익을 필요한 최소한에 그치게 하자는 것으로서 인간의 존엄성 존중을 궁극의 목표로 하고 있는 헌법이념에서 나온 것이다(1992.1.28, 91헌마111).

③ [○] 우리 헌법 제27조 제4항은 "형사피고인은 유죄의 판결이 확정될 때까지는 무죄로 추정된다."라고 하여 무죄추정의 원칙을 천명하고 있다. 무죄추정의 원칙이라 함은, 아직 공소제기가 없는 피의자

는 물론 공소가 제기된 피고인이라도 유죄의 확정판결이 있기까지 는 원칙적으로 죄가 없는 자에 준하여 취급하여야 하고 불이익을 입혀서는 안 되며 가사 그 불이익을 입힌다 하여도 필요한 최소한도에 그쳐야 한다는 원칙을 말한다(1990.11.19, 90헌가48).

④ [O] 헌법 제27조 제4항은 "형사피고인은 유죄의 판결이 확정될 때까지는 무죄로 추정된다."라고 규정하여 무죄추정의 원칙을 천명하고 있다. 무죄추정이란 유죄의 판결이 확정되기 전에 죄있는 자에 준하여 취급함으로써 법률적, 사실적 측면에서 유형, 무형의 불이익을 주는 것을 말하고, 여기서 불이익이란 유죄를 근거로 그에 대하여 사회적 비난 내지 기타 응보적 의미의 차별취급을 가하는 유죄 인정의 효과로서의 불이익을 뜻한다고 할 것이다(2005.5.26, 2002헌마699 등).

13 정답 ③

① [X] 헌법이 신체의 자유를 철저히 보장하기 위하여 두고 있는 여러 규정 중의 하나인 헌법 제27조 제4항은 "형사피고인은 유죄의 판결이 확정될 때까지는 무죄로 추정된다."라고 하여 무죄추정의 원칙 내지 피고인의 무죄추정권을 규정하고 있는데, 이러한 무죄추정권은 공판절차에 선행하는 수사절차의 단계에 위치한 피의자에 대하여도 당연히 인정된다(2003.11.27, 2002헌마193).

② [X] 헌법 제27조 제4항의 무죄추정의 원칙이란 공소의 제기가 있는 피고인이라 하더라도 불이익을 입혀서는 아니 된다는 것이며, 가사 그 불이익을 입힌다 하여도 필요한 최소한도에 그치도록 비례의 원칙이 존중되어야 할 것이다. 여기의 불이익에는 형사절차상의 처분뿐만 아니라 그 밖의 기본권 제한과 같은 처분도 포함된다고 할 것이다(1990.11.19, 90헌가48).

❸ [O] 헌법상 무죄추정의 원칙은 형사재판에 있어서 유죄의 판결이 확정될 때까지 피의자나 피고인은 원칙적으로 죄가 없는 자로 다루어져야 하고, 그 불이익은 필요최소한에 그쳐야 한다는 것을 의미한다. 이러한 무죄추정의 원칙은 증거법에 국한된 원칙이 아니라 수사절차에서 공판절차에 이르기까지 형사절차의 전 과정을 지배하는 지도원리로서 인신의 구속 자체를 제한하는 원리로 작용한다(2003.11.27, 2002헌마193). 2016년 법행

④ [X] 행정소송에 관한 판결이 확정되기 전에 행정청의 처분에 대하여 공정력과 집행력을 인정하는 것은 징계부가금에 국한되는 것이 아니라 우리 행정법체계에서 일반적으로 채택되고 있는 것이므로, 징계부가금 부과처분에 대하여 공정력과 집행력을 인정한다고 하여 이를 확정판결 전의 형벌집행과 같은 것으로 보아 곧바로 무죄추정원칙에 위배된다고 할 수 없다(2015.2.26, 2012헌바435).

14 정답 ④

① [X] 신체의 자유를 최대한으로 보장하려는 헌법정신 특히 무죄추정의 원칙으로 인하여 수사와 재판은 원칙적으로 불구속상태에서 이루어져야 한다. 그러므로 구속은 구속 이외의 방법에 의하여서는 범죄에 대한 효과적인 투쟁이 불가능하여 형사소송의 목적을 달성할 수 없다고 인정되는 예외적인 경우에 한하여 최후의 수단으로만 사용되어야 하며 구속수사 또는 구속재판이 허용될 경우라도 그 구속기간은 가능한 한 최소한에 그쳐야 한다(2009.6.25, 2007헌바25).

② [X] 「변호사법」 제15조에서 변호사에 대해 형사사건으로 공소가 제기되었다는 사실만으로 업무정지명령을 발하게 한 것은 아직 유무죄가 가려지지 아니한 범죄의 혐의사실뿐 확증 없는 상태에서 유죄로 추정하는 것이 되며 이를 전제로 한 불이익한 처분이라 할 것이다(1990.11.19, 90헌가48).

③ [X] 헌법 제27조 제4항은 "형사피고인은 유죄의 판결이 확정될 때까지 무죄로 추정된다."라고 하여 무죄추정의 원칙을 선언하고 있는바, 이는 언제나 불리한 처지에 놓여 인권이 유린되기 쉬운 피고인의 지위를 옹호하여 형사절차에서 그들의 불이익을 필요한 최소한에 그치게 하자는 것으로서 인간의 존엄성 존중을 궁극의 목표로 하는 헌법이념에서 나온 것이다. 비록 수형자라 하더라도 확정되지 않은 별도의 형사재판에서만큼은 미결수용자와 같은 지위에 있는 것이므로, 그를 죄 있는 자에 준하여 취급함으로써 법률적·사실적 측면에서 유형·무형의 불이익을 주어서는 아니 된다. 그런데 이러한 수형자로 하여금 형사재판 출석시 아무런 예외 없이 사복착용을 금지하고 재소자용 의류를 입도록 하여 인격적인 모욕감과 수치심 속에서 재판을 받도록 하는 것은, 그 재판과 관련하여 미결수용자의 지위임에도 이미 유죄의 확정판결을 받은 수형자와 같은 외관을 형성하게 함으로써 재판부나 검사 등 소송관계자들에게 유죄의 선입견을 줄 수 있는 등 무죄추정의 원칙에 위배될 소지가 크다(2015.12.23, 2013헌마712).

❹ [O] 수형자의 경우에는 이미 유죄판결이 확정된 자이므로 무죄추정의 원칙이라든가 방어권이 문제될 여지가 없다. 또한 무죄추정원칙이나 방어권은 원칙적으로 형사재판에서 문제되는 기본권인데, 청구인이 출정한 재판은 청구인이 국가를 상대로 제기한 민사재판이었고, 민사재판에서의 법관이, 당사자가 운동화가 아니라 고무신을 신었다는 이유로 불리한 심증을 갖거나 불공정한 재판진행을 하게 될 우려가 있다고 볼 수는 없다. 따라서 수형자인 청구인의 민사재판 출정시 운동화착용을 불허하였다고 하여 공정한 재판을 받을 권리가 침해될 여지는 없다(2011.2.24, 2009헌마209).

15 정답 ①

❶ [X] 이 사건 법률조항에 의한 과징금은 형사처벌이 아닌 행정상의 제재이고, 행정소송에 관한 판결이 확정되기 전에 행정청의 처분에 대하여 공정력과 집행력을 인정하는 것은 이 사건 과징금에 국한되는 것이 아니라 우리 행정법체계에서 일반적으로 채택되고 있는 것이므로, 과징금 부과처분에 대하여 공정력과 집행력을 인정한다고 하여 이를 확정판결 전의 형벌집행과 같은 것으로 보아 무죄추정의 원칙에 위반된다고 할 수 없다(2003.7.24, 2001헌가25).

② [O] 이 사건 법률조항은 수용자의 의료보장체계를 일원화하기 위한 입법정책적 판단에 기인한 것이며 유죄의 확정판결이 있기 전인 미결수용자에게 어떤 불이익을 주기 위한 것은 아니므로 무죄추정의 원칙에 위반된다고 할 수 없다(2005.2.24, 2003헌마31 등).

③ [O] 미결구금은 신체의 자유를 침해받는 피의자 또는 피고인의 입장에서 보면 실질적으로 자유형의 집행과 다를 바 없으므로, 인권보호 및 공평의 원칙상 형기에 전부 산입되어야 한다. 따라서 「형법」 제57조 제1항 중 '또는 일부 부분'은 헌법상 무죄추정의 원칙 및 적법절차의 원칙 등을 위배하여 합리성과 정당성 없이 신체의 자유를 침해한다(2009.6.25, 2007헌바25).

④ [O] 상소제기 후 상소 취하시까지의 구금 역시 미결구금에 해당하는 이상 그 구금일수도 형기에 전부 산입되어야 한다. 상소제기 후 상소 취하시까지의 미결구금을 형기에 산입하지 아니하는 것은 헌법상 무죄추정의 원칙 및 적법절차의 원칙, 평등원칙 등을 위배하여 합리성과 정당성 없이 신체의 자유를 지나치게 제한하는 것으로 헌법에 위반된다(2009.12.29, 2008헌가13 등).

16 정답 ②

ㄱ. [X] 교도소에 수용된 때에는 국민건강보험급여를 정지하도록 한 「국민건강보험법」 제49조 제4호는 수용자의 의료보장체계를 일원화하기 위한 입법정책적 판단에 기인한 것이며 유죄의 확정판결이 있기 전인 미결수용자에게 어떤 불이익을 주기 위한 것은 아니므로 무죄추정의 원칙에 위반된다고 할 수 없다(2005.2.24, 2003헌마31).

ㄴ. [O] 형사소송에 있어서 경찰공무원은 당해 피고인에 대한 수사를 담당하였는지의 여부에 관계없이 그 피고인에 대한 공판과정에서는 고소인이나 고발인과 마찬가지로 소송당사자가 아닌 제3자라고 할 수 있어 수사담당 경찰공무원이라 하더라도 증인의 지위에 있을 수 있음을 부정할 수 없고, 이러한 증인신문 역시 공소사실과 관련된 실체적 진실을 발견하기 위한 것이지 피고인을 유죄로 추정하기 때문이라고 인정할 만한 아무런 근거도 없다는 점에서, 「형사소송법」 제146조가 무죄추정의 원칙에 반한다고 말할 수는 없다. 재판기관이 수사기관과 완전히 분리된 탄핵주의적 형사소송제도하에서 공소사실과 관련된 수사기관의 구성원을 증인으로 신문하는 것은 오히려 논리적으로 모순이 되지 않는다(2001.11.29, 2001헌바41).

ㄷ. [O] 미결구금수가 구독하는 신문기사의 삭제행위는 처벌적인 성격을 갖는 억압행위이거나 청구인과 같은 미결수용자를 수형자처럼 취급하려 함에 있는 것이 아니라, 이미 구금된 사람에 대해 인적 물적 자원이 열악한 현 구치소 내의 정당한 질서유지와 보안을 위한 것이므로, 이로서 헌법상의 무죄추정조항을 위배한 것이라고는 할 수 없다(1998.10.29, 98헌마4).

ㄹ. [O] 구속된 피의자 또는 피고인이 갖는 변호인 아닌 자와의 접견교통권은 헌법 제10조의 행복추구권에 근거하여 인정되는 일반적 행동자유권 또는 헌법 제27조 제4항의 무죄추정의 원칙에서 도출되는 헌법상의 기본권이다(2003.11.27, 2002헌마193).

ㅁ. [O] 비록 수형자라 하더라도 확정되지 않은 별도의 형사재판에서만큼은 미결수용자와 같은 지위에 있는 것이므로, 그를 죄 있는 자에 준하여 취급함으로써 법률적·사실적 측면에서 유형·무형의 불이익을 주어서는 아니 된다. 그런데 이러한 수형자로 하여금 형사재판 출석시 아무런 예외 없이 사복착용을 금지하고 재소자용 의류를 입도록 하여 인격적인 모욕감과 수치심 속에서 재판을 받도록 하는 것은, 그 재판과 관련하여 미결수용자의 지위임에도 이미 유죄의 확정판결을 받은 수형자와 같은 외관을 형성하게 함으로써 재판부나 검사 등 소송관계자들에게 유죄의 선입견을 줄 수 있는 등 무죄추정의 원칙에 위배될 소지가 크다(2015.12.23, 2013헌마712).

ㅂ. [O] 「관세법」 몰수할 것으로 인정되는 물품을 압수한 경우에 있어서 범인이 당해 관서에 출두하지 아니하거나 또는 범인이 도주하여 그 물품을 압수한 날로부터 4월을 경과한 때에는 당해 물품은 별도의 재판이나 처분 없이 국고에 귀속한다고 규정하고 있는 이 사건 법률조항은 재판이나 청문의 절차도 밟지 아니하고 압수한 물건에 대한 피의자의 재산권을 박탈하여 국고귀속시킴으로써 그 실질은 몰수형을 집행한 것과 같은 효과를 발생하게 하는 것이므로 헌법상의 적법절차의 원칙과 무죄추정의 원칙에 위배된다(1997.5.29, 96헌가17).

ㅅ. [X] 법 위반사실의 공표명령은 공소제기조차 되지 아니하고 단지 고발만 이루어진 수사의 초기단계에서 아직 법원의 유무죄에 대한 판단이 가려지지 아니하였는데도 관련 행위자를 유죄로 추정하는 불이익한 처분이라고 아니할 수 없다(2002.1.31, 2001헌바43).

17 정답 ③

① [O] 형사절차가 종료되어 교정시설에 수용 중인 수형자는 원칙적으로 변호인의 조력을 받을 권리의 주체가 될 수 없으나, 재심절차 등에는 변호인 선임을 위한 일반적인 교통·통신이 보장될 수 있다(1998.8.27, 96헌마398).

② [O] 우리 헌법은 변호인의 조력을 받을 권리가 불구속 피의자·피고인 모두에게 포괄적으로 인정되는지 여부에 관하여 명시적으로 규율하고 있지는 않지만, 불구속 피의자의 경우에도 변호인의 조력을 받을 권리는 우리 헌법에 나타난 법치국가원리, 적법절차원칙에서 인정되는 당연한 내용이고, 헌법 제12조 제4항도 이를 전제로 특히 신체구속을 당한 사람에 대하여 변호인의 조력을 받을 권리의 중요성을 강조하기 위하여 별도로 명시하고 있다(2004.9.23, 2000헌마138).

❸ [X] ④ [O] 변호인의 조력을 받을 권리를 실질적으로 보장하기 위하여는 변호인과의 접견교통권의 인정이 당연한 전제가 되므로, 임의동행의 형식으로 수사기관에 연행된 피의자에게도 변호인 또는 변호인이 되려는 자와의 접견교통권은 당연히 인정된다고 보아야 하고, 임의동행의 형식으로 연행된 피내사자의 경우에도 이는 마찬가지이다(대결 1996.6.3, 96모18).

18 정답 ④

① [O] 헌법 제12조 제4항 본문은 체포 또는 구속을 당한 때에 '즉시' 변호인의 조력을 받을 권리를 가진다고 규정함으로써 변호인이 선임되기 이전에도 피의자 등에게 변호인의 조력을 받을 권리가 있음을 분명히 하고 있다(2019.2.28, 2015헌마1204).

② [O] 형사절차가 종료되어 교정시설에 수용 중인 수형자는 원칙적으로 변호인의 조력을 받을 권리의 주체가 될 수 없다. 다만, 수형자의 경우에도 재심절차 등에는 변호인 선임을 위한 일반적인 교통·통신이 보장될 수도 있다(1998.8.27, 96헌마398).

③ [O] 헌법 제12조 제4항의 변호인의 조력을 받을 권리는 신체의 자유에 관한 영역으로서 가사소송에서 당사자가 변호사를 대리인으로 선임하여 그 조력을 받는 것은 그 보호영역에 포함된다고 보기 어렵다(2012.10.25, 2011헌마598).

❹ [X] 구속된 피의자 또는 피고인이 갖는 변호인 아닌 자와의 접견교통권은 미결수용자의 접견교통권은 헌법재판소가 헌법 제10조의 행복추구권에 포함되는 기본권의 하나로 인정하고 있는 일반적 행동자유권으로부터 나온다고 보아야 할 것이고, 무죄추정의 원칙을 규정한 헌법 제27조 제4항도 그 보장의 한 근거가 될 것이다.

19 정답 ③

① [O] 우리 헌법은 변호인의 조력을 받을 권리가 불구속 피의자·피고인 모두에게 포괄적으로 인정되는지 여부에 관하여 명시적으로 규율하고 있지는 않지만, 불구속 피의자의 경우에도 변호인의 조력을 받을 권리는 우리 헌법에 나타난 법치국가원리, 적법절차원칙에서 인정되는 당연한 내용이고, 헌법 제12조 제4항도 이를 전제로 특히 신체구속을 당한 사람에 대하여 변호인의 조력을 받을 권리의 중요성을 강조하기 위하여 별도로 명시하고 있다. 피의자·피고인의 구속 여부를 불문하고 조언과 상담을 통하여 이루어지는 변호인의 조력자로서의 역할은 변호인 선임권과 마찬가지로 변호인의 조력을 받을 권리의 내용 중 가장 핵심적인 것이고, 변호인과 상담하고 조언을 구할 권리는 변호인의 조력을 받을 권리의 내용 중

구체적인 입법형성이 필요한 다른 절차적 권리의 필수적인 전제요건으로서 변호인의 조력을 받을 권리 그 자체에서 막바로 도출되는 것이다(2004.9.23, 2000헌마138).

② [○] 우리 헌법은 변호인의 조력을 받을 권리가 불구속 피의자·피고인 모두에게 포괄적으로 인정되는지 여부에 관하여 명시적으로 규율하고 있지는 않지만, 불구속 피의자의 경우에도 변호인의 조력을 받을 권리는 우리 헌법에 나타난 법치국가원리, 적법절차원칙에서 인정되는 당연한 내용이고, 헌법 제12조 제4항도 이를 전제로 특히 신체구속을 당한 사람에 대하여 변호인의 조력을 받을 권리의 중요성을 강조하기 위하여 별도로 명시하고 있다(2004.9.23, 2000헌마138).

❸ [X] 구속피고인 변호인 면접·교섭권은 독자적으로 존재하는 것이 아니라 국가형벌권의 적정한 행사와 피고인의 인권 보호라는 형사소송절차의 전체적인 체계 안에서 의미를 갖고 있는 것이다. 따라서 구속피고인의 변호인 면접·교섭권은 최대한 보장되어야 하지만, 형사소송절차의 위와 같은 목적을 구현하기 위하여 제한될 수 있다. 다만 이 경우에도 그 제한은 엄격한 비례의 원칙에 따라야 하고, 시간·장소·방법 등 일반적 기준에 따라 중립적이어야 한다(2009.10.29, 2007헌마992).

④ [○] 불구속 피의자나 피고인의 경우 「형사소송법」상 특별한 명문의 규정이 없더라도 스스로 선임한 변호인의 조력을 받기 위하여 변호인을 옆에 두고 조언과 상담을 구하는 것은 수사절차의 개시에서부터 재판절차의 종료에 이르기까지 언제나 가능하다. 따라서 불구속 피의자가 피의자신문시 변호인을 대동하여 신문과정에서 조언과 상담을 구하는 것은 신문과정에서 필요할 때마다 퇴거하여 변호인으로부터 조언과 상담을 구하는 번거로움을 피하기 위한 것으로서 불구속 피의자가 피의자신문장소를 이탈하여 변호인의 조언과 상담을 구하는 것과 본질적으로 아무런 차이가 없다. 「형사소송법」 제243조는 피의자신문시 의무적으로 참여하여야 하는 자를 규정하고 있을 뿐 적극적으로 위 조항에서 규정한 자 이외의 자의 참여나 입회를 배제하고 있는 것은 아니다. 따라서 불구속 피의자가 피의자신문시 변호인의 조언과 상담을 원한다면, 위법한 조력의 우려가 있어 이를 제한하는 다른 규정이 있고 그가 이에 해당한다고 하지 않는 한 수사기관은 피의자의 위 요구를 거절할 수 없다(2004.9.23, 2000헌마138).

20 정답 ③

① [○] 변호인의 조력을 받을 권리에 대한 헌법과 법률의 규정 및 취지에 비추어 보면, '형사사건에서 변호인의 조력을 받을 권리'를 의미한다고 보아야 할 것이므로 형사절차가 종료되어 교정시설에 수용 중인 수형자나 미결수용자가 형사사건의 변호인이 아닌 민사재판, 행정재판, 헌법재판 등에서 변호사와 접견할 경우에는 원칙적으로 헌법상 변호인의 조력을 받을 권리의 주체가 될 수 없다(2013.9.26, 2011헌마398).

② [○] 현대사회의 복잡다단한 소송에서의 법률전문가의 증대되는 역할, 민사법상 무기 대등의 원칙 실현, 헌법소송의 변호사강제주의 적용 등을 감안할 때, 교정시설 내 수용자와 그 소송대리인인 변호사 사이의 접견교통권의 보장은 헌법상 보장되는 재판청구권의 한 내용 또는 그로부터 파생되는 권리로 볼 수 있다(2013.8.29, 2011헌마122).

❸ [X]

> **「형사소송법」 제266조의3 【공소제기 후 검사가 보관하고 있는 서류 등의 열람·등사】** ① 피고인 또는 변호인은 검사에게 공소제기된 사건에 관한 서류 또는 물건(이하 '서류 등'이라 한다)의 목록과 공소사실의 인정 또는 양형에 영향을 미칠 수 있는 다음 서류 등의 열람·등사 또는 서면의 교부를 신청할 수 있다. 다만, 피고인에게 변호인이 있는 경우에는 피고인은 열람만을 신청할 수 있다.

④ [○] 구속피고인 변호인면접·교섭권은 독자적으로 존재하는 것이 아니라 국가형벌권의 적정한 행사와 피고인의 인권 보호라는 형사소송절차의 전체적인 체계 안에서 의미를 갖고 있는 것이다. 따라서 구속피고인의 변호인면접·교섭권은 최대한 보장되어야 하지만, 형사소송절차의 위와 같은 목적을 구현하기 위하여 제한될 수 있다. 다만 이 경우에도 그 제한은 엄격한 비례의 원칙에 따라야 하고, 시간·장소·방법 등 일반적 기준에 따라 중립적이어야 한다(2009.10.29, 2007헌마992).

26회 진도별 모의고사

신체의 자유

정답

01	①	02	②	03	①	04	③
05	①	06	④	07	④	08	①
09	③	10	①	11	②	12	①
13	③	14	①	15	②	16	③
17	③	18	①	19	④	20	①

01

정답 ①

❶ [X] 변호인의 조력을 받을 권리도 법률로 제한할 수 있는 기본권이나, 변호인과의 자유로운 접견교통권은 헌법 제37조 제2항의 본질적 내용에 해당하여 국가안전보장, 질서유지, 공공복리를 위하여 법률로 제한할 수 없다. 대법원의 판례에 따르면 변호인의 접견교통권은 법령에 의한 제한이 없는 한 수사기관의 처분은 물론 법원의 결정으로도 제한할 수 없다(1990.2.14, 89도37).

② [O] 변호인 접견의 상황이나 수사 또는 재판의 진행과정에 비추어 미결수용자가 방어권을 행사하기 위해 변호인의 조력을 받을 기회가 충분히 보장되었다고 인정될 수 있는 경우에는, 비록 미결수용자 또는 그 상대방인 변호인이 원하는 특정 시점에는 접견이 이루어지지 못하였다 하더라도 변호인의 조력을 받을 권리가 침해되었다고 할 수 없다(2011.5.26, 2009헌마341).

③ [O] 변호인의 조력을 받을 권리란 국가권력의 일방적인 형벌권 행사에 대항하여 자신에게 부여된 헌법상, 소송법상의 권리를 효율적이고 독립적으로 행사하기 위하여 변호인의 도움을 얻을 피의자·피고인의 권리를 의미한다. 이러한 변호인의 조력을 받을 권리의 출발점은 변호인선임권에 있고, 이는 변호인의 조력을 받을 권리의 가장 기초적인 구성 부분으로서 법률로써도 제한할 수 없다(2004.9.23., 2000헌마138).

④ [O] 변호인과의 자유로운 접견은 신체구속을 당한 사람에게 보장된 변호인의 조력을 받을 권리의 가장 중요한 내용이어서 국가안전보장, 질서유지, 공공복리 등 어떠한 명분으로도 제한될 수 있는 성질의 것이 아니다(1992.1.28, 91헌마111).

02

정답 ②

① [X] 구속피고인 변호인 면접·교섭권은 독자적으로 존재하는 것이 아니라 국가형벌권의 적정한 행사와 피고인의 인권 보호라는 형사소송절차의 전체적인 체계 안에서 의미를 갖고 있는 것이다. 따라서 구속피고인의 변호인 면접·교섭권은 최대한 보장되어야 하지만, 형사소송절차의 위와 같은 목적을 구현하기 위하여 제한될 수 있다. 다만, 이 경우에도 그 제한은 엄격한 비례의 원칙에 따라야 하고, 시간·장소·방법 등 일반적 기준에 따라 중립적이어야 한다(2009.10.29, 2007헌마992).

❷ [O] 우리 헌법은 변호인의 조력을 받을 권리가 불구속 피의자·피고인 모두에게 포괄적으로 인정되는지 여부에 관하여 명시적으로 규율하고 있지는 않지만, 불구속 피의자의 경우에도 변호인의 조력을 받을 권리는 우리 헌법에 나타난 법치국가원리, 적법절차원칙에서 인정되는 당연한 내용이고, 헌법 제12조 제4항도 이를 전제로 특히 신체구속을 당한 사람에 대하여 변호인의 조력을 받을 권리의 중요성을 강조하기 위하여 별도로 명시하고 있다(2004.9.23, 2000헌마138).

③ [X] 헌법재판소가 91헌마111 결정에서 미결수용자와 변호인과의 접견에 대해 어떠한 명분으로도 제한할 수 없다고 한 것은 구속된 자와 변호인 간의 접견이 실제로 이루어지는 경우에 있어서의 '자유로운 접견', 즉 '대화 내용에 대하여 비밀이 완전히 보장되고 어떠한 제한, 영향, 압력 또는 부당한 간섭 없이 자유롭게 대화할 수 있는 접견'을 제한할 수 없다는 것이지, 변호인과의 접견 자체에 대해 아무런 제한도 가할 수 없다는 것을 의미하는 것이 아니므로 미결수용자의 변호인접견권 역시 국가안전보장·질서유지 또는 공공복리를 위해 필요한 경우에는 법률로써 제한될 수 있음은 당연하다(2011.5.26, 2009헌마341).

④ [X] 헌법 제12조 제4항의 "누구든지 체포 또는 구속을 당한 때에는 즉시 변호인의 조력을 받을 권리를 가진다. 다만, 형사피고인이 스스로 변호인을 구할 수 없을 때에는 법률이 정하는 바에 의하여 국가가 변호인을 붙인다."라는 규정은, 일반적으로 형사사건에 있어 변호인의 조력을 받을 권리는 피의자나 피고인을 불문하고 보장되나, 그중 특히 국선변호인의 조력을 받을 권리는 피고인에게만 인정되는 것으로 해석함이 상당하다(2008.9.25, 2007헌마1126). 2018년 비상업무

03

정답 ①

❶ [O]

> 「형사소송법」 제33조 【국선변호인】 ② 법원은 피고인이 빈곤이나 그 밖의 사유로 변호인을 선임할 수 없는 경우에 피고인이 청구하면 변호인을 선정하여야 한다.

② [X] 피고인을 위하여 선정된 국선변호인이 법정기간 내에 항소이유서를 제출하지 아니하면 이는 피고인을 위하여 요구되는 충분한 조력을 제공하지 아니한 것으로 보아야 하고, 이런 경우에 피고인에게 책임을 돌릴 만한 아무런 사유가 없는데도 항소법원이 「형사소송법」 제361조의4 제1항 본문에 따라 피고인의 항소를 기각한다면, 이는 피고인에게 국선변호인으로부터 충분한 조력을 받을 권리를 보장하고 이를 위한 국가의 의무를 규정하고 있는 헌법의 취지에 반하는 조치이다(대결 전합체 2012.2.16, 2009모1044).

③ [X] 사건을 수사한 경찰관이 청구인(피의자)이 제출한 국선변호인 선정신청서를 법원에 제출할 작위의무는 헌법상으로나 법률상으로도 도출되지 아니하므로, 그 부작위의 위헌확인을 구하는 이 부분 심판청구는 작위의무 없는 공권력의 불행사에 대한 헌법소원으로서 부적법하다 할 것이다(2008.9.25, 2007헌마1126).

➡ 피의자는 국선변호인의 조력을 받을 권리의 주체가 아니므로 경찰서장에게 피의자의 선정신청서를 법원에 제출할 의무는 없다.

④ [X] 「형사소송법」 제33조, 제201조의2 제9항, 제214조의2 제9항은 일정한 피고인 또는 피의자심문을 받거나 체포·구속적부심사를 청구한 피의자에 대하여 국선변호인을 선정한다는 규정일 뿐이고, 사법경찰관이 그로부터 피의자신문을 받는 단계에 있는 피의자가 제출하는 국선변호인 선정신청서를 법원에 제출하여야 할 의무를 인정할 관계 법령의 근거는 없다(2008.9.25, 2007헌마1126).

04

정답 ③

① [O] ④ [O] 미결수용자와 변호인 사이의 서신으로서 그 비밀을 보장받기 위하여는, 첫째, 교도소 측에서 상대방이 변호인이라는 사실을 확인할 수 있어야 하고, 둘째, 서신을 통하여 마약 등 소지금지품의 반입을 도모한다든가 그 내용에 도주·증거인멸·수용시설의 규율과 질서의 파괴·기타 형벌법령에 저촉되는 내용이 기재되어 있다고 의심할 만한 합리적인 이유가 있는 경우가 아니어야 한다(1995.7.21, 92헌마144).

② [O] X-ray 물품검색기나 변호인접견실에 설치된 비상벨만으로는 교정사고를 방지하거나 금지물품을 적발하는 데 한계가 있으므로 CCTV 관찰행위는 그 목적을 달성하기 위하여 필요한 범위 내의 제한이다. 따라서 CCTV 관찰행위는 청구인의 변호인의 조력을 받을 권리를 침해한다고 할 수 없다(2016.4.28, 2015헌마243).

❸ [X] 발신자가 변호사로 표시되어 있다고 하더라도 실제 변호사인지 여부 및 수용자의 변호인에 해당하는지 여부를 확인하는 것은 불가능하거나 지나친 행정적 부담을 초래한다. 미결수용자와 같은 지위에 있는 수형자는 서신 이외에도 접견 또는 전화통화에 의해서도 변호사와 접촉하여 형사소송을 준비할 수 있다. 이 사건 서신개봉행위와 같이 금지물품이 들어 있는지를 확인하기 위하여 서신을 개봉하는 것만으로는 미결수용자와 같은 지위에 있는 수형자가 변호인의 조력을 받을 권리를 침해하지 아니한다(2021.10.28, 2019헌마973).

05

정답 ①

ㄱ. [X] 헌법재판소는 변호인의 조력을 받을 권리가 수형자의 경우에도 그대로 보장되는지에 대하여, 변호인의 조력을 받을 권리에 대한 헌법과 법률의 규정 및 취지에 비추어 보면 형사절차가 종료되어 교정시설에 수용 중인 수형자는 원칙적으로 변호인의 조력을 받을 권리의 주체가 될 수 없다고 선언한 바 있다. 즉, 변호인의 조력을 받을 권리는 '형사사건'에서의 변호인의 조력을 받을 권리를 의미한다. 따라서 수형자가 형사사건의 변호인이 아닌 민사사건, 행정사건, 헌법소원사건 등에서 변호사와 접견할 경우에는 원칙적으로 헌법상 변호인의 조력을 받을 권리의 주체가 될 수 없다(2013.9.26, 2011헌마398).

ㄴ. [O] 강력범죄 또는 조직폭력범죄의 수사와 재판에서 범죄입증을 위해 증언한 자의 안전을 효과적으로 보장해 줄 수 있는 조치가 마련되어야 할 필요성은 매우 크고, 경우에 따라서는 증인이 피고인의 변호인과 대면하여 진술하는 것으로부터 보호할 필요성이 있을 수 있다. 피고인 등과 증인 사이에 차폐시설을 설치한 경우에도 피고인 및 변호인에게는 여전히 반대신문권이 보장되고, 증인신문과정에서 증언의 신빙성에 대한 최종 판단권한을 가진 재판부가 증인의 진술태도를 충분히 관찰할 수 있으며, 「형사소송법」은 차폐시설을 설치하고 증인신문절차를 진행할 경우 피고인으로부터 의견을 듣도록 하는 등 피고인이 받을 수 있는 불이익을 최소화하기 위한 장치를 마련하고 있다. 따라서 심판대상조항은 과잉금지원칙에 위배되어 청구인의 공정한 재판을 받을 권리 및 변호인의 조력을 받을 권리를 침해한다고 할 수 없다(2016.12.29, 2015헌바221).

ㄷ. [X] 법원의 열람·등사 허용결정에도 불구하고 검사가 이를 신속하게 이행하지 아니하는 경우에는 해당 증인 및 서류 등을 증거로 신청할 수 없는 불이익을 받는 것에 그치는 것이 아니라, 그러한 검사의 거부행위는 피고인의 열람·등사권을 침해하고, 나아가 피고인의 신속·공정한 재판을 받을 권리 및 변호인의 조력을 받을 권리까지 침해하게 되는 것이다(2010.6.24, 2009헌마257).

ㄹ. [X] 구속된 피의자 또는 피고인이 갖는 변호인 아닌 자와의 접견교통권은 미결수용자의 접견교통권은 헌법재판소가 헌법 제10조의 행복추구권에 포함되는 기본권의 하나로 인정하고 있는 일반적 행동자유권으로부터 나온다고 보아야 할 것이고, 무죄추정의 원칙을 규정한 헌법 제27조 제4항도 그 보장의 한 근거가 될 것이다(2003.11.27, 2002헌마193).

ㅁ. [X]

> **「형사소송법」 제266조의3【공소제기 후 검사가 보관하고 있는 서류 등의 열람·등사】** ① 피고인 또는 변호인은 검사에게 공소 제기된 사건에 관한 서류 또는 물건(이하 '서류 등'이라 한다)의 목록과 공소사실의 인정 또는 양형에 영향을 미칠 수 있는 다음 서류 등의 열람·등사 또는 서면의 교부를 신청할 수 있다. 다만, 피고인에게 변호인이 있는 경우에는 피고인은 열람만을 신청할 수 있다.

ㅂ. [X] 「형사소송법」 제34조는 "변호인 또는 변호인이 되려는 자는 신체구속을 당한 피고인 또는 피의자와 접견하고 서류 또는 물건을 수수할 수 있으며 의사로 하여금 진료하게 할 수 있다."라고 규정하고 있으므로, 변호인이 되려는 의사를 표시한 자가 객관적으로 변호인이 될 가능성이 있다고 인정되는데도, 「형사소송법」 제34조에서 정한 변호인 또는 변호인이 되려는 자가 아니라고 보아 신체구속을 당한 피고인 또는 피의자와 접견하지 못하도록 제한하여서는 아니 된다(대판 2017.3.9, 2013도16162).

06

정답 ④

ㄱ. [O] 청구인은 법정 옆 구속피고인 대기실에서 재판을 대기하던 중 자신에 대한 재판 시작 전 약 20분 전에 교도관 김○호에게 변호인과의 면담을 요구하였다. 결국 위와 같은 시간적·장소적 상황을 고려할 때, 청구인의 면담 요구는 구속피고인의 변호인과의 면접·교섭권으로서 현실적으로 보장할 수 있는 한계범위 밖이라고 아니할 수 없다. 따라서 청구인의 변호인 면담 요구를 받아들이지 아니한 교도관 김○호의 접견불허행위는 청구인의 기본권을 침해하는 위헌적인 공권력의 행사라고 보기 어렵다(2009.10.29, 2007헌마992).

ㄴ. [X] 청구인이 구속된 후 6.1. 청구인의 국선변호인이 선정되었고, 그 국선변호인은 6.5. 청구인에 대한 접견을 신청하였는데, 접견을 희망한 6.6.이 현충일로 공휴일이라는 이유로 접견이 거부되었고, 이로부터 이틀 후인 6.8. 청구인과 변호인의 접견이 실시되었다. 결국 이 사건 접견불허처분을 전후한 청구인과 변호인의 접견상황, 청구인에 대한 재판의 진행과정 등에 비추어 볼 때, 이 사건 접견불허처분이 청구인의 변호인의 조력을 받을 권리를 침해하였다고 볼 수 없다(2011.5.26, 2009헌마341).

ㄷ. [X] 변호사 직무의 공공성, 윤리성 및 사회적 책임성은 변호사접견권을 이용한 증거인멸, 도주 및 마약 등 금지물품 반입 시도 등의 우려를 최소화시킬 수 있으며, 변호사접견이라 하더라도 교정시설의 질서 등을 해할 우려가 있는 특별한 사정이 있는 경우에는 예외를 두도록 한다면 악용될 가능성도 방지할 수 있다. 따라서 이 사건 접견조항은 과잉금지원칙에 위배하여 청구인의 재판청구권을 지나치게 제한하고 있으므로, 헌법에 위반된다(2013.8.29, 2011헌마122).

ㄹ. [X] 「형의 집행 및 수용자의 처우에 관한 법률」 제84조 제2항에 의해 금지되는 접견시간 제한의 의미는 접견에 관한 일체의 시간적 제한이 금지된다는 것으로 볼 수는 없고, 수용자와 변호인의 접견이 현실적으로 실시되는 경우, 그 접견이 미결수용자와 변호인의 접견인 때에는 미결수용자의 방어권 행사로서의 중요성을 감안하여 자유롭고 충분한 변호인의 조력을 보장하기 위해 접견시간을 양적으로 제한하지 못한다는 의미로 이해하는 것이 타당하므로, 「형의

집행 및 수용자의 처우에 관한 법률」 제84조 제2항에도 불구하고 같은 법 제41조 제4항의 위임에 따라 수용자의 접견이 이루어지는 일반적인 시간대를 대통령령으로 규정하는 것은 가능하다(2011. 5.26, 2009헌마341).

ㅁ. [X] 변호사인 변호인에게는 「변호사법」이 정하는 바에 따라서 이른바 진실의무가 인정되는 것이지만, 변호인이 신체구속을 당한 사람에게 법률적 조언을 하는 것은 그 권리이자 의무이므로 변호인이 적극적으로 피고인 또는 피의자로 하여금 허위진술을 하도록 하는 것이 아니라 단순히 헌법상 권리인 진술거부권이 있음을 알려 주고 그 행사를 권고하는 것을 가리켜 변호사로서의 진실의무에 위배되는 것이라고는 할 수 없다. 나아가, 신체구속을 당한 피의자 또는 피고인이 범한 것으로 의심받고 있는 범죄행위에 해당 변호인이 관련되어 있다는 등의 사유에 기하여 그 변호인의 변호활동을 광범위하게 규제하는 변호인의 제척과 같은 제도를 두고 있지 아니한 우리 법제 아래에서는, 변호인의 접견교통의 상대방인 신체구속을 당한 사람이 그 변호인을 자신의 범죄행위에 공범으로 가담시키려고 하였다는 등의 사정만으로 그 변호인의 신체구속을 당한 사람과의 접견교통을 금지하는 것이 정당화될 수는 없다(대결 2007.1.31, 2006모656).

ㅂ. [O] 변호인 또는 변호인이 되려는 자의 접견교통권은 신체구속제도 본래의 목적을 침해하지 아니하는 범위 내에서 행사되어야 하므로, 변호인 또는 변호인이 되려는 자가 구체적인 시간적·장소적 상황에 비추어 현실적으로 보장할 수 있는 한계를 벗어나 피고인 또는 피의자를 접견하려고 하는 것은 정당한 접견교통권의 행사에 해당하지 아니하여 허용될 수 없다(대판 2017.3.9, 2013도16162).

07

정답 ④

① [O] 이는 변호인접견시 수수된 서류에 소송서류 외에 제3자 앞으로 보내는 서신과 같은 서류가 포함되어 있는지 또는 금지물품이 서류 속에 숨겨져 있는지 여부를 확인하는 것일 뿐 서류에 기재된 내용을 구체적으로 확인하지는 않고 있으며, 담당교도관이 소송서류에 금지물품이 들어있는지 여부를 확인하였다는 징표이자 구치소에서 외부로 반출되는 서류나 외부에서 구치소로 반입되는 서류를 관리하는 차원에서 이루어지는 것일 뿐 서류의 내용을 알아내기 위한 것으로는 보이지 아니하며, 교도소 내에서 금지물품이 발견된 경우 그 반입경위를 추적하는 데 유용한 자료가 될 수 있다. 따라서 서류확인 및 등재행위는 청구인의 변호인의 조력을 받을 권리를 침해한다고 할 수 없다(2016.4.28, 2015헌마243).

② [O] 관계 공무원은 구속된 자와 변호인의 대담 내용을 들을 수 있거나 녹음이 가능한 거리에 있어서는 아니 되며 계호나 그 밖의 구실 아래 대화장면의 사진을 찍는 등 불안한 분위기를 조성하여 자유로운 접견에 지장을 주어서도 아니 될 것이다. 국가안전기획부 소속 직원이 접견에 참여하여 대화 내용을 듣거나 기록한 것은 접견교통권을 침해한 것이다(1992.1.28, 91헌마111).

③ [O] 헌법 제12조 제4항 본문은 신체구속을 당한 사람에 대하여 변호인의 조력을 받을 권리를 규정하고 있는바, 이를 위하여서는 신체구속을 당한 사람에게 변호인과 사이의 충분한 접견교통을 허용함은 물론 교통 내용에 대하여 비밀이 보장되고 부당한 간섭이 없어야 하는 것이며, 이러한 취지는 접견의 경우뿐만 아니라 변호인과 미결수용자 사이의 서신에도 적용되어 그 비밀이 보장되어야 할 것이다(1995.7.21, 92헌마144).

❹ [X] X-ray 물품검색기나 변호인접견실에 설치된 비상벨만으로는 교정사고를 방지하거나 금지물품을 적발하는 데 한계가 있으므로 CCTV 관찰행위는 그 목적을 달성하기 위하여 필요한 범위 내의 제한이다. 따라서 CCTV 관찰행위는 청구인의 변호인의 조력을 받을 권리를 침해한다고 할 수 없다(2016.4.28, 2015헌마243).

08

정답 ①

❶ [X] 헌법 제12조 제4항은 체포 구속을 당한 때로 규정하고 있어 명문으로 불구속 피의자에 대해서 변호인의 조력을 받을 권리를 규정하고 있지 않으나, 판례는 해석론으로 이를 인정하고 있다.

> **헌법 제12조** ④ 누구든지 체포 또는 구속을 당한 때에는 즉시 변호인의 조력을 받을 권리를 가진다. 다만, 형사피고인이 스스로 변호인을 구할 수 없을 때에는 법률이 정하는 바에 의하여 국가가 변호인을 붙인다.

② [O] 이 사건 녹음행위는 교정시설 내의 안전과 질서유지에 기여하기 위한 것으로서 그 목적이 정당할 뿐 아니라 수단이 적절하다. 또한, 소장은 미리 접견 내용의 녹음 사실 등을 고지하며, 접견기록물의 엄격한 관리를 위한 제도적 장치도 마련되어 있는 점 등을 고려할 때 침해의 최소성 요건도 갖추었고, 이 사건 녹음행위는 미리 고지되어 청구인의 접견 내용은 사생활의 비밀로서의 보호가치가 그리 크지 않다고 할 것이므로 법익의 불균형을 인정하기도 어려워, 과잉금지원칙에 위반하여 청구인의 사생활의 비밀과 자유를 침해하였다고 볼 수 없다(2012.12.27, 2010헌마153).

③ [O] 이 사건 접견조항에 따르면 수용자는 효율적인 재판준비를 하는 것이 곤란하게 되고, 특히 교정시설 내에서의 처우에 대하여 국가 등을 상대로 소송을 하는 경우에는 소송의 상대방에게 소송자료를 그대로 노출하게 되어 무기대등의 원칙이 훼손될 수 있다. 변호사 직무의 공공성, 윤리성 및 사회적 책임성은 변호사접견권을 이용한 증거인멸, 도주 및 마약 등 금지물품 반입 시도 등의 우려를 최소화시킬 수 있으며, 변호사접견이라 하더라도 교정시설의 질서 등을 해할 우려가 있는 특별한 사정이 있는 경우에는 예외를 두도록 한다면 악용될 가능성도 방지할 수 있다. 따라서 이 사건 접견조항은 과잉금지원칙에 위배하여 청구인의 재판청구권을 지나치게 제한하고 있으므로, 헌법에 위반된다(2013.8.29, 2011헌마122).

④ [O] 수형자와 변호사와의 접견 내용을 녹음, 녹화하게 되면 그로 인해 제3자인 교도소 측에 접견 내용이 그대로 노출되므로 수형자와 변호사는 상담과정에서 상당히 위축될 수밖에 없고, 특히 소송의 상대방이 국가나 교도소 등의 구금시설로서 그 내용이 구금시설 등의 부당처우를 다투는 내용일 경우에 접견 내용에 대한 녹음, 녹화는 실질적으로 당사자대등의 원칙에 따른 무기평등을 무력화시킬 수 있다. 변호사는 다른 전문직에 비하여도 더욱 엄격한 직무의 공공성 등이 강조되고 있는 지위에 있으므로, 소송사건의 변호사가 접견을 통하여 수형자와 모의하는 등으로 법령에 저촉되는 행위를 하거나 이에 가담하는 등의 행위를 할 우려는 거의 없다. 또한, 접견의 내용이 소송준비를 위한 상담 내용일 수밖에 없는 변호사와의 접견에 있어서 수형자의 교화나 건전한 사회복귀를 위해 접견내용을 녹음, 녹화할 필요성을 생각하는 것도 어렵다. 이 사건에 있어서 청구인과 헌법소원 사건의 국선대리인인 변호사의 접견 내용에 대해서는 접견의 목적이나 접견의 상대방 등을 고려할 때 녹음, 기록이 허용되어서는 아니 될 것임에도, 이를 녹음, 기록한 행위는 청구인의 재판을 받을 권리를 침해한다(2013.9.26, 2011헌마398).

09

정답 ③

① [O] 심판대상조항들은 법률전문가인 변호사와의 소송상담의 특수성을 고려하지 않고 소송대리인인 변호사와의 접견을 그 성격이 전혀 다른 일반접견에 포함시켜 접견시간 및 횟수를 제한함으로써 청구인의 재판청구권을 침해한다(2015.11.26, 2012헌마858).

② [O] 접견 내용을 녹음·녹화하는 경우 수용자 및 그 상대방에게 그 사실을 말이나 서면 등으로 알려주어야 하고 취득된 접견기록물은 법령에 의해 보호·관리되고 있으므로 사생활의 비밀과 자유에 대한 침해를 최소화하는 수단이 마련되어 있다는 점, 청구인이 나눈 접견 내용에 대한 사생활의 비밀로서의 보호가치에 비해 증거인멸의 위험을 방지하고 교정시설 내의 안전과 질서유지에 기여하려는 공익이 크고 중요하다는 점에 비추어 볼 때, 이 사건 접견참여·기록이 청구인의 사생활의 비밀과 자유를 침해하였다고 볼 수 없다(2014.9.25, 2012헌마523). 2015년 서울 7급

❸ [X] 구속된 피의자 또는 피고인이 갖는 변호인 아닌 자와의 접견교통권은 가족 등 타인과 교류하는 인간으로서의 기본적인 생활관계가 인신의 구속으로 인하여 완전히 단절되어 파멸에 이르는 것을 방지하고, 또한 피의자 또는 피고인의 방어를 준비하기 위해서도 반드시 보장되지 않으면 안되는 인간으로서의 기본적인 권리에 해당하므로 이는 성질상 헌법상의 기본권에 속한다고 보아야 할 것이다. 미결수용자의 접견교통권은 헌법재판소가 헌법 제10조의 행복추구권에 포함되는 기본권의 하나로 인정하고 있는 일반적 행동자유권으로부터 나온다고 보아야 할 것이고, 무죄추정의 원칙을 규정한 헌법 제27조 제4항도 그 보장의 한 근거가 될 것이다(2003.11.27, 2002헌마193).

④ [O] 법집행공무원 가시거리 내 입회는 변호인조력 침해가 아니다. 그러나 가청거리 내 입회는 변호인 조력 침해이다(1992.1.28, 91헌마111).

10 정답 ①

❶ [X] 이 사건 검사의 접견불허행위에 대한 반대의견에서 나온 선지이다.

> **법정의견** 변호인 선임을 위하여 피의자·피고인(이하 '피의자 등'이라 한다)이 가지는 '변호인이 되려는 자'와의 접견교통권은 헌법상 기본권으로 보호되어야 하고, '변호인이 되려는 자'의 접견교통권은 피의자 등이 변호인을 선임하여 그로부터 조력을 받을 권리를 공고히 하기 위한 것으로서, 그것이 보장되지 않으면 피의자 등이 변호인 선임을 통하여 변호인으로부터 충분한 조력을 받는다는 것이 유명무실하게 될 수밖에 없다. 이와 같이 '변호인이 되려는 자'의 접견교통권은 피의자 등을 조력하기 위한 핵심적인 부분으로서, 피의자 등이 가지는 헌법상의 기본권인 '변호인이 되려는 자'와의 접견교통권과 표리의 관계에 있다. 따라서 피의자 등이 가지는 '변호인이 되려는 자'의 조력을 받을 권리가 실질적으로 확보되기 위해서는 '변호인이 되려는 자'의 접견교통권 역시 헌법상 기본권으로서 보장되어야 한다(2019.2.28, 2015헌마1204).

② [O] 피의자신문 중 변호인 등의 접견신청이 있는 경우에는 앞서 본 바와 같이 검사 또는 사법경찰관이 그 허가 여부를 결정하여야 하므로, 피의자를 수사기관으로 호송한 교도관에게 이를 허가하거나 제한할 권한은 인정되지 않는다고 할 것이다. 결국 이 사건에 있어서 피청구인 교도관에게 청구인과 피의자 윤○현의 접견허가 여부를 결정할 권한이 있었다고 볼 수 없으므로, 이 사건 교도관의 접견불허행위는 「헌법재판소법」 제68조 제1항에서 헌법소원의 대상으로 삼고 있는 '공권력의 행사'에 해당하지 아니한다(2019.2.28, 2015헌마1204)

③ [O] 수용자에 대한 접견신청이 있는 경우 이는 수용자의 처우에 관한 사항이므로 그 장소가 교도관의 수용자 계호 및 통제가 요구되는 공간이라면 교도소장·구치소장 또는 그 위임을 받은 교도관이 그 허가 여부를 결정하는 것이 원칙이라 할 것이다. 그런데 「형사소송법」 제34조는 변호인의 접견교통권과 '변호인이 되려는 자'의 접견교통권에 차이를 두지 않고 함께 규정하고 있으므로, '변호인이 되려는 자'가 피의자신문 중에 「형사소송법」 제34조에 따라 접견신청을 한 경우에도 그 허가 여부를 결정할 주체는 검사 또는 사법경찰관이라고 보아야 할 것이고, 그러한 해석이 「형사소송법」 제243조의2 제1항의 내용에도 부합한다(2019.2.28, 2015헌마1204).

④ [O] 「형의 집행 및 수용자의 처우에 관한 법률」 제41조 제4항의 위임을 받은 「형의 집행 및 수용자의 처우에 관한 법률 시행령」 제58조의 접견시간 조항은 수용자의 접견을 '국가공무원 복무규정'에 따른 근무시간 내로 한정함으로써 피의자와 변호인 등의 접견교통을 제한하고 있으나, 앞서 본 바와 같이 위 조항은 교도소장·구치소장이 그 허가 여부를 결정하는 변호인 등의 접견신청의 경우에 적용되는 것으로서, 검사 또는 사법경찰관이 그 허가 여부를 결정하는 피의자신문 중 변호인 등의 접견신청의 경우에는 적용되지 않으므로, 위 조항을 근거로 변호인 등의 접견신청을 불허하거나 제한할 수는 없다고 할 것이다. 따라서 이 사건 검사의 접견불허행위는 헌법이나 법률의 근거 없이 이루어졌다고 할 것이다.

11 정답 ②

① [O] 법 제6조의 청원제도는 서신검열행위를 대상으로 그 효력을 다툴 수 있는 권리구제절차가 아니므로 「헌법재판소법」 제68조 제1항 단서의 '다른 법률에 구제절차가 있는 경우'에 해당한다고 볼 수 없다. 그리고 위 서신검열행위는 이른바 권력적 사실행위로서 행정심판이나 행정소송의 대상이 되는 행정처분으로 볼 수 있으나, 위 검열행위가 이미 완료되어 행정심판이나 행정소송을 제기하더라도 소의 이익이 부정될 수밖에 없으므로 헌법소원심판을 청구하는 외에 다른 효과적인 구제방법이 있다고 보기 어렵기 때문에 보충성의 원칙에 대한 예외에 해당한다고 보는 것이 상당하다(1998.8.27, 96헌마398). 2014년 변시

❷ [X] 헌법 제18조에서 "모든 국민은 통신의 비밀을 침해받지 아니한다."라고 규정하여 통신의 비밀을 침해받지 아니할 권리 즉, 통신의 자유를 국민의 기본권으로 보장하고 있다. 따라서 통신의 중요한 수단인 서신의 당사자나 내용은 본인의 의사에 반하여 공개될 수 없으므로 서신의 검열은 원칙으로 금지된다고 할 것이다. 그러나 위와 같은 기본권도 절대적인 것은 아니므로 헌법 제37조 제2항에 따라 국가안전보장·질서유지 또는 공공복리를 위하여 필요한 경우에는 법률로써 제한할 수 있고, 다만 제한하는 경우에도 그 본질적인 내용은 침해할 수 없다.
징역형 등이 확정되어 교정시설에서 수용 중인 수형자도 통신의 자유의 주체가 됨은 물론이다. 그러나 「행형법」은 교정시설의 질서를 유지하고 수형자의 교정·교화를 도모하기 위하여 수형자가 서신을 수발할 경우에는 교도소장의 허가와 교도관의 검열을 요하도록 규정하고 있다(제18조 제1항·제3항).
이 사건의 쟁점은 피청구인이 이 법률조항에 따라 시행한 서신검열행위가 국가안전보장·질서유지 또는 공공복리를 위하여 '필요한 경우'에 해당하는지 여부와 그 검열이 통신의 자유의 본질적인 내용을 침해하는 것인지 여부이다(1998.8.27, 96헌마398). 2014년 변시

➡ 헌법재판소 판례에 의하면 수형자의 복역관계에서도 법치국가원리가 적용된다(2004.12.26, 2002헌마478 참조)고 판시하고 있는바 수형자의 기본권을 제한하는 경우에도 개별적인 법률의 근거를 요한다. 따라서 본 사건의 경우 기본권 제한의 개별적인 법률의 근거는 존재하므로(행형법), 단지 그러한 기본권 제한이 통신의 자유의 본질적인 내용을 침해하는 것인지 여부만 문제될 뿐이다.

③ [O] 육군3사관학교 사관생도인 甲이 4회에 걸쳐 학교 밖에서 음주를 하여 '사관생도 행정예규' 제12조(금주조항)에서 정한 품위유지의 무를 위반하였다는 이유로 육군3사관학교장이 교육운영위원회의 의결에 따라 甲에게 퇴학처분을 한 사안에서, 첫째, 사관학교의 설

치목적과 교육목표를 달성하기 위하여 사관학교는 사관생도에게 교내 음주행위, 교육·훈련 및 공무수행 중의 음주행위, 사적 활동이더라도 신분을 나타내는 생도 복장을 착용한 상태에서 음주하는 행위, 생도 복장을 착용하지 않은 상태에서 사적 활동을 하는 때에도 이로 인하여 사회적 물의를 일으킴으로써 품위를 손상한 경우 등에는 이러한 행위들을 금지하거나 제한할 필요가 있으나 여기에 그치지 않고 나아가 사관생도의 모든 사적 생활에서까지 예외 없이 금주의무를 이행할 것을 요구하는 것은 사관생도의 일반적 행동자유권은 물론 사생활의 비밀과 자유를 지나치게 제한하는 것이고, 둘째, 구 예규 및 예규 제12조에서 사관생도의 모든 사적 생활에서까지 예외 없이 금주의무를 이행할 것을 요구하면서 제61조에서 사관생도의 음주가 교육 및 훈련 중에 이루어졌는지 여부나 음주량, 음주 장소, 음주행위에 이르게 된 경위 등을 묻지 않고 일률적으로 2회 위반시 원칙으로 퇴학 조치하도록 정한 것은 사관학교가 금주제도를 시행하는 취지에 비추어 보더라도 사관생도의 기본권을 지나치게 침해하는 것이므로, 위 금주조항은 사관생도의 일반적 행동자유권, 사생활의 비밀과 자유 등 기본권을 과도하게 제한하는 것으로서 무효인데도 위 금주조항을 적용하여 내린 퇴학 처분이 적법하다고 본 원심판결에 법리를 오해한 잘못이 있다(대판 2018.8.30, 2016두60591). 2021년 국가 7급

④ [O] 이 사건 시행령조항은 교정시설의 안전과 질서유지, 수용자의 교화 및 사회복귀를 원활하게 하기 위해 수용자가 밖으로 내보내는 서신을 봉함하지 않은 상태로 제출하도록 한 것이나, 이와 같은 목적은 교도관이 수용자의 면전에서 서신에 금지물품이 들어 있는지를 확인하고 수용자로 하여금 서신을 봉함하게 하는 방법, 봉함된 상태로 제출된 서신을 X-ray 검색기 등으로 확인한 후 의심이 있는 경우에만 개봉하여 확인하는 방법, 서신에 대한 검열이 허용되는 경우에만 무봉함 상태로 제출하도록 하는 방법 등으로도 얼마든지 달성할 수 있다고 할 것인바, 위 시행령조항이 수용자가 보내려는 모든 서신에 대해 무봉함상태의 제출을 강제함으로써 수용자의 발송 서신 모두를 사실상 검열가능한 상태에 놓이도록 하는 것은 기본권 제한의 최소침해성요건을 위반하여 수용자인 청구인의 통신비밀의 자유를 침해하는 것이다(2012.2.23, 2009헌마333). 2014년 변시

⑤ [O] 이 사건 서신 발송거부행위를 대상으로 한 심판청구부분에 관하여 살펴본다. 헌법소원심판은 다른 법률에 구제절차가 있는 경우에는 그 절차를 모두 거친 후가 아니면 청구할 수 없게 되어 있다. 피청구인의 서신발송 거부행위에 대하여는 「행정심판법」 및 「행정소송법」에 의한 심판이나 소송이 가능할 것이므로 이 절차를 거치지 아니한 채 제기된 이 심판청구 부분은 부적법하다(1998.8.27, 96헌마398). 2014년 변시

12 정답 ①

❶ [X] 별개의견이다. 헌재의 법정의견은 변호인의 조력을 받을 권리 침해로 보았다(2018.5.31, 2014헌마346).

② [O] **헌법 제12조 제4항 본문에 규정된 변호인의 조력을 받을 권리가 행정절차에서 구속된 사람에게도 즉시 보장되는지 여부(적극)**

헌법 제12조 제4항 본문의 문언 및 헌법 제12조의 조문 체계, 변호인 조력권의 속성, 헌법이 신체의 자유를 보장하는 취지를 종합하여 보면 헌법 제12조 제4항 본문에 규정된 '구속'은 사법절차에서 이루어진 구속뿐 아니라, 행정절차에서 이루어진 구속까지 포함하는 개념이다. 따라서 헌법 제12조 제4항 본문에 규정된 변호인의 조력을 받을 권리는 행정절차에서 구속을 당한 사람에게도 즉시 보장된다. 종래 이와 견해를 달리하여 헌법 제12조 제4항 본문에 규정된 변호인의 조력을 받을 권리는 형사절차에서 피의자 또는 피고인의 방어권을 보장하기 위한 것으로서 「출입국관리법」상 보호 또는 강제퇴거의 절차에도 적용된다고 보기 어렵다고 판시한 우리 재판소 결정(2012.8.23, 2008헌마430)은, 이 결정취지와 저촉되는 범위 안에서 변경한다(2018.05.31, 2014헌마346).

③ [O] 청구인에게 변호인접견신청을 허용한다고 하여 국가안전보장, 질서유지, 공공복리에 어떠한 장애가 생긴다고 보기는 어렵고, 필요한 최소한의 범위 내에서 접견장소 등을 제한하는 방법을 취한다면 국가안전보장이나 환승구역의 질서유지 등에 별다른 지장을 주지 않으면서도 청구인의 변호인접견권을 제대로 보장할 수 있다. 따라서 이 사건 변호인 접견신청 거부는 국가안전보장이나 질서유지, 공공복리를 위해 필요한 기본권 제한조치로 볼 수도 없다. 이 사건 변호인접견신청 거부는 이러한 측면에서 보아도 청구인의 변호인의 조력을 받을 권리를 침해한 것이다(2018.05.31, 2014헌마346).

④ [O] 헌법 제12조 제4항 본문의 문언 및 헌법 제12조의 조문 체계, 변호인조력권의 속성, 헌법이 신체의 자유를 보장하는 취지를 종합하여 보면 헌법 제12조 제4항 본문에 규정된 '구속'은 사법절차에서 이루어진 구속뿐 아니라, 행정절차에서 이루어진 구속까지 포함하는 개념이다. 따라서 헌법 제12조 제4항 본문에 규정된 변호인의 조력을 받을 권리는 행정절차에서 구속을 당한 사람에게도 즉시 보장된다(2018.05.31, 2014헌마346).

13 정답 ③

① [O] 정식재판에서 피고인의 자백이 임의성이 있더라도 유죄의 유일한 증거일 때는 증명력이 제한되어 무죄를 선고해야 한다. 그러나 즉결심판에서는 보강증거 필요 없이 자백만으로도 처벌할 수 있다.

② [O] • 고문으로 인한 자백: 임의성 없는 자백이므로 처벌할 수 없다.
• 정식재판에서 피고인에게 불리한 유일한 증거로서 자백: 임의성이 있을지라도 신빙성이 없어 증명력이 제한된다.

❸ [X]

> **헌법 제12조** ⑦ 피고인의 자백이 고문·폭행·협박·구속의 부당한 장기화 또는 기망 기타의 방법에 의하여 자의로 진술된 것이 아니라고 인정될 때 또는 정식재판에 있어서 피고인의 자백이 그에게 불리한 유일한 증거일 때에는 이를 유죄의 증거로 삼거나 이를 이유로 처벌할 수 없다.

④ [O] 증거능력이란 증거가 증명의 자료로 사용될 수 있는 법률상 자격이다. 피고인의 자백이 고문 등에 의한 임의성 없는 것일 경우 증거능력은 인정되지 않는다.

14 정답 ①

❶ [X] 헌법 제12조 제6항은 당사자가 체포·구속된 원인관계 등에 대한 최종적인 사법적 판단절차와는 별도로 체포·구속 자체에 대한 적부 여부를 법원에 심사청구할 수 있는 절차(Collateral Review)를 헌법적 차원에서 보장하는 규정으로 봄이 상당하다(2004.3.25, 2002헌바104).

② [O] 우리 헌법 제12조에 규정된 '신체의 자유'는 수사기관뿐만 아니라 일반 행정기관을 비롯한 다른 국가기관 등에 의하여도 직접 제한될 수 있으므로, 헌법 제12조 소정의 '체포·구속' 역시 포괄적인 개념으로 해석해야 한다. 따라서 최소한 모든 형태의 공권력 행사기관이 '체포' 또는 '구속'의 방법으로 '신체의 자유'를 제한하는 사안에 대하여는 헌법 제12조 제6항이 적용된다고 보아야 한다(2004.3.25, 2002헌바104).

③ [O]

「형사소송법」 제214조의2 【체포와 구속의 적부심사】 ① 체포 되거나 구속된 피의자 또는 그 변호인, 법정대리인, 배우자, 직계친족, 형제자매나 가족, 동거인 또는 고용주는 관할 법원에 체포 또는 구속의 적부심사를 청구할 수 있다.

④ [O] 우리 「형사소송법」상 구속적부심사의 청구인적격을 피의자 등으로 한정하고 있어서 청구인이 구속적부심사청구권을 행사한 다음 검사가 법원의 결정이 있기 전에 기소하는 경우(이른바 전격기소), 영장에 근거한 구속의 헌법적 정당성에 대하여 법원이 실질적인 판단을 하지 못하고 그 청구를 기각할 수밖에 없다. 그러나 구속된 피의자가 적부심사청구권을 행사한 경우 검사는 그 적부심사절차에서 피구속자와 대립하는 반대 당사자의 지위만을 가지게 됨에도 불구하고 헌법상 독립된 법관으로부터 심사를 받고자 하는 청구인의 '절차적 기회'가 반대 당사자의 '전격기소'라고 하는 일방적 행위에 의하여 제한되어야 할 합리적인 이유가 없고, 검사가 전격기소를 한 이후 청구인에게 '구속 취소'라는 후속절차가 보장되어 있다고 하더라도 그에 따르는 적지 않은 시간적, 정신적, 경제적인 부담을 청구인에게 지워야 할 이유도 없으며, 기소 이전 단계에서 이미 행사된 적부심사청구권의 당부에 대하여 법원으로부터 실질적인 심사를 받을 수 있는 청구인의 절차적 기회를 완전히 박탈하여야 하는 합리적인 근거도 없기 때문에, 입법자는 그 한도 내에서 적부심사청구권의 본질적 내용을 제대로 구현하지 아니하였다고 보아야 한다(2004.3.25, 2002헌바104).

➡ 이후 개정된 「형사소송법」 제214조의2는 "제1항의 청구를 받은 법원은 청구서가 접수된 때부터 48시간 이내에 체포 또는 구속된 피의자를 심문하고 수사 관계 서류와 증거물을 조사하여 그 청구가 이유 없다고 인정한 때에는 결정으로 이를 기각하고, 이유 있다고 인정한 때에는 결정으로 체포 또는 구속된 피의자의 석방을 명하여야 한다. 심사청구 후 피의자에 대하여 공소제기가 있는 경우에도 또한 같다."라고 규정하고 있다.

15 　정답 ②

① [O] 「형사소송법」은 '체포된 피의자는 … 구속의 적부심사를 청구할 수 있다'고 규정하여 영장에 의하여 체포된 피의자뿐 아니라 긴급체포·현행범 체포로 영장 없이 체포된 피의자도 구속적부심사를 할 수 있다고 규정하고 있다.

「형사소송법」 제214조의2 【체포와 구속의 적부심사】 ① 체포 되거나 구속된 피의자 또는 그 변호인, 법정대리인, 배우자, 직계친족, 형제자매나 가족, 동거인 또는 고용주는 관할 법원에 체포 또는 구속의 적부심사를 청구할 수 있다.

❷ [X] 미국식 인신보호영장제도의 경우 그 제도의 일반적 특성을 '법률적 차원'에서 수용한 남조선과도정부 법령 제176호 제17조 내지 제18조가 1948.4.1. 시행됨으로써 우리나라에 도입된 것인데, 그 직후인 1948.7.17. 제정된 헌법 제9조 제3항은 "누구든지 체포, 구금을 받은 때에는 즉시 변호인의 조력을 받을 권리와 그 당부의 심사를 법원에 청구할 권리가 보장된다."라고 규정하여 체포·구금에 관한 적부심사제도를 '헌법적 차원'의 제도로 격상시켰다. 그 후 1962년 헌법(제3공화국 헌법) 제10조 제5항에는 "누구든지 체포·구금을 받은 때에는 적부의 심사를 법원에 청구할 권리를 가진다. 사인(私人)으로부터 신체의 자유의 불법한 침해를 받은 때에도 법률이 정하는 바에 의하여 구제를 법원에 청구할 권리를 가진다."라고 규정되었다가 1972년 헌법(제4공화국 헌법)에서는 이에 관한 규정이 삭제되었고, 1980년 헌법(제5공화국 헌법) 제11조 제5항에 "누구든지 체포·구금을 당한 때에는 법률이 정하는 바에 의하여 적부의 심사를 법원에 청구할 권리를 가진다."라고 규정되었다가, 현행 헌법 제12조 제6항에는 "누구든지 체포 또는 구속을 당한 때에는 적부의 심사를 법원에 청구할 권리를 가진다."라고 규정되었다(2004.3.25, 2002헌바104).

③ [O] 체포에 대하여는 헌법과 「형사소송법」이 정한 체포적부심사라는 구제절차가 존재함에도 불구하고, 체포적부심사절차를 거치지 않고 제기된 헌법소원심판청구는 법률이 정한 구제절차를 거치지 않고 제기된 것으로서 보충성의 원칙에 반하여 부적법하다(2011.6.30, 2009헌바199).

④ [O] 헌법 제12조 제6항은 모든 형태의 공권력 행사기관이 체포 또는 구속의 방법으로 신체의 자유를 제한하는 사안에 대해서 적용되므로, 입법자는 「출입국관리법」에 따라 보호된 청구인들에게 전반적인 법체계를 통하여 보호의 원인관계 등에 대한 최종적인 사법적 판단절차와는 별도로 보호 자체에 대한 적법 여부를 다툴 수 있는 기회를 최소한 1회 이상 제공하여야 한다. 다만, 출입국 관리행정 중 보호와 같이 체류자격의 심사 및 퇴거 집행 등의 구체적 절차에 관한 사항은 광범위한 입법재량의 영역에 있으므로, 그 내용이 현저하게 불합리하지 아니한 이상 헌법에 위반된다고 할 수 없다(2014.8.28, 2012헌마686).

16 　정답 ③

① [O] 본래 영미법상의 자기부죄거부의 특권에서 유래한 '형사상 불리한 진술을 거부할 수 있는 권리' 즉 진술거부권의 기원과 연혁을 살펴보면, 진술거부권은 본래 정부의 기소 또는 수사로부터 개인을 보호하기 위한 근본적인 장치로서 전통적인 모습은 법정에서 피고인이나 증인이 질문에 대하여 답하지 않을 권리로 여겨져 왔다(2005.12.22, 2004헌바25).

② [O]

「형사소송법」 제244조의3 【진술거부권 등의 고지】 ① 검사 또는 사법경찰관은 피의자를 신문하기 전에 다음 각 호의 사항을 알려주어야 한다.
1. 일체의 진술을 하지 아니하거나 개개의 질문에 대하여 진술을 하지 아니할 수 있다는 것
2. 진술을 하지 아니하더라도 불이익을 받지 아니한다는 것
3. 진술을 거부할 권리를 포기하고 행한 진술은 법정에서 유죄의 증거로 사용될 수 있다는 것
4. 신문을 받을 때에는 변호인을 참여하게 하는 등 변호인의 조력을 받을 수 있다는 것

❸ [X] 헌법 제12조 제2항은 "모든 국민은 고문을 받지 아니하며, 형사상 자기에게 불리한 진술을 강요당하지 아니한다."라고 규정하여 형사책임에 관하여 자신에게 불이익한 진술을 강요당하지 아니할 것을 국민의 기본권으로 보장하고 있다. 우리 헌법이 이와 같이 진술거부권을 국민의 기본적 권리로 보장하는 것은, 첫째, 피고인 또는 피의자의 인권을 실체적 진실발견이나 사회정의의 실현이라는 국가이익보다 우선적으로 보호함으로써 인간의 존엄성과 가치를 보장하고 나아가 비인간적인 자백의 강요와 고문을 근절하려는 데 있고, 둘째, 피고인 또는 피의자와 검사 사이에 무기평등을 도모하여 공정한 재판의 이념을 실현하려는 데 있다. 이와 같은 의미를 지닌 진술거부권은 형사절차뿐만 아니라 행정절차나 국회에서의 조사절차 등에서도 보장되며, 현재 피의자나 피고인으로서 수사 또는 공판절차에 계속 중인 자뿐만 아니라 장차 피의자나 피고인이 될 자에게도 보장된다. 또한 진술거부권은 고문 등 폭행에 의한 강요는 물론 법률로써도 진술을 강요당하지 아니함을 의미한다

(2005.12.22, 2004헌바25).

④ [O] 변호사인 변호인에게는 「변호사법」이 정하는 바에 따라서 이른바 진실의무가 인정되는 것이지만, 변호인이 신체구속을 당한 사람에게 법률적 조언을 하는 것은 그 권리이자 의무이므로 변호인이 적극적으로 피고인 또는 피의자로 하여금 허위진술을 하도록 하는 것이 아니라 단순히 헌법상 권리인 진술거부권이 있음을 알려 주고 그 행사를 권고하는 것을 가리켜 변호사로서의 진실의무에 위배되는 것이라고는 할 수 없다. 나아가, 신체구속을 당한 피의자 또는 피고인이 범한 것으로 의심받고 있는 범죄행위에 해당 변호인이 관련되어 있다는 등의 사유에 기하여 그 변호인의 변호활동을 광범위하게 규제하는 변호인의 제척과 같은 제도를 두고 있지 아니한 우리 법제 아래에서는 변호인의 접견교통의 상대방인 신체구속을 당한 사람이 그 변호인을 자신의 범죄행위에 공범으로 가담시키려고 하였다는 등의 사정만으로 그 변호인의 신체구속을 당한 사람과의 접견교통을 금지하는 것이 정당화될 수는 없다(대결 2007.1.31, 2006모656).

17 정답 ③

ㄱ. [O] 진술거부권은 형사절차에서만 보장되는 것은 아니고 행정절차이거나 국회에서의 질문 등 어디에서나 그 진술이 자기에게 형사상 불리한 경우에는 묵비권을 가지고 이를 강요받지 아니할 기본권이다. 따라서 국회에서의 증인이나 감정인도 진술거부권을 가진다.

ㄴ. [X] 범죄사실을 단순히 부인하고 있는 것이 죄를 반성하거나 후회하고 있지 않다는 인격적 비난요소로 보아 가중적 양형의 조건으로 삼는 것은 결과적으로 피고인에게 자백을 강요하는 것이 되어 허용될 수 없다고 할 것이나, 그러한 태도나 행위가 피고인에게 보장된 방어권 행사의 범위를 넘어 객관적이고 명백한 증거가 있음에도 진실의 발견을 적극적으로 숨기거나 법원을 오도하려는 시도에 기인한 경우에는 가중적 양형의 조건으로 참작될 수 있다(대판 2001.3.9, 2001도192).

ㄷ. [O] 헌법상 진술거부권의 보호대상이 되는 '진술'이라 함은 언어적 표출, 즉 개인의 생각이나 지식, 경험사실을 정신작용의 일환인 언어를 통하여 표출하는 것을 의미한다. 채무자가 재산명시기일에 제출하는 재산목록에는 강제집행의 대상이 되는 재산과 일정한 범위 내의 유상양도 및 무상처분 등의 거래사항을 명시해야 하는바(「민사집행법」 제64조 제2항), 이는 채무자의 경험사실을 문자로 기재하도록 한 것이므로 '진술'의 범위에 포함된다(2014.9.25, 2013헌마11).

ㄹ. [X] 헌법 제12조 제2항은 진술거부권을 보장하고 있으나, 여기서 '진술'이라함은 생각이나 지식, 경험사실을 정신작용의 일환인 언어를 통하여 표출하는 것을 의미하는데 반해, 「도로교통법」 제41조 제2항에 규정된 음주측정은 호흡측정기에 입을 대고 호흡을 불어 넣음으로써 신체의 물리적, 사실적 상태를 그대로 드러내는 행위에 불과하므로 이를 두고 '진술'이라 할 수 없고, 따라서 주취운전의 혐의자에게 호흡측정기에 의한 주취 여부의 측정에 응할 것을 요구하고 이에 불응할 경우 처벌한다고 하여도 이는 형사상 불리한 '진술'을 강요하는 것에 해당한다고 할 수 없으므로 헌법 제12조 제2항의 진술거부권이 제한되는 것은 아니다(1997.3.27, 96헌가11).

ㅁ. [O] 헌법상 진술거부권의 보호대상이 되는 '진술'이라 함은 언어적 표출, 즉 개인의 생각이나 지식, 경험사실을 정신작용의 일환인 언어를 통하여 표출하는 것을 의미하는바(1997.3.27, 96헌가11, 정치자금을 받고 지출하는 행위는 당사자가 직접 경험한 사실로서 이를 문자로 기재하도록 하는 것은 당사자가 자신의 경험을 말로 표출한 것의 등가물로 평가할 수 있으므로, 위 조항들이 정하고 있는 기재행위 역시 '진술'의 범위에 포함된다고 할 것이다(2005.12.22, 2004헌바25).

ㅂ. [X] 심판대상조항에 의한 감치는 형사적 제재가 아니라 재산명시의무를 간접강제하기 위한 민사적 성격의 제재이다. 즉, 채무자가 재산목록의 작성·제출이라는 형태의 진술을 거부하였을 때 그에게 가해지는 제재는 형사상 책임이 아니라 민사적 구금제도로서의 감치이다. 그렇다면 채무자의 재산명시기일에서의 재산목록 작성·제출행위는 형사상 불이익한 진술에 해당한다고 볼 수 없다(2014.9.25, 2013헌마11).

ㅅ. [O] 채무자의 경험사실을 문자로 기재하도록 한 것이므로 '진술'의 범위에 포함된다. 진술거부권에 있어서의 진술이란 형사상 자신에게 불이익이 될 수 있는 진술이므로 범죄의 성립과 양형에서의 불리한 사실 등을 말하는 것이고, 그 진술 내용이 자기의 형사책임에 관련되는 것일 것을 전제로 한다. 그런데 심판대상조항에 의한 감치는 형사적 제재가 아니라 재산명시의무를 간접강제하기 위한 민사적 성격의 제재이다. 즉, 채무자가 재산목록의 작성·제출이라는 형태의 진술을 거부하였을 때 그에게 가해지는 제재는 형사상 책임이 아니라 민사적 구금제도로서의 감치이다. 그렇다면 채무자의 재산명시기일에서의 재산목록 작성·제출행위는 형사상 불이익한 진술에 해당한다고 볼 수 없다(2014.9.25, 2013헌마11).

18 정답 ①

ㄱ. [O] 피의자의 진술거부권은 헌법상 보장되는 권리로서 수사기관이 피의자를 신문함에 있어 미리 진술거부권을 고지하지 않은 때에는 그 진술은 위법하게 수집된 증거로서 진술의 임의성이 인정되는 경우라도 증거능력이 부정되어야 한다(대판 1992.6.23, 92도682).

ㄴ. [O] 진술거부권은 형사상 불리한 진술을 거부할 수 있는 권리이므로 행정상·민사상 불이익에는 적용되지 않는다.

ㄷ. [O] 헌법 제12조 제2항은 "모든 국민은 형사상 자기에게 불리한 진술을 강요당하지 아니한다."라고 하여 진술거부권을 보장하였는바, 진술거부권은 형사절차뿐만 아니라 행정절차나 법률에 의한 진술강요에서도 인정된다. 이 사건 공표명령은 '특정의 행위를 함으로써 「독점규제 및 공정거래에 관한 법률」을 위반하였다'는 취지의 행위자의 진술을 일간지에 게재하여 공표하도록 하는 것으로서 그 내용상 행위자로 하여금 형사절차에 들어가기 전에 법 위반행위를 일단 자백하게 하는 것이 되어 진술거부권도 침해하는 것이다(2002.1.31, 2001헌바43).

ㄹ. [O] 진술거부권의 주체는 피고인과 피의자뿐 아니라 형사책임을 지게 될 가능성이 있는 자이다. 증인은 주체가 아니다. 다만 증언 도중에 자신의 형사책임과 관련된 사항이 나오면 진술거부권을 행사할 수 있다.

ㅁ. [O] 제출조항은 등록대상자에게 신상정보 및 변경정보의 제출의무를 부과하고 있는데, 신상정보 및 변경정보의 제출이 그 자체로 '형사상' 자기에게 불리한 진술이라고 할 수 없다. 따라서 제출조항으로 인하여 진술거부권이 제한된다고 볼 수 없다(2016.9.29, 2015헌마913).

19 정답 ④

① [X] 더욱이 진술거부권은 소극적으로 진술을 거부할 권리를 의미하고, 적극적으로 허위의 진술을 할 권리를 보장하는 것은 아니므로, 당해 사건에서 청구인이 허위의 진술을 하였다는 이유로 처벌하는 「국회에서의 증언·감정 등에 관한 법률」 조항은 진술거부권을 제한한다고 할 수 없다.

② [X] 현실에서 국회의 증인 채택 및 증언절차가 위 법률의 취지에 맞게

엄격하게 진행되지 아니하고 있다 하더라도 이를 이유로 심판대상 조항이 증언거부권 고지규정을 반드시 두어야 한다고 할 수는 없다. 이상을 종합하면, 심판대상조항이 「국회에서의 증언·감정 등에 관한 법률」상 증인과 「형사소송법」상 증인을 차별취급하는 데에는 합리적 이유가 있으므로 평등원칙에 위반된다고 할 수 없다 (2015.9.24, 2012헌바410).

➡ 증언거부권 고지는 없으므로 위증에 따라 처벌을 받지 않을 수 있도록 「국회에서의 증언·감정 등에 관한 법률」은 선서거부권을 규정하고 있다.

③ [X] 국회에서의 위증은 국민을 대표하는 국회의 권위를 훼손하고 국회의 의정활동 전반, 그리고 그것과 연관된 다수의 국민에게 광범위하게 영향을 미칠 수 있으며 형사소송·민사소송 등에서의 위증보다 엄격한 절차를 거쳐야 처벌될 수 있다는 점을 고려할 때, 심판대상조항이 국회에서의 위증에 대하여 형사소송·민사소송 등에서의 위증보다 무거운 법정형을 정하였다고 하더라도 이를 그 범죄의 죄질 및 이에 따른 행위자의 책임에 비하여 지나치게 가혹한 것이어서 현저히 형벌체계상 균형을 잃고 있다고 할 수 없다(2015.9.24, 2012헌바410).

❹ [O] 청구인은 증언 거부이유를 소명하여(「국회에서의 증언·감정 등에 관한 법률」 제3조 제3항) 적극적으로 진술거부권을 행사할 수 있었음에도 불구하고 진술거부권을 행사하지 않았을 뿐이다. 「국회에서의 증언·감정 등에 관한 법률」상의 증인의 경우 진술거부권을 고지받을 권리가 인정되지 않으므로, 청구인이 진술거부권을 고지받지 않았다고 하더라도 이로 인해 청구인의 헌법상 진술거부권이 제한된다고 볼 수 없다. 더욱이 진술거부권은 소극적으로 진술을 거부할 권리를 의미하고, 적극적으로 허위의 진술을 할 권리를 보장하는 것은 아니므로, 당해 사건에서 청구인이 허위의 진술을 하였다는 이유로 위증죄의 처벌을 받은 만큼 진술거부권이 제한된 것은 아니다. 따라서 심판대상조항으로 인하여 청구인의 진술거부권이 침해되었다 할 수 없다(2015.9.24, 2012헌바410).

20 정답 ①

❶ [X] ③ [O] 헌법 제12조 제1항, 제13조 제1항이 정하는 적법절차주의, 죄형법정주의에 반하게 되며, 헌법재판소가 사실상의 입법행위를 하는 결과가 되므로, 「형사소송법」 제262조의2의 규정의 유추적용으로 고소사건에 대한 헌법소원이 심판에 회부된 경우도 공소시효가 정지된다고 인정함은 허용되지 않는다고 보아야 할 것으로 생각된다.

② [O] 징계부가금은 비록 제재의 성격을 갖는 면이 있다고 하지만 어디까지나 행정적 제재의 하나에 불과할 뿐이어서 이를 형벌로 볼 수 없으므로 이에 대해서는 죄형법정주의의 한 내용인 유추해석금지원칙이 적용될 수 없다(2015.2.26, 2012헌바435).

④ [O] 형벌법규는 헌법상 규정된 죄형법정주의원칙상 입법목적이나 입법자의 의도를 감안한 유추해석이 일체 금지되고, 법률조항의 문언의 의미를 엄격하게 해석하여야 하는바, 유추해석을 통하여 형벌법규의 적용범위를 확대하는 것은 '법관에 의한 범죄구성요건의 창설'에 해당하여 죄형법정주의원칙에 위배된다(2012.12.27, 2011헌바117).

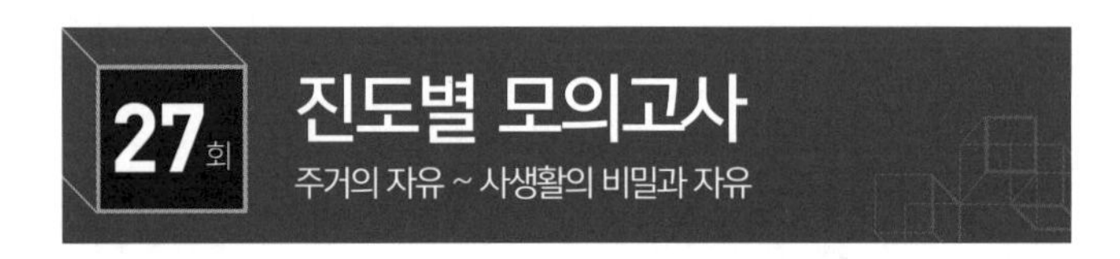

정답

01	②	02	②	03	②	04	③
05	③	06	④	07	②	08	①
09	④	10	③	11	④	12	①
13	①	14	②	15	①	16	①
17	①	18	②	19	③	20	④

01 정답 ②

① [O]

> **1948년 제헌헌법 제10조** 모든 국민은 법률에 의하지 아니하고는 거주와 이전의 자유를 제한받지 아니하며 주거의 침입 또는 수색을 받지 아니한다.
>
> **1962년 개정헌법 제14조** 모든 국민은 주거의 침입을 받지 아니한다. 주거에 대한 수색이나 압수에는 법관의 영장을 제시하여야 한다.

❷ [X]

> **헌법 제16조** 모든 국민은 주거의 자유를 침해받지 아니한다. 주거에 대한 압수나 수색을 할 때에는 검사의 신청에 의하여 법관이 발부한 영장을 제시하여야 한다.

③ [O] 주거에 대한 압수나 수색을 위해서는 정당한 이유가 있어야 하고 검사의 신청에 따라 적법한 절차에 의해 발부된 영장이 있어야 한다. 정당한 이유는 범죄의 혐의의 존재와 그 수사의 객관적 필요성을 의미한다. 영장은 법관이 검사의 신청에 따라서 발부한 것이어야 하고, 영장에는 압수할 물건과 수색할 장소가 구체적으로 기재되어 있어야 한다.

④ [O] 외국인은 주체가 될 수 있으나 법인은 사생활의 비밀을 가질 수 없으므로 주거의 자유의 주체가 될 수 없다는 것이 다수설이다. 회사나 학교는 법인이 주체가 아니라 공간의 장인 대표이사와 학교장이 주체가 된다.

02 정답 ②

① [O] 헌법 제18조 통신의 비밀에는 영장주의가 규정되어 있지 않으나 영장주의가 적용된다. 따라서 헌법규정상 영장주의는 예시적이다.

❷ [X] 헌법 제16조는 주거에 대한 압수수색에 영장주의를 규정하고 있으므로 주거에 대한 압수수색에는 헌법 제12조가 적용되는 것이 아니라 제16조가 적용된다.

③ [O] 재건축제도는 공공복리를 위해 그 필요성이 인정된다고 할 수 있고, 재건축불참자의 구분소유권에 대한 재건축참가자의 매도청구권은 재건축을 가능하게 하기 위한 최소한의 필요조건이라 할 것이므로 이를 인정한 것을 가지고 재건축불참자의 기본권을 과도하게 침해한다고 할 수 없다(1999.9.16, 97헌바73).

④ [O] 주거는 사람이 거주하기 위하여 점유되고 있는 일체의 건조물 및 시설이다. 또한 노동이나 직업의 장소가 주거이냐에 대해 학설이 대립하지만, 긍정적인 것이 지배적 견해이다.

⑤ [O] 임차인은 명도판결을 받았더라도 명도가 집행될 때까지는 여전히 주거의 자유를 가진다.

03 정답 ②

ㄱ. [X] 점유할 권원이 없는 자(예컨대 임대차기간 종료 후의 임차인)가 점유한 건조물이라 하더라도 법적 절차를 따르지 않고 소유자가 들어간 경우에는 주거침입죄를 인정하고 있다(대판 1987.11.10, 87도1760).

ㄴ. [O] 공장이나 학교에서의 주거의 자유의 주체는 그 관리자인 공장장이나 학교장이고, 주택이나 호텔 객실에서의 주거의 자유의 주체는 그 소유주가 아니라 현실적으로 거주하고 있는 입주자나 투숙객인 것이다.

ㄷ. [O] 학생회관의 관리권은 그 대학 당국에 귀속된다고 보아야 하므로 학생회의 동의가 있어 그 침입이 위법하지 않다고 믿었다 하더라도 이에 정당사유가 있다고 볼 수 없어 주거침입죄를 구성한다(대판 1995.4.14, 95도12). 1997년 행시

ㄹ. [O] 2019년 행시

> **1948년 제헌헌법 제10조** 모든 국민은 법률에 의하지 아니하고는 거주와 이전의 자유를 제한받지 아니하며 주거의 침입 또는 수색을 받지 아니한다.
>
> **1962년 개정헌법 제14조** 모든 국민은 주거의 침입을 받지 아니한다. 주거에 대한 수색이나 압수에는 법관의 영장을 제시하여야 한다.

ㅁ. [O] 「출입국관리법」에 의한 보호에 있어서 용의자에 대한 긴급보호를 위해 그의 주거에 들어간 것이라면 그 긴급보호가 적법한 이상 주거의 자유를 침해한 것으로 볼 수 없으므로 청구인에 대한 긴급보호가 적법한 이상 그 긴급보호과정에서 청구인의 주거에 들어갔다고 하더라도 주거의 자유를 침해하였다고 볼 수 없다(2012.8.23, 2008헌마430). 2019년 행시

ㅂ. [X] 현행범인 체포의 경우에는 헌법 제16조의 영장주의의 예외를 인정할 수 있다. 긴급체포의 경우 역시 헌법 제16조의 영장주의의 예외를 인정할 수 있다. 체포영장에 의한 체포의 경우에는 체포영장이 발부된 피의자가 타인의 주거 등에 소재할 개연성이 소명되고, 그 장소를 수색하기에 앞서 별도로 수색영장을 발부받기 어려운 긴급한 사정이 있는 경우에 한하여 현행범인 체포, 긴급체포의 경우와 마찬가지로 영장주의의 예외를 인정할 수 있다고 보아야 한다(2018.4.26, 2015헌바370 등). 2021년 경찰승진

ㅅ. [O] 사생활에 관한 자유와 권리는 제17조의 사생활의 비밀과 자유의 불가침을 목적조항으로 하고 제16조 주거의 불가침, 제14조 거주·이전의 자유, 제18조의 통신의 불가침 등을 그 실현수단으로 하므로 사생활의 비밀과 자유는 주거의 자유보다 포괄적 권리이다.

ㅇ. [O] 헌법 제16조가 보장하는 주거의 자유는 개방되지 않은 사적 공간인 주거를 공권력이나 제3자에 의해 침해당하지 않도록 함으로써 국민의 사생활영역을 보호하기 위한 권리이므로, 주거용 건축물의 사용·수익관계를 정하고 있는 이 사건 법률조항이 주거의 자유를 제한한다고 볼 수도 없다(2015.11.26, 2013헌바415). 2021년 경찰승진

ㅈ. [O] 점유할 권원이 없는 자(예컨대 임대차기간 종료 후의 임차인)가 점유한 건조물이라 하더라도 법적 절차를 따르지 않고 소유자가 들어간 경우에는 주거침입죄를 인정하고 있다.

04 정답 ③

ㄱ. [X] 청구인들이 불법체류 중인 외국인들이라 하더라도, 불법체류라는 것은 관련 법령에 의하여 체류자격이 인정되지 않는다는 것일 뿐이므로, '인간의 권리'로서 외국인에게도 주체성이 인정되는 일정한 기본권에 관하여 불법체류 여부에 따라 그 인정 여부가 달라지는 것은 아니다. 청구인들이 침해받았다고 주장하고 있는 신체의 자유, 주거의 자유, 변호인의 조력을 받을 권리, 재판청구권 등은 성질상 인간의 권리에 해당한다고 볼 수 있으므로, 위 기본권들에 관하여는 청구인들의 기본권 주체성이 인정된다(2012.8.23, 2008헌마430).

ㄴ. [O] 이 사건 보호 및 강제퇴거는 이미 종료한 권력적 사실행위로서 행정소송을 통해 구제될 가능성이 거의 없고 헌법소원심판 이외에 달리 효과적인 구제방법을 찾기 어려우므로 이 사건 심판청구가 보충성원칙에 위반된다고 할 수 없다(2012.8.23, 2008헌마430).

ㄷ. [O] 불법체류 외국인에 대한 보호 또는 긴급보호의 경우에도 「출입국관리법」이 정한 요건에 해당하지 않거나 법률이 정한 절차를 위반하는 때에는 적법절차원칙에 반하여 신체의 자유 등 기본권을 침해하게 된다(2012.8.23, 2008헌마430).

ㄹ. [O] 수사절차에서 피의자를 영장에 의해 체포·구속하거나 영장 없이 긴급체포 또는 현행범인으로 체포하는 경우, 필요한 범위 내에서 타인의 주거 내에서 피의자를 수사할 수 있으므로(「형사소송법」 제216조 제1항 참조), 「출입국관리법」에 의한 보호에 있어서도 용의자에 대한 긴급보호를 위해 그의 주거에 들어간 것이라면, 그 긴급보호가 적법한 이상 주거의 자유를 침해한 것으로 볼 수 없다고 할 것이다(2012.8.23, 2008헌마430).

ㅁ. [X] '국가인권위원회의 공정한 조사를 받을 권리'는 헌법상 인정되는 기본권이라고 하기 어렵고, 이 사건 보호 및 강제퇴거가 청구인들의 노동3권을 직접 제한하거나 침해한 바 없음이 명백하므로, 위 기본권들에 대하여는 본안판단에 나아가지 아니한다(2012.8.23, 2008헌마430).

05 정답 ③

ㄱ. [X] 심판대상조항은 수사기관이 피의자를 체포하기 위하여 필요한 때에는 영장 없이 타인의 주거 등에 들어가 피의자를 찾는 행위를 할 수 있다는 의미로서, 심판대상조항의 '피의자 수사'는 '피의자 수색'을 의미함을 어렵지 않게 해석할 수 있다. 이상을 종합하여 보면, 심판대상조항은 피의자가 소재할 개연성이 소명되면 타인의 주거 등 내에서 수사기관이 피의자를 수색할 수 있음을 의미하는 것으로 누구든지 충분히 알 수 있으므로, 명확성원칙에 위반되지 아니한다(2018.4.26, 2015헌바370 등).

ㄴ. [O] 헌법 제12조 제3항은 "체포·구속·압수 또는 수색을 할 때에는 적법한 절차에 따라 검사의 신청에 의하여 법관이 발부한 영장을 제시하여야 한다. 다만, 현행범인인 경우와 장기 3년 이상의 형에 해당하는 죄를 범하고 도피 또는 증거인멸의 염려가 있을 때에는 사후에 영장을 청구할 수 있다."라고 규정함으로써 사전영장주의에 대한 예외를 명문으로 인정하고 있다. 이와 달리 헌법 제16조 후단은 "주거에 대한 압수나 수색을 할 때에는 검사의 신청에 의하여 법관이 발부한 영장을 제시하여야 한다."라고 규정하고 있을 뿐 영장주의에 대한 예외를 명문화하고 있지 않다(2018.4.26, 2015헌바370 등).

ㄷ. [X] 주거 공간에 대한 긴급한 압수·수색의 필요성, 주거의 자유와 관련하여 영장주의를 선언하고 있는 헌법 제16조의 취지 등을 종합하면, 헌법 제16조의 영장주의에 대해서도 그 예외를 인정하되, 이는 ⓐ 그 장소에 범죄혐의 등을 입증할 자료나 피의자가 존재할 개연성이 소명되고, ⓑ 사전에 영장을 발부받기 어려운 긴급한 사정이 있는 경우에만 제한적으로 허용될 수 있다고 보는 것이 타당하다(2018.4.26, 2015헌바370 등).

ㄹ. [O] 심판대상조항은 체포영장을 발부받아 피의자를 체포하는 경우에 필요한 때에는 영장 없이 타인의 주거 등 내에서 피의자 수사를 할 수 있다고 규정함으로써, 앞서 본 바와 같이 별도로 영장을 발부받기 어려운 긴급한 사정이 있는지 여부를 구별하지 아니하고 피의자가 소재할 개연성만 소명되면 영장 없이 타인의 주거 등을 수색할 수 있도록 허용하고 있다. 이는 체포영장이 발부된 피의자가 타인의 주거 등에 소재할 개연성은 소명되나, 수색에 앞서 영장을 발부받기 어려운 긴급한 사정이 인정되지 않는 경우에도 영장 없이 피의자 수색을 할 수 있다는 것이므로, 헌법 제16조의 영장주의 예외요건을 벗어나는 것으로서 영장주의에 위반된다(2018.4.26, 2015헌바370 등).

ㅁ. [O] 먼저 현행범인 체포의 경우에 관하여 보건대, 현행범인은 범죄의 실행 중이거나 실행의 즉후인 자를 말하고(「형사소송법」 제211조 제1항), 범인으로 호창되어 추적되고 있는 등 「형사소송법」 제211조 제2항 각 호에 해당하는 자는 현행범인으로 간주된다. 현행범인이 수사기관의 추격을 피하여 타인의 주거 등에 들어가는 경우 이를 확인한 수사기관으로서는 현행범인 체포를 위하여 그 장소에 바로 들어가 피의자 수색을 할 수 있어야 한다. 이 경우 현행범인이 타인의 주거 등에 소재할 개연성 및 수색에 앞서 수색영장을 발부받기 어려운 긴급한 사정이 충분히 인정된다. 현행범인 체포의 경우에는 헌법 제16조의 영장주의의 예외를 인정할 수 있다. 다음으로 긴급체포의 경우에 관하여 보건대, 긴급체포는 피의자가 사형·무기 또는 장기 3년 이상의 징역이나 금고에 해당하는 죄를 범하였다고 의심할 만한 상당한 이유가 있고, 피의자가 증거를 인멸할 염려가 있거나 피의자가 도망하거나 도망할 우려가 있는 경우로서 긴급을 요하여 지방법원 판사의 체포영장을 받을 수 없는 때에 영장 없이 피의자를 체포하는 것이다. 이러한 경우에도 피의자가 타인의 주거 등에 소재할 개연성 및 수색에 앞서 수색영장을 발부받기 어려운 긴급한 사정이 충분히 인정된다. 따라서 긴급체포의 경우 역시 헌법 제16조의 영장주의의 예외를 인정할 수 있다(2018.4.26, 2015헌바370 등).

ㅂ. [O] ㅅ. [X] 심판대상조항의 위헌성은 근본적으로 헌법 제16조에서 영장주의를 규정하면서 그 예외를 명시적으로 규정하지 아니한 잘못에서 비롯된 것이다. 늦어도 2020.3.31.까지는 현행범인 체포, 긴급체포, 일정 요건하에서의 체포영장에 의한 체포의 경우에 영장주의의 예외를 명시하는 것으로 위 헌법조항이 개정되고, 그에 따라 심판대상조항(심판대상조항과 동일한 내용의 규정이 「형사소송법」 제137조에도 존재한다)이 개정되는 것이 바람직하며, 위 헌법조항이 개정되지 않는 경우에는 심판대상조항만이라도 이 결정의 취지에 맞게 개정되어야 함을 지적하여 둔다. 위 시한까지 개선입법이 이루어지지 않으면 심판대상조항은 2020.4.1.부터 그 효력을 상실한다(2018.4.26, 2015헌바370 등).

06 정답 ④

① [X] 사생활의 비밀은 참정적권 성격, 즉 정치적·권리적 성격을 가지지는 않는다. 따라서 정치적 의사표명은 사생활의 자유에서 보호되지 않고 표현의 자유에서 보호된다.

② [X] '사생활의 자유'란, 사회공동체의 일반적인 생활규범의 범위 내에서 사생활을 자유롭게 형성해 나가고 그 설계 및 내용에 대해서 외부로부터의 간섭을 받지 아니할 권리로서, 사생활과 관련된 사사로운 자신만의 영역이 본인의 의사에 반해서 타인에게 알려지지 않도록 할 수 있는 권리인 '사생활의 비밀'과 함께 헌법상 보장되고 있다(2001.8.30, 99헌바92 등).

③ [X] 헌법 제10조는 "모든 국민은 인간으로서의 존엄과 가치를 가지며, 행복을 추구할 권리를 가진다. 국가는 개인이 가지는 불가침의 기본적 인권을 확인하고 이를 보장할 의무를 진다."라고 규정하고, 헌법 제17조는 "모든 국민은 사생활의 비밀과 자유를 침해받지 아니한다."라고 규정하고 있는바, 이들 헌법규정은 개인의 사생활 활동이 타인으로부터 침해되거나 사생활이 함부로 공개되지 아니할 소극적인 권리는 물론, 오늘날 고도로 정보화된 현대사회에서 자신에 대한 정보를 자율적으로 통제할 수 있는 적극적인 권리까지도 보장하려는 데에 그 취지가 있는 것으로 해석된다(대판 1998.7.24, 96다42789 등).

❹ [O] 제8차 개정헌법에서 처음으로 사생활의 비밀과 자유를 규정하였다.

07 정답 ②

① [O] 사생활의 자유란 사회공동체의 일반적인 생활규범의 범위 내에서 사생활을 자유롭게 형성해 나가고 그 설계 및 내용에 대해서 외부로부터의 간섭을 받지 아니할 권리를 말하는바, 흡연을 하는 행위는 이와 같은 사생활의 영역에 포함된다고 할 것이므로, 흡연권은 헌법 제17조에서 그 헌법적 근거를 찾을 수 있다(2004.8.26, 2003헌마457).

❷ [X] 자신의 인격권이나 명예권을 보호하기 위하여 대외적으로 해명을 하는 행위는 표현의 자유에 속하는 영역일 뿐 이미 사생활의 자유에 의하여 보호되는 범주를 벗어난 행위이고, 또한 자신의 태도나 입장을 외부에 설명하거나 해명하는 행위는 진지한 윤리적 결정에 관계된 행위라기보다는 단순한 생각이나 의견, 사상이나 확신 등의 표현행위라고 볼 수 있어, 그 행위가 선거에 영향을 미치게 하기 위한 것이라는 이유로 이를 하지 못하게 된다 하더라도 내면적으로 구축된 인간의 양심이 왜곡 굴절된다고는 할 수 없다는 점에서 양심의 자유의 보호영역에 포괄되지 아니하므로, 위 제93조 제1항은 사생활의 자유나 양심의 자유를 침해하지 아니한다(2001.8.30, 99헌바92 등).

③ [O] 공직자의 공무집행과 직접적인 관련이 없는 개인적인 사생활에 관한 사실이라도 일정한 경우 공적인 관심 사안에 해당할 수 있다. 공직자의 자질·도덕성·청렴성에 관한 사실은 그 내용이 개인적인 사생활에 관한 것이라 할지라도 순수한 사생활의 영역에 있다고 보기 어렵다. 이러한 사실은 공직자 등의 사회적 활동에 대한 비판 내지 평가의 한 자료가 될 수 있고, 업무집행의 내용에 따라서는 업무와 관련이 있을 수도 있으므로, 이에 대한 문제 제기 내지 비판은 허용되어야 한다(2013.12.26, 2009헌마747).

④ [O] 일반 교통에 사용되고 있는 도로는 국가와 지방자치단체가 그 관리책임을 맡고 있는 영역이며, 수많은 다른 운전자 및 보행자 등의 법익 또는 공동체의 이익과 관련된 영역으로, 그 위에서 자동차를 운전하는 행위는 더 이상 개인적인 내밀한 영역에서의 행위가 아니며, 자동차를 도로에서 운전하는 중에 좌석안전띠를 착용할 것인가 여부의 생활관계가 개인의 전체적 인격과 생존에 관계되는 '사생활의 기본조건'이라거나 자기결정의 핵심적 영역 또는 인격적 핵심과 관련된다고 보기 어려워 더 이상 사생활영역의 문제가 아니므로, 운전할 때 운전자가 좌석안전띠를 착용할 의무는 청구인의 사생활의 비밀과 자유를 침해하는 것이라 할 수 없다(2003.10.30, 2002헌마518).

08 정답 ①

ㄱ. [X] 청구인들은 이 사건 법률조항에 의하여 청구인들의 사생활의 비밀과 자유 및 통신의 비밀이 침해되었다고 주장한다. 그러나 전자우편이 제3자에게 공개됨으로 인하여 청구인들이 입게 되는 통신의 비밀 등의 침해는, 전자우편을 압수수색의 대상에서 제외하지 않은 「형사소송법」 제106조 제1항과 위 법률조항에 기하여 발부된 법원의 압수수색영장 및 그 집행에 의하여 발생하는 것이지 이미 이러한 통신의 비밀의 제한을 내용으로 한 적법한 압수수색영장이 발부된 것을 전제로 그 집행절차와 관련하여 사전통지의 예외를 규정하고 있을 뿐인 이 사건 법률조항에 의해 발생하는 것이 아니다. 즉 이 사건 법률조항에 의하여 제한되고 있는 것은 통신의 비밀 자체가 아니라 전자우편이 압수수색이라는 강제처분의 대상이 된다는 사실을 미리 통지받을 권리라고 할 것인바, 이는 압수수색 집행에 있어 피의자의 기본권을 보장하기 위한 절차적 규정이라고 할 것이므로, 이 사건 법률조항의 위헌 여부에 관하여는 적법절차원칙의 위배 여부가 문제된다(2012.12.27, 2011헌바225).

ㄴ. [O] 성기구의 판매행위를 제한할 경우 성기구를 사용하려는 소비자는 성기구를 구하는 것이 불가능하거나 매우 어려워 결국 성기구를 이용하여 성적 만족을 얻으려는 사람의 은밀한 내적 영역에 대한 기본권인 사생활의 비밀과 자유가 제한된다고 볼 수 있다(2013.8.29, 2011헌바176). 2015년 법행

ㄷ. [O] 이 사건 전자장치부착조항은 피부착자의 위치와 이동경로를 실시간으로 파악하여 피부착자를 24시간 감시할 수 있도록 하고 있으므로 피부착자의 사생활의 비밀과 자유를 제한하며, 피부착자의 위치와 이동경로 등 '위치 정보'를 수집, 보관, 이용한다는 측면에서 개인정보자기결정권도 제한한다(2012.12.27, 2011헌바89).

ㄹ. [O] 존속상해치사죄와 같은 범죄행위가 헌법상 보호되는 사생활의 영역에 속한다고 볼 수 없을 뿐만 아니라, 이 사건 법률조항의 입법목적이 정당하고 그 형의 가중에 합리적 이유가 있으며 직계존속이 아닌 통상인에 대한 상해치사죄도 형사상 처벌되고 있는 이상, 그 가중처벌에 의하여 가족관계상 비속의 사생활이 왜곡된다거나 존속에 대한 효의 강요나 개인 윤리문제에의 개입 등 외부로부터 부당한 간섭이 있는 것이라고는 말할 수 없으므로, 존속상해치사죄에 대해 형벌을 가중하고 있는 「형법」 제259조 제2항은 헌법 제17조의 사생활의 자유를 침해하지 아니한다(2002.3.28, 2000헌바53).

ㅁ. [O] 친생부인의 소 진행과정에서 발생할 수 있는 사생활 공개의 문제는 소송법상 변론 및 소송기록 비공개제도의 운영에 관련된 문제로서 심판대상조항으로 말미암아 청구인의 사생활의 비밀과 자유가 제한된다고 보기는 어렵다(2015.4.30, 2013헌마623).

ㅂ. [O] 공판정에서 진술을 하는 피고인·증인 등도 인간으로서의 존엄과 가치를 가지며(헌법 제10조), 사생활의 비밀과 자유를 침해받지 아니할 권리를 가지고 있으므로(헌법 제17조), 본인이 비밀로 하고자 하는 사적인 사항이 일반에 공개되지 아니하고 자신의 인격적 징표가 타인에 의하여 일방적으로 이용당하지 아니할 권리가 있다. 따라서 모든 진술인은 원칙적으로 자기의 말을 누가 녹음할 것인지와 녹음된 자기의 음성이 재생될 것인지 여부 및 누가 재생할 것인지 여부에 관하여 스스로 결정한 권리가 있다(1995.12.28, 91헌마114).

ㅅ. [O] 피청구인은 청구인이 없는 상태에서 사생활영역이거나 사생활에 연결될 수 있는 청구인의 거실 또는 작업장에서 이 사건 검사행위를 하여 개인물품 등을 조사함으로써 일응 청구인의 사생활의 비밀 및 자유를 제한하였다고 볼 수 있으므로, 이 사건 검사행위가 과잉금지원칙에 위배하여 청구인의 사생활의 비밀 및 자유를 침해하였는지 여부를 살펴본다(2011.10.25, 2009헌마691).

ㅇ. [O] 자신의 인격권이나 명예권을 보호하기 위하여 대외적으로 해명을 하는 행위는 표현의 자유에 속하는 영역일 뿐 이미 사생활의 자유에 의하여 보호되는 범주를 벗어난 행위이다(2001.8.30, 99헌바92 등).

ㅈ. [O] 청소년 스스로가 게임물의 이용 여부를 자유롭게 결정할 수 있는 권리를 제한하는바, 자기결정권을 포함한 청구인들의 일반적 행동자유권을 제한한다. 본인인증절차를 거치기 위한 전제로서 공인인증기관이나 본인확인기관에 실명이나 주민등록번호 등의 정보를 제공할 것이 강제되고, 이러한 기관들은 개인정보의 보유 및 이용기간 동안 이러한 정보들을 보유할 수 있으므로(「정보통신망 이용촉진 및 정보보호에 관한 법률」 제29조 제1항 제2호), 본인인증 및 동의 확보조항은 인터넷게임 이용자가 자기의 개인정보에 대한 제공, 이용 및 보관에 관하여 스스로 결정할 권리인 개인정보자기결정권을 제한한다. 개인정보자기결정권이 제한된다고 보아 그 침해 여부를 판단하는 이상, 사생활의 비밀과 자유 침해 문제에 관하여는 따로 판단하지 않기로 한다(2015.3.26, 2013헌마517).

09 정답 ④

① [X] 교정시설의 장이 수용자가 범죄의 증거를 인멸하거나 형사법령에 저촉되는 행위를 할 우려가 있는 때에 교도관으로 하여금 수용자의 접견 내용을 청취·기록·녹음 또는 녹화하게 하는 것은 과잉금지원칙에 위배되어 사생활의 비밀과 자유 및 통신의 비밀을 침해하지 아니한다(2016.11.24, 2014헌바401).

② [X] 접견 내용을 녹음·녹화하는 경우 수용자 및 그 상대방에게 그 사실을 말이나 서면 등으로 알려주어야 하고 취득된 접견기록물은 법령에 의해 보호·관리되고 있으므로 사생활의 비밀과 자유에 대한 침해를 최소화하는 수단이 마련되어 있다는 점, 청구인이 나눈 접견 내용에 대한 사생활의 비밀로서의 보호가치에 비해 증거인멸의 위험을 방지하고 교정시설 내의 안전과 질서유지에 기여하려는 공익이 크고 중요하다는 점에 비추어 볼 때, 이 사건 접견참여·기록이 청구인의 사생활의 비밀과 자유를 침해하였다고 볼 수 없다(2014.9.25, 2012헌마523). 2015년 법행

③ [X] 접견기록물의 제공은 제한적으로 이루어지고, 제공된 접견 내용은 수사와 공소제기 등에 필요한 범위 내에서만 사용하도록 제도적 장치가 마련되어 있으며, 사적 대화 내용을 분리하여 제공하는 것은 그 구분이 실질적으로 불가능하고, 범죄와 관련 있는 대화 내용을 쉽게 파악하기 어려워 전체 제공이 불가피한 점 등을 고려할 때 침해의 최소성요건도 갖추고 있다. 나아가 접견 내용이 기록된다는 사실이 미리 고지되어 그에 대한 보호가치가 그리 크다고 볼 수 없는 점 등을 고려할 때, 법익의 불균형을 인정하기도 어려우므로, 과잉금지원칙에 위반하여 청구인의 개인정보자기결정권을 침해하였다고 볼 수 없다(2012.12.27, 2010헌마153). 2014년 사시

❹ [O] 교도관의 점검사항 중 교도수첩과 비상준비금의 휴대의무와 점검에 응할 의무를 부과한 교도관점검규칙이 개인의 사생활의 자유를 보장한 헌법이나 법률에 위반되어 무효라고 볼 수는 없다(대판 1996.4.12, 95누5752). 2009년 법행

10 정답 ③

① [X] 보안관찰 해당 범죄는 민주주의체제의 수호와 사회질서의 유지, 국민의 생존 및 자유에 중대한 영향을 미치는 범죄인 점, 「보안관찰법」은 대상자를 파악하고 재범의 위험성 등 보안관찰처분의 필요성 유무의 판단 자료를 확보하기 위하여 위와 같은 신고의무를 규정하고 있다는 점 등에 비추어 출소 후 신고의무 위반에 대한 제재수단으로 형벌을 택한 것이 과도하다거나 법정형이 다른 법률들에 비하여 각별히 과중하다고 볼 수도 없다. 따라서 출소 후 신고조항 및 위반시 처벌조항은 과잉금지원칙을 위반하여 청구인의 사생활의 비밀과 자유 및 개인정보자기결정권을 침해하지 아니한다(2021.6.24, 2017헌바479).

② [X] 청구인은 심판대상조항이 적법절차원칙, 책임과 형벌 간의 비례원칙, 실질적 죄형법정주의에도 위배된다고 주장하나, 이는 심판대상조항이 헌법 제37조 제2항의 과잉금지원칙에 위반된다는 주장과 다름없으므로, 별도로 판단하지 아니한다(2021.6.24, 2017헌바479). ➡ 문제의 선지는 반대의견이었다.

❸ [O] 변동신고조항 및 법 제6조 제1항에서 정한 신고의무사항은 대상자에게 재범의 위험성이 있는지 판단하기 위한 정보일 것이므로, 법 제6조 제1항에서 대통령령으로 정하도록 위임한 신고사항에는 대상자의 생활환경, 성행 등을 파악하는 데 필요한 직업, 재산, 가족 및 교우관계 등에 관한 정보도 포함될 것임을 충분히 예측할 수 있다(2021.6.24, 2017헌바479).

④ [X] 변동신고조항은 출소 후 기존에 신고한 거주예정지 등 정보에 변동이 생기기만 하면 신고의무를 부과하는바, 의무기간의 상한이 정해져 있지 아니하여, 대상자로서는 보안관찰처분을 받은 자가 아님에도 무기한의 신고의무를 부담한다. … 그렇다면 변동신고조항 및 위반시 처벌조항은 대상자에게 보안관찰처분의 개시 여부를 결정하기 위함이라는 공익을 위하여 지나치게 장기간 형사처벌의 부담이 있는 신고의무를 지도록 하므로, 이는 과잉금지원칙을 위반하여 청구인의 사생활의 비밀과 자유 및 개인정보자기결정권을 침해한다(2021.6.24, 2017헌바479).

11 정답 ④

ㄱ. [X] '4급 이상의 공무원 본인의 질병명에 관한 부분'에 의하여 그 공개가 강제되는 질병명은 내밀한 사적 영역에 근접하는 민감한 개인정보로서, 특별한 사정이 없는 한 타인의 지득, 외부에 대한 공개로부터 차단되어 개인의 내밀한 영역 내에 유보되어야 하는 정보이다. 이러한 성격의 개인정보를 공개함으로써 사생활의 비밀과 자유를 제한하는 국가적 조치는 엄격한 기준과 방법에 따라 섬세하게 행하여지지 않으면 아니 된다(2007.5.31, 2005헌마1139).

ㄴ. [O] 민주국가에서 병역의무는 납세의무와 더불어 국가라는 정치적 공동체의 존립·유지를 위하여 국가 구성원인 국민에게 그 부담이 돌아갈 수밖에 없는 것으로서, 병역의무의 부과를 통하여 국가방위를 도모하는 것은 국가공동체에 필연적으로 내재하는 헌법적 가치라 할 수 있다.

ㄷ. [X] 병무행정에 관한 부정과 비리가 근절되지 않고 있으며, 그 척결 및 병역부담평등에 대한 사회적 요구가 대단히 강한 우리 사회에서, '부정한 병역면탈의 방지'와 '병역의무의 자진 이행에 기여'라는 입법목적을 달성하기 위해서는 병역사항을 신고하게 하고 적정한 방법으로 이를 공개하는 것이 필요하다고 할 수 있다. 한편, 질병은 병역처분에 있어 고려되는 본질적 요소이므로 병역공개제도의 실현을 위해 질병명에 대한 신고와 그 적정한 공개 자체는 필요하다 할 수 있다(2007.5.31, 2005헌마1139).

ㄹ. [O] 이 사건 법률조항이 공적 관심의 정도가 약한 4급 이상의 공무원들까지 대상으로 삼아 모든 질병명을 아무런 예외 없이 공개토록 한 것은 입법목적 실현에 치중한 나머지 사생활 보호의 헌법적 요청을 현저히 무시한 것이고, 이로 인하여 청구인들을 비롯한 해당 공무원들의 헌법 제17조가 보장하는 기본권인 사생활의 비밀과 자유를 침해하는 것이다(2007.5.31, 2005헌마1139).

ㅁ. [O] 우리 현실에서 병역공개제도의 필요성이 인정되고, 이를 위해 질병명에 대한 신고와 적정한 방법에 의한 공개가 반드시 불필요하다고 단정할 수 없는 이상 이 사건 법률조항에 대하여 단순위헌결정을 하는 것은 적절하지 않다. 4급 이상 공무원 모두에 대하여 어떤 질병명도 당장 공개할 수 없는 결과가 초래되기 때문이다. … 병역공개제도와 사생활 보호라는 자칫 충돌할 수 있는 양 법익을

보다 조화롭게 형량하는 다른 절차나 방법이 있다면 이를 채택할 수도 있을 것이다. 그러므로 이 사건 법률조항에 대하여 헌법불합치결정을 선고하되, 다만 입법자의 개선입법이 있을 때까지 계속 적용을 명하기로 한다(2007.5.31, 2005헌마1139).

ㅂ. [X] 우리 현실에서 병역공개제도의 필요성이 인정되고, 이를 위해 질병명에 대한 신고와 적정한 방법에 의한 공개가 반드시 불필요하다고 단정할 수 없는 이상 이 사건 법률조항에 대하여 단순위헌결정을 하는 것은 적절하지 않다(2007.5.31, 2005헌마1139).

12 정답 ①

❶ [X] 개인정보자기결정권의 … 헌법적 근거를 굳이 어느 한두 개에 국한시키는 것은 바람직하지 않은 것으로 보이고, 오히려 개인정보자기결정권은 이들(사생활의 비밀과 자유, 일반적 인격권, 자유민주적 기본질서규정, 국민주권원리와 민주주의원리)을 이념적 기초로 하는 독자적 기본권으로서 헌법에 명시되지 아니한 기본권이라고 보아야 할 것이다(2005.5.26, 99헌마513).

② [O] 개인정보자기결정권의 … 헌법적 근거를 굳이 어느 한두 개에 국한시키는 것은 바람직하지 않은 것으로 보이고, 오히려 개인정보자기결정권은 이들(사생활의 비밀과 자유, 일반적 인격권, 자유민주적 기본질서규정, 국민주권원리와 민주주의원리)을 이념적 기초로 하는 독자적 기본권으로서 헌법에 명시되지 아니한 기본권이라고 보아야 할 것이다(2005.5.26, 99헌마513). 2017년 경찰승진

③ [O] 개인정보자기결정권의 보호대상이 되는 개인정보는 개인의 신체, 신념, 사회적 지위, 신분 등과 같이 개인의 인격주체성을 특징짓는 사항으로서 그 개인의 동일성을 식별할 수 있게 하는 일체의 정보라고 할 수 있고, 반드시 개인의 내밀한 영역이나 사사(私事)의 영역에 속하는 정보에 국한되지 않고 공적 생활에서 형성되었거나 이미 공개된 개인정보까지 포함한다(2005.7.21, 2003헌마282 등). 2016년 경찰승진

④ [O] 개인정보자기결정권의 보호대상이 되는 개인정보는 개인의 신체, 신념, 사회적 지위, 신분 등과 같이 개인의 인격주체성을 특징짓는 사항으로서 그 개인의 동일성을 식별할 수 있게 하는 일체의 정보라고 할 수 있고, 반드시 개인의 내밀한 영역이나 사사(私事)의 영역에 속하는 정보에 국한되지 않고 공적 생활에서 형성되었거나 이미 공개된 개인정보까지 포함한다(2005.7.21, 2003헌마282 등).

13 정답 ①

❶ [O] 인간의 존엄과 가치, 행복추구권을 규정한 헌법 제10조 제1문에서 도출되는 일반적 인격권 및 헌법 제17조의 사생활의 비밀과 자유에 의하여 보장되는 개인정보자기결정권은 자신에 관한 정보가 언제 누구에게 어느 범위까지 알려지고 또 이용되도록 할 것인지를 그 정보주체가 스스로 결정할 수 있는 권리이다(2005.7.21, 2003헌마282 등).

② [X] 야당 소속 후보자 지지 혹은 정부 비판은 정치적 견해로서 개인의 인격주체성을 특징짓는 개인정보에 해당하고, 그것이 지지 선언 등의 형식으로 공개적으로 이루어진 것이라고 하더라도 여전히 개인정보자기결정권의 보호범위 내에 속한다(2020.12.23, 2017헌마416).

③ [X] 이미 공개된 개인정보를 정보주체의 동의가 있었다고 객관적으로 인정되는 범위 내에서 수집·이용·제공 등 처리를 할 때는 정보주체의 별도의 동의는 불필요하다고 보아야 하고, 별도의 동의를 받지 아니하였다고 하여 「개인정보 보호법」 제15조나 제17조를 위반한 것으로 볼 수 없다(대판 2016.8.17, 2014다235080).

④ [X] 개인정보자기결정권이라는 인격적 법익을 침해·제한한다고 주장되는 행위의 내용이 이미 정보주체의 의사에 따라 공개된 개인정보를 그의 별도의 동의 없이 영리목적으로 수집·제공하였다는 것인 경우에는 개인정보에 관한 인격권 보호에 의하여 얻을 수 있는 이익과 정보처리 행위로 얻을 수 있는 이익, 즉 정보처리자의 '알 권리'와 이를 기반으로 한 정보수용자의 '알 권리' 및 표현의 자유, 정보처리자의 영업의 자유, 사회 전체의 경제적 효율성 등의 가치를 구체적으로 비교 형량하여 어느 쪽 이익이 더 우월한 것으로 평가할 수 있는지에 따라 정보처리행위의 최종적인 위법성 여부를 판단하여야 하고, 단지 정보처리자에게 영리목적이 있었다는 사정만으로 곧바로 정보처리행위를 위법하다고 할 수는 없다(대판 2016.8.17, 2014다235080).

14 정답 ②

① [O] 통신매체이용음란죄의 구성요건에 해당하는 행위 태양은 행위자의 범의·범행 동기·행위 상대방·행위 횟수 및 방법 등에 따라 매우 다양한 유형이 존재하고, 개별 행위유형에 따라 재범의 위험성 및 신상정보 등록 필요성은 현저히 다르다. 그런데 심판대상조항은 통신매체이용음란죄로 유죄판결이 확정된 사람은 누구나 법관의 판단 등 별도의 절차 없이 필요적으로 신상정보 등록대상자가 되도록 하고 있고, 등록된 이후에는 그 결과를 다툴 방법도 없다. 그렇다면 심판대상조항은 통신매체이용음란죄의 죄질 및 재범의 위험성에 따라 등록대상을 축소하거나, 유죄판결 확정과 별도로 신상정보 등록 여부에 관하여 법관의 판단을 받도록 하는 절차를 두는 등 기본권 침해를 줄일 수 있는 다른 수단을 채택하지 않았다는 점에서 침해의 최소성원칙에 위배된다(2016.3.31, 2015헌마688). 2016년 국가 7급

❷ [X] 인격체인 피해자의 성적 자유 및 함부로 촬영당하지 않을 자유를 침해하는 성범죄로서의 본질은 같으므로 입법자가 개별 카메라 등 이용촬영죄의 행위 태양, 불법성을 구별하지 않은 것이 지나친 제한이라고 볼 수 없고, 신상정보 등록대상자가 된다고 하여 그 자체로 사회복귀가 저해되거나 전과자라는 사회적 낙인이 찍히는 것은 아니므로 침해되는 사익은 크지 않은 반면 이 사건 등록조항을 통해 달성되는 공익은 매우 중요하다. 따라서 이 사건 등록조항은 개인정보자기결정권을 침해하지 않는다(2015.7.30, 2014헌마340 등).

③ [O] 성적 목적 공공장소침입죄는 공공화장실 등 일정한 장소를 침입하는 경우에 한하여 성립하므로 등록조항에 따른 등록대상자의 범위는 이에 따라 제한되는바, 등록조항은 침해의 최소성원칙에 위배되지 않는다. 등록조항으로 인하여 제한되는 사익에 비하여 성범죄의 재범 방지와 사회 방위라는 공익이 크다는 점에서 법익의 균형성도 인정된다. 따라서 등록조항은 청구인의 개인정보자기결정권을 침해하지 않는다(2016.10.27, 2014헌마709). 2019년 법행

④ [O] 출입국신고조항은 신고의무자가 6개월 이상 국외에 체류할 경우에만 신고를 요하고, 신상정보 등록제도의 효과적인 운영을 위한 정보의 정확성 제고와 행정의 효율성을 위해 불가피하다(2019.11.28, 2017헌마399).

15 정답 ①

ㄱ. [X] 신상정보 고지제도는 구체적으로 현존하는 아동·청소년에 대한 성폭력의 위험으로부터 사회 공동체를 지키려는 인식을 제고하기 위하여 도입된 것으로서, 이를 통하여 달성하고자 하는 '아동·청소년의 성보호'라는 목적은 매우 중요한 공익이다. 이에 비하여 신상정

보 고지조항으로 인하여 고지되는 정보는 대부분 형사재판에서 유죄가 확정된 형사판결이라는 공적 기록의 내용 중 일부로서, 이를 고지한다고 하여 아동·청소년대상 성폭력범죄자의 인격권 등이 과도하게 제한되는 것이라고 보기는 어렵다(2016.5.26, 2014헌바68 등). 2018년 국가 7급

ㄴ. [X] '혐의없음' 불기소처분에 관한 이 사건 개인정보를 보존함으로써 얻고자 하는 공익은 크다고 보아야 할 것이므로, 이 사건 법률조항이 법익의 균형성을 상실하였다고 볼 수도 없다. 따라서 이 사건 법률조항이 과잉금지의 원칙에 위반하여 청구인의 개인정보자기결정권을 침해한다고 볼 수 없다(2009.10.29, 2008헌마257). 2015년 사시

ㄷ. [O] 도촬 유죄판결을 받은 자 20년 범죄기록 보존 카메라이용 촬영죄 등으로 유죄판결이 확정된 자에 대한 등록정보를 최초등록일부터 20년간 보존·관리하여야 한다고 규정한 「성폭력범죄의 처벌 등에 관한 특례법」은 비교적 경미한 등록대상 성범죄를 저지르고 재범의 위험성도 많지 않은 자들에 대해서는 달성되는 공익과 침해되는 사익 사이의 불균형이 발생할 수 있으므로 이 사건 관리조항은 개인정보자기결정권을 침해한다(2015.7.30, 2014헌마340 등).
➡ 헌법불합치결정 2016년 국회 8급 변형

ㄹ. [X] 범죄경력자료를 범인 추적과 실체적 진실 발견, 각종 결격사유 판단 등을 위한 자료로 사용하기 위해 보존하는 것은 그 목적에 있어 정당하고 수단의 적합성을 갖추고 있다. 범죄경력자료의 삭제를 규정하지 않은 것이 청구인의 개인정보자기결정권을 침해한다고 볼 수 없다(2012.7.26, 2010헌마446). 2020년 경찰경채

ㅁ. [X] 심판대상조항은 성범죄의 재범을 억제하고 재범이 현실적으로 이루어진 경우 수사의 효율성과 신속성을 높이기 위하여, 법무부장관이 이 사건 범죄로 3년 이하의 징역형을 선고받은 사람의 등록정보를 최초등록일부터 15년 동안 보존·관리하도록 규정한 것으로, 입법목적의 정당성 및 수단의 적합성이 인정된다. 헌재 2015.7.30. 2014헌마340 등 헌법불합치결정에 따라 개정된 「성폭력범죄의 처벌 등에 관한 특례법」 제45조 제1항은 선고형에 따라 등록기간을 10년부터 30년까지 달리하여 형사책임의 경중 및 재범의 위험성에 따라 등록기간을 차등화하였다. 이 사건 범죄로 3년 이하의 징역형을 선고받은 사람은 재범의 위험성이 상당히 인정되는 사람이므로, 심판대상조항이 등록기간을 보다 세분화하거나 법관의 판단을 받을 수 있는 별도의 절차를 두지 않았더라도 불필요한 제한을 부과한 것이라 보기 어렵다. 「성폭력범죄의 처벌 등에 관한 특례법」은 신상정보 등록 면제제도를 도입하여, 재범의 위험성이 낮아진 경우 신상정보의 등록을 면할 수 있는 수단도 마련되어 있으므로 침해의 최소성이 인정된다. 심판대상조항으로 인하여 침해되는 사익보다 성범죄자의 재범 방지 및 사회 방위의 공익이 우월하므로, 법익의 균형성도 인정된다. 그렇다면, 심판대상조항은 청구인의 개인정보자기결정권을 침해하지 않는다(2018.3.29, 2017헌마396).
➡ 도촬로 유죄판결을 받은 자에 대한 신상정보 일률적 20년 보존은 헌법불합치결정된 바 있다.

ㅂ. [X] 전과기록은 형의 선고 및 재판의 확정이 있었다는 것에 관한 개인정보로서 그 보관주체는 국가이다. 이러한 전과기록은 내밀한 사적 영역에 근접하는 민감한 개인정보에 해당한다고 할 수 있으므로 그 제한의 허용성은 엄격히 검증되어야 한다. 따라서 금고 이상의 형의 범죄경력에 실효된 형을 포함시키는 이 사건 법률조항은 개인의 사생활의 비밀과 자유를 제한하는 것으로서, 공공복리 등을 위하여 법률로써 제한하는 경우에도 헌법 제37조 제2항에 따라 기본권 제한의 한계원리인 비례의 원칙을 준수하여야 한다. 후보자의 실효된 형까지 포함한 금고 이상의 형의 범죄경력을 공개함으로써 국민의 알 권리를 충족하고 공정하고 정당한 선거권 행사를 보장하고자 하는 이 사건 법률조항의 입법목적은 정당하며, 이러한 입법목적을 달성하기 위하여는 선거권자가 후보자의 모든 범죄경력을 인지한 후 그 공직적합성을 판단하는 것이 효과적이다. 따라서 이 사건 법률조항은 청구인들의 사생활의 비밀과 자유를 침해한다고 볼 수 없다(2008.4.24, 2006헌마402 등). 2011년 사시

16 정답 ①

❶ [X] 등록대상자조항은 성폭력범죄의 재범을 억제하고 성폭력범죄자의 조속한 검거 등 효율적인 수사를 위한 것이다. 이는 전과기록 관리 및 보안처분만으로는 달성할 수 없는 정도로 성폭력범죄의 재범을 억제하고, 성폭력범죄자의 조속한 검거 등 효율적인 수사를 위하여 불가피한 것으로, 등록 자체로 인한 기본권의 제한범위가 제한적인 반면, 이를 통하여 달성되는 공익은 매우 크다(2019.11.28, 2017헌마399).

② [O] 배포조항으로 인하여 등록대상자는 자신의 등록정보가 법무부장관 외 다른 기관에 배포되는 것을 수인해야 하나, 배포조항을 통하여 달성하려는 성범죄의 효율적 수사 등 공익은 매우 중요하고 크므로, 법익의 균형성도 인정된다(2019.11.28, 2017헌마399).

③ [O] 관리조항은 그 관리기간이 형사책임의 경중에 따라 세분화되어 있고 일정한 경우 그 기간을 단축할 수 있도록 하고 있으며, 그 자체로 등록대상자의 생활에 장애를 주는 것은 아니다(2019.11.28, 2017헌마399).

④ [O] 대면확인조항은 정보의 최신성과 정확성을 확보를 위하여 필요하고, 등록대상자에게 책임에 상응하는 부담만을 부과하고 있으므로 등록대상자에게 과중한 부담을 주는 것이라고 보기 어렵다(2019.11.28, 2017헌마399).

17 정답 ①

ㄱ. [O] 개인정보자기결정권의 한 내용인 자기정보공개청구권은 자신에 관한 정보가 부정확하거나 불완전한 상태로 보유되고 있는지 여부를 알기 위하여 정보를 보유하고 있는 자에게 자신에 관한 정보의 열람을 청구함으로써 개인정보를 보호하고, 개인정보의 수집, 보유, 이용에 관한 통제권을 실질적으로 보장하기 위하여 인정되는 것이다. 그런데 위 청구인의 변호사시험 성적 공개 요구는 개인정보의 보호나 개인정보의 수집, 보유, 이용에 관한 통제권을 실질적으로 보장해 달라는 것으로 보기 어렵고, 변호사시험 성적이 정보주체의 요구에 따라 수정되거나 삭제되는 등 정보주체의 통제권이 인정되는 성질을 가진 개인정보라고 보기도 어렵다. 따라서 심판대상조항이 개인정보자기결정권을 제한하고 있다고 보기 어렵다(2015.6.25, 2011헌마769 등).

ㄴ. [X] 특정 시험에 대한 응시 및 합격 여부, 합격연도 등도 개인정보에 포함되고, 그러한 사실이 알려지는 시기, 범위 등을 응시자 스스로 결정할 권리는 개인정보자기결정권의 보장범위에 속한다고 할 수 있다(2020.3.26, 2018헌마77 등).

ㄷ. [O] 심판대상조항에 따라 합격자명단이 공고되면, 법학전문대학원 졸업자 또는 졸업예정자라는 한정된 집단에 속한 사람이 응시하는 변호사시험 특성에 비추어, 특정인의 법학전문대학원 재학 또는 졸업 사실을 이미 알고 있는 그 주변 사람들은 성명이 공개된 사람의 합격 사실뿐만 아니라 위 정보를 결합하여 특정인의 불합격 사실도 알 수 있으므로, 결국 응시자들의 개인정보자기결정권에 대한 제한이 발생한다(2020.3.26, 2018헌마77 등).

ㄹ. [O] 청구인은 심판대상조항에 따라 합격자명단이 공개됨으로써 사생활의 비밀과 자유가 침해된다고 주장하나, 변호사라는 전문자격을 취득하거나 취득하지 못하였다는 사실이 내밀한 사적 영역에 속하는 것인지 의문일 뿐만 아니라, 설사 이에 속한다고 하더라도 개인정보자기결정권의 보호영역과 중첩되는 범위 안에서만 관련되어 있

으므로, 개인정보자기결정권에 대한 과잉금지원칙 위배 여부를 심사하는 이상 따로 살펴보지 않는다(2020.3.26, 2018헌마77 등).

ㅁ. [X] 더욱이 변호사에게 직접 등록증서를 보여주도록 요청하거나 대한변호사협회 홈페이지를 통하여 검색하는 것은 자격시험에 합격한 법률전문가가 변호사등록을 한 경우에만 유용한 방법인데, 실무상 변호사 자격이 있는 사람이 법령에 의하여 변호사등록을 하지 않고도 법률서비스를 제공할 수 있는 경우도 있으므로, 일반 국민의 입장에서 볼 때는 매회 변호사시험 합격자명단이 널리 공개되는 것이 변호사 자격 소지에 대한 신뢰를 형성하는 데 기여하는 바가 적지 않다. 이처럼 심판대상조항은 변호사 자격 소지에 대한 일반 국민의 신뢰를 형성하고 법률서비스 수요자의 편의를 확보하는 데 도움이 되며, 달리 이를 대체할 만한 수단이 발견되지 않는다(2020.3.26, 2018헌마77 등).

ㅂ. [X] 심판대상조항은 법무부장관이 시험관리업무를 위하여 수집한 응시자의 개인정보 중 합격자의 성명을 공개하도록 하는 데 그치므로, 청구인들의 개인정보자기결정권이 제한되는 범위와 정도는 매우 제한적이다(2020.3.26, 2018헌마77 등).

18 정답 ②

① [X] 이 사건 사실조회행위의 근거조항인 이 사건 사실조회조항은 수사기관에 공사단체 등에 대한 사실조회의 권한을 부여하고 있을 뿐이고, 국민건강보험공단은 서울 용산경찰서장의 사실조회에 응하거나 협조하여야 할 의무를 부담하지 않는다. 따라서 이 사건 사실조회행위만으로는 청구인들의 법적 지위에 어떠한 영향을 미친다고 보기 어렵고, 국민건강보험공단의 자발적인 협조가 있어야만 비로소 청구인들의 개인정보자기결정권이 제한된다. 그러므로 이 사건 사실조회행위는 공권력 행사성이 인정되지 않는다(2018.8.30, 2014헌마368).

❷ [O] 이 사건 사실조회조항은 수사기관에 사실조회의 권한을 부여하고 있을 뿐이고, 이에 근거한 이 사건 사실조회행위에 대하여 국민건강보험공단이 응하거나 협조하여야 할 의무를 부담하는 것이 아니다. 따라서 이 사건 사실조회행위는 강제력이 개입되지 아니한 임의수사에 해당하므로, 이에 응하여 이루어진 이 사건 정보 제공행위에도 영장주의가 적용되지 않는다. 그러므로 이 사건 정보 제공행위는 영장주의원칙에 위배되지 않는다(2018.8.30, 2014헌마368).

③ [X] 청구인들은 이 사건 정보 제공행위가 인간의 존엄과 가치, 행복추구권, 사생활의 비밀과 자유 등도 침해한다고 주장하나, 이 사건 정보 제공행위와 가장 밀접한 관계에 있는 개인정보자기결정권 침해 여부를 판단하는 이상 이에 관하여 별도로 판단하지 않는다(2018.8.30, 2014헌마368).

④ [X] 서울 용산경찰서장은 청구인들의 소재를 파악한 상태였거나 다른 수단으로 충분히 파악할 수 있었으므로 이 사건 정보 제공행위로 얻을 수 있는 수사상의 이익은 거의 없거나 미약하였던 반면, 청구인들은 자신도 모르는 사이에 민감정보인 요양급여정보가 수사기관에 제공되어 개인정보자기결정권에 대한 중대한 불이익을 받게 되었으므로, 이 사건 정보제공 행위는 법익의 균형성도 갖추지 못하였다. 결국 이 사건 정보제공 행위는 과잉금지원칙에 위배되어 청구인들의 개인정보자기결정권을 침해하였다(2018.8.30, 2014헌마368).

19 정답 ③

① [O] 심판대상조항은 피의자의 방어권을 보장하기 위하여 도입된 것이나, 수사의 밀행성을 확보하기 위하여 송·수신이 완료된 전기통신에 대한 압수·수색영장 집행 사실을 수사대상이 된 가입자에게만 통지하도록 하고, 그 상대방(이하 '상대방'이라 한다)에 대해서는 통지하지 않도록 한 것이다. 「형사소송법」 조항과 영장실무가 압수·수색영장의 효력범위를 한정하고 있으므로, 송·수신이 완료된 전기통신에 관하여 수사대상이 된 가입자의 상대방에 대한 기본권 침해를 최소화하는 장치는 어느 정도 마련되어 있다. 한편, 전기통신의 특성상 수사대상이 된 가입자와 전기통신을 송·수신한 상대방은 다수일 수 있는데, 이들 모두에 대하여 그 압수·수색 사실을 통지하도록 한다면, 수사대상이 된 가입자가 수사를 받았다는 사실이 상대방 모두에게 알려지게 되어 오히려 위 가입자가 예측하지 못한 피해를 입을 수 있고, 또한 통지를 위하여 상대방의 인적사항을 수집해야 함에 따라 또 다른 개인정보자기결정권의 침해를 야기할 수도 있다. 이상과 같은 점들을 종합하여 볼 때, 송·수신이 완료된 전기통신에 대한 압수·수색 사실을 수사대상이 된 가입자에게만 통지하도록 하고, 그 상대방에 대하여는 통지하지 않도록 한 심판대상조항은 적법절차원칙에 위배되어 청구인들의 개인정보자기결정권을 침해하지 않는다(2018.4.26, 2014헌마1178).

② [O] 법률정보 제공 사이트를 운영하는 회사가 대학교 법과대학 법학과 교수의 사진, 성명 등의 개인정보를 법학과 홈페이지 등을 통해 수집하여 위 사이트 내 '법조인' 항목에서 유료로 제공한 것은 「개인정보 보호법」을 위반하였다고 볼 수 없다(대판 2016.8.17, 2014다235080).

❸ [X] 성범죄자의 재범을 억제하고 재범 발생시 수사의 효율성을 제고하기 위하여, 일정한 성범죄를 저지른 자로부터 신상정보를 제출받아 보존·관리하는 것은 정당한 목적을 위한 적합한 수단이다. 그러나, 모든 성범죄자가 신상정보 등록대상이 되어서는 안되고, 신상정보 등록제도의 입법목적에 필요한 범위 내로 제한되어야 한다. 통신매체이용음란죄의 구성요건에 해당하는 행위 태양은 행위자의 범의·범행 동기·행위 상대방·행위 횟수 및 방법 등에 따라 매우 다양한 유형이 존재하고, 개별 행위유형에 따라 재범의 위험성 및 신상정보 등록 필요성은 현저히 다르다. 그런데 심판대상조항은 통신매체이용음란죄로 유죄판결이 확정된 사람은 누구나 법관의 판단 등 별도의 절차 없이 필요적으로 신상정보 등록대상자가 되도록 하고 있고, 등록된 이후에는 그 결과를 다툴 방법도 없다. 그렇다면 심판대상조항은 통신매체이용음란죄의 죄질 및 재범의 위험성에 따라 등록대상을 축소하거나, 유죄판결 확정과 별도로 신상정보 등록 여부에 관하여 법관의 판단을 받도록 하는 절차를 두는 등 기본권 침해를 줄일 수 있는 다른 수단을 채택하지 않았다는 점에서 침해의 최소성원칙에 위배된다. 또한 심판대상조항으로 인하여 비교적 불법성이 경미한 통신매체이용음란죄를 저지르고 재범의 위험성이 인정되지 않는 이들에 대하여는 달성되는 공익과 침해되는 사익 사이에 불균형이 발생할 수 있다는 점에서 법익의 균형성도 인정하기 어렵다(2016.3.31, 2015헌마688).

④ [O] 이 사건 CCTV 설치행위는 「행형법」 및 교도관직무규칙 등에 규정된 교도관의 계호활동 중 육안에 의한 시선계호를 CCTV 장비에 의한 시선계호로 대체한 것에 불과하므로, 이 사건 CCTV 설치행위에 대한 특별한 법적 근거가 없더라도 일반적인 계호활동을 허용하는 법률규정에 의하여 허용된다고 보아야 한다. 한편 CCTV에 의하여 감시되는 엄중격리대상자에 대하여 지속적이고 부단한 감시가 필요하고 자살·자해나 흉기 제작 등의 위험성 등을 고려하면, 제반 사정을 종합하여 볼 때 기본권 제한의 최소성요건이나 법익균형성의 요건도 충족하고 있다(2008.5.29, 2005헌마137 등).

20　　정답 ④

① [○] 개인정보의 공개와 이용에 관하여 정보주체 스스로가 결정할 권리인 개인정보자기결정권의 보호대상이 되는 개인정보는 개인의 신체, 신념, 사회적 지위, 신분 등과 같이 개인의 인격주체성을 특징짓는 사항으로서 그 개인의 동일성을 식별할 수 있게 하는 일체의 정보라고 할 수 있다. 또한 그러한 개인정보를 대상으로 한 조사·수집·보관·처리·이용 등의 행위는 모두 원칙적으로 개인정보자기결정권에 대한 제한에 해당한다(2021.6.24, 2018헌가2).

② [○] 이 사건 구법 조항으로 인하여 소년부송치 후 불처분결정을 받은 소년이 다른 처분이나 판결을 받은 소년에 비해 불리한 차별을 받게 되어 평등원칙에 위배되는지 여부도 문제될 수 있으나 이 부분은 결국 개인정보자기결정권에 대한 침해 여부의 논의에 포함되므로 이에 대하여 따로 판단하지 아니한다(2021.6.24, 2018헌가2).

③ [○] 심판대상조항은 소년에 대한 수사경력자료의 삭제 및 보존기간에 대하여 규정하면서 법원에서 불처분결정된 소년부송치사건에 대하여는 규정하지 않아 수사경력자료에 기록된 개인정보가 당사자의 사망 시까지 보존된다. 수사경력자료는 불처분결정의 효력을 뒤집고 다시 형사처벌을 할 필요성이 인정되는 경우 재수사에 대비한 기초자료 또는 소년이 이후 다른 사건으로 수사나 재판을 받는 경우 기소 여부의 판단자료나 양형자료가 되므로, 해당 수사경력자료의 보존은 목적의 정당성과 수단의 적합성이 인정된다(2021.6.24, 2018헌가2).

❹ [X] 불처분결정된 소년부송치사건의 수사경력자료가 조회 및 회보되는 경우에도 이를 통해 추구하는 실체적 진실발견과 형사사법의 정의구현이라는 공익에 비해, 당사자가 입을 수 있는 실질적 또는 심리적 불이익과 그로 인한 재사회화 및 사회복귀의 어려움이 더 크다. 따라서 심판대상조항은 과잉금지원칙을 위반하여 소년부송치 후 불처분결정을 받은 자의 개인정보자기결정권을 침해한다(2021.6.24, 2018헌가2).

28회 진도별 모의고사

개인정보자기결정권 ~ 통신의 자유

정답

01	④	02	①	03	④	04	①
05	①	06	③	07	④	08	①
09	②	10	③	11	①	12	①
13	④	14	④	15	③	16	①
17	②	18	②	19	③	20	③

01 정답 ④

ㄱ. [X] 청구인들이 주장하는 것은 위 조항들의 내용이 위헌이라는 것이 아니라, 주민등록번호의 잘못된 이용에 대비한 '주민등록번호 변경'에 대하여 아무런 규정을 두고 있지 않은 것이 헌법에 위반된다는 것이므로, 이는 주민등록번호 부여제도에 대하여 입법을 하였으나 주민등록번호의 변경에 대하여는 아무런 규정을 두지 아니한 부진정입법부작위가 위헌이라는 것이다(2015.12.23, 2013헌바68 등).

ㄴ. [O] 심판대상조항이 모든 주민에게 고유한 주민등록번호를 부여하면서 이를 변경할 수 없도록 한 것은 주민생활의 편익을 증진시키고 행정사무를 신속하고 효율적으로 처리하기 위한 것으로서, 그 입법목적의 정당성과 수단의 적합성을 인정할 수 있다(2015.12.23, 2013헌바68 등). ➡ 최소성원칙과 법익균형성원칙 위반

ㄷ. [X] 이러한 현실에서 주민등록번호 유출 또는 오·남용으로 인하여 발생할 수 있는 피해 등에 대한 아무런 고려 없이 주민등록번호 변경을 일률적으로 허용하지 않는 것은 그 자체로 개인정보자기결정권에 대한 과도한 침해가 될 수 있다. 비록 국가가 「개인정보 보호법」이나 「정보통신망 이용촉진 및 정보보호 등에 관한 법률」 등의 입법을 통하여 주민등록번호 처리와 수집·이용을 제한하고, 주민등록번호의 유출이나 오·남용을 예방하는 조치를 취하고 있다고는 하나, … 위와 같은 조치만으로는 국민의 개인정보자기결정권에 대한 충분한 보호가 된다고 보기 어렵다(2015.12.23, 2013헌바68 등). 2016년 법원

ㄹ. [X] 국가가 「개인정보 보호법」 등으로 정보보호를 위한 조치를 취하고 있더라도, 여전히 주민등록번호를 처리하거나 수집·이용할 수 있는 경우가 적지 아니하며, 이미 유출되어 발생된 피해에 대해서는 뚜렷한 해결책을 제시해 주지 못하므로, 국민의 개인정보를 충분히 보호하고 있다고 보기 어렵다. 한편, 개별적인 주민등록번호 변경을 허용하더라도 변경 전 주민등록번호와의 연계 시스템을 구축하여 활용한다면 개인식별기능 및 본인 동일성 증명기능에 혼란이 발생할 가능성이 없고, 일정한 요건하에 객관성과 공정성을 갖춘 기관의 심사를 거쳐 변경할 수 있도록 한다면 주민등록번호 변경절차를 악용하려는 시도를 차단할 수 있으며, 사회적으로 큰 혼란을 불러일으키지도 않을 것이다. 따라서 주민등록번호 변경에 관한 규정을 두고 있지 않은 심판대상조항은 과잉금지원칙에 위배되어 개인정보자기결정권을 침해한다(2015.12.23, 2013헌바68 등).

ㅁ. [X] 이러한 현실에서 주민등록번호 유출 또는 오·남용으로 인하여 발생할 수 있는 피해 등에 대한 아무런 고려 없이 주민등록번호 변경을 일률적으로 허용하지 않는 것은 그 자체로 개인정보자기결정권에 대한 과도한 침해가 될 수 있다. 비록 국가가 「개인정보 보호법」이나 「정보통신망 이용촉진 및 정보보호 등에 관한 법률」 등의 입법을 통하여 주민등록번호 처리와 수집·이용을 제한하고, 주민등록번호의 유출이나 오·남용을 예방하는 조치를 취하고 있다고는 하나, … 위와 같은 조치만으로는 국민의 개인정보자기결정권에 대한 충분한 보호가 된다고 보기 어렵다(2015.12.23, 2013헌바68 등).

ㅂ. [O] 주민등록번호는 모든 국민에게 일련의 숫자 형태로 부여되는 고유한 번호로서 당해 개인을 식별할 수 있는 정보에 해당하는 개인정보이다. 그런데 심판대상조항은 국가가 주민등록번호를 부여·관리·이용하면서 그 변경에 관한 규정을 두지 않음으로써 주민등록번호 불법유출 등을 원인으로 자신의 주민등록번호를 변경하고자 하는 청구인들의 개인정보자기결정권을 제한하고 있다(2015.12.23, 2013헌바68 등).

ㅅ. [O] 일정한 요건 하에 객관성과 공정성을 갖춘 기관의 심사를 거쳐 변경할 수 있도록 한다면 주민등록번호 변경절차를 악용하려는 시도를 차단할 수 있으며, 사회적으로 큰 혼란을 불러일으키지도 않을 것이다. 따라서 주민등록번호 변경에 관한 규정을 두고 있지 않은 심판대상조항은 과잉금지원칙에 위배되어 개인정보자기결정권을 침해한다(2015.12.23, 2013헌바68 등).

ㅇ. [O] 심판대상조항의 위헌성은 주민등록번호 변경에 관하여 규정하지 아니한 부작위에 있는바, 이를 이유로 심판대상조항에 대하여 단순위헌결정을 할 경우 주민등록번호제도 자체에 관한 근거규정이 사라지게 되어 용인하기 어려운 법적 공백이 생기게 되고, 주민등록번호 변경제도를 형성함에 있어서는 입법자가 광범위한 입법재량을 가지므로, 심판대상조항에 대하여는 헌법불합치결정을 선고하되, 2017.12.31.을 시한으로 입법자가 개선입법을 할 때까지 계속 적용하기로 한다(2015.12.23, 2013헌바68 등). 2019년 변시

02 정답 ①

ㄱ. [X] 우리 헌법 제12조 제1항 전문에서 보장하는 신체의 자유는 신체의 안정성이 외부로부터의 물리적인 힘이나 정신적인 위험으로부터 침해당하지 아니할 자유와 신체활동을 임의적이고 자율적으로 할 수 있는 자유를 말하는 것이다. 그렇다면 이 사건 시행령조항이 주민등록증 발급대상자에 대하여 열 손가락의 지문을 날인할 의무를 부과하는 것만으로는 신체의 안정성을 저해한다거나 신체활동의 자유를 제약한다고 볼 수 없으므로, 이 사건 시행령조항에 의한 신체의 자유의 침해가능성은 없다고 할 것이다(2005.5.26, 99헌마513 등).

ㄴ. [O] 개인의 고유성, 동일성을 나타내는 지문은 그 정보주체를 타인으로부터 식별가능하게 하는 개인정보이므로, 시장·군수 또는 구청장이 개인의 지문정보를 수집하고, 경찰청장이 이를 보관·전산화하여 범죄수사목적에 이용하는 것은 모두 개인정보자기결정권을 제한하는 것이라고 할 수 있다(2005.5.26, 99헌마513 등). 2019년 서울 7급 1회

ㄷ. [O] 이 사건 지문날인제도로 인하여 정보주체가 현실적으로 입게 되는 불이익에 비하여 경찰청장이 보관·전산화하고 있는 지문정보를 범죄수사활동, 대형사건사고나 변사자가 발생한 경우의 신원확인, 타인의 인적 사항 도용 방지 등 각종 신원확인의 목적을 위하여 이용함으로써 달성할 수 있게 되는 공익이 더 크다고 보아야 할 것이므로, 이 사건 지문날인제도는 법익의 균형성의 원칙에 위배되지 아니한다. 결국 이 사건 지문날인제도가 과잉금지의 원칙에 위배하여 청구인들의 개인정보자기결정권을 침해하였다고 볼 수 없다(2005.5.26, 99헌마513 등). 2008년 사시

ㄹ. [O] 주민등록증 발급대상자로 하여금 주민등록증 발급신청서에 열 손가락의 지문을 찍도록 하고 있는 이 사건 시행령조항은 지문정보

의 수집에 관한 규정이고, 개인의 고유성, 동일성을 나타내는 지문은 그 정보주체를 타인으로부터 식별가능하게 하는 개인정보이므로, 시장·군수 또는 구청장이 개인의 지문정보를 수집하는 것은 청구인들의 개인정보자기결정권을 제한한다(2005.5.26, 99헌마5113 등). 2019년 국회 9급

ㅁ. [O] 지문정보는 그 자체로 개인의 존엄과 인격권에 큰 영향을 미칠 수 있는 민감한 정보라고 보기 어려워 유전자정보 등과 같은 다른 생체정보와는 달리 그 보호 정도가 높다고 할 수 없으므로, 이러한 사정도 과잉금지원칙 위배 여부를 판단함에 있어서 고려되어야 한다(2015.5.28, 2011헌마731). 2020년 경찰경채

03 정답 ④

ㄱ. [O] 교원의 교원단체 및 노동조합 가입에 관한 정보는 「개인정보 보호법」상의 민감정보로서 특별히 보호되어야 할 성질의 것이므로 공시대상정보로서 교원의 교원단체 및 노동조합 가입현황(인원 수)만을 규정할 뿐 개별 교원의 명단은 규정하고 있지 아니한 구 「교육관련기관의 정보공개에 관한 특례법 시행령」은 알 권리를 침해하지 않는다(2011.12.29, 2010헌마293).

ㄴ. [O] 국회의원인 甲 등이 '각급 학교 교원의 교원단체 및 교원노조 가입현황 실명자료'를 인터넷을 통하여 공개한 사안에서, 위 정보는 개인정보자기결정권의 보호대상이 되는 개인정보에 해당하므로 이를 일반 대중에게 공개하는 행위는 해당 교원들의 개인정보자기결정권과 전국교직원노동조합의 존속, 유지, 발전에 관한 권리를 침해하는 것이고, 甲 등이 위 정보를 공개한 표현행위로 인하여 얻을 수 있는 법적 이익이 이를 공개하지 않음으로써 보호받을 수 있는 해당 교원 등의 법적 이익에 비하여 우월하다고 할 수 없으므로, 甲 등의 정보공개행위는 위법하다(대판 2014.7.24, 2012다49933).

ㄷ. [X] 법률정보 제공 사이트를 운영하는 회사가 대학교 법과대학 법학과 교수의 사진, 성명 등의 개인정보를 법학과 홈페이지 등을 통해 수집하여 위 사이트 내 '법조인' 항목에서 유료로 제공한 것은 「개인정보 보호법」을 위반하였다고 볼 수 없다(대판 2016.8.17, 2014다235080).

ㄹ. [O] 피청구인 통계청장이 2015.11.1.부터 2015.11.15.까지 2015 인구주택총조사의 방문 면접조사를 실시하면서, 담당조사원을 통해 청구인에게 피청구인이 작성한 2015 인구주택총조사 조사표의 조사항목들에 응답할 것을 요구한 행위가 법률유보원칙에 위배되어 청구인의 개인정보자기결정권을 침해한다고 할 수 없다(2017.7.27, 2015헌마1094). 2018년 지방 7급

ㅁ. [X] 이 사건 법률조항은 공직선거에 있어서 후보자의 실효된 형까지 포함한 금고 이상의 형의 범죄경력을 공개하도록 하여 국민의 알 권리를 충족하고 공정하고 정당한 선거권 행사를 보장하기 위한 것으로 그 입법목적이 정당하고, 이러한 입법목적을 달성하기 위해서는 선거권자가 후보자의 모든 범죄경력을 인지한 후 그 공직적합성을 판단하도록 하는 것이 효과적이므로 그 방법 또한 적절하며, 공개대상 금고 이상의 범죄경력에 실효된 형을 포함시킨 것은 선거권자가 공직후보자의 자질과 적격성을 판단할 수 있도록 하기 위한 것인 점, 전과기록은 통상 공개재판에서 이루어진 국가의 사법작용의 결과라는 점, 제출·공개되는 전과기록의 범위와 공개시기 등이 한정되어 있는 점 등을 종합하면, 이 사건 법률조항이 피해최소성의 원칙에 반한다고 볼 수 없고, 공익적 목적을 위하여 공직선거 후보자의 사생활의 비밀과 자유를 한정적으로 제한하는 것이어서 법익균형성의 원칙도 충족한다 할 것이므로, 이 사건 법률조항은 청구인의 사생활의 비밀과 자유를 침해한다고 볼 수 없다(2013.12.26, 2013헌마385).

ㅂ. [X] 채무불이행자명부에 등재되는 경우는 채무이행과 관련하여 채무자의 불성실함이 인정되어 그 명예와 신용에 타격을 가할 필요성이 인정되는 경우라고 할 것이므로, 채무불이행자명부에 등재되는 채무자의 개인정보를 보호할 사익보다는 이 사건 법률조항이 추구하는 채무이행의 간접강제 및 거래의 안전도모라는 공익이 더 크다고 할 것이어서 이 사건 법률조항은 법익균형성의 원칙에도 반하지 아니한다(2010.5.27, 2008헌마663). 2012년 법행

ㅅ. [X] 「국민기초생활 보장법 시행규칙」 제35조 제1항 제5호는 급여신청자의 수급자격 및 급여액 결정을 객관적이고 공정하게 판정하려는 데 그 목적이 있는 것으로 그 정당성이 인정되고, 이를 위해서 금융거래정보를 파악하는 것은 적절한 수단이며 금융기관과의 금융거래정보로 제한된 범위에서 수집되고 조사를 통해 얻은 정보와 자료를 목적 외의 다른 용도로 사용하거나 다른 기관에 제공하는 것이 금지될 뿐만 아니라 이를 어긴 경우 형벌을 부과하고 있으므로 정보주체의 자기결정권을 제한하는 데 따른 피해를 최소화하고 있고 위 시행규칙조항으로 인한 정보주체의 불이익보다 추구하는 공익이 더 크므로 개인정보자기결정권을 침해하지 아니한다(2005.11.24, 2005헌마112).

04 정답 ①

ㄱ. [X] 집회·시위 등 현장에서 집회·시위 참가자에 대한 사진이나 영상촬영 등의 행위는 집회·시위 참가자들에게 심리적 부담으로 작용하여 여론형성 및 민주적 토론절차에 영향을 주고 집회의 자유를 전체적으로 위축시키는 결과를 가져올 수 있으므로 집회의 자유를 제한한다고 할 수 있다. 다만, 경찰이 신고범위를 벗어난 동안에만 집회참가자들을 촬영한 행위가 과잉금지원칙을 위반하여 집회참가자인 청구인들의 일반적 인격권, 개인정보자기결정권 및 집회의 자유를 침해한다고 볼 수 없다(2018.8.30, 2014헌마843).

ㄴ. [O] 차량무선인식장치 장착대상 차량의 범위를 최소한으로 한정하고 차량출입정보의 수집범위와 용도를 제한하는 등 심판대상조항으로 인한 기본권 침해를 최소화하기 위한 조치들이 마련되어 있고, 이로 인해 제한되는 청구인들의 개인정보자기결정권에 비하여 가축전염병의 확산방지를 통해 달성하고자 하는 공익이 결코 작다고 할 수 없으므로, 심판대상조항은 청구인들의 개인정보자기결정권을 침해하지 아니한다(2015.4.30, 2013헌마81). 2019년 경찰승진

ㄷ. [O] 근로소득자인 청구인들의 진료정보가 본인들의 동의 없이 국세청 등으로 제출·전송·보관되는 것은 위 청구인들의 개인정보자기결정권을 제한하는 것이지만, 이 사건 법령조항은 의료비 특별공제를 받고자 하는 근로소득자의 연말정산을 위한 소득공제증빙자료 제출의 불편을 해소하는 동시에 이에 따른 근로자와 사업자의 시간적·경제적 비용을 절감하고 부당한 소득공제를 방지하려는 데 그 목적이 있고, … 이 사건 법령조항에 의하여 얻게 되는 공익이 이로 인하여 제한되는 개인정보자기결정권인 사익보다 커서 법익의 균형성을 갖추었다고 할 것이므로 이 사건 법령조항이 헌법상 과잉금지원칙에 위배하여 청구인들의 개인정보자기결정권을 침해하였다고 볼 수 없다(2008.10.30, 2006헌마1401 등). 2012년 법행

ㄹ. [O] 이 사건 정보수집 등 행위의 대상인 정치적 견해에 관한 정보는 공개된 정보라 하더라도 개인의 인격주체성을 특징짓는 것으로, 개인정보자기결정권의 보호범위 내에 속하며, 국가가 개인의 정치적 견해에 관한 정보를 수집·보유·이용하는 등의 행위는 개인정보자기결정권에 대한 중대한 제한이 되므로 이를 위해서는 법령상의 명확한 근거가 필요함에도 그러한 법령상 근거가 존재하지 않으므로 이 사건 정보수집 등 행위는 법률유보원칙을 위반하여 청구인들의 개인정보자기결정권을 침해한다(2020.12.23, 2017헌마416).

ㅁ. [O] 이름, 생년월일, 주소는 수사의 초기단계에서 범죄의 피의자를 특

정하기 위하여 필요한 가장 기초적인 정보이고, 전화번호는 피의자 등에게 연락을 하기 위하여 필요한 정보이다. 또한 활동지원급여가 제공된 시간을 확인하기 위해서 수급자에 대하여도 조사를 할 필요성을 인정할 수 있다. 나아가 김포시장은 청구인들의 개인정보를 전자문서의 형태로 제공하면서 비밀번호를 설정하였고, 「개인정보 보호법」과 「형사소송법」에는 제공된 개인정보가 수사에 필요한 범위 내에서만 사용되고 유출·남용되는 것을 방지하기 위한 제도적 장치도 마련되어 있다. 이와 같은 점에 더하여 활동보조인의 부정 수급 관련 범죄의 수사를 가능하게 함으로써 실체적 진실 발견과 국가형벌권의 적정한 행사에 기여하고자 하는 공익은 매우 중대한 것인 점을 고려하면, 이 사건 정보 제공행위는 과잉금지원칙에 위배되어 청구인들의 개인정보자기결정권을 침해하였다고 볼 수 없다(2018.8.30, 2016헌마483).

ㅂ. [O] 이 사건 통지조항으로 제한되는 사익의 정도가 크지 않은 반면, 이 사건 통지조항으로 달성되는 청소년유해매체물 등으로부터의 청소년 보호라는 공익은 매우 중대하므로, 법익의 균형성도 인정된다. 따라서 이 사건 통지조항은 청소년인 청구인들의 사생활의 비밀과 자유 및 개인정보자기결정권을 침해하지 않는다(2020.11.26, 2016헌마738).

05 정답 ①

❶ [X] 변호사의 업무와 관련된 수임사건의 건수 및 수임액이 변호사의 내밀한 개인적 영역에 속하는 것이라고 보기 어렵고, 따라서 이 사건 법률조항이 청구인들의 사생활의 비밀과 자유를 침해하는 것이라 할 수 없다(2009.10.29, 2007헌마667).

② [O] 운영자가 변호사들의 개인신상정보를 기반으로 한 인맥지수를 공개하는 표현행위에 의하여 얻을 수 있는 법적 이익이 이를 공개하지 않음으로써 보호받을 수 있는 변호사들의 인격적 법익에 비하여 우월하다고 볼 수 없어, 결국 운영자의 인맥지수서비스 제공행위는 변호사들의 개인정보에 관한 인격권을 침해하는 위법한 것이다(대판 전합체 2011.9.2, 2008다42430).

③ [O] 웹사이트 운영자가 사건정보를 이용하여 승소율이나 전문성 지수 등을 제공하는 서비스를 하는 행위는 그에 의하여 얻을 수 있는 법적 이익이 이를 공개하지 않음으로써 얻을 수 있는 정보주체의 인격적 법익에 비하여 우월한 것으로 보여 변호사들의 개인정보에 관한 인격권을 침해하는 위법한 행위로 평가할 수 없다(대판 전합체 2011.9.2, 2008다42430).

④ [O] 변호사의 업무는 다른 어느 직업적 활동보다도 강한 공공성을 내포한다는 점 등을 감안하여 볼 때, 변호사의 업무와 관련된 수임사건의 건수 및 수임액이 변호사의 내밀한 개인적 영역에 속하는 것이라고 보기 어렵고, 따라서 이 사건 법률조항이 청구인들의 사생활의 비밀과 자유를 침해하는 것이라 할 수 없다(2009.10.29, 2007헌마667). 2018년 경찰경채

06 정답 ③

ㄱ. [X]

> **「개인정보 보호법」 제2조 【정의】** 이 법에서 사용하는 용어의 뜻은 다음과 같다.
> 1. '개인정보'란 살아 있는 개인에 관한 정보로서 다음 각 목의 어느 하나에 해당하는 정보를 말한다.
>   가. 성명, 주민등록번호 및 영상 등을 통하여 개인을 알아볼 수 있는 정보

ㄴ. [O]

> **「개인정보 보호법」 제2조 【정의】** 이 법에서 사용하는 용어의 뜻은 다음과 같다.
> 1. '개인정보'란 살아 있는 개인에 관한 정보로서 다음 각 목의 어느 하나에 해당하는 정보를 말한다.
>   나. 해당 정보만으로는 특정 개인을 알아볼 수 없더라도, 다른 정보와 쉽게 결합하여 알아 볼 수 있는 정보. 이 경우 쉽게 결합할 수 있는지 여부는 다른 정보의 입수가능성 등 개인을 알아보는 데 소요되는 시간·비용·기술 등을 합리적으로 고려하여야 한다.

ㄷ. [X]

> **「개인정보 보호법」 제2조 【정의】** 이 법에서 사용하는 용어의 뜻은 다음과 같다.
> 5. '개인정보처리자'란 업무를 목적으로 개인정보파일을 운용하기 위하여 스스로 또는 다른 사람을 통하여 개인정보를 처리하는 공공기관, 법인, 단체 및 개인 등을 말한다.

ㄹ. [X]

> **「개인정보 보호법」 제39조 【손해배상책임】** ① 정보주체는 개인정보처리자가 이 법을 위반한 행위로 손해를 입으면 개인정보처리자에게 손해배상을 청구할 수 있다. 이 경우 그 개인정보처리자는 고의 또는 과실이 없음을 입증하지 아니하면 책임을 면할 수 없다.

ㅁ. [X]

> **「개인정보 보호법」 제38조 【권리행사의 방법 및 절차】** ① 정보주체는 제35조에 따른 열람, 제36조에 따른 정정·삭제, 제37조에 따른 처리정지 등의 요구를 문서 등 대통령령으로 정하는 방법·절차에 따라 대리인에게 하게 할 수 있다.

ㅂ. [X]

> **「개인정보 보호법」 제3조 【개인정보 보호 원칙】** ① 개인정보처리자는 개인정보의 처리 목적을 명확하게 하여야 하고 그 목적에 필요한 범위에서 최소한의 개인정보만을 적법하고 정당하게 수집하여야 한다.
>
> **제16조 【개인정보의 수집 제한】** ① 개인정보처리자는 제15조 제1항 각 호의 어느 하나에 해당하여 개인정보를 수집하는 경우에는 그 목적에 필요한 최소한의 개인정보를 수집하여야 한다. 이 경우 최소한의 개인정보 수집이라는 입증책임은 개인정보처리자가 부담한다.

ㅅ. [O]

「개인정보 보호법」 제16조 【개인정보의 수집 제한】 ③ 개인정보처리자는 정보주체가 필요한 최소한의 정보 외의 개인정보 수집에 동의하지 아니한다는 이유로 정보주체에게 재화 또는 서비스의 제공을 거부하여서는 아니 된다.

ㅇ. [O] 심판대상조항의 의미와 목적에 비추어 볼 때, 「개인정보 보호법」 제2조 제5호의 '개인정보처리자'와 '업무상 알게 된 제2조 제1호의 개인정보를 제2조 제2호의 방법으로 처리하거나 처리하였던 자'가 본질적으로 다른 집단이라고 볼 수 없으므로 '본질적으로 다른 것을 같게 취급'하고 있다고 보기 어렵다. 따라서 평등원칙에 위반되지 않는다(2020.12.23, 2018헌바222).

07 정답 ④

ㄱ. [X]

「개인정보 보호법」 제3조 【개인정보 보호 원칙】 ① 개인정보처리자는 개인정보의 처리목적을 명확하게 하여야 하고 그 목적에 필요한 범위에서 최소한의 개인정보만을 적법하고 정당하게 수집하여야 한다.

ㄴ. [X]

「개인정보 보호법」 제7조 【개인정보 보호위원회】 ① 개인정보 보호에 관한 사무를 독립적으로 수행하기 위하여 국무총리 소속으로 개인정보 보호위원회를 둔다.

ㄷ. [X]

「개인정보 보호법」 제6조 【다른 법률과의 관계】 개인정보 보호에 관하여는 다른 법률에 특별한 규정이 있는 경우를 제외하고는 이 법에서 정하는 바에 따른다.

ㄹ. [X]

「개인정보 보호법」 제52조 【전속관할】 ① 단체소송의 소는 피고의 주된 사무소 또는 영업소가 있는 곳, 주된 사무소나 영업소가 없는 경우에는 주된 업무담당자의 주소가 있는 곳의 지방법원 본원 합의부의 관할에 전속한다.

ㅁ. [O]

「개인정보 보호법」 제3조 【개인정보 보호 원칙】 ⑤ 개인정보처리자는 개인정보 처리방침 등 개인정보의 처리에 관한 사항을 공개하여야 하며, 열람청구권 등 정보주체의 권리를 보장하여야 한다.

ㅂ. [O]

「개인정보 보호법」 제3조 【개인정보 보호 원칙】 ⑦ 개인정보처리자는 개인정보를 익명 또는 가명으로 처리하여도 개인정보 수집목적을 달성할 수 있는 경우 익명처리가 가능한 경우에는 익명에 의하여, 익명처리로 목적을 달성할 수 없는 경우에는 가명에 의하여 처리될 수 있도록 하여야 한다.

ㅅ. [O]

「개인정보 보호법」 제7조의2 【보호위원회의 구성 등】 ① 보호위원회는 상임위원 2명(위원장 1명, 부위원장 1명)을 포함한 9명의 위원으로 구성한다.
② 보호위원회의 위원은 개인정보 보호에 관한 경력과 전문지식이 풍부한 다음 각 호의 사람 중에서 위원장과 부위원장은 국무총리의 제청으로, 그 외 위원 중 2명은 위원장의 제청으로, 2명은 대통령이 소속되거나 소속되었던 정당의 교섭단체 추천으로, 3명은 그 외의 교섭단체 추천으로 대통령이 임명 또는 위촉한다.

ㅇ. [O]

「개인정보 보호법」 제32조 【개인정보파일의 등록 및 공개】 ① 공공기관의 장이 개인정보파일을 운용하는 경우에는 다음 각 호의 사항을 보호위원회에 등록하여야 한다. 등록한 사항이 변경된 경우에도 또한 같다.
1. 개인정보파일의 명칭
2. 개인정보파일의 운영 근거 및 목적
3. 개인정보파일에 기록되는 개인정보의 항목
4. 개인정보의 처리방법
5. 개인정보의 보유기간
6. 개인정보를 통상적 또는 반복적으로 제공하는 경우에는 그 제공받는 자
7. 그 밖에 대통령령으로 정하는 사항

08 정답 ①

❶ [X] 거주·이전의 자유는 다른 나라로 이주할 수 있는 국외이주의 자유를 포함한다. 「해외이주법」이 국외이주를 신고사항으로 규정하고 있는 것은 위헌이 아니다. 만일 허가사항으로 하는 것은 자유권의 본질에 반하는 것으로서 위헌이다. 거주·이전의 자유에 해외여행의 자유가 포함된다는 것이 다수설이다. 국적이탈의 자유는 보호되나, 무국적자가 될 자유는 보호되지 않는다.

② [O] 거주·이전의 자유는 국가의 간섭 없이 자유롭게 거주와 체류지를 정할 수 있는 자유로서 정치·경제·사회·문화 등 모든 생활영역에서 개성신장을 촉진함으로써 헌법상 보장되고 있는 다른 기본권들의 실효성을 증대시켜주는 기능을 한다. 구체적으로는 국내에서 체류지와 거주지를 자유롭게 정할 수 있는 자유영역뿐 아니라 나아가 국외에서 체류지와 거주지를 자유롭게 정할 수 있는 '해외여행 및 해외이주의 자유'를 포함하고 덧붙여 대한민국의 국적을 이탈할 수 있는 '국적변경의 자유' 등도 그 내용에 포섭된다고 보아야 한다. 따라서 해외여행 및 해외이주의 자유는 필연적으로 외국에서 체류 또는 거주하기 위해서 대한민국을 떠날 수 있는 '출국의 자유'와 외국체류 또는 거주를 중단하고 다시 대한민국으로 돌아올 수 있는 '입국의 자유'를 포함한다(2004.10.28, 2003헌가18).

③ [O] 거주·이전의 자유가 국민에게 그가 선택할 직업 내지 그가 취임할 공직을 그가 선택하는 임의의 장소에서 자유롭게 행사할 수 있는 권리까지 보장하는 것은 아니다. 물론 직업에 관한 규정이나 공직취임의 자격에 관한 제한규정에 의하여 헌법 제15조의 직업의 자유 내지 헌법 제25조의 공무담임권이 제한될 수는 있어도 헌법 제14조의 거주·이전의 자유가 제한되었다고 볼 수 없다(1996.6.26, 96헌마200).

④ [O] 미성년자의 가출의 자유는 부모의 거소지정권으로 인해 보호되지 않는다. 국적이탈의 자유와 달리 무국적자가 될 자유는 보호되지 않는다.

09

정답 ②

① [O] 「국적법」 제15조 제1항에 의해 대한민국 국적을 상실할 경우 대한민국에서의 체류가 제한되는 등 거주·이전의 자유가 제한될 가능성이 있고, 국민이 대한민국 국적을 유지하는 것은 행복추구의 실질적인 전제조건이라고 볼 수 있으므로, 「국적법」 제15조 제1항이 과잉금지원칙에 반하여 청구인 김○남의 거주·이전의 자유 및 행복추구권을 침해하는지 여부를 판단하도록 한다(2014.6.26, 2011헌마502).

❷ [X] 거주·이전의 자유는 국가의 간섭 없이 자유롭게 거주와 체류지를 정할 수 있는 자유로서 정치·경제·사회·문화 등 모든 생활영역에서 개성신장을 촉진함으로써 헌법상 보장되고 있는 다른 기본권들의 실효성을 증대시켜주는 기능을 한다. 구체적으로는 국내에서 체류지와 거주지를 자유롭게 정할 수 있는 자유영역뿐 아니라 나아가 국외에서 체류지와 거주지를 자유롭게 정할 수 있는 '해외여행 및 해외이주의 자유'를 포함하고 덧붙여 대한민국의 국적을 이탈할 수 있는 '국적변경의 자유' 등도 그 내용에 포섭된다고 보아야 한다. 따라서 해외여행 및 해외이주의 자유는 필연적으로 외국에서 체류 또는 거주하기 위해서 대한민국을 떠날 수 있는 '출국의 자유'와 외국체류 또는 거주를 중단하고 다시 대한민국으로 돌아올 수 있는 '입국의 자유'를 포함한다(2004.10.28, 2003헌가18).

③ [O] 거주·이전의 자유는 다른 나라로 이주할 수 있는 국외이주의 자유를 포함한다. 「해외이주법」이 국외이주를 신고사항으로 규정하고 있는 것은 위헌이 아니다. 만일 허가사항으로 하는 것은 자유권의 본질에 반하는 것으로서 위헌이다.

④ [O] 국적을 이탈하거나 변경하는 것은 헌법 제14조가 보장하는 거주·이전의 자유에 포함되고(2006.11.30, 2005헌마739 ; 2004.10.28, 2003헌가18 등 참조), 이 사건 법률조항들은 복수국적자인 남성이 제1국민역에 편입된 때에는 그때부터 3개월 이내에 외국 국적을 선택하지 않으면 「국적법」 제12조 제3항 각 호에 해당하는 때, 즉 현역·상근예비역 또는 보충역으로 복무를 마치거나, 제2국민역에 편입되거나, 또는 병역면제처분을 받은 때에야 외국 국적의 선택 및 대한민국 국적의 이탈을 할 수 있도록 하고 있으므로, 이 사건 법률조항들은 복수국적자인 청구인의 국적이탈의 자유를 제한한다(2015.11.26, 2013헌마805 등).

10

정답 ③

① [X] 거주·이전의 자유는 국가의 간섭 없이 자유롭게 거주와 체류지를 정할 수 있는 자유로서 정치·경제·사회·문화 등 모든 생활영역에서 개성신장을 촉진함으로써 헌법상 보장되고 있는 다른 기본권들의 실효성을 증대시켜주는 기능을 한다. 구체적으로는 국내에서 체류지와 거주지를 자유롭게 정할 수 있는 자유영역뿐 아니라 나아가 국외에서 체류지와 거주지를 자유롭게 정할 수 있는 '해외여행 및 해외이주의 자유'를 포함하고 덧붙여 대한민국의 국적을 이탈할 수 있는 '국적변경의 자유' 등도 그 내용에 포섭된다고 보아야 한다. 따라서 해외여행 및 해외이주의 자유는 필연적으로 외국에서 체류 또는 거주하기 위해서 대한민국을 떠날 수 있는 '출국의 자유'와 외국체류 또는 거주를 중단하고 다시 대한민국으로 돌아올 수 있는 '입국의 자유'를 포함한다(2004.10.28, 2003헌가18).

② [X] 국적을 이탈하거나 변경하는 것은 헌법 제14조가 보장하는 거주·이전의 자유에 포함되고 이 사건 법률조항들은 복수국적자인 남성이 제1국민역에 편입된 때에는 그때부터 3개월 이내에 외국 국적을 선택하지 않으면 「국적법」 제12조 제3항 각 호에 해당하는 때, 즉 현역·상근예비역 또는 보충역으로 복무를 마치거나, 제2국민역에 편입되거나, 또는 병역면제처분을 받은 때에야 외국 국적의 선택 및 대한민국 국적의 이탈을 할 수 있도록 하고 있으므로, 이 사건 법률조항들은 복수국적자인 청구인의 국적이탈의 자유를 제한한다(2015.11.26, 2013헌마805 등).

❸ [O] 헌법 제14조 제1항은 "모든 국민은 거주·이전의 자유를 가진다." 라고 규정하고 있고, 이러한 거주·이전의 자유에는 국내에서의 거주·이전의 자유뿐 아니라 국외이주의 자유, 해외여행의 자유 및 귀국의 자유가 포함되는바, 아프가니스탄 등 일정한 국가로의 이주, 해외여행 등을 제한하는 이 사건 고시로 인하여 청구인들의 거주·이전의 자유가 일부 제한된 점은 인정된다. 외교통상부가 해외 위난지역에서의 국민을 보호하고자 특정 해외 위난지역에서의 여권 사용, 방문 또는 체류를 금지한 이 사건 고시는 국민의 생명·신체 및 재산을 보호하기 위한 것으로 그 목적의 정당성과 수단의 적절성이 인정되며, 대상지역을 당시 전쟁이 계속 중이던 이라크와 소말리아, 그리고 실제로 한국인에 대한 테러가능성이 높았던 아프가니스탄 등 3곳으로 한정하고, 그 기간도 1년으로 하여 그다지 장기간으로 볼 수 없을 뿐 아니라, 부득이한 경우 예외적으로 외교통상부장관의 허가를 받아 여권의 사용 및 방문·체류가 가능하도록 함으로써 국민의 거주·이전의 자유에 대한 제한을 최소화하고 법익의 균형성도 갖추었다(2008.6.26, 2007헌마1366).

④ [X] 거주·이전의 자유가 국민에게 그가 선택할 직업 내지 그가 취임할 공직을 그가 선택하는 임의의 장소에서 자유롭게 행사할 수 있는 권리까지 보장하는 것은 아니다. 물론 직업에 관한 규정이나 공직취임의 자격에 관한 제한규정에 의하여 헌법 제15조의 직업의 자유 내지 헌법 제25조의 공무담임권이 제한될 수는 있어도 헌법 제14조의 거주·이전의 자유가 제한되었다고 볼 수 없다(1996.6.26, 96헌마200).

11

정답 ①

❶ [O] 누구든지 주민등록 여부와 무관하게 거주지를 자유롭게 이전할 수 있으므로 주민등록 여부가 거주·이전의 자유와 직접적인 관계가 있다고 보기 어려우며, 영내 기거하는 현역병은 「병역법」으로 인해 거주·이전의 자유를 제한받게 되므로 이 사건 법률조항은 영내 기거 현역병의 거주·이전의 자유를 제한하지 않는다(2011.6.30, 2009헌마59).

② [X] 거주·이전의 자유는 거주지나 체류지라고 볼 만한 정도로 생활과 밀접한 연관을 갖는 장소를 선택하고 변경하는 행위를 보호하는 기본권인바, 이 사건에서 서울광장이 청구인들의 생활형성의 중심지인 거주지나 체류지에 해당한다고 할 수 없고, 서울광장에 출입하고 통행하는 행위가 그 장소를 중심으로 생활을 형성해 나가는 행위에 속한다고 볼 수도 없으므로 청구인들의 거주·이전의 자유가 제한되었다고 할 수 없다(2011.6.30, 2009헌마406).

③ [X] 법인도 성질상 법인이 누릴 수 있는 기본권의 주체가 되고 위 조항에 규정되어 있는 법인의 설립이나 지점 등의 설치, 활동거점의 이전 등은 법인이 그 존립이나 통상적인 활동을 위하여 필연적으로 요구되는 기본적인 행위유형들이라고 할 것이므로 이를 제한하는 것은 결국 헌법상 법인에게 보장된 직업수행의 자유와 거주·이전의 자유를 제한하는 것인가의 문제로 귀결된다(1996.3.28, 94헌바42).

④ [X] 이 사건 법률조항은 수도권 내의 과밀억제권역 안에서 법인의 본점의 사업용 부동산, 특히 본점용 건축물을 신축 또는 증축하는 경우에 취득세를 중과세하는 조항이므로, 이 사건 법률조항에 의하여 청구인의 거주·이전의 자유와 영업의 자유가 침해되는지 여부가 문제된다(2014.7.24, 2012헌바408).

12 정답 ①

ㄱ. [O] 이 사건 수용조항은 정비사업조합에 수용권한을 부여하여 주택재개발사업에 반대하는 청구인의 토지 등을 강제로 취득할 수 있도록 하고 있다. 따라서 이 사건 수용조항이 토지 등 소유자의 재산권을 침해하는지 여부가 문제된다. 청구인은 이 사건 수용조항으로 인하여 거주이전의 자유도 제한된다고 주장하고 있다. 주거로 사용하던 건물이 수용될 경우 그 효과로 거주지도 이전하여야 하는 것은 사실이나, 이는 토지 및 건물 등의 수용에 따른 부수적 효과로서 간접적, 사실적 제약에 해당하므로 거주이전의 자유 침해 여부는 별도로 판단하지 않는다(2019.11.28, 2017헌바241).

ㄴ. [X] 청구인들은 이 공항고속도로를 이용하지 않고도, 이 도로개설 이전의 영종도 주민들과 마찬가지로, 뱃길을 이용하여 자유로이 다른 곳으로 이동할 수도 있고 다른 곳으로 거주를 옮길 수도 있으며 또 이 도로를 이용하는 경우에도 비록 통행료의 부담이 있기는 하지만 그 부담의 정도가 이전의 자유를 실제로 제약할 정도로, 이용의 편익에 비하여, 현저히 크다고는 볼 수 없다. 따라서 심판대상조항으로 인하여 청구인들의 거주이전의 자유나 직업선택의 자유가 제한된 것으로 볼 수 없다(2005.12.22, 2004헌바64).

ㄷ. [X] 구 「조세특례제한법」 제69조 제1항 제1호는 자경농민이 농지소재지로부터 거주를 이전하는 것을 직접적으로 제한하는 내용의 규정이라고 볼 수 없고, 다만 8년 이상 농지를 자경한 농민이 농지소재지에 거주하는 경우 양도소득세를 면제함으로써 농지소재지 거주자가 농지에서 이탈되는 것이 억제될 것을 기대하는 범위 내에서 간접적으로 제한되는 측면이 있을 뿐이며, 따라서 양도소득세의 부담을 감수하기만 한다면 자유롭게 거주를 이전할 수 있는 것이므로 거주·이전의 자유를 형해화할 정도로 침해하는 것은 아니다(2003.11.27, 2003헌바2).

ㄹ. [X] 이륜자동차와 원동기장치자전거에 대해서 고속도로 또는 자동차전용도로의 통행을 금지하는 것은, 이륜차를 이용하여 고속도로 등을 통행할 수 있는 자유를 제한하는 것으로서, 이는 행복추구권에서 우러나오는 일반적 행동의 자유를 제한하는 것이지 거주이전의 자유를 제한하는 것은 아니다(2008.7.31, 2007헌바90 등).

ㅁ. [X] 청구인은 제출조항 때문에 거주·이전의 자유 및 직업선택의 자유가 침해된다고 주장하나, 청구인은 자유롭게 거주지를 이전하고 직업을 선택할 수 있으며 다만 주소 및 실제거주지, 직업 및 직장 등의 소재지가 변경된 경우 제출조항에 따라 변경정보를 제출해야 할 의무를 부담할 뿐이므로 위 조항이 거주이전의 자유, 직업선택의 자유와 직접적인 관계가 있다고 보기 어렵다. 따라서 제출조항으로 인하여 거주이전의 자유 및 직업선택의 자유가 제한된다고 볼 수 없다(2016.3.31, 2014헌마457).

13 정답 ④

① [X]

> **「통신비밀보호법」 제7조 【국가안보를 위한 통신제한조치】** ① 대통령령이 정하는 정보수사기관의 장은 국가안전보장에 상당한 위험이 예상되는 경우 또는 「국민보호와 공공안전을 위한 테러방지법」 제2조 제6호의 대테러활동에 필요한 경우에 한하여 그 위해를 방지하기 위하여 이에 관한 정보수집이 특히 필요한 때에는 다음 각 호의 구분에 따라 통신제한조치를 할 수 있다.
> 1. 통신의 일방 또는 쌍방당사자가 내국인인 때에는 고등법원 수석판사의 허가를 받아야 한다. 다만, 「군용전기통신법」 제2조의 규정에 의한 군용전기통신(작전수행을 위한 전기통신에 한한다)에 대하여는 그러하지 아니하다.
> 2. 대한민국에 적대하는 국가, 반국가활동의 혐의가 있는 외국의 기관·단체와 외국인, 대한민국의 통치권이 사실상 미치지 아니하는 한반도 내의 집단이나 외국에 소재하는 그 산하단체의 구성원의 통신인 때 및 제1항 제1호 단서의 경우에는 서면으로 대통령의 승인을 얻어야 한다.

② [X]

> **「통신비밀보호법」 제8조 【긴급통신제한조치】** ① 검사, 사법경찰관 또는 정보수사기관의 장은 국가안보를 위협하는 음모행위, 직접적인 사망이나 심각한 상해의 위험을 야기할 수 있는 범죄 또는 조직범죄등 중대한 범죄의 계획이나 실행 등 긴박한 상황에 있고 제5조 제1항 또는 제7조 제1항 제1호의 규정에 의한 요건을 구비한 자에 대하여 제6조 또는 제7조 제1항 및 제3항의 규정에 의한 절차를 거칠 수 없는 긴급한 사유가 있는 때에는 법원의 허가 없이 통신제한조치를 할 수 있다.
> ② 검사, 사법경찰관 또는 정보수사기관의 장은 제1항에 따른 통신제한조치(이하 '긴급통신제한조치'라 한다)의 집행에 착수한 후 지체 없이 제6조(제7조 제3항에서 준용하는 경우를 포함한다)에 따라 법원에 허가청구를 하여야 한다. 〈개정 2022. 12. 27.〉

③ [X] 2018년 법행

> **「통신비밀보호법」 제8조 【긴급통신제한조치】** ① 검사, 사법경찰관 또는 정보수사기관의 장은 국가안보를 위협하는 음모행위, 직접적인 사망이나 심각한 상해의 위험을 야기할 수 있는 범죄 또는 조직범죄등 중대한 범죄의 계획이나 실행 등 긴박한 상황에 있고 제5조 제1항 또는 제7조 제1항 제1호의 규정에 의한 요건을 구비한 자에 대하여 제6조 또는 제7조 제1항 및 제3항의 규정에 의한 절차를 거칠 수 없는 긴급한 사유가 있는 때에는 법원의 허가 없이 통신제한조치를 할 수 있다.
> ② 검사, 사법경찰관 또는 정보수사기관의 장은 제1항에 따른 통신제한조치(이하 '긴급통신제한조치'라 한다)의 집행에 착수한 후 지체 없이 제6조(제7조 제3항에서 준용하는 경우를 포함한다)에 따라 법원에 허가청구를 하여야 한다. 〈개정 2022. 12. 27.〉
> ⑤ 검사, 사법경찰관 또는 정보수사기관의 장은 긴급통신제한조치의 집행에 착수한 때부터 36시간 이내에 법원의 허가를 받지 못한 경우에는 해당 조치를 즉시 중지하고 해당 조치로 취득한 자료를 폐기하여야 한다. 〈개정 2022. 12. 27.〉

❹ [O] 2018년 법행

> **「통신비밀보호법」 제8조 【긴급통신제한조치】** ⑤ 검사, 사법경찰관 또는 정보수사기관의 장은 긴급통신제한조치의 집행에 착수한 때부터 36시간 이내에 법원의 허가를 받지 못한 경우에는 해당 조치를 즉시 중지하고 해당 조치로 취득한 자료를 폐기하여야 한다. 〈개정 2022. 12. 27.〉
> ⑥ 검사, 사법경찰관 또는 정보수사기관의 장은 제5항에 따라 긴급통신제한조치로 취득한 자료를 폐기한 경우 폐기이유·폐기범위·폐기일시 등을 기재한 자료폐기결과보고서를 작성하여 폐기일부터 7일 이내에 제2항에 따라 허가청구를 한 법원에 송부하고, 그 부본을 피의자의 수사기록 또는 피내사자의 내사사건기록에 첨부하여야 한다. 〈개정 2022. 12. 27.〉

14 정답 ④

ㄱ. [O] 헌법 제18조에서 그 비밀을 보호하는 '통신'의 일반적인 속성으로는 '당사자 간의 동의', '비공개성', '당사자의 특정성' 등을 들 수 있는바, 이를 염두에 둘 때 위 헌법조항이 규정하고 있는 '통신'의 의미는 '비공개를 전제로 하는 쌍방향적인 의사소통'이라고 할 수 있다(2001.3.21, 2000헌바25).

ㄴ. [O] 헌법 제18조로 보장되는 기본권인 통신의 자유란 통신수단을 자유로이 이용하여 의사소통할 권리이다. '통신수단의 자유로운 이용'에는 자신의 인적 사항을 누구에게도 밝히지 않는 상태로 통신수단을 이용할 자유, 즉 통신수단의 익명성 보장도 포함된다. 심판대상조항은 휴대전화를 통한 문자·전화·모바일 인터넷 등 통신기능을 사용하고자 하는 자에게 반드시 사전에 본인확인절차를 거치는 데 동의해야만 이를 사용할 수 있도록 하므로, 익명으로 통신하고자 하는 청구인들의 통신의 자유를 제한한다(2019.9.26, 2017헌마1209).

ㄷ. [X] 사인에 의한 감청 등으로 통신의 자유가 침해될 수 있으므로 사인 간에 간접적용된다.

ㄹ. [X] 엽서나 전보 등도 통신의 자유에서 보호된다.

ㅁ. [X] 자유로운 의사소통은 통신 내용의 비밀을 보장하는 것만으로는 충분하지 아니하고 구체적인 통신관계의 발생으로 야기된 모든 사실관계, 특히 통신관여자의 인적 동일성·통신장소·통신횟수·통신시간 등 통신의 외형을 구성하는 통신이용의 전반적 상황의 비밀까지도 보장한다(2018.6.28, 2012헌마538). 2003년 입시

ㅂ. [O] 무선통신은 주파수 혼선 등의 문제 때문에 현행법은 허가를 받도록 규정하고 있다. 2003년 입시

ㅅ. [X] 자유로운 의사소통은 통신 내용의 비밀을 보장하는 것만으로는 충분하지 아니하고 구체적인 통신관계의 발생으로 야기된 모든 사실관계, 특히 통신관여자의 인적 동일성·통신장소·통신횟수·통신시간 등 통신의 외형을 구성하는 통신이용의 전반적 상황의 비밀까지도 보장한다(2018.6.28, 2012헌마538). 2019년 지방 7급

15 정답 ③

① [X] 피청구인 구치소장이 위 물품을 반송한 것은 교정사고를 미연에 방지하고 교정시설의 안전과 질서 유지를 위하여 불가피한 측면이 있다. 또한 청구인은 관심대상수용자로 지정된 자이고, 서신에 동봉된 녹취서는 청구인이 원고인 민사사건 증인의 증언을 녹취한 소송서류로서 타인의 실명과 개인정보가 기재되어 있다. 한편, 수용자 사이에 사진을 자유롭게 교환할 수 있도록 하는 경우 각종 교정사고가 발생할 가능성이 있다. 이와 같은 점을 종합적으로 고려하면, 이 사건 반송행위는 과잉금지원칙에 위반되어 청구인의 통신의 자유를 침해하지 않는다(2019.12.27, 2017헌마413 등).

② [X] 시행령조항이 수용자가 보내려는 모든 서신에 대해 무봉함 상태의 제출을 강제함으로써 수용자의 발송 서신 모두를 사실상 검열 가능한 상태에 놓이도록 하는 것은 기본권 제한의 최소침해성 요건을 위반하여 수용자인 청구인의 통신비밀의 자유를 침해하는 것이다(2012.2.23, 2009헌마333). 지문은 1인 재판관의 한정위헌의견이다. 2014년 법행

❸ [O] 국가기관과 사인에 대한 서신을 따로 분리하여 사인에 대한 서신의 경우에만 검열을 실시하고, 국가기관에 대한 서신의 경우에는 검열을 하지 않는다면 사인에게 보낼 서신을 국가기관의 명의를 빌려 검열 없이 보낼 수 있게 됨으로써 검열을 거치지 않고 사인에게 서신을 발송하는 탈법수단으로 이용될 수 있게되므로 수용자의 서신에 대한 검열은 국가안전보장·질서유지 또는 공공복리라는 정당한 목적을 위하여 부득이 할 뿐만 아니라 유효 적절한 방법에 의한 최소한의 제한이며, 통신비밀의 자유의 본질적 내용을 침해하는 것이 아니어서 헌법에 위반된다고 할 수 없다(2001.11.29, 99헌마713).

④ [X] 금치처분을 받은 자는 수용시설의 안전과 질서유지에 위반되는 행위, 그중에서도 가장 중하다고 평가된 행위를 한 자이므로 이에 대하여 금치기간 중 일률적으로 전화통화를 금지한다 하더라도 과도하다고 보기 어렵다. 따라서 이 사건 서신수수·접견·전화통화 제한조항은 청구인의 통신의 자유를 침해하지 아니한다(2016.4.28, 2012헌마549 등).

16 정답 ①

❶ [X] 피청구인의 서신개봉행위는 법령상 금지되는 물품을 서신에 동봉하여 반입하는 것을 방지하기 위하여 구 「형의 집행 및 수용자의 처우에 관한 법률」 제43조 제3항 및 구 「형의 집행 및 수용자의 처우에 관한 법률 시행령」 제65조 제2항에 근거하여 수용자에게 온 서신의 봉투를 개봉하여 내용물을 확인한 행위로서, 교정시설의 안전과 질서를 유지하고 수용자의 교화 및 사회복귀를 원활하게 하기 위한 것이다. 개봉하는 발신자나 수용자를 한정하거나 엑스레이 기기 등으로 확인하는 방법 등으로는 금지물품 동봉 여부를 정확하게 확인하기 어려워, 입법목적을 같은 정도로 달성하면서, 소장이 서신을 개봉하여 육안으로 확인하는 것보다 덜 침해적인 수단이 있다고 보기 어렵다. 또한 서신을 개봉하더라도 그 내용에 대한 검열은 원칙적으로 금지된다. 따라서 서신개봉행위는 청구인의 통신의 자유를 침해하지 아니한다(2021.9.30, 2019헌마919).

② [O] 피청구인의 문서열람행위는 「형의 집행 및 수용자의 처우에 관한 법률 시행령」 제67조에 근거하여 법원 등 관계 기관이 수용자에게 보내온 문서를 열람한 행위로서, 문서 전달업무에 정확성을 기하고 수용자의 편의를 도모하며 법령상의 기간준수 여부 확인을 위한 공적 자료를 마련하기 위한 것이다. 수용자 스스로 고지하도록 하거나 특별히 엄중한 계호를 요하는 수용자에 한하여 열람하는 등의 방법으로는 목적 달성에 충분하지 않고, 다른 법령에 따라 열람이 금지된 문서는 열람할 수 없으며, 열람한 후에는 본인에게 신속히 전달하여야 하므로, 문서열람행위는 청구인의 통신의 자유를 침해하지 아니한다(2021.9.30, 2019헌마919).

③ [O] 증거인멸이나 도망을 예방하고 교도소 내의 질서를 유지하여 미결구금제도를 실효성 있게 운영하고 일반사회의 불안을 방지하기 위하여 미결수용자의 서신에 대한 검열은 그 필요성이 인정된다고 할 것이고, 이로 인하여 미결수용자의 통신의 비밀이 일부 제한되는 것은 질서유지 또는 공공복리라는 정당한 목적을 위하여 불가피할 뿐만 아니라 유효적절한 방법에 의한 최소한의 제한으로서 헌법에 위반된다고 할 수 없다(1995.7.21, 92헌마144).

④ [O] 심판대상조항은 소송사건의 대리인인 변호사라 하더라도 변호사접견을 하기 위해서는 소송 계속 사실 소명자료를 제출하도록 규정함으로써 이를 제출하지 못하는 변호사는 일반접견을 이용할 수밖에 없게 되었다. 일반접견은 접촉차단시설이 설치된 일반접견실에서 10분 내외 짧게 이루어지므로 그 시간은 변호사접견의 1/6 수준에 그친다. 또한 그 대화 내용은 청취·기록·녹음·녹화의 대상이 되므로 교정시설에서 부당한 처우를 당했다는 등의 사정이 있는 수형자는 위축된 나머지 법적 구제를 단념할 가능성마저 배제할 수 없다. 심판대상조항은 소제기 전 단계에서 충실한 소송준비를 하기 어렵게 하여 변호사의 직무수행에 큰 장애를 초래하고, 변호사의 도움이 가장 필요한 시기에 접견에 대한 제한의 정도가 위와 같이 크다는 점에서 수형자의 재판청구권 역시 심각하게 제한될 수밖에 없고, 이로 인해 법치국가원리로 추구되는 정의에 반하는 결과를 낳

을 수도 있다. 따라서 심판대상조항은 과잉금지원칙에 위배되어 변호사인 청구인의 직업수행의 자유를 침해한다(2021.10.28, 2018헌마60).

17

정답 ②

① [O] 감청영장에 의하지 않고 타인 간의 대화나 전화통화 내용을 녹음한 녹음테이프는 증거능력이 없다(대판 2001.10.9, 2001도3106). 2005년 법행

❷ [X] 이 사건 법률조항이 불법감청·녹음 등에 의하여 취득한 타인 간의 대화 내용을 어떠한 경로로 알게 되었는지 그 지득경위를 묻지 않고 그 대화 내용을 공개한 자를 처벌하는 이유는, 대화 내용을 공개함으로써 대화의 비밀이 침해되는 정도가 그 대화 내용을 알게 된 경위에 따라서 달라지는 것은 아니기 때문이다. 위법한 방법으로 대화 내용을 취득하는 행위에 관여하지 않은 자라고 하더라도 아직 일반에게 알려지지 않은 타인 간의 대화 내용을 언론매체 등 전파가능성이 높은 수단을 사용하여 공개할 경우에는 대화의 비밀이 침해되는 정도와 그 처벌의 필요성이 작다고 볼 수 없다(2011.8.30, 2009헌바42). 2014년 국회 8급

③ [O] 국가기관의 감청설비 보유·사용에 대한 관리와 통제를 위한 법적, 제도적 장치가 마련되어 있으므로, 국가기관이 인가 없이 감청설비를 보유, 사용할 수 있다는 사실만 가지고 바로 국가기관에 의한 통신비밀 침해행위를 용이하게 하는 결과를 초래함으로써 통신의 자유를 침해한다고 볼 수는 없다(2001.3.21, 2000헌바25).

④ [O] 이 사건 지침은 신병교육기간 동안 신병들의 전화 사용을 통제하고 있으므로 헌법 제18조가 보장하는 통신의 자유를 제한하고 있다. 청구인은 헌법 제17조의 사생활의 자유도 침해된다고 주장하고 있으나, 여기서 사생활의 자유는 통신수단을 자유롭게 이용하는 것에 관한 자유를 의미하는 것이므로, 이 사건 지침의 기본권 침해 여부는 통신의 자유 침해 여부를 중심으로 살펴보기로 한다(2010.10.28, 2007헌마890).

18

정답 ②

① [O] 「통신비밀보호법」 제3조 제1항이 "공개되지 아니한 타인 간의 대화를 녹음 또는 청취하지 못한다."라고 정한 것은, 대화에 원래부터 참여하지 않는 제3자가 그 대화를 하는 타인들 간의 발언을 녹음해서는 아니 된다는 취지이다. 3인 간의 대화에 있어서 그중 한 사람이 그 대화를 녹음하는 경우에 다른 두 사람의 발언은 그 녹음자에 대한 관계에서 '타인 간의 대화'라고 할 수 없으므로, 이와 같은 녹음행위가 「통신비밀보호법」 제3조 제1항에 위배된다고 볼 수는 없다(대판 2006.10.12, 2006도4981).

❷ [X] 이 사건 법률조항이 불법취득한 타인 간의 대화 내용을 공개한 자를 처벌함에 있어 「형법」 제20조(정당행위)의 일반적 위법성조각사유에 관한 규정을 적정하게 해석 적용함으로써 공개자의 표현의 자유도 적절히 보장될 수 있는 이상, 이 사건 법률조항에 「형법」상의 명예훼손죄와 같은 위법성조각사유에 관한 특별규정을 두지 아니하였다는 점만으로 기본권 제한의 비례성을 상실하였다고는 볼 수 없다(2011.8.30, 2009헌바42).

③ [O] 전기통신에 해당하는 전화통화 당사자의 일방이 상대방 모르게 통화내용을 녹음하는 것은 여기의 감청에 해당하지 아니하지만, 제3자의 경우는 설령 전화통화 당사자 일방의 동의를 받고 그 통화내용을 녹음하였다 하더라도 그 상대방의 동의가 없었던 이상, 사생활 및 통신의 불가침을 국민의 기본권의 하나로 선언하고 있는 헌법규정과 통신비밀의 보호와 통신의 자유 신장을 목적으로 제정된 「통신비밀보호법」의 취지에 비추어 이는 법 제3조 제1항 위반이 된다고 해석하여야 할 것이다(대판 2002.10.8, 2002도123).

④ [O] 전기통신의 특성상 수사대상이 된 가입자와 전기통신을 송·수신한 상대방은 다수일 수 있는데, 이들 모두에 대하여 그 압수·수색 사실을 통지하도록 한다면, 수사대상이 된 가입자가 수사를 받았다는 사실이 상대방 모두에게 알려지게 되어 오히려 위 가입자가 예측하지 못한 피해를 입을 수 있다. 따라서 송·수신이 완료된 전기통신에 대한 압수·수색 사실을 수사대상이 된 가입자에게만 통지하도록 하고, 그 상대방에 대하여는 통지하지 않도록 한 통신비밀보호법은 적법절차원칙에 위배되어 개인정보자기결정권을 침해한다고 볼 수 없다(2018.4.26, 2014헌마1178).

19

정답 ③

① [X] 2014년 국회 8급

> **「통신비밀보호법」 제2조 【정의】** 이 법에서 사용하는 용어의 정의는 다음과 같다.
> 1. '통신'이라 함은 우편물 및 전기통신을 말한다.

② [X]

> **「통신비밀보호법」 제4조 【불법검열에 의한 우편물의 내용과 불법감청에 의한 정기통신내용의 증거사용 금지】** 제3조의 규정에 위반하여, 불법검열에 의하여 취득한 우편물이나 그 내용 및 불법감청에 의하여 지득 또는 채록된 전기통신의 내용은 재판 또는 징계절차에서 증거로 사용할 수 없다.

❸ [O]

> **「통신비밀보호법」 제6조 【범죄수사를 위한 통신제한조치의 허가절차】**
> ① 검사(군검사를 포함한다)는 제5조 제1항의 요건이 구비된 경우에는 법원(군사법원을 포함한다)에 대하여 각 피의자별 또는 각 피내사자별로 통신제한조치를 허가하여 줄 것을 청구할 수 있다.

④ [X]

> **「통신비밀보호법」 제6조 【범죄수사를 위한 통신제한조치의 허가절차】**
> ② 사법경찰관(군사법경찰관을 포함한다)는 제5조 제1항의 요건이 구비된 경우에는 검사에 대하여 각 피의자별 또는 각 피내사자별로 통신제한조치에 대한 허가를 신청하고, 검사는 법원에 대하여 그 허가를 청구할 수 있다.

20

정답 ③

① [X] 헌법 제18조로 보장되는 기본권인 통신의 자유란 통신수단을 자유로이 이용하여 의사소통할 권리이다. '통신수단의 자유로운 이용'에는 자신의 인적 사항을 누구에게도 밝히지 않는 상태로 통신수단을 이용할 자유, 즉 통신수단의 익명성 보장도 포함된다. 심판대상조항은 휴대전화를 통한 문자·전화·모바일 인터넷 등 통신기능을 사용하고자 하는 자에게 반드시 사전에 본인확인 절차를 거치는 데 동의해야만 이를 사용할 수 있도록 하므로, 익명으로 통신하고자 하는 청구인들의 통신의 자유를 제한한다(2019.9.26, 2017헌마1209).

② [X] 심판대상조항이 통신의 비밀을 제한하는 것은 아니다. 가입자의 인적 사항이라는 정보는 통신의 내용·상황과 관계없는 '비 내용적 정보'이며 휴대전화 통신계약 체결단계에서는 아직 통신수단을 통하여 어떠한 의사소통이 이루어지는 것이 아니므로 통신의 비밀에 대한 제한이 이루어진다고 보기는 어렵기 때문이다(2019.9.26, 2017헌마1209).

❸ [O] 사생활의 비밀과 자유에 포섭될 수 있는 사적 영역에 속하는 통신의 자유는 헌법이 제18조에서 별도의 기본권으로 보장하고 있고, 개인정보의 제공으로 인한 사생활의 비밀과 자유가 제한되는 측면은 개인정보자기결정권의 보호영역과 중첩되는 범위에서 관련되어 있다. 따라서 심판대상조항이 청구인들의 통신의 자유, 개인정보자기결정권을 침해하는지 여부를 판단하는 이상 사생활의 비밀과 자유 침해 여부에 관하여는 별도로 판단하지 아니한다(2019.9.26, 2017헌마1209).

④ [X] 인터넷 게시판에 글을 작성하기 위해 실명확인절차를 거치는 제도(인터넷실명제)가 익명에 의한 표현 자체를 제한하는 효과가 중대한 반면(2012.8.23, 2010헌마47 등 참조), 휴대전화 가입 본인확인제가 이동통신서비스 이용 여부 자체를 진지하게 고려하게 할 정도라거나, 휴대전화를 통한 개개의 통신 내용과 이용상황에 기한 처벌을 두려워해 통신 자체를 가로막을 정도라고 할 수 없다. 휴대전화 가입 본인확인제로 인하여 통신의 자유에 끼치는 위축효과가 인터넷실명제와 같은 정도로 심각하다고 볼 근거가 희박하다(2019.9.26, 2017헌마1209).

⑤ [X] 개인정보자기결정권, 통신의 자유가 제한되는 불이익과 비교했을 때, 명의도용피해를 막고, 차명휴대전화의 생성을 억제하여 보이스피싱 등 범죄의 범행도구로 악용될 가능성을 방지함으로써 잠재적 범죄 피해 방지 및 통신망 질서 유지라는 더욱 중대한 공익의 달성효과가 인정된다. 따라서 심판대상조항은 청구인들의 개인정보자기결정권 및 통신의 자유를 침해하지 않는다(2019.9.26, 2017헌마1209).

29회 진도별 모의고사

개인정보자기결정권 ~ 종교의 자유

정답

01	④	02	①	03	③	04	③
05	②	06	③	07	①	08	③
09	④	10	④	11	①	12	④
13	②	14	②	15	①	16	②
17	③	18	①	19	③	20	②

01 정답 ④

① [O] 정보주체가 위치정보 추적자료와 관련된 수사기관의 권력남용을 통제할 수 없게 하였는바, 통신의 비밀을 침해한다(2018.6.28, 2012헌마538).

② [O] 이 사건 요청조항은 침해의 최소성과 법익의 균형성이 인정되지 아니한다. 따라서 이 사건 요청조항은 과잉금지원칙에 반하여 청구인의 개인정보자기결정권과 통신의 자유를 침해한다(2018.6.28, 2012헌마538).

③ [O] 「통신비밀보호법」이 정한 기지국수사는 강제처분에 해당되므로 헌법상 영장주의가 적용된다. 헌법상 영장주의의 본질은 강제처분을 함에 있어 중립적인 법관이 구체적 판단을 거쳐야 한다는 점에 있다. 이 사건 허가조항은 수사기관이 전기통신사업자에게 통신사실 확인자료 제공을 요청함에 있어 관할 지방법원 또는 지원의 허가를 받도록 규정하고 있다. 따라서 이 사건 허가조항은 헌법상 영장주의에 위배되지 아니한다(2018.6.28, 2012헌마538).

❹ [X] 「통신비밀보호법」이 정한 기지국수사는 강제처분에 해당되므로 헌법상 영장주의가 적용된다(2018.6.28, 2012헌마538).

⑤ [O] 자유로운 의사소통은 통신내용의 비밀을 보장하는 것만으로는 충분하지 아니하고 구체적인 통신관계의 발생으로 야기된 모든 사실관계, 특히 통신관여자의 인적 동일성·통신장소·통신횟수·통신시간 등 통신의 외형을 구성하는 통신이용의 전반적 상황의 비밀까지도 보장한다. 따라서 이 사건 요청조항은 통신의 자유를 제한한다(2018.6.28, 2012헌마538).

02 정답 ①

❶ [O] 인터넷회선 감청은 서버에 저장된 정보가 아니라, 인터넷상에서 발신되어 수신되기까지의 과정 중에 수집되는 정보, 즉 전송 중인 정보의 수집을 위한 수사이므로 압수·수색과 구별된다(2018.8.30, 2016헌마263).

② [X] 인터넷 통신망을 통해 송·수신하는 전기통신에 대한 감청을 범죄수사를 위한 통신제한조치의 하나로 정하고 있으므로, 일차적으로 헌법 제18조가 보장하는 통신의 비밀과 자유를 제한한다. 인터넷회선 감청은 타인과의 관계를 전제로 하는 개인의 사적 영역을 보호하려는 헌법 제18조의 통신의 비밀과 자유 외에 헌법 제17조의 사생활의 비밀과 자유도 제한하게 된다(2018.8.30, 2016헌마263).

③ [X] 헌법 제12조 제3항이 정한 영장주의가 수사기관이 강제처분을 함에 있어 중립적 기관인 법원의 허가를 얻어야 함을 의미하는 것 외에 법원에 의한 사후통제까지 마련되어야 함을 의미한다고 보기 어렵고, 청구인의 주장은 결국 인터넷회선 감청의 특성상 집행단계에서 수사기관의 권한남용을 방지할 만한 별도의 통제장치를 마련하지 않는 한 통신 및 사생활의 비밀과 자유를 과도하게 침해하게 된다는 주장과 같은 맥락이므로, 이 사건 법률조항이 과잉금지원칙에 반하여 청구인의 기본권을 침해하는지 여부에 대하여 판단하는 이상, 영장주의 위반 여부에 대해서는 별도로 판단하지 아니한다(2018.8.30, 2016헌마263).

④ [X] 인터넷회선 감청은 수사기관이 실제 감청 집행을 하는 단계에서는 해당 인터넷회선을 통하여 흐르는 불특정 다수인의 모든 정보가 패킷형태로 수집되어 일단 수사기관에 그대로 전송되므로, 다른 통신제한조치에 비하여 감청 집행을 통해 수사기관이 취득하는 자료가 비교할 수 없을 정도로 매우 방대하다는 점에 주목할 필요가 있다. 이 사건 법률조항은 인터넷회선 감청의 특성을 고려하여 그 집행 단계나 집행 이후에 수사기관의 권한남용을 통제하고 관련 기본권의 침해를 최소화하기 위한 제도적 조치가 제대로 마련되어 있지 않은 상태에서, 범죄수사목적을 이유로 인터넷회선 감청을 통신제한조치 허가대상 중 하나로 정하고 있으므로 침해의 최소성 요건을 충족한다고 할 수 없다. 그러므로 이 사건 법률조항은 과잉금지원칙에 위반하는 것으로 청구인의 기본권을 침해한다(2018.8.30, 2016헌마263).

⑤ [X] 단순위헌결정을 하면 수사기관이 인터넷회선 감청을 통한 수사를 행할 수 있는 법률적 근거가 사라져 범행의 실행 저지가 긴급히 요구되거나 국민의 생명·신체·재산의 안전을 위협하는 중대 범죄의 수사에 있어 법적 공백이 발생할 우려가 있다. 한편, 이 사건 법률조항이 가지는 위헌성은 인터넷회선 감청의 특성에도 불구하고 수사기관이 인터넷회선 감청으로 취득하는 자료에 대해 사후적으로 감독 또는 통제할 수 있는 규정이 제대로 마련되어 있지 않다는 점에 있으므로 단순위헌결정을 하는 대신 헌법불합치결정을 선고하되, 입법자가 이 사건 법률조항의 위헌성을 제거하고 합리적인 내용으로 개정할 때까지 일정 기간 이를 잠정적으로 적용할 필요가 있다(2018.8.30, 2016헌마263).

03 정답 ③

① [O] 양심의 자유는 제헌헌법에서 신앙의 자유와 같이 규정되었다가 제5차 개정헌법에서 독립된 조항으로 분리 규정되었다.

② [O] 내심적 자유, 즉 양심형성의 자유와 양심적 결정의 자유는 내심에 머무르는 한 절대적 자유라고 할 수 있지만, 양심실현의 자유는 타인의 기본권이나 다른 헌법적 질서와 저촉되는 경우 헌법 제37조 제2항에 따라 국가안전보장·질서유지 또는 공공복리를 위하여 법률에 의하여 제한될 수 있는 상대적 자유라고 할 수 있다(1998.7.16, 96헌바35).

❸ [X] 내심적 자유, 즉 양심형성의 자유와 양심적 결정의 자유는 내심에 머무르는 한 절대적 자유라고 할 수 있지만, 양심실현의 자유는 타인의 기본권이나 다른 헌법적 질서와 저촉되는 경우 헌법 제37조 제2항에 따라 국가안전보장·질서유지 또는 공공복리를 위하여 법률에 의하여 제한될 수 있는 상대적 자유라고 할 수 있다(1998.7.16, 96헌바35).

④ [O] 양심의 내용에 대한 외부인의 평가에 따라 양심인지 여부가 좌우될 수 없고 그 가치의 고하가 가려져서도 아니 된다. 강력하고도 진지한 마음의 소리이기만 하면 양심으로 보아야 하며 사회와 국가 또는 인류에 유익한 것인지 등은 보호대상이 되는 양심인지 여부를 가릴 때 고려되지 않는다. 다만, 내용에 대한 평가는 양심실현을 자유로이 허용할 경우 국가안전보장이나 사회질서 또는 공공복리에 어떠한 영향을 미칠 것인가의 측면에서 이루어질 수 있다. 그러한 점에서 내면에 머무르는 양심은 절대적 자유로 인정되며 제한이 허용되

지 않는 데 반해 표명 여부나 작위·부작위 등에 의해 양심을 실현하는 경우에는 다른 대부분의 자유권과 마찬가지로 헌법 제37조 제2항에 의해 제한될 수 있다고 보아야 한다(2004.8.26, 2002헌가1). 2021년 소방간부

04 정답 ③

① [X] 양심의 자유에는 널리 사물의 시시비비나 선악과 같은 윤리적 판단에 국가가 개입해서는 아니되는 내심적 자유는 물론, 이와 같은 윤리적 판단을 국가권력에 의하여 외부에 표명하도록 강제받지 아니할 자유까지 포괄한다(1998.7.16, 96헌바35). 2016년 소방간부

② [X] 내심적 자유, 즉 양심형성의 자유와 양심적 결정의 자유는 내심에 머무르는 한 절대적 자유라고 할 수 있지만, 양심실현의 자유는 타인의 기본권이나 다른 헌법적 질서와 저촉되는 경우 헌법 제37조 제2항에 따라 국가안전보장·질서유지 또는 공공복리를 위하여 법률에 의하여 제한될 수 있는 상대적 자유라고 할 수 있다. 그리고 양심실현은 적극적인 작위의 방법으로도 실현될 수 있지만 소극적으로 부작위에 의해서도 그 실현이 가능하다 할 것이다(1998.7.16, 96헌바35). 2004년 사시

❸ [O] 내심적 자유, 즉 양심형성의 자유와 양심적 결정의 자유는 내심에 머무르는 한 절대적 자유라고 할 수 있지만, 양심실현의 자유는 타인의 기본권이나 다른 헌법적 질서와 저촉되는 경우 헌법 제37조 제2항에 따라 국가안전보장·질서유지 또는 공공복리를 위하여 법률에 의하여 제한될 수 있는 상대적 자유라고 할 수 있다(1998.7.16, 96헌바35). 2020년 지방 7급

④ [X] 양심의 자유는 양심형성의 자유와 양심적 결정의 자유를 포함하는 내심적 자유뿐만 아니라, 양심적 결정을 외부로 표현하고 실현할 수 있는 양심실현의 자유를 포함한다(1998.7.16, 96헌바35). 2018년 법원 변형

05 정답 ②

ㄱ. [O] 자신의 인격권이나 명예권을 보호하기 위하여 대외적으로 해명을 하는 행위는 표현의 자유에 속하는 영역일 뿐 이미 사생활의 자유에 의하여 보호되는 범주를 벗어난 행위이고, 또한, 자신의 태도나 입장을 외부에 설명하거나 해명하는 행위는 진지한 윤리적 결정에 관계된 행위라기보다는 단순한 생각이나 의견, 사상이나 확신 등의 표현행위라고 볼 수 있어, 그 행위가 선거에 영향을 미치게 하기 위한 것이라는 이유로 이를 하지 못하게 된다 하더라도 내면적으로 구축된 인간의 양심이 왜곡 굴절된다고는 할 수 없다는 점에서 양심의 자유의 보호영역에 포괄되지 아니하므로, 위 제93조 제1항은 사생활의 자유나 양심의 자유를 침해하지 아니한다(2001.8.30, 99헌바92).

ㄴ. [O] 헌법은 사상의 자유를 규정하고 있지 않다.

<물리적 양심설과 사회적 양심설>

- 윤리적 양심설: 양심은 옳고 바른 것을 추구하는 윤리적, 도덕적 마음가짐으로서 인간의 윤리적·도덕적 내심영역의 문제이므로 단순한 사상 등과는 다르다. 사상의 자유는 헌법 제37조 제1항에 의한 열거되지 아니한 기본권으로 보는 것이 타당하다.
- 사회적 양심설: 양심의 자유는 내심의 자유를 말하나 윤리적인 면에 한할 필요가 없고 사상도 포함한다. 양심의 자유는 사상의 내면화이므로 사상을 포함한다.

ㄷ. [O] 단순한 사실관계의 확인과 같이 가치적·윤리적 판단이 개입될 여지가 없는 경우는 물론, 법률해석에 관하여 여러 견해가 갈리는 경우처럼 다소의 가치관련성을 가진다고 하더라도 개인의 인격형성과는 관계가 없는 사사로운 사유나 의견 등은 그 보호대상이 아니라고 할 것이다. 이 사건의 경우와 같이 경제규제법적 성격을 가진 「독점규제 및 공정거래에 관한 법률」에 위반하였는지 여부에 있어서 이러한 법률 판단의 문제는 개인의 인격형성과는 무관하므로 양심의 영역에 포함되지 아니한다. 따라서 「독점규제 및 공정거래에 관한 법률」 위반사실에 대하여 공정거래위원회로 하여금 법 위반사실의 공표를 명령할 수 있도록 한 공정거래에 관한 법률은 양심의 자유를 침해한다고 할 수 없다(2002.1.31, 2001헌바43).

ㄹ. [X] 양심상의 결정이 이성적·합리적인가, 타당한가 또는 법질서나 사회규범, 도덕률과 일치하는가 하는 관점은 양심의 존재를 판단하는 기준이 될 수 없다. 양심의 자유에서 현실적으로 문제가 되는 것은 국가의 법질서나 사회의 도덕률에서 벗어나려는 소수의 양심이다. 따라서 양심상의 결정이 어떠한 종교관·세계관 또는 그 외의 가치체계에 기초하고 있는가와 관계없이, 모든 내용의 양심상의 결정이 양심의 자유에 의하여 보장된다(2004.8.26, 2002헌가1).

ㅁ. [O] ㅂ. [X] 일반적으로 민주적 다수는 법질서와 사회질서를 그의 정치적 의사와 도덕적 기준에 따라 형성하기 때문에, 그들이 국가의 법질서나 사회의 도덕률과 양심상의 갈등을 일으키는 것은 예외에 속한다. 양심의 자유에서 현실적으로 문제가 되는 것은 국가의 법질서나 사회의 도덕률에서 벗어나려는 소수의 양심이다. 따라서 양심상의 결정이 어떠한 종교관·세계관 또는 그 외의 가치체계에 기초하고 있는가와 관계없이, 모든 내용의 양심상의 결정이 양심의 자유에 의하여 보장된다(2004.8.26, 2002헌가1).

ㅅ. [O] 헌법은 제19조에서 "모든 국민은 양심의 자유를 가진다."라고 하여 양심의 자유를 국민의 기본권으로 보장하고 있다. 이로써 국가의 법질서와 개인의 내적·윤리적 결정인 양심이 서로 충돌하는 경우 헌법은 국가로 하여금 개인의 양심을 보호할 것을 규정하고 있다. 소수의 국민이 양심의 자유를 주장하여 다수에 의하여 결정된 법질서에 대하여 복종을 거부한다면, 국가의 법질서와 개인의 양심 사이의 충돌은 항상 발생할 수 있다(2004.8.26, 2002헌가1).

06 정답 ③

ㄱ. [O] '양심의 자유'가 보장하고자 하는 '양심'은 민주적 다수의 사고나 가치관과 일치하는 것이 아니라, 개인적 현상으로서 지극히 주관적인 것이다. 양심은 그 대상이나 내용 또는 동기에 의하여 판단될 수 없으며, 특히 양심상의 결정이 이성적·합리적인가, 타당한가 또는 법질서나 사회규범, 도덕률과 일치하는가 하는 관점은 양심의 존재를 판단하는 기준이 될 수 없다(2004.8.26, 2002헌가1).

ㄴ. [X] 일반적으로 민주적 다수는 법질서와 사회질서를 그의 정치적 의사와 도덕적 기준에 따라 형성하기 때문에, 그들이 국가의 법질서나 사회의 도덕률과 양심상의 갈등을 일으키는 것은 예외에 속한다. 양심의 자유에서 현실적으로 문제가 되는 것은 국가의 법질서나 사회의 도덕률에서 벗어나려는 소수의 양심이다. 따라서 양심상의 결정이 어떠한 종교관·세계관 또는 그 외의 가치체계에 기초하고 있는가와 관계없이, 모든 내용의 양심상의 결정이 양심의 자유에 의하여 보장된다(2004.8.26, 2002헌가1).

ㄷ. [O] **업종별로 수입금액이 일정 규모 이상인 사업자에게 성실신고확인서를 제출하도록 하고 있는 소득세법**

청구인은 심판대상조항이 세무사의 양심의 자유를 침해한다고 주장하나 헌법 제19조의 양심의 자유는 옳고 그른 것에 대한 판단을 추구하는 가치적·도덕적 마음가짐으로 인간의 윤리적 내심영역인바, 세무사가 행하는 성실신고확인은 확인대상사업자의 소득금액에 대하여 심판대상조항 및 관련 법령에 따라 확인하는 것으로 단순한 사

실관계의 확인에 불과한 것이어서 헌법 제19조에 의하여 보장되는 양심의 영역에 포함되지 않는다(2019.7.25, 2016헌바392).

ㄹ. [X] 의사가 자신이 진찰하고 치료한 환자에 관한 사생활과 정신적·신체적 비밀을 유지하고 보존하는 것은 의사의 근원적이고 보편적인 윤리이자 도덕이고, 환자와의 묵시적 약속이라고 할 것이다. 만일 의사가 환자의 신병(身病)에 관한 사실을 자신의 의사에 반하여 외부에 알려야 한다면, 이는 의사로서의 윤리적·도덕적 가치에 반하는 것으로서 심한 양심적 갈등을 겪을 수밖에 없을 것이다. 그런데 소득공제증빙서류 제출의무자들인 의료기관인 의사로서는 과세자료를 제출하지 않을 경우 국세청으로부터 행정지도와 함께 세무조사와 같은 불이익을 받을 수 있다는 심리적 강박감을 가지게 되는바, 결국 이 사건 법령조항에 대하여는 의무불이행에 대하여 간접적이고 사실적인 강제수단이 존재하므로 법적 강제수단의 존부와 관계없이 의사인 청구인들의 양심의 자유를 제한한다(2008.10.30, 2006헌마1401).

ㅁ. [X] 침묵의 자유는 양심의 자유에서 보호된다. 진술거부권, 신문기자의 취재원에 관한 증언 거부, 재판절차에서 증인의 증언 거부 등은 사실적 지식이 문제이므로 침묵의 자유에 의해 보장되지 아니한다.

ㅂ. [O] 우리 헌법 제19조는 모든 국민은 양심의 자유를 가진다고 하여 명문으로 양심의 자유를 보장하고 있다. 여기서 헌법이 보호하고자 하는 양심은 어떤 일의 옳고 그름을 판단함에 있어서 그렇게 행동하지 않고는 자신의 인격적 존재가치가 파멸되고 말 것이라는 강력하고 진지한 마음의 소리로서의 절박하고 구체적인 양심을 말한다. 따라서 막연하고 추상적인 개념으로서의 양심이 아니다(1997.3.27, 96헌가11).

ㅅ. [O] 유언자가 자신의 재산권을 처분하는 단독행위로서 유증을 하는 경우에 있어서 유언자의 의사표시는 재산적 처분행위로서 재산권과 밀접한 관련을 갖는 것일 뿐이고, 인간의 윤리적 내심영역에서의 가치적·윤리적 판단과는 직접적인 관계가 없다 할 것이므로 헌법 제19조에서 규정하는 양심의 자유의 보호대상은 아니라고 할 것이다. 따라서 위 「민법」 조항이 유언자에게 그 의사표시를 함에 있어서 엄격하게 '날인' 및 '주소'의 자서를 형식적 요건으로 요구한다고 하더라도 이로써 유언자의 양심의 자유를 침해한다고 볼 수는 없다(2008.12.26, 2007헌바128).

07 정답 ①

ㄱ. [O] 이 사건에서 채무자가 부담하는 행위의무는 강제집행의 대상이 되는 재산관계를 명시한 재산목록을 제출하고 그 재산목록의 진실함을 법관 앞에서 선서하는 것으로서, 개인의 인격형성에 관계되는 내심의 가치적·윤리적 판단이 개입될 여지가 없는 단순한 사실관계의 확인에 불과한 것이므로, 헌법 제19조에 의하여 보장되는 양심의 영역에 포함되지 않는다. 따라서 심판대상조항은 청구인의 양심의 자유를 침해하지 아니한다(2014.9.25, 2013헌마11).

ㄴ. [O] 헌법 제19조는 "모든 국민은 양심의 자유를 가진다."라고 하여 양심의 자유를 기본권의 하나로 보장하고 있다. 보호되어야 할 양심에는 세계관·인생관·주의·신조 등은 물론, 이에 이르지 아니하여도 보다 널리 개인의 인격형성에 관계되는 내심에 있어서의 가치적·윤리적 판단도 포함될 수 있다. 그러나 단순한 사실관계의 확인과 같이 가치적·윤리적 판단이 개입될 여지가 없는 경우는 물론, 법률해석에 관하여 여러 견해가 갈리는 경우처럼 다소의 가치관련성을 가진다고 하더라도 개인의 인격형성과는 관계가 없는 사사로운 사유나 의견 등은 그 보호대상이 아니라고 할 것이다(2002.1.31, 2001헌바43).

ㄷ. [O] 민·형사재판에서 단순한 사실에 관한 증인의 증언거부와 같은 단순한 사실에 관한 지식이나 기술지식까지도 양심자유에 포함되지 아니한다(2002.4.25, 98헌마425 등).

ㄹ. [X] 청구인들은 이 사건 조항이 양심의 자유를 침해한다고 주장하나, '전부 불신'의 표출방법을 보장하지 않아 청구인들이 투표를 하거나 기권할 수밖에 없다고 하더라도, 이는 양심의 자유에서 말하는 인격적 존재가치로서의 '양심'과 무관하다. 그러한 행위는 진지한 윤리적 결정에 관계된 것이라기보다는 공직후보자에 대한 의견의 표현행위에 관한 것이며 양심의 자유의 보호영역에 포함된다고 볼 수 없다. 따라서 이 사건 조항은 양심의 자유를 제한하지 않는다(2007.8.30, 2005헌마975).

ㅁ. [O] 단순한 사실관계의 확인과 같이 가치적·윤리적 판단이 개입될 여지가 없는 경우는 물론, 법률해석에 관하여 여러 견해가 갈리는 경우처럼 다소의 가치관련성을 가진다고 하더라도 개인의 인격형성과는 관계가 없는 사사로운 사유나 의견 등은 그 보호대상이 아니라고 할 것이다. 이 사건의 경우와 같이 경제규제법적 성격을 가진 「독점규제 및 공정거래에 관한 법률」에 위반하였는지 여부에 있어서도 각 개인의 소신에 따라 어느 정도의 가치판단이 개입될 수 있는 소지가 있고 그 한도에서 다소의 윤리적 도덕적 관련성을 가질 수도 있겠으나, 이러한 법률판단의 문제는 개인의 인격형성과는 무관하며, 대화와 토론을 통하여 가장 합리적인 것으로 그 내용이 동화되거나 수렴될 수 있는 포용성을 가지는 분야에 속한다고 할 것이므로 헌법 제19조에 의하여 보장되는 양심의 영역에 포함되지 아니한다고 봄이 상당하다(2002.1.31, 2001헌바43).

08 정답 ③

① [X] 이 사건 준법서약은 어떤 구체적이거나 적극적인 내용을 담지 않은 채 단순한 헌법적 의무의 확인·서약에 불과하다 할 것이어서 양심의 영역을 건드리는 것이 아니다(2002.4.25, 98헌마425 등).

② [X] 내용상 단순히 국법질서나 헌법체제를 준수하겠다는 취지의 서약을 할 것을 요구하는 준법서약은 양심의 영역을 건드리는 것이 아니다(2002.4.25, 98헌마425 등). 2005년 법행

❸ [O] 「국가보안법」상의 불고지죄는 형성된 양심과 반대되는 내용을 강제하나, 국가의 존립·안전이라는 법익의 중요성을 고려할 때 양심의 자유 침해라고 볼 수 없다(1998.7.16, 96헌바35). 2005년 행시

④ [X] 누구라도 자신이 비행을 저질렀다고 믿지 않는 자에게 본심에 반하여 사죄 내지 사과를 강요한다면 이는 윤리적 도의적 판단을 강요하는 것으로서 경우에 따라서는 양심의 자유를 침해하는 행위에 해당한다고 할 여지가 있으나, '법 위반사실의 공표명령'은 법규정의 문언상으로 보아도 단순히 법 위반사실 자체를 공표하라는 것일 뿐, 사죄 내지 사과하라는 의미요소를 가지고 있지는 아니하다. 공정거래위원회의 실제 운용에 있어서도 '특정한 내용의 행위를 함으로써 「독점규제 및 공정거래에 관한 법률」을 위반하였다는 사실'을 일간지 등에 공표하라는 것이어서 단지 사실관계와 법을 위반하였다는 점을 공표하라는 것이지 행위자에게 사죄 내지 사과를 요구하고 있는 것으로는 보이지 않는다. 따라서 이 사건 법률조항의 경우 사죄 내지 사과를 강요함으로 인하여 발생하는 양심의 자유의 침해 문제는 발생하지 않는다. 그렇다면 이 사건 법률조항 중 '법 위반사실의 공표' 부분은 위반행위자의 양심의 자유를 침해한다고 볼 수 없다(2002.1.31, 2001헌바43).

09 정답 ④

① [O] 유엔 자유권규약위원회의 심리가 서면으로 비공개로 진행되는 점 등을 고려하면, 개인통보에 대한 자유권규약위원회의 견해(Views)에 사법적인 판결이나 결정과 같은 법적 구속력이 인정된다고 단정

하기는 어렵다. 우리 입법자가 자유권규약위원회의 견해(Views)의 구체적인 내용에 구속되어 그 모든 내용을 그대로 따라야만 하는 의무를 부담한다고 볼 수는 없으므로 이 사건 견해에 언급된 구제조치를 그대로 이행하는 법률을 제정할 구체적인 입법의무가 발생하였다고 보기는 어렵다. 양심적 병역 거부를 이유로 유죄판결을 받은 청구인들의 개인통보에 대하여 자유권규약위원회(Human Rights Committee)가 채택한 견해에 따른, 전과기록 말소 및 충분한 보상을 포함한 청구인들에 대한 효과적인 구제조치를 이행하는 법률을 제정하지 아니한 입법부작위의 위헌확인을 구하는 헌법소원심판청구는 헌법소원심판의 대상이 될 수 없는 입법부작위를 대상으로 한 것으로서 부적법하다(2018.7.26, 2011헌마306 등).

② [O] 독일 헌법은 명문으로 양심적 병역 거부를 허용하고 있다(독일 헌법 제4조 제3항). 그러나 상황조건부 병역 거부는 허용되고 있지 않다. 독일 헌법은 양심상의 이유로 병역을 거부하는 자에 대하여 대체복무를 부과할 수 있고, 그 대체복무의 연한은 병역의 연한을 초과할 수 없도록 규정하고 있다(독일 헌법 제12조 제2항). 그러나 대체복무는 거부할 수 없고, 대체복무가 군복무보다 지나치게 장기간이고 훨씬 위험한 경우에는 양심의 자유와 평등권을 침해한다.

③ [O] 미국 연방대법원은 병역의무 부과가 양심의 자유를 침해할 수 있다고 보아 병역 거부를 판례를 통해 인정하고 있다. 다만, 특정 전쟁만을 거부하는 것은 허용되지 않는다.

❹ [X] 대체복무에 대한 우리나라 헌법규정은 없으나, 이를 인정해야 한다는 것이 최근 헌법재판소 판례이다. 기출 출제 후 판례의 태도가 바뀌었다. 2005년 법행

> **관련 판례** 병역종류조항이 대체복무제를 규정하지 아니함으로 인하여 양심적 병역 거부자들은 최소 1년 6월 이상의 징역형과 그에 따른 막대한 유·무형의 불이익을 감수하여야 한다. 양심적 병역 거부자들에게 공익 관련 업무에 종사하도록 한다면, 이들을 처벌하여 교도소에 수용하고 있는 것보다는 넓은 의미의 안보와 공익실현에 더 유익한 효과를 거둘 수 있을 것이다. 따라서 병역종류조항은 법익의 균형성 요건을 충족하지 못하였다. 그렇다면 양심적 병역 거부자에 대한 대체복무제를 규정하지 아니한 병역종류조항은 과잉금지원칙에 위배하여 양심적 병역 거부자의 양심의 자유를 침해한다(2018.6.28, 2011헌바379 등).

10 정답 ④

① [X] 이 사건 법률조항은 형사처벌이라는 제재를 통하여 양심적 병역거부자에게 양심에 반하는 행동을 강요하고 있으므로, '국가에 의하여 양심에 반하는 행동을 강요당하지 아니할 자유', '양심에 반하는 법적 의무를 이행하지 아니할 자유' 즉 '부작위에 의한 양심실현의 자유'를 제한하는 규정이다(2004.8.26, 2002헌가1 등).

② [X] 양심적 병역 거부 1차 판례에 따르면 옳은 선지이다. 1차 판례에서는 양심의 자유와 국방의무는 양자택일의 문제라고 보아 비례원칙에 따른 규범조화적 해석을 시도하지 않아 비례원칙이 그대로 적용되지 않는다고 하였다. 그러나 2차 판례에서는 비례원칙을 적용하였고 3차 판례에서는 양심적 병역 거부를 인정하면서 대체복무를 병종으로 규정하지 않은 「병역법」 제5조에 대해 비례원칙에 위반된다고 하였다. 2008년 사시 변형

> **1차 판례** 양심실현의 자유의 경우 법익교량과정은 특수한 형태를 띠게 된다. 수단의 적합성, 최소침해성의 여부 등의 심사를 통하여 어느 정도까지 기본권이 공익상의 이유로 양보해야 하는가를 밝히는 비례원칙의 일반적 심사과정은 양심의 자유에 있어서는 그대로 적용되지 않는다. 따라서 양심의 자유의 경우에는 법익교량을 통하여 양심의 자유와 공익을 조화와 균형의 상태로 이루어 양 법익을 함께 실현하는 것이 아니라, 단지 '양심의 자유'와 '공익' 중 양자택일, 즉 양심에 반하는 작위나 부작위를 법질서에 의하여 '강요받는가 아니면 강요받지 않는가'의 문제가 있을 뿐이다(2004.8.26, 2002헌가1 등).

> **3차 판례** 모든 국가작용은 정당한 목적을 달성하기 위하여 필요한 범위 내에서만 행사되어야 한다는 국가작용의 한계를 선언한 것이므로, 비록 이 사건 법률조항이 헌법 제39조에 규정된 국방의 의무를 형성하는 입법이라 할지라도 그에 대한 심사는 헌법상 비례원칙에 의하여야 한다. … 대체복무제를 도입하면서도 병역의무의 형평을 유지하는 것은 충분히 가능하다. 따라서 대체복무제라는 대안이 있음에도 불구하고 군사훈련을 수반하는 병역의무만을 규정한 병역종류조항은, 침해의 최소성원칙에 어긋난다(2018.6.28, 2011헌바379 등).

③ [X] 비군사적 성격을 갖는 복무도 입법자의 형성에 따라 병역의무의 내용에 포함될 수 있고, 대체복무제는 그 개념상 병역종류조항과 밀접한 관련을 갖는다. 따라서 병역종류조항에 대한 이 사건 심판청구는 입법자가 아무런 입법을 하지 않은 진정입법부작위를 다투는 것이 아니라, 입법자가 병역의 종류에 관하여 입법은 하였으나 그 내용이 양심적 병역 거부자를 위한 대체복무제를 포함하지 아니하여 불완전·불충분하다는 부진정입법부작위를 다투는 것이라고 봄이 상당하다(2018.6.28, 2011헌바379 등). 2019년 국회 9급

❹ [O] 병역종류조항에 대해 단순위헌결정을 할 경우 병역의 종류와 각 병역의 구체적인 범위에 관한 근거규정이 사라지게 되어 일체의 병역의무를 부과할 수 없게 되므로, 용인하기 어려운 법적 공백이 생기게 된다. 더욱이 입법자는 대체복무제를 형성함에 있어 그 신청절차, 심사주체 및 심사방법, 복무 분야, 복무 기간 등을 어떻게 설정할지 등에 관하여 광범위한 입법재량을 가진다. 따라서 병역종류조항에 대하여 헌법불합치결정을 선고하되, 다만 입법자의 개선입법이 이루어질 때까지 계속 적용을 명하기로 한다(2018.6.28, 2011헌바379 등). 2019년 법행

11 정답 ①

❶ [O] 양심적 병역 거부자에 대한 관용은 결코 병역의무의 면제와 특혜의 부여에 대한 관용이 아니다. 대체복무제는 병역의무의 일환으로 도입되는 것이고 현역복무와의 형평을 고려하여 최대한 등가성을 가지도록 설계되어야 하는 것이기 때문이다. 이상에서 본 바와 같이 병역종류조항이 추구하는 공익은 대단히 중요한 것이기는 하나, 병역종류조항에 대체복무제를 도입한다고 하더라도 위와 같은 공익은 충분히 달성할 수 있다고 판단되는 반면, 병역종류조항에 대체복무제가 규정되지 않음으로 인하여 양심적 병역 거부자가 감수하여야 하는 불이익은 심대하고, 이들에게 대체복무를 부과하는 것이 오히려 넓은 의미의 국가안보와 공익 실현에 더 도움이 된다는 점을 고려할 때, 병역종류조항은 기본권 제한의 한계를 초과하여 법익의 균형성 요건을 충족하지 못한 것으로 판단된다(2018.6.28, 2011헌바379 등). 2019년 변시

② [X] 양심적 병역 거부자에 대한 처벌은 대체복무제를 규정하지 아니한 병역종류조항의 입법상 불비와 양심적 병역 거부는 처벌조항의 '정당한 사유'에 해당하지 않는다는 법원의 해석이 결합되어 발생

한 문제일 뿐, 처벌조항 자체에서 비롯된 문제가 아니다. 이는 병역종류조항에 대한 헌법불합치결정과 그에 따른 입법부의 개선입법 및 법원의 후속 조치를 통하여 해결될 수 있는 문제이다. 이상을 종합하여 보면, 처벌조항은 정당한 사유 없이 병역의무를 거부하는 병역기피자를 처벌하는 조항으로서, 과잉금지원칙을 위반하여 양심적 병역 거부자의 양심의 자유를 침해한다고 볼 수는 없다(2018.6.28, 2011헌바379). 2019년 변시

③ [X] 우리나라가 1990.4.10. 가입한 시민적·정치적 권리에 관한 국제규약(International Covenant on Civil and Political Rights)에 따라 바로 양심적 병역 거부권이 인정되거나 양심적 병역 거부에 관한 법적인 구속력이 발생한다고 보기 곤란하고, 양심적 병역 거부권을 명문으로 인정한 국제인권조약은 아직까지 존재하지 않으며, 유럽 등의 일부국가에서 양심적 병역 거부권이 보장된다고 하더라도 전 세계적으로 양심적 병역 거부권의 보장에 관한 국제관습법이 형성되었다고 할 수 없어 양심적 병역 거부가 일반적으로 승인된 국제법규로서 우리나라에 수용될 수는 없으므로, 이 사건 법률조항에 의하여 양심적 병역 거부자를 형사처벌한다고 하더라도 국제법 존중의 원칙을 선언하고 있는 헌법 제6조 제1항에 위반된다고 할 수 없다(2011.8.30, 2008헌가22 등).

④ [X] 여호와의 증인 신도인 피고인이 지방병무청장 명의의 현역병입영통지서를 받고도 입영일부터 3일이 지나도록 종교적 양심을 이유로 입영하지 않고 병역을 거부하여 「병역법」 위반으로 기소된 사안에서, 피고인은 여호와의 증인 신도인 아버지의 영향으로 만 13세 때 침례를 받고 그 신앙에 따라 생활하면서 약 10년 전에 최초 입영통지를 받은 이래 현재까지 신앙을 이유로 입영을 거부하고 있고, 과거 피고인의 아버지는 물론 최근 피고인의 동생도 같은 이유로 병역을 거부하여 「병역법」 위반으로 수감되었으며, 피고인이 부양해야 할 배우자, 어린 딸과 갓 태어난 아들이 있는 상태에서 형사처벌의 위험을 감수하면서도 종교적 신념을 이유로 병역 거부 의사를 유지하고 있는 사정에 비추어 보면, 피고인의 입영 거부행위는 진정한 양심에 따른 것으로서 구 「병역법」 제88조 제1항에서 정한 '정당한 사유'에 해당할 여지가 있다(대판 2018.11.1, 2016도10912).

> **반대의견** 현역병입영과 관련하여 처벌규정의 '정당한 사유'란 입영통지에 기해 지정된 기일과 장소에 집결할 의무를 부과받았음에도 즉시 이에 응하지 못한 것을 정당화할 만한 사유로서, 「병역법」에서 입영을 일시적으로 연기하거나 지연시키기 위한 요건으로 인정된 사유, 즉 질병, 재난 등과 같은 개인의 책임으로 돌리기 어려운 사유로 한정된다고 보아야 한다.

12 정답 ④

① [X] 병역종류조항은 병역부담의 형평을 기하고 병역자원을 효과적으로 확보하여 효율적으로 배분함으로써 국가안보를 실현하고자 하는 것이므로 정당한 입법목적을 달성하기 위한 적합한 수단이다. … 위와 같이 대체복무제의 도입이 우리나라의 국방력에 유의미한 영향을 미친다거나 병역제도의 실효성을 떨어뜨린다고 보기 어려운 이상, 우리나라의 특수한 안보상황을 이유로 대체복무제를 도입하지 않거나 그 도입을 미루는 것이 정당화된다고 할 수는 없다. 따라서 대체복무제라는 대안이 있음에도 불구하고 군사훈련을 수반하는 병역의무만을 규정한 병역종류조항은 침해의 최소성원칙에 어긋난다(2018.06.28, 2011헌바379 등).

② [X] 헌법 제37조 제2항의 비례원칙은, 단순히 기본권제한의 일반원칙에 그치지 않고, 모든 국가작용은 정당한 목적을 달성하기 위하여 필요한 범위 내에서만 행사되어야 한다는 국가작용의 한계를 선언한 것이므로, 비록 이 사건 법률조항이 헌법 제39조에 규정된 국방의 의무를 형성하는 입법이라 할지라도 그에 대한 심사는 헌법상 비례원칙에 의하여야 한다(2018.6.28, 2011헌바379 등).

③ [X] '양심적' 병역 거부라는 말은 병역 거부가 '양심적', 즉 도덕적이고 정당하다는 것을 가리킴으로써, 그 반면으로 병역의무를 이행하는 사람은 '비양심적'이거나 '비도덕적'인 사람으로 치부하게 될 여지가 있다. 하지만 앞에서 살펴 본 양심의 의미에 따를 때, '양심적' 병역 거부는 실상 당사자의 '양심에 따른' 혹은 '양심을 이유로 한' 병역 거부를 가리키는 것일 뿐이지 병역 거부가 '도덕적이고 정당하다'는 의미는 아닌 것이다. 따라서 '양심적' 병역 거부라는 용어를 사용한다고 하여 병역의무 이행은 '비양심적'이 된다거나, 병역을 이행하는 거의 대부분의 병역의무자들과 병역의무 이행이 국민의 숭고한 의무라고 생각하는 대다수 국민들이 '비양심적'인 사람들이 되는 것은 결코 아니다(2018.6.28, 2011헌바379 등).

❹ [O] 특정한 내적인 확신 또는 신념이 양심으로 형성된 이상 그 내용 여하를 떠나 양심의 자유에 의해 보호되는 양심이 될 수 있으므로, 헌법상 양심의 자유에 의해 보호받는 '양심'으로 인정할 것인지의 판단은 그것이 깊고, 확고하며, 진실된 것인지 여부에 따르게 된다. 그리하여 양심적 병역 거부를 주장하는 사람은 자신의 '양심'을 외부로 표명하여 증명할 최소한의 의무를 진다(2018.06.28, 2011헌바379 등).

13 정답 ②

① [X] 헌법재판소는 2004년 입법자에 대하여 국가안보라는 공익의 실현을 확보하면서도 병역 거부자의 양심을 보호할 수 있는 대안이 있는지 검토할 것을 권고하였는데, 그로부터 14년이 경과하도록 이에 관한 입법적 진전이 이루어지지 못하였다. 그사이 국가인권위원회, 국방부, 법무부, 국회 등 국가기관에서 대체복무제 도입을 검토하거나 그 도입을 권고하였으며, 법원에서도 최근 하급심에서 양심적 병역 거부에 대해 무죄판결을 선고하는 사례가 증가하고 있다. 이러한 모든 사정을 감안해 볼 때 국가는 이 문제의 해결을 더 이상 미룰 수 없으며, 대체복무제를 도입함으로써 병역종류조항으로 인한 기본권 침해상황을 제거할 의무가 있다(2018.06.28, 2011헌바379 등).

❷ [O] 양심에 따른 병역 거부, 이른바 양심적 병역 거부는 종교적·윤리적·도덕적·철학적 또는 이와 유사한 동기에서 형성된 양심상 결정을 이유로 집총이나 군사훈련을 수반하는 병역의무의 이행을 거부하는 행위를 말한다. 양심을 포기하지 않고서는 집총이나 군사훈련을 수반하는 병역의무를 이행할 수 없고 병역의무의 이행이 자신의 인격적 존재가치를 스스로 파멸시키는 것이기 때문에 병역의무의 이행을 거부한다는 것이다. 결국 양심을 포기할 수 없고 자신의 인격적 존재가치를 스스로 파멸시킬 수도 없기 때문에 불이행에 따르는 어떠한 제재라도 감수할 수밖에 없다고 한다(대판 전합체 2018.11.1, 2016도10912).

③ [X] 재판관 4인의 의견이었으나 「병역법」 제88조의 처벌조항은 합헌결정이 되었으므로 헌법재판소 법정의견은 아니다.

> **일부위헌의견** 병역종류조항은 처벌조항의 의미를 해석하는 근거가 되고, 처벌조항은 병역종류조항의 내용을 전제로 하므로, 병역종류조항의 위헌 여부는 처벌조항의 위헌 여부와 불가분적 관계에 있다. 따라서 병역종류조항에 대하여 헌법불합치결정을 하는 이상, 처벌조항 중 양심적 병역 거부자를 처벌하는 부분에 대하여도 위헌 결정을 하는 것이 자연스럽다.

④ [X] 정당한 사유가 없다는 사실은 범죄구성요건이므로 검사가 증명하여야 한다(대판 전합체 2018.11.1, 2016도10912).

14

정답 ②

① [X] 언론사의 인격권을 침해하여 헌법에 위반된다(2015.7.30, 2013헌가8). 언론사는 양심의 자유의 주체가 되지 않는다.

❷ [O] ④ [X] 사죄광고제도란 타인의 명예를 훼손하여 비행을 저질렀다고 믿지 않는 자에게 본심에 반하여 사죄의 의사표시를 강요하는 것이다. 그러므로 사죄광고의 강제는 국가가 재판이라는 권력작용을 통해 자기의 신념에 반하여 자기의 행위가 비행이며 죄가 된다는 윤리적 판단을 형성·강요하여 외부에 표시하기를 강제하는 것이므로, 침묵의 자유의 파생인 양심에 반하는 행위의 강제금지에 저촉된다고 할 것이다. 그러므로 우리 헌법이 보호하고자 하는 정신적 기본권의 하나인 양심의 자유의 제약(법인의 경우 그 대표자에게 양심표명의 강제를 요구하는 결과가 된다)이라고 보지 않을 수 없다(1991.4.1, 89헌마160).

③ [X] 헌법재판소의 판례에 따르면 법원이 사죄광고를 명하는 것은 양심의 자유와 인격권 침해이다. 그러나 자발적으로 사죄광고를 싣는 것이나 단순히 객관적 사실인 판결의 결과를 보도하도록 한 것은 양심의 자유 침해가 아니다.

15

정답 ①

ㄱ. [X] 법원이 피고인에게 유죄로 인정된 범죄행위를 뉘우치거나 그 범죄행위를 공개하는 취지의 말이나 글을 발표하도록 하는 내용의 사회봉사를 명하고 이를 위반할 경우 「형법」 제64조 제2항에 의하여 집행유예의 선고를 취소할 수 있도록 함으로써 그 이행을 강제하는 것은, 헌법이 보호하는 피고인의 양심의 자유, 명예 및 인격에 대한 심각하고 중대한 침해에 해당하므로 허용될 수 없고, 또 법원이 명하는 사회봉사의 의미나 내용은 피고인이나 집행담당기관이 쉽게 이해할 수 있어 집행과정에서 그 의미나 내용에 관한 다툼이 발생하지 않을 정도로 특정되어야 하므로, 피고인으로 하여금 자신의 범죄행위와 관련하여 어떤 말이나 글을 공개적으로 발표하라는 사회봉사를 명하는 것은 경우에 따라 피고인의 명예나 인격에 대한 심각하고 중대한 침해를 초래할 수 있고, 그 말이나 글이 어떤 의미나 내용이어야 하는 것인지 쉽게 이해할 수 없어 집행과정에서 그 의미나 내용에 관한 다툼이 발생할 가능성이 적지 않으며, 유죄로 인정된 범죄행위를 뉘우치거나 그 범죄행위를 공개하는 취지의 말이나 글을 발표하도록 하는 취지의 것으로도 해석될 가능성이 적지 않으므로 이러한 사회봉사명령은 위법하다(대판 2008.4.11, 2007도8373). 2017년 비상업무

ㄴ. [O] 소득공제증빙서류 제출의무자들인 의료기관 등으로서는 과세자료를 제출하지 않을 경우 국세청으로부터 행정지도와 함께 세무조사와 같은 불이익을 받을 수 있다는 심리적 강박감을 가지게 되는바, 결국 이 사건 법령조항에 대하여는 의무불이행에 대하여 간접적이고 사실적인 강제수단이 존재하므로 법적 강제수단의 존부와 관계없이 청구인들의 양심의 자유를 제한한다(2008.10.30, 2006헌마1401 등).

ㄷ. [O] 이 사건 법령조항으로 얻게 되는 납세자의 편의와 사회적 제비용의 절감을 위한 연말정산 간소화라는 공익이 이로 인하여 제한되는 의사들의 양심실현의 자유에 비하여 결코 적다고 할 수 없으므로, 이 사건 법령조항은 피해의 최소성원칙과 법익의 균형성도 충족하고 있다. 따라서 이 사건 법령조항은 헌법에 위반되지 아니한다(2008.10.30, 2006헌마1401 등).

ㄹ. [O] 일기라는 것은 작성자가 보고 듣고 느낀 자기 개인의 생활체험을 자기자신만이 간직하기 위해서 작성되는 작성자 자신에 대한 것이고 타인에 대하여 작성되는 것이 아니므로 특히 작성자가 타인에게 보이기 위하여 또는 타인이 볼 수 있는 상황하에서 작성하였다는 등의 특별한 사정이 있거나 혹은 작성된 일기를 일부러 타인이 인식할 수 있는 상태에 놓는 등 어느 정도 외부와의 관련 사항이 수반되는 등의 특별한 사정이 있으면 모르되 그렇지 않는 한 설사 그 내용이 「반공법」 제4조 제1항에 해당되는 사실이라고 하더라도 처벌할 수 없다고 할 것이다(대판 1975.12.9, 73도3392).

ㅁ. [O] 헌법이 보장한 양심의 자유는 정신적인 자유로서 어떠한 사상·감정을 가지고 있다고 하더라도 그것이 내심에 머무르는 한 절대적인 자유이므로 제한할 수 없는 것이나, 「보안관찰법」상의 보안관찰처분은 보안관찰처분대상자의 내심의 작용을 문제삼는 것이 아니라, 보안관찰처분대상자가 보안관찰해당범죄를 다시 저지를 위험성이 내심의 영역을 벗어나 외부에 표출되는 경우에 재범의 방지를 위하여 내려지는 특별예방적 목적의 처분이므로, 양심의 자유를 보장한 헌법규정에 위반된다고 할 수 없다(1997.11.27, 92헌바28). 2019년 국가 7급

ㅂ. [O] 서면화된 인사발령 없이 국군보안사령부 서빙고분실로 배치되어 이른바 '혁노맹'사건 수사에 협력하게 된 사정만으로 군무이탈행위에 군무기피목적이 없었다고 할 수 없고, 국군보안사령부의 민간인에 대한 정치사찰을 폭로한다는 명목으로 군무를 이탈한 행위가 정당방위나 정당행위에 해당하지 아니한다(대판 1993.6.8, 93도766). 2004년 행시

16

정답 ②

ㄱ. [X] 종교의 자유는 일반적으로 신앙의 자유, 종교적 행위의 자유 및 종교적 집회·결사의 자유로 구성된다. 신앙의 자유는 신과 피안 또는 내세에 대한 인간의 내적 확신에 대한 자유를 말하는 것으로서, 이러한 신앙의 자유는 그 자체가 내심의 자유의 핵심이기 때문에 법률로써도 이를 침해할 수 없다. 종교적 행위의 자유와 종교적 집회·결사의 자유는 신앙의 자유와는 달리 절대적 자유는 아니지만, 이를 제한할 경우에는 헌법 제37조 제2항의 과잉금지원칙을 준수하여야 한다(2016.6.30, 2015헌바46).

ㄴ. [O] 1948년 우리 헌법제정 당시에는 신앙의 자유와 양심의 자유가 함께 규정되었으며 국교부인과 정교분리의 원칙도 명시되었고, 1962년 헌법에서는 양심의 자유와 종교의 자유가 별개조항으로 규정되었다. 1787년 제정 당시의 미국 연방헌법에는 종교의 자유뿐만 아니라 국교부인의 원칙도 명문으로 규정되지 않았고 1791년 개정 헌법에 종교의 자유가 규정되었다. 2012년 사시

ㄷ. [X] 종교전파의 자유는 누구에게나 자신의 종교 또는 종교적 확신을 알리고 선전하는 자유를 말하며, 포교행위 또는 선교행위가 이에 해당한다. 그러나 이러한 종교전파의 자유는 국민에게 그가 선택한 임의의 장소에서 자유롭게 행사할 수 있는 권리까지 보장한다고 할 수 없으며, 그 임의의 장소가 대한민국의 주권이 미치지 아니하는 지역 나아가 국가에 의한 국민의 생명·신체 및 재산의 보호가 강력히 요구되는 해외 위난지역인 경우에는 더욱 그러하다(2008.6.26, 2007헌마1366).

ㄹ. [O] 우리 헌법 제20조 제1항은 "모든 국민은 종교의 자유를 가진다."라고 규정하고 있는데, 종교의 자유에는 자기가 신봉하는 종교를 선전하고 새로운 신자를 규합하기 위한 선교의 자유가 포함되고 선교의 자유에는 다른 종교를 비판하거나 다른 종교의 신자에 대하여 개종을 권고하는 자유도 포함되는바, 종교적 선전, 타 종교에 대한 비판 등은 동시에 표현의 자유의 보호대상이 되는 것이나, 그 경우 종교의 자유에 관한 헌법 제20조 제1항은 표현의 자유에 관

한 헌법 제21조 제1항에 대하여 특별 규정의 성격을 갖는다 할 것이므로 종교적 목적을 위한 언론·출판의 경우에는 그 밖의 일반적인 언론·출판에 비하여 보다 고도의 보장을 받게 된다고 할 것이다(대판 2007.2.8, 2006도4486).

ㅁ. [O] 종교에 대한 비판은 성질상 어느 정도의 편견과 자극적인 표현을 수반하게 되는 경우가 많으므로, 타 종교의 신앙의 대상에 대한 모욕이 곧바로 그 신앙의 대상을 신봉하는 종교단체나 신도들에 대한 명예훼손이 되는 것은 아니고, 종교적 목적을 위한 언론·출판의 자유를 행사하는 과정에서 타 종교의 신앙의 대상을 우스꽝스럽게 묘사하거나 다소 모욕적이고 불쾌하게 느껴지는 표현을 사용하였더라도 그것이 그 종교를 신봉하는 신도들에 대한 증오의 감정을 드러내는 것이거나 그 자체로 폭행·협박 등을 유발할 우려가 있는 정도가 아닌 이상 허용된다고 보아야 한다(대판 2014.9.4, 2012도13718). 2016년 법행

17 정답 ③

ㄱ. [X] 우리 헌법이 종교의 자유를 보장하고 종교와 국가기능을 엄격히 분리하고 있는 점에 비추어 종교단체의 조직과 운영은 그 자율성이 최대한 보장되어야 할 것이므로, 교회 안에서 개인이 누리는 지위에 영향을 미칠 각종 결의나 처분이 당연 무효라고 판단하려면, 그저 일반적인 종교단체 아닌 일반단체의 결의나 처분을 무효로 돌릴 정도의 절차상 하자가 있는 것으로는 부족하고, 그러한 하자가 매우 중대하여 이를 그대로 둘 경우 현저히 정의 관념에 반하는 경우라야 한다(2006.2.10, 2003다63104).

ㄴ. [X] 학문·예술·체육·종교·의식·친목·오락·관혼상제·국경행사에 관한 집회에는 신고제, 야간옥외집회금지, 교통소통을 위한 제한조항을 적용하지 않는다(「집회 및 시위에 관한 법률」 제15조).

ㄷ. [O] 종교의 자유에 관한 헌법 제20조 제1항은 표현의 자유에 관한 헌법 제21조 제1항에 대하여 특별 규정의 성격을 갖는다 할 것이므로 종교적 목적을 위한 언론·출판의 경우에는 그 밖의 일반적인 언론·출판에 비하여 보다 고도의 보장을 받게 된다(대판 1996.9.6, 96다19246). 2018년 지방 7급

ㄹ. [O] 성직자가 죄지은 자를 능동적으로 고발하지 않은 것은 종교적 계율에 따라 그 정당성이 용인되나 그에 그치지 아니하고 적극적으로 은닉·도피케 하는 행위는 정당성을 인정할 수 없다(대판 1983.3.8, 82도3248).

ㅁ. [X] 헌법 제20조 제1항은 종교의 자유를 따로 보장하고 있으므로 양심적 병역 거부가 종교의 교리나 종교적 신념에 따라 이루어진 것이라면, 이 사건 법률조항에 의하여 양심적 병역 거부자의 종교의 자유도 함께 제한된다. 그러나 양심의 자유는 종교적 신념에 기초한 양심뿐만 아니라 비종교적인 양심도 포함하는 포괄적인 기본권이므로, 이하에서는 양심의 자유를 중심으로 살펴보기로 한다(2004.8.26, 2002헌가1 등).

ㅂ. [O] 심판대상조항에 의하여 신고의 대상이 되는 양로시설에 종교단체가 운영하는 양로시설을 제외하지 않는 것은 자유로운 양로시설 운영을 통한 선교의 자유, 즉 종교의 자유 제한의 문제를 불러온다(2009.7.30, 2008헌가2).

ㅅ. [O] 종교전파의 자유는 국민에게 그가 선택한 임의의 장소에서 자유롭게 행사할 수 있는 권리까지 보장한다고 할 수 없으므로(2008.6.26, 2007헌마1366). 위난지역에서 여권사용금지는 종교의 자유 제한은 아니다. 다만, 거주이전의 자유는 제한한다.

18 정답 ①

ㄱ. [O]

대법원 판례 헌법 제20조 제1항은 "모든 국민은 종교의 자유를 가진다."라고 규정하고 있고, 이러한 종교의 자유에는 신앙에 대한 침묵을 뜻하는 소극적인 신앙고백의 자유와 자신의 종교적인 확신에 반하는 행위를 강요당하지 아니하는 소극적인 종교행위의 자유 및 종교교육의 자유 등이 포함된다(대판 2010.4.22, 2008다38288). 2018년 소방간부

헌법재판소 판례 종교의 자유에는 신앙의 자유, 종교적 행위의 자유가 포함되며, 종교적 행위의 자유에는 신앙고백의 자유, 종교적 의식 및 집회·결사의 자유, 종교전파·교육의 자유 등이 있다. 이 사건에서 문제되는 종교의 자유는 종교전파의 자유로서 누구에게나 자신의 종교 또는 종교적 확신을 알리고 선전하는 자유를 말하며, 포교행위 또는 선교행위가 이에 해당한다(2008.6.26, 2007헌마1366).

ㄴ. [O] 종교단체가 설치·운영하고자 하는 납골시설이 금지되는 경우에는 종교의 자유에 대한 침해의 문제가 발생한다. 종교 의식 내지 종교적 행위와 밀접한 관련이 있는 시설의 설치와 운영은 종교의 자유를 보장하기 위한 전제에 해당되므로 종교적 행위의 자유에 포함된다고 할 것이다. 일반적으로 인간의 죽음과 종교는 분리할 수 없을 만큼 밀접하게 연관되어 있으며 종교의식과 종교시설도 인간의 죽음을 기리는 의식·시설과 관련하여 발달되어 왔다. 종교단체의 납골시설은 사자의 죽음을 추모하고 사후의 평안을 기원하는 종교적 행사를 하기 위한 시설이라고 할 수 있다. 따라서 종교단체가 종교적 행사를 위하여 종교집회장 내에 납골시설을 설치하여 운영하는 것은 종교행사의 자유와 관련된 것이라고 할 것이고, 그러한 납골시설의 설치를 금지하는 것은 종교행사의 자유를 제한하는 결과로 된다(2009.7.30, 2008헌가2).

ㄷ. [O] 종교적 행위의 자유는 종교상의 의식·예배 등 종교적 행위를 각 개인이 임의로 할 수 있는 등 종교적인 확신에 따라 행동하고 교리에 따라 생활할 수 있는 자유와 소극적으로는 자신의 종교적인 확신에 반하는 행위를 강요당하지 않을 자유, 그리고 선교의 자유, 종교교육의 자유 등이 포함된다.

ㄹ. [O] 사법시험일자를 토요일이나 토요일을 포함한 기간으로 지정함으로써 청구인(제칠안식일예수재림교인)들로서는 사법시험 응시를 하려면 안식일에 관한 교리에 위반할 수밖에 없어서 종교의 자유가 제한된다 할 것이다. 그러나 이러한 청구인들의 종교의 자유(종교적 행위의 자유)는 질서유지나 공공복리를 위하여 필요한 경우 제한이 가능한 자유로서 법무부장관이 다수의 사법시험 응시생들의 응시상 편의를 도모하고 시험장소의 확보, 시험관리 등을 용이하게 하기 위하여 토요일을 사법시험 일자로 지정한 것은 과잉금지원칙을 위반하여 청구인들의 종교의 자유를 침해한 것이라고 할 수 없다(2010.11.25, 2010헌마41).

ㅁ. [O] 청구인은 심판대상행위가 종교의 자유를 침해한다고 주장한다. 심판대상행위는 '종교가 있는지 여부'와 '있다면 구체적인 종교명이 무엇인지'를 묻는 조사항목들에 응답할 것을 요구하고 있는바, 이는 통계의 기초자료로 활용하기 위한 조사사항 중 하나로서 특정 종교를 믿는다는 이유로 불이익을 주거나 종교적 확신에 반하는 행위를 강요하기 위한 것이 아니다. 결국 청구인의 위 주장은 종교를 포함한 개인정보의 수집·활용 등이 개인정보자기결정권을 침해하는가의 문제로 귀결되므로, 개인정보자기결정권에 대한 침해 여부에 포함시켜 판단하면 충분하다(2017.7.27, 2015헌마1094).

ㅂ. [X] 이 사건 법률조항은 전통사찰에 대하여 채무명의를 가진 일반 채권자가 전통사찰 소유의 전법용 경내지의 건조물 등에 대하여 압류하는 것을 금지하고 있으므로 '전통사찰의 일반 채권자'의 재산권을 제한한다. 그러나 종교의 자유는 신앙의 자유, 종교적 행위의 자유 및 종교적 집회·결사의 자유를 그 내용으로 하는바 이 사건 법률조항은 전통사찰 소유의 일정 재산에 대한 압류를 금지할 뿐이므로 그로 인하여 위와 같은 종교의 자유의 내용 중 어떠한 것도 제한되지는 아니한다(2012.6.27, 2011헌바34).

④ [O] 조세평등주의의 이념에 비추어 볼 때, 비록 위 면제제도가 선교활동의 촉진을 통한 국민의 정신생활의 성숙이라는 정책적 목적을 실현함에 있어서 필요하다고 하더라도, 특히 정책목표 달성이 필요한 경우에 그 면제혜택을 받는 자의 요건을 엄격히 하여 극히 한정된 범위 내에서 예외적으로 허용되어야 하는 것이다. 그러므로 면제신청 외 다른 특별부가세 요건을 갖춘 종교법인이 특별부가세를 면제받은 종교법인에 비하여 합리적 이유 없이 차별취급을 받은 것으로는 볼 수 없다(2000.1.27, 98헌바6).

19 정답 ③

① [X] 종교의 자유는 일반적으로 신앙의 자유, 종교적 행위의 자유 및 종교적 집회·결사의 자유 등 3요소로 구성되어 있다고 한다. 그중 종교적 집회·결사의 자유는 종교적 목적으로 같은 신자들이 집회하거나 종교단체를 결성할 자유를 말하는데, 이 사건 종교집회 참석 제한 처우는 청구인이 종교집회에 참석하는 것을 제한한 행위이므로 청구인의 종교의 자유, 특히 종교적 집회·결사의 자유를 제한한다(2014.6.26, 2012헌마782). 2015년 국가 7급

② [X] 종교의 자유에서 종교에 대한 적극적인 우대조치를 요구할 권리가 직접 도출되거나 우대할 국가의 의무가 발생하지 아니한다. 종교시설의 건축행위에만 기반시설부담금을 면제한다면 국가가 종교를 지원하여 종교를 승인하거나 우대하는 것으로 비칠 소지가 있어 헌법 제20조 제2항의 국교금지·정교분리에 위배될 수도 있다고 할 것이므로 종교시설의 건축행위에 대하여 기반시설부담금 부과를 제외하거나 감경하지 아니하였더라도, 종교의 자유를 침해하는 것이 아니다(2010.2.25, 2007헌바131 등).

❸ [O] 조세평등주의의 이념에 비추어 볼 때, 비록 위 면제제도가 선교활동의 촉진을 통한 국민의 정신생활의 성숙이라는 정책적 목적을 실현함에 있어서 필요하다고 하더라도, 특히 정책목표달성이 필요한 경우에 그 면제혜택을 받는 자의 요건을 엄격히 하여 극히 한정된 범위 내에서 예외적으로 허용되어야 하는 것이다(2000.1.27, 98헌바6).

④ [X] 영국은 성공회가 국교이나 종교의 자유가 인정된다.

20 정답 ②

① [O] 어떤 의식, 행사, 유형물 등이 비록 종교적인 의식, 행사 또는 상징에서 유래되었다고 하더라도 그것이 이미 우리 사회공동체 구성원들 사이에서 관습화된 문화요소로 인식되고 받아들여질 정도에 이르렀다면, 이는 정교분리원칙이 적용되는 종교의 영역이 아니라 헌법적 보호가치를 지닌 문화의 의미를 갖게 된다. 그러므로 이와 같이 이미 문화적 가치로 성숙한 종교적인 의식, 행사, 유형물에 대한 국가 등의 지원은 일정 범위 내에서 전통문화의 계승·발전이라는 문화국가원리에 부합하며 정교분리원칙에 위배되지 않는다(대판 2009.5.28, 2008두16933).

❷ [X] 학교나 학원설립에 인가나 등록주의를 취했다고 하여 감독청의 지도·감독하에서만 성직자와 종교지도자를 양성하라고 하는 것이 되거나, 정부가 성직자양성을 직접 관장하는 것이 된다고 할 수 없고, 또 특정 종교를 우대하는 것도 아니므로 이는 더 나아가 살펴볼 필요 없이 헌법 제20조 제2항이 정한 국교금지 내지 정교분리의 원칙을 위반한 것이라 할 수 없다(2000.3.30, 99헌바14). 2010년 법무사

③ [O] 종교인에 한해 공무원이 될 수 있다는 특혜를 베푸는 것은 무신자의 평등권을 침해한다.

30회 진도별 모의고사

종교의 자유 ~ 대학의 자유

정답

01	②	02	③	03	③	04	③
05	④	06	③	07	①	08	③
09	③	10	④	11	②	12	②
13	④	14	④	15	④	16	②
17	③	18	④	19	②	20	②

01 정답 ②

① [X]

> **헌법 제20조** ② 국교는 인정되지 아니하며, 종교와 정치는 분리된다.

❷ [O] 종교의 자유에서 종교에 대한 적극적인 우대조치를 요구할 권리가 직접 도출되거나 우대할 국가의 의무가 발생하지 아니한다. 종교시설의 건축행위에만 기반시설부담금을 면제한다면 국가가 종교를 지원하여 종교를 승인하거나 우대하는 것으로 비칠 소지가 있어 헌법 제20조 제2항의 국교금지·정교분리에 위배될 수도 있다고 할 것이므로 종교시설의 건축행위에 대하여 기반시설부담금 부과를 제외하거나 감경하지 아니하였더라도, 종교의 자유를 침해하는 것이 아니다(2010.2.25, 2007헌바131 등). 2012년 사시

③ [X] 공군 참모총장이 전 공군을 지휘·감독할 지위에서 수하의 장병들을 상대로 단결심의 함양과 조직의 유지·관리를 위하여 계몽적인 차원에서 군종장교로 하여금 교계에 널리 알려진 특정 종교에 대한 비판적 정보를 담은 책자를 발행·배포하게 한 행위가 특별한 사정이 없는 한 정교분리의 원칙에 위반하는 위법한 직무집행에 해당하지 않는다(대판 2007.4.26, 2006다87903). 2016년 법행

④ [X] 종교의 자유에서 종교에 대한 적극적인 우대조치를 요구할 권리가 직접 도출되거나 우대할 국가의 의무가 발생하지 아니한다. 종교시설의 건축행위에만 기반시설부담금을 면제한다면 국가가 종교를 지원하여 종교를 승인하거나 우대하는 것으로 비칠 소지가 있어 헌법 제20조 제2항의 국교금지·정교분리에 위배될 수도 있다고 할 것이므로 종교시설의 건축행위에 대하여 기반시설부담금 부과를 제외하거나 감경하지 아니하였더라도, 종교의 자유를 침해하는 것이 아니다(2010.2.25, 2007헌바131 등).

02 정답 ③

ㄱ. [O] 헌법상 보호되는 종교의 자유에는 특정 종교단체가 그 종교의 지도자와 교리자를 자체적으로 교육시킬 수 있는 종교교육의 자유가 포함된다고 볼 것이다(2000.3.30, 99헌바14).

ㄴ. [X] 종립학교가 고등학교 평준화정책에 따라 강제배정된 학생들을 상대로 특정 종교의 교리를 전파하는 종파적인 종교행사와 종교과목 수업을 실시하면서 참가 거부가 사실상 불가능한 분위기를 조성하고 대체과목을 개설하지 않는 등 신앙을 갖지 않거나 학교와 다른 신앙을 가진 학생의 기본권을 고려하지 않은 것은, 우리 사회의 건전한 상식과 법감정에 비추어 용인될 수 있는 한계를 벗어나 학생의 종교에 관한 인격적 법익을 침해하는 위법한 행위이다(대판 전합체 2010.4.22, 2008다38288).

ㄷ. [O] 학생도 종교의 자유를 누릴 수 있다.

ㄹ. [X] 학교나 학원설립에 인가나 등록주의를 취했다고 하여 감독청의 지도·감독하에서만 성직자와 종교지도자를 양성하라고 하는 것이 되거나, 정부가 성직자 양성을 직접 관장하는 것이 된다고 할 수 없고, 또 특정 종교를 우대하는 것도 아니므로 이는 더 나아가 살펴볼 필요없이 헌법 제20조 제2항이 정한 국교금지 내지 정교분리의 원칙을 위반한 것이라 할 수 없다(2000.3.30, 99헌바14).

ㅁ. [O] 종립학교가 고등학교 평준화정책에 따라 강제배정된 학생들을 상대로 특정 종교의 교리를 전파하는 종파적인 종교행사와 종교과목 수업을 실시하면서 참가 거부가 사실상 불가능한 분위기를 조성하고 대체과목을 개설하지 않는 등 신앙을 갖지 않거나 학교와 다른 신앙을 가진 학생의 기본권을 고려하지 않은 것은, 우리 사회의 건전한 상식과 법감정에 비추어 용인될 수 있는 한계를 벗어나 학생의 종교에 관한 인격적 법익을 침해하는 위법한 행위이고, 그로 인하여 인격적 법익을 침해받는 학생이 있을 것임이 충분히 예견가능하고 그 침해가 회피가능하므로 과실 역시 인정된다(대판 전합체 2010.04.22, 2008다38288).

ㅂ. [O] 사립대학은 종교교육 내지 종교선전을 위하여 학생들의 신앙을 가지지 않을 자유를 침해하지 않는 범위 내에서 학생들로 하여금 일정한 내용의 종교교육을 받을 것을 졸업요건으로 하는 학칙을 제정할 수 있다(대판 1998.11.10, 96다37268).

ㅅ. [X] 국민의 교육을 받을 권리를 적극적으로 보호하고, 능력에 따라 균등한 교육기회를 제공하고, 지속성과 안전을 확보하고, 수업료 등에 있어서 적정한 교육운영을 유지하게 하기 위하여, 종교교육이 학교나 학원 형태로 시행될 때 필요한 시설기준과 교육과정 등에 대한 최소한의 기준을 국가가 마련하여 학교설립인가 등을 받게 하는 것은 헌법 제31조 제6항의 입법자의 입법재량의 범위 안에 포함된다고 할 것이다(2000.3.30, 99헌바14). 2002년 사시

ㅇ. [O] 종립학교의 학교법인이 국·공립학교의 경우와는 달리 종교교육을 할 자유와 운영의 자유를 가진다고 하더라도, 그 종립학교가 공교육체계에 편입되어 있는 이상 원칙적으로 학생의 종교의 자유, 교육을 받을 권리를 고려한 대책을 마련하는 등의 조치를 취하는 속에서 그러한 자유를 누린다고 해석하여야 한다(대판 전합체 2010.4.22, 2008다38288). 2018년 지방 7급

ㅈ. [O] 설립자나 학교법인이 가지는 사학 운영의 자유에는 설립자나 학교법인의 종교적·세계관적 교육이념에 따라 교과과정을 자유롭게 형성할 자유가 당연히 포함되므로 종교단체가 설립한 사립학교 즉 '종립학교'에서 종교행사 및 종교과목 수업을 할 자유는 종교의 자유뿐만 아니라 사학의 자유라는 관점에서도 일반적으로 보장되어야 한다(대판 전합체 2010.4.22, 2008다38288). 2014년 법행

03 정답 ③

ㄱ. [O] 청구인이 혐의를 받고 있는 징벌대상행위가 교도관에 대한 공갈, 협박이라는 점, 처우 제한의 범위도 동료 수용자 및 교도관과의 직접적인 접촉이 이루어지는 작업, 교육훈련, 공동행사 참가로 한정된 점에 비추어 위와 같은 분리수용과 처우 제한이 증거인멸 방지를 위해 필요한 정도를 넘어선 가혹한 처사라고 볼 수 없고, 청구인이 혐의를 부인하고 일체의 진술을 거부한 점 및 조사기간 동안 증거자료 수집과 피해 교도관에 대한 진술조사 등이 행해진 점 등에 비추어 볼 때, 15일의 기간이 조사에 필요한 정도를 넘어선 것으로 보기도 어려우며, 조사기간은 전부 금치의 징벌기간에 산입되었으므로 이러한 분리수용 및 처우 제한이 신체의 자유, 통신의

자유, 종교의 자유 등을 침해하였다고 볼 수 없다(2014.9.25, 2012헌마523).

ㄴ. [X] 종교의 자유는 일반적으로 신앙의 자유, 종교적 행위의 자유 및 종교적 집회·결사의 자유 등 3요소로 구성되어 있다고 한다. 그중 종교적 집회·결사의 자유는 종교적 목적으로 같은 신자들이 집회하거나 종교단체를 결성할 자유를 말하는데, 이 사건 종교집회 참석 제한 처우는 청구인이 종교집회에 참석하는 것을 제한한 행위이므로 청구인의 종교의 자유, 특히 종교적 집회·결사의 자유를 제한한다(2014.6.26, 2012헌마782).

ㄷ. [O] ㄹ. [X] '「형의 집행 및 수용자의 처우에 관한 법률」 제45조는 종교행사 등에의 참석대상을 '수용자'로 규정하고 있어 수형자와 미결수용자를 구분하고 있지도 아니하고, 무죄추정의 원칙이 적용되는 미결수용자들에 대한 기본권 제한은 징역형 등의 선고를 받아 그 형이 확정된 수형자의 경우보다는 더 완화되어야 할 것임에도, 피청구인이 수용자 중 미결수용자에 대하여만 일률적으로 종교행사 등에의 참석을 불허한 것은 미결수용자의 종교의 자유를 나머지 수용자의 종교의 자유보다 더욱 엄격하게 제한한 것이다(2011.12.29, 2009헌마527).

ㅁ. [O] 종교의 자유는 일반적으로 신앙의 자유, 종교적 행위의 자유 및 종교적 집회·결사의 자유 등 3요소로 구성되어 있다고 한다. 그중 종교적 집회·결사의 자유는 종교적 목적으로 같은 신자들이 집회하거나 종교단체를 결성할 자유를 말하는데, 이 사건 종교집회 참석 제한 처우는 청구인이 종교집회에 참석하는 것을 제한한 행위이므로 청구인의 종교의 자유, 특히 종교적 집회·결사의 자유를 제한한다. 공범이나 동일사건 관련자가 있는 경우에 한하여 이를 분리하여 종교집회 참석을 허용하는 방법, 미지정 수형자의 경우 추가사건의 공범이나 동일사건 관련자가 없는 때에는 출력수와 함께 종교집회를 실시하는 등의 방법으로 청구인의 기본권을 덜 침해하는 수단이 있음에도 불구하고 이를 전혀 고려하지 아니하였다. 따라서 이 사건 종교집회 참석 제한 처우는 부산구치소의 열악한 시설을 감안하더라도 과잉금지원칙을 위반하여 청구인의 종교의 자유를 침해한 것이다(2014.6.26, 2012헌마782).

ㅂ. [O] ○○구치소에 종교행사 공간이 1개뿐이고, 종교행사는 종교, 수형자와 미결수용자, 성별, 수용동 별로 진행되며, 미결수용자는 공범이나 동일사건 관련자가 있는 경우 이를 분리하여 참석하게 해야 하는 점을 고려하면 피청구인이 미결수용자 대상 종교행사를 4주에 1회 실시했더라도 종교의 자유를 과도하게 제한하였다고 보기 어렵고, 구치소의 인적·물적 여건상 하루에 여러 종교행사를 동시에 하기 어려우며, 개신교의 경우에만 그 교리에 따라 일요일에 종교행사를 허용할 경우 다른 종교와의 형평에 맞지 않고, 공휴일인 일요일에 종교행사를 할 행정적 여건도 마련되어 있지 않다는 점을 고려하면, 이 사건 종교행사 처우는 청구인의 종교의 자유를 침해하지 않는다(2015.4.30, 2013헌마190).

ㅅ. [X] 종교단체의 징계결의는 종교단체 내부의 규제로서 헌법이 보장하고 있는 종교자유의 영역에 속하므로 교인 개인의 특정한 권리의무에 관계되는 법률관계를 규율하는 것이 아니라면 원칙적으로 법원으로서는 그 효력의 유무를 판단할 수 없다고 할 것이지만, 그 효력의 유무와 관련하여 구체적인 권리 또는 법률관계를 둘러싼 분쟁이 존재하고 또한 그 청구의 당부를 판단하기에 앞서 위 징계의 당부를 판단할 필요가 있는 경우에는 그 판단의 내용이 종교 교리의 해석에 미치지 아니하는 한 법원으로서는 위 징계의 당부를 판단하여야 한다(대판 2012.08.30, 2010다52072).

04 정답 ③

① [X] 심판대상조항에 의하여 제한되는 사익에 비하여 심판대상조항이 달성하려는 공익은 양로시설에 입소한 노인들의 쾌적하고 안전한 주거환경을 보장하는 것으로 이는 매우 중대하다. 따라서 심판대상조항이 과잉금지원칙에 위배되어 종교의 자유를 침해한다고 볼 수 없다(2016.6.30, 2015헌바46).

② [X] 헌금하지 않는 신도는 하나님이 깍쟁이 하나님이므로 영생할 수 없다는 취지의 설교를 사실인 것처럼 계속하여 신도들을 기망하였음이 분명한 이상 이는 종교의 자유의 한계를 일탈한 것으로서, 원심 및 원심이 인용한 제1심 판시와 같이 이에 기망당한 신도들로부터 헌금 명목으로 고액의 금원을 교부받은 것을 형법상 사기죄에 해당한다고 하여 처단한 것이 헌법상 종교의 자유나 양심의 자유에 관한 법리를 잘못 오해한 데 기인한 것이라고 할 수 없다(대판 1995.4.28, 95도250).

❸ [O] 종교단체의 징계결의는 종교단체 내부의 규제로서 헌법이 보장하고 있는 종교자유의 영역에 속하므로 교인 개인의 특정한 권리의무에 관계되는 법률관계를 규율하는 것이 아니라면 원칙적으로 법원으로서는 그 효력의 유무를 판단할 수 없다고 할 것이지만, 그 효력의 유무와 관련하여 구체적인 권리 또는 법률관계를 둘러싼 분쟁이 존재하고 또한 그 청구의 당부를 판단하기에 앞서 위 징계의 당부를 판단할 필요가 있는 경우에는 그 판단의 내용이 종교 교리의 해석에 미치지 아니하는 한 법원으로서는 위 징계의 당부를 판단하여야 한다(대판 2012.8.30, 2010다52072). 2015년 사시

④ [X] 종교단체가 종교적 행사를 위하여 종교집회장 내에 납골시설을 설치하여 운영하는 것은 종교행사의 자유와 관련된 것이라고 할 것이고, 그러한 납골시설의 설치를 금지하는 것은 종교행사의 자유를 제한하는 결과로 된다. … 납골시설을 기피하는 정서는 사회의 일반적인 풍토와 문화에서 비롯된 것이어서 대학생이 되면 완전히 벗어나게 된다고 단정하기 어렵다. 대학 부근의 정화구역에서도 납골시설의 설치를 금지하는 것이 불합리하거나 불필요하다고 보기 어렵다. 이 사건 법률조항에 의하여 금지되는 것은 학교 부근 200미터 이내의 정화구역 내에 국한되는 것이므로, 그로 인하여 기본권이 침해되는 정도는 크지 않다고 할 수 있다. 결국, 이 사건 법률조항은 입법목적을 달성하기 위하여 필요한 한도를 넘어서 종교의 자유, 행복추구권 및 직업의 자유를 과도하게 제한하여 헌법 제37조 제2항에 위반된다고 보기 어렵다(2009.7.30, 2008헌가2). 2013년 사시

05 정답 ④

① [O] 교수, 연구원뿐 아니라 내·외국인 모두가 학문의 주체가 된다. 대학, 연구단체 등 법인도 학문의 주체가 될 수 있다.

② [O] 학교법인은 사립학교만을 설치 경영함을 목적으로 하는 법인(「사립학교법」 제2조 제2항)인 만큼 사립학교의 교원이나 교수들과 달리 법인자체가 학문활동이나 예술활동을 하는 것으로 볼 수는 없고 이 사건 법률조항은 학교교육에 필요한 시설과 설비를 갖추고 그 운영에 필요한 재산을 실효적으로 확보하는 데 역점이 있어 오히려 국민의 교육을 받을 권리를 적극적으로 보장하는 규정으로 보아야 한다(2001.1.18, 99헌바63).

③ [O] 교수의 자유는 대학이나 고등교육기관의 교육자가 연구 결과를 자유로이 교수하거나 강의하는 자유를 말하는 것으로서, 초·중·고의 교사에게는 교수의 자유가 인정되지 않는다.

❹ [X] 학문의 자유라 함은 진리를 탐구하는 자유를 의미하는데, 그것은 단순히 진리탐구의 자유에 그치지 않고 탐구한 결과에 대한 발표의 자유 내지 가르치는 자유(편의상 대학의 교수의 자유와 구분하여 수업의 자유로 한다) 등을 포함하는 것이라 할 수 있다.

06 정답 ③

ㄱ. [X] 진리탐구의 자유와 결과발표 내지 수업의 자유는 같은 차원에서 거론하기가 어려우며, 전자는 신앙의 자유·양심의 자유처럼 절대적인 자유라고 할 수 있으나, 후자는 표현의 자유와도 밀접한 관련이 있는 것으로서 경우에 따라 헌법 제21조 제4항은 물론 제37조 제2항에 따른 제약이 있을 수 있는 것이다(1992.11.12, 89헌마88).

ㄴ. [X] 출판의 자유에는 스스로 저술한 책자가 교과서가 될 수 있도록 주장할 수 있는 권리가 포함되는 것은 아니다(1992.11.12, 89헌마88).

ㄷ. [X] 교과서에 관련된 국정 또는 검·인정제도의 법적 성질은 인간의 자연적 자유의 제한에 대한 해제인 허가의 성질을 갖는다기보다는 어떠한 책자에 대하여 교과서라는 특수한 지위를 부여하거나 인정하는 제도이기 때문에 가치창설적인 형성적 행위로서 특허의 성질을 갖는 것으로 보아야 할 것이며, 그렇게 본다면 국가가 그에 대한 재량권을 갖는 것은 당연하다고 할 것이다(1992.11.12, 89헌마88).

ㄹ. [X] 국정교과서제도는 교과서라는 형태의 도서에 대하여 국가가 이를 독점하는 것이지만, 국민의 수학권의 보호라는 차원에서 학년과 학과에 따라 어떤 교과용 도서에 대하여 이를 자유발행제로 하는 것이 온당하지 못한 경우가 있을 수 있고 그러한 경우 국가가 관여할 수밖에 없다는 것과 관여할 수 있는 헌법적 근거가 있다는 것을 인정한다면 그 인정의 범위 내에서 국가가 이를 검·인정제로 할 것인가 또는 국정제로 할 것인가에 대하여 재량권을 갖는다고 할 것이므로 중학교의 국어교과서에 관한 한, 교과용 도서의 국정제는 학문의 자유나 언론·출판의 자유를 침해하는 제도가 아님은 물론 교육의 자주성·전문성·정치적 중립성과도 무조건 양립되지 않는 것이라 하기 어렵다(1992.11.12, 89헌마88).

ㅁ. [O] 수업의 자유는 두텁게 보호되어야 합당하겠지만 그것은 대학에서의 교수의 자유와 완전히 동일할 수는 없을 것이며 대학에서는 교수의 자유가 더욱 보장되어야 하는 반면, 초·중·고교에서의 수업의 자유는 제약이 있을 수 있다(1992.11.12, 89헌마88)

ㅂ. [X] 교사의 수업권이 기본권이라 할 수 있느냐에 대해서 이를 부정하는 견해가 많고 수업권을 기본권에 준하는 것으로 간주하더라도 수업권을 내세워 수학권을 침해할 수 없다(1992.11.12, 89헌마88).

ㅅ. [O] 국민의 수학권과 교사의 수업의 자유는 다같이 보호되어야 하겠지만 그 중에서도 국민의 수학권이 더 우선적으로 보호되어야 한다(1992.11.12, 89헌마88). 2005년 행시

ㅇ. [O] 수업의 자유를 내세워 함부로 학생들에게 여과없이 전파할 수는 없다고 할 것이고, 나아가 헌법과 법률이 지향하고 있는 자유민주적 기본질서를 침해할 수 없음은 물론 사회상규나 윤리도덕을 일탈할 수 없으며, 따라서 가치편향적이거나 반도덕적인 내용의 교육은 할 수 없는 것이라고 할 것이다(1992.11.12, 89헌마88). 2017년 국회 8급

07 정답 ①

ㄱ. [O] 사립학교 교원이 파산선고를 받으면 당연퇴직되도록 정하고 있는 「사립학교법」 제57조 중 「국가공무원법」 제33조 제1항 제2호 부분은 교원의 사회적 책임 및 교직에 대한 국민의 신뢰를 제고하고, 교원으로서의 성실하고 공정한 직무수행을 담보하기 위한 것으로 그 입법목적이 정당하고, 교육에 대한 신뢰를 확보하기 위하여 규정된 것이므로 매우 자의적인 것으로서 합리적인 입법한계를 일탈하였거나 대학의 자율의 본질적인 부분을 침해하였다고 볼 수 없다(2008.11.27, 2005헌가21).

ㄴ. [X]

> **「집회 및 시위에 관한 법률」 제15조【적용의 배제】** 학문, 예술, 체육, 종교, 의식, 친목, 오락, 관혼상제 및 국경행사에 관한 집회에는 제6조부터 제12조까지의 규정을 적용하지 아니한다.
>
> **제6조【옥외집회 및 시위의 신고 등】** ① 옥외집회나 시위를 주최하려는 자는 그에 관한 다음 각 호의 사항 모두를 적은 신고서를 옥외집회나 시위를 시작하기 720시간 전부터 48시간 전에 관할 경찰서장에게 제출하여야 한다. 다만, 옥외집회 또는 시위 장소가 두 곳 이상의 경찰서의 관할에 속하는 경우에는 관할 시·도경찰청장에게 제출하여야 하고, 두 곳 이상의 시·도경찰청 관할에 속하는 경우에는 주최지를 관할하는 시·도경찰청장에게 제출하여야 한다.
> 〈각 호 생략〉

ㄷ. [O] 성과급적 연봉제는 국립대학 교원의 연구의욕 고취 및 교육의 수월성 제고를 통한 대학경쟁력 강화를 위한 것으로서 목적의 정당성 및 수단의 적합성이 인정된다. 성과급적 연봉제가 교원의 학문연구나 교육 등의 활동을 제약하거나 이를 일정한 방향으로 강요하고, 낮은 등급을 받은 교원에 대하여 직접적으로 어떤 제재를 가하는 것이 아니라, 평가 결과에 따라 연봉에 상대적인 차등을 둠으로써 교원들의 자발적인 분발을 촉구할 뿐이고, 구체적인 평가기준이나 평가방법 등은 각 대학에서 합리적으로 설정하여 운영할 수 있으므로 침해의 최소성도 인정되며, 달성되는 공익이 그로 인하여 받게 되는 불이익보다 크므로 법익의 균형성도 인정된다(2013.11.28, 2011헌마282 등).

ㄹ. [O] 사립학교 교원이 선거범죄로 100만 원 이상의 벌금형을 선고받아 그 형이 확정되면 당연퇴직되도록 규정한 「사립학교법」(1997.12.13. 법률 제5438호로 개정된 것) 제57조 중 「국가공무원법」 제33조 제1항 제6호의 '다른 법률에 의하여 자격이 정지된 자' 가운데 '구 「공직선거법」 제266조 제1항 제4호 중 100만 원 이상의 벌금형의 선고를 받아 그 형이 확정된 자' 부분"은 선거범죄를 범하여 형사처벌을 받은 교원에 대하여 일정한 신분상 불이익을 가하는 규정일 뿐 청구인의 연구·활동 내용이나 그러한 내용을 전달하는 방식을 규율하는 것은 아니므로 청구인의 교수의 자유를 침해하지 아니한다(2008.4.24, 2005헌마857).

08 정답 ③

① [O] 대학교수인 피고인이 제작·반포한 '한국전쟁과 민족통일'이라는 제목의 논문 및 피고인이 작성한 강연 자료, 기고문 등의 이적표현물에 대하여, 그 반포·게재된 경위 및 피고인의 사회단체활동 내용 등에 비추어 피고인이 절대적으로 누릴 수 있는 연구의 자유의 영역을 벗어나 헌법 제37조 제2항과 「국가보안법」 제7조 제1항, 제5항에 따른 제한의 대상이 되었고, 또한 피고인이 북한문제와 통일문제를 연구하는 학자로서 순수한 학문적인 동기와 목적 아래 위 논문 등을 제작·반포하거나 발표하였다고 볼 수 없을 뿐만 아니라, 피고인이 반국가단체로서의 북한의 활동을 찬양·고무·선전 또는 이에 동조할 목적 아래 위 논문 등을 제작·반포하거나 발표한 것이어서 그것이 헌법이 보장하는 학문의 자유의 범위 내에 있지 않다(대판 2010.12.9, 2007도10121).

② [O] 대학의 정화구역 안에서 극장시설을 금지하는 이 사건 법률조항은 극장운영자의 직업수행의 자유를 필요·최소한 정도의 범위에서 제한한 것이라고 볼 수 없어 최소침해성의 원칙에 반한다(2004.5.27, 2003헌가1 등).

❸ [X] 치과전문의 자격시험이 실시되지 아니하더라도 치과의사가 어느 전문 분야에 관하여 전문적인 교육을 받고, 연구를 함에 있어 법률상 또는 현실적으로 특별한 제한이나 불이익을 받고 있다고는 할 수 없으며, 따라서 치과전문의제도의 불시행으로 인하여 청구인들의 학문의 자유가 침해되었다고 할 수는 없다. 현행 「의료법」과 위 규정에 의하면 치과전문의의 전문과목은 10개로 세분화되어 있고, 일반치과의까지 포함하면 11가지의 치과의가 존재할 수 있는데도 이를 시행하기 위한 시행규칙의 미비로 청구인들은 일반치과의로서 존재할 수밖에 없는 실정이다. 따라서 이로 말미암아 청구인들은 직업으로서 치과전문의를 선택하고 이를 수행할 자유(직업의 자유)를 침해당하고 있다(1998.7.16, 96헌마246).

④ [O] 학문의 자유에서 말하는 '학문'이란 일정한 지식수준을 기반으로 방법론적으로 정돈된 비판적인 성찰을 함으로써 진리를 탐구하는 활동을 말한다. 학문의 자유는 곧 진리탐구의 자유라 할 수 있고, 나아가 그렇게 탐구한 결과를 발표하거나 강의할 자유 등도 학문의 자유의 내용으로서 보장된다. 그러나 이러한 진리탐구의 과정과는 무관하게 단순히 기존의 지식을 전달하거나 인격을 형성하는 것을 목적으로 하는 '교육'은 학문의 자유의 보호영역이 아니라 교육에 관한 기본권(헌법 제31조)의 보호영역에 속한다고 할 것이다(2003.9.25, 2001헌마814 등).

09 정답 ③

① [O] 대학의 자치의 주체를 기본적으로 대학으로 본다고 하더라도 교수나 교수회의 주체성이 부정된다고 볼 수는 없고, 가령 학문의 자유를 침해하는 대학의 장에 대한 관계에서는 교수나 교수회가 주체가 될 수 있고, 또한 국가에 의한 침해에 있어서는 대학 자체 외에도 대학 전구성원이 자율성을 갖는 경우도 있을 것이므로 문제되는 경우에 따라서 대학, 교수, 교수회 모두가 단독, 혹은 중첩적으로 주체가 될 수 있다고 보아야 할 것이다(2006.4.27, 2005헌마1047 등).

② [O] 학생도 교수의 학문연구의 동반자 내지 교육의 상대방이 된다는 점에서 학문연구라든가 학습활동과 직접 관련된 학생회활동을 하는 경우에 그 주체성을 인정받을 수 있다. 2005년 행시

❸ [X] 국립대학인 서울대학교는 다른 국가기관 내지 행정기관과는 달리 공권력의 행사자의 지위와 함께 기본권의 주체라는 점도 중요하게 다루어져야 한다(1992.10.1, 92헌마68 등).

④ [O] 교육부장관이 사학분쟁조정위원회의 심의를 거쳐 甲 대학교를 설치·운영하는 乙 학교법인의 이사 8인과 임시이사 1인을 선임한 데 대하여 甲 대학교 교수협의회와 총학생회 등이 이사선임처분의 취소를 구하는 소송을 제기한 사안에서, 임시이사제도의 취지, 교직원·학생 등의 학교운영에 참여할 기회를 부여하기 위한 개방이사 제도에 관한 법령의 규정 내용과 입법취지 등을 종합하여 보면, 구 「사립학교법」 규정은 헌법 제31조 제4항에 정한 교육의 자주성과 대학의 자율성에 근거한 甲 대학교 교수협의회와 총학생회의 학교운영참여권을 구체화하여 이를 보호하고 있다고 해석되므로, 甲 대학교 교수협의회와 총학생회는 이사선임처분을 다툴 법률상 이익을 가지지만, 고등교육법령은 교육받을 권리나 학문의 자유를 실현하는 수단으로서 학생회와 교수회와는 달리 학교의 직원으로 구성된 노동조합의 성립을 예정하고 있지 아니하고, 노동조합은 근로자가 주체가 되어 자주적으로 단결하여 근로조건의 유지·개선 기타 근로자의 경제적·사회적 지위의 향상을 도모하기 위하여 조직된 단체인 점 등을 고려할 때, 학교의 직원으로 구성된 노동조합이 교육받을 권리나 학문의 자유를 실현하는 수단으로서 직접 기능한다고 볼 수는 없으므로, 개방이사에 관한 구 「사립학교법」과 구 「사립학교법 시행령」 및 乙 법인 정관규정이 학교직원들로 구성된 전국대학노동조합 乙 대학교지부의 법률상 이익까지 보호하고 있는 것으로 해석할 수는 없다(대판 2015.7.23, 2012두19496, 19502).

10 정답 ④

① [O] 교육의 자주성이나 대학의 자율성은 헌법 제22조 제1항이 보장하고 있는 학문의 자유의 확실한 보장수단으로 꼭 필요한 것으로서 이는 대학에게 부여된 헌법상의 기본권이다(1992.10.1, 92헌마68 등).

② [O] 대학의 자율권도 헌법상의 기본권이므로 헌법 제37조 제2항의 법률유보의 대상이 된다. 이에 따라 국가안전보장·질서유지·공공복리 등을 이유로 제한될 수 있다.

③ [O] 헌법 제31조 제4항이 보장하는 대학의 자율성이란 대학의 운영에 관한 모든 사항을 외부의 간섭 없이 자율적으로 결정할 수 있는 자유를 말한다. 국립대학인 세무대학은 공법인으로서 사립대학과 마찬가지로 대학의 자율권이라는 기본권의 보호를 받으므로, 세무대학은 국가의 간섭 없이 인사·학사·시설·재정 등 대학과 관련된 사항들을 자주적으로 결정하고 운영할 자유를 갖는다(2001.2.22, 99헌마613).

❹ [X] 교육의 자주성이나 대학의 자율성은 헌법 제22조 제1항이 보장하고 있는 학문의 자유의 확실한 보장수단으로 꼭 필요한 것으로서 이는 대학에게 부여된 헌법상의 기본권이다. 여기서 대학의 자율은 대학시설의 관리·운영만이 아니라 전반적인 것이라야 하므로 연구와 교육의 내용, 그 방법과 대상, 교과과정의 편성, 학생의 선발과 전형 및 특히 교원의 임면에 관한 사항도 자율의 범위에 속한다(1998.7.16, 96헌바33 등).

11 정답 ②

ㄱ. [O] 교육의 자주성이나 대학의 자율성은 헌법 제22조 제1항이 보장하고 있는 학문의 자유의 확실한 보장수단으로 꼭 필요한 것으로서 이는 대학에게 부여된 헌법상의 기본권이다. 여기서 대학의 자율은 대학시설의 관리·운영만이 아니라 전반적인 것이라야 하므로 연구와 교육의 내용, 그 방법과 대상, 교과과정의 편성, 학생의 선발과 전형 및 특히 교원의 임면에 관한 사항도 자율의 범위에 속한다(1998.7.16, 96헌바33 등).

ㄴ. [X] 대학의 자율성이란 대학의 운영에 관한 모든 사항을 외부의 간섭 없이 자율적으로 결정할 수 있는 자유를 말한다. 국립대학인 세무대학은 공법인으로서 사립대학과 마찬가지로 대학의 자율권이라는 기본권의 보호를 받으므로, 세무대학은 국가의 간섭 없이 인사·학사·시설·재정 등 대학과 관련된 사항들을 자주적으로 결정하고 운영할 자유를 갖는다. 그러나 대학의 자율성은 그 보호영역이 원칙적으로 당해 대학 자체의 계속적 존립에까지 미치는 것은 아니다(2001.2.22, 99헌마613).

ㄷ. [X] 서울대학교는 공권력 행사의 지위이면서 동시에 기본권 행사의 주체가 된다. 서울대학교 입시요강은 서울대학교가 기본권 주체로서 기본권을 법이 허용하는 범위 내에서 적법하게 행사한 결과이므로 (일본어를 선택하고자 했던) 청구인이 받는 것은 반사적 불이익에 불과하다(1992.10.1, 92헌마68 등).

ㄹ. [O] 대학입학 지원자가 모집정원에 미달한 경우라도 대학이 수학능력이 없는 자에 대하여 불합격처분을 한 것은 불법적인 것이 아니다(대판 83.6.28, 83누193).

ㅁ. [X] 이 사건 법률조항이 대학의 자유를 제한하고 있다고 하더라도 그 위헌 여부는 입법자가 기본권을 제한함에 있어 헌법 제37조 제2항

에 의한 합리적인 입법한계를 벗어나 자의적으로 그 본질적 내용을 침해하였는지 여부에 따라 판단되어야 할 것이다(2006.4.27, 2005헌마1047 등).

12 정답 ②

ㄱ. [X] 예비적 원고 충북대학교 총장의 소는 원고 충북대학교 총장이 원고 대한민국이 설치한 충북대학교의 대표자일 뿐 항고소송의 원고가 될 수 있는 당사자능력이 없어 부적법하다(대판 2007.9.20, 2005두6935).

ㄴ. [O] 원심은 원고를 포함하여 법학전문대학원 설치인가신청을 한 41개 대학들은 2,000명이라는 총 입학정원을 두고 그 설치인가 여부 및 개별 입학정원의 배정에 관하여 서로 경쟁관계에 있고 이 사건 각 처분이 취소될 경우 원고의 신청이 인용될 가능성도 배제할 수 없으므로, 원고가 이 사건 각 처분의 상대방이 아니라도 그 처분의 취소 등을 구할 당사자적격이 있다(대판 2009.12.10, 2009두8359).

ㄷ. [O] 이 사건 예비인가 거부결정은 법학전문대학원 설치인가 이전에 청구인들의 법적 지위에 영향을 주는 것으로 항고소송의 대상이 되는 행정처분에 해당한다고 할 것인데, 학교법인 명지학원은 위 결정에 대한 행정소송을 제기하지 아니하였고 청구인 국민학원은 이 사건 예비인가 거부결정의 취소를 구하는 행정소송을 제기하였다가 2008. 8. 29. 교육과학기술부장관의 법학전문대학원 설치에 관한 본인가결정이 내려지자 그 청구취지를 '법학전문대학원 설치인가 거부처분의 취소'를 구하는 것으로 교환적으로 변경하여 현재 소송 계속 중이다. 결국 학교법인 국민학원과 학교법인 명지학원의 이 사건 예비인가 거부결정에 관한 헌법소원심판청구는 행정소송에 의한 권리구제절차를 모두 거치지 아니한 것으로 보충성 원칙에 반하여 부적법하다(2009.2.26, 2008헌마370 등).

ㄹ. [X] 일반적으로 사립대학과 그 학생과의 관계는 사법상의 계약관계이므로 학교법인 이화학당을 공권력의 주체라거나 그 모집요강을 공권력의 행사라고 볼 수 없다. 따라서 이 사건 모집요강은 헌법소원심판의 대상이 되는 공권력의 행사라고 볼 수 없다(2013.5.30, 2009헌마514).

ㅁ. [O] 이 사건 모집요강으로 인해 청구인들이 기존의 의과대학 교육시설에 참여하거나 이를 이용할 수 있는 지위에는 아무런 영향이 없고, 다만 학생 수가 많아져 예전보다 상대적으로 교육환경이 열악해지거나 자교에서 전공의 수련을 받을 확률이 낮아질 가능성이 있을 뿐이며, 교육환경이 열악해지는 정도 또한 청구인들의 동등한 교육시설 참여 기회 자체를 실질적으로 봉쇄하거나 형해화하는 정도에 이르렀다고는 보기 어렵다. 결국 청구인들이 주장하는 불이익은 사실상의 불이익에 불과하므로, 기본권 침해가능성이 인정되지 않는다(2019.2.28, 2018헌마37 등).

ㅂ. [O] 서울대학교의 '94학년도 대학입학고사 주요요강'은 「교육법 시행령」 제71조의2의 규정이 개정되어 그대로 시행될 수 있을 것이, 그것을 제정하여 발표하게 된 경위에 비추어 틀림없을 것으로 예상되므로 이를 제정·발표한 행위는 헌법소원의 대상이 되는 「헌법재판소법」 제68조 제1항 소정의 공권력의 행사에 해당된다고 할 것이며 헌법소원 외에 달리 구제방법도 없다는 말이 된다(1992.10.1, 92헌마68 등).

13 정답 ④

① [O] 청구인은 이 사건 모집정지에 대하여 행정소송을 제기하지 아니한 채 바로 헌법소원심판을 청구하였으나, 법인화되지 않는 국립대학 및 국립대 총장은 행정소송의 당사자능력이 인정되지 않는다는 것이 법원의 확립된 판례이므로, 이 사건 심판청구는 보충성의 예외에 해당된다(2015.12.23, 2014헌마1149).

② [O] 헌법 제31조 제4항이 규정하는 교육의 자주성 및 대학의 자율성은 헌법 제22조 제1항이 보장하는 학문의 자유의 확실한 보장을 위해 꼭 필요한 것으로서 대학에 부여된 헌법상 기본권인 대학의 자율권이므로, 국립대학인 청구인도 이러한 대학의 자율권의 주체로서 헌법소원심판의 청구인 능력이 인정된다(2015.12.23, 2014헌마1149).

③ [O] 국가는 강원대학교의 설립·경영의 주체이자 강원대학교에 있는 법학전문대학원의 설치주체로서 그 장학금제도에 관하여 관리·감독할 권한이 있고(「교육기본법」 제11조 제1항, 「고등교육법」 제2조 제1호, 제3조, 제18조, 「법학전문대학원 설치·운영에 관한 법률」 제4조 등 참조), 피청구인은 학교교육에 관한 사무를 관장하는 국가기관의 장으로서 강원대학교 법학전문대학원의 장학금제도에 관하여 지도·감독할 권한이 있다(「고등교육법」 제5조 제1항, 「법학전문대학원 설치·운영에 관한 법률」 제5조 제4항, 제10조 등 참조). 따라서 이러한 지도·감독권에 기하여 이루어진 이 사건 모집정지가 법률유보원칙에 반하여 청구인의 대학의 자율권을 침해한다고 보기는 어렵다(2015.12.23, 2014헌마1149).

❹ [X] 청구인은 설치인가 심사기준에서 객관적으로 요구하는 장학금지급률 및 설치인가신청서에 기재된 최저 장학금지급률을 지속적으로 충족하였음에도 불구하고, 피청구인은 신청서에 기재된 장학금확보율을 장학금지급률로 오인한 채 정상적인 학사운영이 곤란하게 되는 사정이 있는지 여부 등에 관하여 아무런 고려 없이 이 사건 모집정지를 하였으며, 그로 인하여 청구인은 2년간 법학전문대학원 정원의 2.5%에 해당하는 학생의 모집 정지라는 인적·물적 피해를 입게 되었는바, 이는 장학금제도를 통한 우수 법조인 양성이라는 목적을 고려하더라도 그 목적 달성을 위하여 필요한 범위를 넘어선 지나친 제한으로 봄이 타당하다. 이 사건 모집정지는 과잉금지원칙에 반하여 청구인의 대학의 자율권을 침해한다(2015.12.23, 2014헌마1149).

14 정답 ④

① [O] 「집회 및 시위에 관한 법률」 제19조는 경찰은 집회 또는 시위의 장소에 정복을 착용하고 출입할 수 있도록 규정하여 대학 총학장의 요청 없이 대학 구내 시위에 출동할 수 있는 근거를 마련해 놓고 있다.

② [O] 이 사건 법률 제5조 제2항, 제6조 제1항, 제7조 제1항은 수급상황에 맞게 법조인력의 배출규모를 조절하고 이를 통해 국가인력을 효율적으로 운용하고자 함에 그 목적이 있는바, 위 조항에 의한 인가주의 및 총입학정원주의는 이러한 목적을 달성함에 있어 적절한 수단이며, 위 조항들로 인해 각 대학 및 국민이 입는 불이익이 인력 배분의 효율성, 질 높은 법학교육의 담보, 양질의 법률서비스 제공에 의한 사회적 비용절감, 법조직역에 대한 국민의 신뢰회복 등의 공익에 비해 결코 크다고 할 수 없으므로 법익의 균형성 요건도 충족한다. 따라서 이 사건 법률조항은 대학의 자율성과 국민의 직업선택의 자유를 침해하지 아니한다(2009.2.26, 2008헌마370).

③ [O] 법학전문대학원 설치에 있어 인가주의와 총입학정원주의를 정하고 있는 「법학전문대학원 설치·운영에 관한 법률」 제5조 제2항, 제6조 제1항, 제7조 제1항은 그 목적과 수단이 적절하며 현재 법학전문대학원 설치인가를 받지 못한 대학의 경우에도 학사과정운영을 통해 법학교육의 기회를 유지할 수도 있다는 점에서 피해최소성의 원칙에 위배되지도 아니하며 위 조항들로 인해 각 대학 및 국민이 입는 불이익이 공익에 비해 결코 크다고 할 수 없으므로

이 사건 법률조항은 대학의 자율성과 국민의 직업선택의 자유를 침해하지 아니한다(2009.2.26, 2008헌마370 등).

❹ [X] 이화여자대학교의 정체성의 핵심은 '여성 고등교육기관'이라는 점이고, 교육목표의 핵심은 여성지도자 양성에 있다. 따라서 이화여자대학교가 여자대학교로서의 정체성을 유지할 것인지, 남녀공학으로 전환할 것인지는 사립대학인 이화여자대학교의 자율성의 본질적인 부분에 해당한다고 할 것이다(2013.5.30, 2009헌마514).

15 정답 ④

① [O] 교육이 수행하는 이와 같은 중요한 기능에 비추어 우리 헌법은 제31조에서 학교교육 및 평생교육을 포함한 교육제도와 그 운영, 교육재정 및 교원의 지위에 관한 기본적 사항을 법률로 정하도록(제6항) 한 것이다. 따라서, 입법자가 법률로 정하여야 할 교원지위의 기본적 사항에는 교원의 신분이 부당하게 박탈되지 않도록 하는 최소한의 보호의무에 관한 사항이 포함된다(2003.2.27, 2000헌바26).

② [O] 교원의 지위에 관한 기본적인 사항은 법률로 정한다."라고 규정한 헌법 제31조 제6항은 국·공립대학의 교원뿐만 아니라, 사립대학의 교원도 포함하여 교원의 신분 보장에 관한 기본적인 사항을 법률로 정하라는 의미이다(1991.7.22, 89헌가106).

③ [O] 헌법 제31조 제6항은 국민의 교육을 받을 기본적 권리를 보다 효과적으로 보장하기 위하여 교원의 보수 및 근무조건 등을 포함하는 개념인 '교원의 지위'에 관한 기본적인 사항을 법률로써 정하도록 한 것이므로 교원의 지위에 관련된 사항에 관한 한 위 헌법조항이 근로기본권에 관한 헌법 제33조 제1항에 우선하여 적용된다(1991.7.22, 89헌가106).

❹ [X] 헌법 제31조 제6항이 규정한 교원지위 법정주의는 "단순히 교원의 권익을 보장하기 위한 규정이라거나 교원의 지위를 행정권력에 의한 부당한 침해로부터 보호하는 것만을 목적으로 한 규정이 아니고, 국민의 교육을 받을 기본권을 실효성 있게 보장하기 위한 것까지 포함하여 교원의 지위를 법률로 정하도록 한 것이다. … 위 헌법조항을 근거로 하여 제정되는 법률에는 교원의 신분 보장, 경제적·사회적 지위 보장 등 교원의 권리에 해당하는 사항뿐만 아니라 국민의 교육을 받을 권리를 저해할 우려있는 행위의 금지 등 교원의 의무에 관한 사항도 규정할 수 있는 것이므로 결과적으로 교원의 기본권을 제한하는 사항까지도 규정할 수 있게 되는 것이다(1991.7.22, 89헌가106).

16 정답 ②

ㄱ. [O] 교원으로서 학문연구의 결과를 가르치는 자유로서의 수업권은 학문의 자유로부터 파생될 수 있다고 할 것이지만 「교육공무원법」 제47조 제1항이 초·중등 교육공무원의 정년을 62세로 3년 단축한 경우에 있어서 그로써 초·중등교원인 청구인들이 침해받았다고 주장하는 '가르칠 권리'(교육권)라는 것은 이러한 수업권과는 무관하게 결국 교원의 자격을 계속 유지할 권리를 뜻하는 데 지나지 않으므로 이는 역시 공무담임권의 문제로 귀착될 뿐이라 하겠다(2000.12.14, 99헌마112 등).

ㄴ. [X] 대학교육기관의 교원에 대한 기간임용제와 정년보장제는 국가가 문화국가의 실현을 위한 학문진흥의 의무를 이행함에 있어서나 국민의 교육권의 실현·방법 면에서 각각 장단점이 있어서, 그 판단·선택은 헌법재판소에서 이를 가늠하기보다는 입법자의 입법정책에 맡겨 두는 것이 옳다(1998.7.16, 96헌바33 등).

ㄷ. [O] 헌법 제31조 제6항은 "학교교육 및 평생교육을 포함한 교육제도와 그 운영, 교육재정 및 교원의 지위에 관한 기본적인 사항은 법률로 정한다."라고 하여 교육제도 법정주의를 규정하고 있는바, 교육제도 법정주의는 소극적으로는 교육의 영역에서 본질적이고 중요한 결정은 입법자에게 유보되어야 한다는 의회유보의 원칙을 규정한 것이지만, 한편 적극적으로는 헌법이 국가에 학교제도를 통한 교육을 시행하도록 위임하고 있다는 점에서 학교제도에 관한 포괄적인 국가의 규율권한을 부여한 것이기도 하다(2012.11.29, 2011헌마827).

ㄹ. [X] 제3의 중립적 기관인 교원소청심사특별위원회에 재임용 탈락의 부당성을 심사할 수 있는 권한을 부여하고, 그 위원의 구성에 있어서도 학교법인과 교원 모두에게 진입기회를 제공하는 등 재임용 재심사과정에서 최대한 공정성을 확보하기 위한 장치를 마련하고 있는 「대학교원 기간임용제 탈락자 구제를 위한 특별법」 제3조 제3항 및 구 「대학교원 기간임용제 탈락자 구제를 위한 특별법」 제3조 제4항은 교원지위법정주의에 위배되지 아니한다(2009.5.28, 2007헌바105).

17 정답 ③

ㄱ. [O] 객관적인 기준의 재임용 거부사유와 재임용에서 탈락하게 되는 교원이 자신의 입장을 진술할 수 있는 기회 그리고 재임용거부를 사전에 통지하는 규정 등이 없으며, 나아가 재임용이 거부되었을 경우 사후에 그에 대해 다툴 수 있는 제도적 장치를 전혀 마련하지 않고 있는 이 사건 법률조항은, 현대사회에서 대학교육이 갖는 중요한 기능과 그 교육을 담당하고 있는 대학 교원의 신분의 부당한 박탈에 대한 최소한의 보호요청에 비추어 볼 때 헌법 제31조 제6항에서 정하고 있는 교원지위법정주의에 위반된다고 볼 수밖에 없다(2003.2.27, 2000헌바26).

ㄴ. [X] 이 사건 법률조항에 대하여 단순위헌을 선언하는 경우에는 기간임용제 자체까지도 위헌으로 선언하는 결과를 초래하게 되므로, 단순위헌결정 대신 헌법불합치결정을 하는 것이다. 입법자는 되도록 빠른 시일 내에 이 사건 법률조항 소정의 기간임용제에 의하여 임용되었다가 그 임용기간이 만료되는 대학 교원이 재임용 거부되는 경우에 그 사전절차 및 그에 대해 다툴 수 있는 구제절차규정을 마련하여 이 사건 법률조항의 위헌적 상태를 제거하여야 할 것이다(2003.2.27, 2000헌바26).

ㄷ. [O] 재임용 탈락 교원은 '교원으로서의 능력과 자질에 관하여 합리적인 기준에 의한 공정한 심사를 받아 위 기준에 부합하면 특별한 사정이 없는 한 재임용되리라는 기대를 가지고 재임용 여부에 관하여 합리적인 기준에 의한 공정한 심사를 요구할 법규상 또는 조리상 신청권(대판 2004.4.22, 2000두7735)'을 가지고 있음에 반하여 해임, 파면 또는 면직된 교원은 '임용기간 중 부당하게 신분을 박탈당하지 아니할 권리'를 가지고 있다(2009.5.28, 2007헌바105).

ㄹ. [O] 임기만료 교원에 대한 재임용 거부는 이 사건 「교원의 지위 향상 및 교육활동 보호를 위한 특별법」 조항 소정의 '징계처분 기타 그 의사에 반하는 불리한 처분'에 버금가는 효과를 가진다고 보아야 하므로 이에 대하여는 마땅히 교육인적자원부 교원징계재심위원회의 재심사유, 나아가 법원에 의한 사법심사의 대상이 되어야 한다. 그럼에도 불구하고 이 사건 「교원의 지위 향상 및 교육활동 보호를 위한 특별법」 조항은 이에 대하여 아무런 규정을 하고 있지 아니하므로, 입법자가 법률로 정하여야 할 교원지위의 기본적 사항에는 교원의 신분이 부당하게 박탈되지 않도록 하는 최소한의 보호의무에 관한 사항이 포함되어야 한다는 헌법 제31조 제6항 소정의 교원지위법정주의에 위반된다고 할 것이다(2003.12.18, 2002헌바14 등).

ㅁ. [X] 객관적인 기준의 재임용 거부사유와 재임용에서 탈락하게 되는 교원이 자신의 입장을 진술할 수 있는 기회 그리고 재임용 거부를 사전에 통지하는 규정 등이 없으며, 나아가 재임용이 거부되었을 경우 사후에 그에 대해 다툴 수 있는 제도적 장치를 전혀 마련하지 않고 있는 이 사건 법률조항은, 현대사회에서 대학교육이 갖는 중요한 기능과 그 교육을 담당하고 있는 대학 교원의 신분의 부당한 박탈에 대한 최소한의 보호요청에 비추어 볼 때 헌법 제31조 제6항에서 정하고 있는 교원지위법정주의에 위반된다고 볼 수밖에 없다(2003.2.27, 2000헌바26).

ㅂ. [X] 교원의 신분에 대한 부당한 박탈을 방지함과 동시에 대학의 자율성을 도모한 것이므로 교원 재임용의 심사요소로 학생교육·학문연구·학생지도를 언급하되 이를 모두 필수요소로 강제하지 않는 「사립학교법」은 교원지위법정주의에 위반되지 않는다(2014.4.24, 2012헌바336).

18 정답 ④

ㄱ. [O] 단과대학은 대학을 구성하는 하나의 조직·기관일 뿐이고, 단과대학장은 그 지위와 권한 및 중요도에서 대학의 장과 구별된다. 또한 대학의 장을 구성원들의 참여에 따라 자율적으로 선출한 이상, 하나의 보직에 불과한 단과대학장의 선출에 다시 한번 대학교수들이 참여할 권리가 대학의 자율에서 당연히 도출된다고 보기 어렵다. 따라서 단과대학장의 선출에 참여할 권리는 대학의 자율에 포함된다고 볼 수 없어, 이 사건 심판대상조항에 의해 대학의 자율성이 침해될 가능성이 인정되지 아니한다(2014.1.28, 2011헌마239).

ㄴ. [O] 대학의 장(총장) 후보자 선정과 관련하여 대학에게 반드시 직접선출방식을 보장하여야 하는 것은 아니며, 다만 대학 교원들의 합의된 방식으로 그 선출방식을 정할 수 있는 기회를 제공하면 족하다(2006.4.27, 2005헌마1047 등).

ㄷ. [X] 국가의 예산과 공무원이라는 인적 조직에 의하여 운용되는 국립대학에서 선거관리를 공정하게 하기 위하여 중립적 기구인 선거관리위원회에 선거관리를 위탁하는 것은 선거의 공정성을 확보하기 위한 적절한 방법인 점, 선거관리위원회에 위탁하는 경우는 대학의 장 후보자를 선정함에 있어서 교원의 합의된 방식과 절차에 따라 직접선거에 의하는 경우로 한정되어 있는 점 등을 고려하면, 「교육공무원법」 제24조의3 제1항이 매우 자의적인 것으로서 합리적인 입법한계를 일탈하였거나 대학의 자율의 본질적인 부분을 침해하였다고 볼 수 없다(2006.4.27, 2005헌마1047 등).

ㄹ. [O] 대학의 자치의 주체를 기본적으로 대학으로 본다고 하더라도 교수나 교수회의 주체성이 부정된다고 볼 수는 없고, 가령 학문의 자유를 침해하는 대학의 장에 대한 관계에서는 교수나 교수회가 주체가 될 수 있고, 또한 국가에 의한 침해에 있어서는 대학 자체 외에도 대학 전구성원이 자율성을 갖는 경우도 있을 것이므로 문제되는 경우에 따라서 대학, 교수, 교수회 모두가 단독, 혹은 중첩적으로 주체가 될 수 있다고 보아야 할 것이다. 청구인들에게 대학총장 후보자 선출에 참여할 권리가 있고 이 권리는 대학의 자치의 본질적인 내용에 포함된다고 할 것이므로 결국 헌법상의 기본권으로 인정할 수 있다(2006.4.27, 2005헌마104 등).

ㅁ. [O] 총장선임권은 「사립학교법」 제53조 제1항의 규정에 의하여 학교법인에게 부여되어 있는 것이고 달리 법률 또는 당해 법인 정관의 규정에 의하여 교수들에게 총장선임권 또는 그 참여권을 인정하지 않고 있는 이상, 헌법상의 학문의 자유나 대학의 자율성 내지 대학의 자치만을 근거로 교수들이 사립대학의 총장선임에 실질적으로 관여할 수 있는 지위에 있다거나 학교법인의 총장선임행위를 다툴 확인의 이익을 가진다고 볼 수 없다(대판 1996.5.31, 95다26971).

ㅂ. [X] 국립대학에서 총장이 임명되지 못하는 경우에 대통령이 교육인적자원부장관의 제청으로 총장을 임용하는 것은 그 공백상태를 해결하기 위한 적절한 수단이며 이 경우 임시적 지위를 갖는 총장을 임용하는 일시적인 임용형태를 취할 것인지 아니면 통상의 총장지위를 갖는 정식의 임용형태를 취할 것인지는 입법자의 재량사항에 속한 것으로 볼 수 있는 점, 또한 총장 임기만료 후 3개월이 경과한 경우에만 대통령이 위의 권한을 행사하도록 함으로써 대학에게 그 총장후보자의 선출에 대한 자율권을 행사할 충분한 기간과 기회를 제공하고 있는 점, 대학의 자율도 국민의 교육받을 권리를 존중하여 가능한 한 이를 침해하여서는 안 되며, 대학이 총장의 임기만료 후에도 만연히 대학의 장 후보자를 선출하지 아니한채 국가가 관여하는 것을 배제해달라고 주장하는 것은 합리적인 대학의 자율의 범위라고 볼 수 없는 점, 국립대학의 총장은 구성원의 대표로서의 성격 외에도 국가행정관청의 장으로서의 성격도 겸하고 있으므로 국립대학의 총장 미임명으로 인한 국가행정의 공백이나 불안정상태를 막을 긴급한 필요가 있는 점 등을 고려할 때 「교육공무원법」 제24조 제6항이 매우 자의적인 것으로서 합리적인 입법한계를 일탈하였거나 대학의 자율의 본질적인 부분을 침해하였다고 볼 수 없다(2006.4.27, 2005헌마1047 등).

ㅅ. [X] 2018년 변시

> **「교육공무원법」 제24조의3【대학의 장 후보자 추천을 위한 선거사무의 위탁】** ① 대학의 장 후보자를 추천할 때 제24조 제3항 제2호에 따라 해당 대학 교원, 직원 및 학생의 합의된 방식과 절차에 따라 직접선거로 선정하는 경우 해당 대학은 선거관리에 관하여 그 소재지를 관할하는 「선거관리위원회법」에 따른 구·시·군선거관리위원회에 선거관리를 위탁하여야 한다.

19 정답 ②

① [O] 예술품보급의 자유와 관련해서 예술품보급을 목적으로 하는 예술출판자 등도 이러한 의미에서의 예술의 자유의 보호를 받는다고 하겠다. 따라서 비디오물을 포함하는 음반제작자도 이러한 의미에서의 예술표현의 자유를 향유한다고 할 것이다(1993.5.13, 91헌바17).

❷ [X] 예술품의 재산적 활용은 재산권에서 보호된다. 예술비평은 예술의 자유에 포함되지 아니하고 일반적인 표현의 자유로서 보장된다. 예술은 전달이 아니라 표현 그 자체에 목적이 있어 자기목적적이다. 따라서 상업광고물은 그 자체가 목적이 아닌 수단이나 도구로서 행해지므로 예술창작의 자유에서 보호받지 못한다고 할 것이다.

③ [O] 극장의 자유로운 운영에 대한 제한은 공연물·영상물이 지니는 표현물, 예술작품으로서의 성격에 기하여 직업의 자유에 대한 제한으로서의 측면 이외에 표현의 자유 및 예술의 자유의 제한과도 관련성을 가지고 있다(2004.5.27, 2003헌가1 등).

④ [O] 甲이 국가의 의뢰로 도라산역사 내 벽면 및 기둥들에 벽화를 제작·설치하였는데, 국가가 작품 설치일로부터 약 3년 만에 벽화를 철거하여 소각한 사안에서, 甲은 특별한 역사적, 시대적 의미를 가지고 있는 도라산역이라는 공공장소에 국가의 의뢰로 설치된 벽화가 상당 기간 전시되고 보존되리라고 기대하였고, 국가도 단기간에 이를 철거할 경우 甲이 예술창작자로서 갖는 명예감정 및 사회적 신용이나 명성 등이 침해될 것을 예상할 수 있었음에도, 국가가 벽화 설치 이전에 이미 알고 있었던 사유를 들어 적법한 절차를 거치지 아니한 채 철거를 결정하고 원형을 크게 손상시키는 방법으로 철거 후 소각한 행위는 현저하게 합리성을 잃은 행위로서 객관적 정당성을 결여하여 위법하므로, 국가는 「국가배상법」 제2조 제1항에 따라 갑에게 위자료를 지급할 의무가 있다(대판 2015.8.27, 2012다204587).

20 정답 ②

① [O] 언론·출판의 자유는 사상, 의견을 불특정 다수인을 상대로 표현하는 행위이므로 개인 간의 일상적 대화는 표현의 자유에 의해서가 아니라 사생활의 비밀 또는 통신의 자유에 의해 보장받는다.

❷ [X] 헌법상의 언론의 자유는 어디까지나 언론·출판자유의 내재적 본질적 표현의 방법과 내용을 보장하는 것을 말하는 것이지 그를 객관화하는 수단으로 필요한 객체적인 시설이나 언론기업의 주체인 기업인으로서의 활동까지 포함되는 것으로 볼 수는 없는 것이다. 다시 말해서 이는 정기간행물의 발행인이나 언론·출판기업이 표현의 자유를 누리는 주관적인 기본권과 사회일반의 권리주체 또는 기업으로서 규제받아야 하는 객관적인 사회구성원으로서의 책임을 엄연히 구분되어야 하며 기업경영주체로서는 일반 사회법질서의 규율에서 제외될 수 없는 사회조직현상의 하나로 보아야 한다는 것을 의미한다. 따라서 정기간행물 발행인에게 법률로써 언론의 건전한 발전과 그 기능의 보장을 위하여 일정한 시설을 갖추어 등록하게 하는 것은 언론자유의 본질적 내용의 간섭과는 엄연히 구분하여 이해하고 검토하여야 하는 것이다(1992.6.26, 90헌가23).

③ [O] 원심판결 이유를 기록에 비추어 살펴보면, 피고들이 이 사건 기사에서 원고들의 이 사건 논평에 대하여 '엉뚱하고 경박한' 또는 '도대체 무슨 말을 하고 싶은 것인지 헛갈리게 만든다'는 표현을 사용한 것이 원고들의 사회적 평가를 훼손할 만한 모욕적 언사에 해당하더라도 그 판시와 같은 이유로 위 표현이 언론자유의 보호범위 내에 있다(대판 2012.11.15, 2011다86782).

④ [O] 언론·출판의 자유에는 사상 내지 의견의 자유로운 표명과 전파의 자유가 포함되고 전파의 자유에는 보급의 자유가 포함된다(1992.11.12, 89헌마88).

31회 진도별 모의고사

표현의 자유 ~ 말 권리

정답

01	④	02	③	03	②	04	①
05	①	06	③	07	④	08	③
09	③	10	①	11	④	12	①
13	②	14	①	15	②	16	②
17	③	18	①	19	①	20	②

01 정답 ④

① [O] 광고성 정보인 스팸메일도 언론의 자유에서 보호된다. 다만, 개인 간의 이메일은 통신의 자유에서 보호된다.

② [O] 노동조합이 근로자의 근로조건과 경제조건의 개선이라는 목적을 위하여 활동하는 한, 헌법 제33조의 단결권의 보호를 받지만, 단결권에 의하여 보호받는 고유한 활동영역을 떠나서 개인이나 다른 사회단체와 마찬가지로 정치적 의사를 표명하거나 정치적으로 활동하는 경우에는 모든 개인과 단체를 똑같이 보호하는 일반적인 기본권인 의사표현의 자유 등의 보호를 받을 뿐이다(1999.11.25, 95헌마154).

③ [O] 의사표현의 자유는 헌법 제21조 제1항이 규정하는 언론·출판의 자유에 속하고, 여기서 의사표현의 매개체는 어떠한 형태이건 그 제한이 없으므로 의사표현의 한 수단인 TV 방송 역시 다른 의사표현수단과 마찬가지로 헌법에 의한 보장을 받는다(2001.8.30, 2000헌바36).

❹ [X] 표현의 자유는 기본적으로 자유로운 정치적 의사표현 등을 국가가 소극적으로 금지하거나 제한하지 말 것을 요구하는 권리이며, 국가에게 국민들의 표현의 자유를 실현할 방법을 적극적으로 마련해 달라는 것까지 포함하는 것이라 볼 수 없다. 이 사건의 경우 표현의 자유의 보호범위에 '국가가 공직후보자들에 대한 유권자의 전부 거부 의사표시를 할 방법을 보장해 줄 것'까지 포함된다고 볼 수 없으므로 '전부 거부'를 표시할 수 있는 투표방법을 규정하지 않은 것이 표현의 자유를 제한하는 것이라 할 수 없다(2007.8.30, 2005헌마975).

02 정답 ③

① [O] 언론·출판의 자유의 내용 중 의사표현·전파의 자유에 있어서 의사표현 또는 전파의 매개체는 어떠한 형태이건 가능하며 그 제한이 없다. 즉, 담화·연설·토론·연극·방송·음악·영화·가요 등과 문서·소설·시가·도화·사진·조각·서화 등 모든 형상의 의사표현 또는 의사전파의 매개체를 포함한다(1993.5.13, 91헌바17).

② [O] '청소년이용음란물' 역시 의사형성적 작용을 하는 의사의 표현·전파의 형식 중 하나임이 분명하므로 언론·출판의 자유에 의하여 보호되는 의사표현의 매개체라는 점에는 의문의 여지가 없고, '청소년이용음란물'이 헌법상 표현의 자유에 의한 보호대상이 된다(2002.4.25, 2001헌가27).

❸ [X] 일반적으로 표현의 자유는 정보의 전달 또는 전파와 관련지어 생각되므로 구체적인 전달이나 전파의 상대방이 없는 집필의 단계를 표현의 자유의 보호영역에 포함시킬 것인지 의문이 있을 수 있으나, 집필은 문자를 통한 모든 의사표현의 기본전제가 된다는 점에서 당연히 표현의 자유의 보호영역에 속해 있다고 보아야 한다(2005.2.24, 2003헌마289).

④ [O] 일반적으로 헌법상의 이 언론·출판의 자유의 내용으로서는, 의사표현·전파의 자유, 정보의 자유, 신문의 자유 및 방송·방영의 자유 등을 들고 있다. 이러한 언론·출판의 자유의 내용 중 의사표현·전파의 자유에 있어서 의사표현 또는 전파의 매개체는 어떠한 형태이건 가능하며 그 제한이 없다. 즉 담화·연설·토론·연극·방송·음악·영화·가요 등과 문서·소설·시가·도화·사진·조각·서화 등 모든 형상의 의사표현 또는 의사전파의 매개체를 포함한다. 그러므로 음반 및 비디오물도 의사형성적 작용을 하는 한 의사의 표현·전파의 형식의 하나로 인정되며, 이러한 작용을 하는 음반 및 비디오물의 제작은 언론·출판의 자유에 의해서도 보호된다고 할 것이다(1993.5.13, 91헌바17).

03 정답 ②

① [X] '지지·반대'의 사전적 의미와 '선거운동'의 정의규정과 그에 대한 헌법재판소의 해석, 심판대상조항의 입법목적, 「공직선거법」 관련 조항의 규율 내용을 종합하면, 건전한 상식과 통상적인 법 감정을 가진 사람이면 자신의 글이 정당·후보자에 대한 '지지·반대'의 정보를 게시하는 행위인지 충분히 알 수 있으므로 명확성원칙에 반하지 않는다(2021.01.28, 2018헌마456 등).

❷ [O] 정보통신망의 발달로 선거기간 중 인터넷언론사의 선거와 관련한 게시판·대화방 등도 정치적 의사를 형성·전파하는 매체로서 역할을 담당하고 있으므로, 의사의 표현·전파의 형식의 하나로 인정되고 따라서 언론·출판의 자유에 의하여 보호된다고 할 것이다(2010.2.25, 2008헌마324 등).

③ [X] '자유로운' 표명과 전파의 자유에는 자신의 신원을 누구에게도 밝히지 아니한 채 익명 또는 가명으로 자신의 사상이나 견해를 표명하고 전파할 익명표현의 자유도 그 보호영역에 포함된다고 할 것이다(2010.2.25, 2008헌마324 등).

④ [X] 청구인들은 인터넷게임의 회원가입시 본인인증절차를 거쳐야 하고 16세 미만이라는 사실이 다른 게임자에게 노출되므로, 개인정보자기결정권이 침해되고 자신의 신원을 누구에게도 밝히지 않은 채 익명 또는 가명으로 사상이나 견해를 표명할 익명 표현의 자유가 침해된다고 주장하나, 이는 위 조항에 의한 직접적 제한 효과가 아니라 「게임산업진흥에 관한 법률」에서 게임물 관련 사업자로 하여금 인터넷게임 이용자의 회원가입시 본인확인조치를 하도록 함으로써 나타나는 간접적·부수적 결과에 불과하므로, 강제적 셧다운제로 인한 기본권 침해 여부를 다투는 위 조항에서는 별도로 그 침해 여부를 판단하지 않기로 한다. 그러므로 이 사건 금지조항에 의하여 제한되는 기본권은 심야시간대에 인터넷게임을 즐기고자 하는 16세 미만 청소년의 일반적 행동자유권, 16세 미만의 청소년을 자녀로 둔 부모의 자녀교육권, 인터넷게임 제공자의 직업수행의 자유 및 평등권이다(2014.4.24, 2011헌마659 등).

04 정답 ①

❶ [O] 영리목적의 광고 등 상업적 언론도 표현의 자유의 보호대상이므로 세무사 명칭의 사용금지는 세무사로서의 광고행위를 규제함으로써 청구인의 표현의 자유를 제한한다고 볼 수 있다(2008.5.29, 2007헌마248).

② [X] 상업광고규제는 경제적 기본권 제한이므로 완화된 심사를 한다. 헌법재판소는 의료광고규제에 대해 완화된 심사를 한 바 있다.

③ [X] 상업광고는 표현의 자유의 보호영역에 속하지만 사상이나 지식에 관한 정치적, 시민적 표현행위와는 차이가 있고, 한편 직업수행의 자유의 보호영역에 속하지만 인격발현과 개성신장에 미치는 효과가 중대한 것은 아니다. 그러므로 상업광고규제에 관한 비례의 원칙 심사에 있어서 '피해의 최소성'원칙은 같은 목적을 달성하기 위하여 달리 덜 제약적인 수단이 없을 것인지 혹은 입법목적을 달성하기 위하여 필요한 최소한의 제한인지를 심사하기보다는 '입법목적을 달성하기 위하여 필요한 범위 내의 것인지'를 심사하는 정도로 완화되는 것이 상당하다(2012.2.23, 2009헌마318).

④ [X] 상업광고는 표현의 자유의 보호영역에 속하지만 사상이나 지식에 관한 정치적·시민적 표현행위와는 차이가 있고, 한편 직업수행의 자유의 보호영역에 속하지만 인격발현과 개성신장에 미치는 효과가 중대한 것은 아니므로, 상업광고규제에 관한 비례의 원칙 심사에 있어서 '피해의 최소성'원칙은 같은 목적을 달성하기 위하여 달리 덜 제약적인 수단이 없을 것인지, 혹은 입법목적을 달성하기 위하여 필요한 최소한의 제한인지를 심사하기보다는 '입법목적을 달성하기 위하여 필요한 범위 내의 것인지'를 심사하는 정도로 완화하는 것이 상당하다(2010.7.29, 2006헌바75).

05 정답 ①

ㄱ. [O] 광고물도 사상·지식·정보 등을 불특정 다수인에게 전파하는 것으로서 언론·출판의 자유에 의한 보호를 받는 대상이 됨은 물론이다(1998.2.27, 96헌바2).

ㄴ. [O] 이 사건 법률조항들은 객관적 사실에 기인한 의료광고가 이루어지도록 하여 의료소비자를 보호하고 건전한 의료경쟁질서를 유지 하며, 나아가 국민건강에 관한 국가의 보호의무를 다하기 위한 것이므로 입법목적의 정당성 및 수단의 적합성이 인정된다. 거짓이나 과장된 내용을 처벌함으로 인한 진실한 내용의 광고표현에 대한 위축효과는 크지 않은 반면, 의료소비자 보호 및 건전한 의료경쟁질서 유지라는 공익은 매우 중요하다. 따라서 이 사건 법률조항들은 의료인의 표현의 자유 및 직업수행의 자유를 침해하지 아니한다(2015.12.23, 2012헌마685).

ㄷ. [X] 비의료인의 의료에 관한 광고를 금지하고 처벌하는 것은 국민의 생명권과 건강권을 보호하고 국민의 보건에 관한 국가의 보호의무를 이행하기 위하여 필요한 최소한도 내의 제한이라고 할 것이므로, 비의료인의 표현의 자유, 직업수행의 자유를 침해한다고 볼 수 없다(2016.9.29, 2015헌바325).

ㄹ. [O] 소비자에게 해당 의료인의 의료기술이나 진료방법을 과장함이 없이 알려주는 의료광고라면 이는 의료행위에 관한 중요한 정보에 관한 것으로서 소비자의 합리적 선택에 도움을 주고 의료인들 간에 공정한 경쟁을 촉진하므로 오히려 공익을 증진시킬 수 있다. 한편 이 사건 조항이 보호하고자 하는 공익의 달성 여부는 불분명한 것인 반면, 이 사건 조항은 의료인에게 자신의 기능과 진료방법에 관한 광고와 선전을 할 기회를 박탈함으로써 표현의 자유를 제한하고, 다른 의료인과의 영업상 경쟁을 효율적으로 수행하는 것을 방해함으로써 직업수행의 자유를 제한하고 있고, 소비자의 의료정보에 대한 알 권리를 제약하게 된다. 따라서 보호하고자 하는 공익보다 제한되는 사익이 더 중하다고 볼 것이므로 이 사건 조항은 '법익의 균형성'원칙에도 위배된다(2005.10.27, 2003헌가3).

ㅁ. [O] '현혹', '우려'의 의미, 관련 조항 등을 종합하면, '소비자를 현혹할 우려가 있는 내용의 광고'란, '광고 내용의 진실성·객관성을 불문하고, 오로지 의료서비스의 긍정적인 측면만을 강조하는 취지의 표현을 사용함으로써 의료소비자를 혼란스럽게 하고 합리적인 선택을 방해할 것으로 걱정되는 광고'를 의미하는 것으로 충분히 해석할 수 있으므로, 심판대상조항은 죄형법정주의의 명확성원칙에 위배되지 아니한다. 의료광고는 국민의 생명·건강에 직결되는 의료서비스를 그 내용으로 하고 소비자에게 상당한 영향을 미치므로, 그 내용이 객관적이고 진실하여야 함은 물론 표현에 있어서도 소비자로 하여금 오해를 불러일으키지 않도록 이루어져야 한다. 따라서 심판대상조항이 과잉금지원칙을 위배하여 의료인 등의 표현의 자유나 직업수행의 자유를 침해한다고 볼 수 없다(2014.9.25, 2013헌바28).

ㅂ. [O] 입법자는 이 사건 법률조항의 신설에 의해 협찬고지를 방송운영의 자유의 한 부분으로서 허용하는 동시에 그 허용범위를 형성하였다고 볼 수 있으므로 이 사건 법률조항은 이러한 영역을 규율하는 형성법률인 것이다. 따라서 이 사건 법률조항의 주된 성격은 비록 그 허용범위가 제한적이지만 형성적, 허용적 규정이며, 방송사업자의 주관적 권리는 이 사건 법률조항의 형성에 의하여 비로소, 그리고 오로지 형성된 기준에 따라서만 성립될 수 있으므로, 비록 이 사건 법률조항에 대한 위반행위에 대하여 과태료 등의 제재가 수반되더라도 이를 들어 이 사건 법률조항의 성격을 기본권 제한규정으로 볼 것은 아니다(2003.12.18, 2002헌바49).

ㅅ. [O] 형성법률에 대한 위헌성 판단은 기본권 제한의 한계 규정인 헌법 제37조 제2항에 따른 과잉금지 내지 비례의 원칙의 적용을 받는 것이 아니라, 그러한 형성법률이 그 재량의 한계인 자유민주주의 등 헌법상의 기본원리를 지키면서 방송의 자유의 실질적 보장에 기여하는지 여부에 따라 판단된다(2003.12.18, 2002헌바49).

ㅇ. [O] 위 규정은 음주로 인한 건강위해적 요소로부터 국민의 건강을 보호한다는 입법목적하에 음주 전후, 숙취해소 등 음주를 조장하는 내용의 표시를 금지하고 있으나, '음주 전후', '숙취해소'라는 표시는 이를 금지할 만큼 음주를 조장하는 내용이라 볼 수 없고, 식품에 숙취해소작용이 있음에도 불구하고 이러한 표시를 금지하면 숙취해소용 식품에 관한 정확한 정보 및 제품의 제공을 차단함으로써 숙취해소의 기회를 국민으로부터 박탈하게 될 뿐만 아니라, 보다 나은 숙취해소용 식품을 개발하기 위한 연구와 시도를 차단하는 결과를 초래하므로, 위 규정은 숙취해소용 식품의 제조·판매에 관한 영업의 자유 및 광고표현의 자유를 과잉금지원칙에 위반하여 침해하는 것이다. 특히 청구인들은 '숙취해소용 천연차 및 그 제조방법'에 관하여 특허권을 획득하였음에도 불구하고 위 규정으로 인하여 특허권자인 청구인들조차 그 특허발명제품에 '숙취해소용 천연차'라는 표시를 하지 못하고 '천연차'라는 표시만 할 수밖에 없게 됨으로써 청구인들의 헌법상 보호받는 재산권인 특허권도 침해되었다(2000.3.30, 99헌마143).

ㅈ. [O] 이 사건 법령조항을 그와 같이 식품의 약리적 효능에 관한 표시·광고 전부를 무조건 금지하는 것으로 풀이하는 것은 불필요하고 지나치게 포괄적인 규제를 허용하는 셈이 되어, 국민건강에 관한 유용한 정보를 사장시키고, 식품의 약리적 효능에 관한 연구·개발, 건강보조식품 또는 식이식품의 개발·개선 및 보급도 위축시킴으로써, 오히려 국민의 건강수준과 국가전체의 보건수준 향상에 걸림돌이 될 수 있다. 이러한 결과는 이 사건 법령조항의 입법취지에 어긋날 뿐만 아니라, 식품제조업자 등의 영업의 자유, 광고표현의 자유, 나아가 소비자의 행복추구권을 지나치게 제약하는 것으로서 헌법적으로 용인되지 아니한다(2000.3.30, 97헌마108).

06 정답 ③

① [O] 청소년의 성을 보호할 공익이 크므로 청소년을 이용한 음란한 필름, 비디오물, 게임물과 같은 청소년 음란물을 제작·수입·수출을 금지한 「청소년의 성보호에 관한 법률」은 언론의 자유 침해가 아니다(2002.4.25, 2001헌가27).

② [O] 웹하드사업자에게 불법음란정보의 유통방지를 위하여 대통령령으로 정하는 기술적 조치를 할 의무를 부과하는 구 「전기통신사업법」 및 보관할 의무를 부과하는 전기통신사업법은 불법음란정보의 광범위한 유통·확산을 사전에 차단하고 이를 통해 불법음란정보가 초래하는 폐해를 억제하는 공익이 달성될 수 있으므로, 위 조항들은 법익의 균형성원칙에 위배되지 아니한다. 따라서 기술적 조치조항 및 기록보관조항은 과잉금지원칙에 위배되지 아니하여 청구인들의 직업수행의 자유를 침해하지 아니한다(2018.6.28, 2015헌마545).

❸ [X] 음란한 간행물에 관한 부분은 헌법에 위반되지 아니하고 저속한 간행물에 관한 부분은 헌법에 위반된다(1998.4.30, 95헌가16).

④ [O] 청소년유해매체물로 결정된 매체물 혹은 인터넷 정보라 하더라도 이들은 의사형성적 작용을 하는 의사의 표현·전파의 형식 중의 하나이므로 언론·출판의 자유에 의하여 보호되는 의사표현의 매개체에 해당된다. 이 사건 고시에 대해 공익목적의 중요성이 인정되고, 전자적 표시의무는 해당 정보의 내용에 관하여 통제하는 것이기보다는 사후조치로서 유해매체물이 청소년에게 차단될 수 있는 기술적 방법만을 정하고 있는 것이고 그 효과는 부모나 성인이 차단소프트웨어를 설치했을 때에만 나타나는 것을 고려하면, 「정보통신이용촉진 및 정보보호 등에 관한 법률 시행령」 제21조 제2항과 이 사건 고시는 기본권 제한의 효과와 내용면에서 볼 때 추구하는 공익이 제한되는 사익에 비하여 균형을 벗어난 것으로 볼 수 없다(2004.1.29, 2001헌마894).

07

정답 ④

① [O] 음란한 표현이 언론·출판의 자유의 보호영역에 해당하지 아니한다고 해석할 경우 음란표현에 대하여는 언론·출판의 자유의 제한에 대한 헌법상의 기본원칙, 예컨대 명확성의 원칙, 검열금지의 원칙 등에 입각한 합헌성 심사를 하지 못하게 될 뿐만 아니라, 기본권 제한에 대한 헌법상의 기본원칙, 예컨대 법률에 의한 제한, 본질적 내용의 침해금지원칙 등도 적용하기 어렵게 되는 결과, 모든 음란표현에 대하여 사전 검열을 받도록 하고 이를 받지 않은 경우 형사처벌을 하거나, 유통목적이 없는 음란물의 단순소지를 금지하거나, 법률에 의하지 아니하고 음란물출판에 대한 불이익을 부과하는 행위 등에 대한 합헌성 심사도 하지 못하게 됨으로써, 결국 음란표현에 대한 최소한의 헌법상 보호마저도 부인하게 될 위험성이 농후하게 된다는 점을 간과할 수 없다(2009.5.28, 2006헌바109 등).

② [O] 언론·출판의 영역에서 국가는 단순히 어떤 표현이 가치 없거나 유해하다는 주장만으로 그 표현에 대한 규제를 정당화시킬 수는 없다. 그 표현의 해악을 시정하는 1차적 기능은 시민사회 내부에 존재하는 사상의 경쟁메커니즘에 맡겨져 있기 때문이다. 그러나 대립되는 다양한 의견과 사상의 경쟁메커니즘에 의하더라도 그 표현의 해악이 처음부터 해소될 수 없는 성질의 것이거나 또는 다른 사상이나 표현을 기다려 해소되기에는 너무나 심대한 해악을 지닌 표현은 언론·출판의 자유에 의한 보장을 받을 수 없고 국가에 의한 내용규제가 광범위하게 허용된다(1998.4.30, 95헌가16).

③ [O] 헌법 제21조 제4항은 "언론·출판은 타인의 명예나 권리 또는 공중도덕이나 사회윤리를 침해하여서는 아니 된다."라고 규정하고 있는바, 이는 언론·출판의 자유에 따르는 책임과 의무를 강조하는 동시에 언론·출판의 자유에 대한 제한의 요건을 명시한 규정으로 볼 것이고, 헌법상 표현의 자유의 보호영역 한계를 설정한 것이라고는 볼 수 없다. 따라서 음란표현도 헌법 제21조가 규정하는 언론·출판의 자유의 보호영역에는 해당하되, 다만 헌법 제37조 제2항에 따라 국가 안전보장·질서유지 또는 공공복리를 위하여 제한할 수 있는 것이라고 해석하여야 할 것이다(2009.5.28, 2006헌바109). 2017년 법행 변형

❹ [X] 헌법 제21조 제4항은 "언론·출판은 타인의 명예나 권리 또는 공중도덕이나 사회윤리를 침해하여서는 아니 된다."라고 규정하고 있는 바, 이는 언론·출판의 자유에 따르는 책임과 의무를 강조하는 동시에 언론·출판의 자유에 대한 제한의 요건을 명시한 규정으로 볼 것이고, 헌법상 표현의 자유의 보호영역 한계를 설정한 것이라고는 볼 수 없다. 따라서 음란표현도 헌법 제21조가 규정하는 언론·출판의 자유의 보호영역에는 해당하되, 다만 헌법 제37조 제2항에 따라 국가 안전보장·질서유지 또는 공공복리를 위하여 제한할 수 있는 것이라고 해석하여야 할 것이다(2009.5.28, 2006헌바109).

08

정답 ③

① [O] 헌법규정은 없고 「공공기관의 정보공개에 관한 법률」에 규정되어 있다.

> **「공공기관의 정보공개에 관한 법률」 제1조 【목적】** 이 법은 공공기관이 보유·관리하는 정보에 대한 국민의 공개청구 및 공공기관의 공개의무에 관하여 필요한 사항을 정함으로써 국민의 알 권리를 보장하고 국정에 대한 국민의 참여와 국정 운영의 투명성을 확보함을 목적으로 한다.
>
> **헌법 제50조** ① 국회의 회의는 공개한다. 다만, 출석의원 과반수의 찬성이 있거나 의장이 국가의 안전보장을 위하여 필요하다고 인정할 때에는 공개하지 아니할 수 있다.
> ② 공개하지 아니한 회의 내용의 공표에 관하여는 법률이 정하는 바에 의한다.
>
> **제109조** 재판의 심리와 판결은 공개한다. 다만, 심리는 국가의 안전보장 또는 안녕질서를 방해하거나 선량한 풍속을 해할 염려가 있을 때에는 법원의 결정으로 공개하지 아니할 수 있다.

② [O] '알 권리'는 표현의 자유와 표리일체의 관계에 있으며 자유권적 성질과 청구권적 성질을 공유하는 것이다. 나아가 현대사회가 고도의 정보화사회로 이행해감에 따라 '알 권리'는 한편으로 생활권적 성질까지도 획득해 나가고 있다(1991.5.13, 90헌마133).

❸ [X] 헌법재판소는 「공공기관의 정보공개에 관한 법률」이 제정되기 이전에 이미, 정부가 보유하고 있는 정보에 대하여 정당한 이해관계가 있는 자가 그 공개를 요구할 수 있는 권리를 알 권리로 인정하면서 이러한 알 권리는 표현의 자유에 당연히 포함되는 기본권임을 선언하였다(1989.9.4, 88헌마22).

> **관련 판례** 사상 또는 의견의 자유로운 표명은 자유로운 의사의 형성을 전제로 하는데, 자유로운 의사의 형성은 충분한 정보에의 접근이 보장됨으로써 비로소 가능한 것이며, 다른 한편으로 자유로운 표명은 자유로운 수용 또는 접수와 불가분의 관계에 있다고 할 것이다. 그러한 의미에서 정보에의 접근·수집·처리의 자유 즉 '알 권리'는 표현의 자유에 당연히 포함되는 것으로 보아야 하는 것이다. … 이 권리의 핵심은 정부가 보유하고 있는 정보에 대한 국민의 알 권리 즉, 국민의 정부에 대한 일반적 정보공개를 구할 권리(청구권적 기본권)라고 할 것이며, 또한 자유 민주적 기본질서를 천명하고 있는 헌법 전문과 제1조 및 제4조의 해석상 당연한 것이라고 봐야 할 것이다. … 그 이외에도 자유민주주의 국가에서 국민주권을 실현하는 핵심이 되는 기본권이라는 점에서 국민주권주의(제1조), 각 개인의 지식의 연마, 인격의 도야에는 가급적 많은 정보에 접할 수 있어야 한다는 의미에서 인간으로서의 존엄과 가치(제10조) 및 인간다운 생활을 할 권리(제34조 제1항)와 관련이 있다 할 것이다(1989.9.4, 88헌마22).

④ [O] 알 권리란 일반적 정보원으로부터 정보를 수집하고, 수집된 정보를 취사, 선택할 수 있는 자유와 정보공개를 청구할 권리이다. 국

민인 자연인, 외국인, 법인, 권리능력 없는 사단·재단도 알 권리의 주체가 될 수 있다. 이해당사자만이 아니라 모든 국민은 정보공개 청구권을 가진다.

09

정답 ③

① [O] 헌법상 입법의 공개(제50조 제1항), 재판의 공개(제109조)와는 달리 행정의 공개에 대하여서는 명문규정을 두고 있지 않지만 '알 권리'의 생성기반을 살펴볼 때 이 권리의 핵심은 정부가 보유하고 있는 정보에 대한 국민의 '알 권리', 즉 국민의 정부에 대한 일반적 정보공개를 구할 권리(청구권적 기본권)라고 할 것이며, 이러한 '알 권리'의 실현은 법률의 제정이 뒤따라 이를 구체화시키는 것이 충실하고도 바람직하지만, 그러한 법률이 제정되어 있지 않다고 하더라도 불가능한 것은 아니고 헌법 제21조에 의해 직접 보장될 수 있다고 하는 것이 헌법재판소의 확립된 판례인 것이다(1991.5.13, 90헌마133).

② [O] '알 권리'도 헌법유보(제21조 제4항)와 일반적 법률유보(제37조 제2항)에 의하여 제한될 수 있음은 물론이며, … 알 권리에 대한 제한의 정도는 청구인에게 이해관계가 있고 공익에 장애가 되지 않는다면 널리 인정해야 할 것으로 생각하며, 적어도 직접의 이해관계가 있는 자에 대하여서는 의무적으로 공개하여야 한다는 점에 대하여는 이론의 여지가 없을 것으로 사료된다(1989.9.4, 88헌마22).

❸ [X] 알 권리는 적어도 이미 생성되어 존재하는 정보원을 전제로 하는 것이며, 인식의 대상이 되는 정보원이 존재하지 아니하는 경우에는 알 권리가 제한될 여지가 없다. 현존하는 정보원에 대한 접근을 넘어 적극적으로 새로운 정보의 생성을 구하는 것은 헌법이 보장하는 알 권리의 보호대상에 포함된다고 볼 수 없다(2015.12.23, 2015헌바66).

④ [O] 국민은 헌법상 보장된 알 권리의 한 내용으로서 국회에 대하여 입법과정의 공개를 요구할 권리를 가지며, 국회의 의사에 대하여는 직접적인 이해관계 유무와 상관없이 일반적 정보공개청구권을 가진다고 할 수 있다. 다만 의사공개의 원칙 및 알 권리 역시 절대적인 것이 아니고 헌법유보조항인 헌법 제21조 제4항과 일반적 법률유보조항인 헌법 제37조 제2항에 의하여 제한될 수 있음은 물론이며, 알 권리에서 파생되는 일반적 정보공개청구권 역시 마찬가지이다(2009.9.24, 2007헌바17). 2018년 법행

10

정답 ①

❶ [O] 알 권리는 일반적으로 접근할 수 있는 정보원으로부터 자유롭게 정보를 수령·수집하거나, 국가기관 등에 대하여 정보의 공개를 청구할 수 있는 권리를 말한다. 알 권리는 표현의 자유와 표리일체의 관계에 있으며, 자유권적 성질과 청구권적 성질을 공유한다. 자유권적 성질은 일반적으로 정보에 접근하고 수집·처리함에 있어서 국가권력의 방해를 받지 아니한다는 것을 말하며, 청구권적 성질은 의사형성이나 여론형성에 필요한 정보를 적극적으로 수집할 권리 등을 의미한다. 정보공개청구권은 정부나 공공기관이 보유하고 있는 정보에 대하여 정당한 이해관계가 있는 자가 그 공개를 요구할 수 있는 권리이며, 알 권리의 당연한 내용으로서 알 권리의 청구권적 성질과 밀접하게 관련되어 있고 헌법 제21조에 의하여 직접 보장된다(2021.5.27, 2019헌바224).

② [X] 국민의 알 권리, 특히 국가 정보에의 접근의 권리는 우리 헌법상 기본적으로 표현의 자유와 관련하여 인정되는 것으로, 그 권리의 내용에는 자신의 권익 보호와 직접 관련이 있는 정보의 공개를 청구할 수 있는 이른바 개별적 정보공개청구권이 포함된다(대판 1999.9.21, 98두3426).

③ [X] 국민은 헌법상 보장된 알 권리의 한 내용으로서 국회에 대하여 입법과정의 공개를 요구할 권리를 가지며, 국회의 의사에 대하여는 직접적인 이해관계 유무와 상관없이 일반적 정보공개청구권을 가진다고 할 수 있다(2009.9.24, 2007헌바17).

> **「공공기관의 정보공개에 관한 법률」 제5조 【정보공개청구권자】** ① 모든 국민은 정보의 공개를 청구할 권리를 가진다.

④ [X] 음란한 간행물이 아닌 저속한 간행물의 출판을 전면 금지시키고 출판사의 등록을 취소시킬 수 있도록 하는 것은 청소년 보호를 위해 지나치게 과도한 수단을 선택한 것이고, 또 청소년 보호라는 명목으로 성인이 볼 수 있는 것까지 전면 금지시킨다면 이는 성인의 알 권리의 수준을 청소년의 수준으로 맞출 것을 국가가 강요하는 것이어서 성인의 알 권리까지 침해하게 된다(1998.4.30, 95헌가16).

➡ 저속한 간행물 출판사 등록 취소는 위헌이나, 음란한 간행물 출판사 등록 취소는 합헌이다.

11

정답 ④

① [O] 청구인이 주장하는 입법부작위는 진정입법부작위로서, 특별재판부를 설치하도록 하는 헌법상 명시적 입법위임이 존재하지 않음은 물론, 재판부의 설치 여부 등은 입법자가 광범위한 형성의 자유를 가지므로 헌법 해석상으로도 입법의무가 도출된다고 보기 어려우므로 헌법소원의 대상이 된다고 보기 어렵다. 따라서 입법부작위에 대한 심판청구는 부적법하다(2021.10.28, 2020헌마433).

② [O] 미결수용자의 규율위반행위 등에 대한 제재로서 금치처분과 함께 금치기간 중 신문과 자비구매도서의 열람을 제한하는 것은, 규율위반자에 대해서는 반성을 촉구하고 일반 수용자에 대해서는 규율위반에 대한 불이익을 경고하여 수용자들의 규율 준수를 유도하며 궁극적으로 수용질서를 확립하기 위한 것이다. 이 사건 신문 및 도서열람제한조항은 최장 30일의 기간 내에서만 신문이나 도서의 열람을 금지하고 열람을 금지하는 대상에 수용시설 내 비치된 도서는 포함시키지 않고 있으므로 위 조항들이 청구인의 알 권리를 과도하게 제한한다고 보기 어렵다(2016.4.28, 2012헌마549 등).

③ [O] '청소년이용음란물'이 헌법상 표현의 자유에 의한 보호대상이 되고 따라서 그 제작 등의 행위에 대하여 형사상 중한 처벌을 가하는 것이 이러한 기본권을 다소 제한하게 되는 결과가 된다 하더라도, 이는 공공복리를 위하여 필요한 제한으로서 헌법 제37조 제2항의 비례의 원칙에 반하지 아니한다 할 것이다. … 청소년 보호라는 명목으로 일반 음란물에 대한 성인의 접근까지 전면 차단시켜 성인의 알 권리의 수준을 청소년의 수준으로 맞출 것을 국가가 강요함으로써 성인의 알 권리를 침해하거나 성인의 표현의 자유를 제한하게 되는 경우와는 달리, '청소년이용음란물'이라는 행위객체의 특성에 따른 규제라는 측면에서 그 입법목적의 정당성이 인정된다고 본다(2002.4.25, 2001헌가27).

❹ [X] 심판대상조항을 통하여 아동음란물의 광범위한 유통·확산을 사전적으로 차단하고 이를 통해 아동음란물이 초래하는 각종 폐해를 방지하며 특히 관련된 아동·청소년의 인권 침해가능성을 사전적으로 차단할 수 있는바, 이러한 공익이 사적 불이익보다 더 크다. 따라서 심판대상조항은 온라인서비스 제공자의 영업수행의 자유, 서비스이용자의 통신의 비밀과 표현의 자유를 침해하지 아니한다(2018.6.28, 2016헌가15).

12

정답 ①

❶ [X] 청구인들은 사법시험, 의사국가시험 등 다른 자격시험의 경우에는 응시자의 시험성적을 공개하도록 하고 있음에도 심판대상조항은 변호사시험에 합격한 사람에 대하여 그의 성적을 공개하지 못하도록 하는 것이, 다른 자격시험에 응시하는 사람에 비하여 변호사시험에 응시하는 사람을 합리적 이유 없이 차별취급하는 것이라고 주장한다. 그런데 다른 자격시험의 경우, 특정의 전문교육과정을 요구하지 않거나 요구하는 경우라고 하더라도 전문교육기관 간의 과다 경쟁 및 서열화 방지, 충실한 교육의 담보라는 목적과는 관련이 없는 등 다른 자격시험 응시자와 변호사시험 응시자를 본질적으로 동일한 비교집단으로 볼 수 없다. 따라서 심판대상조항이 청구인들을 다른 자격시험 응시자와 차별취급하고 있다고 볼 수 없으므로 심판대상조항에 의한 평등권 침해 문제는 발생하지 않는다(2015.6.25, 2011헌마769 등).

② [O] 변호사시험 성적이 정보주체의 요구에 따라 수정되거나 삭제되는 등 정보주체의 통제권이 인정되는 성질을 가진 개인정보라고 보기도 어렵다. 따라서 심판대상조항이 개인정보자기결정권을 제한하고 있다고 보기 어렵다. 이러한 시험 성적의 비공개가 청구인들의 법조인으로서의 직역 선택이나 직업수행에 있어서 어떠한 제한을 두고 있는 것은 아니므로 심판대상조항이 청구인들의 직업선택의 자유를 제한하고 있다고 볼 수 없다(2015.6.25, 2011헌마769 등).

③ [O] 변호사시험 성적 비공개를 통하여 법학전문대학원 간의 과다경쟁 및 서열화를 방지하고, 교육과정이 충실하게 이행될 수 있도록 하여 다양한 분야의 전문성을 갖춘 양질의 변호사를 양성하기 위한 심판대상조항의 입법목적은 정당하다. 변호사시험 성적의 비공개는 기존 대학의 서열화를 고착시키는 등의 부작용을 낳고 있으므로 수단의 적절성이 인정되지 않는다. 따라서 심판대상조항은 과잉금지원칙에 위배하여 청구인들의 알 권리를 침해한다(2015.6.25, 2011헌마769 등).

④ [O] 정부나 공공기관이 보유하고 있는 정보에 대하여 정당한 이해관계가 있는 자가 그 공개를 요구할 수 있는 권리는 알 권리로서 이러한 알 권리는 헌법 제21조에 의하여 직접 보장된다(2015.6.25, 2011헌마769 등).

13

정답 ②

① [X] 성적 공개조항은 「변호사시험법」이 개정된 2017.12.12. 이후에 실시하는 변호사시험에 응시한 사람에게 적용되고, 특례조항은 그 이전에 실시된 변호사시험에 합격한 사람에게 적용된다. 청구인은 2015년 실시된 제4회 변호사시험에 합격하였으므로, 성적 공개조항의 수범자가 아닌 제3자에 불과하다. 따라서 성적 공개조항에 대한 심판청구는 기본권 침해의 자기관련성을 인정할 수 없어 부적법하다(2019.7.25, 2017헌마1329).

❷ [O] 청구인은 특례조항이 2015.6.25, 2011헌마769 등 결정의 취지에 어긋나므로 신뢰보호원칙에 위배된다고 주장한다. 신뢰보호원칙이란 국민이 어떤 법적 상태가 장래에도 그대로 존속될 것이라는 합리적인 신뢰를 바탕으로 하여 일정한 법적 지위를 형성한 경우, 국가는 국민의 신뢰를 보호하여야 한다는 원칙이다(2004.12.16, 2003헌마226 등). 그런데 위 결정의 취지는 변호사시험 성적을 공개하라는 것일 뿐, 성적 공개기간에 관해 어떠한 제한도 할 수 없다는 것이 아니다. 위 결정에 따라 기간 제한 없는 성적 공개에 대한 신뢰가 형성될 수 없는 이상, 이에 관한 신뢰보호원칙 위반 여부에 대해서는 따로 판단하지 아니한다(2019.7.25, 2017헌마1329).

③ [X] 특례조항이 표현의 자유를 침해한다고 주장하나, 표현의 자유는 알 권리와 표리일체의 관계에 있으므로, 정보공개청구권 침해 여부를 판단하면서 함께 살펴보는 것으로 충분하다(2019.7.25, 2017헌마1329).

④ [X] 변호사시험 성적은 변호사시험 합격자의 우수성의 징표로 작용할 수 있고, 법조직역의 진출과정에서 객관적 지표로서 기능할 수 있다. 변호사 채용과정에서 변호사시험 성적 제출을 요구하는 경우도 적지 않으며, 구직자 스스로 채용에 유리하다고 판단하여 성적을 제출하는 경우도 있다. 이처럼 변호사시험 합격자는 변호사시험 성적에 관하여 특별한 이해관계를 맺는다. 변호사의 취업난이 가중되고 있다는 점, 이직을 위해서도 변호사시험 성적이 필요할 수 있다는 점 등을 고려하면, 변호사시험 합격자에게 취업 및 이직에 필요한 상당한 기간 동안 자신의 성적을 활용할 기회를 부여할 필요가 있다. 특례조항에서 정하고 있는 '이 법 시행일부터 6개월 내'라는 기간은 변호사시험 합격자가 취업시장에서 성적 정보에 접근하고 이를 활용하기에 지나치게 짧다. 변호사시험 합격자는 성적 공개청구기간 내에 열람한 성적 정보를 인쇄하는 등의 방법을 통해 개별적으로 자신의 성적 정보를 보관할 수 있으나, 성적 공개청구기간이 지나치게 짧아 정보에 대한 접근을 과도하게 제한하는 이상, 이러한 점을 들어 기본권 제한이 충분히 완화되어 있다고 보기도 어렵다. 이상을 종합하면, 특례조항은 과잉금지원칙에 위배되어 청구인의 정보공개청구권을 침해한다(2019.7.25, 2017헌마1329).

14

정답 ①

ㄱ. [O] 알 권리가 헌법규정만으로 이를 실현할 수 있는가 구체적인 법률의 제정이 없이는 불가능한 것인가에 대하여서는 다시 견해가 갈릴 수 있지만, 본 건 서류에 대한 열람·복사 민원의 처리는 법률의 제정이 없더라도 불가능한 것이 아니라고 할 것이고, 또 비록 공문서 공개의 원칙보다는 공문서의 관리·통제에 중점을 두고 만들어진 규정이기는 하지만 '정부공문서 규정' 제36조 제2항이 미흡하나마 공문서의 공개를 규정하고 있는 터이므로 이 규정을 근거로 해서 국민의 알 권리를 곧바로 실현시키는 것이 가능하다고 보아야 할 것이다(1989.9.4, 88헌마22).

ㄴ. [O] '알 권리'도 헌법유보(제21조 제4항)와 일반적 법률유보(제37조 제2항)에 의하여 제한될 수 있음은 물론이며,… 알 권리에 대한 제한의 정도는 청구인에게 이해관계가 있고 공익에 장애가 되지 않는다면 널리 인정해야 할 것으로 생각하며, 적어도 직접의 이해관계가 있는 자에 대하여서는 의무적으로 공개하여야 한다는 점에 대하여는 이론의 여지가 없을 것으로 사료된다(1989.9.4, 88헌마22).

ㄷ. [O] 구속적부심사절차에서 변호인에게 고소장과 피의자신문조서에 대한 열람 및 등사를 거부한 경찰서장의 정보비공개결정은 변호인의 피구속자를 조력할 권리 및 알 권리를 침해하여 헌법에 위반된다(2003.3.27, 2000헌마474). 2016년 경찰승진

ㄹ. [X] 선거관리위원회는 데이터 생성·저장기술의 발전을 이용해 자료 보관, 열람 등의 업무부담을 상당 부분 줄여왔고, 앞으로도 그 부담이 과도해지지 않도록 할 수 있을 것으로 보인다. 이를 종합하면 정치자금을 둘러싼 분쟁 등의 장기화 방지 및 행정부담의 경감을 위해 열람기간의 제한 자체는 둘 수 있다고 하더라도, 현행 기간이 지나치게 짧다는 점은 명확하다. 짧은 열람기간으로 인해 청구인 신○○는 회계보고된 자료를 충분히 살펴 분석하거나, 문제를 발견할 실질적 기회를 갖지 못하게 되는바, 달성되는 공익과 비교할 때 이러한 사익의 제한은 정치자금의 투명한 공개가 민주주의 발전에 가지는 의미에 비추어 중대하다. 그렇다면 이 사건 열람기간 제한 조항은 과잉금지원칙에 위배되어 청구인 신○○의 알 권리를 침해한다(2021.5.27, 2018헌마1168).

ㅁ. [O] 이 사건 부칙조항은 판결서 공개제도를 실현하는 과정에서 그 공개범위를 일정 부분 제한하여 판결서 공개에 필요한 국가의 재정이나 용역의 부담을 경감·조정하고자 하는 것이다. 어떤 새로운 제도를 도입할 때에는 그에 따른 사회적 비용도 함께 고려하여 부분적인 개선방식을 취할 수도 있으므로, 입법자는 현실적인 조건들을 감안해서 위 부칙조항과 같이 판결서 열람·복사에 관한 개정법의 적용범위를 일정 부분 제한할 수 있으며, 청구인은 비록 전자적 방법은 아니라 해도 「군사법원법」 제93조의2에 따라 개정법 시행 이전에 확정된 판결서를 열람·복사할 수 있다. 이 사건 부칙조항으로 인해 청구인이 전자적 방법을 통해 열람·복사할 수 있는 판결서의 범위가 제한된다 하더라도 이는 입법재량의 한계 내에 있으므로, 위 부칙조항이 청구인의 정보공개청구권을 침해한다고 할 수 없다(2015.12.23, 2014헌마185).

ㅂ. [O] 침해되는 청구인에 대한 수용질서와 관련되는 위 기사들에 대한 정보획득의 방해와 그러한 기사 삭제를 통해 얻을 수 있는 구치소의 질서유지와 보안에 대한 공익을 비교할 때 청구인의 알 권리를 과도하게 침해한 것은 아니다(1998.10.29, 98헌마4).

15 정답 ②

ㄱ. [O] 대법원의 종래 판례는 공지된 사항이라도 북한에게 유리한 경우 국가기밀로 보았으나, 최근에는 공지의 사실·지식 등은 국가기밀이 아니라는 입장으로 판례가 변경되었다(대판 전합체 1997.7.16, 97도985).

ㄴ. [X] 군사기밀은 국민의 알 권리와 충돌하는 면이 매우 크므로 알 권리의 대상영역을 가능한 최대한 넓혀줄 수 있도록 필요한 최소한도에 한정되어야 할 것이므로 공지된 사실은 국가기밀이 아니며 비공지된 사실로서 그것이 누설될 경우 국가안전의 명백한 위험을 초래할 실질적 가치가 있는 실질비성을 갖춘 것이어야 국가기밀이 될 수 있다(1997.1.16, 92헌바6 등).

ㄷ. [O] 군사기밀의 범위는 국민의 표현의 자유 내지 알 권리의 대상영역을 최대한 넓혀줄 수 있도록 필요한 최소한도에 한정되어야 할 것이며, 따라서 「군사기밀 보호법」 제6조 등은 '군사상의 기밀'이 비공지의 사실로서 적법절차에 따라 군사기밀로서의 표지를 갖추고 그 누설이 국가의 안전보장에 명백한 위험을 초래한다고 볼만큼의 실질가치를 지닌 것으로 인정되는 경우에 한하여 적용된다 할 것이므로 이러한 해석하에 헌법에 위반되지 아니한다(1992.2.25, 89헌가104).

ㄹ. [X] 군사기밀은 국민의 알 권리와 충돌하는 면이 매우 크므로 알 권리의 대상영역을 가능한 최대한 넓혀줄 수 있도록, 필요한 최소한도에 한정되어야 할 것이다(1992.2.25, 89헌가104).

ㅁ. [X] 국가기밀은 비밀로서 보호될 만한 실질적 가치가 있는 내용을 담고 있어야 한다. 법규와 행정상의 지시 등에 의하여 비밀로 취급되는 이른바 형식비라고 하더라도 그 구체적인 내용이 국가안전의 불이익 방지에 필요한 실질을 구비한 실질비에 해당하지 아니하는 한 국가기밀로 보호될 수 없다. 이러한 비밀로서의 실질가치를 가지는지의 여부는 그 내용을 객관적으로 판단하여 결정하여야 하며, 비밀주체 내지 비밀관리자의 비밀유지 의사만을 기준으로 판단할 수는 없다고 할 것이다. 그러므로 국가안전의 보장과 관련된 내용이 아닌 정부 또는 어떤 정치세력의 단순한 정치적 이익이나 행정편의에 관련된 것에 불과한 이른바 가성비밀은 국가기밀에 해당하지 아니한다(1992.2.25, 89헌가104).

16 정답 ②

ㄱ. [X] 자녀교육권을 실질적으로 보장하기 위해서는 자녀의 교육에 필요한 정보가 제공되어야 하는바 학부모는 교육정보에 대한 알 권리를 가진다. 이러한 정보 속에는 자신의 자녀를 가르치는 교원이 어떠한 자격과 경력을 가진 사람인지는 물론 어떠한 정치성향과 가치관을 가지고 있는 사람인지에 대한 정보도 포함되는 것이므로, 교원의 교원단체 및 노동조합 가입에 관한 정보도 알 권리의 한 내용이 될 수 있다. 그러므로 개별 교원이 어떤 교원단체나 노동조합에 가입해 있는지에 대한 정보 공개를 제한하는 것은 학부모인 청구인들의 알 권리를 제한하는 것이다(2011.12.29, 2010헌마293).

ㄴ. [O] 이미 탑승을 위한 출국 수속과정에서 일반적인 보안검색을 마쳤음에도, 취항 예정지 국가인 체약국의 요구가 있다는 이유로 항공기 탑승 전 또는 탑승구 앞에서 보안 담당자로부터 신체검사 등 보안검색을 당하는 경우 해당 승객은 모욕감 내지 수치심 등을 느낄 수 있다. 따라서 이 사건 국가항공보안계획으로 인한 인격권 침해 여부가 일차적으로 문제된다. 「항공보안법」상 일반적인 보안검색이 승객에 대해서는 문형금속탐지기 또는 원형검색장비를 사용하여, 휴대물품에 대해서는 엑스선 검색장비를 사용하여 이루어지는 것과 달리(「항공보안법 시행령」 제10조 제1항), 국가항공보안계획에서 추가 보안검색은 신체에 대해서는 촉수검색(patdown)을 예정하고 있으므로, 인격권과 더불어 신체의 자유 침해 여부도 함께 문제될 수 있다. 항공기의 취항 예정지인 체약국이 어떠한 사유로 특정인에 대해 추가 보안검색을 요구하게 되는 것인지가 일반적인 정보라고 보기 어렵고, 이 사건 국가항공보안계획은 체약국의 요구가 있으면 항공운송사업자가 그 요구에 따라 탑승 수속 전 또는 탑승구 앞에서 추가 보안검색을 실시하는 것에 대해 규정하고 있을 뿐이므로 이 사건 국가항공보안계획에 의해 알 권리가 제한된다고 볼 수 없다(2018.2.22, 2016헌마780).

ㄷ. [O] 청구인들은 해당 조항이 후보자들에 대한 그때그때의 정보를 언론사로부터 전달받아 후보자 선택에 참고로 삼아야 하는 국민들의 알 권리를 침해한다고 주장한다. 그러나 위 조항은 선거여론조사 결과의 공표나 보도행위를 규제하는 것이 아니라 그 전 단계인 선거여론조사의 실시행위를 규제하는 것이므로, 설령 위 조항이 국민들의 선거 관련 정보에 대한 접근에 어떠한 영향을 준다고 하더라도 이는 어디까지나 사실적이고 간접적인 효과에 불과하다. 따라서 국민들의 알 권리를 제한한다고 볼 수 없다(2015.4.30, 2014헌마360).

ㄹ. [X] 위 조항들은 청소년유해매체물로 지정된 음악이나 영상 등을 청취하거나 시청하기 위해서 반드시 사전에 본인확인 절차를 거칠 것을 강제하고 있다. 이에 따라 성인 이용자의 경우 법적으로 허용된 정보에 대한 자유로운 접근·수집·처리 등이 제한되므로 알 권리가 제한된다(2015.3.26, 2013헌마354).

ㅁ. [O] 낙태 그 자체의 위험성으로 인하여 낙태가 사실상 이루어질 수 없는 임신 후반기에는 태아에 대한 성별고지를 예외적으로 허용하더라도 성별을 이유로 한 낙태가 행해질 가능성은 거의 없다고 할 것이다. 그럼에도 불구하고 성별을 이유로 하는 낙태가 임신기간의 전 기간에 걸쳐 이루어질 것이라는 전제하에, 이 사건 규정이 낙태가 사실상 불가능하게 되는 시기에 이르러서도 태아에 대한 성별 정보를 태아의 부모에게 알려 주지 못하게 하는 것은 의료인과 태아의 부모에 대한 지나친 기본권 제한으로서 피해의 최소성 원칙을 위반하는 것이다(2008.7.31, 2005헌바90).

➡ 태아 부모의 태아성별정보에 대한 접근을 방해받지 않을 권리는 인격권에서 보장되어 인격권 침해이지만 알 권리 침해는 아니였다.

ㅂ. [O] 알 권리는 정보에 대한 접근에 대해 국가의 간섭을 받지 않을 권리이다. 또한 수집한 정보를 선택할 수 있는 권리이다. 군내불온서적 소지를 금지하는 군인복무규율은 공개청구권과 관련된 것이 아니라 일반적으로 접근할 수 있는 정보원으로부터 자유로운 정보수집을 제한하고 있으므로 별도의 입법을 필요로 하지 않고 보장되는 자유권적 성격의 알 권리를 제한한다(2010.10.28, 2008헌마638).

ㅅ. [O] 텔레비전 시청은 수용자가 제한된 범위에서나마 자유로운 의사형성의 전제가 되는 일반적 정보에 접근할 수 있는 기본적인 수단이라는 점에서, 금치기간 중 텔레비전 시청을 금지하는 이 사건 금치조항 중 제108조 제6호에 관한 부분은 청구인의 알 권리를 제한한다(2016.5.26, 2014헌마45).

17 정답 ③

ㄱ. [X] 교도소에 복역 중인 갑이 지방검찰청 검사장에게 자신에 대한 불기소사건 수사기록 중 타인의 개인정보를 제외한 부분의 공개를 청구하였으나 검사장이 구 「공공기관의 정보공개에 관한 법률」 제9조 제1항 등에 규정된 비공개대상정보에 해당한다는 이유로 비공개 결정을 한 사안에서, 甲은 위 정보에 접근하는 것을 목적으로 정보공개를 청구한 것이 아니라, 청구가 거부되면 거부처분의 취소를 구하는 소송에서 승소한 뒤 소송비용 확정절차를 통해 자신이 그 소송에서 실제 지출한 소송비용보다 다액을 소송비용으로 지급받아 금전적 이득을 취하거나, 수감 중 변론기일에 출정하여 강제노역을 회피하는 것 등을 목적으로 정보공개를 청구하였다고 볼 여지가 큰 점 등에 비추어 甲의 정보공개청구는 권리를 남용하는 행위로서 허용되지 않는다(대판 2014.12.24, 2014두9349).

ㄴ. [O] 대학도서관의 관장 등이 대학구성원이 아닌 청구인의 도서대출이나 열람실 이용을 승인하지 아니하였더라도 이 사건 도서관 소장자료는 자료 공유 시스템 등을 통하여 국립 중앙도서관 등 누구나 쉽게 접근할 수 있는 공공도서관에서도 열람할 수 있는 사실이 인정되므로 청구인이 이 사건 도서관에서 도서를 대출하여 밖으로 가지고 나올 수 없다거나 열람실을 이용할 수 없다고 하여 청구인의 알 권리가 침해된다고 볼 수는 없다(2016.11.24, 2014헌마977).

ㄷ. [X] 재판의 선고는 공판기일에 출석한 피고인에게 주문을 낭독하고 이유의 요지를 설명하여야 하는 것이 원칙으로 되어 있으므로, 법원이 형을 선고받은 피고인에게 재판서를 송달지 않는다고 하여 국민의 알 권리를 침해한다고 할 수 없다(1995.3.23, 92헌바1).

ㄹ. [X] 군의 정신전력이 국가안전보장을 확보하는 군사력의 중요한 일부분이라는 점이 분명한 이상, 정신전력을 보전하기 위하여 불온도서의 소지·전파 등을 금지하는 규율조항은 목적의 정당성이 인정된다. 또한 군의 정신전력에 심각한 저해를 초래할 수 있는 범위의 도서로 한정함으로써 침해의 최소성 요건을 지키고 있고, 위 조항으로 달성되는 군의 정신전력 보존과 이를 통한 군의 국가안전보장 및 국토방위의무의 효과적인 수행이라는 공익은 그로 인해 제한되는 군인의 알 권리라는 사익보다 결코 작다 할 수 없다(2010.10.28, 2008헌마638).

ㅁ. [O] 심판대상 중 '현저한 지장'이란 사전적으로는 '뚜렷이 드러난 장애'를 의미하는데, 정보공개제도의 목적, 입법취지, 인사관리에 관한 정보의 특성 등을 종합하면 어느 정도로 업무에 장애를 가져올 때에 '현저한 지장'이 있다고 할 것인지 예측할 수 있고, '상당한 이유'란 현저한 지장을 초래할 만한 근거로 해석할 수 있으므로 심판대상조항은 명확성원칙에 반한다고 볼 수 없다(2021.5.27, 2019헌바224).

ㅂ. [O] 공공기관의 재량을 통제하는 방법으로 「공공기관의 정보공개에 관한 법률」은 비공개결정에 대하여 청구인이 이의신청할 수 있는 절차도 마련하고 있다. 공공기관 전체 업무의 적정성을 높이기 위하여 내부적으로 적시에 적절한 인사행정이 가능하도록 보장하는 것이 무엇보다 중요하다는 점을 고려할 때, 심판대상조항으로 인하여 제한되는 사익보다 보호되는 공익이 크다고 할 것이다. 따라서 심판대상조항은 정보공개청구권을 침해한다고 할 수 없다(2021.5.27, 2019헌바224).

18 정답 ①

❶ [X] 원칙적으로 국가에게 이해관계인의 공개청구 이전에 적극적으로 정보를 공개할 것을 요구하는 것까지 알 권리로 보장되는 것은 아니다. 따라서 일반적으로 국민의 권리·의무에 영향을 미친 정책결정 등에 관하여 적극적으로 그 내용을 알 수 있도록 공개할 국가의 의무는 기본권인 알 권리에 의하여 바로 인정될 수 없고 이에 대한 구체적 입법이 있는 경우에야 비로소 가능하다(2004.12.16, 2002헌마579).

② [O] 알 권리는 국민이 일반적으로 정보에 접근하고 수집·처리함에 있어서 국가권력의 방해를 받지 않음을 보장하고 의사형성이나 여론 형성에 필요한 정보를 적극적으로 수집하고 수집에 대한 방해의 제거를 청구할 수 있는 권리로서, 원칙적으로 국가에게 이해관계인의 공개청구 이전에 적극적으로 정보를 공개할 것을 요구하는 것까지 알 권리로 보장되는 것은 아니다. 따라서 일반적으로 국민의 권리 의무에 영향을 미치거나 국민의 이해관계와 밀접한 관련이 있는 정책결정 등에 관하여 적극적으로 그 내용을 알 수 있도록 공개할 국가의 의무는 기본권인 알 권리에 의하여 바로 인정될 수는 없고 이에 대한 구체적인 입법이 있는 경우에야 비로소 가능하다. 이와 같이 알 권리에서 파생되는 정부의 공개의무는 특별한 사정이 없는 한 국민의 적극적인 정보수집행위, 특히 특정의 정보에 대한 공개청구가 있는 경우에야 비로소 존재하므로, 청구인들의 정보공개청구가 없었던 이 사건의 경우 이 사건 조항을 사전에 마늘재배농가들에게 공개할 정부의 의무는 인정되지 아니한다(2004.12.16, 2002헌마579).

③ [O] 공공기관이란 국가기관, 지방자치단체, 학교, 국가 또는 지방자치단체로부터 보조금을 받는 사회복지법인과 사회복지사업을 하는 비영리법인, 국가 또는 지방자치단체로부터 연간 5천만 원 이상의 보조금을 받는 기관 또는 단체 등을 포함한다.

④ [O] 「방송법」이라는 특별법에 의하여 설립 운영되는 한국방송공사(KBS)는 「공공기관의 정보공개에 관한 법률 시행령」 제2조 제4호의 '특별법에 의하여 설립된 특수법인'으로서 정보공개의무가 있는 「공공기관의 정보공개에 관한 법률」 제2조 제3호의 '공공기관'에 해당한다(대판 2010.12.23, 2008두13101).

19 정답 ①

ㄱ. [O] 정보공개의 목적, 교육의 공공성 및 공·사립학교의 동질성, 사립대학교에 대한 국가의 재정지원 및 보조 등 여러 사정을 고려해 보면, 사립대학교에 대한 국비 지원이 한정적·일시적·국부적이라는 점을 고려하더라도, 「공공기관의 정보공개에 관한 법률 시행령」 제2조 제1호가 정보공개의무를 지는 공공기관의 하나로 사립대학교를 들고 있는 것이 모법인 구 「공공기관의 정보공개에 관한 법률」의 위임 범위를 벗어났다거나 사립대학교가 국비의 지원을 받는 범위 내에서만 공공기관의 성격을 가진다고 볼 수 없다(대판 2006.8.24, 2004두2783).

ㄴ. [O]

> 「공공기관의 정보공개에 관한 법률」 제4조 【적용범위】 ② 지방자치단체는 그 소관 사무에 관하여 법령의 범위에서 정보공개에 관한 조례를 정할 수 있다.

ㄷ. [O] 2003년 행시

> 「공공기관의 정보공개에 관한 법률」 제4조 【적용범위】 ③ 국가안전보장에 관련되는 정보 및 보안업무를 관장하는 기관에서 국가안전보장과 관련된 정보의 분석을 목적으로 수집하거나 작성한 정보에 대해서는 이 법을 적용하지 아니한다. 다만, 제8조 제1항에 따른 정보목록의 작성·비치 및 공개에 대해서는 그러하지 아니한다.

ㄹ. [O] 정보공개제도는 공공기관이 보유·관리하는 정보를 그 상태대로 공개하는 제도로서 공개를 구하는 정보를 공공기관이 보유·관리하고 있을 상당한 개연성이 있다는 점에 대하여 원칙적으로 공개청구자에게 증명책임이 있다고 할 것이지만, 공개를 구하는 정보를 공공기관이 한 때 보유·관리하였으나 후에 그 정보가 담긴 문서 등이 폐기되어 존재하지 않게 된 것이라면 그 정보를 더 이상 보유·관리하고 있지 아니하다는 점에 대한 증명책임은 공공기관에게 있다(대판 2004.12.9, 2003두12707).

ㅁ. [O]

> 「공공기관의 정보공개에 관한 법률」 제10조 【정보공개의 청구방법】 ① 정보의 공개를 청구하는 자는 해당 정보를 보유하거나 관리하고 있는 공공기관에 다음 각 호의 사항을 적은 정보공개청구서를 제출하거나 말로써 정보의 공개를 청구할 수 있다.
> 〈각 호 생략〉

ㅂ. [X]

> 「공공기관의 정보공개에 관한 법률」 제17조 【비용 부담】 ① 정보의 공개 및 우송 등에 드는 비용은 실비의 범위에서 청구인이 부담한다.

20 정답 ②

ㄱ. [O] 국민의 정보공개청구권은 법률상 보호되는 구체적인 권리이므로, 공공기관에 대하여 정보의 공개를 청구하였다가 공개 거부처분을 받은 청구인은 행정소송을 통하여 그 공개 거부처분의 취소를 구할 법률상의 이익이 있고, 공개청구의 대상이 되는 정보가 이미 다른 사람에게 공개되어 널리 알려져 있다거나 인터넷 등을 통하여 공개되어 인터넷검색 등을 통하여 쉽게 알 수 있다는 사정만으로는 소의 이익이 없다거나 비공개결정이 정당화될 수 없다(대판 2010.12.23, 2008두13101).

ㄴ. [O] 답안지 및 시험문항에 대한 채점위원별 채점 결과를 열람하도록 하면, 시험 결과에 이해관계를 가진 자들로부터 제기될지도 모를 시시비비에 일일이 휘말리는 상황이 초래될 우려가 있어 시험업무의 공정한 수행에 현저한 지장을 초래한다고 인정할 상당한 이유가 있어 비공개정보에 해당되므로 그 열람을 거부한 이 사건 처분이 적법하다. 답안지에 대한 열람이 허용된다고 하더라도 답안지를 상호 비교함으로써 생기는 부작용이 생길 가능성이 희박하고, 열람업무의 폭증이 예상된다고 볼만한 자료도 없는 점 등을 종합적으로 고려하면, 답안지의 열람으로 인하여 시험업무의 수행에 현저한 지장을 초래한다고 볼 수 없다(대판 2003.3.14, 2000두6114).

ㄷ. [X] ㅅ. [X] 「공공기관의 정보공개에 관한 법률」의 입법목적, 정보공개의 원칙, 비공개대상정보의 규정형식과 취지 등을 고려하면, 법원 이외의 공공기관이 「공공기관의 정보공개에 관한 법률」 제9조 제1항 제4호에서 정한 '진행 중인 재판에 관련된 정보'에 해당한다는 사유로 정보공개를 거부하기 위하여는 반드시 그 정보가 진행 중인 재판의 소송기록 자체에 포함된 내용일 필요는 없다. 그러나 재판에 관련된 일체의 정보가 그에 해당하는 것은 아니고 진행 중인 재판의 심리 또는 재판결과에 구체적으로 영향을 미칠 위험이 있는 정보에 한정된다고 보는 것이 타당하다(대판 2011.11.24, 2009두19021).

ㄹ. [O] 「공공기관의 정보공개에 관한 법률」 제9조 제1항 제6호 본문의 규정에 따라 비공개대상이 되는 정보에는 구 「공공기관의 정보공개에 관한 법률」의 이름·주민등록번호 등 정보 형식이나 유형을 기준으로 비공개대상정보에 해당하는지를 판단하는 '개인식별정보'뿐만 아니라 그 외에 정보의 내용을 구체적으로 살펴 '개인에 관한 사항의 공개로 개인의 내밀한 내용의 비밀 등이 알려지게 되고, 그 결과 인격적·정신적 내면생활에 지장을 초래하거나 자유로운 사생활을 영위할 수 없게 될 위험성이 있는 정보'도 포함된다고 새겨야 한다. 불기소처분 기록 중 피의자신문조서 등에 기재된 피의자 등의 인적 사항 이외의 진술 내용 역시 개인의 사생활의 비밀 또는 자유를 침해할 우려가 인정되는 경우 「공공기관의 정보공개에 관한 법률」 제9조 제1항 제6호 본문 소정의 비공개대상에 해당한다(대판 전합체 2012.6.18, 2011두2361).

ㅁ. [O] 한국방송공사(KBS)가 황우석 교수의 논문조작 사건에 관한 사실관계의 진실 여부를 밝히기 위하여 제작한 '추적 60분' 가제 '새튼은 특허를 노렸나'인 방송용 60분 분량의 편집원본 테이프 1개에 대하여 정보공개청구를 하였으나, 위 정보는 방송프로그램의 기획·편성·제작 등에 관한 정보로서, 「공공기관의 정보공개에 관한 법률」 제9조 제1항 제7호에서 비공개대상정보로 규정하고 있는 '법인 등의 경영·영업상 비밀에 관한 사항으로서 공개될 경우 법인 등의 정당한 이익을 현저히 해할 우려가 있다고 인정되는 정보'에 해당한다(대판 2010.12.23, 2008두13101).

ㅂ. [O]

> 「공공기관의 정보공개에 관한 법률」 제9조 【비공개대상정보】 ① 공공기관이 보유·관리하는 정보는 공개대상이 된다. 다만, 다음 각 호의 어느 하나에 해당하는 정보는 공개하지 아니할 수 있다.
> ➡ 상대적 비공개
> 1. 다른 법률 또는 법률에서 위임한 명령(국회규칙·대법원규칙·헌법재판소규칙·중앙선거관리위원회규칙·대통령령 및 조례로 한정한다)에 따라 비밀이나 비공개사항으로 규정된 정보
> 2. 국가안전보장·국방·통일·외교관계 등에 관한 사항으로서 공개될 경우 국가의 중대한 이익을 현저히 해칠 우려가 있다고 인정되는 정보
> 3. 공개될 경우 국민의 생명·신체 및 재산의 보호에 현저한 지장을 초래할 우려가 있다고 인정되는 정보

32회 진도별 모의고사

정보공개 ~ 언론의 자유

정답

01	③	02	④	03	②	04	③
05	④	06	②	07	③	08	④
09	③	10	②	11	①	12	④
13	②	14	②	15	④	16	④
17	②	18	④	19	①	20	④

01 정답 ③

① [X] 「개인정보 보호법」이 아니라 「공공기관의 정보공개에 관한 법률」에 규정되어 있다.

> 「공공기관의 정보공개에 관한 법률」 제11조 【정보공개 여부의 결정】
> ③ 공공기관은 공개청구된 공개대상정보의 전부 또는 일부가 제3자와 관련이 있다고 인정할 때에는 그 사실을 제3자에게 지체 없이 통지하여야 하며, 필요한 경우에는 그의 의견을 들을 수 있다.

② [X]

> 「공공기관의 정보공개에 관한 법률」 제21조 【제3자의 비공개 요청 등】
> ① 제11조 제3항에 따라 공개청구된 사실을 통지받은 제3자는 그 통지를 받은 날부터 3일 이내에 해당 공공기관에 대하여 자신과 관련된 정보를 공개하지 아니할 것을 요청할 수 있다.
> ② 제1항에 따른 비공개 요청에도 불구하고 공공기관이 공개 결정을 할 때에는 공개 결정이유와 공개 실시일을 분명히 밝혀 지체 없이 문서로 통지하여야 하며, 제3자는 해당 공공기관에 문서로 이의신청을 하거나 행정심판 또는 행정소송을 제기할 수 있다. 이 경우 이의신청은 통지를 받은 날부터 7일 이내에 하여야 한다.

❸ [O]

> 「공공기관의 정보공개에 관한 법률」 제11조 【정보공개 여부의 결정】
> ③ 공공기관은 공개청구된 공개대상정보의 전부 또는 일부가 제3자와 관련이 있다고 인정할 때에는 그 사실을 제3자에게 지체 없이 통지하여야 하며, 필요한 경우에는 그의 의견을 들을 수 있다.

④ [X]

> 「공공기관의 정보공개에 관한 법률」 제21조 【제3자의 비공개 요청 등】
> ③ 공공기관은 제2항에 따른 공개 결정일과 공개 실시일 사이에 최소한 30일의 간격을 두어야 한다.

02 정답 ④

① [X]

> 「공공기관의 정보공개에 관한 법률」 제15조 【정보의 전자적 공개】
> ① 공공기관은 전자적 형태로 보유·관리하는 정보에 대하여 청구인이 전자적 형태로 공개하여 줄 것을 요청하는 경우에는 그 정보의 성질상 현저히 곤란한 경우를 제외하고는 청구인의 요청에 따라야 한다.
> ② 공공기관은 전자적 형태로 보유·관리하지 아니하는 정보에 대하여 청구인이 전자적 형태로 공개하여 줄 것을 요청한 경우에는 정상적인 업무수행에 현저한 지장을 초래하거나 그 정보의 성질이 훼손될 우려가 없으면 그 정보를 전자적 형태로 변환하여 공개할 수 있다.

② [X]

> 「공공기관의 정보공개에 관한 법률」 제14조 【부분 공개】 공개청구한 정보가 제9조 제1항 각 호의 어느 하나에 해당하는 부분과 공개 가능한 부분이 혼합되어 있는 경우로서 공개청구의 취지에 어긋나지 아니하는 범위에서 두 부분을 분리할 수 있는 경우에는 제9조 제1항 각 호의 어느 하나에 해당하는 부분을 제외하고 공개하여야 한다.

③ [X] 「공공기관의 정보공개에 관한 법률」은 국민의 알 권리를 보장하고 국정에 대한 국민의 참여와 국정 운영의 투명성을 확보함을 목적으로 하고(제1조), 공공기관이 보유·관리하는 정보는 국민의 알 권리 보장 등을 위하여 적극적으로 공개하여야 한다는 정보공개의 원칙을 선언하고 있으며(제3조), 모든 국민은 정보의 공개를 청구할 권리를 가진다고 하면서(제5조 제1항) 비공개대상정보에 해당하지 않는 한 공공기관이 보유·관리하는 정보는 공개대상이 된다고 규정하고 있을 뿐(제9조 제1항) 정보공개청구권자가 공개를 청구하는 정보와 어떤 관련성을 가질 것을 요구하거나 정보공개청구의 목적에 특별한 제한을 두고 있지 아니하므로 정보공개청구권자의 권리구제가능성 등은 정보의 공개 여부 결정에 아무런 영향을 미치지 못한다(대판 2017.9.7, 2017두44558).

❹ [O] 「공공기관의 정보공개에 관한 법률」(이하 '정보공개법'이라고 한다)에서 말하는 공개대상정보는 정보 그 자체가 아닌 정보공개법 제2조 제1호에서 예시하고 있는 매체 등에 기록된 사항을 의미하고, 공개대상정보는 원칙적으로 공개를 청구하는 자가 정보공개법 제10조 제1항 제2호에 따라 작성한 정보공개청구서의 기재 내용에 의하여 특정되며, 만일 공개 청구자가 특정한 바와 같은 정보를 공공기관이 보유·관리하고 있지 않은 경우라면 특별한 사정이 없는 한 해당 정보에 대한 공개거부처분에 대하여는 취소를 구할 법률상 이익이 없다(대판 2013.1.24, 2010두18918).

03 정답 ②

ㄱ. [O] 심판대상조항은 정보위원회의 회의 일체를 비공개하도록 정함으로써 정보위원회 활동에 대한 국민의 감시와 견제를 사실상 불가능하게 하고 있다. 또한 헌법 제50조 제1항 단서에서 정하고 있는 비공개사유는 각 회의마다 충족되어야 하는 요건으로 입법과정에서 재적의원 과반수의 출석과 출석의원 과반수의 찬성으로 의결되었다는 사실만으로 헌법 제50조 제1항 단서의 '출석위원 과반수의 찬성'이라는 요건이 충족되었다고 볼 수도 없다. 따라서 심판대상조항은 헌법 제50조 제1항에 위배되는 것으로 청구인들의 알 권리를 침해한다(2022.01.27, 2018헌마1162 등).

ㄴ. [O] 헌법 제50조 제1항 본문에서 천명하고 있는 국회 의사공개의 원칙이 소위원회의 회의에 적용되는 것과 마찬가지로, 출석의원 과반수의 찬성이 있거나 의장이 국가의 안전보장을 위하여 필요하다고 인정할 때에는 국회 회의를 공개하지 아니할 수 있다고 규정한 동항 단서 역시 소위원회의 회의에 적용된다. 「국회법」 제57조 제5항 단서는 헌법 제50조 제1항 단서가 국회의사공개원칙에 대한 예외로서의 비공개 요건을 규정한 내용을 소위원회 회의에 관하여 그대로 이어받아 규정한 것에 불과하므로, 헌법 제50조 제1항에 위반하여 국회 회의에 대한 국민의 알 권리를 침해하는 것이라거나 과잉금지의 원칙을 위배하는 위헌적인 규정이라 할 수 없다(2009.9.24, 2007헌바17).

ㄷ. [X] 시민연대는 국정감사장에서의 의원들과 정부 측의 질의답변을 평가하여 소위 'worst 의원'과 'best 의원'을 매일 선정, 언론에 발표하였는데, 피청구인들은 그 평가기준의 공정성에 대한 검증절차가 없었고 모니터 요원들의 전문성이 부족하며, 평가의 언론공표로 의원들의 정치적 평판 내지 명예에 대한 심각한 훼손의 우려가 있어 청구인들의 방청을 허용할 경우 원활한 국정감사의 실현이 불가능하다고 보아 전면적으로 또는 조건부로 방청을 불허하기에 이르렀다고 주장한다. 원만한 회의진행 등 회의의 질서유지를 위하여 방청을 금지할 필요성이 있었는지에 관하여는 국회의 자율적 판단을 존중하여야 할 것인 바, 방청을 불허한 것이 헌법재판소가 관여하여야 할 정도로 명백히 이유 없는 자의적인 것이라고는 보이지 아니한다(2000.6.29, 98헌마443 등). 2006년 입시

ㄹ. [X] 「국회법」 제55조 제1항은 위원회의 공개원칙을 전제로 한 것이지, 비공개를 원칙으로 하여 위원장의 자의에 따라 공개 여부를 결정케 한 것이 아닌바, 위원장이라고 하여 아무런 제한 없이 임의로 방청불허 결정을 할 수 있는 것이 아니라, 회의장의 장소적 제약으로 불가피한 경우, 회의의 원활한 진행을 위하여 필요한 경우 등 결국 회의의 질서유지를 위하여 필요한 경우에 한하여 방청을 불허할 수 있는 것으로 제한적으로 풀이되며, 이와 같이 이해하는 한, 위 조항은 헌법에 규정된 의사공개의 원칙에 저촉되지 않으면서도 국민의 방청의 자유와 위원회의 원활한 운영 간에 적절한 조화를 꾀하고 있다고 할 것이므로 국민의 기본권을 침해하는 위헌조항이라 할 수 없다(2000.6.29, 98헌마443 등). 2015년 법행

04

정답 ③

ㄱ. [O] 이 사건 법률조항은 신문 및 인터넷신문의 발행인 또는 편집인의 직무를 수행하기에 판단능력이나 결정능력이 미흡하거나 언론의 사회적 책임을 완수할 능력이 부족하다고 인정되는 사람이 발행인 또는 편집인이 될 수 없도록 하여 사회적 책임을 다하지 못하는 언론에 의해 사회에 심각한 위해가 발생하는 것을 예방하기 위한 것이므로 그 입법목적은 정당하고, 미성년자는 판단능력이나 결정능력, 언론의 사회적 책임을 완수할 능력이 부족할 개연성이 높으므로 이 사건 법률조항이 미성년자를 발행인 또는 편집인의 결격사유로 규정하고 있는 것은 위와 같은 입법목적을 달성하기 위한 적절한 방법이 된다. 미성숙한 발행인 또는 편집인에 의하여 신문 및 인터넷신문이 발행됨으로 인해 사회가 입을 수 있는 피해는 결코 적다고 할 수 없으므로 이 사건 법률조항이 달성하려는 공익은 제한되는 사익에 비해 크다(2012.4.24, 2010헌마437).

ㄴ. [O] 「정기간행물의 등록 등에 관한 법률」 제7조 제1항은 제9호 소정의 제6조 제3항 제1호 및 제2호의 규정에 의한 해당시설을 자기 소유이어야 하는 것으로 해석하는 한 헌법에 위반된다(1992.6.26, 90헌가23).

ㄷ. [X] ㄹ. [X] 등록조항은 인터넷신문의 명칭, 발행인과 편집인의 인적사항 등 인터넷신문의 외형적이고 객관적 사항을 제한적으로 등록하도록 하고 있고, 고용조항 및 확인조항은 5인 이상 취재 및 편집 인력을 고용하되, 그 확인을 위해 등록시 서류를 제출하도록 하고 있다. 이런 조항들은 인터넷신문에 대한 인적 요건의 규제 및 확인에 관한 것으로, 인터넷신문의 내용을 심사·선별하여 사전에 통제하기 위한 규정이 아님이 명백하다. 따라서 등록조항은 사전허가금지원칙에도 위배되지 않는다(2016.10.27, 2015헌마1206 등).

➡ 다만, 과잉금지원칙위반으로서 표현의 자유를 침해한다.

ㅁ. [X] 언론의 자유에 의하여 보호되는 것은 정보의 획득에서부터 뉴스와 의견의 전파에 이르기까지 언론의 기능과 본질적으로 관련되는 모든 활동이다. 이런 측면에서 인터넷신문을 발행하려는 사업자가 취재 인력 3인 이상을 포함하여 취재 및 편집 인력 5명 이상을 상시적으로 고용하지 않는 경우 인터넷신문으로 등록할 수 없도록 하고 있는 「신문 등의 진흥에 관한 법률 시행령」 제2조 제1항 제1호 가목(이하 '고용조항'이라 한다)은 인터넷신문의 발행을 제한하는 효과를 가지고 있으므로 언론의 자유를 제한하는 규정에 해당한다. 청구인들은 고용조항으로 인하여 언론의 자유 이외에 직업수행의 자유도 침해된다고 주장한다. 그런데 고용조항의 입법목적이 인터넷신문의 신뢰성 제고이고, 「신문 등의 진흥에 관한 법률」 규정들은 언론사로서의 인터넷신문의 규율 및 보호를 위한 규정들이므로 고용조항으로 인하여 청구인들의 직업수행의 자유보다는 언론의 자유가 보다 직접적으로 제한된다(2016.10.27, 2015헌마1206 등). 2018년 변시

ㅂ. [O] 부수인쇄시설을 갖추는 데에는 소유권이 아닌 임대차계약 등 기타 용익관계에 의한 여러가지 법률원인에 의하여서도 설치할 수 있고 더구나 리스산업이 발달한 현대사회에서는 그 시설이 자기소유이어야 한다는 요건을 갖추지 아니하여도 대량의 간행물의 발행이 충분히 가능하다. 해당시설을 자기소유이어야 하는 것으로 해석하여 필요이상의 등록사항을 요구하는 한 형사처벌의 구성요건에 해당하는 사항을 임의로 해석하는 것으로 헌법 제12조의 죄형법정주의의 원리에 반하고, 헌법 제21조 제3항에서 규정한 신문의 기능을 보장하기 위하여 필요한 사항을 과잉해석한 위헌적인 법령이라고 아니할 수 없어 이 사건 법률의 해당시설을 자기소유이어야 하는 것으로 해석하는 한 헌법상 금지되고 있는 과잉금지의 원칙이나 비례의 원칙에 반하는 법률이라 아니할 수 없다(1992.6.26, 90헌가23).

05

정답 ④

① [O] 청구인은 본인확인제가 인터넷이라는 매체에 글을 쓰고자 하는 자에 대하여만 본인확인절차를 거치도록 함으로써 다른 매체에 글을 쓰는 자와 합리적 이유 없이 차별취급하여 인터넷에 글을 쓰고자 하는 자의 평등권을 침해한다고 주장하나, 청구인이 주장하는 차별취급은 본인확인제가 인터넷상의 익명표현의 자유를 제한함에 따라 부수적으로 발생할 수밖에 없는 결과일 뿐인 것으로서 그에 관한 판단은 익명표현의 자유의 침해 여부에 관한 판단과 동일하다고 할 것이므로 별도로 판단하지 아니한다(2012.8.23, 2010헌마47 등).

② [O] 이 사건 법령조항들이 표방하는 건전한 인터넷 문화의 조성 등 입법목적은, 인터넷 주소 등의 추적 및 확인, 당해 정보의 삭제·임시조치, 손해배상, 형사처벌 등 인터넷 이용자의 표현의 자유나 개인정보자기결정권을 제약하지 않는 다른 수단에 의해서도 충분히 달성할 수 있음에도, 인터넷의 특성을 고려하지 아니한 채 본인확인제의 적용범위를 광범위하게 정하여 법집행자에게 자의적인 집행의 여지를 부여하고, 목적 달성에 필요한 범위를 넘는 과도한 기본권 제한을 하고 있으므로 침해의 최소성이 인정되지 아니한다. 이러한 인터넷게시판 이용자 및 정보통신서비스 제공자의 불이익은 본인확인제가 달성하려는 공익보다 결코 더 작다고 할 수 없으므로, 법익의 균형성도 인정되지 않는다. 따라서 본인확인제를 규율하는 이 사건 법령조항들은 과잉금지원칙에 위배하여 인터넷게시판 이용자의 표현의 자유, 개인정보자기결정권 및 인터넷게시판을

운영하는 정보통신서비스 제공자의 언론의 자유를 침해한다(2012.8.23, 2010헌마47 등).

③ [O] 게시판 이용자가 게시판에 정보를 게시함에 있어 본인확인을 위하여 자신의 정보를 게시판 운영자에게 밝히지 않을 수 없도록 함으로써 표현의 자유 중 게시판 이용자가 자신의 신원을 누구에게도 밝히지 아니한 채 익명으로 자신의 사상이나 견해를 표명하고 전파할 익명표현의 자유를 제한한다. 동시에 그러한 게시판 이용자의 표현의 자유에 대한 제한으로 말미암아 게시판 이용자의 자유로운 의사표현을 바탕으로 여론을 형성, 전파하려는 정보통신서비스 제공자의 언론의 자유 역시 제한되는 결과가 발생한다(2012.8.23, 2010헌마47 등).

❹ [X] 검열금지원칙 위반은 아니고 최근에 과잉금지원칙 위반으로 위헌 결정되었다.

> **관련 판례** 심판대상조항은 정치적 의사표현이 가장 긴요한 선거운동기간 중에 인터넷언론사 홈페이지 게시판 등 이용자로 하여금 실명확인을 하도록 강제함으로써 익명표현의 자유와 언론의 자유를 제한하고, 모든 익명표현을 규제함으로써 대다수 국민의 개인정보자기결정권도 광범위하게 제한하고 있다는 점에서 이와 같은 불이익은 선거의 공정성 유지라는 공익보다 결코 과소평가될 수 없다. 그러므로 심판대상조항은 과잉금지원칙에 반하여 인터넷언론사 홈페이지 게시판 등 이용자의 익명표현의 자유와 개인정보자기결정권, 인터넷언론사의 언론의 자유를 침해한다(2021.1.28, 2018헌마456 등). 2015년 지방 7급

06 정답 ②

① [O] 심판대상조항은 여론조사 결과의 보도나 공표행위를 규제하는 것이 아니라 여론조사의 실시행위에 대한 신고의무를 부과하는 것이므로, 허가받지 아니한 것의 발표를 금지하는 헌법 제21조 제2항의 사전검열과 관련이 있다고 볼 수 없다. 따라서 심판대상조항은 헌법 제21조 제2항의 검열금지원칙에 위반되지 아니한다. 여론조사 결과가 공표·보도된 이후에는 선거여론조사공정심의위원회가 사후심의를 할 수 있고, 형벌, 과태료의 사후적 제재도 가능하나, 여론조사 결과가 일단 공표·보도되면 매우 빠른 속도로 유권자의 의사에 영향을 미쳐 선거를 왜곡할 수 있으므로, 위와 같은 사후적 조치만으로는 불공정·부정확한 여론조사의 폐해를 실효적으로 제거하기 어렵다. 따라서 심판대상조항은 청구인들의 언론·출판의 자유를 침해하지 아니한다(2015.4.30, 2014헌마360).

❷ [X] 헌법 제21조가 표현의 자유를 보장하면서도 타인의 명예와 권리를 그 한계로 선언하는 점, 타인으로부터 부당한 피해를 받았다고 생각하는 사람이 법률상 허용된 민·형사상 절차에 따르지 아니한 채 사적 제재수단으로 명예훼손을 악용하는 것을 규제할 필요성이 있는 점, 공익성이 인정되지 않음에도 불구하고 단순히 타인의 명예가 허명임을 드러내기 위해 개인의 약점과 허물을 공연히 적시하는 것은 자유로운 논쟁과 의견의 경합을 통해 민주적 의사형성에 기여한다는 표현의 자유의 목적에도 부합하지 않는 점 등을 종합적으로 고려하면, 「형법」 제307조 제1항은 과잉금지원칙에 반하여 표현의 자유를 침해하지 아니한다(2021.2.25, 2017헌마1113).

③ [O] 공표된 사실의 전체 취지를 살펴 중요한 부분이 객관적 사실과 합치되면 세부에 있어서 진실과 약간 차이가 나거나 다소 과장되더라도 이를 허위의 사실로 볼 수 없다. 따라서 이 사건 허위사실공표금지조항은 과잉금지원칙에 위배되어 선거운동의 자유, 정치적 표현의 자유를 침해하지 않는다(2021.2.25, 2018헌바223).

④ [O] 허위사실공표의 대상이 되는 후보자의 '행위' 또한 선거인의 후보자에 대한 판단에 영향을 줄 만한 사항으로 한정되며, 공표된 사실의 전체 취지를 살펴 중요한 부분이 객관적 사실과 합치되면 세부에 있어서 진실과 약간 차이가 나거나 다소 과장되더라도 이를 허위의 사실로 볼 수 없다. 따라서 이 사건 허위사실공표금지조항은 과잉금지원칙에 위배되어 선거운동의 자유, 정치적 표현의 자유를 침해하지 않는다(2021.2.25, 2018헌바223).

07 정답 ③

① [O] 국민의 기본권은 헌법 제37조 제2항에 의하여 국가안전보장·질서유지 또는 공공복리를 위하여 필요한 경우에 한하여 이를 제한할 수 있으나, 그 제한의 방법은 원칙적으로 법률로써만 가능하고, 제한의 정도도 기본권의 본질적 내용을 침해할 수 없으며 필요한 최소한도에 그쳐야 한다. 여기서 기본권 제한에 관한 법률유보원칙은 '법률에 근거한 규율'을 요청하는 것이므로, 그 형식이 반드시 법률일 필요는 없다 하더라도 법률상의 근거는 있어야 한다(2019.11.28, 2016헌마90).

② [O] 이 사건 시기제한조항의 효과와 인터넷 선거보도 심의제도의 취지, 이 사건 심의위원회의 성격 등에 비추어 보면, 모법에서 이 사건 시기제한조항을 포함한 이 사건 심의기준 규정에 포함될 내용에 대해 어느 정도 포괄적으로 위임할 필요성이 인정되므로, 이 사건 심의위원회가 어느 시기부터 인터넷언론사에 후보자 명의의 칼럼 등을 게재하는 것을 제한할 것인지를 「공직선거법」의 취지와 내용을 고려하여 정한 것이라면, 이를 모법의 위임범위를 벗어난 것이라고 볼 수 없다(2019.11.28, 2016헌마90).

❸ [X] 이 사건 시기제한조항에도 선거일 전 90일을 기준으로 설정하였다. 따라서 이 사건 시기제한조항이 모법의 위임범위를 벗어났다고 볼 수 없으므로 법률유보원칙에 반하여 청구인의 표현의 자유를 침해하지 않는다(2019.11.28, 2016헌마90).

④ [O] 이 사건 시기제한조항은 선거일 전 90일부터 선거일까지 후보자 명의의 칼럼 등을 게재하는 인터넷 선거보도가 불공정하다고 볼 수 있는지에 대해 구체적으로 판단하지 않고 이를 불공정한 선거보도로 간주하여 선거의 공정성을 해치지 않는 보도까지 광범위하게 제한한다. 「공직선거법」상 인터넷 선거보도 심의의 대상이 되는 인터넷언론사의 개념은 매우 광범위한데, 이 사건 시기제한조항이 정하고 있는 일률적인 규제와 결합될 경우 이로 인해 발생할 수 있는 표현의 자유 제한이 작다고 할 수 없다. 인터넷언론의 특성과 그에 따른 언론시장에서의 영향력 확대에 비추어 볼 때, 인터넷언론에 대하여는 자율성을 최대한 보장하고 언론의 자유에 대한 제한을 최소화하는 것이 바람직하고, 계속 변화하는 이 분야에서 규제 수단 또한 헌법의 틀 안에서 다채롭고 새롭게 강구되어야 한다. 이 사건 시기제한조항의 입법목적을 달성할 수 있는 덜 제약적인 다른 방법들이 이 사건 심의기준 규정과 「공직선거법」에 이미 충분히 존재한다. 따라서 이 사건 시기제한조항은 과잉금지원칙에 반하여 청구인의 표현의 자유를 침해한다(2019.11.28, 2016헌마90).

> **반대의견** 이 사건 시기제한조항은 '인터넷언론사'에 게재하는 것을 금지할 뿐, 다른 인터넷 공간인 후보자 개인이 개설한 인터넷 홈페이지 또는 그 게시판·대화방 등에 게시하는 것은 금지되지 않는 점(「공직선거법」 제59조), 선거에 민감한 시기인 '선거일 전 90일부터 선거일까지'만 금지되는 점, 이 사건 심의위원회의 인터넷언론사에 대한 심의 결과에 따라 후보자가 사후적으로 칼럼 등을 게재하지 못하게 되는 것에 그치는 점, 선거에 민감한 시기에 후보자에 대한 광고를 하지 못하도록 일률적으로 금지하는 외에 동일한 수준으로 목적을 달성할 수 있는 다른 대안을 상정하기 어려운 점을 종합하면, 침해의 최소성 및 법익의 균형성을 모두 충족하고 있어, 공직선거후보자의 표현의 자유를 침해한다고 볼 수 없다.

08 정답 ④

① [O] 긴급명령이나 법률로는 검열을 도입할 수 없다. 헌법 제77조 제3항은 비상계엄하에서 언론·출판의 자유에 대한 특별한 조치를 취할 수 있도록 하고 있는데, 특별한 조치에는 사전검열이 포함될 수 있다. 물론 이때에도 과잉금지원칙은 준수하여야 할 것이다.

② [O] 모든 요소가 충족되어야 검열에 해당한다.

③ [O] 헌법 제21조 제2항이 언론·출판에 대한 검열금지를 규정한 것은 비록 헌법 제37조 제2항이 국민의 자유와 권리를 국가안전보장·질서유지 또는 공공복리를 위하여 필요한 경우에 한하여 법률로써 제한할 수 있도록 규정하고 있다고 할지라도, 언론·출판의 자유에 대하여는 검열을 수단으로 한 제한만은 법률로써도 허용되지 아니한다는 것을 밝힌 것이다(2005.2.3, 2004헌가8).

❹ [X] 헌법 제37조 제2항이 국민의 자유와 권리를 국가안전보장·질서유지 또는 공공복리를 위하여 필요한 경우에 한하여 법률로써 제한할 수 있도록 규정하고 있다고 하여도 언론·출판의 자유에 대하여는 검열을 수단으로 한 제한만은 법률로써도 절대 허용되지 아니한다고 할 것이다(1996.10.31, 94헌가6).

09 정답 ③

① [O] 헌법이 특정한 표현에 대해 예외적으로 검열을 허용하는 규정을 두지 않은 점, 이러한 상황에서 표현의 특성이나 규제의 필요성에 따라 언론·출판의 자유의 보호를 받는 표현 중에서 사전검열금지원칙의 적용이 배제되는 영역을 따로 설정할 경우 그 기준에 대한 객관성을 담보할 수 없다는 점 등을 고려하면, 헌법상 사전검열은 예외 없이 금지되는 것으로 보아야 한다(2015.12.23, 2015헌바75).

② [O] 현행 헌법상 사전검열은 표현의 자유 보호대상이면 예외 없이 금지된다. 의료기기에 대한 광고는 의료기기의 성능이나 효능 및 효과 또는 그 원리 등에 관한 정보를 널리 알려 해당 의료기기의 소비를 촉진시키기 위한 상업광고로서 헌법 제21조 제1항의 표현의 자유의 보호대상이 됨과 동시에 같은 조 제2항의 사전검열금지원칙의 적용대상이 된다(2020.8.28, 2017헌가35 등).

❸ [X] 의료광고는 의료행위나 의료서비스의 효능이나 우수성 등에 관한 정보를 널리 알려 의료소비를 촉진하려는 행위로서 상업광고의 성격을 가지고 있지만, 위와 같은 법리에 따르면 헌법 제21조 제1항의 표현의 자유의 보호 대상이 됨은 물론이고, 동조 제2항도 당연히 적용되어 사전검열도 금지된다(2015.12.23, 2015헌바75).

④ [O] 음란한 표현도 언론의 자유에서 보호되므로 사전검열한다면 헌법 제21조 제2항에 위반된다.

10 정답 ②

① [O] 헌법 제21조 제2항의 '허가'는 '행정청이 주체가 되어 집회의 허용 여부를 사전에 결정하는 것'으로서 행정청에 의한 사전허가는 헌법상 금지되지만, 입법자가 법률로써 일반적으로 집회를 제한하는 것은 헌법상 '사전허가금지'에 해당하지 않는다(2014.4.24, 2011헌가29).

❷ [X] 검열은 행정권이 주체가 되어 사상이나 의견 등이 발표되기 이전에 예방적 조치로서 그 내용을 심사·선별하여 발표를 사전에 억제하는 것이다. 의사표현 이후의 사법적 규제는 검열이 아니다. 영화상영 후 표현규제는 검열이 아니다. 그러나 사전적 규제라고 해서 모두 검열인 것은 아니다. 다른 검열 요건을 충족해야 하기 때문이다. 2017년 소방간부

③ [O] 의료광고의 심의기관이 행정기관인가 여부는 기관의 형식에 의하기보다는 그 실질에 따라 판단되어야 한다. 따라서 검열을 행정기관이 아닌 독립적인 위원회에서 행한다고 하더라도, 행정권이 주체가 되어 검열절차를 형성하고 검열기관의 구성에 지속적인 영향을 미칠 수 있는 경우라면 실질적으로 그 검열기관은 행정기관이라고 보아야 한다. 그렇게 해석하지 아니한다면 검열기관의 구성은 입법기술상의 문제에 지나지 않음에도 불구하고 정부에게 행정관청이 아닌 독립된 위원회의 구성을 통하여 사실상 검열을 하면서도 헌법상 검열금지원칙을 위반하였다는 비난을 면할 수 있는 길을 열어주기 때문이다(2015.12.23, 2015헌바75).

④ [O] 한국광고자율심의기구는 민간이 주도가 되어 설립된 기구이기는 하나, 그 구성에 행정권이 개입하고 있고, 행정법상 공무수탁사인으로서 그 위탁받은 업무에 관하여 국가의 지휘·감독을 받고 있으며, 방송위원회는 텔레비전 방송광고의 심의기준이 되는 방송광고 심의규정을 제정, 개정할 권한을 가지고 있고, 자율심의기구의 운영비나 사무실 유지비, 인건비 등을 지급하고 있다. 그렇다면 한국광고자율심의기구가 행하는 이 사건 텔레비전 방송광고 사전심의는 행정기관에 의한 사전검열로서 헌법이 금지하는 사전검열에 해당한다(2008.6.26, 2005헌마506). 2014년 법행 변형

11 정답 ①

❶ [O] 검열을 행정기관이 아닌 독립적인 위원회에서 행한다 하더라도 행정권이 주체가 되어 검열절차를 형성하고 검열기관의 구성에 지속적인 영향을 미칠 수 있는 경우라면 실질적으로 검열기관은 행정기관이라고 보아야 한다(1996.10.4, 93헌가13 등).

② [X] 영상물등급위원회는 위원을 대통령이 위촉하고, 구성방법 및 절차에 관하여 필요한 사항을 대통령령으로 정하도록 하고 있으며, 국가예산으로 그 운영에 필요한 경비의 보조를 받을 수 있도록 하고 있는 점 등에 비추어 볼 때, 행정권이 심의기관의 구성에 지속적인 영향을 미칠 수 있고 행정권이 주체가 되어 검열절차를 형성하고 있다(2001.8.30, 2000헌가9).

③ [X] 대한의사협회, 대한치과의사협회, 대한한의사협회나 그 산하의 각 심의위원회가 의료광고의 사전심의업무를 수행함에 있어서 보건복지부장관 등 행정권의 영향력에서 완전히 벗어나 독립적이고 자율적으로 사전심의를 하고 있다고 보기 어렵고, 결국 심의기관인 대한의사협회, 대한치과의사협회, 대한한의사협회의 행정기관성은 이를 부인할 수 없다(2015.12.23, 2015헌바75).

④ [X] 이 사건 법률조항에 의한 방영금지가처분은 비록 제작 또는 방영되기 이전, 즉 사전에 그 내용을 심사하여 금지하는 것이기는 하나, 이는 행정권에 의한 사전심사나 금지처분이 아니라 개별 당사자간의 분쟁에 관하여 사법부가 사법절차에 의하여 심리, 결정하는 것이므로, 헌법에서 금지하는 사전검열에 해당하지 아니한다. 따라서 이 사건 법률조항에 방영금지가처분을 포함시켜 가처분에 의한 방영금지를 허용하는 것은 헌법상 검열금지의 원칙에 위반되지 아니한다(2001.8.30, 2000헌바36).

12 정답 ④

① [O] 헌법 제21조 제2항에서 규정한 검열금지의 원칙은 모든 형태의 사전적인 규제를 금지하는 것이 아니고 단지 의사표현의 발표 여부가 오로지 행정권의 허가에 달려있는 사전심사만을 금지하는 것을 뜻하므로, 이 사건 법률조항에 의한 방영금지가처분은 행정권에 의한 사전심사나 금지처분이 아니라 개별 당사자 간의 분쟁에 관하여 사법부가 사법절차에 의하여 심리, 결정하는 것이어서 헌법에서 금지

하는 사전검열에 해당하지 아니한다(2001.8.30, 2000헌바36).

② [O] 검열의 주체는 '행정기관'에 한하는 바, 사법권에 의한 사전제한은 검열에서 제외된다.

③ [O] 검열금지의 원칙은 모든 형태의 사전적인 규제를 금지하는 것은 아니고, 의사표현의 발표 여부가 오로지 행정권의 허가에 달려 있는 사전심사만을 금지하는 것이다(1996.10.4, 93헌가13 등).

❹ [X] 검열은 사전적 표현을 제한할 뿐이므로 사후적 규제는 검열이 아니다. 삭제명령은 사후적 표현에 대한 규제이므로 검열에 해당하지 않는다.

⑤ [O]

관련 판례 정간물이 외부에 공개 내지 배포되기 이전에 그 표현 내용을 심사하여 그 발행금지 내지 어떤 제한이나 제재가 가해지는 것은 아니다. 결국 발행된 정간물을 공보처에 납본하는 것은 그 정간물의 내용을 심사하여 이를 공개 내지 배포하는 데 대한 허가나 금지와는 전혀 관계없는 것으로서 사전검열이라고 볼 수 없다(1992.6.26, 90헌마26).

관련 판례 검열이라 함은 개인이 정보와 사상을 발표하기 이전에 국가기관이 미리 그 내용을 심사·선별하여 일정한 범위 내에서 발표를 저지하는 것을 의미하므로 자신이 연구한 결과를 얼마든지 책자로서 발표할 수 있는 이 사건 교과서 문제와는 직접 관련이 없는 것이다. 그리고 교과서에 관련된 국정 또는 검·인정제도의 법적 성질은 인간의 자연적 자유의 제한에 대한 해제인 허가의 성질을 갖는다기 보다는 어떠한 책자에 대하여 교과서라는 특수한 지위를 부여하거나 인정하는 제도이기 때문에 가치창설적인 형성적 행위로서 특허의 성질을 갖는 것으로 보아야 할 것이며, 그렇게 본다면 국가가 그에 대한 재량권을 갖는 것은 당연하다고 할 것이다(1992.11.12, 89헌마88). 2019년 국회 9급

13 정답 ②

① [X] 내용 규제 그 자체가 아니거나 내용 규제의 효과를 초래하는 것이 아니라면 헌법 제21조 제2항의 금지된 '허가'에는 해당되지 않는다. 한편, 헌법 제21조 제3항은 통신·방송의 시설기준을 법률로 정하도록 규정하여 일정한 방송시설기준을 구비한 자에 대해서만 방송사업을 허가하는 허가제가 허용될 여지를 주는 한편 행정부에 의한 방송사업허가제의 자의적 운영이 방지되도록 하고 있다. 정보유통 통로의 유한성, 사회적 영향력 등 방송매체의 특성을 감안할 때, 그리고 위 헌법 제21조 제3항의 규정에 비추어 보더라도, 종합유선방송 등에 대한 사업허가제를 두는 것 자체는 허용된다(2001.5.31, 2000헌바43 등).

❷ [O] 심판대상조항은 여론조사 결과의 보도나 공표행위를 규제하는 것이 아니라 여론조사의 실시행위에 대한 신고의무를 부과하는 것이므로, 허가받지 아니한 것의 발표를 금지하는 헌법 제21조 제2항의 사전검열과 관련이 있다고 볼 수 없다. 따라서 심판대상조항은 헌법 제21조 제2항의 검열금지원칙에 위반되지 아니한다(2015.4.30, 2014헌마360).

③ [X] **도시계획구역과 문화재 보호구역에 광고물을 설치하려는 자는 시·도지사의 허가를 받도록 규정한 구 「옥외광고물등관리법」(현 「옥외광고물 등의 관리와 옥외광고산업 진흥에 관한 법률」)**
구 「옥외광고물등관리법」 제3조는 일정한 지역·장소 및 물건에 광고물 또는 게시시설을 표시하거나 설치하는 경우에 그 광고물 등의 종류·모양·크기·색깔, 표시 또는 설치의 방법 및 기간 등을 규제하고 있는바, 이 법 제3조가 광고물 등의 내용을 심사·선별하여 광고물을 사전에 통제하려는 제도가 아님은 명백하다(1998.2.27, 96헌바2).

④ [X] 사전허가금지의 대상은 어디까지나 언론·출판 자유의 내재적 본질인 표현의 내용을 보장하는 것을 말하는 것이지, 언론·출판을 위해 필요한 물적 시설이나 언론기업의 주체인 기업인으로서의 활동까지 포함되는 것으로 볼 수는 없다. 즉, 언론·출판에 대한 허가·검열금지의 취지는 정부가 표현의 내용에 관한 가치판단에 입각해서 특정 표현의 자유로운 공개와 유통을 사전봉쇄하는 것을 금지하는 데 있으므로, 내용 규제 그 자체가 아니거나 내용 규제효과를 초래하는 것이 아니라면 헌법이 금지하는 '허가'에는 해당되지 않는다(2016.10.27, 2015헌마1206 등). 2019년 비상업무

14 정답 ②

ㄱ. [O] 헌법 제21조 제2항의 검열은 행정권이 주체가 되어 사상이나 의견 등이 발표되기 이전에 예방적 조치로서 그 내용을 심사, 선별하여 발표를 사전에 억제하는, 즉 허가받지 아니한 것의 발표를 금지하는 제도를 뜻한다. 그러므로 검열은 일반적으로 허가를 받기 위한 표현물의 제출의무, 행정권이 주체가 된 사전심사절차, 허가를 받지 아니한 의사표현의 금지 및 심사절차를 관철할 수 있는 강제수단 등의 요건을 갖춘 경우에만 이에 해당하는 것이다(1996.10.4, 93헌가13 등).

ㄴ. [X] 헌법상 사전검열은 표현의 자유 보호대상이면 예외 없이 금지된다. 건강기능식품의 기능성 광고는 인체의 구조 및 기능에 대하여 보건용도에 유용한 효과를 준다는 기능성 등에 관한 정보를 널리 알려 해당 건강기능식품의 소비를 촉진시키기 위한 상업광고이지만, 헌법 제21조 제1항의 표현의 자유의 보호대상이 됨과 동시에 같은 조 제2항의 사전검열금지대상도 된다(2018.6.28, 2016헌가8 등).

ㄷ. [O] **심사절차를 관철할 수 있는 강제수단이 존재하는지 여부**
심의받은 내용과 다른 내용의 광고를 한 경우, 이 사건 제재조항은 대통령령으로 정하는 바에 따라 영업허가를 취소·정지하거나, 영업소의 폐쇄를 명할 수 있도록 하고, 이 사건 처벌조항은 5년 이하의 징역 또는 5천만 원 이하의 벌금에 처하도록 하고 있다. 이와 같은 행정제재나 형벌의 부과는 사전심의절차를 관철하기 위한 강제수단에 해당한다. … 한국건강기능식품협회가 행하는 이 사건 건강기능식품 기능성광고 사전심의는 헌법이 금지하는 사전검열에 해당하므로 헌법에 위반된다(2018.6.28, 2016헌가8 등).

ㄹ. [X] 외국음반 국내제작 추천제도는 외국음반의 국내제작이라는 의사표현행위 이전에 그 표현물을 행정기관의 성격을 가진 영상물등급위원회에 제출토록 하여 당해 표현행위의 허용 여부가 행정기관의 결정에 좌우되도록 하고 있으며, 더 나아가 이를 준수하지 않는 자들에 대하여 형사처벌 등 강제수단까지 규정하고 있는바, 허가를 받기 위한 표현물의 제출의무, 행정권이 주체가 된 사전심사절차, 허가를 받지 아니한 의사표현의 금지, 심사절차를 관철할 수 있는 강제수단의 존재라는 제 요소를 모두 갖추고 있으므로, 이 사건 법률조항들은 우리 헌법 제21조 제2항이 절대적으로 금지하고 있는 사전검열에 해당하여 헌법에 위반된다(2006.10.26, 2005헌가14).

ㅁ. [X] 검열은 일반적으로 허가를 받기 위한 표현물의 제출의무, 행정권이 주체가 된 사전심사절차, 허가를 받지 아니한 의사표현의 금지 및 심사절차를 관철할 수 있는 강제수단 등의 요건을 갖춘 경우에만 이에 해당하는 것이다. 청소년 등에게 부적절한 내용의 음반에 대하여는 청소년에게 판매할 수 없도록 미리 등급을 심사하는 이른바 등급심사제도는 사전검열에 해당하지 아니한다(1996.10.31, 94헌가6). 2015년 법행

ㅂ. [X] 구 「영화진흥법」 제21조 제4항이 규정하고 있는 영상물등급위원회에 의한 등급분류보류제도는, 등급분류보류의 횟수 제한이 없어 실질적으로 영상물등급위원회의 허가를 받지 않는 한 의사표현이

무한정 금지될 수 있으므로 검열에 해당한다(2001.8.30, 2000헌가9). 2010년 법무사

15 정답 ④

ㄱ. [X] 국가가 개인의 표현행위를 규제하는 경우, 표현 내용에 대한 규제는 원칙적으로 중대한 공익의 실현을 위하여 불가피한 경우에 한하여 엄격한 요건하에서 허용되는 반면, 표현 내용과 무관하게 표현의 방법을 규제하는 것은 합리적인 공익상의 이유로 폭넓은 제한이 가능하다. 헌법상 표현의 자유가 보호하고자 하는 가장 핵심적인 것이 바로 '표현행위가 어떠한 내용을 대상으로 한 것이든 보호를 받아야 한다'는 것이며, '국가가 표현행위를 그 내용에 따라 차별함으로써 특정한 견해나 입장을 선호하거나 억압해서는 안 된다'는 것이다(2002.12.18, 2000헌마764).

ㄴ. [O] "국가가 개인의 표현행위를 규제하는 경우, 표현 내용에 대한 규제는 원칙적으로 중대한 공익의 실현을 위하여 불가피한 경우에 한하여 엄격한 요건하에서 허용된다."라고 판시하여(2002.12.18, 2000헌마764) 표현의 자유를 규제하는 법률에 대한 합헌성 판단기준이 엄격해야 한다고 보고 있다. 2009년 지방 7급

ㄷ. [O] 헌법상 군무원은 국민의 구성원으로서 정치적 표현의 자유를 보장받지만, 군무원은 그 특수한 지위로 인하여 국가공무원으로서 헌법 제7조에 따라 그 정치적 중립성을 준수하여야 할 뿐만 아니라, 국군의 구성원으로서 헌법 제5조 제2항에 따라 그 정치적 중립성을 준수할 필요성이 더욱 강조되므로, 그 정치적 표현의 자유에 대해 일반 국민보다 엄격한 제한을 받을 수밖에 없다. 따라서 군무원이 그 정치적 의견을 공표하는 행위 역시 이를 엄격히 제한할 필요가 있다(2018.7.26, 2016헌바139). 2020년 국가 7급

ㄹ. [O] 무엇이 금지되는 표현인지가 불명확한 경우에는, 자신이 행하고자 하는 표현이 규제의 대상이 아니라는 확신이 없는 기본권주체는 -형벌 등의 불이익을 감수하고서라도 자신의 의견을 전달하고자 하는 강한 신념을 가진 경우를 제외하고- 대체로 규제를 받을 것을 우려해서 표현행위를 스스로 억제하게 될 가능성이 높은 것이다. 그렇기 때문에 표현의 자유를 규제하는 법률은 그 규제로 인해 보호되는 다른 표현에 대하여 위축적 효과가 미치지 않도록 규제되는 표현의 개념을 세밀하고 명확하게 규정할 것이 헌법적으로 요구된다(1998.4.30, 95헌가16). 2021년 법원서기보

ㅁ. [X] 자의금지의 원칙은 완화된 평등권 심사의 원칙으로 적용된다. 이에 반하여 언론·출판의 자유를 제한하는 입법의 위헌 여부를 심사하는 기준으로 이중기준의 이론은 표현의 자유 등 정신적 자유권은 경제적 자유권에 비하여 우월적 지위(preferred position)를 가지므로 표현의 자유를 제한하는 입법은 엄격한 기준의 사법심사 대상이 된다. 따라서 표현의 자유를 제한하는 입법은 엄격한 요건하에서 표현의 자유를 제한하여야 한다. 2013년 국회 9급

ㅂ. [O] 명백·현존위험의 원칙(Clear and present danger)은 표현의 자유로 중대한 해악이 발생할 게 명백하고, 해악 발생이 절박한 경우 표현의 자유를 제한할 수 있다는 원칙이다. 2013년 국회 9급

ㅅ. [X] ㅇ. [X] ㅈ. [X] 상업광고는 표현의 자유의 보호영역에 속하지만 사상이나 지식에 관한 정치적·시민적 표현행위와는 차이가 있고, 직업수행의 자유에 있어서도 인격발현과 개성신장에 미치는 효과가 중대한 것이 아니다. 그러므로 상업광고 규제에 관하여 비례의 원칙에 의한 심사를 하더라도 그중 '피해의 최소성'원칙은 같은 목적을 달성하기 위하여 달리 덜 제약적인 수단이 없을 것인지 혹은 입법목적을 달성하기 위하여 필요한 최소한의 제한인지를 심사하기보다는 '입법목적을 달성하기 위하여 필요한 범위 내의 것인지'를 심사하는 정도로 완화되는 것이 상당하다(2005.10.27, 2003헌가3). 2017년 국가 7급

16 정답 ④

ㄱ. [O] 이 사건 조항이 의료인의 기능과 진료방법에 대한 광고를 금지하고 이에 대하여 벌금형에 처하도록 한 것은 입법목적을 달성하기 위하여 필요한 범위를 넘어선 것이므로, '피해의 최소성'원칙에 위반된다(2005.10.27, 2003헌가3). 2015년 지방 7급

ㄴ. [O] 이 사건 법률조항은 표현의 자유에 대한 제한입법이며, 동시에 형벌조항에 해당하므로, 엄격한 의미의 명확성원칙이 적용된다. 그런데 이 사건 법률조항은 '공익을 해할 목적'의 허위의 통신을 금지하는바, 여기서의 '공익'은 형벌조항의 구성요건으로서 구체적인 표지를 정하고 있는 것이 아니라, 헌법상 기본권 제한에 필요한 최소한의 요건 또는 헌법상 언론·출판의 자유의 한계를 그대로 법률에 옮겨 놓은 것에 불과할 정도로 그 의미가 불명확하고 추상적이다. 이 사건 법률조항은 수범자인 국민에 대하여 일반적으로 허용되는 '허위의 통신' 가운데 어떤 목적의 통신이 금지되는 것인지 고지하여 주지 못하고 있으므로 표현의 자유에서 요구하는 명확성의 요청 및 죄형법정주의의 명확성원칙에 위배하여 헌법에 위반된다(2010.12.28, 2008헌바157 등).

ㄷ. [X] 국기는 국가의 역사와 국민성, 이상 등을 응축하고 헌법이 보장하는 질서와 가치를 담아 국가의 정체성을 표현하는 국가의 대표적 상징물이다. 심판대상조항은 국기를 존중, 보호함으로써 국가의 권위와 체면을 지키고, 국민들이 국기에 대하여 가지는 존중의 감정을 보호하려는 목적에서 입법된 것이다. 그러므로 심판대상조항은 과잉금지원칙에 위배되어 청구인의 표현의 자유를 침해한다고 볼 수 없고, 표현의 자유의 본질적 내용을 침해한다고도 할 수 없다(2019.12.27, 2016헌바96).

ㄹ. [O] 군조직의 특성상 상관을 모욕하는 행위는 상관개인의 인격적 법익에 대한 침해를 넘어 군기를 문란케 하는 행위로서, 그로 인하여 군조직의 위계질서와 통수체계가 파괴될 위험성이 커 이를 일반예방적 효과가 있는 군형법으로 처벌할 필요성이 있다. 따라서 심판대상조항은 과잉금지원칙에 위배되어 군인의 표현의 자유를 침해하지 아니한다(2016.2.25, 2013헌바111).

ㅁ. [X] 심판대상조항에서 규정하고 있는 '기타 방법', 대한민국의 '이익'이나 '위신' 등과 같은 개념은 불명확하고 적용범위가 지나치게 광범위하며, 이미 「형법」, 「국가보안법」, 「군사기밀 보호법」에서 대한민국의 안전과 독립을 지키기 위한 처벌규정을 두고 있는 점, 국가의 '위신'을 훼손한다는 이유로 표현행위를 형사처벌하는 것은 자유로운 비판과 참여를 보장하는 민주주의 정신에 위배되는 점, 형사처벌조항에 의하지 않더라도 국가는 보유하고 있는 방대한 정보를 활용해 스스로 국정을 홍보할 수 있고, 허위사실 유포나 악의적인 왜곡 등에 적극적으로 대응할 수도 있는 점 등을 고려하면 심판대상조항은 침해의 최소성원칙에도 어긋난다. 나아가 민주주의 사회에서 국민의 표현의 자유가 갖는 가치에 비추어 볼 때, 기본권 제한의 정도가 매우 중대하여 법익의 균형성 요건도 갖추지 못하였으므로, 심판대상조항은 과잉금지원칙에 위배되어 표현의 자유를 침해한다(2015.10.21, 2013헌가20).

ㅂ. [O] 일정한 행정목적 달성을 위하여 언론에 보도의 자료를 제공하는 것은 이른바, 행정상의 공표방법으로 실명을 공개함으로써 타인의 명예를 훼손한 경우 그 대상자에 관하여 적시된 사실의 내용이 진실이라는 증명이 없더라도 공표 당시 이를 진실이라고 믿었고, 그렇게 믿을 만한 상당한 이유가 있다면 위법성이 없다(대판 1998.5.22, 97다5768). 2002년 사시

ㅅ. [O] 인터넷 종합정보 제공 사업자가 보도매체가 작성·보관하는 기사에 대한 인터넷 이용자의 검색·접근에 관한 창구 역할을 넘어서서, 보도매체로부터 기사를 전송받아 자신의 자료저장 컴퓨터 설비에 보관하면서 스스로 그 기사 가운데 일부를 선별하여 자신이 직접 관리하는 뉴스게시공간에게 재하였고 그 게재된 기사가 타인의 명

예를 훼손하는 내용을 담고 있다면, 이는 단순히 보도매체의 기사에 대한 검색·접근 기능을 제공하는 경우와는 달리 인터넷 종합 정보 제공 사업자가 보도매체의 특정한 명예훼손적 기사 내용을 인식하고 이를 적극적으로 선택하여 전파한 행위에 해당하므로, 달리 특별한 사정이 없는 이상 위 사업자는 명예훼손적 기사를 보도한 보도매체와 마찬가지로 그로 인하여 명예가 훼손된 피해자에 대하여 불법행위로 인한 손해배상책임을 진다(대판 2009.4.16, 2008다53812). 2014년 사시

ㅇ. [X] 우리나라는 현재 인터넷 이용이 상당히 보편화됨에 따라 정보통신망을 이용한 명예훼손범죄가 급증하는 추세에 있고, 인터넷 등 정보통신망을 이용하여 사실에 기초하더라도 왜곡된 의혹을 제기하거나 편파적인 의견이나 평가를 추가로 적시함으로써 실제로는 허위의 사실을 적시하여 다른 사람의 명예를 훼손하는 경우와 다를 바 없거나 적어도 다른 사람의 사회적 평가를 심대하게 훼손하는 경우가 적지 않게 발생하고 있고, 이로 인한 사회적 피해는 심각한 상황이다. 따라서 이러한 명예훼손적인 표현을 규제함으로써 인격권을 보호해야 할 필요성은 매우 크다. 심판대상조항은 이러한 명예훼손적 표현을 규제하면서도 '비방할 목적'이라는 초과주관적 구성요건을 추가로 요구하여 그 규제범위를 최소한도로 하고 있고, 헌법재판소와 대법원은 정부 또는 국가기관의 정책결정이나 업무수행과 관련된 사항에 관하여는 표현의 자유를 최대한 보장함으로써 정보통신망에서의 명예보호가 표현의 자유에 대한 지나친 위축효과로 이어지지 않도록 하고 있다. 또한, 민사상 손해배상 등 명예훼손 구제에 관한 다른 제도들이 형사처벌을 대체하여 인터넷 등 정보통신망에서의 악의적이고 공격적인 명예훼손행위를 방지하기에 충분한 덜 제약적인 수단이라고 보기 어렵다. 그러므로 심판대상조항은 과잉금지원칙을 위반하여 표현의 자유를 침해하지 않는다(2016.2.25, 2013헌바105 등). 2021년 국회 8급

ㅈ. [X] 심판대상조항의 문언 및 입법목적, 법원의 해석 등을 종합하여 보면, '공포심이나 불안감을 유발하는 문언을 반복적으로 도달하게 한 행위'란 '사회통념상 일반인에게 두려워하고 무서워하는 마음, 마음이 편하지 아니하고 조마조마한 느낌을 일으킬 수 있는 내용의 문언을 되풀이하여 전송하는 일련의 행위'를 의미하는 것으로 풀이할 수 있다. 건전한 상식과 통상적인 법감정을 가진 수범자는 심판대상조항에 의하여 금지되는 행위가 어떠한 것인지 충분히 알 수 있고, 법관의 보충적인 해석을 통하여 그 의미가 확정될 수 있으므로, 심판대상조항은 명확성원칙에 위배되지 않는다(2016.12.29, 2014헌바434).

17 정답 ②

ㄱ. [O] 개인 사이에 이루어지는 전화, 우편, 컴퓨터, 그 밖의 통신매체를 통하여 성적 수치심이나 혐오감을 일으키는 표현을 전달하는 행위를 처벌함으로써 일정한 내용의 표현 자체를 금지하고 있는 위 조항은 청구인과 같은 발신인의 표현의 자유를 제한한다(2016.3.31, 2014헌바397).

ㄴ. [O] 서명요청활동이란 주민소환투표권자들에게 해당 소환청구사유에 대하여 주민소환투표를 청구한다는 의사표시를 해 줄 것을 요구하는 활동이라는 점에서 필연적으로 서명요청활동을 하는 자의 표현의 자유와 관련되어 있다. 즉, 이 사건 법률 조항은 주민소환투표를 청구하는 의사표시로서의 서명을 요청하는 행위의 행사방법을 위 두 가지 이외에는 허락하지 않음으로써 '표현의 방법'을 제한하고 있는 것이다(2011.12.29, 2010헌바368).

ㄷ. [X] 시·도지사 후보자로 등록하려는 사람에게 5천만 원의 기탁금을 납부하도록 한 「공직선거법」 기탁금조항은 시·도지사 후보자로 등록하기 위한 요건을 정하고 있을 뿐, 위 청구인들의 선거운동의 자유나 표현의 자유를 직접적으로 제한하고 있다고 볼 수 없으므로, 이에 대하여는 살펴보지 않는다(2019.9.26, 2018헌마128 등).

ㄹ. [O] 여론조사가 갖는 긍정적 및 부정적 기능, 우리나라에서의 여론조사에 관한 여건 및 신뢰도, 국민의식수준, 선거문화 등을 고려할 때, 대통령 선거의 공정성을 확보하기 위하여 선거일공고일로부터 선거일까지의 선거기간 중에는 선거에 관한 여론조사의 결과 등의 공표를 금지하는 것은 필요하고도 합리적인 범위 내에서의 제한이라고 할 것이므로, 구 「대통령선거법」 제65조(여론조사의 결과공표 금지)가 헌법 제37조 제2항이 정하고 있는 한계인 과잉금지의 원칙에 위배하여 언론·출판의 자유와 알 권리 및 선거권을 침해하였다고 할 수 없다(1995.7.21, 92헌마177 등).

ㅁ. [O] 정당과는 달리 헌법상 그 지위와 활동에 관하여 특별한 보호나 보장을 받지 못하는 일반 단체에게 공직선거에 있어서 특정 정당이나 후보자에 대한 지지·반대 등의 선거운동을 허용한다면, 이는 개인과 정당의 선거운동에 관한 규제와의 사이에 균형이 맞지 않는 점, 오늘날 우리나라의 기존 정당들이 국민의 정치·경제·사회·문화적 욕구를 제대로 충족시켜 주지 못한다 하더라도, 그것이 곧 정당 아닌 각종 시민단체나 사회단체에게 정당과 같은 정도의 정치활동이나 선거운동을 허용할 합리적인 이유는 될 수 없는 점 등을 모두 종합하여 보면, 단체의 선거운동금지를 규정한 구 「공직선거 및 선거부정방지법」 제87조가 청구인들의 평등권이나 정치적 의사표현의 자유의 본질적인 내용을 침해하였거나 이를 과도하게 제한한 것이라고 보기 어렵다(1995.5.25, 95헌마105).

ㅂ. [O] 공공성을 가진 특수법인으로 유사금융기관으로서의 지위를 가지는 새마을금고의 임원 선거에서 공정성을 확보하는 것은 임원의 윤리성을 담보하고 궁극적으로는 새마을금고의 투명한 경영을 도모하고자 하는 것으로, 이러한 공익이 이로 인하여 제한되는 사익에 비해 훨씬 크다고 할 것이므로, 심판대상조항은 법익의 균형성도 갖추었다. 따라서 심판대상조항은 청구인의 결사의 자유 및 표현의 자유를 침해하지 아니한다(2018.2.22, 2016헌바364). 2019년 서울 7급 1회

ㅅ. [X] 이 사건 법률조항들은 지역농협 이사 선거가 과열되는 과정에서 후보자들의 경제력 차이에 따른 불균형한 선거운동 및 흑색선전을 통한 부당한 경쟁이 이루어짐으로써 선거의 공정이 해쳐지는 것을 방지하기 위하여 선거 공보의 배부를 통한 선거운동만을 허용하고 전화·컴퓨터통신을 이용한 지지 호소의 선거운동을 금지하며 이를 위반하여 선거운동을 한 자를 처벌하는바, 입법목적의 정당성 및 수단의 적합성이 인정된다. 그러나 전화·컴퓨터통신은 누구나 손쉽고 저렴하게 이용할 수 있는 매체인 점, 「농업협동조합법」에서 흑색선전 등을 처벌하는 조항을 두고 있는 점을 고려하면 입법목적 달성을 위하여 위 매체를 이용한 지지 호소까지 금지할 필요성은 인정되지 아니한다. 이 사건 법률조항들이 달성하려는 공익이 결사의 자유 및 표현의 자유 제한을 정당화할 정도로 크다고 보기는 어려우므로, 법익의 균형성도 인정되지 아니한다. 따라서 이 사건 법률조항들은 과잉금지원칙을 위반하여 결사의 자유, 표현의 자유를 침해하여 헌법에 위반된다(2016.11.24, 2015헌바62). 2018년 경찰승진

18 정답 ④

ㄱ. [O] 일간신문과 뉴스통신·방송사업의 겸영을 금지하는 「신문 등의 자유와 기능보장에 관한 법률」 제15조가 비록 신문기업활동의 외적 조건을 규제하여 신문의 자유를 제한하는 효과를 가진다고 하더라도 그 위헌 여부를 심사함에 있어 신문의 내용을 직접적으로 규제하는 경우와 동일하게 취급할 수는 없다. 결국 신문기업활동의 외적 조건을 규제하는 「신문 등의 자유와 기능보장에 관한 법률」 조항에 대한 위헌심사는 신문의 내용을 규제하여 언론의 자유를 제한하는 경우에 비하여 그 기준이 완화된다(2006.6.29, 2005헌마

165 등).

ㄴ. [X] 명백·현존·위험의 원칙은 언론·출판의 자유를 제한한 법률이나 행정부의 행위, 공익을 해친 표현을 한 자에 대한 형사재판에서 법원이나 헌법재판소의 사후적 판단기준이다. 명백·현존·위험의 원칙은 미국 연방대법원의 판례(Schenck 사건)로 확립되었다.

ㄷ. [X] 명백·현존·위험의 원칙은 1919년 Schenck사건에서 Holmes대법관이 처음으로 주장하였으며 미국에서도 일관되게 적용된 것이 아니라, 국제정세의 변화에 따라 동 원칙이 완화되어 적용되기도 했다. 우리 헌법재판소도 동 원칙을 적용한 바 있다.

ㄹ. [X] 정치적 표현의 자유의 헌법상 지위, 선거운동의 자유의 성격과 중요성에 비추어 볼 때, 정치적 표현 및 선거운동에 대하여는 '자유를 원칙으로, 금지를 예외로' 하여야 하고, '금지를 원칙으로, 허용을 예외로' 해서는 안 된다는 점은 자명하다. 따라서 입법자는 선거의 공정성을 보장하고 탈법·금권적 혼탁선거를 방지하기 위하여 부득이하게 선거 국면에서의 정치적 표현 자유와 선거운동의 자유를 제한하는 경우에도, 입법목적 달성과의 관련성이 구체적이고 명백한 범위 내에서 가장 최소한의 제한에 그치는 수단을 선택하지 않으면 안 된다 할 것이다(2011.12.29, 2007헌마1001 등).

ㅁ. [O] 서명요청활동은 주민소환청구권 행사의 전제 내지 실현수단의 의미를 가지므로 주민소환제도에 대한 경우와 마찬가지로 그 내용과 방법에 관하여 입법자의 형성의 자유가 인정되는 영역이라고도 할 수 있다. 따라서 위 조항에 대한 과잉금지원칙 위반 여부를 심사함에 있어서는, 일반적인 표현의 자유에 대한 제한에 적용되는 엄격한 의미의 과잉금지원칙 위반 여부의 심사가 아닌 실질적으로 완화된 심사를 함이 상당하고, 특히 '피해의 최소성' 요건은 입법목적을 달성하기 위한 덜 제약적인 수단은 없는지 혹은 필요한 최소한의 제한인지를 심사하기보다는 '입법목적을 달성하기 위하여 필요한 범위 내의 것인지'를 심사하는 정도로 완화시켜 판단하여야 할 것이다(2011.12.29, 2010헌바368).

ㅂ. [X] 정보통신부장관은 헌법에 유사한 개념이 사용되고 있다는 점을 들어 명확성원칙에 위배되지 않는다고 주장하나, 직접 국민의 자유와 권리를 제한하는 법률에서 헌법상의 개념이나 그와 같은 정도로 추상적인 개념을 그대로 사용하는 것이 정당화될 수는 없다(2002.6.27, 99헌마480).

19 정답 ①

❶ [X] 이 사건 조례 제5조 제3항에서 제한하고 있는 표현이 '차별적 언사나 행동, 혐오적 표현'이라는 이유만으로 표현의 자유의 보호영역에서 애당초 배제된다고 볼 수 없고, 차별적 언사나 행동, 혐오적 표현도 헌법 제21조가 규정하는 표현의 자유의 보호영역에는 해당하되, 다만 헌법 제37조 제2항에 따라 제한할 수 있는 것이다(2019.11.28, 2017헌마1356).

② [O] 청구인들은 이 사건 조례 제5조 제3항이 종교, 나이, 임신 또는 출산, 성적 지향, 성별 정체성 등의 사유를 이유로 한 차별·혐오표현을 금지하고 있는 것이 표현의 자유와 더불어 양심의 자유, 종교의 자유, 행복추구권도 침해한다고 주장하나, 헌법 제21조의 표현의 자유는 종교의 자유, 양심의 자유 등 정신적 자유를 외부적으로 표현하는 자유인 것이고(1989.9.4, 88헌마22 ; 2010.2.25, 2008헌마324 등), 그 주장취지 역시 표현의 자유 침해 주장과 내용상 동일하다 할 것이므로, 이 부분 주장에 대하여는 별도로 판단하지 아니한다(2019.11.28, 2017헌마1356).

③ [O] 이 사건 조례 제5조 제3항에서 금지하는 차별·혐오표현은 의견의 자유로운 교환범위에서 발생하는 다소 과장되고, 부분적으로 잘못된 표현으로 자유로운 토론과 성숙한 민주주의를 위하여 허용되는 의사표현이 아니고, 그 경계를 넘어 '타인의 인권을 침해'할 것을 인식하였거나 최소한 인식할 가능성이 있고, 또한 결과적으로 그러한 인권 침해의 결과가 발생하는 표현이다. 따라서 이는 민주주의의 장에서 허용되는 한계를 넘는 것이므로 민주주의 의사형성의 보호를 위해서도 제한되는 것이 불가피하고, 특히 그것이 육체적·정신적으로 미성숙한 학생들이 구성원으로 있는 공간에서의 문제라면 표현의 자유로 얻어지는 가치와 인격권의 보호에 의하여 달성되는 가치를 비교형량할 때에도 사상의 자유시장에서 통용되는 기준을 그대로 적용하기는 어렵다고 할 것이다(2019.11.28, 2017헌마1356).

④ [O] 이 사건 조례 제5조 제3항은 학교구성원인 청구인들의 표현의 자유를 제한하는 것으로 「지방자치법」 제28조 단서 소정의 주민의 권리 또는 의무 부과에 관한 사항을 규율하는 조례에 해당한다고 볼 여지가 있다. 그런데 조례의 제정권자인 지방의회는 지역적인 민주적 정당성을 지니고 있으며, 헌법이 지방자치단체에 대해 포괄적인 자치권을 보장하고 있는 취지에 비추어, 조례에 대한 법률의 위임은 반드시 구체적으로 범위를 정하여 할 필요가 없으며 포괄적인 것으로 족하다(2019.11.28, 2017헌마1356).

20 정답 ④

① [O] 이 사건 지원배제지시는 예술위 등으로 하여금 피청구인들의 뜻대로 순응케 하여 그 이름으로 청구인들에 대한 지원을 배제하는 결과를 사실상 실현시킨 행위이며, 그 자체로 청구인들의 법적 지위를 결정짓는 구체화되고 특정된 지시로서, 청구인들에 대한 문화예술 지원배제라는 일정한 사실상의 결과 발생을 목적으로 우월한 지위에서 개입한 권력적 사실행위임을 인정할 수 있다. 따라서 이 사건 지원배제지시는 헌법소원의 대상이 되는 공권력의 행사에 해당한다(2020.12.23, 2017헌마416).

② [O] 피청구인들이 이러한 중립성을 보장하기 위하여 법률에서 정하고 있는 제도적 장치를 무시하고 정치적 견해를 기준으로 청구인들을 문화예술계 정부지원사업에서 배제되도록 차별취급한 것은 헌법상 문화국가원리와 법률유보원칙에 반하는 자의적인 것으로 정당화될 수 없다(2020.12.23, 2017헌마416).

③ [O] 표현행위자의 특정 견해, 이념, 관점에 근거한 제한은 표현의 내용에 대한 제한 중에서도 가장 심각하고 해로운 제한이다. 헌법상 표현의 자유가 보호하고자 하는 가장 핵심적인 것이 바로 '표현행위가 어떠한 내용을 대상으로 한 것이든 보호를 받아야 한다'는 것이며, '국가가 표현행위를 그 내용에 따라 차별함으로써 특정한 견해나 입장을 선호하거나 억압해서는 안 된다'는 것이다. 따라서 정치적 표현의 내용, 그중에서도 표현된 관점을 근거로 한 제한은 과잉금지원칙을 준수하여야 하며, 그 심사 강도는 더욱 엄격하다고 할 것이다(2020.12.23, 2017헌마416).

❹ [X] 정부에 대한 반대 견해나 비판에 대하여 합리적인 홍보와 설득으로 대처하는 것이 아니라 비판적 견해를 가졌다는 이유만으로 국가의 지원에서 일방적으로 배제함으로써 정치적 표현의 자유를 제재하는 공권력의 행사는 헌법의 근본원리인 국민주권주의와 자유민주적 기본질서에 반하는 것으로 그 목적의 정당성을 인정할 수 없다. 따라서 피청구인들의 이 사건 지원배제지시는 더 나아가 살필 필요 없이 과잉금지원칙에 위반된다. 이 사건 지원배제지시는 청구인들의 표현의 자유를 침해한다(2020.12.23, 2017헌마416).

33회 진도별 모의고사

언론의 자유 ~ 집회의 자유

정답

01	②	02	③	03	③	04	②
05	③	06	④	07	②	08	②
09	①	10	①	11	①	12	③
13	②	14	②	15	①	16	③
17	④	18	①	19	④	20	③

01 정답 ②

① [X]

「언론중재 및 피해구제 등에 관한 법률」 제26조 【정정보도청구 등의 소】 ⑥ 정정보도청구의 소에 대하여는 「민사소송법」의 소송절차에 관한 규정에 따라 재판하고, 반론보도청구 및 추후보도청구의 소에 대하여는 「민사집행법」의 가처분절차에 관한 규정에 따라 재판한다. 다만, 「민사집행법」 제277조 및 제287조는 적용하지 아니한다.

❷ [O] 언론보도의 상대방이나 피해자가 되는 경우에는 권고적 효력에 불과한 시정권고가 아닌 해당 언론사 등을 상대로 직접 정정보도, 반론보도, 추후보도의 청구도 할 수 있으므로, 피해자가 아닌 사람의 시정권고신청권을 규정하지 않은 것이 표현의 자유를 침해하였다고 볼 수 없다(2015.4.30, 2012헌마 등).

③ [X]

「언론중재 및 피해구제 등에 관한 법률」 제16조 【반론보도청구권】 ① 사실적 주장에 관한 언론보도 등으로 인하여 피해를 입은 자는 그 보도 내용에 관한 반론보도를 언론사 등에 청구할 수 있다.

④ [X]

「언론중재 및 피해구제 등에 관한 법률」 제16조 【반론보도청구권】 ① 사실적 주장에 관한 언론보도 등으로 인하여 피해를 입은 자는 그 보도 내용에 관한 반론보도를 언론사 등에 청구할 수 있다.
② 제1항의 청구에는 언론사 등의 고의·과실이나 위법성을 필요로 하지 아니하며, 보도 내용의 진실 여부와 상관없이 그 청구를 할 수 있다.

02 정답 ③

① [X]

구분	보도 내용 진실 여부	고의·과실 요건	위법성 요건
정정보도 청구권	진실하지 아니한 보도	X	X
반론보도 청구권	진실 여부 불문	X	X

② [X]

「언론중재 및 피해구제 등에 관한 법률」 제14조 【정정보도청구의 요건】 ① 사실적 주장에 관한 언론보도 등이 진실하지 아니함으로 인하여 피해를 입은 자는 해당 언론보도 등이 있음을 안 날부터 3개월 이내에 언론사, 인터넷뉴스서비스사업자 및 인터넷 멀티미디어 방송사업자에게 그 언론보도 등의 내용에 관한 정정보도를 청구할 수 있다. 다만, 해당 언론보도 등이 있은 후 6개월이 지났을 때에는 그러하지 아니하다.
② 제1항의 청구에는 언론사 등의 고의·과실이나 위법성을 필요로 하지 아니한다.

❸ [O]

「언론중재 및 피해구제 등에 관한 법률」 제5조의2 【사망자의 인격권 보호】 ① 제5조 제1항의 타인에는 사망한 사람을 포함한다.
② 사망한 사람의 인격권을 침해하였거나 침해할 우려가 있는 경우에는 이에 따른 구제절차를 유족이 수행한다.
⑤ 다른 법률에 특별한 규정이 없으면 사망 후 30년이 지났을 때에는 제2항에 따른 구제절차를 수행할 수 없다.

④ [X] 현행법은 사실적 주장에 한하여 반론권을 인정하고 상업적인 광고만을 목적으로 하는 경우 반론권을 거부하도록 하고 있고, 반론보도문은 언론사의 명의가 아니라 피해자의 이름으로 게재된다는 점에서 언론의 자유를 일부 제약하면서도 반론의 범위를 최소한도로 인정함으로써 양쪽 법익 사이의 균형을 실현하고 있으므로 언론의 자유 침해라고 볼 수 없다(1991.9.16, 89헌마165).

03 정답 ③

① [X] 정정보도청구권과 반론보도청구권은 「언론중재 및 피해구제 등에 관한 법률」에 의해 구체화되어 있으나, 정보공개청구권은 「공공기관의 정보공개에 관한 법률」에 규정되어 있다.

② [X]

구분	청구인	보도 내용 진실 여부	고의·과실 요건	위법성 요건
정정보도 청구권	사실적 주장에 관한 언론보도 등이 진실하지 아니함으로 인하여 피해를 입은 자	진실하지 아니한 보도	X	X
반론보도 청구권	사실적 주장에 관한 언론보도로 인하여 피해를 입은 자	진실 여부 불문	X	X
추후보도 청구권	언론 등에 의하여 범죄혐의가 있거나 형사상의 조치를 받았다고 보도 또는 공표된 자는 그에 대한 형사절차가 무죄판결 또는 이와 동등한 형태로 종결되었을 때에는 그 사실을 안 날부터 3개월 이내에 언론사 등에 이 사실에 관한 추후보도의 게재를 청구할 수 있다.			

❸ [O]

「언론중재 및 피해구제 등에 관한 법률」 제14조 【정정보도청구의 요건】 ① 사실적 주장에 관한 언론보도 등이 진실하지 아니함으로 인하여 피해를 입은 자는 해당 언론보도 등이 있음을 안 날부터 3개월 이내에 언론사, 인터넷뉴스서비스사업자 및 인터넷 멀티미디어 방송사업자에게 그 언론보도 등의 내용에 관한 정정보도를 청구할 수 있다. 다만, 해당 언론보도 등이 있은 후 6개월이 지났을 때에는 그러하지 아니하다.

「공공기관의 정보공개에 관한 법률」 제1조 【목적】 이 법은 공공기관이 보유·관리하는 정보에 대한 국민의 공개청구 및 공공기관의 공개의무에 관하여 필요한 사항을 정함으로써 국민의 알 권리를 보장하고 국정에 대한 국민의 참여와 국정 운영의 투명성을 확보함을 목적으로 한다.

④ [X] 정정보도청구권과 반론보도청구권의 상대방은 언론사이므로 기본권의 대사인적 효력의 문제이다. 정보공개청구권의 상대방이 공공기관이므로 대국가적 효력의 문제이다.

04

정답 ②

① [X] 정정보도청구와 반론보도청구는 모두 사실적 주장에 대한 보도에 대해서만 허용된다. 사례1의 보도는 사실적 주장이 아니라 가치판단에 따른 보도이므로 정정보도청구와 반론보도청구의 대상이 되지 아니한다.

❷ [O] 반론보도청구는 보도 내용의 진실 여부와 상관없으므로 반론보도청구도 가능하다.

③ [X] 반론보도청구나 정정보도청구 모두 사실적 주장에 피해를 받은 경우만 가능하다. 업무수행능력 부족은 평가된 주장이므로 반론보도청구나 정정보도청구 모두 허용되지 않는다.

④ [X] 정정보도청구소송을 「민사집행법」의 가처분절차로 진행하도록 한 「언론중재 및 피해구제 등에 관한 법률」은 재판청구권 침해라는 것이 헌법재판소 판례이다. 이로인해 정정보도청구소송은 민사소송의 본안절차로 진행된다.

05

정답 ③

① [X] 구 「신문 등의 자유와 기능보장에 관한 법률」 제16조가 신문기업 자료의 신고·공개제도를 둔 것은 신문시장의 투명성을 제고하고, 신문법 제15조의 겸영금지 및 소유 제한규정의 실효성을 담보함으로써 신문의 다양성이라는 헌법적 요청을 구현하기 위해서이다. 신문기업은 일반기업에 비하여 공적 기능과 사회적 책임이 크기 때문에 그 소유구조는 물론 경영활동에 관한 자료를 신고·공개하도록 함으로써 그 투명성을 높이고 신문시장의 경쟁질서를 정상화할 필요성이 더욱 크다. 신문법 제16조에서 신고·공개하도록 규정하고 있는 사항 중 상당 부분은 「상법」 등 다른 법률에 의해 이미 공시 또는 공개되고 있는 것들이고, 그 밖에 발행부수, 광고수입 등과 같은 사항을 추가적으로 신고·공개하도록 하고 있지만, 이는 신문 특유의 기능 보장을 위하여 필요한 범위 내의 것이다. 따라서 이 조항들이 신문의 자유를 지나치게 침해한다거나, 일반 사기업에 비하여 평등원칙에 반하는 차별을 가하는 위헌규정이라 할 수 없다(2006.6.29, 2005헌마165 등).

② [X] 구 「신문 등의 자유와 기능보장에 관한 법률」 제16조가 신문기업 자료의 신고·공개제도를 둔 것은 신문시장의 투명성을 제고하고, 신문법 제15조의 겸영금지 및 소유 제한규정의 실효성을 담보함으로써 신문의 다양성이라는 헌법적 요청을 구현하기 위해서이다. 신문기업은 일반기업에 비하여 공적 기능과 사회적 책임이 크기 때문에 그 소유구조는 물론 경영활동에 관한 자료를 신고·공개하도록 함으로써 그 투명성을 높이고 신문시장의 경쟁질서를 정상화할 필요성이 더욱 크다. … 따라서 이 조항들이 신문의 자유를 지나치게 침해한다거나, 일반 사기업에 비하여 평등원칙에 반하는 차별을 가하는 위헌규정이라 할 수 없다(2006.6.29, 2005헌마165 등).

❸ [O] 신문의 다양성을 보장하기 위하여 신문의 복수소유를 제한하는 것 자체가 헌법에 위반된다고 할 수 없지만, 신문의 복수소유가 언론의 다양성을 저해하지 않거나 오히려 이에 기여하는 경우도 있을 수 있는데, 이 조항은 신문의 복수소유를 일률적으로 금지하고 있어서 필요 이상으로 신문의 자유를 제약하고 있다. 그러나 신문의 다양성 보장을 위한 복수소유 규제의 기준을 어떻게 설정할지의 여부는 입법자의 재량에 맡겨져 있으므로 이 조항에 대해서는 단순위헌이 아닌 헌법불합치결정을 선고하고, 다만 입법자의 개선입법이 있을 때까지 계속 적용을 허용함이 상당하다(2006.6.29, 2005헌마165).

④ [X] 「언론중재 및 피해구제 등에 관한 법률」 제6조에 의하여 신문사에게 강제되는 것은 고충처리인을 두어야 한다는 것과 고충처리인에 관한 사항을 공표하여야 한다는 것 뿐이고, 그 외에 고충처리인제도의 운영에 관한 사항은 전적으로 신문사업자의 자율에 맡겨져 있다. 뿐만 아니라 고충처리인제도의 직무권한은 권고나 자문에 불과하여 실질적으로 신문사를 구속하는 효과도 적다. 이에 비해 고충처리인제도가 원활하게 기능할 경우 달성되는 공익은 매우 크다. 고충처리인제도는 언론피해의 예방, 피해발생시의 신속한 구제 및 분쟁해결에 있어서 적은 비용으로 큰 효과를 나타낼 수 있다. 그러므로 「언론중재 및 피해구제 등에 관한 법률」 제6조 제1항·제4항·제5항은 헌법에 위반되지 아니한다(2006.6.29, 2005헌마165 등).

06

정답 ④

① [O] 구 「신문 등의 자유와 기능보장에 관한 법률」 제15조 제2항은 신문의 다양성을 보장하기 위하여 필요한 한도 내에서 그 규제의 대상과 정도를 선별하여 제한적으로 규제하고 있다고 볼 수 있다. 그러므로 헌법에 위반되지 아니한다(2006.6.29, 2005헌마165 등).

② [O] 신문의 시장지배적 지위는 결국 독자의 개별적·정신적 선택에 의하여 형성되는 것인 만큼 그것이 불공정행위의 산물이라고 보거나 불공정행위를 초래할 위험성이 특별히 크다고 볼만한 사정이 없는데도 신문사업자를 일반사업자에 비하여 더 쉽게 시장지배적 사업자로 추정되도록 하고 있는 점 등이 모두 불합리하다. 따라서 「신문 등의 자유와 기능보장에 관한 법률」 제17조는 신문사업자인 청구인들의 평등권과 신문의 자유를 침해하여 헌법에 위반된다(2006.6.29, 2005헌마165 등).

③ [O] 시장점유율이 높다는 이유만으로, 즉 독자의 선호도가 높아서 발행부수가 많다는 점을 이유로 신문사업자를 차별하는 것, 그것도 시장점유율 등을 고려하여 신문발전기금 지원의 범위와 정도에 있어 합리적 차등을 두는 것이 아니라 기금 지원의 대상에서 아예 배제하는 것은 합리적이 아니다. 따라서 구 「신문 등의 자유와 기능보장에 관한 법률」 제34조 제2항 제2호는 합리적인 이유 없이 발행부수가 많은 신문사업자를 차별하는 것이므로 평등원칙에 위배된다(2006.6.29, 2005헌마165 등).

❹ [X] 신문보도의 명예훼손적 표현의 피해자가 공적 인물인지 아니면 사인인지, 그 표현이 공적인 관심 사안에 관한 것인지 순수한 사적인 영역에 속하는 사안인지의 여부에 따라 헌법적 심사기준에는 차이가 있어야 한다(1999.6.24, 97헌마265).

07

정답 ②

① [X] 명예훼손적 표현이 진실한 사실이라는 입증이 없어도 행위자가 진실한 것으로 오인하고 행위를 한 경우, 그 오인에 정당한 이유가 있는 때에는 명예훼손죄는 성립되지 않는 것으로 해석하여야 한다

(1999.6.24, 97헌마265).

❷ [O] 신속한 보도를 생명으로 하는 신문의 속성상 허위를 진실한 것으로 믿고서 한 명예훼손적 표현에 정당성을 인정할 수 있거나, 중요한 내용이 아닌 사소한 부분에 대한 허위보도는 모두 형사제재의 위협으로부터 자유로워야 한다. 시간과 싸우는 신문보도에 오류를 수반하는 표현은, 사상과 의견에 대한 아무런 제한 없는 자유로운 표현을 보장하는 데 따른 불가피한 결과이고 이러한 표현도 자유토론과 진실확인에 필요한 것이므로 함께 보호되어야 하기 때문이다. 그러나 허위라는 것을 알거나 진실이라고 믿을 수 있는 정당한 이유가 없는데도 진위를 알아보지 않고 게재한 허위보도에 대하여는 면책을 주장할 수 없다(1999.6.24, 97헌마265).

③ [X]

> **「언론중재 및 피해구제 등에 관한 법률」 제30조【손해의 배상】** ① 언론 등의 고의 또는 과실로 인한 위법행위로 인하여 재산상 손해를 입거나 인격권 침해 또는 그 밖의 정신적 고통을 받은 자는 그 손해에 대한 배상을 언론사 등에 청구할 수 있다.

④ [X] 방송 등 언론매체가 사실을 적시하여 개인의 명예를 훼손하는 행위를 한 경우에도 그 목적이 오로지 공공의 이익을 위한 것일 때에는 적시된 사실이 진실이라는 증명이 있거나 그 증명이 없다 하더라도 행위자가 그것을 진실이라고 믿었고 또 그렇게 믿을 상당한 이유가 있으면 위법성이 없다고 보아야 할 것이나, 그에 대한 입증책임은 어디까지나 명예훼손행위를 한 방송 등 언론매체에 있고 피해자가 공적인 인물이라 하여 방송 등 언론매체의 명예훼손행위가 현실적인 악의에 기한 것임을 그 피해자 측에서 입증하여야 하는 것은 아니다(대판 1998.5.8, 97다34563). 2006년 행시

08 정답 ②

① [X] 집회의 자유는 집회가 건조물·공원·도로 등 일정한 공물(公物)의 사용을 전제로 하기 때문에 국가 또는 지방자치단체 등에 대하여 공공시설의 이용을 적극적으로 요구할 수 있는 공물이용권으로서의 성격도 가지고 있다.

❷ [O] 집회에는 2인 또는 3인 이상의 동시 참여자가 있어야 한다고 보며(학설대립이 있다) 1인 릴레이 시위는 언론의 자유에서 보호될 수는 있으나 집회의 자유에서는 보호되지 않는다. 2011년 법행

③ [X] 2인 이상이 옥외에서 공동의 목적으로 모인 경우에 그 목적이 구 「집회 및 시위에 관한 법률」 제15조에 열거된 것에 해당되지 않으면, 모두 신고의무가 부과되는 옥외집회에 해당되고 그 신고의무를 이행하지 않으면 형사처벌을 받게 된다(2009.5.28, 2007헌바22). 2016년 국가 7급

④ [X] 일반적으로 집회는, 일정한 장소를 전제로 하여 특정 목적을 가진 다수인이 일시적으로 회합하는 것을 말하는 것으로 일컬어지고 있고, 그 공동의 목적은 '내적인 유대관계'로 족하다(2009.5.28, 2007헌바22). 2016년 변시

09 정답 ①

❶ [O] 헌법 제21조 제1항은 "모든 국민은 언론·출판의 자유와 집회·결사의 자유를 가진다."라고 규정하여 집회의 자유를 표현의 자유로서 언론·출판의 자유와 함께 국민의 기본권으로 보장하고 있다. 집회의 자유에는 집회를 통하여 형성된 의사를 집단적으로 표현하고 이를 통하여 불특정 다수인의 의사에 영향을 줄 자유를 포함한다. 따라서 이를 내용으로 하는 시위의 자유 또한 집회의 자유를 규정한 헌법 제21조 제1항에 의하여 보호되는 기본권이다(2005.11.24, 2004헌가17). 2021년 법원서기보

② [X] 집회의 자유는 집회의 시간, 장소, 방법과 목적을 스스로 결정할 권리를 보장한다. 집회의 자유에 의하여 구체적으로 보호되는 주요행위는 집회의 준비 및 조직, 지휘, 참가, 집회장소, 시간의 선택이다(2003.10.30, 2000헌바67 등).

③ [X] 집회의 자유는 집회에 참가하지 못하게 하는 국가의 강제를 금지할 뿐 아니라, 예컨대 집회장소로의 여행을 방해하거나, 집회장소로부터 귀가하는 것을 방해하거나, 집회참가자에 대한 검문의 방법으로 시간을 지연시킴으로써 집회장소에 접근하는 것을 방해하거나, 국가가 개인의 집회참가행위를 감시하고 그에 관한 정보를 수집함으로써 집회에 참가하고자 하는 자로 하여금 불이익을 두려워하여 미리 집회참가를 포기하도록 집회참가의사를 약화시키는 것 등 집회의 자유행사에 영향을 미치는 모든 조치를 금지한다(2003.10.30, 2000헌바67 등).

④ [X] 「집회 및 시위에 관한 법률」상 집회는 사전신고가 요구되므로 신고하지 않은 긴급집회가 허용되는가에 대해 의문이 제기될 수 있다. 사전신고제를 문리적으로 해석하면 긴급집회가 허용되지 않으나 사전신고제도는 집회에 의한 사회질서가 침해되는 것을 방지하기 위한 것이므로 사회질서를 침해하지 않는 우발적 집회 또는 긴급집회는 보호되어야 한다.

⑤ [X] 집회의 자유를 규정하고 있는 헌법 제21조 제1항을 기초로 하여 심판대상조항을 보면, 긴급집회의 경우에는 신고가능성이 존재하는 즉시 신고하여야 하는 것으로 해석된다. 따라서 신고가능한 즉시 신고한 긴급집회의 경우에까지 심판대상조항을 적용하여 처벌할 수는 없다. 그러나, 그러한 신고조차 하지 아니하는 경우에는 일응 심판대상조항의 구성요건해당성이 충족되는 것으로 보아야 한다. 다만, 이 경우에도 48시간 이내에 신고를 할 수 없는 긴급한 사정이 있고, 옥외집회나 시위가 평화롭게 진행되어 타인의 법익이나 공공의 안녕질서에 대한 직접적인 위험이 명백하게 초래된 바가 없다면, 사회상규에 위배되지 아니하는 행위로서 위법성이 조각될 수 있고, 나아가 사안에 따라서는 적법행위에 대한 기대가능성이 없어 책임이 조각되는 경우도 있을 수 있다. 그리고 이는 구체적 사안을 전제로 헌법상 보장되는 집회의 자유의 내용과 심판대상조항이 보호하고자 하는 공익을 구체적으로 비교형량하여 법원이 판단하여야 할 개별사건에서의 법률의 해석·적용에 관한 문제이다. 따라서 심판대상조항은 집회의 자유를 실질적으로 제한하거나 형해화하지 아니하므로 최소침해성원칙에 위배되지 아니한다(2014.1.28, 2011헌바174 등).

10 정답 ①

❶ [O] ④ [X] 「집회 및 시위에 관한 법률」(이하 '집시법'이라 한다) 제2조 제2호의 '시위'는, 그 문리와 위 개정연혁에 비추어, 다수인이 공동목적을 가지고 ⓐ 도로·광장·공원 등 공중이 자유로이 통행할 수 있는 장소를 진행함으로써 불특정 다수인의 의견에 영향을 주거나 제압을 가하는 행위와 ⓑ 위력 또는 기세를 보여 불특정 다수인의 의견에 영향을 주거나 제압을 가하는 행위를 말한다고 풀이해야 할 것이다. 따라서 위 ⓑ의 경우에는 위력 또는 기세를 보인 장소가 공중이 자유로이 통행할 수 있는 장소이든 아니든 상관없이 그러한 행위가 있고 그로 인하여 불특정 다수인의 의견에 영향을 주거나 제압을 가할 개연성이 있으면 집시법상의 '시위'에 해당하는 것이고, 이 경우에는 '공중이 자유로이 통행할 수 있는 장소'라는 장소적 제한 개념은 '시위'라는 개념의 요소라고 볼 수 없다. 즉 위의 장소적 제한 개념은 모든 시위에 적용되는 '시위' 개념의 필요불가결한 요소는 아님을 알 수 있다. 그러므로 공중이 자유로이 통행할 수 없는 장소인 대학 구내에서의 시위도 그것이 위

ⓑ의 요건에 해당하면 바로 집시법상의 시위로서 집시법의 규제 대상이 되는 것이다(1994.4.28, 91헌바14). 2011년 지방 7급

② [X] 집회의 자유는 집회의 시간, 장소, 방법과 목적을 스스로 결정할 권리를 보장한다. 집회의 자유에 의하여 구체적으로 보호되는 주요행위는 집회의 준비 및 조직, 지휘, 참가, 집회장소·시간의 선택이다. 그러나 집회를 방해할 의도로 집회에 참가하는 것은 보호되지 않는다(2003.10.30, 2000헌바67 등). 2018년 입시

③ [X] 헌법재판소는 옥외집회나 시위가 반드시 도로나 공원과 같은 공공장소에서 행해질 것을 요구하는 것은 아니라고 한다. 즉, 공공장소가 아닌 공중이 자유로이 통행할 수 없는 대학 구내에서도 옥외집회나 시위에 해당해 「집회 및 시위에 관한 법률」의 규제대상이 된다(1992.1.28, 89헌가8). 2019년 국회 9급

11 정답 ①

ㄱ. [O] 일반 공중에게 개방된 장소인 서울광장을 개별적으로 통행하거나 서울광장에서 여가활동이나 문화활동을 하는 것은 일반적 행동자유권의 내용으로 보장됨에도 불구하고, 피청구인이 이 사건 통행제지행위에 의하여 청구인들의 이와 같은 행위를 할 수 없게 하였으므로 청구인들의 일반적 행동자유권의 침해 여부가 문제된다(2011.6.30, 2009헌마406).

➡ 문제에서 '단순히 통행하고자 하는 일반시민의 경우'라고 하였으므로 집회의 자유와 관련이 없을 뿐이다. 집회를 하고자 하는 시민의 경우에는 집회의 자유 침해 문제가 발생한다.

ㄴ. [X] 현대사회에서의 교통의 중요성 및 교통의 안전 침해가 초래할 수 있는 생명·신체 또는 재산의 위험을 고려한다면 교통방해행위에 엄정한 책임을 묻기 위하여 과태료 등 보다 경미한 제재가 아닌 형사처벌을 그 제재수단으로 선택한 것이 현저히 자의적인 것으로서 국가형벌권 행사에 관한 입법재량의 범위를 벗어난 것이라 보기 어렵다. 위 법률조항은 집회의 자유를 직접 제한하는 것은 아니고, 다만 개별 구체적인 사례에서 일정한 교통방해를 수반하는 집회 또는 시위행위가 위 법률조항의 구성요건에 해당되는 경우에 집회의 자유가 제한되는지에 관한 의문이 제기될 수 있다. 그러나 교통방해가 헌법상 보장되는 집회의 자유에 의하여 국가와 제3자에 의하여 수인되어야 할 것으로 인정되는 범위라면, 사회상규에 반하지 아니하는 행위로서 위법성이 인정될 수 없고 형사처벌의 대상이 될 수 없는바, 이는 구체적 사안을 전제로 법원이 판단하여야 할 개별사건에서의 법률의 해석·적용에 관한 문제일 뿐, 집회의 자유의 실질적 침해 문제가 발생하지 않는다(2010.3.25, 2009헌가2).

ㄷ. [O] 집회의 자유에 대한 제한은 다른 중요한 법익의 보호를 위하여 반드시 필요한 경우에 한하여 정당화되는 것이며, 특히 집회의 금지와 해산은 원칙적으로 공공의 안녕질서에 대한 직접적인 위협이 명백하게 존재하는 경우에 한하여 허용될 수 있다. 집회의 금지와 해산은 집회의 자유를 보다 적게 제한하는 다른 수단, 즉 조건을 붙여 집회를 허용하는 가능성을 모두 소진한 후에 비로소 고려될 수 있는 최종적인 수단이다(2003.10.30, 2000헌바67 등).

ㄹ. [O] 집회의 자유는 집회의 시간, 장소, 방법과 목적을 스스로 결정할 권리, 즉 집회를 하루 중 언제 개최할지 등 시간 선택에 대한 자유와 어느 장소에서 개최할지 등 장소 선택에 대한 자유를 내포하고 있다. 따라서 옥외집회를 야간에 주최하는 것 역시 집회의 자유로 보호됨이 원칙이다(2009.9.24, 2008헌가25).

ㅁ. [O] 헌법 제21조 제2항은, 집회에 대한 허가제는 집회에 대한 검열제와 마찬가지이므로 이를 절대적으로 금지하겠다는 헌법개정권력자인 국민들의 헌법가치적 합의이며 헌법적 결단이다. 또한 위 조항은 헌법 자체에서 직접 집회의 자유에 대한 제한의 한계를 명시한 것이므로 기본권 제한에 관한 일반적 법률유보조항인 헌법 제37조 제2항에 앞서서, 우선적이고 제1차적인 위헌심사기준이 되어야 한다(2009.9.24, 2008헌가25).

ㅂ. [O]

> 「집회 및 시위에 관한 법률」 제5조 【집회 및 시위의 금지】 ① 누구든지 다음 각 호의 어느 하나에 해당하는 집회나 시위를 주최하여서는 아니 된다.
> 2. 집단적인 폭행, 협박, 손괴, 방화 등으로 공공의 안녕질서에 직접적인 위협을 끼칠 것이 명백한 집회 또는 시위

ㅅ. [O] 집회의 자유에 대한 제한은 다른 중요한 법익의 보호를 위하여 반드시 필요한 경우에 한하여 정당화되는 것이며, 특히 집회의 금지와 해산은 원칙적으로 공공의 안녕질서에 대한 직접적인 위협이 명백하게 존재하는 경우에 한하여 허용될 수 있다. 집회의 금지와 해산은 집회의 자유를 보다 적게 제한하는 다른 수단, 즉 조건을 붙여 집회를 허용하는 가능성을 모두 소진한 후에 비로소 고려될 수 있는 최종적인 수단이다(2003.10.30, 2000헌바67 등). 2004년 입시, 2017년 법행

12 정답 ③

① [O] 우리 헌법은 모든 국민에게 집회의 자유를 보장하고 있고, 집회에 대한 사전허가제를 금지하고 있는바, 옥외집회를 주최하고자 하는 자는 「집회 및 시위에 관한 법률」이 정한 시간 전에 관할 경찰관서장에게 집회신고서를 제출하여 접수시키기만 하면 원칙적으로 옥외집회를 할 수 있다. 그리고 이러한 집회의 자유에 대한 제한은 법률에 의해서만 가능하므로 법률에 정하여지지 않은 방법으로 이를 제한할 경우에는 그것이 과잉금지원칙에 위배되었는지 여부를 판단할 필요 없이 헌법에 위반된다(2008.5.29, 2007헌마712).

② [O] 법의 집행을 책임지고 있는 국가기관인 피청구인으로서는 집회의 자유를 제한함에 있어 실무상 아무리 어렵더라도 법에 규정된 방식에 따라야 할 책무가 있고, 이 사건 집회신고에 관한 사무를 처리하는데 있어서도 적법한 절차에 따라 접수순위를 확정하려는 최선의 노력을 한 후, 「집회 및 시위에 관한 법률」 제8조 제2항에 따라 후순위로 접수된 집회의 금지 또는 제한을 통고하였어야 한다. 만일 접수순위를 정하기 어렵다는 현실적인 이유로 중복신고된 모든 옥외집회의 개최가 법률적 근거 없이 불허되는 것이 용인된다면, 집회의 자유를 보장하고 집회의 사전허가를 금지한 헌법 제21조 제1항 및 제2항은 무의미한 규정으로 전락할 위험성이 있다. 결국 이 사건 반려행위는 법률의 근거 없이 청구인들의 집회의 자유를 침해한 것으로서 헌법상 법률유보원칙에 위반된다고 할 것이다(2008.5.29, 2007헌마712). 2016년 국가 7급

❸ [X] 5인 재판관은 헌법 제21조 제2항에 위반하여 위헌결정을 주장했으나 2인 재판관은 헌법 제21조 제2항 허가제금지조항에 위반하지는 않으나 과잉금지 위반하여 위헌이라는 의견으로서 헌법불합치 의견이다. 헌법재판소 주문이 헌법불합치 의견이므로 2인의 재판관 의견에 따라 답을 해야 한다. 따라서 허가제금지조항에 위반된다는 것은 옳지 않은 지문이다.

④ [O] 헌법 제21조 제2항은, 집회에 대한 허가제는 집회에 대한 검열제와 마찬가지이므로 이를 절대적으로 금지하겠다는 헌법개정권력자인 국민들의 헌법가치적 합의이며 헌법적 결단이다. 또한 위 조항은 헌법 자체에서 직접 집회의 자유에 대한 제한의 한계를 명시한 것이므로 기본권 제한에 관한 일반적 법률유보조항인 헌법 제37조 제2항에 앞서서, 우선적이고 제1차적인 위헌심사기준이 되어야 한다(2009.9.24, 2008헌가25). 2011년 국회 8급

13 정답 ②

① [X] 헌법 제21조 제2항은 "언론·출판에 대한 허가나 검열과 집회·결사에 대한 허가는 인정되지 아니한다."라고 규정함으로써 언론·출판에 대한 허가나 검열의 금지와 더불어 집회에 대한 허가금지를 명시하고 있다. 이는 집회의 자유에 있어서는 '집회의 일반적 금지, 행정권이 주체가 되는 예외적 허가'의 방식에 의한 제한을 허용하지 아니하겠다는 헌법적 결단을 분명히 밝힌 것이다(2009. 9.24, 2008헌가25).

❷ [O] 헌법 제21조 제2항은, 집회에 대한 허가제는 집회에 대한 검열제와 마찬가지이므로 이를 절대적으로 금지하겠다는 헌법개정권력자인 국민들의 헌법가치적 합의이며 헌법적 결단이다. 또한 위 조항은 헌법 자체에서 직접 집회의 자유에 대한 제한의 한계를 명시한 것이므로 기본권 제한에 관한 일반적 법률유보조항인 헌법 제37조 제2항에 앞서서, 우선적이고 제1차적인 위헌심사기준이 되어야 한다. 헌법 제21조 제2항에서 금지하고 있는 '허가'는 행정권이 주체가 되어 집회 이전에 예방적 조치로서 집회의 내용·시간·장소 등을 사전심사하여 일반적인 집회금지를 특정한 경우에 해제함으로써 집회를 할 수 있게 하는 제도, 즉 허가를 받지 아니한 집회를 금지하는 제도를 의미한다(2009.9.24, 2008헌가25). 2020년 경찰경채

③ [X] 집회의 자유가 가지는 헌법적 가치와 기능, 집회에 대한 허가금지를 선언한 헌법정신, 앞서 본 신고제도의 취지 등을 종합하여 보면, 신고는 행정관청에 집회에 관한 구체적인 정보를 제공함으로써 공공질서의 유지에 협력하도록 하는 데에 그 의의가 있는 것이지 집회의 허가를 구하는 신청으로 변질되어서는 아니 되므로, 신고를 하지 아니하였다는 이유만으로 그 옥외집회 또는 시위를 헌법의 보호범위를 벗어나 개최가 허용되지 않는 집회 내지 시위라고 단정할 수 없다. 따라서 「집회 및 시위에 관한 법률」 제20조 제1항 제2호가 미신고 옥외집회 또는 시위를 해산명령의 대상으로 하면서 별도의 해산요건을 정하고 있지 않더라도, 그 옥외집회 또는 시위로 인하여 타인의 법익이나 공공의 안녕질서에 대한 직접적인 위험이 명백하게 초래된 경우에 한하여 위 조항에 기하여 해산을 명할 수 있고, 이러한 요건을 갖춘 해산명령에 불응하는 경우에만 「집회 및 시위에 관한 법률」 제24조 제5호에 의하여 처벌할 수 있다고 보아야 한다. 이와 달리 미신고라는 사유만으로 그 옥외집회 또는 시위를 해산할 수 있는 것으로 해석한다면, 이는 사실상 집회의 사전신고제를 허가제처럼 운용하는 것이나 다름없어 집회의 자유를 침해하게 되므로 부당하다(대판 2012.4.26, 2011도6294).

④ [X] 헌법 제21조 제2항에서 정하는 허가나 검열은 행정권이 주체가 되어 사상이나 의견 등이 발표되기 이전에 예방적 조치로서 그 내용을 심사·선별하여 발표를 사전에 억제하는, 즉 허가받지 아니한 것의 발표를 금지하는 제도를 뜻한다.

14 정답 ②

ㄱ. [X] '행정청이 주체가 되어 집회의 허용 여부를 사전에 결정하는 것'으로서 행정청에 의한 사전허가는 헌법상 금지되지만, 입법자가 법률로써 일반적으로 집회를 제한하는 것은 헌법상 '사전허가금지'에 해당하지 않는다(2009.9.24, 2008헌가25). 2015년 법행

ㄴ. [X] 허가는 검열은 입법권이 주체가 되는 것이 아니라 행정권이 주제가 된다.

관련 판례 헌법 제21조 제2항은 집회에 대한 허가제는 집회에 대한 검열제와 마찬가지이므로 이를 절대적으로 금지하겠다는 헌법개정권력자인 국민들의 헌법가치적 합의이며 헌법적 결단이다. 또한 위 조항은 헌법 자체에서 직접 집회의 자유에 대한 제한의 한계를 명시한 것이므로 기본권 제한에 관한 일반적 법률유보조항인 헌법 제37조 제2항에 앞서서, 우선적이고 제1차적인 위헌심사기준이 되어야 한다. 헌법 제21조 제2항에서 금지하고 있는 '허가'는 행정권이 주체가 되어 집회 이전에 예방적 조치로서 집회의 내용·시간·장소 등을 사전심사하여 일반적인 집회금지를 특정한 경우에 해제함으로써 집회를 할 수 있게 하는 제도, 즉 허가를 받지 아니한 집회를 금지하는 제도를 의미한다(2009.9.24, 2008헌가25). 2021년 경찰승진

ㄷ. [X] 헌법규정에서 금지하고 있는 허가제는 집회의 자유에 대한 일반적 금지가 원칙이고 예외적으로 행정권의 허가가 있을 때에만 이를 허용한다는 점에서, 집회의 자유가 원칙이고 금지가 예외인 집회에 대한 신고제와는 집회의 자유에 대한 이해와 접근방법의 출발점을 달리 하고 있는 것이다(2009.9.24, 2008헌가25). 2014년 국회 8급

ㄹ. [O] 헌법 제21조 제2항은, 집회에 대한 허가제는 집회에 대한 검열제와 마찬가지이므로 이를 절대적으로 금지하겠다는 헌법개정권력자인 국민들의 헌법가치적 합의이며 헌법적 결단이다. 또한 위 조항은 헌법 자체에서 직접 집회의 자유에 대한 제한의 한계를 명시한 것이므로 기본권 제한에 관한 일반적 법률유보조항인 헌법 제37조 제2항에 앞서서, 우선적이고 제1차적인 위헌심사기준이 되어야 한다. 헌법 제21조 제2항에서 금지하고 있는 '허가'는 행정권이 주체가 되어 집회 이전에 예방적 조치로서 집회의 내용·시간·장소 등을 사전심사하여 일반적인 집회금지를 특정한 경우에 해제함으로써 집회를 할 수 있게 하는 제도, 즉 허가를 받지 아니한 집회를 금지하는 제도를 의미한다(2009.9.24, 2008헌가25). 2014년 국회 8급

ㅁ. [X] 행정법규 위반행위에 대하여 행정형벌을 과할 것인지 여부, 법정형을 어떻게 정할 것인가는 기본적으로 입법재량에 속한다. 미신고 옥외집회의 주최는 신고제의 행정목적을 직접 침해하고 공공의 안녕질서에 위험을 초래할 개연성이 높으므로, 형사처벌을 하는 입법자의 결단이 부당하지 않고, 법정형이 과중하지도 않으며, 신고제를 사실상 허가제로 변화시켰다고 볼 수 없다(2009.5.28, 2007헌바22).

ㅂ. [O] 「집회 및 시위에 관한 법률」의 사전신고는 경찰관청 등 행정관청으로 하여금 집회의 순조로운 개최와 공공의 안전보호를 위하여 필요한 준비를 할 수 있는 시간적 여유를 주기 위한 것으로서, 협력의무로서의 신고이다. 「집회 및 시위에 관한 법률」 전체의 규정 체제에서 보면 「집회 및 시위에 관한 법률」은 일정한 신고절차만 밟으면 일반적·원칙적으로 옥외집회 및 시위를 할 수 있도록 보장하고 있으므로, 집회에 대한 사전신고제도는 헌법 제21조 제2항의 사전허가금지에 위배되지 않는다(2014.1.28, 2011헌바174 등). 2019년 경찰승진

15 정답 ①

ㄱ. [O] 심판대상조항의 신고사항은 여러 옥외집회, 시위가 경합하지 않도록 하기 위해 필요한 사항이고 질서유지 등 필요한 조치를 할 수 있도록 하는 중요한 정보이다. 옥외집회, 시위에 대한 사전신고 이후 기재사항의 보완, 금지통고 및 이의절차 등이 원활하게 진행되기 위하여 늦어도 집회가 개최되기 48시간 전까지 사전신고를 하도록 규정한 것이 지나치다고 볼 수 없다(2014.1.28, 2011헌바174 등). 2015년 국회 8급

ㄴ. [○] 「집회 및 시위에 관한 법률」(이하 '집시법'이라 한다) 제20조 제1항 제2호가 미신고 옥외집회 또는 시위를 해산명령의 대상으로 하면서 별도의 해산 요건을 정하고 있지 않더라도, 그 옥외집회 또는 시위로 인하여 타인의 법익이나 공공의 안녕질서에 대한 직접적인 위험이 명백하게 초래된 경우에 한하여 위 조항에 기하여 해산을 명할 수 있고, 이러한 요건을 갖춘 해산명령에 불응하는 경우에만 집시법 제24조 제5호에 의하여 처벌할 수 있다고 보아야 한다. 이와 달리 미신고라는 사유만으로 그 옥외집회 또는 시위를 해산할 수 있는 것으로 해석한다면, 이는 사실상 집회의 사전신고제를 허가제처럼 운용하는 것이나 다름없어 집회의 자유를 침해하게 되므로 부당하다. 집시법 제20조 제1항 제2호를 위와 같이 제한하여 해석하더라도, 사전신고제의 규범력은 집시법 제22조 제2항에 의하여 신고의무를 이행하지 아니한 옥외집회 또는 시위의 주최자를 처벌하는 것만으로도 충분히 확보할 수 있다(대판 2012.4.26, 2011도6294). 2020년 법행

ㄷ. [○] ㄹ. [X] 구 「집회 및 시위에 관한 법률」의 관련 조항 등에 의하면, 신고된 집회와 동일성이 유지되었다면 옥외집회 또는 시위를 신고한 주최자가 그 주도 아래 행사를 진행하는 과정에서 신고한 목적·일시·장소·방법 등의 범위를 현저히 일탈하는 행위에 이르렀다고 하더라도, 이를 신고 없이 옥외집회 또는 시위를 주최한 행위로 볼 수는 없다(대판 2008.7.10, 2006도9471). 2009년 법행

ㅁ. [○] 집회나 시위 해산을 위한 살수차 사용은 집회의 자유 및 신체의 자유에 대한 중대한 제한을 초래하므로 살수차 사용요건이나 기준은 법률에 근거를 두어야 하고, 살수차와 같은 위해성 경찰장비는 본래의 사용방법에 따라 지정된 용도로 사용되어야 하며 다른 용도나 방법으로 사용하기 위해서는 반드시 법령에 근거가 있어야 한다(2018.5.31, 2015헌마476). 2020년 소방간부

16 정답 ③

ㄱ. [X] 보완통고할 수 있다.

> **「집회 및 시위에 관한 법률」 제7조 【신고서의 보완 등】** ① 관할 경찰관서장은 제6조 제1항에 따른 신고서의 기재사항에 미비한 점을 발견하면 접수증을 교부한 때부터 12시간 이내에 주최자에게 24시간을 기한으로 그 기재사항을 보완할 것을 통고할 수 있다.

ㄴ. [○]

> **「집회 및 시위에 관한 법률」 제15조 【적용의 배제】** 학문, 예술, 체육, 종교, 의식, 친목, 오락, 관혼상제 및 국경행사에 관한 집회에는 제6조부터 제12조까지의 규정을 적용하지 아니한다.
>
> **제6조 【옥외집회 및 시위의 신고 등】** ① 옥외집회나 시위를 주최하려는 자는 그에 관한 다음 각 호의 사항 모두를 적은 신고서를 옥외집회나 시위를 시작하기 720시간 전부터 48시간 전에 관할 경찰서장에게 제출하여야 한다. 〈단서 생략〉〈각 호 생략〉
>
> **제11조 【옥외집회와 시위의 금지장소】** 누구든지 다음 각 호의 어느 하나에 해당하는 청사 또는 저택의 경계 지점으로부터 100미터 이내의 장소에서는 옥외집회 또는 시위를 하여서는 아니 된다.
> 1. 국회의사당. 다만, 다음 각 목의 어느 하나에 해당하는 경우로서 국회의 기능이나 안녕을 침해할 우려가 없다고 인정되는 때에는 그러하지 아니하다.
> 가. 국회의 활동을 방해할 우려가 없는 경우
> 나. 대규모 집회 또는 시위로 확산될 우려가 없는 경우

ㄷ. [○] 청구인들의 입장에서는 이 반려행위를 옥외집회신고에 대한 접수거부 또는 집회의 금지통고로 보지 않을 수 없었고, 그 결과 형사적 처벌이나 집회의 해산을 받지 않기 위하여 집회의 개최를 포기할 수밖에 없었다고 할 것이므로 피청구인의 이 사건 반려행위는 주무행정기관에 의한 행위로서 기본권 침해가능성이 있는 공권력의 행사에 해당한다(2008.5.29, 2007헌마712).

ㄹ. [X] 「집회 및 시위에 관한 법률」(이하 '집시법'이라 한다)상 옥외집회의 48시간 전 사전신고의무 옥외집회의 사전신고의무는 이익충돌을 예방하고 행정관청과 주최자가 상호 정보를 교환하고 협력함으로써 집회를 평화롭게 구현하려는 것이다. 신고가 불가능하거나 전혀 불필요한 것을 신고사항으로 하여 집회의 자유를 실질적으로 제한하거나 형해화할 정도에 이른다면 최소침해성원칙에 위반되나, 구 집시법 제6조 제1항이 열거하고 있는 신고사항들은 지나치게 과다하거나 신고가 불가능한 경우라고 볼 수 없다. 사전신고의무로 인한 집회개최자의 불편함이나 번거로움이 신고로 인해 보호되는 공익에 비해 중대하다고 할 수도 없다. 따라서 구 집시법 제6조 제1항 중 '옥외집회'에 관한 부분이 과잉금지원칙에 위배하여 집회의 자유를 침해한다고 볼 수 없다(2009.5.28, 2007헌바22).

ㅁ. [○] 2009년 법행

> **「집회 및 시위에 관한 법률」 제7조 【신고서의 보완 등】** ① 관할 경찰관서장은 제6조 제1항에 따른 신고서의 기재사항에 미비한 점을 발견하면 접수증을 교부한 때부터 12시간 이내에 주최자에게 24시간을 기한으로 그 기재사항을 보완할 것을 통고할 수 있다.

ㅂ. [X] 2019년 국회 9급

> **「집회 및 시위에 관한 법률」 제15조 【적용의 배제】** 학문, 예술, 체육, 종교, 의식, 친목, 오락, 관혼상제 및 국경행사에 관한 집회에는 제6조(신고제)부터 제12조까지의 규정을 적용하지 아니한다.

17 정답 ④

ㄱ. [X] ㄴ. [X]

> **「집회 및 시위에 관한 법률」 제19조 【경찰관의 출입】** ① 경찰관은 집회 또는 시위의 주최자에게 알리고 그 집회 또는 시위의 장소에 정복을 입고 출입할 수 있다. 다만, 옥내집회 장소에 출입하는 것은 직무집행을 위하여 긴급한 경우에만 할 수 있다.

ㄷ. [○] 심판대상조항은 신고범위를 벗어난 집회·시위에 참가하는 것 자체를 처벌하는 것이 아니고, 다만 그 집회·시위로 인하여 질서를 유지할 수 없게 된 경우에 해산명령을 발할 수 있도록 하고, 이에 응하지 아니하는 행위에 대하여 처벌하는 조항이다. 그렇다면 심판대상조항이 달성하려는 공공의 안녕질서유지 및 회복이라는 공익과 심판대상조항으로 인하여 제한되는 청구인들의 기본권 사이의 균형을 상실하였다고 보기 어렵다(2016.9.29, 2015헌바309 등).

ㄹ. [X]

> **「집회 및 시위에 관한 법률」 제16조 【주최자의 준수사항】** ② 집회 또는 시위의 주최자는 집회 또는 시위의 질서 유지에 관하여 자신을 보좌하도록 18세 이상의 사람을 질서유지인으로 임명할 수 있다.

ㅁ. [O]

「집회 및 시위에 관한 법률」 제4조【특정인 참가의 배제】 집회 또는 시위의 주최자 및 질서유지인은 특정한 사람이나 단체가 집회나 시위에 참가하는 것을 막을 수 있다. 다만, 언론사의 기자는 출입이 보장되어야 하며, 이 경우 기자는 신분증을 제시하고 기자임을 표시한 완장을 착용하여야 한다.

ㅂ. [O]

「집회 및 시위에 관한 법률」 제12조【교통 소통을 위한 제한】 ① 관할 경찰관서장은 대통령령으로 정하는 주요 도시의 주요 도로에서의 집회 또는 시위에 대하여 교통 소통을 위하여 필요하다고 인정하면 이를 금지하거나 교통질서 유지를 위한 조건을 붙여 제한할 수 있다.
② 집회 또는 시위의 주최자가 질서유지인을 두고 도로를 행진하는 경우에는 제1항에 따른 금지를 할 수 없다. 다만, 해당 도로와 주변 도로의 교통 소통에 장애를 발생시켜 심각한 교통 불편을 줄 우려가 있으면 제1항에 따른 금지를 할 수 있다.

ㅅ. [O]

「집회 및 시위에 관한 법률」 제16조【주최자의 준수사항】 ① 집회 또는 시위의 주최자는 집회 또는 시위에 있어서의 질서를 유지하여야 한다.
② 집회 또는 시위의 주최자는 집회 또는 시위의 질서유지에 관하여 자신을 보좌하도록 18세 이상의 사람을 질서유지인으로 임명할 수 있다.
③ 집회 또는 시위의 주최자는 제1항에 따른 질서를 유지할 수 없으면 그 집회 또는 시위의 종결을 선언하여야 한다.

18 정답 ①

❶ [O] 2011년 법행

「집회 및 시위에 관한 법률」 제14조【확성기 등 사용의 제한】 ① 집회 또는 시위의 주최자는 확성기, 북, 징, 꽹과리 등의 기계·기구(이하 이 조에서 '확성기 등'이라 한다)를 사용하여 타인에게 심각한 피해를 주는 소음으로서 대통령령으로 정하는 기준을 위반하는 소음을 발생시켜서는 아니 된다.
② 관할 경찰관서장은 집회 또는 시위의 주최자가 제1항에 따른 기준을 초과하는 소음을 발생시켜 타인에게 피해를 주는 경우에는 그 기준 이하의 소음 유지 또는 확성기 등의 사용 중지를 명하거나 확성기 등의 일시보관 등 필요한 조치를 할 수 있다.

② [X] ③ [X]

「집회 및 시위에 관한 법률」 제9조【집회 및 시위의 금지 통고에 대한 이의신청 등】 ① 집회 또는 시위의 주최자는 제8조에 따른 금지 통고를 받은 날부터 10일 이내에 해당 경찰관서의 바로 위의 상급경찰관서의 장에게 이의를 신청할 수 있다.
② 제1항에 따른 이의신청을 받은 경찰관서의 장은 접수 일시를 적은 접수증을 이의 신청인에게 즉시 내주고 접수한 때부터 24시간 이내에 재결을 하여야 한다. 이 경우 접수한 때부터 24시간 이내에 재결서를 발송하지 아니하면 관할 경찰관서장의 금지 통고는 소급하여 그 효력을 잃는다.

④ [X]

「집회 및 시위에 관한 법률」 제21조【집회·시위자문위원회】 ① 집회 및 시위의 자유와 공공의 안녕질서가 조화를 이루도록 하기 위하여 각급 경찰관서에 다음 각 호의 사항에 관하여 각급 경찰관서장의 자문 등에 응하는 집회·시위자문위원회를 둘 수 있다.
1. 제8조에 따른 집회 또는 시위의 금지 또는 제한 통고
2. 제9조 제2항에 따른 이의 신청에 관한 재결
3. 집회 또는 시위에 대한 사례 검토
4. 집회 또는 시위업무의 처리와 관련하여 필요한 사항

19 정답 ④

① [X] 국회의사당 인근에서의 집회가 심판대상조항에 의하여 보호되는 법익에 대한 직접적인 위협을 초래한다는 일반적 추정이 구체적인 상황에 의하여 부인될 수 있는 경우라면, 입법자로서는 예외적으로 옥외집회가 가능할 수 있도록 심판대상조항을 규정하여야 한다. 예를 들어, 국회의 기능을 직접 저해할 가능성이 거의 없는 '소규모 집회', 국회의 업무가 없는 '공휴일이나 휴회기 등에 행하여지는 집회', '국회의 활동을 대상으로 한 집회가 아니거나 부차적으로 국회에 영향을 미치고자 하는 의도가 내포되어 있는 집회'처럼 옥외집회에 의한 국회의 헌법적 기능이 침해될 가능성이 부인되거나 또는 현저히 낮은 경우에는, 입법자로서는 심판대상조항으로 인하여 발생하는 집회의 자유에 대한 과도한 제한가능성이 완화될 수 있도록 그 금지에 대한 예외를 인정하여야 한다(2018.05.31, 2013헌바322 등).

② [X] 주요 헌법기관이나 외교기관 100미터 이내 옥외집회금지 자체가 위헌이 아니라 예외를 두지 않았다는 점에서 과잉금지원칙 위반이었다.

③ [X] 청구인은 영토주권을 수호할 의무를 가진 대한민국 국민으로서 독도를 일본의 영토라고 주장하고 있는 주한 일본대사관을 대상으로 항의집회를 하려고 하였으나 이 사건 법률조항에 의하여 그 의무를 다하지 못하게 되었으므로 이는 청구인의 영토권을 침해하는 것이라고 주장하나, 청구인이 주한 일본대사관을 대상으로 항의집회를 하는 것이 영토권을 행사하는 것이라 할 수 없는바, 이 사건 법률조항에 의한 영토권의 침해는 발생하지 않는다(2010.10.28, 2010헌마111).

❹ [O] 구 「집회 및 시위에 관한 법률」 제5조 제1항 제2호에 의하여 주최가 금지되는 집회는 형법상 범죄인 폭행·협박·손괴·방화 등 행위가 집단적으로 이루어짐으로써 개인의 생명·자유·재산 등 기본권 보호 및 국가와 사회의 존속을 위해 필수적인 것으로 인정되는 가치와 규준 등에 대해 사회통념상 수인할 수 있는 혼란이나 불편을 넘는 위험을 직접 초래할 것이 명백한 집회 또는 시위를 말하며, 이 사건 법률조항들은 그 의미가 불명확하다고 볼 수 없고, 건전한 상식과 통상적인 법감정을 가진 일반인이라면 금지되는 행위가 무엇인지를 예측하는 것이 현저히 곤란하다고 보이지 않으므로 죄형법정주의의 명확성원칙에 위배되지 않는다(2010.4.29, 2008헌바118).

20 정답 ③

① [X] 주최자가 신고한 내용과 실제로 진행된 내용을 비교하여 볼 때 동일성을 유지하지만, 신고에 의해 예상되는 범위를 현저히 일탈하여 신고제도의 목적 달성을 심히 곤란하게 할 정도로 양자 사이에 커다란 질적 차이가 보이고, 제3자, 일반 공중의 이익이나 공공의

안녕질서를 더 침해하거나 위협하여 사회통념상 수인하기 어렵다고 판단된다면 실제 개최된 집회는 당초 신고한 내용에서 '뚜렷이' 벗어나는 옥외집회에 해당한다. 다소 신고한 범위를 벗어났지만 상황상 그것이 충분히 예측가능하고, 더 큰 공공의 위험을 야기하였다고 볼 사정이 없는 경우까지 이 사건 법률조항에서 금지하고 있다고 할 수 없다. 따라서 이 사건 법률조항은 명확성원칙에 위배되지 아니한다(2013.12.26, 2013헌바24).

② [X] 어떤 행정법규 위반행위에 대하여, 이를 단지 간접적으로 행정상의 질서에 장해를 줄 위험성이 있음에 불과한 경우(단순한 의무태만 내지 의무 위반)로 보아 행정질서벌인 과태료를 과할 것인가, 아니면 직접적으로 행정목적과 공익을 침해한 행위로 보아 행정형벌을 과할 것인가, 그리고 행정형벌을 과할 경우 그 법정형의 형종과 형량을 어떻게 정할 것인가는, 당해 위반행위가 위의 어느 경우에 해당하는가에 대한 법적 판단을 그르친 것이 아닌 한 그 처벌내용은 기본적으로 입법권자가 제반 사정을 고려하여 결정할 그 입법재량에 속하는 문제라고 할 수 있다. 이러한 관점에서 볼 때, 단순히 행정질서에 장해를 줄 위험성이 있는 정도의 의무 태만 내지 의무 위반이 아니고 직접적으로 행정목적을 침해하고 나아가 공익을 침해할 고도의 개연성을 띤 행위라고 볼 수 있으므로 과태료가 아닌 행정형벌을 과하도록 규정한 것은 입법재량의 한계를 벗어난 과중한 처벌이라고도 볼 수 없다. 그리고 형량이 높다고 하여 신고제가 사실상 허가제화한다거나 형량이 낮다고 하여 그 반대가 된다고도 볼 수 없다(1994.4.28, 91헌바14).

❸ [O] 구 「집회 및 시위에 관한 법률」 제3조 제1항 제4호가 '현저히 사회적 불안을 야기시킬 우려있는 집회 또는 시위'를 주관하거나 개최하여서는 안 된다고 한 것은 그 규제대상이 광범위하고 제한의 폭이 넓고, 집회의 자유를 위축시킬 수 있고, 법운영 당국의 편의적·자의적 법운영이 가능한 것이므로 집회 또는 이동하는 집회를 뜻하는 시위의 자유를 과잉제한하는 것이나, 그 조문의 합헌적이고 긍정적인 면이 있으므로, 집회·시위 가운데서 공공의 안녕과 질서유지에 직접적인 위협을 가할 것이 명백한 경우에 적용된다고 해석하는 한 헌법에 위반되지 아니한다(1992.1.28, 89헌가8).

④ [X] 접수순위를 정하기 어렵다는 현실적인 이유로 중복신고된 모든 옥외집회의 개최가 법률적 근거 없이 불허되는 것이 용인된다면, 집회의 자유를 보장하고 집회의 사전허가를 금지한 헌법 제21조 제1항 및 제2항은 무의미한 규정으로 전락할 위험성이 있다. 결국 이 사건 반려행위는 법률의 근거 없이 청구인들의 집회의 자유를 침해한 것으로서 헌법상 법률유보원칙에 위반된다고 할 것이다(2008.5.29, 2007헌마712).

34회 진도별 모의고사

집회 및 결사의 자유 ~ 재산권

정답

01	④	02	④	03	②	04	④
05	④	06	②	07	①	08	①
09	②	10	③	11	①	12	③
13	③	14	②	15	①	16	④
17	③	18	②	19	④	20	①

01 정답 ④

① [X]

「집회 및 시위에 관한 법률」 제8조 【집회 및 시위의 금지 또는 제한 통고】 ② 관할 경찰관서장은 집회 또는 시위의 시간과 장소가 중복되는 2개 이상의 신고가 있는 경우 그 목적으로 보아 서로 상반되거나 방해가 된다고 인정되면 각 옥외집회 또는 시위 간에 시간을 나누거나 장소를 분할하여 개최하도록 권유하는 등 각 옥외집회 또는 시위가 서로 방해되지 아니하고 평화적으로 개최·진행될 수 있도록 노력하여야 한다.
③ 관할 경찰관서장은 제2항에 따른 권유가 받아들여지지 아니하면 뒤에 접수된 옥외집회 또는 시위에 대하여 제1항에 준하여 그 집회 또는 시위의 금지를 통고할 수 있다.

② [X] 신고된 집회의 참여예정인원, 집회의 목적, 집회개최장소 및 시간, 집회 신고인이 기존에 신고한 집회 건수와 실제로 집회를 개최한 비율 등 먼저 신고된 집회의 실제 개최가능성 여부와 양 집회의 상반 또는 방해가능성 등 제반 사정을 확인하여 먼저 신고된 집회가 다른 집회의 개최를 봉쇄하기 위한 허위 또는 가장 집회신고에 해당함이 객관적으로 분명해 보이는 경우에는, 뒤에 신고된 집회에 다른 집회 금지사유가 있는 경우가 아닌 한, 관할 경찰관서장이 단지 먼저 신고가 있었다는 이유만으로 뒤에 신고된 집회에 대하여 집회 자체를 금지하는 통고를 하여서는 아니 되고, 설령 이러한 금지통고에 위반하여 집회를 개최하였다고 하더라도 그러한 행위를 「집회 및 시위에 관한 법률」상 금지 통고에 위반한 집회개최행위에 해당한다고 보아서는 아니 될 것이다(대판 2014.12.11, 2011도13299).

③ [X] 심판대상조항은 국회의원과 국회에서 근무하는 직원, 국회에 출석하여 진술하고자 하는 일반 국민이나 공무원 등이 어떠한 압력이나 위력에 구애됨이 없이 자유롭게 국회의사당에 출입하여 업무를 수행하며, 국회의사당을 비롯한 국회 시설의 안전이 보장될 수 있도록 하기 위한 목적에서 입법된 것으로 그 목적은 정당하고, 국회의사당 경계 지점으로부터 100미터 이내의 장소에서의 옥외집회를 전면적으로 금지하는 것은 국회의 기능을 보호하는 데 기여할 수 있으므로 수단의 적합성도 인정된다(2018.5.31, 2013헌바322 등).

❹ [O] 이 사건 피청구인은 청구인 OO합섬HK지회와 OO생명인사지원실이 제출한 옥외집회신고서를 폭력사태 발생이 우려된다는 이유로 동시에 접수하였고, 이후 상호 충돌을 피한다는 이유로 두 개의 집회신고를 모두 반려하였는바, 법률의 근거 없이 청구인들의 집회의 자유를 침해한 것으로서 헌법상 법률유보원칙에 위반된다고 할 것이다(2008.5.29, 2007헌마712).

02 정답 ④

① [X]

관련 판례 국회의사당 인근에서의 집회가 심판대상조항에 의하여 보호되는 법익에 대한 직접적인 위협을 초래한다는 일반적 추정이 구체적인 상황에 의하여 부인될 수 있는 경우라면, 입법자로서는 예외적으로 옥외집회가 가능할 수 있도록 심판대상조항을 규정하여야 한다. 예를 들어, 국회의 기능을 직접 저해할 가능성이 거의 없는 '소규모 집회', 국회의 업무가 없는 '공휴일이나 휴회기 등에 행하여지는 집회', '국회의 활동을 대상으로 한 집회가 아니거나 부차적으로 국회에 영향을 미치고자 하는 의도가 내포되어 있는 집회'처럼 옥외집회에 의한 국회의 헌법적 기능이 침해될 가능성이 부인되거나 또는 현저히 낮은 경우에는, 입법자로서는 심판대상조항으로 인하여 발생하는 집회의 자유에 대한 과도한 제한가능성이 완화될 수 있도록 그 금지에 대한 예외를 인정하여야 한다. 물론 국회의사당 인근에서 폭력적이고 불법적인 대규모 집회가 행하여지는 경우 국회의 헌법적 기능이 훼손될 가능성이 커지는 것은 사실이다. 그러나 「집회 및 시위에 관한 법률」은 이러한 상황에 대처할 수 있도록 다양한 규제수단들을 규정하고 있고, 집회과정에서의 폭력행위나 업무방해행위 등은 형사법상의 범죄행위로서 처벌된다. 이처럼, 심판대상조항은 입법목적을 달성하는 데 필요한 최소한도의 범위를 넘어, 규제가 불필요하거나 또는 예외적으로 허용하는 것이 가능한 집회까지도 이를 일률적·전면적으로 금지하고 있으므로 침해의 최소성원칙에 위배된다(2018.5.31, 2013헌바322 등).

관련 판례 심판대상조항은 각급 법원 인근의 모든 옥외집회를 전면적으로 금지함으로써 상충하는 법익 사이의 조화를 이루려는 노력을 전혀 기울이지 않아, 법익의 균형성 원칙에도 어긋난다. 심판대상조항은 과잉금지원칙을 위반하여 집회의 자유를 침해한다(2018.7.26, 2018헌바137).

② [X]

「집회 및 시위에 관한 법률」 제11조 【옥외집회와 시위의 금지장소】 누구든지 다음 각 호에 규정된 청사 또는 저택의 경계 지점으로부터 100미터 이내의 장소에서는 옥외집회 또는 시위를 하여서는 아니 된다.
1. 국회의사당. 다만, 다음 각 목의 어느 하나에 해당하는 경우로서 국회의 기능이나 안녕을 침해할 우려가 없다고 인정되는 때에는 그러하지 아니하다.
   가. 국회의 활동을 방해할 우려가 없는 경우
   나. 대규모 집회 또는 시위로 확산될 우려가 없는 경우
2. 각급 법원, 헌법재판소. 다만, 다음 각 목의 어느 하나에 해당하는 경우로서 각급 법원, 헌법재판소의 기능이나 안녕을 침해할 우려가 없다고 인정되는 때에는 그러하지 아니하다.
   가. 법관이나 재판관의 직무상 독립이나 구체적 사건의 재판에 영향을 미칠 우려가 없는 경우
   나. 대규모 집회 또는 시위로 확산될 우려가 없는 경우
3. 대통령 관저, 국회의장 공관, 대법원장 공관, 헌법재판소장 공관

③ [X] 주요 헌법기관이나 외교기관 100미터 이내 옥외집회금지 자체가 위헌이 아니라, 예외를 두지 않았다는 점에서 과잉금지원칙 위반이었다.

❹ [O] 이 사건 금지장소조항은 그 입법목적을 달성하는 데 필요한 최소한도의 범위를 넘어, 규제가 불필요하거나 또는 예외적으로 허용하는 것이 가능한 집회까지도 이를 일률적·전면적으로 금지하고 있다고 할 것이므로 침해의 최소성원칙에 위배된다. 심판대상조항이 가지는 위헌성은 국무총리 공관의 기능과 안녕을 보호하는 데 필요한

범위를 넘어 국무총리 공관 인근에서의 집회를 일률적·전면적으로 금지하는 데 있다. 즉, 국무총리 공관 인근에서의 옥외집회·시위를 금지하는 것에는 위헌적인 부분과 합헌적인 부분이 공존하고 있는 것이다. 그런데 국무총리 공관 인근에서의 옥외집회·시위 중 어떠한 형태의 옥외집회·시위를 예외적으로 허용할 것인지에 관하여서는 입법자의 판단에 맡기는 것이 바람직하다. 따라서 심판대상조항에 대하여 헌법불합치결정을 선고한다(2018.06.28, 2015헌가28).

03

정답 ②

① [X] 국무총리 공관 경계 지점으로부터 100미터 이내의 장소에서 옥외집회·시위를 전면적으로 금지조항은 그 입법목적을 달성하는 데 필요한 최소한도의 범위를 넘어, 규제가 불필요하거나 또는 예외적으로 허용하는 것이 가능한 집회까지도 이를 일률적·전면적으로 금지하고 있다고 할 것이므로 침해의 최소성원칙에 위배된다. 따라서 이 사건 금지장소조항은 과잉금지원칙을 위반하여 집회의 자유를 침해한다(2018.6.28, 2015헌가28 등).

❷ [O] 심판대상조항은 국회의사당 인근에서의 옥외집회를 절대적으로 금지하고 이를 위반한 경우에는 형사처벌을 예정하고 있으므로 집회의 자유를 장소적으로 제한하고 있다. 심판대상조항의 옥외집회장소의 제한은 입법자에 의한 것으로 헌법 제21조 제2항의 '사전허가제금지'에는 위반되지 않으나, 헌법 제37조 제2항이 정하는 기본권 제한의 한계 내에 있는지 여부가 문제된다(2018.5.31, 2013헌바322 등).

③ [X] 심판대상조항은 국회의사당 인근 일대를 광범위하게 집회금지장소로 설정함으로써, 국회의원에 대한 물리적인 압력이나 위해를 가할 가능성이 없는 장소 및 국회의사당 등 국회 시설에의 출입이나 안전에 지장이 없는 장소까지도 집회금지장소에 포함되게 한다. 더욱이 대한민국 국회는 국회 부지의 경계 지점에 담장을 설치하고 있고, 국회의 담장으로부터 국회의사당 건물과 같은 국회 시설까지 상당한 공간이 확보되어 있으므로 국회의원 등의 자유로운 업무수행 및 국회 시설의 안전이 보장될 수 있다. 그럼에도 심판대상조항이 국회 부지 또는 담장을 기준으로 100미터 이내의 장소에서 옥외집회를 금지하는 것은 국회의 헌법적 기능에 대한 보호의 필요성을 고려하더라도 지나친 규제라고 할 것이다(2018.5.31, 2013헌바322 등). 2020년 지방 7급

④ [X] 법원 인근에서의 집회라 할지라도 법관의 독립을 위협하거나 재판에 영향을 미칠 염려가 없는 집회도 있다. 예컨대 법원을 대상으로 하지 않고 검찰청 등 법원 인근 국가기관이나 일반법인 또는 개인을 대상으로 한 집회로서 재판업무에 영향을 미칠 우려가 없는 집회가 있을 수 있다. 법원을 대상으로 한 집회라도 사법행정과 관련된 의사표시 전달을 목적으로 한 집회 등 법관의 독립이나 구체적 사건의 재판에 영향을 미칠 우려가 없는 집회도 있다. 한편 「집회 및 시위에 관한 법률」은 심판대상조항 외에도 집회·시위의 성격과 양상에 따라 법원을 보호할 수 있는 다양한 규제수단을 마련하고 있으므로, 각급 법원 인근에서의 옥외집회·시위를 예외적으로 허용한다고 하더라도 이러한 수단을 통하여 심판대상조항의 입법목적은 달성될 수 있다. 심판대상조항은 입법목적을 달성하는 데 필요한 최소한도의 범위를 넘어 규제가 불필요하거나 또는 예외적으로 허용가능한 옥외집회·시위까지도 일률적·전면적으로 금지하고 있으므로, 침해의 최소성원칙에 위배된다(2018.07.26, 2018헌바137).

04

정답 ④

① [X] 야간시위를 금지하는 「집회 및 시위에 관한 법률」 제10조 본문에는 위헌적인 부분과 합헌적인 부분이 공존하고 있으며, 위 조항 전부의 적용이 중지될 경우 공공의 질서 내지 법적 평화에 대한 침해의 위험이 높아, 일반적인 옥외집회나 시위에 비하여 높은 수준의 규제가 불가피한 경우에도 대응하기 어려운 문제가 발생할 수 있으므로, 현행 「집회 및 시위에 관한 법률」의 체계 내에서 시간을 기준으로 한 규율의 측면에서 볼 때 규제가 불가피하다고 보기 어려움에도 시위를 절대적으로 금지하여 위헌성이 명백한 부분에 한하여 위헌 결정을 한다. 심판대상조항들은 이미 보편화된 야간의 일상적인 생활의 범주에 속하는 '해가 진 후부터 같은 날 24시까지의 시위'에 적용하는 한 헌법에 위반된다(2014.3.27, 2010헌가2 등).

➡ 한정위헌결정. 다만, 야간옥외집회금지는 헌법불합치결정되었다.

② [X] 야간시위를 금지하는 「집회 및 시위에 관한 법률」 제10조는 '해가 진 후부터 같은 날 24시까지의 시위'에 적용하는 한 헌법에 위반된다(2014.3.27, 2010헌가2 등).

➡ 한정위헌결정. 다만, 야간옥외집회금지는 헌법불합치결정되었다.

③ [X] 「집회 및 시위에 관한 법률」 제10조 단서는 과도한 제한을 완화하기 위하여 관할 경찰관서장이 일정한 조건하에 이를 허용할 수 있도록 규정하고 있으나, 그 허용 여부를 행정청의 판단에 맡기고 있는 이상, 과도한 제한을 완화하는 적절한 방법이라고 할 수 없다. 따라서 「집회 및 시위에 관한 법률」 제10조는 침해최소성의 원칙에 반한다고 할 것이고, 이와 같은 광범위한 시간대의 제한으로 인하여 집회예정자가 받을 침해가 이로 인하여 달성할 공익보다 결코 작다고 할 수 없으므로 법익균형성도 갖추지 못하였다고 할 것이다(2009.9.24, 2008헌가25). 2011년 지방 7급

❹ [O] 「집회 및 시위에 관한 법률」 제10조는 사회의 안녕질서를 유지하고 시민들의 주거 및 사생활의 평온을 보호하기 위한 것으로서 정당한 목적 달성을 위한 적합한 수단이 된다. 그러나 '일출시간 전, 일몰시간 후'라는 광범위하고 가변적인 시간대의 옥외집회 또는 시위를 금지하는 것은 오늘날 직장인이나 학생들의 근무·학업 시간, 도시화·산업화가 진행된 현대사회의 생활형태 등을 고려하지 아니하고 목적 달성을 위해 필요한 정도를 넘는 지나친 제한을 가하는 것이어서 최소침해성 및 법익균형성원칙에 반한다(2014.4.24, 2011헌가29). 2016년 소방간부

05

정답 ④

① [O] 채증규칙(경찰청 예규)은 법률로부터 구체적인 위임을 받아 제정한 것이 아니며, 집회·시위 현장에서 불법행위의 증거자료를 확보하기 위해 행정조직의 내부에서 상급행정기관이 하급행정기관에 대하여 발령한 내부기준으로 행정규칙이다. 청구인들을 포함한 이 사건 집회 참가자는 이 사건 채증규칙에 의해 직접 기본권을 제한받는 것이 아니라, 경찰의 이 사건 촬영행위에 의해 비로소 기본권을 제한받게 된다. 따라서 청구인들의 이 사건 채증규칙에 대한 심판청구는 「헌법재판소법」 제68조 제1항이 정한 기본권 침해의 직접성 요건을 충족하지 못하였으므로 부적법하다(2018.8.30, 2014헌마843).

② [O] 이 사건 촬영행위는 이미 종료되었으므로, 이에 대한 심판청구가 인용된다고 하더라도 청구인들의 권리구제에는 도움이 되지 않는다. 그러나 기본권 침해행위가 장차 반복될 위험이 있거나 당해 분쟁의 해결이 헌법질서의 유지·수호를 위하여 긴요한 사항이어서 헌법적으로 그 해명이 중대한 의미를 지니고 있는 때에는 예외적으로 심판의 이익을 인정할 수 있다(2018.8.30, 2014헌마843).

③ [O] 옥외집회·시위 현장에서 참가자들을 촬영·녹화하는 경찰의 촬영행위는 집회참가자들에 대한 초상권을 포함한 일반적 인격권을 제한할 수 있다. 경찰의 촬영행위는 개인정보자기결정권의 보호대상이 되는 신체, 특정인의 집회·시위 참가 여부 및 그 일시·장소 등의 개인정보를 정보주체의 동의 없이 수집하였다는 점에서 개인정보자기결정권을 제한할 수 있다. 집회·시위 등 현장에서 집회·시위 참가자에 대한 사진이나 영상촬영 등의 행위는 집회·시위 참가자들에게 심리적 부담으로 작용하여 여론형성 및 민주적 토론절차에 영향을 주고 집회의 자유를 전체적으로 위축시키는 결과를 가져올 수 있으므로 집회의 자유를 제한한다고 할 수 있다(2018.8.30, 2014헌마843).

❹ [X] 선지는 반대의견으로 제시된 재판관 5인의 의견이다.

> **법정의견** 근접촬영과 달리 먼 거리에서 집회·시위 현장을 전체적으로 촬영하는 소위 조망촬영이 기본권을 덜 침해하는 방법이라는 주장도 있으나, 최근 기술의 발달로 조망촬영과 근접촬영 사이에 기본권 침해라는 결과에 있어서 차이가 있다고 보기 어려우므로, 경찰이 이러한 집회·시위에 대해 조망촬영이 아닌 근접촬영을 하였다는 이유만으로 헌법에 위반되는 것은 아니다. 이 사건에서 피청구인이 신고범위를 벗어난 동안에만 집회참가자들을 촬영한 행위가 과잉금지원칙을 위반하여 집회참가자인 청구인들의 일반적 인격권, 개인정보자기결정권 및 집회의 자유를 침해한다고 볼 수 없다(2018.8.30, 2014헌마843).

06 정답 ②

① [O] 정당도 헌법 제21조의 결사이나 제8조는 일반결사에 관한 제21조의 특별법적 규정으로서 정당의 설립·활동·존속에 있어서는 제8조가 우선적으로 적용된다. 2005년 사시

❷ [X] 결사의 자유에는 '단체활동의 자유'도 포함되는데, 단체활동의 자유는 단체 외부에 대한 활동뿐만 아니라 단체의 조직, 의사형성의 절차 등의 단체의 생활을 스스로 결정하고 형성할 권리인 '단체 내부 활동의 자유'를 포함한다. … 조합장 선출행위는 결사 내 업무집행 및 의사결정기관의 구성에 관한 자율적인 활동이라 할 수 있으므로, 농협 조합장의 임기와 조합장 선거의 시기에 관한 사항은 결사의 자유의 보호범위에 속한다(2012.12.27, 2011헌마562 등).

③ [O] 지역축협은 조합원의 축산업 생산성을 높이고 조합원이 생산한 축산물의 판로 확대 및 유통 원활화를 도모하며, 조합원이 필요로 하는 기술, 자금 및 정보 등을 제공함으로써 조합원의 경제적·사회적·문화적 지위향상을 증대하는 것을 목적으로 하는 축협인의 자주적 협동조직으로 기본적으로 사법인적 성격을 지니고 있으므로, 지역축협인 청구인은 지역축협의 활동과 관련하여 결사의 자유 보장의 대상이 된다(2018.1.25, 2016헌바315).

④ [O] 결사의 자유에서 말하는 '결사'란 자연인 또는 법인의 다수가 상당한 기간 동안 공동목적을 위하여 자유의사에 기하여 결합하고 조직화된 의사형성이 가능한 단체를 말하는 것이라고 정의하여 공동목적의 범위를 비영리적인 것으로 제한하지는 않았고, … 달리 영리단체를 결사에서 제외하여야 할 뚜렷한 근거가 없는 터이므로, 영리단체도 헌법상 결사의 자유에 의하여 보호된다고 보아야 할 것이다(2002.9.19, 2000헌바84). 2015년 법원

07 정답 ①

❶ [X] 헌법 제21조가 규정하는 결사의 자유라 함은 다수의 자연인 또는 법인이 공동의 목적을 위하여 단체를 결성할 수 있는 자유를 말하는 것으로 적극적으로는 ⓐ 단체결성의 자유, ⓑ 단체존속의 자유, ⓒ 단체활동의 자유, ⓓ 결사에의 가입·잔류의 자유를, 소극적으로는 기존의 단체로부터 탈퇴할 자유와 결사에 가입하지 아니할 자유를 내용으로 하는바, 위에서 말하는 결사란 자연인 또는 법인의 다수가 상당한 기간 동안 공동목적을 위하여 자유의사에 기하여 결합하고 조직화된 의사형성이 가능한 단체를 말하는 것으로 공법상의 결사는 이에 포함되지 아니한다(1996.4.25, 92헌바47).

② [O] 농협은 기본적으로 사법인의 성격을 지니지만, 「농업협동조합법」에서 정하는 특정한 국가적 목적을 위하여 설립되는 공공성이 강한 법인으로, 그 수행하는 사업 내지 업무가 국민경제에서 상당한 비중을 차지하고 국민경제 및 국가 전체의 경제와 관련된 경제적 기능에 있어서 금융기관에 준하는 공공성을 가진다. … 공적인 역할을 수행하는 결사 또는 그 구성원들이 기본권의 침해를 주장하는 경우에 과잉금지원칙 위배 여부를 판단할 때에는, 순수한 사적인 임의결사의 기본권이 제한되는 경우의 심사에 비해서는 완화된 기준을 적용할 수 있다(2012.12.27, 2011헌마562 등).

③ [O] 「축산업협동조합법」상 축산업협동조합은 그 목적이나 설립, 관리면에서 자주적인 단체로서 공법인이라고 하기보다는 사법인이라고 할 것이므로 축협의 설립과 관련하여도 결사의 자유는 보장된다고 할 것인바, 기존의 조합과 구역을 같이하는 경우 신설 조합의 설립을 제한하는 것은 결사의 자유를 제한하고 있다고 할 것이다(1996.4.25, 92헌바47).

④ [O] 축협중앙회의 해산 및 통합은 정치적 측면이 아닌 국가의 경제정책적인 측면, 사회경제적인 측면에서 접근하여야 할 문제인바, 경제정책적인 문제, 사회경제적인 문제에 대한 입법자의 입법행위는, 사회경제의 실태에 대한 정확한 기초자료의 파악과 그러한 입법행위가 가져올 영향 및 다른 사회경제정책 전체와의 조화를 고려하여야 하므로, 이러한 여러 가지 조건에 대한 적정한 평가와 판단은 사법적 판단보다는 입법자의 정책기술적인 재량에 맡기는 것이 바람직하고, 헌법재판소는 일단 입법자의 입법형성권을 존중하되, 다만 입법자가 그 재량범위를 일탈하여 현저히 불합리한 입법을 하는 경우에만 이에 개입하여 그 효력을 부인하는 것이 상당하다고 할 것이다(2000.6.1, 99헌마553).

08 정답 ①

❶ [X] 축협중앙회는 본질적으로 영리추구를 목적으로 하는 단체가 아니며, 앞에서 본 바와 같은 특수한 법인이므로 이를 사영기업이라고 할 수 없고, 따라서 이 사건에 사영기업에 대한 불간섭의 원칙을 천명한 헌법 제126조(국방상 또는 국민경제상 긴절한 필요로 인하여 법률이 정하는 경우를 제외하고는, 사영기업을 국유 또는 공유로 이전하거나 그 경영을 통제 또는 관리할 수 없다)가 적용되어야 한다는 청구인들의 주장 역시 이를 받아들일 것이 못된다(2000.6.1, 99헌마553).

② [O] 상공회의소는 상공업자들의 사적인 단체이기는 하나, 설립·회원·기관·의결방법·예산편성과 결산 등이 「상공회의소법」에 의하여 규율되고, 단체결성·가입·탈퇴에 상당한 제한이 있는 조직이며 다른 결사와 달리 일정한 공적인 역무를 수행하면서 지방자치단체의 행정지원과 자금지원 등의 혜택을 받고 있는 법인이므로, 이 사건 법률조항에 의한 결사의 자유 제한이 과잉금지원칙에 위배되는지 판단할 때에는, 순수한 사적인 임의결사에 비해서 완화된 기준을 적용할 수 있다(2006.5.25, 2004헌가1).

③ [O] 상공회의소가 결사의 자유의 주체가 되는 사법인으로 기본적으로는 임의단체라고 하더라도 일반 결사에 비하여 여러 규제와 혜택을 법령으로 규정하고 있는바, 이러한 특성을 상공회의소 및 그 회원이 가지는 결사의 자유의 제한이 과잉금지원칙에 반하는지 여부

를 판단하는 데 고려하여야 할 것이다(2006.5.25, 2004헌가1).

④ [O] 「상공회의소법」이 하나의 지방자치단체의 행정구역 안에 둘 이상의 상공회의소가 병존하지 못하게 하는 목적은 상공회의소가 담당하는 공적 임무를 처리하거나 상공회의소에게 보조금을 지급하거나 사업을 위탁하는 지방자치단체와의 관계에서 혼선이 발생하는 것을 방지하기 위한 것으로 보인다. 이 사건 법률조항의 입법목적은 광역시에 속한 군을 관할 구역으로 하는 상공회의소가 별도로 설립되어 광역시 안에 둘 이상의 상공회의소가 병존하고, 관할의 중복에 따라 상공회의소의 설립목적을 달성함에 있어서 혼선이 발생하는 것을 방지하기 위한 것으로 보인다. 이 사건 법률조항이 상공회의소의 설립과 운영을 현저하게 곤란하게 하기 위한 의도로 제정되지 않았고 나름대로 타당성을 인정할 수 있으므로, 입법목적의 정당성과 방법의 적절성이 인정된다(2006.5.25, 2004헌가1).

09

정답 ②

ㄱ. [O] 결사란 자연인 또는 법인의 다수가 상당한 기간 동안 공동목적을 위하여 자유의사에 기하여 결합하고 조직화된 의사형성이 가능한 단체를 말하는 것으로 공법상의 결사는 이에 포함되지 아니한다(1996.4.25, 92헌바47).

ㄴ. [O] 결사의 자유에서의 결사란 자연인 또는 법인이 공동목적을 위하여 자유의사에 기하여 결합한 단체를 말하는 것으로 공적책무의 수행을 목적으로 하는 공법상의 결사는 이에 포함되지 아니한다. 따라서 농지개량조합을 공법인으로 보는 이상, 이는 결사의 자유가 뜻하는 헌법상 보호법익의 대상이 되는 단체로 볼 수 없어 조합이 해산됨으로써 조합원이 그 지위를 상실하였다고 하더라도 조합원의 '결사의 자유'가 침해되었다고 할 수 없다(2000.11.30, 99헌마190).

ㄷ. [O] 헌법 제21조가 규정하는 결사란 자연인 또는 법인의 다수가 상당한 기간 동안 공동목적을 위하여 자유의사에 기하여 결합하고 조직화된 의사형성이 가능한 단체를 말하는 것으로, 공법상의 결사나 법이 특별한 공공목적에 의하여 구성원의 자격을 정하고 있는 특수단체의 조직활동은 이에 포함되지 아니한다(2006.5.25, 2004헌가1). 2014년 사시

ㄹ. [O] 「주택건설촉진법」상의 주택조합은 주택이 없는 국민의 주거생활의 안정을 도모하고 모든 국민의 주거수준의 향상을 기한다는(동법 제1조) 공공목적을 위하여 법이 구성원의 자격을 제한적으로 정해 놓은 특수조합이어서 이는 헌법상의 결사의 자유가 뜻하는 헌법상 보호법익의 대상이 되는 단체가 아니다(1994.2.24, 92헌바43).

ㅁ. [X] 입법목적을 달성하기 위한 수단의 선택 문제는 기본적으로 입법재량에 속하는 것이기는 하지만 적어도 현저하게 불합리하고 불공정한 수단의 선택은 피하여야 할 것인바, 복수조합의 설립을 금지한 구 「축산업협동조합법」 제99조 제2항은 입법목적을 달성하기 위하여 결사의 자유 등 기본권의 본질적 내용을 해하는 수단을 선택함으로써 입법재량의 한계를 일탈하였으므로 헌법에 위반된다(1996.4.25, 92헌바47). 2016년 국회 8급

ㅂ. [X] 이 사건 법률조항들은 지역농협 이사 선거가 과열되는 과정에서 후보자들의 경제력 차이에 따른 불균형한 선거운동 및 흑색선전을 통한 부당한 경쟁이 이루어짐으로써 선거의 공정이 해쳐지는 것을 방지하기 위하여 선거 공보의 배부를 통한 선거운동만을 허용하고 전화·컴퓨터통신을 이용한 지지 호소의 선거운동을 금지하며 이를 위반하여 선거운동을 한 자를 처벌하는바, 입법목적의 정당성 및 수단의 적합성이 인정된다. 그러나 전화·컴퓨터통신은 누구나 손쉽고 저렴하게 이용할 수 있는 매체인 점, 「농업협동조합법」에서 흑색선전 등을 처벌하는 조항을 두고 있는 점을 고려하면 입법목적 달성을 위하여 위 매체를 이용한 지지 호소까지 금지할 필요성은 인정되지 아니한다. 이 사건 법률조항들이 달성하려는 공익이 결사의 자유 및 표현의 자유 제한을 정당화할 정도로 크다고 보기는 어려우므로, 법익의 균형성도 인정되지 아니한다. 따라서 이 사건 법률조항들은 과잉금지원칙을 위반하여 결사의 자유, 표현의 자유를 침해하여 헌법에 위반된다(2016.11.24, 2015헌바62). 2017년 국가 7급

10

정답 ③

① [X] 정당가입권유금지조항은 선거에서 특정정당·특정인을 지지하기 위하여 정당가입을 권유하는 적극적·능동적 의사에 따른 행위만을 금지함으로써 공무원의 정치적 표현의 자유를 최소화하고 있고, 이러한 행위는 단순한 의견개진의 수준을 넘어 선거운동에 해당하므로 입법자는 헌법 제7조 제2항이 정한 공무원의 정치적 중립성 보장을 위해 이를 제한할 수 있다. 그러므로 정당가입권유금지조항은 과잉금지원칙에 반하여 정치적 표현의 자유를 침해하지 아니한다(2021.8.31, 2018헌바149).

② [X] 방송의 자유는 민주주의의 원활한 작동을 위한 기초인바, 국가권력은 물론 정당, 노동조합, 광고주 등 사회의 여러 세력이 법률에 정해진 절차에 의하지 아니하고 방송편성에 개입한다면 국민 의사가 왜곡되고 민주주의에 중대한 위해가 발생하게 된다. 심판대상조항은 방송편성의 자유와 독립을 보장하기 위하여 방송에 개입하여 부당하게 영향력을 행사하는 '간섭'에 이르는 행위만을 금지하고 처벌할 뿐이고, 「방송법」과 다른 법률들은 방송 보도에 대한 의견 개진 내지 비판의 통로를 충분히 마련하고 있다. 따라서 심판대상조항이 과잉금지원칙에 반하여 표현의 자유를 침해한다고 볼 수 없다(2021.8.31, 2019헌바439).

❸ [O] 사회복무요원은 그 복무기간에 한하여 정당가입이 금지될 뿐 복무를 완료하면 다시 정당가입이 허용되므로, 이 부분으로 인하여 청구인의 기본권이 과도하게 침해된다고 볼 수 없고, 이로 인해 제한되는 사회복무요원의 사익보다 사회복무요원의 정치적 중립성 유지 및 업무전념성이라는 공익이 더 크므로 법익의 균형성에도 위배되지 않는다(2021.11.25, 2019헌마534).

④ [X] '정치적 목적을 지닌 행위'의 의미를 개별화·유형화 하지 않으며, 앞서 보았듯 '그 밖의 정치단체'의 의미가 불명확하므로 이를 예시로 규정하여도 '정치적 목적을 지닌 행위'의 불명확성은 해소되지 않는다. 그렇다면 이 부분은 명확성원칙에 위배된다(2021.11.25, 2019헌마534).

11

정답 ①

❶ [X] 우리 헌법 제23조 제1항은 재산권 보장의 원칙을 천명한 것으로서 그 재산권 보장이란 국민 개개인이 재산권을 향유할 수 있는 법제도로서의 사유재산제도를 보장함과 동시에 그 기조 위에서 그들이 현재 갖고 있는 구체적 재산권을 개인의 기본권으로 보장한다는 이중적 의미를 가지고 있으며, 후자에 따라 모든 국민은 헌법에 합치하는 법률이 정하는 범위 내에서 구체적 재산권을 보유하여 이를 자유롭게 이용·수익·처분할 수 있음을 의미한다. 위 제2항은 재산권 행사의 공공복리 적합의무, 즉 그 사회적 의무성을 규정한 것이고, 제3항은 재산권 행사의 사회적 의무성의 한계를 넘는 재산권의 수용·사용·제한과 그에 대한 보상의 원칙을 규정한 것이다(1994.2.24, 92헌가15 등).

② [O] 1993.7.29, 92헌바20

③ [O] 헌법이 보장하고 있는 재산권은 경제적 가치가 있는 모든 공법상·사

법상의 권리를 뜻하며, 사적 유용성 및 그에 대한 원칙적인 처분권을 내포하는 재산가치 있는 구체적인 권리를 의미한다(2005.7.21, 2004헌바57).

④ [O] 헌법 제23조가 보장하고 있는 재산권은 경제적 가치가 있는 모든 공법·사법상의 권리를 뜻하며, 사적 유용성 및 그에 대한 원칙적인 처분권을 내포하는 재산가치 있는 구체적 권리를 의미한다. 상가임차인이 권리금에 대해 가지는 권리는 채권적 권리이다(2020.7.16, 2018헌바242 등).

12 정답 ③

① [O] 수용된 토지 등이 공공사업에 필요 없게 되었을 경우에는 피수용자가 그 토지 등의 소유권을 회복할 수 있는 권리, 즉 환매권은 헌법이 보장하는 재산권에 포함된다. 그러나 수용이 이루어진 후 공익사업이 폐지되거나 변경되었을 때, 건물에 대해서까지 환매권을 인정할 것인지에 관해서는 입법재량의 범위가 넓다. 토지의 경우에는 공익사업이 폐지·변경되더라도 기본적으로 형상의 변경이 없는 반면, 건물은 그 경우 통상 철거되거나 그렇지 않더라도 형상의 변경이 있게 되며, 토지에 대해서는 보상이 이루어지더라도 수용당한 소유자에게 감정상의 손실 등이 남아있게 되나, 건물의 경우 정당한 보상이 주어졌다면 그러한 손실이 남아있는 경우는 드물다. 따라서 토지에 대해서는 그 존속가치를 보장해 주기 위해 공익사업의 폐지·변경 등으로 토지가 불필요하게 된 경우 환매권이 인정되어야 할 것이나, 건물에 대해서는 그 존속가치를 보장하기 위하여 환매권을 인정하여야 할 필요성이 없거나 매우 적다. 따라서 건물에 대한 환매권을 인정하지 않는 입법이 자의적인 것이라거나 정당한 입법목적을 벗어난 것이라 할 수 없다(2005.5.26, 2004헌가10).

② [O] 헌법이 보장하고 있는 재산권은 경제적 가치가 있는 모든 공법상·사법상의 권리를 뜻하며, 사적 유용성 및 그에 대한 원칙적인 처분권을 내포하는 재산가치 있는 구체적인 권리를 의미한다. 이 사건 조항을 통하여 인정되는 '수용청구권'은 사적 유용성을 지닌 것으로서 재산의 사용, 수익, 처분에 관계되는 법적 권리이므로 헌법상 재산권에 포함된다고 볼 것이다(2005.7.21, 2004헌바57).

❸ [X] 구 「토지수용법」 제71조 소정의 환매권은 헌법이 보장하는 재산권의 내용에 포함되는 권리이며, 이 권리는 피수용자가 수용 당시 이미 정당한 손실보상을 받았다는 사실로 말미암아 부정되지 않는다(1994.2.24, 92헌가15). 2020년 법행

④ [O] 입법자에 의한 재산권의 내용과 한계의 설정은 기존에 성립된 재산권을 제한할 수도 있고, 기존에 없던 것을 새롭게 형성하는 것일 수도 있다. '사업인정고시가 있은 후에 3년 이상 토지가 공익용도로 사용된 경우' 토지소유자에게 매수 혹은 수용청구권을 인정한 「공익사업을 위한 토지 등의 취득 및 보상에 관한 법률」 제72조 제1호는 종전에 없던 재산권을 새로이 형성한 것에 해당되므로, 역으로 그 형성에 포함되어 있지 않은 것은 재산권의 범위에 속하지 않는다. 그러므로 청구인들이 주장하는바 '불법적인 사용의 경우에 인정되는 수용청구권'이란 재산권은 존재하지 않으므로 이 사건 조항이 그러한 재산권을 제한할 수는 없다(2005.7.21, 2004헌바57).

13 정답 ③

ㄱ. [X] 주주권은 비록 주주의 자격과 분리하여 양도·질권 설정·압류할 수 없고 시효에 걸리지 않아 보통의 채권과는 상이한 성질을 갖지만, 다른 한편 주주의 자격과 함께 사용(결의)·수익(담보 제공)·처분(양도·상속)할 수 있다는 점에서는 분명히 '사적 유용성 및 그에 대한 원칙적 처분권을 내포하는 재산가치 있는 권리'로 볼 수 있으므로 헌법상 재산권 보장의 대상에 해당한다고 볼 것이다(2008.12.26, 2005헌바34).

ㄴ. [O] 지목은 토지에 대한 공법상의 규제, 공시지가의 산정, 손실보상가액의 산정 등 각종 토지행정의 기초로서 공법상의 법률관계에 법률상·사실상의 영향을 미치고 있으며, 토지소유자는 지목을 토대로 한 각종 토지행정으로 인하여 토지의 사용·수익·처분에 일정한 제한을 받게 되므로, 지목은 단순히 토지에 관한 사실적·경제적 이해관계에만 영향을 미치는 것이 아니라 토지의 사용·수익·처분을 내용으로 하는 토지소유권을 제대로 행사하기 위한 전제요건으로서 토지소유자의 실체적 권리관계에 밀접히 관련되어 있다고 할 것이고, 따라서 지목에 관한 등록이나 등록변경 또는 등록의 정정은 단순히 토지행정의 편의나 사실증명의 자료로 삼기 위한 것에 그치는 것이 아니라, 해당 토지소유자의 재산권에 크건 작건 영향을 미친다고 볼 것이며, 정당한 지목을 등록함으로써 토지소유자가 누리게 될 이익은 국가가 헌법 제23조에 따라 보장하여 주어야 할 재산권의 한 내포로 봄이 상당하다(1999.6.24, 97헌마315).

ㄷ. [O] 대법원 판례에 의하여 인정되는 관행어업권은 물권에 유사한 권리로서 공동어업권이 설정되었는지 여부에 관계없이 발생하는 것이고, 그 존속에 있어서도 공동어업권과 운명을 같이 하지 않으며 공동어업권자는 물론 제3자에 대하여서도 주장하고 행사할 수 있는 권리이므로, 헌법상 재산권 보장의 대상이 되는 재산권에 해당한다고 할 것이다(1999.7.22, 97헌바76 등).

ㄹ. [X] 적정 공급 규모를 초과하여 택시운송사업면허를 발급한 사업구역의 일반택시운송사업자에 대하여 그 운송사업의 양도를 금지하는 「택시운송사업의 발전에 관한 법률」 이 사건 조항은 택시의 수급균형을 달성하기 위한 감차정책의 실효성을 확보하기 위하여, 감차사업구역 내에 있는 일반택시운송사업자는 감차보상을 신청하는 것 외에 그 사업을 양도할 수 없도록 규정하고 있다. 일반택시운송사업자가 참여하는 감차위원회에서 감차계획을 심의하도록 하고, 목표를 수립하지 못하거나 조기에 달성한 감차사업구역에서는 사업의 양도·양수를 예외적으로 허용하고 있으며, 감차보상을 신청한 경우 적정한 수준의 감차보상금을 제공하고 있는 점 등을 종합하여 볼 때, 이 사건 법률조항은 과잉금지원칙에 반한다고 할 수 없다(2019.9.26, 2017헌바467).

ㅁ. [O] 우리 헌법의 재산권 보장은 사유재산의 처분과 그 상속을 포함하는 것인바, 유언자가 생전에 최종적으로 자신의 재산권에 대하여 처분할 수 있는 법적 가능성을 의미하는 유언의 자유는 생전증여에 의한 처분과 마찬가지로 헌법상 재산권의 보호를 받는다(2008.12.26, 2007헌바128 등).

ㅂ. [X] 우편물의 수취인인 청구인은 우편물의 지연배달에 따른 손해배상청구권을 갖게 되는바, 이는 헌법이 보장하는 재산권의 내용에 포함되는 권리라 할 것이고, 심판대상조항은 위 손해배상청구권의 범위를 제한하는 것이므로 그에 따른 재산권 제한이 발생한다(2013.6.27, 2012헌마426). 2015년 법원

ㅅ. [X] 국가에 대한 구상권은 헌법 제23조 제1항에 의하여 보장되는 재산권이고 위와 같은 해석은 그러한 재산권의 제한에 해당하며 재산권의 제한은 헌법 제37조 제2항에 의한 기본권 제한의 한계 내에서만 가능한데, 위와 같은 해석은 헌법 제37조 제2항에 의하여 기본권을 제한할 때 요구되는 비례의 원칙에 위배하여 일반 국민의 재산권을 과잉제한하는 경우에 해당하여 헌법 제23조 제1항 및 제37조 제2항에도 위반된다고 할 것이다(1994.12.29, 93헌바21).

14 정답 ②

① [O] 헌법 제23조의 재산권은 「민법」상의 소유권뿐만 아니라, 재산적 가치있는 사법상의 물권, 채권 등 모든 권리를 포함하며, 또한 국가로부터의 일방적인 급부가 아닌 자기 노력의 댓가나 자본의 투자 등 특별한 희생을 통하여 얻은 공법상의 권리도 포함한다(2000.6.29, 99헌마289).

❷ [X] 「공무원연금법」상의 연금수급권과 같은 사회보장수급권은 헌법 제34조로부터 도출되는 사회적 기본권의 하나이다. 이와 같이 사회적 기본권의 성격을 지니는 연금수급권은 국가에 대하여 적극적으로 급부를 요구하는 것으로서 법률에 의한 형성을 필요로 하고, 연금수급권의 구체적인 내용, 즉 수급요건, 수급권자의 범위, 급여금액 등은 법률에 의하여 비로소 확정된다(2014.6.26, 2012헌마459).

③ [O] 퇴직금 중 공무원의 자기 기여금에 해당하는 임금후불적인 부분은 재산권에서 강하게 보장되는 것이므로 퇴직공무원이 국가기관 등에 재취업하였다 하더라도 지급을 정지해서는 아니되나 공무원의 생활보장이라는 차원에서 국가가 부담한 부분은 퇴직공무원이 재취업하여 임금을 받는 것으로 고려하면 지급을 정지할 수 있다. 따라서 퇴직공무원이 재취업한 경우 퇴직급여의 2분의 1 이상의 지급을 정지하는 것은 재산권 침해이나 2분의 1의 범위 내에서 지급을 정지하는 것은 재산권 침해가 아니다(1994.6.30, 92헌가9).

④ [O] 공무원 퇴직연금수급권은 국가의 재정상황, 국민 전체의 소득 및 생활수준 기타 여러 가지 사회·경제적인 여건 등을 종합하여 합리적인 수준에서 결정할 수 있는 광범위한 입법형성의 재량이 인정되기 때문에 법정요건을 갖춘 후 발생하는 공무원 퇴직연금수급권만이 경제적·재산적 가치가 있는 공법상의 권리로서 헌법 제23조 제1항이 보장하고 있는 재산권에 포함되는 것이다. 그런데 청구인과 같은 임용결격공무원의 경우 공무원 퇴직연금수급권의 법정요건의 하나인 적법한 공무원이라 할 수 없으므로 이 사건 심판대상조항에 의하여 청구인의 재산권이 침해될 여지는 없다고 할 것이다(2012.8.23, 2010헌바425).

15 정답 ①

❶ [O] 사회적 위험이 증가하고 있는 현대사회에서 국민의 세금을 재원으로 한 연금과 보수 수령의 이중수혜를 막고 이를 통해 연금재정의 건전성을 확보하는 것이 중요한 공익인 것은 분명하다. 그러나 이와 같은 공익을 실현하기 위한 것이라 하더라도 특정 집단의 특별한 희생을 강요하여서는 안 되고 이는 그 대상이 공직자라 하더라도 마찬가지다. 따라서 공직에서 퇴직한 후 퇴직연금을 받는 공무원이 선출직 공무원으로 취임하여 새로 얻게 되는 보수가 기존의 연금에 미치지 못하는 액수임에도 연금 전액의 지급을 정지하여, 공직을 수행하지 않는 경우보다 공직을 수행하는 경우에 오히려 생활보장에 불이익이 발생하도록 하는 것은, 이를 통해 달성하려는 공익이 이 사건 구법 조항으로 발생하는 재산권 침해를 정당화할 정도에 이른다고 보이지 않는다. 이 사건 구법 조항은 추구하는 공익과 침해되는 사익 사이에 비례관계를 갖추고 있다고 할 수 없으므로 법익의 균형성 요건을 충족하지 못한다. 이 사건 구법 조항은 헌법 제37조 제2항에 반하여 국민의 재산권을 침해하므로 헌법에 위반된다(2022.1.27, 2019헌바161).

② [X] 「군인연금법」상 퇴직급여 중 국가가 부담하는 부담금에 의하여 형성된 급여는 재직중 성실한 복무에 대한 공로 보상 혹은 사회보장적 급여의 성격이 강하기 때문에 연금수급권자에게 연금 외에 법률에 정한 다른 소득이 있을 때 부담금에 의해서 형성된 급여 부분을 지급정지하는 것은 헌법에 위반되지 않는다는 것이 헌법재판소의 결정례이다. 다만, 퇴직급여 중 퇴직군인의 임금후불적인 부분, 자기 기여금에 대한 지급정지는 재산권 침해라고 한다.

③ [X] 헌법재판소는 2010헌바354 등 다수의 사건에서 이 사건 법률조항과 같은 규정이 재산권과 인간다운 생활을 할 권리를 침해하지 아니하고, 평등원칙에도 위배되지 않는다고 판시하였는바, 위 선례의 판단은 타당하고, 이 사건에서 이와 달리 판단하여야 할 사정변경이 없다(2019.2.28, 2017헌마403 등).

④ [X] 군인연금·공무원연금과 사립학교교직원연금은 보험의 대상이 서로 달라 각각 독립하여 운영되고 있을 뿐 동일한 사회적 위험에 대비하기 위한 하나의 통일적인 제도이므로 퇴직한 군인으로서 퇴역연금 수급자가 직역연금법 적용기관에 재취업한 경우에는 퇴역연금 지급사유가 발생하지 않은 것으로 볼 수 있다. 또한 이 사건 법률조항으로 인해 퇴직수당 등 다른 급여의 지급이 정지되는 것은 아니고, 수급자의 선택에 따라 종전 재직기간을 연금 계산의 기초가 되는 재직기간에 합산할 수 있다. 특히, 군인연금의 경우 퇴직연금 지급개시연령을 두지 않고 있어 연금 수급을 위한 최소가입기간 요건만 충족하면 퇴직 후 바로 연금이 지급되고, 계급별 조기정년제로 인해 연금 혜택이 다른 직역연금에 비해 높은 점 등을 더하여 보면, 이 사건 법률조항은 퇴역연금수급권자의 재산권을 침해하지 아니한다(2015.7.30, 2014헌바371).

16 정답 ④

ㄱ. [X] 공무원의 신분이나 직무상 의무와 관련이 없는 범죄의 경우에도 퇴직급여 등을 제한하는 것은, 공무원범죄를 예방하고 공무원이 재직중 성실히 근무하도록 유도하는 입법목적을 달성하는 데 적합한 수단이라고 볼 수 없다. 그리고 특히 과실범의 경우에는 공무원이기 때문에 더 강한 주의의무 내지 결과 발생에 대한 가중된 비난가능성이 있다고 보기 어려우므로, 퇴직급여 등의 제한이 공무원으로서의 직무상 의무를 위반하지 않도록 유도 또는 강제하는 수단으로서 작용한다고 보기 어렵다(2007.3.29, 2005헌바33).

ㄴ. [O] 그리고 특히 과실범의 경우에는 공무원이기 때문에 더 강한 주의의무 내지 결과 발생에 대한 가중된 비난가능성이 있다고 보기 어려우므로, 퇴직급여 등의 제한이 공무원으로서의 직무상 의무를 위반하지 않도록 유도 또는 강제하는 수단으로서 작용한다고 보기 어렵다. 이상과 같은 이유로 이 사건 법률조항은 헌법에 위반되나, 단순위헌선언으로 그 효력을 즉시 상실시킬 경우에는 여러 가지 혼란과 부작용이 발생할 우려가 있고, 또한 이미 급여를 감액당한 다른 퇴직공무원과의 형평성도 고려하여야 한다. 그러므로 입법자는 합헌적인 방향으로 법률을 개선하여야 하고 그때까지 일정 기간 동안은 위헌적인 법규정을 존속케 하고 또한 잠정적으로 적용하게 할 필요가 있으므로 헌법불합치결정을 하는 것이다(2007.3.29, 2005헌바33).

ㄷ. [O] 이 사건 감액조항은 퇴직급여 등의 감액사유에서 '직무와 관련 없는 과실로 인하여 범죄를 저지른 경우' 및 '소속 상관의 정당한 직무상의 명령에 따르다가 과실로 인하여 범죄를 저지른 경우'를 제외하고, 이러한 범죄행위로 인하여 그 결과 '금고 이상의 형을 받은 경우'로 한정한 점, 감액의 범위도 국가 또는 지방자치단체의 부담 부분을 넘지 않도록 한 점 등을 고려하면 침해의 최소성도 인정된다. 청구인들은 퇴직급여의 일부가 감액되는 사익의 침해를 받지만, 이는 공무원 자신이 저지른 범죄에서 비롯된 것인 점, 공무원 개개인이나 공직에 대한 국민의 신뢰를 유지하고자 하는 공익이 결코 적지 않은 점, 특히 이 사건 감액조항은 구법 조항보다 감액사유를 더욱 한정하여 침해되는 사익을 최소화하고자 하였다는 점에서 법익의 균형성도 인정된다. 따라서 이 사건 감액조항은 청구인들의 재산권과 인간다운 생활을 할 권리를 침해하지 아니한다(2013.8.29, 2012헌바48 등).

ㄹ. [X] 선지는 반대의견이다.

관련 판례 이 사건 부칙조항으로 보전되는 공무원연금의 재정규모도 그리 크지 않을 것으로 보이는 반면, 헌법불합치결정에 대한 입법자의 입법개선의무의 준수, 신속한 입법절차를 통한 법률관계의 안정 등은 중요한 공익상의 사유라고 볼 수 있다. 따라서 이 사건 부칙조항은 헌법 제13조 제2항에서 금지하는 소급입법에 해당하며 예외적으로 소급입법이 허용되는 경우에도 해당하지 아니하므로, 소급입법금지원칙에 위반하여 청구인들의 재산권을 침해한다(2013.8.29, 2010헌바354).

17 정답 ③

① [O] 이 법률조항은 연금수급자에게 적절한 사회보장제도를 제공하는 동시에 과도한 지출을 줄여 공무원연금 재정의 안정을 도모함으로써 연금 재정을 합리적으로 운용하기 위한 것이므로 그 목적이 정당하다. 이 사건 법률조항은 「공무원연금법」상 장해급여를 지급하는 경우, 그와 동시에 지급받을 수 있는 급여 중 그 비용을 전적으로 국고에 의존하는 급여로서 장해급여와 같은 종류의 급여에 한하여 위 장해급여에서 공제하여 지급할 것을 규정하는 것이고, 이는 연금제도를 통해 공무원의 생활안정과 복리 향상에 필요한 수준을 유지하면서도 그와 동시에 연금재정을 적절히 운용하고자 도모하는 것이므로 그에 대한 합리적인 이유를 찾을 수 있다. 따라서 이 사건 법률조항이 입법자의 입법형성권을 넘는 자의적인 것으로서 청구인의 사회보장수급권이나 재산권을 침해하였다고 보기 어렵다(2013.9.26, 2011헌바272).

② [O]

「공무원연금법」 제23조【재직기간의 계산】 ② 퇴직한 공무원·군인 또는 사립학교교직원(이 법, 「군인연금법」 또는 「사립학교교직원연금법」을 적용받지 아니하였던 사람은 제외한다)이 공무원으로 임용된 경우에는 본인이 원하는 바에 따라 종전의 해당 연금법에 따른 재직기간 또는 복무기간을 제1항의 재직기간에 합산할 수 있다.

관련 판례 공무원연금의 재원은 개인이 부담하는 기여금과 국가 등이 부담하는 부담금 등으로 형성되므로 한정적일 수밖에 없어서, 연금의 안정적 재정 운용을 위하여 재직기간 합산에 일정한 제한을 둔 것은 입법목적이 정당하고 그 수단도 적절하다. 그 퇴직 이전에는 기간 제한 없이 언제든지 재직기간 합산을 신청할 수 있는 점 등을 종합하면, 이 사건 합산조항이 재직 중인 공무원에게만 재직기간 합산신청을 할 수 있도록 한 것이 입법형성의 한계를 벗어난 것이라고 볼 수 없다. 따라서, 이 사건 합산조항은 청구인의 재산권으로서의 공무원연금수급권을 침해하지 않는다(2016.3.31, 2015헌바18).

❸ [X] 퇴직연금수급에 대한 구체적인 기대권은 공무원으로 임용될 수 있는 자격을 취득한 시점 또는 공무원으로 임용될 수 있는 가능성을 가지게 된 시점이 아니라, 실제로 공무원으로 임용되어 기여금을 1회 이상 납입한 때에 발생한다 할 것인바 청구인이 2008학년도 임용시험에 합격한 시점에, 공무원으로 임용될 경우 60세부터 퇴직연금을 지급받을 수 있고, 퇴직연금액의 100분의 70에 해당하는 금액의 유족연금을 수령할 수 있을 것이라고 기대했다 하더라도 이러한 단순한 재산상 이익의 기대는 헌법이 보호하는 재산권의 영역에 포함되지 않는다(2012.8.23, 2010헌마197).

④ [O] 연금은 자신의 투자에 의해서 형성된 것이므로 이미 납부한 연금에 대한 기대권은 헌법상 보호된다(2014.5.29, 2012헌마248).

18 정답 ②

① [X] 청구인은 심판대상조항이 자신의 재산권 및 인간다운 생활을 할 권리도 침해한다고 주장하나, 「공무원연금법」이 개정되어 시행되기 전 청구인은 이미 퇴직하여 퇴직연금을 수급할 수 있는 기초를 상실한 상태이므로, 심판대상조항이 청구인의 재산권 및 인간다운 생활을 할 권리를 제한한다고 볼 수 없다(2017.5.25, 2015헌마933).

❷ [O] 국가보훈 내지 국가보상적 수급권도 법률에 규정됨으로써 비로소 구체적인 법적 권리로 형성된다. … 보상금수급권 발생에 필요한 절차 등 수급권 발생요건이 법정되어 있는 경우에는 이 법정요건을 갖추기 전에는 헌법이 보장하는 재산권이라고 할 수 없다(1995.7.21, 93헌가14).

③ [X] 사망일시금제도는 유족연금 또는 반환일시금을 지급받지 못하는 가입자 등의 가족에게 사망으로 소요되는 비용의 일부를 지급함으로써 국민연금제도의 수혜범위를 확대하고자 하는 차원에서 도입되었는데, 국민연금제도가 사회보장에 관한 헌법규정인 제34조 제1항·제2항·제5항을 구체화한 제도로서, 「국민연금법」상 연금수급권 내지 연금수급기대권이 재산권의 보호대상인 사회보장적 급여라고 한다면 사망일시금은 사회보험의 원리에서 다소 벗어난 장제부조적·보상적 성격을 갖는 급여로 사망일시금은 헌법상 재산권에 해당하지 아니하므로, 이 사건 사망일시금 한도조항이 청구인들의 재산권을 제한한다고 볼 수 없다(2019.2.28, 2017헌마432).

④ [X] 「공무원연금법」상 퇴직연금수급권은 경제적 가치있는 권리로서 헌법 제23조에 의하여 보장되는 재산권으로서의 성격을 가진다(1994.6.30, 92헌가9). 2009년 사시

19 정답 ④

① [O] 이 사건 법률조항이 직상 수급인의 임금지급의무 불이행을 처벌하도록 한 것은 임금의 지급을 확보하여 근로자와 그 가족의 생활안정을 도모하기 위한 것이다. 직상 수급인의 임금지급의무 불이행에 대하여 아무런 제재를 가하지 않거나 과태료 등 행정상의 제재를 가하는 것만으로는 이 사건 법률조항의 입법목적을 충분히 달성하기 어렵다고 할 수 있으므로, 직상 수급인의 임금지급의무 불이행을 처벌하도록 하는 것이 입법목적의 달성에 필요한 범위를 넘는 지나친 규제라고 할 수 없다. 또한 이 사건 법률조항에 따라 처벌을 받게 되는 직상 수급인의 불이익이 이 사건 법률조항을 통하여 달성하려는 공익보다 우월하다고 할 수도 없다. 따라서 이 사건 법률조항은 과잉금지원칙에 위배된다고 볼 수 없다(2014.4.24, 2013헌가12).

② [O] 국민연금가입자가 반환일시금 등 「국민연금법」상의 급여를 받을 권리는 수급자에게 귀속되어 개인의 이익을 위하여 이용되고, 수급자의 연금보험료라는 자기 기여가 있으며, 수급자의 생존의 확보에 기여하므로, 공법상의 법적 지위가 사법상의 재산권과 비교될 정도로 강력하여 수급권의 박탈이 법치국가원리에 반한다고 할 것이어서 재산권의 보호대상에 포함되어 원칙적으로 헌법 제37조 제2항의 요건을 갖춘 경우에만 정당하게 제한할 수 있으나 사회보장수급권의 성격을 아울러 지니고 있으므로 사회보장법리의 강한 영향을 받는다(2004.6.24, 2002헌바15).

③ [O] 건강보험수급권은 가입자가 납부한 보험료에 대한 반대급부의 성격을 가지며, 보험사고로 초래되는 재산상 부담을 전보하여 주는 경제적 유용성을 가지므로, 헌법상 재산권의 보호범위에 속한다고 볼 수 있다. 청구인과 같이 보수월액보험료와 소득월액보험료를 모두 부과받는 직장가입자가 보수월액보험료를 납부하고 소득월액보험료만 체납한 경우에도 보험급여가 전면 제한될 수 있으므로,

심판대상조항은 재산권을 제한한다(2020.4.23, 2017헌바244).

❹ [X] 사망일시금제도는 유족연금 또는 반환일시금을 지급받지 못하는 가입자 등의 가족에게 사망으로 소요되는 비용의 일부를 지급함으로써 국민연금제도의 수혜범위를 확대하고자 하는 차원에서 도입되었는데, 국민연금제도가 사회보장에 관한 헌법규정인 제34조 제1항, 제2항, 제5항을 구체화한 제도로서, 「국민연금법」상 연금수급권 내지 연금수급기대권이 재산권의 보호대상인 사회보장적 급여라고 한다면 사망일시금은 사회보험의 원리에서 다소 벗어난 장제부조적·보상적 성격을 갖는 급여로 사망일시금은 헌법상 재산권에 해당하지 아니하므로, 이 사건 사망일시금 한도조항이 청구인들의 재산권을 제한한다고 볼 수 없다(2019.2.28, 2017헌마432). 2020년 법행

20

정답 ①

ㄱ. [O] 임금 내지 퇴직금채권은 앞에서 본 바와 같이 근로의 대가로서의 금품에 대한 청구권으로서 사용자에 비해 경제적 약자인 근로자의 보호를 위하여 이에 대한 특별한 보호의 필요성이 인정된다 하더라도, 기본적으로는 그 재산권적 성질이 바뀌는 것은 아니라고 할 것이므로 동 채권은 헌법이 보장하는 재산권의 내용에 포함되는 권리라고 보는 것이 상당하다. 그러므로 임금 내지 퇴직금채권에 대하여는 헌법 제23조의 재산권 보장에 관한 규정이 적용된다고 할 것인데, 이 규정은 다른 기본권규정과는 달리 그 내용과 한계가 법률에 의해 구체적으로 형성되는 기본권형성적 법률유보의 형태를 띠고 있다. 즉, 헌법이 보장하는 재산권의 내용과 한계는 국회에서 제정되는 형식적 의미의 법률에 의하여 정해지므로 이 헌법상의 재산권 보장은 재산권형성적 법률유보에 의하여 실현되고 구체화하게 된다(1998.6.25, 96헌바27). 2003년 사시

ㄴ. [X] 「사립학교교직원 연금법」상 퇴직급여 및 퇴직수당을 받을 권리는 사회적 기본권의 하나인 사회보장수급권인 동시에 경제적 가치가 있는 권리로서 헌법 제23조에 의하여 보장되는 재산권이다(2010.7.29, 2008헌가15). 2016년 사시

ㄷ. [O] 이러한 심의·의결에 의하여 특수임무수행자로 인정되기 전에는 특임자보상법에 의한 보상금수급권은 헌법이 보장하는 재산권이라고 할 수 없고, 심의·의결이 있기 전의 신청인의 지위는 보상금수급권 취득에 대한 기대이익을 가지고 있는 것에 불과하다(대판 2014.7.24, 2012두23501).

ㄹ. [O] 「군법무관 임용 등에 관한 법률」 제6조 내지 구법 제5조 제3항은 군법무관의 보수를 법관, 검사의 예에 의할 것이라고 규정하고, 다만 그 구체적 내용을 시행령에 위임하고 있다. 이러한 법조항들은 군법무관의 보수의 내용을 법률로써 일차적으로 형성한 것이고, 이 법률들에 의하여 상당한 수준의 보수(급료)청구권이 인정되는 것이라 해석될 여지가 있다. 그렇다면 그러한 보수청구권은 단순한 기대이익을 넘어서는 것으로서 법률의 규정에 의하여 인정된 재산권의 한 내용으로 봄이 상당하다. 따라서 대통령이 정당한 이유 없이 해당 시행령을 만들지 않아 그러한 보수청구권이 보장되지 않고 있다면 이는 재산권의 침해에 해당된다고 볼 것이다(2004.2.26, 2001헌마718).

ㅁ. [O] 공무원의 보수청구권은 법률 및 법률의 위임을 받은 하위법령에 의해 그 구체적 내용이 형성되면 재산적 가치가 있는 공법상의 권리가 되어 재산권의 내용에 포함되지만, 법령에 의하여 구체적 내용이 형성되기 전의 권리, 즉 공무원이 국가 또는 지방자치단체에 대하여 어느 수준의 보수를 청구할 수 있는 권리는 단순한 기대이익에 불과하여 재산권의 내용에 포함된다고 볼 수 없다(2008.12.26, 2007헌마444).

ㅂ. [O] 「고엽제후유증 환자지원 등에 관한 법률」(이하 '고엽제법'이라 한다)에 의한 고엽제후유증환자 및 그 유족의 보상수급권은 법률에 의하여 비로소 인정되는 권리로서 재산권적 성질을 갖는 것이긴 하지만 그 발생에 필요한 요건이 법정되어 있는 이상 이러한 요건을 갖추기 전에는 헌법이 보장하는 재산권이라고 할 수 없다. 결국 고엽제법 제8조 제1항 제2호는 고엽제후유증환자의 유족이 보상수급권을 취득하기 위한 요건을 규정한 것인데, 청구인들은 이러한 요건을 충족하지 못하였기 때문에 보상수급권이라고 하는 재산권을 현재로서는 취득하지 못하였다고 할 것이다. 그렇다면 고엽제법 제8조 제1항 제2호가 평등원칙을 위반하였는지 여부는 별론으로 하고 청구인들이 이미 취득한 재산권을 침해한다고는 할 수 없다(2001.6.28, 99헌마516). 2020년 국가 7급

ㅅ. [O] 재산권에 관계되는 시혜적 입법의 시혜대상에서 제외되었다는 이유만으로 재산권 침해가 생기는 것은 아니고, 시혜적 입법의 시혜대상이 될 경우 얻을 수 있는 재산상 이익의 기대가 성취되지 않았다고 하여도 그러한 단순한 재산상 이익의 기대는 헌법이 보호하는 재산권의 영역에 포함되지 않는다(2002.12.18, 2001헌바55).

ㅇ. [O] 헌법 제23조에서 보장하는 재산권은 사적 유용성 및 그에 대한 원칙적 처분권을 내포하는 재산가치 있는 구체적 권리이므로, 구체적인 권리가 아닌 단순한 이익이나 재화의 획득에 관한 기회 또는 기업활동의 사실적·법적 여건 등은 재산권 보장의 대상에 포함되지 아니한다(1996.8.29, 95헌바36 ; 1997.11.27, 97헌바10).

35회 진도별 모의고사
재산권

정답

01	③	02	③	03	①	04	③
05	③	06	②	07	①	08	①
09	④	10	③	11	①	12	②
13	①	14	①	15	③	16	①
17	④	18	①	19	②	20	④

01 정답 ③

ㄱ. [X] 헌법상 보장된 재산권은 사적 유용성 및 그에 대한 원칙적인 처분권을 내포하는 재산가치 있는 구체적인 권리이므로, 구체적 권리가 아닌 단순한 이익이나 영리획득의 단순한 기회 또는 기업활동의 사실적·법적 여건은 기업에게는 중요한 의미를 갖는다고 하더라도 재산권 보장의 대상이 아니다(2008.7.31, 2006헌마400). 2009년 사시

ㄴ. [X] 재산권은 사적 유용성 및 그에 대한 원칙적 처분권을 내포하는 재산가치있는 구체적 권리이므로 구체적인 권리가 아닌 단순한 이익이나 재화의 획득에 관한 기회(단순한 기대이익·반사적 이익 또는 경제적인 기회) 등은 재산권 보장의 대상이 아닌바, 교원의 정년단축으로 기존 교원이 입는 경제적 불이익은 계속 재직하면서 재화를 획득할 수 있는 기회를 박탈당한다는 것인데 이러한 경제적 기회는 재산권 보장의 대상이 아니다(2000.12.14, 99헌마112 등). 2014년 지방 7급

ㄷ. [X] 헌법 제23조 제1항 및 제13조 제2항에 의하여 보호되는 재산권은 사적 유용성 및 그에 대한 원칙적 처분권을 내포하는 재산가치 있는 구체적 권리이므로 구체적인 권리가 아닌 단순한 이익이나 재화의 획득에 관한 기회 등은 재산권 보장의 대상이 아니라 할 것이다(1997.11.27, 97헌바10). 2021년 경찰승진

ㄹ. [X] 헌법상의 재산권은 토지소유자가 이용가능한 모든 용도로 토지를 사용할 권리나 가장 경제적 또는 효율적으로 사용할 수 있는 권리를 보장하는 것은 아니므로 입법자는 중요한 공익상의 이유로 토지를 일정 용도로 사용하는 권리를 제한하거나 제외할 수 있다(2009.7.30, 2007헌바76).

ㅁ. [O] 이 사건 금연구역조항의 시행에 따라 흡연 고객이 이탈함으로써 발생할 수 있는 영업이익의 감소는 헌법에 의해 보호되는 재산권의 침해라고 볼 수 없다. 또한 이 사건 금연구역조항은 청구인들이 설치한 PC방 내부의 흡연구역 관련 시설을 철거하거나 변경하도록 강제하는 것이 아니므로 이로 인해 청구인들이 기존의 흡연구역 관련 시설을 철거하거나 변경하였다고 하더라도 이로 인한 재산권 제한은 이 사건 금연구역조항으로 인한 간접적, 사실상의 불이익에 불과하다. 그러므로 이 사건 금연구역조항은 청구인들의 재산권을 침해하지 않는다(2013.6.27, 2011헌마315 등).

ㅂ. [O] 공익사업 영위자가 개정 전 「상속세법」 규정에 의하여 가지는 출연재산에 대한 증여세 면제혜택에 대한 기대를 그의 기득재산권이라고까지 할 수는 없다. 설령 공익사업 영위자가 증여세 면제 제도를 신뢰하였다고 하더라도 이는 당시의 법제도에 대한 기대이익에 불과할 뿐, 이를 공익사업 영위자의 기득권으로서 헌법 제23조 제1항 제1문이 보장하는 재산권이라고 할 수는 없다(2004.7.15, 2002헌바63).

ㅅ. [O] 심판대상조항은 개정된 「저작권법」이 시행되기 전에 있었던 과거의 음원 사용행위에 대한 것이 아니라 개정된 법률 시행 이후에 음원을 사용하는 행위를 규율하고 있으므로 진정소급입법에 해당하지 않으며, 저작인접권이 소멸한 음원을 무상으로 사용하는 것은 저작인접권자의 권리가 소멸함으로 인하여 얻을 수 있는 반사적 이익에 불과할 뿐이므로, 심판대상조항은 헌법 제13조 제2항이 금지하는 소급입법에 의한 재산권 박탈에 해당하지 아니한다(2013.11.28, 2012헌마770).

02 정답 ③

ㄱ. [X] 선의취득의 인정 여부는 무권리자로부터의 동산의 양수인이 그 소유권을 취득하기 위한 요건의 문제로서 이 사건 선의취득 배제조항에 의하여 일정한 동산문화재의 양수인은 그 문화재의 소유권을 취득할 기회를 제한받을 뿐이며, 이러한 기회는 헌법 제23조 제1항에 의하여 보호되는 재산권에 해당하지 아니한다(2009.7.30, 2007헌마870).

ㄴ. [O] 이 사건의 경우 청구인이 잠수기어업허가를 받아 키조개 등을 채취하는 직업에 종사한다고 하더라도 이는 원칙적으로 자신의 계획과 책임하에 행동하면서 법제도에 의하여 반사적으로 부여되는 기회를 활용하는 것에 불과하므로 잠수기어업허가를 받지 못하여 상실된 이익 등 청구인 주장의 재산권은 헌법 제23조에서 규정하는 재산권의 보호범위에 포함된다고 볼 수 없다(2008.6.26, 2005헌마173). 2019년 법행

ㄷ. [X] 국가의 간섭을 받지 아니하고 자유로이 기부행위를 할 수 있는 기회의 보장은 헌법상 보장된 재산권의 보호범위에 포함되지 않는다(1998.5.28, 96헌가5).

ㄹ. [X] 청구인들의 영업활동은 국가에 의하여 강제된 것이 아님은 물론이고, 일정한 경제적 목표를 달성하기 위하여 취한 국가의 경제정책적 조치에 의하여 유발된 사경제의 행위가 아니라, 원칙적으로 자신의 자유로운 결정과 계획, 그에 따른 사적 위험부담과 책임하에 행위하면서 법질서가 반사적으로 부여하는 기회를 활용한 것에 지나지 않는다고 할 것이므로, 청구인들이 주장하는 폐업으로 인한 재산적 손실은 헌법 제23조 제1항의 재산권의 범위에 속하지 아니한다(2008.11.27, 2005헌마161 등). 2009년 법행

ㅁ. [O] 단순한 이윤추구의 측면에서 자신에게 유리한 경제적·법적 상황이 지속되리라는 일반적인 기대나 희망은 원칙적으로 헌법에 의하여 보호되는 재산권의 범위에 속하지 않는다. 그러므로 청구인이 「폐기물관리법 시행규칙」이 부여한 영업허가의 기회를 활용하고 있던 상태에서 그 허가된 업무범위의 축소변경으로 말미암아 그 영업의 기회 내지 이윤획득의 기대가 다소 줄어들었다고 하더라도, 이를 가리켜 재산권의 침해라고 보기는 어렵다(2002.8.29, 2001헌마159).

ㅂ. [O] 방송사가 협찬계약을 통하여 얻을 수 있는 재산권의 실체는 결국 단순한 이익이나 재화의 획득에 관한 기회에 불과하여 우리 헌법상 재산권 보장의 대상이 아니다(2003.12.18, 2002헌바49).

ㅅ. [X] 장기미집행 도시계획시설결정의 실효제도는 도시계획시설부지로 하여금 도시계획시설결정으로 인한 사회적 제약으로부터 벗어나게 하는 것으로서 결과적으로 개인의 재산권이 보다 보호되는 측면이 있는 것은 사실이나, 이와 같은 보호는 입법자가 새로운 제도를 마련함에 따라 얻게 되는 법률에 기한 권리일 뿐 헌법상 재산권으로부터 당연히 도출되는 권리는 아니다(2005.9.29, 2002헌바84 등). 2016년 지방 7급

03 정답 ①

ㄱ. [X] 사회부조와 같이 국가의 일방적인 급부에 대한 권리는 재산권의 보호대상에서 제외되고, 단지 사회법상의 지위가 자신의 급부에 대한 등가물에 해당하는 경우에 한하여 사법상의 재산권과 유사한 정도로 보호받아야 할 공법상의 권리가 인정된다. 청구인들이 침해되었다고 주장하는 의료급여수급권은 공공부조의 일종으로 순수하게 사회정책적 목적에서 주어지는 권리이다. 그렇다면, 이는 개인의 노력과 금전적 기여를 통하여 취득되는 재산권의 보호대상에 포함된다고 보기 어렵고, 따라서 본인부담금제 및 선택병의원제를 규정한 이 사건 시행령 및 시행규칙규정들로 인해 청구인들의 재산권이 침해된다고 할 수 없다(2009.9.24, 2007헌마1092). 2005년 사시

ㄴ. [O] 의료급여수급권은 공공부조의 일종으로서 순수하게 사회정책적 목적에서 주어지는 권리이므로 개인의 노력과 금전적 기여를 통하여 취득되는 재산권의 보호대상에 포함된다고 보기 어렵다(2009.9.24, 2007헌마1092). 2013년 국회 8급

ㄷ. [O] 의료보험수급권은 「의료보험법」상 재산권의 보장을 받는 공법상의 권리이다(2000.6.29, 99헌마289).

ㄹ. [O] 헌법재판소는 「태평양전쟁 전후 국외 강제동원희생자 등 지원에 관한 법률」에 규정된 위로금 등의 각종 지원이 태평양전쟁이라는 특수한 상황에서 일제에 의한 강제동원 희생자와 그 유족이 입은 고통을 치유하기 위한 시혜적 조치라고 판단한 바 있고, 「태평양전쟁 전후 국외 강제동원희생자 등 지원에 관한 법률」은 이 사건 미수금 지원금이 강제동원희생자와 그 유족 등에게 인도적 차원에서 지급하는 위로금임을 명시적으로 밝히고 있으며, 위 지원금을 받게 될 '유족'의 범위를 강제동원으로 인한 고통과 슬픔을 함께한 '친족'으로 한정하고 있으므로, 위 지원금은 인도적 차원의 시혜적인 금전 급부에 해당한다. 인도적 차원의 시혜적 급부를 받을 권리는 헌법 제23조에 의하여 보장된 재산권이라고 할 수 없으나, 이 지원금 산정방식은 입법자가 자의적으로 결정해서는 안되고 미수금의 가치를 합리적으로 반영하는 것이어야 한다는 입법적 한계를 가진다(2015.12.23, 2009헌바317 등).

ㅁ. [O] 청구인들은 심판대상조항이 재산권을 침해한다고 주장한다. 헌법 제23조 제1항이 보장하고 있는 재산권은 사적 유용성 및 그에 대한 원칙적 처분권을 내포하는 재산가치 있는 구체적 권리이므로, 구체적인 권리가 아닌 단순한 이익이나 재화의 획득에 관한 기회 등은 재산권 보장의 대상으로 볼 수 없다. 「지뢰피해자 지원에 관한 특별법」상 위로금과 같이 수급권의 발생요건이 법정되어 있는 경우 법정요건을 갖춘 후 발생하는 위로금수급권은 구체적인 법적 권리로 보장되는 경제적·재산적 가치가 있는 공법상의 권리라 할 것이지만, 그러한 법정요건을 갖추기 전에는 헌법이 보장하는 재산권이라고 할 수 없다. 지뢰사고로 인한 피해자 또는 그 유족의 위로금수급권에 관한 지위는 수급권 발생에 필요한 법정요건을 갖춘 후에 비로소 재산권인 위로금수급권을 취득할 수 있다는 기대이익을 갖는 것에 불과하므로 심판대상조항에 의하여 청구인들의 재산권이 제한된다고 볼 수 없다(2019.12.27, 2018헌바236 등).

ㅂ. [O] 지뢰사고로 인한 피해자 또는 그 유족의 위로금수급권에 관한 지위는 수급권 발생에 필요한 법정요건을 갖춘 후에 비로소 재산권인 위로금수급권을 취득할 수 있다는 기대이익을 갖는 것에 불과하므로 심판대상조항에 의하여 청구인들의 재산권이 제한된다고 볼 수 없다(2019.12.27, 2018헌바236 등).

ㅅ. [O] 대한민국헌정회의 연로회원지원금은 수급자의 상당한 자기 기여에 기반한 급여라고 볼 수 없어 헌법상 재산권에 해당하지 아니하므로, 심판대상조항이 청구인등의 재산권을 제한한다고 볼 수 없다(2015.4.30, 2013헌마666).

04 정답 ③

① [X] 재산권 행사의 사회적 의무성을 헌법 자체에서 명문화하고 있는 것은 사유재산제도의 보장이 타인과 더불어 살아가야 하는 공동체 생활과의 조화와 균형을 흐트러뜨리지 않는 범위 내에서의 보장임을 천명한 것으로서 재산권 행사의 사회적 의무성은 헌법 또는 법률에 의하여 일정한 행위를 제한하거나 금지하는 형태로 구체화된다(1989.12.22, 88헌가13).

② [X] 재산권 행사의 사회적 의무성을 헌법 자체에서 명문화하고 있는 것은 사유재산제도의 보장이 타인과 더불어 살아가야 하는 공동체 생활과의 조화와 균형을 흐트러뜨리지 않는 범위내에서의 보장임을 천명한 것으로서 재산권행사의 사회적 의무성은 헌법 또는 법률에 의하여 일정한 행위를 제한하거나 금지하는 형태로 구체화된다(1989.12.22, 88헌가13). 즉, 법적 의무이다. 2015년 사시

❸ [O] 재산권의 제한에 대하여는 재산권 행사의 대상이 되는 객체가 지닌 사회적인 연관성과 사회적 기능이 크면 클수록 입법자에 의한 보다 광범위한 제한이 허용되며, 한편 개별 재산권이 갖는 자유보장적 기능, 즉 국민 개개인의 자유실현의 물질적 바탕이 되는 정도가 강할수록 엄격한 심사가 이루어져야 한다(2005.5.26, 2004헌가10). 2018년 소방간부

④ [X] 헌법은 제23조 제1항 제1문에서 "모든 국민의 재산권은 보장된다."라고 하여 재산권의 보장을 선언하고, 제2문에서 "그 내용과 한계는 법률로 정한다."라고 규정함으로써 우리 헌법상의 재산권에 관한 규정은 다른 기본권 규정과는 달리 그 내용과 한계가 법률에 의해 구체적으로 형성되도록 하고 있다. 따라서 헌법이 보장하는 재산권의 내용과 한계를 정하는 법률은 재산권을 제한한다는 의미가 아니라 재산권을 형성한다는 의미를 갖는다(2012.3.29, 2010헌바217).

05 정답 ③

① [O] 「국가보위에 관한 특별조치법」(이하 '특별조치법'이라 한다) 제5조 제4항은 토지 및 시설의 사용과 수용에 대한 보상을 「징발법」에 준하도록 규정하고 있으나, 「징발법」에 의한 징발은 징발관(국방부장관이나 계엄사령관)이 토지와 시설물을 사용하는 데 그치고 수용하는 것이 아니므로 보상도 사용에 대한 보상이다. 그러므로 보상기준을 정한 「징발법」 제21조 제1항은 '징발물에 대한 사용료는 당해 사용연도의 과세표준을, 기타의 보상은 징발해제 당시의 과세표준을 기준으로 하여 정한다'라고 규정하고 있다. 「징발법」의 위 규정은 특별조치법에 의한 토지수용의 경우에 그 보상기준이 될 수 없을 뿐만 아니라 위 「징발법」의 규정대로 과세표준을 기준으로 보상을 한다면 이는 정당한 보상이 될 수도 없다. 결국 특별조치법 제5조 제4항은 재산권을 수용하는 경우 정당한 보상을 지급하도록 규정한 헌법 제23조 제3항에 위배된다(1994.6.30, 92헌가18).

② [O] 헌법 제119조 제2항 및 헌법 제123조 제3항에 위배된다고 주장한다. 헌법 제119조 제2항은 경제민주화를 위하여 개인의 경제적 자유에 대한 제한을 정당화하는 근거규범이고, 헌법 제123조 제3항은 중소기업 지원을 통하여 대기업과의 경쟁에서의 불리함을 조정할 국가의 과제를 부과한다. 상가임차인의 보호를 위하여 권리금 회수기회 보호에 관한 규정을 마련하면서 그 적용범위를 한정한 심판대상조항이 상가임차인의 경제적 자유를 제한하거나 중소기업의 보호·육성과 관련이 있다고 보기 어려우므로, 위 조항들은 심판대상조항의 위헌성을 판단하는 근거로 고려하지 아니한다(2020.7.16, 2018헌바242 등).

❸ [X] 입법자는 재산권의 내용을 구체적으로 형성함에 있어서 헌법상의 재산권 보장과 재산권의 제한을 요청하는 공익 등 재산권의 사회적 기속성을 함께 고려하고 조정하여 양 법익이 조화와 균형을 이루도록 하여야 하며, 공익을 실현하기 위하여 적용되는 구체적인 수단은 그 목적이 정당해야 하며 법치국가적 요청인 비례의 원칙에 합치해야 한다(1998.12.24, 89헌마214 등).

④ [O] 재산권을 형성하는 내용의 완전히 새로운 제도를 창설하면서 그 행사기간 등을 정하는 경우에 있어서는 기본적으로 입법재량이 인정되고 이에 기초한 정책적 판단이 이루어져야 할 특별한 영역에 해당되므로 그 입법이 합리적인 재량의 범위를 일탈한 것인지 여부만을 기준으로 심사하여야 할 것이다(2006.11.30, 2003헌바66). 2010년 사시

06 정답 ②

① [X] 「도시계획법」 제21조에 규정된 개발제한구역제도 그 자체는 원칙적으로 합헌적인 규정인데, 다만 개발제한구역의 지정으로 말미암아 일부 토지소유자에게 사회적 제약의 범위를 넘는 가혹한 부담이 발생하는 예외적인 경우에 대하여 보상규정을 두지 않은 것에 위헌성이 있는 것이고, 보상의 구체적 기준과 방법은 헌법재판소가 결정할 성질의 것이 아니라 광범위한 입법형성권을 가진 입법자가 입법정책적으로 정할 사항이므로, 입법자가 보상입법을 마련함으로써 위헌적인 상태를 제거할 때까지 위 조항을 형식적으로 존속케 하기 위하여 헌법불합치결정을 하는 것인바, 입법자는 되도록 빠른 시일내에 보상입법을 하여 위헌적 상태를 제거할 의무가 있고, 행정청은 보상입법이 마련되기 전에는 새로 개발제한구역을 지정하여서는 아니되며, 토지소유자는 보상입법을 기다려 그에 따른 권리행사를 할 수 있을 뿐 개발제한구역의 지정이나 그에 따른 토지재산권의 제한 그 자체의 효력을 다투거나 위 조항에 위반하여 행한 자신들의 행위의 정당성을 주장할 수는 없다(1998.12.24, 89헌마214 등).

❷ [O] 입법자는 재산권의 내용을 구체적으로 형성함에 있어서 헌법상의 재산권 보장과 재산권의 제한을 요청하는 공익 등 재산권의 사회적 기속성을 함께 고려하고 조정하여 양 법익이 조화와 균형을 이루도록 하여야 하며, 공익을 실현하기 위하여 적용되는 구체적인 수단은 그 목적이 정당해야 하며 법치국가적 요청인 비례의 원칙에 합치해야 한다(1998.12.24, 89헌마214 등). 2020년 5급 승진

③ [X] 재산권에 대한 제약이 비례의 원칙에 합치하는 것이라면 그 제약은 재산권자가 수인하여야 하는 사회적 제약의 범위 내에 있는 것이고, 반대로 비례의 원칙에 위배되는 과잉제한이라면 그 제약은 재산권자가 수인하여야 하는 사회적 제약의 한계를 넘는 것이다. 따라서 후자의 경우 입법자는 재산권에 대한 제한의 비례성을 회복할 수 있도록 수인의 한계를 넘어 가혹한 부담이 발생하는 예외적인 경우 이를 완화하거나 조정하는 등의 보상규정을 두어야 한다. 다만, 헌법적으로 가혹한 부담의 조정이란 '목적'을 달성하기 위하여 이를 완화·조정할 수 있는 '방법'의 선택에 있어서는 반드시 직접적인 금전적 보상의 방법에 한정되지 아니하고, 입법자에게 광범위한 형성의 자유가 부여된다(2019.11.28, 2016헌마1115 등). 2020년 5급 승진

④ [X] 개발제한구역지정의 근거인 구 「도시계획법」 제21조에 대해 헌법재판소는 형성입법이라고 하였으나 나대지 소유자처럼 지정으로 가혹한 부담이 발생하면 보상이 필요하다고 하였다. 2006년 행시

관련 판례 구역지정으로 말미암아 예외적으로 토지를 종래의 목적으로도 사용할 수 없거나 또는 법률상으로 허용된 토지이용의 방법이 없기 때문에 실질적으로 토지의 사용·수익권이 폐지된 경우에는 다르다. 이러한 경우에는 재산권의 사회적 기속성으로도 정당화될 수 없는 가혹한 부담을 토지소유자에게 부과하는 것이므로 입법자가 그 부담을 완화하는 보상규정을 두어야만 비로소 헌법상으로 허용될 수 있기 때문이다(1998.12.24, 97헌바78 등).

07 정답 ①

❶ [O] 재산권의 내용과 한계를 정할 입법자의 권한은, 장래에 발생할 사실관계에 적용될 새로운 권리를 형성하고 그 내용을 규정할 권한뿐만 아니라, 더 나아가 과거의 법에 의하여 취득한 구체적인 법적 지위에 대하여까지도 그 내용을 새로이 형성할 수 있는 권한을 포함하고 있는 것이다. 재산권의 내용을 새로이 형성하는 법률이 합헌적이기 위하여서는 장래에 적용될 법률이 헌법에 합치하여야 할 뿐만 아니라, 또한 과거의 법적 상태에 의하여 부여된 구체적 권리에 대한 침해를 정당화하는 이유가 존재하여야 하는 것이다(1999.4.29, 94헌바3). 2005년 사시

② [X] 「도시계획법」 제21조에 규정된 개발제한구역제도 그 자체는 원칙적으로 합헌적인 규정인데, 다만 개발제한구역의 지정으로 말미암아 일부 토지소유자에게 사회적 제약의 범위를 넘는 가혹한 부담이 발생하는 예외적인 경우에 대하여 보상규정을 두지 않은 것에 위헌성이 있는 것이고, 보상의 구체적 기준과 방법은 헌법재판소가 결정할 성질의 것이 아니라 광범위한 입법형성권을 가진 입법자가 입법정책적으로 정할 사항이므로, 입법자가 보상입법을 마련함으로써 위헌적인 상태를 제거할 때까지 위 조항을 형식적으로 존속케 하기 위하여 헌법불합치결정을 하는 것인바, 입법자는 되도록 빠른 시일 내에 보상입법을 하여 위헌적 상태를 제거할 의무가 있고, 행정청은 보상입법이 마련되기 전에는 새로 개발제한구역을 지정하여서는 아니 되며, 토지소유자는 보상입법을 기다려 그에 따른 권리 행사를 할 수 있을 뿐 개발제한구역의 지정이나 그에 따른 토지재산권의 제한 그 자체의 효력을 다투거나 위 조항에 위반하여 행한 자신들의 행위의 정당성을 주장할 수는 없다(1998.12.24, 89헌마214). 2003년 행시

③ [X] 일반적인 물건에 대한 재산권 행사에 비하여 동물에 대한 재산권 행사는 사회적 연관성과 사회적 기능이 매우 크다 할 것이므로 이를 제한하는 경우 입법재량의 범위를 폭넓게 인정함이 타당하다. 그러므로 이 사건 법률조항이 과잉금지원칙을 위반하여 재산권을 침해하는지 여부를 살펴보되 심사기준을 완화하여 적용함이 상당하다(2013.10.24, 2012헌바431).

④ [X] 토지재산권은 강한 사회성, 공공성을 지니고 있어 이에 대하여는 다른 재산권에 비하여 보다 강한 제한과 의무를 부과할 수 있으나, 그렇다고 하더라도 다른 기본권을 제한하는 입법과 마찬가지로 비례성원칙을 준수하여야 하고, 재산권의 본질적 내용인 사용·수익권과 처분권을 부인하여서는 아니 된다(1998.12.24, 89헌마214 등)

08 정답 ①

❶ [X] 종래의 지목과 토지현황에 의한 이용방법에 따른 토지의 사용도 할 수 없거나 실질적으로 사용·수익을 전혀 할 수 없는 예외적인 경우에도 아무런 보상 없이 이를 감수하도록 한다면 비례의 원칙에 위반되어 당해 토지소유자의 재산권을 과도하게 침해하는 것으로서 헌법에 위반되므로, … 이를 완화하는 보상규정을 두어야 하

며, 이러한 보상규정은 … 반드시 금전보상만을 해야 하는 것은 아니고, 지정의 해제 또는 토지매수청구권제도와 같이 금전보상에 갈음하거나 기타 손실을 완화할 수 있는 제도를 보완하는 등 여러 가지 다른 방법을 사용할 수 있다(2005.9.29, 2002헌바84 등).

② [O] 농지의 경우 그 사회성과 공공성은 일반적인 토지의 경우보다 더 강하다고 할 수 있으므로, 농지 재산권을 제한하는 입법에 대한 헌법심사의 강도는 다른 토지 재산권을 제한하는 입법에 대한 것보다 낮다고 봄이 상당하다(2010.2.25, 2008헌바80 등).

③ [O] 이 사건 관습법에 따라 분묘기지권이 성립·존속하는 경우 해당 토지의 소유자는 분묘의 수호·관리에 필요한 상당한 범위 내에서 토지소유권의 행사를 제한받을 수밖에 없고, 이 사건 관습법이 과잉금지원칙을 위반하여 토지소유자의 재산권을 침해하는지를 심사함에 있어서는, 이 사건 관습법 성립 전후의 역사적 배경과 관습법으로서 수행해 왔던 역할, 재산권의 대상인 토지의 특성 및 헌법 제9조에 따른 전통문화의 보호 등을 고려하여 완화된 심사기준을 적용한다(2020.10.29, 2017헌바208).

④ [O] 헌법적으로 가혹한 부담의 조정이란 '목적'을 달성하기 위하여 이를 완화·조정할 수 있는 '방법'의 선택에 있어서는 반드시 직접적인 금전적 보상의 방법에 한정되지 아니하고, 입법자에게 광범위한 형성의 자유가 부여된다(2019.11.28, 2016헌마1115 등).

09 정답 ④

① [O]

> **관련 판례** 음원을 무상 사용함으로 인한 이익은 저작인접권자의 권리가 소멸함으로 인하여 얻을 수 있는 반사적 이익에 불과할 뿐이지 사용자에게 음원에 대한 사적 유용성이나 처분권이 주어지는 것은 아니므로, 이는 헌법 제23조 제1항에 의하여 보호되는 재산권에 해당하지 않는다(2013.11.28, 2012헌마770).

> **관련 판례** 상업용 음반 등을 재생하는 공연을 허용하여 저작재산권자 등의 재산권을 침해한다는 주장과 실질적으로 다르지 아니하다. 그러므로 심판대상조항의 재산권 침해 여부를 판단하는 이상 평등원칙 위반 여부에 대해서는 별도로 판단하지 아니한다(2019.11.28, 2016헌마1115 등).

② [O] 심판대상조항은 입법자가 헌법 제23조 제1항·제2항에 따라 장래에 있어서 일반·추상적인 형식으로 재산권의 내용을 형성하고 확정하는 규정이자 재산권의 사회적 제약을 구체화하는 규정으로 볼 수 있다(2019.11.28, 2016헌마1115 등).

③ [O] 입법자는 재산권의 내용을 구체적으로 형성함에 있어서 사적 재산권의 보장이라는 요청(헌법 제23조 제1항 제1문)과 재산권의 사회적 기속성에서 오는 요청(헌법 제23조 제2항)을 함께 고려하고 조정하여 양 법익이 서로 조화와 균형을 이루도록 하여야 한다. 따라서 입법자는 중요한 공익상의 이유로 재산권을 제한하는 경우에도 비례의 원칙을 준수하여야 하며, 그 본질적 내용인 사적 이용권과 원칙적인 처분권을 부인하여서는 안 된다. 요컨대, 재산권에 대한 제약이 비례의 원칙에 합치하는 것이라면 그 제약은 재산권자가 수인하여야 하는 사회적 제약의 범위 내에 있는 것이고, 반대로 비례의 원칙에 위배되는 과잉제한이라면 그 제약은 재산권자가 수인하여야 하는 사회적 제약의 한계를 넘는 것이다. 따라서 후자의 경우 입법자는 재산권에 대한 제한의 비례성을 회복할 수 있도록 수인의 한계를 넘어 가혹한 부담이 발생하는 예외적인 경우 이를 완화하거나 조정하는 등의 보상규정을 두어야 한다. 다만, 헌법적으로 가혹한 부담의 조정이란 '목적'을 달성하기 위하여 이를 완화·조정할 수 있는 '방법'의 선택에 있어서는 반드시 직접적인 금전적 보상의 방법에 한정되지 아니하고, 입법자에게 광범위한 형성의 자유가 부여된다(2019.11.28, 2016헌마1115 등).

❹ [X] 심판대상조항으로 인하여 저작재산권자 등이 상업용 음반 등을 재생하는 공연을 허락할 권리를 행사하지 못하거나 그러한 공연의 대가를 받지 못하게 되는 불이익이 상업용 음반 등을 재생하는 공연을 통하여 공중이 문화적 혜택을 누릴 수 있게 한다는 공익보다 크다고 보기도 어려우므로, 심판대상조항은 법익의 균형성도 갖추었다. 따라서 심판대상조항이 비례의 원칙에 반하여 저작재산권자 등의 재산권을 침해한다고 볼 수 없다(2019.11.28, 2016헌마1115 등).

10 정답 ③

① [X] 재산권을 제한함에 있어서는 헌법 제23조 제3항은 물론 헌법 제37조 제2항이 규정하고 있는 기본권 제한입법의 한계인 과잉금지원칙·본질적 내용 침해금지원칙이 준수되어야 한다.

② [X] 송전선 철거를 면하고 전력공급의 공백을 방지하기 위해서는 그간 보상이 이루어지지 않았던 선하지의 사용권원을 공용사용의 방법으로 사업자가 신속하게 확보할 수 있도록 하는 것이 필요하다. 사업자인 한국전력공사의 특수성에 더하여, 공용사용의 필요성에 관한 판단권한이 산업통상자원부장관에게 최종적으로 유보되어 있는 점까지 종합적으로 고려하면, 사용조항은 헌법 제23조 제3항의 '공공필요성'을 갖추고 있다(2019.12.27, 2018헌바109).

❸ [O] 2019.11.28, 2017헌바241

④ [X] 헌법 제23조 제3항은 정당한 보상을 전제로 하여 재산권의 수용 등에 관한 가능성을 규정하고 있지만, 수용의 주체를 한정하지 않고 있으므로 위 헌법조항의 핵심은 그 수용의 주체가 국가인지 민간개발자인지에 달려 있다고 볼 수 없다. 관광단지의 지정은 시장·군수·구청장의 신청에 의하여 시·도지사가 사전에 문화체육관광부장관 및 관계 행정기관의 장과 협의하여 정하도록 되어 있어, 민간개발자가 수용의 주체가 된다 하더라도 궁극적으로 수용에 요구되는 공공의 필요성 등에 대한 최종적인 판단권한은 공적 기관에 유보되어 있음을 알 수 있다. 민간개발자에게 관광단지의 개발권한을 부여한 이상 사업이 효과적으로 진행되게 하기 위해서는 다른 공적인 사업시행자와 마찬가지로 토지 수용권을 인정하는 것이 「관광진흥법」의 입법취지에 부합한다. 따라서 관광단지 조성사업에 있어 민간개발자를 수용의 주체로 규정한 것 자체를 두고 헌법에 위반된다고 볼 수 없다(2013.2.28, 2011헌바250).

11 정답 ①

❶ [O] ② [X] 국가 등의 공적 기관이 직접 수용의 주체가 되는 것이든 그러한 공적 기관의 최종적인 허부판단과 승인결정하에 민간기업이 수용의 주체가 되는 것이든, 양자 사이에 공공필요에 대한 판단과 수용의 범위에 있어서 본질적인 차이를 가져올 것으로 보이지 않는다. 따라서 위 수용 등의 주체를 국가 등의 공적 기관에 한정하여 해석할 이유가 없다(2009.9.24, 2007헌바114). 2020년 5급 승진, 2012년 사시

③ [X] 이 사건에서 문제된 지구개발사업의 하나인 '관광휴양지 조성사업' 중에는 고급골프장, 고급리조트 등(이하 '고급골프장 등'이라 한다)의 사업과 같이 입법목적에 대한 기여도가 낮을 뿐만 아니라, 대중의 이용·접근가능성이 작아 공익성이 낮은 사업도 있다. 또한 고급골프장 등 사업은 그 특성상 사업운영 과정에서 발생하는 지방세수 확보와 지역경제 활성화는 부수적인 공익일 뿐이고, 이 정도의 공익이 그 사업으로 인하여 강제수용 당하는 주민들의 기본권 침해를 정

당화할 정도로 우월하다고 볼 수는 없다. 따라서 이 사건 법률조항은 공익적 필요성이 인정되기 어려운 민간개발자의 지구개발사업을 위해서까지 공공수용이 허용될 수 있는 가능성을 열어두고 있어 헌법 제23조 제3항에 위반된다(2014.10.30, 2011헌바172 등).

④ [X] 「공익사업을 위한 토지 등의 취득 및 보상에 관한 법률」 및 각 개별법이 공용수용할 수 있는 공익사업을 열거하고 있더라도, 이는 공공성 유무를 판단하는 일응의 기준을 제시한 것에 불과하므로, 사업인정의 단계에서 개별적·구체적으로 공공성에 관한 심사를 하여야 한다. 즉 공공성의 확보는 1차적으로 입법자가 입법을 행할 때 일반적으로 당해 사업이 수용이 가능할 만큼 공공성을 갖는가를 판단하고, 2차적으로는 사업인정권자가 개별적·구체적으로 당해 사업에 대한 사업인정을 행할 때 공공성을 판단하는 것이다(2014.10.30, 2011헌바172 등).

12 정답 ②

① [X]

> **헌법 제23조** ③ 공공필요에 의한 재산권의 수용·사용 또는 제한 및 그에 대한 보상은 법률로써 하되, 정당한 보상을 지급하여야 한다.

> **관련 판례** 헌법이 규정한 '정당한 보상'이란 … 손실보상의 원인이 되는 재산권의 침해가 기존의 법질서 안에서 개인의 재산권에 대한 개별적인 침해인 경우에는 그 손실보상은 원칙적으로 피수용재산의 객관적인 재산가치를 완전하게 보상하는 것이어야 한다는 완전보상을 뜻하는 것으로서 보상금액뿐만 아니라 보상의 시기나 방법 등에 있어서도 어떠한 제한을 두어서는 아니 된다는 것을 의미한다고 할 것이다(1990.6.25, 89헌마107). 2021년 법원서기보

❷ [O] 공익사업의 시행으로 지가가 상승하여 발생하는 개발이익은 그 성질상 완전보상의 범위에 포함되는 피수용자의 손실이라고 볼 수 없으므로, 「공익사업을 위한 토지 등의 취득 및 보상에 관한 법률」 제67조 제2항이 이러한 개발이익을 배제하고 손실보상액을 산정한다 하여 헌법이 규정한 정당보상의 원칙에 어긋나는 것이라고 할 수 없다(2010.3.25, 2008헌바102). 2020년 법행

③ [X] 입법자가 「도시계획법」 제21조를 통하여 국민의 재산권을 비례의 원칙에 부합하게 합헌적으로 제한하기 위해서는, 수인의 한계를 넘어 가혹한 부담이 발생하는 예외적인 경우에는 이를 완화하는 보상규정을 두어야 한다. 이러한 보상규정은 입법자가 헌법 제23조 제1항 및 제2항에 의하여 재산권의 내용을 구체적으로 형성하고 공공의 이익을 위하여 재산권을 제한하는 과정에서 이를 합헌적으로 규율하기 위하여 두어야 하는 규정이다. 재산권의 침해와 공익간의 비례성을 다시 회복하기 위한 방법은 헌법상 반드시 금전보상만을 해야 하는 것은 아니다. 입법자는 지정의 해제 또는 토지매수청구권제도와 같이 금전보상에 갈음하거나 기타 손실을 완화할 수 있는 제도를 보완하는 등 여러 가지 다른 방법을 사용할 수 있다(1998.12.24, 89헌마214 등). 2019년 법원

④ [X] 「헌법재판소법」 제68조 제1항 단서에 의하면 헌법소원은 다른 구제절차를 거친 뒤 비로소 제기할 수 있는 것인 바, 여기서 말하는 권리구제절차는 공권력의 행사 또는 불행사를 직접 대상으로 하여 그 효력을 다툴 수 있는 권리구제절차를 의미하지, 사후적·보충적 구제수단인 손해배상청구나 손실보상청구를 의미하는 것은 아니다(1989.4.17, 88헌마3). 2019년 법원

13 정답 ①

❶ [O] 살처분은 가축의 전염병이 전파가능성과 위해성이 매우 커서 타인의 생명, 신체나 재산에 중대한 침해를 가할 우려가 있는 경우 이를 막기 위해 취해지는 조치로서, 가축 소유자가 수인해야 하는 사회적 제약의 범위에 속한다(2014.4.24, 2013헌바110).

② [X] 이주대책은 헌법 제23조 제3항에 규정된 정당한 보상에 포함되는 것이라기보다는 이에 부가하여 이주자들에게 종전의 생활상태를 회복시키기 위한 생활보상의 일환으로서 국가의 정책적인 배려에 의하여 마련된 제도라고 볼 것이다. 따라서 이주대책의 실시 여부는 입법자의 입법정책적 재량의 영역에 속하므로 「공익사업을 위한 토지 등의 취득 및 보상에 관한 법률 시행령」 제40조 제3항 제3호가 이주대책의 대상자에서 세입자를 제외하고 있는 것이 세입자의 재산권을 침해하는 것이라 볼 수 없다(2006.2.23, 2004헌마19). 2020년 5급 승진

③ [X] '생업의 근거를 상실하게 된 자에 대하여 일정 규모의 상업용지 또는 상가분양권 등을 공급하는' 생활대책은 헌법 제23조 제3항에 규정된 정당한 보상에 포함되는 것이라기보다는 생활보상의 일환으로서 국가의 정책적인 배려에 의하여 마련된 제도이므로, 그 실시 여부는 입법자의 입법정책적 재량의 영역에 속한다(2013.7.25, 2012헌바71). 2017년 법원

④ [X] 해당 조항들은 문화재를 사용, 수익, 처분함에 있어 고의로 문화재의 효용을 해하는 은닉을 하여서는 아니 된다는 것, 즉 문화재의 사회적 효용과 가치를 유지하는 방법으로만 사용·수익할 수 있다는 것으로, 문화재에 관한 재산권 행사의 사회적 제약을 구체화한 것에 불과하고 문화재의 사용·수익을 금지하는 등 문화재의 사적 유용성과 처분권을 부정하여 구체적으로 형성된 재산권을 박탈하거나 제한하는 것은 아니므로 보상을 요하는 헌법 제23조 제3항 소정의 수용 등에 해당하는 것은 아니다(2007.7.26, 2003헌마377).

14 정답 ①

❶ [O] 위 조항들은 문화재를 사용, 수익, 처분함에 있어 고의로 문화재의 효용을 해하는 은닉을 하여서는 아니 된다는 것, 즉 문화재의 사회적 효용과 가치를 유지하는 방법으로만 사용·수익할 수 있다는 것으로, 문화재에 관한 재산권 행사의 사회적 제약을 구체화한 것에 불과하고 문화재의 사용·수익을 금지하는 등 문화재의 사적 유용성과 처분권을 부정하여 구체적으로 형성된 재산권을 박탈하거나 제한하는 것은 아니므로 보상을 요하는 헌법 제23조 제3항 소정의 수용 등에 해당하는 것은 아니다(2007.7.26, 2003헌마377). 2013년 변시

② [X] 「도시 및 주거환경정비법」 제65조 제2항은 정비기반시설의 설치와 관련된 비용의 적정한 분담과 그 시설의 원활한 확보 및 효율적인 유지·관리의 관점에서 정비기반시설과 그 부지의 소유·관리·유지관계를 정한 규정인데, 같은 항 전단에 따른 정비기반시설의 소유권 귀속은 헌법 제23조 제3항의 수용에 해당하지 않고, 이 사건 법률조항이 그에 대한 보상의 의미를 가지는 것도 아니므로, 이 사건 법률조항에 관하여 정당한 보상의 원칙이 적용될 여지가 없다(2013.10.24, 2011헌바355).

③ [X] 헌법재판소는 강제집행권은 재산권이 아니므로 비엔나 협약에 따라 강제집행이 면제됐다고 하더라도 제23조 제3항의 재산권의 제한에 해당하지 않는다고 보았다(1998.5.28, 96헌마44).

④ [X] 학교위생정화구역 내 여관시설금지로 여관 용도로 건물을 사용할 수 없더라도 헌법 제23조 제3항 소정의 수용·사용·제한이 발생한다고 할 수 없다(2004.10.28, 2002헌바41).

15

정답 ③

ㄱ. [X] 헌법재판소는 분리이론을 취하고 있어 헌법 제23조 제3항의 공용침해로 보지 않았다.

ㄴ. [X] 토지재산권의 내재적 한계로서 허용되는 사회적 제약의 범위를 넘어 감수하라고 할 수 없는 특별한 재산적 손해가 발생하였다고 볼 수 있는 구체적 예는 다음과 같은 경우를 들 수 있다. 토지가 종래 농지 등으로 사용되었으나 개발제한구역의 지정이 있은 후에 주변지역의 도시과밀화로 인하여 농지가 오염되거나 수로가 차단되는 등의 사유로 토지를 더 이상 종래의 목적으로 사용하는 것이 불가능하거나 현저히 곤란하게 되어버린 경우에도 당해 토지소유자에게 위 나대지의 경우에서와 유사한 가혹한 부담이 발생한다. 개발제한구역으로 지정된 토지는 토지 주변상황의 변화로 인하여 지정당시에 행사된 용도대로의 사용이 불가능한 경우에도 원칙적으로 형질변경이 허용되지 아니하여 다른 용도로도 이용할 수 없기 때문이다(1998.12.24, 89헌마214 등)

ㄷ. [O] 개발제한구역의 지정으로 인한 개발가능성의 소멸과 그에 따른 지가의 하락이나 지가상승률의 상대적 감소는 토지소유자가 감수해야 하는 사회적 제약의 범주에 속하는 것으로 보아야 한다. 자신의 토지를 장래에 건축이나 개발목적으로 사용할 수 있으리라는 기대가능성이나 신뢰 및 이에 따른 지가상승의 기회는 원칙적으로 재산권의 보호범위에 속하지 않는다. 구역지정 당시의 상태대로 토지를 사용·수익·처분할 수 있는 이상, 구역지정에 따른 단순한 토지이용의 제한은 원칙적으로 재산권에 내재하는 사회적 제약의 범주를 넘지 않는다(1998.12.24, 89헌마214 등).

ㄹ. [O] 개발제한구역지정으로 인하여 토지를 종래의 목적으로도 사용할 수 없거나 또는 더 이상 법적으로 허용된 토지이용의 방법이 없기 때문에 실질적으로 토지의 사용·수익의 길이 없는 경우에는 토지소유자가 수인해야 하는 사회적 제약의 한계를 넘는 것으로 보아야 한다(1998.12.24, 89헌마214 등).

16

정답 ①

❶ [O] 「도시계획법」 제21조에 규정된 개발제한구역제도 그 자체는 원칙적으로 합헌적인 규정인데, 다만 개발제한구역의 지정으로 말미암아 일부 토지소유자에게 사회적 제약의 범위를 넘는 가혹한 부담이 발생하는 예외적인 경우에 대하여 보상규정을 두지 않은 것에 위헌성이 있는 것이므로, 입법자가 보상입법을 마련함으로써 위헌적인 상태를 제거할 때까지 위 조항을 형식적으로 존속케 하기 위하여 헌법불합치결정한다(1998.12.24, 89헌마214 등).

② [X] 입법자가 구 「도시계획법」 제21조를 통하여 국민의 재산권을 비례의 원칙에 부합하게 합헌적으로 제한하기 위해서는, 수인의 한계를 넘어 가혹한 부담이 발생하는 예외적인 경우에는 이를 완화하는 보상규정을 두어야 한다. 이러한 보상규정은 입법자가 헌법 제23조 제1항 및 제2항에 의하여 재산권의 내용을 구체적으로 형성하고 공공의 이익을 위하여 재산권을 제한하는 과정에서 이를 합헌적으로 규율하기 위하여 두어야 하는 규정이다(1998.12.24, 89헌마214 등). 헌법재판소가 취하고 있는 분리이론에 따르면 보상규정이 없는 경우 헌법 제23조 제3항으로 전환되지 않는다. 2011년 국회 8급

③ [X] 개발제한구역의 지정으로 인한 개발가능성의 소멸과 그에 따른 지가의 하락이나 지가상승률의 상대적 감소는 토지소유자가 감수해야 하는 사회적 제약의 범주에 속하는 것으로 보아야 한다. 자신의 토지를 장래에 건축이나 개발목적으로 사용할 수 있으리라는 기대가능성이나 신뢰 및 이에 따른 지가상승의 기회는 원칙적으로 재산권의 보호범위에 속하지 않는다(1998.12.24, 89헌마214 등).

④ [X] 법률조항은 오로지 보상규정의 결여라는 이유 때문에 헌법에 합치되지 아니한다는 평가를 받는 것이므로, 청구인들을 포함한 모든 토지소유자가 토지재산권의 사회적 한계를 넘는 가혹한 부담을 받은 경우에 한하여 보상입법을 기다려 그에 따른 권리 행사를 할 수 있음은 별론으로 하고, 이 결정에 근거하여 이 법률조항에 의한 개발제한구역의 지정이나 그에 따른 토지재산권의 제한 그 자체의 효력을 다투거나 이 법률조항에 위반하여 행하여진 자신들의 행위의 정당성을 주장할 수는 없다(1998.12.24, 89헌마214 등). 2009년 사시

17

정답 ④

① [O] 도시계획시설결정으로 인한 지목이 전인 소유자에 대한 재산권 제한은 헌법 제23조 제2항의 사회적 제약 내 재산권 제한에 해당하므로 보상을 요하지 않는다.

> **관련 판례** 도시계획시설의 지정에도 불구하고 토지를 종래의 용도대로 계속 사용할 수 있는 경우에는, 그 토지를 계속 종래의 용도대로 사용할 수 있으므로, 도시계획결정으로 말미암아 토지소유자에게 이렇다 할 재산적 손실이 발생한다고 볼 수 없다. 도시계획시설의 지정으로 인한 개발가능성의 소멸과 그에 따른 지가의 하락, 수용시까지 토지를 종래의 용도대로만 이용해야 할 현상유지의무 등은 토지소유자가 감수해야 하는 사회적 제약의 범주에 속하는 것이다(1999.10.21, 97헌바26).

② [O] 도시계획시설의 지정으로 말미암아 당해 토지의 이용가능성이 배제되거나 또는 토지소유자가 토지를 종래 허용된 용도대로도 사용할 수 없기 때문에 이로 말미암아 현저한 재산적 손실이 발생하는 경우에는, 원칙적으로 사회적 제약의 범위를 넘는 수용적 효과를 인정하여 국가나 지방자치단체는 이에 대한 보상을 해야 한다(1999.10.21, 97헌바26). 2018년 법무사

③ [O] 입법자는 토지재산권의 제한에 관한 전반적인 법체계, 외국의 입법례 등과 기타 현실적인 요소들을 종합적으로 참작하여 국민의 재산권과 도시계획사업을 통하여 달성하려는 공익 모두를 실현하기에 적정하다고 판단되는 기간을 정해야 한다. 그러나 어떠한 경우라도 토지의 사적 이용권이 배제된 상태에서 토지소유자로 하여금 10년 이상을 아무런 보상없이 수인하도록 하는 것은 공익실현의 관점에서도 정당화될 수 없는 과도한 제한으로서 헌법상의 재산권 보장에 위배된다고 보아야 한다(1999.10.21, 97헌바26). 2006년 행시

❹ [X] 도시계획시설부지를 종래 용도대로 계속 사용할 수 있거나 법적으로 허용된 이용방법이 아직 남아 있는 경우에는 도시계획시설결정으로 인한 재산권의 제약이 수인하여야 하는 사회적 제약의 범주 내에 있는 한편 종래 용도대로 사용할 수 없거나 실질적으로 사용 수익을 전혀 할 수 없는 경우에는 매수청구제도라는 보상적 조치가 마련되어 있어 법익균형성도 갖추었으므로, 비례원칙에 반하지 아니한다(2005.9.29, 2002헌바84 등).

18

정답 ①

❶ [O] 구 「근로기준법」 제37조 제1항 및 제2호는 근로자의 임금채권 확보를 위하여 담보물권자의 우선변제적 효력을 제한한 것으로서 재산권에 대한 제한에 해당하나, 임금채권에 대한 보호를 통한 근로자의 기본적 생활의 보장이라고 하는 입법목적은 정당하고, 그 수단이 적정하며, 사회보험제도를 통한 임금채권 및 근로자의 보호가 미흡한 현실에서 덜 제한적인 수단을 찾기 어렵다. 또한 직장을 잃게 되는 근로자들에게 일정한 범위의 임금, 퇴직금 채권을 확보해 주는 것은 근로자의 기본적 생활의 보장, 나아가 사회 안정의

측면에서 그 공익적 필요성이 큰 반면, 금융기관 등 일반채권자는 채무불이행으로 인하여 파생할 수 있는 경제적 위험을 다른 다수의 채무자에게 분산시키거나 대출 시 임금채권으로 인한 손실을 최소화할 수 있는 방안을 강구할 수 있는 지위에 있다고 할 것이므로, 법익의 균형성에 반한다고 보기도 어렵다. 그 외에 실질적 사용자에 대한 담보물권자를 보호하기 위한 적정한 제한을 가할 것인지 여부는 입법자의 사회정책적 판단영역이라고 할 것이므로 실질적 사용자에 대한 담보물권자를 보호하기 위한 제한을 마련하지 않은 입법이 재산권의 본질적 내용을 침해한다고 보기 어렵다(2008.11.27, 2007헌바36).

② [X] 도로의 개설 및 유지를 통한 국토의 효율적인 이용과 공중의 원활한 통행을 위하여 도로부지 소유자의 토지인도청구 등 사권의 행사를 제한한 「도로법」은 재산권을 침해한다고 할 수 없다(2013.10.24, 2012헌바376).

③ [X] 심판대상조항은 광업권이 정당한 토지사용권 등 공익과 충돌하는 것을 조정하는 정당한 입법목적이 있고, 도로와 일정 거리 내에서는 허가 또는 승낙하에서만 채굴할 수 있도록 하는 것은 적절한 수단이 되며, 정당한 이유 없이 허가 또는 승낙을 거부할 수 없도록 하여 광업권이 합리적인 이유 없이 제한되는 일이 없도록 하므로 최소침해성의 원칙에도 부합하고, 실현하고자 하는 공익과 광업권의 침해 정도를 비교형량할 때 적정한 비례관계가 성립하므로 법익균형성도 충족된다. 또한 광업권의 특성을 감안할 때 심판대상조항에 의한 제한은 광업권자가 수인하여야 하는 사회적 제약의 범주에 속하는 것이다. 따라서 심판대상조항은 광업권자의 재산권을 침해하지 아니한다(2014.2.27, 2010헌바483).

④ [X] 이 사건 법률조항이 급여를 받을 유족이 없을 때에 급여의 수급권자를 「민법」상 상속의 법리에 의하지 않고 유족이 아닌 직계비속에 한정하고 있는 것은 보험원리에 입각하여 한정된 재원으로 보험대상자인 공무원 및 그 유족의 생활안정과 복리향상에 기여하기 위한 것이다. 이 사건 법률조항이 급여를 받을 유족이 없을 때에 유족이 아닌 직계비속에게 일정한 한도의 금액을 지급하도록 한 것은 우리의 가족제도상 직계비속은 공무원 또는 공무원이었던 자의 호주승계인으로서 가(家)를 계승하고 일반적으로 사망 전에는 요양을 맡으며 사망 후에는 제사를 지내는 점들을 고려한 것이다. 따라서 이 사건 법률조항이 공무원 또는 공무원이었던 자가 유족 없이 사망하였을 경우 급여의 수급자를 유족이 아닌 직계비속으로만 한정하여 유족 및 유족이 아닌 직계비속 이외의 다른 상속권을 제한하고 있는 것은 공공복리를 위하여 입법형성권의 범위에서 이루어진 합리적인 제한으로서 헌법에 위반되지 아니한다(1998.12.24, 96헌바73). 2000년 사시

19 정답 ②

① [X] 이 사건 법률조항은 납세의무자의 성실한 신고를 유도하여 신고납세제도의 실효성을 확보하기 위한 것이다. 이 사건 법률조항은 불성실 신고내역의 경중에 따라 차등과세하고 있어 의무 위반의 정도와 제재 사이에 적정한 균형을 이루고 있고, 관계 법령과 법원의 판결을 통하여 가산세 감면의 가능성이 어느 정도 열려있다. 따라서 이 사건 법률조항은 재산권을 침해한다고 할 수 없다(2018.12.27, 2017헌바377).

❷ [O] 상속재산이나 수증재산을 이미 처분한 후에 상속세나 증여세가 부과되는 때에는 경우에 따라서 처분가격보다 훨씬 많은 세금(때로는 처분가격의 몇 10배나 몇 100배가 되는 경우도 있다)을 납부하여야 하는 불합리한 결과가 발생할 수도 있는데 이점에 있어서는 성실신고자와의 관계에서 볼 때에도 합리적인 차별이라고 할 수 없다. 이렇게 볼 때, 위 법률조항은 헌법이 규정한 조세법률주의와 평등의 원칙(조세평등주의)에 위반된 것이고, 그로 말미암아 국가가 과세권행사라는 이름아래 합리적 이유 없이 국민의 재산권을 침해하게 되는 것이므로 헌법상의 재산권 보장규정에도 위반된다고 할 것이다(1992.12.24, 90헌바21).

③ [X] 골프장에 대하여 취득세를 7.5배 중과세하는 구 「지방세법」 제112조 제2항의 직업선택의 자유 또는 재산권의 본질적 내용 침해 여부를 보면 취득세의 중과세만이 골프장의 손익 발생 여부에 결정적인 영향을 미치고 있다고 보기는 어렵고, 자유시장경제질서하에 있는 다른 기업과 마찬가지로 손익 발생 여부는 결국 경제적 선택의 합리성 및 기업경영의 효율성의 문제로 귀착된다고 할 수 있다. 따라서, 골프장에 대한 취득세 부담이 높다는 것은 결국 이러한 경제적 부담을 감수하더라도 골프장을 취득하여 사업을 운영할 것인가 말 것인가 하는 기업주체의 자율적인 경제적 선택의 문제일 뿐, 골프장업의 운영을 법률적으로나 사실상으로 금지하는 것이라고 볼 수는 없으므로, 직업선택의 자유나 재산권의 본질적인 내용을 침해하는 것이라고 볼 수 없다(1999.2.25, 96헌바64).

④ [X] 심판대상조항은 사치·낭비 풍조를 억제함으로써 바람직한 자원배분을 달성하고자 하는 유도적·형성적 정책조세조항으로서 그 중과세율이 입법자의 재량의 범위를 벗어나 회원제 골프장의 운영을 사실상 봉쇄하는 등 소유권의 침해를 야기한다고 보기 어려울 뿐만 아니라, 회원제 골프장을 운영하는 자 또는 골프장 운영을 희망하는 자로서도 자신의 선택에 따라 중과세라는 규제로부터 벗어날 수 있는 길이 열려 있다고 할 것이므로, 과잉금지원칙에 반하여 회원제 골프장 운영자 등의 재산권을 침해한다고 볼 수 없다(2020.3.26, 2016헌가17 등).

20 정답 ④

ㄱ. [O] 종합부동산세는 재산세와 사이에서는 동일한 과세대상 부동산이라고 할지라도 지방자치단체에서 재산세로 과세되는 부분과 국가에서 종합부동산세로 과세되는 부분이 서로 나뉘어져 재산세를 납부한 부분에 대하여 다시 종합부동산세를 납부하는 것이 아니고, 양도소득세와 사이에서는 각각 그 과세의 목적 또는 과세 물건을 달리하는 것이므로, 이중과세의 문제는 발생하지 아니한다(2008.11.13, 2006헌바112 등).

ㄴ. [O] 미납기간을 고려함 없이 주민세를 기간 내 납부하지 아니한 자에 대하여 일률적으로 가산세를 20%로 한 이 사건 법률조항은 재산권과 평등권 침해이다(2005.10.27, 2004헌가21).

ㄷ. [O] 취득세 자진납부의무의 위반정도는 미납기간의 장단과 미납세액의 다과라는 두 가지 요소에 의하여 결정되어야 함에도 불구하고 이 사건 법률조항은 산출세액의 100분의 20을 가산세로 획일규정한 것은 현저히 합리성을 결하여 헌법상의 비례의 원칙에 위반된다고 할 수 있다(2003.9.25, 2003헌바16).

ㄹ. [O] 과세당국의 경정결정 과정에서 정유회사에 본세 및 가산세가 부과될 수 있으나, 본세는 납세의무자인 정유회사가 부담해야 할 정당한 세액에 불과하고, 가산세는 정유회사가 「국세기본법」상 '정당한 사유'의 입증을 통하여 면제될 수 있음을 고려할 때, 이 사건 법률조항들은 과잉금지원칙에 위반되지 아니한다(2015.3.26, 2012헌바381 등).

ㅁ. [X] 이 사건 법률조항은 수도권에 인구 및 경제·산업시설이 밀집되어 발생하는 문제를 해결하고 국토의 균형 있는 발전을 도모하기 위하여 법인이 과밀억제권역 내에 본점의 사업용 부동산으로 건축물을 신축·증축하여 이를 취득하는 경우 취득세를 중과세하는 조항으로서, 구법과 달리 인구유입과 경제력 집중의 효과가 뚜렷한 건물의 신축, 증축 그리고 부속토지의 취득만을 그 적용대상으로 한정하여 부당하게 중과세할 소지를 제거하였다. 최근 대법원 판결도 구체적인 사건에서 인구유입이나 경제력 집중효과에 관한 판단을

전적으로 배제한 것으로는 보기 어렵다. 따라서 이 사건 법률조항은 거주·이전의 자유와 영업의 자유를 침해하지 아니한다(2014.7.24, 2012헌바408).

ㅂ. [X] 종합소득과세표준의 과소신고에 대하여 20%의 가산세를 부과하는 것은 의무 위반의 정도와 부과되는 제재 사이에 적정한 비례관계를 유지하고 있어 비례의 원칙에 위배된다고 볼 수 없다(2005.2.24, 2004헌바26).

ㅅ. [X] 이 사건 법률조항에 따른 미납세액의 100분의 10이라는 가산세율은, 소득세의 납부의무 이행을 확보하고 그 불이행을 미연에 방지하는 데 필요한 최소한의 제재수준을 벗어났다고 보기 어렵고, 이러한 최소한의 제재만을 정하고 이를 상회하는 가산세율을 정하지 않음으로써 단지 가산세가 가지는 제재적 기능의 최소한만을 확보하고자 하였다고 볼 수 있으므로, 미납기간의 장단을 고려하지 않았다는 이유만으로 이 사건 법률조항이 비례원칙에 반하여 납세의무자의 재산권을 침해한다고 볼 수 없다(2013.8.29, 2011헌가27).

ㅇ. [X] 대도시의 고층건물, 거대한 쇼핑몰 등 대형 화재위험 건축물의 증가로 소방사무의 범위가 화재 진압을 넘어 각종 재난대응, 인명구조 등으로 확대되는 환경에서 소방서비스 및 소방시설 확충을 위한 재원을 마련하는 공익은 중대하다고 할 것이므로, 심판대상조항이 헌법 제37조 제2항에 반하여 청구인의 재산권을 침해한다고 볼 수 없다(2020.3.26, 2017헌바387).

ㅈ. [X] 과세대상인 자본이득의 범위를 실현된 소득에 국한할 것인가 혹은 미실현이득을 포함시킬 것인가의 여부는, 과세목적·과세소득의 특성·과세기술상의 문제 등을 고려하여 판단할 입법정책의 문제일 뿐, 헌법상의 조세개념에 저촉되거나 그와 양립할 수 없는 모순이 있는 것으로는 볼 수 없다(1994.7.29, 92헌바49 등).

36회 진도별 모의고사

재산권

정답

01	①	02	④	03	①	04	②
05	①	06	②	07	③	08	④
09	①	10	③	11	④	12	③
13	④	14	④	15	①	16	①
17	⑤	18	①	19	①	20	③

01 정답 ①

ㄱ. [O] 「국세기본법」 제35조 제1항 제3호 중 '으로부터 1년'이라는 부분은 헌법 제23조 제1항이 보장하고 있는 재산권의 본질적인 내용을 침해하는 것으로서 헌법 전문, 제1조, 제10조, 제11조 제1항, 제23조 제1항, 제37조 제2항 단서, 제38조, 제59조의 규정에 위반된다(1990.9.3, 89헌가95).

ㄴ. [O] 헌법재판소는 신고일 기준으로, 납세의무성립일 기준으로, 납세고지서의 발송일 기준으로 조세채권을 담보물권보다 우선하는 것은 합헌으로 보았다. 그 이유로는 신고일, 납세의무성립일, 발송일을 기준으로 담보권자가 그 시점에서 얼마든지 상대방의 조세채무의 존부와 범위를 확인할 수 있어 담보권자의 예측가능성을 해하지 아니하기 때문이다(1995.7.21, 93헌바46).

ㄷ. [O] 심판대상조항이 개발부담금채권과 피담보채권 사이의 우열을 가리는 기준시기로 '납부고지일'을 정한 것은, 담보권자가 그 시점에서 담보권설정자의 개발부담금채무 존부와 범위를 어느 정도 확인할 수 있어 담보권자의 예측가능성을 해하지 아니하고, 부과관청에 의하여 그 시기가 임의로 변경될 수 없다는 점에서 합리적인 기준이라 할 수 있으며, 달리 그 기준시기의 설정이 현저히 불합리하다고 볼 만한 사유가 없다. 따라서 심판대상조항이 입법재량의 범위를 벗어난 것이라고 할 수 없으므로, 재산권을 침해하지 아니한다(2016.6.30, 2014헌바473 등).

ㄹ. [O] 헌법재판소는 구 「근로기준법」 제30조의2 제2항 및 구 「근로기준법」 제37조 제2항 중 각 '퇴직금' 부분은, 근로자에게 퇴직금 전액에 대하여 질권자나 저당권자에 우선하는 변제수령권을 인정함으로써 결과적으로 질권자나 저당권자가 그 권리의 목적물로부터 거의 또는 전혀 변제를 받지 못하게 되는 경우에 우선변제수령권이 형해화하게 되므로 질권이나 저당권의 본질적 내용을 침해할 소지가 생기게 된다는 이유로 헌법에 합치되지 아니한다는 결정을 선고하였다(1997.8.21, 94헌바19 등).

ㅁ. [O] 이 사건 법률조항이 예금보험공사가 지급정지사태에 빠진 상호신용금고에 투입한 공적자금(예금보험금이나 예금채권 매입금)을 일반채권에 우선하여 회수할 수 있게 하여 상호신용금고의 잦은 도산으로 인하여 예금보험공사의 부실화를 방지하는 기능을 수행한다고 하더라도, 그것이 상호신용금고의 일반 채권자를 희생시키는 수단을 정당화시키는 목적으로 삼기는 어려우므로 이 사건 법률조항의 입법목적의 정당성을 인정하기 어렵다. 또한 상호신용금고의 예금채권을 특별히 보호해야 할 필요성이 있다고 하더라도 예금의 종류나 한도를 묻지 않고 무제한적인 우선변제권을 줄 것이 아니라 예금의 종류나 한도를 제한하여 다른 일반채권자의 재산권 침해를 최소화할 헌법상 의무가 있다. 이 사건 법률조항은 상호신용금고의 예금채권자를 우대하기 위하여 상호신용금고의 일반 채권자를 불합리하게 희생시킴으로써 일반 채권자의 재산권을 침해하여 헌법 제23조 제1항에 위반된다(2006.11.30, 2003헌가14 등).

ㅂ. [X] 심판대상조항은 「주택임대차보호법」 제8조 및 같은 법 시행령의 규정에 따라 우선변제를 받을 수 있는 임차인(이하 '소액임차인'이라 한다)의 주거생활의 안정을 도모하고 이들의 인간다운 생활을 보장하기 위한 것으로 입법목적이 정당하고, 소액임차인을 보호하는 것은 헌법 제34조 제1항 및 제2항에 의해 정당화될 수 있으므로 심판대상조항이 청구인들의 재산권을 침해한다고 볼 수 없다(2019. 12.27, 2018헌마825).

ㅅ. [O] 심판대상조항이 주택에 대한 경매신청의 등기 전까지 주민등록을 갖춘 소액임차인에 한하여 우선변제를 받을 수 있도록 한 것이 입법형성의 한계를 벗어나 청구인의 재산권을 침해한다고 보기 어렵다(2020.8.28, 2018헌바422).

02 정답 ④

① [O] 종합부동산세는 재산세와 사이에서는 동일한 과세대상 부동산이라고 할지라도 지방자치단체에서 재산세로 과세되는 부분과 국가에서 종합부동산세로 과세되는 부분이 서로 나뉘어져 재산세를 납부한 부분에 대하여 다시 종합부동산세를 납부하는 것이 아니고, 양도소득세와 사이에서는 각각 그 과세의 목적 또는 과세 물건을 달리하는 것이므로, 이중과세의 문제는 발생하지 아니한다(2008.11.13, 2006헌바112 등). 2009년 법행

② [O] 이 사건 법률조항은 농지에 대한 투기수요를 억제하고, 투기로 인한 이익을 환수하여 부동산 시장의 안정과 과세형평을 도모함에 그 입법목적이 있는바, 그 목적의 정당성 및 방법의 적절성이 인정된다. 그리고 사실상 소유자가 거주 또는 경작하지 않는 토지의 소유를 억제할 수 있을 정도의 세율을 60%로 본 입법자의 판단은 존중할 필요가 있다. 따라서 이 사건 법률조항이 과잉금지원칙에 위배되어 청구인의 재산권을 침해한다고 할 수 없다(2012.7.26, 2011헌바357). 2016년 사시

③ [O] 단기보유자산이 공용수용에 의하여 양도된 경우에도 높은 세율로 중과세하는 것은 부동산 투기를 억제하여 토지라는 한정된 자원을 효율적으로 이용하기 위한 것으로 입법목적의 정당성이 인정되고, 공용수용절차가 상당한 시일이 소요된다는 점에 비추어 공용수용의 경우에도 자산 매수 당시에 매수자 대부분이 부동산 투기목적이나 투기의 위험성을 가지고 있다고 할 수 있으므로 보유기간을 기준으로 세율을 가중한 것은 입법목적을 달성하기 위하여 적절한 수단이 된다. 나아가 공용수용의 경우에 한하여 일반세율을 적용하거나 투기목적을 과세요건에 추가하는 방식으로는 입법목적을 달성하기 어려우므로 침해의 최소성원칙에도 위배되지 아니하고, 단기보유자산의 양도에 대하여 일률적으로 중과세함으로써 실현되는 공익이 그로써 제한되는 사익보다 결코 작다고 할 수 없으므로 법익의 균형성도 준수하고 있어 심판대상조항은 청구인들의 재산권을 침해하지 아니한다(2015.6.25, 2014헌바256). 2019년 국회 8급, 2005년 행시

❹ [X] 편의치적(Flag of Convenience)의 방법에 의한 선박수입의 경우 그 선박이 우리나라 국적을 취득하지 않았다고 하더라도 실질적으로는 선박이 수입된 것으로 인정할 수 있기 때문에 관세 부과의 대상이 된다. 따라서 편의치적이 실질과세의 원칙에 부합되는 관세부과의 대상이 되는 이상 구 「관세법」 제180조 제1항 본문 소정의 '사위 기타 부정한 방법으로 관세를 포탈한 경우'에 해당되는 것으로 해석하더라도 죄형법정주의 내용인 명확성의 원칙과 유추해석금지에 위반된다고 볼 수 없고, 헌법상의 재산권 보장이나 직업선택의 자유(영업의 자유)에 위배되지 아니한다(1998.2.5, 96헌바96). 2003년 사시

03 정답 ①

❶ [X] 한강 수질개선 사업은 해당 국민의 건강·생활환경과 밀접한 관련을 갖는 중대한 공적 과제인 반면, 부담금 납부대상자에게 부과되는 물이용부담금 부과요율이 과다하다고 볼 수 없기 때문에 이 조항으로 인한 재산권 제한이 공익에 비하여 크다고 볼 수 없으므로 침해의 최소성과 법익의 균형성 요건을 충족한다. 따라서 부담금부과조항이 과잉금지원칙에 반하여 재산권을 침해한다고 볼 수 없다. 부담금의 선별적 부과라는 차별에 합리성이 있는지 여부는 그것이 행위 형식의 남용으로서 부담금의 헌법적 정당화 요건을 갖추었는지 여부와 관련이 있는데, 한강 수질개선이라는 공적 과제와 부담금 납부대상자 사이에 특별히 밀접한 관련성을 인정할 수 있으므로 물이용부담금의 부과는 헌법적 정당화 요건을 갖추었다. 따라서 물이용부담금의 납부의무자 집단을 선정하면서 한강 하류 지역의 수돗물 최종수요자를 납부의무자로 정한 부담금 부과조항이 평등원칙에 위배된다고 볼 수 없다(2020.8.28, 2018헌바425).

② [O] 상수원 수질개선을 통해 밀접하고 직접적인 이익을 얻는 수돗물의 최종수요자로부터 그 비용을 환수한다는 성격을 가지고 있다. 따라서 부과원인이나 내용의 측면에서는 수익자 부담금의 성격을 갖는다(2020.8.28, 2018헌바425).

③ [O] 물이용부담금은 한강수계의 주민지원사업과 수질개선사업 등에 사용될 한강수계관리기금의 재원을 마련하는 데에 그 부과의 목적이 있을 뿐, 그 부과 자체로써 수돗물 최종수요자의 행위를 특정한 방향으로 유도하거나 물이용부담금 납부의무자 이외의 다른 집단과의 형평성 문제를 조정하고자 하는 등의 목적이 있다고 보기 어렵다. 게다가 뒤에서 보는 바와 같이 부담금 부과조항이 물이용부담금을 통해 추구하는 공적 과제는 한강수계관리기금의 집행단계에서 비로소 실현된다고 할 수 있으므로, 물이용부담금은 재정조달목적 부담금에 해당한다(2020.8.28, 2018헌바425).

④ [O] 부담금 부과는 재산권 제한이므로 헌법 제37조 제2항의 자유와 권리 제한에 해당하여 헌법 제37조 제2항에 근거를 두고 있다. 따라서 헌법 제37조 제2항의 법률유보원칙과 과잉금지원칙을 준수해야 한다.

⑤ [O] 장기미등기자에 대하여 부동산가액의 100분의 30에 해당하는 과징금을 부과할 수 있도록 규정한 「부동산 실권리자명의 등기에 관한 법률」 제10조 제1항 본문에 있어서, 장기미등기자는 명의신탁자와 유사한 의도를 가진 사람으로부터 단순한 무지 등으로 인하여 등기를 하지 않은 사람까지 반사회성의 정도가 제각기 다르고, 장기미등기는 기본적으로는 권리의 불행사에 불과하며, 정해진 기간 내에 소유권이전등기신청을 하지 않는 것은 행정상 의무 위반이라는 측면이 강하다는 점을 감안할 때, 제재의 정도에 있어서 특별히 조세의 포탈이나 법 적용의 회피 등 반사회적 의도나 목적을 가지지 않은 경우에까지 일률적으로 부동산가액의 30%에 해당하는 과징금을 부과한다는 것은 법익균형성을 갖추었다고 보기 어려워 과잉금지의 원칙에 반한다고 할 수 없다(2001.5.31, 99헌가18 등). 2015년 사시

04 정답 ②

① [O] 이 사건 법률조항은 부동산 투기거래를 방지함으로써 부동산거래의 정상화와 부동산가격의 안정을 도모하고자 도입된 토지거래허가제도의 실효성을 확보하기 위한 것으로서, 그 입법목적은 정당하고, 부동산거래허가제도의 사후적 관리를 강화함으로써 투기소유자들이 토지거래허가구역 내에서 허위의 토지 이용목적을 내세워 거래허가를 받아 토지거래허가제도의 효력을 약화시키는 것을 막을 수 있는 점 등을 종합하여 볼 때 침해의 최소성원칙에 반하지 아니하고, 법익균형성의 요건도 충족한다 할 것이다. 따라서 이 사건 법률조항이 과잉금지원칙에 위배하여 재산권을 침해한다고 볼 수 없다(2013.2.28, 2012헌바94). 2014년 사시

❷ [X] 이 사건 법률조항에 의하여 위반자는 위법건축물의 사용·수익·처분 등에 관한 권리가 제한되지만, 건축물의 안전과 기능, 미관을 향상시켜 공공복리의 증진을 도모하고자 하는 공익이 훨씬 크다고 할 것이므로, 이 사건 법률조항은 법익 균형성의 원칙에 위배되지 아니한다. 따라서 이 사건 법률조항은 과잉금지의 원칙에 위배되지 아니하므로 위반자의 재산권을 침해하지 아니한다(2011.10.25, 2009헌바140). 2020년 경찰승진

③ [O] 심판대상조항은 위반사항 및 위반행위의 각 유형에 따라 이행강제금의 산출비율을 달리 정하고 있고, 개별 위법행위의 위법성 정도도 고려하도록 규정하고 있다. 심판대상조항에 의한 의무불이행자의 재산권 제한보다 난개발방지라는 특별관리지역의 목적에 맞게 토지가 관리되도록 한다는 공익이 훨씬 크다. 따라서 심판대상조항이 과잉금지원칙에 위반되어 재산권을 침해한다고 할 수 없다(2021.4.29, 2018헌바516).

④ [O] 국립공원의 입장료는 수익자 부담의 원칙에 따라 국립공원에 입장하는 자에게 국립공원의 유지·관리비의 일부를 징수하는 것이며, 공원의 관리와 공원안에 있는 문화재의 관리·보수를 위한 비용에만 사용하여야 하는 것이므로, 「민법」상 과실이라고 볼 여지가 없으므로, 국립공원의 입장료를 국가 내지 국립공원관리공단의 수입으로 하도록 한 규정이 국립공원 내 토지의 소유자의 재산권을 침해하는 것이라 할 수 없다(2001.6.28, 2000헌바44). 2007년 사시

05 정답 ①

❶ [O] 우리 헌법의 재산권 보장은 사유재산의 처분과 그 상속을 포함하는 것인바, 유언자가 생전에 최종적으로 자신의 재산권에 대하여 처분할 수 있는 법적 가능성을 의미하는 유언의 자유는 생전증여에 의한 처분과 마찬가지로 헌법상 재산권의 보호를 받는다(1989.12.22, 88헌가13).

② [X] 지급특례조항은 연금형성에 대한 실질적 기여도나 당사자 쌍방이 혼인생활 중 협력하여 취득한 모든 재산을 고려하여 연금분할에 관하여 달리 정할 수 있는 여지를 둠으로써, 당사자의 의사를 존중하고 구체적 타당성을 도모하기 위한 것이다. 재산분할에 관한 당사자의 합의 또는 법원의 결정을 존중하는 것이 당사자들 사이의 이해관계와 실질적 공평에 부합하므로, 지급특례조항이 입법재량의 한계를 일탈하여 분할연금수급권자의 사회보장수급권이나 재산권을 침해한다고 볼 수 없다(2018.4.26, 2016헌마54).

③ [X] 상속재산분할심판과 같이 상속에 대한 실체적 분쟁이 계속 중이어서 법정기한 내에 재산분할을 마치기 어려운 부득이한 사정이 있는 경우, 후발적 경정청구 등에 의해 그러한 심판의 결과를 상속세 산정에 추후 반영할 길을 열어두지도 않은 채, 위 기한이 경과하면 일률적으로 배우자 상속공제를 부인함으로써 비례원칙에 위배되어 청구인들의 재산권을 침해한다(2012.5.31, 2009헌바190).

④ [X] 심판대상조항은 배우자의 국민연금 가입기간 중의 혼인기간이 5년 이상인 자에게 분할연금수급권을 부여하면서, 법률혼기간의 산정에 있어 부부 사이에 실질적인 혼인관계가 존재하였는지를 묻지 않는다. 이것은 분할연금수급권자에 해당하는지 여부를 명확한 객관적인 기준에 의하여 파악할 수 있도록 함으로써 분할연금을 둘러싼 분쟁을 방지함과 동시에 연금 분할로 인한 법률관계를 조속히 확정하여 법적 안정성을 도모하고, 나아가 이혼배우자의 노후를 보장하기 위한 것으로 보인다(2016.12.29, 2015헌바182).

06 정답 ②

ㄱ. [X] 유언의 요식주의를 취하는 이상, 유언을 하는 자가 당연히 작성할 것이라고 기대되는 '유언의 전문, 유언자의 성명' 등과 같은 최소한의 내용 이외에 다른 형식적인 기재사항을 요구하는 것은 유언의 요식주의를 관철하기 위한 불가피한 선택이라고 볼 수 있으며, '주소의 자서'는 다른 유효요건과는 다소 다른 측면에서 의연히 유언자의 인적 동일성 내지 유언의 진정성 확인에 기여하는 것이므로 기본권 침해의 최소성원칙에 위반되지 않을 뿐 아니라 법익균형성의 요건도 갖추고 있다(2008.12.26, 2007헌바128).

ㄴ. [X] 우리의 상속법제는 법적 안정성이라는 공익을 도모하기 위하여 포괄·당연승계주의를 채택하는 한편, 상속의 포기·한정승인제도를 두어 상속인으로 하여금 그의 의사에 따라 상속의 효과를 귀속시키거나 거절할 수 있는 자유를 주고 있으며, 상속인과 피상속인의 채권자 및 상속인의 채권자 등의 이해관계를 조절할 수 있는 다양한 제도적 장치도 마련하고 있으므로, 「민법」 제1005조는 입법자가 입법형성권을 자의적으로 행사하였다거나 헌법상 보장된 재산권이나 사적 자치권 및 행복추구권을 과도하게 침해하여 기본권 제한의 입법한계를 벗어난 것으로서 헌법에 위반된다고 할 수 없다(2004.10.28, 2003헌가13).

ㄷ. [X] 「민법」은 제1019조 내지 제1021조에서 상속인으로 하여금 법정의 고려기간 내에 상속을 단순승인 또는 한정승인하거나 상속을 포기할 수 있도록 하는 한편 상속인의 구체적 상황에 따라 고려기간의 기산점을 달리 하거나 특별한정승인을 할 수 있도록 규정함으로써, 상속의 효과를 귀속 받을지 여부에 관한 상속인의 선택권을 보장하고 상속인에게 불측의 부담이 부과되는 것을 막는 법적 장치를 마련하고 있다. 그렇다면 입법자가 피상속인의 4촌 이내의 방계혈족을 일률적으로 4순위 법정상속인으로 규정한 것이 자의적인 입법형성권의 행사라고 보기 어렵고, 구체적 사안에서 피상속인의 4촌 이내의 방계혈족이 개인적 사정으로 고려기간 내에 상속포기를 하지 못하여 피상속인의 채무를 변제하게 되는 경우가 발생할 수 있다는 이유만으로 심판대상조항이 입법형성권의 한계를 일탈하였다고 볼 수도 없다. 따라서 심판대상조항은 피상속인의 4촌 이내의 방계혈족의 재산권 및 사적 자치권을 침해하지 아니한다(2020.2.27, 2018헌가11).

ㄹ. [X] 이 사건 법률조항이 사실혼 배우자에게 상속권을 인정하지 아니하는 것은 상속인에 해당하는지 여부를 객관적인 기준에 의하여 파악할 수 있도록 함으로써 상속을 둘러싼 분쟁을 방지하고, 상속으로 인한 법률관계를 조속히 확정시키며, 거래의 안전을 도모하기 위한 것이다. 사실혼 배우자는 혼인신고를 함으로써 상속권을 가질 수 있고, 증여나 유증을 받는 방법으로 상속에 준하는 효과를 얻을 수 있으며, 「근로기준법」, 「국민연금법」 등에 근거한 급여를 받을 권리 등이 인정된다. 따라서 이 사건 법률조항이 사실혼 배우자의 상속권을 침해한다고 할 수 없다(2014.8.28, 2013헌바119).

ㅁ. [O] 헌법은 제23조 제1항에서 "모든 국민의 재산권은 보장된다."라고 하는 재산권 보장에 대한 일반적인 원칙규정을 두고 있으며, … 이는 국민 개개인에게 자유스러운 경제활동을 통하여 생활의 기본적 수요를 스스로 충족시킬 수 있도록 하고 사유재산과 그 처분 및 상속을 보장해주는 것이 인간의 자유와 창의를 보장하는 지름길이고 궁극에는 인간의 존엄과 가치를 증대시키는 최선의 방법이라는 이상을 배경으로 하고 있는 것이다.

ㅂ. [O] 특별수익자조항이 공동상속인 중에 피상속인으로부터 재산의 증여 또는 유증을 받은 특별수익자가 있는 경우에 그 수증재산을 상속분의 선급으로 보고 구체적인 상속분을 산정하도록 한 것은 상속에 있어서 공동상속인들 사이의 공평을 기하도록 하기 위함이다. 그런데 특별수익자가 배우자인 경우에 대하여서만 특별수익 산정에 관한 예외규정을 둔다면 공동상속인 사이에 공평을 해치게 되어 특별수익자조항의 입법목적에 배치되는 결과를 가져온다. 나아가 공동재산형성이나 배우자부양 측면에서 배우자의 특수성은 「민법」상 법정상속분제도, 기여분제도를 통하여 구체적 상속분 산정시 고려되고 있고, 대법원은 일부 상속인에 대하여 증여 또는 유증이 있었다고 하더라도 해당 수증분의 특별수익 해당 여부에 관하여는 구체적인 사안에 따라 제한적으로 해석하고 있다. 따라서 특별수익자조항이 입법재량의 한계를 벗어나 배우자인 상속인의 재산권을 침해한다고 볼 수 없다(2017.4.27, 2015헌바24).

ㅅ. [O] 이혼시 재산분할을 청구하여 상속세 인적 공제액을 초과하는 재산을 취득한 경우 그 초과 부분에 대하여 증여세를 부과하는 것은, 증여세제의 본질에 반하여 증여라는 과세원인 없음에도 불구하고 증여세를 부과하는 것이어서 현저히 불합리하고 자의적이며 재산권보장의 헌법이념에 부합하지 않으므로 실질적 조세법률주의에 위배된다(1997.10.30, 96헌바14). 2003년 사시

ㅇ. [O] 상속인이 귀책사유 없이 상속채무가 적극재산을 초과하는 사실을 알지 못하여 상속개시 있음을 안 날로부터 3월 내에 한정승인 또는 포기를 하지 못한 경우에도 단순승인을 한 것으로 보는 「민법」 제1026조 제2호는 기본권 제한의 입법한계를 일탈한 것으로 재산권을 보장한 헌법 제23조 제1항, 사적자치권을 보장한 헌법 제10조에 위반된다(1998.8.27, 96헌가22 등). 2018년 서울 7급 1차

ㅈ. [O] 직계존속이 피상속인에 대한 부양의무를 이행하지 않은 경우를 상속결격사유로 본다면, 과연 어느 경우에 상속결격인지 여부를 명확하게 판단하기 어려워 이에 관한 다툼으로 상속을 둘러싼 법적 분쟁이 빈번하게 발생할 가능성이 높고, 그로 인하여 상속관계에 관한 법적 안정성이 심각하게 저해된다. 피상속인에 대한 부양의무를 이행하지 않은 직계존속의 경우를 상속결격사유로 규정하지 않은 민법은 입법형성권의 한계를 일탈하여 다른 상속인인 청구인의 재산권을 침해한다고 보기 어렵다(2018.2.22, 2017헌바59). 2019년 비상업무

07 정답 ③

ㄱ. [O] 이 사건 법률조항은 부동산에 대한 소유권자이면서 오랫동안 권리행사를 태만히 한 자와 원래 무권리자이지만 소유의 의사로서 평온, 공연하게 부동산을 20년 동안 점유한 자 사이의 권리의 객체인 부동산에 대한 이해관계를 조정한 규정으로서, 취득시효제도의 필요성과 해당 부동산에 대한 이해관계 등을 종합하여 형평의 견지에서 실질적 이해관계가 보다 두터운 점유자로 하여금 원소유자에 대하여 이전등기청구권을 취득하게 하고 있는바, 점유기간 동안 소유자의 처분이나 시효중단행위가 가능한 점 등을 고려하면 이 사건 법률조항이 부동산소유권의 득실에 관한 내용과 한계를 구체적으로 형성함에 있어서 헌법 제23조 제1항에서 정한 재산권 보장의 이념과 한계를 위반하였다고 할 수 없다(2013.5.30, 2012헌바387).

ㄴ. [O] 국가를 부동산 점유취득시효의 주체에서 제외하지 않은 「민법」은 부동산 소유자의 재산권을 침해한다고 볼 수 없다(2015.6.25, 2014헌바404).

ㄷ. [X] 이 사건 법률을 국유재산 중 잡종재산(일반재산)에 대하여 적용하는 것은 헌법에 위반된다(행정재산의 시효취득금지는 합헌이다). 이 사건 법률조항이 잡종재산에 대하여까지 시효취득의 대상이 되지 아니한다고 규정한 것은 비록 국가라 할지라도 민사관계에 있어서는 사경제의 주체로써 사인과 대등하게 다루어져야 한다는 헌법의 기본원리에 반하고 국가만을 우대하여 국민을 합리적 근거 없이 차별대우하는 것이므로 평등권을 침해한다(1991.5.13, 89헌가97).

ㄹ. [O] 이 사건 법률조항이 국채에 대하여 5년의 소멸시효를 정한 것은 국가의 채권·채무관계를 조기에 확정하여 재정을 합리적으로 운용

하기 위한 합리적인 이유가 있고, 5년의 단기시효기간이 채권자의 재산권을 본질적으로 침해할 정도로 지나치게 짧고 불합리하다고 할 수 없으므로 헌법 제23조 제1항의 재산권 보장규정에 위반된다고 볼 수 없다(2010.4.29, 2009헌바120 등).

ㅁ. [O] '국가의 납입의 고지로 인하여 시효중단의 효력을 종국적으로 받지 않고 계속하여 소멸시효를 누릴 기대이익'은 헌법적으로 보호될 만한 재산권적 성질의 것은 아니며 단순한 기대이익에 불과하다고 볼 것이므로 이 사건 법률조항에 의하여 청구인의 재산권이 제한되거나 침해될 여지는 없다(2004.3.25, 2003헌바22).

ㅂ. [O] 「국가배상법」 제8조가 국가 또는 지방자치단체의 손해배상책임에 관하여는 이 법의 규정에 의한 것을 제외하고는 「민법」의 규정에 의한다고 규정하여 소멸시효에 관하여 별도의 규정을 두고 아니함으로써 국가배상청구권에도 소멸시효에 관한 「민법」상의 규정인 「민법」 제766조가 적용되게 되었다 하더라도 이는 국가배상청구권의 본질적인 내용을 침해하는 것이라고는 볼 수 없다(1997.2.20, 96헌바24).

ㅅ. [X] 구 「예산회계법」 제96조 제2항의 5년간의 단기소멸시효는 국가의 채권 채무관계를 조기에 확정하여 재정을 합리적으로 운용하기 위한 것으로서 합리적인 이유가 있고 시효기간도 입법형성권을 자의적으로 행사하여 지나치게 단기로 정한 것이라 할 수 없으므로 위 조항이 채권자들의 재산권을 합리적 이유 없이 지나치게 제한하고 있어 헌법 제37조 제2항의 기본권 제한의 한계를 벗어난 것으로는 볼 수 없다(2001.4.26, 99헌바37). 국채에 대하여 5년의 소멸시효를 정한 것은 국가의 채권·채무관계를 조기에 확정하여 재정을 합리적으로 운용하기 위한 합리적인 이유가 있고, 5년의 단기시효기간이 채권자의 재산권을 본질적으로 침해할 정도로 지나치게 짧고 불합리하다고 할 수 없으므로 헌법 제23조 제1항의 재산권 보장규정에 위반된다고 볼 수 없다(2010.4.29, 2009헌바120 등).

ㅇ. [O] 사학연금은 사립학교 교직원의 퇴직이나 사망 후 교직원과 유족의 경제적 생활안정과 복리향상을 위한 것으로, 장기적이고 안정적인 재정운영이 그 중요한 과제이다. 심판대상조항은 권리의무관계를 조기에 확정하고 예산 수립의 불안정성을 제거하여 연금재정을 합리적으로 운용하기 위한 것으로서 합리적인 이유가 있고, 사학연금이라는 사회보장제도의 운영목적과 성격 및 다른 법률에 정한 급여수급권에 관한 소멸시효규정과 비교할 때 입법형성권을 자의적으로 행사한 것으로 볼 수 없으므로, 청구인의 재산권이나 사회보장수급권을 침해한 것이라고 할 수 없다(2017.12.28, 2016헌바341).

08

정답 ④

① [O] 헌법은 제23조 제1항에서 국민의 재산권을 일반적으로 규정하고 있으나, 제28조와 제29조 제1항에서 그 특칙으로 형사보상청구권 및 국가배상청구권을 규정함으로써, 형사피의자·피고인으로 구금되어있었으나 불기소처분·무죄판결을 받은 경우 및 공무원의 직무상 불법행위로 손해를 받은 경우에 국민이 국가에 대하여 물질적·정신적 피해에 대한 정당한 보상 및 배상을 청구할 수 있는 권리를 보장하고 있다. 이러한 형사보상청구권과 국가배상청구권은 일반적인 재산권으로서의 보호 필요성뿐만 아니라, 국가의 형사사법작용 및 공권력 행사로 인하여 신체의 자유 등이 침해된 국민의 구제를 헌법상 권리로 인정함으로써 관련 기본권의 보호를 강화하는데 그 목적이 있다(2018.8.30, 2014헌바148 등).

② [O] 헌법 제28조, 제29조 제1항은 형사보상청구권 및 국가배상청구권의 내용을 법률에 의해 구체화하도록 규정하고 있으므로, 그 구체적인 내용은 입법자가 형성할 수 있다. 그러나 국가의 형사사법절차 및 공권력 행사에 내재하는 불가피한 위험에 의해 국민의 신체의 자유 등에 피해가 발생한 경우 국가가 이에 대하여 보상 및 배상을 할 것을 헌법에서 명문으로 선언하고 있으므로, 형사보상 및 국가배상의 구체적 절차에 관한 입법은 단지 그 보상 및 배상을 청구할 수 있는 형식적인 권리나 이론적인 가능성만을 허용하는 것이어서는 아니되고, 권리구제의 실효성이 상당한 정도로 보장되도록 하여야 한다(2018.8.30, 2014헌바148 등).

③ [O] 불법행위의 피해자가 '손해 및 가해자를 인식하게 된 때'로부터 3년 이내에 손해배상을 청구하도록 하는 것은 불법행위로 인한 손해배상청구에 있어 피해자와 가해자 보호의 균형을 도모하기 위한 것이므로, 「진실·화해를 위한 과거사정리 기본법」 제2조 제1항 제3호·제4호에 규정된 사건에 「민법」 제766조 제1항의 '주관적 기산점'이 적용되도록 하는 것은 합리적 이유가 인정된다. 그러나, 국가가 소속 공무원들의 조직적 관여를 통해 불법적으로 민간인을 집단 희생시키거나 장기간의 불법구금·고문 등에 의한 허위자백으로 유죄판결을 하고 사후에도 조작·은폐를 통해 진상규명을 저해하였음에도 불구하고, 그 불법행위 시점을 소멸시효의 기산점으로 삼는 것은 피해자와 가해자 보호의 균형을 도모하는 것으로 보기 어렵고, 발생한 손해의 공평·타당한 분담이라는 손해배상제도의 지도원리에도 부합하지 않는다. 그러므로 「진실·화해를 위한 과거사정리 기본법」 제2조 제1항 제3호·제4호에 규정된 사건에 「민법」 제166조 제1항, 제766조 제2항의 '객관적 기산점'이 적용되도록 하는 것은 합리적 이유가 인정되지 않는다(2018.8.30, 2014헌바148 등).

❹ [X] 「민법」 제166조 제1항, 제766조 제2항의 객관적 기산점을 「진실·화해를 위한 과거사 정리 기본법」 제2조 제1항 제3호·제4호의 민간인 집단희생사건, 중대한 인권침해·조작의혹사건에 적용하도록 규정하는 것은, 소멸시효제도를 통한 법적 안정성과 가해자 보호만을 지나치게 중시한 나머지 합리적 이유 없이 위 사건 유형에 관한 국가배상청구권 보장필요성을 외면한 것으로서 입법형성의 한계를 일탈하여 청구인들의 국가배상청구권을 침해한다(2018.8.30, 2014헌바148 등).

09

정답 ①

ㄱ. [위헌] 헌법재판소는 출생을 안 날로부터 1년 이내에는 친자 여부를 확인하기 매우 곤란하므로 부의 행복추구권 침해로 보았다.
➡ 헌법불합치결정

ㄴ. [합헌] 상속권 침해가 있은 때로부터 10년 이내라면 권리를 회복하는데 크게 어려움이 없다고 보아 합헌으로 본 바 있다.

ㄷ. [위헌] 헌법재판소는 무죄판결이 나온 때로부터 1년 이내에 구금에 대한 보상을 청구할 수 있도록 한 것은 지나치게 짧은 기간으로 보아 위헌으로 본 바 있다.

ㄹ. [합헌] 헌법재판소는 친자가 아님을 안 날로부터 2년 내로 소를 제기할 수 있도록 한 것은 소제기를 크게 곤란하게 하는 사항이 아니므로 헌법에 위반되지 아니한다고 보았다.

ㅁ. [합헌] 헌법재판소는 인지청구의 소의 경우 사망을 안 날로부터 1년 이내는 충분한 기간으로 보았다. 왜냐하면 부 또는 모가 살아있을 때에는 기간의 제한이 없기 때문에 그러하다.

ㅂ. [위헌] 헌법재판소는 상속개시 10년이 지나면 상속권 회복을 할 수 없도록 한 것은 재판청구권 침해라고 보았다.

ㅅ. [합헌] 헌법재판소는 형사소송비용에 대한 형사보상청구는 헌법에서 직접 보장되는 것은 아니라고 보면서 입법재량을 넓게 인정하여 해당 「형사소송법」 조항을 합헌결정한 바 있다.

ㅇ. [합헌] 헌법재판소는 중혼을 혼인 취소의 사유로 정하면서 그 취소청구권의 제척기간 또는 소멸사유를 규정하지 않은 「민법」 조항은 중

혼을 혼인무효사유가 아니라 혼인 취소사유로 정하고 있는데, 혼인 취소의 효력은 기왕에 소급하지 아니하므로 중혼이라 하더라도 법원의 취소판결이 확정되기 전까지는 유효한 법률혼으로 보호받는다. 따라서 중혼 취소청구권의 소멸에 관하여 아무런 규정을 두지 않았다 하더라도, 이 사건 법률조항이 현저히 입법재량의 범위를 일탈하여 후혼배우자의 인격권 및 행복추구권을 침해하지 아니한다(2014.7.24, 2011헌바275).

ㅈ. [합헌] 상속권의 침해를 안 날의 의미에 대하여 자기가 진정상속인인 점 및 자기가 상속에서 제외된 사실을 안 때라고 해석되고 있으므로 그 기산점이 불합리하게 책정되었다고 할 수 없고, 위 3년이라는 기간은 현행법상 인정되는 다른 소멸시효나 제척기간 관련 규정과 비교하여 보더라도 그 권리 행사에 충분한 기간이므로, 이 사건 법률조항은 진정한 상속인의 보호와 제3자 보호를 통하여 거래의 안전을 도모하려는 상속회복청구권제도의 입법목적의 달성을 위한 적정성 내지는 피해의 최소성, 그 입법에 의하여 보호하려는 공공의 필요와 침해되는 기본권 사이에 균형성을 모두 갖추고 있어 과잉금지원칙에 위배되지 아니하므로, 상속인의 재산권, 사적자치권, 재판청구권을 침해하는 것이 아니다(2004.4.29, 2003헌바5).

ㅊ. [위헌] 이 사건 법률조항의 환매권 발생기간 '10년'을 예외 없이 유지하게 되면 토지수용 등의 원인이 된 공익사업의 폐지 등으로 공공필요가 소멸하였음에도 단지 10년이 경과하였다는 사정만으로 환매권이 배제되는 결과가 초래될 수 있다. 다른 나라의 입법례에 비추어 보아도 발생기간을 제한하지 않거나 더 길게 규정하면서 행사기간 제한 또는 토지에 현저한 변경이 있을 때 환매거절권을 부여하는 등 보다 덜 침해적인 방법으로 입법목적을 달성하고 있다. 이 사건 법률조항은 침해의 최소성원칙에 어긋난다(2020.11.26, 2019헌바131).

10 정답 ③

① [O] '국가의 납입의 고지로 인하여 시효중단의 효력을 종국적으로 받지 않고 계속하여 소멸시효를 누릴 기대이익'은 헌법적으로 보호될만한 재산권적 성질의 것은 아니며 단순한 기대이익에 불과하다고 볼 것이므로 국가의 납입 고지에 대해 시효중단의 효력을 규정한 「예산회계법」 제98조에 의해 청구인의 재산권이 제한되거나 침해될 여지는 없다(2004.3.25, 2003헌바22).

② [O] 유류분반환청구는 피상속인이 생전에 한 유효한 증여도 그 효력을 잃게 하는 것이므로 「민법」 제1117조의 '반환하여야 할 증여를 한 사실을 안 때로부터 1년'의 단기소멸시효는 유류분 권리자의 재산권을 침해하지 않는다(2010.12.28, 2009헌바20). 2013년 법원 9급

❸ [X] '국가의 납입의 고지로 인하여 시효중단의 효력을 종국적으로 받지 않고 계속하여 소멸시효를 누릴 기대이익'은 헌법적으로 보호될 만한 재산권적 성질의 것은 아니며 단순한 기대이익에 불과하다고 볼 것이므로 이 사건 법률조항에 의하여 청구인의 재산권이 제한되거나 침해될 여지는 없다(2004.3.25, 2003헌바22). 2014년 법행

④ [O] 부당이득반환청구권은 미지의 당사자 간에 예기치 못한 사건으로 발생하는 경우가 많고 부당이득반환관계에서 수익자의 법적 지위가 다소 불안정하므로, 객관적 기산점인 권리를 행사할 수 있는 때로부터 채권 일반에 관한 원칙적 시효기간인 10년이 지나면 소멸시효가 완성되도록 함으로써 민사 법률관계의 안정을 도모할 필요가 있다. 따라서 「민법」상 소멸시효조항은 합리적이며, 입법형성권의 범위를 벗어난 것이라고 할 수 없다(2020.12.23, 2019헌바129).

⑤ [O] 심판대상조항은 유족연금수급권자가 급여의 사유가 발생하였는지를 알고 있는지 여부를 고려하는 예외를 두고 있지 않으나, 피보험자에 의해 부양되고 있던 유족이 피보험자의 사망사실을 알지 못하는 경우까지 상정하여 보호하지 않는다고 하여 이를 두고 정의와 형평의 이념에 반한다고 보기 어렵다. 따라서 심판대상조항은 유족연금수급권자의 인간다운 생활을 할 권리 및 재산권을 침해한다고 볼 수 없다(2021.4.29, 2019헌바412).

11 정답 ④

① [X] 건설공사과정에서 매장문화재의 발굴로 인하여 문화재 훼손 위험을 야기한 사업시행자에게 원칙적으로 발굴경비를 부담시키는 것은 사업시행자의 재산권을 침해하지 않는다(2011.7.28, 2009헌바244).

② [X] '역사문화미관지구' 내에 나대지나 건물을 소유한 자들이 아무런 층수 제한이 없는 건축물을 건축, 재축, 개축하는 것을 보장받는 것까지 재산권의 내용으로 요구할 수는 없는 데다가, 이 사건 법률조항들에 의하더라도 일정한 층수범위 내에서의 건축은 허용되고, 기존 건축물의 이용이나 토지 사용에 아무런 제약을 가하고 있지 않다. 따라서 국토해양부장관, 시·도지사가 도시관리계획으로 '역사문화미관지구'를 지정하고 그 경우 해당 지구 내 토지소유자들에게 지정목적에 맞는 건축 제한 등 재산권 제한을 부과하면서도 아무런 보상조치를 규정하지 않은 이 사건 법률조항들로 인하여 부과되는 재산권의 제한 정도는 사회적 제약범위를 넘지 않고 공익과 사익 간에 적절한 균형이 이루어져 있으므로, 비례의 원칙에 반하지 아니한다(2012.7.26, 2009헌바328). 2013년 국회 8급

③ [X] 이 사건 심판대상조항은 구 「수산업법」의 시행일 이전까지 존재하던 관행어업권에 관하여 규율하는 바 없이 장래에 대하여 관행어업권의 행사방법에 관하여 규제할 뿐이므로 그 규정의 법적 효과가 시행일 이전의 시점에까지 미친다고 할 수 없다. 그리고 이 사건 심판대상조항은 종전의 「수산업법」에 의하여 인정되던 관행어업권을 일방적으로 박탈하는 것이 아니고, 일정한 기간 내에 등록만 하면 관행어업권을 인정하여 주는 것이므로 이를 가리켜 재산권을 소급적으로 박탈하는 규정이라고 할 수 없고 다만 그 행사방법을 변경 내지 제한하는 규정이라고 할 것이다(1999.7.22, 97헌바76 등).

❹ [O] 심판대상조항은 객관적으로 점유취득의 원인이 된 권원의 성질이 분명하지 아니할 때 '소유의 의사'로 점유하는 것으로 추정함으로써 비로소 입증책임분배에 관한 조항으로 기능한다. 점유는 물건에 대한 지배를 소유자로서 점유할 의사를 가지고 하는 것으로 인정되어 온 역사적 경험을 고려하면, 점유자의 점유가 소유의 의사 없는 점유라는 예외적인 상황에 대한 주장을 하는 사람에게 그 입증책임을 부담시키는 것이 지나치게 과도한 부담을 주거나 특별히 부당한 것으로 보기 어렵다. 그렇다면 심판대상조항은 헌법 제37조 제2항에 반하여 소유자인 청구인의 재산권을 침해하지 않는다(2019.9.26, 2016헌바314).

12 정답 ③

① [O] 심판대상조항이 보증채무에 관한 시효중단효력을 규정한 방식이 채권자와 보증인의 관계에서 균형을 잃고 보증인에게만 지나치게 불리한 부담을 초래하였다고 단정하기 어렵다. 심판대상조항은 보증인의 거래상대방 등의 신뢰 내지 거래안전을 저해하는 측면이 있으나 수익자로서의 선의 입증 내지 채권자취소권의 행사기간 제한 등의 규정을 고려하면 거래안전이 현저히 위태로워진다고 할 수 없다. 그렇다면 심판대상조항은 보증인의 재산권을 침해하지 아니한다(2019.12.27, 2017헌바206).

② [O] 대규모점포의 특성을 고려하여 임대인의 지위와의 조화를 도모할 필요가 있는 점, 권리금 회수기회 보호대상에 포함시킬 필요가 있

는 경우 추후 실태조사를 거쳐 추가하도록 개정할 수 있는 점, 대규모점포의 경우에도 「민법」 규정이나 계약갱신요구권 및 대항력 규정의 적용으로 권리금 회수를 간접적으로 보호받고 있는 점 등을 고려하면, 심판대상조항이 입법형성권의 한계를 일탈하여 청구인들의 재산권을 침해한다고 보기 어렵다(2020.7.16, 2018헌바242 등).

❸ [X] 고압송전선이 통과하는 토지라 하더라도 송전선이 설치된 특정고도 이하로 선하지를 사용하는 데는 별다른 제약을 받지 아니하고, 특정고도 이상으로는 토지사용이 제한되는 점을 고려하여 선하지 소유자에게 정당한 보상을 제공하고 있다. 나아가 송전선 이설요청권 등을 두어 온전한 토지사용권을 회복할 수 있는 방안까지 마련한 점을 감안하면, 심판대상조항은 과잉금지원칙에 반하지 않는다(2019.12.27, 2018헌바109).

④ [O] 소유권특조법은 심판대상조항에 따른 등기의 진실성을 보장하기 위해 보증인의 최소인원과 자격을 제한하고, 확인서 발급 관련 공고 및 이의신청절차를 두고, 허위의 방법으로 확인서를 발급받거나 허위의 보증서를 작성한 사람 등을 처벌하는 조항을 마련하였다. 또한 심판대상조항이 예정한 바와 달리 진실과 불일치하는 등기가 마쳐지더라도 소송으로써 이를 바로잡는 것도 가능하다. 그렇다면 심판대상조항은 입법형성권의 한계를 벗어났다고 보기 어려운바, 청구인의 재산권을 침해하지 않는다(2020.12.23, 2019헌바41).

13 정답 ④

① [O] 자동차 사고에 대한 손해배상을 보장하는 제도를 확립하여 피해자를 보호하고, 자동차 사고로 인한 위험을 사회적으로 분산시킬 수 있으므로 심판대상조항들로 달성되는 공익은 중대하다. 반면 가입하여야 하는 보험의 내용과 금액의 한도가 정해져 있고, 의무보험 미가입자동차를 운행하지 않거나 도로 이외의 곳에서 운행하는 경우 심판대상조항들에 의해 처벌되지 않는다는 점 등을 고려하면, 자동차보유자가 받는 불이익이 감수할 수 없을 정도로 크다고 볼 수 없다. 심판대상조항들은 법익의 균형성원칙도 충족한다. 따라서 심판대상조항들은 과잉금지원칙에 위반되지 않으므로, 자동차보유자인 청구인의 일반적 행동자유권, 계약의 자유, 재산권을 침해하지 않는다(2019.11.28, 2018헌바134).

② [O] 2019.11.28, 2017헌바241

③ [O] 2019.11.28, 2017헌바340

❹ [X] 수입신고는 통관절차의 핵심 요소로서, 정상적인 수입신고가 이루어지지 않으면 통관당국은 해당 물품의 반입 여부를 파악할 방법이 없어 통관절차의 진행 자체를 불가능하게 하므로, 통관질서의 확립을 위해 엄격하게 처벌할 필요가 있다(2019.11.28, 2018헌바105).

⑤ [O] 입법자가 연령과 장애 상태를 독자적 생계유지가능성의 판단기준으로 삼아 대통령령이 정하는 정도의 장애상태에 있지 아니한 19세 이상의 자녀를 유족의 범위에서 제외하였음을 들어 유족급여수급권의 본질적 내용을 침해하였다거나 입법형성권의 범위를 벗어났다고 보기 어렵다(2019.11.28, 2018헌바335).

14 정답 ④

ㄱ. [X] 헌법 제23조에서 보장하는 재산권은 사적 유용성 및 그에 대한 원칙적 처분권을 내포하는 재산가치 있는 구체적 권리이므로, 구체적인 권리가 아닌 단순한 이익이나 재화의 획득에 관한 기회 또는 기업활동의 사실적·법적 여건 등은 재산권 보장의 대상에 포함되지 아니한다(1996.8.29, 95헌바36 ; 1997.11.27, 97헌바10). 이 사건 심판대상조항으로 인하여 청구인들이 소유하고 있는 장비를 충분히 가동하지 못하여 영업이익이 감소되었다 하더라도, 청구인들이 소유하는 폐기물 해양배출용 선박이나 시설·장비 등에 대한 구체적인 사용·수익 및 처분권한을 제한받는 것은 아니므로, 이 사건 심판대상조항이 청구인들의 재산권을 제한한다고 볼 수 없다(2015.6.25, 2013헌마198).

ㄴ. [O] 「유로도로법」에 의한 고속국도 통행료는 부담금으로서의 성격을 가지나 기본적으로는 고속국도 통행에 대한 반대급부로서 징수하는 사용료라고 할 수 있다. 이 사건 법률조항은 전국 고속국도를 하나의 도로로 간주하여 통행료를 부과할 수 있도록 하여, 개별 노선의 통행료 징수기간 및 비용원리금 초과 여부에 관계없이 유료도로인 고속국도를 이용하는 청구인들로 하여금 통행료를 납부하도록 함으로써 청구인들의 재산권을 제한한다. 전국 고속국도를 하나의 도로로 간주하여 통행료를 부과하는 것은 전국 고속국도의 원활하고도 일원적인 유지관리체제를 확립함으로써 지역균형발전을 위한 신규고속국도 건설재원의 확보, 기존도로에 대한 유지관리, 건설시점 차이에 따른 지역 간의 불균형을 해소하기 위한 것인데, 개별 노선별로 독립채산제로 하거나 투자비 회수가 완료된 고속국도를 무료화할 경우 지역 간 불균형이 심화될 것이라는 점, 정부에서 예산을 배정하거나 민자고속국도의 건설을 추진하는 방법을 대안으로 보기 어려운 점, 청구인들이 부담하는 통행료가 크게 부담되는 금액이라고 보기 어려운 점, 통행료 감면제도가 인정되는 점 등에 비추어 보면, 이 사건 법률조항은 과도하게 청구인들의 재산권을 침해하지 아니한다(2014.7.24, 2012헌바104).

ㄷ. [O] 임대인과 임차인은 재건축사업이 진행되고 있는 건축물에 대해서는 특약사항이 포함된 임대차계약을 체결하는 등의 방식으로 충분히 이해관계를 조정할 수 있고, 실제 많은 임차인들이 임차료가 낮게 형성된 재건축지역에서 낮은 차임이라는 경제적 이익을 누리고 있는 것으로 보이므로, 사적 자치에 의한 이익 조정이 불가능하다거나 현실적이지 않다고 단정하기는 어렵다. 이러한 사정들을 종합하면 임차권자에 대한 보상을 임대인과 임차인 사이의 임대차계약 등에 따라 사적 자치에 의해 해결하도록 한 입법자의 판단이 잘못되었다고 보기 어려우므로, 심판대상조항은 과잉금지원칙을 위반하여 임차권자의 재산권을 침해하지 아니한다(2020.4.23, 2018헌가17).

ㄹ. [O] 형의 선고의 효력을 상실하게 하는 특별사면 및 복권을 받았다 하더라도 그 대상인 형의 선고의 효력이나 그로 인한 자격상실 또는 정지의 효력이 장래를 향하여 소멸되는 것에 불과하고, 형사처벌에 이른 범죄사실 자체가 부인되는 것은 아니므로, 공무원 범죄에 대한 제재수단으로서의 실효성을 확보하기 위하여 특별사면 및 복권을 받았다 하더라도 퇴직급여 등을 계속 감액하는 것을 두고 현저히 불합리하다고 평가할 수 없다. 나아가 심판대상조항에 의하여 퇴직급여 등의 감액대상이 되는 경우에도 본인의 기여금 부분은 보장하고 있다. 따라서 심판대상조항은 그 합리적인 이유가 인정되는바, 재산권 및 인간다운 생활을 할 권리를 침해한다고 볼 수 없어 헌법에 위반되지 아니한다(2020.4.23, 2018헌바402).

ㅁ. [X] 「민법」은 제1019조 내지 제1021조에서 상속인으로 하여금 법정의 고려기간 내에 상속을 단순승인 또는 한정승인하거나 상속을 포기할 수 있도록 하는 한편 상속인의 구체적 상황에 따라 고려기간의 기산점을 달리 하거나 특별한정승인을 할 수 있도록 규정함으로써, 상속의 효과를 귀속받을지 여부에 관한 상속인의 선택권을 보장하고 상속인에게 불측의 부담이 부과되는 것을 막는 법적 장치를 마련하고 있다. 그렇다면 입법자가 피상속인의 4촌 이내의 방계혈족을 일률적으로 4순위 법정상속인으로 규정한 것이 자의적인 입법형성권의 행사라고 보기 어렵고, 구체적 사안에서 피상속인의 4촌 이내의 방계혈족이 개인적 사정으로 고려기간 내에 상속포기를 하지 못하여 피상속인의 채무를 변제하게 되는 경우가

발생할 수 있다는 이유만으로 심판대상조항이 입법형성권의 한계를 일탈하였다고 볼 수도 없다. 따라서 심판대상조항은 피상속인의 4촌 이내의 방계혈족의 재산권 및 사적 자치권을 침해하지 아니한다(2020.2.27, 2018헌가11).

15 정답 ①

❶ [O] 심판대상조항이 보조금 지원을 받아 배출가스저감장치를 부착한 특정경유자동차의 소유자로 하여금 폐차 등을 위하여 자동차 등록을 말소하는 경우에 배출가스저감장치를 반납하도록 하는 것은 위 장치에 관한 소유자의 자유로운 사용·처분을 금지함으로써 재산권을 제한하므로, 이러한 제한이 헌법적으로 허용될 수 있는지 여부가 문제된다(2019.12.27, 2015헌바45).

② [X] 청구인은 심판대상조항이 헌법 제23조 제3항에 따른 정당한 보상이 없는 수용이라고 주장하는바, 심판대상조항에 의한 재산권 제한의 성격과 그에 따른 위헌심사기준이 문제되므로 이를 살펴보고, 나아가 심판대상조항이 재산권을 침해하는지 살펴본다(2019.12.27, 2015헌바45). 헌법재판소는 헌법 제23조 제1항과 제2항에 따른 제한의 문제로 보았다.

③ [X] 심판대상조항은 재산권을 새로이 형성하는 동시에 과거의 법적 상태에 의하여 부여된 구체적 권리를 제한하므로, 과잉금지원칙을 기준으로 심사하여야 한다(2019.12.27, 2015헌바45).

④ [X] 심판대상조항이 소급입법금지원칙에 위배되지 않는다 하더라도, 심판대상조항의 신설이나 개정 전에는 반납의무를 부담하지 않았던 소유자로 하여금 새로이 반납의무를 부담하게 함으로써 종래의 법적 상태에 대한 소유자의 신뢰를 침해하여 신뢰보호원칙에 위배되는지 살펴본다(2019.12.27, 2015헌바45).

⑤ [X] 심판대상조항은 이미 종료된 사실·법률관계가 아니라, 현재 진행 중인 사실관계, 즉 특정경유자동차에 배출가스저감장치를 부착하여 운행하고 있는 소유자에 대하여 심판대상조항의 신설 또는 개정 이후에 '폐차나 수출 등을 위한 자동차등록의 말소'라는 별도의 요건사실이 충족되는 경우에 배출가스저감장치를 반납하도록 한 것으로서 부진정소급입법에 해당하며, 이 조항이 신설되기 전에 이미 배출가스저감장치를 부착하였던 소유자들이 자동차 등록 말소 후 경제적 잔존가치가 있는 장치의 사용 및 처분에 관한 신뢰를 가졌다고 하더라도, 위와 같은 공익의 중요성이 더 크다고 할 것이므로, 이 조항이 신뢰보호원칙을 위반하여 재산권을 침해한다고 보기도 어렵다(2019.12.27, 2015헌바45).

16 정답 ①

❶ [O] 대법원 판례는 관련 법조항에 보상규정이 있다고 하면 유추적용이 가능하다고 한다. 위탁판매수수료 수입손실은 헌법 제23조 제3항에 규정한 손실보상의 대상이 되고, 그 손실에 관하여 구 「공유수면매립법」 또는 그 밖의 법령에 직접적인 보상규정이 없더라도 「공공용지의 취득 및 손실보상에 관한 특례법 시행규칙」상의 각 규정을 유추적용하여 그에 관한 보상을 인정하는 것이 타당하다(대판 1999.10.8, 99다27231).

② [X] 1980년 문화방송 주식소유자에 대해 보안사가 강제로 대한민국에 증여토록 한 사건에 고등법원은 수용유사적 침해이론을 수용하여 보상을 청구할 수 있다고 보았다(서울고법 1992.12.24, 92나2073). 그러나 대법원은 수용유사적 침해이론을 채택할 수 있는가는 별론으로 하고 대한민국의 이 사건 주식취득은 정부처장이 언론통폐합 조치의 일환으로 사인소유의 방송사 주식을 강압적으로 국가에게 증여하게 한 것은 수용유사적 침해에 해당한다고 볼 수 없다(대판 1993.10.26, 93다6409)고 하였다.

③ [X] 우리 대법원과 헌법재판소는 모두 수용유사적 침해이론을 수용한 바 없다.

④ [X] 분리이론에 따르면 헌법 제23조 제3항의 수용·사용·제한뿐 아니라 헌법 제23조 제1항과 관련된 내용입법이라 하더라도 비례원칙에 위반되는 경우 보상이 필요하다. 헌법재판소도 개발제한구역판례에서 내용 관련 법률이 비례원칙에 위반된다면 비례성을 회복하기 위한 보상방법을 마련해야 한다고 말하고 있다.

17 정답 ⑤

① [O] ② [O] ③ [O] ④ [O] 지문은 분리이론과 경계이론을 정리한 내용이니 여러 번 읽어 숙지해야 한다.

❺ [X] 경계이론에 따르면 개발제한구역지정된 나대지 소유자에 대해 입법조치없이 법원이 보상 여부, 보상기준을 정하여 보상할 수 있다는 점에서 신속한 보상이 이루어 질수 있어 보상에 중점을 둔 이론이다. 분리이론에 따르면 개발제한구역지정된 나대지 소유자에 대해 입법자는 개발제한구역지정의 해제 또는 현금 보상을 선택할 수 있어 지정의 해제를 통해 나대지 소유자의 재산권 침해를 배제할 수 있다는 점에서 의의가 있다.

18 정답 ①

❶ [X] 퇴직연금수급권의 구체적인 급여의 내용, 기여금의 액수 등을 형성하는 데에 있어서는 직업공무원제도나 사회보험원리에 입각한 사회보장적 급여로서의 성격으로 인하여 입법자에게 상대적으로 보다 폭넓은 재량이 헌법상 허용된다. 심판대상조항에 의한 차별이 헌법에서 특별히 평등을 요구하고 있는 영역에 관한 것이거나 관련 기본권에 대한 중대한 제한을 초래하는 것이 아니므로, 완화된 심사기준에 따라 입법자의 결정에 합리적인 이유가 있는지 여부를 심사하기로 한다(2017.5.25, 2015헌마933).

② [O] 심판대상조항은 개정 법률의 적용대상을 법 시행일 당시 재직 중인 공무원으로 한정하여, 공무원의 재직기간이 10년 이상 20년 미만으로 동일하더라도 정년퇴직일이 2016.1.1. 이전인지 이후인지에 따라 퇴직연금의 지급을 달리하고 있으므로, 청구인의 평등권을 제한한다(2017.5.25, 2015헌마933).

③ [O] 청구인은 심판대상조항이 자신의 재산권 및 인간다운 생활을 할 권리도 침해한다고 주장하나, 「공무원연금법」이 개정되어 시행되기 전 청구인은 이미 퇴직하여 퇴직연금을 수급할 수 있는 기초를 상실한 상태이므로, 심판대상조항이 청구인의 재산권 및 인간다운 생활을 할 권리를 제한한다고 볼 수 없다(2017.5.25, 2015헌마933).

④ [O] 「공무원연금법」 개정이유와 경위, 법적 안정성 도모와 연금재정의 건전성 확보, 개정 법률을 시행하기 위한 준비기간의 필요성 등에 비추어 볼 때, 퇴직연금의 수급요건을 완화하면서 유리한 신법을 신법 시행일 이전으로 소급적용하는 경과규정을 두지 않았다고 하더라도 이를 두고 입법재량의 범위를 벗어난 현저히 불합리한 차별이라고 보기 어려우므로, 심판대상조항이 청구인의 평등권을 침해한다고 볼 수 없다(2017.5.25, 2015헌마933).

19

정답 ①

❶ [X] 청구인이 심판대상조항의 적용을 받지 않고 재단법인의 설립 없이 유골 수를 추가 설치·관리함으로써 수익을 창출하려고 하였던 사정은 법적 여건에 따른 영리획득의 기회를 활용하려던 것에 불과하므로 재산권의 보호영역에 포함된다고 볼 수 없다(2021.8.31, 2019헌바453).

② [O] 어업용 면세유의 부정 유통을 사전에 방지하여 어업용 면세유제도의 실효성을 확보하고 조세정의를 실현하고자 하는 공익은 면세유류 관리기관인 수협이 감면세액의 일부에 해당하는 금액을 가산세로 징수당하여 입게 되는 불이익에 비하여 중대하다. 따라서 심판대상조항이 과잉금지원칙에 반하여 면세유류 관리기관인 수협의 재산권을 침해한다고 볼 수 없다(2021.7.15, 2018헌바338 등).

③ [O] 제2차 납세의무를 부과함으로써 조세정의를 실현함과 동시에 실질적 조세평등을 이루고자 하는 공익은 매우 중대한 반면, 이로 인한 과점주주의 불이익은 해당 법인을 실질적으로 운영하는 일정한 범위의 과점주주가 출자 비율의 범위 내에서 유한회사가 납부하지 아니한 국세·가산금 및 체납처분비를 보충적·추가적으로 부담하는 것에 불과하므로 심판대상조항은 법익의 균형성도 충족하였다. 따라서 심판대상조항은 과잉금지원칙에 위배되어 유한회사의 과점주주의 재산권을 침해하지 아니한다(2021.8.31, 2020헌바181).

④ [O] '개정법 시행 후 갱신되는 임대차'에는 구법조항에 따른 의무임대차기간이 경과하여 임대차가 갱신되지 않고 기간만료 등으로 종료되는 경우는 제외되고 구법조항에 따르더라도 여전히 갱신될 수 있는 경우만 포함되므로, 이 사건 부칙조항은 아직 진행과정에 있는 사안을 규율대상으로 한다. 따라서 헌법 제13조 제2항이 말하는 소급입법에 의한 재산권 침해는 문제되지 않는다(2021.10.28, 2019헌마106 등).

20

정답 ③

① [O] 이 사건 법률조항은 그 입법목적이 정당하고, 입법목적 달성을 위하여 등록만을 하도록 요구하고 있으므로 그 방법도 적절하며, 종전의 관행어업권자들에게 구「수산업법」시행일로부터 2년 이내에 어업권원부에 등록을 하도록 함으로써 그 기간 내에 등록하지 아니한 관행어업권자의 관행어업권을 소멸하게 하는 것도 지나친 기본권 제한에 해당하지 아니한다. 또한 관행어업권자에게 관행어업권을 보존할 수 있는 충분한 시간과 기회를 부여한 후 관행어업권을 소멸시키는 것이어서 단순히 과거에 발생하였던 관행어업권을 무조건 소멸시키는 것과는 기본권의 침해에 있어서 차이가 있으므로 입법에 의하여 보호하려는 공공의 필요와 침해되는 기본권 사이의 균형성도 갖추었다(1999.7.22, 97헌바76 등). 2015년 국가 7급

② [O] 광업권의 특성을 감안할 때 심판대상조항에 의한 제한은 광업권자가 수인하여야 하는 사회적 제약의 범주에 속하는 것이다. 따라서 심판대상조항은 광업권자의 재산권을 침해하지 아니한다(2014.2.27, 2010헌바483). 2016년 서울 7급

❸ [X] 심판대상조항이 광업권자의 일부 채굴행위를 제한하더라도, 광업권의 특성상 다른 권리와의 충돌가능성이 내재되어 있으며 심판대상조항에 의한 제한은 충돌하는 권리 사이의 조정을 위한 최소한의 제한이라는 점에서 광업권자가 수인하여야 하는 사회적 제약의 범주에 속하는 것이다. 결국 심판대상조항은 헌법 제23조가 정하는 재산권에 대한 사회적 제약의 범위 내에서 광업권을 제한한 것으로 비례의 원칙에 위배되지 않고 재산권의 본질적 내용도 침해하지 않는 것이어서 청구인의 재산권을 침해하지 않는다(2014.2.27, 2010헌바483).

④ [O] 대규모점포의 특성을 고려하여 임대인의 지위와의 조화를 도모할 필요가 있는 점, 권리금 회수기회 보호대상에 포함시킬 필요가 있는 경우 추후 실태조사를 거쳐 추가하도록 개정할 수 있는 점, 대규모점포의 경우에도「민법」규정이나 계약갱신요구권 및 대항력 규정의 적용으로 권리금 회수를 간접적으로 보호받고 있는 점 등을 고려하면, 심판대상조항이 입법형성권의 한계를 일탈하여 청구인들의 재산권을 침해한다고 보기 어렵다(2020.7.16, 2018헌바242 등).

37회 진도별 모의고사

직업의 자유

정답

01	①	02	③	03	③	04	④
05	④	06	③	07	②	08	④
09	②	10	③	11	③	12	②
13	③	14	③	15	③	16	③
17	④	18	①	19	③	20	③

01

정답 ①

❶ [X] 직업의 자유는 1919년 바이마르헌법에서 최초로 규정하였고, 우리나라는 제5차 개정헌법에서 최초로 규정되었다.

② [O] 직업이란 생활의 기본적 수요를 충족시키기 위한 계속적인 소득활동을 의미하며 그러한 내용의 활동인 한 그 종류나 성질을 불문한다(1993.5.13, 92헌마80).

③ [O] 헌법 제15조가 보장하는 직업선택의 자유는 직업 '선택'의 자유만이 아니라 직업과 관련된 종합적이고 포괄적인 직업의 자유를 보장하는 것이다. 또한 직업의 자유는 독립적 형태의 직업활동뿐만 아니라 고용된 형태의 종속적인 직업활동도 보장한다. 따라서 직업선택의 자유는 직장선택의 자유를 포함한다(2002.11.28, 2001헌바50).

④ [O] 직업의 자유에 의한 보호의 대상이 되는 '직업'은 '생활의 기본적 수요를 충족시키기 위한 계속적 소득활동'을 의미하며 그러한 내용의 활동인 한 그 종류나 성질을 묻지 아니한다. 휴가기간 중에 하는 일, 수습직으로서의 활동 따위도 이에 포함된다고 볼 것이고, 또 '생활수단성'과 관련하여서는 단순한 여가활동이나 취미활동은 직업의 개념에 포함되지 않으나 겸업이나 부업은 삶의 수요를 충족하기에 적합하므로 직업에 해당한다고 말할 수 있다. 이 사건에 있어 비록 학업 수행이 청구인과 같은 대학생의 본업이라 하더라도 방학기간을 이용하여 또는 휴학 중에 학비 등을 벌기 위해 학원강사로서 일하는 행위는 어느 정도 계속성을 띤 소득활동으로서 직업의 자유의 보호영역에 속한다고 봄이 상당하다(2003.9.25, 2002헌마519).

02

정답 ③

① [O] 학교운영위원은 무보수 봉사직이므로 그 활동을 생활의 기본적 수요를 충족시키는 계속적인 소득활동으로 보기 어려운바, 이 사건 법률조항이 직업선택의 자유와 관련되는 것은 아니라 할 것이다(2007.3.29, 2005헌마1144).

② [O] 시설물 영업행위 역시 생활의 기본적 수요를 충족시키기 위한 계속적인 소득활동으로서 헌법상 보장된 직업의 개념에 포섭되고, 도로의 관리청으로부터 허가를 받음으로써 특정 도로에서의 시설물 영업을 할 수 있는 길을 열어둔 이상, 보도상에서 시설물을 운영하는 행위도 법적 권리 내지 자유로서 보장되므로 갱신허가대상자의 범위에서 제외된 자들은 위 조항으로 인하여 직업의 자유를 제한받게 된다(2008.12.26, 2007헌마1387).

❸ [X] 직업의 자유에 의한 보호의 대상이 되는 직업은 '생활의 기본적 수요를 충족시키기 위한 계속적 소득활동'을 의미하며 그 종류나 성질은 묻지 아니한다. 이러한 직업의 개념표지들은 개방적 성질을 지녀 엄격하게 해석할 필요는 없다. '계속성'에 관해서는 휴가기간 중에 하는 일, 수습직으로서의 활동 등도 이에 포함되고, '생활수단성'에 관해서는 단순한 여가활동이나 취미활동은 직업의 개념에 포함되지 않으나 겸업이나 부업은 삶의 수요를 충족하기에 적합하므로 직업에 해당한다고 본다(2018.7.26, 2017헌마452).

④ [O] 비어업인이 잠수용 스쿠버장비를 사용하여 수산자원을 포획·채취하는 것은 지속적인 소득활동이 아니다(2016.10.27, 2013헌마450).

03

정답 ③

① [X] 이는 아동 및 가정 복지사업의 일환으로 하는 것으로서 이와 관련하여 시설이용자로부터 대가를 받는 등 소득을 얻는 것은 아니므로, 이를 생활의 기본적 수요를 충족시키기 위해서 행하는 계속적인 소득활동이라고 볼 수 없다(2014.5.29, 2011헌마363).

② [X] '직업'의 개념에 비추어 보면 비록 학업 수행이 청구인과 같은 대학생의 본업이라 하더라도 방학기간을 이용하여 또는 휴학 중에 학비 등을 벌기 위해 학원강사로서 일하는 행위는 어느 정도 계속성을 띤 소득활동으로서 직업의 자유의 보호영역에 속한다고 봄이 상당하다(2003.9.25, 2002헌마519).

❸ [O] 직업의 개념표지들은 개방적 성질을 지녀 엄격하게 해석할 필요는 없는바, '계속성'과 관련하여서는 주관적으로 활동의 주체가 어느 정도 계속적으로 해당 소득활동을 영위할 의사가 있고, 객관적으로도 그러한 활동이 계속성을 띨 수 있으면 족하다고 해석되므로 휴가기간 중에 하는 일, 수습직으로서의 활동 따위도 이에 포함된다고 볼 것이고, 또 '생활수단성'과 관련하여서는 단순한 여가활동이나 취미활동은 직업의 개념에 포함되지 않으나 겸업이나 부업은 삶의 수요를 충족하기에 적합하므로 직업에 해당한다고 말할 수 있다(2003.9.25, 2002헌마519).

④ [X] 직업의 자유는 각자 생활의 기본적 수요를 충족시키는 방편이 되고 또한 개성신장의 바탕이 된다는 점에서 주관적 공권의 성격이 두드러진 것이기는 하나, 다른 한편으로는 국민 개개인이 선택한 직업의 수행에 의하여 국가의 사회질서와 경제질서가 형성된다는 점에서 사회적 시장경제질서라고 하는 객관적 법질서의 구성요소이기도 하다(2010.6.24, 2007헌바101 등).

04

정답 ④

ㄱ. [X] 직업의 자유 중 이 사건에서 문제되는 직장선택의 자유는 인간의 존엄과 가치 및 행복추구권과도 밀접한 관련을 가지는 만큼 단순히 국민의 권리가 아닌 인간의 권리로 보아야 할 것이므로 외국인도 제한적으로라도 직장선택의 자유를 향유할 수 있다고 보아야 한다. 청구인들이 이미 적법하게 고용허가를 받아 적법하게 우리나라에 입국하여 우리나라에서 일정한 생활관계를 형성, 유지하는 등, 우리 사회에서 정당한 노동인력으로서의 지위를 부여받은 상황임을 전제로 하는 이상, 이 사건 청구인들에게 직장 선택의 자유에 대한 기본권 주체성을 인정할 수 있다 할 것이다(2011.9.29, 2007헌마1083 등).

ㄴ. [O] 헌법 제15조에 의한 직업선택의 자유라 함은 자신이 원하는 직업 내지 직종을 자유롭게 선택하는 직업선택의 자유뿐만 아니라 그가 선택한 직업을 자기가 결정한 방식으로 자유롭게 수행할 수 있는 직업수행의 자유를 포함한다. 그리고 직업선택의 자유에는 자신이 원하는 직업 내지 직종에 종사하는데 필요한 전문지식을 습득하기

위한 직업교육장을 임의로 선택할 수 있는 '직업교육장 선택의 자유'도 포함된다(2009.2.26, 2007헌마1262).

ㄷ. [O] 헌법 제15조는 모든 국민은 직업선택의 자유를 가진다고 규정하고 있는데 그 뜻은 누구든지 자기가 선택한 직업에 종사하여 이를 영위하고 언제든지 임의로 그것을 바꿀 수 있는 자유와 여러 개의 직업을 선택하여 동시에 함께 행사할 수 있는 자유, 즉 겸직의 자유도 가질 수 있다는 것이다(1997.4.24, 95헌마90).

ㄹ. [X] 성매매도 직업의 자유에서 보호된다. 성매매는 사회적 유해성과는 별개로 성판매자의 입장에서 계속적 소득활동에 해당하므로 성매매 행위를 처벌하는 것은 성판매자의 직업의 자유 제한이다(2016.3.31, 2013헌가2).

ㅁ. [X] 이 사건에서 문제되는 게임 결과물의 환전은 게임이용자로부터 게임 결과물을 매수하여 다른 게임이용자에게 이윤을 붙여 되파는 것으로, 이러한 행위를 영업으로 하는 것은 생활의 기본적 수요를 충족시키는 계속적인 소득활동이 될 수 있으므로, 게임 결과물의 환전업은 헌법 제15조가 보장하고 있는 직업에 해당한다(2010.2.25, 2009헌바38).

ㅂ. [O] 청구인은 판매를 목적으로 모의총포를 소지하는 자인바 소지하는 행위 자체를 일률적으로 영업활동이라 볼 수는 없지만, 그 소지목적이나 정황적 근거에 따라 소지행위가 영업을 위한 준비행위로서 영업활동의 일환으로 평가될 수 있고, 이 사건 법률조항에 의하여 금지되는 소지행위도 영업으로서 직업의 자유의 보호범위에 포함될 수 있다(2011.11.24, 2011헌바18).

ㅅ. [O] 소관청의 행정사무인 지적측량의 일부인 초벌측량의 대행용역활동에 대하여, 토지소유자로부터 직접 납부받는 지적측량수수료를 재원으로 그 생활의 기본적 수요를 충족시키기 위한 계속적인 소득활동, 즉 독립적인 직업의 내용으로 삼을 수 있도록 규율한 셈이고, 이는 헌법 제15조가 그 선택의 자유를 보장하는 직업에 포함된다(2002.5.30, 2000헌마81).

ㅇ. [X] 청구인은 직업선택의 자유도 침해된다고 주장하나, 직업의 자유는 사적 영역에서 일반 국민이 자신의 직업을 선택하거나 수행함에 있어 국가의 간섭을 받지 아니할 자유를 의미하는 것으로, 국·공립학교 사서교사를 선발하는 것이 문제되는 이 사건에서는 직업의 자유가 문제되지 않는다(2016.9.29, 2014헌마541).

ㅈ. [X] 학교운영위원은 무보수 봉사직이므로 그 활동을 생활의 기본적 수요를 충족시키는 계속적인 소득활동으로 보기 어려운바, 이 사건 법률조항이 직업선택의 자유와 관련되는 것은 아니라 할 것이다(2007.3.29, 2005헌마1144).

ㅊ. [X] 의료인이 아닌 자의 의료행위가 지속적 소득활동이라면 직업의 자유에서 보호될 수 있다.

ㅋ. [X] 직업은 소득활동이므로 소득활동이 아닌 학교운영위원은 직업에 해당하지 않는다. 헌법재판소는 공법인인 농지개량조합의 조합원이라는 지위는 직업에 해당하지 않는다고 본다(2000.11.30, 99헌마190). 이장의 지위는 생활의 기본적 수요를 충족하기 위한 계속적인 소득활동으로 정의되는 직업에 해당하지 않는다(2009.10.29, 2009헌마127).

05 정답 ④

ㄱ. [O] 청구인들은 노조전임자가 사용자의 노무관리업무 대행이라는 근로 제공에 대하여 당연히 대가를 수령할 권리가 있음에도 노조전임자 급여금지 등을 규정한 「노동조합 및 노동관계조정법」 조항들에 의하여 근로에 대한 적정한 대가를 받지 못함으로써 직업의 자유를 침해당한다고 주장한다. 그러나 노조전임자 자체를 하나의 직업 유형으로 볼 수는 없으므로 직업의 자유가 제한된다고 보기 어렵다(2014.5.29, 2010헌마606).

ㄴ. [O] 직업선택의 자유에서 보호되는 직업이란 생활의 기본적인 수요를 충족시키기 위해 행하는 계속적인 소득활동을 의미하므로, 의무복무로서의 현역병은 헌법 제15조가 선택의 자유로서 보장하는 직업이라고 할 수 없다(2010.12.28, 2008헌마527).

ㄷ. [O] 병역의무 이행을 이유로 수련기간에서 2개월이 제외되었다고 하여 어떠한 불이익한 처우를 받는 것도 아니므로, 이 사건에서 청구인들이 주장하는 취지의 '특정 시점부터 해당 직업을 선택하고 직업수행을 개시할 자유'가 직업선택의 자유, 직업수행의 자유의 내용으로 보호된다고 보기는 어렵다(2020.9.24, 2017헌마643).

ㄹ. [X] 이 사건에서 청구인들이 주장하는 취지의 '특정 시점부터 해당 직업을 선택하고 직업수행을 개시할 자유'가 직업선택의 자유, 직업수행의 자유의 내용으로 보호된다고 보기는 어렵다. 설령 심판대상조항으로 인해 청구인들의 수련 시작이 늦어져 이 점이 개별 수련병원 별로 진행되는 채용경쟁상 불리한 요소로 작용할 수 있다고 하더라도, 이는 개별 수련병원의 구체적 사정에 따른 사실상의 불이익에 불과할 뿐이다. 그렇다면 심판대상조항으로 인해 청구인들의 직업의 자유가 침해될 여지는 없으므로, 위 주장은 더 나아가 판단하지 않는다(2020.9.24, 2017헌마643).

ㅁ. [X] 직업선택의 자유는 자신이 원하는 직업 내지 직종을 자유롭게 선택하고, 선택한 직업을 자유롭게 수행할 수 있음을 그 내용으로 하는 것이지, 특정인에게 배타적·우월적인 직업선택권이나 독점적인 직업활동의 자유까지 보장하는 것은 아니다(2001.9.27, 2000헌마152).

ㅂ. [X] 청구인이 공중보건의사에 편입되어 공중보건의사로 복무하는 것은 병역의 종류의 하나인 보충역으로서 병역의무를 이행하기 위한 것이므로, 직업선택의 자유의 보호대상이 되는 '직업' 개념에 포함된다고 보기 어렵다. 따라서 직업선택의 자유 침해 여부는 문제되지 않는다(2020.9.24, 2017헌마643).

ㅅ. [O] 심판대상조항으로 인해 소집해제 후 곧바로 1학기 수업을 수강할 수 없어 학문의 자유가 침해되었다고 주장한다. 학문의 자유에서 말하는 '학문'이란 일정한 지식수준을 기반으로 방법론적으로 정돈된 비판적인 성찰을 함으로써 진리를 탐구하는 활동을 말한다. 학문의 자유는 곧 진리탐구의 자유라 할 수 있고, 나아가 그렇게 탐구한 결과를 발표하거나 강의할 자유 등도 학문의 자유의 내용으로서 보장된다(1992.11.12, 89헌마88 참조). 대학생도 연구에 참여하는 가능성을 배제할 수 없으므로, 이러한 점에서는 학문의 자유의 주체가 될 수 있지만, 단순히 대학생으로서 수학하는 것은 학문의 개념을 충족시키지 못하므로 학문의 자유에 의하여 보호되지 않는다. 이 사건에서 위 청구인은 1학기 수업을 수강하는 데에서 더 나아가 해당 과목을 연구하거나 그 연구에 따른 결과를 발표 또는 강의할 자유가 침해되었다고 주장하는 것으로 보이지는 않으므로, 위 청구인의 학문의 자유 침해 주장은 더 나아가 판단하지 않는다(2020.9.24, 2017헌마643).

ㅇ. [X] 이 기본권은 원하는 직장을 제공하여 줄 것을 청구하거나 한번 선택한 직장의 존속보호를 청구할 권리를 보장하지 않으며, 또한 사용자의 처분에 따른 직장 상실로부터 직접 보호하여 줄 것을 청구할 수도 없다. 다만 국가는 이 기본권에서 나오는 객관적 보호의무, 즉 사용자에 의한 해고로부터 근로자를 보호할 의무를 질 뿐이다(2002.11.28, 2001헌바50).

ㅈ. [O] 직장선택의 자유는 개인이 그 선택한 직업 분야에서 구체적인 취업의 기회를 가지거나, 이미 형성된 근로관계를 계속 유지하거나 포기하는 데에 있어 국가의 방해를 받지 않는 자유로운 선택·결정을 보호하는 것을 내용으로 한다. 그러나 이 기본권은 원하는 직장을 제공하여 줄 것을 청구하거나 한번 선택한 직장의 존속보호를 청구할 권리를 보장하지 않으며, 또한 사용자의 처분에 따른 직장 상실로부터 직접 보호하여 줄 것을 청구할 수도 없다. 다만 국가는 이

기본권에서 나오는 객관적 보호의무, 즉 사용자에 의한 해고로부터 근로자를 보호할 의무를 질 뿐이다(2002.11.28, 2001헌바50).

ㅊ. [○] 직업의 자유에 '해당 직업에 합당한 보수를 받을 권리'까지 포함되어 있다고 보기 어렵고, 이 사건 법령조항은 경찰공무원인 경장의 봉급표를 규정한 것으로서 개성 신장을 위한 행복추구권의 제한과는 직접적인 관련이 없으므로, 청구인의 위 주장들은 모두 이유 없다(2008.12.26, 2007헌마444).

06 정답 ③

ㄱ. [○] 농협의 조합장은 조합을 대표하며 업무를 집행하는 사람으로서, 총회와 이사회의 의장이 된다. 이 사건에서 문제된 농협의 경우 조합장을 상임으로 하고, 그 보수는 규약으로 정하고 있다. 이를 종합하면, 조합장 선거에 입후보하여 당선되는 것은 그 자체가 직업 선택의 한 방법으로서, 농협의 조합장은 헌법 제15조에 의하여 보호되는 직업에 속하는바, 위 부칙조항으로 인하여 현 조합장의 임기가 연장되어 차기 조합장 선거의 시기가 늦춰지게 되면 조합장으로 선출될 기회가 늦춰질 수밖에 없으므로, 위 부칙조항은 차기 조합장 선거에 입후보하려고 하는 청구인들의 직업의 자유를 제한한다(2012.12.27, 2011헌마562 등).

ㄴ. [X] 심판대상조항은 그 요건에 해당되는 사람들에 대하여 2년의 운전면허취득 결격기간을 정함으로써 그 효과로서 2년이라는 기간 동안 위 조항에 해당하는 사람들로 하여금 자동차 등의 운전을 필수불가결한 요건으로 하는 일정한 직업의 선택을 불가능하게 하는 효과를 발생시키며 이에 따라 직업의 자유를 제한하게 된다. 가사 직업과 무관하다 하더라도 결격기간 동안에는 적법하게 자동차 등을 운전하지 못하게 되므로 일반적 행동의 자유를 제한한다(2007.12.27, 2005헌마1107).

ㄷ. [○] 음주측정 거부로 인하여 운전면허가 필요적으로 취소되는 경우, 이는 자동차 등의 운전을 필수불가결한 요건으로 하고 있는 일정한 직업군의 사람들에 대하여 종래에 유지하던 직업을 계속 유지하는 것을 불가능하게 하거나 장래를 향하여 그와 같은 직업을 선택하는 것을 불가능하게 하며 자동차 운행이 필요한 직업을 가진 사람들에 대하여 직업을 수행하는 방법에 제한을 가하게 되므로 위 조항은 좁은 의미의 직업선택의 자유와 직업수행의 자유를 포함하는 직업의 자유를 제한하는 조항이라고 할 것이고, 한편 자동차 등의 운전을 직업으로 하지 않는 자에 대하여는 운전면허가 필요적으로 취소됨으로써 적법하게 자동차 등을 운전하지 못하게 되므로 위 조항은 행복추구권의 보호영역 내에 포함된 일반적 행동의 자유를 제한하는 조항이라고 할 것이다(2007.12.27, 2005헌바95).

ㄹ. [○] 청구인은 이 사건 법률조항에 의하여 자신의 공무담임권 및 직업선택의 자유가 침해되었다고 주장하나, 청구인은 지방의회의원으로 당선되어 이를 유지하기 위해 지방공사 직원의 직을 그만두었고, 지방의회의원의 임기 동안 지방공사 직원의 직을 가질 수 없게 되었으므로, 이 사건 법률조항에 의하여 제한받게 된 청구인의 기본권은 지방자치단체의 구성원으로서 그 직무를 담당할 수 있는 권리인 공무담임권이 아니라 직업을 선택하거나 유지할 수 있는 자유이다. 그리고 이러한 직업선택의 자유에 대한 제한은 헌법 제37조 제2항이 정하고 있는 바와 같이 반드시 법률로써 하여야 하고, 국가안전보장, 질서유지 또는 공공복리 등 정당하고 중요한 공공의 목적을 달성하기 위하여 필요하고 적정한 수단과 방법에 의하여서만 가능하다(2002.4.25, 2001헌마614).

ㅁ. [○] 구 「외국인근로자의 고용 등에 관한 법률」 제25조 제4항은 외국인근로자의 사업장 최대변경가능횟수를 설정하고 있는바, 이로 인하여 외국인근로자는 일단 형성된 근로관계를 포기(직장이탈)하는 데 있어 제한을 받게 되므로 이는 직업선택의 자유 중 직장 선택의 자유를 제한하고 있다. 근로의 권리를 제한하지는 않는다(2011.9.29, 2007헌마1083).

ㅂ. [○] 광고물은 사상·지식·정보 등을 불특정 다수인에게 전파하는 것으로서 헌법 제21조 제1항이 보장하는 언론·출판의 자유에 의해 보호받는 대상이 되므로, 의료광고를 규제하는 심판대상조항은 청구인의 표현의 자유를 제한한다. 또한, 헌법 제15조는 직업수행의 자유 내지 영업의 자유를 포함하는 직업의 자유를 보장하고 있는바, 의료인 등이 의료서비스를 판매하는 영업활동의 중요한 수단이 되는 의료광고를 규제하는 심판대상조항은 직업수행의 자유도 동시에 제한한다(2014.9.25, 2013헌바28).

ㅅ. [○] PC방 전체를 금연구역으로 지정하도록 한 「국민건강증진법」(2011.6.7. 법률 제10781호로 개정된 것) 제9조 제4항 제23호 중 인터넷컴퓨터게임시설 제공업소 부분과 부칙 제1조 단서 중 "제9조 제4항 제23호의 개정규정은 공포 후 2년이 경과한 날부터 각각 시행한다." 부분이 과잉금지원칙과 신뢰보호원칙에 위배되어 청구인들의 직업수행의 자유를 침해하지 않는다(2013.6.27, 2011헌마315 등).

ㅇ. [○] 본인확인제는 정보통신서비스 제공자에게 인터넷게시판을 운영함에 있어서 본인확인조치를 이행할 의무를 부과하여 정보통신서비스 제공자의 직업수행의 자유도 제한하나, 청구인 회사의 주장취지 및 앞에서 살펴본 본인확인제의 도입배경 등을 고려할 때 이 사건과 가장 밀접한 관계에 있고 또 침해의 정도가 큰 주된 기본권은 언론의 자유라 할 것이고, 게시판 운영자의 언론의 자유의 제한은 게시판 이용자의 표현의 자유의 제한에 수반되는 결과라고 할 수 있으므로, 이하에서는 게시판 이용자의 표현의 자유 침해 여부를 중심으로 하여 게시판 운영자의 언론의 자유 등 침해 여부를 함께 판단하기로 한다(2012.8.23, 2010헌마47 등).

ㅈ. [○] CCTV 설치조항으로 인해 보호자 전원이 반대하지 않는 한 어린이집 설치·운영자는 어린이집에 CCTV를 설치할 의무를 지게 되고 CCTV 설치시 녹음기능 사용을 할 수 없으므로, 위 조항은 어린이집 설치·운영자인 청구인들의 직업수행의 자유를 제한한다(2017.12.28, 2015헌마994).

ㅊ. [X] 청구인들은 이 사건 법률조항으로 인하여 근로의 권리와 직업의 자유 등을 침해받았다고 주장하고 있다. 근로의 권리란 '일할 자리에 관한 권리'와 '일할 환경에 관한 권리'를 말하며, 후자는 건강한 작업환경, 일에 대한 정당한 보수, 합리적인 근로조건의 보장 등을 요구할 수 있는 권리 등을 의미하는바, 직장변경의 횟수를 제한하고 있는 이 사건 법률조항은 위와 같은 근로의 권리를 제한하는 것은 아니라 할 것이다. 한편, 직업선택의 자유는 누구나 자유롭게 자신이 종사할 직업을 선택하고, 그 직업에 종사하며, 이를 변경할 수 있는 자유를 말하며, 이에는 개인의 직업적 활동을 하는 장소 즉 직장을 선택할 자유도 포함된다. 이때 직장선택의 자유란 개인이 그 선택한 직업 분야에서 구체적인 취업의 기회를 가지거나, 이미 형성된 근로관계를 계속 유지하거나 포기하는 데 있어 국가의 방해를 받지 않는 자유로운 선택·결정을 보호하는 것을 내용으로 한다하여 외국인근로자는 일단 형성된 근로관계를 포기(직장이탈)하는 데 있어 제한을 받게 되므로 이는 직업선택의 자유 중 직장선택의 자유를 제한하고 있다(2011.9.29, 2007헌마1083).

ㅋ. [○] 심판대상조항은 변호사시험 합격자에 대하여 그 성적을 공개하지 않도록 규정하고 있을 뿐이고, 이러한 시험 성적의 비공개가 청구인들의 법조인으로서의 직역선택이나 직업수행에 있어서 어떠한 제한을 두고 있는 것은 아니므로 심판대상조항이 청구인들의 직업선택의 자유를 제한하고 있다고 볼 수 없다(2015.6.25, 2011헌마769 등).

ㅌ. [X] 이 사건 법률조항은 이륜자동차 운전자가 고속도로 등을 통행하는 것을 금지하고 있을 뿐, 퀵서비스 배달업의 직업수행행위를 직접적으로 제한하는 것이 아니고, 이로 인하여 청구인들이 퀵서비스

배달업의 수행에 지장을 받는 점이 있다고 하더라도, 그것은 고속도로 통행금지로 인하여 발생하는 간접적·사실상의 효과일 뿐이므로 이 사건 법률조항은 청구인들의 직업수행의 자유를 침해하지 않는다(2008.7.31,2007헌바90).

ㅍ. [O] 이 사건 법률조항에 의하여 형의 집행유예와 동시에 사회봉사명령을 선고받은 청구인은 자신의 의사와 무관하게 사회봉사를 하지 않을 수 없게 되어 헌법 제10조의 행복추구권에서 파생하는 일반적 행동의 자유를 제한받게 된다. 청구인은 이 사건 법률조항이 신체의 자유를 제한한다고 주장하나, 이 사건 법률조항에 의한 사회봉사명령은 청구인에게 근로의무를 부과함에 그치고 공권력이 신체를 구금하는 등의 방법으로 근로를 강제하는 것은 아니어서 이 사건 법률조항이 신체의 자유를 제한한다고 볼 수 없다. 또한, 청구인은 이 사건 법률조항이 직업의 자유를 제한한다고 주장하나, 이 사건 법률조항에 의한 사회봉사명령이 직접적으로 청구인에게 직업의 선택 및 수행을 금지 또는 제한하는 것은 아니고, 사회봉사명령 이행기간 중에 직업의 선택 및 수행이 사실상 어려워지는 면이 있다 하더라도 이는 사회봉사명령으로 인하여 일반적 행동의 자유가 제한됨에 따라 부수적으로 발생하는 결과일 뿐이므로 이 사건 법률조항이 직업의 자유를 제한한다고 볼 수도 없다(2012.3.29, 2010헌바100).

07 정답 ②

ㄱ. [X] 단계이론이란 직업의 자유를 제한함에 있어, 과잉금지원칙 중 특히 침해의 최소성원칙을 구체화한 것으로 가장 적은 침해를 가져오는 단계에서부터 제한하여야 함을 의미한다. 직업의 자유의 제한은 제한의 정도가 낮은 단계부터 직업행사의 자유의 제한(1단계), 주관적 사유에 의한 직업결정의 자유의 제한(2단계), 객관적 사유에 의한 직업결정의 자유의 제한(3단계)으로 이루어져야 한다.

ㄴ. [O] 직업선택의 자유와 직업행사의 자유는 기본권 주체에 대한 그 제한의 효과가 다르기 때문에 제한에 있어서 적용되는 기준도 다르며, 특히 직업행사의 자유에 대한 제한은 인격발현에 대한 침해의 효과가 일반적으로 직업선택 그 자체에 대한 제한에 비하여 적기 때문에, 그에 대한 제한은 보다 폭넓게 허용된다고 할 수 있다(2002.10.31, 99헌바76 등).

ㄷ. [O] 헌법재판소는 직업수행의 자유 제한의 경우에는 입법자의 재량의 여지가 많으므로, 그 제한을 규정하는 법령에 대한 위헌 여부를 심사하는데 있어서 좁은 의미의 직업선택의 자유에 비하여 상대적으로 폭넓은 법률상의 규제가 가능한 것으로 보아 다소 완화된 심사기준을 적용하여 왔다(2007.5.31, 2003헌마579).

ㄹ. [X] 직업수행의 자유는 직업결정의 자유에 비하여 상대적으로 그 침해의 정도가 작다고 할 것이어서, 이에 대하여는 공공복리 등 공익상의 이유로 비교적 넓은 법률상의 규제가 가능하다(2004.10.28, 2002헌바41).

ㅁ. [X] 직업선택의 자유에는 직업결정의 자유, 직업종사(직업수행)의 자유, 전직의 자유 등이 포함되지만 직업결정의 자유나 전직의 자유에 비하여 직업종사(직업수행)의 자유에 대하여서는 상대적으로 더욱 넓은 법률상의 규제가 가능하다고 할 것이고 따라서 다른 기본권의 경우와 마찬가지로 국가안전보장·질서유지 또는 공공복리를 위하여 필요한 경우에는 제한이 가하여질 수 있는 것은 물론이지만 그 제한의 방법은 법률로써만 가능하고 제한의 정도도 필요한 최소한도에 그쳐야 하는 것 또한 의문의 여지가 없이 자명한 것이다(2001.6.28, 2001헌마132).

ㅂ. [X] 자의금지의 원칙은 평등원칙의 심사기준이다. 평등원칙의 심사기준은 자의금지와 비례심사가 있다. 전자가 완화된 심사기준이고 후자는 엄격한 심사기준이다. 그러나 자유권에 대한 제한에는 과잉금지원칙 또는 비례원칙이 적용된다. 다만, 심사강도는 달라질 수 있다. 직업의 자유도 다른 기본권과 마찬가지로 절대적으로 보호되는 것이 아니라, 공익상의 이유로 제한될 수 있음은 물론이다. 직업선택의 자유와 직업행사의 자유는 기본권 주체에 대한 그 제한의 효과가 다르기 때문에 제한에 있어서 적용되는 기준도 다르며, 특히 직업행사의 자유에 대한 제한은 인격발현에 대한 침해의 효과가 일반적으로 직업선택 그 자체에 대한 제한에 비하여 적기 때문에, 그에 대한 제한은 보다 폭넓게 허용된다고 할 수 있다. 그러나 이 경우에도 개인의 자유가 공익실현을 위해서 과도하게 제한되어서는 아니 되며 개인의 기본권은 꼭 필요한 경우에 한하여 필요한 만큼만 제한되어야 한다는 비례의 원칙(헌법 제37조 제2항)을 준수해야 한다(2002.10.31, 99헌바76 등).

08 정답 ④

ㄱ. [O] 학원조례조항이 비례의 원칙에 위반하여 청구인 학생의 인격의 자유로운 발현권, 청구인 학부모의 자녀교육권 및 청구인 학원운영자의 직업수행의 자유를 침해하였다고 할 수 없다(2016.5.26, 2014헌마374).

ㄴ. [O] 심판대상조항은 소비자의 이용빈도가 비교적 낮은 심야시간 및 아침시간에 국한하여 영업시간을 제한하고, 의무휴업일 지정도 매월 이틀을 공휴일 중에서 지정하며, 특별자치시장 등에게 그 지역 유통시장의 구체적 사정을 고려하여 필요에 따라 영업제한조치를 할 것인지와 그 방법을 정할 수 있도록 한다. 심판대상조항은 과잉금지원칙에 위배되어 직업수행의 자유를 침해하지 않는다(2018.6.28, 2016헌바77 등).

ㄷ. [O] 강제지정제에 의하여 의료인의 직업활동이 포괄적으로 제한을 받는다 하더라도 강제지정제에 의하여 제한되는 기본권은 '직업선택의 자유'가 아닌 '직업행사의 자유'이다. 직업선택의 자유는 개인의 인격발현과 개성신장의 불가결한 요소이므로, 그 제한은 개인의 개성신장의 길을 처음부터 막는 것을 의미하고, 이로써 개인의 핵심적 자유영역에 대한 침해를 의미하지만, 일단 선택한 직업의 행사방법을 제한하는 경우에는 개성신장에 대한 침해의 정도가 상대적으로 적어 핵심적 자유영역에 대한 침해로 볼 것은 아니다. 의료인은 의료공급자로서의 기능을 담당하고 있고, 의료소비자인 전 국민의 생명권과 건강권의 실질적 보장이 의료기관의 의료행위에 의존하고 있으므로, '의료행위'의 사회적 기능이나 사회적 연관성의 비중은 매우 크다고 할 수 있다. 이러한 관점에서 볼 때, '국가가 강제지정제를 택한 것은 최소침해의 원칙에 반하는가'에 대한 판단은 '입법자의 판단이 현저하게 잘못되었는가'하는 명백성의 통제에 그치는 것이 타당하다고 본다(2002.10.31, 99헌바76 등).

ㄹ. [X] 이 사건의 쟁점은 의료인이 리베이트를 받은 경우 징역형으로 처벌할 수 있도록 한 것이 과잉금지원칙을 위반하여 직업수행의 자유를 침해하는지 여부이다. 청구인은 위 조항에 의하여 금고 이상의 형이 선고될 경우 「의료법」 제65조 제1항에 따라 면허가 필요적으로 취소되므로 직업선택의 자유를 침해한다는 주장도 하고 있으나, 이러한 주장은 청구인에 대하여 「의료법」 위반으로 금고 이상의 형이 확정된 경우를 전제로 한 것인데, 청구인의 형사사건은 현재 진행 중에 있을 뿐만 아니라 청구인에 대하여 「의료법」 위반으로 금고 이상의 형이 확정될 경우 보건복지부장관이 「의료법」 제65조 제1항에 따라 면허를 취소하는 경우에 비로소 직업선택의 자유 침해 문제가 발생한다(2015.11.26, 2014헌바299).

ㅁ. [O] 이 사건 법률조항은 군법무관 임용시험을 거쳐 임명된 군법무관에 대하여 변호사 자격을 부여하면서, 10년간 복무할 것을 조건으로 전역한 후에도 그 자격을 그대로 유지시켜주는 것이다. 이는 당사자에 대한 주관적인 요건인 '10년간의 군법무관 경력'을 조건으로 변호사직에 대한 선택의 자유를 제한하는 것으로 볼 수 있다(2007.

5.31, 2006헌마767).

ㅂ. [O] 직업행사의 자유 제한이다(2002.12.18, 2000헌마764).

ㅅ. [X] ㅇ. [X] ㅈ. [X] 단계이론에 의할 때, '객관적 사유에 의한 직업 결정의 자유의 제한'에 있어서 가장 엄격한 심사기준을 적용한다. 즉, 월등하게 중요한 공익을 위하여 명백하고 확실한 위험을 방지하기 위한 경우에만 정당화될 수 있다. 선지는 '직업행사의 자유 제한'에 해당한다.

ㅊ. [O] 이 사건 법률조항들은 의약품 도매업의 개설·영업행위 자체를 전면적으로 금지하여 직업선택 자체를 제한하는 것은 아니고, 이미 선택한 직업을 영위하는 방식과 조건에 대한 규제로서 직업수행의 자유를 제한하는 성격을 지니고 있다(2014.4.24, 2012헌마811).

ㅋ. [O] 이 사건 심판대상은 주관적 사유로 직업의 자유를 제한하고 있으므로 직업행사의 자유 제한보다는 엄밀한 정당화가 요구되나 객관적 사유에 의한 직업 선택의 자유를 제한하는 경우에 비하면 입법자는 넓은 재량을 가지므로 보다 유연하고 탄력적 심사가 필요하다(2003.9.25, 2002헌마519).

ㅌ. [O] 청구인과 같은 학원설립·운영자는 「학원의 설립·운영 및 과외교습에 관한 법률」 위반으로 벌금형을 선고받을 경우 이 사건 효력상실조항에 따라 그 등록은 효력을 잃게 되고, 다시 등록을 하지 않는 이상 학원을 설립·운영할 수 없게 된다. 이는 일정한 직업을 선택함에 있어 기본권 주체의 능력과 자질에 따른 제한으로서 이른바 '주관적 요건에 의한 좁은 의미의 직업선택의 자유의 제한'에 해당한다(2014.1.28, 2011헌바252).

09 정답 ②

ㄱ. [O] 이 사건 심판대상조항들은 일반학원의 강사라는 직업의 개시를 위한 주관적 전제조건으로서 '대학 졸업 이상의 학력 소지'라는 자격기준을 갖추도록 요구함으로써 직업선택의 자유를 제한하고 있고, 그와 같은 제한이 헌법상 용인될 수 있기 위하여는 기본권 제한의 한계원리인 과잉금지의 원칙에 위배되지 않아야 하는데, … 자질과 능력을 갖춘 강사를 확보하여 학원교육의 질을 높이거나 유지하는 방법으로서 이 사건 심판대상조항들과 같이 일률적으로 자격기준을 설정하여 통제하는 방식만큼의 효과를 거둘 만한 다른 제도나 절차를 쉽게 찾아보기 어려우므로 최소침해의 원칙도 문제되지 않는다(2003.9.25, 2002헌마519).

ㄴ. [X] 직업수행의 자유가 보장된다 하더라도 기본권 제한 입법의 한계조항인 헌법 제37조 제2항에 따라 국가안전보장·질서유지 또는 공공복리를 위하여 불가피한 경우에는 이를 제한할 수 있고, 이 경우 직업선택의 자유에 비하여 상대적으로 폭넓은 입법적 규제가 가능하다. 물론 이러한 경우 그 수단은 목적 달성에 적절한 것이어야 하고, 또한 필요한 정도를 넘는 지나친 것이어서는 아니 된다. 이 사건 심판대상조항이 공영방송사의 경우 공영미디어렙인 한국방송광고진흥공사만을 통해 방송광고 판매를 하도록 한 것은 미디어렙 경쟁체제에서 나타날 수 있는 방송의 상업화 등 부작용을 방지하고, 공영방송사에 대한 광고주나 특정인의 부당한 영향력 행사를 차단하여 방송의 공공성, 공정성, 다양성을 확보하기 위한 것으로, 방송문화진흥회가 최다출자자인 청구인과 같은 공영방송사는 그 존립근거나 운영주체의 특성상 상대적으로 더 높은 수준의 공공성을 요구받는 것이 당연하다. 방송광고의 가격이나 광고총량을 통제하여 방송이 시청률 위주의 지나친 상업적 방송이 되는 것을 막고, 시청률은 낮더라도 공익성이 높은 프로그램의 경우에는 적정한 가격에 방송광고를 판매할 수 있도록 그 규제가 가능한 공영미디어렙을 통해 방송광고를 판매하도록 하는 것은 과잉금지원칙에 위반된다고 볼 수 없다(2013.9.26, 2012헌마271).

ㄷ. [X] 청구인과 같은 학원설립·운영자는 「학원의 설립·운영 및 과외교습에 관한 법률」 위반으로 벌금형을 선고받을 경우 이 사건 효력상실조항에 따라 그 등록은 효력을 잃게 되고, 다시 등록을 하지 않는 이상 학원을 설립·운영할 수 없게 된다. 이는 일정한 직업을 선택함에 있어 기본권 주체의 능력과 자질에 따른 제한으로서 이른바 '주관적 요건에 의한 좁은 의미의 직업선택의 자유의 제한'에 해당한다(2014.1.28, 2011헌바252).

ㄹ. [X] 주관적 사유에 의한 직업선택의 자유 제한이다(2003.9.25, 2001헌마447 등).

ㅁ. [X] 단계이론에 의할 때, '객관적 사유에 의한 직업결정의 자유의 제한'에 있어서 가장 엄격한 심사기준을 적용한다. 즉 ,월등하게 중요한 공익을 위하여 명백하고 확실한 위험을 방지하기 위한 경우에만 정당화될 수 있다. 건축사가 업무범위를 위반하여 업무를 행한 때 이를 필요적 등록 취소사유로 규정한 경우은 2단계에 해당한다(1995.2.23, 93헌가1).

ㅂ. [X] 시험제도란 본질적으로 응시자의 자질과 능력을 측정하는 것이며, 합격자의 결정을 상대평가(정원제)와 절대평가 중 어느 것에 의할 것인지는 측정방법의 선택의 문제일 뿐이고, 이 사건 법률조항이 사법시험의 합격자를 결정하는 방법으로 정원제를 취한 이유는 상대평가라는 방식을 통하여 응시자의 자질과 능력을 검정하려는 것이므로 이는 객관적 사유가 아닌 주관적 사유에 의한 직업선택의 자유의 제한이다(2010.5.27, 2008헌바110).

ㅅ. [X] 등록기준을 법으로 정하고 일정한 등록기준을 충족시켜야 등록을 허용하는 건설업의 등록제(법 제9조, 제10조)는 '건설업'이란 직업의 정상적인 수행을 담보하기 위하여 요구되는 최소한의 요건을 규정하는 소위 '주관적 사유에 의한 직업허가규정'에 속하는 것으로서 직업선택의 자유를 제한하는 규정이다(2004.7.15, 2003헌바35).

ㅇ. [X] 경비업자는 경비업외 다른 직업을 선택할 수 없으므로 3단계인 객관적 사유에 의한 직업선택의 자유 제한이다.

ㅈ. [O] 안마사 자격인정에 있어서 비맹제외기준은 시각장애인이 아닌 사람의 직업선택의 자유를 직접 침해하고 있고, 이는 당사자의 능력이나 자격과 상관없는 객관적 허가요건에 의한 직업선택의 자유에 대한 제한을 의미하므로, 헌법 제37조 제2항이 요구하는 과잉금지의 원칙을 충족하여야 할 것이다(2006.5.25, 2003헌마715).

10 정답 ③

① [X] 과잉금지의 원칙을 적용함에 있어서도, 어떠한 직업 분야에 관한 자격제도를 만들면서 그 자격요건을 어떻게 설정할 것인가에 관하여는 국가에게 폭넓은 입법재량권이 부여되어 있는 것이므로 다른 방법으로 직업선택의 자유를 제한하는 경우에 비하여 보다 유연하고 탄력적인 심사가 필요하다 할 것이다(2003.9.25, 2002헌마519).

② [X] 이 사건 심판대상조항들은 일반학원의 강사라는 직업의 개시를 위한 주관적 전제조건으로서 '대학 졸업 이상의 학력 소지'라는 자격기준을 갖추도록 요구함으로써 자격제 유사의 진입규제를 설정하는 방법으로 직업선택의 자유를 제한하고 있다(2003.9.25, 2002헌마519).

❸ [O] 입법자는 일정한 전문 분야에 관한 자격제도를 마련함에 있어서 그 제도를 마련한 목적을 고려하여 정책적인 판단에 따라 그 내용을 구성할 수 있고, 마련한 자격제도의 내용이 불합리하고 불공정하지 않은 한 입법자의 정책판단은 존중되어야 하며, 자격제도에서 입법자에게는 그 자격요건을 정함에 있어 광범위한 입법재량이 인정되는 만큼, 자격요건에 관한 법률조항은 합리적인 근거 없이 현저히 자의적인 경우에만 헌법에 위반된다(2006.4.27, 2005헌마997).

④ [X] 비록 어떠한 직업 분야에 관한 자격제도를 만들면서 그 자격요건

내지 결격사유를 어떻게 설정할 것인가에 관하여 입법자에게 폭넓은 입법재량이 인정되기는 하나 일단 자격요건을 구비하여 자격을 부여받았다면 사후적으로 결격사유가 발생했다고 해서 당연히 그 자격을 박탈할 수 있는 것은 아니다. 국가가 설정한 자격요건을 구비하지 못했다는 이유로 일정한 자격을 부여하지 않더라도 해당자가 잃는 이익이 크다고 볼 수 없는 반면 그러한 자격을 일단 취득하여 직업활동을 영위해 오고 있는 자의 자격을 상실시킬 경우 장기간 쌓아온 지위를 박탈하는 것으로서 그 불이익이 중대할 수 있기 때문이다(2014.1.28, 2011헌바252).

11 정답 ③

① [O] '성인대상 성범죄'는 그 문언에 비추어 성인 피해자를 범죄대상으로 한 성에 관련된 범죄로서 타인의 성적 자기결정권을 침해하여 가해지는 위법행위 혹은 성인이 연루되어 있는 사회의 건전한 성풍속을 침해하는 위법행위를 일컫는 것으로 보이고, 이러한 범죄들 중에서도 이 사건 법률조항의 입법목적에 비추어, 의료기관 취업을 제한할 필요가 있는 범죄로 해석된다. 또한, 「아동·청소년의 성보호에 관한 법률」에 이미 규정된 '아동·청소년대상 성범죄'의 내용들을 살펴봄으로써 '성인대상 성범죄'의 내용도 '아동·청소년대상 성범죄'와 유사하게 규율될 것임을 어느 정도 예상할 수 있고, 성범죄를 예방하고 피해자를 보호한다는 측면에서 「아동·청소년의 성보호에 관한 법률」과 긴밀한 법적 연관성이 있는 「성폭력범죄의 처벌 등에 관한 특례법」의 내용들도 '성인대상 성범죄'의 내용을 파악하는 데에 도움이 된다. 이상의 내용을 종합하면 '성인대상 성범죄' 부분은 불명확하다고 볼 수 없어 헌법상 명확성원칙에 위배되지 않는다(2016.3.31, 2013헌마585).

② [O] 성범죄를 범한 전과자에게만 취업 제한의 제재를 부과함으로써 이들을 다른 범죄를 저지른 전과자와 차별하고 있다는 청구인들의 주장에 대해 살펴보면, 헌법재판소는 성범죄와 보호법익이 다른 그 밖의 범죄를 저지른 자들이 본질적으로 동일한 비교집단이라고 볼 수 없고, 또 최근 성범죄로 인한 사회불안이 증가하여 이에 대한 중점적 대책 마련이 요구되고 있는 점에 비추어 이와 같은 구분기준이 특별히 자의적이라고 보기도 어렵다고 판시한 바 있어(2015.7.30, 2014헌마340 등), 청구인들의 주장과 같은 평등권 침해는 인정되지 않는다(2016.3.31, 2013헌마585).

❸ [X] 청구인들은 이 사건 법률조항에 의하여 형의 집행을 종료한 때부터 10년간 의료기관에 취업할 수 없게 되었는바, 이는 일정한 직업을 선택함에 있어 기본권 주체의 능력과 자질에 따른 제한이므로 이른바 '주관적 요건에 의한 좁은 의미의 직업선택의 자유'에 대한 제한에 해당한다(2016.3.31, 2013헌마585).

④ [O] 이 사건 법률조항이 성범죄 전력만으로 그가 장래에 동일한 유형의 범죄를 다시 저지를 것을 당연시하고, 형의 집행이 종료된 때부터 10년이 경과하기 전에는 결코 재범의 위험성이 소멸하지 않는다고 보며, 각 행위의 죄질에 따른 상이한 제재의 필요성을 간과함으로써, 성범죄 전력자 중 재범의 위험성이 없는 자, 성범죄 전력이 있지만 10년의 기간 안에 재범의 위험성이 해소될 수 있는 자, 범행의 정도가 가볍고 재범의 위험성이 상대적으로 크지 않은 자에게까지 10년 동안 일률적인 취업 제한을 부과하고 있는 것은 침해의 최소성원칙과 법익의 균형성원칙에 위배된다. 따라서 이 사건 법률조항은 청구인들의 직업선택의 자유를 침해한다(2016.3.31, 2013헌마585).

12 정답 ②

① [O] 법무법인이 변호사 직무와 구분되는 영리행위는 할 수 없도록 함으로써 법무법인이 단순한 영리추구 기업으로 변질되는 것을 방지하기 위한 것으로 과잉금지원칙에 위반되지 않는다(2020.7.16, 2018헌바195).

❷ [X] 변호사에게만 특허 침해소송의 소송대리를 허용하는 것은 그 합리성이 인정되며 입법재량의 범위 내라고 할 수 있다. 그러므로 이 사건 법률조항이 특허 침해소송을 변리사가 예외적으로 소송대리를 할 수 있도록 허용된 범위에 포함시키지 아니한 것은 청구인들의 직업의 자유를 침해하지 아니한다(2012.8.23, 2010헌마740).

③ [O] 비록 변호사에게 전년도에 처리한 수임사건의 건수 및 수임액을 소속 지방변호사회에 보고하도록 규정하고 있는 구 「변호사법」으로 인해 청구인들의 영업의 자유와 같은 헌법상 기본권이 다소 제한된다고 하더라도 그 제한의 정도가 이 사건 법률조항에 의하여 추구되는 공익에 비하여 결코 중하다고 볼 수 없다. 따라서 이 사건 법률조항은 공익과 사익간의 균형성을 도외시한 것이라고 보기 어려우므로, 법익의 균형성의 원칙에 반하지 아니한다. 그렇다면, 이 사건 법률조항이 청구인들의 영업의 자유를 침해한다고 할 수 없다(2009.10.29, 2007헌마667).

④ [O] 「근로기준법」은 근로자가 업무상의 부상 또는 질병으로 휴업한 기간을 출근한 것으로 본다는 점, 연차 유급휴가는 1년간 사용하지 않으면 소멸되며, 연차 유급휴가 미사용 수당은 3년의 시효로 소멸하므로 이로 인한 사용자의 부담 또한 그 시효완성과 함께 소멸한다는 점까지 고려하면 이 조항이 과잉금지원칙에 위배되어 청구인의 직업수행의 자유를 침해한다고 보기 어렵다(2020.9.24, 2017헌바433).

13 정답 ③

① [X] 법 제26조 제2항 및 제3항이 로스쿨에 입학하는 자들에 대하여 학사 전공별로, 그리고 출신 대학별로 로스쿨 입학정원의 비율을 각각 규정한 것은 변호사가 되기 위하여 필요한 전문지식을 습득할 수 있는 로스쿨에 입학하는 것을 제한하는 것이기 때문에 직업교육장 선택의 자유 내지 직업선택의 자유를 제한한다고 할 것이다(2009.2.26, 2007헌마1262).

② [X] 이 사건 법률 제5조 제2항, 제6조 제1항, 제7조 제1항은 수급상황에 맞게 법조인력의 배출규모를 조절하고 이를 통해 국가인력을 효율적으로 운용하고자 함에 그 목적이 있는바, 위 조항에 의한 인가주의 및 총입학정원주의는 이러한 목적을 달성함에 있어 적절한 수단이며, 현재 법학전문대학원 설치인가를 받지 못한 대학이 법학전문대학원을 설치할 수 있는 기회를 영구히 박탈당하는 것은 아니며 학사과정운영을 통해 법학교육의 기회를 유지할 수 있으므로 위 조항들이 피해최소성의 원칙에 위배되지도 아니한다. 또한 위 조항들로 인해 각 대학 및 국민이 입는 불이익이 인력 배분의 효율성, 질 높은 법학교육의 담보, 양질의 법률서비스 제공에 의한 사회적 비용절감, 법조직역에 대한 국민의 신뢰회복 등의 공익에 비해 결코 크다고 할 수 없으므로 법익의 균형성 요건도 충족한다. 따라서 이 사건 법률조항은 대학의 자율성과 국민의 직업선택의 자유를 침해하지 아니한다(2009.2.26, 2008헌마370).

❸ [O] 교육부장관이 이화여자대학교에 법학전문대학원 설치인가를 한 것은 대학의 교육역량에 대한 객관적인 평가에 따른 것이지 여성우대를 목적으로 한 것이 아니며, 설치인가를 하면서 이화여자대학교의 이 사건 모집요강 내용을 그대로 인정한 것은 여자대학으로서의 전통을 유지하려는 이화여자대학교의 대학의 자율성을 보장하고자 한 것이므로, 이 사건 인가처분은 그 목적의 정당성과 수

단의 적합성이 인정된다. 학생의 선발, 입학의 전형도 사립대학의 자율성의 범위에 속한다는 점, 여성 고등교육기관이라는 이화여자대학교의 정체성에 비추어 여자대학교라는 정책의 유지 여부는 대학 자율성의 본질적인 부분에 속한다는 점, 이 사건 인가처분으로 인하여 남성인 청구인이 받는 불이익이 크지 않다는 점 등을 고려하면, 이 사건 인가처분은 청구인의 직업선택의 자유와 대학의 자율성이라는 두 기본권을 합리적으로 조화시킨 것이며 양 기본권의 제한에 있어 적정한 비례관계를 유지한 것이라고 할 것이다. 따라서 이 사건 인가처분이 청구인의 직업선택의 자유를 침해한다고 할 수 없다(2013.5.30, 2009헌마514).

④ [X] 심판대상조항은 소제기 전 단계에서 충실한 소송준비를 하기 어렵게 하여 변호사의 직무수행에 큰 장애를 초래하고, 변호사의 도움이 가장 필요한 시기에 접견에 대한 제한의 정도가 위와 같이 크다는 점에서 수형자의 재판청구권 역시 심각하게 제한될 수밖에 없고, 이로 인해 법치국가원리로 추구되는 정의에 반하는 결과를 낳을 수도 있다. 따라서 심판대상조항은 과잉금지원칙에 위배되어 변호사인 청구인의 직업수행의 자유를 침해한다(2021.10.28, 2018헌마60).

14 정답 ③

① [O] 변호사시험에 응시하여 합격하여야만 변호사의 자격을 취득할 수 있으므로, 금고 이상의 형의 집행유예를 선고받고 그 유예기간이 지난 후 2년이 지나지 아니한 자의 변호사시험 응시자격을 제한하고 있는 응시결격조항은 변호사 자격을 취득하고자하는 청구인의 직업선택의 자유를 제한한다(2013.9.26, 2012헌마365).

② [O] 변호사시험에 무제한 응시함으로 인하여 발생하는 인력 낭비, 응시인원의 누적으로 인한 시험합격률의 저하 및 법학전문대학원의 전문적인 교육효과 소멸 등을 방지하고자 하는 공익은 청구인들의 제한되는 기본권에 비하여 더욱 중대하다. 따라서 응시기회 제한조항은 법익의 균형성도 인정된다. 청구인들은 국가가 법학전문대학원의 입학정원을 제한함으로써 법학전문대학원에 일단 입학하여 교육과정을 충실히 이수하면 변호사가 되리라는 신뢰를 유도하였다고 주장하나, 법학전문대학원의 입학정원을 제한하였다고 하여 변호사시험의 응시기회를 무제한으로 보장한다는 신뢰를 준 것이라고 보기는 어렵다. 따라서 응시기회제한조항은 신뢰보호원칙에 위배되어 청구인들의 직업선택의 자유를 침해한다고 할 수 없다(2016.9.29, 2016헌마47).

❸ [X] 변호사 등록제도는 그 연혁이나 법적 성질에 비추어 보건대, 원래 국가의 공행정의 일부라 할 수 있으나, 국가가 행정상 필요로 인해 대한변호사협회(이하 '변협'이라 한다)에 관련 권한을 이관한 것이다. 따라서 변협은 변호사 등록에 관한 한 공법인으로서 공권력 행사의 주체이다. 또한 「변호사법」의 관련 규정, 변호사 등록의 법적 성질, 변호사 등록을 하려는 자와 변협 사이의 법적 관계 등을 고려했을 때 변호사 등록에 관한 한 공법인 성격을 가지는 변협이 등록사무의 수행과 관련하여 정립한 규범을 단순히 내부 기준이라거나 사법적인 성질을 지니는 것이라 볼 수는 없고, 변호사 등록을 하려는 자와의 관계에서 대외적 구속력을 가지는 공권력 행사에 해당한다고 할 것이다(2019.11.28, 2017헌마759).

④ [O] 변호사 등록료는 일부 입회비로서의 성격을 가진다는 점과 변호사 단체는 변호사 직무의 자유로운 수행을 보장하기 위하여 마련된 제도적 장치임을 고려했을 때, 대한변호사협회(이하 '변협'이라 한다)가 그 재원의 일부인 등록료를 어느 정도로 정할지에 대해서는 충분한 자율성과 재량이 보장된다. 다만, 변호사 등록을 신청하는 자 입장에서 변협은 사실상 강제로 가입해야 하는 단체에 해당하므로, 변협의 등록료에 대한 자율성과 재량은 신규가입을 제한할 목적으로 또는 그와 동일한 효과를 가질 정도로 높아서는 아니 된다는 한계를 갖는다. 우리나라의 현재 경제상황과 화폐가치, 변호사 개업 후 얻게 될 사회적 지위 및 수입수준, 법정단체에 가입이 강제되는 유사직역의 입회비 등을 고려했을 때 금 1,000,000원이라는 돈이 신규가입을 제한할 정도로 현저하게 과도한 금액이라고 할 수는 없다. 따라서 심판대상조항들은 과잉금지원칙에 위반하여 청구인의 직업의 자유를 침해하지 않는다(2019.11.28, 2017헌마759).

15 정답 ③

ㄱ. [X] 헌법 제15조는 "모든 국민은 직업선택의 자유를 가진다."라고 규정하여 개인이 원하는 직업을 자유롭게 선택하는 '좁은 의미의 직업선택의 자유'와 그가 선택한 직업을 자기가 원하는 방식으로 자유롭게 수행할 수 있는 '직업수행의 자유'를 보장하고 있다. 이 사건 법률조항은 종전과 달리 변호사의 자격이 있는 사람으로 하여금 '세무사로서' 세무대리업무를 수행하기 위해서는 별도로 세무사 자격시험에 합격할 것을 요구하여 세무사라는 직업을 선택할 수 있는 자유를 제한한다(2021.7.15, 2018헌마27).

ㄴ. [X] 청구인들의 신뢰는 입법자에 의하여 꾸준히 축소되어 온 세무사 자격 자동부여제도에 관한 것으로서 그 보호의 필요성이 크다고 보기 어렵다. 나아가 설령 그것이 보호가치가 있는 신뢰라고 하더라도 변호사인 청구인들은 「변호사법」 제3조에 따라 변호사의 직무로서 세무대리를 할 수 있으므로 신뢰이익을 침해 받는 정도가 이 사건 부칙조항이 달성하고자 하는 공익에 비하여 크다고 보기 어렵다. 따라서 이 사건 부칙조항은 신뢰보호원칙을 위배하여 청구인들의 직업선택의 자유를 침해하지 않는다.(2021.7.15, 2018헌마27).

ㄷ. [O] 변호사에게 변리사 자격을 부여하는 것 및 특허청 경력공무원에게 변리사시험의 일부를 면제해 주는 데에는 합리적인 이유가 있고, 일반 응시자도 변리사시험에 합격하여 변리사가 될 수 있는 길이 열려 있으며 달리 변리사시험제도를 유명무실하게 하는 요소를 찾아 볼 수 없으므로 심판대상조항은 청구인들이 변리사라는 직업을 선택하는 자유를 침해하지 아니한다(2010.2.25, 2007헌마956).

ㄹ. [O] 변호사와 변리사는 주된 업무 내용이 다르므로, 변호사이더라도 변리사 업무를 수행하는 이상 변리사 연수를 받을 필요가 있다. 따라서 연수조항은 침해의 최소성 요건도 갖추었다. 연수조항으로 인하여 청구인은 연수교육을 받는 시간만큼 영업활동을 할 수 없게 되는 불이익을 받게 되나, 이와 같은 불이익이 연수조항이 달성하고자 하는 공익에 비하여 크다고 볼 수 없으므로 연수조항은 법익의 균형성 요건도 갖추었다. 따라서 연수조항은 청구인의 직업수행의 자유를 침해하지 않는다(2017.12.28, 2015헌마1000).

ㅁ. [O] 심판대상조항이 세무사 자격 보유 변호사에 대하여 세무조정업무를 일체 수행할 수 없도록 전면 금지하는 것은 세무사 자격 부여의 의미를 상실시키는 것일 뿐만 아니라, 세무사 자격에 기한 직업선택의 자유를 지나치게 제한하는 것이다. 또한 소비자가 세무사, 공인회계사, 변호사 중 가장 적합한 자격사를 선택할 수 있도록 하는 것이 세무조정업무의 전문성을 확보하고 납세자의 권익을 보호하고자 하는 입법목적에 보다 부합한다. 따라서 심판대상조항은 침해의 최소성에도 반한다. 세무사로서 세무조정업무를 일체 수행할 수 없게 됨으로써 세무사 자격 보유 변호사가 받게 되는 불이익이 심판대상조항으로 달성하려는 공익보다 경미하다고 보기 어려우므로, 심판대상조항은 법익의 균형성도 갖추지 못하였다. 그렇다면, 심판대상조항은 과잉금지원칙을 위반하여 청구인 신○우의 직업선택의 자유를 침해하므로 헌법에 위반된다(2018.4.26, 2016헌마116).

ㅂ. [X] 세무사 자격 보유 변호사로 하여금 세무사로서 세무조정업무를 일

체 수행할 수 없도록 전면적으로 금지하는 것은 … 과잉금지원칙을 위반하여 세무사 자격 보유 변호사인 청구인 신○우의 직업선택의 자유를 침해하므로 헌법에 위반된다(2018.4.26, 2016헌마116).

16

정답 ③

ㄱ. [X] 우리 나라의 취약한 공공의료의 실태, 국민건강보험 재정 등 국민보건 전반에 미치는 영향, 보건의료서비스의 특성, 국민의 건강을 보호하고 적정한 의료급여를 보장할 사회국가적 의무 등에 비추어 보면, 의료의 질을 관리하고 건전한 의료질서를 확립하여 국민의 건강을 보호 증진하고, 영리목적으로 의료기관을 개설하는 경우에 발생할지도 모르는 국민 건강상의 위험을 미리 방지하기 위하여 이 사건 법률조항들에 의하여 의료인이 아닌 자나 영리법인이 의료기관을 설립하는 자유를 제한하고 있는 입법자의 판단이 입법재량을 명백히 일탈하였다고 할 수 없다(2005.3.31, 2001헌바87).

ㄴ. [○] **「의료법」 또는 「형법」 제347조를 위반하여 금고 이상의 형을 선고받은 경우 의료인의 면허를 필요적으로 취소하도록 규정한 「의료법」**

의료 관련 범죄와 기타 범죄가 동시적 경합범으로 처벌되는 경우에도, 의료 관련 범죄에 대한 형의 종류 선택 및 이에 따른 면허 취소 여부는 기타범죄에 대한 형의 종류 선택과 독립적으로 결정되므로, 형의 분리선고규정을 두지 않았다고 하여 침해의 최소성원칙에 반한다고 할 수도 없다. 심판대상조항은 과잉금지원칙에 반하여 직업선택의 자유를 침해하지 않는다(2020.4.23, 2019헌바118).

ㄷ. [X] 이 사건 법률조항은 의료인으로 하여금 하나의 의료기관에서 책임 있는 의료행위를 하게 하여 의료행위의 질을 유지하고, 지나친 영리추구로 인한 의료의 공공성 훼손 및 의료서비스 수급의 불균형을 방지하며, 소수의 의료인에 의한 의료시장의 독과점 및 의료시장의 양극화를 방지하기 위한 것이다. 국가가 국민의 건강을 보호하고 적정한 의료급여를 보장해야 하는 사회국가적 의무 등을 종합하여 볼 때, 이 사건 법률조항은 과잉금지원칙에 반한다고 할 수 없다(2019.8.29, 2014헌바212).

ㄹ. [X] 양방 및 한방 의료행위가 중첩될 경우 인체에 미치는 영향에 대한 과학적 검증이 없다는 점을 고려한다 하여도 위험영역을 한정하여 규제를 하면 족한 것이지 진단 등과 같이 위험이 없는 영역까지 전면적으로 금지하는 것은 지나치다(2007.12.27, 2004헌마1021).

ㅁ. [○] 외국의 의료기관에서 치과전문의 과정을 이수한 사람에 대해 그 외국의 치과전문의 과정에 대한 인정절차를 거치거나, 치과전문의 자격시험에 앞서 예비시험제도를 두는 등 직업의 자유를 덜 제한하는 방법으로도 입법목적을 달성할 수 있고, 이미 국내에서 치과의사면허를 취득하고 외국의 의료기관에서 치과전문의 과정을 이수한 사람들에게 다시 국내에서 전문의 과정을 다시 이수할 것을 요구하는 것은 지나친 부담을 지우는 것이므로, 심판대상조항은 침해의 최소성원칙에 위배되고 법익의 균형성도 충족하지 못한다. 따라서 심판대상조항은 과잉금지원칙에 위배되어 청구인들의 직업수행의 자유를 침해한다(2015.9.24, 2013헌마197).

17

정답 ④

① [○] 전문의자격의 인정에 관하여 '일정한 수련과정을 이수한 자로서 전문의 자격시험에 합격'할 것을 요구하고 있는데도, '시행규칙'이 위 규정에 따른 개정입법 및 새로운 입법을 하지 않고 있는 것은 진정입법부작위에 해당하므로 이 부분에 대한 심판청구는 청구기간의 제한을 받지 않는다(1998.7.16, 96헌마246).

② [○] 입법부작위에 대한 행정소송의 적법 여부에 관하여 대법원은 "행정소송은 구체적 사건에 대한 법률상 분쟁을 법에 의하여 해결함으로써 법적 안정을 기하자는 것이므로 부작위위법확인소송의 대상이 될 수 있는 것은 구체적 권리의무에 관한 분쟁이어야 하고, 추상적인 법령에 관하여 제정의 여부 등은 그 자체로서 국민의 구체적인 권리의무에 직접적 변동을 초래하는 것이 아니어서 행정소송의 대상이 될 수 없다."라고 판시하고 있으므로, 피청구인 보건복지부장관에 대한 청구 중 위 시행규칙에 대한 입법부작위 부분은 다른 구제절차가 없는 경우에 해당한다.

③ [○] 보건복지부장관의 작위의무는 「의료법」 및 위 규정에 의한 위임에 의하여 부여된 것이고 헌법의 명문규정에 의하여 부여된 것은 아니다. 그러나 삼권분립의 원칙, 법치행정의 원칙을 당연한 전제로 하고 있는 우리 헌법하에서 행정권의 행정입법 등 법집행의무는 헌법적 의무라고 보아야 한다.

❹ [X] 청구인들은 직업으로서 치과전문의를 선택하고 이를 수행할 자유(직업의 자유)를 침해당하고 있다. 또한 청구인들은 전공의수련과정을 사실상 마치고도 치과전문의 자격시험의 실시를 위한 제도가 미비한 탓에 치과전문의 자격을 획득할 수 없었고 이로 인하여 형벌의 위험을 감수하지 않고는 전문과목을 표시할 수 없게 되었으므로(「의료법」 제55조 제2항, 제69조 참조) 행복추구권을 침해받고 있고, 이 점에서 전공의수련과정을 거치지 않은 일반 치과의사나 전문의시험이 실시되는 다른 의료 분야의 전문의에 비하여 불합리한 차별을 받고 있다.

➡ 학문의 자유: 치과전문의 자격시험이 실시되지 아니하더라도 치과의사가 어느 전문 분야에 관하여 전문적인 교육을 받고, 연구를 함에 있어 법률상 또는 현실적으로 특별한 제한이나 불이익을 받고 있다고는 할 수 없으며, 따라서 치과전문의제도의 불시행으로 인하여 청구인들의 학문의 자유가 침해되었다고 할 수는 없다.

⑤ [○] 급료청구권이나 급료는 재산권이므로 이들 자체를 박탈하는 것은 재산권의 침해라고 할 수 있지만, 전문의 자격의 불비로 인하여 급료를 정함에 있어 불이익을 받는 것은 사실적·경제적 기회의 문제에 불과할 뿐 재산권의 침해라고 보기 어렵다.

18

정답 ①

❶ [X] 청구인들은 심판대상조항이 환자의 자기결정권을 침해한다고 주장한다. 청구인들이 의료인(치과전문의)의 지위와 의료소비자(환자)의 지위를 동시에 갖고 있기는 하나, 이 사건에서는 심판대상조항이 치과전문의의 직업수행의 자유 및 평등권을 침해하는지 여부가 주된 쟁점이고, 의료소비자의 선택권이 제한되는 것은 치과전문의의 진료영역을 제한함에 따라 발생하는 효과이므로, 치과전문의의 직업수행의 자유 및 평등권의 침해 여부를 판단하는 과정에서 이를 함께 고려하는 것으로 충분하다. 따라서 환자의 자기결정권 침해 여부는 별도로 판단하지 아니한다(2015.5.28, 2013헌마799).

② [○] 심판대상조항이 2011.4.28. 신설되어 그 시행까지 2년 6개월이 넘는 유예기간을 두었던 점 등을 고려할 때, 청구인들의 신뢰이익에 대한 침해 정도가 그다지 중하다고 볼 수도 없다. 따라서 심판대상조항은 신뢰보호원칙에 위반하여 청구인들의 직업수행의 자유를 침해한다고 볼 수 없다.

③ [○] **심판대상조항이 명확성원칙에 위배되어 청구인들의 직업수행의 자유를 침해하는지 여부(소극)**

치과전문의가 되기 위해서는 치과의사 면허를 받은 자가 치과전공의 수련과정을 거쳐 치과전문의 자격시험에 합격해야 하므로, 심판대상조항의 수범자인 치과전문의는 각 전문과목의 진료 내용과 진료영역 및 전문과목 간의 차이점 등을 알 수 있다. 따라서 심판대상조항은 명확성원칙에 위배되어 직업수행의 자유를 침해한다고 볼 수 없다.

④ [○] 일반적으로 직업수행의 자유에 대하여는 직업선택의 자유와는 달리 공익목적을 위하여 상대적으로 폭넓은 입법적 규제가 가능한 것이지만, 그렇다고 하더라도 그 수단은 목적달성에 적절한 것이어야 하고 또한 필요한 정도를 넘는 지나친 것이어서는 아니 된다.

⑤ [○] 1차 의료기관의 전문과목 표시에 대해 불이익을 주어 치과 전문의들이 2차 의료기관에 근무하도록 유도하는 것은 적정한 치과 의료전달체계의 정립을 위해 적절한 방안이 될 수 없다. 또한 심판대상조항은 자신의 전문과목 환자만 진료해도 충분한 수익을 올릴 수 있는 전문과목에의 편중현상을 심화시킬 수 있다. 따라서 심판대상조항은 수단의 적절성과 침해의 최소성을 갖추지 못하였다.

19 정답 ③

ㄱ. [○] 청구인은 여자대학을 제외한 다른 약학대학에 입학하여 소정의 교육을 마친 후 약사국가시험을 통해 약사가 될 수 있는 충분한 기회와 가능성을 가지고 있다. 따라서 이 사건 조정계획으로 인하여 청구인이 받게 되는 불이익보다 원활하고 적정한 보건서비스를 제공하려는 공익이 더 크다고 할 것이므로, 이 사건 조정계획은 법익의 균형성도 갖추었다. 그러므로 이 사건 조정계획은 청구인의 직업선택의 자유를 침해한다고 볼 수 없다(2020.7.16, 2018헌마566).

ㄴ. [X] 이 사건 법률조항에서 의약분업의 예외를 인정한 취지를 살리면서도 약사 이외의 사람이 조제를 담당하여 발생할 수 있는 약화사고 등을 방지하기 위해서는, 의과대학에서 기초의학부터 시작하여 체계적으로 의학을 공부하고 상당기간 임상실습을 한 후 국가의 검증을 거친 의사로 하여금 조제를 직접 담당하도록 하는 것이 타당하고, 의사가 손수 의약품을 조제한 것에 준한다고 볼 수 있는 정도의 지휘·감독이 이루어진 경우에는 간호사의 보조를 받아 의약품을 조제하는 것이 허용되는 점 등을 감안하면 침해 최소성원칙에 반한다고 볼 수 없으며, 이 사건 법률조항을 통하여 달성하고자 하는 국민보건의 향상과 약화사고의 방지라는 공익은 의약품 조제가 인정되는 가운데 의사가 받게 되는 조제방식의 제한이라는 사익에 비하여 현저히 커 법익균형성도 충족되므로, 이 사건 법률조항은 직업수행의 자유를 침해하지 아니한다(2015.7.30, 2013헌바422).

ㄷ. [X] 약국 개설은 전 국민의 건강과 보건, 나아가 생명과도 직결된다는 점에서, 달성되는 공익보다 제한되는 사익이 더 중하다고 볼 수 없다. 심판대상조항은 과잉금지원칙에 반하여 직업의 자유를 침해하지 않는다(2020.10.29, 2019헌바249).

ㄹ. [○] 약사 이외의 다른 전문직의 경우 사회의 발전과 변화에 대응하여 그 업무를 조직적·전문적으로 수행하기 위한 법인의 설립을 허용하고 있는데, 약사에 대하여는 법인의 설립에 의한 직업수행 즉, 약국의 개설과 운영을 금지하고 있으므로 이 점에서 약사들로 구성된 법인 및 그 구성원인 약사 개인들은 차별을 받고 있다고 하겠다. … 이 사건 법률조항은 합리적 근거 없이 자의적으로 약사로 구성된 법인에 대하여 변호사 등 다른 전문직종들 및 의약품제조업자 등 약사법상의 다른 직종들로 구성된 법인과는 달리 그 직업 즉 약국을 개설하고 운영하는 일을 수행할 수 없게 하고, 또한 약사들에 대하여는 법인을 구성하는 방법으로 그 직업을 수행할 수 없게 함으로써, 약사들만으로 구성된 법인 및 그 구성원인 약사들의 헌법상 기본권인 평등권을 침해하고 있다고 할 것이다(2002.9.19, 2000헌바84).

ㅁ. [X] 대규모 자본을 가진 비안경사들이 법인의 형태로 안경시장을 장악하여 개인 안경업소들이 폐업하면 안경사와 소비자 간 신뢰관계 형성이 어려워지고, 독과점으로 인해 안경 구매비용이 상승할 수 있다. 반면 현행법에 의하더라도 안경사들은 협동조합, 가맹점 가입, 동업 등의 방법으로 법인의 안경업소 개설과 같은 조직화, 대형화 효과를 어느 정도 누릴 수 있다. 따라서 심판대상조항은 과잉금지원칙에 반하지 아니하여 자연인 안경사와 법인의 직업의 자유를 침해하지 아니한다(2021.6.24, 2017헌가31).

ㅂ. [○] 헌법재판소는 과거 시각장애인에 한하여 안마사 자격인정을 받을 수 있도록 하는, 이른바 비맹제외기준을 설정하고 있는 안마사에 관한 규칙이 법률유보원칙에 위배하여 일반인의 직업선택의 자유를 침해한다고 보았다(2006.5.25, 2003헌마715 등). 그 후 국회에서 「의료법」을 개정하여 법률에서 비맹제외기준을 설정한 것이 직업선택의 자유를 침해하는지 여부가 문제된 사안에서는 시각장애인에 한하여 안마사 자격을 인정하는 것을 합헌으로 판시하였다(2008.10.30, 2006헌마1098 등).

ㅅ. [X] 예비시험조항은 외국 의과대학의 교과 내지 임상교육수준이 국내와 차이가 있을 수 있으므로 국민의 보건을 위하여 기존의 면허시험만으로 검증이 부족한 측면을 보완할 공익적 필요성이 있다. 그러므로 예비시험조항은 청구인들의 직업선택의 자유를 침해하지 않는다(2003.4.24, 2002헌마611).

20 정답 ③

ㄱ. [X] 선례의 견해와 달리 심판대상조항이 의료기관 개설자의 직업수행의 자유와 평등권·의료소비자의 자기결정권을 침해하는 것이라고 볼 만한 다른 사정변경을 찾아볼 수 없고, 오히려 대법원의 판례변경 등으로 의료기관 개설자의 직업수행의 자유와 의료소비자의 자기결정권 등에 대한 제한 정도가 다소 완화되었다고 볼 수 있으므로, 선례의 견해를 그대로 유지하기로 한다. 따라서 심판대상조항이 청구인들의 의료기관 개설자로서의 직업수행의 자유와 평등권, 의료소비자로서의 자기결정권을 침해한다고 볼 수 없다(2014.4.24, 2012헌마865).

ㄴ. [X] 무면허 의료행위를 일률적·전면적으로 금지하고 이를 위반한 경우에는 그 치료결과에 관계없이 형사처벌을 받게 하는 이 법의 규제방법은, '대안이 없는 유일한 선택'으로서 실질적으로도 비례의 원칙에 합치되는 것이다. 그렇다면 이 사건 법률조항은 헌법 제10조가 규정하는 인간으로서의 존엄과 가치를 보장하고 헌법 제36조 제3항이 규정하는 국민보건에 관한 국가의 보호의무를 다하고자 하는 것으로서, 국민의 생명권, 건강권, 보건권 및 그 신체활동의 자유 등을 보장하는 규정이지, 이를 제한하거나 침해하는 규정이라고 할 수 없다(1996.10.31, 94헌가7).

ㄷ. [○] '면허된 것 이외의 의료행위'를 금지하고 있는 「의료법」 '의료행위'는 의학적 전문지식이 있는 자가 행하지 아니하면 사람의 생명, 신체나 공중위생에 위해가 발생할 우려가 있는 행위이므로 한의학과 서양의학을 분리하고 있는 현행법체계하에서는 자신이 익힌 분야에 한하여 의료행위를 하도록 하는 것이 필요하며, 훈련되지 않은 분야에서의 의료행위는 면허를 가진 자가 행하는 것이라 하더라도 이를 허용할 수 없다. 특히 영상의학과는 「의료법」상 서양의학의 전형적인 전문 진료과목으로서 초음파검사의 경우 영상의학과 의사나 초음파검사 경험이 많은 해당과의 전문의사가 시행하여야 하고, 이론적 기초와 의료기술이 다른 한의사에게 이를 허용하기는 어렵다. 따라서 이 사건 법률조항이 과잉금지원칙에 위반된다고 볼 수 없다(2013.2.28, 2011헌바398).

ㄹ. [○] 한약사에게 한의사의 진단과 처방이 수반되지 아니한 한약 임의조제를 무한정 허용할 경우에 발생할 수 있는 국민건강상의 위험을 미리 방지하고자 하는 것으로서 입법목적의 정당성이 인정되고, 이러한 입법목적의 달성을 위하여 한의사의 처방전이 없는 경우에는 한약사의 한약 조제를 원칙적으로 금지하고, 비교적 안전성과 유효성이 확보된 일정한 처방에 한하여 한의사의 처방전 없이도 조제할 수 있도록 허용하는 것은 적절한 수단이므로 입법자의 입

법형성권의 한계를 일탈하였다고 볼 수 없어 청구인들의 직업의 자유를 침해하지 아니한다(2008.7.31, 2005헌마667 등).

ㅁ. [X] 「의료기기법」 금지조항과 「의료기기법」 처벌조항, 「의료법」 금지조항과 「의료법」 처벌조항은 국민건강보험의 재정건전성 확보와 국민건강의 증진이라는 정당한 입법목적을 달성하기 위하여 형벌이라는 적절한 수단을 사용하고 있으며, 형벌을 대체할 규제수단의 존재 여부와 위 처벌조항들의 법정형 수준을 종합하여 보면 침해의 최소성원칙에 위배된다고 할 수 없고, 의료기기 수입업자나 의료인이 직업수행의 자유를 부분적으로 제한받아 입게 되는 불이익이 위 조항들이 추구하는 공익에 비해 결코 크다고 하기 어려워 법익의 균형성도 인정되므로 직업의 자유를 침해하지 아니한다(2018.1.25, 2016헌바201 등).

ㅂ. [O] 의료기기는 불특정 다수의 환자에게 반복 사용될 수 있고, 직접 인체에 접촉하거나 침습을 일으키는 특성이 있어 유통·사용하기 전에 안전성과 유효성을 검증하는 절차가 반드시 필요할 뿐만 아니라, 의료기기를 시험용으로 수입하는 경우에는 식품의약품안전청에 등록된 시험검사기관장으로부터 확인서를 발급받아 제출함으로써 품목별 수입허가절차를 면제받을 수 있으므로 침해의 최소성원칙에 반하는 것이라 할 수 없고, 의료기기의 효율적인 관리를 통한 국민의 생명권과 건강권의 보호라는 공익은 의료기기 수입업자가 위 금지로 인하여 제한받는 사익보다 훨씬 중요하므로 법익균형성의 원칙에 반하지 아니한다. 따라서 심판대상조항은 과잉금지원칙에 위배되어 의료기기 수입업자의 직업수행의 자유를 침해하지 아니한다(2015.7.30, 2014헌바6).

38회 진도별 모의고사
직업의 자유 ~ 정당의 자유

정답

01	①	02	①	03	③	04	④
05	②	06	②	07	①	08	④
09	①	10	④	11	④	12	②
13	③	14	③	15	③	16	③
17	①	18	③	19	②	20	④

01 정답 ①

❶ [X] 시·도지사가 행정사를 보충할 필요가 없다고 인정하면 행정사 자격시험을 실시하지 아니하여도 된다는 것으로서 상위법인 「행정사법」 제4조에 의하여 청구인을 비롯한 모든 국민에게 부여된 행정사 자격 취득의 기회를 하위법인 시행령으로 박탈하고 행정사업을 일정 경력공무원 또는 외국어 전공 경력자에게 독점시키는 것으로서, 모법으로부터 위임받지 아니한 사항을 하위법규에서 기본권 제한사유로 설정하고 있는 것이므로 위임입법의 한계를 일탈하고, 법률상 근거 없이 기본권을 제한하여 법률유보원칙에 위반하여 직업선택의 자유를 침해한다(2010.4.29, 2007헌마910).

② [O] 법원행정처장이 법무사를 보충할 필요가 없다고 인정하면 법무사 시험을 실시하지 아니해도 된다는 것인바, 법원행정처장은 법무사를 보충할 필요가 있다고 인정되는 경우에는 대법원장의 승인을 얻어 법무사시험을 실시할 수 있다고 규정한 「법무사법 시행규칙」 제3조는 직업선택의 자유 침해이다(1990.10.15, 89헌마178).

➡ 대법원규칙인 「법무사법 시행규칙」도 헌법소원의 대상이 될 수 있다.

③ [O] 이 사건 보수기준제에 의하여 청구인을 비롯한 법무사들이 직업활동의 자유를 제한 받지만, 그 보다는 보수를 제한함으로써 달성하고자 하는 공익인 국민의 법률생활의 편익과 사법제도의 건전한 발전의 중대함에 비추어 볼 때, 제한을 통하여 얻는 공익적 성과와 법무사의 직업행사의 자유에 대한 제한의 정도가 합리적인 비례관계를 벗어났다고 볼 수 없다(2003.6.26, 2002헌바3).

④ [O] 법무사의 업무를 담당함에 필요한 법률적 지식과 능력은, 다년간 법원·헌법재판소·검찰청 등에서 관련 서류를 접수, 검토, 처리하는 일을 담당하여온 경력공무원의 실무경험을 통하여서도 습득될 수 있는 성질의 것이므로 이러한 법률지식과 능력을 실무경험을 통하여 갖춘 것으로 대법원장이 인정하는 경력공무원에게, 그러한 경력을 갖추지 아니한 청구인들과 같은 사람들과 차별하여 법무사 시험을 치르지 않게 하고, 법무사 자격을 부여하는 것은 충분한 합리적 이유가 있는 차별이라고 할 것이다. 따라서 이 사건 법률조항은 청구인들과 같이 법무사시험을 통하여 법무사 자격을 취득하고자 하는 자들의 평등권을 침해하는 것이 아니다(2001.11.29, 2000헌마84).

⑤ [O] 외국 공인회계사시험에 합격한 자라도 우리나라의 공인회계사 자격이 없는 이상 우리나라의 공인회계사로 오인할 만한 명칭의 사용을 금지할 필요성이 있는 점, 이러한 필요성은 사적 영역에서의 사용이라고 하더라도 마찬가지인 점, 그 사용의 상황이나 맥락상 우리나라의 공인회계사로 오인하도록 할 위험성이 없는 경우라면 심판대상조항에 의해 금지되지 아니하는 점 등을 고려하면 심판대상조항이 그 기본권을 침해한다고 보이지 않는다(2020.9.24, 2017헌바412).

02 정답 ①

ㄱ. [X] 사회통념상 벌금형을 선고받은 피고인에 대한 사회적 비난가능성이 그리 높다고 보기 어려운데도, 이 사건 등록실효조항은 법인의 임원이 「학원의 설립·운영 및 과외교습에 관한 법률」을 위반하여 벌금형을 선고받으면 일률적으로 법인의 등록을 실효시키고 있고, 법인으로서는 대표자인 임원이건 그렇지 아니한 임원이건 모든 임원 개개인의 「학원의 설립·운영 및 과외교습에 관한 법률」 위반범죄와 형사처벌 여부를 항시 감독하여야만 등록의 실효를 면할 수 있게 되므로 학원을 설립하고 운영하는 법인에게 지나치게 과중한 부담을 지우고 있다. 또한 이로 인하여 법인의 등록이 실효되면 해당 임원이 더 이상 임원직을 수행할 수 없게 될 뿐 아니라, 학원법인 소속 근로자는 모두 생계의 위협을 받을 수 있으며, 갑작스러운 수업의 중단으로 학습자 역시 불측의 피해를 입을 수밖에 없으므로 이 사건 등록실효조항은 학원법인의 직업수행의 자유를 침해한다(2015.5.28, 2012헌마653).

ㄴ. [X] 사교육 비용이 점차 고액화함에 따라 「학원의 설립·운영 및 과외교습에 관한 법률」을 준수하지 아니하고 학원을 운영함으로써 높은 수익을 올릴 수 있는 데 반하여, 「학원의 설립·운영 및 과외교습에 관한 법률」을 위반하여 벌금형으로 처벌 받은 후에도 즉시 다른 학원을 다시 설립·운영할 수 있다고 한다면, 「학원의 설립·운영 및 과외교습에 관한 법률」의 각종 규율은 형해화될 수밖에 없으며, 학습자를 보호하고 학원의 공적 기능을 유지하고자 하는 목적을 달성할 수 없으므로, 이 사건 등록결격조항은 과잉금지원칙에 위배되어 직업선택의 자유를 침해한다고 보기 어렵다(2015.5.28, 2012헌마653).

ㄷ. [X] 심판대상조항은 공인중개사가 부동산거래시장에서 수행하는 업무의 공정성 및 이에 대한 국민의 신뢰를 확보하고, 공인중개사의 직업윤리의식을 유지하기 위한 것으로 그 입법목적이 정당하고, 벌금형을 선고받은 공인중개사의 개설등록을 취소함으로써 중개업무에 종사하지 못하도록 제한하는 것은 위 목적 달성에 적합한 수단이다. 실제 법정에서 초과 수수료 수수로 다투어지는 사건은 상당 부분 그 수수액이 과다하여 비난가능성이 높은 경우이고, 구제의 필요성이 있는 경우 선고유예도 가능하므로, 벌금형의 하한을 정하지 않았다는 점만으로 최소침해성에 반한다고 보기 어렵다. 일반적으로 해당 부동산에 대한 거래의 성립과 더불어 종료되는 중개행위의 특성을 고려할 때, 개설등록이 취소된다 하더라도 부동산 중개의뢰인을 비롯한 제3자가 입게 될 피해는 그리 크다고 할 수 없는 반면, 심판대상조항으로 인한 공익은 매우 중대하므로 심판대상조항은 법익균형성도 갖추었다. 따라서 심판대상조항은 과잉금지원칙에 반하여 직업선택의 자유를 침해하지 않는다(2015.5.28, 2013헌가7).

ㄹ. [X] 공인중개업은 국민의 재산권에 큰 영향을 미치므로 업무의 공정성과 신뢰를 확보할 필요성이 큰 반면, 심판대상조항으로 인하여 중개사무소 개설등록이 취소된다 하더라도 공인중개사 자격까지 취소되는 것이 아니어서 3년이 경과한 후에는 다시 중개사무소를 열 수 있다. 따라서 심판대상조항은 과잉금지원칙에 반하여 직업선택의 자유를 침해하지 아니한다(2019.2.28, 2016헌바467).

ㅁ. [O] 유기적 일체로서의 건설공사의 특성으로 말미암아 경미한 부분의 명의대여행위라도 건축물 전체의 부실로 이어진다는 점을 고려할 때 이로 인해 명의대여행위를 한 건설업자가 더 이상 건설업을 영위하지 못하는 등 손해를 입는다고 하더라도 이를 두고 침해되는 사익이 더 중대하다고 할 수는 없으므로 청구인의 직업수행의 자유 및 재산권을 침해한다고 할 수 없다(2001.3.21, 2000헌바27).

심판대상조항이 건설업과 관련 없는 죄로 임원이 형을 선고받은 경우까지도 법인이 건설업을 영위할 수 없도록 하는 것은 입법목적 달성을 위한 적합한 수단에 해당하지 아니하고, 이러한 경우까지도 가장 강력한 수단인 필요적 등록말소라는 제재를 가하는 것은 최소침해성원칙에도 위배된다. 심판대상조항으로 인하여 건설업자인 법인은 등록이 말소되는 중대한 피해를 입게 되는 반면 심판대상조항이 공익 달성에 기여하는 바는 크지 않아 심판대상조항은 법익균형성원칙에도 위배된다. 따라서 심판대상조항은 과잉금지원칙에 위배되어 청구인의 직업수행의 자유를 침해한다(2014. 4.24, 2013헌바25).

03

정답 ③

ㄱ. [○] 임의적 운전자격 취소제도만으로는 입법목적을 달성하는 데 충분하다고 보기 어려우므로, 침해의 최소성도 인정된다. 심판대상조항에 의하여 운전자격이 취소되더라도 집행유예기간이 경과하면 다시 운전자격을 취득할 수 있으므로 운수종사자가 받는 불이익은 제한적인 반면, 입법목적은 매우 중요하므로 법익의 균형성 요건도 충족한다. 따라서 심판대상조항은 청구인의 직업선택의 자유를 침해하지 않는다(2017.9.28, 2016헌바339).

ㄴ. [○] 나아가 심판대상조항 중 '자동차 등을 이용하여' 부분은 포섭될 수 있는 행위 태양이 지나치게 넓을 뿐만 아니라, 하위법령에서 규정될 대상범죄에 심판대상조항의 입법목적을 달성하기 위해 반드시 규제할 필요가 있는 범죄행위가 아닌 경우까지 포함될 우려가 있어 침해의 최소성원칙에 위배된다. 심판대상조항은 운전을 생업으로 하는 자에 대하여는 생계에 지장을 초래할 만큼 중대한 직업의 자유의 제약을 초래하고, 운전을 업으로 하지 않는 자에 대하여도 일상생활에 심대한 불편을 초래하여 일반적 행동의 자유를 제약하므로 법익의 균형성원칙에도 위배된다. 따라서 심판대상조항은 직업의 자유 및 일반적 행동의 자유를 침해한다(2015.5.28, 2013헌가6).

ㄷ. [X] 자동차 등을 이용한 범죄행위의 모든 유형이 기본권 제한의 본질적인 사항으로서 입법자가 반드시 법률로써 규율하여야 하는 사항이라고 볼 수 없고, 법률에서 운전면허의 필요적 취소사유인 살인, 강간 등 자동차 등을 이용한 범죄행위에 대한 예측가능한 기준을 제시한 이상, 심판대상조항은 법률유보원칙에 위배되지 아니한다(2015.5.28, 2013헌가6).

ㄹ. [X] 심판대상조항은 다른 사람의 자동차 등을 훔친 범죄행위에 대한 행정적 제재를 강화하여 자동차 등의 운행과정에서 야기될 수 있는 교통상의 위험과 장해를 방지함으로써 안전하고 원활한 교통을 확보하기 위한 것이다. 그러나 자동차 등을 훔친 범죄행위에 대한 행정적 제재를 강화하더라도 불법의 정도에 상응하는 제재수단을 선택할 수 있도록 임의적 운전면허 취소 또는 정지사유로 규정하여도 충분히 그 목적을 달성하는 것이 가능함에도, 심판대상조항은 필요적으로 운전면허를 취소하도록 하여 구체적 사안의 개별성과 특수성을 고려할 수 있는 여지를 일절 배제하고 있다. 자동차 절취행위에 이르게 된 경위, 행위의 태양, 당해 범죄의 경중이나 그 위법성의 정도, 운전자의 형사처벌 여부 등 제반사정을 고려할 여지를 전혀 두지 아니한 채 다른 사람의 자동차 등을 훔친 모든 경우에 필요적으로 운전면허를 취소하는 것은, 그것이 달성하려는 공익의 비중에도 불구하고 운전면허 소지자의 직업의 자유 내지 일반적 행동의 자유를 과도하게 제한하는 것이다. 그러므로 심판대상조항은 직업의 자유 내지 일반적 행동의 자유를 침해한다(2017. 5.25, 2016헌가6).

ㅁ. [X] 심판대상조항이 '부정취득한 운전면허'를 필요적으로 취소하도록 한 것은 임의적 취소·정지의 대상으로 전환할 경우 면허제도의 근간이 흔들리게 되고 형사처벌 등 다른 제재수단만으로는 여전히 부정 취득한 운전면허로 자동차 운행이 가능하다는 점에서, 피해의 최소성원칙에 위배되지 않는다. 또한 부정 취득한 운전면허는 그 요건이 처음부터 갖추어지지 못한 것으로서 해당 면허를 박탈하더라도 기본권이 추가적으로 제한된다고 보기 어려워, 법익의 균형성원칙에도 위배되지 않는다. 반면, 심판대상조항이 '부정취득하지 않은 운전면허'까지 필요적으로 취소하도록 한 것은, 임의적 취소·정지사유로 함으로써 구체적 사안의 개별성과 특수성을 고려하여 불법의 정도에 상응하는 제재수단을 선택하도록 하는 등 완화된 수단에 의해서도 입법목적을 같은 정도로 달성하기에 충분하므로, 피해의 최소성원칙에 위배된다. 나아가, 위법이나 비난의 정도가 미약한 사안을 포함한 모든 경우에 부정 취득하지 않은 운전면허까지 필요적으로 취소하고 이로 인해 2년 동안 해당 운전면허 역시 받을 수 없게 하는 것은, 공익의 중대성을 감안하더라도 지나치게 기본권을 제한하는 것이므로, 법익의 균형성원칙에도 위배된다. 따라서 심판대상조항 중 각 '거짓이나 그 밖의 부정한 수단으로 받은 운전면허를 제외한 운전면허'를 필요적으로 취소하도록 한 부분은, 과잉금지원칙에 반하여 일반적 행동의 자유 또는 직업의 자유를 침해한다(2020.6.25, 2019헌가9).

04

정답 ④

ㄱ. [○] 이 사건 법률조항은 직업의 자유를 제한함에 있어 필요 최소한의 범위를 넘었다고 볼 수는 없고 음주운전으로 인하여 발생할 국민의 생명, 신체에 대한 위험을 예방하고 교통질서를 확립하려는 공익과 자동차 등을 운전하고자 하는 사람의 기본권이라는 사익 간의 균형성을 도외시한 것이라고 보기 어려우므로 법익균형성의원칙에 반하지 아니한다(2010.3.25, 2009헌바83).

ㄴ. [○] 음주운전을 반복하는 사람은 준법의식 및 통제능력이 미약하다는 의심이 있어 총기관리의 안전성을 담보할 수 없기 때문에 심판대상조항은 이들의 총포소지를 제한하여 국민의 생명, 신체 및 공공의 안전을 보호하고자 한 것이다. 행정청이 사안마다 개별적으로 허가 신청자의 자격을 심사하는 것은 어려우므로 심판대상조항은 총포소지의 목적이나 용도 등을 고려한 예외를 규정하지 않고 일률적으로 이들을 결격사유로 규정한 것이고, 심판대상조항이 적용된다 하더라도 5년간만 총기소지가 제한된다. 특히 부칙조항에 따르면 기존에 받은 허가까지 취소하는 것은 아니므로 허가신청자의 총기 사용이 과도하게 제한된다 할 수 없다. 따라서 총기의 안전관리를 강화하여 국민의 생명·신체를 보호하고자 하는 공익은 총포를 소지하여 사용하고자 하는 사람에게 제한되는 사익보다 훨씬 크므로, 심판대상조항이 과잉금지원칙에 반하여 직업의 자유 및 일반적 행동의 자유를 침해한다고 할 수 없다(2018.4.26, 2017헌바341).

ㄷ. [○] 개인택시의 안전운행 확보를 통한 국민의 생명·신체 및 재산을 보호하고자 하는 입법목적에 비하여 청구인들이 입게 되는 불이익이 크지 않으므로 법익의 균형성원칙에도 반하지 아니한다. 따라서 이 사건 법률조항은 청구인들의 직업의 자유와 재산권을 침해하지 아니한다(2008.5.29, 2006헌바85 등).

ㄹ. [X] 도로를 사용하여 자동차 등의 운행을 할 수 있는 혜택이나 특권을 누리고, 그것을 영업의 수단으로 사용할 이익은 상대적으로 더 제한받을 소지가 있는 것이고, 위와 같은 목적을 위하여 위 의무를 위반하여 이 사건 법률조항에 해당하는 자에게 구체적 사정에 따라 법원의 판단을 거쳐 1년, 4년 또는 5년 동안 위 이익을 제한하도록 하는 것이 헌법상 과도하다고 할 수는 없다고 할 것이다. 이 사건 법률조항이 교통사고로 인하여 발생할 국민의 생명, 신체에 대한 위험을 예방하고 교통질서 확립을 위하여, 도로를 사용하여 운행하는 혜택을 누리고 그것을 영업의 수단으로 하는 국민의 이익을 제한함에 있어서 법익균형성의 원칙을 위배하였다고 볼 수도

없다고 할 것이다. 따라서, 이 사건 법률조항은 헌법 제37조 제2항의 과잉금지의 원칙에 위배되지 아니하고, 헌법 제10조의 국민의 행복추구권과 헌법 제15조의 직업선택의 자유를 침해하는 것이라고 할 수 없으므로, 헌법에 위반되지 아니한다(2002.4.25, 2001헌가19 등).

ㅁ. [X] 자동차운전전문학원을 졸업하고 운전면허를 받은 사람 중 교통사고를 일으킨 비율이 대통령령이 정하는 비율을 초과하는 때에는 학원의 등록을 취소하거나 1년 이내의 운영정지를 명할 수 있도록 한 것은 운전전문학원의 귀책사유를 불문하고 수료생이 일으킨 교통사고를 자동적으로 운전전문학원의 법적 책임으로 연관시키고 있는 것은 운전전문학원이 주체적으로 행해야 하는 자기책임의 범위를 벗어난 것이다(2005.7.21, 2004헌가30).

05 정답 ②

ㄱ. [X] 심판대상조항은 전문문화재수리업자에 대하여 하도급을 금지하고 이를 위반하는 경우 형벌을 부과함으로써, 문화재의 원형보존을 통한 전통문화의 계승을 실현하고자 하는 것으로서, 입법목적의 정당성, 수단의 적절성이 인정된다. 또한 원형보존을 목적으로 하는 문화재수리는 하도급의 필요성이 크지 않고, 단일공종으로 이루어진 전문문화재수리업의 기술능력을 갖추는 것이 어렵지 않으며, 법관의 양형재량권을 폭넓게 인정하고 있어 형벌이 과다하다고 보기도 어려우므로, 침해의 최소성원칙에 위반되지 아니한다. 나아가 문화재수리의 품질향상과 문화재수리업의 건전한 발전을 도모하고자 하는 공익은 전문문화재수리업자가 하도급에 의하여 직무수행상의 편의나 이윤을 취득하지 못하는 불이익에 비해 결코 작다고 볼 수 없으므로 법익의 균형성원칙도 충족한다. 따라서 심판대상조항은 청구인들의 직업수행의 자유를 침해하지 아니한다(2017.11.30, 2015헌바377).

ㄴ. [X] 청구인이 사회복지시설의 종사자로 근무함에 있어 국가나 법령이 특별한 신뢰이익을 부여하면서 사회복지시설의 종사자로 근무하도록 유인한 객관적인 사정이 있다고 보기 어렵고, 그러한 종사자가 입게 되는 불이익은 영구적인 것이 아니라 법률이 정한 기간 경과 전까지 사회복지시설의 종사자가 될 수 없는 것에 불과하여 신뢰이익의 침해 정도가 비교적 크지 아니하다. 그렇다면 심판대상조항이 과잉금지원칙과 신뢰보호원칙에 위배되어 직업선택의 자유를 침해한다고 볼 수 없다(2015.7.30, 2012헌마1030).

ㄷ. [X] 이 사건 법률조항으로 인하여 달성하고자 하는 새마을금고 임원선거제도의 공정성 확보라는 공익에 비하여 새마을금고의 임원이 되고자 하거나 이미 임원으로 당선된 사람이 그 자격을 박탈당함으로써 제한받는 사익의 정도가 더 중대하다고 할 것이므로 법익의 균형성원칙에도 위반된다. 따라서 이 사건 법률조항은 과잉금지원칙에 반하여 새마을금고 임원이나 임원이 되고자 하는 사람의 직업선택의 자유를 침해한다(2014.9.25, 2013헌바208).

ㄹ. [X] 한국방송광고공사와 이로부터 출자를 받은 회사가 아니면 지상파방송사업자에 대해 방송광고 판매대행을 할 수 없도록 규정하고 있는 구 「방송법」 제73조 제5항은 직업의 자유를 침해한다(2008.11.27, 2006헌마352).

ㅁ. [O] 범죄행위의 유형, 경중이나 위법성의 정도, 동력수상레저기구의 당해 범죄행위에 대한 기여도 등 제반사정을 전혀 고려하지 않고 필요적으로 조종면허를 취소하도록 규정하였으므로 심판대상조항은 침해의 최소성원칙에 위배되고, 심판대상조항에 따라 조종면허가 취소되면 면허가 취소된 날부터 1년 동안은 조종면허를 다시 받을 수 없게 되어 법익의 균형성원칙에도 위배된다. 따라서 심판대상조항은 직업의 자유 및 일반적 행동의 자유를 침해한다(2015.7.30, 2014헌가13).

ㅂ. [O] 건축사가 업무범위를 위반한 경우에는 그 위반의 경위와 정도, 위반의 결과 등을 고려하여 업무의 정지 또는 등록의 취소를 행정청이 재량으로 선택하여 실시할 수 있도록 임의적 제재사유로 하는 것이 합리적이라 할 것이다. 그러나 위 조항은 행정청이 재량을 주지 않고 업무범위 위반시 반드시 등록을 취소하도록 한 것이어서 피해의 최소성의 원칙에 위배되어 직업선택의 자유를 침해하는 것이다(1995.2.23, 93헌가1).

ㅅ. [X] 위 규정은 음주로 인한 건강위해적 요소로부터 국민의 건강을 보호한다는 입법목적하에 음주 전후, 숙취해소 등 음주를 조장하는 내용의 표시를 금지하고 있으나, '음주 전후', '숙취해소'라는 표시는 이를 금지할 만큼 음주를 조장하는 내용이라 볼 수 없고, 식품에 숙취해소작용이 있음에도 불구하고 이러한 표시를 금지하면 숙취해소용 식품에 관한 정확한 정보 및 제품의 제공을 차단함으로써 숙취해소의 기회를 국민으로부터 박탈하게 될 뿐만 아니라, 보다 나은 숙취해소용 식품을 개발하기 위한 연구와 시도를 차단하는 결과를 초래하므로, 위 규정은 숙취해소용 식품의 제조·판매에 관한 영업의 자유 및 광고표현의 자유를 과잉금지원칙에 위반하여 침해하는 것이다. 특히 청구인들은 '숙취해소용 천연차 및 그 제조방법'에 관하여 특허권을 획득하였음에도 불구하고 위 규정으로 인하여 특허권자인 청구인들조차 그 특허발명제품에 '숙취해소용 천연차'라는 표시를 하지 못하고 '천연차'라는 표시만 할 수밖에 없게 됨으로써 청구인들의 헌법상 보호받는 재산권인 특허권도 침해되었다(2000.3.30, 99헌마143).

ㅇ. [X] 이 사건 법률조항은 초벌측량을 대행하려면 비영리법인을 설립하도록 강제하고 있는바, 그러한 요건은 그 비영리법인의 주된 목적사업인 지적측량이란 결국 「지적법」 제50조 제1항에 따라 토지소유자로부터 지적측량수수료를 직접 납부받는 초벌측량을 뜻하는바 초벌측량은 지적측량수수료를 대가로 한 수익사업이므로 비영리법인이 추구할 목적사업 자체가 될 수 없다는 의미에서 측량 성과의 정확성을 확보한다는 입법목적 달성과는 무관한 수단으로 보이고, 법인의 형태와 개인인 지적기술자의 업무영역을 나눈다거나 같은 법인형태라도 자본규모나 소속 지적기술자의 수에 따라, 그리고 개인인 지적기술자의 경우는 그 자격의 차이에 따라 업무영역을 나누는 등 덜 제한적인 방법이 가능하다는 점에서 기본권 침해의 최소성을 충족시키지 못하고 있고, 나아가 그 입법목적에 비추어 볼 때 직업선택의 자유를 제한당하는 청구인 등 지적기술자의 기본권과의 법익의 균형성도 현저하게 상실하고 있으므로, 과잉금지의 원칙에 위배되는 위헌적인 법률이다(2002.5.30, 2000헌마81).

ㅈ. [X] 심판대상조항은 이송업자의 영업범위를 허가받은 지역 안으로 한정하여 구급차 등이 신속하게 출동할 수 있도록 하고, 차고지가 위치한 허가지역에서 상시 구급차 등이 정비될 수 있도록 하는 한편, 지역사정에 밝은 이송업자가 해당 지역에서 이송을 담당하게 함으로써, 응급의료의 질을 높임과 동시에 응급이송자원이 지역 간에 적절하게 분배·관리될 수 있도록 하여 국민건강을 증진하고 지역주민의 편의를 도모하기 위한 것이다. 이러한 입법목적은 정당하고, 수단의 적합성도 인정된다. 이송업 허가는 광역자치단체 단위로 이루어지는데 광역자치단체의 인구와 면적을 감안할 때, 그리고 여러 지역의 허가를 받아 영업을 하는 것도 가능하다는 점에서 심판대상조항은 침해의 최소성을 충족한다. 국민의 생명과 건강에 직결되는 응급이송체계를 적정하게 확립한다는 공익의 중요성에 비추어 영업지역의 제한에 따라 침해되는 이송업자의 사익이 크다고 보기는 어려우므로 법익의 균형성도 인정된다. 따라서 심판대상조항은 과잉금지원칙을 위반하여 직업수행의 자유를 침해한다고 볼 수 없다(2018.2.22, 2016헌바100).

ㅊ. [X] 유사군복의 범위는 진정한 군복과 외관상 식별이 곤란할 정도에 해당하는 물품으로 엄격하게 좁혀서 규정하고 있기 때문에, 심판대상조항에 의하여 판매목적 소지가 금지되는 유사군복의 범위가

지나치게 넓다거나 이에 관한 규제가 과도하다고 할 수 없다. 유사 군복이 모방하고 있는 대상인 전투복은 군인의 전투용도로 세심하게 고안되어 제작된 특수한 물품이다. 이를 판매목적으로 소지하지 못하여 입는 개인의 직업의 자유나 일반적 행동의 자유의 제한 정도는, 국가안전을 보장하고자 하는 공익에 비하여 결코 중하다고 볼 수 없다. 따라서 심판대상조항은 과잉금지원칙을 위반하여 직업의 자유 내지 일반적 행동의 자유를 침해한다고 볼 수 없다(2019.4.11, 2018헌가14).

ㅋ. [X] 입법자는 방송통신기자재등의 제조·수입·판매단계에서뿐만 아니라 그 이후의 단계에서도 방송통신기자재 등의 안전성을 확보하고 그에 대한 책임을 효과적으로 부여하고자 방송통신기자재 등의 성질, 불량률, 인체에 미치는 영향 등을 종합적으로 고려하여 동일한 종류의 방송통신기자재 등에 대하여 적합성 평가를 받을 의무를 면제하지 않도록 한 것이므로, 단지 동일한 종류의 방송통신기자재 등에 대한 적합성평가 면제제도를 두지 않았다는 것만으로 침해의 최소성원칙에 위배된다고 볼 수 없다. 심판대상조항들이 달성하고자 하는 전파의 혼신·간섭의 방지 및 국민의 인체 보호라는 공익은 중대하므로 법익의 균형성원칙에도 위배되지 않는다(2017.7.27, 2015헌바278 등).

06

정답 ②

① [O] 개별 청소년의 신체적·정신적 성숙도의 차이, 콘돔의 세부적인 형태나 종류를 고려하지 않고 청소년에 대한 판매를 전면적으로 금지하는 것이 과도한 제한이라 볼 수 없다. 심판대상조항은 과잉금지원칙을 위반하여 성기구 판매자의 직업수행의 자유 및 청소년의 사생활의 비밀과 자유를 침해하지 않는다(2021.6.24, 2017헌마408).

❷ [X] 이 사건 보호자동승조항은 어린이통학버스를 운영함에 있어서 반드시 보호자를 동승하도록 함으로써 학원 등의 영업방식에 제한을 가하고 있으므로 청구인들의 직업수행의 자유를 제한한다. 한편, 청구인들은 이 사건 보호자동승조항으로 인하여 재산권도 침해된다고 주장하나, 이 사건 보호자동승조항은 어린이통학버스 운영자로 하여금 어린이통학버스에 어린이나 영유아를 태울 때 보호자를 동승하도록 규정하고 있을 뿐 어린이통학버스 운영자의 재산권에 제한을 가하는 내용을 규정하고 있지 아니하다. 또한 이 사건 보호자동승조항으로 인하여 동승보호자를 새로이 고용할 것인지, 기존의 학원 강사 등을 동승보호자로서 어린이통학버스에 함께 동승하게 할 것인지는 어린이통학버스 운영자의 선택에 달려 있는 것이고, 가사 새로이 동승보호자를 고용함으로 인하여 추가적인 비용 지출이 발생한다고 하여도 이는 이 사건 보호자동승조항 시행에 따른 반사적·사실적인 불이익에 불과하므로, 이 사건 보호자동승조항으로 인하여 청구인들의 재산권이 제한된다고 볼 수는 없다. 따라서 이 사건의 쟁점은 이 사건 보호자동승조항이 청구인들의 직업수행의 자유를 침해하는지 여부이다(2020.4.23, 2017헌마479).

③ [O] 이 사건 보호자동승조항이 학원 등 운영자로 하여금 어린이통학버스에 학원 강사 등의 보호자를 함께 태우고 운행하도록 한 것은 어린이 등이 안전사고 위험으로부터 벗어나 안전하고 건강한 생활을 영위하도록 하기 위한 것이다. 어린이통학버스의 동승보호자는 운전자와 함께 탑승함으로써 승·하차시뿐만 아니라 운전자만으로 담보하기 어려운 '차량 운전 중' 또는 '교통사고 발생 등의 비상상황 발생시' 어린이 등의 안전을 효과적으로 담보하는 중요한 역할을 하는 점 등에 비추어 보면, 이 사건 보호자동승조항이 과잉금지원칙에 반하여 청구인들의 직업수행의 자유를 침해한다고 볼 수 없다(2020.4.23, 2017헌마479).

④ [O] 심판대상조항으로 측량업자의 직업의 자유가 일정 기간 제한된다 하더라도 이는 측량업의 정확성과 신뢰성을 담보하여 토지 관련 법률관계의 법적 안정성과 국토개발계획의 근간을 보호하려는 공익에 비하여 결코 중하다고 볼 수 없으므로, 법익의 균형성도 인정된다. 따라서 심판대상조항은 과잉금지원칙에 위배되지 아니한다(2020.12.23, 2018헌바458).

07

정답 ①

❶ [X] 적정 공급 규모를 초과하여 택시운송사업면허를 발급한 사업구역의 일반택시운송사업자에 대하여 그 운송사업의 양도를 금지하는 「택시운송사업의 발전에 관한 법률」 이 사건 조항은 택시의 수급균형을 달성하기 위한 감차정책의 실효성을 확보하기 위하여, 감차사업구역 내에 있는 일반택시운송사업자는 감차보상을 신청하는 것 외에 그 사업을 양도할 수 없도록 규정하고 있다. 일반택시운송사업자가 참여하는 감차위원회에서 감차계획을 심의하도록 하고, 목표를 수립하지 못하거나 조기에 달성한 감차사업구역에서는 사업의 양도·양수를 예외적으로 허용하고 있으며, 감차보상을 신청한 경우 적정한 수준의 감차보상금을 제공하고 있는 점 등을 종합하여 볼 때, 이 사건 법률조항은 과잉금지원칙에 반한다고 할 수 없다(2019.9.26, 2017헌바467).

② [O] 경품이 제공되는 청소년게임 제공업의 전체이용가 게임물이 사행화하는 것을 막고 건전한 게임문화를 조성하기 위하여 필요한 제한이므로, 이 사건 시행령조항이 과잉금지원칙에 반하여 청구인의 직업수행의 자유를 침해한다고 볼 수 없다(2021.2.25, 2017헌마708).

③ [O] 심판대상조항은 일정한 경우 계열회사 주식소유금지에 대한 유예기간을 부여함으로써 기본권 제한을 완화하고 있다. 따라서 심판대상조항은 과잉금지원칙에 위배되어 기업의 자유를 침해한다고 볼 수 없다(2021.3.25, 2017헌바378).

④ [O] 이 사건 고시조항으로 인한 영업의 제한보다는 요양보호사의 처우개선과 이를 통한 노인장기요양보험제도의 지속성과 안정성 확보라는 공익이 중하므로 법익의 균형성도 갖추었다(2019.11.28, 2017헌마791).

08

정답 ④

① [O] 보호하고자 하는 법익은 중대한 공익인 반면, 중개법인의 직업수행 영역 중 극히 일부가 금지되는 것에 불과하여 법익의 균형성원칙에도 위배되지 않는다. 따라서 심판대상조문은 직업수행의 자유를 침해하지 않는다(2019.11.28, 2016헌마188).

② [O] 심판대상조항으로 인해 제한되는 직업수행의 자유는 도시철도운영자 등이 연락운송 운임수입 배분을 자율적으로 정하지 못한다는 정도에 그치나, 달성되는 공익은 도시교통 이용자의 편의 증진이라는 중대한 공익이다. 따라서 심판대상조항은 과잉금지원칙을 위반하여 도시철도운영자 등의 직업수행의 자유를 침해한다고 볼 수 없다(2019.06.28, 2017헌바135).

③ [O] 심판대상조항으로 달성하고자 하는 공익은 납세자의 성실한 신고를 담보하여 개인사업자의 소득탈루를 방지하고 공평과세를 실현하는 것으로 신고납세제도의 실효성을 확보함에 있어 그 중대성이 인정되는 반면, 신고납부방식의 세금 부과방식에서 납세자의 성실신고는 당연히 요구되는 것으로서 과도하다고 보기 어렵고, 세무사의 입장에서도 성실신고 확인업무를 충실히 수행하여 그 성실성을 담보하면 과태료나 직무정지와 같은 불이익 없이 오히려 수임을 통해 금전적 이득을 볼 수 있으므로 그 제한이 과중하다고 보기

어려워 법익균형성도 충족한다. 심판대상조항은 과잉금지원칙에 위배되어 세무사 등의 직업수행의 자유를 침해하지 않는다 (2019.7.25, 2016헌바392).

❹ [X] 악취로 인한 민원이 장기간 지속되는 지역을 악취관리지역으로 지정함으로써 해당 지역의 악취 문제를 해소하고 결과적으로 국민이 건강하고 쾌적한 환경에서 생활할 수 있도록 한다는 공익은 오늘날 국가와 사회에 긴요하고도 중요한 공익이라고 할 것이므로, 심판대상조항이 법익의 균형성원칙에 위반된다고도 볼 수 없다. 심판대상조항은 과잉금지원칙에 위반되어 악취배출시설 운영자인 청구인들의 직업수행의 자유를 침해하지 않는다(2020.12.23, 2018헌바458).

09 정답 ①

❶ [X] 공익사업의 효율적인 수행을 위하여 인도의무의 강제가 불가피하나, 「공익사업을 위한 토지 등의 취득 및 보상에 관한 법률」은 인도의무자의 권리 제한을 최소화하기 위하여 사업 진행에 있어 의견수렴 및 협의절차를 마련하고 있고, 권리구제절차도 규정하고 있다. 또한, 행정적 조치나 민사적 수단만으로는 이 조항들의 입법목적을 달성하기 어렵고, 엄격한 경제적 부담을 수반하는 행정적 제재를 통한 강제가 덜 침해적인 방법이라고 단정하기 어렵다. 나아가, 벌칙조항은 법정형에 하한을 두고 있지 않아 행위에 상응하는 처벌이 가능하므로 이 조항들은 침해의 최소성 요건을 충족한다. 인도의무자의 권리가 절차적으로 보호되고 의견제출 및 불복수단이 마련되어 있는 점 등을 고려할 때, 인도의무의 강제로 인한 부담이 공익사업의 적시 수행이라는 공익의 중요성보다 크다고 볼 수 없어 법익균형성을 상실하였다고 볼 수 없다.(2020.5.27, 2017헌바464 등).

② [O] 직업선택의 자유와 직업수행의 자유는 기본권 주체에 대한 그 제한의 효과가 다르기 때문에 제한에 있어서 적용되는 기준도 다르며, 특히 직업수행의 자유에 대한 제한의 경우 인격발현에 대한 침해의 효과가 일반적으로 직업선택 그 자체에 대한 제한에 비하여 작기 때문에 그에 대한 제한은 폭넓게 허용된다. 다만 그렇다고 하더라도 직업수행의 자유에 대한 제한이 헌법 제37조 제2항에 의거한 비례의 원칙(과잉금지의 원칙)에 위배되어서는 안 된다(2019.11.28, 2016헌마40).

③ [O] 이 사건 모집방법 제한조항은 교육훈련기관이 사실상 대학과 같이 운영되는 것을 방지하고, 교육훈련기관이 다른 교육훈련기관의 모집 대행업체로서의 역할을 하는 것을 방지하기 위한 것이다. 교육훈련기관으로서는 학습자를 모집하면서 자신이 개설 운영하고 있는 각종 학습과정을 충분히 설명할 수 있고, 특정 학위 취득을 위하여 다른 교육훈련기관의 학습과정을 이수할 필요가 있는 경우에는 국가평생교육진흥원 등이 제공하고 있는 각종 홍보자료 등을 통하여 이를 종합적으로 안내하고 학습자의 상담에 응할 수 있다. 이러한 사정들을 종합하면 이 사건 모집방법 제한조항은 과잉금지원칙을 위반하여 교육훈련기관 운영자들의 직업수행의 자유를 침해하였다고 할 수 없다(2019.11.28, 2016헌마40).

④ [O] 심판대상조항은 과태료 상한이 판매가액에 비례하도록 하되 그 하한을 정하지 않음으로써 면세유 부정 유통의 규모와 위반자의 책임에 상응하는 적절한 수준의 과태료가 부과될 수 있도록 하며, 위 상한을 판매가액의 3배로 정한 것은 위법행위의 유인을 억제상조항은 과잉금지원칙에 위배되어 청구인의 직업수행의 자유를 침해하지 아니한다(2020.11.26, 2019헌바12).

10 정답 ④

ㄱ. [O] 정액수가조항이 「의료급여법」 등 상위법령이 예정하고 있지 아니한 정액수가를 규정함으로써 위임 한계를 일탈하였다는 취지로 해석된다. 따라서 포괄위임금지원칙 위배 여부에 대해서는 판단하지 아니하고, 정액수가조항이 상위법령으로부터 위임받은 범위를 일탈하여 법률유보원칙을 위배한 것인지에 대하여만 판단한다(2020.4.23, 2017헌마103).

ㄴ. [X] 의사인 청구인들은 정액수가조항으로 정한 금액이 혈액투석 진료행위에 소요되는 원가에도 미치지 못할 정도로 낮아서 재산권이 침해된다고 주장한다. 그러나 헌법상 보호되는 재산권은 사적 유용성 및 그에 대한 원칙적 처분권을 내포하는 재산가치 있는 구체적 권리로서, 구체적인 이익이 아니라 단순한 이익이나 재화의 획득에 관한 기회 등은 재산권 보장의 대상이 아니다. 그러므로 위 조항이 의사인 청구인들의 재산권을 제한한다고 보기는 어렵다(2020.4.23, 2017헌마103).

ㄷ. [O] 의료급여환자가 건강보험환자와 합리적 이유 없이 차별취급을 받고 있다는 평등권 침해 주장은 결국 수급권자인 청구인이 제공받거나 선택할 수 있는 의료서비스가 제한되어 인간다운 생활을 할 권리 내지 보건권 및 의료행위선택권이 침해되는지 여부에 대한 판단과 같은 내용이므로 별도로 검토하지 않는다(2020.4.23, 2017헌마103).

ㄹ. [O] **만성신부전증환자에 대한 외래 혈액투석 의료급여수가의 기준을 정액수가로 규정한 '의료급여수가의 기준 및 일반기준'이 법률유보원칙에 위배되는지 여부(소극)**

의료급여수가기준은 전문적이고 정책적인 영역이어서 구체적인 수가기준을 반드시 법률로 정하여야 한다거나 「의료급여법」 등 상위법령이 행위별수가나 포괄수가만을 예정하고 있다고 볼 수 없다. 정액수가조항은 「의료급여법」 등 상위법령의 위임에 따라 의료수가기준과 그 계산방법을 정한 것이어서 법률유보원칙에 위배되지 않는다(2020.4.23, 2017헌마103).

ㅁ. [X] 혈액투석 진료는 비교적 정형적이고, 대체조제의 가능성, 정액수가에 포함되지 아니하는 진료비용 등이 인정되는 점을 고려하면, 의사의 직업수행의 자유에 대한 제한은 최소화된다고 볼 수 있다. 심판대상조항으로 의사가 입게 되는 불이익이 한정된 재원의 범위에서 최적의 의료서비스를 공급하려는 공익에 비하여 더 크다고 볼 수 없다. 심판대상조항은 의사의 직업수행의 자유를 침해하지 않는다(2020.4.23, 2017헌마103).

ㅂ. [X] **심판대상조항이 수급권자인 청구인의 의료행위선택권을 침해하는지 여부(소극)**

한정된 의료급여재정의 범위 내에서 적정하고 지속적인 의료서비스를 제공하고, 의료의 질을 유지할 수 있는 방법으로 현행 정액수가제와 같은 정도로 입법목적을 달성하면서 기본권을 덜 제한하는 수단이 명백히 존재한다고 보기 어렵고, 의료급여 수급권자가 입게 되는 불이익이 공익보다 크다고 볼 수도 없다. 심판대상조항은 수급권자인 청구인의 의료행위선택권을 침해하지 않는다(2020.4.23, 2017헌마103).

11 정답 ④

① [O] 변호사 등록이 단순히 대한변호사협회와 그 소속 변호사 사이의 내부 법률문제라거나, 대한변호사협회의 고유사무라고 할 수 없다. 이와 같은 점을 고려할 때, 대한변호사협회는 변호사 등록에 관한 한 공법인으로서 공권력 행사의 주체라고 할 것이다(2019.11.28, 2017헌마759).

② [O] 변호사 등록에 관한 한 공법인 성격을 가지는 대한변호사협회가 등록사무의 수행과 관련하여 정립한 규범을 단순히 내부 기준이라거나 사법적인 성질을 지니는 것이라 볼 수는 없고, 변호사 등록을 하려는 자와의 관계에서 대외적 구속력을 가지는 공권력 행사에 해당한다고 할 것이다. 따라서 대한변호사협회가 변호사 등록사무의 수행과 관련하여 정립한 규범인 심판대상조항들은 헌법소원대상인 공권력의 행사에 해당한다(2019.11.28, 2017헌마759).

③ [O] 대한변호사협회가 등록료를 쉽게 인상할 수 있어 침해의 반복가능성이 인정되며, 변호사 등록료는 변호사로 등록하고자 하는 자 모두에게 적용되는 것으로 청구인에 대한 개별적 사안의 성격을 넘어 일반적으로 헌법적 해명의 필요성이 있으므로, 예외적으로 심판대상조항들에 대한 심판의 이익이 인정된다(2019.11.28, 2017헌마759).

❹ [X] 법정단체에 가입이 강제되는 유사직역의 입회비 등을 고려했을 때 금 1,000,000원이라는 돈이 신규가입을 제한할 정도로 현저하게 과도한 금액이라고 할 수는 없다. 따라서 심판대상조항들은 과잉금지원칙에 위반하여 청구인의 직업의 자유를 침해하지 않는다(2019.11.28, 2017헌마759).

⑤ [O] 변호사 등록은 그 목적이 변호사들 간의 결속력 강화나 친목도모라기 보다는 변호사의 자격을 가진 자들로 하여금 법률사무를 취급하도록 하여 법률사무에 대한 전문성, 공정성 및 신뢰성을 확보하여 일반 국민의 기본권을 보호하고 사회정의를 실현하고자 하는 공공의 목적을 달성하기 위해 시행되는 것으로, 본질적으로 국가의 공행정사무에 해당한다(2019.11.28, 2017헌마759).

12

정답 ②

① [X] 심판대상조항으로 인하여 확인대상사업자가 세무사 등으로부터 그 확인서를 받기 위해 비용을 지출한다 하더라도 이는 성실신고 확인서 제출의무에 따른 간접적이고 반사적인 경제적 불이익에 불과하다(2019.7.25, 2016헌바392).

❷ [O] 세무사가 납세자와 사이에 세무대리계약 체결을 거절하여 재산상의 손해를 입는다 하더라도 이 역시 간접적이고 사실적인 불이익에 불과하여 재산권의 내용에 포함된다고 보기 어렵다(2019.7.25, 2016헌바392).

③ [X] 세무사가 행하는 성실신고 확인은 확인대상사업자의 소득금액에 대하여 심판대상조항 및 관련 법령에 따라 확인하는 것으로 단순한 사실관계의 확인에 불과한 것이어서 헌법 제19조에 의하여 보장되는 양심의 영역에 포함되지 않는다(2019.7.25, 2016헌바392).

④ [X] 법인사업자의 성실납부를 위해 개인사업자에게는 없는 외부회계감사제도까지 두고 있다는 점에서 법인사업자와 개인사업자를 동일선상에서 비교하기는 어려우므로, 심판대상조항이 개인사업자를 대상으로 하고 있다는 이유만으로 평등원칙 위반의 문제가 발생한다고 보기는 어렵다(2019.7.25, 2016헌바392).

⑤ [X] 세무사의 입장에서도 성실신고 확인업무를 충실히 수행하여 그 성실성을 담보하면 과태료나 직무정지와 같은 불이익 없이 오히려 수임을 통해 금전적 이득을 볼 수 있으므로 그 제한이 과중하다고 보기 어려워 법익균형성도 충족한다. 심판대상조항은 과잉금지원칙에 위배되어 세무사 등의 직업수행의 자유를 침해하지 않는다(2019.7.25, 2016헌바392 등).

13

정답 ③

① [O] 이 사건 공고의 근거법령의 내용만으로는 변리사 제2차 시험에서 '실무형 문제'가 출제되는지 여부가 정해져 있다고 볼 수 없고, 이 사건 공고에 의하여 비로소 2019년 제56회 변리사 제2차 시험에 실무형 문제가 출제되는 것이 확정된다. 이 사건 공고는 법령의 내용을 구체적으로 보충하고 세부적인 사항을 확정함으로써 대외적 구속력을 가지므로, 헌법소원의 대상이 되는 공권력의 행사에 해당한다(2019.5.30, 2018헌마1208 등).

② [O] 이 사건 공고는 변리사시험 응시자로 하여금 일정 수준 이상의 기술적 전문지식과 실무능력을 평가받도록 함으로써 심화되는 국내외 산업재산권 분쟁에 대응할 수 있는 능력을 갖춘 변리사를 선발·양성하기 위한 것으로, 목적의 정당성 및 수단의 적합성이 인정된다. 이 사건 공고로 인하여 청구인들이 실무형 문제를 풀어야 하는 부담을 지게 되지만, 청구인들이 제한받게 되는 사익이 이 사건 공고로 달성하고자 하는 공익보다 크다고 보기 어려우므로, 이 사건 공고는 법익의 균형성원칙에 위배되지 않는다. 그렇다면 이 사건 공고는 과잉금지원칙을 위반하여 청구인들의 직업선택의 자유를 침해하지 않는다(2019.5.30, 2018헌마1208).

❸ [X] 변리사시험의 시험과목은 변리사 업무에 필요한 지식·소양 및 그 소송대리를 수행하기 위한 능력을 갖추기 위하여 공부하여야 할 과목이 될 것임을 예측할 수 있고, 변리사시험 시행의 세부사항, 합격자 결정기준 등에 관한 사항이 '그 밖에 시험에 필요한 사항'으로서 대통령령에 규정될 것임을 예측할 수 있다. 따라서 「변리사법」 제4조의2 제5항은 포괄위임금지원칙에 위배되지 않는다(2019.5.30, 2018헌마1208).

④ [O] 실무형 문제가 「변리사법 시행령」 제3조 제2항이 예정한 '주관식 논술시험'의 범주에서 벗어난다고 볼 수 없다(2019.5.30, 2018헌마1208).

14

정답 ③

① [O] 청구인들이 교육을 이수한 후 나무의사 자격시험에 합격하지 않으면 수목진료를 할 수 없게 되는 불이익이 나무의사조항이 추구하는 공익에 비하여 중대하다고 볼 수 없으므로, 나무의사조항은 법익의 균형성에도 반하지 않는다. 따라서 나무의사조항은 과잉금지원칙에 위배되어 청구인들의 직업선택의 자유를 침해하지 않는다(2020.6.25, 2018헌마974).

② [O] 식물보호기사·산업기사 자격을 보유한 청구인들은 나무의사조항의 시행일 전까지 구 「산림사업법」인 나무병원에서의 종사요건을 갖추면 시행일로부터 5년간 나무의사 자격을 인정받을 수 있는 점 등을 고려하면, 청구인들이 식물보호기사·산업기사로서 앞으로도 수목진료업무를 수행할 수 있으리라고 기대했던 신뢰에 대한 침해의 정도가 크다고 보기 어렵다. 반면 부칙조항이 추구하는 공익은 수목을 체계적으로 보호하여 궁극적으로 국민의 건강 증진 및 삶의 질 향상에 이바지하기 위한 것으로서 중대하다. 따라서 부칙조항은 신뢰보호원칙을 위배하여 청구인들의 직업선택의 자유를 침해하지 않는다(2020.6.25, 2018헌마974).

❸ [X] 2012년 안전상비의약품의 약국 외 판매 제도가 시행되었고, 최근에는 코로나19 팬데믹(pandemic) 사태로 인하여 의사·환자 간 비대면 진료·처방이 한시적으로 허용되었지만, 의약품 판매는 국민의 건강과 직접 관련된 보건의료 분야라는 점을 고려할 때 심판대상조항이 의약품의 판매장소를 약국으로 제한하는 것은 여전히 불가피한 측면이 있다. 따라서 심판대상조항이 과잉금지원칙을 위반하여 약국개설자의 직업수행의 자유를 침해한다고 볼 수 없다(2021.12.23, 2019헌바87 등).

④ [O] 재단법인을 설립할 의무라는 심판대상조항으로 인하여 제한되는 사익이 심판대상조항을 통하여 추구하는 봉안시설의 안정성과 영속성이라는 공익에 비하여 더 크다고 보기 어려우므로, 심판대상조항은 침해의 최소성과 법익의 균형성을 갖추었다. 따라서 심판대상조항은 과잉금지원칙에 위반되어 직업의 자유를 침해하지 아니한다(2021.8.31, 2019헌바453).

15

정답 ③

① [X] 교육훈련기관으로서는 '학과', '학부'라는 명칭을 사용하지 못하더라도 '전공'이라는 표현을 사용함으로써 자신이 설치 운영하는 학습과정을 이수하면 어떤 학위를 수여받을 수 있는지 학습자가 바로 이해할 수 있도록 홍보할 수 있다. 이러한 사정들을 종합하면 이 사건 모집방법 제한조항은 과잉금지원칙을 위반하여 교육훈련기관 운영자들의 직업수행의 자유를 침해하였다고 할 수 없다(2019.11.28, 2016헌마40).

② [X] 부정경쟁행위에 해당하기 위한 요건으로 실제 경제적 이익의 침해 혹은 침해가능성을 요구하게 된다면, 이는 「부정경쟁방지 및 영업비밀보호에 관한 법률」에 의한 보호를 받기 전에 이미 회복할 수 없는 손해를 입게 하는 것이 되므로 「부정경쟁방지 및 영업비밀보호에 관한 법률」의 취지에 부합하지 않는다. 따라서 심판대상조항은 직업의 자유를 침해하지 아니한다(2021.9.30, 2019헌바217).

❸ [O] 심판대상조항은 변호사에게 요구되는 윤리성을 담보하고, 의뢰인과의 신뢰관계 균열을 방지하며, 법률사무 취급의 전문성과 공정성 등을 확보하고자 마련된 것이다. 계쟁권리 양수는 변호사의 직무수행과정에서 의뢰인과의 사이에 신뢰성과 업무수행의 공정성을 훼손할 우려가 크기에 양수의 대가를 지불하였는지를 불문하고 금지할 필요가 있다. 양수가 금지되는 권리에는 계쟁목적물은 포함되지 않으며 '계쟁 중'에만 양수가 금지된다는 점을 고려하면 변호사로 하여금 계쟁권리를 양수하지 못하도록 하는 것을 과도한 제한이라고 볼 수 없다. 따라서 이 조항은 변호사의 직업수행의 자유를 침해하지 않는다(2021.10.28, 2020헌바488).

④ [X] 심판대상조항은 세무사 직무의 공공성과 국민 신뢰의 확보 등을 유지하기 위한 것으로서, 「세무사법」 위반으로 벌금형을 받은 세무사에 한정하여 등록취소를 하고 있어 입법재량의 범위 내에 있을 뿐 아니라, 벌금형의 집행이 끝나거나 집행을 받지 아니하기로 확정된 후 3년이 지난 때에는 다시 세무사로 등록하여 활동할 수 있는 점 등을 고려하면, 심판대상조항은 세무사인 청구인의 직업선택의 자유를 침해하지 않는다(2021.10.28, 2020헌바221).

16

정답 ③

① [X]

> **관련 판례** **대학교 정화구역 내 극장금지가 위헌인 이유**
> 이 사건 법률조항은 살펴본 바와 같이 대학교육의 능률성을 위한다는 입법목적을 위하여 극장운영자의 기본권을 과도하게 침해하고 있을 뿐 아니라, 대학생의 자유로운 문화향유에 관한 권리 등 행복추구권을 침해하고 있는바, 그 정당화 사유를 찾기 어렵다. 따라서 이 사건 법률조항은 이 점에서도 위헌적인 법률이라고 할 것이다(2004.5.27, 2003헌가1 등).

> **관련 판례** **초·중·고 정화구역 내 극장금지가 위헌인 이유**
> 이 사건 법률조항은 국가·지방자치단체 또는 문화재단 등 비영리단체가 설치한 공연장 및 영화상영관, 순수예술이나 아동·청소년을 위한 전용공연장 등을 포함한 예술적 관람물의 공연을 목적으로 하는 「공연법」상의 공연장, 순수예술이나 아동·청소년을 위한 「영화진흥법」상의 전용영화상영관 등과 같은 경우에도 절대금지구역에서의 영업을 예외없이 금지하고 있는바, 이는 초·중·고등학교 학생의 자유로운 문화향유에 관한 권리로서 등 행복추구권을 제한하는 입법이라고 할 것이고, 그 제한을 정당화하는 사유를 찾기 어렵다고 할 것이므로 이 점에서도 위헌적인 법률이라고 할 것이다(2004.5.27, 2003헌가1 등).

② [X] 이 사건 법률조항이 초·중·고등학교·유치원 부근의 정화구역에 관하여 적용되는 경우 그 위헌성이 인정되는 부분은 금지의 예외를 인정하지 아니함으로써 구체적으로 학교의 교육에 나쁜 영향을 미치지 않을 수 있는 유형의 극장도 모두 금지한다는 점이다. 그런데 이와 같은 이유로 하여 단순위헌의 판단이 내려진다면 극장에 관한 초·중·고등학교·유치원 정화구역 내 금지가 모두 효력을 잃게 됨으로써 합헌적으로 규율된 새로운 입법이 마련되기 전까지는 학교정화구역 내에도 제한상영관을 제외한 모든 극장이 자유롭게 설치될 수 있게 될 것이다. 그 결과 이와 같이 단순위헌의 결정이 내려진 후 입법을 하는 입법자로서는 이미 자유롭게 설치된 극장에 대하여 신뢰원칙보호의 필요성 등의 한계로 인하여 새로운 입법수단을 마련하는 데 있어서 제약을 받게 될 것이다. 이는 우리가 이 결정의 취지에서 정당한 목적으로서 긍정한 공익의 측면에서 비추어 보아 바람직하지 아니하다. 그렇다면 이 사건 법률조항 중 「초·중등교육법」 제2조에 규정한 각 학교에 관한 부분에 대하여는 단순위헌의 판단을 하기보다는 헌법불합치결정을 하여 입법자에게 위헌적인 상태를 제거할 수 있는 여러 가지의 입법수단 선택의 가능성을 인정할 필요성이 있는 경우라고 할 것이다. 따라서 초·중·고등학교·유치원 정화구역 부분에 관하여는 헌법불합치결정을 함이 타당하다고 판단된다(2004.5.27, 2003헌가1 등).

❸ [O] 심판대상이 된 법률조항이 실질적으로는 위헌이라 할지라도 그 법률조항에 대하여 단순위헌결정을 선고하지 아니하고 헌법에 합치하지 아니한다는 선언에 그침으로써 「헌법재판소법」 제47조 제2항 본문의 효력상실을 제한적으로 적용하는 변형위헌결정의 주문형식이다. 법률이 평등원칙에 위반된 경우가 헌법재판소의 불합치결정을 정당화하는 대표적인 사유라고 할 수 있다. 반면에, 자유권을 침해하는 법률이 위헌이라고 생각되면 무효선언을 통하여 자유권에 대한 침해를 제거함으로써 합헌성이 회복될 수 있고, 이 경우에는 평등원칙 위반의 경우와는 달리 헌법재판소가 결정을 내리는 과정에서 고려해야 할 입법자의 형성권은 존재하지 않음이 원칙이다. 그러나 그 경우에도 법률의 합헌 부분과 위헌 부분의 경계가 불분명하여 헌법재판소의 단순위헌결정으로는 적절하게 구분하여 대처하기가 어렵고, 다른 한편으로는 권력분립의 원칙과 민주주의 원칙의 관점에서 입법자에게 위헌적인 상태를 제거할 수 있는 여러 가지의 가능성을 인정할 수 있는 경우에는 자유권의 침해에도 불구하고 예외적으로 입법자의 형성권이 헌법불합치결정을 정당화하는 근거가 될 수 있다(2004.5.27, 2003헌가1 등).

④ [X] 심판대상이 된 법률조항이 실질적으로는 위헌이라 할지라도 그 법률조항에 대하여 단순위헌결정을 선고하지 아니하고 헌법에 합치하지 아니한다는 선언에 그침으로써 「헌법재판소법」 제47조 제2항 본문의 효력상실을 제한적으로 적용하는 변형위헌결정의 주문형식이다. 법률이 평등원칙에 위반된 경우가 헌법재판소의 불합치결정을 정당화하는 대표적인 사유라고 할 수 있다. 반면에, 자유권을 침해하는 법률이 위헌이라고 생각되면 무효선언을 통하여 자유권에 대한 침해를 제거함으로써 합헌성이 회복될 수 있고, 이 경우에는 평등원칙 위반의 경우와는 달리 헌법재판소가 결정을 내리는 과정에서 고려해야 할 입법자의 형성권은 존재하지 않음이 원칙이다.

그러나 그 경우에도 법률의 합헌 부분과 위헌 부분의 경계가 불분명하여 헌법재판소의 단순위헌결정으로는 적절하게 구분하여 대처하기가 어렵고, 다른 한편으로는 권력분립의 원칙과 민주주의원칙의 관점에서 입법자에게 위헌적인 상태를 제거할 수 있는 여러 가지의 가능성을 인정할 수 있는 경우에는 자유권의 침해에도 불구하고 예외적으로 입법자의 형성권이 헌법불합치결정을 정당화하는 근거가 될 수 있다(2004.5.27, 2003헌가1 등).

17 정답 ①

ㄱ. [X] 이 사건 법률조항들은 유치원 주변 및 아직 유아단계인 청소년을 유해한 환경으로부터 보호하고 이들의 건전한 성장을 돕기 위한 것으로 그 입법목적이 정당하고, 이를 위해서 유치원 주변의 일정 구역 안에서 해당 업소를 절대적으로 금지하는 것은 그러한 유해성으로부터 청소년을 격리하기 위하여 필요·적절한 방법이며, 그 범위가 유치원 부근 200미터 이내에서 금지되는 것에 불과하므로, 청구인들의 직업의 자유를 침해하지 아니한다(2013.6.27, 2011헌바8 등).

ㄴ. [X] 대학, 교육대학, 사범대학, 전문대학, 기타 이와 유사한 교육기관의 학생들은 변별력과 의지력을 갖춘 성인이어서 당구장을 어떻게 활용할 것인지는 이들의 자율적 판단과 책임에 맡길 일이고, 학교주변의 당구장시설 제한과 같은 타율적 규제를 가하는 것은 대학교육의 목적에도 어긋나고 대학교육의 능률화에도 도움이 되지 않으므로, 위 각 대학 및 이와 유사한 교육기관의 학교환경위생정화구역 안에서 당구장시설을 하지 못하도록 기본권을 제한하는 것은 교육목적의 능률화라는 입법목적의 달성을 위하여 필요하고 적정한 방법이라고 할 수 없어 기본권 제한의 한계를 벗어난 것이다. 유치원 주변에 당구장시설을 허용한다고 하여도 이로 인하여 유치원생이 학습을 소홀히 하거나 교육적으로 나쁜 영향을 받을 위험성이 있다고 보기 어려우므로, 유치원 및 이와 유사한 교육기관의 학교환경위생정화구역 안에서 당구장시설을 하지 못하도록 기본권을 제한하는 것은 입법목적의 달성을 위하여 필요하고도 적정한 방법이라고 할 수 없어 역시 기본권 제한의 한계를 벗어난 것이다. 초등학교, 중학교, 고등학교 기타 이와 유사한 교육기관의 학생들은 아직 변별력 및 의지력이 미약하여 당구의 오락성에 빠져 학습을 소홀히 하고 당구장의 유해환경으로부터 나쁜 영향을 받을 위험성이 크므로 이들을 이러한 위험으로부터 보호할 필요가 있는 바, 이를 위하여 위 각 학교 경계선으로부터 200미터 이내에 설정되는 학교환경위생정화구역 내에서의 당구장시설을 제한하면서 예외적으로 학습과 학교보건위생에 나쁜 영향을 주지 않는다고 인정하는 경우에 한하여 당구장시설을 허용하도록 하는 것은 기본권 제한의 입법목적, 기본권 제한의 정도, 입법목적 달성의 효과 등에 비추어 필요한 정도를 넘어 과도하게 직업(행사)의 자유를 침해하는 것이라 할 수 없다(1997.3.27, 94헌마196 등).

➡ 주의: 대학과 유치원 주변에서 당구장설치금지는 위헌이고, 초·중·고등학교 주변에서 금지하는 것은 합헌이다.

ㄷ. [O] **초·중·고등학교 및 대학교 경계선으로부터 200미터 내로 설정된 학교환경위생정화구역 안에서 여관시설 및 영업행위를 금지하고 있는 「학교보건법」(2005.3.24. 법률 제7396호로 개정된 것) 제6조 제1항 제11호 여관 부분 중 「초·중등교육법」 제2조의 초등학교·중학교·고등학교에 관한 부분과 「고등교육법」 제2조의 대학교에 관한 부분(이하 '이 사건 법률조항'이라 한다)이 그 구역에서 여관영업을 하는 청구인의 재산권을 침해하는지 여부(소극)**

초·중·고등학교 및 대학교 경계선으로부터 200미터 내로 설정된 학교환경위생정화구역 안에서 여관시설 및 영업행위를 금지하고 있는 이 사건 법률조항 중 초등학교 부분에 대하여는 초등학교 학생들의 건전하고 쾌적한 교육환경을 조성하여 학교 교육의 능률화를 기하기 위하여 일정한 학교환경위생정화구역 안에 여관의 시설을 금지함으로써 그 여관시설 및 영업자에 대한 재산권의 사회적 제약을 구체화하는 입법이라는 것이 헌법재판소의 판례인바, 이러한 이치는 중·고등학교 및 대학교 부분에 대하여도 그대로 타당하다고 할 것이고 따라서 이 사건 법률조항은 공익목적을 위하여 개별적·구체적으로 이미 형성된 구체적 재산권을 박탈하거나 제한하는 것이 아니므로, 보상을 요하는 헌법 제23조 제3항 소정의 수용·사용 또는 제한에 해당되는 것은 아니다. 그리고 이 사건 법률조항은 학교환경위생정화구역이라는 한정된 지역에서 '여관'이라는 특정 용도로 건물을 사용하는 것을 제한하고 '여관영업'을 제한하는 것이어서 그 사적인 효용성의 일부만 제한하고 동 조항 단서에서 학교환경위생정화위원회의 심의를 거쳐 그 여관영업행위 및 시설이 허용될 수 있는 여지를 마련하고 있는바, 이러한 재산권 제한의 범위나 정도는 초·중·고등학교 및 대학교의 건전한 교육환경의 조성과 교육의 능률화라는 공익과 비교형량 하여 볼 때 헌법에서 허용되지 아니한 과도한 제한이라고 할 수는 없다. 따라서 이 사건 법률조항이 재산권을 침해하는 것이라고 할 수 없다(2006.3.30, 2005헌바110).

ㄹ. [O] 청소년 학생의 보호라는 공익상 필요에 의하여 학교환경위생정화구역 안에서의 노래연습장의 시설·영업을 금지하고서 이미 설치된 노래연습장시설을 폐쇄 또는 이전하도록 하면서 경제적 손실을 최소화할 수 있도록 1998.12.31.까지 약 5년 간의 유예기간을 주는 한편, … 신뢰보호의 원칙에 어긋난다고 할 수 없다(1999.7.22, 98헌마480 등).

ㅁ. [O] 학교 정화구역 내에 납골시설을 금지할 필요성은 납골시설의 운영주체가 국가·지방자치단체 등의 공공기관이거나 개인·문중·종교단체·재단법인이든 마찬가지라고 할 것이다. 따라서 납골시설의 유형이나 설치주체를 가리지 아니하고 일률적으로 금지한다고 하여 불합리하거나 교육환경에 관한 입법형성권의 한계를 벗어났다고 보기 어렵다(2009.7.30, 2008헌가2).

18 정답 ③

ㄱ. [O] 헌법 제124조에서는 소비자 보호운동을 보장하고 있으나, 헌법에서 직접적으로 소비자의 권리를 명시하고 있지는 않다.

ㄴ. [X] 소비자의 권리의 주체는 '모든 소비자'이다. 따라서 자연인과 법인을 구별하지 않고 모두 그 주체가 되며, 외국인도 그 주체가 될 수 있다.

ㄷ. [O]

> **「소비자기본법」 제4조【소비자의 기본적 권리】** 소비자는 다음 각 호의 기본적 권리를 가진다.
> 2. 물품 등을 선택함에 있어서 필요한 지식 및 정보를 제공받을 권리
> 5. 물품 등의 사용으로 인하여 입은 피해에 대하여 신속·공정한 절차에 따라 적절한 보상을 받을 권리

ㄹ. [X]

> **「소비자기본법」 제32조【보조금의 지급】** 국가 또는 지방자치단체는 등록소비자단체의 건전한 육성·발전을 위하여 필요하다고 인정될 때에는 보조금을 지급할 수 있다.

ㅁ. [X] 단체소송의 대상은 소비자권익 침해행위의 금지·중지를 구하는 소송이지 손해배상청구소송은 아니다.

> 「소비자기본법」 제70조 【단체소송의 대상 등】 다음 각 호의 어느 하나에 해당하는 단체는 사업자가 제20조의 규정을 위반하여 소비자의 생명·신체 또는 재산에 대한 권익을 직접적으로 침해하고 그 침해가 계속되는 경우 법원에 소비자권익 침해행위의 금지·중지를 구하는 소송을 제기할 수 있다.
> 1. 제29조의 규정에 따라 공정거래위원회에 등록한 소비자단체로서 다음 각 목의 요건을 모두 갖춘 단체
>   가. 정관에 따라 상시적으로 소비자의 권익증진을 주된 목적으로 하는 단체일 것
>   나. 단체의 정회원 수가 1천 명 이상일 것
>   다. 제29조의 규정에 따른 등록 후 3년이 경과하였을 것
> 2. 제33조에 따라 설립된 한국소비자원
> 3. 「상공회의소법」에 따른 대한상공회의소, 「중소기업협동조합법」에 따른 중소기업협동조합중앙회 및 전국 단위의 경제단체로서 대통령령이 정하는 단체
> 4. 「비영리민간단체 지원법」 제2조의 규정에 따른 비영리민간단체로서 다음 각 목의 요건을 모두 갖춘 단체
>   가. 법률상 또는 사실상 동일한 침해를 입은 50인 이상의 소비자로부터 단체소송의 제기를 요청받을 것
>   나. 정관에 소비자의 권익증진을 단체의 목적으로 명시한 후 최근 3년 이상 이를 위한 활동실적이 있을 것
>   다. 단체의 상시 구성원 수가 5천명 이상일 것
>   라. 중앙행정기관에 등록되어 있을 것

19 정답 ②

① [X] 국가는 법률이 정하는 바에 따라 정당운영에 필요한 자금을 보조하여야 한다가 아니라 할 수 있다.

> **헌법 제8조** ③ 정당은 법률이 정하는 바에 의하여 국가의 보호를 받으며, 국가는 법률이 정하는 바에 의하여 정당운영에 필요한 자금을 보조할 수 있다.

❷ [O]

> **헌법 제8조** ② 정당은 그 목적·조직과 활동이 민주적이어야 하며, 국민의 정치적 의사형성에 참여하는 데 필요한 조직을 가져야 한다.

③ [X] 현행헌법규정상 정당의 공직선거의 후보자추천규정은 없다. 물론 「정당법」의 취지상 정당은 당연히 후보자추천을 할 의무는 있다.

④ [X]

> **헌법 제8조** ④ 정당의 목적이나 활동이 민주적 기본질서에 위배될 때에는 정부는 헌법재판소에 그 해산을 제소할 수 있고, 정당은 헌법재판소의 심판에 의하여 해산된다.

20 정답 ④

ㄱ. [O] 헌법재판소의 해산결정으로 해산되는 정당 소속 국회의원의 의원직 상실은 정당해산심판제도의 본질로부터 인정되는 기본적 효력으로 봄이 상당하므로, 이에 관하여 명문의 규정이 있는지 여부는 고려의 대상이 되지 아니하고, 그 국회의원이 지역구에서 당선되었는지, 비례대표로 당선되었는지에 따라 아무런 차이가 없이, 정당해산결정으로 인하여 신분유지의 헌법적인 정당성을 잃으므로 그 의원직은 상실되어야 한다(2014.12.19, 2013헌다1).

ㄴ. [X] 위헌정당해산 결정에 따라 정당이 해산된 경우에 당해 정당 소속 의원의 의원직 상실 여부에 대하여 명문의 규정이 없어 학설대립이 있다. ⓐ 국민대표의 자유위임원칙을 강조하는 견해에 따르면 의원직을 유지하면서 무소속의원으로 남는다는 학설, ⓑ 정당대표성을 강조하고 방어적 민주주의의 정신을 중시하며, 위헌정당해산 결정의 실효성 확보를 위하여 국회의원직을 상실한다고 보는 학설 ⓒ 지역구국회의원의 경우에는 국민의 대표성이 강하기에 의원직을 상실하지 않는다고 보는 반면에 비례대표의원의 경우는 정당대표성이 강하다는 점에서 의원직을 상실한다고 보는 학설의 대립이 있다. 질문에서와 같이 정당해산에만 초점을 맞추고 국민대표성을 중시하는 견해에 따르는 ⓐ 학설의 경우 의원직을 유지한다 봄이 타당하다. 다만, 최근 헌법재판소의 판례에 따르면 헌법재판소의 해산결정으로 해산되는 정당 소속 국회의원이 의원직을 상실하는 것은 정당해산심판제도의 본질로부터 인정되는 기본적 효력으로 보고 있다(2014.12.19, 2013헌다1).

ㄷ. [X] 그 국회의원이 지역구에서 당선되었는지, 비례대표로 당선되었는지에 따라 아무런 차이가 없이, 정당해산결정으로 인하여 신분유지의 헌법적인 정당성을 잃으므로 그 의원직은 상실되어야 한다(2014.12.19, 2013헌다1).

ㄹ. [X] 헌법재판소의 해산결정으로 정당이 해산되는 경우에 그 정당 소속 국회의원이 의원직을 상실하는지에 대하여 명문의 규정은 없으나, 정당해산심판제도의 본질은 민주적 기본질서에 위배되는 정당을 정치적 의사형성과정에서 배제함으로써 국민을 보호하는 데에 있는데 해산정당 소속 국회의원의 의원직을 상실시키지 않는 경우 정당해산결정의 실효성을 확보할 수 없게 되므로, 이러한 정당해산제도의 취지 등에 비추어 볼 때 헌법재판소의 정당해산결정이 있는 경우 그 정당 소속 국회의원의 의원직은 당선 방식을 불문하고 모두 상실되어야 한다(2014.12.19, 2013헌다1).

ㅁ. [O] 헌법재판소의 해산결정으로 해산되는 정당 소속 국회의원의 의원직 상실은 정당해산심판제도의 본질로부터 인정되는 기본적 효력으로 봄이 상당하므로, 이에 관하여 명문의 규정이 있는지 여부는 고려의 대상이 되지 아니하고, 그 국회의원이 지역구에서 당선되었는지, 비례대표로 당선되었는지에 따라 아무런 차이가 없이, 정당해산결정으로 인하여 신분유지의 헌법적인 정당성을 잃으므로 그 의원직은 상실되어야 한다(2014.12.19, 2013헌다1).

ㅂ. [X] 대의제 민주주의하에서 국회의원은 국민전체를 대표하므로 위헌정당해산을 결정함에 있어서 헌법을 수호한다는 방어적 민주주의의 관점에서 국회의원의 국민대표성을 희생시켜서는 안 된다. 정당해산심판제도의 본질은 그 목적이나 활동이 민주적 기본질서에 위배되는 정당을 국민의 정치적 의사형성과정에서 미리 배제함으로써 국민을 보호하고 헌법을 수호하기 위한 것이다. 어떠한 정당을 엄격한 요건 아래 위헌정당으로 판단하여 해산을 명하는 것은 헌법을 수호한다는 방어적 민주주의 관점에서 비롯되는 것이고, 이러한 비상상황에서는 국회의원의 국민대표성은 부득이 희생될 수밖에 없다(2014.12.19, 2013헌다1).

ㅅ. [X] 국회의원이 국민 전체의 대표자로서의 지위를 가진다는 것과 방어적 민주주의의 정신이 논리 필연적으로 충돌하는 것이 아닐 뿐 아니라, 국회의원이 헌법기관으로서 정당기속과 무관하게 국민의 자유위임에 따라 정치활동을 할 수 있는 것은 헌법의 테두리 안에서 우리 헌법이 추구하는 민주적 기본질서를 존중하고 실현하는 경우에만 가능한 것이지, 헌법재판소의 해산결정에도 불구하고 그 정당 소속 국회의원이 위헌적인 정치이념을 실현하기 위한 정치활동을 계속하는 것까지 보호받을 수는 없다(2014.12.19, 2013헌다1).

ㅇ. [O] 우리나라 제3공화국 헌법은 소속 정당이 해산된 때 국회의원은 자격을 상실한다고 규정한 바 있으나, 현재 이에 대한 명문의 규정이 없어 학설이 대립하고 있다.

ㅈ. [X] 판례에 의하면 위헌정당해산결정으로 국회의원은 의원직을 상실하나 지방의원 상실에 대해서는 언급하고 있지 않다.

관련 판례 헌법재판소의 해산결정으로 정당이 해산되는 경우에 그 정당 소속 국회의원이 의원직을 상실하는지에 대하여 명문의 규정은 없으나, 정당해산심판제도의 본질은 민주적 기본질서에 위배되는 정당을 정치적 의사형성과정에서 배제함으로써 국민을 보호하는 데에 있는데 해산정당 소속 국회의원의 의원직을 상실시키지 않는 경우 정당해산결정의 실효성을 확보할 수 없게 되므로, 이러한 정당해산제도의 취지 등에 비추어 볼 때 헌법재판소의 정당해산결정이 있는 경우 그 정당 소속 국회의원의 의원직은 당선 방식을 불문하고 모두 상실되어야 한다(2014.12.19, 2013헌다1).

ㅊ. [O]

「집회 및 시위에 관한 법률」 제5조【집회 및 시위의 금지】 ① 누구든지 다음 각 호의 어느 하나에 해당하는 집회나 시위를 주최하여서는 아니 된다.

1. 헌법재판소의 결정에 따라 해산된 정당의 목적을 달성하기 위한 집회 또는 시위

39회 진도별 모의고사
정당의 자유

정답

01	①	02	③	03	④	04	②
05	③	06	④	07	②	08	④
09	④	10	①	11	③	12	①
13	②	14	④	15	①	16	③
17	①	18	③	19	①	20	④

01 정답 ①

ㄱ. [X] 정당의 설립근거는 헌법에 있으나, 정당은 헌법에 의해 직접 결성되는 것이 아니라 국민들이 조직요건을 갖추어 중앙선거관리위원회에 등록해야 성립한다. 정당은 헌법상 국가기관이 아니다. 국가기관은 구성원이 공무원인데 정당원은 공무원이 아니므로 정당은 헌법상 국가기관이 아니다. 정당은 국민의 의사를 국가기관에 전달하는 중개적 기관이다.

ㄴ. [X] 현행헌법규정상 '정당은 공직선거의 후보자를 추천하여야 한다'는 규정은 없다.

ㄷ. [X] 1962년 헌법에서는 정당에서 탈당하거나 소속 정당이 해산된 때에 의원직을 상실하도록 규정하고 있다. 제명으로 인한 당적변경한 경우 의원직 상실은 규정하지 않았다.

ㄹ. [X] 국회의원 당적변경 의원직 상실: 제5차, 제6차 개정헌법(1962년, 1969년 헌법)

ㅁ. [X] 국고보조금조항 신설: 제8차 개정헌법(1980년 헌법)

ㅂ. [X] 정당규정 신설: 제3차 개정헌법

ㅅ. [O] 건국헌법은 정당에 대해 아무런 규정을 두지 않음으로써 일반결사와 동일하게 취급하였다. 이에 따라 1958년 민주적 혁신정당이었던 '진보당'이 등록 취소라는 일반행정처분에 의해 강제해산되었고, 결국 자유당정권의 붕괴로 성립된 제2공화국 헌법으로 하여금 정당에 대한 명문규정을 두게 한 계기가 되었다.

ㅇ. [X] 제1공화국 당시의 진보당은 공보실장의 명령으로 해산되었다. 이에 대한 반성의 산물로서 제도는 제3차 헌법개정을 통해 헌법에 도입된 것이다.

02 정답 ③

① [X] 청구인(사회당)은 등록이 취소된 이후에도, 취소 전 사회당의 명칭을 사용하면서 대외적인 정치활동을 계속하고 있고, 대내외 조직 구성과 선거에 참여할 것을 전제로 하는 당헌과 대내적 최고의사 결정기구로서 당대회와, 대표단 및 중앙위원회, 지역조직으로 시·도위원회를 두는 등 계속적인 조직을 구비하고 있는 사실 등에 비추어 보면, 청구인은 등록이 취소된 이후에도 '등록정당'에 준하는 '권리능력 없는 사단'으로서의 실질을 유지하고 있다고 볼 수 있으므로 이 사건 헌법소원의 청구인능력을 인정할 수 있다(2006.3.30, 2004헌마246).

② [X] 정당의 법적 지위는 적어도 그 소유재산의 귀속관계에 있어서는 법인격 없는 사단으로 보아야 하고, 중앙당과 지구당과의 복합적 구조에 비추어 정당의 지구당은 단순한 중앙당의 하부조직이 아니라 어느 정도의 독자성을 가진 단체로서 역시 법인격 없는 사단에 해당한다고 보아야 할 것이다(1993.7.29, 92헌마262).

❸ [O] **여론조사 결과를 반영한 정당의 후보자추천**

정당이 공권력 행사의 주체가 아니고, 정당의 대통령선거 후보선출은 자발적 조직 내부의 의사결정에 지나지 아니하므로, 청구인들 주장과 같이 한나라당이 대통령 선거 후보경선과정에서 여론조사 결과를 반영한 것을 일컬어 헌법소원심판의 대상이 되는 공권력의 행사에 해당한다 할 수 없다(2007.10.30, 2007헌마1128).

④ [X] 정당은 일반적으로 법인격 없는 사단으로 평가되어 공권력 행사의 주체에 해당한다고 볼 수 없다(2007.10.30, 2007헌마1128). 따라서 정당의 공천 거부행위를 공권력 행사로 볼 수 없어 헌법소원을 제기할 수 없다.

03 정답 ④

ㄱ. [O] 정당설립의 자유는 헌법 제8조 제1항 전단에 규정되어 있지만, 국민 개인과 정당 그리고 '권리능력 없는 사단'의 실체를 가지고 있는 등록 취소된 정당에게 인정되는 '기본권'이다. 이 사건 심판대상조항들에 의해 제한되는 기본권은 헌법 제21조 제1항의 '결사의 자유'의 특별규정으로서 헌법 제8조 제1항 전단의 '정당설립의 자유'이다(2006.3.30, 2004헌마246).

ㄴ. [X] 정당의 자유를 규정하는 헌법 제8조 제1항이 기본권의 규정형식을 취하고 있지 아니하고 또한 '국민의 기본권에 관한 장'인 제2장에 위치하고 있지 아니하므로, 이 사건 법률조항으로 말미암아 침해된 기본권은 '정당의 설립과 가입의 자유'의 근거규정으로서, '정당설립의 자유'를 규정한 헌법 제8조 제1항과 '결사의 자유'를 보장하는 제21조 제1항에 의하여 보장된 기본권이라 할 것이다(1999.12.23, 99헌마135).

ㄷ. [O] 정당의 설립과 활동의 자유를 보장하고 있는 것은 선거제도의 민주화와 국민주권을 실질적으로 현실화하고 정치적으로 자유민주주의 구현에 기여하는 데 그 목적이 있는 것이지 정치의 독점이나 무소속후보자의 진출을 봉쇄하는 정당의 특권을 설정할 수 있는 것을 의미하는 것이 아니다(1992.3.13, 92헌마37 등).

ㄹ. [X] 정당도 헌법 제21조 결사에 해당한다. 다만, 헌법 제8조는 제21조의 결사체 중에서 정당이라는 결사를 보호한다. 헌법 제21조 결사의 자유는 일반법 조항이고, 제8조는 특별법 조항이다.

ㅁ. [X] 정당의 자유는 개개인의 자유로운 정당설립 및 정당가입의 자유, 조직형식 내지 법형식 선택의 자유를 포함한다(2006.3.30, 2004헌마246).

ㅂ. [X] (1) 헌법 제8조 제1항 전단의 정당설립의 자유는 정당설립의 자유만이 아니라 누구나 국가의 간섭을 받지 아니하고 자유롭게 정당에 가입하고 정당으로부터 탈퇴할 수 있는 자유를 함께 보장한다.

(2) 정당설립의 자유는 당연히 정당존속의 자유와 정당활동의 자유를 포함하는 것이다. 한편, 정당의 명칭은 그 정당의 정책과 정치적 신념을 나타내는 대표적인 표지에 해당하므로, 정당설립의 자유는 자신들이 원하는 명칭을 사용하여 정당을 설립하거나 정당활동을 할 자유도 포함한다(2014.1.28, 2012헌마431).

ㅅ. [O] 헌법 제8조 제1항 전단은 단지 정당설립의 자유만을 명시적으로 규정하고 있지만, 정당의 설립만이 보장될 뿐 설립된 정당이 언제든지 해산될 수 있거나 정당의 활동이 임의로 제한될 수 있다면 정당설립의 자유는 사실상 아무런 의미가 없게 되므로, 정당설립

의 자유는 당연히 정당존속의 자유와 정당활동의 자유를 포함하는 것이다. 한편, 정당의 명칭은 그 정당의 정책과 정치적 신념을 나타내는 대표적인 표지에 해당하므로, 정당설립의 자유는 자신들이 원하는 명칭을 사용하여 정당을 설립하거나 정당활동을 할 자유도 포함한다(2014.1.28, 2012헌마431 등).

ㅇ. [O] 정당이 당원 내지 후원자들로부터 정당의 목적에 따른 활동에 필요한 정치자금을 모금하는 것은 정당의 조직과 기능을 원활하게 수행하는 필수적인 요소이자 정당활동의 자유를 보장하기 위한 필수불가결한 전제로서, 정당활동의 자유의 내용에 당연히 포함된다고 할 수 있다(2015.12.23, 2013헌바168).

04

정답 ②

① [X] 헌법 제8조 제2항은 헌법 제8조 제1항에 의하여 정당의 자유가 보장됨을 전제로 하여, 그러한 자유를 누리는 정당의 목적·조직·활동이 민주적이어야 한다는 요청, 그리고 그 조직이 국민의 정치적 의사형성에 참여하는 데 필요한 조직이어야 한다는 요청을 내용으로 하는 것으로서, 정당에 대하여 정당의 자유의 한계를 부과하는 것임과 동시에 입법자에 대하여 그에 필요한 입법을 해야 할 의무를 부과하고 있다. 그러나 이에 나아가 정당의 자유의 헌법적 근거를 제공하는 근거규범으로서 기능한다고는 할 수 없다(2004.12.16, 2004헌마456).

❷ [O] 정당제 민주주의하에서 정당에 대한 재정적 후원이 전면적으로 금지됨으로써 정당이 스스로 재정을 충당하고자 하는 정당활동의 자유와 국민의 정치적 표현의 자유에 대한 제한이 매우 크다고 할 것이므로, 이 사건 법률조항은 정당의 정당활동의 자유와 국민의 정치적 표현의 자유를 침해한다(2015.12.23, 2013헌바168).

③ [X] 정당의 중요 공적 기능을 고려하면 정당설립의 자유만을 제한하거나 일정한 형태의 정당활동의 자유만을 제한하는 것으로는 입법목적을 달성하기 어렵고, 정당 외에 일반적 결사체 설립을 제한하는 것은 아니며, 19세가 될 때까지의 기간만 이를 유예하는 취지라는 점, 미성년자는 정신적·신체적 자율성이 불충분하고 가치중립적인 교육을 받아야 한다는 점 등을 고려하면 침해최소성원칙에 반하지 않고, 이 조항으로 인하여 19세 미만인 사람들이 정당의 자유를 제한받는 것보다 정치적 판단능력이 미약한 사람이 정당을 설립하고 가입함으로 인하여 정당의 기능이 침해될 위험성은 크다고 할 것이므로 법익균형성도 충족된다. 따라서 정당원 등 자격조항이 청구인들의 정당의 자유를 침해한다고 할 수 없다(2014.4.24, 2012헌마287).

④ [X] 지구당을 폐지하거나 당원협의회 사무소 설치를 금지하여 정당조직을 경량화함으로써 대중정당적인 성격이 줄어드는 결과가 발생한다 하더라도 그것이 헌법의 테두리를 벗어나지 않는 한, 이는 당·부당의 문제에 그치고 합헌·위헌의 문제로까지 되는 것은 아니므로, 그 구체적인 선택의 당부를 엄격하게 판단하여 위헌 여부를 가릴 일은 아니다. 결국 지구당을 폐지한 것에 수단의 적정성이 있는가 하는 것을 판단함에 있어서는 상대적으로 완화된 심사기준에 의하여 판단하여야 한다. 이러한 관점에서 볼 때, 이 사건 법률조항들에 대하여 그 수단의 적정성은 보다 쉽게 인정될 수 있다(2004.12.16, 2004헌마456).

05

정답 ③

ㄱ. [O]

> **「정당법」 제22조 【발기인 및 당원의 자격】** ① 16세 이상의 국민은 공무원 그 밖에 그 신분을 이유로 정당가입이나 정치활동을 금지하는 다른 법령의 규정에 불구하고 누구든지 정당의 발기인 및 당원이 될 수 있다. 다만, 다음 각 호의 어느 하나에 해당하는 자는 그러하지 아니하다.
> 〈각 호 생략〉

ㄴ. [X] ㅋ. [X] 외국인은 일정한 요건을 갖춘 경우에 지방선거권과 주민투표권이 인정되지만, 정당가입은 금지된다.

> **「정당법」 제22조 【발기인 및 당원의 자격】** ② 대한민국 국민이 아닌 자는 당원이 될 수 없다.

ㄷ. [X] 국회부의장은 당적이 상실되지 않는다.

> **「국회법」 제20조의2 【의장의 당적 보유 금지】** ① 의원이 의장으로 당선된 때에는 당선된 다음 날부터 의장으로 재직하는 동안은 당적을 가질 수 없다. 다만, 국회의원 총선거에서 「공직선거법」 제47조에 따른 정당추천후보자로 추천을 받으려는 경우에는 의원 임기만료일 90일 전부터 당적을 가질 수 있다.

ㄹ. [X]

> **「국회법」 제20조의2 【의장의 당적 보유 금지】** ② 제1항 본문에 따라 당적을 이탈한 의장의 임기가 만료된 때에는 당적을 이탈할 당시의 소속 정당으로 복귀한다.

ㅁ. [O] 2014.3.27, 2011헌바43

ㅂ. [X] 대학교 강사는 「고등교육법」상 교수이므로 정당가입이 허용된다.

ㅅ. [O] 「정당법」 제22조 제1항 제1호 단서에 따라 국무위원은 당원이 될 수 있다.

ㅇ. [O] 「정당법」 제22조 제1항 제1호 단서에 따르면 국무총리는 정당원이 될 수 있다.

ㅈ. [O] 국무위원인 법무부장관은 정당에 가입할 수 있으나, 국무위원이 아닌 인사혁신처장은 정당가입이 금지된다.

> **「정당법」 제22조 【발기인 및 당원의 자격】** ① 16세 이상의 국민은 공무원 그 밖에 그 신분을 이유로 정당가입이나 정치활동을 금지하는 다른 법령의 규정에 불구하고 누구든지 정당의 발기인 및 당원이 될 수 있다. 다만, 다음 각 호의 어느 하나에 해당하는 자는 그러하지 아니하다.
> 1. 「국가공무원법」 제2조(공무원의 구분) 또는 「지방공무원법」 제2조(공무원의 구분)에 규정된 공무원. 다만, 대통령, 국무총리, 국무위원, 국회의원, 지방의회의원, 선거에 의하여 취임하는 지방자치단체의 장, 국회 부의장의 수석비서관·비서관·비서·행정보조요원, 국회 상임위원회·예산결산특별위원회·윤리특별위원회 위원장의 행정보조요원, 국회의원의 보좌관·비서관·비서, 국회 교섭단체대표의원의 행정비서관, 국회 교섭단체의 정책연구위원·행정보조요원과 「고등교육법」 제14조(교직원의 구분) 제1항·제2항에 따른 교원은 제외한다.

ㅊ. [X] 주 미국 대한민국 대사는 「정당법」 제22조 제1항 제1호 단서에 해당하지 않으므로 당원이 될 수 없다.

06 정답 ④

ㄱ. [X] (1) 민주적 의사형성과정의 개방성을 보장하기 위하여 정당설립의 자유를 최대한으로 보호하려는 헌법의 정신에 비추어, 정당의 설립 및 가입을 금지하는 법률조항은 이를 정당화하는 사유의 중대성에 있어서 적어도 민주적 기본질서에 대한 위반에 버금가는 것이어야 한다고 판단된다.

(2) 공무원은 정당의 당원이 될 수 없을 뿐, 정당에 대한 지지를 선거와 무관하게 개인적인 자리에서 밝히거나 투표권을 행사하는 등의 활동은 허용되므로 침해의 최소성원칙에 반하지 않는다. 정치적 중립성, 초·중등학교 학생들에 대한 교육기본권 보장이라는 공익은 공무원이 제한받는 불이익에 비하여 크므로 법익균형성도 인정된다(2014.3.27, 2011헌바42).

ㄴ. [O] 초·중등학교 학생들에게 교원이 미치는 영향은 매우 크고, 교원의 활동은 근무시간 내외를 불문하고 학생들의 인격 및 기본생활습관 형성 등에 중요한 영향을 끼치는 잠재적 교육과정의 일부분인 점을 고려하고, 교원의 정치활동은 교육수혜자인 학생의 입장에서는 수업권의 침해로 받아들여질 수 있다는 점에서 현 시점에서는 국민의 교육기본권을 더욱 보장함으로써 얻을 수 있는 공익을 우선시해야 할 것이라는 점 등을 종합적으로 감안할 때, 초·중등학교 교육공무원의 정당가입 및 선거운동의 자유를 제한하는 것은 헌법적으로 정당화될 수 있다(2004.3.25, 2001헌마710).

ㄷ. [O] 검찰총장 퇴직 후 일정 기간 동안 정당의 발기인이나 당원이 될 수 없도록 하는 「검찰청법」 제12조 제5항, 부칙 제2항에 대한 위헌결정으로(1997.7.16, 97헌마26) 2004.1.20. 개정 「검찰청법」에서 제12조 제5항을 삭제하였으므로 검찰총장은 퇴직 후 정당의 당원이 될 수 있다.

ㄹ. [O] 심판대상이 정치적 기본권을 제한하고 있으므로 입법자의 판단이 명백하게 잘못되었다는 소극적 심사에 그치지 않고 입법자에게 입증책임을 부과하는 엄격한 심사를 하였다(1999.12.23, 99헌마135).

ㅁ. [O] 지구당 위원장으로의 임명, 정당추천의 금지 등 정당의 자유를 적게 제한하는 방법으로도 이 법이 실현하려는 경찰청장의 정치적 중립성이라는 목적 달성이 가능함에도 불구하고 정당가입 등을 전면으로 금지한 것은 최소성원칙에 위반된다(1999.12.23, 99헌마135).

ㅂ. [X] 「정당법」 제6조 제1호 및 제3호에 열거된 공무원, 특히 직무의 독립성이 강조되는 대법원장 및 대법관, 헌법재판소장 및 헌법재판관과 감사원장 등의 경우에도 경찰청장과 마찬가지로 정치적 중립성이 요구되는 점 등에 비추어 경찰청장의 경우에만 퇴직 후 선거직을 통한 공직진출의 길을 봉쇄함으로써 재직 중 직무의 공정성을 강화해야 할 필요성이 두드러진다고 볼 수 없으므로 다른 공무원과 경찰청장 사이에는 차별을 정당화할 만한 본질적인 차이가 존재하지 아니하므로, 이 사건 법률조항은 평등의 원칙에 위반된다(1999.12.23, 99헌마135).

ㅅ. [X] 경찰청장으로 하여금 퇴직 후 2년간 정당의 설립과 가입을 금지하는 이 사건 법률조항은, '누구나 국가의 간섭을 받지 아니하고 자유롭게 정당을 설립하고 가입할 수 있는 자유'를 국민의 기본권으로서 보장하는 '정당의 자유'(헌법 제8조 제1항 및 제21조 제1항)를 제한하는 규정이다. 정당에 관한 한, 헌법 제8조는 일반결사에 관한 헌법 제21조에 대한 특별규정이므로, 정당의 자유에 관하여는 헌법 제8조 제1항이 우선적으로 적용된다. 그러나 정당의 자유를 규정하는 헌법 제8조 제1항이 기본권의 규정형식을 취하고 있지 아니하고 또한 '국민의 기본권에 관한 장'인 제2장에 위치하고 있지 아니하므로, 이 사건 법률조항으로 말미암아 침해된 기본권은 '정당설립과 가입에 관한 자유'의 근거규정으로서 '정당설립의 자유'를 규정한 헌법 제8조 제1항과 '결사의 자유'를 보장하는 제21조 제1항에 의하여 보장된 기본권이라 할 것이다. 공직선거에 출마하여 당선될 수 있는 권리 그 자체가 침해받는 것은 아니다. 청구인들이 공무담임권에 대한 제약을 받는 것은 단지 정당공천을 받는 경우에 일반적으로 기대할 수 있는 보다 높은 선출의 가능성일 뿐이다. 따라서 피선거권에 대한 제한은 이 사건 법률조항이 가져오는 간접적이고 부수적인 효과에 지나지 아니하므로 헌법 제25조의 공무담임권(피선거권)은 이 사건 법률조항에 의하여 제한되는 청구인들의 기본권이 아니다. 또한 공무원직에 관한 한 공무담임권은 직업의 자유에 우선하여 적용되는 특별법적 규정이고, 위에서 밝힌 바와 같이 공무담임권(피선거권)은 이 사건 법률조항에 의하여 제한되는 청구인들의 기본권이 아니므로, 직업의 자유 또한 이 사건 법률조항에 의하여 제한되는 기본권으로서 고려되지 아니한다(1999.12.23, 99헌마135).

ㅇ. [X] 경찰청장과 검찰총장의 퇴직 2년 내 정당가입금지는 위헌결정되었다. 한편, 퇴직한 경찰청장과 검찰총장과 달리 현직 경찰청장과 검찰총장은 정당에 가입할 수 없다.

07 정답 ②

① [X]

> 「정당법」 제33조 【정당소속 국회의원의 제명】 정당이 그 소속 국회의원을 제명하기 위해서는 당헌이 정하는 절차를 거치는 외에 그 소속 국회의원 전원의 2분의 1 이상의 찬성이 있어야 한다.

❷ [O]

> 「공직선거법」 제192조 【피선거권 상실로 인한 당선무효 등】 ④ 비례대표국회의원 또는 비례대표지방의회의원이 소속 정당의 합당·해산 또는 제명 외의 사유로 당적을 이탈·변경하거나 2 이상의 당적을 가지고 있는 때에는 「국회법」 제136조(퇴직) 또는 「지방자치법」 제90조(의원의 퇴직)의 규정에 불구하고 퇴직된다. 다만, 비례대표국회의원이 국회의장으로 당선되어 「국회법」 규정에 의하여 당적을 이탈한 경우에는 그러하지 아니하다.

③ [X]

> 「정당법」 제32조 【서면결의의 금지】 ① 대의기관의 결의와 소속 국회의원의 제명에 관한 결의는 서면이나 대리인에 의하여 의결할 수 없다.

④ [X]

> 「정당법」 제23조 【입당】 ② 시·도당 또는 그 창당준비위원회는 제1항의 규정에 의한 입당원서를 접수한 때에는 당원자격 심사기관의 심의를 거쳐 입당허가 여부를 결정하여 당원명부에 등재하고, 시·도당 또는 그 창당준비위원회의 대표자는 당원이 된 자의 요청이 있는 경우 당원증을 발급하여야 한다. 이 경우 입당의 효력은 입당신청인이 당원명부에 등재된 때에 발생한다.

⑤ [X]

> 「정당법」 제25조 【탈당】 ① 당원이 탈당하고자 할 때에는 다음 각 호의 어느 하나에 해당하는 방법으로 소속 시·도당에 탈당신고를 하여야 하며, 소속 시·도당에 탈당신고를 할 수 없을 때에는 그 중앙당에 탈당신고를 할 수 있다.
> 1. 자신이 서명 또는 날인한 탈당신고서를 제출하는 방법
> 2. 「전자서명법」 제2조 제2호에 따른 전자서명이 있는 전자문서로 탈당신고서를 제출하는 방법

3. 정당의 당헌·당규로 정하는 바에 따라 정보통신망을 이용하는 방법. 이 경우 「정보통신망 이용촉진 및 정보보호 등에 관한 법률」 등 관계 법령에 따라 본인확인을 거쳐야 한다.
② 제1항의 규정에 의한 탈당의 효력은 탈당신고서가 소속 시·도당 또는 중앙당에 접수된 때에 발생한다.

08 정답 ④

① [X] 「정당법」은 신고제가 아니라 등록제로 규정하고 있다.

> 「정당법」 제4조 【성립】 ① 정당은 중앙당이 중앙선거관리위원회에 등록함으로써 성립한다.

② [X] 형식적 요건을 구비하는 한 선거관리위원회는 등록을 거부할 수 없으므로 정당의 등록은 정당성립의 창설적·형성적 의미가 아니라 확인적·선언적 의미를 가진다.

③ [X]

> 「정당법」 제15조 【등록신청의 심사】 등록신청을 받은 관할 선거관리위원회는 형식적 요건을 구비하는 한 이를 거부하지 못한다. 다만, 형식적 요건을 구비하지 못한 때에는 상당한 기간을 정하여 그 보완을 명하고, 2회 이상 보완을 명하여도 응하지 아니할 때에는 그 신청을 각하할 수 있다.

❹ [O] 「정당법」 제15조상 형식적 요건을 구비하는 한 선거관리위원회는 등록을 거부할 수 없으므로 민주적 기본질서에 반하는 목적을 가진 정당의 등록도 거부할 수 없다.

⑤ [X] 우리 헌법 및 「정당법」상 정당의 개념적 징표로서는 ⓐ 국가와 자유민주주의 또는 헌법질서를 긍정할 것, ⓑ 공익의 실현에 노력할 것, ⓒ 선거에 참여할 것, ⓓ 정강이나 정책을 가질 것, ⓔ 국민의 정치적 의사형성에 참여할 것, ⓕ 계속적이고 공고한 조직을 구비할 것, ⓖ 구성원들이 당원이 될 수 있는 자격을 구비할 것 등을 들 수 있다. 즉, 정당은 「정당법」 제2조에 의한 정당의 개념표지 외에 예컨대 독일의 정당법(제2조)이 규정하고 있는 바와 같이 '상당한 기간 또는 계속해서', '상당한 지역에서' 국민의 정치적 의사형성에 참여해야 한다는 개념표지가 요청된다고 할 것이다. 이와 같이 '상당한 기간 또는 계속 해서', '상당한 지역'에서 국민의 정치적 의사형성에 참여해야 한다는 개념표지를 법률규정을 통해 구체화하는 것은 원칙적으로 입법자의 재량영역에 속한 것이라고 할 수 있다(2006.3.30, 2004헌마246).

09 정답 ④

ㄱ. [X] 입법자가 정당설립과 관련하여 형식적 요건을 설정할 수는 있으나, 일정한 내용적 요건을 구비해야만 정당을 설립할 수 있다는 소위 '허가절차'는 헌법적으로 허용되지 아니한다는 것을 뜻한다(1999.12.23, 99헌마135).

ㄴ. [X] 입법자가 정당으로 하여금 헌법상 부여된 기능을 이행하도록 하기 위하여 그에 필요한 절차적·형식적 요건을 규정함으로써 정당의 자유를 구체적으로 형성하고 동시에 제한하는 경우를 제외한다면, 정당설립에 대한 국가의 간섭이나 침해는 원칙적으로 허용되지 아니한다. 이는 곧 입법자가 정당설립과 관련하여 형식적 요건을 설정할 수는 있으나, 일정한 내용적 요건을 구비해야만 정당을 설립할 수 있다는 소위 '허가절차'는 헌법적으로 허용되지 아니한다는 것을 뜻한다(1999.12.23, 99헌마135).

ㄷ. [O] 정당등록제도는 정당임을 자처하는 정치적 결사가 일정한 법률상의 요건을 갖추어 관할 행정기관에 등록을 신청하고, 이 요건이 충족된 경우 정당등록부에 등록하여 비로소 그 결사가 정당임을 법적으로 확인시켜 주는 제도이다. 이러한 정당의 등록제도는 어떤 정치적 결사가 정당에 해당되는지의 여부를 쉽게 확인할 수 있게 해 주며, 이에 따라 정당에게 부여되는 법률상의 권리·의무관계도 비교적 명확하게 판단할 수 있게 해 준다. 이러한 점에서 정당등록제는 법적 안정성과 확실성에 기여한다고 평가할 수 있다(2006.3.30, 2004헌마246).

ㄹ. [O] ㅁ. [X]

> 「정당법」 제15조 【등록신청의 심사】 등록신청을 받은 관할 선거관리위원회는 형식적 요건을 구비하는 한 이를 거부하지 못한다. 다만, 형식적 요건을 구비하지 못한 때에는 상당한 기간을 정하여 그 보완을 명하고, 2회 이상 보완을 명하여도 응하지 아니할 때에는 그 신청을 각하할 수 있다.

10 정답 ①

ㄱ. [X] 정당은 5개 이상의 시·도당을 가져야 되고 한 시·도당은 1천 인 이상의 당원을 가져야 한다. 이 요건을 구비하지 못하였을 때 당해 선거관리위원회가 정당의 등록을 취소한다.

> 「정당법」 제44조 【등록의 취소】 ① 정당이 다음 각 호의 어느 하나에 해당하는 때에는 당해 선거관리위원회는 그 등록을 취소한다.
> 1. 제17조(법정시·도당 수) 및 제18조(시·도당의 법정당원 수)의 요건을 구비하지 못하게 된 때. 다만, 요건의 흠결이 공직선거의 선거일 전 3월 이내에 생긴 때에는 선거일 후 3월까지, 그 외의 경우에는 요건흠결시부터 3월까지 그 취소를 유예한다.

ㄴ. [X] 요건의 흠결이 공직선거의 선거일 전 3월 이내에 생긴 때에는 선거일 후 3월까지, 그 외의 경우에는 요건흠결시부터 3월까지 그 취소를 유예한다(「정당법」 제44조 제1항 제1호 단서).

ㄷ. [X] 최근 4년간 임기만료에 의한 국회의원 선거 또는 임기만료에 의한 지방자치단체의 장 선거나 시·도의회의원 선거에 참여하지 아니한 때에는 정당의 등록이 취소된다(「정당법」 제44조 제1항 제2호). 다만 선거보조금은 당해 선거의 후보자등록마감일 현재 후보자를 추천하지 아니한 정당에 대하여는 이를 배분·지급하지 아니한다(「정치자금법」 제27조 제4항).

ㄹ. [O]

> 「정당법」 제48조 【해산된 경우 등의 잔여재산 처분】 ① 정당이 제44조(등록의 취소) 제1항의 규정에 의하여 등록이 취소되거나 제45조(자진해산)의 규정에 의하여 자진해산한 때에는 그 잔여재산은 당헌이 정하는 바에 따라 처분한다.
> ② 제1항의 규정에 의하여 처분되지 아니한 정당의 잔여재산 및 헌법재판소의 해산결정에 의하여 해산된 정당의 잔여재산은 국고에 귀속한다.

ㅁ. [X]

「정당법」 제41조 【유사명칭 등의 사용금지】 ④ 제44조(등록의 취소) 제1항의 규정에 의하여 등록 취소된 정당의 명칭과 같은 명칭은 등록 취소된 날부터 최초로 실시하는 임기만료에 의한 국회의원 선거의 선거일까지 정당의 명칭으로 사용할 수 없다.

ㅂ. [X] 국회의원 총선거에 참여하여 의석을 얻지 못하거나 유효투표 총수의 100분의 2 이상을 득표하지 못하면 정당의 등록은 취소되지 않고 잔여재산도 국고에 귀속되지 않는다.

ㅅ. [X] 중앙선거관리위원회에 의해 등록이 취소된 정당은, 그 정당의 명칭과 같은 명칭을 등록 취소된 날부터 다음 총선거일까지 사용하지 못한다. 다만, 최근 헌재결정에 따르면 '국회의원 선거에 참여하여 의석을 얻지 못하고 유효투표 총수의 100분의 2 이상을 득표하지 못한 정당에 대해 그 등록을 취소하도록 한 「정당법」 제44조 제1항 제3호'와 '정당등록 취소조항에 의하여 등록 취소된 정당의 명칭과 같은 명칭을 등록 취소된 날부터 최초로 실시하는 임기만료에 의한 국회의원 선거의 선거일까지 정당의 명칭으로 사용할 수 없도록 한 「정당법」 제41조 제4항 중 제44조 제1항 제3호'는 침해의 최소성과 법익 균형성을 갖추지 못하여 정당설립의 자유를 침해한다고 결정하였다(2014.1.28, 2012헌마431 등).

ㅇ. [X] 헌법재판소에 의한 강제해산의 경우에는 당의 잔여재산이 원칙적으로 국고에 귀속되지만, 등록 취소나 자진해산의 경우에는 당헌에 의한 처분 후 잔여재산이 있으면 국고에 귀속된다(「정당법」 제48조 제1항·제2항).

ㅈ. [X] 등록 취소된 정당의 명칭과 같은 명칭은 등록 취소된 날부터 최초로 실시하는 임기만료에 의한 국회의원 선거의 선거일까지 정당의 명칭으로 사용할 수 없다(「정당법」 제41조 제4항).

11 정답 ③

① [O] 준용조항은 헌법재판에서의 불충분한 절차 진행규정을 보완하고, 원활한 심판절차 진행을 도모하기 위한 조항으로, 그 절차보완적 기능에 비추어 볼 때, 소송절차 일반에 준용되는 절차법으로서의 민사소송에 관한 법령을 준용하도록 한 것이 현저히 불합리하다고 볼 수 없다. 또한 '헌법재판의 성질에 반하지 아니하는 한도'에서 민사소송에 관한 법령을 준용하도록 규정하여 정당해산심판의 고유한 성질에 반하지 않도록 적용범위를 한정하고 있는바, 여기서 '헌법재판의 성질에 반하지 않는' 경우란, 다른 절차법의 준용이 헌법재판의 고유한 성질을 훼손하지 않는 경우로 해석할 수 있고, 이는 헌법재판소가 당해 헌법재판이 갖는 고유의 성질·헌법재판과 일반재판의 목적 및 성격의 차이·준용 절차와 대상의 성격 등을 종합적으로 고려하여 구체적·개별적으로 판단할 수 있다. 따라서 준용조항은 청구인의 공정한 재판을 받을 권리를 침해한다고 볼 수 없다(2014.2.27, 2014헌마7).

② [O] 헌법재판소의 위헌정당해산결정은 모든 국가기관과 지방자치단체를 구속한다. 따라서 헌법재판소 위헌정당해산결정에 대해서는 법원에 제소할 수 없고, 법원은 헌법재판소의 해산결정을 취소할 수 없다.

❸ [X] 국무회의가 위헌정당제소를 의결하면 법무부장관이 정부를 대표하여 정당해산의 심판청구서를 헌법재판소에 제출하여야 한다(「헌법재판소법」 제25조 제1항, 제26조 제1항).

④ [O]

헌법 제8조 ④ 정당의 목적이나 활동이 민주적 기본질서에 위배될 때에는 정부는 헌법재판소에 그 해산을 제소할 수 있고, 정당은 헌법재판소의 심판에 의하여 해산된다.

12 정답 ①

❶ [X] 차관회의는 긴급을 요할 때 생략할 수 있으나, 국무회의 심의는 반드시 거쳐서 헌법재판소에 정당해산심판을 청구할 수 있다.

「헌법재판소법」 제55조 【정당해산심판의 청구】 정당의 목적이나 활동이 민주적 기본질서에 위배될 때에는 정부는 국무회의의 심의를 거쳐 헌법재판소에 정당해산심판을 청구할 수 있다.

② [O]

「헌법재판소법」 제39조 【일사부재리】 헌법재판소는 이미 심판을 거친 동일한 사건에 대하여는 다시 심판할 수 없다.

③ [O] 정부의 정당해산심판청구권 행사가 기속행위이냐 재량행위이냐에 대해서 견해의 대립이 있다. 정당해산제도의 헌법보호적 성격을 강조하면 기속행위로서의 측면이 부각되고, 정치과정에 대한 국가개입의 최후수단적 성격을 강조하면 재량행위로서의 측면이 부각될 것이다. 독일 연방헌법재판소의 판례와 다수의 견해에 의하면 정부의 정당해산심판청구권 행사는 정치적 재량에 속하는 것으로 정부의 기속적 의무는 아니라고 한다.

④ [O] 대통령은 국무회의의 의장으로서 회의를 소집하고 이를 주재하지만 대통령이 사고로 직무를 수행할 수 없는 경우에는 국무총리가 그 직무를 대행할 수 있고, 대통령이 해외 순방 중인 경우는 '사고'에 해당되므로, 대통령의 직무상 해외 순방 중 국무총리가 주재한 국무회의에서 이루어진 정당해산심판청구서 제출안에 대한 의결은 위법하지 아니하다(2014.12.19, 2013헌다1).

13 정답 ②

ㄱ. [X] 정치적 비판자들을 탄압하기 위한 용도로 남용되는 일이 생기지 않도록 정당해산심판제도는 매우 엄격하고 제한적으로 운용되어야 한다. '의심스러울 때에는 자유를 우선시하는(in dubio pro libertate)' 근대입헌주의의 원칙은 정당해산심판제도에서도 여전히 적용되어야 할 것이다(2014.12.19, 2013헌다1).

ㄴ. [O] 민주사회에서 정당의 자유가 지니는 중대한 함의나 정당해산심판제도의 남용가능성 등을 감안한다면, 헌법 제8조 제4항의 민주적 기본질서는 최대한 엄격하고 협소한 의미로 이해해야 한다. 정당에 대한 해산결정은 민주주의원리와 정당의 존립과 활동에 대한 중대한 제약이라는 점에서, 정당의 목적과 활동에 관련된 모든 사소한 위헌성까지도 문제 삼아 정당을 해산하는 것은 적절하지 않다. 그렇다면 헌법 제8조 제4항에서 말하는 민주적 기본질서의 위배란, 민주적 기본질서에 대한 단순한 위반이나 저촉을 의미하는 것이 아니라, 민주사회의 불가결한 요소인 정당의 존립을 제약해야 할 만큼 그 정당의 목적이나 활동이 우리 사회의 민주적 기본질서에 대하여 실질적인 해악을 끼칠 수 있는 구체적 위험성을 초래하는 경우를 가리킨다(2014.12.19, 2013헌다1).

ㄷ. [X] 민주적 기본질서의 '위배'란, 민주적 기본질서에 대한 단순한 위반이나 저촉을 의미하는 것이 아니라, 민주사회의 불가결한 요소인 정당의 존립을 제약해야 할 만큼 그 정당의 목적이나 활동이 우리 사회의 민주적 기본질서에 대하여 실질적인 해악을 끼칠 수 있는 구체적 위험성을 초래하는 경우를 가리킨다(2014.12.19, 2013헌다1).

ㄹ. [X] 헌법 제8조 제4항의 민주적 기본질서 개념은 정당해산결정의 가능성과 긴밀히 결부되어 있다. 이 민주적 기본질서의 외연이 확장될수록 정당해산결정의 가능성은 확대되고, 이와 동시에 정당 활동의 자유는 축소될 것이다. 민주사회에서 정당의 자유가 지니는 중대한 함의나 정당해산심판제도의 남용가능성 등을 감안한다면,

헌법 제8조 제4항의 민주적 기본질서는 최대한 엄격하고 협소한 의미로 이해해야 한다. 따라서 민주적 기본질서를 현행헌법이 채택한 민주주의의 구체적 모습과 동일하게 보아서는 안 된다(2014.12.19, 2013헌다1).

ㅁ. [X] 헌법 제8조 제4항의 민주적 기본질서 개념은 정당해산결정의 가능성과 긴밀히 결부되어 있다. 이 민주적 기본질서의 외연이 확장될수록 정당해산결정의 가능성은 확대되고, 이와 동시에 정당 활동의 자유는 축소될 것이다. 민주사회에서 정당의 자유가 지니는 중대한 함의나 정당해산심판제도의 남용가능성 등을 감안한다면, 헌법 제8조 제4항의 민주적 기본질서는 최대한 엄격하고 협소한 의미로 이해해야 한다. 따라서 민주적 기본질서를 현행헌법이 채택한 민주주의의 구체적 모습과 동일하게 보아서는 안 된다. 정당이 위에서 본 바와 같은 민주적 기본질서, 즉 민주적 의사결정을 위해서 필요한 불가결한 요소들과 이를 운영하고 보호하는 데 필요한 최소한의 요소들을 수용한다면, 현행헌법이 규정한 민주주의 제도의 세부적 내용에 관해서는 얼마든지 그와 상이한 주장을 개진할 수 있는 것이다(2014.12.19, 2013헌다1).

14 정답 ④

① [O] 정당의 활동이란, 정당기관의 행위나 주요 정당 관계자, 당원 등의 행위로서 그 정당에게 귀속시킬 수 있는 활동 일반을 의미한다. 여기에서는 정당에게 귀속시킬 수 있는 활동의 범위, 즉 정당과 관련한 활동 중 어느 범위까지를 그 정당의 활동으로 볼 수 있는지가 문제된다(2014.12.19, 2013헌다1).

② [O] (1) 국회의원은 어느 누구의 지시나 간섭을 받지 않고 국가이익을 우선하여 자신의 양심에 따라 직무를 행하는 국민 전체의 대표자로서 활동을 하는 한편(헌법 제46조 제2항 참조), 현대 정당민주주의의 발전과 더불어 현실적으로 소속 정당의 공천을 받아 소속 정당의 지원이나 배경 아래 당선되고 당원의 한 사람으로서 사실상 정치의사형성에 대한 정당의 규율이나 당론 등에 영향을 받아 정당의 이념을 대변하는 지위도 함께 가지게 되었다.

(2) 「공직선거법」 제192조 제4항은 비례대표 국회의원에 대하여 소속 정당의 '해산' 등 이외의 사유로 당적을 이탈하는 경우 퇴직된다고 규정하고 있는데, 이 규정의 의미는 정당이 스스로 해산하는 경우에 비례대표 국회의원은 퇴직되지 않는다는 것으로서, 국회의원의 국민대표성과 정당 기속성 사이의 긴장관계를 적절하게 조화시켜 규율하고 있다(2014.12.19, 2013헌다1).

③ [O] 정당 소속의 국회의원 등은 비록 정당과 밀접한 관련성을 가지지만 헌법상으로는 정당의 대표자가 아닌 국민 전체의 대표자이므로 그들의 행위를 곧바로 정당의 활동으로 귀속시킬 수는 없겠으나, 가령 그들의 활동 중에서도 국민의 대표자의 지위가 아니라 그 정당에 속한 유력한 정치인의 지위에서 행한 활동으로서 정당과 밀접하게 관련되어 있는 행위들은 정당의 활동이 될 수도 있을 것이다(2014.12.19, 2013헌다1).

❹ [X] 정당의 활동이란, 정당 기관의 행위나 주요 정당관계자, 당원 등의 행위로서 그 정당에게 귀속시킬 수 있는 활동 일반을 의미한다. 구체적으로 살펴보면, 당대표의 활동, 대의기구인 당대회와 중앙위원회의 활동, 집행기구인 최고위원회의 활동, 원내기구인 원내의원총회와 원내대표의 활동 등 정당 기관의 활동은 정당 자신의 활동이므로 원칙적으로 정당의 활동으로 볼 수 있고, 정당의 최고위원 등 주요 당직자의 공개된 정치활동은 일반적으로 그 지위에 기하여 한 것으로 볼 수 있으므로 원칙적으로 정당에 귀속시킬 수 있을 것으로 보인다(2014.12.19, 2013헌다1).

15 정답 ①

❶ [X] 정당의 목적이나 활동 중 어느 하나라도 민주적 기본질서에 위배된다면 정당해산의 사유가 될 수 있다고 해석된다(2014.12.19, 2013헌다1).

② [O] 정치적 비판자들을 탄압하기 위한 용도로 남용되는 일이 생기지 않도록 정당해산심판제도는 매우 엄격하고 제한적으로 운용되어야 한다. '의심스러울 때에는 자유를 우선시하는(in dubio pro libertate)' 근대 입헌주의의 원칙은 정당해산심판제도에서도 여전히 적용되어야 할 것이다(2014.12.19, 2013헌다1).

③ [O] 직업공무원제도를 헌법재판소가 민주적 기본질서에 포함시키지 않았다. 자유민주적 기본질서에 위반된 경우에 한해서 해산할 수 있지 선거법이나 「정치자금법」 위반으로 정당해산사유를 확대하면 아니 된다.

④ [O] 위헌정당해산사유는 민주적 기본질서 위반으로 한정된다.

16 정답 ③

ㄱ. [O]

> 「헌법재판소법」 제36조 【종국결정】 ③ 심판에 관여한 재판관은 결정서에 의견을 표시하여야 한다.

ㄴ. [X] 위헌정당해산심판에는 사전심사제도가 적용되지 않는다.

> 「헌법재판소법」 제23조 【심판정족수】 ① 재판부는 재판관 7인 이상의 출석으로 사건을 심리한다.

ㄷ. [O] 「헌법재판소법」 제30조 제1항 탄핵의 심판, 정당해산의 심판 및 권한쟁의의 심판은 구두변론에 의한다.

ㄹ. [X] 정당해산심판절차에서는 재심을 허용하지 아니함으로써 얻을 수 있는 법적 안정성의 이익보다 재심을 허용함으로써 얻을 수 있는 구체적 타당성의 이익이 더 크므로 재심을 허용하여야 한다. 한편, 이 재심절차에서는 원칙적으로 「민사소송법」의 재심에 관한 규정이 준용된다(2016.5.26, 2015헌아20).

ㅁ. [O] 재심대상결정의 심판대상은 재심청구인의 목적이나 활동이 민주적 기본질서에 위배되는지, 재심청구인에 대한 해산결정을 선고할 것인지, 해산결정을 할 경우 그 소속 국회의원에 대하여 의원직 상실을 선고할 것인지 여부이다. 이 재심절차에서는 원칙적으로 「민사소송법」의 재심에 관한 규정이 준용된다(2016.5.26, 2015헌아20).

17 정답 ①

ㄱ. [X] 위헌정당해산 공고는 헌법재판소가 직접하는 것이 아니라 중앙선거관리위원회가 한다. 정당이 자진해산을 한 경우에는, 잔여재산을 당헌이 정하는 바에 의하고, 당헌에 의해 처분되지 아니한 잔여재산은 국고에 귀속된다(「정당법」 제48조 제1항). 이에 반해, 헌법재판소의 해산결정으로 강제해산되는 경우에는 잔여재산이 모두 국고로 귀속된다(「정당법」 제48조 제2항).

ㄴ. [X] 자진해산한 경우는 「정당법」 제48조 제1항이 우선 적용되므로 그 잔여재산은 당헌이 정하는 바에 따라 처분한다. 당헌에 따라 처분되지 아니한 정당의 잔여재산은 국고에 귀속한다.

「정당법」 제48조 【해산된 경우 등의 잔여재산 처분】 ① 정당이 제44조(등록의 취소) 제1항의 규정에 의하여 등록이 취소되거나 제45조(자진해산)의 규정에 의하여 자진해산한 때에는 그 잔여재산은 당헌이 정하는 바에 따라 처분한다.
② 제1항의 규정에 의하여 처분되지 아니한 정당의 잔여재산 및 헌법재판소의 해산결정에 의하여 해산된 정당의 잔여재산은 국고에 귀속한다.

ㄷ. [O] 정당해산심판은 원칙적으로 해당 정당에게만 그 효력이 미치며, 정당해산결정은 대체정당이나 유사정당의 설립까지 금지하는 효력을 가지므로 오류가 드러난 결정을 바로잡지 못한다면 장래 세대의 정치적 의사결정에까지 부당한 제약을 초래할 수 있다(2016. 5.26, 2015헌아20).

ㄹ. [X] 헌법재판소의 해산결정이 선고된 때 정당은 해산된다. 중앙선거관리위원회의 정당의 등록을 말소와 공고는 확인적 의미에 불과하다.

ㅁ. [X] 정당의 방계·위장조직, 헌법재판소가 해산한 정당과 동일·유사한 강령을 가진 대체정당은 제8조 제4항의 정당에 해당하지 않는 일반결사이므로 행정처분으로도 해산이 가능하다.

「정당법」 제40조 【대체정당의 금지】 정당이 헌법재판소의 결정으로 해산된 때에는 해산된 정당의 강령(또는 기본정책)과 동일하거나 유사한 것으로 정당을 창당하지 못한다.
제41조 【유사명칭 등의 사용금지】 ① 이 법에 의하여 등록된 정당이 아니면 그 명칭에 정당임을 표시하는 문자를 사용하지 못한다.
② 헌법재판소의 결정에 의하여 해산된 정당의 명칭과 같은 명칭은 정당의 명칭으로 다시 사용하지 못한다.

ㅂ. [X]

「정당법」 제41조 【유사명칭 등의 사용금지】 ② 헌법재판소의 결정에 의하여 해산된 정당의 명칭과 같은 명칭은 정당의 명칭으로 다시 사용하지 못한다. 제44조(등록의 취소) 제1항의 규정에 의하여 등록 취소된 정당의 명칭과 같은 명칭은 등록 취소된 날부터 최초로 실시하는 임기만료에 의한 국회의원 선거의 선거일까지 정당의 명칭으로 사용할 수 없다.

18 정답 ③

ㄱ. [O]

「정당법」 제31조 【당비】 ② 정당의 당원은 같은 정당의 타인의 당비를 부담할 수 없으며, 타인의 당비를 부담한 자와 타인으로 하여금 자신의 당비를 부담하게 한 자는 당비를 낸 것이 확인된 날부터 1년간 당해 정당의 당원자격이 정지된다.

ㄴ. [X] 후원금은 후원회에, 당비는 정당에 기부한다. 그러나 기탁금은 선거관리위원회에 기탁해야 한다.

ㄷ. [X]

헌법 제8조 ③ 정당은 법률이 정하는 바에 의하여 국가의 보호를 받으며, 국가는 법률이 정하는 바에 의하여 정당운영에 필요한 자금을 보조할 수 있다.

ㄹ. [O] 교섭단체의 구성 여부에 따라 보조금의 배분규모에 차이가 있더라도 그러한 차등 정도는 각 정당 간의 경쟁상태를 현저하게 변경시킬 정도로 합리성을 결여한 차별이라고 보기 어렵다(2006.7.27, 2004헌마655).

ㅁ. [O] 교섭단체의 구성 여부만을 보조금 배분의 유일한 기준으로 삼은 것이 아니라 정당의 의석 수 비율이나 득표수 비율도 고려하여 정당에 대한 국민의 지지도도 반영하고 있는 등의 사정을 종합해 볼 때, 교섭단체의 구성 여부에 따라 보조금의 배분 규모에 차이가 있더라도 그러한 차등 정도는 각 정당 간의 경쟁상태를 현저하게 변경시킬 정도로 합리성을 결여한 차별이라고 보기 어렵다(2006.7.27, 2004헌마655).

19 정답 ①

ㄱ. [O] 「정치자금에 관한 법률」 제18조 제1항 내지 제3항이 교섭단체의 구성 여부만을 보조금 배분의 유일한 기준으로 삼은 것이 아니라 정당의 의석 수 비율과 득표수 비율도 함께 고려함으로써 현행의 보조금 배분비율이 정당이 선거에서 얻은 결과를 반영한 득표수비율과 큰 차이를 보이지 않고 있는 점 등을 고려하면, 교섭단체를 구성할 정도의 다수 정당과 그에 미치지 못하는 소수 정당 사이에 나타나는 차등지급의 정도는 정당 간의 경쟁상태를 현저하게 변경시킬 정도로 합리성을 결여한 차별이라고 보기 어렵다(2006.7.27, 2004헌마655).

ㄴ. [X]

「정치자금법」 제25조 【보조금의 계상】 ① 국가는 정당에 대한 보조금으로 최근 실시한 임기만료에 의한 국회의원 선거의 선거권자 총수에 보조금 계상단가를 곱한 금액을 매년 예산에 계상하여야 한다. 〈단서 생략〉

ㄷ. [O] ㄹ. [O]

「정치자금법」 제27조 【보조금의 배분】 ② 보조금 지급 당시 제1항의 규정에 의한 배분·지급대상이 아닌 정당으로서 5석 이상의 의석을 가진 정당에 대하여는 100분의 5씩을, 의석이 없거나 5석 미만의 의석을 가진 정당 중 다음 각 호의 어느 하나에 해당하는 정당에 대하여는 보조금의 100분의 2씩을 배분·지급한다.
1. 최근에 실시된 임기만료에 의한 국회의원 선거에 참여한 정당의 경우에는 국회의원 선거의 득표 수 비율이 100분의 2 이상인 정당
2. 최근에 실시된 임기만료에 의한 국회의원 선거에 참여한 정당 중 제1호에 해당하지 아니하는 정당으로서 의석을 가진 정당의 경우에는 최근에 전국적으로 실시된 후보추천이 허용되는 비례대표시·도의회의원 선거, 지역구시·도의회의원 선거, 시·도지사 선거 또는 자치구·시·군의 장 선거에서 당해 정당이 득표한 득표수 비율이 100분의 0.5 이상인 정당
3. 최근에 실시된 임기만료에 의한 국회의원 선거에 참여하지 아니한 정당의 경우에는 최근에 전국적으로 실시된 후보추천이 허용되는 비례대표시·도의회의원 선거, 지역구시·도의회의원 선거, 시·도지사 선거 또는 자치구·시·군의 장 선거에서 당해 정당이 득표한 득표수 비율이 100분의 2 이상인 정당

ㅁ. [O] 일반적 배분방식에 따라 배분한다. 다만, 선거시 지급되는 보조금은 당해 선거에 참여하지 아니한 정당에게는 배분, 지급하지 않는다.

ㅂ. [O]

「정치자금법」 제28조 【보조금의 용도 제한 등】 ② 경상보조금을 지급받은 정당은 그 경상보조금 총액의 100분의 30 이상은 정책연구소 [「정당법」 제38조(정책연구소의 설치·운영)에 의한 정책연구소를 말한다. 이하 같다]에, 100분의 10 이상은 시·도당에 배분·지급하여야 하며, 100분의 10 이상은 여성정치발전을 위하여 100분의 5 이상은 청년정치발전을 위하여 사용하여야 한다.

ㅅ. [O]

> 「정치자금법」 제29조 【보조금의 감액】 중앙선거관리위원회는 다음 각 호의 규정에 따라 당해 금액을 회수하고, 회수가 어려운 때에는 그 이후 당해 정당에 지급할 보조금에서 감액하여 지급할 수 있다.
> 1. 보조금을 지급받은 정당(정책연구소 및 정당선거사무소를 포함한다)이 보조금에 관한 회계보고를 허위·누락한 경우에는 허위·누락에 해당하는 금액의 2배에 상당하는 금액

ㅇ. [O]

> 「정치자금법」 제30조 【보조금의 반환】 ① 보조금을 지급받은 정당이 해산되거나 등록이 취소된 경우 또는 정책연구소가 해산 또는 소멸하는 때에는 지급받은 보조금을 지체 없이 다음 각 호에서 정한 바에 따라 처리하여야 한다.
> 1. 정당 보조금의 지출내역을 중앙선거관리위원회에 보고하고 그 잔액이 있는 때에는 이를 반환한다.

ㅈ. [O]

> 헌법 제8조 ③ 정당은 법률이 정하는 바에 의하여 국가의 보호를 받으며, 국가는 법률이 정하는 바에 의하여 정당운영에 필요한 자금을 보조할 수 있다.
>
> 「정치자금법」 제28조 【보조금의 용도 제한 등】 ① 보조금은 정당의 운영에 소요되는 경비로서 다음 각 호에 해당하는 경비 외에는 사용할 수 없다.
> 1. 인건비
> 2. 사무용 비품 및 소모품비
> 3. 사무소 설치·운영비
> 4. 공공요금
> 5. 정책개발비
> 6. 당원 교육훈련비
> 7. 조직활동비
> 8. 선전비

20 정답 ④

① [O] 짧은 열람기간으로 인해 청구인 신OO는 회계보고된 자료를 충분히 살펴 분석하거나, 문제를 발견할 실질적 기회를 갖지 못하게 되는바, 달성되는 공익과 비교할 때 이러한 사익의 제한은 정치자금의 투명한 공개가 민주주의 발전에 가지는 의미에 비추어 중대하다. 그렇다면 이 사건 열람기간 제한조항은 과잉금지원칙에 위배되어 청구인 신OO의 알 권리를 침해한다(2021.5.27, 2018헌마1168).

② [O] 헌법 제8조 제3항은 "정당은 법률이 정하는 바에 의하여 국가의 보호를 받으며, 국가는 법률이 정하는 바에 의하여 정당운영에 필요한 자금을 보조할 수 있다."라고 규정하고 있고, 이에 따라 「정치자금법」에서 정당 운영자금에 대한 국가보조를 규정하고 있다. 그러나 국가보조는 정당의 공적 기능의 중요성을 감안하여 정당의 정치자금 조달을 보완하는 데에 그 의의가 있으므로, 본래 국민의 자발적 정치조직인 정당에 대한 과도한 국가보조는 정당의 국민의 존성을 떨어뜨리고 정당과 국민을 멀어지게 할 우려가 있다. 이는 국민과 국가를 잇는 중개자로서의 정당의 기능, 즉 공당으로서의 기능을 약화시킴으로써 정당을 국민과 유리된 정치인들만의 단체, 즉 사당으로 전락시킬 위험이 있다. 뿐만 아니라 과도한 국가보조는 국민의 지지를 얻고자 하는 노력이 실패한 정당이 스스로 책임져야 할 위험부담을 국가가 상쇄하는 것으로서 정당 간 자유로운 경쟁을 저해할 수 있다. 정당 스스로 재정충당을 위하여 국민들로부터 모금활동을 하는 것은 단지 '돈을 모으는 것'에 불과한 것이 아니라 궁극적으로 자신의 정강과 정책을 토대로 국민의 동의와 지지를 얻기 위한 활동의 일환이며, 이는 정당의 헌법적 과제 수행에 있어 본질적인 부분의 하나인 것이다(2015.12.23, 2013헌바168).

➡ 따라서 정당의 후원회설치금지는 헌법에 위반된다.

③ [O] 이 사건 법률조항이 정당의 후보자 추천과 관련된 금품수수 등을 금지하는 것은 대의제 민주주의에서 정당 운영의 투명성과 공명정대한 선거문화 확립을 위하여 필요한 것이라 할 것이므로, 헌법 제8조 제3항 전단의 정당 보호조항에 위반되었다거나, 헌법상 정당활동의 자유의 본질적 내용을 침해하는 것이라고 볼 수 없다(2009.10.29, 2008헌바146).

❹ [X] 후원자로서도 후원금을 기부할 때 그 후보자가 소속된 정당을 중요하게 고려하게 된다. 설령 후원자가 정당에 대해서는 지지하지 않으면서 후보자 개인을 지지하기 위해 후원금을 기부한 것이더라도, 낙선한 후보자는 향후 정당을 통하여 정치활동을 지속할 수 있으므로, 반환·보전비용을 정당에 인계하도록 한 것이 불합리하다고 할 수 없다. 지역구국회의원 선거의 정당추천후보자가 후원회의 후원금으로 납부하거나 지출한 기탁금과 선거비용 중 반환·보전받은 반환·보전비용을 소속 정당에 인계하거나 국고에 귀속시키도록 정하고 있는 「정치자금법」은 청구인들의 평등권을 침해하지 않는다(2018.7.26, 2016헌마524 등).

40회 진도별 모의고사

국민투표권 ~ 선거제도

정답

01	④	02	②	03	④	04	④
05	①	06	①	07	③	08	④
09	④	10	②	11	④	12	①
13	④	14	③	15	④	16	②
17	②	18	④	19	③	20	①

01 정답 ④

ㄱ. [O] 수수한 금품이 '정치자금'에 해당하는지 여부는 그 금품이 '정치활동'을 위해서 제공되었는지 여부에 달려 있는 것인데, 정치활동은 권력의 획득과 유지를 둘러싼 투쟁 및 권력을 행사하는 활동이라는 점 등에 비추어 볼 때, 대통령 선거에 출마할 정당의 후보자를 선출하거나 정당 대표를 선출하는 당내경선은 그 성격상 정치활동에 해당한다고 봄이 상당하므로, 정당의 당내경선에 관한 선거운동을 위하여 후보자에게 제공된 금품은 정치자금이라고 보아야 하고, 위 후보자가 정당의 대표로 선출된 이후에 사용한 대외활동비도 정치활동을 위한 정치자금에 해당한다고 할 것이다(대판 2006. 12.22, 2006도1623).

ㄴ. [O]

> 「정치자금법」 제31조 【기부의 제한】 ① 외국인, 국내·외의 법인 또는 단체는 정치자금을 기부할 수 없다.

ㄷ. [O] (1) 사용자단체의 정치헌금을 허용하면서 노동단체의 정치헌금을 금지한 것은 사용자단체에 한해 정당에 대한 영향력 행사를 허용하고 노동단체의 정당에 대한 영향력 행사를 배제함으로써 정치적 의사형성과정에서 노동조합을 차별한 것으로 합리적 이유가 없는 차별이다(1999.11.25, 95헌마154).

(2) 헌법재판소의 위헌결정에 따라 사업장별로 조직된 단위 노동조합외의 노동조합은 정치자금을 기부할 수 있도록 개정되었다가 최근 법인이 정치자금을 기부하는 것을 전면 금지하는 것으로 개정되어 노동조합의 정치자금 제공도 금지되었다.

ㄹ. [O] 노동단체가 단지 단체교섭 및 단체협약 등의 방법으로 '근로조건의 향상'이라는 본연의 과제만을 수행해야 하고 그외의 모든 정치적 활동을 해서는 안 된다는 사고에 바탕을 둔 이 사건 법률조항의 입법목적은 법의 개정에 따라 그 근거를 잃었을 뿐만 아니라 헌법상 보장된 정치적 자유의 의미 및 그 행사가능성을 공동화시키는 것이다(1999.11.25, 95헌마154).

ㅁ. [X] **국내외 법인단체의 정치자금 기부금지**
금권정치와 정경유착의 차단, 단체와의 관계에서 개인의 정치적 기본권 보호 등 이 사건 기부금지조항에 의하여 달성되는 공익은 대의민주제를 채택하고 있는 민주국가에서 매우 크고 중요하다는 점에서 법익균형성원칙도 충족된다. 따라서 이 사건 기부금지조항이 과잉금지원칙에 위반하여 정치활동의 자유 등을 침해하는 것이라 볼 수 없다(2010.12.28, 2008헌바89).

ㅂ. [X] 이 사건 기부금지조항의 '단체'란 '공동의 목적 내지 이해관계를 가지고 조직적인 의사형성 및 결정이 가능한 다수인의 지속성 있는 모임'을 말하고, '단체와 관련된 자금'이란 단체의 명의로, 단체의 의사결정에 따라 기부가 가능한 자금으로서 단체의 존립과 활동의 기초를 이루는 자산은 물론이고, 단체가 자신의 이름을 사용하여 주도적으로 모집, 조성한 자금도 포함된다고 할 것인바, 그 의미가 불명확하여 죄형법정주의의 명확성원칙에 위반된다고 할 수 없다(2010.12.28, 2008헌바89).

ㅅ. [X] 단결권은 노동조합에 가입, 노동조합을 결성하는 권리인데 심판대상은 노동조합의 정치자금 제공금지규정이므로 단결권을 제한하지 않는 것으로 보고 있다. 따라서 심판대상은 단결권을 침해하지도 않는다. 정치자금을 제공하는 것은 헌법 제21조의 표현의 자유와 헌법 제10조의 행복추구권에서 보호된다(1999.11.25, 95헌마154).

ㅇ. [X] 노동단체는 다른 사회단체와 마찬가지로 국민의 모든 중요한 이익을 고려하는 정당한 이익조정에 이르기 위하여 다양한 사회세력간의 경쟁과 정치적 의사형성과정에 참여해야 하는 단체라는 점에서, 노동단체와 정치자금의 기부를 할 수 있는 다른 단체 사이에는 정치활동의 제한에 있어서 차별을 정당화할 만한 본질적인 차이가 존재하지도 아니하다. 따라서 다른 단체, 특히 사용자 및 사용자단체와의 관계에서 노동단체를 정치활동에 있어서 합리적인 이유없이 차별하는 이 사건 법률조항은 평등의 원칙에도 위반된다(1999. 11.25, 95헌마154).

02 정답 ②

① [X] 헌법은 명시적으로 규정된 국민투표 외에 다른 형태의 재신임 국민투표를 허용하지 않는다. 이는 주권자인 국민이 원하거나 또는 국민의 이름으로 실시하더라도 마찬가지이다. 국민은 선거와 국민투표를 통하여 국가권력을 직접 행사하게 되며, 국민투표는 국민에 의한 국가권력의 행사방법의 하나로서 명시적인 헌법적 근거를 필요로 한다. 따라서 국민투표의 가능성은 국민주권주의나 민주주의원칙과 같은 일반적인 헌법원칙에 근거하여 인정될 수 없으며, 헌법에 명문으로 규정되지 않는 한 허용되지 않는다(2004.5.14, 2004헌나1).

❷ [O] 국민투표는 직접민주주의를 실현하기 위한 수단으로서 '사안에 대한 결정' 즉, 특정한 국가정책이나 법안을 그 대상으로 한다. 따라서 국민투표의 본질상 '대표자에 대한 신임'은 국민투표의 대상이 될 수 없으며, 우리 헌법에서 대표자의 선출과 그에 대한 신임은 단지 선거의 형태로써 이루어져야 한다. 대통령이 자신에 대한 재신임을 국민투표의 형태로 묻고자 하는 것은 헌법 제72조에 의하여 부여받은 국민투표부의권을 위헌적으로 행사하는 경우에 해당하는 것으로, 국민투표제도를 자신의 정치적 입지를 강화하기 위한 정치적 도구로 남용해서는 안 된다는 헌법적 의무를 위반한 것이다. 물론, 대통령이 위헌적인 재신임 국민투표를 단지 제안만 하였을 뿐 강행하지는 않았으나, 헌법상 허용되지 않는 재신임 국민투표를 국민들에게 제안한 것은 그 자체로서 헌법 제72조에 반하는 것으로 헌법을 실현하고 수호해야 할 대통령의 의무를 위반한 것이다(2004.5.14, 2004헌나1).

③ [X]

<제2차 개정헌법(1954.11.27. 사사오입개헌)의 특징>

> • 초대 대통령에 한하여 중임 제한 철폐
> • 주권의 제약·영토변경을 가져올 국가안위에 관한 중대사항에 대한 국민투표제도의 도입

• 국무총리제 폐지와 국무원연대책임제 폐지
• 대통령 궐위시 부통령 승계
• 군법회의에 대한 헌법상 지위 부여
• 헌법개정의 한계에 대한 명문규정 신설
• 헌법개정안에 대한 국민발안제도 도입

④ [X] 국민발안은 제2차 개정에서부터 제6차 개정헌법까지 규정한 바 있다. 국민투표와 관련 일반 국민투표는 제2차 개정헌법에 규정이 있었고 헌법개정 국민투표는 제5차부터 규정되어 왔다. 국민소환제는 규정된 바 없다.

⑤ [X] 국민발안제에 대한 설명이다. 국민소환제는 헌법 역사상 한 번도 규정된 적이 없다.

03 정답 ④

ㄱ. [O]

헌법 제89조 다음 사항은 국무회의의 심의를 거쳐야 한다.
3. 헌법개정안·국민투표안·조약안·법률안 및 대통령령안

ㄴ. [O]

헌법 제114조 ① 선거와 국민투표의 공정한 관리 및 정당에 관한 사무를 처리하기 위하여 선거관리위원회를 둔다.

ㄷ. [X]

헌법 제72조 대통령은 필요하다고 인정할 때에는 외교·국방·통일 기타 국가안위에 관한 중요정책을 국민투표에 붙일 수 있다.

ㄹ. [X] 신임은 없다.

헌법 제72조 대통령은 필요하다고 인정할 때에는 외교·국방·통일 기타 국가안위에 관한 중요정책을 국민투표에 붙일 수 있다.

ㅁ. [X] 헌법개정은 헌법 제128조~제130조에 정한 절차에 따라야 하고, 헌법 제72조의 국민투표의 대상이 아니다.

04 정답 ④

① [O] 헌법 제72조에 의한 중요정책에 관한 국민투표는 국가안위에 관계되는 사항에 관하여 대통령이 제시한 구체적인 정책에 대한 주권자인 국민의 승인절차라 할 수 있다(2014.7.24, 2009헌마256 등).

② [O] 우리 헌법은 국민에 의하여 직접 선출된 국민의 대표자가 국민을 대신하여 국가의사를 결정하는 대의민주주의를 기본으로 하고 있어, 중요 정책에 관한 사항이라 하더라도 반드시 국민의 직접적인 의사를 확인하여 결정해야 한다고 보는 것은 전체적인 헌법체계와 조화를 이룰 수 없다. 헌법 제72조는 대통령에게 국민투표의 실시 여부, 시기, 구체적 부의사항, 설문 내용 등을 결정할 수 있는 임의적인 국민투표발의권을 독점적으로 부여한 것이다. 따라서 특정의 국가정책에 대하여 다수의 국민들이 국민투표를 원하고 있음에도 불구하고 대통령이 이러한 희망과는 달리 국민투표에 회부하지 아니한다고 하여도 이를 헌법에 위반된다고 할 수 없다(2013.11.28, 2012헌마166).

③ [O] 헌법 제72조는 "대통령은 필요하다고 인정할 때에는 외교·국방·통일 기타 국가안위에 관한 중요정책을 국민투표에 붙일 수 있다."라고 규정하여 대통령에게 국민투표부의권을 부여하고 있다. 헌법 제72조는 대통령에게 국민투표의 실시 여부, 시기, 구체적 부의사항, 설문 내용 등을 결정할 수 있는 임의적인 국민투표발의권을 독점적으로 부여하고 있다(2004.5.14, 2004헌나1). 그러나 신임은 헌법 제72조의 정책에 해당하지 않는다.

❹ [X] 특정의 국가정책에 대하여 다수의 국민들이 국민투표를 원하고 있음에도 불구하고 대통령이 이러한 희망과는 달리 국민투표에 회부하지 아니한다고 하여도 이를 헌법에 위반된다고 할 수 없고 국민에게 특정의 국가정책에 관하여 국민투표에 회부할 것을 요구할 권리가 인정된다고 할 수도 없다(2005.11.24, 2005헌마579 등).

05 정답 ①

❶ [O] 헌법 제72조는 대통령에게 국민투표의 실시 여부, 시기, 구체적 부의사항, 설문 내용 등을 결정할 수 있는 임의적인 국민투표발의권을 독점적으로 부여한 것이다. 따라서 특정의 국가정책에 대하여 다수의 국민들이 국민투표를 원하고 있음에도 불구하고 대통령이 이러한 희망과는 달리 국민투표에 회부하지 아니한다고 하여도 이를 헌법에 위반된다고 할 수 없고, 국민에게 특정의 국가정책에 관하여 국민투표에 회부할 것을 요구할 권리가 인정된다고 할 수도 없다. 결국 헌법 제72조의 국민투표권은 대통령이 어떠한 정책을 국민투표에 부의한 경우에 비로소 행사가 가능한 기본권이라 할 수 있다. 대통령이 한미무역협정을 체결하기 이전에 그에 관한 국민투표를 실시하지 아니하였다고 하더라도 국민투표권이 행사될 수 있는 계기인 대통령의 중요정책 국민투표 부의가 행해지지 않은 이상 청구인의 국민투표권이 행사될 수 있을 정도로 구체화되었다고 할 수 없으므로 그 침해의 가능성은 인정되지 않는다(2013.11.29, 2012헌마166).

② [X] 헌법소원에서는 대상적격성이 인정되지 않아 각하되었다(2003.11.27, 2003헌마694 등).

③ [X] 헌법 제72조는 "대통령은 필요하다고 인정할 때에는 외교·국방·통일 기타 국가안위에 관한 중요정책을 국민투표에 붙일 수 있다."라고 규정하여 대통령에게 국민투표부의권을 부여하고 있다. 헌법 제72조는 대통령에게 국민투표의 실시 여부, 시기, 구체적 부의사항, 설문 내용 등을 결정할 수 있는 임의적인 국민투표발의권을 독점적으로 부여하고 있다.

④ [X] 헌법 제72조의 정책국민투표는 정족수에 관하여 아무런 규정을 두고 있지 아니하다. 국민의사의 확인이라는 점에서 헌법 제130조의 헌법개정 국민투표와 마찬가지라고 보아, 제130조 제2항의 의결정족수규정을 유추적용하자는 견해가 있다.

06 정답 ①

❶ [X] 재외선거인의 국민투표권부정 국민투표권자의 범위는 대통령 선거권자·국회의원 선거권자와 일치되어야 한다. 따라서 국민투표는 선거와 달리 국민이 직접 국가의 정치에 참여하는 절차이므로, 국민투표권은 대한민국 국민의 자격이 있는 사람에게 반드시 인정되어야 하는 권리이다. 따라서 재외선거인의 국민투표권을 인정하지 않은 「국민투표법」 조항은 재외선거인의 국민투표권을 침해한다(2014.7.24, 2009헌마256 등).

② [O] 국민투표는 선거와 달리 국민이 직접 국가의 정치에 참여하는 절차이므로, 국민투표권은 대한민국 국민의 자격이 있는 사람에게 반드시 인정되어야 하는 권리이다(2014.7.24, 2009헌마256 등).

③ [O]

「국민투표법」 제5조 【인구의 기준】 이 법에 규정된 인구의 기준은 주민등록법의 규정에 의한 주민등록표에 의하여 조사한 최근의 인구통계 및 「재외동포의 출입국과 법적 지위에 관한 법률」에 따른 국내거소신고대장에 등재된 재외국민의 수에 의한다.

제7조 【투표권】 19세 이상의 국민은 투표권이 있다.

④ [O] 국민투표는 국가의 중요정책이나 헌법개정안에 대해 주권자로서의 국민이 그 승인 여부를 결정하는 절차인데, 주권자인 국민의 지위에 아무런 영향을 미칠 수 없는 주민등록 여부만을 기준으로 하여, 주민등록을 할 수 없는 재외국민의 국민투표권 행사를 전면적으로 배제하고 있는 「국민투표법」 제14조 제1항은 앞서 본 국정선거권의 제한에 대한 판단에서와 동일한 이유에서 청구인들의 국민투표권을 침해한다(2007.6.28, 2004헌마644 등).

07 정답 ③

① [O] 헌법 제130조에 의하면 헌법의 개정은 반드시 국민투표를 거쳐야만 하므로 국민은 헌법개정에 관하여 찬반투표를 통하여 그 의견을 표명할 권리를 가진다. 그런데 이 사건 법률은 헌법개정사항인 수도의 이전을 헌법개정의 절차를 밟지 아니하고 단지 단순법률의 형태로 실현시킨 것으로서 결국 헌법 제130조에 따라 헌법개정에 있어서 국민이 가지는 참정권적 기본권인 국민투표권의 행사를 배제한 것이므로 동 권리를 침해하여 헌법에 위반된다(2004.10.21, 2004헌마554 등).

② [O] 헌법 제72조는 대통령에게 국민투표의 실시 여부, 시기, 구체적 부의사항, 설문 내용 등을 결정할 수 있는 임의적인 국민투표발의권을 독점적으로 부여한 것이다. 따라서 특정의 국가정책에 대하여 다수의 국민들이 국민투표를 원하고 있음에도 불구하고 대통령이 이러한 희망과는 달리 국민투표에 회부하지 아니한다고 하여도 이를 헌법에 위반된다고 할 수 없고, 국민에게 특정의 국가정책에 관하여 국민투표에 회부할 것을 요구할 권리가 인정된다고 할 수도 없다. 결국 헌법 제72조의 국민투표권은 대통령이 어떠한 정책을 국민투표에 부의한 경우에 비로소 행사가 가능한 기본권이라 할 수 있다. 대통령이 한미무역협정을 체결하기 이전에 그에 관한 국민투표를 실시하지 아니하였다고 하더라도 국민투표권이 행사될 수 있는 계기인 대통령의 중요정책 국민투표 부의가 행해지지 않은 이상 청구인의 국민투표권이 행사될 수 있을 정도로 구체화되었다고 할 수 없으므로 그 침해의 가능성은 인정되지 않는다(2013.11.29, 2012헌마166).

❸ [X] 이 사건 법률이 설사 수도를 분할하는 국가정책을 집행하는 내용을 가지고 있고 대통령이 이를 추진하고 집행하기 이전에 그에 관한 국민투표를 실시하지 아니하였다고 하더라도 국민투표권이 행사될 수 있는 계기인 대통령의 중요정책 국민투표 부의가 행해지지 않은 이상 청구인들의 국민투표권이 행사될 수 있을 정도로 구체화되었다고 할 수 없으므로 그 침해의 가능성은 인정되지 않는다(2005.11.24, 2005헌마579 등).

④ [O] 재외선거인의 국민투표권부정 국민투표권자의 범위는 대통령 선거권자·국회의원 선거권자와 일치되어야 한다. 따라서 국민투표는 선거와 달리 국민이 직접 국가의 정치에 참여하는 절차이므로, 국민투표권은 대한민국 국민의 자격이 있는 사람에게 반드시 인정되어야 하는 권리이다. 따라서 재외선거인의 국민투표권을 인정하지 않은 「국민투표법」 조항은 재외선거인의 국민투표권을 침해한다(2014.7.24, 2009헌마256 등).

08 정답 ④

ㄱ. [O]

「국민투표법」 제26조 【국민투표에 관한 운동의 기간】 국민투표에 관한 운동은 국민투표일공고일로부터 투표일 전일까지에 한하여 이를 할 수 있다.

ㄴ. [O]

「국민투표법」 제27조 【운동의 한계】 운동은 이 법에 규정된 이외의 방법으로는 이를 할 수 없다

ㄷ. [O]

「국민투표법」 제28조 【운동을 할 수 없는 자】 ① 「정당법」상의 당원의 자격이 없는 자는 운동을 할 수 없다.

ㄹ. [O] 당원의 자격이 없는 사립초등학교 교사는 국민투표에 관한 운동을 할 수 없으나, 당원이 될 수 있는국립대학교 교수는 국민투표에 관한 운동을 할 수 있다.

「국민투표법」 제28조 【운동을 할 수 없는 자】 ① 「정당법」상의 당원의 자격이 없는 자는 운동을 할 수 없다.

ㅁ. [X]

「국민투표법」 제92조 【국민투표의 소송】 국민투표의 효력에 관하여 이의가 있는 투표인은 투표인 10만 인 이상의 찬성을 얻어 중앙선거관리위원회위원장을 피고로 하여 투표일로부터 20일 이내에 대법원에 제소할 수 있다.

ㅂ. [X] ㅇ. [X]

「국민투표법」 제93조 【국민투표 무효의 판결】 대법원은 제92조의 규정에 의한 소송에 있어서 국민투표에 관하여 이 법 또는 이 법에 의하여 발하는 명령에 위반하는 사실이 있는 경우라도 국민투표의 결과에 영향이 미쳤다고 인정하는 때에 한하여 국민투표의 전부 또는 일부의 무효를 판결한다.

ㅅ. [X]

「국민투표법」 제51조 【투표소의 설치와 공고】 ① 투표소는 투표구마다 설치하되, 투표구선거관리위원회가 투표일 전 10일까지 그 명칭과 소재지를 공고하여야 한다. 다만, 천재·지변 기타 불가피한 사유가 있을 때에는 이를 변경할 수 있다.

09 정답 ④

① [X] 대의제하에서는 선거는 국가기관 구성에 그치고(합성행위) 정책결정권은 대표자가 가지므로 선거가 특정의 공무수행기능을 위임하는 것은 아니다.

② [X] 선거권은 간접적인 참정권이다.

③ [X] 헌법에서 명문으로 규정하고 있는 선거권은 대통령 선거권, 국회의원 선거권, 지방의원 선거권이고, 지방자치단체장 선거권과 교육위원 선거권은 법률에 의해서 인정되고 있다(2002.3.28, 2000헌마283 등). 다만, 지방자치단체장 선거권도 헌법상 기본권이다.

❹ [O] 우리 헌법은 법률이 정하는 바에 따른 '선거권'과 '공무담임권' 및 국가안위에 관한 중요정책과 헌법개정에 대한 '국민투표권'만을 헌법에서 규정하였고 주민투표권은 그 성질상 선거권, 공무담임권, 국민투표권과 전혀 다른 것이어서 이를 법률이 보장하는 참정권이라고 할 수 있을지언정 헌법이 보장하는 참정권이라고 할 수는 없다(2001.6.28, 2000헌마735).

10 정답 ②

ㄱ. [X] 국회의원 정수는 「공직선거법」에 규정되어 있다. 헌법 제41조 제2항은 "국회의원의 수는 200인 이상으로 한다."라고 규정하여 하한선을 규정하고 있다.

ㄴ. [O] 현행 「공직선거법」상 국회의원 수는 300인으로 규정되어 있으므로, 정원의 3분의 1을 감축하면 200인이 된다. 헌법은 200인 이상이라고만 규정하고 있으므로 헌법개정 없이 「공직선거법」만 개정하면 된다.

> **「공직선거법」 제21조 【국회의 의원 정수】** ① 국회의 의원 정수는 지역구국회의원과 비례대표국회의원을 합하여 300명으로 한다.
>
> **헌법 제41조** ② 국회의원의 수는 법률로 정하되, 200인 이상으로 한다.

ㄷ. [X]

> **헌법 제67조** ③ 대통령후보자가 1인일 때에는 그 득표수가 선거권자 총수의 3분의 1 이상이 아니면 대통령으로 당선될 수 없다.

ㄹ. [X]

> **1987년 개정헌법 제67조** ④ 대통령으로 선거될 수 있는 자는 국회의원의 피선거권이 있고 선거일 현재 40세에 달하여야 한다.
>
> **1980년 개정헌법 제42조** 대통령으로 선거될 수 있는 자는 국회의원의 피선거권이 있고, 선거일 현재 계속하여 5년 이상 국내에 거주하고 40세에 달하여야 한다. 이 경우에 공무로 외국에 파견된 기간은 국내거주기간으로 본다.
>
> **「공직선거법」 제16조 【피선거권】** ① 선거일 현재 5년 이상 국내에 거주하고 있는 40세 이상의 국민은 대통령의 피선거권이 있다. 이 경우 공무로 외국에 파견된 기간과 국내에 주소를 두고 일정 기간 외국에 체류한 기간은 국내거주기간으로 본다.

ㅁ. [O]

> **헌법 제68조** ① 대통령의 임기가 만료되는 때에는 임기만료 70일 내지 40일 전에 후임자를 선거한다.

ㅂ. [X]

> **헌법 제68조** ② 대통령이 궐위된 때 또는 대통령 당선자가 사망하거나 판결 기타의 사유로 그 자격을 상실한 때에는 60일 이내에 후임자를 선거한다.

ㅅ. [X]

> **헌법 제67조** ② 제1항의 선거에 있어서 최고득표자가 2인 이상인 때에는 국회의 재적의원 과반수가 출석한 공개회의에서 다수표를 얻은 자를 당선자로 한다.

11 정답 ④

① [X]

> **헌법 제41조** ① 국회는 국민의 보통·평등·직접·비밀선거에 의하여 선출된 국회의원으로 구성한다.
>
> **제67조** ① 대통령은 국민의 보통·평등·직접·비밀선거에 의하여 선출한다.

② [X]

> **헌법 제41조** ① 국회는 국민의 보통·평등·직접·비밀선거에 의하여 선출된 국회의원으로 구성한다.

③ [X] 보통선거란 사회적 신분(성별, 계급, 교육 정도) 등과 관계없이 모든 국민에게 선거권과 피선거권을 인정하는 선거원칙으로 제한선거에 대응하는 개념이다.

❹ [O] 보통선거의 원칙은 선거권자의 능력, 재산, 사회적 지위 등의 실질적인 요소를 배제하고 성년자이면 누구라도 당연히 선거권을 갖는 것을 요구한다. 따라서 선거권자의 국적이나 선거인의 의사능력 등 선거권 및 선거제도의 본질상 요청되는 사유에 의한 내재적 제한을 제외하고 보통선거의 원칙에 위배되는 선거권 제한입법을 하기 위해서는 기본권 제한입법에 관한 헌법 제37조 제2항의 규정에 따라야 한다. 또한 보통선거원칙에 반하는 선거권 제한의 입법을 하기 위해서는 헌법 제37조 제2항의 규정에 따른 한계가 엄격히 지켜져야 한다(1999.1.28, 97헌마253 등).

12 정답 ①

❶ [X] 헌법상 선거권 연령규정이 없으므로 「공직선거법」 개정만으로 가능하다. 「민법」 성년규정에 따라 선거권의 연령을 결정해야 하는 것은 아니다.

② [O] 선거권자의 국적이나 선거인의 의사능력 등 선거권 및 선거제도의 본질상 요청되는 사유에 의한 내재적 제한을 제외하고 보통선거의 원칙에 위배되는 선거권 제한입법을 하기 위해서는 기본권 제한입법에 관한 헌법 제37조 제2항의 규정에 따라야 한다(1999.1.28, 97헌마253 등).

③ [O] 국회의원 기탁금을 2천만 원으로 하는 「공직선거법」은 보통선거원칙에 위배된다.

④ [O] 평등선거원칙은 선거권 부여에 있어서의 평등에 한정되지 않고, 선거운동의 기회 등 전체적인 선거과정에 있어서의 평등을 의미한다. 평등선거원칙은 차등선거에 대응하는 선거원칙이다. 협의의 평등선거는 1인 1표제를 원칙(one man, one vote)으로 하고 선거인의 투표가치를 평등한 것(one vote, one value)이 되게 하는 선거원칙이다.

13 정답 ④

① [X] 보통선거원칙 및 그에 기초한 선거권을 법률로써 제한하는 것은 필요 최소한에 그쳐야 한다. 집행유예자와 수형자의 선거권 제한은 범죄자가 범죄의 대가로 선고받은 자유형의 본질에서 당연히 도출되는 것이 아니므로, 범죄자의 선거권 제한 역시 보통선거원칙에 기초하여 필요 최소한의 정도에 그쳐야 한다. 심판대상조항의 입법목적에 비추어 보더라도, 구체적인 범죄의 종류나 내용 및 불법성의 정도 등과 관계없이 일률적으로 선거권을 제한하여야 할

필요성이 있다고 보기는 어렵다. 범죄자가 저지른 범죄의 경중을 전혀 고려하지 않고 수형자와 집행유예자 모두의 선거권을 제한하는 것은 침해의 최소성원칙에 어긋난다(2014.1.28, 2012헌마409 등).

② [X] 평등선거의 원칙은 평등의 원칙이 선거제도에 적용된 것으로서 투표의 수적 평등, 즉 복수투표제 등을 부인하고 모든 선거인에게 1인 1표를 인정함을 의미할 뿐만 아니라, 투표의 성과가치의 평등, 즉 1표의 투표가치가 대표자 선정이라는 선거의 결과에 대하여 기여한 정도에 있어서도 평등하여야 함을 의미한다(1995.12.27, 95헌마224).

③ [X] 소형인쇄물을 제작·배부할 수 있는 기회와 방법에 있어서 정당추천후보자와 무소속후보자 사이에 차별하여 제한하는 규정을 두는 것은 평등선거의 원칙에 반하고 참정권을 침해하는 것이라 할 것이다(1992.3.13, 92헌마37 등).

❹ [O] 평등선거의 원칙은 헌법 제11조 제1항 평등의 원칙이 선거제도에 적용된 것으로서 투표의 수적 평등, 즉 1인 1표원칙(one man, one vote)과 투표의 성과가치의 평등, 즉 1표의 투표가치가 대표자선정이라는 선거의 결과에 대하여 기여한 정도에 있어서도 평등하여야 한다는 원칙(one vote, one value)을 그 내용으로 할 뿐만 아니라, 일정한 집단의 의사가 정치과정에서 반영될 수 없도록 차별적으로 선거구를 획정하는 이른바 '게리맨더링'에 대한 부정을 의미하기도 한다(1998.11.26, 96헌마54).

14 정답 ③

① [X] 보통선거의 원칙이 일정한 연령에 달하면 선거권을 부여해야 한다는 원칙이므로 선거권의 귀속에 대한 불합리한 차별을 금지하는 것이라면, 평등선거의 원칙은 1인 1표와 투표가치의 평등을 요구하는 원칙이므로 선거권의 가치에 대한 불합리한 차별을 금지하는 것이다.

② [X] 국회의원 비례대표 후보자명단을 확정하기 위한 당내경선은 정당의 대표자나 대의원을 선출하는 절차와 달리 국회의원 당선으로 연결될 수 있는 중요한 절차로서 직접투표의 원칙이 그러한 경선절차의 민주성을 확보하기 위한 최소한의 기준이 된다고 할 수 있는 점 등 제반 사정을 종합할 때, 당내경선에도 직접·평등·비밀투표 등 일반적인 선거원칙이 그대로 적용되고 대리투표는 허용되지 않는다(대판 2013.11.28, 2013도5117).

❸ [O] 비례대표제를 채택하는 경우 직접선거의 원칙은 의원의 선출뿐만 아니라 정당의 비례적인 의석 확보도 선거권자의 투표에 의하여 직접 결정될 것을 요구하는바, 비례대표의원의 선거는 지역구의원의 선거와는 별도의 선거이므로 이에 관한 유권자의 별도의 의사표시, 즉 정당명부에 대한 별도의 투표가 있어야 함에도 현행제도는 정당명부에 대한 투표가 따로 없으므로 결국 비례대표의원의 선출에 있어서는 정당의 명부작성행위가 최종적·결정적인 의의를 지니게 되고, 선거권자들의 투표행위로써 비례대표의원의 선출을 직접·결정적으로 좌우할 수 없으므로 직접선거의 원칙에 위배된다(2001.7.19, 2000헌마91).

④ [X] 직접선거의 원칙은 선거 결과가 선거권자의 투표에 의하여 직접 결정될 것을 요구하는 원칙이다. 국회의원 선거와 관련하여 보면, 국회의원의 선출이나 정당의 의석 획득이 중간선거인이나 정당 등에 의하여 이루어지지 않고 선거권자의 의사에 따라 직접 이루어져야 함을 의미한다(2001.7.19, 2000헌마91 등).

⑤ [X] 비례대표제를 채택하는 경우 직접선거의 원칙은 의원의 선출뿐만 아니라 정당의 비례적인 의석 확보도 선거권자의 투표에 의하여 직접 결정될 것을 요구하는바, 비례대표의원의 선거는 지역구의원의 선거와는 별도의 선거이므로 이에 관한 유권자의 별도의 의사표시, 즉 정당명부에 대한 별도의 투표가 있어야 함에도 현행제도는 정당명부에 대한 투표가 따로 없으므로 결국 비례대표의원의 선출에 있어서는 정당의 명부작성행위가 최종적·결정적인 의의를 지니게 되고, 선거권자들의 투표행위로써 비례대표의원의 선출을 직접·결정적으로 좌우할 수 없으므로 직접선거의 원칙에 위배된다(2001.7.19, 2000헌마91 등).

15 정답 ④

① [O] 고정명부식을 채택한 것 자체가 직접선거원칙에 위반된다고는 할 수 없다. 그러나 1인 1표제하에서의 비례대표 후보자명부에 대한 별도의 투표 없이 지역구후보자에 대한 투표를 정당에 대한 투표로 의제하여 비례대표 의석을 배분하는 것은 직접선거의 원칙에 반하는 것이다(2001.7.19, 2000헌마91 등).

② [O] 비례대표제를 채택하는 경우 직접선거의 원칙은 의원의 선출뿐만 아니라 정당의 비례적인 의석 확보도 선거권자의 투표에 의하여 직접 결정될 것을 요구하는바, 비례대표의원의 선거는 지역구의원의 선거와는 별도의 선거이므로 이에 관한 유권자의 별도의 의사표시, 즉 정당명부에 대한 별도의 투표가 있어야 함에도 현행제도는 정당명부에 대한 투표가 따로 없으므로 결국 비례대표의원의 선출에 있어서는 정당의 명부작성행위가 최종적·결정적인 의의를 지니게 되고, 선거권자들의 투표행위로써 비례대표의원의 선출을 직접·결정적으로 좌우할 수 없으므로 직접선거의 원칙에 위배된다(2001.7.19, 2000헌마91 등).

③ [O] 신생정당에 대한 국민의 지지도를 제대로 반영할 수 없어 기존의 세력정당에 대한 국민의 실제 지지도를 초과하여 그 세력정당에 의석을 배분하여 주게 되는바, 이는 선거에 있어 국민의 의사를 제대로 반영하고, 국민의 자유로운 선택권을 보장할 것 등을 요구하는 민주주의원리에 부합하지 않는다(2001.7.19, 2000헌마91 등).

❹ [X] 1인 1표제하에서의 비례대표제 의석배분방식은 국민의 정당에 대한 지지도를 정확하게 반영하지 못하며 오히려 적극적으로 이를 왜곡하고 있다. 지역구후보자에 대한 지지는 정당에 대한 지지로 의제할 수 없는데도 이를 의제하는 것이기 때문이다. 지역구 선거의 유효투표 총수의 100분의 3 이상을 득표한 정당이 그 만큼의 국민의 지지를 받는 정당이라는 등식은 도저히 성립하지 않는다. 그리하여 실제로는 3% 이상의 지지를 받는 정당이 비례대표 의석을 배분받지 못하는 수도 있고, 그 역의 현상도 얼마든지 가능한 것이다. 이와 같이 국민의 정당지지의 정도를 계산함에 있어 불합리한 잣대를 사용하는 한 현행의 저지조항은 그 저지선을 어느 선에서 설정하건간에 평등원칙에 위반될 수밖에 없다(2001.7.19, 2000헌마91 등).

16 정답 ②

① [X] 정당의 지역구후보자가 얻은 득표율을 기준으로 한 비례대표 의석배분에 있어서 저지기준에 따라 의석배분에서 제외하는 것은 정당화 될 수 없다. 지역구후보자에 대한 지지는 정당에 대한 지지로 의제할 수 없는데도 이를 의제하는 것이기 때문이다. 지역구 선거의 유효투표 총수의 100분의 5 이상을 득표한 정당이 그 만큼의 국민의 지지를 받는 정당이라는 등식은 도저히 성립하지 않는다. 그리하여 실제로는 5% 이상의 지지를 받는 정당이 비례대표 의석을 배분받지 못하는 수도 있고, 그 역의 현상도 얼마든지 가능한 것이다. 이와 같이 국민의 정당지지의 정도를 계산함에 있어 불합리한 잣대를 사용하는 한 현행의 저지조항은 그 저지선을 어느 선에서 설정하건간에 평등원칙에 위반될 수밖에 없다(2001.7.19,

2000헌마91 등).

❷ [O] 위 조항들의 위헌성으로 인하여, 첫째, 유권자인 국민들의 선거권이 침해된다. 비례대표제를 실시하지 않으면 모르되 비례대표제를 실시하는 이상 국민들에게는 비례대표국회의원에 대한 선출권이 보장되어야 한다. 그런데 현행 비례대표의원 선출방식은 비례대표의원에 대한 국민들의 직접적이고 자유로운 선출권을 그 최소한마저 보장하고 있지 않으므로 비례대표국회의원에 관한 한 국민의 선거권을 박탈하고 있다 할 것이다. 그리고 그 결과 간접적으로는 입후보자의 피선거권도 침해되게 된다(2001.7.19, 2000헌마91 등).

③ [X] 1인 1표제하에서의 비례대표후보자명부에 대한 별도의 투표 없이 지역구후보자에 대한 투표를 정당에 대한 투표로 의제하여 비례대표의석을 배분하는 것은 직접선거의 원칙에 반한다고 하지 않을 수 없다(2001.7.19, 2000헌마91 등).

④ [X] 국회의원 선거에 있어 다수대표제만을 택하고 비례대표제를 택하지 않을 경우 지역구의 개별 후보자에 대한 국민의 지지만을 정확하게 반영하여도 민주주의원리에 반하는 것은 아니다(2001.7.19, 2000헌마91 등).

17 정답 ②

ㄱ. [O] 선거권은 헌법상 권리일뿐더러, 자유선거의 원칙상 선거의 가부 역시 선거인의 자유로운 결정에 속한다. 다만, 이견은 있을 수 있다. 헌법재판소는 "선거권자들로 하여금 투표를 하도록 강제하는 과태료나 벌금 등의 수단을 채택하게 된다면 자발적으로 투표에 참가하지 않은 선거권자들의 의사형성의 자유 내지 결심의 자유를 부당하게 축소하고 그 결과로 투표의 자유를 침해하여 결국 자유선거의 원칙을 위반할 우려도 있게 된다."라고 판시하고 있다(2003.11.27, 2003헌마259 등).

ㄴ. [X] 자유선거원칙은 헌법에 규정되어 있지 않다.

> **헌법 제41조** ① 국회는 국민의 보통·평등·직접·비밀선거에 의하여 선출된 국회의원으로 구성한다.
>
> **제67조** ① 대통령은 국민의 보통·평등·직접·비밀선거 의하여 선출한다.

ㄷ. [X] 선거의 자유에는 입후보의 자유가 포함되는바, 입후보의 자유란 공직선거의 입후보에 관한 사항은 개인의 주관적인 판단에 기초하여 자유로이 결정하여야 할 사항으로서 직접적 내지 간접적인 법적 강제가 개입되어서는 아니 된다는 의미이다. 입후보의 자유는 선거의 전 과정에서 입후보와 관련한 의사형성 및 의사실현의 자유를 의미하는 것인바, 공직선거에 입후보할 자유뿐 아니라 입후보하였던 자가 참여하였던 선거과정으로부터 이탈할 자유도 포함된다(2009.12.29, 2007헌마1412).

ㄹ. [O] 지문은 자유선거원칙에 관한 내용이다.

ㅁ. [X] 자유선거의 원칙은 비록 우리 헌법에 명시되지는 않았지만 민주국가의 선거제도에 내재하는 법원리인 것으로서 국민주권의 원리, 의회민주주의의 원리 및 참정권에 관한 규정에서 그 근거를 찾을 수 있다. 이러한 자유선거의 원칙은 선거의 전 과정에 요구되는 선거권자의 의사형성의 자유와 의사실현의 자유를 말하고, 구체적으로는 투표의 자유, 입후보의 자유, 나아가 선거운동의 자유를 뜻한다(1994.7.29, 93헌가4 등).

18 정답 ④

ㄱ. [O] 선거구 구역표는 각 선거구가 서로 유기적으로 관련을 가짐으로써 한 부분에서의 변동은 다른 부분에서도 연쇄적으로 영향을 미치는 성질을 가진다. 이러한 의미에서 선거구 구역표는 전체가 불가분의 일체를 이루는 것으로서 어느 한 부분에 위헌적인 요소가 있다면, 선거구 구역표 전체가 위헌의 하자를 갖는 것이라고 보아야 한다(2014.10.30, 2012헌마192 등).

ㄴ. [O] 선거구의 획정은 사회적·지리적·역사적·경제적·행정적 연관성 및 생활권 등을 고려하여 특단의 불가피한 사정이 없는 한 인접지역이 1개의 선거구를 구성하도록 함이 상당하며, 이 또한 선거구획정에 관한 국회의 재량권의 한계이다(1995.12.27, 95헌마224 등).

ㄷ. [X] 헌법재판소는 선거구 구역표가 선거권과 평등권 침해를 야기하므로 이를 헌법소원의 대상으로 보고 있다.

ㄹ. [X] 선거구획정에서 가장 중요한 요소는 인구비례이다.

ㅁ. [X] 헌법재판소는 기초의원 선거에서도 1차적 요소는 인구비례이고, 2차적 고려요소로 행정구역, 지세, 교통 등을 들고 있고, 3차적 요소로는 도시와 농어촌 간의 극심한 인구편차 등을 들고 있다.

ㅂ. [O] 국회가 결정한 구체적인 선거제도의 구조 아래에서 발생한 투표의 불평등이 헌법이 요구하는 투표가치 평등의 원칙에 반하는지의 여부를 판단할 때, 이러한 불평등이 위에서 본 바와 같은 헌법적 요청에 의한 한계 내의 재량권 행사로서 그 합리성을 시인할 수 있는지의 여부를 검토하여, 국회가 통상 고려할 수 있는 제반 사정, 즉 여러가지 비인구적 요소(행정구역, 지세, 역사적·전통적 일체감 등)를 모두 참작한다고 하더라도 일반적으로 합리성이 있다고는 도저히 볼 수 없을 정도로 투표가치의 불평등이 생긴 경우에는 헌법에 위반된다고 하여야 한다(95.12.27, 95헌마224 등).

ㅅ. [X] 국회의원 선거제도와 지방의회의원 선거제도의 제도적 취지가 다르고, 투표가치 평등의 헌법적 의미 역시 다르게 적용되므로, 위 두 선거구 구역표 사이에 통일성을 확보해야 할 특별한 이유는 없다(2014.10.30, 2012헌마190 등).

19 정답 ③

ㄱ. [O] 인구편차 상하 33⅓%를 넘어 인구편차를 완화하는 것은 지나친 투표가치의 불평등을 야기하는 것으로, 이는 대의민주주의의 관점에서 바람직하지 아니하고, 국회를 구성함에 있어 국회의원의 지역대표성이 고려되어야 한다고 할지라도 이것이 국민주권주의의 출발점인 투표가치의 평등보다 우선시될 수는 없다. 특히, 현재는 지방자치제도가 정착되어 지역대표성을 이유로 헌법상 원칙인 투표가치의 평등을 현저히 완화할 필요성이 예전에 비해 크지 아니하다(2014.10.30, 2012헌마192 등).

ㄴ. [O] 국회의원 선거구획정기준(평균 인구 수 기준 상하 33.33%)보다 완화된 기준에 의하였을 뿐이고, 자치구·시·군의원 선거구획정에 있어서도 시·도의회의원 선거구획정에서 요구되는 기준과 동일한 기준인 1인당 평균인구 수 대비 상하 50%를 적용하여 판단하였다.

ㄷ. [X] 국회가 국회의원 선거구획정위원회의 선거구획정안의 내용과 달리 선거구를 획정했다거나, 선거구획정과정에서 국회의원 지역선거구 구역표와 지방의회의원 지역선거구 구역표 사이에 불일치가 발생하였다는 사정만으로 이것이 입법재량을 일탈한 것이라고 볼 수도 없다. 따라서 '문제된 4개 선거구'의 획정은 입법재량의 범위를 벗어난 자의적인 선거구획정이 아니다(2014.10.30, 2012헌마190 등).

ㄹ. [X] 2012헌마325 사건의 청구인들 중 박○돈과 2013헌마781 사건의 청구인 정○택은 심판대상 선거구 구역표가 국회의원 선거에

출마하고자 하는 위 청구인들의 공무담임권을 제한한다고 주장하나, 심판대상 선거구 구역표의 획정으로 인하여 다른 선거구에 속하게 된 특정 지역의 주민들로부터 국회의원 선거 후보자로서 지지를 받지 못하게 되었다거나 본인이 국회의원 선거 후보자로 출마하고자 하는 특정 선거구의 투표가치가 다른 선거구에 비하여 낮아지게 되었다고 할지라도, 이로 인해 위 청구인들의 공무담임권이 제한되는 것은 아니다. 따라서 정당활동의 자유 및 공무담임권 침해 여부에 대해서는 별도로 판단하지 아니한다(2014.10.30, 2012헌마190 등).

ㅁ. [○] 현시점에서는 시·도의원지역구획정에서 허용되는 인구편차기준을 인구편차 상하 50%(인구비례 3:1)로 변경하는 것이 타당하다(2018.6.28, 2014헌마189).

20 정답 ①

ㄱ. [X] 인구편차의 허용기준을 제시함에 있어 최소선거구의 인구 수를 기준으로 할 것인가, 전국 선거구의 평균 인구 수를 기준으로 할 것인가의 문제가 있으나, 우리 재판소는 이미 헌재 95헌마224 등 결정에서 독일 연방선거법의 규정이나 독일 연방헌법재판소의 판시기준 및 당시 중앙선거관리위원회의 의견 등의 예에 따라 전국 선거구의 평균인구 수를 기준으로 하여 인구편차의 허용기준을 제시한 바 있으므로, 이에 따라 전국 선거구의 평균인구 수를 기준으로 하여 인구편차의 허용기준을 검토하기로 한다(2001.10.25, 2000헌마92 등).

ㄴ. [X] 헌법재판소는 자치구·시·군의원 선거구 간 인구편차 비교집단 설정에 있어서 해당 자치구·시·군의원 선거구만을 비교집단으로 하여 판단하였다. 우선 비교집단 설정에 있어서 자치구·시·군 내의 다른 선거구만을 비교할 것인지, 아니면 특별시, 광역시, 도 내의 모든 선거구를 비교할 것인지, 나아가 전국의 자치구·시·군의회의원 선거구 모두를 비교할 것인지가 문제된다. 자치구·시·군별로 별개의 의회를 구성하므로 서로 다른 자치구·시·군 주민들이 자치구·시·군의회의원 선거에 있어서 동일한 취급을 받아야 할 동일한 집단이라고 하기 어려운 점 등을 고려하면 지방의회인 이 사건 자치구·시·군의회의원 선거구에 관한 이 사건에서도 해당 자치구·시·군 내의 선거구들만을 비교하여 판단하는 것이 타당하다고 할 것이다(2009.3.26, 2006헌마14).

ㄷ. [X] 우리나라는 독일 등의 선진국가와 달리 도시와 농어촌 간의 인구편차와 개발불균형이 현저하고 국회가 단원으로 구성되어 있어 국회의원이 국민 전체의 대표이면서 동시에 지역 대표성도 가지고 있다는 점을 고려하면 독일 등 보다 선거구 간의 인구비례원칙을 완화해야 할 필요성이 있다.

ㄹ. [X] 현재는 지방자치제도가 정착되어 지역대표성을 이유로 헌법상 원칙인 투표가치의 평등을 현저히 완화할 필요성이 예전에 비해 크지 아니하다(2014.10.30, 2012헌마190 등).

ㅁ. [○] 국회를 구성함에 있어 국회의원의 지역대표성이 고려되어야 한다고 할지라도 이것이 국민주권주의의 출발점인 투표가치의 평등보다 우선시될 수는 없다(2014.10.30, 2012헌마190 등).

ㅂ. [X] 농산어촌의 지역대표성은 인구범위(인구비례 2:1의 범위를 말한다)를 벗어나지 아니하는 범위 안에서 반영될 수 있도록 노력하여야 한다.

ㅅ. [X] 국회의원이 지역구에서 선출되더라도 추구하는 목표는 지역구의 이익이 아닌 국가 전체의 이익이어야 한다는 원리는 이미 논쟁의 단계를 넘어선 확립된 원칙으로 자리 잡고 있으며, 이러한 원칙은 양원제가 아닌 단원제를 채택하고 있는 우리 헌법하에서도 동일하게 적용된다. 따라서 국회를 구성함에 있어 국회의원의 지역대표성이 고려되어야 한다고 할지라도 이것이 국민주권주의의 출발점인 투표가치의 평등보다 우선시될 수는 없다(2014.10.30, 2012헌마190 등).

ㅇ. [X] 헌법재판소는 2000헌마92 결정에서 단원제를 채택하고 있는 우리나라의 경우 국회의원이 국민의 대표이면서 현실적으로는 어느 정도의 지역대표성도 겸하고 있는 점, 인구의 도시집중으로 인한 도시와 농어촌 간의 인구편차와 각 분야에 있어서의 개발 불균형이 현저한 현실 등을 근거로 국회의원 선거구획정에 있어 인구편차를 완화할 수 있다고 판단하였다. 그러나 국회의원의 지역대표성이나 도농 간의 인구격차, 불균형한 개발 등은 더 이상 인구편차 상하 33⅓%, 인구비례 2:1의 기준을 넘어 인구편차를 완화할 수 있는 사유가 되지 않는다고 판단된다(2014.10.30, 2012헌마190 등).

41회 진도별 모의고사
선거제도

정답

01	③	02	②	03	③	04	④
05	④	06	③	07	④	08	④
09	④	10	②	11	②	12	①
13	①	14	②	15	①	16	④
17	②	18	③	19	④	20	②

01 정답 ③

① [O]

> 「공직선거법」 제34조 【선거일】 ① 임기만료에 의한 선거의 선거일은 다음 각 호와 같다.
> 1. 대통령 선거는 그 임기만료일 전 70일 이후 첫 번째 수요일
> 2. 국회의원 선거는 그 임기만료일 전 50일 이후 첫 번째 수요일
> 3. 지방의회의원 및 지방자치단체의 장의 선거는 그 임기만료일 전 30일 이후 첫 번째 수요일
>
> ② 제1항의 규정에 의한 선거일이 국민생활과 밀접한 관련이 있는 민속절 또는 공휴일인 때와 선거일 전일이나 그 다음 날이 공휴일인 때에는 그 다음 주의 수요일로 한다.

② [O]

> 「공직선거법」 제37조 【명부작성】 ① 선거를 실시하는 때마다 구(자치구가 아닌 구를 포함한다)·시(구가 설치되지 아니한 시를 말한다)·군(이하 '구·시·군'이라 한다)의 장은 대통령 선거에서는 선거일 전 28일, 국회의원 선거와 지방자치단체의 의회의원 및 장의 선거에서는 선거일 전 22일(이하 '선거인명부작성기준일'이라 한다) 현재 제15조에 따라 그 관할 구역에 주민등록이 되어 있는 선거권자(지방자치단체의 의회의원 및 장의 선거의 경우 제15조 제2항 제3호에 따른 외국인을 포함하고, 제218조의13에 따라 확정된 재외선거인명부 또는 다른 구·시·군의 국외부재자신고인명부에 올라 있는 사람은 제외한다)를 투표구별로 조사하여 선거인명부작성기준일부터 5일 이내(이하 '선거인명부작성기간'이라 한다)에 선거인명부를 작성하여야 한다. 이 경우 제218조의13에 따라 확정된 국외부재자신고인명부에 올라 있는 사람은 선거인명부의 비고란에 그 사실을 표시하여야 한다.

❸ [X]

> 「공직선거법」 제108조 【여론조사의 결과공표금지 등】 ① 누구든지 선거일 전 6일부터 선거일의 투표마감시각까지 선거에 관하여 정당에 대한 지지도나 당선인을 예상하게 하는 여론조사(모의투표나 인기투표에 의한 경우를 포함한다)의 경위와 그 결과를 공표하거나 인용하여 보도할 수 없다.

④ [O] 선거로 인한 법적 불안정상태를 신속히 해소하면서도 선거의 공정성을 보장함과 동시에 선거로 야기된 정국의 불안을 특정한 시기에 일률적으로 종료시키기 위한 입법자의 형사정책적 결단 등에서 비롯된 것이므로, 그 합리성을 인정할 수 있다. 따라서 심판대상조항은 평등원칙에 위반되지 않는다(2020.3.26, 2019헌바71).

02 정답 ②

① [O] 선거권은 타인이 대신 행사할 수 없는 일신전속적 권리이다. 따라서 양도나 대리 행사가 불가능한 권리이다.

❷ [X] 주민자치제를 본질로 하는 민주적 지방자치제도가 안정적으로 뿌리내린 현 시점에서 지방자치단체의 장 선거권을 지방의회의원 선거권, 나아가 국회의원 선거권 및 대통령 선거권과 구별하여 하나는 법률상의 권리로, 나머지는 헌법상의 권리로 이원화하는 것은 허용될 수 없다. 그러므로 지방자치단체의 장 선거권 역시 다른 선거권과 마찬가지로 헌법 제24조에 의해 보호되는 기본권으로 인정하여야 한다(2016.10.27, 2014헌마797).

③ [O] 새로운 지방의회를 구성함에 있어 즉시 선거를 실시할 것인지 아니면 종전에 선출되어 있던 지방의회의원을 통해 지방의회를 구성하고 그들의 임기가 종료된 후에 새로운 선거를 실시할 것인지 여부는 원칙적으로 입법자의 입법형성의 자유에 속하는 사항이므로, 지방자치단체 신설과 동시에 혹은 신설과정에서 새로운 지방의회의원선거가 헌법적으로 반드시 요청된다고 보기는 어렵다(2013.2.28, 2012헌마131).

④ [O] 2013.2.28, 2012헌마131

03 정답 ③

ㄱ. [O] 사법적인 성격을 지니는 농협의 조합장 선거에서 조합장을 선출하거나 조합장으로 선출될 권리, 조합장 선거에서 선거운동을 하는 것은 헌법에 의하여 보호되는 선거권의 범위에 포함되지 아니한다(2012.2.23, 2011헌바154).

ㄴ. [O] 96헌마89 결정 등의 요지는, 선거권과 공무담임권의 연령을 어떻게 규정할 것인가는 입법자가 입법목적 달성을 위한 선택의 문제이고 입법자가 선택한 수단이 현저하게 불합리하고 불공정한 것이 아닌 한 재량에 속하는 것인데, 선거권 연령을 20세로 규정한 것은 여러 사정을 감안하더라도 입법부에 주어진 합리적인 재량의 범위를 벗어난 것으로 볼 수 없다는 것이다(2013.7.25, 2012헌마174).

ㄷ. [X] 선거권연령은 선거권 행사에 요구되는 정치적 판단능력의 수준을 설정하고 일정 연령집단의 정치적 판단능력의 보편적 수준을 파악하는 일이 기본적으로 요구된다. 그런데 대의민주제에서 선거권 행사에 요구되는 최소한의 정치적 판단능력의 수준과, 또 일정 연령집단의 정치적 판단능력의 보편적 수준을 계측할 객관적 기준과 방법이 없다. 그리고 이러한 사항의 판단에 관하여 우리 재판소가 입법자보다 고도의 전문적 식견을 가지고 있는 것도 아니다(1997.6.26, 96헌마89).

ㄹ. [X] 헌법재판소는 "선거권과 공무담임권의 연령을 어떻게 규정할 것인가는 입법자가 입법목적 달성을 위한 선택의 문제이고 입법자가 선택한 수단이 현저하게 불합리하고 불공정한 것이 아닌 한 재량에 속하는 것인바, 선거권 연령을 공무담임권의 연령인 18세와 달리 20세로 규정한 것은 입법부에 주어진 합리적인 재량의 범위를 벗어난 것으로 볼 수 없다(1997.6.26, 96헌마89)."라고 하여 합헌으로 결정하였으나, 그 후 법 개정을 통해 18세로 하향되었다.

04 정답 ④

① [X] ③ [X]

> 「공직선거법」 제15조 【선거권】 ② 18세 이상으로서 제37조 제1항에 따른 선거인명부작성기준일 현재 다음 각 호의 어느 하나에 해당하는 사람은 그 구역에서 선거하는 지방자치단체의 의회의원 및 장의 선거권이 있다.
> 3. 「출입국관리법」 제10조에 따른 영주의 체류자격 취득일 후 3년이 경과한 외국인으로서 같은 법 제34조에 따라 해당 지방자치단체의 외국인등록대장에 올라 있는 사람

② [X] 외국인은 대통령 선거 및 국회의원 선거에서는 선거권이 없으나, 지방선거권에 대하여 조례가 아니라 「공직선거법」에서 인정되고 있다.

> 「공직선거법」 제15조 【선거권】 ② 18세 이상으로서 제37조 제1항에 따른 선거인명부작성기준일 현재 다음 각 호의 어느 하나에 해당하는 사람은 그 구역에서 선거하는 지방자치단체의 의회의원 및 장의 선거권이 있다.
> 3. 「출입국관리법」 제10조에 따른 영주의 체류자격 취득일 후 3년이 경과한 외국인으로서 같은 법 제34조에 따라 해당 지방자치단체의 외국인등록대장에 올라 있는 사람

❹ [O] 영내 기거하는 현역병은 보다 밀접한 이해관계를 가지는 그가 속한 세대의 거주지 선거에서 선거권을 행사할 수 있고, 영내 기거하는 현역병을 병영이 소재하는 지역의 주민에 해당한다고 보기 어려운 이상, 이 사건 법률조항은 영내 기거 현역병의 선거권을 제한하지 않는다(2011.6.30, 2009헌마59).

05 정답 ④

① [O]

> 「공직선거법」 제18조 【선거권이 없는 자】 ① 선거일 현재 다음 각 호의 어느 하나에 해당하는 사람은 선거권이 없다.
> 1. 금치산선고를 받은 자

② [O] 「공직선거법」 제18조 제3항은 「국민투표법」 위반의 죄를 범한 자를 선거범으로 규정하고 있으므로 「공직선거법」 제18조 제1항 제3호가 적용되어 벌금 100만 원 이상이 확정되고 5년을 경과하지 않으면 선거권을 가지지 못한다.

③ [O] 사기죄의 경우 「공직선거법」 제18조 제1항 제2호가 적용되어 1년 이상의 징역 또는 금고의 형의 선고를 받고 집행 중인 자에 한해 선거권을 가지지 못한다.

❹ [X] 관악구청장으로서 그 재임 중의 직무와 관련하여 「형법」 제129조(수뢰, 사전수뢰) 내지 제132조(알선수뢰)에 규정된 죄를 범한 자로서 벌금 100만 원을 확정받은 자는 「공직선거법」 제18조 제1항 제2호가 적용되는 것이 아니라 「공직선거법」 제18조 제1항 제3호가 적용되므로 5년간은 선거권을 가지지 못한다.

⑤ [O] 「공직선거법」 제18조 제1항 제2호 단서가 적용되어 집행유예를 선고받고 유예기간 중에 있는 사람은 선거권을 가진다.

06 정답 ③

① [X] 보통선거원칙 및 그에 기초한 선거권을 법률로써 제한하는 것은 필요 최소한에 그쳐야 한다. 집행유예자와 수형자의 선거권 제한은 범죄자가 범죄의 대가로 선고받은 자유형의 본질에서 당연히 도출되는 것이 아니므로, 범죄자의 선거권 제한 역시 보통선거원칙에 기초하여 필요 최소한의 정도에 그쳐야 한다. 심판대상조항의 입법목적에 비추어 보더라도, 구체적인 범죄의 종류나 내용 및 불법성의 정도 등과 관계없이 일률적으로 선거권을 제한하여야 할 필요성이 있다고 보기는 어렵다. 범죄자가 저지른 범죄의 경중을 전혀 고려하지 않고 수형자와 집행유예자 모두의 선거권을 제한하는 것은 침해의 최소성원칙에 어긋난다(2014.1.28, 2012헌마409 등).

② [X] '유기징역 또는 유기금고의 선고를 받고 그 집행유예기간 중인 자' 부분은 위헌결정을, '유기징역 또는 유기금고의 선고를 받고 그 집행이 종료되지 아니한 자(수형자)'에 관한 부분은 헌법불합치결정을 하였다(2014.1.28, 2012헌마409 등).

❸ [O] 이 사건 법률조항에 의한 선거권 박탈은 범죄자에 대해 가해지는 형사적 제재의 연장으로서 범죄에 대한 응보적 기능도 갖는다(2017.5.25, 2016헌마292 등).

④ [X] 심판대상조항 중 수형자에 관한 부분의 위헌성은 지나치게 전면적·획일적으로 수형자의 선거권을 제한한다는 데 있다. 그런데 그 위헌성을 제거하고 수형자에게 헌법합치적으로 선거권을 부여하는 것은 입법자의 형성재량에 속하므로 심판대상조항 중 수형자에 관한 부분에 대하여 헌법불합치결정을 선고한다(2014.1.28, 2012헌마409 등).

07 정답 ④

ㄱ. [O] 집행유예자는 3년 이하의 징역 또는 금고의 형을 선고받으면서 정상에 참작할 만한 사유가 있어 1년 이상 5년 이하의 기간 그 형의 집행을 유예받아 사회의 구성원으로 생활하고 있는 사람이다. 집행유예선고가 실효되거나 취소되지 않는 한, 집행유예자는 교정시설에 구금되지 않고 일반인과 동일한 사회생활을 하고 있으므로, 그들의 선거권을 제한해야 할 필요성이 크지 않다. 따라서 심판대상조항은 청구인들의 선거권을 침해하고, 보통선거원칙에도 위반하여 집행유예자를 차별취급하는 것이므로 평등원칙에도 어긋난다(2014.1.28, 2013헌마105).

> 「공직선거법」 제18조 【선거권이 없는 자】 ① 선거일 현재 다음 각 호의 어느 하나에 해당하는 사람은 선거권이 없다.
> 2. 1년 이상의 징역 또는 금고의 형의 선고를 받고 그 집행이 종료되지 아니하거나 그 집행을 받지 아니하기로 확정되지 아니한 사람. 다만, 그 형의 집행유예를 선고받고 유예기간 중에 있는 사람은 제외한다.

ㄴ. [O] 수형자에 관한 부분의 위헌성은 지나치게 전면적·획일적으로 수형자의 선거권을 제한한다는 데 있다. 그런데 그 위헌성을 제거하고 수형자에게 헌법합치적으로 선거권을 부여하는 것은 입법자의 형성재량에 속하므로 심판대상조항 중 수형자에 관한 부분에 대하여 헌법불합치결정을 선고한다(2014.1.28, 2012헌마409 등).

「공직선거법」 **제18조 【선거권이 없는 자】** ① 선거일 현재 다음 각 호의 어느 하나에 해당하는 사람은 선거권이 없다.
2. 1년 이상의 징역 또는 금고의 형의 선고를 받고 그 집행이 종료되지 아니하거나 그 집행을 받지 아니하기로 확정되지 아니한 사람. 다만, 그 형의 집행유예를 선고받고 유예기간 중에 있는 사람은 제외한다.

ㄷ. [X] 범죄자의 선거권을 제한할 필요가 있다 하더라도 그가 저지른 범죄의 경중을 전혀 고려하지 않고 수형자와 집행유예자 모두의 선거권을 제한하는 것은 침해의 최소성원칙에 어긋난다. 이와 같이 심판대상조항은 입법목적의 정당성과 수단의 적합성은 인정할 수 있지만 침해의 최소성과 법익의 균형성이 인정되지 않으므로, 헌법 제37조 제2항에 위반하여 청구인들의 선거권을 침해한 것이다(2014.1.28, 2012헌마409 등).

ㄹ. [X] '유기징역 또는 유기금고의 선고를 받고 그 집행유예기간 중인 자' 부분은 위헌결정을, '유기징역 또는 유기금고의 선고를 받고 그 집행이 종료되지 아니한 자(수형자)'에 관한 부분은 헌법불합치결정을 하였다.

관련 판례 범죄자가 저지른 범죄의 경중을 전혀 고려하지 않고 수형자와 집행유예자 모두의 선거권을 제한하는 것은 침해의 최소성원칙에 어긋난다. 특히 집행유예자는 집행유예 선고가 실효되거나 취소되지 않는 한 교정시설에 구금되지 않고 일반인과 동일한 사회생활을 하고 있으므로, 그들의 선거권을 제한해야 할 필요성이 크지 않다. 따라서 심판대상조항은 청구인들의 선거권을 침해하고, 보통선거원칙에 위반하여 집행유예자와 수형자를 차별취급하는 것이므로 평등원칙에도 어긋난다. 심판대상조항 중 수형자에 관한 부분의 위헌성은 지나치게 전면적·획일적으로 수형자의 선거권을 제한한다는 데 있다. 그런데 그 위헌성을 제거하고 수형자에게 헌법합치적으로 선거권을 부여하는 것은 입법자의 형성재량에 속하므로 심판대상조항 중 수형자에 관한 부분에 대하여 헌법불합치결정을 선고한다(2014.1.28, 2012헌마409 등).

ㅁ. [X] 「공직선거법」 제18조 제1항 제2호 단서에 따라 집행유예선고를 받은 자의 선거권은 제한되지 않는다.

「공직선거법」 **제18조 【선거권이 없는 자】** ① 선거일 현재 다음 각 호의 어느 하나에 해당하는 사람은 선거권이 없다.
1. 금치산선고를 받은 자
2. 1년 이상의 징역 또는 금고의 형의 선고를 받고 그 집행이 종료되지 아니하거나 그 집행을 받지 아니하기로 확정되지 아니한 사람. 다만, 그 형의 집행유예를 선고받고 유예기간 중에 있는 사람은 제외한다.

08 정답 ④

ㄱ. [O] 「공직선거법」에서 범죄의 종류나 침해된 법익을 기준으로 선거권이 제한되는 수형자의 범위를 일반적으로 정하는 것은 실질적으로 곤란하다. 대신 선거권이 제한되는 수형자의 범위를 정함에 있어서 선고형이 중대한 범죄 여부를 결정하는 합리적인 기준이 될 수 있다. 선고형에는 범인의 연령, 성행, 지능과 환경, 피해자에 대한 관계, 범행의 동기, 수단과 결과, 범행 후의 정황 등의 양형조건이 참작되기 때문이다(2017.5.25, 2016헌마292 등).

ㄴ. [O] 이 사건 법률조항은 공동체 구성원으로서 반드시 지켜야 할 기본적 의무를 저버린 범죄자에게 그 공동체의 운용을 주도하는 통치조직의 구성에 참여하도록 하는 것은 바람직하지 않다는 기본적 인식과 이러한 반사회적 행위에 대한 사회적 제재의 의미를 가지고 있다. 또한 이 사건 법률조항에 의한 선거권 박탈은 범죄자에 대해 가해지는 형사적 제재의 연장으로서 범죄에 대한 응보적 기능도 갖는다. 나아가 이 사건 법률조항이 그가 선고받은 1년 이상의 징역의 형 외에 별도로 선거권을 박탈하는 것은 그 자신을 포함하여 일반 국민으로 하여금 시민으로서의 책임성을 함양하고 법치주의에 대한 존중의식을 제고하는 데에도 기여할 수 있다. 이 사건 법률조항이 담고 있는 이러한 목적은 정당하고, 1년 이상의 징역의 형의 선고를 받고 그 집행이 종료되지 아니한 사람에 대하여 선거권을 제한하는 것은 이를 달성하기 위한 적합한 방법이다. 따라서 이 사건 법률조항은 입법목적의 정당성과 수단의 적합성을 갖추고 있다(2017.5.25, 2016헌마292 등).

ㄷ. [X] 이 사건 법률조항은 가석방되었으나 가석방기간 중에 있어 형의 집행 중에 있는 사람의 선거권은 제한하고 있다. 그런데 가석방은 수형자의 사회복귀를 촉진하기 위하여 형 집행 중에 있는 자 가운데 행상이 양호하고 개전의 정이 현저한 자를 그 형의 집행종료 전에 석방함으로써 수형자에 대한 무용한 구금의 연장을 피하고 수형자의 윤리적 자기형성을 촉진하고자 하는 의미에서 취해지는 형사정책적 행정처분으로서, 수형자의 개별적 요청이나 희망에 따라 행하여지는 것이 아니라 교정기관의 교정정책 혹은 형사정책적 판단에 따라 이루어지는 재량적 조치이다. 형 집행 중에 가석방을 받았다고 하여, 형의 선고 당시 법관에 의하여 인정된 범죄의 중대성이 감쇄되었다고 보기 어려운 점을 고려하면, 입법자가 가석방처분을 받았다는 후발적 사유를 고려하지 아니하고 1년 이상 징역의 형을 선고받은 사람의 선거권을 일률적으로 제한하였다고 하여 불필요한 제한이라고 보기는 어렵다(2017.5.25, 2016헌마292 등).

ㄹ. [X] 이 사건 법률조항은 1년 이상의 징역의 형을 선고받았는지 여부만을 기준으로 할 뿐, 과실범과 고의범 등 범죄의 종류를 불문하고, 범죄로 인하여 침해된 법익이 국가적 법익인지, 사회적 법익인지, 개인적 법익인지 그 내용 또한 불문한다. 그러나 재판을 통하여 1년 이상의 징역의 형을 선고받았다면, 범죄자의 사회적·법률적 비난가능성이 결코 작지 아니함은 앞서 본 바와 같으며, 이러한 사정은 당해 범죄자가 저지른 범죄행위가 과실에 의한 것이라거나 국가적·사회적 법익이 아닌 개인적 법익을 침해하는 것이라도 마찬가지이다(2017.5.25, 2016헌마292 등).

ㅁ. [X] 선지는 반대의견의 논리다.

법정의견 이 사건 법률조항이 그가 선고받은 1년 이상의 징역의 형 외에 별도로 선거권을 박탈하는 것은 그 자신을 포함하여 일반 국민으로 하여금 시민으로서의 책임성을 함양하고 법치주의에 대한 존중의식을 제고하는 데에도 기여할 수 있다. 이 사건 법률조항이 담고 있는 이러한 목적은 정당하고, 1년 이상의 징역의 형의 선고를 받고 그 집행이 종료되지 아니한 사람에 대하여 선거권을 제한하는 것은 이를 달성하기 위한 적합한 방법이다(2017.5.25, 2016헌마292 등).

09 정답 ④

① [X] 서울특별시 관악구에 주소를 둔 23세 대학생 김철수는 국외부재자이므로 미국현지에서 임기만료에 따른 지역구국회의원 선거에서 선거권을 행사할 수 있다. 다만, 국회의원 보궐선거와 재선거에서는 선거권을 미국에서는 행사하지 못한다.

「공직선거법」 제218조의4 【국외부재자 신고】 ① 주민등록이 되어 있는 사람으로서 다음 각 호의 어느 하나에 해당하여 외국에서 투표하려는 선거권자(지역구국회의원 선거에서는 「주민등록법」 제6조 제1항 제3호에 해당하는 사람과 같은 법 제19조 제4항에 따라 재외국민으로 등록·관리되는 사람은 제외한다)는 대통령 선거와 임기만료에 따른 국회의원 선거를 실시하는 때마다 선거일 전 150일부터 선거일 전 60일까지 서면·전자우편 또는 중앙선거관리위원회 홈페이지를 통하여 관할 구·시·군의 장에게 국외부재자 신고를 하여야 한다. 이 경우 외국에 머물거나 거주하는 사람은 공관을 경유하여 신고하여야 한다.
〈각 호 생략〉

② [X] 주민등록이 되어 있지 아니하고 재외선거인명부에 올라 있지 아니한 사람으로서 외국에서 투표하려는 선거권자는 재보궐 국회의원 선거에서는 선거권을 가지지 못한다. 또한 임기만료에 따른 지역구국회의원 선거에서 재외선거인 등록신청을 할 수 없어 선거권을 갖지 못한다.

「공직선거법」 제218조의5 【재외선거인 등록신청】 ① 주민등록이 되어 있지 아니하고 재외선거인명부에 올라 있지 아니한 사람으로서 외국에서 투표하려는 선거권자는 대통령 선거와 임기만료에 따른 비례대표국회의원 선거를 실시하는 때마다 해당 선거의 선거일 전 60일까지(이하 이 장에서 '재외선거인 등록신청기한'이라 한다) 다음 각 호의 어느 하나에 해당하는 방법으로 중앙선거관리위원회에 재외선거인 등록신청을 하여야 한다.

③ [X]

「공직선거법」 제218조의5 【재외선거인 등록신청】 ① 주민등록이 되어 있지 아니하고 재외선거인명부에 올라 있지 아니한 사람으로서 외국에서 투표하려는 선거권자는 대통령 선거와 임기만료에 따른 비례대표국회의원 선거를 실시하는 때마다 해당 선거의 선거일 전 60일까지(이하 이 장에서 '재외선거인 등록신청기한'이라 한다) 다음 각 호의 어느 하나에 해당하는 방법으로 중앙선거관리위원회에 재외선거인 등록신청을 하여야 한다.
1. 공관을 직접 방문하여 서면으로 신청하는 방법. 이 경우 대한민국 국민은 가족(본인의 배우자와 본인·배우자의 직계존비속을 말한다)의 재외선거인 등록신청서를 대리하여 제출할 수 있다.
2. 관할 구역을 순회하는 공관에 근무하는 직원에게 직접 서면으로 신청하는 방법. 이 경우 제1호 후단을 준용한다.
3. 우편 또는 전자우편을 이용하거나 중앙선거관리위원회 홈페이지를 통하여 신청하는 방법. 이 경우 외국에 머물거나 거주하는 사람은 공관을 경유하여 신고하여야 한다.

❹ [O]

「공직선거법」 제218조의4 【국외부재자 신고】 ① 주민등록이 되어 있는 사람으로서 다음 각 호의 어느 하나에 해당하여 외국에서 투표하려는 선거권자(지역구국회의원 선거에서는 「주민등록법」 제6조 제1항 제3호에 해당하는 사람과 같은 법 제19조 제4항에 따라 재외국민으로 등록·관리되는 사람은 제외한다)는 대통령 선거와 임기만료에 따른 국회의원 선거를 실시하는 때마다 선거일 전 150일부터 선거일 전 60일까지(이하 이 장에서 '국외부재자 신고기간'이라 한다) 서면·전자우편 또는 중앙선거관리위원회 홈페이지를 통하여 관할 구·시·군의 장에게 국외부재자 신고를 하여야 한다. 이 경우 외국에 머물거나 거주하는 사람은 공관을 경유하여 신고하여야 한다.
1. 사전투표기간 개시일 전 출국하여 선거일 후에 귀국이 예정된 사람
2. 외국에 머물거나 거주하여 선거일까지 귀국하지 아니할 사람

10 정답 ②

① [X]

법정의견 선거권 제한조항으로 인하여 선거범의 선거권이 일정 기간 제한되지만, 이는 선거범 자신의 책임으로 발생한 범죄행위로 인하여 일정한 기본권 제한을 받는 것이고, 이러한 선거권 제한을 통하여 달성하려는 선거의 공정성 확보라는 공익이 선거권을 행사하지 못함으로써 입게 되는 개인의 기본권 침해의 불이익보다 크다고 할 것이므로, 선거권 제한조항은 법익의 균형성도 인정된다. 선거권 제한조항은 과잉금지원칙을 위반하여 청구인의 선거권을 침해하고 있다고 할 수 없다(2018.1.25, 2015헌마821 등).

위헌의견 국민주권과 대의제 민주주의의 실현수단으로서 선거권이 가지는 의미와 보통선거원칙의 중요성을 감안하면, 그 제한은 필요 최소한에 그쳐야 한다. 선거권 제한조항은 불법성 및 비난가능성에 따라 덜 침해적인 방법을 상정할 수 있음에도 「공직선거법」상 모든 선거범을 대상으로 하여 일률적으로 일정 기간 선거권을 제한하고, 벌금 100만 원 이상이라는 기준도 지나치게 낮은 것으로, 비록 선거범에 대한 제재라 하더라도 이는 과도한 제한으로서 청구인들의 선거권을 침해한다.

❷ [O] 민주주의국가에서 국민주권과 대의제 민주주의의 실현수단으로서 선거권이 갖는 이 같은 중요성으로 인해 한편으로 입법자는 선거권을 최대한 보장하는 방향으로 입법을 하여야 하며, 또 다른 한편에서 선거권을 제한하는 법률의 합헌성을 심사하는 경우에는 그 심사의 강도도 엄격하게 하여야 한다. 더욱이 보통선거의 원칙은 선거권자의 능력, 재산, 사회적 지위 등의 실질적인 요소를 배제하고, 성년자이면 누구라도 당연히 선거권을 갖는 것을 요구하므로, 보통선거의 원칙에 반하는 선거권 제한의 입법을 하기 위해서는 헌법 제37조 제2항의 규정에 따른 한계가 한층 엄격히 지켜져야 한다(2007.6.28, 2004헌마644 등).

③ [X] 피선거권 제한조항은 선거의 공정성을 확보하기 위한 것으로서, 선거의 공정성을 해친 바 있는 선거범으로부터 부정선거의 소지를 차단하여 공정한 선거가 이루어지도록 하기 위하여는 피선거권을 제한하는 것이 효과적인 방법인 점, 법원이 선거범에 대한 형량을 결정함에 있어서 양형의 조건뿐만 아니라 피선거권의 제한 여부에 대하여도 합리적 평가를 하게 되는 점, 공무원은 국민 전체에 대한 봉사자이고 국민에 대하여 책임을 지는 지위에 있으므로 선거범의 피선거권을 제한할 필요가 있는 점 등을 종합하면, 피선거권 제한조항은 청구인의 피선거권을 침해한다고 볼 수 없다(2018.1.25, 2015헌마821 등).

④ [X] 청구인들은 피선거권 제한조항이 공무담임권을 침해하고 그 밖에 이중처벌금지원칙을 위반한다고 주장하나, 앞서 본 바와 같이 이중처벌금지원칙에 있어 '처벌'은 원칙적으로 범죄에 대한 국가형벌권 실행으로서의 형벌을 의미하고, 피선거권 제한조항이 정하는 피선거권의 제한은 범죄에 대한 국가 형벌권의 실행으로서의 처벌에 해당하지 않음이 명백하므로, 이 점에 대해서는 더 나아가 판단하지 않는다(2018.1.25, 2015헌마821 등).

11 정답 ②

① [O] 지역구국회의원은 국민의 대표임과 동시에 소속 지역구의 이해관계를 대변하는 역할을 하고 있다. 전국을 단위로 선거를 실시하는 대통령 선거와 비례대표국회의원 선거에 투표하기 위해서는 국민이라는 자격만으로 충분한 데 반해, 특정한 지역구의 국회의원 선거에 투표하기 위해서는 '해당 지역과의 관련성'이 인정되어야 한

다. 주민등록과 국내거소신고를 기준으로 지역구국회의원 선거권을 인정하는 것은 해당 국민의 지역적 관련성을 확인하는 합리적인 방법이다. 따라서 선거권조항과 재외선거인 등록신청조항이 재외선거인의 임기만료 지역구국회의원 선거권을 인정하지 않은 것이 재외선거인의 선거권을 침해하거나 보통선거원칙에 위배된다고 볼 수 없다(2014.7.24, 2009헌마256 등).

❷ [X] 주민등록이 되어 있지 아니한 재외국민은 외국에서 지역구국회의원 선거권을 행사할 수 없다.

> **「공직선거법」 제218조의5 【재외선거인 등록신청】** ① 주민등록이 되어 있지 아니하고 재외선거인명부에 올라 있지 아니한 사람으로서 외국에서 투표하려는 선거권자는 대통령 선거와 임기만료에 따른 비례대표국회의원 선거를 실시하는 때마다 해당 선거의 선거일 전 60일까지(이하 이 장에서 '재외선거인 등록신청기한'이라 한다) 다음 각 호의 어느 하나에 해당하는 방법으로 중앙선거관리위원회에 재외선거인 등록신청을 하여야 한다.
> 〈각 호 생략〉
>
> **제15조 【선거권】** ① 18세 이상의 국민은 대통령 및 국회의원의 선거권이 있다. 다만, 지역구국회의원의 선거권은 18세 이상의 국민으로서 제37조 제1항에 따른 선거인명부작성기준일 현재 다음 각 호의 어느 하나에 해당하는 사람에 한하여 인정된다.
> 1. 「주민등록법」 제6조 제1항 제1호 또는 제2호에 해당하는 사람으로서 해당 국회의원지역선거구 안에 주민등록이 되어 있는 사람
> 2. 「주민등록법」 제6조 제1항 제3호에 해당하는 사람으로서 주민등록표에 3개월 이상 계속하여 올라 있고 해당 국회의원지역선거구 안에 주민등록이 되어 있는 사람
>
> ② 18세 이상으로서 제37조 제1항에 따른 선거인명부작성기준일 현재 다음 각 호의 어느 하나에 해당하는 사람은 그 구역에서 선거하는 지방자치단체의 의회의원 및 장의 선거권이 있다.
> 1. 「주민등록법」 제6조 제1항 제1호 또는 제2호에 해당하는 사람으로서 해당 지방자치단체의 관할 구역에 주민등록이 되어 있는 사람
> 2. 「주민등록법」 제6조 제1항 제3호에 해당하는 사람으로서 주민등록표에 3개월 이상 계속하여 올라 있고 해당 지방자치단체의 관할 구역에 주민등록이 되어 있는 사람
> 3. 「출입국관리법」 제10조에 따른 영주의 체류자격 취득일 후 3년이 경과한 외국인으로서 같은 법 제34조에 따라 해당 지방자치단체의 외국인등록대장에 올라 있는 사람

③ [O] 국내거주 재외국민은 주민등록을 할 수 없을 뿐이지 '국민인 주민'이라는 점에서는 '주민등록이 되어 있는 국민인 주민'과 실질적으로 동일하므로 지방선거 선거권 부여에 있어 양자에 대한 차별을 정당화할 어떠한 사유도 존재하지 않으며, 또한 헌법상의 권리인 국내거주 재외국민의 선거권이 법률상의 권리에 불과한 '영주의 체류자격 취득일로부터 3년이 경과한 18세 이상의 외국인'의 지방선거 선거권에 못 미치는 부당한 결과가 초래되고 있다는 점에서, 국내거주 재외국민에 대해 그 체류기간을 불문하고 지방선거 선거권을 전면적·획일적으로 박탈하는 법 제15조 제2항 제1호, 제37조 제1항은 국내거주 재외국민의 평등권과 지방의회의원 선거권을 침해한다(2007.6.28, 2004헌마644 등).

④ [O] 국내거주 재외국민에 대해 그 체류기간을 불문하고 지방선거 선거권을 전면적·획일적으로 박탈하는 법 제15조 제2항 제1호, 제37조 제1항은 국내거주 재외국민의 평등권과 지방의회의원 선거권을 침해한다(2007.6.28, 2004헌마644 등).

12 정답 ①

❶ [X] 임기개시 전에 사유가 발생한 경우 재선거이다. 보궐선거는 임기개시 후에 사유가 발생한 경우이다.

> **「공직선거법」 제195조 【재선거】** ① 다음 각 호의 1에 해당하는 사유가 있는 때에는 재선거를 실시한다.
> 1. 당해 선거구의 후보자가 없는 때
> 4. 당선인이 임기개시전에 사퇴하거나 사망한 때

② [O]

> **헌법 제68조** ② 대통령이 궐위된 때 또는 대통령 당선자가 사망하거나 판결 기타의 사유로 그 자격을 상실한 때에는 60일 이내에 후임자를 선거한다.

③ [O] 입법자는 재외선거제도를 형성하면서, 잦은 재·보궐선거는 재외국민으로 하여금 상시적인 선거체제에 직면하게 하는 점, 재외 재·보궐선거의 투표율이 높지 않을 것으로 예상되는 점, 재·보궐선거 사유가 확정될 때마다 전 세계 해외공관을 가동하여야 하는 등 많은 비용과 시간이 소요된다는 점을 종합적으로 고려하여 재외선거인에게 국회의원의 재·보궐선거권을 부여하지 않았다고 할 것이고, 이와 같은 선거제도의 형성이 현저히 불합리하거나 불공정하다고 볼 수 없다. 따라서 재외선거인 등록신청조항은 재외선거인의 선거권을 침해하거나 보통선거원칙에 위배된다고 볼 수 없다(2014.7.24, 2009헌마256 등).

④ [O] 국회의원 재·보궐선거일을 공휴일로 지정할지 여부, 투표시간을 일과 후의 시간까지 연장할지 여부는 입법자의 재량의 범위에 속하므로 선거권 침해가 아니다(2003.11.27, 2003헌마259 등).

13 정답 ①

ㄱ. [O]

> **「공직선거법」 제167조 【투표의 비밀보장】** ② 선거인은 투표한 후보자의 성명이나 정당명을 누구에게도 또한 어떠한 경우에도 진술할 의무가 없으며, 누구든지 선거일의 투표마감시각까지 이를 질문하거나 그 진술을 요구할 수 없다. 다만, 텔레비전방송국·라디오방송국·「신문 등의 진흥에 관한 법률」 제2조 제1호 가목 및 나목에 따른 일간신문사가 선거의 결과를 예상하기 위하여 선거일에 투표소로부터 50미터 밖에서 투표의 비밀이 침해되지 않는 방법으로 질문하는 경우에는 그러하지 아니하며 이 경우 투표마감시각까지 그 경위와 결과를 공표할 수 없다.

ㄴ. [O]

> **「공직선거법」 제38조 【거소·선상투표신고】** ① 선거인명부에 오를 자격이 있는 국내에 거주하는 사람으로서 제4항 제1호부터 제5호까지 또는 제5호의2에 해당하는 사람(제15조 제2항 제3호에 따른 외국인은 제외한다)은 선거인명부작성기간 중 구·시·군의 장에게 서면으로 신고(이하 '거소투표신고'라 한다)를 할 수 있다.
> ④ 다음 각 호의 어느 하나에 해당하는 사람은 거소(제6호에 해당하는 선원의 경우 선상을 말한다)에서 투표할 수 있다.
> 1. 법령에 따라 영내 또는 함정에 장기기거하는 군인이나 경찰공무원 중 사전투표소 및 투표소에 가서 투표할 수 없을 정도로 멀리 떨어진 영내 또는 함정에 근무하는 자
> 2. 병원·요양소·수용소·교도소 또는 구치소에 기거하는 사람

ㄷ. [O]

> 「공직선거법」 제44조의2 【통합선거인명부의 작성】 ① 중앙선거관리위원회는 사전투표소에서 사용하기 위하여 확정된 선거인명부의 전산자료 복사본을 이용하여 하나의 선거인명부(이하 '통합선거인명부'라 한다)를 작성한다.
>
> 제148조 【사전투표소의 설치】 ① 구·시·군선거관리위원회는 선거일 전 5일부터 2일 동안 관할 구역(선거구가 해당 구·시·군의 관할 구역보다 작은 경우에는 해당 선거구를 말한다)의 읍·면·동마다 1개소씩 사전투표소를 설치·운영하여야 한다. 다만, 읍·면·동 관할구역에 군부대 밀집지역 등이 있는 경우에는 해당 지역에 사전투표소를 추가로 설치·운영할 수 있다.

ㄹ. [O] 공직선거에 있어서 정당후보자에게 무소속후보자보다 우선순위의 기호를 부여하는 제도는 정당제도의 존재 의의에 비추어 그 목적이 정당하다. 또 정당·의석을 우선함에 있어서도 국회에 의석을 가진 정당의 후보자, 의석이 없는 정당의 후보자, 무소속후보자의 순으로 하고, 국회에 의석을 가진 정당후보자 사이에는 의석순으로 하며, 의석이 없는 정당후보자 및 무소속후보자 사이의 각 순위는 정당명 또는 후보자성명의 '가, 나, 다'순 등 합리적 기준에 의하고 있으므로 그 방법도 상당하다. 그러므로 위 조항은 평등권을 침해한다고 볼 수 없다(1996.3.28, 96헌마9 등).

ㅁ. [O] '전부 거부'와 같은 투표제도를 추가적으로 마련할 것인지 여부는 입법자가 정책적 재량으로 결정할 수 있는 사항일 뿐이며, 이를 마련하지 않고 있는 것을 두고 입법자가 선거권 보장을 위한 입법의무를 제대로 하지 않았다고 볼 수 없다. 결국 이 사건 조항이 '전부 거부'를 배제하고 있는 것이 청구인들의 선거권을 제한한다고 볼 수 없다(2007.8.30, 2005헌마975).

ㅂ. [X] 정당제도의 존재 의의 등에 비추어 그 목적이 정당할 뿐만 아니라 정당·의석을 우선함에 있어서도 당적 유무, 의석순, 정당명 또는 후보자 성명의 '가, 나, 다'순 등 합리적 기준에 의하고 있으므로 평등권을 침해하지 아니한다(2020.2.27, 2018헌마454).

14 정답 ②

① [X] 지역구국회의원 선거에 입후보하려면 「공직선거법」 제53조 제1항이 적용되고, 비례대표국회의원 선거에 입후보하려면 「공직선거법」 제53조 제2항이 적용된다. 지역구국회의원 선거에 입후보하려면 선거일 전 90일까지 그 직을 그만두어야 하고, 비례대표국회의원 선거의 경우 30일까지 그 직을 그만두어야 한다.

❷ [O] 비례대표국회의원인 박달마가 서울시장 선거에 입후보하려면 「공직선거법」 제53조 제2항 제3호가 적용되고, 관악구 국회의원 보궐선거 입후보하는 경우 「공직선거법」 제53조 제3항이 적용된다.

③ [X] 「공직선거법」 제53조 제5항에 따라 지방자치단체의 장은 선거구역이 당해 지방자치단체의 관할 구역과 같거나 겹치는 지역구국회의원 선거에 입후보하고자 하는 때에는 당해 선거의 선거일전 120일까지 그 직을 그만두어야 한다.

④ [X] 「공직선거법」 제53조 제1항 단서에 따라 국회의원직을 유지하면서 입후보할 수 있다.

⑤ [X] 「공직선거법」 제53조 제1항 제1호 단서에 따라 정당의 당원이 될 수 있는 공무원(정무직공무원 제외)은 그 직을 가지고 입후보할 수 있도록 하고 있으므로 국·공립대 교수는 그 직을 유지하고 입후보할 수는 있다.

15 정답 ①

ㄱ. [X]

> 「공직선거법」 제19조 【피선거권이 없는 자】 선거일 현재 다음 각 호의 어느 하나에 해당하는 자는 피선거권이 없다.
> 2. 금고 이상의 형의 선고를 받고 그 형이 실효되지 아니한 자

➡ 형집행이 종료되어도 실효되지 않았다면 피선거권이 없다.

ㄴ. [O] 일반범죄의 경우 형집행이 종료되면 선거권을 가지나 피선거권은 형집행이 종료된 후라도 형이 실효되지 않으면 피선거권을 가지지 못한다.

> 「공직선거법」 제19조 【피선거권이 없는 자】 선거일 현재 다음 각 호의 어느 하나에 해당하는 자는 피선거권이 없다.
> 1. 제18조(선거권이 없는 자)제1항 제1호·제3호 또는 제4호에 해당하는 자 ➡ 선거권이 없는 자는 피선거권이 없다.
> 2. 금고 이상의 형의 선고를 받고 그 형이 실효되지 아니한 자 ➡ 피선거권이 없다.

ㄷ. [X] 헌법에 규정된 것은 대통령 피선거권 40세 이상뿐이고, 나머지는 「공직선거법」에 규정되어 있다.

ㄹ. [X]

> 「공직선거법」 제16조 【피선거권】 ① 선거일 현재 5년 이상 국내에 거주하고 있는 40세 이상의 국민은 대통령의 피선거권이 있다. 이 경우 공무로 외국에 파견된 기간과 국내에 주소를 두고 일정 기간 외국에 체류한 기간은 국내거주기간으로 본다.

16 정답 ④

① [O]

> 헌법 제68조 ① 대통령의 임기가 만료되는 때에는 임기만료 70일 내지 40일 전에 후임자를 선거한다.

② [O] 「공직선거법」 개정(「공직선거법」 제34조 제1항 제1호)으로 임기만료로 인한 대통령 선거는 임기만료 전 70일 이후 첫 번째 수요일이다.

③ [O]

> 헌법 제68조 ② 대통령이 궐위된 때 또는 대통령 당선자가 사망하거나 판결 기타의 사유로 그 자격을 상실한 때에는 60일 이내에 후임자를 선거한다.

❹ [X] 보궐선거로 당선된 대통령 임기는 새로 개시한다.

17 정답 ②

① [O]

> 「공직선거법」 제51조 【추가등록】 대통령 선거에 있어서 정당추천후보자가 후보자등록기간 중 또는 후보자등록기간이 지난 후에 사망한 때에는 후보자등록마감일 후 5일까지 제47조(정당의 후보자추천) 및 제49조(후보자등록 등)의 규정에 의하여 후보자등록을 신청할 수 있다.

❷ [X] 국회의원 피선거권은 거주요건이 없다.

> 「공직선거법」 제16조 【피선거권】 ① 선거일 현재 5년 이상 국내에 거주하고 있는 40세 이상의 국민은 대통령의 피선거권이 있다. 이 경우 공무로 외국에 파견된 기간과 국내에 주소를 두고 일정 기간 외국에 체류한 기간은 국내거주기간으로 본다.
> ② 18세 이상의 국민은 국회의원의 피선거권이 있다.

③ [O] 구 「지방의회의원선거법」 제35조 제1항 제6호의 '정부투자기관의 임·직원' 중 '직원 '부분에 「정부투자기관관리기본법 시행령」 제13조 제1항에서 정하는 집행간부'가 아닌 직원을 포함시키는 것은 헌법에 위반된다(1995.5.25, 91헌마67).

④ [O] 지방의회의원직에 터잡아 지방행정기관이나 정부투자기관을 통제하는 입법기관의 구성과 의사형성에 결정적인 영향을 미치고 지방의회에서 그들의 의결권을 지방행정기관이나 정부투자기관의 부당한 이익을 위하여 행사할 가능성이 있으며, 의원직을 위와 같이 수행하는 것은 결국 지방자치단체와 그 주민들의 이익에 반하고 권력분립의 원칙에도 배치된다. 그러므로, 이러한 위험성을 배제하기 위해서 입법권자는 입후보 제한 및 겸직금지의 규정을 마련하여 이러한 지위에 있는 자들의 공무담임권을 사실상 배제할 수 있는 것이다(1995.5.25, 91헌마67).

18

정답 ③

① [X] 자치단체의 장에 대한 선거권을 행사함에 있어서 투표할 대상자가 스스로 또는 법률상의 제한으로 입후보를 하지 아니하는 경우 입후보자의 입장에서 공무담임권 제한의 문제가 발생하겠지만, 선거권자로서는 후보자의 선택에 있어서의 간접적이고 사실상의 제한에 불과할 뿐 그로 인하여 선거권자가 자신의 선거권을 행사함에 있어서 침해를 받게 된다고 보기 어렵다(2006.2.23, 2005헌마403).

② [X] 지방자치단체의 장이 임기 중에 사퇴함으로써 발생하는 행정의 혼란은 그 정도에 있어서 심각하다고 할 수 없고, 직무대리나 보궐선거의 방법으로 대처할 수 있다고 판단된다. 이 사건 조항에 의한 피선거권의 제한이 민주주의의 실현에 미치는 불리한 효과는 매우 큰 반면에, 이 사건 조항을 통하여 달성하려는 공익적 효과는 상당히 작다고 판단되므로, 피선거권의 제한을 정당화하는 합리적인 이유를 인정할 수 없다고 하겠다. 따라서 이 사건 조항은 보통선거원칙에 위반되어 청구인들의 피선거권을 침해하는 위헌적인 규정이다(1999.5.27, 98헌마214).

❸ [O]

> 「공직선거법」 제47조 【정당의 후보자추천】 ① 정당은 선거에 있어 선거구별로 선거할 정수범 위안에서 그 소속 당원을 후보자로 추천할 수 있다. 다만, 비례대표자치구·시·군의원의 경우에는 그 정수범위를 초과하여 추천할 수 있다.

④ [X]

> 「공직선거법」 제50조 【후보자추천의 취소와 변경의 금지】 ① 정당은 후보자등록 후에는 등록된 후보자에 대한 추천을 취소 또는 변경할 수 없으며, 비례대표국회의원후보자명부(비례대표지방의회의원후보자명부를 포함한다. 이하 이 항에서 같다)에 후보자를 추가하거나 그 순위를 변경할 수 없다. 다만, 후보자등록기간 중 정당추천후보자가 사퇴·사망하거나, 소속 정당의 제명이나 중앙당의 시·도당창당승인 취소 외의 사유로 인하여 등록이 무효로 된 때에는 예외로 하되, 비례대표국회의원후보자명부에 후보자를 추가할 경우에는 그 순위는 이미 등록된 자의 다음으로 한다.
> ② 선거권자는 후보자에 대한 추천을 취소 또는 변경할 수 없다.

19

정답 ④

① [X]

> 「공직선거법」 제47조 【정당의 후보자추천】 ① 정당은 선거에 있어 선거구별로 선거할 정수범위 안에서 그 소속 당원을 후보자로 추천할 수 있다. 다만, 비례대표자치구·시·군의원의 경우에는 그 정수범위를 초과하여 추천할 수 있다.

② [X]

> 「공직선거법」 제57조의4 【당내경선사무의 위탁】 ② 관할 선거구선거관리위원회가 제1항에 따라 당내경선의 투표 및 개표에 관한 사무를 수탁관리하는 경우에는 그 비용은 국가가 부담한다. 다만, 투표 및 개표참관인의 수당은 당해 정당이 부담한다.

③ [X]

> 「공직선거법」 제84조 【무소속후보자의 정당표방 제한】 무소속후보자는 특정 정당으로부터의 지지 또는 추천받음을 표방할 수 없다. 다만, 다음 각 호의 어느 하나에 해당하는 행위는 그러하지 아니하다.
> 1. 정당의 당원경력을 표시하는 행위
> 2. 해당 선거구에 후보자를 추천하지 아니한 정당이 무소속후보자를 지지하거나 지원하는 경우 그 사실을 표방하는 행위

❹ [O]

> 「공직선거법」 제58조 【정의 등】 ① 이 법에서 '선거운동'이라 함은 당선되거나 되게 하거나 되지 못하게 하기 위한 행위를 말한다. 다만, 다음 각 호의 어느 하나에 해당하는 행위는 선거운동으로 보지 아니한다.
> 1. 선거에 관한 단순한 의견개진 및 의사표시
> 2. 입후보와 선거운동을 위한 준비행위
> 3. 정당의 후보자 추천에 관한 단순한 지지·반대의 의견개진 및 의사표시
> 4. 통상적인 정당활동
> 5. 삭제
> 6. 설날·추석 등 명절 및 석가탄신일·기독탄신일 등에 하는 의례적인 인사말을 문자메시지로 전송하는 행위

20

정답 ②

① [O]

> 「공직선거법」 제57조의2 【당내경선의 실시】 ① 정당은 공직선거후보자를 추천하기 위하여 경선을 실시할 수 있다.

❷ [X] 헌법 제25조가 보장하는 공무담임권은 입법부, 행정부, 사법부는 물론 지방자치단체 등 국가, 공공단체의 구성원으로서 그 직무를 담당할 수 있는 권리를 말한다. 그런데 정당은 정치적 주장이나 정책을 추진하고 공직선거의 후보자를 추천 또는 지지함으로써 국민

의 정치적 의사형성에 참여함을 목적으로 하는 국민의 자발적 조직으로서, 정당의 공직선거 후보자 선출은 자발적 조직 내부의 의사결정에 지나지 아니한다. 따라서 청구인이 정당의 내부경선에 참여할 권리는 헌법이 보장하는 공무담임권의 내용에 포함된다고 보기 어렵고, 청구인의 소속 정당이 당내경선을 실시하지 않는다고 하여 청구인이 공직선거의 후보자로 출마할 수 없는 것이 아니므로, 심판대상조항으로 인하여 청구인의 공무담임권이 침해될 여지는 없다(2014.11.27, 2013헌마814).

③ [○]

> 「공직선거법」 제57조의2 【당내경선의 실시】 ② 정당이 당내경선을 실시하는 경우 경선후보자로서 당해 정당의 후보자로 선출되지 아니한 자는 당해 선거의 같은 선거구에서는 후보자로 등록될 수 없다. 다만, 후보자로 선출된 자가 사퇴·사망·피선거권 상실 또는 당적의 이탈·변경 등으로 그 자격을 상실한 때에는 그러하지 아니하다.

④ [○]

> 「공직선거법」 제57조의7 【위탁하는 당내경선에 있어서의 이의제기】 정당이 제57조의4에 따라 당내경선을 위탁하여 실시하는 경우에는 그 경선 및 선출의 효력에 대한 이의제기는 당해 정당에 하여야 한다.

정답

01	②	02	④	03	②	04	①
05	③	06	①	07	①	08	③
09	③	10	②	11	①	12	③
13	④	14	④	15	④	16	④
17	②	18	②	19	③	20	③

01 정답 ②

① [X]

> 「공직선거법」 제47조 【정당의 후보자추천】 ④ 정당이 임기만료에 따른 지역구국회의원 선거 및 지역구지방의회의원 선거에 후보자를 추천하는 때에는 각각 전국지역구 총수의 100분의 30 이상을 여성으로 추천하도록 노력하여야 한다.

❷ [O]

> 「공직선거법」 제47조 【정당의 후보자추천】 ③ 정당이 비례대표국회의원 선거 및 비례대표지방의회의원 선거에 후보자를 추천하는 때에는 그 후보자 중 100분의 50 이상을 여성으로 추천하되, 그 후보자명부의 순위의 매 홀수에는 여성을 추천하여야 한다.

③ [X]

> 「공직선거법」 제47조 【정당의 후보자추천】 ④ 정당이 임기만료에 따른 지역구국회의원 선거 및 지역구지방의회의원 선거에 후보자를 추천하는 때에는 각각 전국지역구 총수의 100분의 30 이상을 여성으로 추천하도록 노력하여야 한다.

④ [X]

> 「공직선거법」 제47조 【정당의 후보자추천】 ③ 정당이 비례대표국회의원 선거 및 비례대표지방의회의원 선거에 후보자를 추천하는 때에는 그 후보자 중 100분의 50 이상을 여성으로 추천하되, 그 후보자명부의 순위의 매 홀수에는 여성을 추천하여야 한다.

02 정답 ④

ㄱ. [O] 대통령 기탁금 5억 원에 대하여 헌법재판소가 헌법불합치결정하였고(2008.11.27, 2007헌마1024), 이에 따라 3억 원으로 법이 개정되었다. 대통령 예비후보자로 등록하려면 기탁금의 20%를 등록시 납부하여야 하므로 6천만 원을 납부하여야 한다.

ㄴ. [O] 기탁금은 후보자의 난립방지를 목적으로 하지 정당 보호라는 측면은 없다. 따라서 헌법재판소는 국회의원 선거에서 정당후보자 1000만 원, 무소속후보자 2000만 원으로 기탁금을 달리하는 것에 대하여 보통·평등선거원칙에 반한다 하여 헌법불합치결정을 한 바 있다.

ㄷ. [X] 지역구국회의원 기탁금 1500만 원은 합헌이었으나, 비례대표국회의원 기탁금 1500만 원은 위헌이었다.

> **관련 판례** 후보자등록신청시에 후보자 1명마다 1,500만 원의 기탁금을 납부하도록 규정한 「공직선거법」 제56조 제1항 제2호 중 비례대표국회의원 선거에 관한 부분은 지나치게 과다하여 공무담임권 등을 침해한다(2016.12.29, 2015헌마509 등).

ㄹ. [O] 대통령 선거에서의 기탁금은 3억원이다(「공직선거법」 제56조 제1항 제1호).

ㅁ. [X] 시·도지사 선거에서 무분별한 후보난립을 방지하기 위한 제재금 예납의 의미와 함께, 「공직선거 및 선거부정방지법」 위반행위에 대한 과태료 및 불법시설물 등에 대한 대집행비용과 부분적으로 선전벽보 및 선거공보의 작성비용에 대한 예납의 의미도 아울러 가지고 있는 기탁금제도는 그 기탁금액이 지나치게 많지 않는 한 이를 위헌이라고 할 수는 없다(1996.8.29, 95헌마108).
➡ 주의: 기탁금제도 자체는 합헌이다.

ㅂ. [X] 일정한 범위의 이 허용된 예비후보자의 기탁금 액수를 해당 선거의 후보자등록시 납부해야 하는 기탁금의 100분의 20으로 설정한 것은 입법재량의 범위를 벗어난 것으로 볼 수 없다(2010.12.28, 2010헌마79).

ㅅ. [O] 이 사건 기탁금조항으로 인하여 기탁금을 납입할 자력이 없는 교원 등 학내 인사 및 일반 국민들은 총장후보자에 지원하는 것 자체를 단념하게 되므로, 이 사건 기탁금조항으로 제약되는 공무담임권의 정도는 결코 과소평가될 수 없다. 이 사건 기탁금조항으로 달성하려는 공익이 제한되는 공무담임권 정도보다 크다고 단정할 수 없으므로, 이 사건 기탁금조항은 법익의 균형성에도 반한다. 따라서, 이 사건 기탁금조항은 과잉금지원칙에 반하여 청구인의 공무담임권을 침해한다(2018.4.26, 2014헌마274).

ㅇ. [X] 이 사건 기탁금납부조항은 후보자 난립에 따른 선거의 과열을 방지하고 후보자의 성실성을 확보하기 위한 것이다. 대구교육대학교는 총장임용후보자 선거에서 과거 간선제를 채택하였을 때 어떤 홍보수단도 활용할 수 없도록 하였던 것과 달리 직선제를 채택하면서 다양한 방법의 선거운동을 허용하고 있으므로, 선거가 과열되거나 혼탁해질 위험성이 증대되었다. 기탁금제도를 두는 대신에 피선거권자의 자격요건을 강화하면 공무담임권이 오히려 더 제한될 소지가 있고, 추천인 요건을 강화하는 경우 사전 선거운동이 과열될 수 있으며, 선거운동방법의 제한 및 이에 관한 제재를 강화하면 선거운동이 위축될 염려도 있다. 이 사건 기탁금납부조항이 규정하는 1,000만 원이라는 기탁금액이 후보자가 되려는 사람이 납부할 수 없을 정도로 과다하다거나 입후보 의사를 단념케 할 정도로 과다하다고 할 수도 없다. 따라서 이 사건 기탁금납부조항은 청구인의 공무담임권을 침해하지 아니한다(2022.01.27, 2019헌바161).

ㅈ. [X] 이 사건 기탁금귀속조항에 따르면, 선거를 완주하여 성실성을 충분히 검증 받은 후보자는 물론, 최다득표를 하여 총장임용후보자로 선정된 사람조차도 기탁금의 반액은 반환받지 못하게 된다. 이는 난립후보라고 할 수 없는 성실한 후보자들을 상대로도 기탁금의 발전기금 귀속을 일률적으로 강요함으로써 대학의 재정을 확충하는 것과 다름없다. 기탁금반환조건을 현재보다 완화하더라도 충분히 후보자의 난립을 방지하고 후보자의 성실성을 확보할 수 있음에도, 이 사건 기탁금귀속조항은 후보자의 성실성이나 노력 여하를 막론하고 기탁금의 절반은 반드시 대학 발전기금에 귀속되도록 하고 나머지 금액의 반환 조건조차 지나치게 까다롭게 규정하고 있다. 그러므로 이 사건 기탁금귀속조항은 과잉금지원칙에 위반되어 청구인의 재산권을 침해한다(2018.4.26, 2014헌마274).

03 정답 ②

ㄱ. [O] 대통령후보자가 1인인 때에는 그 득표수가 선거권자 총수의 3분의 1 이상에 달하여야 당선인으로 결정하며 이렇게 당선인이 결정된 때에는 중앙선거관리위원회 위원장이 이를 공고한다.

> **「공직선거법」 제187조 【대통령 당선인의 결정·공고·통지】** ① 대통령 선거에 있어서는 중앙선거관리위원회가 유효투표의 다수를 얻은 자를 당선인으로 결정하고, 이를 국회의장에게 통지하여야 한다. 다만, 후보자가 1인인 때에는 그 득표수가 선거권자 총수의 3분의 1 이상에 달하여야 당선인으로 결정한다.
> ③ 제1항의 규정에 의하여 당선인이 결정된 때에는 중앙선거관리위원회 위원장이, 제2항의 규정에 의하여 당선인이 결정된 때에는 국회의장이 이를 공고하고, 지체 없이 당선인에게 당선증을 교부하여야 한다.

ㄴ. [O]

> **「공직선거법」 제188조 【지역구국회의원 당선인의 결정·공고·통지】** ② 후보자등록마감시각에 지역구국회의원후보자가 1인이거나 후보자등록마감 후 선거일 투표개시시각 전까지 지역구국회의원후보자가 사퇴·사망하거나 등록이 무효로 되어 지역구국회의원후보자 수가 1인이 된 때에는 지역구국회의원후보자에 대한 투표를 실시하지 아니하고, 선거일에 그 후보자를 당선인으로 결정한다.

ㄷ. [X]

> **「공직선거법」 제188조 【지역구국회의원 당선인의 결정·공고·통지】** ④ 선거일의 투표마감시각 후 당선인결정 전까지 지역구국회의원후보자가 사퇴·사망하거나 등록이 무효로 된 경우에는 개표 결과 유효투표의 다수를 얻은 자를 당선인으로 결정하되, 사퇴·사망하거나 등록이 무효로 된 자가 유효투표의 다수를 얻은 때에는 그 국회의원지역구는 당선인이 없는 것으로 한다.

ㄹ. [X] 지방자치단체장 선거에서 후보자가 1인일 경우 무투표 당선이 된다.

> **「공직선거법」 제188조 【지역구국회의원 당선인의 결정·공고·통지】** ② 후보자등록마감시각에 지역구국회의원후보자가 1인이거나 후보자등록마감 후 선거일 투표개시시각 전까지 지역구국회의원후보자가 사퇴·사망하거나 등록이 무효로 되어 지역구국회의원후보자 수가 1인이 된 때에는 지역구국회의원후보자에 대한 투표를 실시하지 아니하고, 선거일에 그 후보자를 당선인으로 결정한다.
>
> **제191조 【지방자치단체의 장의 당선인의 결정·공고·통지】** ③ 제187조 제4항 및 제188조 제2항부터 제6항까지의 규정은 지방자치단체의 장의 당선인의 결정에 이를 준용한다.

ㅁ. [X] 지역구국회의원 선거에 있어서 최고득표자가 2인 이상인 때는 연장자가 당선자가 된다.

> **「공직선거법」 제188조 【지역구국회의원 당선인의 결정·공고·통지】** ① 지역구국회의원 선거에 있어서는 선거구선거관리위원회가 당해 국회의원지역구에서 유효투표의 다수를 얻은 자를 당선인으로 결정한다. 다만, 최고득표자가 2인 이상인 때에는 연장자를 당선인으로 결정한다.
>
> **제191조 【지방자치단체의 장의 당선인의 결정·공고·통지】** ③ 제187조 제4항 및 제188조 제2항부터 제6항까지의 규정은 지방자치단체의 장의 당선인의 결정에 이를 준용한다.

ㅂ. [X] ㅅ. [X] 대통령 선거에서 최고득표자가 2인이어서 국회가 당선인을 결정한 경우 국회의장은 이를 중앙선거관리위원회에 통고하고 국회의장이 그 당선을 공고한다.

> **「공직선거법」 제187조 【대통령 당선인의 결정·공고·통지】** ② 최고득표자가 2인 이상인 때에는 중앙선거관리위원회의 통지에 의하여 국회는 재적의원 과반수가 출석한 공개회의에서 다수표를 얻은 자를 당선인으로 결정한다.
> ③ 제1항의 규정에 의하여 당선인이 결정된 때에는 중앙선거관리위원회 위원장이, 제2항의 규정에 의하여 당선인이 결정된 때에는 국회의장이 이를 공고하고, 지체 없이 당선인에게 당선증을 교부하여야 한다.

04 정답 ①

❶ [O]

> **헌법 제41조** ③ 국회의원의 선거구와 비례대표제 기타 선거에 관한 사항은 법률로 정한다.

> **비교 판례** 국회의원 선거에 있어 다수대표제만을 택하고 비례대표제를 택하지 않을 경우 지역구의 개별후보자에 대한 국민의 지지만을 정확하게 반영하여도 민주주의원리에 반하는 것은 아니다(2001.7.19, 2000헌마91 등).

② [X] ③ [X] 비례대표제는 대표하는 집단의 의사와 이익을 대변하는 것으로서 전체국민의 의사와 이익을 대표해야 한다는 대의제와 이념적 갈등이 있다. 따라서 비례대표제는 대의제 민주주의에서 도출된 대표제로 보기 힘들다. 대의제 국가에서도 비례대표제는 채택될 수 있다. 대의제 사상이 뿌리 깊은 영국과 미국에서는 비례대표제를 수용하지는 않았다.

④ [X] 임기만료에 따른 비례대표국회의원 선거에서 전국 유효투표 총수의 100분의 3 이상을 득표한 정당 또는 임기만료에 따른 지역구국회의원 선거에서 5 이상의 의석을 차지한 정당에 대하여 비례대표국회의원 의석을 배분한다.

> **「공직선거법」 제189조 【비례대표국회의원 의석의 배분과 당선인의 결정·공고·통지】** ① 중앙선거관리위원회는 다음 각 호의 어느 하나에 해당하는 정당(이하 이 조에서 '의석할당정당'이라 한다)에 대하여 비례대표국회의원 의석을 배분한다.
> 1. 임기만료에 따른 비례대표국회의원 선거에서 전국 유효투표 총수의 100분의 3 이상을 득표한 정당
> 2. 임기만료에 따른 지역구국회의원 선거에서 5 이상의 의석을 차지한 정당

05 정답 ③

① [X] 선지는 구법조항의 의석배분방식이었다. 현행 「공직선거법」은 득표비율뿐 아니라 해당 정당의 지역구 국회의원 당선인 수도 고려하는 연동형 방식을 채택하였다.

> 「공직선거법」 제189조 【비례대표국회의원 의석의 배분과 당선인의 결정·공고·통지】 ② 비례대표국회의원 의석은 다음 각 호에 따라 각 의석할당정당에 배분한다.
> 1. 각 의석할당정당에 배분할 의석 수는 다음 계산식에 따른 값을 소수점 첫째자리에서 반올림하여 산정한다. 이 경우 연동배분의석 수가 1보다 작은 경우 연동배분의석 수는 0으로 한다.
>
> | 연동배분의석 수 = [(국회의원 정수 - 의석할당정당이 추천하지 않은 지역구국회의원 당선인 수) × 해당 정당의 비례대표국회의원 선거 득표비율 - 해당 정당의 지역구국회의원 당선 수] ÷ 2 |
> |---|
>
> 2. 제1호에 따른 각 정당별 연동배분의석 수의 합계가 비례대표국회의원 의석 정수에 미달할 경우 각 의석할당정당에 배분할 잔여의석수는 다음 계산식에 따라 산정한다. 이 경우 정수(整數)의 의석을 먼저 배정하고 잔여의석은 소수점 이하 수가 큰 순으로 각 의석할당정당에 1석씩 배분하되, 그 수가 같은 때에는 해당 정당 사이의 추첨에 따른다.
>
> | 잔여배분의석 수 = 비례대표 의석 정수 - 각 연동의석 배분 수의 합계 × 비례대표의원 선거 득표비율 |
> |---|

② [X] 국회의원 정수에서 우선 의석할당정당이 추천하지 않은 지역구국회의원 당선인 수를 빼야 한다(① 해설 참조).

❸ [O]

> 「공직선거법」 제190조의2 【비례대표지방의회의원 당선인의 결정·공고·통지】 ① 비례대표지방의회의원 선거에 있어서는 당해 선거구 선거관리위원회가 유효투표 총수의 100분의 5 이상을 득표한 각 정당에 대하여 당해 선거에서 얻은 득표비율에 비례대표지방의회의원 정수를 곱하여 산출된 수의 정수의 의석을 그 정당에 먼저 배분하고 잔여의석은 단수가 큰 순으로 각 의석할당정당에 1석씩 배분하되, 같은 단수가 있는 때에는 그 득표수가 많은 정당에 배분하고 그 득표수가 같은 때에는 당해 정당 사이의 추첨에 의한다.

④ [X]

> 「공직선거법」 제189조 【비례대표국회의원 의석의 배분과 당선인의 결정·공고·통지】 ⑤ 정당에 배분된 비례대표국회의원의석 수가 그 정당이 추천한 비례대표국회의원후보자 수를 넘는 때에는 그 넘는 의석은 공석으로 한다.

③ [O] 전국에 걸쳐 효과적으로 영향력을 발휘할 수 있는 매체를 통한 선거운동, 즉 신문광고, 방송광고와 인터넷 광고를 통한 선거운동은 비례대표국회의원 선거에서 후보자를 추천한 정당에게만 허용하고, 지역구국회의원후보자 개인에게는 이를 허용하지 아니하고 있다(「공직선거법」 제69조 제1항 제2호, 제70조 제1항 제2호, 제82조의7 제1항).

④ [O] 비례대표국회의원후보자에게는 제한된 범위에서 사전 선거운동을 할 수 있는 예비후보자등록을 허용하지 않고(제60조의2), 현수막이나 선거벽보와 같이 특정 지역구에서 후보자 개개인을 홍보하는 데에 효과적인 선거운동방법에 대해서는 지역구국회의원후보자만 이를 이용할 수 있도록 규정하고 있다(「공직선거법」 제67조 제1항, 제64조 제2항).

⑤ [O] 「공직선거법」은 선거기간 전에는 정당의 통상적인 활동을 통해, 선거기간 중에는 통상적인 정당활동과 정당의 비례대표국회의원 선거에 허용되는 선거운동방법을 통해 그 정강이나 정책을 유권자에게 알릴 수 있도록 제도적 장치를 마련하고 있으므로 지역구국회의원후보자에게 허용하는 일정한 선거운동방법을 정당에게 허용하지 않는다 하여 이것이 정당활동의 자유를 침해하는 것이라고 볼 수는 없다. 이 사건 법률조항이 지역구국회의원후보자와 비례대표국회의원후보자를 달리 취급하고 있다고 하여도, 그러한 차별취급에는 합리적인 이유가 있다고 할 것이어서 청구인의 평등권을 침해하지 아니한다(2013.10.24, 2012헌마311).

<비례대표국회의원 관련 헌법 위반인 것>

> - 기탁금 1,500만 원
> - 정당의 지역구후보자 득표 수를 기준으로 의석배분
> - 비례대표국회의원이 임기만료 180일 전에 사퇴하여 궐원이 생긴 경우 비례대표국회의원후보자명부의 의석승계를 인정하지 아니한 것
> - 선거범죄로 인하여 당선이 무효로 된 때 비례대표의석 승계가 이루어지지 않도록 한 「공직선거법」

<비례대표국회의원 관련 헌법 위반이 아닌 것>

> - 신문광고, 방송광고와 인터넷 광고를 통한 선거운동은 비례대표국회의원 선거에서 허용하면서 지역구국회의원 선거에서 불허
> - 사전선거운동을 할 수 있는 예비후보자제도 불허
> - 공개장소에서 비례대표국회의원후보자의 연설·대담을 금지
> - 비례대표시·도의회의원후보자에게 사전선거운동, 선거벽보 및 선거공보 작성, 공개 대담·연설을 허용하지 않는 「공직선거법」

06 정답 ①

❶ [X] 비례대표국회의원 선거에서의 후보자 추천과 등록은 정당에 의해서 이루어지며(「공직선거법」 제47조 제1항, 제49조 제2항), 정당은 후보자등록 후에는 후보자명부에 후보자를 추가하거나 그 순위를 변경할 수 없다(동법 제50조 제1항).

② [O] 「공직선거법」이 비례대표국회의원 선거에 있어 지역구국회의원 선거와는 별도로 정당에 대한 투표권을 인정하여 각 정당이 얻은 득표율에 따라 비례대표국회의원 의석을 배분하는 이른바 '정당명부식 비례대표제'와 정당의 비례대표국회의원후보자명부상의 순위가 처음부터 정당에 의하여 고정적으로 결정되는 이른바 '고정명부식 비례대표제'를 채택하고 있다. 그러므로 선거에 참여한 선거권자들의 정치적 의사표명에 의하여 직접 결정되는 것은 어떠한 비례대표국회의원후보자가 비례대표국회의원으로 선출되느냐의 문제라기보다는 비례대표국회의원을 할당받을 정당에 배분되는 비례대표국회의원의 의석 수이다(2013.10.24, 2012헌마311).

07 정답 ①

❶ [O] 소선거구제, 다수대표제는 한 선거구에서 한 명만을 선출하는 제도이므로 그 외 득표자의 득표는 사표가 되므로 사표가 많이 발생한다.

② [X] 비례대표제는 소수자에게도 의회진출 기회를 부여한다는 점에서 소수를 보호하는 제도이다. 반면, 다수대표제는 정책집행을 뒷받침해 줄 다수세력을 형성하는 데 유리하다.

③ [X] 득표율과 의석배분율이 가장 일치하는 것은 비례대표제이다. 비례대표제는 정당의 득표율에 따라 의석을 배분하기 때문에 투표가치 성과의 평등에 가장 잘 부합하는 대표제이다.

④ [X] 소선거구 다수대표제를 규정하여 다수의 사표가 발생한다 하더라고 그 이유만으로 헌법상 요구된 선거의 대표성의 본질을 침해한다거나 그로 인해 국민주권원리를 침해하고 있다고 할 수 없고, 청구인의 평등권과 선거권을 침해한다고 할 수 없다(2016.5.26, 2012헌마374).

⑤ [X] 비례대표제는 거대정당에게 일방적으로 유리하고, 다양해진 국민의 목소리를 제대로 대표하지 못하며 사표를 양산하는 다수대표제의 문제점에 대한 보완책으로 고안·시행되는 것이다.

08 정답 ③

① [X] 심판대상조항은 왜곡된 선거인의 의사를 바로잡고 선거의 공정성 확보라는 구체적 입법목적 달성에 기여하는 것이라기보다는 오로지 선거범죄에 대한 엄정한 제재를 통한 공명한 선거 분위기의 창출이라는 추상적이고도 막연한 구호에 이끌려 비례대표지방의회의원 선거를 통하여 표출된 선거권자들의 정치적 의사표명을 무시, 왜곡하는 결과를 초래할 뿐이라 할 것이므로, 수단의 적합성 요건을 충족한 것으로 보기 어렵다. 따라서 위 조항은 과잉금지원칙에 위배하여 공무담임권을 침해한 것이다(2009.6.25, 2007헌마40).

② [X] 구체적인 선거범죄가 후보자들의 득표율에 실제로 미친 영향을 계산할 방법이 없고, 이를 계산하더라도 각 경우에 얼마를 반환하도록 할 것인지에 관한 객관적인 기준을 설정할 수도 없어 제재의 개별화를 실현하는 것은 불가능하다. 그리고 앞서 본 바와 같이 사소하고 경미한 선거범의 경우는 법관의 양형판단에 의하여 제재의 대상에서 벗어나도록 규정하고 있어 구체적 사정을 전혀 고려하지 않고 있다고 볼 수도 없다. 앞서 본 사정들을 종합해 보면, 이 사건 법률조항에서 정한 제재의 기준이나 내용이 지나친 것이어서 입법형성권의 범위를 벗어난 것이라고 할 수 없으므로 침해의 최소성 원칙에 어긋난다고 할 수 없다(2011.4.28, 2010헌바232).

❸ [O]

> 「공직선거법」 제195조 【재선거】 ① 다음 각 호의 1에 해당하는 사유가 있는 때에는 재선거를 실시한다.
> 1. 당해 선거구의 후보자가 없는 때
> 2. 당선인이 없거나 지역구자치구·시·군의원 선거에 있어 당선인이 당해 선거구에서 선거할 지방의회의원 정수에 달하지 아니한 때
> 3. 선거의 전부무효의 판결 또는 결정이 있는 때
> 4. 당선인이 임기개시 전에 사퇴하거나 사망한 때

④ [X] 정당, 후보자, 선거사무장, 선거연락소장, 선거운동원 또는 연설원이 아닌 자의 선거운동을 금지한 구 「대통령선거법」 제36조은 현행 「공직선거법」과 달리 선거운동을 원칙 금지 예외적 허용방식으로 규정한 바 있었는데 헌법재판소는 이에 대해 위헌결정한 바 있다. 전 국민에 대하여 원칙적으로 선거운동을 금지하고 법이 정한 자에 한하여 선거운동을 할 수 있도록 한 이 사건 법률조항은 기본권 제한은 최소한도에 그쳐야 한다는 기본권 제한의 한계원칙에 위배된 것이라고 아니할 수 없다(1994.7.29, 93헌가4 등).

09 정답 ③

ㄱ. [O] 특정 후보자를 당선시킬 목적의 유무에 관계없이 당선되지 못하게 하기 위한 행위 일체를 선거운동으로 규정하여 이를 규제하는 것은 불가피한 조치로서 그 목적의 정당성과 방법의 적정성이 인정된다(2001.8.30, 2000헌마121).

ㄴ. [X]

> 「공직선거법」 제58조 【정의 등】 ① 이 법에서 '선거운동'이라 함은 당선되거나 되게 하거나 되지 못하게 하기 위한 행위를 말한다. 다만, 다음 각 호의 어느 하나에 해당하는 행위는 선거운동으로 보지 아니한다.
> 3. 정당의 후보자 추천에 관한 단순한 지지·반대의 의견개진 및 의사표시

ㄷ. [X]

> 「공직선거법」 제58조 【정의 등】 ② 누구든지 자유롭게 선거운동을 할 수 있다. 그러나 이 법 또는 다른 법률의 규정에 의하여 금지 또는 제한되는 경우에는 그러하지 아니하다.

ㄹ. [X] 선거운동의 자유는 널리 선거과정에서 자유로이 의사를 표현할 자유의 일환이므로 표현의 자유의 한 태양이기도 한데, 이러한 정치적 표현의 자유는 선거과정에서의 선거운동을 통하여 국민이 정치적 의견을 자유로이 발표, 교환함으로써 비로소 그 기능을 다하게 된다 할 것이므로 선거운동의 자유는 헌법이 정한 언론·출판·집회·결사의 자유의 보장규정에 의한 보호를 받는다. 하지만 선거운동의 자유도 무제한일 수는 없는 것이고, 선거의 공정성이라는 또 다른 가치를 위하여 어느 정도 선거운동의 주체, 기간, 방법 등에 대한 규제가 행하여질 수 있다. 다만, 선거운동은 국민주권 행사의 일환일 뿐 아니라 정치적 표현의 자유의 한 형태로서 민주사회를 구성하고 움직이게 하는 요소이므로 그 제한입법의 위헌 여부에 대하여는 엄격한 심사기준이 적용되어야 한다(2016.6.30, 2013헌가1).

ㅁ. [O] 예비후보자의 선거운동기간을 제한하지 않으면, 예비후보자 간의 경쟁이 격화될 수 있고 예비후보자 간 경제력 차이 등에 따른 폐해가 두드러질 우려가 있다. 군의 평균 선거인 수는 시·자치구에 비해서도 적다는 점, 오늘날 대중정보매체가 광범위하게 보급되어 있다는 점, 과거에 비해 교통수단이 발달하였다는 점 등에 비추어 보면, 군의 장의 선거에서 예비후보자로서 선거운동을 할 수 있는 기간이 최대 60일이라고 하더라도 그 기간이 지나치게 짧다고 보기 어렵다. 군의 장의 선거에 입후보하고자 하는 사람은 문자메시지, 인터넷 홈페이지 등을 이용하여 상시 선거운동을 할 수도 있다. 따라서 심판대상조항은 청구인의 선거운동의 자유를 침해하지 않는다(2020.11.26, 2018헌마260).

ㅂ. [X]

> 「공직선거법」 제60조 【선거운동을 할 수 없는 자】 ① 다음 각 호의 어느 하나에 해당하는 사람은 선거운동을 할 수 없다. 다만, 제1호에 해당하는 사람이 예비후보자·후보자의 배우자인 경우와 제4호부터 제8호까지의 규정에 해당하는 사람이 예비후보자·후보자의 배우자이거나 후보자의 직계존비속인 경우에는 그러하지 아니하다.
> 1. 대한민국 국민이 아닌 자. 다만, 제15조 제2항 제3호에 따른 외국인이 해당 선거에서 선거운동을 하는 경우에는 그러하지 아니하다.
> 2. 미성년자(18세 미만의 자를 말한다.

ㅅ. [O] 「공직선거법」이 정한 방법에 의하지 아니한 문서·도화, 인쇄물의 배부를 전면적으로 금지·처벌하지 않으면 위와 같은 규제는 그 실효성을 확보하기 어려운 점, 인쇄물배부금지의 기간이 선거운동의 계획 및 준비가 시작되는 시점인 선거일 전 180일부터 선거일까지로 한정되고, 금지 내용도 선거에 영향을 미칠 목적으로 이루어지는 '선거운동에 준하는 내용의 표현행위'에 한정된다는 점 등을 고려하면, 인쇄물배부금지조항이 선거운동 등 정치적 표현의 자유를 침해한다고 볼 수 없다(2016.6.30, 2014헌바253).

10 정답 ②

ㄱ. [X] 외국인은 선거운동을 할 수 없으나 지방의원, 지방자치단체장을 선거권을 가진 외국인 예비후보자·후보자의 배우자인 외국인은 해

당선거에서 선거운동할 수 있다.

> 「공직선거법」 제60조 【선거운동을 할 수 없는 자】 ① 다음 각 호의 어느 하나에 해당하는 사람은 선거운동을 할 수 없다. 다만, 제1호에 해당하는 사람이 예비후보자·후보자의 배우자인 경우와 제4호부터 제8호까지의 규정에 해당하는 사람이 예비후보자·후보자의 배우자이거나 후보자의 직계존비속인 경우에는 그러하지 아니하다.
> 1. 대한민국 국민이 아닌 자. 다만, 제15조 제2항 제3호에 따른 외국인이 해당 선거에서 선거운동을 하는 경우에는 그러하지 아니하다.

ㄴ. [O] 한국철도공사의 상근직원에 대하여 선거운동을 금지하고 이를 위반한 경우 처벌하도록 규정한 「공직선거법」(2010.1.25. 법률 제9974호로 개정된 것) 제60조 제1항 제5호 중 제53조 제1항 제4호 가운데 '한국철도공사의 상근직원 부분' 및 같은 법 제255조 제1항 제2호 중 위 해당 부분이 선거운동의 자유를 침해한다. 더욱이 그 직을 유지한 채 공직선거에 입후보할 수 없는 상근임원과 달리, 한국철도공사의 상근직원은 그 직을 유지한 채 공직선거에 입후보하여 자신을 위한 선거운동을 할 수 있음에도 타인을 위한 선거운동을 전면적으로 금지하는 것은 과도한 제한이다. 따라서 심판대상조항은 선거운동의 자유를 침해한다(2018.2.22, 2015헌바124).

ㄷ. [O] 「공직선거법」은 예비후보자의 배우자가 공무원인 경우 배우자인 공무원의 선거운동을 금지하면서도 예비후보자가 다른 직계가족을 선거운동을 할 사람으로서 지정하여 신고한 경우에는 해당 다른 직계가족이 배우자에게 허용된 선거 등을 할 수 있도록 함으로써 그 기본권 제한의 정도를 최소화하고 있다. 따라서 청구인의 선거운동의 자유를 침해한 것이라 할 수 없다(2009.3.26, 2006헌마526).

⇒ 합헌결정이 있었으나 그 뒤 「공직선거법」 제60조 제1항 단서가 개정되어 현행법상 예비 후보자의 배우자도 선거운동이 가능하다.

> 「공직선거법」 제60조 【선거운동을 할 수 없는 자】 ① 다음 각 호의 어느 하나에 해당하는 사람은 선거운동을 할 수 없다. 다만, 제1호에 해당하는 사람이 예비후보자·후보자의 배우자인 경우와 제4호부터 제8호까지의 규정에 해당하는 사람이 예비후보자·후보자의 배우자이거나 후보자의 직계존비속인 경우에는 그러하지 아니하다.

ㄹ. [O] 심판대상조항들의 입법목적은 일정 범위의 언론인을 대상으로 언론매체를 통한 활동의 측면에서 발생가능한 문제점을 규제하는 것으로 충분히 달성될 수 있다. 그런데 인터넷신문을 포함한 언론매체가 대폭 증가하고, 시민이 언론에 적극 참여하는 것이 보편화된 오늘날 심판대상조항들에 해당하는 언론인의 범위는 지나치게 광범위하다. 따라서 심판대상조항들은 선거운동의 자유를 침해한다(2016.6.30, 2013헌가1).

ㅁ. [O] 국민건강보험공단 직원의 업무가 일반 보험회사의 직원이 담당하는 보험업무와 내용상 크게 다르지 않다 하더라도 그 신분상의 특수성과 조직의 규모, 개인정보 지득의 정도, 선거개입시 예상되는 부작용 등이 사보험업체 직원이나 다른 공단의 직원의 경우와 현저히 차이가 나는 이상 위와 같은 선거운동의 금지는 정당한 차별목적을 위한 합리적인 수단을 강구한 것으로서 합헌이다(2004.4.29, 2002헌마467).

ㅂ. [O] 선거의 공정성·형평성 확보, 사회복무요원의 정치적 중립성 유지 및 업무전념성 보장이라는 공익은 사회복무요원이 선거운동을 금지당함에 따라 제한받는 사익보다 훨씬 중요하므로, 심판대상조항은 법익의 균형성원칙에도 위배되지 아니한다. 따라서 심판대상조항은 과잉금지원칙에 위배되어 청구인의 선거운동의 자유를 침해하지 아니한다(2016.10.27, 2016헌마252).

ㅅ. [X] 교육공무원 선거운동금지조항은 공무원의 정치적 중립성, 교육의 정치적 중립성을 확보하기 위한 것으로 입법목적의 정당성 및 수단의 적합성이 인정된다. 교육의 정치적 중립성 확보라는 공익은 선거운동의 자유에 비해 높은 가치를 지니고 있으므로 법익의 균형성도 충족한다(2019.11.28, 2018헌마222).

ㅇ. [O] 국토방위라는 본연의 업무에 전념할 수 있도록 하고, 헌법이 요구하는 공무원과 국군의 정치적 중립성을 확보하며, 선거의 공정성과 형평성을 확보하기 위하여 반드시 필요한 제한이라 할 수 있다. 따라서 심판대상조항은 과잉금지원칙에 위배되어 청구인의 선거운동의 자유를 침해하지 않는다. 병이 업무를 담당하는 동안은 '국민 전체에 대한 봉사자'이자 '국군의 일원'으로서 공무에 전념한다는 점에서는 차이가 없다. 또한, 병이 상명하복의 지휘체계에서 최하단에 있다고 하여 그 업무가 직업군인에 비하여 경미하다고 일률적으로 말할 수 없으며, 병의 업무와 직업군인의 업무가 명확히 구별되는 것도 아니다. 이처럼 병이 직업군인 등 직업공무원과 본질적으로 다르다고 할 수 없으므로, 심판대상조항이 선거와 관련하여 병에게 직업군인 등 직업공무원과 동일한 정치적 중립의무를 부과하는 것은 청구인의 평등권을 침해하지 않는다(2018.4.26, 2016헌마611).

11 정답 ①

❶ [X] 헌법은 모든 국민에게 결사의 자유(제21조)를 보장하면서 결사의 한 형태인 노동조합에 관하여는 일반 단체와는 다른 특별한 보호와 규제를 하고 있다(제33조). 선거운동을 함에 있어서 '각종 단체'를 '노동조합'에 비교하여 차별취급을 한다고 하더라도, 이는 헌법에 근거를 둔 합리적인 차별로 보아야 하므로, 노동조합이 아닌 단체에 대하여 선거운동을 허용하지 아니한 것은 헌법상의 선거운동의 균등보장규정 및 평등원칙에 위반된다고 할 수 없다(1999.11.25, 98헌마141).

② [O]

> 「공직선거법」 제10조 【사회단체 등의 공명선거추진활동】 ① 사회단체 등은 선거부정을 감시하는 등 공명선거추진활동을 할 수 있다. 다만, 다음 각 호의 어느 하나에 해당하는 단체는 그 명의 또는 그 대표의 명의로 공명선거추진활동을 할 수 없다.
> 1. 특별법에 의하여 설립된 국민운동단체로서 국가 또는 지방자치단체의 출연 또는 보조를 받는 단체(바르게살기운동협의회·새마을운동협의회·한국자유총연맹을 말한다)
> 2. 법령에 의하여 정치활동이나 공직선거에의 관여가 금지된 단체
> 3. 후보자(후보자가 되고자 하는 자를 포함한다), 후보자의 배우자와 후보자 또는 그 배우자의 직계존·비속과 형제자매나 후보자의 직계비속 및 형제자매의 배우자가 설립하거나 운영하고 있는 단체
> 4. 특정 정당(창당준비위원회를 포함한다) 또는 후보자를 지원하기 위하여 설립된 단체
> 6. 선거운동을 하거나 할 것을 표방한 노동조합 또는 단체

③ [O]

> 「공직선거법」 제87조 【단체의 선거운동금지】 ① 다음 각 호의 어느 하나에 해당하는 기관·단체(그 대표자와 임직원 또는 구성원을 포함한다)는 그 기관·단체의 명의 또는 그 대표의 명의로 선거운동을 할 수 없다.
> 3. 향우회·종친회·동창회, 산악회 등 동호인회, 계모임 등 개인 간의 사적모임

④ [O] 공직선거에 있어서 후보자를 추천하거나 이를 지지 또는 반대하는 등 선거활동을 함에 있어서 '정당'과 '정당이 아닌 기타의 단체'에 대하여 그 보호와 규제를 달리한다 하더라도 이는 일응 헌법에 근

거를 둔 합리적인 차별이라 보아야 할 것이고, 따라서 정당이 아닌 단체에게 정당만큼의 선거운동이나 정치활동을 허용하지 아니하였다 하여 곧 그것이 그러한 단체의 평등권이나 정치적 의사표현의 자유를 제한한 것이라고는 말할 수 없을 것이다(1995.5.25, 95헌마105).

12 정답 ③

ㄱ. [O] 공무원의 편향된 영향력 행사를 배제하여 선거의 공정성을 확보한다는 공익은, 그 지위를 이용한 선거운동 내지 영향력 행사만을 금지하면 대부분 확보될 수 있으므로 공무원이 그 지위를 이용하였는지 여부에 관계없이 선거운동의 기획행위 일체를 금지하는 것은 정치적 의사표현의 자유라는 개인의 기본권을 중대하게 제한하는 반면, 그러한 금지가 선거의 공정성이라는 공익의 확보에 기여하는 바는 매우 미미하다는 점에서, 이 사건 법률조항은 공무원의 정치적 표현의 자유를 침해하나, 다만 위와 같은 위헌성은 공무원이 '그 지위를 이용하여' 하는 선거운동의 기획행위 외에 사적인 지위에서 하는 선거운동의 기획행위까지 포괄적으로 금지하는 것에서 비롯된 것이므로, 이 사건 법률조항은 공무원의 지위를 이용하지 아니한 행위에까지 적용하는 한 헌법에 위반된다(2008.5.29, 2006헌마1096).

ㄴ. [X] 공무원이 그 지위를 이용하여 한 선거운동의 기획행위를 금지하는 것은 선거의 공정성을 보장하기 위한 것인바, 이로써 공무원인 입후보자와 공무원이 아닌 다른 입후보자, 지방자치단체의 장과 국회의원과 그 보좌관, 비서관, 비서 및 지방의회의원을 차별하는 것은 합리적 이유가 있다. 그러나 이 사건 법률조항이 공무원이 그 지위를 이용하지 않고 사적인 지위에서 선거운동의 기획행위를 하는 것까지 금지하는 것은 선거의 공정성을 보장하려는 입법목적을 달성하기 위한 합리적인 차별취급이라고 볼 수 없으므로 평등권을 침해한다(2008.5.29, 2006헌마1096).

ㄷ. [X] 공무원이 그 지위를 이용하여 한 선거운동의 기획행위를 금지하는 것은 선거의 공정성을 보장하기 위한 것인바, 이로써 공무원인 입후보자와 공무원이 아닌 다른 입후보자, 지방자치단체장과 국회의원과 그 보좌관, 비서관, 비서 및 지방의회의원을 차별하는 것은 합리적 이유가 있다고 볼 것이다. 그러나 위에서 본 바와 같이 이 사건 법률조항이 공무원이라 하더라도 그 지위를 이용하지 않고 사적인 지위에서 선거운동의 기획행위를 하는 것까지 금지하는 것은 선거의 공정성을 보장하려는 입법목적을 달성하기 위한 합리적인 차별취급이라고 볼 수 없으므로 평등권을 침해한다고 볼 것이다(2008.5.29, 2006헌마1096).

ㄹ. [O] 이 사건 금지조항의 문언해석과 입법목적 및 「공직선거법」상 다른 유사조항의 해석례 등에 비추어 보면, '선거에 영향을 미치는 행위'란 「공직선거법」이 적용되는 선거에 있어 선거과정 및 선거결과에 변화를 주거나 그러한 영향을 미칠 우려가 있는 일체의 행동으로 해석할 수 있고, 구체적인 사건에서 그 행위가 이루어진 시기, 동기, 방법 등 제반 사정을 종합하여 그 내용을 판단할 수 있으므로, 이 사건 금지조항은 죄형법정주의의 명확성원칙에 위배되지 아니한다(2016.7.28, 2015헌바6).

ㅁ. [O] 선거에 영향을 미치는 행위는 그 적용범위가 광범위하고 죄질의 양상도 다양하게 나타날 수 있어, 구체적인 사안에 따라서는 위법성이 현저히 작은 행위도 '선거에 영향을 미치는 행위'에 포함됨에 따라 책임에 비례하지 않는 형벌이 부과될 가능성도 존재한다. 따라서 이 사건 처벌조항은 「공직선거법」상 다른 조항과의 상호 관련성 및 형벌체계상의 균형에 대한 진지한 고민 없이 중한 법정형을 규정하여 형의 불균형 문제를 야기하고 있으므로, 형벌체계상의 균형을 현저히 상실하였다(2016.7.28, 2015헌바6).

13 정답 ④

ㄱ. [X]

> **「공직선거법」 제59조【선거운동기간】** 선거운동은 선거기간개시일부터 선거일 전일까지에 한하여 할 수 있다. 다만, 다음 각 호의 어느 하나에 해당하는 경우에는 그러하지 아니하다.
> 2. 문자메시지를 전송하는 방법으로 선거운동을 하는 경우. 이 경우 자동 동보통신의 방법(동시 수신대상자가 20명을 초과하거나 그 대상자가 20명 이하인 경우에도 프로그램을 이용하여 수신자를 자동으로 선택하여 전송하는 방식을 말한다)으로 전송할 수 있는 자는 후보자와 예비후보자에 한하되, 그 횟수는 8회(후보자의 경우 예비후보자로서 전송한 횟수를 포함한다)를 넘을 수 없으며, 중앙선거관리위원회규칙에 따라 신고한 1개의 전화번호만을 사용하여야 한다.
> 3. 인터넷 홈페이지 또는 그 게시판·대화방 등에 글이나 동영상 등을 게시하거나 전자우편(컴퓨터 이용자끼리 네트워크를 통하여 문자·음성·화상 또는 동영상 등의 정보를 주고받는 통신시스템을 말한다)을 전송하는 방법으로 선거운동을 하는 경우. 이 경우 전자우편 전송대행업체에 위탁하여 전자우편을 전송할 수 있는 사람은 후보자와 예비후보자에 한한다.

ㄴ. [O]

> **「공직선거법」 제59조【선거운동기간】** 선거운동은 선거기간개시일부터 선거일 전일까지에 한하여 할 수 있다. 다만, 다음 각 호의 어느 하나에 해당하는 경우에는 그러하지 아니하다.
> 3. 인터넷 홈페이지 또는 그 게시판·대화방 등에 글이나 동영상 등을 게시하거나 전자우편(컴퓨터 이용자끼리 네트워크를 통하여 문자·음성·화상 또는 동영상 등의 정보를 주고받는 통신시스템을 말한다)을 전송하는 방법으로 선거운동을 하는 경우. 이 경우 전자우편 전송대행업체에 위탁하여 전자우편을 전송할 수 있는 사람은 후보자와 예비후보자에 한한다.

ㄷ. [X] 온라인 공간의 빠른 전파가능성 및 익명성에 비추어 볼 때, 허위사실 공표의 처벌이나 후보자 등의 반론 허용 등 단순한 사후적 규제만으로 혼탁선거 및 선거의 불공정성 문제가 해소되기는 어렵고, 선거 관리에 막대한 비용과 시간을 필요로 하여 사실상 선거관리를 불가능하게 한다는 측면에서 보면, 최소침해성원칙에 반한다고 볼 수 없고, 선거의 공정과 평온에 비추어 일반 유권자가 선거운동기간 전에 한정하여 선거운동을 할 수 없다는 제한의 정도가 수인이 불가능할 정도로 큰 것은 아니므로, 법익의 균형성원칙에도 반하지 아니하므로, 이 사건 법률조항이 과잉금지원칙에 위배되어 일반 유권자의 선거운동의 자유를 침해한다고 볼 수 없다(2010.6.24, 2008헌바169).

ㄹ. [O] 심판대상조항은 형사처벌과 관련되는 주요사항을 헌법이 위임입법의 형식으로 예정하고 있지도 않은 특수법인의 정관에 위임하고 있는데, 이는 사실상 그 정관 작성권자에게 처벌법규의 내용을 형성할 권한을 준 것이나 다름없고, 수범자는 호별 방문 등이 금지되는 기간이 구체적으로 언제인지 예측할 수 없으므로 죄형법정주의에 위배된다(2019.5.30, 2018헌가12).

ㅁ. [O] 이 사건 지지호소조항의 문언과 입법취지에 비추어보면, 이 사건 호별 방문조항에도 불구하고 예외적으로 선거운동을 위하여 지지호소를 할 수 있는 '기타 다수인이 왕래하는 공개된 장소'란, 해당 장소의 구조와 용도, 외부로부터의 접근성 및 개방성의 정도 등을 종합적으로 고려할 때 '관혼상제의 의식이 거행되는 장소와 도로·시장·점포·다방·대합실'과 유사하거나 이에 준하여 일반인의 자유로운 출입이 가능한 개방된 곳을 의미한다고 충분히 해석할 수 있다. 따라서 이 사건 지지호소조항은 죄형법정주의 명확성원칙에 위반된다고 할 수 없다(2019.5.30, 2017헌바458).

ㅂ. [O] 각 가정을 직접 방문하여 유권자를 대면하는 방법이 아니더라도 후보자 개인이 유권자에게, 반대로 유권자가 후보자 개인에게 각종 정보 및 정치적 의견 등을 효율적으로 알릴 수 있다. 따라서 이 사건 호별 방문조항이 과잉금지원칙을 위반하여 선거운동의 자유 내지 정치적 표현의 자유를 침해한다고 볼 수 없다(2019.4.11, 2016헌바458 등).

ㅅ. [X] 「공직선거법」 제65조 제8항은 점자형 선거공보에 핵심적인 내용을 반드시 포함하도록 규정하고 있는 점, 시각장애인이 선거정보를 획득할 수 있는 다양한 수단들이 존재하는 점 등을 종합적으로 고려하면, 이 사건 선거공보조항이 청구인 김OO의 선거운동의 자유를 침해한다고 보기 어렵다(2020.8.28, 2017헌마813).

ㅇ. [X] 언어장애가 있는 후보자가 「공직선거법」에 규정된 방법 이외의 인쇄물, 녹음·녹화물 등을 반드시 이용하여야만 언어장애가 없는 후보자와의 동등한 위치를 확보한다고 보기는 어렵고, 설령 위와 같이 인쇄물 등의 선거운동방법을 별도로 허용한다고 하여도 장애인 후보자에게 현저하게 유익하다고 할 수도 없으므로, 「공직선거법」 제93조 제1항 본문이 장애인과 비장애인 후보자를 구분하지 아니하고 선거운동방법을 제한하였더라도 이를 두고 서로 다른 것을 자의적으로 동일하게 취급함으로써 이 사건 중증장애인 후보자인 청구인들의 평등권 등을 침해하는 것이라 볼 수 없다(2009.2.26, 2006헌마626).

14

정답 ④

① [O] 당해 선거구 안에 있는 자에 대하여 후보자 등이 아닌 제3자가 기부행위를 한 경우 징역 또는 벌금형에 처하도록 정한 「공직선거법」은 선거의 공정이 훼손되는 경우 후보자 선택에 관한 민의가 왜곡되고 그로 인하여 민주주의제도 자체가 위협을 받을 수 있는 점을 감안한다면 이를 보호하기 위하여 본질적인 부분을 침해하지 않는 범위 내에서 기본권을 일부 제한하는 것은 법익균형성을 준수한 것으로 보아야 한다. 그렇다면 후보자 등이 아닌 제3자의 선거운동의 자유나 일반적 행동자유권을 침해하지 아니한다(2018.3.29, 2017헌바266).

② [O]

> **「공직선거법」 제113조 【후보자 등의 기부행위 제한】** ① 국회의원·지방의회의원·지방자치단체의 장·정당의 대표자·후보자(후보자가 되고자 하는 자를 포함한다)와 그 배우자는 당해 선거구안에 있는 자나 기관·단체·시설 또는 당해 선거구의 밖에 있더라도 그 선거구민과 연고가 있는 자나 기관·단체·시설에 기부행위(결혼식에서의 주례행위를 포함한다)를 할 수 없다.

③ [O] 이 사건 심판대상 조항은 의무위반자에 대하여 부과할 과태료의 액수를 감액의 여지없이 일률적으로 '제공받은 금액 또는 음식물·물품 가액의 50배에 상당하는 금액'으로 정하고 있는데, 이 조항이 적용되는 기부행위금지규정에 위반하여 물품·음식물·서적·관광 기타 교통편의를 제공받은 행위'의 경우에는 그 위반의 동기 및 태양, 기부행위가 이루어진 경위와 방식, 기부행위자와 위반자와의 관계, 사후의 정황 등에 따라 위법성 정도에 큰 차이가 있을 수 밖에 없음에도 이와 같은 구체적, 개별적 사정을 고려하지 않고 오로지 기부받은 물품 등의 가액만을 기준으로 하여 일률적으로 정해진 액수의 과태료를 부과한다는 것은 구체적 위반행위의 책임 정도에 상응한 제재가 되기 어렵다(2009.3.26, 2007헌가22).

❹ [X]

> **「공직선거법」 제257조 【기부행위의 금지 제한 등 위반죄】** ① 다음 각 호의 1에 해당하는 자는 5년 이하의 징역 또는 1천만 원 이하의 벌금에 처한다.
> 1. 제113조(후보자 등의 기부행위 제한)·제114조(정당 및 후보자의 가족 등의 기부행위 제한) 제1항 또는 제115조(제3자의 기부행위 제한)의 규정에 위반한 자

> **관련 판례** '기부행위'의 개념에 관하여 구 「공직선거법」 제112조 제1항은 '금전·물품 기타 재산상 이익의 제공, 이익 제공의 의사표시 또는 그 제공을 약속하는 행위'로 정의하고 있는데, 그 자체로도 의미가 명확히 해석될 수 있을 뿐만 아니라, 예외적으로 허용되는 기부행위로 제2항에 예시된 내용과 대비하여 보면, 충분히 금지되는 기부행위가 어떤 것인지 파악할 수 있다. 따라서 이 사건 법률조항은 죄형법정주의의 명확성원칙에 위배되지 않는다(2014.2.27, 2013헌바106).

15

정답 ④

① [O] 「국가공무원법」 조항은 정무직공무원들의 일반적 정치활동을 허용하는 데 반하여, 「공직선거법」 제9조 제1항은 그들로 하여금 정치활동 중 '선거에 영향을 미치는 행위'만을 금지하고 있으므로, 「공직선거법」 제9조 제1항은 선거영역에서의 특별법으로서 일반법인 「국가공무원법」 조항에 우선하여 적용된다고 할 것이다(2008.1.17, 2007헌마700).

② [O] 각급 선거관리위원회의 의결을 거쳐 행하는 사항에 대하여는 원칙적으로 행정절차에 관한 규정이 적용되지 않는바(「행정절차법」 제3조 제2항 제4호). 이는 권력분립의 원리와 선거관리위원회 의결절차의 합리성을 고려한 것으로 보인다. 또한 선거운동의 특성상 선거법 위반행위인지 여부와 그에 대한 조치는 가능하면 신속하게 결정되어야 할 뿐 아니라, 「선거관리위원회법」 제14조의2의 조치가 위반행위자에 대하여 종국적 법률효과를 발생시키는 것도 아니므로, 위반행위자에게 의견진술의 기회를 보장하는 것이 반드시 필요하거나 적절하다고 보기는 어렵다(2008.1.17, 2007헌마700).

③ [O] 「선거관리위원회법」 제14조의2의 '경고'는 선거법 위반행위에 대한 제재적 조치의 하나로서 법률에 규정된 것이므로 피경고자는 이러한 경고를 준수하여야 할 의무가 있다. 또한 비록 피경고자가 이 사건 법률조항을 위반하더라도 이에 대한 「공직선거법」상 처벌규정이 없어 종국적으로 형사처벌을 받을 가능성이 없지만, 피경고자가 경고를 불이행하는 경우 선거관리위원회 위원·직원에 의하여 관할 수사기관에 수사의뢰 또는 고발되어 피의자 또는 피고발인의 지위에 서게 되므로(위 조항 후문) 위 '경고'가 청구인의 법적 지위에 영향을 주지 않는다고는 할 수 없다. 이 사건 법률조항과 같이 금지의무만이 있을 뿐 그 위반에 대한 처벌조항이 없는 경우, 이를 위반하였다는 내용의 이 사건 조치가 법원에서 항고소송의 대상으로 인정받은 바 없을 뿐 아니라 이에 해당하는지 여부도 불투명하다. 결국 청구인에게 항고소송에 의한 권리구제절차를 거치도록 요구하거나 기대할 수 없으므로 보충성의 예외를 인정하여 헌법소원을 허용함이 상당하다(2008.1.17, 2007헌마700).

❹ [X] 선거에 관한 사무는 행정부와는 독립된 헌법기관인 선거관리위원회가 주관하게 되어 있지만(헌법 제114조 제1항), 선거를 구체적으로 실행하는 데 있어서 행정부 공무원의 지원과 협조 없이는 현실적으로 불가능하므로 행정부 수반인 대통령의 선거중립이 매우 긴요하다. 나아가 공무원들이 직업공무원제에 의하여 신분을 보장받고 있다 하여도, 최종적인 인사권과 지휘감독권을 갖고 있는 대통령의 정치적 성향을 의식하지 않을 수 없으므로 대통령의 선거개입은 선거의 공정을 해할 우려가 무척 높다. 결국 선거활동에 관하여

여 대통령의 정치활동의 자유와 선거중립의무가 충돌하는 경우에는 후자가 강조되고 우선되어야 한다(2008.1.17, 2007헌마700).

⑤ [O] 이 사건 법률조항이 규율하는 '행위'를 위와 같이 구체화할 수 있을 뿐 아니라, 일반 공무원이 이 사건 법률조항을 위반한 경우에는 직무상의 의무(다른 법령에서 공무원의 신분으로 인하여 부과된 의무 포함) 위반이나 직무태만으로 징계사유가 되고(「국가공무원법」 제78조 제1항 제2호), 대통령의 경우 탄핵사유가 될 수 있으므로(2004헌나1 참조) 위 법률조항의 위반에 대한 제재가 전혀 없다고 볼 수도 없다. 따라서 이 사건 법률조항이 구체적 법률효과를 발생시키지 않는 단순한 선언적·주의적 규정이라고 볼 수 없다(2008.1.17, 2007헌마700).

16 정답 ④

① [X] 청구인 홍○○는 이 사건 토론회조항이 공무담임권을 침해한다고 주장한다. 그러나 공무담임권이란 국가·공공단체의 구성원으로서 그 직무를 담당할 수 있는 권리이므로, 선거방송 대담·토론회 등의 초청·참석이 제한되어 사실상 선거운동의 자유가 일부 제한되는 측면이 있다는 것만으로 바로 국가기관의 공직에 취임할 수 있는 권리가 직접 제한된다고 보기는 어렵다. 이 사건 토론회조항은 공무담임권을 제한하지 않는다(2019.9.26, 2018헌마128 등).

② [X] 선거운동에서의 기회균등 보장은 일반적 평등원칙과 마찬가지로 절대적이고도 획일적인 평등 내지 기회균등을 요구하는 것이 아니라 합리적인 근거가 없는 자의적인 차별 내지 차등만을 금지하는 것으로 이해하여야 한다(2019.9.26, 2018헌마128 등).

③ [X] 선거방송 대담·토론회 등에 대한 구체적인 형성 및 그에 관한 초청 요건 등은 원칙적으로 입법정책의 문제로서 입법자의 입법형성의 자유에 속하는 사항이다. 그렇다면 이 사건 토론회조항이 선거운동의 기회균등원칙과 관련한 평등권을 침해하는지 여부를 심사함에 있어서는 완화된 합리성 심사에 의하는 것이 타당하다(2019.9.26, 2018헌마128 등).

❹ [O] 정당의 추천을 받은 사람, 지난 선거에서 일정 수 이상의 득표를 함으로써 해당 지역의 선거구 내 주민들의 일정한 지지가 검증되었다고 볼 수 있는 사람, 위와 같은 요건을 갖추지는 못하였지만 여론조사를 통하여 해당 지역 유권자들의 관심과 지지가 어느 정도 확보되고, 그러한 사실이 확인될 수 있는 사람을 대상으로 하고 있는바, 그 요건이 자의적이라고 볼 수 없다. 이 사건 토론회조항은 선거운동의 기회균등원칙과 관련한 평등권을 침해하지 않는다(2019.9.26, 2018헌마128 등).

17 정답 ②

① [X] 국회의원 선거에 있어서는 선거소청·당선소청이 인정되지 않는다.

❷ [O] 지방자치단체의 장 선거와 지방의회의원 선거에서 소청절차는 선거소송의 필수적 절차이다.

③ [X] 자치구·시·군의 장 선거에 있어서는 선거일로부터 14일 이내 시·도선거관리위원회에 소청할 수 있다.

④ [X] 비례대표시·도의원 선거 및 시·도지사 선거에 있어서는 대법원에, 지역구시·도의원 선거, 자치구·시·군의원 선거 및 자치구·시·군의 장 선거에 있어서는 그 선거구를 관할하는 고등법원에 소를 제기할 수 있다.

18 정답 ②

① [X] 정당의 경우 후보자를 추천한 정당에 한한다.

> 「공직선거법」 제222조 【선거소송】 ① 대통령 선거 및 국회의원 선거에 있어서 선거의 효력에 관하여 이의가 있는 선거인·정당(후보자를 추천한 정당에 한한다) 또는 후보자는 선거일부터 30일 이내에 당해 선거구선거관리위원회 위원장을 피고로 하여 대법원에 소를 제기할 수 있다.

❷ [O]

> 「공직선거법」 제222조 【선거소송】 ① 대통령 선거 및 국회의원 선거에 있어서 선거의 효력에 관하여 이의가 있는 선거인·정당(후보자를 추천한 정당에 한한다) 또는 후보자는 선거일부터 30일 이내에 당해 선거구선거관리위원회 위원장을 피고로 하여 대법원에 소를 제기할 수 있다.

③ [X] 당선소송이므로 선거인은 원고적격이 없고, 서울고등법원에 소를 제기할 수 있다.

④ [X]

> 「공직선거법」 제222조 【선거소송】 ② 지방의회의원 및 지방자치단체의 장의 선거에 있어서 선거의 효력에 관한 제220조의 결정에 불복이 있는 소청인(당선인을 포함한다)은 해당 소청에 대하여 기각 또는 각하 결정이 있는 경우에는 해당 선거구선거관리위원회 위원장을, 인용결정이 있는 경우에는 그 인용결정을 한 선거관리위원회 위원장을 피고로 하여 그 결정서를 받은 날부터 10일 이내에 비례대표시·도의원 선거 및 시·도지사 선거에 있어서는 대법원에, 지역구시·도의원 선거, 자치구·시·군의원 선거 및 자치구·시·군의 장 선거에 있어서는 그 선거구를 관할하는 고등법원에 소를 제기할 수 있다.

<선거소송과 당선소송 비교>

구분	선거소송 (「공직선거법」 제222조)	
제소 사유	선거의 효력(전부나 일부무효)에 관하여 이의가 있을 때	
제소자	선거인, 정당, 후보자	
피고	관할 선거관리위원회 위원장 (대통령 선거의 경우에는 중앙선거관리위원회 위원장)	
제소 기간	대통령·국회의원 선거	선거일로부터 30일 이내
	지방의회의원·지방자치단체의 장 선거	선거일로부터 14일 이내 소청 → 소청 결정서를 받은 날로부터 10일 이내 소 제기
제소 법원	대법원	대통령, 국회의원, 시·도지사 선거, 비례대표시·도의원 선거
	관할 고등법원	지역구시·도의원 선거, 자치구·시·군의원 선거, 자치구·시·군의 장 선거

구분	당선소송 (「공직선거법」 제223조)	
제소 사유	당선의 효력(개표 부정이나 착오 등)에 관하여 이의가 있을 때	
제소자	정당, 후보자	
피고	대통령 선거	당선인, 중앙선거관리위원회 위원장, 국회의장, 법무부장관
	국회의원 선거	관할 선거관리위원회 위원장, 당선인
	지방의회의원, 지방자치단체의 장 선거	당선인 관할 선거관리위원회 위원장
	당선인이 사퇴·사망한 경우	법무부장관(대통령 선거) 또는 관할 고등검찰청 검사장(기타)
제소 기간	대통령·국회의원 선거	당선인 결정일로부터 30일 이내
	지방의회의원·지방자치단체의 장 선거	당선인 결정일로부터 14일 이내 소청 ➡ 소청결정서를 받은 날로부터 10일 이내 소제기
제소 법원	대법원	대통령, 국회의원, 시·도지사 선거, 비례대표시·도의원 선거
	관할 고등법원	지역구시·도의원 선거, 자치구시·군의원 선거, 자치구·시·군의 장 선거

19

정답 ③

① [O] 고소·고발한 후보인은 재정신청할 수 있으나, 고소·고발한 일반 국민은 재정을 신청할 수 없다.

> **「공직선거법」 제273조【재정신청】** ① 제230조부터 제234조까지, 제237조부터 제239조까지, 제248조부터 제250조까지, 제255조 제1항 제1호·제2호·제10호·제11호 및 제3항·제5항, 제257조 또는 제258조의 죄에 대하여 고발을 한 후보자와 정당(중앙당에 한한다) 및 해당 선거관리위원회는 그 검사 소속의 지방검찰청 소재지를 관할하는 고등법원에 그 당부에 관한 재정을 신청할 수 있다.

② [O] 시·도당이 아니라 중앙당이 재정신청할 수 있다.

❸ [X]

> **「공직선거법」 제224조【선거무효의 판결 등】** 소청이나 소장을 접수한 선거관리위원회 또는 대법원이나 고등법원은 선거쟁송에 있어 선거에 관한 규정에 위반된 사실이 있는 때라도 선거의 결과에 영향을 미쳤다고 인정하는 때에 한하여 선거의 전부나 일부의 무효 또는 당선의 무효를 결정하거나 판결한다.

④ [O] 당선인이 사망·사퇴한 경우 대통령 선거에서는 법무부장관이, 국회의원 선거 등에서는 관할 고등검찰청 검사장이 피고가 된다(「공직선거법」 제223조 제4항).

20

정답 ③

① [O] 기간의 제한 없이 선거운동을 무한정 허용할 경우에는 후보자 간의 지나친 경쟁이 선거관리의 곤란으로 이어져 부정행위의 발생을 막기 어렵게 된다. 또한 후보자 간의 무리한 경쟁의 장기화는 경비와 노력이 지나치게 들어 사회경제적으로 많은 손실을 가져올 뿐만 아니라 후보자 간의 경제력 차이에 따른 불공평이 생기게 되고, 아울러 막대한 선거비용을 마련할 수 없는 젊고 유능한 신참 후보자의 입후보의 기회를 빼앗는 결과를 가져올 수 있다. 이 사건 처벌조항의 법정형은 지나치게 높다고 보여지지 아니하고, 예비후보자의 선거운동 허용, 후보자 등의 인터넷을 통한 선거운동 허용 등을 비롯하여 선거운동기간의 제한을 받지 않는 선거운동방법이 다양화되었다. 따라서 이 사건 법률조항들은 정치적 표현의 자유 및 선거운동의 자유를 침해하지 아니한다(2013.12.26, 2011헌바153).

② [O]

> **「공직선거법」 제33조【선거기간】** ① 선거별 선거기간은 다음 각 호와 같다.
> 1. 대통령 선거는 23일
> 2. 국회의원 선거와 지방자치단체의 의회의원 및 장의 선거는 14일
>
> ③ '선거기간'이란 다음 각 호의 기간을 말한다.
> 1. 대통령 선거: 후보자등록마감일의 다음 날부터 선거일까지
> 2. 국회의원 선거와 지방자치단체의 의회의원 및 장의 선거: 후보자등록마감일 후 6일부터 선거일까지

❸ [X] 기초의회의원 선거 후보자로 하여금 특정 정당으로부터의 지지 또는 추천 받음을 표방할 수 없도록 한 「공직선거 및 선거부정방지법」 제84조 중 '자치구·시·군의회의원 선거의 후보자' 부분은, 불확실한 입법목적을 실현하기 위하여 그다지 실효성도 없고 불분명한 방법으로 과잉금지원칙에 위배하여 후보자의 정치적 표현의 자유를 과도하게 침해하고 있다고 할 것이다(2003.1.30, 2001헌가4).

④ [O] 통상적인 정당활동은 정당이 그 목적을 달성하기 위하여 행하는 당원의 모집, 정책의 개발·보급, 당원교육 등 선거시기에 관계없이 정당이 존속하는 한 지속적으로 추진하여야 하는 정당 본연의 활동으로서, 우리 헌법상의 정당제 민주주의 관련 조항과 정당의 중요한 공적 기능에 비추어 볼 때 이는 자유로이 허용되어야 하므로, 「공직선거법」 제58조 제1항 단서 제4호가 통상적인 정당활동을 에서 제외함으로써 무소속후보자와 정당후보자 간에 차별이 생긴다 하더라도 그것을 불합리한 차별로서 평등권을 침해한다고는 볼 수 없고, 또한 위 규정은 무소속후보자의 의 준비행위를 금지하거나 법정 을 제한하는 것이 아니고 무소속후보자의 당선 기회를 봉쇄하는 것도 아니므로 공무담임권을 침해한다고도 볼 수 없다(2001.10.25, 2000헌마193).

43회 진도별 모의고사

공무담임권 ~ 공무원제도

정답

01	④	02	①	03	②	04	②
05	③	06	②	07	③	08	②
09	③	10	④	11	①	12	①
13	①	14	③	15	①	16	②
17	①	18	③	19	②	20	④

01 정답 ④

① [O] 헌법 제25조는 모든 국민에게 공무담임권을 보장하고 있는바, 이는 국민이 공무담임에 관한 자의적이지 않고 평등한 기회를 보장받는 것, 즉 공직취임의 기회를 자의적으로 배제당하지 않음을 의미하는 것이지, 모든 국민이 현실적으로 국가나 공공단체의 직무를 담당할 수 있다고 하는 의미가 아니다(2004.11.25, 2002헌마749).

② [O] 직업공무원으로의 공직취임권에 관하여 규율함에 있어서는 임용희망자의 능력·전문성·적성·품성을 기준으로 하는 이른바 능력주의 또는 성과주의를 바탕으로 하여야 한다. 헌법은 이 점을 명시적으로 밝히고 있지 아니하지만, 헌법 제7조에서 보장하는 직업공무원제도의 기본적 요소에 능력주의가 포함되는 점에 비추어 헌법 제25조의 공무담임권조항은 모든 국민이 누구나 그 능력과 적성에 따라 공직에 취임할 수 있는 균등한 기회를 보장함을 내용으로 한다고 할 것이다(1999.12.23, 98헌마363). 2016년 사시

③ [O] 공무원채용시험에 있어서의 응시연령은 그 연령에 해당하지 않는 자에게는 응시 기회가 봉쇄된다는 점에서 중대한 공무담임권의 제한이 된다(2000.1.27, 99헌마123).

❹ [X] 대학총장후보자 선출에 참여할 권리는 헌법상 기본권으로 인정된다(2006.4.27, 2005헌마1047 등).
➡ 심판대상이 위헌결정되었다는 것에 착안할 것

02 정답 ①

❶ [O] 공무담임권의 보호영역에는 공직취임 기회의 자의적 배제뿐 아니라 공무원 신분의 부당한 박탈이나 권한의 부당한 정지도 포함한다(2010.9.2, 2010헌마418).

② [X] 공무담임권의 보호영역에는 일반적으로 공직취임의 기회 보장, 신분 박탈, 직무의 정지가 포함되는 것일 뿐, 여기서 더 나아가 공무원이 특정의 장소에서 근무하는 것 또는 특정의 보직을 받아 근무하는 것을 포함하는 일종의 '공무수행의 자유'까지 그 보호영역에 포함된다고 보기는 어렵다(2008.6.26, 2005헌마1275).

③ [X] 공무담임권의 보호영역에는 일반적으로 공직취임의 기회 보장, 신분 박탈, 직무의 정지가 포함될 뿐이고 청구인이 주장하는 '승진시험의 응시 제한이나 이를 통한 승진 기회의 보장 문제는 공직신분의 유지나 업무수행에는 영향을 주지 않는 단순한 내부 승진인사에 관한 문제에 불과하여 공무담임권의 보호영역에 포함된다고 보기는 어려우므로 결국 이 사건 심판대상규정은 청구인의 공무담임권을 침해한다고 볼 수 없다(2007.6.28, 2005헌마1179). 2019년 행시

④ [X] 공무담임권은 공직취임의 기회균등뿐만 아니라 취임한 뒤 승진할 때에도 균등한 기회 제공을 요구한다. 군복무 이후 공무원이 된 자는 군 복무기간이 승진소요 최저연수에 포함되지 않으므로 공무원으로 근무하다가 군 복무를 한 사람보다 더 오래 재직하여야 승진임용절차가 진행된다. 또 군 복무기간이 경력평정에서도 일부만 산입되므로 경력평정점수도 상대적으로 적게 부여된다. 이는 승진임용절차 개시 및 승진임용점수 산정과 관련된 법적 불이익에 해당하므로, 승진경쟁인원 증가에 따라 승진가능성이 낮아지는 사실상의 불이익 문제나 단순한 내부 승진인사 문제와 달리 공무담임권의 제한에 해당한다(2018.7.26, 2017헌마1183).

03 정답 ②

① [X] 단순한 내부 승진인사에 관한 문제에 불과하여 공무담임권의 보호영역에 포함된다고 보기는 어렵다. 따라서 「공무원임용령」 부칙 제2조 제1항 등에 의해 경찰청 내에 일반직공무원의 정원이 증가하여 승진 경쟁이 치열해졌다 하더라도 그러한 불이익은 승진 기회 내지 승진확률이 축소되는 사실상의 불이익에 불과할 뿐이므로 그로 인해 현재 경찰청 내 일반직공무원으로 근무하고 있는청구인들의 헌법상 공무담임권 침해 문제가 생길 여지는 없다(2010.3.25, 2009헌마538).

❷ [O] 기능직공무원이 일반직공무원으로 우선 임용될 수 있는 기회의 보장은 공무담임권에서 당연히 파생되는 것으로 볼 수 없다. 특히 공개경쟁시험이나 일반적인 경력경쟁시험보다 유리한 조건으로 청구인들과 같은 조무직렬 기능직공무원들에게 일반직공무원으로 우선 임용될 기회를 주지 않는다고 하여도 청구인들은 기능직공무원으로서 그대로 신분을 유지하게 되므로, 청구인들의 공직신분의 유지나 업무수행과 같은 법적 지위에 직접 영향을 미치는 것도 아니다. 따라서 청구인들이 주장하는 일반직공무원으로 우선 임용될 권리 내지 기회 보장은 공무담임권의 보호영역에 속하지 아니하고, 청구인들의 공무담임권 침해 문제가 생길 여지가 없다(2013.11.28, 2011헌마565).

③ [X] 헌법 제25조의 공무담임권이 공무원의 재임기간 동안 충실한 공무수행을 담보하기 위하여 공무원의 퇴직급여 및 공무상 재해보상을 보장할 것까지 그 보호영역으로 하고 있다고 보기 어렵다(2014.6.26, 2012헌마459).

④ [X] 헌법 제25조는 모든 국민에게 공무담임권을 보장하고 있는바, 이는 국민이 공무담임에 관한 자의적이지 않고 평등한 기회를 보장받는 것, 즉 공직취임의 기회를 자의적으로 배제당하지 않음을 의미하는 것이지, 모든 국민이 현실적으로 국가나 공공단체의 직무를 담당할 수 있다고 하는 의미가 아니다(2004.11.25, 2002헌마749).

04 정답 ②

ㄱ. [O] 공무원채용시험에 있어서의 응시연령은 그 연령에 해당하지 않는 자에게는 응시 기회가 봉쇄된다는 점에서 중대한 공무담임권의 제한이 된다(2000.1.27, 99헌마123)

ㄴ. [O] 청구인이 정당의 내부경선에 참여할 권리는 헌법이 보장하는 공무담임권의 내용에 포함된다고 보기 어렵고 청구인의 소속 정당이 당내경선을 실시하지 않는다고 하여 청구인이 공직선거의 후보자로 출마할 수 없는 것이 아니므로 심판대상조항으로 인하여 청구인의 공무담임권이 침해될 여지는 없다(2014.11.27, 2013헌마814).

ㄷ. [X] 헌법 제25조의 공무담임권의 보호영역에는 일반적으로 공직취임

의 기회 보장, 신분 박탈, 직무의 정지에 관련된 사항이 포함되지만, 특별한 사정도 없이 공무원이 특정의 장소에서 근무하는 것이나 특정의 보직을 받아 근무하는 것을 포함하는 일종의 '공무수행의 자유'까지 포함된다고 보기 어렵다. 단과대학장이라는 특정의 보직을 받아 근무할 것을 요구할 권리는 공무담임권의 보호영역에 포함되지 않는 공무수행의 자유에 불과하므로, 이 사건 심판대상조항에 의해 청구인들의 공무담임권이 침해될 가능성이 인정되지 아니한다(2014.1.28, 2011헌마239).

ㄹ. [O] 서울교통공사의 직원이라는 직위가 헌법 제25조가 보장하는 공무담임권의 보호영역인 '공무'의 범위에는 해당하지 않는다. 한편, 청구인들은 서울교통공사의 재정건전성에 관한 기대권 내지 공무담임권이라는 기본권이 존재함을 전제로 하여 취업, 임금, 승진 등에 있어서 불합리한 차별을 문제로 삼고 있으나, 청구인들의 주장에 따른 기대권이 공무담임권의 보호영역에 포함되지 않는 이상, 이를 법적으로 보호되는 불이익으로 볼 수 없다. 따라서 이 사건 인가가 청구인들의 공무담임권 및 평등권을 침해할 가능성이 인정되지 아니한다(2021.2.25, 2018헌마174).

05 정답 ③

ㄱ. [O] 국회의원 선거시 기탁금제도나 공무원시험의 응시연령 제한은 각각 피선거권과 공직취임권을 제한하는 점에서 모두 공무담임권을 제한하는 것이다.

ㄴ. [O] 선거구 구역표의 획정으로 인하여 다른 선거구에 속하게 된 특정지역의 주민들로부터 국회의원 선거 후보자로서 지지를 받지 못하게 되었다거나 본인이 국회의원 선거 후보자로 출마하고자 하는 특정 선거구의 투표가치가 다른 선거구에 비하여 낮아지게 되었다고 할지라도, 이로 인해 국회의원 선거에 출마하고자 하는 청구인들의 공무담임권이 제한되는 것은 아니다(2014.10.30, 2012헌마190 등).

ㄷ. [O] 징계시효제도는 공무원에게 부담을 주는 것이 아니라 공무원의 신분을 보호하여 공직의 안정성을 보장하는 제도이므로, 공무원의 '금품수수'로 인한 징계의 시효를 금품수수 등을 제외한 일반적 징계사유의 경우보다 길게 정하고 있다고 하더라도, 이로 인해 금품수수를 한 징계대상자가 다른 징계대상자보다 징계를 받을 가능성이 높아지는 것은 별론으로 하고 곧바로 공무원 신분의 부당한 박탈, 정지와 같은 결과를 초래하는 것은 아니어서 공무담임권이 제한된다고 보기는 어렵다(2012.6.27, 2011헌바226).

ㄹ. [X] 심판대상조항은 전직 국회의원 중 일정한 요건을 갖춘 사람에게 연로회원지원금을 지급하도록 하는 내용이므로 공직취임의 기회를 배제하는 내용이 아니며, 공무원 신분의 박탈에 관한 규정도 아니어서 공무담임권의 보호영역에 속하는 사항을 규정하고 있지 않으므로 공무담임권을 제한한다고 할 수 없다(2015.4.30, 2013헌마666).

ㅁ. [X] 인사권자인 교육감은 교사들에 대한 평가와 승진임용의 기준을 설정하고 조정할 재량권이 있으며, 교육감의 권한에 의하여 승진임용과 평가의 기준이 변경된 경우에 승진임용의 대상자들인 교사들이 제도 변경 전후의 평가기준을 승진임용심사에서 동등하게 취급하라고 요구할 권리를 가진다고 볼 수 없으므로, 교육감이 이미 취득한 높은 도서·벽지가산점을 인정한 결과 승진임용에서 불리하게 된 교사들이 생기더라도 공무담임권을 침해한다고 보기 어렵다(2005.12.22, 2002헌마152).

ㅂ. [O] 공무담임권은 공직취임의 기회균등뿐만 아니라 취임한 뒤 승진할 때에도 균등한 기회 제공을 요구한다. 군복무 이후 공무원이 된 자는 군 복무기간이 승진소요 최저연수에 포함되지 않으므로 공무원으로 근무하다가 군복무를 한 사람보다 더 오래 재직하여야 승진임용절차가 진행된다. 또 군복무기간이 경력평정에서도 일부만 산입되므로 경력평정점수도 상대적으로 적게 부여된다. 이는 승진임용절차 개시 및 승진임용점수 산정과 관련된 법적 불이익에 해당하므로, 승진경쟁인원 증가에 따라 승진가능성이 낮아지는 사실상의 불이익 문제나 단순한 내부승진인사 문제와 달리 공무담임권의 제한에 해당한다(2018.7.26, 2017헌마1183).

ㅅ. [X] 공무담임권이란 국가, 공공단체의 구성원으로서 그 직무를 담당할 수 있는 권리이므로 주된 선거방송 대담·토론회의 참가가 제한되어 사실상 선거운동의 자유가 일부 제한되는 측면이 있다고 하여 그로써 바로 국가기관의 공직에 취임할 수 있는 권리가 직접 제한된다고 보기는 어렵다고 할 것이므로, 이 사건 법률조항은 공무담임권을 제한하는 것이라고 볼 수 없다(2011.5.26, 2010헌마45).

06 정답 ②

ㄱ. [O] 이 사건 조항은 지방자치단체장에 대하여 공직사퇴시한을 '선거일 전 120일 전까지'로 하여 종전 조항보다 '60일'을 단축하고 있다. 단체장의 지위와 권한의 특수성, 이로 인한 단체장의 불이익의 크기, 단체장의 사퇴에 따른 업무공백의 정도 등을 고려할 때 합리성을 결여한 것이라 보기는 어렵다(2006.7.27, 2003헌마758 등). 2018년 경찰승진

ㄴ. [X] 이 사건 조항의 입법목적은 정당하고, 그 수단의 적정성도 긍정되나, 이 사건 조항은 선거의 공정성과 직무전념성이라는 입법목적 달성을 위한 적절한 수단들이 이미 공선법에 존재하고 있음에도 불구하고 불필요하고 과도하게 청구인들의 공무담임권을 제한하는 것이라 할 것이므로 침해의 최소성원칙에 위반되고, 이 사건 조항에 의해 실현되는 공익과 그로 인해 청구인들이 입는 기본권 침해의 정도를 비교형량할 경우 양자 간에 적정한 비례관계가 성립하였다고 할 수 없어 법익의 균형성원칙에 위배된다(2003.9.25, 2003헌마106). 2017년 서울 7급

ㄷ. [O] 「공직선거법」 제53조 제1항의 '선거 전 공직사퇴조항'을 통하여 충분히 선거의 공정성을 확보하고 있다고 판단되므로, 이를 넘어서 포괄적인 입후보금지규정을 두는 것은, 입법목적을 달성하기 위하여 필요한 조치를 넘어 청구인들의 피선거권을 과도하게 제한하는 것이다(1999.5.27, 98헌마214). 2017년 국회 8급

ㄹ. [X] 그동안 「정치자금법」이 여러 차례 개정되어 후원회지정권자의 범위가 지속적으로 확대되어 왔음에도 불구하고, 국회의원 선거의 예비후보자 및 그 예비후보자에게 후원금을 기부하고자 하는 자와 광역자치단체장 선거의 예비후보자 및 이들 예비후보자에게 후원금을 기부하고자 하는 자를 계속하여 달리 취급하는 것은, 불합리한 차별에 해당하고 입법재량을 현저히 남용하거나 한계를 일탈한 것이다. 따라서 심판대상조항 중 광역자치단체장 선거의 예비후보자에 관한 부분은 청구인들 중 광역자치단체장 선거의 예비후보자 및 이들 예비후보자에게 후원금을 기부하고자 하는 자의 평등권을 침해한다(2019.12.27, 2018헌마301 등).

07 정답 ③

ㄱ. [O] 이 사건 심판대상조항들이 순경공채시험, 소방사 등 채용시험, 그리고 소방간부 선발시험의 응시연령의 상한을 '30세 이하'로 규정하고 있는 것은 합리적이라고 볼 수 없으므로 침해의 최소성원칙에 위배되어 청구인들의 공무담임권을 침해한다(2012.5.31, 2010헌마278).

ㄴ. [X] 32세까지는 5급 공무원의 직무수행에 필요한 최소한도의 자격요건을 갖추고, 32세가 넘으면 그러한 자격요건을 상실한다고 보기 어

렵고, 6급 및 7급 공무원공채시험의 응시연령 상한을 35세까지로 규정하면서 그 상급자인 5급 공무원의 채용연령을 32세까지로 제한한 것은 합리적이라고 볼 수 없다(2008.5.29, 2007헌마1105). 2017년 서울 7급

ㄷ. [X] 경찰대학에 연령 제한을 둔 목적은 젊고 유능한 인재를 확보하고 이들에게 필요한 교육 훈련을 일관적이고 체계적으로 실시하여 국민에게 전문적이고 질 높은 행정 서비스를 제공하기 위한 것이므로, 이를 위하여 경찰대학 입학에 일정한 상한연령을 규정하는 것은 정당한 목적에 대한 적절한 수단이다. 이 사건 심판대상규정은 청구인의 공무담임권을 침해하지 아니한다(2009.7.30, 2007헌마991).

ㄹ. [X] 이 사건 조항에 따른 9급 공개경쟁채용시험의 응시연령 상한(28세)은 통상 고등학교 졸업 후 10년, 대학 졸업 후 5~6년에 해당된다. 이러한 점을 종합하면 이 사건 조항이 9급 공개경쟁채용시험의 응시연령을 28세까지로 한 것이 비합리적이거나 불공정한 것이라거나 기타 입법자가 행사할 수 있는 재량의 범위를 벗어난 것이라고 단정하기 어렵다. 그렇다면 이 사건 조항이 청구인들의 공무담임권을 침해한다고 볼 수 없다(2006.5.25, 2005헌마11 등).

ㅁ. [O] 국가의 안전보장과 국토방위의 의무를 수행하기 위하여 군인은 강인한 체력과 정신력을 바탕으로 한 전투력을 유지할 필요가 있고, 이를 위해 군 조직은 위계질서의 확립과 기강 확보가 어느 조직보다 중요시된다. 이러한 군의 특수성을 고려할 때 부사관의 임용연령 상한을 제한하는 심판대상조항은 그 입법목적이 정당하고, 부사관보다 상위 계급인 소위의 임용연령 상한도 27세로 정해져 있는 점, 연령과 체력의 보편적 상관관계 등을 고려할 때 수단의 적합성도 인정된다. 나아가 심판대상조항으로 인하여 입는 불이익은 부사관 임용지원 기회가 27세 이후에 제한되는 것임에 반하여, 이를 통해 달성할 수 있는 공익은 군의 전투력 등 헌법적 요구에 부응하는 적절한 무력의 유지, 궁극적으로 국가안위의 보장과 국민의 생명·재산 보호로서 매우 중대하므로, 법익의 균형성원칙에도 위배되지 아니한다. 따라서 심판대상조항이 과잉금지의 원칙을 위반하여 청구인들의 공무담임권을 침해한다고 볼 수 없다(2014.9.25, 2011헌마414).

ㅂ. [O] 기존 교원들의 신뢰이익의 보호가치, 그 신뢰이익의 침해의 정도, 신뢰이익의 보호를 고려한 경과조치의 존재, 정년단축을 통해 실현코자 하는 공익목적의 중요성 등을 종합적으로 고려할 때 이 사건 법률조항이 헌법상의 신뢰보호원칙에 위배되는 것이라고까지 할 수 없다(2000.12.14, 99헌마112). 2006년 입시

08 정답 ②

① [X] 이 사건 법률조항의 입법목적은 형사소추를 받은 공무원이 계속 직무를 집행함으로써 발생할 수 있는 공직 및 공무집행의 공정성과 그에 대한 국민의 신뢰를 해할 위험을 예방하기 위한 것으로 정당하고, 직위해제는 이러한 입법목적을 달성하기에 적합한 수단이다. 이 사건 법률조항이 임용권자로 하여금 구체적인 경우에 따라 개별성과 특수성을 판단하여 직위해제 여부를 결정하도록 한 것이지 직무와 전혀 관련이 없는 범죄나 지극히 경미한 범죄로 기소된 경우까지 임용권자의 자의적인 판단에 따라 직위해제를 할 수 있도록 허용하는 것은 아니고, 기소된 범죄의 법정형이나 범죄의 성질에 따라 그 요건을 보다 한정적, 제한적으로 규정하는 방법을 찾기 어렵다는 점에서 이 사건 법률조항이 필요최소한도를 넘어 공무담임권을 제한하였다고 보기 어렵다. … 공무원에게 가해지는 신분상 불이익과 보호하려는 공익을 비교할 때 공무집행의 공정성과 그에 대한 국민의 신뢰를 유지하고자 하는 공익이 더욱 크다. 따라서 이 사건 법률조항은 공무담임권을 침해하지 않는다(2006.5.25, 2004헌바12). 2014년 변시

❷ [O] 이 사건 법률조항은 금고 이상의 형의 선고유예의 판결을 받아 그 기간 중에 있는 사람이 공무원으로 임용되는 것을 금지하고 이러한 사람이 공무원으로 임용되더라도 그 임용을 당연무효로 하는 것으로서, 공직에 대한 국민의 신뢰를 보장하고 공무원의 원활한 직무수행을 도모하기 위하여 마련된 조항이다. 청구인과 같이 임용결격사유에도 불구하고 임용된 임용결격공무원은 상당한 기간 동안 근무한 경우라도 적법한 공무원의 신분을 취득하여 근무한 것이 아니라는 이유로 「공무원연금법」상 퇴직급여의 지급대상이 되지 못하는 등 일정한 불이익을 받기는 하지만, 재직기간 중 사실상 제공한 근로에 대하여는 그 대가에 상응하는 금액의 반환을 부당이득으로 청구하는 등의 민사적 구제수단이 있는 점을 고려하면, 공직에 대한 국민의 신뢰 보장이라는 공익과 비교하여 임용결격공무원의 사익 침해가 현저하다고 보기 어렵다. 따라서 이 사건 법률조항은 입법자의 재량을 일탈하여 공무담임권을 침해한 것이라고 볼 수 없다(2016.7.28, 2014헌바437).

③ [X] 공무원에 부과되는 신분상 불이익과 보호하려고 하는 공익이 합리적 균형을 이루는 한 법원이 범죄의 모든 정황을 고려한 나머지 금고 이상의 형에 대한 집행유예의 판결을 하였다면 그 범죄행위가 직무와 직접적 관련이 없거나 과실에 의한 것이라 하더라도 공무원의 품위를 손상하는 것으로 당해 공무원에 대한 사회적 비난가능성이 결코 적지 아니할 것이므로 이를 공무원 임용결격 및 당연퇴직사유로 규정한 것을 위헌의 법률조항이라고 볼 수 없다(1997.11.27, 95헌바14 등).

④ [X] 심판대상조항은 공무원 직무수행에 대한 국민의 신뢰 및 직무의 정상적 운영의 확보, 공무원범죄의 예방, 공직사회의 질서 유지를 위한 것으로서 목적이 정당하고, 「형법」 제129조 제1항의 수뢰죄를 범하여 금고 이상 형의 선고유예를 받은 국가공무원을 공직에서 배제하는 것은 적절한 수단에 해당한다. 수뢰죄는 수수액의 다과에 관계없이 공무원 직무의 불가매수성과 염결성을 치명적으로 손상시키고, 직무의 공정성을 해치며 국민의 불신을 초래하므로 일반 형법상 범죄와 달리 엄격하게 취급할 필요가 있다. 수뢰죄를 범하더라도 자격정지형의 선고유예를 받은 경우 당연퇴직하지 않을 수 있으며, 당연퇴직의 사유가 직무 관련 범죄로 한정되므로 심판대상조항은 침해의 최소성원칙에 위반되지 않고, 이로써 달성되는 공익이 공무원 개인이 입는 불이익보다 훨씬 크므로 법익균형성원칙에도 반하지 아니한다. 따라서 심판대상조항은 과잉금지원칙에 반하여 청구인의 공무담임권을 침해하지 아니한다(2013.7.25, 2012헌바409).

09 정답 ③

① [X] 공무원으로 임용되기 전 병역의무를 이행한 자는 제대군인을 우대한다는 이유로 병역기간을 60%만큼 공무원 경력으로 인정해주고 있다. 경력환산조항이 그러한 차이를 고려하여 같은 병역의무 이행기간이라도 공무원 임용 전인지 후인지에 따라 경력평정 인정비율을 달리 정하였고, 인정비율의 차이가 크지 않다. 이러한 차이가 승진임용에 끼치는 영향은 30%이므로 70% 비중을 차지하는 근무성적평정에 비해 적다. 경력환산조항은 과잉금지원칙에 위반하여 공무담임권을 침해하지 아니한다(2018.7.26, 2017헌마1183).

② [X] 승진소요 최저연수를 충족하였다는 의미는 승진임용자로 결정된다는 것이 아니라 경력평정을 실시하는 등 승진임용을 위한 절차가 개시될 수 있다는 의미에 불과하다. 승진소요 최저연수에 공무원 임용 전 병역의무 이행기간을 포함시키지 않았다 하여 청구인의 승진임용 기회에 과도한 제한을 가한다고 보기는 어려우므로, 승진기간조항은 공무담임권을 침해하지 않는다(2018.7.26, 2017헌마1183).

❸ [O] 헌법 제25조가 보장하는 공무담임권은 입법부, 행정부, 사법부는

물론 지방자치단체 등 국가, 공공단체의 구성원으로서 그 직무를 담당할 수 있는 권리를 말한다. 그런데 정당은 정치적 주장이나 정책을 추진하고 공직선거의 후보자를 추천 또는 지지함으로써 국민의 정치적 의사형성에 참여함을 목적으로 하는 국민의 자발적 조직으로서, 정당의 공직선거 후보자 선출은 자발적 조직 내부의 의사결정에 지나지 아니한다. 따라서 청구인이 정당의 내부경선에 참여할 권리는 헌법이 보장하는 공무담임권의 내용에 포함된다고 보기 어렵고, 청구인의 소속 정당이 당내경선을 실시하지 않는다고 하여 청구인이 공직선거의 후보자로 출마할 수 없는 것이 아니므로, 심판대상조항으로 인하여 청구인의 공무담임권이 침해될 여지는 없다. 당내경선 실시 여부를 정당 스스로 정할 수 있도록 하였다는 사정만으로 기성 정치인과 정치 신인을 차별하는 것으로 볼 수 없으므로, 심판대상조항으로 말미암아 청구인의 평등권이 침해될 가능성이 있다고 보기도 어렵다(2014.11.27, 2013헌마814).

④ [X] 당선무효조항은 선거의 공정성을 확보하고, 불법적인 방법으로 당선된 국회의원에 의한 부적절한 공직수행을 차단하기 위한 것인 점, 위 당선무효조항에서 '100만 원 이상의 벌금형의 선고'를 당선무효 여부의 기준으로 정한 것은 여러 요소를 고려하여 입법자가 선택한 결과인 점, 「공직선거법」을 위반한 범죄는 공직선거의 공정성을 침해하는 행위로서 국회의원으로서의 직무수행에 대한 국민적 신임이 유지되기 어려울 정도로 비난가능성이 큰 점, 법관이 100만 원 이상의 벌금형을 선고함에 있어서는 형사처벌뿐만 아니라 공직의 계속 수행 여부에 대한 합리적 평가도 하게 될 것이라는 점, 달리 덜 제약적인 대체적 입법수단이 명백히 존재한다고 볼 수도 없는 점 등을 종합하면, 위 당선무효조항은 청구인의 공무담임권이나 평등권을 침해한다고 볼 수 없다(2011.12.29, 2009헌마476).

10 정답 ④

① [O] 이 사건 법률조항은 지방교육자치의 행정에 있어서 교육의 정치적 중립성을 확보하기 위한 것으로서 그 입법목적이 정당하고, 교육행정기관인 교육감후보자에 대하여 일반 자치단체의 장과 달리 일정 기간 정당의 당원으로 활동한 경력이 있는 자를 배제하는 것도 위 입법목적을 달성하는 적절한 방법이다(2008.6.26, 2007헌마1175).

② [O]

> **법정의견** 헌법 제31조 제4항의 교육의 자주성, 전문성, 정치적 중립성을 확보하기 위하여 경력자를 우선 당선시키도록 하여 민주적 정당성이 일부 후퇴하더라도 이는 부득이한 것으로 법익균형성원칙에 위배되지 아니한다(2003.3.27, 2002헌마573).
>
> **위헌의견** 경력자를 우선 당선시키는 것은 비경력자의 공무담임권을 침해하는 것이다.

③ [O] 교육감 입후보자에게 5년 이상의 교육경력 또는 교육공무원으로서의 교육행정경력을 요구하는 「지방교육자치에 관한 법률」 제24조에서 교육감은 지방자치단체의 교육에 관한 사무를 총괄하고 집행하는 기관으로서 교육정책의 수립과 집행에 큰 영향을 미칠 수 있는 지위에 있는바, 고도의 전문성을 갖출 것이 요구된다. 위 조항이 규정하는 자격을 갖추는 것이 능력과 자질에 관계없는 객관적 요건에 의하여 제한되는 것은 아닌 점을 고려하면, 위 조항이 추구하는 공익과의 관계에서 수인하기 어려운 현저한 불균형이 있다고 인정하기 어렵다. 결국 위 조항은 청구인들의 공무담임권 등 기본권의 본질적 내용을 침해할 정도로 과도한 것이라 볼 수 없다(2009.9.24, 2007헌마117 등).

❹ [X] 공무담임권의 보호영역에는 일반적으로 공직취임의 기회 보장, 신분 박탈, 직무의 정지가 포함되는 것일 뿐, 여기서 더 나아가 공무원이 특정의 장소에서 근무하는 것 또는 특정의 보직을 받아 근무하는 것을 포함하는 일종의 공무수행의 자유까지 그 보호영역에 포함된다고 보기는 어렵다. 따라서 이 사건 법률조항이 특정직공무원으로서 군무원인 청구인들의 공무담임권을 제한하는 것은 아니다(2008.6.26, 2005헌마1275). 2020년 경찰승진

11 정답 ①

❶ [O] 이 사건 공고는 대한변호사협회에 등록한 변호사로서 실제 변호사의 업무를 수행한 경력이 있는 사람을 우대하는 한편, 임용예정자에게 변호사등록 거부사유 등이 있는지를 대한변호사협회의 검증절차를 통하여 확인받도록 하는 데 목적이 있다. 이 사건 공고가 응시자격요건으로 변호사 자격 등록을 요구하는 것은 이러한 목적, 그리고 지원자가 채용예정직위에서 수행할 업무 등에 비추어 합리적이다. 인사권자인 피청구인은 경력경쟁채용시험을 실시하면서 응시자격요건을 구체적으로 어떻게 정할 것인지를 판단하고 결정하는 데 재량이 인정되는데, 이 사건 공고가 그 재량권을 현저히 일탈하였다고 볼 수 없다. 이 사건 공고는 청구인들의 공무담임권을 침해하지 않는다(2019.8.29, 2019헌마616).

② [X] 검사신규임용대상 등을 어떻게 정할 것인지에 관하여는 피청구인에게 재량이 부여되어 있는 점, 지원자가 법학전문대학원 졸업 직후 변호사자격을 취득하였는지 여부는 검사에게 요구되는 자질을 갖추었는지 평가하기 위한 공정하고 유효한 기준이 될 수 있는 점, 법무관 전역예정자는 병역기간 동안 법률사무에 종사하며 법적 능력을 양성할 기회가 있는 점 등을 종합하면, 임용연도에 변호사자격을 취득하여 검사로 즉시 임용될 수 있는 법학전문대학원 졸업예정자와 이에 준하여 볼 수 있는 법무관 전역예정자로 검사신규임용대상을 한정한 것은 공정한 경쟁을 통해 우수한 신규법조인을 검사로 선발하고자 하는 목적과 합리적 연관관계가 인정된다. 그에 비하여, 사회복무요원 소집해제예정 변호사는 법학전문대학원 졸업 직후 변호사 자격을 취득하지 못하였고, 병역의무 이행기간 동안 법률사무에 종사한 것도 아니라는 점에서 동일하게 보기 어렵다. 오히려, 사회복무요원 소집해제예정 변호사에게 병역의무 이행시점에 검사신규임용에 지원할 기회를 부여한다면, 졸업 직후 변호사 자격을 취득하지 못할 경우 검사로 신규임용될 수 없는 여성이나 군면제인 사람보다 유리한 기준을 적용받는 것이 된다. 또한, 검사신규임용에 지원할 수 없다 하더라도 청구인에게는 추후 경력검사 임용절차를 통하여 검사로 임용될 수 있는 기회가 여전히 남아 있다. 따라서 이 사건 공고는 사회복무요원 소집해제예정 변호사인 청구인의 공무담임권을 침해하지 않는다(2021.4.29, 2020헌마999).

③ [X] '이 사건 공고는 군미필자의 국가정보원 제한경쟁시험 응시자격을 일정한 기간 동안 제한하므로 군미필자의 공무담임권을 제한하기는 하나, 군필자에게는 응시 기회를 추가로 주고 있어 응시 기회의 일시 유예에 불과한 점에서 이 사건 공고가 초래하는 공무담임권의 제한은 과중하다 볼 수 없고, 그 불이익이 입법목적과 대비할 때 크다 볼 수 없어 공무담임권을 침해하지 아니한다(2007.5.31, 2006헌마627).

④ [X] 공무원 범죄를 사전에 예방하고 국민의 신뢰를 유지하려는 이 사건 법률조항의 목적은 정당하나 금고 이상의 선고유예판결을 받은 모든 공무원의 당연퇴직을 규정하여 교통사고 관련 범죄 등 과실범의 경우마저 당연퇴직하도록 하는 것은 최소침해성원칙에 위반된다(2002.8.29, 2001헌마788 등).

12 정답 ①

❶ [X]

「국가공무원법」 제2조 【공무원의 구분】 ① 국가공무원(이하 '공무원'이라 한다)은 경력직공무원과 특수경력직공무원으로 구분한다.
② '경력직공무원'이란 실적과 자격에 따라 임용되고 그 신분이 보장되며 평생 동안(근무기간을 정하여 임용하는 공무원의 경우에는 그 기간 동안을 말한다) 공무원으로 근무할 것이 예정되는 공무원을 말하며, 그 종류는 다음 각 호와 같다.
1. 일반직공무원: 기술·연구 또는 행정 일반에 대한 업무를 담당하는 공무원
2. 특정직공무원: 법관, 검사, 외무공무원, 경찰공무원, 소방공무원, 교육공무원, 군인, 군무원, 헌법재판소 헌법연구관, 국가정보원의 직원, 경호공무원과 특수 분야의 업무를 담당하는 공무원으로서 다른 법률에서 특정직공무원으로 지정하는 공무원

③ '특수경력직공무원'이란 경력직공무원 외의 공무원을 말하며, 그 종류는 다음 각 호와 같다.
1. 정무직공무원
   가. 선거로 취임하거나 임명할 때 국회의 동의가 필요한 공무원
   나. 고도의 정책결정업무를 담당하거나 이러한 업무를 보조하는 공무원으로서 법률이나 대통령령(대통령비서실 및 국가안보실의 조직에 관한 대통령령만 해당한다)에서 정무직으로 지정하는 공무원
2. 별정직공무원: 비서관·비서 등 보좌업무 등을 수행하거나 특정한 업무수행을 위하여 법령에서 별정직으로 지정하는 공무원

② [O] 2016년 5급 승진

「국가공무원법」 제26조의3 【외국인과 복수국적자의 임용】 ① 국가기관의 장은 국가안보 및 보안·기밀에 관계되는 분야를 제외하고 대통령령 등으로 정하는 바에 따라 외국인을 공무원으로 임용할 수 있다.

③ [O] 2017년 입시

「국가공무원법」 제32조 【임용권자】 ④ 국회 소속 공무원은 국회의장이 임용하되, 국회규칙으로 정하는 바에 따라 그 임용권의 일부를 소속 기관의 장에게 위임할 수 있다.

④ [O] 2018년 법무사

「국가공무원법」 제2조 【공무원의 구분】 ③ '특수경력직공무원'이란 경력직공무원 외의 공무원을 말하며, 그 종류는 다음 각 호와 같다.
1. 정무직공무원
   가. 선거로 취임하거나 임명할 때 국회의 동의가 필요한 공무원
   나. 고도의 정책결정업무를 담당하거나 이러한 업무를 보조하는 공무원으로서 법률이나 대통령령(대통령비서실 및 국가안보실의 조직에 관한 대통령령만 해당한다)에서 정무직으로 지정하는 공무원
2. 별정직공무원: 비서관·비서 등 보좌업무 등을 수행하거나 특정한 업무수행을 위하여 법령에서 별정직으로 지정하는 공무원

⑤ [O] 헌법은 감사위원의 정치적 중립성을 직접 규정하고 있지는 않다.

헌법 제5조 ② 국군은 국가의 안전보장과 국토방위의 신성한 의무를 수행함을 사명으로 하며, 그 정치적 중립성은 준수된다.

제7조 ② 공무원의 신분과 정치적 중립성은 법률이 정하는 바에 의하여 보장된다.

제112조 ② 헌법재판소 재판관은 정당에 가입하거나 정치에 관여할 수 없다.

제114조 ④ 위원은 정당에 가입하거나 정치에 관여할 수 없다.

13 정답 ①

❶ [O] 헌법 제24조는 "모든 국민은 법률이 정하는 바에 의하여 선거권을 가진다."라고 규정하고 있는바, 여기서 선거권이란 국민이 공무원을 선거하는 권리를 말하고, 원칙적으로 간접민주정치를 채택하고 있는 우리나라에서는 공무원선거권은 국민의 참정권 중 가장 중요한 것이다. 위에서 말하는 공무원은 가장 광의의 공무원으로서 일반직공무원은 물론 대통령·국회의원·지방자치단체장·지방의회의원·법관 등 국가기관과 지방자치단체를 구성하는 모든 자를 말한다(2002.3.28, 2000헌마283 등).

② [X] 여기서의 공무원이란 원칙적으로 국가와 지방자치단체의 모든 공무원, 즉 좁은 의미의 직업공무원은 물론이고, 적극적인 정치활동을 통하여 국가에 봉사하는 정치적 공무원(예컨대, 대통령, 국무총리, 국무위원, 도지사, 시장, 군수, 구청장 등 지방자치단체의 장)을 포함한다. 더욱이 대통령은 행정부의 수반으로서 공정한 선거가 실시될 수 있도록 총괄·감독해야 할 의무가 있으므로, 당연히 선거에서의 중립의무를 지는 공직자에 해당하는 것이고, 이로써 「공직선거법」 제9조의 '공무원'에 포함된다. 다만, 정당의 대표자이자 선거운동의 주체로서의 지위로 말미암아, 선거에서의 정치적 중립성이 요구될 수 없는 국회의원과 지방의회의원은 「공직선거법」 제9조의 '공무원'에 해당하지 않는다(2004.5.14, 2004헌나1).

③ [X] 직업공무원제도에서 말하는 공무원은 국가 또는 공공단체와 근로관계를 맺고 이른바 공법상 특별관계 아래 공무를 담당하는 것을 직업으로 하는 협의의 공무원을 말하며 정치적 공무원이라든가 임시직 공무원은 포함되지 아니한다(1989.12.18, 89헌마32 등).

④ [X] 공무원은 국민 전체에 대한 봉사자이며, 국민에 대하여 책임을 진다는 헌법 제7조 제1항에서의 공무원은 최광의의 공무원을 의미하며, 공무원의 신분과 정치적 중립성은 법률이 정하는 바에 의하여 보장된다는 헌법 제2항의 공무원은 경력직공무원을 의미한다.

14 정답 ③

① [X] 「국가공무원법」상 공무원은 신분이 보장되는 경력직공무원이나, 「국가배상법」상의 공무원은 신분이 공무원이 아니더라도 공무를 수행하는 모든 자이므로 양자의 범위는 동일하지 않다.

② [X] **지방자치단체장을 위한 별도의 퇴직급여제도를 마련하지 않은 입법부작위**

지방자치단체의 장은 헌법 제7조 제2항에 따라 신분 보장이 필요하고 정치적 중립성이 요구되는 공무원에 해당한다고 보기 어려우므로 헌법 제7조의 해석상 지방자치단체장을 위한 퇴직급여제도를 마련하여야 할 입법적 의무가 도출된다고 볼 수 없고, 그 외에 헌법 제34조나 공무담임권 보장에 관한 헌법 제25조로부터 위와 같은 입법의무가 도출되지 않는다. 따라서 지방자치단체장을 위한 별도의 퇴직급여제도를 마련하지 않은 입법부작위는 헌법소원의 대상이 될 수 없다(2014.6.26, 2012헌마459).

❸ [○] 우리나라는 직업공무원제도를 채택하고 있는데, 이는 공무원이 집권세력의 논공행상의 제물이 되는 엽관제도를 지양하고 정권교체에 따른 국가작용의 중단과 혼란을 예방하고 일관성 있는 공무수행의 독자성을 유지하기 위하여 헌법과 법률에 의하여 공무원의 신분이 보장되는 공직구조에 관한 제도이다. 여기서 말하는 공무원은 국가 또는 공공단체와 근로관계를 맺고 이른바 공법상 특별권력관계 내지 특별행정법관계 아래 공무를 담당하는 것을 직업으로 하는 협의의 공무원을 말하며 정치적 공무원이라든가 임시적 공무원은 포함되지 않는 것이다(1989.12.18, 89헌마32 등). 2017년 법원

④ [X] 「국가배상법」 제2조 제1항 단서 중의 '경찰공무원'은 '「경찰공무원법」상의 경찰공무원'만을 의미한다고 단정하기 어렵고, 널리 경찰업무에 내재된 고도의 위험성을 고려하여 '경찰조직의 구성원을 이루는 공무원'을 특별취급하려는 취지로 파악함이 상당하고, 따라서 전투경찰순경은 헌법 제29조 제2항 및 「국가배상법」 제2조 제1항 단서 중의 '경찰공무원'에 해당한다고 보아야 할 것이다(1996.6.13, 94헌마118 등). 2018년 서울 7급 1차

15 정답 ①

❶ [○] 일반적으로 말하여 공무원이란 직접 또는 간접적으로 국민에 의하여 선출 또는 임용되어 국가나 공공단체와 공법상의 근무관계를 맺고 공공적 업무를 담당하고 있는 사람들을 가리킨다고 할 수 있고, 공무원도 각종 노무의 대가로 얻는 수입에 의존하여 생활하는 사람이라는 점에서는 통상적인 의미의 근로자적인 성격을 지니고 있으므로(「근로기준법」 제14조, 제16조, 「노동조합 및 노동관계조정법」 제2조 제1호 등 참조), 헌법 제33조 제2항 역시 공무원의 근로자적 성격을 인정하는 것을 전제로 규정하고 있다(2005.10.27, 2003헌바50 등).

② [X] 2017년 입시

> **헌법 제29조** ① 공무원의 직무상 불법행위로 손해를 받은 국민은 법률이 정하는 바에 의하여 국가 또는 공공단체에 정당한 배상을 청구할 수 있다. 이 경우 공무원 자신의 책임은 면제되지 아니한다.

③ [X] 공무원의 보수청구권은, 법률 및 법률의 위임을 받은 하위 법령에 의해 그 구체적 내용이 형성되면 재산적 가치가 있는 공법상의 권리가 되어 재산권의 내용에 포함되지만, 법령에 의하여 구체적 내용이 형성되기 전의 권리, 즉 공무원이 국가 또는 지방자치단체에 대하여 어느 수준의 보수를 청구할 수 있는 권리는 단순한 기대이익에 불과하여 재산권의 내용에 포함된다고 볼 수 없다(2008.12.26, 2007헌마444).

④ [X] 일반공무원에 대한 신분 보장규정은 제헌헌법에는 없었던 것으로서 4·19 혁명 이후의 제3차 헌법개정(1960.6.15.)에서 비로소 삽입되어진 것이나, 보장되는 내용은 어디까지나 법률이 정하는 바에 의하는 것이기 때문에 어느 정도 국회의 입법재량의 여지가 있는 것이라고 할 것이고, 따라서 국가공무원법이나 지방공무원법의 개정으로 신분 보장의 내용이 변경될 수 있는 것이다(1992.11.12, 91헌가2).

16 정답 ②

① [○] 「지방공무원법」 제58조 제1항에서 규정하고 있는 '노동운동'의 개념은 그 근거가 되는 헌법 제33조 제2항의 취지에 비추어 근로자의 근로조건의 향상을 위한 단결권·단체교섭권·단체행동권 등 근로3권을 기초로 하여 이에 직접 관련된 행위를 의미하는 것으로 좁게 해석하여야 하고, '공무 이외의 일을 위한 집단행위'의 개념도 헌법상의 집회·결사의 자유와 관련시켜 살펴보면 모든 집단행위를 의미하는 것이 아니라 공무 이외의 일을 위한 집단행위 중 공익에 반하는 행위로 축소하여 해석하여야 하며, 법원도 위 개념들을 해석·적용함에 있어서 위와 유사한 뜻으로 명백히 한정해석하고 있다. 아울러 '사실상 노무에 종사하는 공무원'의 개념은 공무원의 주된 직무를 정신활동으로 보고 이에 대비되는 신체활동에 종사하는 공무원으로 명확하게 해석된다. 그렇다면, 위 개념들은 집행당국에 의한 자의적 해석의 여지를 주거나 수범자의 예견가능성을 해할 정도로 불명확하다고 볼 여지가 없다(2005.10.27, 2003헌바50 등).

❷ [X] 제대군인 지원이라는 입법목적은 예외적으로 능력주의를 제한할 수 있는 정당한 근거가 되지 못하는데도 불구하고 가산점제도는 능력주의에 기초하지 아니하고 성별, '현역복무를 감당할 수 있을 정도로 신체가 건강한가'와 같은 불합리한 기준으로 여성과 장애인 등의 공직취임권을 지나치게 제약하는 것으로서 헌법 제25조에 위배되고, 이로 인하여 청구인들의 공무담임권이 침해된다(1999.12.23, 98헌마363).

③ [○] 공직자 선발에 관하여 직무수행능력과 무관한 요소, 예컨대 성별·종교·사회적 신분·출신지역 등을 기준으로 삼는 것은 국민의 공직취임권을 침해하는 것이 된다. 다만, 헌법의 기본원리나 특정 조항에 비추어 능력주의원칙에 대한 예외를 인정할 수 있는 경우가 있다. 그러한 헌법원리로는 우리 헌법의 기본원리인 사회국가원리를 들 수 있고, 헌법조항으로는 여자·연소자근로의 보호, 국가유공자·상이군경 및 전몰군경의 유가족에 대한 우선적 근로 기회의 보장을 규정하고 있는 헌법 제32조 제4항 내지 제6항, 여자·노인·신체장애자 등에 대한 사회보장의무를 규정하고 있는 헌법 제34조 제2항 내지 제5항 등을 들 수 있다. 이와 같은 헌법적 요청이 있는 경우에는 합리적 범위 안에서 능력주의가 제한될 수 있다(1999.12.23, 98헌바33).

④ [○] 공무원이란 직접 또는 간접적으로 국민에 의하여 선출 또는 임용되어 국가나 공공단체와 공법상의 근무관계를 맺고 공공적 업무를 담당하고 있는 사람들을 가리킨다고 할 수 있고, 공무원도 각종 노무의 대가로 얻는 수입에 의존하여 생활하는 사람이라는 점에서는 통상적인 의미의 근로자적인 성격을 지니고 있으므로, 헌법 제33조 제2항 역시 공무원의 근로자적 성격을 인정하는 것을 전제로 규정하고 있다(2005.10.27, 2003헌바50 등). 2011년 국가 7급

17 정답 ①

❶ [○] 이 사건 조항은 선거일 전 60일까지 사퇴하면 되는 다른 공무원과 비교해 볼 때 지방자치단체장의 사퇴시기를 현저하게 앞당김으로써 청구인들의 공무담임권(피선거권)에 대하여 제한을 가하고 있는 규정이므로, 기본권 제한에 관한 과잉금지원칙을 준수하여야 한다. 이 사건 조항의 입법목적은 정당하고, 그 수단의 적정성도 긍정되나, 이 사건 조항은 선거의 공정성과 직무전념성이라는 입법목적 달성을 위한 적절한 수단들이 이미 「공직선거법」에 존재하고 있음에도 불구하고 불필요하고 과도하게 청구인들의 공무담임권을 제한하는 것이라 할 것이므로 침해의 최소성원칙에 위반되고, 이 사건 조항에 의해 실현되는 공익과 그로 인해 청구인들이 입는 기본권 침해의 정도를 비교형량할 경우 양자 간에 적정한 비례관계가 성립하였다고 할 수 없어 법익의 균형성원칙에 위배된다(2003.9.25, 2003헌마106).

② [X] **지방자치단체장을 위한 별도의 퇴직급여제도를 마련하지 않은 입법부작위가 헌법소원의 대상에 해당하는지 여부(소극)**

「공무원연금법」의 공무원에서 지방자치단체장을 배제하는 「공무원연금법」 제3조는 평등권을 침해하지 않는다. 헌법 제7조 제2항

에 따라 신분 보장이 필요하고 정치적 중립성이 요구되는 공무원에 해당한다고 보기 어려우므로 헌법 제7조의 해석상 지방자치단체장을 위한 퇴직급여제도를 마련하여야 할 입법적 의무가 도출된다고 볼 수 없고, 그 외에 헌법 제34조나 공무담임권 보장에 관한 헌법 제25조로부터 위와 같은 입법의무가 도출되지 않는다. 따라서 이 사건 입법부작위는 헌법소원의 대상이 될 수 없는 입법부작위를 그 심판대상으로 한 것으로 부적법하다(2014.6.26, 2012헌마459).

③ [X] 「공무원연금법」의 공무원에서 지방자치단체장을 배제하는 「공무원연금법」 제3조 지방자치단체장은 특정 정당을 정치적 기반으로 할 수 있는 선출직공무원으로 임기가 4년이고 계속 재임도 3기로 제한되어 있어, 장기근속을 전제로 하는 공무원을 주된 대상으로 하고 이들이 재직기간 동안 납부하는 기여금을 일부 재원으로 하여 설계된 「공무원연금법」의 적용대상에서 지방자치단체장을 제외하는 것에는 합리적 이유가 있다(2014.6.26, 2012헌마459).

④ [X] 「지방공무원법」 제29조의3은 "지방자치단체의 장은 다른 지방자치단체의 장의 동의를 얻어 그 소속 공무원을 전입할 수 있다."라고만 규정하고 있어, 이러한 전입에 있어 지방공무원 본인의 동의가 필요한지에 관하여 다툼의 여지 없이 명백한 것은 아니나, 헌법 제7조에 규정된 공무원의 신분 보장 및 헌법 제15조에서 보장하는 직업선택의 자유의 의미와 효력에 비추어 볼 때 위 법률조항은 해당 지방공무원의 동의가 있을 것을 당연한 전제로 하여 그 공무원이 소속된 지방자치단체의 장의 동의를 얻어서만 그 공무원을 전입할 수 있음을 규정하고 있는 것으로 해석하는 것이 타당하고, 이렇게 본다면 인사교류를 통한 행정의 능률성이라는 입법목적도 적절히 달성할 수 있을 뿐만 아니라 지방공무원의 신분 보장이라는 헌법적 요청도 충족할 수 있게 된다. 따라서 위 법률조항은 헌법에 위반되지 아니한다(2002.11.28, 98헌바101 등).

18 정답 ③

ㄱ. [X] 검사와 달리 법관에게는 면직처분이 인정되지 않아 양자의 신분보장에는 다소 차별이 있으나, 우리 헌법이 특별히 법관에 대해서만 신분 보장규정을 두고 있다는 점을 고려할 때 그 차별에는 합리적인 이유가 있으므로 구 「검사징계법」 제3조 제1항 중 '면직' 부분은 평등원칙에 위배되지 아니한다(2011.12.29, 2009헌바282).

ㄴ. [O] **차관급 이상의 보수를 받은 자에 법관을 포함시킨 것**

법관에 대하여 헌법이 직접 그 신분 보장규정을 두고 있는 이유는 사법권의 독립을 실질적으로 보장함으로써 헌법 제27조 제1항이 규정하고 있는 국민의 재판청구권이 올바로 행사될 수 있도록 하기 위한 것임은 의문의 여지가 없다. 따라서 「1980년 해직공무원보상 등에 관한 특별조치법」 제2조 제2항 제1호의 '차관급 상당 이상의 보수를 받은 자'에 법관을 포함시켜서 (강제 해직된 법관들을) 보상대상에서 제외시키는 것은 헌법 제106조 제1항, 제11조에 위반된다(1992.11.12, 91헌가2).

ㄷ. [O] **후임자 임명처분에 의한 공무원직 상실**

국회사무처와 도서관 공무원은 후임자가 임명될 때까지 그 직을 가진다고 규정한 「국가보위입법회의법」 부칙 제4항은 공무원의 귀책사유나 직제, 정원의 개폐, 예산의 감소 등과 같은 정당한 사유 없이 후임자 임명이라는 사유로 공무원의 직위를 상실하도록 하였으므로 직업공무원제도의 본질적 내용을 침해한 것이다(1989.12.18, 89헌마32 등).

ㄹ. [X] 이 사건 법률조항에서 공무원이 '금품수수'를 한 경우 직무관련성 유무 등과 상관없이 징계시효기간을 일률적으로 3년으로 정한 것은 징계가 가능한 기간을 늘려 징계의 실효성을 제고하고 이를 통해 금품수수 관련 비위의 발생을 억제함으로써 공무원의 청렴의무 강화와 공직기강의 확립에 기여하려는 것으로서 여기에는 합리적 이유가 있다고 할 것이다. 따라서 이 사건 법률조항은 평등권을 침해하지 아니한다(2012.6.27, 2011헌바226).

ㅁ. [X] **동장을 별정직공무원으로 둔 것**

직업공무원제도는 헌법이 보장하는 제도적 보장 중의 하나임이 분명하므로 입법자는 직업공무원제도에 관하여 '최소한 보장'의 원칙의 한계안에서 폭넓은 입법형성의 자유를 가진다. 따라서 입법자가 동장의 임용의 방법이나 직무의 특성 등을 고려하여 이 사건 법률조항에서 동장의 공직상의 신분을 「지방공무원법」상 신분보장의 적용을 받지 아니하는 별정직공무원의 범주에 넣었다 하여 바로 그 법률조항 부분을 위헌이라고 할 수는 없다(1997.4.24, 95헌바48).

ㅂ. [O] 공무원은 공직자인 동시에 국민의 한 사람이기도 하므로, 공무원은 공인으로서의 지위와 사인으로서의 지위, 국민 전체에 대한 봉사자로서의 지위와 기본권을 향유하는 기본권 주체로서의 지위라는 이중적 지위를 가진다. 따라서 공무원이라고 하여 기본권이 무시되거나 경시되어서도 아니 되지만, 공무원의 신분과 지위의 특수성에 비추어 공무원에 대해서는 일반 국민에 비해 보다 넓고 강한 기본권 제한이 가능하게 된다. 그런 측면에서 우리 헌법은 공무원이 국민 전체의 봉사자라는 지위에 있음을 확인하면서 공무원에 대해 정치적 중립성을 지킬 것을 요구하고 있다(헌법 제7조 제1항, 제2항)(2012.5.31, 2009헌마705 등).

ㅅ. [X] 헌법 제7조 제2항은 "공무원의 신분과 정치적 중립성은 법률이 정하는 바에 의하여 보장된다."라고 규정하고 있는바, 이는 공무원이 정당한 이유 없이 해임되지 아니하도록 신분을 보장하여 국민 전체에 대한 봉사자로서 성실히 근무할 수 있도록 하기 위한 것임과 동시에, 공무원의 신분은 무제한 보장되는 것이 아니라 공무의 특수성을 고려하여 헌법이 정한 신분 보장의 원칙 아래 법률로 그 내용을 정할 수 있도록 한 것이다(1990.6.25, 89헌마220).

19 정답 ②

ㄱ. [O] 국민이 공무원으로 임용된 경우에 있어서 그가 정년까지 근무할 수 있는 권리는 헌법의 공무원 신분 보장규정에 의하여 보호되는 기득권으로서 그 침해 내지 제한은 신뢰보호의 원칙에 위배되지 않는 범위 내에서만 가능하다고 할 것이고 이 원칙에 위배되는 것은 입법형성권의 한계를 벗어난 위헌적인 것이라 할 것이다(1989.12.18, 89헌마32 등).

ㄴ. [O] 정부산하기관의 임직원을 보상대상에서 제외시킨 것(5인 위헌, 4인 각하) ➡ 합헌

> **법정의견** 해직된 공무원에 대해 보상규정을 두면서 해직된 정부산하기관의 임직원에 대해 보상규정을 두지 않은 것은 평등원칙에 반한다(1993.5.13, 90헌바22 등).
>
> **위헌의견** 정부산하기관 임직원에 대해 보상규정을 두지 않은 것은 진정입법부작위이고, 진정입법부작위는 「헌법재판소법」 제68조 제2항의 심판대상이 되지 않으므로 각하결정을 해야 한다.

ㄷ. [O] 공무원의 정치적 중립과 신분 보장을 통해 행정의 계속성과 안정성을 확보하여 국가기능의 효율성을 증대하고자 하는 직업공무원제도가 그 본래의 취지와 달리 공무원 개인에게 평생직업을 보장하는 장치로 변질되어 행정의 무능과 국가기능의 비효율을 초래해서는 안 된다는 점과 국가경영의 경비부담주체가 국민이고 공무원은 국민 전체에 대한 봉사자라는 점을 감안하면, 행정의 효율성 및 생산성 제고 차원에서는 행정수요가 소멸하거나 조직의 비대화로 효율성이 저하되는 경우 직제를 폐지하거나 인원을 축소하는 것은 불

가피한 선택에 해당할 것이다. 그렇다면 이 사건 규정이 직업공무원 제도를 위반하고 있다고는 볼 수 없다(2004.11.25, 2002헌바8).

ㄹ. [X] 「지방공무원법」 제62조는 직제의 폐지로 인해 직권면직이 이루어지는 경우 임용권자는 인사위원회의 의견을 듣도록 하고 있고, 면직기준으로 임용형태·업무실적·직무수행능력·징계처분사실 등을 고려하도록 하고 있으며, 면직기준을 정하거나 면직대상을 결정함에 있어서 반드시 인사위원회의 의결을 거치도록 하고 있는바, 이는 합리적인 면직기준을 구체적으로 정함과 동시에 그 공정성을 담보할 수 있는 절차를 마련하고 있는 것이라 볼 수 있다. 그렇다면 이 사건 규정이 직제가 폐지된 경우 직권면직을 할 수 있도록 규정하고 있다고 하더라도 이것이 직업공무원제도를 위반하고 있다고는 볼 수 없다(2004.11.25, 2002헌바8).

ㅁ. [O] 조직의 변경과 관련이 없음은 물론 소속 공무원의 귀책사유의 유무라던가 다른 공무원과의 관계에서 형평성이나 합리적 근거 등을 제시하지 아니한 채 임명권자의 후임자임명이라는 처분에 의하여 그 직을 상실하는 것으로 규정하였으니, 이는 결국 임기만료되거나 정년시까지는 그 신분이 보장된다는 직업공무원제도의 본질적 내용을 침해하는 것으로서 헌법에서 보장하고 있는 공무원의 신분 보장 규정에 정면으로 위반된다고 아니할 수 없는 것이다(1989.12.18, 89헌마32 등).

ㅂ. [X] '품위' 등 용어의 사전적 의미가 명백하고, 대법원은 공무원이 유지하여야 할 품위에 관하여 '주권자인 국민의 수임자로서 직책을 맡아 수행해 나가기에 손색이 없는 인품'을 말한다고 판시하고 있는바, 위와 같은 입법취지, 용어의 사전적 의미 및 법원의 해석 등을 종합할 때 이 사건 법률조항이 공무원 징계사유로 규정한 품위손상행위는 '주권자인 국민으로부터 수임받은 공무를 수행함에 손색이 없는 인품에 어울리지 않는 행위를 함으로써 공무원 및 공직 전반에 대한 국민의 신뢰를 떨어뜨릴 우려가 있는 경우'를 일컫는 것으로 해석할 수 있고, 그 수범자인 평균적인 공무원은 이를 충분히 예측할 수 있다. 따라서 이 사건 법률조항은 명확성원칙에 위배되지 아니한다(2016.2.25, 2013헌바435). 2017년 국가 7급 생활안전

ㅅ. [O] 임용 당시의 공무원법상의 정년까지 근무할 수 있다는 기대와 신뢰는 절대적인 권리로서 보호되어야만 하는 것은 아니고 행정조직, 직제의 변경 또는 예산의 감소 등 강한 공익상의 정당한 근거에 의하여 좌우될 수 있는 상대적이고 가변적인 것이라 할 것이므로 입법자에게는 제반사정을 고려하여 합리적인 범위내에서 정년을 조정할 입법형성권이 인정된다(2000.12.14, 99헌마112 등). 2014년 법행

20

정답 ④

ㄱ. [O] 「국가공무원법」 제66조에서 금지한 '공무 이외의 일을 위한 집단적 행위' 는 공무가 아닌 어떤 일을 위하여 공무원들이 하는 모든 집단적 행위를 의미하는 것은 아니고 언론, 출판, 집회, 결사의 자유를 보장하고 있는 헌법 제21조 제1항, 헌법상의 원리, 「국가공무원법」의 취지, 「국가공무원법」상의 성실의무 및 직무전념의무 등을 종합적으로 고려하여 '공익에 반하는 목적을 위하여 직무전념의무를 해태하는 등의 영향을 가져오는 집단적 행위'라고 축소 해석하여야 할 것이다(대판 1992.2.14, 90도2310).

ㄴ. [O] 공무원이 임용 당시의 공무원법상의 정년규정까지 근무할 수 있다는 기대와 신뢰는 행정조직, 직제의 변경 또는 예산의 감소 등 강한 공익상의 정당한 근거에 의하여 좌우될 수 있는 상대적이고 가변적인 것에 지나지 않는다고 할 것이므로 정년규정을 변경하는 입법은 구법질서에 대하여 기대했던 당사자의 신뢰보호 내지 신분관계의 안정이라는 이익을 지나치게 침해하지 않는 한 공익 목적 달성을 위하여 필요한 범위 내에서 입법권자의 입법형성의 재량을 인정하여야 할 것이다. 따라서 이 사건 계급정년규정은 입법자의 입법형성재량범위 내에서 입법된 것이라고 할 것이므로 이를 공무원 신분관계의 안정을 침해하는 입법이라고 할 수 없고, 또한 소급입법에 의한 기본권 침해규정이라고 할 수도 없다고 할 것이다(1994.4.28, 91헌바15 등). 2010년 국회 8급

ㄷ. [O] 공무원의 사퇴는 사퇴의 의사표시를 한 때 발생하는 것이 아니라, 임명권자가 면직의 의사표시를 한 때 발생한다. 공무원에 대한 임명 또는 해임 행위는 임명권자의 의사표시를 내용으로 하는 하나의 행정처분으로 보아야 한다(대판 1962.11.15, 62누165). 2014년 서울 7급

ㄹ. [X] 검찰총장은 퇴직 후 2년 동안에는 정당 추천이 아닌 무소속으로만 각종 선거에 입후보할 수밖에 없으므로 결과적으로 국민주권과 직결되는 참정권(선거권과 피선거권)을 제한받고 있다. 검찰총장에서 퇴직한지 2년이 지나지 아니한 자의 정치적 결사의 자유와 참정권(선거권과 피선거권) 등 우월적 지위를 갖는 기본권을 제한한 것이고, 그 제한은 합헌이 되기 위한 심사기준을 벗어난 과잉금지원칙에 위반된다고 아니 할 수 없다. 검찰총장에 대하여 퇴직일부터 2년간 정치적 생활영역에서 차별취급하도록 규정하고 있는 이 법률조항은 직업선택의 자유, 정치적 결사의 자유, 참정권(선거권과 피선거권), 공무담임권을 침해하는 합리성이 결여된 차별취급규정으로서 헌법에 위반된다고 할 것이다(1997.7.16, 97헌마26).

ㅁ. [O] 청구인들은 정당가입을 금지하는 이 사건 법률조항으로 말미암아 결과적으로 퇴직 후 2년간은 정당의 추천이 아닌 무소속으로만 각종 공직선거에 입후보할 수 밖에 없게 되었다. 그러나 이 사건 법률조항이 규율하는 것은 국민 누구나가 공직선거에 입후보하여 당선될 수 있는 피선거권, 즉 선거직공무원을 포함한 모든 공직에 취임할 수 있는 권리로서 공무담임권이 아니라, 정당의 설립과 가입에 관한 자유이다. 물론 이 사건 법률조항이 규정하는 정당가입의 금지로 인하여 청구인들이 정당의 공천을 받을 수 없다는 결과가 발생하고 이로써 공직선거에 입후보할 수 있는 기회를 사실상 잃게 되는 경우도 있을 수 있을 것이다. 그러나 그렇다고 하여 공직선거에 출마하여 당선될 수 있는 권리 그 자체가 침해받는 것은 아니다. 청구인들이 공무담임권에 대한 제약을 받는 것은 단지 정당공천을 받는 경우에 일반적으로 기대할 수 있는 보다 높은 선출의 가능성일 뿐이다. 따라서 피선거권에 대한 제한은 이 사건 법률조항이 가져오는 간접적이고 부수적인 효과에 지나지 아니하므로 헌법 제25조의 공무담임권(피선거권)은 이 사건 법률조항에 의하여 제한되는 청구인들의 기본권이 아니다. 또한 청구인들은 직업의 자유도 침해되었다고 주장하나, 공무원직에 관한 한 공무담임권은 직업의 자유에 우선하여 적용되는 특별법적 규정이고, 위에서 밝힌 바와 같이 공무담임권(피선거권)은 이 사건 법률조항에 의하여 제한되는 청구인들의 기본권이 아니므로, 직업의 자유 또한 이 사건 법률조항에 의하여 제한되는 기본권으로서 고려되지 아니한다(1999.12.23, 99헌마135).

44회 진도별 모의고사

공무원제도 ~ 청원권

정답

01	③	02	②	03	①	04	①
05	①	06	①	07	②	08	②
09	②	10	③	11	④	12	③
13	②	14	②	15	③	16	③
17	①	18	④	19	③	20	③

01 정답 ③

ㄱ. [X] 계약직공무원의 계약 해지는 처분성이 없으므로 항고소송의 대상이 되지 아니한다. 다만, 법률관계에 관한 소송이므로 당사자소송을 제기할 수는 있다(대판 2002.11.26, 2002두1496).

ㄴ. [O] 「국가공무원법」 제74조에 의하면 공무원이 소정의 정년에 달하면 그 사실에 대한 효과로서 공무담임권이 소멸되어 당연히 퇴직되고 따로 그에 대한 행정처분이 행하여져야 비로소 퇴직되는 것은 아니라 할 것이며 피고(영주지방철도청장)의 원고에 대한 정년퇴직 발령은 정년퇴직사실을 알리는 이른바 관념의 통지에 불과하므로 행정소송의 대상이 되지 아니한다(대판 1983.2.8, 81누263).

ㄷ. [X] 국·공립대학의 교수에 대하여 재임용하지 않기로 하는 결정을 하고 이를 통지하였다고 하였다면 이는 행정소송의 대상이 되는 행정처분이다(대판 전합체 2004.4.22, 2000두7735).

ㄹ. [O] 선거관리위원회 공무원에 대하여 특정 정당이나 후보자를 지지·반대하는 단체에의 가입·활동 등을 금지함으로써 선거관리위원회 공무원의 정치적 표현의 자유 등을 제한하고 있으나, 선거관리위원회 공무원에게 요청되는 엄격한 정치적 중립성에 비추어 볼 때 선거관리위원회 공무원이 특정한 정치적 성향을 표방하는 단체에 가입·활동한다는 사실 자체만으로 그 정치적 중립성과 직무의 공정성, 객관성이 의심될 수 있으므로 이 사건 규정들은 선거관리위원회 공무원의 정치적 표현의 자유 등을 침해한다고 할 수 없다(2012.3.29, 2010헌마97). 2014년 법행

02 정답 ②

ㄱ. [O]

> 「국가공무원법」 제16조 【행정소송과의 관계】 ① 제75조에 따른 처분, 그 밖에 본인의 의사에 반한 불리한 처분이나 부작위에 관한 행정소송은 소청심사위원회의 심사·결정을 거치지 아니하면 제기할 수 없다.

ㄴ. [X]

> 「국가공무원법」 제9조 【소청심사위원회의 설치】 ① 행정기관 소속 공무원의 징계처분, 그 밖에 그 의사에 반하는 불리한 처분이나 부작위에 대한 소청을 심사·결정하게 하기 위하여 인사혁신처에 소청심사위원회를 둔다.

ㄷ. [O] 정치단체에 가입하거나 연설, 문서 또는 그 밖의 방법으로 정치적 의견을 공표하거나 그 밖의 정치운동을 한 사람은 2년 이하의 금고에 처한다고 규정한 「군형법」은 죄형법정주의의 명확성원칙에 위반된다고 할 수 없다. 또한 군무원의 정치적 표현의 자유를 침해한다고 볼 수도 없다(2018.7.26, 2016헌바139).

ㄹ. [X] 위 규정들은 공무원의 근무기강을 확립하고 공무원의 정치적 중립성을 확보하려는 입법목적을 가진 것으로서, 공무원이 직무수행 중 정치적 주장을 표시·상징하는 복장 등을 착용하는 행위는 그 주장의 당부를 떠나 국민으로 하여금 공무집행의 공정성과 정치적 중립성을 의심하게 할 수 있으므로 공무원이 직무수행 중인 경우에는 그 활동과 행위에 더 큰 제약이 가능하다고 하여야 할 것인바, 위 규정들은 오로지 공무원의 직무수행 중의 행위만을 금지하고 있으므로 침해의 최소성원칙에 위배되지 아니한다. 따라서 위 규정들은 과잉금지원칙에 반하여 공무원의 정치적 표현의 자유를 침해한다고 할 수 없다(2012.5.31, 2009헌마705 등). 2020년 국회 9급

03 정답 ①

❶ [X] 이 사건 행위 중 릴레이 1인 시위, 릴레이 언론기고, 릴레이 내부전산망 게시는 모두 후행자가 선행자에 동조하여 동일한 형태의 행위를 각각 한 것에 불과하고, 여럿이 같은 시간에 한 장소에 모여 집단의 위세를 과시하는 방법으로 의사를 표현하거나 여럿이 단체를 결성하여 그 단체 명의로 의사를 표현하는 경우, 여럿이 가담한 행위임을 표명하는 경우 또는 정부활동의 능률을 저해하기 위한 집단적 태업행위에 해당한다거나 이에 준할 정도로 행위의 집단성이 있다고 보기 어렵다(대판 2017.4.13, 2014두8469). 2018년 법행

② [O] 공무원들의 어느 행위가 「국가공무원법」 제66조 제1항에 규정된 '집단행위'에 해당하려면, 그 행위가 반드시 같은 시간, 장소에서 행하여져야 하는 것은 아니지만, 공익에 반하는 어떤 목적을 위한 다수인의 행위로서 집단성이라는 표지를 갖추어야만 한다고 해석함이 타당하다. 따라서 여럿이 같은 시간에 한 장소에 모여 집단의 위세를 과시하는 방법으로 의사를 표현하거나 여럿이 단체를 결성하여 그 단체 명의로 의사를 표현하는 경우에 속하거나 이에 준할 정도로 행위의 집단성이 인정되어야 「국가공무원법」 제66조 제1항에 해당한다고 볼 수 있다(대판 2017.4.13, 2014두8469). 2018년 법행

③ [O] 대통령, 국무총리, 국무위원, 국회의원, 지방의회의원, 선거에 의하여 취임하는 지방자치단체의 장, 국회 부의장의 수석비서관·비서관·비서·행정보조요원, 국회 상임위원회·예산결산특별위원회·윤리특별위원회 위원장의 행정보조요원, 국회의원의 보좌관·비서관·비서, 국회 교섭단체대표의원의 행정비서관, 국회 교섭단체의 정책연구위원·행정보조요원과 「고등교육법」 제14조(교직원의 구분) 제1항·제2항에 따른 교원은 정당원이 될 수 있다. 2006년 행시

④ [O] 「지방공무원법」 제58조 제1항에서 규정하고 있는 '노동운동'의 개념은 그 근거가 되는 헌법 제33조 제2항의 취지에 비추어 근로자의 근로조건의 향상을 위한 단결권·단체교섭권·단체행동권 등 근로3권을 기초로 하여 이에 직접 관련된 행위를 의미하는 것으로 좁게 해석하여야 하고, '공무 이외의 일을 위한 집단행위'의 개념도 헌법상의 집회·결사의 자유와 관련시켜 살펴보면 모든 집단행위를 의미하는 것이 아니라 공무 이외의 일을 위한 집단행위 중 공익에 반하는 행위로 축소하여 해석하여야 하며, 법원도 위 개념들을 해석·적용함에 있어서 위와 유사한 뜻으로 명백히 한정해석하고 있다. 아울러 '사실상 노무에 종사하는 공무원'의 개념은 공무원의 주된 직무를 정신활동으로 보고 이에 대비되는 신체활동에 종사하는 공무원으로 명확하게 해석된다. 그렇다면, 위 개념들은 집행당국에 의한 자의적 해석의 여지를 주거나 수범자의 예견가능성을 해할 정도로 불명확하다고 볼 여지가 없다(2005.10.27, 2003헌바50 등). 2021년 소방간부

04 정답 ①

❶ [X] 정당가입금지조항은 공무원의 정치적 중립성을 보장하고 초·중등학교 교육의 중립성을 확보한다는 점에서 입법목적의 정당성이 인정되고, 정당에의 가입을 금지하는 것은 입법목적 달성을 위한 적합한 수단이다. 공무원은 정당의 당원이 될 수 없을 뿐, 정당에 대한 지지를 선거와 무관하게 개인적인 자리에서 밝히거나 투표권을 행사하는 등의 활동은 허용되므로 침해의 최소성원칙에 반하지 않는다. 정치적 중립성, 초·중등학교 학생들에 대한 교육기본권 보장이라는 공익은 공무원이 제한받는 불이익에 비하여 크므로 법익균형성도 인정된다(2014.3.27, 2011헌바42). 2020년 비상업무 하

② [O] 공무원은 공직자인 동시에 국민의 한 사람이기도 하므로 국민 전체에 대한 봉사자로서의 지위와 기본권을 향유하는 기본권 주체로서의 지위라는 이중적 지위를 가지는바, 공무원이라고 하여 기본권이 무시되거나 경시되어서는 안 되지만, 공무원의 신분과 지위의 특수성상 공무원에 대해서는 일반 국민에 비해 보다 넓고 강한 기본권 제한이 가능하게 된다(2012.3.29, 2010헌마97). 2010년 국회 8급

③ [O] 1999.3.31. 대통령령 제16211호 개정으로 이루어진 이 사건 직렬폐지 이전의 구 「국가안전기획부직원법 시행령」 [별표 2]에서도 전산사식, 입력작업, 안내 등의 직렬의 정년을 만 43세로 규정하고 있었다. 「남녀고용평등과 일·가정 양립 지원에 관한 법률」 제11조 제1항, 「근로기준법」 제6조에서 말하는 '남녀의 차별'은 합리적인 이유 없이 남성 또는 여성이라는 이유만으로 부당하게 차별대우하는 것을 의미한다. 사업주나 사용자가 근로자를 합리적인 이유 없이 성별을 이유로 부당하게 차별대우를 하도록 정한 규정은, 규정의 형식을 불문하고 강행규정인 「남녀고용평등과 일·가정 양립 지원에 관한 법률」 제11조 제1항과 「근로기준법」 제6조에 위반되어 무효라고 보아야 한다(대판 2019.10.31, 2013두20011).

④ [O] 공무담임권의 제한의 경우는 그 직무가 가지는 공익실현이라는 특수성으로 인하여 그 직무의 본질에 반하지 아니하고 결과적으로 다른 기본권의 침해를 야기하지 아니하는 한 상대적으로 강한 합헌성이 추정될 것이므로, 주로 평등의 원칙이나 목적과 수단의 합리적인 연관성 여부가 심사대상이 될 것이며 법익형량에 있어서도 상대적으로 다소 완화된 심사를 하게 될 것이다(2002.10.31, 2001헌마557)

05 정답 ①

❶ [X] 「국가공무원법」 제66조 제1항이 근로3권이 보장되는 공무원의 범위를 사실상 노무에 종사하는 공무원에 한정하고 있는 것은 근로3권의 향유주체가 될 수 있는 공무원의 범위를 정하도록 하기 위하여 헌법 제33조 제2항이 입법권자에게 부여하고 있는 형성적 재량권의 범위를 벗어난 것이라고는 볼 수 없다(1992.4.28, 90헌바27). 2015년 법행

② [O] 이 사건 기부금모집금지조항에 의한 공무원 개인의 정치적 표현의 자유 제한은 수인불가능할 정도로 큰 것이 아닌 반면, 금권정치의 차단, 선거의 공정성 확보 및 공무원의 정치적 중립성 확보 등 위 조항에 의하여 달성되는 공익은 대의민주제를 채택하고 있는 민주국가에서 매우 크고 중요한 것인바, 법익의 현저한 불균형을 인정하기 어렵다(2012.7.26, 2009헌바298). 2016년 변시

③ [O] 징계부가금은 공무원의 업무질서를 유지하기 위하여 공금의 횡령이라는 공무원의 의무 위반행위에 대하여 지방자치단체가 사용자의 지위에서 행정절차를 통해 부과하는 행정적 제재이다. 비록 징계부가금이 제재적 성격을 지니고 있더라도 이를 두고 헌법 제13조 제1항에서 금지하는 국가형벌권 행사로서의 '처벌'에 해당한다고 볼 수 없으므로, 심판대상조항은 이중처벌금지원칙에 위배되지 않는다(2015.2.26, 2012헌바435). 2021년 국회 8급

④ [O] 법원이 범죄의 모든 정황을 고려한 다음 벌금 100만 원 이상의 형을 선고하여 그 판결이 확정되었다면, 이는 결코 가벼운 성폭력범죄행위라고 볼 수 없다. 이처럼 이 사건 결격사유조항은 성범죄를 범하는 대상과 확정된 형의 정도에 따라 성범죄에 관한 교원으로서의 최소한의 자격기준을 설정하였다고 할 것이고, 같은 정도의 입법목적을 달성하면서도 기본권을 덜 제한하는 수단이 명백히 존재한다고 볼 수도 없으므로, 이 사건 결격사유조항은 과잉금지원칙에 반하여 청구인의 공무담임권을 침해하지 아니한다(2019.7.25. 2016헌마754).

06 정답 ①

❶ [O] 국민뿐 아니라 법인, 외국인도 청원권의 주체가 될 수 있다.

② [X]

> **헌법 제26조** ① 모든 국민은 법률이 정하는 바에 의하여 국가기관에 문서로 청원할 권리를 가진다.
>
> **「청원법」 제9조 【청원방법】** ① 청원은 청원서에 청원인의 성명(법인인 경우에는 명칭 및 대표자의 성명을 말한다)과 주소 또는 거소를 적고 서명한 문서(「전자문서 및 전자거래 기본법」에 따른 전자문서를 포함한다)로 하여야 한다.

③ [X]

> **「청원법」 제6조 【청원 처리의 예외】** 청원기관의 장은 청원이 다음 각 호의 어느 하나에 해당하는 경우에는 처리를 하지 아니할 수 있다. 이 경우 사유를 청원인(제11조 제3항에 따른 공동청원의 경우에는 대표자를 말한다)에게 알려야 한다.
> 1. 국가기밀 또는 공무상 비밀에 관한 사항
> 2. 감사·수사·재판·행정심판·조정·중재 등 다른 법령에 의한 조사·불복 또는 구제절차가 진행 중인 사항
> 3. 허위의 사실로 타인으로 하여금 형사처분 또는 징계처분을 받게 하는 사항
> 4. 허위의 사실로 국가기관 등의 명예를 실추시키는 사항
> 5. 사인 간의 권리관계 또는 개인의 사생활에 관한 사항
> 6. 청원인의 성명, 주소 등이 불분명하거나 청원 내용이 불명확한 사항

④ [X]

> **「청원법」 제9조 【청원방법】** ① 청원은 청원서에 청원인의 성명(법인인 경우에는 명칭 및 대표자의 성명을 말한다)과 주소 또는 거소를 적고 서명한 문서(「전자문서 및 전자거래 기본법」에 따른 전자문서를 포함한다)로 하여야 한다.

07 정답 ②

① [X]

> **「청원법」 제4조 【청원기관】** 이 법에 따라 국민이 청원을 제출할 수 있는 기관(이하 '청원기관'이라 한다)은 다음 각 호와 같다.
> 1. 국회·법원·헌법재판소·중앙선거관리위원회, 중앙행정기관(대통령 소속 기관과 국무총리 소속 기관을 포함한다)과 그 소속 기관
> 2. 지방자치단체와 그 소속 기관

3. 법령에 따라 행정권한을 가지고 있거나 행정권한을 위임 또는 위탁받은 법인·단체 또는 그 기관이나 개인

❷ [O]

「청원법」 제5조【청원사항】 국민은 다음 각 호의 어느 하나에 해당하는 사항에 대하여 청원기관에 청원할 수 있다.
1. 피해의 구제
2. 공무원의 위법·부당한 행위에 대한 시정이나 징계의 요구
3. 법률·명령·조례·규칙 등의 제정·개정 또는 폐지
4. 공공의 제도 또는 시설의 운영
5. 그 밖에 청원기관의 권한에 속하는 사항

③ [X] 구 「청원법」은 '감사·수사·재판·행정심판·조정·중재 등 다른 법령에 의한 조사·불복 또는 구제절차가 진행 중인 사항에 대해 청원할 수 없다'고 규정하였으나, 개정 「청원법」(2021.12.23. 시행)은 '청원기관의 장은 청원이 다음 각 호의 어느 하나에 해당하는 경우에는 처리를 하지 아니할 수 있다'로 개정하였다.

「청원법」 제6조【청원 처리의 예외】 청원기관의 장은 청원이 다음 각 호의 어느 하나에 해당하는 경우에는 처리를 하지 아니할 수 있다. 이 경우 사유를 청원인(제11조 제3항에 따른 공동청원의 경우에는 대표자를 말한다)에게 알려야 한다.
1. 국가기밀 또는 공무상 비밀에 관한 사항
2. 감사·수사·재판·행정심판·조정·중재 등 다른 법령에 의한 조사·불복 또는 구제절차가 진행 중인 사항
3. 허위의 사실로 타인으로 하여금 형사처분 또는 징계처분을 받게 하는 사항
4. 허위의 사실로 국가기관 등의 명예를 실추시키는 사항

④ [X]

「청원법」 제15조【청원서의 보완요구 및 이송】 ② 청원기관의 장은 청원사항이 다른 기관 소관인 경우에는 지체 없이 소관 기관에 청원서를 이송하고 이를 청원인(공동청원의 경우 대표자를 말한다)에게 알려야 한다.

08 정답 ②

① [O]

「청원법」 제11조【청원서의 제출】 ③ 다수 청원인이 공동으로 청원을 하는 경우에는 그 처리 결과를 통지받을 3명 이하의 대표자를 선정하여 이를 청원서에 표시하여야 한다.

❷ [X]

「청원법」 제15조【청원서의 보완요구 및 이송】 ① 청원기관의 장은 청원서에 부족한 사항이 있다고 판단되는 경우에는 보완사항 및 보완기간을 표시하여 청원인(공동청원의 경우 대표자를 말한다)에게 보완을 요구할 수 있다.
② 청원기관의 장은 청원사항이 다른 기관 소관인 경우에는 지체 없이 소관 기관에 청원서를 이송하고 이를 청원인(공동청원의 경우 대표자를 말한다)에게 알려야 한다.

③ [O]

「청원법」 제17조【청원의 취하】 청원인은 해당 청원의 처리가 종결되기 전에 청원을 취하할 수 있다.

④ [O] 청원은 피해의 구제, 공무원의 위법·부당한 행위에 대한 시정이나 징계의 요구, 법률·명령·조례·규칙 등의 제정·개정 또는 폐지, 공공의 제도 또는 시설의 운영, 그 밖에 국가기관 등의 권한에 속하는 사항에 한하여 할 수 있다(「청원법」 제5조).

09 정답 ②

① [O]

「청원법」 제13조【공개청원의 공개 여부 결정 통지 등】 ① 공개청원을 접수한 청원기관의 장은 접수일부터 15일 이내에 청원심의회의 심의를 거쳐 공개 여부를 결정하고 결과를 청원인(공동청원의 경우 대표자를 말한다)에게 알려야 한다.
② 청원기관의 장은 공개청원의 공개결정일부터 30일간 청원사항에 관하여 국민의 의견을 들어야 한다.

❷ [X]

「청원법」 제22조【이의신청】 ② 청원기관의 장은 이의신청을 받은 날부터 15일 이내에 이의신청에 대하여 인용 여부를 결정하고, 그 결과를 청원인(공동청원의 경우 대표자를 말한다)에게 지체 없이 알려야 한다.

③ [O]

「청원법」 제21조【청원의 처리 등】 ② 청원기관의 장은 청원을 접수한 때에는 특별한 사유가 없으면 90일 이내(제13조 제1항에 따른 공개청원의 공개 여부 결정기간 및 같은 조 제2항에 따른 국민의 의견을 듣는 기간을 제외한다)에 처리 결과를 청원인(공동청원의 경우 대표자를 말한다)에게 알려야 한다. 이 경우 공개청원의 처리 결과는 온라인청원시스템에 공개하여야 한다.

④ [O]

「청원법」 제22조【이의신청】 ① 청원인은 다음 각 호의 어느 하나에 해당하는 경우로서 공개 부적합 결정 통지를 받은 날 또는 제21조에 따른 처리기간이 경과한 날부터 30일 이내에 청원기관의 장에게 문서로 이의신청을 할 수 있다.
1. 청원기관의 장의 공개 부적합 결정에 대하여 불복하는 경우
2. 청원기관의 장이 제21조에 따른 처리기간 내에 청원을 처리하지 못한 경우

10 정답 ③

① [X]

「청원법」 제16조【반복청원 및 이중청원】 ① 청원기관의 장은 동일인이 같은 내용의 청원서를 같은 청원기관에 2건 이상 제출한 반복청원의 경우에는 나중에 제출된 청원서를 반려하거나 종결처리할 수 있고, 종결처리하는 경우 이를 청원인에게 알려야 한다.

② [X]

「청원법」 제21조 【청원의 처리 등】 ① 청원기관의 장은 청원심의회의 심의를 거쳐 청원을 처리하여야 한다. 다만 청원심의회의 심의를 거칠 필요가 없는 사항에 대해서는 심의를 생략할 수 있다.

❸ [O] 헌법 제89조에 따라 국가정책에 관한 청원은 반드시 국무회의 심의를 거쳐야 한다.

④ [X]

「청원법」 제23조 【청원제도의 총괄 등】 ① 행정안전부장관은 청원의 활성화를 위하여 노력하여야 한다.
② 행정안전부장관은 청원제도의 효율적 운영을 위하여 청원제도의 운영 전반에 관한 사항을 확인·점검·지도하고 그 결과를 공개할 수 있다.

11 정답 ④

① [X] 정부에 제출 또는 회부된 정부의 정책에 관계되는 청원의 심사는 헌법 제89조에 따라 국무회의의 심의를 거쳐야 한다.

② [X]

「청원법」 제26조 【차별대우의 금지】 누구든지 청원을 하였다는 이유로 차별대우하거나 불이익을 강요해서는 아니 된다.

③ [X] 「청원법」에 규정되어 있다.

헌법 제26조 ② 국가는 청원에 대하여 심사할 의무를 진다.

❹ [O] 적법한 청원에 대하여 국가기관이 수리·심사하여 그 처리 결과를 청원인 등에게 통지하였다면 이로써 당해 국가기관은 헌법 및 「청원법」상의 의무 이행을 필한 것이라 할 것이고, 비록 그 처리 내용이 청원인 등이 기대하는 바에 미치지 않는다고 하더라도 더 이상 헌법소원의 대상이 되는 공권력의 행사 내지 불행사라고는 볼 수 없다(1997.7.16, 93헌마239). 2019년 5급 승진

12 정답 ③

① [O] 2017년 소방간부 변형

「청원법」 제16조 【반복청원 및 이중청원】 ① 청원기관의 장은 동일인이 같은 내용의 청원서를 같은 청원기관에 2건 이상 제출한 반복청원의 경우에는 나중에 제출된 청원서를 반려하거나 종결처리할 수 있고, 종결처리하는 경우 이를 청원인에게 알려야 한다.

② [O] 헌법 제26조와 「청원법」 규정에 의할 때 헌법상 보장된 청원권은 공권력과의 관계에서 일어나는 여러가지 이해관계, 의견, 희망 등에 관하여 적법한 청원을 한 모든 국민에게, 국가기관이(그 주관관서가) 청원을 수리할 뿐만 아니라, 이를 심사하여, 청원자에게 적어도 그 처리 결과를 통지할 것을 요구할 수 있는 권리를 말한다. 그러나 청원권의 보호범위에는 청원사항의 처리 결과에 심판서나 재결서에 준하여 이유를 명시할 것까지를 요구하는 것은 포함되지 아니한다고 할 것이다. 왜냐하면 국민이면 누구든지 널리 제기할 수 있는 민중적 청원제도는 재판청구권 기타 준사법적 구제청구와는 완전히 성질을 달리하는 것이기 때문이다. 그러므로 청원소관 관서는 「청원법」이 정하는 절차와 범위 내에서 청원사항을 성실·공정·신속히 심사하고 청원인에게 그 청원을 어떻게 처리하였거나 처리하려 하는지를 알 수 있을 정도로 결과통지함으로써 충분하다고 할 것이다. 따라서 적법한 청원에 대하여 국가기관이 수리, 심사하여 그 처리 결과를 청원인 등에게 통지하였다면 이로써 당해 국가기관은 헌법 및 「청원법」상의 의무 이행을 필한 것이라 할 것이고, 비록 그 처리 내용이 청원인 등이 기대하는 바에 미치지 않는다고 하더라도 더 이상 헌법소원의 대상이 되는 공권력의 행사 내지 불행사라고는 볼 수 없다(1994.2.24, 93헌마213 등). 2019년 비상업무 하

❸ [X] 「청원법」이 아니라 「국회법」에 규정되어있다.

「국회법」 제123조 【청원서의 제출】 ① 국회에 청원하려고 하는 자는 의원의 소개를 받거나 국회규칙으로 정하는 기간 동안 국회규칙으로 정하는 일정한 수 이상의 국민의 동의를 받아 청원서를 제출하여야 한다.

④ [O]

「청원법」 제5조 【청원사항】 국민은 다음 각 호의 어느 하나에 해당하는 사항에 대하여 청원기관에 청원할 수 있다.
1. 피해의 구제
2. 공무원의 위법·부당한 행위에 대한 시정이나 징계의 요구
3. 법률·명령·조례·규칙 등의 제정·개정 또는 폐지
4. 공공의 제도 또는 시설의 운영
5. 그 밖에 청원기관의 권한에 속하는 사항

13 정답 ②

ㄱ. [X] 2021년 소방간부

「국회법」 제125조 【청원 심사·보고 등】 ⑧ 위원회에서 본회의에 부의할 필요가 없다고 결정한 청원은 그 처리 결과를 의장에게 보고하고, 의장은 청원인에게 알려야 한다. 다만, 폐회 또는 휴회기간을 제외한 7일 이내에 의원 30명 이상의 요구가 있을 때에는 이를 본회의에 부의한다.

ㄴ. [O] 국회의 민원처리절차는 크게 의원의 소개를 요하는 청원과 의원의 소개를 요하지 않는 진정으로 나누어져 처리된다. 청원은 일반의안과 같이 소관 위원회의 심사를 거쳐야 하며 심사절차도 일반의안과 동일한 절차를 밟는데, 소개의원은 필요할 경우 「국회법」 제125조 제3항에 의해 청원의 취지를 설명해야 하고 질의가 있을 경우 답변을 해야 한다(2006.6.29, 2005헌마604). 2019년 5급 승진

ㄷ. [X]

「국회법」 제123조 【청원서의 제출】 ① 국회에 청원하려고 하는 자는 의원의 소개를 받거나 국회규칙으로 정하는 기간 동안 국회규칙으로 정하는 일정한 수 이상의 국민의 동의를 받아 청원서를 제출하여야 한다.

ㄹ. [O]

「지방자치법」 제85조 【청원서의 제출】 ① 지방의회에 청원을 하려는 자는 지방의회의원의 소개를 받아 청원서를 제출하여야 한다.

ㅁ. [X]

「국회법」 제125조 【청원 심사·보고 등】 ⑦ 위원회에서 본회의에 부의하기로 결정한 청원은 의견서를 첨부하여 의장에게 보고한다.
⑧ 위원회에서 본회의에 부의할 필요가 없다고 결정한 청원은 그 처리 결과를 의장에게 보고하고, 의장은 청원인에게 알려야 한다. 다만, 폐회 또는 휴회기간을 제외한 7일 이내에 의원 30명 이상의 요구가 있을 때에는 이를 본회의에 부의한다.

ㅂ. [X] 2019년 국가 7급 변형

「지방자치법」 제87조 【청원의 심사·처리】 ① 지방의회의 의장은 청원서를 접수하면 소관 위원회나 본회의에 회부하여 심사를 하게 한다.
② 청원을 소개한 의원은 소관 위원회나 본회의가 요구하면 청원의 취지를 설명하여야 한다.
③ 위원회가 청원을 심사하여 본회의에 부칠 필요가 없다고 결정하면 그 처리 결과를 의장에게 보고하고, 의장은 청원한 자에게 알려야 한다.

ㅅ. [X] 국회의 민원처리절차는 크게 의원의 소개를 요하는 청원과 의원의 소개를 요하지 않는 진정으로 나누어져 처리된다. 청원은 일반의안과 같이 소관 위원회의 심사를 거쳐야 하며 심사절차도 일반의안과 동일한 절차를 밟는데, 소개의원은 필요할 경우 「국회법」 제125조 제3항에 의해 청원의 취지를 설명해야 하고 질의가 있을 경우 답변을 해야 한다(2006.6.29, 2005헌마604). 2019년 국가 7급 변형

「국회법」 제124조 【청원요지서의 작성과 회부】 ① 의장은 청원을 접수하였을 때에는 청원요지서를 작성하여 인쇄하거나 전산망에 입력하는 방법으로 각 의원에게 배부하는 동시에 그 청원서를 소관 위원회에 회부하여 심사하게 한다.

제125조 【청원 심사·보고 등】 ① 위원회는 청원 심사를 위하여 청원심사소위원회를 둔다.
② 위원장은 폐회 중이거나 그 밖에 필요한 경우 청원을 바로 청원심사소위원회에 회부하여 심사보고하게 할 수 있다.
③ 청원을 소개한 의원은 소관 위원회 또는 청원심사소위원회의 요구가 있을 때에는 청원의 취지를 설명하여야 한다.

ㅇ [X] 2020년 소방간부

「국회법」 제123조 【청원서의 제출】 ① 국회에 청원을 하려고 하는 자는 의원의 소개를 받거나 국회규칙으로 정하는 기간 동안 국회규칙으로 정하는 일정한 수 이상의 국민의 동의를 받아 청원서를 제출하여야 한다.

「지방자치법」 제73조 【청원서의 제출】 ① 지방의회에 청원을 하려는 자는 지방의회의원의 소개를 받아 청원서를 제출하여야 한다.

14 정답 ②

① [O] 우리 헌법 제26조에서 "모든 국민은 법률이 정하는 바에 의하여 국가기관에 문서로 청원할 권리를 가진다. 국가는 청원에 대하여 심사할 의무를 진다."라고 하여 청원권을 기본권으로 보장하고 있으므로 국민은 여러 가지 이해관계 또는 국정에 관하여 자신의 의견이나 희망을 해당 기관에 직접 진술하는 외에 그 본인을 대리하거나 중개하는 제3자를 통해 진술하더라도 이는 청원권으로서 보호된다(2005.11.24, 2003헌바108 참조). 그런데 이 사건 법률조항은 공무원의 직무에 속하는 사항에 관하여 금품을 대가로 다른 사람을 중개하거나 대신하여 그 이해관계나 의견 또는 희망을 해당 기관에 진술할 수 없게 하므로, 일반적 행동자유권 및 청원권을 제한한다(2012.4.24, 2011헌바40).

❷ [X] 헌법상 보장된 청원권은 공권력과의 관계에서 일어나는 여러 가지 이해관계, 의견, 희망 등에 관하여 적법한 청원을 한 모든 당사자에게 국가기관이 청원을 수리할 뿐만 아니라 이를 심사하여 청원자에게 그 처리 결과를 통지할 것을 요구할 수 있는 권리를 말하나, 청원사항의 처리 결과에 심판서나 재결서에 준하여 이유를 명시할 것까지를 요구하는 것은 청원권의 보호범위에 포함되지 아니한다(1997.7.16, 93헌마239).

③ [O] 청원권, 재판청구권, 피고인의 형사보상청구권, 국가배상청구권은 제헌헌법부터 규정되었고, 형사피의자의 형사보상청구권과 범죄피해자구조청구권은 제9차 개정헌법에서 규정되었다. 2019년 경찰경채

④ [O] 이 사건 법률조항은 공무원의 직무에 속하는 사항에 관하여 금품을 대가로 다른 사람을 중개하거나 대신하여 그 이해관계나 의견 또는 희망을 해당 기관에 진술할 수 없게 하므로, 일반적 행동자유권 및 청원권을 제한한다(2012.4.24, 2011헌바40). 2012년 법무사

15 정답 ③

① [O] 헌법 제26조 제1항의 규정에 의한 청원권은 국민이 국가기관에 대하여 어떤 사항에 관한 의견이나 희망을 진술할 권리로서 단순히 그 사항에 대한 국가기관의 선처를 촉구하는 데 불과한 것이므로 같은 조 제2항에 의하여 국가가 청원에 대하여 심사할 의무를 지고 「청원법」 제9조 제4항에 의하여 주관관서가 그 심사처리 결과를 청원인에게 통지할 의무를 지고 있더라도 청원을 수리한 국가기관은 이를 성실, 공정, 신속히 심사, 처리하여 그 결과를 청원인에게 통지하는 이상의 법률상 의무를 지는 것은 아니라고 할 것이고, 따라서 국가기관이 그 수리한 청원을 받아들여 구체적인 조치를 취할 것인지 여부는 국가기관의 자유재량에 속한다(대판 1990.5.25, 90누1458).

② [O] 헌법상 보장된 청원권은 공권력과의 관계에서 일어나는 여러 가지 이해관계, 의견, 희망 등에 관하여 적법한 청원을 한 모든 당사자에게 국가기관이 청원을 수리할 뿐만 아니라 이를 심사하여 청원자에게 그 처리 결과를 통지할 것을 요구할 수 있는 권리를 말하나, 청원사항의 처리 결과에 심판서나 재결서에 준하여 이유를 명시할 것까지를 요구하는 것은 청원권의 보호범위에 포함되지 아니하므로 청원 소관 관서는 「청원법」이 정하는 절차와 범위 내에서 청원사항을 성실·공정·신속히 심사하고 청원인에게 그 청원을 어떻게 처리하였거나 처리하려고 하는지를 알 수 있는 정도로 결과를 통지함으로써 충분하고, 비록 그 처리 내용이 청원인이 기대하는 바에 미치지 않는다고 하더라도 헌법소원의 대상이 되는 공권력의 행사 내지 불행사라고는 볼 수 없다(1997.7.16, 93헌마239).

❸ [X] 청원권의 보호범위에는 청원사항의 처리 결과에 심판서나 재결서에 준하여 이유를 명시할 것까지를 요구하는 것은 포함되지 아니한다(1997.7.16, 93헌마239).

④ [O] 국가가 청원에 대하여 심사할 의무를 지고 「청원법」 제9조 제4항에 의하여 주관관서가 그 심사처리 결과를 청원인에게 통지할 의무를 지고 있더라도 청원을 수리한 국가기관은 이를 성실, 공정, 신속히 심사, 처리하여 그 결과를 청원인에게 통지하는 이상의 법률상 의무를 지는 것은 아니라고 할 것이다(대판 1990.5.25, 90누1458).

16

정답 ③

① [X] 청원은 비사법절차이므로 원고적격·자기관련성이 요구되지 않는다. 따라서 권리 침해를 당한 자가 아닌 제3자가 청원할 수 있다.

② [X] 헌법상 보장된 청원권은 공권력과의 관계에서 일어나는 여러 가지 이해관계, 의견, 희망 등에 관하여 적법한 청원을 한 모든 당사자에게 국가기관이 청원을 수리할 뿐만 아니라 이를 심사하여 청원자에게 그 처리 결과를 통지할 것을 요구할 수 있는 권리를 말하나, 청원사항의 처리 결과에 심판서나 재결서에 준하여 이유를 명시할 것까지를 요구하는 것은 청원권의 보호범위에 포함되지 아니하므로 청원 소관 관서는 「청원법」이 정하는 절차와 범위 내에서 청원사항을 성실·공정·신속히 심사하고 청원인에게 그 청원을 어떻게 처리하였거나 처리하려고 하는지를 알 수 있는 정도로 결과통지함으로써 충분하고, 비록 그 처리 내용이 청원인이 기대하는 바에 미치지 않는다고 하더라도 헌법소원의 대상이 되는 공권력의 행사 내지 불행사라고는 볼 수 없다(1997.7.16, 93헌마239).

❸ [O] 청원권 행사를 위한 청원사항이나 청원방식, 청원절차 등에 관해서는 입법자가 그 내용을 자유롭게 형성할 재량권을 가지고 있으므로 공무원이 취급하는 사건 또는 사무에 관한 사항의 청탁에 관해 금품을 수수하는 등의 행위를 청원권의 내용으로서 보장할지 여부에 대해서도 입법자에게 폭넓은 재량권이 주어져 있다(2012.4.24, 2011헌바40).

④ [X] 청원권은 국민이 국가기관에 대하여 자신의 희망이나 의견을 진술할 수 있는 기본권이므로 근로자도 사용자에 관한 사항으로서 널리 공공기관의 권한에 속하는 사항에 대하여는 청원할 수 있음은 당연하고, 다만 그 청원서의 내용이 허위의 사실이거나 사용자를 비방하는 것이라면 사용자의 인격, 비밀, 명예, 신용 등을 훼손하여서는 아니되는 성실의무에 반하여 징계사유가 된다고 할 것이고, 이는 청원행위 자체를 이유로 한 불이익 처분이 아니므로 「청원법」 제11조에 반하는 것이라고 할 수 없다(대판 1999.9.3, 97누2528, 2535).

17

정답 ①

❶ [X] 재판을 보장하는 헌법 제27조 제1항 소정의 재판청구권이 곧바로 모든 사건에서 상고심 또는 대법원의 재판을 받을 권리를 인정하는 것이라고 보기는 어렵지만(1992.6.26, 90헌바25 참조), 그렇다고 하여 형사재판에서 피고인이 중죄를 범한 중죄인이라거나 외국에 도피 중이라는 이유만으로 상소의 제기 또는 상소권회복청구를 전면 봉쇄하는 것은 재판청구권의 침해임에 틀림이 없다고 보아야 할 것이다(1993.7.29, 90헌바35).

② [O] 금융기관의 연체대출금에 관한 경매절차에 있어서 경락허가결정에 대하여 항고를 하고자 하는 자에게 담보로서 경락대금의 10분의 5에 해당하는 현금 등을 공탁하게 하고, 항고장에 담보의 공탁이 있는 것을 증명하는 서류를 첨부하지 아니한 때에는 원심법원이 항고장을 접수한 날로부터 7일 내에 각하결정하여야 하며, 위 각하결정에 대하여 즉시항고를 할 수 없도록 규정한 「금융기관의 연체대출금에 관한 특별조치법」 제5조의2는 결국 합리적 근거 없이 금융기관에게 차별적으로 우월한 지위를 부여하여 경락허가결정에 대한 항고를 하고자 하는 자에게 과다한 경제적 부담을 지게 함으로써 특히 자력이 없는 항고권자에게 부당하게 재판청구권인 항고권을 제한하는 내용의 것이다(1989.5.24, 89헌가37 등).

③ [O] 국민의 재판청구권을 제약하고 있기는 하지만 위 심급제도와 대법원의 최고법원성을 존중하면서 민사, 가사, 행정, 특허 등 소송사건에 있어서 상고심재판을 받을 수 있는 객관적인 기준을 정함에 있어 개별적 사건에서의 권리구제보다 법령해석의 통일을 더 우위에 둔 규정으로서 그 합리성이 있다고 할 것이므로 헌법에 위반되지 아니한다(1997.10.30, 97헌바37 등).

④ [O] 어떠한 요증사실의 존부가 확정되지 않았을 때 그 사실이 존재하지 않는 것으로 취급되어 법률판단을 받게 되는 불이익인 증명책임의 분배 문제도 공정한 재판을 받을 권리의 보호범위에 해당한다(2013.9.26, 2012헌바23).

18

정답 ④

① [O] 재판청구권과 같은 절차적 기본권은 원칙적으로 제도적 보장의 성격이 강하기 때문에, 자유권적 기본권 등 다른 기본권의 경우와 비교하여 볼 때 상대적으로 광범위한 입법형성권이 인정되므로, 관련 법률에 대한 위헌심사기준은 합리성원칙 내지 자의금지원칙이 적용된다. 따라서 이 사건 심판대상조항이 청구인의 재판을 받을 권리를 침해하는지 여부를 판단하기 위해서는, 피고적격이 인정되지 않는다 해도 청구인의 재판절차에의 접근 기회가 충분한 정도로 보장되고 있는지의 측면, 그러한 재판에서 실체법이 정한 내용대로 재판을 받을 수 있는지의 측면에서 입법자가 절차 형성에 있어서의 입법재량을 일탈하였는지 여부를 심사하여야 할 것이다(2014.2.27, 2013헌바178).

② [O] 재판청구권은 권리보호절차의 개설과 개설된 절차에의 접근의 효율성에 관한 절차법적 요청이므로 절차법에 의하여 구체적으로 형성되고 실현되며, 재판청구권의 형성은 또한 동시에 제한을 의미하기 때문에, 재판청구권을 구체화하는 절차법은 또한 그를 제한하는 법률이고, 재판청구권은 그 본질상 실체법적 규정에 의하여 침해될 수 없다(2009.2.26, 2007헌바82).

③ [O] 재판청구권은 공권력이나 사인에 의해서 기본권이 침해당하거나 침해당할 위험에 처해있을 경우 이에 대한 구제나 그 예방을 요청할 수 있는 권리라는 점에서 다른 기본권의 보장을 위한 기본권이라는 성격을 가지고 있다(2009.4.30, 2007헌바121). 2020년 5급 승진

❹ [X] 법률구조법인으로 하여금 의뢰자로부터 일정 범위의 변호사보수를 받을 수 있도록 한 것은 법률구조업무의 내실을 기하고 실질적으로 법률구조가 필요한 자를 충실하게 보호하여 법률복지의 실현에 이바지함과 동시에 법률구조제도를 이용한 남소를 방지하여 사법제도의 적정하고 합리적인 운영을 도모하고자 하는 데 그 취지가 있는 것으로서, 증가하는 법률구조의 수요에 부응하고 더욱 내실 있는 법률구조를 위해 일정비율의 변호사비용을 의뢰자로부터 받는 것은 불가피하다. 그렇게 함으로써 법률구조대상자를 확대함과 동시에 소송비용을 부담하기가 지극히 곤란한 사람에 대한 비용감면이 가능하게 되고 한편으로는 법률구조를 이용한 부당한 제소 및 방어와 상소를 자제하게 되어 입법목적의 달성에 실효적인 수단이 될 뿐만 아니라, 위임규정을 통하여 변호사보수를 면제까지 할 수 있는 가능성을 열어둠으로써 구체적인 사정에 따라서는 자력이 부족한 자가 변호사비용의 상환을 염려하여 법률구조제도의 이용을 꺼리게 되지 않도록 변호사보수의 상환범위를 합리적으로 제한하고 있으므로 입법부에 주어진 합리적인 재량의 범위를 일탈하였다고 볼 수 없어 재판청구권을 침해하지 않는다(2003.9.25, 2003헌바21).

19

정답 ③

① [O] 수형자가 형사사건의 변호인이 아닌 민사사건, 행정사건, 헌법소원사건 등에서 변호사와 접견할 경우에는 원칙적으로 헌법상 변호인의 조력을 받을 권리의 주체가 될 수 없다 할 것이므로, 이 사건 녹취행위에 의하여 청구인의 변호인의 조력을 받을 권리가 침해되었다고 할 수는 없다. 교도소장이 접견과정에서 소송사건의 대리

인인 변호사와의 접견 내용을 녹취하게 되면 그 접견 내용에 대한 비밀을 보장받기 어려우므로, 수형자인 청구인의 입장에서는 변호사와의 자유로운 접견을 방해받게 되고, 그로 인하여 민사소송, 행정소송, 헌법소송 등에서 충분하고도 효과적인 소송수행이 어려울 수 있다. 따라서 수형자의 민사사건 등에 있어서의 변호사와의 접견교통권은 헌법상 재판을 받을 권리의 한 내용 또는 그로부터 파생되는 권리로서 보장될 필요가 있다 할 것이므로, 이 사건 녹취행위는 결국 청구인의 재판을 받을 권리를 제한한다고 할 수 있다(2014.3.27, 2011헌바42).

② [O] 헌법 제27조 제1항이 규정하는 '법률에 의한' 재판을 받을 권리를 보장하기 위한 입법은 단지 법원에 제소할 수 있는 형식적인 권리나 이론적 가능성만을 허용하는 것이 아니라 상당한 정도로 '권리구제의 실효성'을 보장하는 것이어야 한다(2013.3.21, 2012헌바128).

❸ [X] 재판을 받을 권리라는 것은, '법적 분쟁시 독립된 법원에 의하여 사실관계와 법률관계에 관하여 한번 포괄적으로 심사를 받을 수 있도록 국민이 소송을 제기할 수 있는 권리'로서, 적어도 한 번의 재판을 받을 권리, 적어도 하나의 심급을 요구할 권리인 것이며, 그 구체적인 형성은 입법자의 광범위한 입법재량에 맡겨져 있는 것이다(2005.3.31, 2003헌바34). 2013년 사시

④ [O] 대법원을 구성하는 법관에 의한 재판을 받을 권리이거나 더구나 사건의 경중을 가리지 않고 모든 사건에 대하여 대법원을 구성하는 법관에 의한 균등한 재판을 받을 권리라고는 보여지지 않는다. 나아가 후단의 '법률에 의한' 재판을 받을 권리라 함은 법관에 의한 재판은 받되 법대로의 재판 즉 절차법이 정한 절차에 따라 실체법이 정한 내용대로 재판을 받을 권리를 보장하자는 취지라고 할 것으로, 이는 재판에 있어서 법관이 법대로가 아닌 자와의 전단에 의하는 것을 배제한다는 것이지 여기에서 곧바로 상고심재판을 받을 권리가 발생한다고 보기는 어렵다고 할 것이다(1992.6.26, 90헌바25). 2016년 사시

20 정답 ③

ㄱ. [X] 재심이나 준재심은 확정판결이나 화해조서 등에 대한 특별한 불복방법이고, 확정판결에 대한 법적 안정성의 요청은 미확정판결에 대한 그것보다 훨씬 크다고 할 것이므로 재심을 청구할 권리가 헌법 제27조에서 규정한 재판을 받을 권리에 당연히 포함된다고 할 수 없다(1996.3.28, 93헌바27).

ㄴ. [O] 재심청구권도 이러한 입법형성권의 행사에 의하여 비로소 창설되는 법률상의 권리일 뿐, 헌법 제27조 제1항, 제37조 제1항에 의하여 직접 발생되는 기본적 인권은 아니다(2002.10.31, 2000헌바76).

ㄷ. [O] 상소를 제기할 수 있는 때 재심사유의 존재를 알고도 상소심에서 그 사유를 주장하지 아니하였거나 상소 자체를 제기하지 아니하였거나, 상소제기 후 스스로 취하한 경우에는 상소심에서 재심사유에 관하여 판단받을 기회를 스스로 포기한 것이므로, 이러한 경우까지 재심을 통하여 구제를 허용할 필요성은 거의 없다. 따라서 이러한 경우 재심의 소를 제기할 수 없도록 한 입법자의 판단이 현저히 자의적이라고 보기도 어렵다(2015.12.23, 2015헌바273).

ㄹ. [O] 과학의 진전을 통하여 기존의 확정판결에서 인정된 사실과는 다른 새로운 사실이 발견된다 하더라도, 이는 확정판결 이후 언제라도 일어날 수 있는 일이므로 이를 재심사유로 인정하는 것은 확정판결에 기초하여 형성된 복잡·다양한 사법적(私法的) 관계들을 항시 불안전한 상태로 두는 것이라 할 수 있다. 또한, 시효제도 등 다소간 실체적 진실의 희생이나 양보하에 법적 안정성을 추구하는 여러 법적 제도들이 있다는 점 등을 함께 고려해 볼 때, 이 사건 법률조항은 입법자의 합리적인 재량의 범위를 벗어나 재판청구권 내지 평등권을 침해한다고 할 수 없다(2009.4.30, 2007헌바121). 2014년 사시

ㅁ. [X] 재심제도의 규범적 형성에 있어서 입법자는 확정판결을 유지할 수 없을 정도의 중대한 하자가 무엇인지를 구체적으로 가려내어야 하는바, 이는 사법에 의한 권리 보호에 관하여 한정된 사법자원의 합리적인 분배의 문제인 동시에 법치주의에 내재된 두 가지의 대립적 이념 즉, 법적 안정성과 정의의 실현이라는 상반된 요청을 어떻게 조화시키느냐의 문제로 돌아가므로, 결국 이는 불가피하게 입법자의 형성적 자유가 넓게 인정되는 영역이라고 할 수 있다(2009.4.30, 2007헌바121).

45회 진도별 모의고사

재판청구권

정답

01	①	02	④	03	②	04	②
05	④	06	③	07	①	08	②
09	②	10	④	11	②	12	②
13	①	14	①	15	④	16	①
17	①	18	①	19	①	20	③

01

정답 ①

ㄱ. [X] 재판청구권에는 상급심재판을 받을 권리나 사건의 경중을 가리지 않고 모든 사건에 대하여 반드시 대법원 또는 상급법원을 구성하는 법관에 의한 균등한 재판을 받을 권리가 포함되어 있다고 할 수는 없다(1996.10.31, 94헌바3). 2019년 비상업무

ㄴ. [O] 헌법 제27조 제1항의 규정에 의한 재판청구권은 헌법과 법률이 정한 법관에 의하여 법률에 의한 재판을 받을 권리를 의미하는 것일 뿐 구체적 소송에 있어서 특정의 당사자가 승소의 판결을 받을 권리를 의미하는 것은 아니다(1996.8.29, 95헌가15).

ㄷ. [O] 「헌법재판소법」 제68조 제1항은 청구인의 재판청구권을 침해하였다거나 되도록이면 흠결 없는 효율적인 권리구제절차의 형성을 요청하는 법치국가원칙에 위반된다고 할 수 없다. 재판청구권은 사실관계와 법률관계에 관하여 최소한 한 번의 재판을 받을 기회가 제공될 것을 국가에게 요구할 수 있는 절차적 기본권을 뜻하므로 기본권의 침해에 대한 구제절차가 반드시 헌법소원의 형태로 독립된 헌법재판기관에 의하여 이루어 질 것만을 요구하지는 않는다. 법원의 재판은 법률상 권리의 구제절차이자 동시에 기본권의 구제절차를 의미하므로, 법원의 재판에 의한 기본권의 보호는 이미 기본권의 영역에서의 재판청구권을 충족시키고 있기 때문이다(1997.12.24, 96헌마172 등).

ㄹ. [O] 어떠한 법률조항이 논리적이지 않고 정제되지 않았다고 할 것인지 판정할 기준도 불명확하여 이러한 권리가 명확한 보호영역을 갖는 구체적 권리로서의 실질을 갖는다고 보기도 어려우므로 이를 헌법상 보장되는 기본권이라고 할 수 없다(2011.8.30, 2008헌마477).

ㅁ. [O] 재판 당사자가 재판에 참석하는 것은 재판청구권 행사의 기본적 내용이라고 할 것이므로 수형자도 형의 집행과 도망의 방지라는 구금의 목적을 반하지 않는 범위에서는 재판청구권이 보장되어야 한다(2012.3.29, 2010헌마475).

ㅂ. [O] 친일반민족행위결정으로 인하여 조사대상자 및 그 후손의 인격권이 제한받게 되더라도 이는 부수적 결과에 불과할 뿐, 이것을 두고 일종의 형벌로서 '수치형'이나 '명예형'에 해당한다고 보기는 어렵다. 따라서 친일반민족행위결정을 형벌의 일종인 명예형으로 볼 수 없는 이상, 이와는 달리 친일반민족행위결정이 형벌의 일종인 명예형에 해당한다는 전제에서 위 법률조항들이 적법절차의 원칙 등 헌법원리에 위배하여 청구인의 재판청구권 등을 침해한다는 이유로 제기된 이 부분 심판청구는 재판청구권 침해의 가능성을 인정할 수 없다(2009.9.24, 2006헌마1298).

ㅅ. [O] 재판을 받을 권리가 사건의 경중을 가리지 않고 모든 사건에 대하여 대법원을 구성하는 법관에 의한 균등한 재판을 받을 권리를 의미한다거나 또는 상고심재판을 받을 권리를 의미하는 것이라고 할 수는 없다(2002.5.30, 2001헌마781).

ㅇ. [O] 재판이란 사실확정과 법률의 해석적용을 본질로 함에 비추어 볼 때, 헌법상의 재판을 받을 권리란, 법관에 의하여 사실적 측면과 법률적 측면의 적어도 한 차례의 심리검토의 기회는 보장되어야 한다는 것을 의미한다(1992.6.26, 90헌바25).

ㅈ. [O] 헌법 제27조 제1항은 "모든 국민은 헌법과 법률이 정한 법관에 의하여 법률에 의한 재판을 받을 권리를 가진다."라고 하여 법률에 의한 재판과 법관에 의한 재판을 받을 권리를 보장하고 있다. 재판청구권은 재판이라는 국가적 행위를 청구할 수 있는 적극적 측면과 헌법과 법률이 정한 법관이 아닌 자에 의한 재판이나 법률에 의하지 아니한 재판을 받지 아니하는 소극적 측면을 아울러 가지고 있다. 이렇게 볼 때 헌법 제27조 제1항은 법관에 의하지 아니하고는 민사·행정·선거·가사사건에 관한 재판은 물론 어떠한 처벌도 받지 아니할 권리를 보장한 것이라 해석된다(1998.5.28, 96헌바4).

02

정답 ④

ㄱ. [O] 재판이라 함은 구체적 사건에 관하여 사실의 확정과 그에 대한 법률의 해석적용을 그 본질적인 내용으로 하는 일련의 과정이다. 따라서 법관에 의한 재판을 받을 권리를 보장한다고 함은 결국 법관이 사실을 확정하고 법률을 해석·적용하는 재판을 받을 권리를 보장한다는 뜻이고, 그와 같은 법관에 의한 사실확정과 법률의 해석적용의 기회에 접근하기 어렵도록 제약이나 장벽을 쌓아서는 아니된다고 할 것이며, 만일 그러한 보장이 제대로 이루어지지 아니한다면 헌법상 보장된 재판을 받을 권리의 본질적 내용을 침해하는 것으로서 우리 헌법상 허용되지 아니한다(1995.9.28, 92헌가11).

ㄴ. [O] 헌법 제27조 제1항의 법관에 의한 재판을 받을 권리란 법관에 의한 사실확정 및 법률적용을 받을 권리를 의미한다. 그런데 대법원은 법률심으로서 사실관계에 대한 판단을 하지 아니한다. 따라서 특허청의 사실확정을 토대로 재판을 할 수밖에 없어, 특허심판위원회의 결정에 대해 대법원에 상고하도록 한 「특허법」 제186조는 법관에 의하여 사실확정을 받을 권리를 보장하는 재판청구권 침해이다(1995.9.28, 92헌가11).

ㄷ. [X] 대한변호사협회징계위원회에서 징계를 받은 변호사는 법무부변호사징계위원회에서의 이의절차를 밟은 후 곧바로 대법원에 즉시항고토록 하고 있는 「변호사법」 제81조 제4항 내지 제6항은 행정심판에 불과한 법무부변호사징계위원회의 결정에 대하여 법원의 사실적 측면과 법률적 측면에 대한 심사를 배제하고 대법원으로 하여금 변호사징계사건의 최종심 및 법률심으로서 단지 법률적 측면의 심사만을 할 수 있도록 하고 재판의 전심절차로서만 기능해야 할 법무부변호사징계위원회를 사실확정에 관한 한 사실상 최종심으로 기능하게 하고 있으므로, 일체의 법률적 쟁송에 대한 재판기능을 대법원을 최고법원으로 하는 법원에 속하도록 규정하고 있는 헌법 제101조 제1항 및 재판의 전심절차로서 행정심판을 두도록 하는 헌법 제107조 제3항에 위반된다(2000.6.29, 99헌가9). 2016년 소방간부

ㄹ. [O] 보상액의 산정에 기초되는 사실인정이나 보상액에 관한 판단에서 오류나 불합리성이 발견되는 경우에도 그 시정을 구하는 불복신청을 할 수 없도록 하는 것은 형사보상청구권 및 그 실현을 위한 기본권으로서의 재판청구권의 본질적 내용을 침해하는 것이라 할 것이고, 나아가 법적 안정성만을 지나치게 강조함으로써 재판의 적정성과 정의를 추구하는 사법제도의 본질에 부합하지 아니하는 것이다. 또한, 불복을 허용하더라도 즉시항고는 절차가 신속히 진행될 수 있고 사건수도 과다하지 아니한 데다 그 재판 내용도 비교적 단순하므로 불복을 허용한다고 하여 상급심에 과도한 부담을 줄 가능성은 별로 없다고 할 것이어서, 이 사건 불복금지조항은 형사보상

청구권 및 재판청구권을 침해한다고 할 것이다(2010.10.28, 2008헌마514 등).

ㅁ. [X] 구 「법관징계법」 제27조는 법관에 대한 대법원장의 징계처분 취소청구소송을 대법원에 의한 단심재판에 의하도록 규정하고 있는바, 이는 독립적으로 사법권을 행사하는 법관이라는 지위의 특수성과 법관에 대한 징계절차의 특수성을 감안하여 재판의 신속을 도모하기 위한 것으로 그 합리성을 인정할 수 있고, 대법원이 법관에 대한 징계처분 취소청구소송을 단심으로 재판하는 경우에는 사실확정도 대법원의 권한에 속하여 법관에 의한 사실확정의 기회가 박탈되었다고 볼 수 없으므로, 헌법 제27조 제1항의 재판청구권을 침해하지 아니한다(2012.2.23, 2009헌바34).

03 정답 ②

① [O] 구 「사회보호법」 제5조 제1항은 각 호에 정한 요건에 해당되면 재범의 위험성 유무에도 불구하고 보호감호를 선고하도록 하고 있어 법관의 판단재량을 박탈하고 있으므로 헌법 제27조 제1항에 정한 국민의 법관에 의한 정당한 재판을 받을 권리를 침해하였다(1989.7.14, 88헌가5 등).

❷ [X] 이 사건 요구조항의 경우 검사의 청구가 없는 한 법원이 직권으로 치료감호를 선고할 수 없도록 하고 있는데, 법원이 직권으로 치료감호를 선고할 수 있는지 여부는 재판청구권의 적극적 측면은 물론 소극적 측면에도 해당하지 않는다. 따라서 청구인이나 제청법원이 주장하는 '피고인 스스로 치료감호를 청구할 수 있는 권리'뿐만 아니라 '법원으로부터 직권으로 치료감호를 선고받을 수 있는 권리'는 헌법상 재판청구권의 보호범위에 포함된다고 보기 어렵다(2021.1.28, 2019헌가24 등).

③ [O] 치료감호심의위원회의 심사대상은 이미 판결에 의하여 확정된 보호감호처분을 집행하는 것에 불과하므로 이를 법관에게 맡길 것인지, 아니면 제3의 기관에 맡길 것인지는 입법재량의 범위 내에 있으며, 위원회의 결정에 대하여 불복이 있는 경우 행정소송 등 사법심사의 길이 열려 있으므로 법관에 의한 재판을 받을 권리를 침해한다고 할 수 없다. 나아가, 치료감호심의위원회의 구성, 심사절차 및 심사대상에 비추어 볼 때 위원회가 보호감호의 관리 및 집행에 관한 사항을 심사·결정하도록 한 것이 헌법상 적법절차원칙에 위배된다고 볼 수 없다(2009.3.26, 2007헌바50). 2016년 법행

④ [O] 피고인 스스로 치료감호를 청구할 수 있는 권리나, 법원으로부터 직권으로 치료감호를 선고받을 수 있는 권리는 헌법상 재판청구권의 보호범위에 포함되지 않는다. 공익의 대표자로서 준사법기관적 성격을 가지고 있는 검사에게만 치료감호청구권한을 부여한 것은, 본질적으로 자유박탈적이고 침익적 처분인 치료감호와 관련하여 재판의 적정성 및 합리성을 기하기 위한 것이므로 적법절차원칙에 반하지 않는다(2021.1.28, 2019헌가24 등).

04 정답 ②

① [O] 법무부장관으로 하여금 피고인의 출국을 금지할 수 있도록 하는 것일 뿐 피고인의 공격·방어권 행사와 직접 관련이 있다고 할 수 없고, 공정한 재판을 받을 권리에 외국에 나가 증거를 수집할 권리가 포함된다고 보기도 어렵다. 따라서 공정한 재판을 받을 권리를 침해한다고 볼 수 없다(2015.9.24, 2012헌바302).

❷ [X] 헌법에 '공정한 재판'에 관한 명문의 규정은 없지만 재판청구권이 국민에게 효율적인 권리 보호를 제공하기 위해서는, 법원에 의한 재판이 공정하여야만 할 것은 당연한 전제이므로 '공정한 재판을 받을 권리'는 헌법 제27조의 재판청구권에 의하여 함께 보장된다. 그리고 헌법 제27조 제1항에서 명시적으로 규정하고 있는 바와 같이, 헌법상 재판을 받을 권리라 함은 '법관에 의하여' 재판을 받을 권리를 의미한다(2013.3.21, 2011헌바219).

③ [O] 공정한 재판을 받을 권리 속에는 신속하고 공개된 법정의 법관의 면전에서 모든 증거자료가 조사·진술되고 이에 대하여 피고인이 공격·방어할 수 있는 기회가 보장되는 재판, 즉 원칙적으로 당사자주의와 구두변론주의가 보장되어 당사자가 공소사실에 대한 답변과 입증 및 반증하는 등 공격·방어권이 충분히 보장되는 재판을 받을 권리가 포함되어 있다(1994.4.28, 93헌바26).

④ [O] 헌법은 피고인의 반대신문권을 헌법상의 기본권으로까지 규정하지는 않았으나, 「형사소송법」은 제161조의2에서 피고인의 반대신문권을 포함한 교호신문권을 명문으로 규정하여 피고인에게 불리한 증거에 대하여 반대신문할 수 있는 권리를 원칙적으로 보장하고 있는바, 이는 헌법 제12조 제1항, 제27조 제1항·제3항 및 제4항에 의한 공정한 재판을 받을 권리를 구현한 것이다(2012.7.26, 2010헌바62).

05 정답 ④

① [X] 공정한 재판을 받을 권리는 원칙적으로 당사자주의와 구두변론주의가 보장되어 소송의 당사자에게 공격·방어권을 충분히 행사할 기회를 부여하는 것을 주된 내용으로 한다. 공정한 재판을 받을 권리는 변론과정에서뿐만 아니라, 증거의 판단, 법률의 적용 등 소송 전 과정에서 적용된다. 어떠한 요증사실의 존부가 확정되지 않았을 때 그 사실이 존재하지 않는 것으로 취급되어 법률판단을 받게 되는 불이익인 증명책임의 분배 문제도 공정한 재판을 받을 권리의 보호범위에 해당한다(2013.9.26, 2012헌바23).

② [X] 「형사소송법」 제92조 제1항은 미결구금의 부당한 장기화로 인하여 피고인의 신체의 자유가 침해되는 것을 방지하기 위한 목적에서 미결구금기간의 한계를 설정하고 있는 것이지, 법원의 재판기간 내지 심리기간 자체를 제한하려는 규정이라 할 수는 없다. 즉 위 조항은 법원의 심리·재판기간이나 피고인의 공격·방어권 행사와는 직접적인 관련이 있다 할 수 없고, 따라서 비록 법원의 피고인에 대한 구속기간을 엄격히 제한하고 있다 하더라도 이로써 법원의 심리기간이 제한된다거나 나아가 피고인의 공격·방어권 행사를 제한하여 피고인의 공정한 재판을 받을 권리가 침해된다고 볼 수는 없다. 나아가 잘못된 법원의 실무관행과 결합하여 결과적으로 피고인의 공정한 재판을 받을 권리가 침해될 수 있다 하더라도, 그 자체로는 피고인의 공정한 재판을 받을 권리를 침해하지 아니하고 오히려 피고인의 신체의 자유를 두텁게 보장하고 있는 위 조항이 헌법에 위반된다고 할 수는 없다(2001.6.28, 99헌가14).

③ [X] 이 사건 법률조항에서 말하는 '구속기간'은 '법원이 피고인을 구속한 상태에서 재판할 수 있는 기간'을 의미하는 것이지, '법원이 형사재판을 할 수 있는 기간' 내지 '법원이 구속사건을 심리할 수 있는 기간'을 의미한다고 볼 수 없다. 즉, 이 사건 법률조항은 미결구금의 부당한 장기화로 인하여 피고인의 신체의 자유가 침해되는 것을 방지하기 위한 목적에서 미결구금기간의 한계를 설정하고 있는 것이지, 신속한 재판의 실현 등을 목적으로 법원의 재판기간 내지 심리기간 자체를 제한하려는 규정이라 할 수는 없다(2001.6.28, 99헌가14).

❹ [O] 변호인이 있는 피고인에게 변호인과는 별도로 공판조서열람권을 부여하지 않는다고 하여 피고인의 공정한 재판을 받을 권리가 침해된다고 할 수는 없다고 할 것이다(1994.12.29, 92헌바31).

06 정답 ③

① [X] 법원은 실체적 진실 발견과 피해아동의 보호를 포함한 제반 사정을 고려하고 관련된 이익을 비교하여 피해아동을 피고인 및 변호인의 신청 또는 직권으로 증인으로 소환하여 신문할 수 있고, 이 경우 피고인 및 변호인은 참여권과 신문권 등이 보장된다. 또한 성폭력범죄 피해아동에 대하여는, 거칠고 날선 법정에서의 반대신문보다는 사건 초기의 생생한 기억 속에서 이루어진 진술을 영상녹화의 방법으로 왜곡 없이 온전하게 보전한 다음, 이를 아동진술전문가나 심리학자 등으로 하여금 전문적·과학적 방법으로 분석하게 하여 그 신빙성을 검증하는 것이 실체적 진실의 발견에 더욱 효과적일 수 있다. 피고인으로 하여금 진술 당시 동석한 신뢰관계인에 대한 신문이나 진술과정을 그대로 녹화한 영상녹화물에 대한 전문적, 과학적 방법에 의한 탄핵을 통하여 자신을 방어할 수 있게 하는 효과적인 대체수단이 존재하고, 구체적인 사건에서 피해아동의 보호와 실체적 진실발견 등 제반 요소를 고려한 법원의 개별적 판단에 따라 피해아동에 대한 반대신문권을 행사할 수 있는 기회도 여전히 남아 있으므로, 증거능력 특례조항이 침해최소성 및 법익균형성의 원칙에 위배된다거나, 피해아동의 보호만을 앞세워 피고인의 방어권을 본질적으로 침해하고 있다고 볼 수 없다(2013.12.26, 2011헌바108).

② [X] 심판대상조항은 미성년 피해자가 증언과정 등에서 받을 수 있는 2차 피해를 막기 위한 것이다. 미성년 피해자의 2차 피해를 방지하는 것은, 성폭력범죄에 관한 형사절차를 형성함에 있어 포기할 수 없는 중요한 가치이나 그 과정에서 피고인의 공정한 재판을 받을 권리도 보장되어야 한다. 성폭력범죄의 특성상 영상물에 수록된 미성년 피해자 진술이 사건의 핵심 증거인 경우가 적지 않음에도 심판대상조항은 진술증거의 오류를 탄핵할 수 있는 효과적인 방법인 피고인의 반대신문권을 보장하지 않고 있다. 심판대상조항은 영상물로 그 증거방법을 한정하고 신뢰관계인 등에 대한 신문기회를 보장하고 있기는 하나 위 증거의 특성 및 형성과정을 고려할 때 이로써 원진술자에 대한 반대신문의 기능을 대체하기는 어렵다. 그 결과 피고인은 사건의 핵심 진술증거에 관하여 충분히 탄핵할 기회를 갖지 못한 채 유죄 판결을 받을 수 있는바, 그로 인한 방어권 제한의 정도는 매우 중대하다. 반면 피고인의 반대신문권을 일률적으로 제한하지 않더라도, 성폭력범죄 사건 수사의 초기 단계에서부터 증거보전절차를 적극적으로 실시하거나, 비디오 등 중계장치에 의한 증인신문 등 미성년 피해자가 증언과정에서 받을 수 있는 2차 피해를 방지할 수 있는 여러 조화적인 제도를 적극 활용함으로써 위 조항의 목적을 달성할 수 있다. 피고인 측이 정당한 방어권의 범위를 넘어 피해자를 위협하고 괴롭히는 등의 반대신문은 금지되며, 재판장은 구체적 신문과정에서 증인을 보호하기 위해 소송지휘권을 행사할 수 있다. 우리 사회에서 미성년 피해자의 2차 피해를 방지하는 것이 중요한 공익에 해당함에는 의문의 여지가 없다. 그러나 심판대상조항으로 인한 피고인의 방어권 제한의 중대성과 미성년 피해자의 2차 피해를 방지할 수 있는 여러 조화적인 대안들이 존재함을 고려할 때, 심판대상조항이 달성하려는 공익이 제한되는 피고인의 사익보다 우월하다고 쉽게 단정하기는 어렵다. 따라서 심판대상조항은 과잉금지원칙을 위반하여 공정한 재판을 받을 권리를 침해한다.(2021.12.23, 2018헌바524).

❸ [O] 검사와 피고인 쌍방 중 어느 한편이 증인과의 접촉을 독점하거나 상대방의 접근을 차단하도록 허용한다면, 이는 상대방의 공정한 재판을 받을 권리를 침해하는 것이 될 것이다. 구속된 증인에 대한 편의 제공 역시, 그것이 일방당사자인 검사에게만 허용된다면, 그 증인과 검사와의 부당한 인간관계의 형성이나 회유의 수단 등으로 오용될 우려가 있고, 그러한 편의의 박탈가능성이 증인에게 심리적 압박수단으로 작용할 수도 있으므로 접근차단의 경우와 마찬가지로 공정한 재판을 해한다(2001.8.30, 99헌마496).

④ [X] 법원의 열람·등사 허용결정에도 불구하고 검사가 이를 신속하게 이행하지 아니하는 경우에는 해당 증인 및 서류 등을 증거로 신청할 수 없는 불이익을 받는 것에 그치는 것이 아니라, 그러한 검사의 거부행위는 피고인의 열람·등사권을 침해하고, 나아가 피고인의 신속·공정한 재판을 받을 권리 및 변호인의 조력을 받을 권리까지 침해하게 되는 것이다(2010.6.24, 2009헌마257).

07 정답 ①

❶ [X] 재판부가 집중심리방식으로 사건을 진행하는 경우 위 조항이 정한 기간 내에 재판을 마무리하는 것이 무리한 일로는 보이지 않는 점, 「공직선거법」에도 선거에 관한 쟁송의 특수성을 고려하여 선거에 관한 소송은 소제기일로부터 180일 이내에 처리하도록 하고(제225조), 선거범과 그 공범에 관한 재판 중 제1심 재판은 공소제기일로부터 6개월 이내에, 제2심과 제3심은 전심 선고일로부터 각 3개월 이내에 반드시 선고하도록 규정하고 있는 점(제270조) 등을 보태어 볼 때, 위 법률조항이 이와 같이 재판기간을 한정한 데에는 이를 정당화할 합리적 이유가 있다. 그렇다면 이 사건 법률 제10조가 공정한 재판을 받을 권리를 침해한다 할 수 없고, 이 사건 법률에 의한 특별검사에 의하여 공소제기된 사람을 일반 형사재판을 받는 사람에 비하여 달리 취급하였다 하여 평등권을 침해한다 할 수 없다(나아가 이 사건 법률 제10조가 재판기간을 단기간으로 규정하였다는 이유만으로 특별검사에 의해 공소제기된 사건에서 무죄추정의 원칙이 깨진다고 볼 수도 없다)(2008.1.10, 2007헌마1468).

② [O] 기피신청이 절차에 위반되거나 소송절차 지연을 목적으로 하는 것이 명백한 경우에는 별도의 재판부에 의하여 기피신청에 대한 재판을 하게 하거나 그 결정이 확정될 때까지 소송절차를 정지시키지 아니한 채, 소송절차를 그대로 진행시키고 당해 법관이 포함된 합의부 또는 당해 법관으로 하여금 기피신청을 기각할 수 있도록 하는 것이 기피신청권의 남용을 방지할 수 있는 적절한 방법이라고 할 것이므로, 위 법률조항은 헌법 제37조 제2항의 비례의 원칙에 위반된다고 할 수 없어 공정한 재판을 받을 권리를 침해하였다고 할 수 없다(2006.7.27, 2005헌바58). 2011년 국회 8급

③ [O] 피청구인은 이 사건 압수물을 보관하는 것 자체가 위험하다고 볼 수 없을 뿐만 아니라 이를 보관하는 데 아무런 불편이 없는 물건임이 명백함에도 압수물에 대하여 소유권 포기가 있다는 이유로 이를 사건종결 전에 폐기하였는바, 위와 같은 피청구인의 행위는 적법절차의 원칙을 위반하고, 청구인의 공정한 재판을 받을 권리를 침해한 것이다(2012.12.27, 2011헌마351). 2014년 사시

④ [O] 기본권 제한의 정도가 특정범죄의 범죄신고자 등 증인 등을 보호하고 실체적 진실의 발견에 이바지하는 공익에 비하여 크다고 할 수 없어 법익의 균형성도 갖추고 있으며, 기본권제한에 관한 피해의 최소성 역시 인정되므로, 공정한 재판을 받을 권리를 침해한다고 할 수 없다(2010.11.25, 2009헌바57). 2016년 법행

08 정답 ②

ㄱ. [X] 법원은 「민사소송법」 제184조에서 정하는 기간 내에 판결을 선고하도록 노력해야 하겠지만, 이 기간 내에 반드시 판결을 선고해야 할 법률상의 의무가 발생한다고 볼 수 없으며, 헌법 제27조 제3항 제1문에 의거한 신속한 재판을 받을 권리의 실현을 위해서는 구체적인 입법형성이 필요하고, 신속한 재판을 위한 어떤 직접적이고 구체적인 청구권이 이 헌법규정으로부터 직접 발생하지 아니하므로, 보안관찰처분들의 취소청구에 대해서 법원이 그 처분들의 효력이 만료되기 전까지 신속하게 판결을 선고해야 할 헌법이나 법률상의 작위의무가 존재하지 아니한다직접 발생하지 아니하므로,

보안관찰처분들의 취소청구에 대해서 법원이 그 처분들의 효력이 만료되기 전까지 신속하게 판결을 선고해야 할 헌법이나 법률상의 작위의무가 존재하지 아니한다(1999.9.16, 98헌마75).

ㄴ. [O] 처분 등이 있음을 안 때로부터 90일의 기간은 지나치게 짧은 기간이라고 보기 어렵고, '처분 등이 있음'을 안 시점은 비교적 객관적이고 명확하게 특정할 수 있으므로 이를 제소기간의 기산점으로 둔 것은 행정법관계의 조속한 안정을 위해 필요하고 효과적인 방법이다. 또한 처분 등에 존속하는 하자가 중대하고 명백하여 무효인 경우에는 제소기간의 제한이 없고, 당사자가 책임질 수 없는 사유로 기간을 준수할 수 없을 때에는 추후보완이 허용되어 심판대상조항이 현저히 불합리하거나 합리성이 없다고 볼 수 없다. 따라서 '처분 등이 있음을 안 날'을 제소기간의 기산점으로 정한 심판대상조항은 재판청구권을 침해하지 아니한다(2018.6.28, 2017헌바66). 2019년 서울 7급 1차

ㄷ. [O]

> **헌법 제27조** ③ 모든 국민은 신속한 재판을 받을 권리를 가진다. 형사피고인은 상당한 이유가 없는 한 지체 없이 공개재판을 받을 권리를 가진다.

ㄹ. [O] 헌법 제27조 제3항 제1문에 의거한 신속한 재판을 받을 권리의 실현을 위해서는 구체적인 입법형성이 필요하고, 신속한 재판을 위한 어떤 직접적이고 구체적인 청구권이 이 헌법규정으로부터 직접 발생하지 아니한다(1999.9.16, 98헌마75).

ㅁ. [O] 이 사건 법률조항은 집행법원이 압류채권자의 채권에 우선하는 부동산의 모든 부담과 절차비용을 변제하면 남을 것이 없겠다고 인정한 때 압류채권자가 적정한 가격에 보증을 제공하여 매수신청을 하지 않은 경우에는 법원의 직권에 의하여 경매절차를 취소하도록 하여 사법적 청구권을 실현하는 강제집행절차에서의 채권자의 경매절차종료에 관한 처분권을 일정 부분 제약하고 있다. 헌법 제27조 제3항의 신속한 재판을 받을 권리의 적용범위에는 판결절차 외에 집행절차도 포함되고, 민사상의 분쟁해결에 있어서 판결절차가 권리 또는 법률관계의 존부의 확정, 즉 청구권의 존부의 관념적 형성을 목적으로 하는 절차라면 강제집행절차는 권리의 강제적 실현, 즉 청구권의 사실적 형성을 목적으로 하는 절차이므로 강제집행절차에서는 판결절차에 있어서보다 신속성의 요청이 더욱 강하다(2007.3.29, 2004헌바93). 2020년 법행

ㅂ. [O] 심리불속행재판의 판결이유를 생략할 수 있도록 규정한 「상고심절차에 관한 특례법」 제4조 제1항 및 제5조 제1항 중 제4조에 관한 부분은 비록 국민의 재판청구권을 제약하고 있기는 하지만 심급제도와 대법원의 기능에 비추어 볼 때 헌법이 요구하는 대법원의 최고법원성을 존중하면서 민사, 가사, 행정 등 소송사건에 있어서 상고심재판을 받을 수 있는 객관적 기준을 정함에 있어 개별적 사건에서의 권리구제보다 법령해석의 통일을 더 우위에 둔 규정으로서 그 합리성이 있다고 할 것이므로 헌법에 위반되지 아니한다(2009.4.30, 2007헌마589). 2006년 사시

ㅅ. [X] 헌법 제27조 제3항 제1문에 의거한 신속한 재판을 받을 권리의 실현을 위해서는 구체적인 입법형성이 필요하고, 신속한 재판을 위한 어떤 직접적이고 구체적인 청구권이 이 헌법규정으로부터 직접 발생하지 아니한다(1999.9.16, 98헌마75). 2006년 사시

09 정답 ②

ㄱ. [X] 비상계엄하의 군사재판은 일정한 범죄의 경우 법률이 정한 경우에 한하여 단심으로 할 수 있다.

> **헌법 제110조** ④ 비상계엄하의 군사재판은 군인·군무원의 범죄나 군사에 관한 간첩죄의 경우와 초병·초소·유독음식물공급·포로에 관한 죄 중 법률이 정한 경우에 한하여 단심으로 할 수 있다. 다만, 사형을 선고한 경우에는 그러하지 아니하다.

ㄴ. [X]

> **헌법 제110조** ④ 비상계엄하의 군사재판은 군인·군무원의 범죄나 군사에 관한 간첩죄의 경우와 초병·초소·유독음식물공급·포로에 관한 죄중 법률이 정한 경우에 한하여 단심으로 할 수 있다. 다만, 사형을 선고한 경우에는 그러하지 아니하다.

ㄷ. [O]

> **헌법 제27조** ② 군인 또는 군무원이 아닌 국민은 대한민국의 영역 안에서는 중대한 군사상 기밀·초병·초소·유독음식물공급·포로·군용물에 관한 죄 중 법률이 정한 경우와 비상계엄이 선포된 경우를 제외하고는 군사법원의 재판을 받지 아니한다.

➡ 군사상 기밀과 군용물죄는 헌법 제27조 제2항에 있으나, 헌법 제110조 제4항에는 없다.

ㄹ. [X] 헌법 제27조 제2항은 일반 국민의 군사재판을 받지 않을 권리를 보장하고 있다.

ㅁ. [X] 유해음식물공급이 아니라 유독음식물 공급이고 군사시설 대신 군용물이 들어가야 옳다. 경비계엄이 아니라 비상계엄이다.

> **헌법 제27조** ② 군인 또는 군무원이 아닌 국민은 대한민국의 영역 안에서는 중대한 군사상 기밀·초병·초소·유독음식물공급·포로·군용물에 관한 죄 중 법률이 정한 경우와 비상계엄이 선포된 경우를 제외하고는 군사법원의 재판을 받지 아니한다.

ㅂ. [X] '계엄하'가 아니라 '비상계엄하'이다.

> **헌법 제110조** ④ 비상계엄하의 군사재판은 군인·군무원의 범죄나 군사에 관한 간첩죄의 경우와 초병·초소·유독음식물공급·포로에 관한 죄 중 법률이 정한 경우에 한하여 단심으로 할 수 있다. 다만, 사형을 선고한 경우에는 그러하지 아니하다.

10 정답 ④

ㄱ. [O]

> **「군사법원법」 제2조 【신분적 재판권】** ① 군사법원은 다음 각 호의 어느 하나에 해당하는 사람이 범한 죄에 대하여 재판권을 가진다.
> ② 제1항에도 불구하고 법원은 다음 각 호에 해당하는 범죄 및 그 경합범 관계에 있는 죄에 대하여 재판권을 가진다. 다만, 전시·사변 또는 이에 준하는 국가비상사태 시에는 그러하지 아니하다.
> 1. 「군형법」 제1조 제1항부터 제3항까지에 규정된 사람이 범한 「성폭력범죄의 처벌 등에 관한 특례법」 제2조의 성폭력범죄 및 같은 법 제15조의2의 죄, 「아동·청소년의 성보호에 관한 법률」 제2조 제2호의 죄
> 2. 「군형법」 제1조 제1항부터 제3항까지에 규정된 사람이 사망하거나 사망에 이른 경우 그 원인이 되는 범죄
> 3. 「군형법」 제1조 제1항부터 제3항까지에 규정된 사람이 그 신분취득 전에 범한 죄

ㄴ. [O] 「군사법원법」의 적용대상 중에 특히 수사를 위하여 구속기간의 연장이 필요한 경우가 있음을 인정한다고 하더라도, 이 사건 법률규정과 같이 「군사법원법」의 적용대상이 되는 모든 범죄에 대하여 수사기관의 구속기간의 연장을 허용하는 것은 그 과도한 광범성으로 인하여 과잉금지의 원칙에 어긋난다고 할 수 있을 뿐만 아니라, 국가안보와 직결되는 사건과 같이 수사를 위하여 구속기간의 연장이 정당화될 정도의 중요사건이라면 더 높은 법률적 소양이 제도적으로 보장된 군검찰관이 이를 수사하고 필요한 경우 그 구속기간의 연장을 허용하는 것이 더 적절하기 때문에, 군사법경찰관의 구속기간을 연장까지 하면서 이러한 목적을 달성하려는 것은 부적절한 방식에 의한 과도한 기본권의 제한으로서, 과잉금지의 원칙에 위반하여 신체의 자유 및 신속한 재판을 받을 권리를 침해하는 것이다(2003.11.27, 2002헌마193).

ㄷ. [O] '군사시설' 중 '전투용에 공하는 시설'을 손괴한 일반 국민이 항상 군사법원에서 재판받도록 하는 이 사건 법률조항은, 비상계엄이 선포된 경우를 제외하고는 '군사시설'에 관한 죄를 범한 군인 또는 군무원이 아닌 일반 국민은 군사법원의 재판을 받지 아니하도록 규정한 헌법 제27조 제2항에 위반되고, 국민이 헌법과 법률이 정한 법관에 의한 재판을 받을 권리를 침해한다(2013.11.28, 2012헌가10). 2018년 국회 9급

ㄹ. [X] 형사재판에 있어 범죄사실의 확정과 책임은 행위시를 기준으로 하지만, 재판권 유무는 원칙적으로 재판시점을 기준으로 해야 하며, 형사재판은 유죄인정과 양형이 복합되어 있는데 양형은 일반적으로 재판받을 당시, 즉 선고시점의 피고인의 군인신분을 주요 고려요소로 해 군의 특수성을 반영할 수 있어야 하므로, 이러한 양형은 군사법원에서 담당하도록 하는 것이 타당하다. 나아가 군사법원의 상고심은 대법원에서 관할하고 군사법원에 관한 내부규율을 정함에 있어서도 대법원이 종국적인 관여를 하고 있으므로 이 사건 법률조항이 군사법원의 재판권과 군인의 재판청구권을 형성함에 있어 그 재량의 헌법적 한계를 벗어났다고 볼 수 없다(2009.7.30, 2008헌바162). 2017년 법무사

11 정답 ②

ㄱ. [O] 입법자가 행정심판을 전심절차가 아니라 종심절차로 규정함으로써 정식재판의 기회를 배제하거나, 어떤 행정심판을 필요적 전심절차로 규정하면서도 그 절차에 사법절차가 준용되지 않는다면 이는 헌법조항 제107조 제3항, 나아가 재판청구권을 보장하고 있는 헌법 제27조에도 위반된다 할 것이다. 반면 어떤 행정심판절차에 사법절차가 준용되지 않는다 하더라도 임의적 전치제도로 규정함에 그치고 있다면 위 헌법조항에 위반된다 할 수 없다. 그러한 행정심판을 거치지 아니하고 곧바로 행정소송을 제기할 수 있는 선택권이 보장되어 있기 때문이다(2001.6.28, 2000헌바30).

ㄴ. [O] 이의재결은 행정심판에 대한 재결의 성격과 함께 관할토지수용위원회가 1차적으로 행한 수용재결을 다시 심의하여 토지수용에 관한 법률관계를 확정하는 재처분적인 성격도 부수적으로 함께 가지는 것으로 볼 수 있으므로 토지수용에 관한 법률관계를 최종적으로 확정하는 이의재결을 다투어 그 효력을 배제하는 것이 당사자의 권리구제를 위한 효율적인 방법이라 할 것이며 … 이 사건 법률조항이 수용재결에 대한 제소를 금지함으로써 청구인의 재판청구권이 제한되는 정도는 그다지 크다고 할 수 없고, 또한 이에 비하여 분쟁의 일회적 해결과 신속한 권리구제의 요청에 응하고 법원 판결의 적정성을 보장할 수 있다는 점에서 재결주의를 규정함에 의한 공익은 매우 크다고 할 것이므로, 이 사건 법률조항은 필요성과 법익균형성도 갖추고 있다고 할 것이다(2001.6.28, 2000헌바77).

ㄷ. [O] 직권면직처분을 받은 지방공무원이 그에 대해 불복할 경우 행정소송의 제기에 앞서 반드시 소청심사를 거치도록 규정한 것은 행정기관 내부의 인사행정에 관한 전문성 반영, 행정기관의 자율적 통제, 신속성 추구라는 행정심판의 목적에 부합한다. 소청심사제도에도 심사위원의 자격요건이 엄격히 정해져 있고, 임기와 신분이 보장되어 있는 등 독립성과 공정성이 확보되어 있으며, 증거조사절차나 결정절차 등 심리절차에 있어서도 사법절차가 상당 부분 준용되고 있다. 나아가 소청심사위원회의 결정기간은 엄격히 제한되어 있고, 행정심판전치주의에 대해 다양한 예외가 인정되고 있으며, 행정심판의 전치요건은 행정소송 제기 이전에 반드시 갖추어야 하는 것은 아니어서 전치요건을 구비하면서도 행정소송의 신속한 진행을 동시에 꾀할 수 있으므로, 이 사건 필요적 전치조항은 입법형성의 한계를 벗어나 재판청구권을 침해하거나 평등원칙에 위반된다고 볼 수 없다(2015.3.26, 2013헌바186).

ㄹ. [X] 교원에 대한 징계처분은 그 적법성을 판단함에 있어서 전문성과 자주성에 기한 사전심사가 필요하고, 판단기관인 재심위원회의 독립성 및 공정성이 확보되어 있고 심리절차에 있어서도 상당한 정도로 사법절차가 준용되어 권리구제절차로서의 실효성을 가지고 있으며, 재판청구권의 제약은 경미한 데 비하여 그로 인하여 달성되는 공익은 크므로, 재심제도가 입법형성권의 한계를 벗어나 국민의 재판청구권을 침해하는 제도라고 할 수 없다(2007.1.17, 2005헌바86).

ㅁ. [O] 나아가 행정심판 전치요건은 행정소송 제기 이전에 반드시 갖추어야 하는 것은 아니고 사실심 변론종결시까지 갖추면 되므로, 전치요건을 구비하면서도 행정소송의 신속한 진행을 동시에 꾀할 수 있다(2000.6.1, 98헌바8 ; 2007.1.17, 2005헌바86 참조). 위와 같이 행정소송을 신속하게 진행하면서 집행정지신청을 할 수 있을 뿐만 아니라 해당 재결청이 필요하다고 인정할 때에는 그 처분의 집행을 중지하게 하거나 중지할 수도 있으므로, 청구인들의 재판청구권이 제한되는 정도가 크지 않다. 따라서 심판대상조항이 재판청구권에 관한 입법형성권의 범위를 현저하게 일탈하여 청구인들의 재판청구권을 침해한다고 할 수 없다(2016.12.29, 2016헌바263).

ㅂ. [X] 이 사건 법률조항에 의하여 달성하고자 하는 공익과 한편으로는 전심절차를 밟음으로써 야기되는 국민의 일반적인 수고나 시간의 소모 등을 비교하여 볼 때, 이 사건 법률조항에 의한 재판청구권의 제한은 정당한 공익의 실현을 위하여 필요한 정도의 제한에 해당하는 것으로 헌법 제37조 제2항의 비례의 원칙에 위반되어 국민의 재판청구권을 과도하게 침해하는 위헌적인 규정이라 할 수 없다.(2002.10.31, 2001헌바40)

ㅅ. [O] 입법자가 행정심판을 전심절차가 아니라 종심절차로 규정함으로써 정식재판의 기회를 배제하거나, 어떤 행정심판을 필요적 전심절차로 규정하면서도 그 절차에 사법절차가 준용되지 않는다면 이는 위 헌법조항, 나아가 재판청구권을 보장하고 있는 헌법 제27조에도 위반된다(2001.6.28, 2000헌바30). 2006년 사시

12 정답 ②

ㄱ. [X] 심판대상조항에서 보상금 등의 지급결정에 동의한 때 민주화운동과 관련하여 입은 피해에 대해 재판상 화해의 성립을 간주하는 것은 향후 민주화운동과 관련된 국가배상청구를 제한하는 것이므로, 국가배상청구권 침해 여부도 문제된다(2018.8.30, 2014헌바180 등).

ㄴ. [O] (1) 재판절차가 국민에게 개설되어 있다 하더라도, 절차적 규정들에 의하여 법원에의 접근이 합리적인 이유로 정당화될 수 없는 방법으로 어렵게 된다면, 재판청구권은 사실상 형해화될 수 있으므로, 바로 여기에 입법형성권의 한계가 있다.

(2) 심판대상조항은 신청인이 위원회의 보상금 등 지급결정에 동의한 때 민주화운동과 관련하여 입은 피해 일체에 대해 재판상 화해가 성립된 것으로 간주함으로써, 향후 민주화운동과

관련된 모든 손해에 대한 국가배상청구권 행사를 금지하고 있는바, 이는 국가배상청구권의 내용을 구체적으로 형성하는 것이 아니라, 「국가배상법」의 제정을 통해 이미 형성된 국가배상청구권의 행사를 제한하는 것에 해당한다. 그러므로 심판대상조항의 국가배상청구권 침해 여부를 판단함에 있어서는, 심판대상조항이 기본권 제한입법의 한계인 헌법 제37조 제2항을 준수하였는지 여부, 즉 과잉금지원칙을 준수하고 있는지 여부를 살펴보아야 한다(2018.8.30, 2014헌바108 등).

ㄷ. [O] 민주화보상법에 따라 지급되는 보상금 등에는 손실 전보를 의미하는 '보상'의 성격뿐만 아니라 손해 전보를 의미하는 '배상'의 성격도 포함되어 있다고 봄이 상당하다(2018.8.30, 2014헌바108 등).

ㄹ. [X] (1) 민주화보상법상 보상금 등에는 적극적·소극적 손해에 대한 배상의 성격이 포함되어 있는바, 관련자와 유족이 위원회의 보상금 등 지급결정이 일응 적절한 배상에 해당된다고 판단하여 이에 동의하고 보상금 등을 수령한 경우 보상금 등의 성격과 중첩되는 적극적·소극적 손해에 대한 국가배상청구권의 추가적 행사를 제한하는 것은, 동일한 사실관계와 손해를 바탕으로 이미 적절한 배상을 받았음에도 불구하고 다시 동일한 내용의 손해배상청구를 금지하는 것이므로, 이를 지나치게 과도한 제한으로 볼 수 없다.

(2) 민주화보상법상 보상금 등에는 정신적 손해에 대한 배상이 포함되어 있지 않은바, 이처럼 정신적 손해에 대해 적절한 배상이 이루어지지 않은 상태에서 적극적·소극적 손해에 상응하는 배상이 이루어졌다는 사정만으로 정신적 손해에 대한 국가배상청구마저 금지하는 것은, 해당 손해에 대한 적절한 배상이 이루어졌음을 전제로 하여 국가배상청구권 행사를 제한하려 한 민주화보상법의 입법목적에도 부합하지 않으며, 국가의 기본권 보호의무를 규정한 헌법 제10조 제2문의 취지에도 반하는 것으로서, 국가배상청구권에 대한 지나치게 과도한 제한에 해당한다. 따라서 심판대상조항 중 정신적 손해에 관한 부분은 민주화운동 관련자와 유족의 국가배상청구권을 침해한다(2018.8.30, 2014헌바108 등).

ㅁ. [O] 적극적·소극적 손해(재산적 손해)에 대한 국가배상청구권 침해 여부에 대하여 살펴본다. 관련자와 유족이 위원회의 보상금 등 지급결정이 일응 적절한 배·보상에 해당된다고 판단하여 이에 동의하고 보상금 등을 수령한 경우 보상금 등의 성격과 중첩되는 적극적·소극적 손해에 대한 국가배상청구권의 추가적 행사를 제한하는 것은, 동일한 사실관계와 손해를 바탕으로 이미 적절한 보상을 받았음에도 불구하고 다시 동일한 내용의 손해배상청구를 금지하는 것이므로, 이를 지나치게 가혹한 제재로 볼 수 없다(2018.8.30, 2014헌바108 등).

ㅂ. [O] 정신적 손해에 대한 국가배상청구권 침해 여부에 대하여 살펴본다. 앞서 살펴본 바와 같이 민주화보상법상 보상금 등에는 정신적 손해에 대한 배상이 포함되어 있지 않음을 알 수 있다. 이처럼 정신적 손해에 대해 적절한 배상이 이루어지지 않은 상태에서 적극적·소극적 손해 내지 손실에 상응하는 배·보상이 이루어졌다는 사정만으로 정신적 손해에 관한 국가배상청구마저 금지하는 것은, 관련자와 유족의 국가배상청구권을 침해한다. 그렇다면 심판대상조항의 '민주화운동과 관련하여 입은 피해' 중 불법행위로 인한 정신적 손해에 관한 부분은 헌법에 위반된다(2018.8.30, 2014헌바108 등).

ㅅ. [O] 민주화보상법의 입법취지, 관련 규정의 내용, 신청인이 작성·제출하는 동의 및 청구서의 기재 내용 등을 종합하면, 심판대상조항의 '민주화운동과 관련하여 입은 피해'란 공무원의 직무상 불법행위로 인한 정신적 손해를 포함하여 그가 보상금 등을 지급받은 민주화운동과 관련하여 입은 피해 일체를 의미하는 것으로 합리적으로 파악할 수 있다. 따라서 심판대상조항은 명확성원칙에 위반되지 아니한다(2018.8.30, 2014헌바108 등).

13 정답 ①

❶ [X] 특수임무수행자보상심의위원회는 위원 구성에 제3자성과 독립성이 보장되어 있고, 보상금 등 지급 심의절차의 공정성과 신중성이 갖추어져 있다. 특수임무수행자는 보상금 등 지급결정에 동의할 것인지 여부를 자유롭게 선택할 수 있으며, 보상금 등을 지급받을 경우 향후 재판상 청구를 할 수 없음을 명확히 고지받고 있다. 보상금 중 기본공로금은 채용·입대경위, 교육훈련여건, 특수임무종결일 이후의 처리사항 등을 고려하여 위원회가 정한 금액으로 지급되는데, 위원회는 음성적 모집 여부, 기본권 미보장 여부, 인권유린, 종결 후 사후관리 미흡 등을 참작하여 구체적인 액수를 정하므로, 여기에는 특수임무교육훈련에 관한 정신적 손해 배상 또는 보상에 해당하는 금원이 포함된다. 특수임무수행자는 보상금 등 산정과정에서 국가 행위의 불법성이나 구체적인 손해항목 등을 주장·입증할 필요가 없고 특수임무수행자의 과실이 반영되지도 않으며, 국가배상청구에 상당한 시간과 비용이 소요되는 데 반해 보상금 등 지급결정은 비교적 간이·신속한 점까지 고려하면, 특수임무수행자 보상에 관한 법령이 정한 보상금 등을 지급받는 것이 국가배상을 받는 것에 비해 일률적으로 과소보상된다고 할 수도 없다. 따라서 심판대상조항이 과잉금지원칙을 위반하여 국가배상청구권 또는 재판청구권을 침해한다고 보기 어렵다(2021.9.30, 2019헌가28).

② [O] 정신적 손해에 대한 국가배상청구권 침해 여부에 대하여 살펴본다. 앞서 살펴본 바와 같이 민주화보상법상 보상금 등에는 정신적 손해에 대한 배상이 포함되어 있지 않음을 알 수 있다. 이처럼 정신적 손해에 대해 적절한 배상이 이루어지지 않은 상태에서 적극적·소극적 손해 내지 손실에 상응하는 배·보상이 이루어졌다는 사정만으로 정신적 손해에 관한 국가배상청구마저 금지하는 것은, 관련자와 유족의 국가배상청구권을 침해한다. 그렇다면 심판대상조항의 '민주화운동과 관련하여 입은 피해' 중 불법행위로 인한 정신적 손해에 관한 부분은 헌법에 위반된다(2018.8.30, 2014헌바180 등).

③ [O] 배상결정절차에 있어서 심의회의 제3자성·독립성이 희박한 점, 심의절차의 공정성·신중성도 결여되어 있는 점, 심의회에서 결정되는 배상액이 법원의 그것보다 하회하는 점, 신청인의 배상결정에 대한 동의에 재판청구권을 포기할 의사까지 포함되는 것으로 볼 수 없는 점을 종합하여 볼 때 이 사건 법률조항이 동의된 배상결정에 재판상의 화해와 같은 강력하고 최종적인 효력까지 부여하여 재판청구권을 제한하는 것은 신청인의 재판청구권을 과도하게 제한하는 것으로서 위헌이다(1995.5.25, 91헌가7).

④ [O] 5·18보상법 및 같은 법 시행령의 관련조항을 살펴보면 정신적 손해배상에 상응하는 항목은 존재하지 아니하고, 보상심의위원회가 보상금 등 항목을 산정함에 있어 정신적 손해를 고려할 수 있다는 내용도 발견되지 아니한다. … 따라서 이 조항이 5·18보상법상 보상금 등의 성격과 중첩되지 않는 정신적 손해에 대한 국가배상청구권의 행사까지 금지하는 것은 국가배상청구권을 침해한다(2021.5.27, 2019헌가17).

14 정답 ①

❶ [X] 민주화보상법은 관련 규정을 통하여 보상금 등을 심의·결정하는 위원회의 중립성과 독립성을 보장하고 있고, 심의절차의 전문성과 공정성을 제고하기 위한 장치를 마련하고 있으며, 신청인으로 하여금 그에 대한 동의 여부를 자유롭게 선택하도록 정하고 있다. 따라서 심판대상조항은 관련자 및 유족의 재판청구권을 침해하지 아니한다(2018.8.30, 2014헌바108 등).

② [O] 보상금수급권에 관한 구체적인 사항을 정하는 것은 광범위한 입법

재량의 영역에 속한다. 보상법상의 위원회는 국무총리 소속으로 관련 분야의 전문가들로 구성되고, 임기가 보장되며 제3자성 및 독립성이 보장되어 있는 점, 위원회 심의절차의 공정성·신중성이 충분히 갖추어져 있는 점, 보상금은 보상법 및 시행령에서 정하는 기준에 따라 그 금액이 확정되는 것으로서 위원회에서 결정되는 보상액과 법원의 그것 사이에 별 다른 차이가 없게 되는 점, 청구인이 보상금 지급결정에 대한 동의 여부를 자유롭게 선택할 수 있는 상황에서 보상금 지급결정에 동의한 다음 보상금까지 수령한 점까지 감안하여 볼 때, 이 사건 법률조항으로 인하여 재심절차 이외에는 더 이상 재판을 청구할 수 있는 길이 막히게 된다고 하더라도, 위 법률조항이 입법재량을 벗어나 청구인의 재판청구권을 과도하게 제한하였다고 보기는 어렵다(2011.2.24, 2010헌바199).

③ [O] 「4·16세월호참사 피해구제 및 지원 등을 위한 특별법」(이하 '세월호피해지원법'이라 한다) 제16조는 지급절차를 신속히 종결함으로써 세월호 참사로 인한 피해를 신속하게 구제하기 위한 것이다. 세월호피해지원법에 따라 배상금 등을 지급받고도 또 다시 소송으로 다툴 수 있도록 한다면, 신속한 피해구제와 분쟁의 조기종결 등 세월호피해지원법의 입법목적은 달성할 수 없게 된다. 세월호피해지원법 규정에 의하면, 심의위원회의 제3자성, 중립성 및 독립성이 보장되어 있다고 인정되고, 그 심의절차에 공정성과 신중성을 제고하기 위한 장치도 마련되어 있다. 세월호피해지원법은 소송절차에 준하여 피해에 상응하는 충분한 배상과 보상이 이루어질 수 있도록 관련 규정을 마련하고 있다. 신청인에게 지급결정 동의의 법적 효과를 안내하는 절차를 마련하고 있으며, 신청인은 배상금 등 지급에 대한 동의에 관하여 충분히 생각하고 검토할 시간이 보장되어 있고, 배상금 등 지급결정에 대한 동의 여부를 자유롭게 선택할 수 있다. 따라서 심의위원회의 배상금 등 지급결정에 동의한 때 재판상 화해가 성립한 것으로 간주하더라도 이것이 재판청구권 행사에 대한 지나친 제한이라고 보기 어렵다. 세월호피해지원법 제16조가 지급결정에 재판상 화해의 효력을 인정함으로써 확보되는 배상금 등 지급을 둘러싼 분쟁의 조속한 종결과 이를 통해 확보되는 피해구제의 신속성 등의 공익은 그로 인한 신청인의 불이익에 비하여 작다고 보기는 어려우므로, 법익의 균형성도 갖추고 있다(2017.6.29, 2015헌마654).

④ [O] 「4·16세월호참사 피해구제 및 지원 등을 위한 특별법」(이하 '세월호피해지원법'이라 한다)은 피해에 상응하는 충분한 배상과 보상이 이루어질 수 있도록 제6조 제1항 제1호에서 배상금이 「민법」, 「국가배상법」 등 관계 법령에 따른 손해배상금이라는 점을 명시하고 있다. 신청인은 배상금 등 지급에 대한 동의를 포함한 지급 신청을 지급 결정서 정본을 송달받은 날부터 1년 이내에 하도록 하여(제15조 제3항) 충분히 생각하고 검토할 시간을 보장하고 있다. 또 신청인이 심의위원회의 배상금 등 지급결정에 동의하지 않는 경우 직접 손해배상금의 지급을 청구할 수 있으므로, 배상금 등 지급결정에 대한 동의 여부를 자유롭게 선택할 수 있다. 세월호피해지원법에는 피해에 상응하는 배상 등을 받을 수 있는 제도적 장치가 충분히 마련되어 있으므로 심의위원회의 배상금 등 지급결정에 동의한 때에는 재판상 화해가 성립한 것으로 간주하더라도 이것이 재판청구권 행사에 대한 지나친 제한이라고 보기 어렵다(2017.6.29, 2015헌마654).

15 정답 ④

① [O] 검사의 자의적인 불기소처분에 대한 통제방법에 관하여 헌법에 아무런 규정을 두고 있지 않기 때문에 어떠한 방법으로 어느 범위에서 이를 제한하여 그 남용을 통제할 것인가 하는 문제 역시 기본적으로 입법자의 재량에 속하는 입법정책의 문제이다(1997.8.21, 94헌바2). 2015년 법행

② [O] 재판청구권은 제도적 보장의 성격이 강하기 때문에 자유권적 기본권 등 다른 기본권을 제한하는 경우와 비교하여 보면 상대적으로 더 넓은 입법형성권이 인정된다(2015.2.26, 2014헌바181). 2015년 법행

③ [O] **피청구인이 출정비용납부 거부 또는 상계동의 거부를 이유로 청구인의 행정소송 변론기일에 청구인의 출정을 제한한 행위(이하 '이 사건 출정제한행위'라 한다)가 청구인의 재판청구권을 침해하는지 여부(적극)**

재판 당사자가 재판에 참석하는 것은 재판청구권 행사의 기본적 내용이라고 할 것이므로 수형자도 형의 집행과 도망의 방지라는 구금의 목적을 반하지 않는 범위에서는 재판청구권이 보장되어야 한다(2012.3.29, 2010헌마475). 2019년 법행

❹ [X] 국민이 재판을 통하여 권리보호를 받기 위해서는 그 전에 최소한 「법원조직법」에 의하여 법원이 설립되고 「민사소송법」 등 절차법에 의하여 재판관할이 확정되는 등 입법자에 의한 재판청구권의 구체적 형성이 불가피하므로, 재판청구권에 대해서는 입법자의 입법재량이 인정된다. 특히 이 사건 법률조항은 기피신청에 대한 결정을 하는 법원의 직분관할을 정한 규정으로서, 관할을 배분하는 문제는 기본적으로 입법형성권을 가진 입법자가 사법정책을 고려하여 결정할 사항이고, 기피신청권 자체가 법률에 의하여 구체적으로 형성되는 권리라는 점에서 완화된 심사기준이 적용될 필요가 있다(2013.3.21, 2011헌바219).

16 정답 ①

ㄱ. [O] 「행정소송법」 제20조 제1항(처분이 있음을 안 날로부터 90일 이내 소제기) 중 '처분 등이 있음을 안 날'은 '지나치게 짧은 기간'이라고 보기 어렵고, '처분 등이 있음'을 안 시점은 비교적 객관적이고 명확하게 특정할 수 있으므로 이를 제소기간의 기산점으로 둔 것은 행정법 관계의 조속한 안정을 위해 필요하고 효과적인 방법이다. 심판대상조항은 재판청구권을 침해하지 아니한다(2018.6.28, 2017헌바66).

ㄴ. [X] 상속회복청구권 행사기간을 '상속권의 침해행위가 있은 날로부터 10년'이라고 한 개정 「민법」 제999조 제2항은 '상속개시일부터 10년이 경과된 이후에 발생한 경우'에 발생하는 불합리성을 원천적으로 방지하고 있다. 따라서 재산권을 침해한 것이라 할 수 없다(2002.11.28, 2002헌마134).

ㄷ. [O] 2년이라는 제소기간은 가족법상 다른 제소기간규정과 비교해 보아도 특별히 단기간이라 볼 수 없다. 아울러 법률관계의 조속한 안정이라는 공익과 비교해 볼 때 제소기간 제한에 따른 이해관계인의 기본권 제한은 합리적인 범위 안에 머물고 있다고 인정되므로, 위 조항이 과잉금지원칙을 위배하여 청구인의 인간의 존엄과 가치, 행복추구권, 재판청구권을 침해한다고 볼 수 없다(2014.3.27, 2010헌바397).

ㄹ. [X] 「민법」 제406조 제2항은 법률관계의 조속한 확정을 위하여 객관적인 사유인 채무자의 법률행위시를 기준으로 채권자취소의 제소기간에 제한을 둔 것으로서 그 입법목적은 정당하다. 공시방법이 없는 법률행위에 대하여도 제척기간의 기산점을 명확히 할 필요가 있는 점, 일반적으로 채무자가 부동산 등의 재산처분행위를 한 후 5년이 지난 시점에 이르러서야 등기를 하는 것은 매우 이례적이며, 채무자가 등기된 재산을 갖고 있는 경우에 제3자가 이를 파악하고 보전하는 것이 훨씬 더 용이하므로 등기가 이루어진 시점을 제척기간의 기산점으로 삼는 방법으로 이에 해당하는 채권자를 특별히 더 보호해야 할 필요는 없는 점, 우리 「민법」은 법률관계를 조속히 확정시키기 위하여 여러 제척기간을 두고 있는바, 이러한 규정들과 비교해 보아도 채권자취소권의 행사기간이 현저하게 형

평에 반한다고 보기 어려운 점 등을 고려하면, 위 법률조항이 기본권 제한의 입법적 한계를 벗어나 청구인들의 재판청구권을 침해한 것이라고 할 수 없다(2006.11.30, 2003헌바66).

ㅁ. [X] 위 법률조항은 단기의 항소제기기간을 정하고 있지만 「형사소송법」은 항소권이 실효성 있게 보장되도록 여러 제도적 장치를 마련하고 있다. 즉, 피고인이 판결선고시에 판결의 내용을 알 수 있도록 하고 있고, 피고인이 제1심 판결의 내용을 알 수 있게 하는 규정을 두는 등 피고인이 항소심재판을 받을 기회를 부당하게 상실하지 않도록 하기 위한 제도적 장치를 마련하고 있다. 「형사소송법」이 이와 같은 여러 가지 제도적 장치를 통하여 실효성 있는 항소제도를 보장하고 있다는 점을 감안하여 볼 때 위 법률조항이 재판청구권에 대한 과도한 제한을 하고 있다고 보기 어렵다(2007.11.29, 2004헌바39).

ㅂ. [O] 특허무효심결에 대한 소는 심결의 등본을 송달받은 날부터 30일 이내에 제기하도록 한 「특허법」이 정하고 있는 30일의 제소기간이 지나치게 짧아 특허무효심결에 대하여 소송으로 다투고자 하는 당사자의 재판청구권 행사를 불가능하게 하거나 현저히 곤란하게 한다고 할 수 없으므로, 재판청구권을 침해하지 아니한다(2018.8.30, 2017헌바258).

ㅅ. [X] 공소시효제도의 존재에도 불구하고 재정신청기간을 제한하는 것은 이미 검사의 불기소처분을 받은 피고소인 또는 피고발인의 지위가 계속 불안정하게 되는 불이익을 고려한 것으로 합리적인 이유가 있다. 「형사소송법」 제260조 제2항 본문(검찰항고전치주의)에 따라 고소인이나 고발인이 재정신청을 하게 되는 때는 이미 검찰항고절차를 통하여 당해 사건의 범죄사실이나 증거 등과 관련된 검토를 어느 정도 마친 이후이며, 「형사소송법」 제260조 제4항은 법률전문가에게 기대하는 것과 같이 법리적으로 정확하고 치밀한 이유의 기재를 요하는 것이라고 볼 수 없으므로 '재항고기각결정을 통지받은 날부터 10일'이라는 기간은 고소인 또는 고발인이 재정신청의 이유를 기재하기에 지나치게 짧아 재판절차진술권이나 재판청구권을 형해화할 정도에 이른다고 볼 수 없다(2009.6.25, 2008헌마259).

ㅇ. [X] 비용보상청구권의 제척기간을 무죄판결이 확정된 날부터 6개월로 규정한 「형사소송법」 제194조의3 제2항은 재판청구권을 침해하지는 않는다. 「형사소송법」상 비용보상청구권은 입법자가 형성한 권리로서, 헌법적 차원에서 명시적으로 요건을 정해서 보장되어 온 형사보상청구권이나 국가배상청구권과는 기본적으로 권리의 성격이 다르므로 「형사소송법」이 비용보상청구에 있어 국가비용배상청구권에 비해 짧은 청구기간을 규정했다고 하더라도 평등원칙에 위배되지 않는다(2015.4.30, 2014헌바408 등).

ㅈ. [X] 재판의 선고는 피고인 자신의 편의나 형사재판의 신속한 종결을 위한 합리적 이유가 있는 예외적인 경우를 제외하고는 공판기일에 피고인이 출석하여 피고인에게 주문을 낭독하고 이유의 요지를 설명하여야 하는 것이 원칙으로 되어 있고, 형을 선고하는 경우에는 재판장은 피고인에게 상소할 기간과 상소할 법원을 고지하여야 한다고 규정하고 있으므로, 피고인이 상소할 것으로 경험칙상 예상되는 경우에는 피고인이 상소기간 내에 상소할 수 있도록 충분한 조치를 취해 놓고 있다고 할 것이다. 재판서를 송달하지 않는다고 하여 국민의 알 권리를 침해한다고 할 수 없고, 상소기간을 재판선고일로부터 계산하는 것이 과잉으로 국민의 재판청구권을 제한한다고 할 수 없다(1995.3.23, 92헌바1).

ㅊ. [O] 「지방공무원법」은 임용권자가 직권으로 면직처분을 할 수 있는 사유를 구체적으로 규정하고 있고, 면직처분을 하는 경우 당해 공무원에게 그 처분사유를 적은 설명서를 교부하도록 하고 있으므로, 당해 처분의 당사자로서는 그 설명서를 받는 즉시 면직처분을 받은 이유를 상세히 알 수 있고, 30일이면 그 면직처분을 소청심사 등을 통해 다툴지 여부를 충분히 숙고할 수 있다. 따라서 위 조항은 청구인의 재판청구권을 침해하지 아니한다(2015.3.26, 2013헌바186).

ㅋ. [O] 일반사건보다 재판기간을 단축하여 특별검사가 제기한 사건의 재판기간을 제1심에서는 공소제기일부터 3개월 이내에, 제2심 및 제3심에서는 전심의 판결선고일부터 각각 2개월 이내에 하도록 한 것은 정치적 혼란을 수습하자는 것일 뿐이므로 공정한 재판을 받을 권리는 침해되지 아니한다(2008.1.10, 2007헌마1468).

ㅌ. [O] 약식명령에 대하여 단기의 불복기간을 설정한 것은, 경미하고 간이한 사건들을 신속하게 처리하게 함으로써 사법자원의 효율적인 배분을 통하여 국민의 재판청구권을 충실하게 보장하고자 하는 것으로서 그 합리성이 인정된다. 형사 입건된 피의자로서는 수사 및 재판에 관한 서류를 정확하게 송달받을 수 있도록 스스로 조치하여야 하므로, 입법자가 그러한 전제 하에 불복기간을 정하였더라도 입법재량을 현저하게 일탈하였다고 할 수 없다(2013.10.24, 2012헌바428).

ㅍ. [X] 보상금 증감청구소송, 제소기간을 '재결서를 받은 날부터 60일 이내'로 정하고 있는 「공익사업을 위한 토지 등의 취득 및 보상에 관한 법률」은 보상금을 둘러싼 분쟁 역시 조속히 확정하여야 할 필요가 있다는 점에서 입법재량의 한계를 일탈하였다고 볼 수 없어 재판청구권을 침해하지 않는다(2016.7.28, 2014헌바206). 2018년 7급

17 정답 ①

❶ [O] 참칭상속인에 의하여 상속개시일로부터 10년이 경과한 후 상속권 침해행위가 발생한 경우 참칭상속인은 침해와 동시에 상속재산을 취득하고 진정상속인은 권리를 잃고 구제받을 수 없게 되어 상속회복청구권의 행사기간을 상속개시일로부터 10년으로 제한한 민법은 상속인의 재산권과 재판청구권 침해이다(2001.7.19, 99헌바9).

② [X] 형사보상의 청구는 무죄재판이 확정된 때로부터 1년 이내에 하도록 규정하고 있는 「형사보상 및 명예회복에 관한 법률」은 형사피고인이 책임질 수 없는 사유에 의하여 제척기간을 도과할 가능성이 있는바 재판청구권 침해이다(2010.7.29, 2008헌가4).

③ [X] 「인신보호법」상 피수용자인 구제청구자는 자기 의사에 반하여 수용시설에 수용되어 인신의 자유가 제한된 상태에 있으므로 그 자신이 직접 법원에 가서 즉시항고장을 접수할 수 없고, 외부인의 도움을 받아서 즉시항고장을 접수하는 방법은 외부인의 호의와 협조가 필수적이어서 이를 기대하기 어려운 때에는 그리 효과적이지 않으며, 우편으로 즉시항고장을 접수하는 방법도 즉시항고장을 작성하는 시간과 우편물을 발송하고 도달하는 데 소요되는 시간을 고려하면 3일의 기간이 충분하다고 보기 어렵다. 「인신보호법」상으로는 국선변호인이 선임될 수 있지만, 변호인의 대리권에 상소권까지 포함되어 있다고 단정하기 어렵고, 그의 대리권에 상소권이 포함되어 있다고 하더라도 법정기간의 연장 등 「형사소송법」 제345조 등과 같은 특칙이 적용될 여지가 없으므로 3일의 즉시항고기간은 여전히 과도하게 짧은 기간이다. 즉시항고 대신 재청구를 할 수도 있으나, 즉시항고와 재청구는 개념적으로 구분되는 것이므로 재청구가 가능하다는 사실만으로 즉시항고기간의 과도한 제약을 정당화할 수는 없다. 나아가 즉시항고 제기기간을 3일보다 조금 더 긴 기간으로 정한다고 해도 피수용자의 신병에 관한 법률관계를 조속히 확정하려는 이 사건 법률조항의 입법목적이 달성되는 데 큰 장애가 생긴다고 볼 수 없으므로, 이 사건 법률조항은 피수용자의 재판청구권을 침해한다(2015.9.24, 2013헌가21).

④ [X] 즉시항고의 제기기간을 3일로 제한하고 있는 「형사소송법」 제405조는 재판청구권을 침해한다. 형사재판절차의 당사자가 구속되어 있지 않더라도, 법원에 즉시항고장을 제출하기 어려운 상황은 발생할 수 있고, 「형사소송법」 제344조의 재소자 특칙규정은 개별적으로 준용규정이 있는 경우에만 적용을 받을 뿐만 아니라,

「형사소송법」상의 법정기간 연장조항이나 상소권회복청구에 관한 조항들만으로는 3일이라는 지나치게 짧은 즉시항고 제기기간의 도과를 보완하기에는 미흡하다. 따라서 심판대상조항은 즉시항고 제기기간을 지나치게 짧게 정함으로써 실질적으로 즉시항고 제기를 어렵게 하고, 즉시항고제도를 단지 형식적이고 이론적인 권리로서만 기능하게 하므로, 입법재량의 한계를 일탈하여 재판청구권을 침해한다. 종전 심판대상조항에 대한 합헌 선례(2011.5.26, 2010헌마499 ; 2012.10.25, 2011헌마789)는 이 결정취지와 저촉되는 범위 안에서 변경한다(2018.12.27, 2015헌바77 등).

18 정답 ①

❶ [O] 항소심의 심판대상이 되지 않았던 사항이라도 항소심 판결에 위법이 있는 경우 대법원은 그 위법이 판결에 영향을 미친 헌법·법률·명령 또는 규칙의 위반이라고 판단한 때에는 직권으로 심판할 수 있으므로, 항소심 판결 자체의 위법을 시정할 기회는 피고인들에게 보장되어 있다. 그렇다면 심판대상조항이 합리적인 입법재량의 한계를 일탈하여 청구인들의 재판청구권을 침해하였다고 볼 수 없다(2015.9.24, 2012헌마798).

② [X] 심리불속행 재판의 판결이유를 생략할 수 있도록 규정한 「상고심절차에 관한 특례법」 제4조 제1항 및 제5조 제1항 중 제4조에 관한 부분은 비록 국민의 재판청구권을 제약하고 있기는 하지만 대법원의 최고법원성을 존중하면서 민사, 가사, 행정 등 소송사건에 있어서 상고심재판을 받을 수 있는 객관적 기준을 정함에 있어 개별적 사건에서의 권리구제보다 법령해석의 통일을 더 우위에 둔 규정으로서 그 합리성이 있다고 할 것이므로 헌법에 위반되지 아니한다(2009.4.30, 2007헌마589).

③ [X] 헌법 제27조 제1항이 규정하는 '법률에 의한' 재판을 받을 권리는 '절차법이 정한 절차에 따라 실체법이 정한 내용대로 재판을 받을 권리'로서 이를 보장하기 위해서는 입법자에 의한 재판청구권의 구체적 형성이 불가피하다. 그러나 이러한 입법은 단지 법원에 제소할 수 있는 형식적인 권리나 이론적 가능성만을 허용하는 것이 아니라 상당한 정도로 '권리구제의 실효성'을 보장하는 것이어야 한다(2013.3.21, 2012헌바128).

④ [X] 특허재판과 지방의회의원 선거, 자치구·시·군의 장의 선거에 관한 선거소송은 예외적으로 2심제이다. 2013년 사시

19 정답 ①

ㄱ. [O] 변호사보수를 패소당사자부담으로 하는 「민사소송법」은 정당한 권리실행을 위하여 소송제도를 이용하려는 사람들에게 실효적인 권리구제수단을 마련하고 사법제도를 적정하고 합리적으로 운영하기 위한 중대한 공익을 추구하고 있다고 할 것이므로 피해의 최소성과 법익의 균형성도 갖추고 있다(2002.4.25, 2001헌바20). 2019년 법행

ㄴ. [O] 「민사소송법」 제420조는 통상의 불복방법이 없는 결정·명령에 대하여도 재판에 영향을 미친 헌법) 또는 법률의 위반이 있는 때에는 대법원에 불복할 수 있도록 특별항고제도를 두고 있기 때문에 이 사건 심판대상규정이 비록 가집행선고부 판결에 대한 집행정지의 재판에 불복을 신청할 수 없다고 규정하고 있다 하더라도 위 재판에 대하여 대법원에 불복할 수 있는 기회를 근본적으로 박탈하고 있는 것은 아니어서, 결국 위 규정은 불합리한 것이라고 할 수 없으므로 헌법에 위반되지 아니한다(1993.11.25, 91헌바8). 2018년 법행

ㄷ. [O] 공판조서는 공판절차의 증명과 피고인의 방어권 행사에 중요한 자료가 되므로 변호인이 없는 경우에는 적어도 피고인에게 직접 그 열람청구권을 부여하여야 하겠지만, 변호인이 있는 경우에는 변호인을 통하여 피고인이 공판조서의 내용을 알 수 있고 그 기재의 정확성도 보장할 수 있으며 만약 변호인이 피고인의 정당한 이익을 보호하지 아니하고 불성실한 변호를 할 때에는 피고인은 언제든지 자신의 의사에 반하는 변호인을 배제하고 위 규정에 의한 공판조서열람권을 행사할 수도 있게 되어 있으므로, 피고인의 공정한 재판을 받을 권리가 침해된다고 할 수는 없다(1994.12.29, 92헌바31). 2017년 국회 9급

ㄹ. [O] 통고처분은 상대방의 임의의 승복을 그 발효요건으로 하기 때문에 그 자체만으로는 통고 이행을 강제하거나 상대방에게 아무런 권리의무를 형성하지 않으므로 행정심판이나 행정소송의 대상으로서의 처분성을 부여할 수 없고, 통고처분에 대하여 이의가 있으면 통고내용을 이행하지 않음으로써 고발되어 형사재판절차에서 통고처분의 위법·부당함을 얼마든지 다툴 수 있기 때문에 「관세법」 제38조 제3항 제2호가 법관에 의한 재판받을 권리를 침해한다든가 적법절차의 원칙에 저촉된다고 볼 수 없다(1998.5.28, 96헌바4). 2017년 국회 9급

ㅁ. [O] 재정신청절차의 효율적 진행과 법률관계의 신속한 확정을 위하여 법관이 구두변론을 하지 않고 재정신청에 대한 결정을 할 수 있도록 한 형사소송법은 청구인의 재판절차진술권과 재판청구권을 침해한다고 볼 수 없다(2018.4.26, 2016헌마1043). 2019년 서울 7급 1차

ㅂ. [O] 헌법재판이 국가작용 및 사회 전반에 미치는 파급효과 등의 중대성에 비추어 볼 때, 180일의 심판기간은 개별사건의 특수성 및 현실적인 제반여건을 불문하고 모든 사건에 있어서 공정하고 적정한 헌법재판을 하는 데 충분한 기간이라고는 볼 수 없으므로 이를 훈시규정으로 해석하는 것은 신속한 재판을 받을 권리 침해가 아니다(2009.7.30, 2007헌마732). 2019 경찰경채

ㅅ. [X] 법관이 청소년보호위원회의 결정이 적법하게 이루어진 것인지 여부를 독자적으로 판단하여 재판할 수 있으므로 청소년유해매체물의 결정권한을 청소년보호위원회에 부여하고 있다고 하여 법관에 의한 재판을 받을 권리를 침해한다고 볼 수 없다(2000.6.29, 99헌가16). 2008년 법무사

20 정답 ③

① [O] 2021.7.15. 2018헌바484

② [O] 형사소송에서 피고인이 자신을 방어하기 위하여 형사절차의 진행 과정과 결과에 적극적으로 영향을 미칠 수 있도록 그에 필요한 절차적 권리를 보장하는 것은 공정한 재판을 받을 권리의 내용이 된다. 형사재판에서 일반적으로 피고인이 자신을 방어하기 위하여 유리한 주장과 자료를 제출하는 영역은 대부분 '사실오인, 법리오해, 양형부당' 중 하나에 해당하기 마련이고, 이러한 사유들은 모두 대표적인 항소이유에 해당된다. 그러므로 형사재판에 있어 '사실, 법리, 양형'과 관련하여 피고인이 자신에게 유리한 주장 및 자료를 제출할 수 있는 기회를 보장하는 것은, 헌법이 보장한 '공정한 재판을 받을 권리'의 보호영역에 포함된다(2021.8.31, 2019헌마516 등).

❸ [X] 소송비용을 지출할 자력이 없는 국민이 적절한 소송구조를 받기만 한다면 훨씬 쉽게 재판을 받아서 권리구제를 받거나 적어도 권리의 유무에 관한 정당한 의혹을 풀어볼 가능성이 있다고 할 경우에는 소송구조의 거부가 재판청구권 행사에 대한 '간접적인 제한'이 될 수도 있고 경우에 따라서는 이것이 재판청구권에 대한 본질적인 침해까지로 확대평가될 여지도 있을 수 있다. 그러나 이러한 '간접적인 제한'의 여부가 논의될 수 있는 경우라는 것은 어디까지나 재판에 의한 권리구제의 가능성이 어느 정도 있는 경우에 한하

는 것이므로 그와 같은 가능성이 전혀 없는 경우, 바꾸어 말하면 패소의 가능성이 명백한 경우는 애당초 여기에 해당할 수 없는 것이다. 이렇게 볼 때에 법 제118조 제1항 단서가 "다만, 패소할 것이 명백한 경우에는 그러하지 아니하다."라고 규정하여 소송구조의 불허가요건을 정하고 있는 것은 재판청구권의 본질을 침해하는 것이 아니다(2001.2.22, 99헌바74).

④ [O] 「헌법재판소법」은 형벌법규에 대한 위헌결정의 경우에는 소급효와 재심을 통한 구제를 허용하고 있으나, 비형벌법규에 대한 위헌결정의 경우에는 장래효를 원칙으로 하되 당해 소송사건에 한해서 재심을 허용함으로써, 법적 안정성과 구체적 정의의 실현을 조화시키고 있으므로, 재심사유조항 역시 입법형성권의 한계를 일탈한 것으로 보기 어렵다. 위헌결정의 효력과 재심에 관한 일반조항인 장래효조항과 재심사유조항에서 개별 위헌결정의 소급효와 재심사유를 규정하는 것이 체계상 적절하다고 보기 어렵고, 법적 안정성과 구체적 정의의 실현이라는 대립하는 헌법적 가치의 형량·조화가 필요한 사정을 고려할 때, 위 사건 유형에서의 국가배상청구를 위헌결정의 소급효와 재심사유를 정하는 일반적인 기준으로 삼기는 어렵다. 결국 재심사유조항과 장래효조항은 입법형성권의 한계를 일탈하여 재판청구권을 침해하지 아니한다(2021.11.25, 2020헌바401).

46회 진도별 모의고사

재판청구권

정답

01	②	02	①	03	②	04	①
05	③	06	③	07	④	08	④
09	②	10	④	11	④	12	④
13	③	14	③	15	②	16	④
17	①	18	①	19	③	20	①

01

정답 ②

① [O] 법원의 범죄인 인도심사를 서울고등법원의 전속관할로 하고 그 심사결정에 대한 불복절차를 인정하지 않은 것은 적법절차원칙에 위배하거나, 재판청구권을 침해하는 것이 아니다(2003.1.30, 2001헌바95). 2009년 사시

❷ [X] 원고는 소송비용의 부담으로 인하여 부당한 제소나 기일해태를 자제하게 되어 입법목적의 달성에 실효적인 수단이 된다고 할 것이므로 수단의 적절성도 인정된다. 소 취하 간주의 경우 「민사소송법」 제114조 제2항에서 「민사소송법」 제98조뿐만 아니라 제99조 내지 제101조도 준용함으로써 소 취하 간주의 경위 등을 감안하여 구체적 타당성을 도모할 수 있고, 「민사소송법」, 「민사소송비용법」, 그리고 이에 근거하여 제정된 대법원규칙 등에서 소송비용의 범위와 액수를 한정하고 있으며, 법원의 소송비용부담결정에 대한 불복절차를 두어 기본권 제한을 최소화하려는 여러 제도를 두고 있으므로, 침해의 최소성과 법익의 균형성도 갖추고 있다고 할 것이다. 따라서 이 사건 준용조항은 재판청구권을 침해하지 아니한다(2017.7.27, 2015헌바1 등). 2019년 비상업무

③ [O] 현행 「민사소송 등 인지법」은 인지액 산정비율을 통일, 일원화하였고(1천분의 5) 종전에 적용되던 비율 중 가장 낮은 비율을 채택하여 국민의 부담을 경감시키고 있으며, 법원이 소송비용을 지출할 자력이 부족한 자에 대하여는 소송상의 구조를 할 수 있게 하고 있을 뿐만 아니라 이 사건 법률조항에 의하여 제한되는 재판청구권과 그에 의하여 추구되는 공익 사이에는 상당한 비례관계가 있다고 할 것이므로 이 사건 법률조항이 재판청구권을 과잉금지의 원칙에 반하여 과도하게 제한하고 있는 것이라고 할 수 없다(1996.10.4, 95헌가1 등). 2016년 소방간부

④ [O] 국가정보원직원법 제17조 제2항은 '직원(퇴직한 자를 포함한다)이 사건당사자로서 직무상의 비밀에 속한 사항을 진술하고자 할 때에는 미리 원장의 허가를 받아야 한다고 규정하면서, 국가정보원장이 그 직원 등의 소송상 진술의 허가 여부를 결정함에 있어서 공익상 필요성 여부 등에 관한 아무런 제한요건을 정하고 있지 아니함으로 인하여 국가정보원장의 재량으로 동 허가 여부에 대한 판단을 할 수 있도록 하고 있는바, 이는 국가비밀 보호라는 공익유지에 편중하여 동 허가의 대상자인 위 직원 등의 재판청구권을 과도하게 침해한 것이다(2002.11.28, 2001헌가28).

02

정답 ①

❶ [X] 「변호사법」 제81조 제4항 내지 제6항은 변호사징계사건에 대하여는 법원에 의한 사실심리의 기회를 배제함으로써, 징계처분을 다투는 의사·공인회계사·세무사·건축사 등 다른 전문자격종사자에 비교하여 변호사를 차별대우하고 있는데, 변호사의 자유성·공공성·단체자치성·자율성 등 두드러진 직업적 특성들을 감안하더라도 이러한 차별을 합리화할 정당한 목적이 있다고 할 수 없다(2000.6.29, 99헌가9).

② [O] 교도소장의 출정비용납부 거부 또는 상계동의 거부를 이유로 행정소송 변론기일에 수용자의 출정을 제한한 행위는 청구인이 직접 재판에 출석하여 변론할 권리를 침해함으로써, 형벌의 집행을 위하여 필요한 한도를 벗어나서 청구인의 재판청구권을 과도하게 침해하였다고 할 것이다(2012.3.29, 2010헌마475).

③ [O] 법원에 의하여 채택된 증인은 비록 검사 측 증인이라고 하더라도 검사만을 위하여 증언하는 것이 아니며 오로지 그가 경험한 사실대로 증언하여야 하는 것이고 검사든 피고인이든 공평하게 증인에 접근할 기회가 보장되어야 할 것이므로, 검사와 피고인 쌍방 중 어느 한편에게만 증인과의 접촉을 독점하거나 상대방의 접근을 차단하는 것을 허용한다면 상대방의 '공정한 재판을 받을 권리'를 침해하게 된다(2001.8.30, 99헌마496).

④ [O] 공판기일 전 증인신문절차에서 피고인 등의 참여를 판사의 재량사항으로 정한 규정피고인 등의 참여권을 판사의 재량사항으로 규정한 공판기일 전 증인신문절차는 피고인들의 공격·방어권을 과다히 제한하는 것으로써 그 자체의 내용이나 대법원의 제한적 해석에 의하더라도 그 입법목적을 달성하기에 필요한 입법수단으로서의 합리성 내지 정당성이 인정될 수는 없다 할 것이다. 결국 「형사소송법」 제221조의2 제5항은 형사절차에서 피고인 등에게 당사자로서의 지위를 보장하고 있는 헌법상의 적법절차의 원칙 및 청구인의 공정한 재판을 받을 권리를 침해하고 있다 할 것이다(1996.12.26, 94헌바1).

03

정답 ②

① [O] 「민사소송법」은 재항고(제442조)뿐만 아니라 불복할 수 없는 결정이나 명령에 대하여 이른바 법령 위반을 이유로 대법원에 특별항고를 할 수 있도록 하고 있다(제449조). 비교법적으로도 일본 형사소송법은 항고재판소의 결정에 대하여는 항고할 수 없지만, 항고재판소의 결정에 대하여 헌법 위반이나 헌법해석의 잘못을 이유로 하여 특별항고를 할 수 있도록 규정하고 있다. 이러한 사정들을 고려할 때, 법 제262조 제4항의 "불복할 수 없다."라는 부분은, 재정신청 기각결정에 대한 '불복'에 법 제415조의 '재항고'가 포함되는 것으로 해석하는 한, 재정신청인인 청구인들의 재판청구권을 침해하고, 또 법 제415조의 재항고가 허용되는 고등법원의 여타 결정을 받은 사람에 비하여 합리적 이유 없이 재정신청인을 차별취급함으로써 청구인들의 평등권을 침해한다(2011.11.24, 2008헌마578 등).

❷ [X] 수형자와 변호사와의 접견 내용을 녹음, 녹화하게 되면 교도소 측에 접견 내용이 노출되므로 수형자와 변호사는 상담과정에서 위축될 수밖에 없고, 특히 구금시설 등의 부당처우를 다투는 경우 접견 내용에 대한 녹음, 녹화는 실질적으로 당사자대등의 원칙에 따른 무기평등을 무력화시킬 수 있다. 변호사는 직무의 공공성이 강조되는 지위에 있으므로, 변호사가 접견을 통하여 수형자와 모의하는 등 법령에 저촉되는 행위를 할 우려는 거의 없다. 또한, 접견의 내용이 소송준비를 위한 상담 내용일 수밖에 없어서 수형자의 교화나 건전한 사회복귀를 위해 접견 내용을 녹음, 녹화할 필요성을 생각하는 것도 어렵다. 청구인과 헌법소원 사건의 국선대리인인

변호사의 접견 내용에 대해서는 녹음, 기록이 허용되어서는 아니 될 것임에도, 이를 녹음, 기록한 행위는 청구인의 재판을 받을 권리를 침해한다(2013.9.26, 2011헌마398).

③ [O] 재판을 보장하는 헌법 제27조 제1항 소정의 재판청구권이 곧바로 모든 사건에서 상고심 또는 대법원의 재판을 받을 권리를 인정하는 것이라고 보기는 어렵지만, 그렇다고 하여 형사재판에서 피고인이 중죄를 범한 중죄인이라거나 외국에 도피 중이라는 이유만으로 상소의 제기 또는 상소권회복청구를 전면 봉쇄하는 것은 재판청구권의 침해임에 틀림이 없다고 보아야 할 것이다.(1993.7.29, 90헌바35).

④ [O] 심판대상조항들에서 소송대리인인 변호사와의 접견시간을 일반 접견과 동일하게 제한하면서, 접견횟수 또한 일반 접견의 횟수에 포함시키는 것은 그 입법목적을 달성하기 위해 수형자의 재판청구권을 덜 제한하는 방안이 있음에도 필요한 한도를 넘어 과도하게 제한하는 것이므로, 침해최소성의 원칙에 위반된다. 결국 심판대상조항들은 과잉금지원칙을 위반하여 수형자인 청구인의 재판청구권을 침해한다(2015.11.26, 2012헌마858).

04 정답 ①

❶ [X] 이 사건 영장절차조항에 따라 발부된 영장에 의하여 디엔에이신원확인정보를 확보할 수 있고, 이로써 장래 범죄수사 및 범죄예방 등에 기여하는 공익적 측면이 있으나, 이 사건 영장절차조항의 불완전·불충분한 입법으로 인하여 채취대상자의 재판청구권이 형해화되고 채취대상자가 범죄수사 및 범죄예방의 객체로만 취급받게 된다는 점에서, 양자 사이에 법익의 균형성이 인정된다고 볼 수도 없다. 따라서 이 사건 영장절차조항은 과잉금지원칙을 위반하여 청구인들의 재판청구권을 침해한다(2018.8.30, 2016헌마344 등).

② [O] 이 사건 접견조항에 따르면 수용자는 효율적인 재판 준비를 하는 것이 곤란하게 되고, 특히 교정시설 내에서의 처우에 대하여 국가 등을 상대로 소송을 하는 경우에는 소송의 상대방에게 소송자료를 그대로 노출하게 되어 무기대등의 원칙이 훼손될 수 있다. 변호사 직무의 공공성, 윤리성 및 사회적 책임성은 변호사접견권을 이용한 증거인멸, 도주 및 마약 등 금지물품 반입 시도 등의 우려를 최소화시킬 수 있으며, 변호사접견이라 하더라도 교정시설의 질서 등을 해할 우려가 있는 특별한 사정이 있는 경우에는 예외를 두도록 한다면 악용될 가능성도 방지할 수 있다. 따라서 이 사건 접견조항은 과잉금지원칙에 위배하여 청구인의 재판청구권을 지나치게 제한하고 있으므로, 헌법에 위반된다(2013.8.29, 2011헌마122).

③ [O] 공권력의 행사로 인하여 기본권을 침해받은 경우에 제기하는 헌법소원의 심판에서는, 공권력의 행사로 인한 법률관계가 직접 공익과 밀접하게 관련되어 있어서 이를 오랫동안 불확정상태에 둘 수 없고, 따라서 이로 인한 법률관계를 조속히 안정시키기 위하여 헌법소원심판을 되도록 빠른 기간 내에 제기하도록 할 필요가 있는 반면, 그 청구기간 자체가 지나치게 단기간이거나 기산점을 불합리하게 책정하여 권리구제를 요구하는 국민의 재판청구권의 행사를 현저히 곤란하게 하거나 사실상 불가능하게 하여 권리구제의 기회를 극단적으로 제한한다면 그것은 재판청구권의 본질을 침해하는 것이 되어 허용할 수 없을 것이다(2001.9.27, 2001헌마152).

④ [O] 중형에 해당하는 사건에 대하여 검사의 청구에 의하여 법원으로 하여금 처음부터 의무적으로 궐석재판을 행하도록 하고 있고, 재판의 연기도 전혀 허용하지 않는 것은 피고인의 방어권이 일절 행사될 수 없는 상태에서 재판이 진행되도록 한 것이므로 그 입법목적의 달성에 필요한 최소한의 범위를 넘어서 피고인의 공정한 재판을 받을 권리를 과도하게 침해한 것이다(1996.1.25, 95헌가5).

05 정답 ③

① [O] 학교법인의 사립학교 교원에 대한 인사권의 행사로서 징계 등 불리한 처분 또한 사법적 법률행위로서의 성격을 가진다. 대법원도 일관하여 이들의 관계가 사법관계에 있음을 확인(대판 1995.11.24, 95누12934)하고, 그 결과 학교법인의 교원에 대한 징계 등 불리한 처분에 대하여 직접 그 취소를 구하는 행정소송을 제기할 수 없고 민사소송으로 그 효력 유무를 다투어야 한다고 한다(2006.2.23, 2005헌가7 등).

② [O] 「교원의 지위 향상 및 교육활동 보호를 위한 특별법」 재심위원회를 교육인적자원부 산하의 행정기관으로 설치하고(제7조), 그 결정에 처분권자가 기속되도록 하며(제10조 제2항), 교원만이 재심결정에 불복하여 행정소송을 제기할 수 있게 한 취지로 보아 입법자는 재심위원회에 특별행정심판기관 또는 특별행정쟁송기관으로서의 성격을 부여하였고, 그 결과 재심결정은 행정심판의 재결에 해당한다고 볼 여지도 없지 아니하다(국·공립학교 교원이 당사자인 재심절차와 재심결정이 행정심판과 행정심판의 재결에 해당하다는 데는 이론이 없다)(2006.2.23, 2005헌가7 등).

❸ [X] 재심절차는 학교법인과 그 교원 사이의 사법적 분쟁을 해결하기 위한 간이분쟁해결절차로서의 성격을 갖는다고 할 것이므로, 재심결정은 특정한 법률관계에 대하여 의문이 있거나 다툼이 있는 경우에 행정청이 공적 권위를 가지고 판단·확정하는 행정처분에 해당한다고 봄이 상당하다(2006.2.23, 2005헌가7 등).

④ [O] 학교법인은 그 소속 교원과 사법상의 고용계약관계에 있고 재심절차에서 그 결정의 효력을 받는 일방 당사자의 지위에 있음에도 불구하고 이 사건 법률조항은 합리적인 이유 없이 학교법인의 제소권한을 부인함으로써 헌법 제11조의 평등원칙에 위배되고, 사립학교 교원에 대한 징계 등 불리한 처분의 적법 여부에 관하여 재심위원회의 재심결정이 최종적인 것이 되는 결과 일체의 법률적 쟁송에 대한 재판권능을 법원에 부여한 헌법 제101조 제1항에도 위배되며, 행정처분인 재심결정의 적법 여부에 관하여 대법원을 최종심으로 하는 법원의 심사를 박탈함으로써 헌법 제107조 제2항에도 아울러 위반된다(2006.2.23, 2005헌가7 등).

06 정답 ③

① [O] 재심사유가 있음을 안 날로 30일이라는 재심제기기간이 재심청구를 현저히 곤란하게 하거나 사실상 불가능하게 할 정도로 짧다고 보기도 어렵다. 심판대상조항은 재판청구권을 침해하지 않는다(2020.9.24, 2019헌바130).

② [O] 이 사건에 있어서 청구인의 변호인 김○수가 1994.3.22, 「국가보안법」 위반죄로 구속기소된 청구인의 변론준비를 위하여 피청구인인 검사에게 그가 보관 중인 수사기록일체에 대한 열람·등사신청을 하였으나 같은 달 26. 피청구인은 국가기밀의 누설이나 증거인멸, 증인협박, 사생활 침해의 우려 등 정당한 사유를 밝히지 아니한 채 이를 전부 거부한 것은 청구인의 신속·공정한 재판을 받을 권리와 변호인의 조력을 받을 권리를 침해하는 것으로 헌법에 위반된다 할 것이다(1997.11.27, 94헌마60). 2016년 법무사

❸ [X] 특별조치법은 궐석재판에 따라 재판이 이루어질 수 있고, 이 경우 변호인마저 출석할 수 없도록 되어 있어 피고인 측이 판결선고사실 자체를 전혀 알지 못할 가능성이 매우 높은데도 불구하고 피고인의 귀책사유 없이 상소제기기간이 도과한 경우 상소권회복청구를 할 수 없도록 한 것은 재판청구권 침해이다(1993.7.29, 90헌바35). 2008년 법무사

④ [O] 「형사소송법」 제361조 제1항과 제2항은 그 입법목적을 달성하기 위하여 「형사소송법」의 다른 규정들만으로 충분한데도 구태여 항

소법원에의 기록송부시 검사를 거치도록 함으로서, 피고인의 헌법상 기본권을 침해하고 법관의 재판상 독립에 영향을 주는 것으로서 과잉금지의 원칙에 반하여 헌법 제27조 제1항 및 제3항 규정의 신속·공정한 재판을 받을 기본권을 침해하는 위헌의 법률조항이다(1995.11.30, 92헌마44).

07

정답 ④

① [O] 이 기각제도는 형사소송절차의 신속성이라는 공익을 달성하는 데 필요하고 적절한 방법으로써 즉시항고에 의한 불복도 가능하므로, 심판대상조항은 공정한 재판을 받을 권리를 침해하지 아니한다(2021.2.25, 2019헌바551).

② [O] 다수의 이해관계인이 얽혀 있는 경매절차에서 통상의 송달방법에 의하여서만 경매절차를 진행시켜야 한다면 그 절차의 진행은 지연될 수밖에 없다. 담보권설정등기를 마친 후 주소가 변경된 담보권자는 자신의 권리의 온전한 실현을 위하여 등기명의인표시변경등기를 할 수 있고 이를 과도한 부담이라고 보기 어렵다. 따라서 심판대상조항은 재판청구권을 침해하지 아니한다(2021.4.29, 2017헌바390).

③ [O] 재판이란 사실확정과 법률의 해석적용을 본질로 함에 비추어 법관에 의하여 사실적 측면과 법률적 측면의 한 차례의 심리검토의 기회는 적어도 보장되어야 할 것이며, 또 그와 같은 기회에 접근하기 어렵도록 제약이나 장벽을 쌓아서는 안 된다고 할 것으로, 만일 그러한 보장이 제대로 안되면 재판을 받을 권리의 본질적 침해의 문제가 생길 수 있다고 할 것이다. 그러나 모든 사건에 대해 똑 같이 세 차례의 법률적 측면에서의 심사의 기회의 제공이 곧 헌법상의 재판을 받을 권리의 보장이라고는 할 수 없을 것이다(1992.6.26, 90헌바25).

❹ [X] 심판대상조항은 재산권의 청구에 관한 당사자소송 중에서도 피고가 공공단체 그 밖의 권리주체인 경우와 국가인 경우를 다르게 취급한다. 가집행의 선고는 불필요한 상소권의 남용을 억제하고 신속한 권리실행을 하게 함으로써 국민의 재산권과 신속한 재판을 받을 권리를 보장하기 위한 제도이고, 당사자소송 중에는 사실상 같은 법률조항에 의하여 형성된 공법상 법률관계라도 당사자를 달리 하는 경우가 있다. 동일한 성격인 공법상 금전지급청구소송임에도 피고가 누구인지에 따라 가집행선고를 할 수 있는지 여부가 달라진다면 상대방 소송 당사자인 원고로 하여금 불합리한 차별을 받도록 하는 결과가 된다. 재산권의 청구가 공법상 법률관계를 전제로 한다는 점만으로 국가를 상대로 하는 당사자소송에서 국가를 우대할 합리적인 이유가 있다고 할 수 없고, 집행가능성 여부에 있어서도 국가와 지방자치단체 등이 실질적인 차이가 있다고 보기 어렵다는 점에서, 심판대상조항은 국가가 당사자소송의 피고인 경우 가집행의 선고를 제한하여, 국가가 아닌 공공단체 그 밖의 권리주체가 피고인 경우에 비하여 합리적인 이유 없이 차별하고 있으므로 평등원칙에 반한다(2022.2.24, 2020헌가12).

08

정답 ④

① [O] 형사피해자는 약식명령을 고지받지 않으나, 신청을 하는 경우 형사사건의 진행 및 처리 결과에 대한 통지를 받을 수 있고, 고소인인 경우에는 신청 없이도 검사가 약식명령을 청구한 사실을 알 수 있어, 법원이나 수사기관에 자신의 진술을 기재한 진술서나 탄원서 등을 제출하는 등 의견을 밝힐 수 있는 기회를 가질 수 있다. 형사피해자가 약식명령을 고지받지 못한다고 하여 형사재판절차에서의 참여 기회가 완전히 봉쇄되어 있다고 볼 수 없다. 따라서 이 사건 고지조항은 형사피해자의 재판절차진술권을 침해하지 않는다(2019.9.26, 2018헌마1015).

② [O] 형사피해자는 자신의 진술을 기재한 진술서나 탄원서 등을 법원에 제출함으로써 재판절차에 참여할 기회를 가지며, 법관은 약식명령으로 하는 것이 적당하지 않다고 인정하는 경우 정식재판절차에 회부할 수도 있으므로, 약식명령이 청구되었다고 하여 형사피해자의 공판정에서의 진술권이 완전히 배제되는 것은 아니다. 따라서 이 사건 정식재판청구조항은 형사피해자의 재판절차진술권을 침해하지 않는다(2019.9.26, 2018헌마1015).

③ [O] 심대상조항은 재판부담의 경감, 소송지연과 남소의 방지, 신속한 권리의무의 실현을 위한 것으로서, 그 입법목적의 정당성과 수단의 적합성이 인정된다. 심판대상조항은 행정소송에서 원고의 재판을 받을 권리를 침해하지 않는다(2019.9.26, 2019헌바219).

❹ [X] 「법원조직법」은 재판사무의 효율적 분담을 위하여 법정형이 중함에도 불구하고 단독판사의 관할로 할 사건을 「법원조직법」 제32조 제1항 제3호의 각 목에 정하였고, 이 사건 관할조항 또한 이 사건 「특정범죄 가중처벌 등에 관한 법률」 조항에 해당하는 사건의 난이도 또는 중대성을 고려하여 그 법정형에도 불구하고 이를 단독판사가 심판하도록 한 것이다. 이 사건 「특정범죄 가중처벌 등에 관한 법률」 조항의 적용을 받는 피고인은 합의부에서 재판을 받을 수 없게 되지만, 법관의 자격을 갖추고 물적 독립과 인적 독립이 보장된 판사에 의하여 사실의 확정과 법률의 해석·적용에 관하여 심리를 받을 수 있을 뿐만 아니라, 합의부에서 심판을 받는 것과 비교하여 특별한 「형사소송법」상의 불이익을 받지 아니한다. 또한 이 사건 「특정범죄 가중처벌 등에 관한 법률」 조항에 해당하는 사건이라고 하더라도 구체적인 사건의 난이도와 중대성에 비추어 합의부의 재판이 필요한 사건은 결정을 통하여 합의부에서 심판을 받을 수 있다. 따라서 이 사건 관할조항이 재판사무 배분에 관한 입법형성의 재량을 일탈하였다고 볼 수 없으므로, 국민의 재판받을 권리를 침해하지 않는다(2019.7.25, 2018헌바209 등).

⑤ [O] 공익소송 또는 전문 분야와 관련한 소송 등이라고 하더라도 모든 경우 소송 상대방의 실효적인 권리구제의 필요 또는 남소, 남상소의 우려가 없다고 단정할 수는 없다. 따라서 변호사보수 산입조항이 과잉금지원칙에 위반되어 소송당사자의 재판을 받을 권리를 침해한다고 할 수 없다(2019.11.28, 2018헌바235 등).

09

정답 ②

① [O] 교통사고 피해자가 중상해를 입은 경우, 사고발생 경위를 종합하여 가해자에 대하여 정식기소 이외에도 약식기소 또는 기소유예 등 다양한 처분이 가능하고 정식기소된 경우에는 피해자의 재판절차진술권을 행사할 수 있게 하여야 함에도, 가해차량이 종합보험 등에 가입하였다는 이유로 면책되도록 한 것은 피해의 최소성에 위반된다. 가해자는 안전운전에 대한 주의의무를 해태하기 쉽고, 보험사에 맡기고 중상해를 입은 피해자의 실질적 피해회복에 성실히 임하지 않는 풍조가 있는 점 등에 비추어 보면, 중상해를 입은 피해자의 재판절차진술권의 행사가 근본적으로 봉쇄된 것은 피해자의 사익이 현저히 경시된 것이므로 법익의 균형성에 위반된다. 따라서 업무상 과실 또는 중대한 과실에 의한 교통사고로 중상해를 입은 피해자의 재판절차진술권을 침해한다(2009.2.26, 2005헌마764 등).

❷ [X] 헌법 제27조 제5항이 정한 법률유보는 재판절차진술권을 보장하고 있는 헌법규범의 의미와 내용을 법률로써 구체화하기 위한 이른바 기본권형성적 법률유보에 해당한다. 따라서 헌법이 보장하는 형사피해자의 재판절차진술권을 어떠한 내용으로 구체화할 것인가에 관하여는 입법자에게 입법형성의 자유가 부여되고 있으며,

다만 그것이 재량의 범위를 넘어 명백히 불합리한 경우에 비로소 위헌의 문제가 생길 수 있다(2003.9.25, 2002헌마533).

③ [O] 「형법」 제9조 육체적·정신적으로 미성숙한 소년의 경우 사물의 변별능력과 그 변별에 따른 행동통제능력이 없기 때문에 그 행위에 대한 비난가능성이 없고, 나아가 형사정책적으로 어린 아이들은 교육적 조치에 의한 개선가능성이 있다는 점에서 형벌 이외의 수단에 의존하는 것이 적당하다는 고려에 입각한 것이다. 그리고 일정한 정신적 성숙의 정도와 사물의 변별능력이나 행동통제능력의 존부·정도를 각 개인마다 판단·추정하는 것은 곤란하고 부적절하므로 일정한 연령을 기준으로 하여 일률적으로 형사책임연령을 정한 것은 합리적인 방법으로 보인다. 아울러 형사책임이 면제되는 소년의 연령을 몇 세로 할 것인가의 문제는 현저하게 불합리하고 불공정한 것이 아닌 한 입법자의 재량에 속하는 것인바, 형사미성년자의 연령을 너무 낮게 규정하거나 연령 한계를 없앤다면 책임의 개념은 무의미하게 되고, 14세 미만이라는 연령기준은 다른 국가들의 입법례에 비추어 보더라도 지나치게 높다고 할 수 없다는 점을 고려할 때 위 법률조항은 입법자의 합리적인 재량의 범위를 벗어난 것으로 보기 어렵다. 따라서 위 법률조항은 청구인의 재판절차진술권이나 평등권을 침해한다고 볼 수 없다(2003.9.25, 2002헌마533).

④ [O] 형사피해자는 약식명령을 고지받지 않으나, 신청을 하는 경우 형사사건의 진행 및 처리 결과에 대한 통지를 받을 수 있고, 고소인인 경우에는 신청 없이도 검사가 약식명령을 청구한 사실을 알 수 있어, 법원이나 수사기관에 자신의 진술을 기재한 진술서나 탄원서 등을 제출하는 등 의견을 밝힐 수 있는 기회를 가질 수 있다. 또한, 약식명령은 경미하고 간이한 사건을 대상으로 하기 때문에, 대부분 범죄사실에 다툼이 없는 경우가 많고, 형사피해자도 이미 범죄사실을 충분히 인지하고 있어, 범죄사실에 대한 별도의 확인 없이도 얼마든지 법원이나 수사기관에 의견을 제출할 수 있으며, 직접 범죄사실의 확인을 원하는 경우에는 소송기록의 열람·등사를 신청하는 것도 가능하므로, 형사피해자가 약식명령을 고지받지 못한다고 하여 형사재판절차에서의 참여 기회가 완전히 봉쇄되어 있다고 볼 수 없다. 따라서 이 사건 고지조항은 형사피해자의 재판절차진술권을 침해하지 않는다(2019.9.26, 2018헌마1015).

10 정답 ④

① [O] 입법자는 이 사건 법률조항을 통해 형사소추권한을 검사에게 독점적으로 전속시킴으로써 범죄의 피해자가 가해자의 처벌을 직접 법원에 청구할 수 없도록 하고 있어, 검사가 형사소추를 하지 아니할 경우에는 형사재판절차 자체가 개시될 수 없다. 따라서 이 사건 법률조항은 형사피해자로 하여금 자신이 피해자인 범죄에 대한 형사재판절차에 접근할 가능성을 제한하는 것으로서 형사피해자의 재판청구권의 침해 여부가 문제된다(2007.7.26, 2005헌마167).

② [O]

헌법 제27조 ⑤ 형사피해자는 법률이 정하는 바에 의하여 당해 사건의 재판절차에서 진술할 수 있다.

➡ 모든 형사피해자

헌법 제30조 타인의 범죄행위로 인하여 생명·신체에 대한 피해를 받은 국민은 법률이 정하는 바에 의하여 국가로부터 구조를 받을 수 있다.

➡ 생명·신체상 피해를 입은 피해자

③ [O] 기소독점주의의 형사소송체계에서 형사피해자가 형사재판절차에 참여하여 증언하는 이외에 형사사건에 관한 의견진술을 할 수 있는 청문의 기회를 부여함으로써 형사사법의 절차적 적정성을 확보하기 위하여, 기본권으로 보장하는 것이다(2009.2.26, 2005헌마764 등).

❹ [X] 형사피해자에게 정식재판청구권을 인정하게 된다면 공공의 이익을 위하여 실현되어야 할 형벌권을 형사피해자의 사적 응보관념에 의존하게 만들어 형벌의 목적에 부합하지 않을 뿐만 아니라, 남소로 인한 법원의 업무량 폭증으로 본래 약식절차를 도입함으로써 달성하고자 하였던 신속한 재판과 사법자원의 효율적인 배분을 통한 국민의 재판청구권 보장이라는 목적을 저해할 위험도 있다. 또한, 약식절차에서는 수사기관에서 한 형사피해자의 진술조서가 형사기록에 편철되어 오는 것이 보통이고, 형사피해자는 자신의 진술을 기재한 진술서나 탄원서 등을 법원에 제출함으로써 재판절차에 참여할 기회를 가지며, 법관은 약식명령으로 하는 것이 적당하지 않다고 인정하는 경우 정식재판절차에 회부할 수도 있으므로, 약식명령이 청구되었다고 하여 형사피해자의 공판정에서의 진술권이 완전히 배제되는 것은 아니다. 따라서 이 사건 정식재판청구조항은 형사피해자의 재판절차진술권을 침해하지 않는다(2019.9.26, 2018헌마1015).

11 정답 ④

ㄱ. [X] 형사피해자의 개념은 헌법이 형사피해자의 재판절차진술권을 독립된 기본권으로 인정한 취지에 비추어 넓게 해석할 것으로 반드시 형사실체법상의 보호법익을 기준으로 한 피해자 개념에 의존하여 결정하여야 할 필요는 없다. 다시 말하여 형사실체법상으로는 직접적인 보호법익의 주체로 해석되지 않는 자라 하여도 문제되는 범죄 때문에 법률상 불이익을 받게 되는 자라면 헌법상 형사피해자의 재판절차진술권의 주체가 될 수 있다(1992.2.25, 90헌마91).

ㄴ. [X] 헌법 제27조 제5항이 정한 법률유보는 법률에 의한 기본권의 제한을 목적으로 하는 자유권적 기본권에 대한 법률유보의 경우와는 달리 기본권으로서의 재판절차진술권을 보장하고 있는 헌법규범의 의미와 내용을 법률로써 구체화하기 위한 이른바 기본권형성적 법률유보에 해당한다(2003.9.25, 2002헌마533). 2012년 법원

ㄷ. [O] 1997.2.20, 96헌마76 2016년 국회 8급

ㄹ. [O] 검사가 공소시효가 완성된 피의사실에 대하여 '공소권 없음'결정을 하지 아니하고 실체판단인 혐의 없음의 불기소처분을 한 경우 동 불기소처분의 취소를 구하는 헌법소원의 심판대상은 검사의 '혐의 없음' 결정의 적법 여부이지 검사의 공소시효의 완성 여부에 대한 판단이 본안이 될 여지가 없다. 따라서 이 사건에 있어서는 공소시효의 완성 여부는 본안이 아니라 적법요건에 불과하다고 할 것이므로 동 심판청구를 각하함이 상당하다(2002.1.31, 2001헌마57). 2005년, 2013년 법행

ㅁ. [O] 검사의 불기소처분에 대하여 기소처분을 구하는 취지에서 헌법소원을 제기할 수 있는 자는 원칙적으로 헌법상의 재판절차진술권의 주체인 형사피해자에 한하고, 따라서 범죄피해자가 아닌 고발인에게는 개인적 주관적 권리나 재판절차에서의 진술권 등의 기본권이 허용될 수 없으므로 검사가 자의적으로 불기소처분을 하였다고 하여 달리 특별한 사정이 없으면 자기관련성이 없다(2009.11.26, 2007헌마1125). 2005년, 2013년 법행

12 정답 ④

ㄱ. [X]

「국민의 형사재판 참여에 관한 법률」 제5조 【대상사건】 ② 피고인이 국민참여재판을 원하지 아니하거나 제9조 제1항에 따른 배제결정이 있는 경우는 국민참여재판을 하지 아니한다.

제9조 【배제결정】 ① 법원은 공소제기 후부터 공판준비기일이 종결된 다음날까지 다음 각 호의 어느 하나에 해당하는 경우 국민참여재판을 하지 아니하기로 하는 결정을 할 수 있다.
1. 배심원·예비배심원·배심원후보자 또는 그 친족의 생명·신체·재산에 대한 침해 또는 침해의 우려가 있어서 출석의 어려움이 있거나 이 법에 따른 직무를 공정하게 수행하지 못할 염려가 있다고 인정되는 경우
2. 공범관계에 있는 피고인들 중 일부가 국민참여재판을 원하지 아니하여 국민참여재판의 진행에 어려움이 있다고 인정되는 경우
3. 「성폭력범죄의 처벌 등에 관한 특례법」 제2조의 범죄로 인한 피해자 또는 법정대리인이 국민참여재판을 원하지 아니하는 경우

ㄴ. [O]

「국민의 형사재판 참여에 관한 법률」 제16조 【배심원의 자격】 배심원은 만 20세 이상의 대한민국 국민 중에서 이 법으로 정하는 바에 따라 선정된다.

ㄷ. [O]

「국민의 형사재판 참여에 관한 법률」 제7조 【필요적 국선변호】 이 법에 따른 국민참여재판에 관하여 변호인이 없는 때에는 법원은 직권으로 변호인을 선정하여야 한다.

ㄹ. [X] 2016년 5급 승진

「국민의 형사재판 참여에 관한 법률」 제5조 【대상사건】 ② 피고인이 국민참여재판을 원하지 아니하거나 제9조 제1항에 따른 배제결정이 있는 경우는 국민참여재판을 하지 아니한다.

13 정답 ③

① [O]

「국민의 형사재판 참여에 관한 법률」 제46조 【재판장의 설명·평의·평결·토의 등】 ⑤ 제2항부터 제4항까지의 평결과 의견은 법원을 기속하지 아니한다.

② [O]

「국민의 형사재판 참여에 관한 법률」 제3조 [국민의 권리와 의무] ① 누구든지 이 법으로 정하는 바에 따라 국민참여재판을 받을 권리를 가진다.
② 대한민국 국민은 이 법으로 정하는 바에 따라 국민참여재판에 참여할 권리와 의무를 가진다.

❸ [X]

「국민의 형사재판 참여에 관한 법률」 제5조 【대상사건】 ① 다음 각 호에 정하는 사건을 국민참여재판의 대상사건(이하 '대상사건'이라 한다)으로 한다.
1. 「법원조직법」 제32조 제1항(제2호 및 제5호는 제외한다)에 따른 합의부 관할 사건
2. 제1호에 해당하는 사건의 미수죄·교사죄·방조죄·예비죄·음모죄에 해당하는 사건
3. 제1호 또는 제2호에 해당하는 사건과 「형사소송법」 제11조에 따른 관련 사건으로서 병합하여 심리하는 사건

④ [O]

「국민의 형사재판 참여에 관한 법률」 제6조 【공소사실의 변경 등】 ① 법원은 공소사실의 일부 철회 또는 변경으로 인하여 대상사건에 해당하지 아니하게 된 경우에도 이 법에 따른 재판을 계속 진행한다. 다만, 법원은 심리의 상황이나 그 밖의 사정을 고려하여 국민참여재판으로 진행하는 것이 적당하지 아니하다고 인정하는 때에는 결정으로 당해 사건을 지방법원 본원 합의부가 국민참여재판에 의하지 아니하고 심판하게 할 수 있다.
② 제1항 단서의 결정에 대하여는 불복할 수 없다.

14 정답 ③

① [O]

「국민의 형사재판 참여에 관한 법률」 제9조 【배제결정】 ① 법원은 공소제기 후부터 공판준비기일이 종결된 다음날까지 다음 각 호의 어느 하나에 해당하는 경우 국민참여재판을 하지 아니하기로 하는 결정을 할 수 있다.
1. 배심원·예비배심원·배심원후보자 또는 그 친족의 생명·신체·재산에 대한 침해 또는 침해의 우려가 있어서 출석의 어려움이 있거나 이 법에 따른 직무를 공정하게 수행하지 못할 염려가 있다고 인정되는 경우
2. 공범관계에 있는 피고인들 중 일부가 국민참여재판을 원하지 아니하여 국민참여재판의 진행에 어려움이 있다고 인정되는 경우
3. 「성폭력범죄의 처벌 등에 관한 특례법」 제2조의 범죄로 인한 피해자(이하 '성폭력범죄 피해자'라 한다) 또는 법정대리인이 국민참여재판을 원하지 아니하는 경우
4. 그 밖에 국민참여재판으로 진행하는 것이 적절하지 아니하다고 인정되는 경우

③ 제1항의 결정에 대하여는 즉시항고를 할 수 있다.

② [O]

「국민의 형사재판 참여에 관한 법률」 제11조 【통상절차 회부】 ① 법원은 피고인의 질병 등으로 공판절차가 장기간 정지되거나 피고인에 대한 구속기간의 만료, 성폭력범죄 피해자의 보호, 그 밖에 심리의 제반 사정에 비추어 국민참여재판을 계속 진행하는 것이 부적절하다고 인정하는 경우에는 직권 또는 검사·피고인·변호인이나 성폭력범죄 피해자 또는 법정대리인의 신청에 따라 결정으로 사건을 지방법원 본원 합의부가 국민참여재판에 의하지 아니하고 심판하게 할 수 있다.
② 법원은 제1항의 결정을 하기 전에 검사·피고인 또는 변호인의 의견을 들어야 한다.
③ 제1항의 결정에 대하여는 불복할 수 없다

❸ [X] 국민참여재판을 받을 권리는 헌법상 기본권으로서 보호될 수는 없지만, 「국민의 형사재판 참여에 관한 법률」에서 정하는 대상사건에 해당하는 한 피고인은 원칙적으로 국민참여재판으로 재판을 받을 법률상 권리를 가진다고 할 것이고, 이러한 형사소송절차상의 권리를 배제함에 있어서는 헌법에서 정한 적법절차원칙을 따라야 한다(2014.1.28, 2012헌바298).

④ [O] 「국민의 형사재판 참여에 관한 법률」에 따르면, 배심원은 원칙적으로 법관의 관여없이 평결하지만(배심제적 요소), 만장일치에 이르지 못한 경우 반드시 판사의 의견을 들어야 하고(참심제적 요소), 심리에 관여한 판사와 양형에 관하여도 토의하지만(참심제적 요소), 표결은 하지 않고 양형에 관한 의견만을 개진한다(배심제적 요소). 또한 배심원의 평결이 법원을 기속하지 않는다(배심제의 수정).

15 정답 ②

ㄱ. [X] 2019년 5급 승진

> 「국민의 형사재판 참여에 관한 법률」 제49조 【판결서의 기재사항】
> ① 판결서에는 배심원이 재판에 참여하였다는 취지를 기재하여야 하고, 배심원의 의견을 기재할 수 있다.
> ② 배심원의 평결 결과와 다른 판결을 선고하는 때에는 판결서에 그 이유를 기재하여야 한다.

ㄴ. [O]

> 「국민의 형사재판 참여에 관한 법률」 제44조 【배심원의 증거능력 판단 배제】 배심원 또는 예비배심원은 법원의 증거능력에 관한 심리에 관여할 수 없다.

ㄷ. [O]

> 「국민의 형사재판 참여에 관한 법률」 제46조 【재판장의 설명·평의·평결·토의 등】 ② 심리에 관여한 배심원은 제1항의 설명을 들은 후 유·무죄에 관하여 평의하고, 전원의 의견이 일치하면 그에 따라 평결한다. 다만, 배심원 과반수의 요청이 있으면 심리에 관여한 판사의 의견을 들을 수 있다.
> ④ 제2항 및 제3항의 평결이 유죄인 경우 배심원은 심리에 관여한 판사와 함께 양형에 관하여 토의하고 그에 관한 의견을 개진한다. 재판장은 양형에 관한 토의 전에 처벌의 범위와 양형의 조건 등을 설명하여야 한다.

ㄹ. [X]

> 「국민의 형사재판 참여에 관한 법률」 제46조 【재판장의 설명·평의·평결·토의 등】 ③ 배심원은 유무죄에 관하여 전원의 의견이 일치하지 아니하는 때에는 평결을 하기 전에 심리에 관여한 판사의 의견을 들어야 한다. 이 경우에 유무죄의 평결은 다수결의 방법으로 한다. 심리에 관여한 판사는 평의에 참석하여 의견을 진술한 경우에도 평결에는 참여할 수 없다.

16 정답 ④

ㄱ. [O] 합의부 관할 사건만을 국민참여재판의 대상사건으로 정한 이 사건 법률조항이 단독판사 관할 사건으로 재판받는 피고인과 합의부 관할 사건으로 재판받는 피고인을 다르게 취급하고 있는 것은 합리적인 이유가 있다고 인정된다. 또한 무죄추정원칙과 무관하다(2015.7.30, 2014헌바447).

ㄴ. [O] 「법원조직법」은 원칙적으로 형사사건에서 지방법원의 심판권은 단독판사가 행하도록 하면서 법정형이 중한 사건은 합의부의 심판권에 속하도록 하였는데, 다만, 구 「법원조직법」 제32조 제1항 제3호 다목은 「폭력행위 등 처벌에 관한 법률」 중 폭행, 상해죄를 가중하는 범죄에 해당하는 사건들을, 사건의 난이도나 중요도에 비추어 법정형이 중함에도 불구하고 단독판사의 관할로 정하였던 점, 단독판사 관할 사건들 중에서 사실관계나 쟁점이 복잡한 사건, 사회에 미치는 영향이 중대한 사건 등에 대하여는 재정합의결정에 따라 합의부 관할이 되는 점 등에 비추어 보면, 심판대상조항이 청구인을 합의부 관할 사건으로 재판받는 피고인과 다르게 취급하는 것은 합리적인 이유가 있다. 따라서 심판대상조항은 청구인의 평등권을 침해하지 아니한다(2016.12.29, 2015헌바63).

ㄷ. [O] 헌법과 법률이 정한 법관에 의한 재판을 받을 권리는 직업법관에 의한 재판을 주된 내용으로 하는 것이므로, 국민참여재판을 받을 권리가 헌법 제27조 제1항에서 규정한 재판을 받을 권리의 보호범위에 속한다고 볼 수 없다(2015.7.30, 2014헌바447).

ㄹ. [O] 형사소송절차에서 국민참여재판제도는 사법의 민주적 정당성과 신뢰를 높이기 위하여 배심원이 사실심 법관의 판단을 돕기 위한 권고적 효력을 가지는 의견을 제시하는 제한적 역할을 수행하게 되고, 헌법상 재판을 받을 권리의 보호범위에는 배심재판을 받을 권리가 포함되지 아니한다. 그러므로 국민참여재판으로 진행하는 것이 적절하지 아니하다고 인정되는 경우 법원이 국민참여재판 배제결정을 할 수 있도록 한 구 「국민의 형사재판 참여에 관한 법률」 제9조 제1항 제3호는 청구인의 재판청구권을 침해한다고 볼 수 없다(2014.1.28, 2012헌바298).

ㅁ. [O] 합의부 관할 사건만을 국민참여재판의 대상사건으로 정한 이 사건 법률조항이 단독판사 관할 사건으로 재판받는 피고인과 합의부 관할 사건으로 재판받는 피고인을 다르게 취급하고 있는 것은 합리적인 이유가 있다고 인정된다(2015.7.30, 2014헌바447)

ㅂ. [X] 청구인은 흉기상해죄를 국민참여재판의 대상에서 제외하고 있는 심판대상조항이 국민주권주의에 위배된다고 주장한다. 그런데 국민주권주의는 모든 국가권력이 국민의 의사에 기초해야 한다는 의미로(2016.10.27, 2012헌마121 참조), 사법권의 민주적 정당성을 위한 국민참여재판을 도입한 근거가 되고 있으나, 그렇다고 하여 국민주권주의 이념이 곧 사법권을 포함한 모든 권력을 국민이 직접 행사하여야 하고 이에 따라 모든 사건을 국민참여재판으로 할 것을 요구한다고 볼 수 없다. 따라서 국민참여재판의 대상을 제한하는 심판대상조항이 국민주권주의에 위배될 여지가 없다(2016.12.29, 2015헌바63).

ㅅ. [X] 헌법과 법률이 정한 법관에 의한 재판을 받을 권리는 직업법관에 의한 재판을 주된 내용으로 하는 것이므로 국민참여재판을 받을 권리가 헌법 제27조 제1항에서 규정한 재판을 받을 권리의 보호범위에 속한다고 볼 수 없다(2009.11.26, 2008헌바12).

ㅇ. [X] 국민참여재판을 받을 권리는 우리 헌법상 기본권으로서 보호될 수는 없지만, 사법의 민주적 정당성과 신뢰를 높이기 위해 국민참여재판 제도를 도입한 취지와 국민참여재판을 받을 권리를 명시하고 있는 「국민의 형사재판 참여에 관한 법률」의 내용에 비추어 볼 때, 「국민의 형사재판 참여에 관한 법률」에서 정하는 대상사건에 해당하는 한 피고인은 원칙적으로 국민참여재판으로 재판을 받을 법률상 권리를 가진다고 할 것이고, 이러한 형사소송절차상의 권리를 배제함에 있어서는 헌법에서 정한 적법절차원칙을 따라야 할 것이다(2014.1.28, 2012헌바298).

ㅈ. [O] 형사소송에서 배심원제도를 채택할 것을 우리 헌법이 명시적으로 입법 위임한 바 없을 뿐 아니라 헌법의 해석을 통해서도 입법자에

게 그와 같은 입법의무가 인정되는 것으로 볼 수 없다(2006.4.27, 2006헌마187).

ㅊ. [X] 참심원이 법관과 함께 합의체를 구성하여, 사실심뿐 아니라 법률심까지 참여하는 참심재판제는 헌법 제27조 제1항에 위배된다. 따라서 법률개정으로 참심재판 도입은 불가능하고 도입을 하려면 헌법개정이 필요하다.

구분	배심재판	참심재판
법원 구성	법관	참심원+법관
헌법 위반 여부	합헌	위헌

17 정답 ①

❶ [X] 형사재판에서 적극적으로 공무를 담당할 배심원의 최저 연령을 정함에 있어서 「민법」상 성년연령과 일치시킬 필요는 없다. 또한 선거권 행사에 요구되는 일정한 수준의 정치적 판단능력과 배심원으로서 권한을 행사하고 책임을 부담할 수 있는 능력은 그 내용에서 구분되므로, 양자를 반드시 일치시켜야 할 논리적 연관성도 인정되지 않는다(2021.5.27, 2019헌가19).

② [O] 배심원으로서의 권한을 수행하고 의무를 부담할 능력과 「민법」상 행위능력, 선거권 행사능력, 군복무능력, 연소자 보호와 연계된 취업능력 등이 동일한 연령기준에 따라 판단될 수 없고, 각 법률들의 입법취지와 해당 영역에서 고려하여야 할 제반 사정, 대립되는 관련 이익들을 교량하여 입법자가 각 영역마다 그에 상응하는 연령기준을 달리 정할 수 있다(2021.5.27, 2019헌가19).

③ [O] 입법자가 국민참여재판 대상사건을 합의부 관할 사건 등으로 한정한 것은, 여러 제반 사정과 현재 시행되고 있는 국민참여재판제도의 구체적 내용 등을 고려하여 실제 법원에서 충실하게 심리가능한 범위 안에서 국민참여재판 대상사건을 정한 것인바, 합리적 이유가 인정된다(2021.6.24, 2020헌마1421).

④ [O] 입법자는 헌법 제110조 제1항에 따라 법률로 군사법원을 설치함에 있어 군사재판의 특수성을 고려하여 그 조직·권한 및 재판관의 자격 등을 일반법원과 달리 정할 수 있으므로, 군의 특수성을 고려하여 「군사법원법」에 의한 군사재판을 국민참여재판 대상사건에서 제외한 것이 입법재량을 일탈한 것이라고 볼 수 없다. 따라서 심판대상조항은 평등원칙에 위배되지 아니한다(2021.6.24, 2020헌바499).

18 정답 ①

「국민의 형사재판 참여에 관한 법률」 제18조 【직업 등에 따른 제외사유】 다음 각 호의 어느 하나에 해당하는 사람을 배심원으로 선정하여서는 아니 된다.
1. 대통령
2. 국회의원·지방자치단체의 장 및 지방의회의원
3. 입법부·사법부·행정부·헌법재판소·중앙선거관리위원회·감사원의 정무직공무원
4. 법관·검사
5. 변호사·법무사
6. 법원·검찰공무원
7. 경찰·교정·보호관찰공무원
8. 군인·군무원·소방공무원 또는 「예비군법」에 따라 동원되거나 교육훈련의무를 이행 중인 예비군

ㄱ. [X] ㄴ. [X] ㄷ. [X] ㅁ. [X] ㅂ. [X] ㅅ. [X] ㅇ. [X] ㅈ. [X]
ㄹ. [O]
ㅊ. [X] 20세 이상이어야 한다.

19 정답 ③

① [O] 2009년 법행

「국민의 형사재판 참여에 관한 법률」 제7조 【필요적 국선변호】 이 법에 따른 국민참여재판에 관하여 변호인이 없는 때에는 법원은 직권으로 변호인을 선정하여야 한다.

② [O] 2009년 법행

「국민의 형사재판 참여에 관한 법률」 제46조 【재판장의 설명·평의·평결·토의 등】 ③ 배심원은 유·무죄에 관하여 전원의 의견이 일치하지 아니하는 때에는 평결을 하기 전에 심리에 관여한 판사의 의견을 들어야 한다. 이 경우 유·무죄의 평결은 다수결의 방법으로 한다. 심리에 관여한 판사는 평의에 참석하여 의견을 진술한 경우에도 평결에는 참여할 수 없다.

❸ [X] 2015년 법행

「국민의 형사재판 참여에 관한 법률」 제5조 【대상사건】 ② 피고인이 국민참여재판을 원하지 아니하거나 제9조 제1항에 따른 배제결정이 있는 경우는 국민참여재판을 하지 아니한다.

제9조 【배제결정】 ① 법원은 공소제기 후부터 공판준비기일이 종결된 다음날까지 다음 각 호의 어느 하나에 해당하는 경우 국민참여재판을 하지 아니하기로 하는 결정을 할 수 있다.
1. 배심원·예비배심원·배심원후보자 또는 그 친족의 생명·신체·재산에 대한 침해 또는 침해의 우려가 있어서 출석의 어려움이 있거나 이 법에 따른 직무를 공정하게 수행하지 못할 염려가 있다고 인정되는 경우
2. 공범관계에 있는 피고인들 중 일부가 국민참여재판을 원하지 아니하여 국민참여재판의 진행에 어려움이 있다고 인정되는 경우
3. 「성폭력범죄의 처벌 등에 관한 특례법」 제2조의 범죄로 인한 피해자(이하 '성폭력범죄 피해자'라 한다) 또는 법정대리인이 국민참여재판을 원하지 아니하는 경우
4. 그 밖에 국민참여재판으로 진행하는 것이 적절하지 아니하다고 인정되는 경우

④ [O] 2015년 법행

「국민의 형사재판 참여에 관한 법률」 제16조 【배심원의 자격】 배심원은 만 20세 이상의 대한민국 국민 중에서 이 법으로 정하는 바에 따라 선정된다.

20 정답 ①

❶ [X] 입법자가 행정심판을 전심절차가 아니라 종심절차로 규정함으로써 정식재판의 기회를 배제하거나, 어떤 행정심판을 필요적 전심절차로 규정하면서도 그 절차에 사법절차가 준용되지 않는다면 이는 헌법 제107조 제3항, 나아가 재판청구권을 보장하고 있는 헌법 제27조에도 위반된다 할 것이다. 반면 어떤 행정심판절차에 사법절차가 준용되지 않는다 하더라도 임의적 전치제도로 규정함에 그치고 있다면 위 헌법조항에 위반된다 할 수 없다. 그러한 행정심

판을 거치지 아니하고 곧바로 행정소송을 제기할 수 있는 선택권이 보장되어 있기 때문이다(2001.6.28, 2000헌바30).

② [O] 헌법 제107조 제3항은 사법절차가 '준용'될 것만을 요구하고 있으나 판단기관의 독립성과 공정성, 대심적 심리구조, 당사자의 절차적 권리보장 등의 면에서 사법절차의 본질적 요소를 현저히 결여하고 있다면 '준용'의 요청에마저 위반된다고 하지 않을 수 없다(2001.6.28, 2000헌바30).

③ [O] 헌법 제107조 제3항에서 요구하는 사법절차성의 요소인 판단기관의 독립성과 공정성을 위하여는 권리구제 여부를 판단하는 주체가 객관적인 제3자적 지위에 있을 것이 필요하다. 이의신청과 심사청구의 경우 재결청은 심의·의결기관인 위원회의 의결에 따라 결정하도록 되어 있으므로 위원회의 구성과 운영에 있어 독립성과 공정성을 제도적으로 보장하는 것이 중요하다(2001.6.28, 2000헌바30).

④ [O] 「지방세법」상의 이의신청·심사청구제도는 그 판단기관의 독립성·중립성도 충분하지 않을 뿐 아니라, 무엇보다도 그 심리절차에 있어서 사법절차적 요소가 매우 미흡하고 특히 당사자의 절차적 참여권이라는 본질적 요소가 현저히 흠결되어 있어 사법절차 '준용'의 요청을 외면하고 있다고 하지 않을 수 없다. 이와 같이 이의신청·심사청구라는 이중의 행정심판을 필요적으로 거치도록 하면서도 사법절차를 준용하고 있지 않으므로 이 사건 법률조항은 헌법 제107조 제3항에 위반될 뿐만 아니라, 사법적 권리구제를 부당히 방해한다고 할 것이어서 재판청구권을 보장하고 있는 헌법 제27조 제3항에도 위반된다고 할 것이다.

⑤ [O] 이 사건 법률조항이 위헌선언으로 그 효력을 상실하게 되면 「지방세법」 제81조는 독립하여 존속할 아무런 의미가 없을 뿐만 아니라, 그 문언해석상 이 사건 법률조항의 효력 유무와 관계없이 여전히 심사결정의 통지를 받지 않고서는 행정소송을 제기할 수 없는 것으로 이해할 소지가 전혀 없는 것이 아니어서 지방세 부과처분의 불복방법에 관하여 불필요한 법적 혼란을 야기할 수도 있다. 그러므로 「지방세법」 제81조에 대하여도 아울러 위헌선언을 하는 바이다(2001.6.28, 2000헌바30).

47회 진도별 모의고사

형사보상청구권 ~ 국가배상청구권

정답

01	②	02	①	03	①	04	③
05	③	06	②	07	①	08	①
09	①	10	①	11	③	12	②
13	③	14	④	15	③	16	④
17	①	18	③	19	④	20	②

01

정답 ②

ㄱ. [O] 형사보상청구권은 위법성, 고의, 과실을 요건으로 하지 않는다.

ㄴ. [X]

<손해배상설과 손실보상설>

손해배상설	형사보상청구권은 국가의 위법행위에 대하여 부담하는 배상책임이다.
손실보상설 (다수설)	형사사법작용의 위법성, 공무원의 고의·과실 등과는 무관한 일종의 무과실 결과책임으로서의 손실보상이다.

ㄷ. [X] 형사보상은 형사사법절차에 내재하는 불가피한 위험으로 인한 피해에 대한 보상으로서 국가의 위법·부당한 행위를 전제로 하는 국가배상과는 그 취지 자체가 상이하므로 형사보상절차로서 인과관계 있는 모든 손해를 보상하지 않는다고 하여 반드시 부당하다고 할 수는 없다(2010.10.28, 2008헌마514 등). 2019년 비상업무

ㄹ. [O] 권리의 행사가 용이하고 일상 빈번히 발생하는 것이거나 권리의 행사로 인하여 상대방의 지위가 불안정해지는 경우 또는 법률관계를 보다 신속히 확정하여 분쟁을 방지할 필요가 있는 경우에는 특별히 짧은 소멸시효나 제척기간을 인정할 필요가 있으나, 이 사건 법률조항은 위의 어떠한 사유에도 해당하지 아니하는 등 달리 합리적인 이유를 찾기 어렵고, 일반적인 사법상의 권리보다 더 확실하게 보호되어야 할 권리인 형사보상청구권의 보호를 저해하고 있다(2010.7.29, 2008헌가4).

02

정답 ①

ㄱ. [X] 이 사건 법률조항이 규정하고 있는 '소송비용'의 보상은 형사사법절차에 내재된 위험에 의해 발생되는 손해를 국가가 보상한다는 취지에서 비롯된 것이다. 그러나 구금되었음을 전제로 하는 헌법 제28조의 형사보상청구권과는 달리 소송비용의 보상을 청구할 수 있는 권리는 헌법적 차원의 권리라고 볼 수는 없고, 입법자가 입법의 목적, 국가의 경제적·사회적·정책적 사정들을 참작하여 제정하는 법률에 적용요건, 적용대상, 범위 등 구체적인 사항이 규정될 때 비로소 형성되는 법률상의 권리에 불과하다(2012.3.29, 2011헌바19).

ㄴ. [O] 「형사소송법」 제194조의2 내지 제194조의5에 따른 비용보상청구 제도는 형사사법절차에 내재하는 불가피한 위험성으로 인해 손해를 입은 사람에게 그 위험에 관한 부담을 덜어주기 위해 국가의 고의나 과실 여부를 불문하고 그 손해를 보상해주는 것이다. 이는 구금되었음을 전제로 하는 헌법 제28조의 형사보상청구권이나 국가의 귀책사유를 전제로 하는 헌법 제29조의 국가배상청구권이 헌법적 차원에서 명시적으로 규정되어 보호되고 있는 것과 달리, 입법자가 입법의 목적, 국가의 경제적·사회적·정책적 사정들을 참작하여 제정하는 법률에 적용요건, 적용대상, 범위 등 구체적인 사항이 규정될 때 비로소 형성되는 권리이다(2015.4.30, 2014헌바408 등).

ㄷ. [O] 2006년 사시

> **「형사보상 및 명예회복에 관한 법률」 제6조 【손해배상과의 관계】**
> ① 이 법은 보상을 받을 자가 다른 법률에 따라 손해배상을 청구하는 것을 금지하지 아니한다.

ㄹ. [O] 형사사법절차에서는 범죄의 혐의를 받은 피의자가 수사기관의 조사를 받고 법원에 기소되었다 하더라도 심리결과 무죄로 판명되는 경우가 발생할 수 있고, 이는 형사사법절차에 불가피하게 내재되어 있는 위험이다. 형사사법절차를 운영하는 국가는 그로 인한 부담을 무죄판결을 선고받은 자 개인에게 모두 지워서는 아니 되고, 이러한 위험에 의하여 발생되는 손해에 대응한 보상을 하지 않으면 안 된다(2010.10.28, 2008헌마514 참조). 이에 따라 일찍부터 헌법은 구금되었던 자의 형사보상청구권을 기본권으로 인정해 왔다(2012.3.29, 2011헌바19).

03

정답 ①

ㄱ. [X]

> **헌법 제28조** 형사피의자 또는 형사피고인으로서 구금되었던 자가 법률이 정하는 불기소처분을 받거나 무죄판결을 받은 때에는 법률이 정하는 바에 의하여 국가에 정당한 보상을 청구할 수 있다.

➡ 피의자는 불기소처분을 받아야 청구할 수 있다.

ㄴ. [X]

> **「형사보상 및 명예회복에 관한 법률」 제27조 【피의자에 대한 보상】**
> ① 피의자로서 구금되었던 자 중 검사로부터 불기소처분을 받거나 사법경찰관으로부터 불송치결정을 받은 자는 국가에 대하여 그 구금에 대한 보상을 청구할 수 있다. 다만, 구금된 이후 불기소처분 또는 불송치결정의 사유가 있는 경우와 해당 불기소처분 또는 불송치결정이 종국적인 것이 아니거나 「형사소송법」 제247조에 따른 것일 경우에는 그러하지 아니하다.

ㄷ. [X]

> **「형사소송법」 제194조의3 【비용보상의 절차 등】** ① 제194조의2 제1항에 따른 비용의 보상은 피고인이었던 자의 청구에 따라 무죄판결을 선고한 법원의 합의부에서 결정으로 한다.

ㄹ. [O] 2010년 법원서기보

> **「형사보상 및 명예회복에 관한 법률」 제2조 【보상요건】** ① 「형사소송법」에 따른 일반절차 또는 재심이나 비상상고절차에서 무죄재판을 받아 확정된 사건의 피고인이 미결구금을 당하였을 때에는 이 법에 따라 국가에 대하여 그 구금에 대한 보상을 청구할 수 있다.

ㅁ. [O] 2015년 법행

> 「형사소송법」 제194조의3【비용보상의 절차 등】 ① 제194조의2 제1항에 따른 비용의 보상은 피고인이었던 자의 청구에 따라 무죄판결을 선고한 법원의 합의부에서 결정으로 한다.
> ③ 제1항의 결정에 대하여는 즉시항고를 할 수 있다.

04 정답 ③

① [X] 헌법 제28조에서 규정하는 '정당한 보상'은 헌법 제23조 제3항에서 재산권의 침해에 대하여 규정하는 '정당한 보상'과는 차이가 있다 할 것이다. 헌법 제23조 제3항에서 규정하는 '정당한 보상'이란 원칙적으로 피수용재산의 객관적 재산가치를 완전하게 보상하는 것이어야 하는바, 토지수용 등과 같은 재산권의 제한은 물질적 가치에 대한 제한이므로 제한되는 가치의 범위가 객관적으로 산정될 수 있어 이에 대한 완전한 보상이 가능하다. 그런데 헌법 제28조에서 문제되는 신체의 자유에 대한 제한인 구금으로 인하여 침해되는 가치는 객관적으로 산정할 수 없으므로, 일단 침해된 신체의 자유에 대하여 어느 정도의 보상을 하여야 완전한 보상을 하였다고 할 것인지 단언하기 어렵다(2010.10.28, 2008헌마514 등). 2012년 사시

② [X] 형사보상청구권은 구금으로 인한 물질적·정신적 피해보상을 본질로 하며 재산상의 손실은 보상금 액수를 산정하는 고려요소에 지나지 않는다. 소극적 이익이나 기대이익의 상실은 고려대상은 된다.

> 「형사보상 및 명예회복에 관한 법률」 제5조【보상의 내용】 ② 법원은 제1항의 보상금액을 산정할 때 다음 각 호의 사항을 고려하여야 한다.
> 2. 구금기간 중에 입은 재산상의 손실과 얻을 수 있었던 이익의 상실 또는 정신적인 고통과 신체 손상

❸ [O] 형사보상청구권은 헌법 제28조에 따라 '법률이 정하는 바에 의하여' 행사되므로 그 내용은 법률에 의해 정해지는바, 형사보상의 구체적 내용과 금액 및 절차에 관한 사항은 입법자가 정하여야 할 사항이다. 이 사건 보상금조항 및 이 사건 보상금 시행령조항은 보상금을 일정한 범위 내로 한정하고 있는데, 형사보상은 형사사법절차에 내재하는 불가피한 위험으로 인한 피해에 대한 보상으로서 국가의 위법·부당한 행위를 전제로 하는 국가배상과는 그 취지 자체가 상이하므로 형사보상절차로서 인과관계 있는 모든 손해를 보상하지 않는다고 하여 반드시 부당하다고 할 수는 없으며, 보상금액의 구체화·개별화를 추구할 경우에는 개별적인 보상금액을 산정하는데 상당한 기간의 소요 및 절차의 지연을 초래하여 형사보상제도의 취지에 반하는 결과가 될 위험이 크고 나아가 그로 인하여 형사보상금의 액수에 지나친 차등이 발생하여 오히려 공평의 관념을 저해할 우려가 있는바, 이 사건 보상금조항 및 이 사건 보상금 시행령조항은 청구인들의 형사보상청구권을 침해한다고 볼 수 없다(2010.10.28, 2008헌마514 등).

④ [X] 헌법 제28조의 형사보상청구권이 국가의 형사사법작용에 의하여 신체의 자유가 침해된 국민에게 그 구제를 인정하여 국민의 기본권 보호를 강화하는 데 그 목적이 있는 점에 비추어 보면, 외형상·형식상으로 무죄재판이 없다고 하더라도 형사사법절차에 내재하는 불가피한 위험으로 인하여 국민의 신체의 자유에 관하여 피해가 발생하였다면 형사보상청구권을 인정하는 것이 타당하다. 심판대상조항은 소송법상 이유 등으로 무죄재판을 받을 수는 없으나 그러한 사유가 없었더라면 무죄재판을 받을 만한 현저한 사유가 있는 경우 그 절차에서 구금되었던 개인 역시 형사사법절차에 내재하는 불가피한 위험으로 인하여 신체의 자유에 피해를 입은 것은 마찬가지이므로 국가가 이를 마땅히 책임져야 한다는 고려에서 마련된 규정이다(2022.2.24, 2018헌마998).

05 정답 ③

① [X] 형사보상청구권은 헌법 제28조에 따라 '법률이 정하는 바에 의하여' 행사되므로 그 내용은 법률에 의해 정해지는바, 형사보상의 구체적 내용과 금액 및 절차에 관한 사항은 입법자가 정하여야 할 사항이다. 이 사건 보상금조항 및 이 사건 보상금 시행령조항은 보상금을 일정한 범위 내로 한정하고 있는데, 형사보상은 형사사법절차에 내재하는 불가피한 위험으로 인한 피해에 대한 보상으로서 국가의 위법·부당한 행위를 전제로 하는 국가배상과는 그 취지 자체가 상이하므로 형사보상절차로서 인과관계 있는 모든 손해를 보상하지 않는다고 하여 반드시 부당하다고 할 수는 없으며, 보상금액의 구체화·개별화를 추구할 경우에는 개별적인 보상금액을 산정하는데 상당한 기간의 소요 및 절차의 지연을 초래하여 형사보상제도의 취지에 반하는 결과가 될 위험이 크고 나아가 그로 인하여 형사보상금의 액수에 지나친 차등이 발생하여 오히려 공평의 관념을 저해할 우려가 있는바, 이 사건 보상금조항 및 이 사건 보상금 시행령조항은 청구인들의 형사보상청구권을 침해한다고 볼 수 없다(2010.10.28, 2008헌마514 등).

② [X]

> 「형사보상 및 명예회복에 관한 법률」 제26조【면소 등의 경우】 ① 다음 각 호의 어느 하나에 해당하는 경우에도 국가에 대하여 구금에 대한 보상을 청구할 수 있다.
> 1. 「형사소송법」에 따라 면소 또는 공소기각의 재판을 받아 확정된 피고인이 면소 또는 공소기각의 재판을 할 만한 사유가 없었더라면 무죄재판을 받을 만한 현저한 사유가 있었을 경우

❸ [O]

> 「형사보상 및 명예회복에 관한 법률」 제4조【보상하지 아니할 수 있는 경우】 다음 각 호의 어느 하나에 해당하는 경우에는 법원은 재량으로 보상청구의 전부 또는 일부를 기각할 수 있다.
> 3. 1개의 재판으로 경합범의 일부에 대하여 무죄재판을 받고 다른 부분에 대하여 유죄재판을 받았을 경우

④ [X]

> 「형사보상 및 명예회복에 관한 법률」 제27조【피의자에 대한 보상】
> ② 다음 각 호의 어느 하나에 해당하는 경우에는 피의자보상의 전부 또는 일부를 지급하지 아니할 수 있다.
> 1. 본인이 수사 또는 재판을 그르칠 목적으로 거짓 자백을 하거나 다른 유죄의 증거를 만듦으로써 구금된 것으로 인정되는 경우
> 2. 구금기간 중에 다른 사실에 대하여 수사가 이루어지고 그 사실에 관하여 범죄가 성립한 경우
> 3. 보상을 하는 것이 선량한 풍속이나 그 밖에 사회질서에 위배된다고 인정할 특별한 사정이 있는 경우

06 정답 ②

① [X] 우리 헌법은 1948.7.17. 제정 당시부터 구금되었던 피고인의 형사보상청구권을 헌법상 기본권으로 인정하여 왔고, 이에 따라

1958.8.13. 「형사보상법」을 제정하여 무죄판결이 확정된 사람에게 구금에 대한 보상과 형 집행에 대한 보상을 규정해 왔다(2015.4.30, 2014헌바408 등).

❷ [O] 2007.6.1. 「형사소송법」이 개정되면서 기존의 형사보상제도와는 별개로 무죄판결이 확정된 피고인이 구금 여부와 상관없이 재판에 들어간 비용의 보상을 법원에 청구할 수 있도록 하는 내용의 비용보상청구 제도가 마련되었다. 「형사소송법」 제194조의2 내지 제194조의5에 따른 비용보상청구제도는 형사사법절차에 내재하는 불가피한 위험성으로 인해 손해를 입은 사람에게 그 위험에 관한 부담을 덜어주기 위해 국가의 고의나 과실 여부를 불문하고 그 손해를 보상해주는 것이다(2015.4.30, 2014헌바408 등).

③ [X] 이 사건 법률조항을 통해 달성하려고 하는 비용보상에 관한 국가채무관계를 조기에 확정하여 국가재정을 합리적으로 운영한다는 공익이 청구인 등이 입게 되는 경제적 불이익에 비해 작다고 단정하기도 어려워 법익의 균형성도 갖추었다. 따라서 이 사건 법률조항은 과잉금지원칙에 위반되어 청구인의 재판청구권 및 재산권을 침해하지는 않는다(2015.4.30, 2014헌바408 등).

④ [X] 「형사소송법」상 비용보상청구권은 입법자가 사회적 여건이 허락하는 범위 안에서 사법절차에서 피해를 입은 사람에 대한 구제범위를 확대해 나가는 과정에서 비로소 형성된 권리로서, 헌법적 차원에서 명시적으로 요건을 정해서 보장되어 온 형사보상청구권이나 국가배상청구권과는 기본적으로 권리의 성격이 다를 뿐만 아니라, 형사재판을 진행하는 과정에서 피고인의 판단과 선택에 따라 지출한 비용을 보상한다는 점에서, 인신구속이라는 피해를 당한 사람에게 구금기간 동안 발생한 재산적·정신적 손해에 대한 보상을 목적으로 한 형사보상청구권이나 국가의 귀책사유로 인한 손해를 회복할 수 있도록 하는 국가배상청구권과 분명한 차이가 있다. 따라서 입법자가 비용보상청구권을 행사할 수 있는 청구기간을 정하면서 국가배상청구권이나 형사보상청구권보다 짧은 기간만 허용하였다고 하여 이러한 차별취급이 합리적 이유 없는 자의적 차별이라 단정할 수 없다. 따라서 이 사건 법률조항은 평등원칙에 위배된다고 보기 어렵다(2015.4.30, 2014헌바408 등).

07

정답 ①

❶ [O] 형사보상의 청구는 무죄재판이 확정된 때로부터 1년 이내에 하도록 규정하고 있는 구 「형사보상법」 제7조는 아무런 합리적인 이유 없이 그 청구기간을 1년이라는 단기간으로 제한한 것은 입법목적 달성에 필요한 정도를 넘어선 것이라고 할 것이다. 따라서 재판청구권 침해이다(2010.7.29, 2008헌가4).

➡ 법개정: 무죄판결을 받은 피고인은 무죄재판이 확정된 사실을 안 날로부터 3년, 확정된 때로부터 5년 이내에 법원에 보상을 청구해야 한다(2010.10.28, 2008헌마514 등). 2021년 법원서기보

② [X] ③ [X]

> **「형사보상 및 명예회복에 관한 법률」 제8조 【보상청구의 기간】** 보상청구는 무죄재판이 확정된 사실을 안 날부터 3년, 무죄재판이 확정된 때부터 5년 이내에 하여야 한다. 2018년, 2021년 경찰승진
> ➡ 기존에 무죄재판이 확정된 때로부터 1년 이내였으나, 헌법재판소의 위헌결정에 따라 법이 개정되었다.

④ [X] 2006년 사시

> **「형사보상 및 명예회복에 관한 법률」 제8조 【보상청구의 기간】** 보상청구는 무죄재판이 확정된 사실을 안 날부터 3년, 무죄재판이 확정된 때부터 5년 이내에 하여야 한다.
>
> **제28조 【피의자보상의 청구 등】** ③ 피의자보상의 청구는 불기소처분 또는 불송치결정의 고지 또는 통지를 받은 날부터 3년 이내에 하여야 한다.

08

정답 ①

ㄱ. [X]

<상속인이 보상을 청구할 수 있는 경우>

> • 보상을 청구할 수 있는 자가 청구를 하지 아니하고 사망하였을 경우
> • 사망한 자에 대한 재심 또는 비상상고절차에서 무죄재판이 있었을 경우

ㄴ. [X] 형사보상청구권의 주체는 형사피고인과 피의자이다. 외국인도 형사보상청구권의 주체가 될 수 있다. 법인은 구금이 불가하므로 형사보상청구권의 주체가 될 수 없다.

ㄷ. [X] 이 사건 법률조항이 규정하고 있는 '소송비용'의 보상은 형사사법절차에 내재된 위험에 의해 발생되는 손해를 국가가 보상한다는 취지에서 비롯된 것이다. 그러나 구금되었음을 전제로 하는 헌법 제28조의 형사보상청구권과는 달리 소송비용의 보상을 청구할 수 있는 권리는 헌법적 차원의 권리라고 볼 수는 없고, 입법자가 입법의 목적, 국가의 경제적·사회적·정책적 사정들을 참작하여 제정하는 법률에 적용요건, 적용대상, 범위 등 구체적인 사항이 규정될 때 비로소 형성되는 법률상의 권리에 불과하다(2012.3.29, 2011헌바19).

> **헌법 제28조** 형사피의자 또는 형사피고인으로서 구금되었던 자가 법률이 정하는 불기소처분을 받거나 무죄판결을 받은 때에는 법률이 정하는 바에 의하여 국가에 정당한 보상을 청구할 수 있다.

ㄹ. [X]

> **「형사보상 및 명예회복에 관한 법률」 제27조 【피의자에 대한 보상】** ③ 피의자보상에 관한 사항을 심의·결정하기 위하여 지방검찰청에 피의자보상심의회를 둔다.

ㅁ. [X]

> **「형사보상 및 명예회복에 관한 법률」 제14조 【보상청구에 대한 재판】** ① 보상청구는 법원 합의부에서 재판한다.

ㅂ. [O] 형사보상청구권이라 하여도 '법률이 정하는 바에 의하여' 행사되므로(헌법 제28조) 그 내용은 법률에 의하여 정해지는바, 이 과정에서 입법자에게 일정한 입법재량이 부여될 수 있고, 따라서 형사보상의 구체적 내용과 금액 및 절차에 관한 사항은 입법자가 정하여야 할 사항이라 할 것이다. 그러나 이러한 입법을 함에 있어서는 비록 완화된 의미일지언정 헌법 제37조 제2항의 비례의 원칙이 준수되어야 한다(2010.10.28, 2008헌마514 등).

09 정답 ①

ㄱ. [O] 2006년 행시

> 「형사보상 및 명예회복에 관한 법률」 제2조【보상요건】 ③「형사소송법」 제470조 제3항에 따른 구치와 같은 법 제473조부터 제475조까지의 규정에 따른 구속은 제2항을 적용할 때에는 구금 또는 형의 집행으로 본다.

ㄴ. [X]

> 「형사보상 및 명예회복에 관한 법률」 제13조【대리인에 의한 보상청구】 보상청구는 대리인을 통하여서도 할 수 있다.

ㄷ. [O] 2006년 사시

> 「형사보상 및 명예회복에 관한 법률」 제4조【보상하지 아니할 수 있는 경우】 다음 각 호의 어느 하나에 해당하는 경우에는 법원은 재량으로 보상청구의 전부 또는 일부를 기각할 수 있다.
> 1. 「형법」 제9조 및 제10조 제1항의 사유로 무죄재판을 받은 경우
> 2. 본인이 수사 또는 심판을 그르칠 목적으로 거짓 자백을 하거나 다른 유죄의 증거를 만듦으로써 기소, 미결구금 또는 유죄재판을 받게 된 것으로 인정된 경우
> 3. 1개의 재판으로 경합범의 일부에 대하여 무죄재판을 받고 다른 부분에 대하여 유죄재판을 받았을 경우

ㄹ. [O] 2015년 법행

> 「형사소송법」 제194조의2【무죄판결과 비용보상】 ② 다음 각 호의 어느 하나에 해당하는 경우에는 제1항에 따른 비용의 전부 또는 일부를 보상하지 아니할 수 있다.
> 1. 피고인이었던 자가 수사 또는 재판을 그르칠 목적으로 거짓 자백을 하거나 다른 유죄의 증거를 만들어 기소된 것으로 인정된 경우

10 정답 ①

❶ [X] 구 「국가배상법」은 국가배상청구소송에서 배상심의 절차를 필수적 절차로 규정하였고, 헌법재판소는 이를 합헌으로 보았으나 개정법은 배상심의회에 배상신청을 하지 아니하고도 소송을 제기할 수 있도록 하여 임의적 절차로 변경하였다.

> 「국가배상법」 제9조【소송과 배상신청의 관계】 이 법에 따른 손해배상의 소송은 배상심의회에 배상신청을 하지 아니하고도 제기할 수 있다.

② [O] 입법부가 법률로써 행정부에게 특정한 사항을 위임했음에도 불구하고 행정부가 정당한 이유 없이 이를 이행하지 않는다면 권력분립의 원칙과 법치국가 내지 법치행정의 원칙에 위배되는 것으로서 위법함과 동시에 위헌적인 것이 되는바, … 행정부가 정당한 이유 없이 시행령을 제정하지 않은 것은 위 보수청구권을 침해하는 불법행위에 해당한다(대판 2007.11.29, 2006다3561).

③ [O] 2015.4.30, 2013헌바395

④ [O] 「국가배상법」 제3조상의 배상기준을 한정액으로 보는 견해와 기준액으로 보는 견해가 있다. 한정규정으로 볼 경우 「민법」상 배상보다 피해자에게 불리할 수 있으므로 단순한 기준으로 보는 기준액설이 다수설이다(대판 1980.12.9, 80다1828).

11 정답 ③

ㄱ. [X]

> 「국가배상법」 제9조【소송과 배상신청의 관계】 이 법에 따른 손해배상의 소송은 배상심의회에 배상신청을 하지 아니하고도 제기할 수 있다.

ㄴ. [X] ㄷ. [O]

> 「국가배상법」 제10조【배상심의회】 ① 국가나 지방자치단체에 대한 배상신청사건을 심의하기 위하여 법무부에 본부심의회를 둔다. 다만, 군인이나 군무원이 타인에게 입힌 손해에 대한 배상신청사건을 심의하기 위하여 국방부에 특별심의회를 둔다.
> ③ 본부심의회와 특별심의회와 지구심의회는 법무부장관의 지휘를 받아야 한다.

ㄹ. [X]

> 「국가배상법」 제15조의2【재심신청】 ① 지구심의회에서 배상신청이 기각(일부기각된 경우를 포함한다) 또는 각하된 신청인은 결정정본이 송달된 날부터 2주일 이내에 그 심의회를 거쳐 본부심의회나 특별심의회에 재심을 신청할 수 있다.

ㅁ. [O]

> 「국가배상법」 제9조【소송과 배상신청의 관계】 이 법에 따른 손해배상의 소송은 배상심의회에 배상신청을 하지 아니하고도 제기할 수 있다.

12 정답 ②

ㄱ. [X] 「국가배상법」 제2조에서 말하는 공무원은 「국가공무원법」 또는 「지방공무원법」에서 말하는 공무원의 신분을 가진 자에 한하지 않고 널리 공무를 위탁받아 실질적으로 공무에 종사하고 있는 자도 포함된다(대판 1970.11.24, 70다2253). 2014년 국회 9급

ㄴ. [X] 국가배상청구권의 성립요건으로서 공무원의 고의 또는 과실을 규정한 것은 법률로 이미 형성된 국가배상청구권의 행사 및 존속을 제한한다고 보기보다는 국가배상청구권의 내용을 형성하는 것이라고 할 것이므로, 헌법상 국가배상제도의 정신에 부합하게 국가배상청구권을 형성하였는지의 관점에서 심사하여야 한다. 이하에서는 심판대상조항이 국가배상청구권의 성립요건으로서 공무원의 고의 또는 과실을 요구함으로써 무과실책임을 인정하지 않은 것이 입법형성권의 자의적 행사로서 헌법상 국가배상청구권을 침해하는지 여부를 살펴본다(2020.3.26, 2016헌바55 등).

ㄷ. [O] 국가배상청구권에도 소멸시효에 관한 「민법」상의 규정인 「민법」 제766조가 적용되게 되었다 하더라도 이는 … 입법재량범위 내에서의 입법자의 결단의 산물인 것으로 국가배상청구권의 본질적인 내용을 침해하는 것이라고는 볼 수 없고 기본권 제한에 있어서의 한계를 넘어서는 것이라고 볼 수도 없으므로 헌법에 위반되지 아니한다(1997.2.20, 96헌바24). 2021년 경찰승진

ㄹ. [O] 지방자치단체가 '교통할아버지 봉사활동 계획'을 수립한 후 관할 동장으로 하여금 '교통할아버지'를 선정하게 하여 어린이 보호, 교통안내, 거리질서 확립 등의 공무를 위탁하여 집행하게 하던 중 '교통할아버지'로 선정된 노인이 위탁받은 업무범위를 넘어 교차로 중앙에서 교통정리를 하다가 교통사고를 발생시킨 경우, 지방자

치단체가 「국가배상법」 제2조 소정의 배상책임을 부담한다(2001.1.5, 98다39060).

ㅁ. [X] 법관이나 헌법재판소 재판관도 특정직공무원으로서 「국가배상법」상의 공무원에 해당한다(대판 2001.10.12, 2001다47290).

ㅂ. [X] 구 한국토지공사는 법령의 위탁에 의하여 대집행을 수권받은 자로서 공무인 대집행을 실시함에 따르는 권리·의무 및 책임이 귀속되는 행정주체의 지위에 있다고 볼 것이지 지방자치단체 등의 기관으로서 「국가배상법」 제2조 소정의 공무원에 해당한다고 볼 것은 아니다(대판 2010.1.28, 2007다82950·82967).

13

정답 ③

① [X] 「국가배상법」 제2조 제1항에서 말하는 '직무를 행함에 당하여'라는 취지는 공무원의 행위의 외관을 객관적으로 관찰하여 공무원의 직무행위로 보여질 때에는 비록 그것이 실질적으로 직무행위이거나 아니거나 또는 행위자의 주관적 의사에 관계없이 그 행위는 공무원의 직무집행행위로 볼 것이요 이러한 행위가 실질적으로 공무집행행위가 아니라는 사정을 피해자가 알았다 하더라도 그것을 '직무를 행함에 당하여'라고 단정하는 데 아무런 영향을 미치는 것이 아니다(대판 1966.6.28, 66다781).

② [X] 공무원이 그 직무를 행함에 당하여 일어난 것인지의 여부를 판단하는 기준은 행위의 외관을 객관적으로 관찰하여 공무원의 행위로 보여질 때는 공무원의 직무상 행위로 볼 것이며, 이러한 행위가 공무집행행위가 아니라는 사정을 피해자가 알았다 하더라도 이에 대한 국가배상책임은 부정할 수 없다(대판 1966.3.22, 66다117).

❸ [O] 대법원 판례는 국가 또는 지방자치단체라도 사경제의 주체로 활동하였을 때에는 손해배상책임에 있어 「국가배상법」이 적용될 수 없다(대판 1969.4.22, 66다2225). 즉, 헌법 제29조 제1항을 구체화시키는 법률로서 「국가배상법」은 공법에 해당하고 국가배상청구권은 공권에 해당하므로 공무원의 사법상 행위에는 공법인 「국가배상법」이 적용될 수 없다고 보는 것이 타당하다. 공무원의 사법상 작용에 의한 손해는 「민법」의 손해배상규정에 따라 해결하면 된다. 2009년 법무사

④ [X] 공무원이 통상적으로 근무하는 근무지로 출근하기 위하여 자기 소유의 자동차를 운행하다가 자신의 과실로 교통사고를 일으킨 경우에는 특별한 사정이 없는 한 「국가배상법」 제2조 제1항 소정의 공무원이 '직무를 집행함에 당하여' 타인에게 불법행위를 한 것이라고 할 수 없으므로 그 공무원이 소속된 국가나 지방공공단체가 「국가배상법」상의 손해배상책임을 부담하지 않는다. … 헌법 제29조 제1항과 「국가배상법」 제2조의 해석상 일반적으로 공무원이 공무수행 중 불법행위를 한 경우에, 고의·중과실에 의한 경우에는 공무원 개인이 손해배상책임을 부담하고 경과실의 경우에는 개인책임은 면책되며, 한편 공무원이 자기 소유의 자동차로 공무수행 중 사고를 일으킨 경우에는 그 손해배상책임은 「자동차손해배상 보장법」이 정한 바에 의하게 되어, 그 사고가 자동차를 운전한 공무원의 경과실에 의한 것인지 중과실 또는 고의에 의한 것인지를 가리지 않고 그 공무원이 「자동차손해배상 보장법」 제3조 소정의 '자기를 위하여 자동차를 운행하는 자'에 해당하는 한 손해배상책임을 부담한다(대판 1996.5.31, 94다15271).

14

정답 ④

① [O] 지방자치단체의 장이 기관위임된 국가행정사무를 처리하는 경우 그에 소요되는 경비의 실질적, 궁극적 부담자는 국가라고 하더라도 당해 지방자치단체는 국가로부터 내부적으로 교부된 금원으로 그 사무에 필요한 경비를 대외적으로 지출하는 자이므로, 이러한 경우 지방자치단체는 「국가배상법」 제6조 제1항 소정의 비용부담자로서 공무원의 불법행위로 인한 위법에 의한 손해를 배상할 책임이 있다고 할 것이다(대판 1994.12.9, 94다38137).

> **「국가배상법」 제6조 【비용부담자 등의 책임】** ① 제2조·제3조 및 제5조에 따라 국가나 지방자치단체가 손해를 배상할 책임이 있는 경우에 공무원의 선임·감독 또는 영조물의 설치·관리를 맡은 자와 공무원의 봉급·급여, 그 밖의 비용 또는 영조물의 설치·관리 비용을 부담하는 자가 동일하지 아니하면 그 비용을 부담하는 자도 손해를 배상하여야 한다.

② [O] 교통신호기를 관리하는 지방경찰청장 산하 경찰관들에 대한 봉급을 부담하는 국가도 「국가배상법」 제6조 제1항에 의한 배상책임을 부담한다(대판 1999.6.25, 99다11120).

③ [O] 불법적인 강제징용 및 징병에 이어 피폭을 당한 후 방치되어 몸과 마음이 극도로 피폐해진 채 비참한 삶을 영위하게 된 한국인 원폭피해자들이 일본에 대하여 가지는 배상청구권은 헌법상 보장되는 재산권일 뿐만 아니라, 그 배상청구권의 실현은 무자비하고 불법적인 일본의 침략전쟁 수행과정에서 도구화되고 피폭 후에도 인간 이하의 극심한 차별을 받음으로써 침해된 인간으로서의 존엄과 가치를 사후적으로 회복한다는 의미를 가지는 것이므로, 침해되는 기본권이 매우 중대하다(2011.8.30, 2008헌마648).

❹ [X] 이처럼 경과실이 있는 공무원이 피해자에 대하여 손해배상책임을 부담하지 아니함에도 피해자에게 손해를 배상하였다면 그것은 채무자 아닌 사람이 타인의 채무를 변제한 경우에 해당하고, 이는 「민법」 제469조의 '제3자의 변제' 또는 「민법」 제744조의 '도의관념에 적합한 비채변제'에 해당하여 피해자는 공무원에 대하여 이를 반환할 의무가 없고, 그에 따라 피해자의 국가에 대한 손해배상청구권이 소멸하여 국가는 자신의 출연 없이 채무를 면하게 되므로, 피해자에게 손해를 직접 배상한 경과실이 있는 공무원은 특별한 사정이 없는 한 국가에 대하여 국가의 피해자에 대한 손해배상책임의 범위 내에서 공무원이 변제한 금액에 관하여 구상권을 취득한다고 봄이 타당하다(대판 2014.8.20, 2012다54478).

15

정답 ③

① [X] 헌법 제29조 제1항 단서에 따르면 공무원이 한 직무상 불법행위로 인하여 국가 등이 배상책임을 진다고 할지라도 그 때문에 공무원 자신의 민·형사책임이나 징계책임이 면제되지 아니한다.

② [X] 공무원이 직무수행 중 불법행위로 타인에게 손해를 입힌 경우에 국가 등이 국가배상책임을 부담하는 외에 공무원 개인도 고의 또는 중과실이 있는 경우에는 불법행위로 인한 손해배상책임을 진다고 할 것이지만, 공무원에게 경과실뿐인 경우에는 공무원 개인은 손해배상책임을 부담하지 아니한다고 해석하는 것이 헌법 제29조 제1항 본문과 단서 및 「국가배상법」 제2조의 입법취지에 조화되는 올바른 해석이다(대판 1996.2.15, 95다38677).

❸ [O]

> **「국가배상법」 제2조 【배상책임】** ① 국가나 지방자치단체는 공무원 또는 공무를 위탁받은 사인이 직무를 집행하면서 고의 또는 과실로 법령을 위반하여 타인에게 손해를 입히거나, 「자동차손해배상 보장법」에 따라 손해배상의 책임이 있을 때에는 이 법에 따라 그 손해를 배상하여야 한다. 다만, 군인·군무원·경찰공무원 또는 향토예비군대원이 전투·훈련 등 직무 집행과 관련하여 전사·순직하거나 공상을 입은 경우에 본인이나 그 유족이 다른 법령에 따라 재해보상금·

유족연금·상이연금 등의 보상을 지급받을 수 있을 때에는 이 법 및 「민법」에 따른 손해배상을 청구할 수 없다.
② 제1항 본문의 경우에 공무원에게 고의 또는 중대한 과실이 있으면 국가나 지방자치단체는 그 공무원에게 구상할 수 있다.

④ [X] 과실이 아니라 중과실이다. 경과실인 경우 공무원에게 구상할 수 없다.

「국가배상법」 제2조 【배상책임】 ② 제1항 본문의 경우에 공무원에게 고의 또는 중대한 과실이 있으면 국가나 지방자치단체는 그 공무원에게 구상할 수 있다.

16 정답 ④

① [O] 경찰관이 그 권한을 행사하여 필요한 조치를 취하지 아니하는 것이 현저하게 불합리하다고 인정되는 경우에는 그러한 권한의 불행사는 직무상의 의무를 위반한 것이 되어 위법하게 된다(대판 2010.8.26, 2010다37479 ; 대판 2008.4.24, 2006다32132).

② [O] 경찰관이 난동을 부리던 범인을 검거하면서 가스총을 근접 발사하여 가스와 함께 발사된 고무마개가 범인의 눈에 맞아 실명한 경우 국가배상책임이 인정된다(대판 2003.3.14, 2002다57218).

③ [O] 경매담당공무원이 이해관계인에 대한 기일통지를 잘못한 것이 원인이 되어 경락허가결정이 취소된 사안에서, 그 사이 경락대금을 완납하고 소유권이전등기를 마친 경락인에 대하여 국가배상책임을 인정한다(대판 2008.7.10, 2006다23664).

❹ [X] 대법원은 1·21 무장간첩침입사태 때에 분산해서 도주하는 간첩을 색출·체포하려는 군경공무원들이 그들이 주둔하던 파출소로부터 60여미터 떨어진 곳에서 간첩과 청년이 격투를 하고 있었고, 동 청년의 가족으로부터 세 차례나 신고를 받았음에도 불구하고 출동하지 아니하여 동 청년이 사망한 사건에서 군경공무원이 신고 즉시 출동하였더라면 사고를 미연에 방지할 수 있었음이 예견된다는 이유로 국가배상책임을 인정하였다(대판 1971.4.6, 71다124).

17 정답 ①

❶ [O] 법령에 대한 해석이 복잡, 미묘하여 워낙 어렵고, 이에 대한 학설·판례조차 귀일되어 있지 않는 등의 특별한 사정이 없는 한 일반적으로 공무원이 관계 법규를 알지 못하거나 필요한 지식을 갖추지 못하고 법규의 해석을 그르쳐 행정처분을 하였다면 그가 법률전문가가 아닌 행정직공무원이라고 하여 과실이 없다고는 할 수 없다(대판 2001.2.9, 98다52988).

② [X] 어떠한 행정처분이 후에 항고소송에서 취소되었다고 할지라도 그 기판력에 의하여 당해 행정처분이 곧바로 공무원의 고의 또는 과실로 인한 것으로서 불법행위를 구성한다고 단정할 수는 없는 것이고, 그 행정처분의 담당공무원이 보통 일반의 공무원을 표준으로 하여 볼 때 객관적 주의의무를 결하여 그 행정처분이 객관적 정당성을 상실하였다고 인정될 정도에 이른 경우에 「국가배상법」 제2조 소정의 국가배상책임의 요건을 충족하였다고 봄이 상당할 것이며, 이 때에 객관적 정당성을 상실하였는지 여부는 피침해이익의 종류 및 성질, 침해행위가 되는 행정처분의 태양 및 그 원인, 행정처분의 발동에 대한 피해자 측의 관여의 유무, 정도 및 손해의 정도 등 제반 사정을 종합하여 손해의 전보책임을 국가 또는 지방자치단체에게 부담시켜야 할 실질적인 이유가 있는지 여부에 의하여 판단하여야 한다(대판 2000.5.12, 99다70600).

③ [X] 일응추정의 원리는 원고의 고의·과실 입증책임을 완화시켜 준다. 일응추정의 원리를 판례가 수용하고 있지는 않다.

④ [X] 헌법재판소 재판관이 청구기간 내에 제기된 헌법소원심판청구 사건에서 청구기간을 오인하여 각하결정을 한 경우, 이에 대한 불복절차 내지 시정절차가 없는 때에는 국가배상책임(위법성)을 인정할 수 있다(대판 2003.7.11, 99다24218).

18 정답 ③

① [X] 헌법상 국가배상청구권이 성립하기 위한 요건으로서 헌법 제29조 제1항 제1문은 '공무원의 직무상 불법행위로 손해를 받은' 것을 요건으로 하나, 한편으로 '법률이 정하는 바에 의하여'라고 하여 국가배상청구권의 구체적 형성을 법률에 유보하고 있다. 따라서 헌법상 국가배상청구권의 '불법행위' 역시 이를 법률에서 구체적으로 형성할 수 있는 개념이라고 할 것이다(2015.4.30, 2013헌바395).

② [X] 헌법상 국가배상청구권은 청구권적 기본권이고, 앞에서 본 바와 같이 그 요건인 '불법행위'는 법률에서 구체적으로 형성할 수 있는 개념이라 할 것이다. 따라서 이 사건 법률조항이 국가배상청구권의 성립요건으로서 공무원의 고의 또는 과실을 규정한 것은 법률로 이미 형성된 국가배상청구권의 행사 및 존속을 제한한다고 보기 보다는 국가배상청구권의 내용을 형성하는 것이라고 할 것이므로, 헌법상 국가배상제도의 정신에 부합하게 국가배상청구권을 형성하였는지의 관점에서 심사하여야 한다. 이하에서는 이 사건 법률조항이 국가배상청구권의 성립요건으로서 공무원의 고의 또는 과실을 요구함으로써 무과실책임을 인정하지 않은 것이 입법형성권의 자의적 행사로서 헌법상 국가배상청구권을 침해하는지 여부를 살펴본다(2015.4.30, 2013헌바395).

❸ [O] 대법원 판례가 나오기 전에 다양한 법해석이 가능한 상태에서 그 중 하나의 해석을 택했는데 그 후 대법원이 다른 법해석을 한 경우에는 과실을 인정되지 않으나, 다양한 법해석이 없는 경우와 대법원의 확립된 법령해석이 나온 후 이에 어긋난 처분을 한 경우 고의·과실이 인정된다.

④ [X] 공무원의 부작위로 인한 국가배상책임을 인정하기 위하여는 공무원의 작위로 인한 국가배상책임을 인정하는 경우와 마찬가지로 '공무원이 그 직무를 집행하면서 고의 또는 과실로 법령에 위반하여 타인에게 손해를 가한 때'라고 하는 「국가배상법」 제2조 제1항의 요건이 충족되어야 할 것인바, 여기서 '법령에 위반하여'라고 하는 것은 엄격하게 형식적 의미의 법령에 명시적으로 공무원의 작위의무가 규정되어 있는데도 이를 위반하는 경우만을 의미하는 것은 아니고, 국민의 생명·신체·재산 등에 대하여 절박하고 중대한 위험상태가 발생하였거나 발생할 우려가 있어서 국민의 생명·신체·재산 등을 보호하는 것을 본래적 사명으로 하는 국가가 초법규적·일차적으로 그 위험 배제에 나서지 아니하면 국민의 생명·신체·재산 등을 보호할 수 없는 경우에는 형식적 의미의 법령에 근거가 없더라도 국가나 관련 공무원에 대하여 그러한 위험을 배제할 작위의무를 인정할 수 있을 것이다(대판 2004.6.25, 2003다69652 ; 대판 1998.10.13, 98다18520).

19 정답 ④

① [O] 공법인이 국가로부터 위탁받은 공행정사무를 집행하는 과정에서 공법인의 임직원이나 피용인이 고의 또는 과실로 법령을 위반하여 타인에게 손해를 입힌 경우에는, 공법인은 위탁받은 공행정사무에

관한 행정주체의 지위에서 배상책임을 부담하여야 하지만, 공법인의 임직원이나 피용인은 실질적인 의미에서 공무를 수행한 사람으로서 「국가배상법」 제2조에서 정한 공무원에 해당하므로 고의 또는 중과실이 있는 경우에만 배상책임을 부담하고 경과실이 있는 경우에는 배상책임을 면한다(대판 2021.1.28, 2019다260197).

② [O] 피고 2는 대한변호사협회의 장으로서 국가로부터 위탁받은 공행정사무인 '변호사등록에 관한 사무'를 수행하는 범위 내에서는 「국가배상법」 제2조에서 정한 공무원에 해당한다(대판 2021.1.28, 2019다260197).

③ [O] 대한변호사협회는 乙 및 등록심사위원회 위원들이 속한 행정주체의 지위에서 甲에게 변호사등록이 위법하게 지연됨으로 인하여 얻지 못한 수입 상당액의 손해를 배상할 의무가 있는 반면, 乙은 경과실 공무원의 면책법리에 따라 甲에 대한 배상책임을 부담하지 않는다(대판 2021.1.28, 2019다260197).

❹ [X] 대한변호사협회는 乙 및 등록심사위원회 위원들이 속한 행정주체의 지위에서 甲에게 변호사등록이 위법하게 지연됨으로 인하여 얻지 못한 수입 상당액의 손해를 배상할 의무가 있는 반면, 乙은 경과실 공무원의 면책법리에 따라 甲에 대한 배상책임을 부담하지 않는다(대판 2021.1.28, 2019다260197).

20 정답 ②

① [X] 헌법상 국가배상청구권이 성립하기 위한 요건으로서 헌법 제29조 제1항 제1문은 '공무원의 직무상 불법행위로 손해를 받은' 것을 요건으로 하나, 한편으로 '법률이 정하는 바에 의하여'라고 하여 국가배상청구권의 구체적 형성을 법률에 유보하고 있다. 따라서 헌법상 국가배상청구권의 '불법행위' 역시 이를 법률에서 구체적으로 형성할 수 있는 개념이라고 할 것이다.

심판대상조항이 국가배상청구권의 성립요건으로서 공무원의 고의 또는 과실을 규정한 것은 법률로 이미 형성된 국가배상청구권의 행사 및 존속을 제한한다고 보기보다는 국가배상청구권의 내용을 형성하는 것이라고 할 것이므로, 헌법상 국가배상제도의 정신에 부합하게 국가배상청구권을 형성하였는지의 관점에서 심사하여야 한다. 이하에서는 심판대상조항이 국가배상청구권의 성립요건으로서 공무원의 고의 또는 과실을 요구함으로써 무과실책임을 인정하지 않은 것이 입법형성권의 자의적 행사로서 헌법상 국가배상청구권을 침해하는지 여부를 살펴본다(2020.3.26, 2016헌바55 등).

❷ [O] 국가배상책임에 공무수행자의 유책성을 요구하고 있으며, 최근에는 「국가배상법」상의 과실관념의 객관화, 조직과실의 인정, 과실 추정과 같은 논리를 통하여 되도록 피해자에 대한 구제의 폭을 넓히려는 추세에 있다. 피해자구제기능이 충분하지 못한 점은 위 조항의 해석·적용을 통해서 완화될 수 있다. 이러한 점들을 고려할 때, 위 조항이 국가배상청구권의 성립요건으로서 공무원의 고의 또는 과실을 규정한 것을 두고 입법형성의 범위를 벗어나 헌법 제29조에서 규정한 국가배상청구권을 침해한다고 보기는 어렵다.

③ [X] ④ [X] 국가의 행위로 인한 모든 손해가 이 조항으로 구제되어야 하는 것은 아니다. 긴급조치 제1호 또는 제9호로 인한 손해의 특수성과 구제 필요성 등을 고려할 때 공무원의 고의 또는 과실 여부를 떠나 국가가 더욱 폭넓은 배상을 할 필요가 있는 것이라면, 이는 국가배상책임의 일반적 요건을 규정한 심판대상조항이 아니라 국민적 합의를 토대로 입법자가 별도의 입법을 통해 구제하면 된다. 이상의 내용을 종합하면, 심판대상조항이 헌법상 국가배상청구권을 침해하지 않는다고 판단한 헌법재판소의 선례는 여전히 타당하고, 이 사건에서 선례를 변경해야 할 특별한 사정이 있다고 볼 수 없다(2020.3.26, 2016헌바55 등).

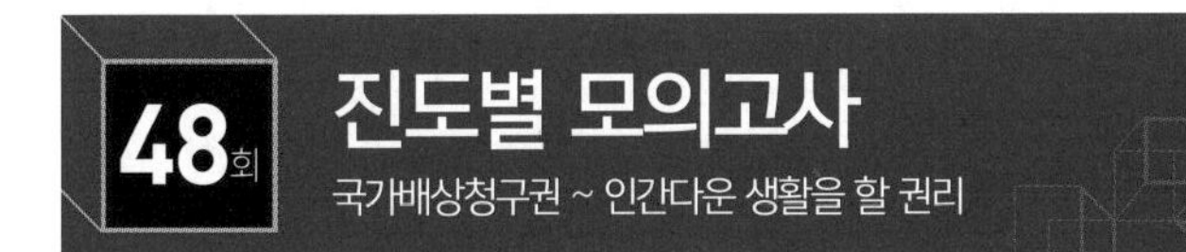

48회 진도별 모의고사

국가배상청구권 ~ 인간다운 생활을 할 권리

정답

01	③	02	①	03	③	04	④
05	⑤	06	④	07	④	08	④
09	③	10	②	11	①	12	①
13	①	14	④	15	②	16	③
17	④	18	④	19	①	20	①

01 정답 ③

① [O] 「국가배상법」 제2조의 공무원의 불법행위에 대한 국가의 배상책임을 인정하기 위하여는 고의·과실을 요구하나, 동법 제5조의 영조물 설치·관리 하자에 대한 배상책임 인정에는 고의·과실이 요건이 아니다.

> **「국가배상법」 제2조 【배상책임】** ① 국가나 지방자치단체는 공무원 또는 공무를 위탁받은 사인이 직무를 집행하면서 고의 또는 과실로 법령을 위반하여 타인에게 손해를 입히거나, 「자동차손해배상 보장법」에 따라 손해배상의 책임이 있을 때에는 이 법에 따라 그 손해를 배상하여야 한다. 다만, 군인·군무원·경찰공무원 또는 향토예비군대원이 전투·훈련 등 직무 집행과 관련하여 전사·순직하거나 공상을 입은 경우에 본인이나 그 유족이 다른 법령에 따라 재해보상금·유족연금·상이연금 등의 보상을 지급받을 수 있을 때에는 이 법 및 「민법」에 따른 손해배상을 청구할 수 없다.

② [O] 「민법」상 공작물책임에 있어서는 점유자가 설치·관리의 주의의무를 다 기울인 경우에는 배상책임이 면제되나, 영조물 설치·관리의 하자의 경우에는 「국가배상법」상에 면책조항이 없어 설치관리의 주의의무를 다 기울였다고 할지라도 손해가 발생했다면 배상책임을 진다.

❸ [X] 통설과 판례의 주류(대판 2010.11.25, 2007다74560 등)인 객관설에 의하면 영조물이 통상 갖추어야 할 안전성의 결함이 있다면 그 과실 유무를 묻지 않고 하자가 인정된다.

> **「국가배상법」 제5조 【공공시설 등의 하자로 인한 책임】** ① 도로·하천, 그 밖의 공공의 영조물의 설치나 관리에 하자가 있기 때문에 타인에게 손해를 발생하게 하였을 때에는 국가나 지방자치단체는 그 손해를 배상하여야 한다. 이 경우 제2조 제1항 단서, 제3조 및 제3조의2를 준용한다.

➡ 제2조와 달리 고의·과실을 요건으로 하지 않는다.

④ [O] 영조물의 설치 또는 관리상의 하자로 인한 사고라 함은 영조물의 설치 또는 관리상의 하자만이 손해발생의 원인이 되는 경우만을 말하는 것이 아니고, 다른 자연적 사실이나 제3자의 행위 또는 피해자의 행위와 경합하여 손해가 발생하더라도 영조물의 설치 또는 관리상의 하자가 공동원인의 하나가 되는 이상 그 손해는 영조물의 설치 또는 관리상의 하자에 의하여 발생한 것이라고 해석함이 상당하다(대판 1994.11.22, 94다32924).

02 정답 ①

❶ [O] 「국가배상법」 제6조에 따라 비용부담자도 대외적으로 배상책임을 진다.

② [X] 가해행위가 공무원의 행위에 의한 것으로 보여지는 한, 가해공무원의 특정은 필요하지 않다. 판례도 전투경찰들의 과도한 방법에 의한 시위진압으로 시위참가자가 사망한 사건에서, 가해공무원을 특정할 수 없었음에도 국가의 손해배상책임을 인정하였다(대판 1995.11.10, 95다23897).

③ [X]

> **헌법 제29조** ① 공무원의 직무상 불법행위로 손해를 받은 국민은 법률이 정하는 바에 의하여 국가 또는 공공단체에 정당한 배상을 청구할 수 있다. 이 경우 공무원 자신의 책임은 면제되지 아니한다.
>
> **「국가배상법」 제2조 【배상책임】** ① 국가나 지방자치단체는 공무원 또는 공무를 위탁받은 사인(이하 '공무원'이라 한다)이 직무를 집행하면서 고의 또는 과실로 법령을 위반하여 타인에게 손해를 입히거나, 「자동차손해배상 보장법」에 따라 손해배상의 책임이 있을 때에는 이 법에 따라 그 손해를 배상하여야 한다. 다만, 군인·군무원·경찰공무원 또는 예비군대원이 전투·훈련 등 직무 집행과 관련하여 전사·순직하거나 공상을 입은 경우에 본인이나 그 유족이 다른 법령에 따라 재해보상금·유족연금·상이연금 등의 보상을 지급받을 수 있을 때에는 이 법 및 「민법」에 따른 손해배상을 청구할 수 없다.

④ [X]

<배상책임의 주체>

구분	헌법	「국가배상법」
배상책임자	국가 또는 공공단체	국가 또는 지방자치단체
공무원 불법 배상	O	O
영조물 하자 배상	X	O

03 정답 ③

ㄱ. [O] 모든 사정을 고려하더라도 당해 향토예비군대원 혹은 그 유족이 받게 되는 연금 등의 액수가 동원훈련 당시 사회생활에서 얻고 있는 실제수입을 고려하지 않는 등 경우에 따라서는 손해배상액에 미치지 못함으로써 균형을 잃게 되는 경우가 있다면 그로 인한 불합리는 입법자가 연금 등의 지급에 관한 법률조항의 개정을 통하여 입법정책적으로 해소하여야 할 문제라고 판단된다(1996.6.13, 94헌바20). 2004년 사시

ㄴ. [O] 전투경찰순경은 「국가배상법」 제2조 제1항 단서 소정의 '경찰공무원'에 해당한다고 보아야 한다(대판 1995.3.24, 94다25414) 반면, 경비교도로 근무 중 공무수행과 관련하여 사망한 자에 대하여 구 「국가유공자 예우 등에 관한 법률」 제4조 제1항 제5호 소정의 순직군경에 해당한다 하여 국가유공자로 결정하고 사망급여금 등이 지급되었다 하더라도 그러한 사실 때문에 신분이 군인 또는 경찰공무원으로 되는 것은 아니다(대판 1993.4.9, 92다43395). 2002년 사시

ㄷ. [X] 「국가배상법」 제2조 제1항 단서는 헌법 제29조 제1항에 의하여 보장되는 국가배상청구권을 헌법 내재적으로 제한하는 헌법 제29조 제2항에 직접 근거하고, 실질적으로 그 내용을 같이하는 것이므로 헌법에 위반되지 아니한다(1995.12.28, 95헌바3).

ㄹ. [X] 합헌으로 보았다.

> **관련 판례** 심판대상조항은 헌법 제29조 제2항의 명시적인 위임에 따라 임무수행 중 사고를 당한 향토예비군대원에 대한 이중의 보상으로 인한 일반인들과의 불균형을 시정하고 국가재정의 지출부담을 절감한다는 공공의 이익을 보호하기 위하여 다른 법령의 규정에 의하여 재해보상금 등을 지급받을 수 있는 권리가 보장된 향토예비군대원의 개별적인 국가배상청구권의 행사를 금지하는 것이므로 그로 인하여 보호되는 법익과 침해되는 법익 간에 입법자의 자의라고 할 정도의 불균형이 있다고 보여지지 아니한다(1996.6.13, 94헌바20).

ㅁ. [O] 군인 또는 경찰공무원으로서 교육훈련 또는 직무 수행중 상이(공무상의 질병 포함)를 입고 전역 또는 퇴직한 자라고 하더라도 「국가유공자 예우 등에 관한 법률」에 의하여 국가보훈처장이 실시하는 신체검사에서 대통령령이 정하는 상이등급에 해당하는 신체의 장애를 입지 않은 것으로 판명되고 또한 「군인연금법」상의 재해보상 등을 받을 수 있는 장애등급에도 해당하지 않는 것으로 판명된 자는 위 각 법에 의한 적용대상에서 제외되고, 따라서 그러한 자는 「국가배상법」 제2조 제1항 단서의 적용을 받지 않아 국가배상을 청구할 수 있다(대판 1997.2.14, 96다28066).

ㅂ. [O] 대법원은 경찰관이 숙직실에서 숙직하다가 연탄가스중독으로 사망한 경우 숙직실이 전투훈련에 관련된 시설이 아니므로 「공무원연금법」에 의한 순직연금 외에도 손해배상청구소송이 가능하다고 판결하여 국가보상과 국가배상을 양립시키려 하고 있다(대판 전합체 1979.1.30, 77다2389).

ㅅ. [O] **훈련 후 경찰서 복귀과정에서 사고**

전투경찰대원이 국민학교 교정에서 다중범죄진압훈련을 일단 마치고 점심을 먹기 위하여 근무하던 파출소를 향하여 걸어가다가 경찰서소속 대형버스에 충격 되어 사망하였다면 망인이 그와 같은 경위로 도로상을 걷는 것이 진압훈련과정의 일부라고 할 수 없고 또 그가 경찰관전투복을 착용하고 있었고 전투경찰이 치안업무의 보조를 그 임무로 하고 있더라도 「국가배상법」 제2조 제1항 단서에서 말하는 전투, 훈련 기타 직무집행과 관련하여 사망한 것이라고 단정하기 어렵다(대판 1989.4.11, 88다카4222).

ㅇ. [X] 경찰공무원이 낙석사고 현장 주변 교통정리를 위하여 사고현장 부근으로 이동하던 중 대형 낙석이 순찰차를 덮쳐 사망하자, 도로를 관리하는 지방자치단체가 「국가배상법」 제2조 제1항 단서에 따른 면책을 주장한 사안에서, 경찰공무원 등이 '전투·훈련 등 직무집행과 관련하여' 순직 등을 한 경우 같은 법 및 「민법」에 의한 손해배상책임을 청구할 수 없다고 정한 「국가배상법」 제2조 제1항 단서의 면책조항은 구 「국가배상법」 제2조 제1항 단서의 면책조항과 마찬가지로 전투·훈련 또는 이에 준하는 직무집행뿐만 아니라 '일반 직무집행'에 관하여도 국가나 지방자치단체의 배상책임을 제한하는 것이라고 해석하여, 위 면책 주장을 받아들인 원심판단은 정당하다(대판 2011.3.10, 2010다85942).

04 정답 ④

① [O] 다른 공무원의 고의 또는 과실 있는 직무상의 위법행위로 인하여 군인 또는 군속이 공무 중에 입은 손해는 군인 또는 군속이 복종하는 특별권력관계의 내용이나 근무임무에 당연히 포함되는 희생은 아니므로 특별권력관계를 이유로 그 배상청구권을 부인할 수 없을 뿐 아니라 위험근무임무에 당하거나 특별권력관계에 있음은 비단 군인 또는 군속에 국한되지 않고 경찰공무원이나 다른 위험근무에 당하는 기타 공무원도 다를 바 없다 할 것이므로 유독 군인 또는 군속에 대하여서만 차별을 할 하등의 합리적 이유도 없다 할 것이니 군인 또는 군속이 공무원의 직무상 불법행위의 피해자인 경우에 그 군인 또는 군속에게 이로 인한 손해배상청구권을 제한 또는 부인하는 「국가배상법」 제2조 제1항 단행은 헌법 제26조에서 보장된 국민의 기본권인 손해배상청구권을 헌법 제32조 제2항의 질서유지 또는 공공복리를 위하여 제한할 필요성이 없이 제한한 것이고 또 헌법 제9조의 평등의 원칙에 반하여 군인 또는 군속인 피해자에 대하여서만 그 권리를 부인함으로써 그 권리 자체의 본질적 내용을 침해하였으며 기본권 제한의 범주를 넘어 권리 자체를 박탈하는 규정이므로 이는 헌법 제26조, 같은 법 제8조, 같은 법 제9조 및 같은 법 제32조 제2항에 위반한다 할 것이다(대판 전합체 1971.6.22, 70다1010).

② [O]

> **1972년 개정헌법 제26조** ① 공무원의 직무상 불법행위로 손해를 받은 국민은 법률이 정하는 바에 의하여 국가 또는 공공단체에 배상을 청구할 수 있다. 그러나, 공무원 자신의 책임은 면제되지 아니한다.
> ② 군인·군속·경찰공무원 기타 법률로 정한 자가 전투·훈련등 직무집행과 관련하여 받은 손해에 대하여는 법률이 정한 보상 이외에 국가나 공공단체에 공무원의 직무상 불법행위로 인한 배상은 청구할 수 없다.

③ [O] 헌법의 개별규정 자체는 헌법소원에 의한 위헌심사의 대상이 아니다. 한편, 헌법은 전문과 각 개별조항이 서로 밀접한 관련을 맺으면서 하나의 통일된 가치체계를 이루고 있는 것으로서 이념적·논리적으로는 규범 상호 간의 우열을 인정할 수 있다 하더라도, 그러한 규범 상호 간의 우열이 헌법의 어느 특정 규정이 다른 규정의 효력을 전면적으로 부인할 수 있을 정도의 개별적 헌법규정 상호 간에 효력상의 차등을 의미하는 것이라고는 볼 수 없으므로, 이 점에서도 헌법의 개별규정에 대한 위헌심사는 허용될 수 없다(1995.12.28, 95헌바3 ; 2001.2.22, 2000헌바38 ; 2005.5.26, 2005헌바28). 이 사건의 경우에 위 판시이유와 달리 판단하여야 할 새로운 사정변경이 있다고 볼 수 없으므로 위 판시이유를 그대로 유지함이 상당하다(2018.5.31, 2013헌바22 등).

❹ [X] 최근 헌법재판소 결정에서도 헌법 제29조 제2항은 위헌심사의 대상이 되지 않는다는 기존 입장을 고수하였으나 다음과 같이 헌법개정이 고려할 필요가 있다는 견해를 밝히고 있다. 다만, 아래 내용은 기속력은 없는 권고적 견해이다.

> **관련 판례** 입법론으로는, 헌법 제29조 제1항이 규정한 국가배상청구권은 피해를 입은 국민이면 누구나 다 향유할 수 있는 기본권으로서 그 국민의 신분에 따라 차별되지 아니하는 것이 원칙인 점, 이 사건 헌법조항이 군인 등을 일반 국민, 좀 더 좁게는 일반공무원과도 차별대우하는 입법목적은 대체로 국가의 재정사정이 그 주요 이유였다고 보여지는데, 이 사건 헌법조항이 신설되었던 1972년으로부터 46여년이 지난 지금에 와서는 당시와 비교할 수 없을 정도로 국가재정이 나아졌으므로 주요 입법목적이 이제는 소멸되었다고 볼 수 있다는 점, 공익상 목적에서 군인 등의 국가배상청구권에 제한을 가할 필요가 있다면 기본권의 일반유보조항인 헌법 제37조 제2항에 의하여 권리의 본질적 내용을 침해하지 아니하는 한도에서 법률로써 제한할 수도 있다는 점 등을 고려하면, 다음에 있을 헌법개정시에는 이 사건 헌법조항의 존치 여부에 대한 고려가 필요하다는 점을 지적해 두기로 한다(2018.5.31, 2013헌바22 등).

⑤ [O] 헌법재판소는 앞에서 본 사건에서 이 사건 법률조항과 동일한 내용을 규정하고 있던 구 「국가배상법」 제2조 제1항 단서는 헌법 제29조 제1항에 의하여 보장되는 국가배상청구권을 제한하는 헌법 제29조 제2항에 직접 근거하고, 실질적으로 그 내용을 같이하는 것이므로 헌법에 위반되지 아니한다고 판시하였다(1995.12.28, 95헌바3 ; 2001.2.22, 2000헌바38 ; 2005.5.26, 2005헌바28). 이 사건의 경우에 위 판시이유와 달리 판단하여야 할 새로운

사정변경이 있다고 볼 수 없으므로 위 판시이유를 그대로 유지함이 상당하다(2018.5.31, 2013헌바22 등).

05

정답 ⑤

① [O] 헌법 제29조 제2항을 피해군인 등에게 발생한 국가에 대한 손해배상청구권을 그 군인 등과 국가 사이에서만 상대적으로 소멸시키는 규정으로 해석한다면, 일반 국민은 공동불법행위자인 군인의 부담부분에 관하여 국가에 대하여 구상권을 행사할 수 있게 된다. 이리하여 일반 국민은 다른 공동불법행위로 인한 손해배상사건에서와 마찬가지로 자신의 부담 부분에 한하여만 손해를 배상하고 국가도 공동불법행위자인 군인의 사용자로서의 책임을 부담하는 결과가 되어 형평의 원칙에 부합하게 된다(1994.12.29, 93헌바21).

② [O] 헌법 제29조 제2항을 이와 반대로 헌법 제29조 제2항을 국가의 불법행위책임 자체를 절대적으로 배제하는 규정으로 해석한다면, 이 사건과 같은 사안에서 일반 국민은 공동불법행위자인 군인의 부담 부분에 관하여 국가에 대하여 구상권을 행사할 수 없게 되고, 설사 공동불법행위자인 군인 개인에 대하여 구상권을 행사할 수 있다고 하더라도 그 군인 자신에게 변제할 자력이 없을 경우에는 일반 국민은 현실적으로 구상을 받을 수 없게 된다(1994.12.29, 93헌바21).

③ [O] 국가는 국민의 기본권을 보장할 의무가 있고, 헌법 제29조 제2항은 제1항 의하여 보장되는 국가배상청구권을 헌법내재적으로 제한하는 규정이므로 그 적용범위에 대하여는 엄격하고도 제한적으로 해석하여야 할 것이다. 그러므로 헌법 제29조 제2항의 입법목적은, 피해자인 군인 등이 법률이 정하는 보상 외에 국가에 대하여 직접 손해배상청구권을 행사하지 못하게 하는 범위 내에서, 즉 일반 국민에게 경제적 부담을 전가시키지 아니하는 범위 내에서 군인 등의 국가에 대한 손해배상청구권을 상대적으로 소멸시킴으로써 군인 등에 대한 이중배상을 금지하여 국가의 재정적 부담을 줄인다고 하는 의미로 제한하여 이해하여야 할 것이다.

④ [O] 국가에 대한 구상권은 헌법 제23조 제1항에 의하여 보장되는 재산권이고 위와 같은 해석은 그러한 재산권의 제한에 해당하며 재산권의 제한은 헌법 제37조 제2항에 의한 기본권 제한의 한계 내에서만 가능한데, 위와 같은 해석은 헌법 제37조 제2항에 의하여 기본권을 제한할 때 요구되는 비례의 원칙 에 위배하여 일반 국민의 재산권을 과잉제한하는 경우에 해당하여 헌법 제23조 제1항 및 제37조 제2항에도 위반된다고 할 것이다(1994.12.29, 93헌바21).

❺ [X] **직무집행과 관련하여 공상을 입은 군인 등이 먼저 「국가배상법」에 따라 손해배상금을 지급받은 다음 구 「국가유공자 등 예우 및 지원에 관한 법률」(이하 '국가유공자법'이라 한다)이 정한 보상금 등 보훈급여금의 지급을 청구하는 경우, 「국가배상법」에 따라 손해배상을 받았다는 이유로 그 지급을 거부할 수 있는지 여부(소극)**

「국가배상법」 제2조 제1항 단서의 입법취지, 구 국가유공자법이 정한 보상과 「국가배상법」이 정한 손해배상의 목적과 산정방식의 차이 등을 고려하면, 구 「국가배상법」 제2조 제1항 단서가 구 국가유공자법 등에 의한 보상을 받을 수 있는 경우 추가로 「국가배상법」에 따른 손해배상청구를 하지 못한다는 것을 넘어 「국가배상법」상 손해배상금을 받은 경우 일률적으로 구 국가유공자법상 보상금 등 보훈급여금의 지급을 금지하는 취지로까지 해석하기는 어렵다(대판 2017.2.3, 2014두40012).

06

정답 ④

① [X]

> **「범죄피해자 보호법」 제16조 【구조금의 지급요건】** 국가는 구조대상 범죄피해를 받은 사람(이하 '구조피해자'라 한다)이 다음 각 호의 어느 하나에 해당하면 구조피해자 또는 그 유족에게 범죄피해 구조금을 지급한다
> 1. 구조피해자가 피해의 전부 또는 일부를 배상받지 못하는 경우

② [X]

> **헌법 제30조** 타인의 범죄행위로 인하여 생명·신체에 대한 피해를 받은 국민은 법률이 정하는 바에 의하여 국가로부터 구조를 받을 수 있다.

③ [X] 범죄피해자 구조청구권은 현행헌법에서 처음으로 규정되었다.

❹ [O] 2018년 국회 9급

> **「범죄피해자 보호법」 제3조 【정의】** ① 이 법에서 사용하는 용어의 뜻은 다음과 같다.
> 4. '구조대상 범죄피해'란 대한민국의 영역 안에서 또는 대한민국의 영역 밖에 있는 대한민국의 선박이나 항공기 안에서 행하여진 사람의 생명 또는 신체를 해치는 죄에 해당하는 행위(「형법」 제9조, 제10조 제1항, 제12조, 제22조 제1항에 따라 처벌되지 아니하는 행위를 포함하며, 같은 법 제20조 또는 제21조 제1항에 따라 처벌되지 아니하는 행위 및 과실에 의한 행위는 제외한다)로 인하여 사망하거나 장해 또는 중상해를 입은 것을 말한다.

07

정답 ④

ㄱ. [O] 「범죄피해자 보호법」 제16조 제2호는 자기 또는 타인의 형사사건의 수사 또는 재판에서 고소·고발 등 수사단서를 제공하거나 진술, 증언 또는 자료제출을 하다가 구조피해자가 된 경우 범죄피해 구조금을 받을 수 있도록 규정하고 있다. 2018년 경찰승진

ㄴ. [X] 2018년 비상업무 하

> **「범죄피해자 보호법」 제3조 【정의】** ① 이 법에서 사용하는 용어의 뜻은 다음과 같다.
> 4. '구조대상 범죄피해'란 대한민국의 영역 안에서 또는 대한민국의 영역 밖에 있는 대한민국의 선박이나 항공기 안에서 행하여진 사람의 생명 또는 신체를 해치는 죄에 해당하는 행위(「형법」 제9조, 제10조 제1항, 제12조, 제22조 제1항에 따라 처벌되지 아니하는 행위를 포함하며, 같은 법 제20조 또는 제21조 제1항에 따라 처벌되지 아니하는 행위 및 과실에 의한 행위는 제외한다)로 인하여 사망하거나 장해 또는 중상해를 입은 것을 말한다.
> ➡ 타인의 범죄행위로 인한 생명·신체에 대한 피해를 입었을 것

ㄷ. [O] 국가의 주권이 미치지 못하고 국가의 경찰력 등을 행사할 수 없거나 행사하기 어려운 해외에서 발생한 범죄에 대하여는 국가에 그 방지책임이 있다고 보기 어렵다. 따라서 범죄피해자구조청구권의 대상이 되는 범죄피해에 해외에서 발생한 범죄피해의 경우를 포함하고 있지 아니한 것이 현저하게 불합리한 자의적인 차별이라고 볼 수 없어 평등원칙에 위배되지 아니한다(2011.12.29, 2009헌마354). 2014년 법행

ㄹ. [X] (1) 청원권, 재판청구권, 피고인의 형사보상청구권, 국가배상청구권은 제헌헌법부터 규정되었고 형사피의자의 형사보상청구권과 범죄피해자구조청구권은 제9차 개정헌법에서 규정되었다.

(2) 범죄피해자구조청구권이라 함은 타인의 범죄행위로 말미암아 생명을 잃거나 신체상의 피해를 입은 국민이나 그 유족이 가해자로부터 충분한 피해배상을 받지 못한 경우에 국가에 대하여 일정한 보상을 청구할 수 있는 권리이며, 그 법적 성격은 생존권적 기본권으로서의 성격을 가지는 청구권적 기본권이라고 할 것이다(1989.4.17, 88헌마3). 2018년 비상업무 하

08 정답 ④

① [X] 현행 「범죄피해자 보호법」은 '가해자의 불명 또는 무자력'을 요건으로 하지 않는다.

> **「범죄피해자 보호법」 제16조 【구조금의 지급요건】** 국가는 구조대상 범죄피해를 받은 사람(이하 '구조피해자'라 한다)이 다음 각 호의 어느 하나에 해당하면 구조피해자 또는 그 유족에게 범죄피해 구조금을 지급한다.
> 1. 구조피해자가 피해의 전부 또는 일부를 배상받지 못하는 경우

② [X] 구조대상 범죄피해는 범죄로 인한 ⓐ 사망, ⓑ 신체에 대한 피해로 장해 또는 중상해를 입은 경우에 한정되고 정당행위·정당방위·과실에 의한 행위는 포함되지 않는다.

> **「범죄피해자 보호법」 제3조 【정의】** ① 이 법에서 사용하는 용어의 뜻은 다음과 같다.
> 4. '구조대상 범죄피해'란 대한민국의 영역 안에서 또는 대한민국의 영역 밖에 있는 대한민국의 선박이나 항공기 안에서 행하여진 사람의 생명 또는 신체를 해치는 죄에 해당하는 행위(「형법」 제9조, 제10조 제1항, 제12조, 제22조 제1항에 따라 처벌되지 아니하는 행위를 포함하며, 같은 법 제20조 또는 제21조 제1항에 따라 처벌되지 아니하는 행위 및 과실에 의한 행위는 제외한다)로 인하여 사망하거나 장해 또는 중상해를 입은 것을 말한다.

③ [X] 범죄에는 「형법」 제9조(형사미성년자), 제10조 제1항(심신상실자), 제22조 제1항(긴급피난)의 규정에 의하여 처벌되지 아니한 행위를 포함하며, 동법 제20조(정당행위)와 제21조(정당방위)에 의하여 처벌되지 아니하는 행위, 과실에 의한 행위는 포함하지 않는다.

❹ [O] 2019년 행시

> **「범죄피해자 보호법」 제23조 【외국인에 대한 구조】** 이 법은 외국인이 구조피해자이거나 유족인 경우에는 해당 국가의 상호보증이 있는 경우에만 적용한다.

09 정답 ③

① [X]

> **「범죄피해자 보호법」 제20조 【다른 법령에 따른 급여 등과의 관계】** 구조피해자나 유족이 해당 구조대상 범죄피해를 원인으로 하여 「국가배상법」이나 그 밖의 법령에 따른 급여 등을 받을 수 있는 경우에는 대통령령으로 정하는 바에 따라 구조금을 지급하지 아니한다.
> **제21조 【손해배상과의 관계】** ① 국가는 구조피해자나 유족이 해당 구조대상 범죄피해를 원인으로 하여 손해배상을 받았으면 그 범위에서 구조금을 지급하지 아니한다.

② [X] 2020년 경찰승진

> **「범죄피해자 보호법」 제19조 【구조금을 지급하지 아니할 수 있는 경우】** ① 범죄행위 당시 구조피해자와 가해자 사이에 다음 각 호의 어느 하나에 해당하는 친족관계가 있는 경우에는 구조금을 지급하지 아니한다.
> 1. 부부(사실상의 혼인관계를 포함한다)
> 2. 직계혈족
> 3. 4촌 이내의 친족
> 4. 동거친족

❸ [O] 2004년 사시

> **「범죄피해자 보호법」 제20조 【다른 법령에 따른 급여 등과의 관계】** 구조피해자나 유족이 해당 구조대상 범죄피해를 원인으로 하여 「국가배상법」이나 그 밖의 법령에 따른 급여 등을 받을 수 있는 경우에는 대통령령으로 정하는 바에 따라 구조금을 지급하지 아니한다.

④ [X]

> **「범죄피해자 보호법」 제24조 【범죄피해구조심의회 등】** ① 구조금 지급에 관한 사항을 심의·결정하기 위하여 각 지방검찰청에 범죄피해구조심의회를 두고 법무부에 범죄피해구조본부심의회를 둔다.

10 정답 ②

① [X]

> **「범죄피해자 보호법」 제31조 【소멸시효】** 구조금을 받을 권리는 그 구조결정이 해당 신청인에게 송달된 날부터 2년간 행사하지 아니하면 시효로 인하여 소멸된다.

❷ [O]

> **「범죄피해자 보호법」 제25조 【구조금의 지급신청】** ② 제1항에 따른 신청은 해당 구조대상 범죄피해의 발생을 안 날부터 3년이 지나거나 해당 구조대상 범죄피해가 발생한 날부터 10년이 지나면 할 수 없다.

③ [X]

> **「범죄피해자 보호법」 제32조 【구조금수급권의 보호】** 구조금을 받을 권리는 양도하거나 담보로 제공하거나 압류할 수 없다.

④ [X] 「범죄피해자 보호법」은 사실혼관계에 있는 배우자를 구조피해자의 수입으로 생계를 유지하고 있는 구조피해자의 부모보다 선순위인 것으로 규정하고 있다. 2014년 법행

> **「범죄피해자 보호법」 제18조 【유족의 범위 및 순위】** ① 유족구조금을 지급받을 수 있는 유족은 다음 각 호의 어느 하나에 해당하는 사람으로 한다.
> 1. 배우자(사실상 혼인관계를 포함한다) 및 구조피해자의 사망 당시 구조피해자의 수입으로 생계를 유지하고 있는 구조피해자의 자녀

2. 구조피해자의 사망 당시 구조피해자의 수입으로 생계를 유지하고 있는 구조피해자의 부모, 손자·손녀, 조부모 및 형제자매
③ 유족구조금을 받을 유족의 순위는 제1항 각 호에 열거한 순서로 하고, 같은 항 제2호 및 제3호에 열거한 사람 사이에서는 해당 각 호에 열거한 순서로 하며, 부모의 경우에는 양부모를 선순위로 하고 친부모를 후순위로 한다.

11 정답 ①

❶ [○] 사회보험은 사회국가원리를 실현하기 위한 중요한 수단이라는 점에서, 사회연대의 원칙은 국민들에게 최소한의 인간다운 생활을 보장해야 할 국가의 의무를 부과하는 사회국가원리에서 나온다. 보험료의 형성에 있어서 사회연대의 원칙은 보험료와 보험급여 사이의 개별적 등가성의 원칙에 수정을 가하는 원리일 뿐만 아니라, 사회보험체계 내에서의 소득의 재분배를 정당화하는 근거이며, 보험의 급여수혜자가 아닌 제3자인 사용자의 보험료 납부의무(소위 '이질부담')를 정당화하는 근거이기도 하다. 또한 사회연대의 원칙은 사회보험에의 강제가입의무를 정당화하며, 재정구조가 취약한 보험자와 재정구조가 건전한 보험자 사이의 재정조정을 가능하게 한다(2001.8.30, 2000헌마668). 2019년 입시

② [X] 우리 헌법은 제34조 제5항에서 "신체장애자 및 질병·노령 기타의 사유로 생활능력이 없는 국민은 법률이 정하는 바에 의하여 국가의 보호를 받는다."라고 하여 생활능력이 없는 국민의 복지향상을 위하여 노력해야 할 국가의 의무를 규정하고 있다. 그러나 이러한 국가의 의무는 신체장애자 등 생활능력이 없는 국민도 인간다운 생활을 누릴 수 있도록 정의로운 사회질서를 형성해야 할 일반적인 의무를 뜻하는 것이지, 신체장애자 등을 위하여 특정한 의무를 이행해야 한다는 구체적 내용의 의무가 헌법으로부터 나오는 것은 아니다. 따라서 이러한 헌법 규정으로부터 직접 신체장애 등을 가진 국민에게 어떠한 기본권이 발생한다고 보기는 어렵다(2012.5.31, 2011헌마241).

③ [X] 사회적 기본권은 헌법의 기본권조항에 의해 직접 보장되는 것이 아니라, 법률에 의하여 행사요건과 행사절차 등이 정해지기 때문에, 사회적 기본권에 관한 법률유보는 기본권 구체화적 법률유보의 성격이 강하다. 만약 헌법상 입법의무가 인정됨에도 불구하고 국회가 사회적 기본권을 구체화하는 입법의무를 게을리 할 경우, 헌법재판소는 스스로 입법의 공백을 메울 수 없으며 (진정입법부작위의 경우에는) 입법부작위의 위헌을 선언하거나 (부진정입법부작위의 경우에는) 헌법불합치결정을 통해 국회에 대하여 입법촉구를 할 수 있다고 본다.

④ [X] 장애인의 복지를 향상해야 할 국가의 의무가 다른 다양한 국가과제에 대하여 최우선적인 배려를 요청할 수 없을 뿐 아니라, 나아가 헌법의 규범으로부터는 '장애인을 위한 저상버스의 도입'과 같은 구체적인 국가의 행위의무를 도출할 수 없는 것이다. 국가에게 헌법 제34조에 의하여 장애인의 복지를 위하여 노력을 해야 할 의무가 있다는 것은, 장애인도 인간다운 생활을 누릴 수 있는 정의로운 사회질서를 형성해야 할 국가의 일반적인 의무를 뜻하는 것이지, 장애인을 위하여 저상버스를 도입해야 한다는 구체적 내용의 의무가 헌법으로부터 나오는 것은 아니다(2002.12.18, 2002헌마52).

12 정답 ①

❶ [○] 인간다운 생활을 할 권리 내지 생존권은 그 자체로서 권리의 성격을 갖는 드문 경우를 제외하면 그 내용은 법률에 의해 구체화되어야 비로소 구체적·현실적 권리가 된다. 그런데 임금채권 우선변제 제도는 사회정책적인 차원에서 근로자를 두텁게 보호하기 위하여 일정한 임금·퇴직금채권에 대하여 집행절차에서 다른 채권자보다 우선하여 변제를 받을 수 있는 권리를 규정한 것이며, 이는 법률의 시행에 의하여 비로소 구체적으로 창설·설정되는 것이다. 따라서 법 시행 전에 설정된 담보물권자에 대한 관계에서도 우선변제특권을 소급적용할 수 있도록 하는 특별규정을 두지 않았다고 하더라도 이를 두고서 인간다운 생활을 할 권리(생존권)를 직접 제한한다고 보기 어렵다(2006.7.27, 2004헌바20).

② [X] 입법위임규정설에 의하면, 헌법규정은 '입법자에 대한 헌법위임규정'으로서 입법자만을 그 대상으로 한다는 점에서 입법만이 아니라 행정과 사법도 구속하는 '헌법위임규정'과는 구별된다고 한다. 또한 입법위임규정설에 의하면 사회적 기본권규정은 권리규정이 아니라 입법자에 대한 구체적인 입법의무를 부과하는 규정이라고 한다.

③ [X] 헌법 제34조 제2항 및 제6항의 국가의 사회보장·사회복지 증진의무나 재해예방노력의무 등의 성질에 비추어 국가가 어떠한 내용의 산재보험을 어떠한 범위와 방법으로 시행할지 여부는 입법자의 재량영역에 속하는 문제이고, 산재피해 근로자에게 인정되는 산재보험수급권도 그와 같은 입법재량권의 행사에 의하여 제정된 산재보험법에 의하여 비로소 구체화되는 '법률상의 권리'이며, 개인에게 국가에 대한 사회보장·사회복지 또는 재해예방 등과 관련된 적극적 급부청구권은 인정하고 있지 않다(2005.7.21, 2004헌바2).

④ [X] 모든 국민은 인간다운 생활을 할 권리를 가지며 국가는 생활능력 없는 국민을 보호할 의무가 있다는 헌법의 규정은 모든 국가기관을 기속하지만, 그 기속의 의미는 적극적·형성적 활동을 하는 입법부 또는 행정부의 경우와 헌법재판에 의한 사법적 통제기능을 하는 헌법재판소에 있어서 동일하지 아니하다. 2021년 소방간부

13 정답 ①

❶ [X] 헌법 제34조 제1항은 "모든 국민은 인간다운 생활을 할 권리를 가진다."라고 하고, 제2항은 "국가는 사회보장·사회복지의 증진에 노력할 의무를 진다."라고 규정하고 있는바, 이 법상의 연금수급권과 같은 사회보장수급권은 이 규정들로부터 도출되는 사회적 기본권의 하나이다(1999.4.29, 97헌마333).

② [○] 1999.4.29, 97헌마333 2016년 경찰승진

③ [○] 국가가 '인간다운 생활을 할 권리'를 국민에게 보장하기 위하여 국가의 보호를 필요로 하는 국민들에게 한정된 가용자원을 분배하는 이른바 사회보장권에 관한 입법을 할 경우에는 국가의 재정부담능력, 전체적인 사회보장수준과 국민감정 등 사회정책적인 고려, 제도의 장기적인 지속을 전제로 하는 데서 오는 제도의 비탄력성과 같은 사회보장제도의 특성 등 여러 가지 요소를 감안하여야 하기 때문에 입법자에게 광범위한 입법재량이 부여되지 않을 수 없고, 따라서 헌법상의 사회보장권은 그에 관한 수급요건, 수급자의 범위, 수급액 등 구체적인 사항이 법률에 규정됨으로써 비로소 구체적인 법적 권리로 형성된다고 보아야 할 것이다(1995.7.21, 93헌가14). 2019년 입시

④ [○] 헌법 제34조 제2항 및 제6항의 국가의 사회보장·사회복지 증진의무나 재해예방노력의무 등의 성질에 비추어 국가가 어떠한 내용의 산재보험을 어떠한 범위와 방법으로 시행할지 여부는 입법자의 재량영역에 속하는 문제이고, 산재피해 근로자에게 인정되는 산재보험수급권도 그와 같은 입법재량권의 행사에 의하여 제정된 산재보험법에 의하여 비로소 구체화되는 '법률상의 권리'이며, 개인에게 국가에 대한 사회보장·사회복지 또는 재해예방 등과 관련된 적극적 급부청구권은 인정하고 있지 않다(2005.7.21, 2004헌바2). 2012년 변시

⑤ [O] 법률에 의하여 구체적으로 형성된 의료보험수급권에 대하여 헌법재판소는 이를 재산권의 보장을 받는 공법상의 권리로서 헌법상의 사회적 기본권의 성격과 재산권의 성격을 아울러 지니고 있다고 보므로 보험급여를 받을 수 있는 가입자가 만일 계쟁조항에 의하여 보험급여를 받을 수 없게 된다면 이것은 헌법상의 재산권과 사회적 기본권에 대한 제한이 된다(2003.12.18, 2002헌바1). 2021년 비상업무

14 정답 ④

ㄱ. [X] 사립학교 교원에 대한 명예퇴직수당은 장기근속자의 조기퇴직을 유도하기 위한 특별장려금이라고 할 것이고 장기근속자의 사회복귀나 노후 복지보장과 같은 사회보장과는 직접적인 관련이 있다고 보기 어렵다. 따라서 사립학교 사무직원에 대한 명예퇴직제도를 법률에 규정하지 않았다고 하여 국가가 이들에 대한 사회보장의무를 다하지 않았다거나 이들의 사회보장수급권 내지 인간다운 생활권 등을 침해한 것이라고 볼 수 없다(2007.4.26, 2003헌마533). 2015년 법행

ㄴ. [O] 헌법 제34조 제1항에 따른 인간다운 생활을 할 권리는 사회권적 기본권의 일종으로서 인간의 존엄에 상응하는 최소한의 물질적인 생활의 유지에 필요한 급부를 국가에게 적극적으로 요구할 수 있는 권리를 의미한다. 그런데 도시환경정비사업의 시행으로 인하여 철거되는 주택의 소유자를 위하여 사업시행기간 동안 거주할 임시수용시설을 설치하는 것은 국가에 대하여 최소한의 물질적 생활을 요구할 수 있는 인간다운 생활을 할 권리의 향유와 관련되어 있다고 할 수 없다. 그렇다면 도시환경정비사업의 시행으로 인하여 철거되는 주택의 소유자를 위하여 임시수용시설을 설치하도록 규정하지 않은 「도시 및 주거환경정비법」 조항이 인간다운 생활을 할 권리를 제한하거나 침해한다고 할 수 없다(2014.3.27, 2011헌바396).

ㄷ. [O]

> 「국민기초생활 보장법」 제4조 【급여의 기준 등】 ① 이 법에 따른 급여는 건강하고 문화적인 최저생활을 유지할 수 있는 것이어야 한다.

ㄹ. [X] 「국민기초생활 보장법」에 의한 급여는 수급자가 자신의 생활의 유지·향상을 위하여 그 소득·재산·근로능력 등을 활용하여 최대한 노력하는 것을 전제로 이를 보충·발전시키는 것을 기본원칙으로 하며, 부양의무자의 부양과 다른 법령에 의한 보호는 이 법에 의한 급여에 우선하여 행하여지는 것으로 한다고 함으로써(제3조), 이 법에 의한 급여가 어디까지나 보충적인 것임을 명시하고 있다(2004.10.28, 2002헌마328).

15 정답 ②

① [X]

> 「국민기초생활 보장법」 제4조 【급여의 기준 등】 ① 이 법에 따른 급여는 건강하고 문화적인 최저생활을 유지할 수 있는 것이어야 한다.

❷ [O] 인간다운 생활을 할 권리로부터 인간의 존엄에 상응하는 '최소한의 물질적인 생활'의 유지에 필요한 급부를 요구할 수 있는 구체적인 권리가 상황에 따라서는 직접 도출될 수 있다고 할 수는 있어도, 동 기본권이 직접 그 이상의 급부를 내용으로 하는 구체적인 권리를 발생케 한다고는 볼 수 없다고 할 것이다. 이러한 구체적 권리는 국가가 재정형편 등 여러가지 상황들을 종합적으로 감안하여 법률을 통하여 구체화할 때에 비로소 인정되는 법률적 차원의 권리라고 할 것이다(1998.2.27, 97헌가10 등). 2012년 사시

③ [X] 인간다운 생활을 할 권리로부터 인간의 존엄에 상응하는 '최소한의 물질적인 생활'의 유지에 필요한 급부를 요구할 수 있는 구체적인 권리가 상황에 따라서는 직접 도출될 수 있다고 할 수는 있어도, 직접 그 이상의 급부를 내용으로 하는 구체적인 권리를 발생케 한다고 볼 수는 없다. 이러한 구체적 권리는 국가가 재정형편 등 여러 가지 상황들을 종합적으로 감안하여 법률을 통하여 구체화할 때에 비로소 인정되는 법률적 차원의 권리이다(2006.11.30, 2005헌바25).

④ [X] 생계보호기준이 청구인들의 인간다운 생활을 보장하기 위하여 국가가 실현해야 할 객관적 내용의 최소한도의 보장에도 이르지 못하였다거나 헌법상 용인될 수 있는 재량의 범위를 명백히 일탈하였다고는 보기 어렵고, 따라서 비록 위와 같은 생계보호의 수준이 일반 최저생계비에 못미친다고 하더라도 그 사실만으로 곧 그것이 헌법에 위반된다거나 청구인들의 행복추구권이나 인간다운 생활을 할 권리를 침해한 것이라고는 볼 수 없다(1997.5.29, 94헌마33). 2007년 사시

16 정답 ③

ㄱ. [O] 그 보호기준에 따라 일정한 생계보호를 받게 된다는 점에서 직접 대외적 효력을 가지며, 공무원의 생계보호급여 지급이라는 집행행위는 위 생계보호기준에 따른 단순한 사실적 집행행위에 불과하므로, 위 생계보호기준은 그 지급대상자인 청구인들에 대하여 직접적인 효력을 갖는 규정이다(1997.5.29, 94헌마33).

ㄴ. [O] 현행 「행정소송법」상 이를 다툴 방법이 있다고 볼 수 없으므로 이 사건은 다른 법적 구제수단이 없는 경우에 해당하여 보충성 요건을 갖춘 것이라 볼 수 있다(1997.5.29, 94헌마33).

ㄷ. [O] 이 법에 의한 보호는 보호대상자가 자신의 생활의 유지·향상을 위하여 그 자산·근로능력 등을 활용하여 최대한 노력하는 것을 전제로 이를 보충발전시키는 것을 기본원칙으로 하며 또 부양의무자의 부양과 기타 다른 법령에 의한 보호는 이 법에 의한 보호에 우선하여 행하여 지는 것으로 한다고 규정함으로써(제4조), 이 법에 의한 보호가 어디까지나 '보충적인 것'임을 명언하고 있다(1997.5.29, 94헌마33).

ㄹ. [X] 헌법의 규정이, 입법부나 행정부에 대하여는 국민소득, 국가의 재정능력과 정책 등을 고려하여 가능한 범위 안에서 최대한으로 모든 국민이 물질적인 최저생활을 넘어서 인간의 존엄성에 맞는 건강하고 문화적인 생활을 누릴 수 있도록 하여야 한다는 행위의 지침 즉 행위규범으로서 작용하지만, 헌법재판에 있어서는 다른 국가기관, 즉 입법부나 행정부가 국민으로 하여금 인간다운 생활을 영위하도록 하기 위하여 객관적으로 필요한 최소한의 조치를 취할 의무를 다하였는지를 기준으로 국가기관의 행위의 합헌성을 심사하여야 한다는 통제규범으로 작용하는 것이다(1997.5.29, 94헌마33).

ㅁ. [X] 생계보호의 구체적 수준을 결정하는 것은 입법부 또는 입법에 의하여 다시 위임을 받은 행정부 등 해당기관의 광범위한 재량에 맡겨져 있다고 보아야 한다. 그러므로 국가가 인간다운 생활을 보장하기 위한 헌법적 의무를 다하였는지의 여부가 사법적 심사의 대상이 된 경우에는, 국가가 생계보호에 관한 입법을 전혀 하지 아니하였다든가 그 내용이 현저히 불합리하여 헌법상 용인될 수 있는 재량의 범위를 명백히 일탈한 경우에 한하여 헌법에 위반된다고 할 수 있다(1997.5.29, 94헌마33).

ㅂ. [X] 인간다운 생활을 보장하기 위한 객관적 내용의 최소한을 보장하고 있는지의 여부는 「생활보호법」에 의한 생계보호급여만을 가지고

판단하여서는 아니되고 그 외의 법령에 의거하여 국가가 생계보호를 위하여 지급하는 각종 급여나 각종 부담의 감면 등을 총괄한 수준을 가지고 판단하여야 한다(1997.5.29, 94헌마33).

17 정답 ④

① [X] 청구인은 국민연금 외의 다른 공적 보험에서는 사용자의 보험료 미납이 있더라도 근로자에게 불이익을 주지 않는데, 심판대상조항은 근로자에게 귀책사유가 없는 사용자의 기여금 미납기간도 '연금보험료를 내지 아니한 기간'에 포함시켜 합리적인 이유 없이 국민연금을 차별하여 평등권을 침해한다고 주장한다. 국민건강보험과 고용보험은 유족연금 또는 유족급여의 개념이 존재하지 아니하고, 「산업재해보상보험법」에는 유족급여(유족보상연금이나 유족보상일시금)가 존재하나 산업재해보상보험의 보험료는 사업주와 근로자가 공동부담하는 것이 아니라 사업주가 전액 부담하도록 되어 있어 기본적인 취지나 목적 등이 국민연금과는 현저한 차이가 있다. 따라서 국민연금과 다른 공적 보험은 제도의 목적과 기능, 성격, 보호대상과 급여의 종류, 비용 부담 등에 있어 서로 달라 차별취급을 논할 본질적으로 동일한 비교집단이라고 보기 어려우므로, 평등권 침해 여부가 문제된다고 보기 어렵다(2020.5.27, 2018헌바129).

② [X] 국민연금제도는 자기 기여를 전제로 하지 않고 국가로부터 소득을 보장받는 순수한 사회부조형 사회보장제도가 아니라, 가입자의 보험료를 재원으로 하여 가입기간, 기여도 및 소득수준 등을 고려하여 소득을 보장받는 사회보험제도이므로, 입법자가 가입기간의 상당 부분을 성실하게 납부한 사람의 유족만을 유족연금 지급대상에 포함시키기 위하여 '연금보험료를 낸 기간이 그 연금보험료를 낸 기간과 연금보험료를 내지 아니한 기간을 합산한 기간의 3분의 2' 보다 짧은 경우 유족연금 지급을 제한한 것이 입법재량의 한계를 일탈하였을 정도로 불합리하다고 보기 어렵다(2020.5.27, 2018헌바129).

③ [X] 「군인연금법」상의 유족급여수급권은 단순한 사실상의 이익이나 국가가 일방적으로 베푸는 시혜적인 급부를 요구할 수 있는 것에 그치지 아니하고 기본적으로는 헌법상 보장된 사회적 기본권의 성격을 가진 것이므로, 만일 입법자가 유족급여수급권자의 범위를 정함에 있어 어느 집단을 합리적 이유 없이 포함시키지 아니하거나 연금수혜의 대상에서 제외하는 등 불완전하거나 불충분한 입법형성을 함으로써 입법재량의 한계를 일탈한 경우에는 그러한 흠결을 가진 입법 자체에 의하여 청구인의 사회적 기본권이나 평등권이 침해될 수 있다(2012.6.27, 2011헌바115).

❹ [O]

> **「국민기초생활 보장법」 제35조 【압류금지】** ① 수급자에게 지급된 수급품과 이를 받을 권리는 압류할 수 없다.
> ② 제27조의2 제1항에 따라 지정된 급여수급계좌의 예금에 관한 채권은 압류할 수 없다.
>
> **제36조 【양도금지】** 수급자는 급여를 받을 권리를 타인에게 양도할 수 없다.
>
> **「사회보장기본법」 제14조 【사회보장수급권의 포기】** ① 사회보장수급권은 정당한 권한이 있는 기관에 서면으로 통지하여 포기할 수 있다.

18 정답 ④

① [X] 국민연금제도는 자기 기여를 전제로 하지 않고 국가로부터 소득을 보장받는 순수한 사회부조형 사회보장제도가 아니라, 가입자의 보험료를 재원으로 하여 가입기간, 기여도 및 소득수준 등을 고려하여 소득을 보장받는 사회보험제도이므로, 입법자가 가입기간의 상당 부분을 성실하게 납부한 사람의 유족만을 유족연금 지급대상에 포함시키기 위하여 '연금보험료를 낸 기간이 그 연금보험료를 낸 기간과 연금보험료를 내지 아니한 기간을 합산한 기간의 3분의 2' 보다 짧은 경우 유족연금 지급을 제한한 것이 입법재량의 한계를 일탈하였을 정도로 불합리하다고 보기 어렵다(2020.5.27, 2018헌바129).

② [X]

<사회보험과 공공부조>

사회보험	공공부조
자기 기여	국가 부담
예산에서 일부 지원	예산에서 전액 부담
국민연금, 의료보험	생계급여, 주거급여
「국민연금법」	「국민기초생활 보장법」
1차	보충

③ [X] 「공무원연금법」상의 퇴직연금수급권은 기본적으로 사회보장적 급여로서의 성격을 가짐과 동시에 공로보상 내지 후불임금으로서의 성격도 함께 가진다고 할 것이고, 이러한 퇴직연금수급권은 경제적 가치 있는 권리로서 헌법 제23조에 의하여 보장되는 재산권으로서의 성격을 가진다고 할 수 있는데, 다만 그 구체적인 급여의 내용, 기여금의 액수 등을 형성하는 데에 있어서는 직업공무원제도나 사회보험원리에 입각한 사회보장적 급여로서의 성격으로 인하여 일반적인 재산권에 비하여 입법자에게 상대적으로 보다 폭넓은 재량이 헌법상 허용된다고 볼 수 있다(2005.6.30, 2004헌바42). 2016년 법원

❹ [O] 현대의 가족구조가 통상 부모와 자녀의 2대로 구성된 핵가족화하고 있고, 직계존비속과 달리 형제자매는 가족 구성원으로서 법적인 부양의무를 부담하지 않으며, 보험원리에 입각해 한정된 재원으로 사회보장급부를 보다 절실히 필요로 하는 보험대상자에게 경제적 생활안정과 복리향상을 도모하기 위한 것이므로, 이 사건 법률조항이 입법형성권의 한계를 일탈하여 청구인들의 재산권을 침해한 것으로 볼 수 없다(2014.5.29, 2012헌마555). 2016년 법원

19 정답 ①

ㄱ. [O] 사학연금수급권이 재산권의 성격을 일부 지니고 있다고 하더라도 사회보장법리에 의해 강하게 영향을 받을 수밖에 없으므로, 입법자로서는 연금수급권의 구체적인 내용을 형성함에 있어 민법상 상속제도와 달리 그 입법목적에 맞도록 독자적으로 규율할 수 있다고 할 것인바, 이 사건 심판대상조항이 유족의 범위를 일정한 친족 등으로 제한하고 이러한 유족이 없을 경우 유족이 아닌 직계비속에게만 급여수급권을 인정한 것은 사회보장제도의 실시에 따른 재원의 한계, 사회보장의 필요성 및 우리나라 가족관계의 특성 등을 종합하여 입법형성권의 범위 내에서 입법자가 유족급여수급권이라는 사회보장수급권과 재산권을 합리적인 기준에 따라 형성하고 구체화한 것이므로, 재산권 제한의 입법형성의 한계를 일탈하여 헌법에 위반된다고 볼 수 없다(2010.4.29, 2009헌바102). 2014 년 사시

ㄴ. [O] 「산업재해보상보험법」상 유족급여는 헌법 제34조의 인간다운 생활을 할 권리에 근거하여 「산업재해보상보험법」에 구체화된 사회보장적 성격의 보험급여로서 입법자의 광범위한 입법형성권이 인정된다. 근로자의 직계혈족의 배우자는 직접적인 혈연관계가 없고 근로자와 생계를 같이하는 경우에만 가족으로 인정되는 것이어서 가족으로서의 유대관계와 결속력이 완화되어 있고, 「민법」상 상속인의 범위에서도 제외되어 있으며, 다른 사회보장법에서도 유족의 범위에 포함되지 않고 있다. 따라서 이 사건 법률조항이 직계혈족의 배우자를 유

족의 범위에 포함시키지 않고 있다 하더라도 그것이 입법형성의 한계를 일탈하여 청구인의 인간다운 생활을 할 권리를 침해하고 있다고 보기는 어렵다(2012.3.29, 2011헌바133). 2018년 법행

ㄷ. [O] "국가유공자·상이군경 및 전몰군경의 유가족은 법률이 정하는 바에 의하여 우선적으로 근로의 기회를 부여받는다."라고 규정한 헌법 제32조 제6항의 문언을 엄격하게 해석하면, 위 조항에 의하여 우선적인 근로의 기회를 부여받는 대상자는 '국가유공자', '상이군경', 그리고 '전몰군경의 유가족'이라고 봄이 상당하다. 2011.3.29. 법률 제10471호로 개정된 「국가유공자 등 예우 및 지원에 관한 법률」에서는 고엽제후유의증환자도 참전유공자로서 국가유공자에 포함하고 있기는 하나(제4조 제1항 제9의2호 나목), 앞서 본 헌법 제32조 제6항의 해석에 의할 때 전몰군경의 유가족을 제외한 국가유공자의 가족은 위 헌법조항에 의한 보호대상에 포함된다고 할 수 없으므로 이 사건 부칙조항이 국가유공자의 가족인 청구인들을 교육지원과 취업지원의 대상에서 배제한다고 하여 헌법 제32조 제6항의 우선적 근로의 기회 제공의무를 위반한 것이라고 할 수는 없다(2011.6.30, 2008헌마715 등). 2015년 사시

ㄹ. [O] 규정에 의하여 지급이 정지되는 것은 사립학교기관으로부터 보수를 지급받고 있는 기간 중의 퇴직연금만이고 퇴직수당 등 다른 급여의 지급이 정지되는 것은 아니므로 이는 입법목적 달성을 위하여 필요하고 적정한 방법으로서 기본권 제한의 입법한계를 일탈한 것으로 볼 수 없다(2000.6.29, 98헌바106).

ㅁ. [O] 입증책임분배에 있어 권리의 존재를 주장하는 당사자가 권리근거사실에 대하여 입증책임을 부담한다는 것은 일반적으로 받아들여지고 있고, 통상적으로 업무상 재해를 직접 경험한 당사자가 이를 입증하는 것이 용이하다는 점을 감안하면, 이러한 입증책임의 분배가 입법재량을 일탈한 것이라고는 보기 어렵다. 따라서 심판대상조항이 사회보장수급권을 침해한다고 볼 수 없다(2015.6.25, 2014헌바269).

ㅂ. [O] 「산업재해보상보험법」이 개정되어 행정입법의 작위의무가 발생한 때로부터 이미 30년 정도가 경과되도록 그 의무의 이행이 이루어지지 않고 있는바, 이로 말미암아 고용기간이 극히 짧아 수령임금이 없는 자의 유족으로서 「산업재해보상보험법」상 유족급여 등의 대상자인 청구인들은 정당한 유족급여 등을 받게 될 재산권 및 인간다운 생활을 할 권리를 침해당하고 있다(2002.7.18, 2000헌마707).

ㅅ. [X] 의학적 평가단계에서의 제한에 관하여 살피면, 심판대상조항들로 인하여 3개 이상의 질병을 가진 평가대상자의 경우 의학적 평가에서 자신의 질병 중 일부를 평가받을 수 없는 제한을 받게 된다. 그러나 다양한 경우에 적용될 수 있는 의학적 평가의 기준을 마련하는 데는 현실적 한계가 존재하는 점, 근로능력판정에 있어 질병의 개수보다 중한 질병의 정도가 더 큰 영향을 미칠 수 있다는 점, 활동능력 평가단계에서는 평가대상자의 모든 질병이 반영된 총체적 상태를 바탕으로 평가가 이루어진다는 점 등을 고려할 때, 이러한 제한이 명백히 불합리하다고 보기는 어렵다(2019.9.26, 2017헌마632).

20

정답 ①

❶ [X] 「국민건강보험법」에 따른 건강보험수급권은 국민의 질병·부상에 대한 예방·진단·치료·재활과 출산·사망 및 건강증진을 위하여 실시되는 보험급여를 지급받을 권리로서(「국민건강보험법」 제1조 참조), 인간의 존엄에 상응하는 최소한의 물질적인 생활의 유지에 필요한 급부를 요구할 수 있는 권리에 해당하므로, 인간다운 생활을 할 권리의 보호범위에 포함된다(2020.4.23, 2017헌바244).

② [O] 건강보험수급권은 가입자가 납부한 보험료에 대한 반대급부의 성격을 가지며, 보험사고로 초래되는 재산상 부담을 전보하여 주는 경제적 유용성을 가지므로, 헌법상 재산권의 보호범위에 속한다고 볼 수 있다. 청구인과 같이 보수월액보험료와 소득월액보험료를 모두 부과받는 직장가입자가 보수월액보험료를 납부하고 소득월액보험료만 체납한 경우에도 보험급여가 전면 제한될 수 있으므로, 심판대상조항은 재산권을 제한한다(2020.4.23, 2017헌바244).

③ [O] 심판대상조항이 건강보험급여를 제한함으로써 간접적으로 청구인의 건강권, 인간의 존엄과 가치, 행복추구권을 침해한다고 주장하나, 소득월액보험료 체납에 따른 보험급여 제한에서 보다 본질적인 문제는 인간다운 생활을 할 권리 및 재산권의 제한이므로, 건강권 등의 침해 여부에 대하여도 별도로 판단하지 아니한다(2020.4.23, 2017헌바244).

④ [O] 보험급여를 하지 아니하는 기간에 받은 보험급여의 경우에도, 일정한 기한 이내에 체납된 보험료를 완납한 경우 보험급여로 인정하는 등, 「국민건강보험법」은 심판대상조항으로 인하여 가입자가 과도한 불이익을 입지 않도록 배려하고 있다. 따라서 심판대상조항은 청구인의 인간다운 생활을 할 권리나 재산권을 침해하지 아니한다(2020.4.23, 2017헌바244).

49회 진도별 모의고사

교육을 받을 권리

정답

01	②	02	④	03	②	04	④
05	①	06	②	07	①	08	④
09	③	10	③	11	④	12	③
13	①	14	④	15	①	16	④
17	③	18	④	19	①	20	③

01 정답 ②

① [O] 헌법 제31조 제1항의 교육을 받을 권리는, 국민이 능력에 따라 균등하게 교육받을 것을 공권력에 의하여 부당하게 침해받지 않을 권리와, 국민이 능력에 따라 균등하게 교육받을 수 있도록 국가가 적극적으로 배려하여 줄 것을 요구할 수 있는 권리로 구성되는바, 전자는 자유권적 기본권의 성격이, 후자는 사회권적 기본권의 성격이 강하다고 할 수 있다(2008.4.24, 2007헌마1456).

❷ [X] 실질적인 평등교육을 실현해야 할 국가의 적극적인 의무가 인정된다고 하여 이로부터 국민이 직접 실질적 평등교육을 위한 교육비를 청구할 권리가 도출된다고 볼 수 없다(2003.11.27, 2003헌바39).

③ [O] 국가 및 지방자치단체에게 사립유치원에 대한 교사 인건비, 운영비 및 영양사 인건비를 예산으로 지원하라는 헌법상 명문규정이 없음은 분명하다. 그리고 헌법 제31조 제1항은 국민의 교육을 받을 권리를 보장하고 있지만 그 권리는 통상 국가에 의한 교육조건의 개선·정비와 교육 기회의 균등한 보장을 적극적으로 요구할 수 있는 권리로 이해되고 있을 뿐이고, 그로부터 위와 같은 작위의무가 헌법해석상 바로 도출된다고 볼 수 없다. 또한 사립유치원 운영자 등의 영업의 자유나 평등권을 보장하는 헌법규정으로부터도 위와 같은 작위의무가 도출된다고 볼 수 없다(2006.10.26, 2004헌마13).

④ [O] 헌법 제31조 제1항에 의하여 보장되는 교육을 받을 권리는 교육의 기회균등을 의미하는 것으로, 국가에게 국민 누구나 능력에 따라 균등한 교육을 받을 수 있게끔 노력해야 할 의무를 부과한다. 따라서 교육을 받을 권리는 개인적 성향·능력 및 정신적·신체적 발달상황 등을 고려하지 아니한 채 동일한 교육을 받을 수 있는 권리를 의미하는 것이 아니다(2009.9.24, 2008헌마662).

02 정답 ④

① [X] 헌법은 자유권적 기본권의 보장을 통하여 개인이 자유를 행사함으로써 필연적으로 발생하는 사회 내에서의 개인 간의 불평등을 인정하면서, 다른 한편, 사회적 기본권의 보장을 통하여 되도록 국민 누구나가 자력으로 자신의 기본권을 행사할 수 있는 실질적인 조건을 형성해야 할 국가의 의무, 특히 헌법 제31조의 '교육을 받을 권리'의 보장을 통하여 교육영역에서의 기회균등을 이룩할 의무를 부과하고 있다. 따라서 헌법 제31조의 '능력에 따라 균등한 교육을 받을 권리'는 국가에 의한 교육제도의 정비·개선 외에도 의무교육의 도입 및 확대, 교육비의 보조나 학자금의 융자 등 교육영역에서의 사회적 급부의 확대와 같은 국가의 적극적인 활동을 통하여 사인간의 출발 기회에서의 불평등을 완화해야 할 국가의 의무를 규정한 것이다. 그러나 위 조항은 교육의 모든 영역, 특히 학교교육 밖에서의 사적인 교육영역에까지 균등한 교육이 이루어지도록 개인이 별도로 교육을 시키거나 받는 행위를 국가가 금지하거나 제한할 수 있는 근거를 부여하는 수권규범이 아니다(2000.4.27, 98헌가16 등).

② [X] 헌법 제31조 제1항에 의해서 보장되는 교육을 받을 권리는 교육영역에서의 기회균등을 내용으로 하는 것이지, 자신의 교육환경을 최상 혹은 최적으로 만들기 위해 타인의 교육시설 참여 기회를 제한할 것을 청구할 수 있는 기본권은 아니므로, 기존의 재학생들에 대한 교육환경이 상대적으로 열악해질 수 있음을 이유로 새로운 편입학 자체를 하지 말도록 요구하는 것은 교육을 받을 권리의 내용으로는 포섭할 수 없다(2003.9.25, 2001헌마814 등).

③ [X] 교육을 받을 권리에 교육의 기회 보장을 요구할 수 있는 권리를 넘어서서 국민이 국가에 대하여 직접 특정한 교육제도나 교육과정을 요구할 수 있는 권리나, 특정한 교육제도나 교육과정의 배제를 요구할 권리가 포함되는 것은 더더욱 아니다(2005.11.24, 2003헌마173).

❹ [O] 헌법 제31조 제1항에 따라 국가에게 능력에 따라 균등한 교육의 기회를 보장할 의무가 부여되어 있다 하더라도, 군인이 자기계발을 위하여 해외유학하는 경우의 교육비를 청구할 수 있는 권리가 도출된다고 할 수는 없다(2009.4.30, 2007헌마290).

03 정답 ②

① [X] 헌법은 제31조 제1항에서 '능력에 따라 균등하게'라고 하여 교육영역에서 평등원칙을 구체화하고 있다. 헌법 제31조 제1항은 헌법 제11조의 일반적 평등조항에 대한 특별규정으로서 교육의 영역에서 평등원칙을 실현하고자 하는 것이다. 평등권으로서 교육을 받을 권리는 '취학의 기회균등', 즉 각자의 능력에 상응하는 교육을 받을 수 있도록 학교 입학에 있어서 자의적 차별이 금지되어야 한다는 차별금지원칙을 의미한다. 헌법 제31조 제1항은 취학의 기회에 있어서 고려될 수 있는 차별기준으로 '능력'을 제시함으로써, 능력 이외의 다른 요소에 의한 차별을 원칙적으로 제한하고 있다. 여기서 '능력'이란 '수학능력'을 의미하고 교육제도에서 '수학능력'은 개인의 인격발현과 밀접한 관계에 있는 인격적 요소이며, 학교 입학에 있어서 고려될 수 있는 합리적인 차별기준을 의미한다(2017.12.28, 2016헌마649).

❷ [O] 교육을 받을 권리는 국민이 국가에 대해 직접 특정한 교육제도나 학교시설을 요구할 수 있음을 뜻하지 않으며, 더구나 자신의 교육환경을 최상 혹은 최적으로 만들기 위해 타인의 교육시설 참여 기회를 제한할 것을 청구할 수 있는 기본권은 더더욱 아닌 것이다(2003.9.25, 2001헌마814 등).

③ [X] 성별·종교·사회적 신분에 의한 차별뿐 아니라 경제적 능력에 따른 차별도 허용하지 않는다.

④ [X] 국가 및 지방자치단체에게 사립유치원에 대한 교사 인건비, 운영비 및 영양사 인건비를 예산으로 지원하라는 헌법상 명문규정이 없음은 분명하다. 그리고 헌법 제31조 제1항은 국민의 교육을 받을 권리를 보장하고 있지만 그 권리는 통상 국가에 의한 교육조건의 개선·정비와 교육기회의 균등한 보장을 적극적으로 요구할 수 있는 권리로 이해되고 있을 뿐이고, 그로부터 위와 같은 작위의무가 헌법해석상 바로 도출된다고 볼 수 없다(2006.10.26, 2004헌마13).

04 정답 ④

① [O] 우리 헌법은 제31조 제1항에서 "모든 국민은 능력에 따라 균등하게 교육을 받을 권리를 가진다."라고 규정함으로써 모든 국민의 교육의 기회균등권을 보장하고 있다. 이는 정신적·육체적 능력 이외의 성별·종교·경제력·사회적 신분 등에 의하여 교육을 받을 기회를 차별하지 않고, 즉 합리적 차별사유 없이 교육을 받을 권리를 제한하지 아니함과 동시에 국가가 모든 국민에게 균등한 교육을 받게 하고 특히 경제적 약자가 실질적인 평등교육을 받을 수 있도록 적극적 정책을 실현해야 한다는 것이다(1994.2.24, 93헌마192).

② [O] 헌법 제31조 제1항에 의하여 보장되는 교육을 받을 권리는 교육의 기회균등을 의미하는 것으로, 국가에게 국민 누구나 능력에 따라 균등한 교육을 받을 수 있게끔 노력해야 할 의무를 부과한다. 따라서 교육을 받을 권리는 개인적 성향·능력 및 정신적·신체적 발달상황 등을 고려하지 아니한 채 동일한 교육을 받을 수 있는 권리를 의미하는 것이 아니다(2009.9.24, 2008헌마662).

③ [O] 헌법 제31조 제1항에 의하여 보장되는 교육을 받을 권리는 교육의 기회균등을 의미하는 것으로, 국가에게 국민 누구나 능력에 따라 균등한 교육을 받을 수 있게끔 노력해야 할 의무를 부과한다. 따라서 교육을 받을 권리는 개인적 성향·능력 및 정신적·신체적 발달상황 등을 고려하지 아니한 채 동일한 교육을 받을 수 있는 권리를 의미하는 것이 아니다(2009.9.24, 2008헌마662).

❹ [X] 헌법 제31조 제1항에서 말하는 '능력에 따라 균등하게 교육을 받을 권리'란 법률이 정하는 일정한 교육을 받을 전제조건으로서의 능력을 갖추었을 경우 차별 없이 균등하게 교육을 받을 기회가 보장된다는 것이지 일정한 능력(예컨대 지능이나 수학능력 등)이 있다고 하여 제한 없이 다른 사람과 차별하여 어떠한 내용과 종류와 기간의 교육을 받을 권리가 보장된다는 것은 아니다(1994.2.24, 93헌마192).

05 정답 ①

❶ [X] 교육부장관이 이 사건 보완통보를 통하여 원칙적으로 예·체능계 고등학교에서도 비교평가방식에 의한 내신성적 산출제도를 채택할 수 있도록 하되, 다만 그 구체적인 적용시기를 비교평가에 의한 교과내신성적 산출방법의 적용 여부를 고등학교 입시요강에 명기하여 예고한 후에 입학하는 1995학년도 고등학교 신입생으로부터 적용하도록 정하였다고 하더라도 청구인들을 불합리하게 차별대우하는 것으로서 평등의 원칙에 반한다고 볼 수 없고, 이 사건 보완통보는 예·체능계 고등학교에 대하여 비교평가방식의 내신성적 산출을 허용하는 데에 따른 합리적인 경과조치를 정한 것에 불과하며 청구인들의 대학진학의 기회를 박탈하거나 제한하고자 하는 것이 아니라고 할 것이므로 이를 헌법 제31조 제1항에 의하여 청구인들에게 보장된 균등하게 교육을 받을 권리를 침해하는 내용의 처분이라고 볼 수도 없다(1996.4.25, 94헌마119).

② [O] 기존의 재학생들에 대한 교육환경이 상대적으로 열악해질 수 있음을 이유로 새로운 편입학 자체를 하지 말도록 요구하는 것은 교육을 받을 권리의 내용으로는 포섭할 수 없다. 중등교사 자격자들 중 교육대학교 3학년에 특별편입학시킬 대상자를 선발하기 위한 시험의 공고로 인해 당해 교육대학교 재학생들이 교육을 받을 권리, 직업의 자유를 침해될 여지가 없다(2003.9.25, 2001헌마814 등).

③ [O] 청구인들은 이 사건 승인처분이 ○○ 임직원 자녀와 일반 전형 지원자들에게 충남○○고에 진학할 수 있는 기회를 달리 부여하는 것이어서, 헌법상 보장된 균등하게 교육받을 권리, 학교선택권 및 평등권을 침해한다고 주장한다. 헌법 제31조 제1항은 "모든 국민은 능력에 따라 균등하게 교육을 받을 권리를 가진다."라고 규정하여 국민의 교육을 받을 권리를 보장하고 있다. 그런데 특정 교육시설에 참여할 수 있는 기회를 늘려 달라고 요구하거나, 입학전형에서 불리하다는 이유로 타인의 교육시설 참여 기회를 제한해 달라고 요구하는 것이 균등한 취학 기회 보장을 목표로 하는 교육을 받을 권리의 내용이라고 볼 수는 없다. 청구인들은 이 사건 승인처분에 의하여 고등학교 진학 기회 자체가 봉쇄되거나 박탈된 것이 아니며, 여전히 다른 고등학교에 진학할 수 있고, 충남○○고의 경우 기존의 일반고등학교를 자사고로 변경한 것이 아니라 추가적으로 고등학교를 신설한 것으로서 청구인들의 고등학교 진학 기회를 축소시킨 것도 아니므로, 이 사건 승인처분과 관련하여서는 헌법 제31조 제1항의 교육을 받을 권리의 제한이 문제되지 아니한다. 한편 이 사건 승인처분으로 인하여 ○○ 임직원 자녀들에 비하여 일반 지원자들의 입학가능성이 낮아지기는 하였으나, 충남○○고에 진학할 수 있는 기회가 완전히 배제된 것은 아니며, 다른 사립학교나 특수목적고등학교 등 다른 전기모집 학교에 진학할 수 있는 가능성이 열려 있으므로 충남○○고에 입학할 가능성이 낮아졌다고 하여 학교선택권이 제한된다고 볼 수는 없다. 다만 이 사건 입학전형요강은 ○○ 임직원 자녀 전형과 일반 전형의 모집비율을 달리하고 있으므로, 이 사건 승인처분과 관련하여서는 평등권의 침해 여부가 문제된다. 이하에서는 이 사건 승인처분이 청구인들의 평등권을 침해하는지 여부에 대하여 판단하기로 한다(2015.11.26, 2014헌마145).

④ [O] 청구인 권○환, 허○민은 수능시험을 준비하는 사람들로서 심판대상계획에서 정한 출제 방향과 원칙에 영향을 받을 수밖에 없다. 따라서 수능시험을 준비하면서 무엇을 어떻게 공부하여야 할지에 관하여 스스로 결정할 자유가 심판대상계획에 따라 제한된다. 이는 자신의 교육에 관하여 스스로 결정할 권리, 즉 교육을 통한 자유로운 인격발현권을 제한받는 것으로 볼 수 있다. 한편, 청구인들은 심판대상계획으로 인해 교육을 받을 권리가 침해된다고 주장하지만, 심판대상계획이 헌법 제31조 제1항의 능력에 따라 균등하게 교육을 받을 권리를 직접 제한한다고 보기는 어렵다(2018.2.22, 2017헌마691).

➡ 인격발현권 제한이나 인격발현권 침해는 아니다. 교육을 받을 권리는 제한이 아니다.

06 정답 ②

① [O] 피청구인들 대학은 대학입학 전형을 수시모집과 정시모집으로 구분하여 신입생을 선발하면서 수시모집 전형에 있어서는 검정고시 출신자의 지원을 제한함으로써, 대학입학의 기회에 있어 고등학교를 졸업한 사람과 검정고시 출신자를 차별하여 취급하고 있다. 따라서 이 사건의 쟁점은 이 사건 수시모집요강이 헌법 제31조 제1항에서 보장하는 균등하게 교육을 받을 권리를 침해하는지 여부이다. 청구인들은 이 사건 수시모집요강이 청구인들의 직업선택의 자유를 침해한다고도 주장한다. 이 사건에서 청구인들이 직접적으로 문제삼는 것은 직업선택에 필요한 자격요건의 제한이 아니라 대학입학 자격요건의 제한이어서 이 사건 수시모집요강과 관련하여 직접적으로 관련된 기본권은 교육을 받을 권리라 할 것이므로, 직업선택의 자유에 관하여는 별도로 판단하지 않는다(2017.12.28, 2016헌마649).

❷ [X] 교육을 받을 권리가 국가에 대하여 특정한 교육제도나 시설의 제공을 요구할 수 있는 권리를 뜻하는 것은 아니므로, 청구인이 이 사건 도서관에서 도서를 대출할 수 없거나 열람실을 이용할 수 없더라도 청구인의 교육을 받을 권리가 침해된다고 볼 수 없다(2016.11.24, 2014헌마977).

③ [O] 교육부장관이 이 사건 보완통보를 통하여 원칙적으로 예·체능계 고등학교에서도 비교평가방식에 의한 내신성적 산출제도를 채택할

수 있도록 하되, 다만 그 구체적인 적용시기를 비교평가에 의한 교과내신성적 산출방법의 적용 여부를 고등학교 입시요강에 명기하여 예고한 후에 입학하는 1995학년도 고등학교 신입생으로부터 적용하도록 정하였다고 하더라도 청구인들을 불합리하게 차별대우하는 것으로서 평등의 원칙에 반한다고 볼 수 없고, 이 사건 보완통보는 예·체능계 고등학교에 대하여 비교평가방식의 내신성적 산출을 허용하는 데에 따른 합리적인 경과조치를 정한 것에 불과하며 청구인들의 대학진학의 기회를 박탈하거나 제한하고자 하는 것이 아니라고 할 것이므로 이를 헌법 제31조 제1항에 의하여 청구인들에게 보장된 균등하게 교육을 받을 권리를 침해하는 내용의 처분이라고 볼 수도 없다(1996.4.25, 94헌마119). 2014년 국가 7급

④ [○] 의무취학시기를 만 6세가 된 다음 날 이후의 학년 초로 규정하고 있는 구 「교육법」 제96조 제1항은 의무교육제도 실시를 위해 불가피한 것이며 이와 같은 아동들에 대하여 만 6세가 되기 전에 앞당겨서 입학을 허용하지 않는다고 해서 헌법 제31조 제1항의 능력에 따라 균등하게 교육을 받을 권리를 본질적으로 침해한 것으로 볼 수 없다(1994.2.24, 93헌마192). 2012년 국회 8급

07 정답 ①

ㄱ. [X] 의무교육의 무상성에 관한 헌법상 규정은 교육을 받을 권리를 보다 실효성 있게 보장하기 위해 의무교육 비용을 학령아동 보호자의 부담으로부터 공동체 전체의 부담으로 이전하라는 명령일 뿐 의무교육의 모든 비용을 조세로 해결해야 함을 의미하는 것은 아니므로, 학교용지부담금의 부과대상을 수분양자가 아닌 개발사업자로 정하고 있는 이 사건 법률조항은 의무교육의 무상원칙에 위배되지 아니한다(2008.9.25, 2007헌가1).

ㄴ. [○] 학교용지는 의무교육을 시행하기 위한 물적 기반으로서 필수조건임은 말할 필요도 없으므로 이를 달성하기 위한 비용은 국가의 일반재정으로 충당하여야 한다. 따라서 적어도 의무교육에 관한 한 일반재정이 아닌 부담금과 같은 별도의 재정수단을 동원하여 특정한 집단으로부터 그 비용을 추가로 징수하여 충당하는 것은 의무교육의 무상성을 선언한 헌법에 반한다(2005.3.31, 2003헌가20).

ㄷ. [X] 학교용지부담금을 개발사업자에게 부과하는 것은 학교용지 확보를 위한 새로운 재원의 마련이라는 정당한 입법목적을 달성하기 위한 적절한 수단으로서 교육의 기회를 균등하게 보장해야 한다는 공익과 개발사업자의 재산적 이익이라는 사익을 적절히 형량하고 있으므로 개발사업자의 재산권을 과도하게 침해하지 아니한다(2008.9.25, 2007헌가1).

ㄹ. [○] 개발사업이 진행되는 지역에서 단기간에 형성된 취학 수요에 부응하기 위하여 학교를 신설 및 증축하는 것은 개발지역의 기반시설을 확보하려는 것이므로, 그 재정을 충당하기 위하여 학교용지부담금을 개발사업의 시행자에게 부과하는 것은, 개발사업의 시행자가 위와 같은 학교시설 확보의 필요성을 유발하였기 때문이다. 학교시설 확보의 필요성은 개발사업에 따른 인구 유입으로 인한 취학 수요의 증가로 초래되므로, 주택재건축사업의 시행으로 공동주택을 건설하는 경우에는 신규로 주택이 공급되는 개발사업분만을 기준으로 학교용지부담금의 부과대상을 정하여야 한다. 이 사건 법률조항이 주택재건축사업의 경우 학교용지부담금 부과대상에서 '기존 거주자와 토지 및 건축물의 소유자에게 분양하는 경우'에 해당하는 개발사업분만 제외하고, 매도나 현금청산의 대상이 되어 제3자에게 분양됨으로써 기존에 비하여 가구 수가 증가하지 아니하는 개발사업분을 제외하지 아니한 것은, 주택재건축사업의 시행자들 사이에 학교시설 확보의 필요성을 유발하는 정도와 무관한 불합리한 기준으로 학교용지부담금의 납부액을 달리 하는 차별을 초래하므로, 이 사건 법률조항은 평등원칙에 위배된다(2013.7.25, 2011헌가32).

<학교용지 부담금 정리>

- 수분양자에게 학교용지 부담금 부과: 헌법 제31조 제3항에 위반된다(2005.3.31, 2003헌가20).
- 개발사업자에게 학교용지 부담금 부과: 헌법 제31조 제3항에 위반되지 않는다(2008.9.25, 2007헌가9).
- 가구 수가 증가하지 아니한 개발사업분을 학교용지 부담금에서 제외하지 않은 것: 평등원칙 위반(2013.7.25, 2011헌가32)

ㅁ. [○] 헌법 제31조 제3항의 의무교육 무상의 원칙이 의무교육을 위탁받은 사립학교를 설치·운영하는 학교법인 등과의 관계에서 관련 법령에 의하여 이미 학교법인이 부담하도록 규정되어 있는 경비까지 종국적으로 국가나 지방자치단체의 부담으로 한다는 취지로 볼 수는 없다. 따라서 사립학교를 설치·경영하는 학교법인이 공유재산을 점유하는 목적이 의무교육 실시라는 공공 부문과 연결되어 있다는 점만으로 그 점유자를 변상금 부과대상에서 제외하여야 한다고 할 수 없고, 심판대상조항이 공익목적 내지 공적 용도로 무단점유한 경우와 사익추구의 목적으로 무단점유한 경우를 달리 취급하지 않았다 하더라도 평등원칙에 위반되지 아니한다(2017.7.27, 2016헌바374).

08 정답 ④

① [X] 헌법 제31조는 초등교육과 법률이 정하는 교육이라고 규정하고 있고, 6년의 초등교육과 3년의 중등교육에 대한 것은 「교육기본법」 제8조에 규정되어 있다. 2018년 행시

② [X] 모든 국민은 그 보호하는 자녀에게 적어도 초등교육과 법률이 정하는 교육을 받게 할 의무를 진다(헌법 제31조 제2항). 헌법 제31조는 초등교육과 법률이 정하는 교육이라고 규정하고 있고, 6년의 초등교육과 3년의 중등교육에 대한 것은 「교육기본법」 제8조에 규정되어 있다. 2020년 경찰경채

③ [X] 헌법 제31조 제2항·제3항으로부터 직접 의무교육 경비를 중앙정부로서의 국가가 부담하여야 한다는 결론은 도출되지 않으며, 그렇다고 하여 의무교육의 성질상 중앙정부로서의 국가가 모든 비용을 부담하여야 하는 것도 아니므로, 「지방교육자치에 관한 법률」 제39조 제1항이 의무교육 경비에 대한 지방자치단체의 부담가능성을 예정하고 있다는 점만으로는 헌법에 위반되지 않는다(2005.12.22, 2004헌라3).

❹ [○] 의무교육의 실시범위와 관련하여 의무교육의 무상원칙을 규정한 헌법 제31조 제3항은 초등교육에 관하여는 직접적인 효력규정으로서 개인이 국가에 대하여 입학금·수업료 등을 면제받을 수 있는 헌법상의 권리라고 볼 수 있다(1991.2.11, 90헌가27).

09 정답 ③

① [X] 의무교육에 있어서 본질적이고 필수불가결한 비용 이외의 비용을 무상의 범위에 포함시킬 것인지는 국가의 재정상황과 국민의 소득수준, 학부모들의 경제적 수준 및 사회적 합의 등을 고려하여 입법자가 입법정책적으로 해결해야 할 문제이다(2012.4.24, 2010헌바164).

② [X] 학교급식은 학생들에게 한 끼 식사를 제공하는 영양공급차원을 넘어 교육적인 성격을 가지고 있지만, 이러한 교육적 측면은 기본적이고 필수적인 학교 교육 이외에 부가적으로 이루어지는 식생활 및 인성교육으로서의 보충적 성격을 가지므로 의무교육의 실질적인 균등 보장을 위한 본질적이고 핵심적인 부분이라고까지는 할

수 없다(2012.4.24, 2010헌바164). 2019년 서울 7급 1차

❸ [○] 헌법 제31조 제2항·제3항으로부터 직접 의무교육 경비를 중앙정부로서의 국가가 부담하여야 한다는 결론은 도출되지 않으며, 그렇다고 하여 의무교육의 성질상 중앙정부로서의 국가가 모든 비용을 부담하여야 하는 것도 아니므로, 「지방교육자치에 관한 법률」 제39조 제1항이 의무교육 경비에 대한 지방자치단체의 부담가능성을 예정하고 있다는 점만으로는 헌법에 위반되지 않는다(2005.12.22, 2004헌라3).

④ [X] 의무교육의 무상성에 관한 헌법상 규정은 교육을 받을 권리를 보다 실효성 있게 보장하기 위해 의무교육 비용을 학령아동 보호자의 부담으로부터 공동체 전체의 부담으로 이전하라는 명령일 뿐 의무교육의 모든 비용을 조세로 해결해야 함을 의미하는 것은 아니므로, 학교용지 부담금의 부과대상을 수분양자가 아닌 개발사업자로 정하고 있는 구 「학교용지 확보 등에 관한 특례법」 제2조 제2호, 제5조 제1항 본문은 의무교육의 무상원칙에 위배되지 아니한다(2008.9.25, 2007헌가9).

10 정답 ③

① [X] 학교용지는 의무교육을 시행하기 위한 물적 기반으로서 필수조건임은 말할 필요도 없으므로 이를 달성하기 위한 비용은 국가의 일반재정으로 충당하여야 한다. 따라서 적어도 의무교육에 관한 한 일반재정이 아닌 부담금과 같은 별도의 재정수단을 동원하여 특정한 집단으로부터 그 비용을 추가로 징수하여 충당하는 것은 의무교육의 무상성을 선언한 헌법에 반한다(2005.3.31, 2003헌가20).

② [X] 의무교육의 무상성에 관한 헌법상 규정은 교육을 받을 권리를 보다 실효성 있게 보장하기 위해 의무교육 비용을 학령아동 보호자의 부담으로부터 공동체 전체의 부담으로 이전하라는 명령일 뿐 의무교육의 모든 비용을 조세로 해결해야 함을 의미하는 것은 아니다(2008.9.25, 2007헌가9).

❸ [○] 헌법은 모든 국민은 그 보호하는 자녀에게 적어도 초등교육과 법률이 정하는 교육을 받게 할 의무를 지고(헌법 제31조 제2항), 의무교육은 무상으로 한다(헌법 제31조 제3항)고 규정하고 있다. 이러한 의무교육제도는 국민에 대하여 보호하는 자녀들을 취학시키도록 한다는 의무 부과의 면보다는 국가에 대하여 인적·물적 교육시설을 정비하고 교육환경을 개선하여야 한다는 의무 부과의 측면이 보다 더 중요한 의미를 갖는다(2005.3.31, 2003헌가20).

④ [X] 의무교육에 있어서 본질적이고 필수불가결한 비용 이외의 비용을 무상의 범위에 포함시킬 것인지는 국가의 재정상황과 국민의 소득수준, 학부모들의 경제적 수준 및 사회적 합의 등을 고려하여 입법자가 입법정책적으로 해결해야 할 문제이다. 학교급식은 학생들에게 한 끼 식사를 제공하는 영양공급차원을 넘어 교육적인 성격을 가지고 있지만, 이러한 교육적 측면은 기본적이고 필수적인 학교 교육 이외에 부가적으로 이루어지는 식생활 및 인성교육으로서의 보충적 성격을 가지므로 의무교육의 실질적인 균등 보장을 위한 본질적이고 핵심적인 부분이라고까지는 할 수 없다. 의무교육대상인 중학생의 학부모에게 급식관련비용 일부를 부담하도록 하는 「학교급식법」은 의무교육의 무상원칙을 위반하였다고 할 수 없다(2012.4.24, 2010헌바164). 2019년 법무사

11 정답 ④

① [X] 학교교육에 있어서 교사의 가르치는 권리를 수업권이라고 한다면 그것은 자연법적으로는 학부모에게 속하는 자녀에 대한 교육권을 신탁받은 것이고, 실정법상으로는 공교육의 책임이 있는 국가의 위임에 의한 것이다(1992.11.12, 89헌마88).

② [X] 교사의 수업권은 전술과 같이 교사의 지위에서 생겨나는 직권인데, 그것이 헌법상 보장되는 기본권이라고 할 수 있느냐에 대하여서는 이를 부정적으로 보는 견해가 많으며, 설사 헌법상 보장되고 있는 학문의 자유 또는 교육을 받을 권리의 규정에서 교사의 수업권이 파생되는 것으로 해석하여 기본권에 준하는 것으로 간주하더라도 수업권을 내세워 수학권을 침해할 수는 없으며 국민의 수학권의 보장을 위하여 교사의 수업권은 일정 범위 내에서 제약을 받을 수밖에 없는 것이다(1992.11.12, 89헌마88).

③ [X] 학교교육에 있어서 교원의 가르치는 권리를 수업권이라고 한다면, 이것은 교원의 지위에서 생기는 학생에 대한 일차적인 교육상의 직무권한이지만 어디까지나 학생의 학습권 실현을 위하여 인정되는 것이므로, 학생의 학습권은 교원의 수업권에 대하여 우월한 지위에 있다. 따라서 학생의 학습권이 왜곡되지 않고 올바로 행사될 수 있도록 하기 위해서라면 교원의 수업권은 일정한 범위 내에서 제약을 받을 수밖에 없고, 학생의 학습권은 개개 교원들의 정상을 벗어난 행동으로부터 보호되어야 한다. 특히, 교원의 수업 거부행위는 학생의 학습권과 정면으로 상충하는 것인바, 교육의 계속성 유지의 중요성과 교육의 공공성에 비추어 보거나 학생·학부모 등 다른 교육당사자들의 이익과 교량해 볼 때 교원이 고의로 수업을 거부할 자유는 어떠한 경우에도 인정되지 아니하며, 교원은 계획된 수업을 지속적으로 성실히 이행할 의무가 있다(2007.9.20, 2005다25298).

❹ [○] 학교교육에 있어서 교사의 가르치는 권리를 수업권이라고 한다면 그것은 자연법적으로는 학부모에게 속하는 자녀에 대한 교육권을 신탁받은 것이고, 실정법상으로는 공교육의 책임이 있는 국가의 위임에 의한 것이다. 그것은 교사의 지위에서 생기는 학생에 대한 일차적인 교육상의 직무권한(직권)이지만, 학생의 수학권의 실현을 위하여 인정되는 것으로서 양자는 상호협력관계에 있다고 하겠으나, 수학권은 헌법상 보장된 기본권의 하나로서 보다 존중되어야 하며, 그것이 왜곡되지 않고 올바로 행사될 수 있게 하기 위한 범위 내에서는 수업권도 어느 정도의 범위 내에서 제약을 받지 않으면 안 될 것이다(1992.11.12, 89헌마88). 2018년 행시

12 정답 ③

ㄱ. [X] 헌법 제31조 제4항이 보장하는 교육의 자주성과 전문성을 구현하기 위한 것으로서 그 입법목적이 정당하고, 교육위원 중의 절반 이상을 교육경력자가 점하도록 하는 것은 이러한 입법목적을 달성하기 위한 효과적인 수단이 되는 것이므로 수단의 적정성도 갖추고 있으며, 이 사건 법률조항에 의하여 반드시 경력자가 당선되도록 하는 2분의 1 비율 외에서는 비경력자도 민주주의 원칙에 따라 다수득표에 의하여 교육위원으로 당선될 수 있으므로 기본권의 최소침해성에 어긋나지 않는다. 또한 비록 이 사건 법률조항에 의하여 민주적 정당성의 요청이 일부 후퇴하게 되지만, 교육의 자주성·전문성을 구현함으로 인한 공익이 민주적 정당성의 후퇴로 인하여 침해되는 이익보다 결코 작다고 할 수 없으므로 법익균형성의 원칙에도 어긋나지 않아 공무담임권을 침해한다고 할 수 없다(2003.3.27, 2002헌마573).

ㄴ. [○] 이러한 '이중의 자치'의 요청으로 말미암아 지방교육자치의 민주적 정당성 요청은 어느 정도 제한이 불가피하게 된다(2008.6.26, 2007헌마1175).

ㄷ. [○] 그런데 국민주권·민주주의원리는 그 작용영역, 즉 공권력의 종류와 내용에 따라 구현방법이 상이할 수 있는바, 특히 교육 부문에 있어서의 국민주권·민주주의의 요청은 문화적 권력이라고 하는 국가교육권의 특수성으로 말미암아 정치 부문과는 다른 모습으로 구현될 수 있다(2008.6.26, 2007헌마1175).

ㄹ. [O] 결국 지방교육자치는 '민주주의·지방자치·교육자주'라고 하는 세 가지의 헌법적 가치를 골고루 만족시킬 수 있어야만 하는 것이다(2008.6.26, 2007헌마1175).

ㅁ. [X] 이 사건 법률조항의 입법목적은 헌법 제31조 제4항이 보장하는 교육의 자주성과 전문성을 구현하기 위한 것으로서 그 입법목적이 정당하고, 교육위원 중의 절반 이상을 교육경력자가 점하도록 하는 것은 이러한 입법목적을 달성하기 위한 효과적인 수단이 되는 것이므로 수단의 적정성도 갖추고 있으며, 이 사건 법률조항에 의하여 반드시 경력자가 당선되도록 하는 2분의 1 비율 외에서는 비경력자도 민주주의원칙에 따라 다수득표에 의하여 교육위원으로 당선될 수 있으므로 기본권의 최소침해성에 어긋나지 않는다. 또한, 비록 이 사건 법률조항에 의하여 민주적 정당성의 요청이 일부 후퇴하게 되지만, 교육의 자주성·전문성을 구현함으로 인한 공익이 민주적 정당성의 후퇴로 인하여 침해되는 이익보다 결코 작다고 할 수 없으므로 법익균형성의 원칙에도 어긋나지 않는 것이다(2003.3.27, 2002헌마573).

13 정답 ①

ㄱ. [O] **학교법인이 의무를 부담하고자 할 때 관할청의 허가를 받도록 하고 있는 이 사건 법률조항이 사립학교운영의 자유를 침해하고 있는지 여부(소극)**

이 사건 법률조항이 학교법인으로 하여금 의무의 부담을 하고자 할 때 관할청의 허가를 받도록 하고 있어 사립학교운영에 관한 자유를 제한하고 있다 하더라도, 이는 공공복리를 위하여 필요한 권리를 제한한 경우에 해당하는 것이며, 일정액 미만의 넓은 범위에서 허가를 받지 않도록 예외를 두고 있고 시행상 일반적인 학교운영과 관련된 통상적인 의무부담은 허가에서 제외하고 있으며 일정액 이상이라도 허가를 받아 자유롭게 처리할 수 있는 점 등을 보면 합리적인 입법한계를 일탈하였거나 기본권의 본질적인 부분을 침해하였다고 볼 수 없다(2001.1.18, 99헌바63). 2020년 국회 9급

ㄴ. [X] **이 사건 동시선발조항이 기본권 제한의 한계를 일탈하여 청구인 학교법인의 사학운영의 자유를 침해하는지 여부(소극)**

개별 자사고에 적합한 학생을 선발함에 있어서 핵심적 요소는 선발방법인바, 자사고와 일반고가 동시선발하더라도 해당 학교의 장이 입학전형방법을 정할 수 있으므로 해당 자사고의 교육에 적합한 학생을 선발하는 데 지장이 없고, 시행령은 입학전형 실시권자나 학생 모집단위 등도 그대로 유지하여 자사고의 사학운영의 자유 제한을 최소화하였다. 또한 일반고 경쟁력 강화만으로 고교서열화 및 입시경쟁 완화에 충분하다고 단정할 수 없다. 따라서 이 사건 동시선발조항은 국가가 학교제도를 형성할 수 있는 재량권한의 범위 내에 있다(2019.4.11, 2018헌마221). 2020년 국회 9급

ㄷ. [X] 설립자가 사립학교를 자유롭게 운영할 자유는 비록 헌법에 독일 기본법 제7조 제4항과 같은 명문규정은 없으나 헌법 제10조에서 보장되는 행복추구권의 한 내용을 이루는 일반적인 행동의 자유권과 모든 국민의 능력에 따라 균등하게 교육을 받을 권리를 규정하고 있는 헌법 제31조 제1항 그리고 교육의 자주성·전문성·정치적 중립성 및 대학의 자율성을 규정하고 있는 헌법 제31조 제3항에 의하여 인정되는 기본권의 하나라 하겠다(2001.1.18, 99헌바63).

ㄹ. [O] 청구인들은 설립 목적의 수호라는 보충적 지위에서 더 나아가 종전이사 등의 경영권 내지 재산권을 회복시켜주거나 이들의 지분을 보장해 주어야 한다고 주장하나, 이는 학교 내지 학교경영권을 재산권의 대상으로 보는 사고의 산물이라 하지 않을 수 없다. 이 사건 법률조항들은 조정위원회가 주도하는 정상화과정에 종전이사 등이 관여하는 것을 적극적으로 배제하는 조항이 아니다. 「사립학교법 시행령」과 조정위원회 운영규정이 종전이사 등 학교법인의 이해관계인으로부터 의견을 청취할 수 있도록 하는 근거규정을 두고 있으므로, 조정위원회는 이들로부터의 의견청취 등 정상화 심의과정에서 종전이사 중에 학교비리 등 임시이사 선임사유에 연루되지 않고 설립목적 구현에 노력한 인사들이 있을 경우 이들의 참여를 배제할 이유가 없을 뿐만 아니라, 정식이사 선임에 관한 이들의 의견을 적극 수용하거나 나아가 이들을 정식이사로 선임할 수도 있을 것이고, 이렇게 하는 것이 조정위원회 본연의 임무라 할 것이다. 그렇다면 조정위원회와 관할청에 의한 정식이사 선임제도가 현저하게 불합리하거나 자의적이어서 입법형성권의 재량의 범위를 일탈한 것이라고는 볼 수 없다(2013.11.28, 2011헌바136 등).

ㅁ. [O] 설립자나 종전이사가 사립학교 운영에 대해 가지는 재산적 이해관계는 법률적인 것이 아니라 사실상의 것에 불과하므로 위 법률조항은 이들의 재산권을 침해하지 않는다(2013.11.28, 2007헌마1189 등). 2018년 법행

14 정답 ④

① [O] 학교교육은 가장 기초적인 국가융성의 자양분이며 사회발전의 원동력이라 할 수 있고 국가 사회적으로 지대한 관심과 영향을 미치는 것이어서 국가의 개입과 감독의 필요성이 그 어느 분야보다도 크다고 아니할 수 없다. 다가오는 21세기의 사회가 지식정보와 기술을 기반으로 발전될 전망을 보태어 보면 교육을 통한 인력의 개발이 곧 국가의 운명을 좌우한다고 해도 과언이 아닐 것이다. 따라서 튼튼한 재정적 기초위에서 체계적인 교육을 구현하기 위한 국가적 지도통제는 오히려 필요하고 교육을 완전히 개인의 책임으로 맡겨 놓을 수는 없다. 사립학교의 경우에도 국·공립학교와 설립주체가 다를 뿐 교직원, 교과과정, 교과용도서의 사용 등에 있어서 동일하므로 이와 같은 교육의 개인적, 국가적 중요성과 그 영향력의 면에서 국·공립학교와 본질적인 차이가 있을 수 없다(2001.1.18, 99헌바63).

② [O] 사립학교에 있어 교육을 위한 재산 확보는 필수적이며 그 물적 기반이 부실하여 학교의 존립이 위태롭게 되는 경우 수많은 학생, 학부모 등의 생활에 미치는 부작용이 이루 헤아릴 수 없을 만큼 크다. 따라서 국민이 교육을 받고 부모의 자녀교육권이 적절하게 보장되도록 하기 위하여 사립학교의 재산관리에 국가 개입은 불가피하고 긴요한 것으로서 그 정당성은 충분히 인정된다(2001.1.18, 99헌바63).

③ [O] 사립학교의 설립자 및 학교법인은 일반적인 행동의 자유를 보장하는 헌법 제10조, 국민의 교육을 받을 권리를 규정하고 있는 헌법 제31조 제1항 그리고 교육의 자주성·전문성·정치적 중립성 등을 규정하고 있는 헌법 제31조 제4항 등에 의하여 인정되는 기본권으로서 자신의 의사와 재산으로 독자적인 교육목적을 구현하기 위하여 학교를 설립하고 이를 운영할 자유를 가진다(대판 2007.5.17, 2006다19054 등 참조). 이러한 설립자나 학교법인이 가지는 사학운영의 자유에는 설립자나 학교법인의 종교적·세계관적 교육이념에 따라 교과과정을 자유롭게 형성할 자유가 당연히 포함되므로 종교단체가 설립한 사립학교, 즉 '종립학교'에서 종교행사 및 종교과목 수업(이하 종교행사와 종교과목 수업을 합하여 칭할 때는 '종교교육'이라 한다)을 할 자유는 종교의 자유뿐만 아니라 사학의 자유라는 관점에서도 일반적으로 보장되어야 한다(대판 전합체 2010.4.22, 2008다38288).

❹ [X] 공교육체계 내에서 학생에 대한 교육은 집단적인 학교교육을 중심으로 이루어지게 되므로 다양한 가치관과 능력·적성을 가진 학생들이 그에 알맞은 교육을 받을 권리는 현실적인 한계뿐만 아니라 학교교육이라는 제도적인 이유로 인하여 제한될 수밖에 없다. 거기에다가 현재 우리나라 고등학생의 절반 가량이 사립학교에 다니고 있을 정도로 우리나라 교육체계 내에서 사립학교가 차지하는

비중이 크므로, 국·공립학교를 더 많이 신설하지 않는 이상 사립학교에게 학생 선발권을 전면적으로 부여하기 어렵다(대판 전합체 2010.4.22, 2008다38288).

15 정답 ①

❶ [O] 설립자가 사립학교를 자유롭게 운영할 자유는 비록 헌법에 독일 기본법 제7조 제4항과 같은 명문규정은 없으나 헌법 제10조에서 보장되는 행복추구권의 한 내용을 이루는 일반적인 행동의 자유권과 모든 국민의 능력에 따라 균등하게 교육을 받을 권리를 규정하고 있는 헌법 제31조 제1항 그리고 교육의 자주성·전문성·정치적 중립성 및 대학의 자율성을 규정하고 있는 헌법 제31조 제3항에 의하여 인정되는 기본권의 하나라 하겠다(2001.1.18, 99헌바63).

② [X] 「사립학교법」 제54조의3 제3항은 학교법인의 이사장과 배우자, 직계존속 및 직계비속과 그 배우자의 관계에 있는 자가 당해 학교법인이 설치·경영하는 학교의 장에 임명되기 위해서는 이사 정수의 3분의 2 이상의 찬성과 관할청의 승인을 얻도록 하고 있는데, 이는 학교법인의 경영과 학교행정을 인적으로 분리함으로써 학교의 자주성을 보호하고 사학운영의 공공성과 투명성을 제고하고자 하는 것으로 이사장의 배우자 등의 직업의 자유나 학교법인의 사립학교 운영의 자유를 침해한다고 볼 수 없다(2013.11.28, 2007헌마1189 등).

③ [X] 외부감사제도는 감사의 객관성·독립성을 제고하고 사립대학운영의 공공성과 투명성을 높이는 데 그 목적이 있으므로 목적의 정당성을 인정할 수 있고, 내부감사의 문제점을 극복하기 위하여 학교법인과 독립된 외부 공인회계사로 하여금 감사증명서를 제출하도록 한 것은 목적 달성을 위한 적정한 수단이다(2016.2.25, 2013헌마692).

④ [X] 초·중등학교장의 중임회수를 1회로 제한한 「사립학교법」 제53조 제3항 단서는, 교장의 노령화·관료화를 방지하고 인사순환을 통하여 교단을 활성화하며, 학교경영과 교육을 분리하고 있는 「교육법」 제에 충실하고자 한 것으로, 최장 8년간 재임이 보장되고 동일한 학교의 장 중임만 제한받을 뿐이므로 학교법인의 사학의 자유나 초·중등학교장의 직업의 자유를 침해한다고 볼 수 없다(2013.11.28, 2007헌마1189 등). 2018년 법행

16 정답 ④

① [O] 입학전형의 세부 일정 및 내용이 '모집안내'에서 최종 확정된다고 할지라도 적어도 2009학년도 농·어촌학생 특별전형에 있어서 '신활력지역'의 시 지역을 농·어촌지역으로 인정하는 내용은 이 사건 안내에 따라 확정되었다 할 것이므로 이 사건 안내 중 '농·어촌학생 특별전형 지원자격 확대 부분'은 헌법소원의 대상이 되는 공권력의 행사에 해당된다고 할 것이다(2008.9.25, 2008헌마456).

② [O] 헌법 제31조 제1항에 의하여 모든 국민에게 균등한 교육을 받게 하고 특히 경제적 약자가 실질적인 평등교육을 받을 수 있도록 적극적 정책을 실현해야 하는 국가의 적극적인 의무가 인정된다고 하더라도, 그로부터 농·어촌학생 특별전형과 같은 특정한 대학입시제도에 있어서 자신의 교육시설 참여 기회가 축소될 수도 있다는 우려로 인하여 타인의 교육시설 참여 기회를 제한할 것을 청구할 수 있는 권리가 도출된다거나, 자신의 교육시설 참여 기회가 축소될 수 있음을 이유로 지원자격을 확대하지 않도록 요구하는 것이 본래 균등한 취학 기회 보장을 목표로 하는 교육을 받을 권리의 내용이라고 볼 수는 없다. 따라서 서울대학교의 농·어촌학생 특별전형에 있어서 읍·면지역에 소재하는 청구인들의 서울대학교 합격 기회가 축소될 수 있다는 우려로 인하여 특별전형의 지원자격을 읍·면지역에 한정하고 2008년도 제2기 '신활력지역'으로 선정된 시 지역으로까지 그 지원자격을 확대하지 않도록 요구하는 것은 교육을 받을 권리의 내용이라고 볼 수 없다. 그렇다면 이 사건 안내 자체가 직접 청구인들의 교육을 받을 권리를 침해할 가능성은 인정되지 않는다(2008.9.25, 2008헌마456).

③ [O] 서울대학교의 농·어촌학생 특별전형에 있어서 읍·면지역에 소재하는 청구인들의 서울대학교 합격 기회가 축소될 수 있다는 우려로 인하여 특별전형의 지원자격을 읍·면지역에 한정하고 2008년도 제2기 '신활력지역'으로 선정된 시 지역으로까지 그 지원자격을 확대하지 않도록 요구하는 것은 본래 균등한 취학 기회 보장을 목표로 하는 교육을 받을 권리의 내용이라고 볼 수는 없으므로 이 사건 안내 자체가 직접 청구인들의 교육을 받을 권리 및 평등권을 침해할 가능성은 인정되지 않는다(2008.9.25, 2008헌마456).

❹ [X] 농·어촌학생 특별전형에 있어서 청구인들의 합격 기회가 축소될 수 있음을 이유로 특별전형의 지원자격을 읍·면지역에 한정하고 '신활력지역'으로 선정된 시지역으로까지 그 지원자격을 확대하지 않도록 요구하는 것은 행복추구권의 내용에 포함되지 않으므로 이 사건 안내로 인한 행복추구권의 침해 문제도 발생할 여지가 없다(2008.9.25, 2008헌마456).

17 정답 ③

① [X] **2021학년도 대학입학전형 기본사항 중 재외국민 특별전형 지원자격 가운데 학생의 부모의 해외체류요건 부분으로 인한 학부모의 기본권 침해의 자기관련성 인정 여부(소극)**

이 사건 전형사항으로 인해 재외국민 특별전형 지원을 제한받는 사람은 각 대학의 2021학년도 재외국민 특별전형 지원(예정)자이다. 학부모인 청구인의 부담은 간접적인 사실상의 불이익에 해당하므로, 이 사건 전형사항으로 인한 기본권 침해의 자기관련성이 인정되지 않는다(2020.3.26, 2019헌마212).

② [X] 재외국민 특별전형과 같은 특정한 입학전형의 설계에 있어 청구인이 원하는 일정한 내용의 지원자격을 규정할 것을 요구하는 것은 포괄적인 의미의 자유권인 행복추구권의 내용에 포함되지 않는다(2020.3.26, 2019헌마212).

❸ [O] 헌법 제31조 제1항은 "모든 국민은 능력에 따라 균등하게 교육을 받을 권리를 가진다."라고 규정하고 있는바, 헌법 제31조 제1항의 교육을 받을 권리에는 국민 누구나가 교육에 대한 접근 기회 즉 취학의 기회가 균등하게 보장되어야 하는 것이 포함된다. 사건 전형사항은, 해외 이수기간 요건을 충족한 학생으로서, 본인은 이수기간의 4분의 3 이상을, 해외근무자인 부모 중 일방은 학생의 이수기간의 3분의 2 이상을 해외에 각 체류하였으나, 해외근무자의 배우자인 부모 중 일방이 학생의 이수기간의 3분의 2 미만을 해외에 체류한 경우를 부모 모두가 학생의 이수기간의 3분의 2 이상을 해외에 각 체류한 경우와 재외국민 특별전형 지원자격 부여에 있어 차별하고 있다. 따라서 이 사건 전형사항이 법률유보원칙, 신뢰보호원칙 등에 위반하여 균등하게 교육을 받을 권리를 침해하는지 여부를 살피기로 한다(2020.3.26, 2019헌마212).

④ [X] 이 사건 전형사항은 일반전형을 통한 진학 기회를 전혀 축소하지 않고, 국내 교육과정 수학 결손이 불가피하여 대학교육의 균등한 기회를 갖기 어려운 때로 지원자격을 한정하고자 한 것으로서 그 문언상 해외근무자의 배우자가 없는 한부모 가족에는 적용이 없는 점을 고려할 때, 청구인 학생을 불합리하게 차별하여 균등하게 교육을 받을 권리를 침해하는 것이라고 볼 수 없다(2020.3.26, 2019헌마212).

⑤ [X] 구 「고등교육법」 제34조의5 제1항, 현행 「고등교육법」 제34조의5 제3항에 의하여 대학입학전형 기본사항은 매년 수립·공표되는

것이 예정되어 있다. 대학의 자율성을 존중하면서도 대학입학전형의 공정하고 합리적인 운영을 위해 각 대학의 의견 등을 반영하여 대학입학전형 기본사항에 매년 새로운 내용이 규정될 수 있음은 충분히 예측가능하다. 청구인 최○○이 이 사건 전형사항이 수립·공표되기 이전의 대학입학전형 기본사항에 따라 재외국민 특별전형에 지원할 수 있을 것으로 기대하거나 신뢰하였다고 하더라도 이는 단지 대학입학전형 기본사항에 따라 형성된 기회의 활용에 관한 것으로서 원칙적으로 사적 위험부담의 범위에 속하는 것이다(2020.3.26, 2019헌마212).

18 정답 ④

① [O] 피청구인들은 수시모집에서 검정고시 출신자의 지원을 제한하는 것은 공교육을 정상화하기 위한 조치라는 취지로 주장한다. 그러나 대학입학제도에서 학교생활기록부를 활용하는 것이 공교육을 정상화하기 위한 하나의 수단이 될 수 있음을 인정하더라도, 학교라는 공교육과정과는 별도로 동일한 학력을 인정하는 검정고시제도를 둔 이상, 공교육에서 이탈한 학생들을 수시모집에서 제외하는 방식으로 공교육의 정상화를 달성하려는 것은 바람직한 방법이라고 보기 어렵다. 이러한 사정을 종합하면, 이 사건 수시모집요강은 검정고시 출신자인 청구인들을 합리적인 이유 없이 차별하여 청구인들의 교육을 받을 권리를 침해한다고 할 수 있다(2017.12.28, 2016헌마649).

② [O] 수시모집에서 검정고시 출신자에게 수학능력이 있는지 여부를 평가받을 기회를 부여하지 아니하고 이를 박탈한다는 것은 수학능력에 따른 합리적인 차별이라고 보기 어렵다. 피청구인들은 정규 고등학교 학교생활기록부가 있는지 여부, 공교육 정상화, 비교내신 문제 등을 차별의 이유로 제시하고 있으나 이러한 사유가 차별취급에 대한 합리적인 이유가 된다고 보기 어렵다. 그렇다면 이 사건 수시모집요강은 검정고시 출신자인 청구인들을 합리적인 이유 없이 차별함으로써 청구인들의 균등하게 교육을 받을 권리를 침해한다(2017.12.28, 2016헌마649).

③ [O] 청구인들은 이 사건 수시모집요강이 청구인들의 직업선택의 자유를 침해한다고도 주장한다. 이 사건에서 청구인들이 직접적으로 문제삼는 것은 직업선택에 필요한 자격요건의 제한이 아니라 대학입학 자격요건의 제한이어서 이 사건 수시모집요강과 관련하여 직접적으로 관련된 기본권은 교육을 받을 권리라 할 것이므로, 직업선택의 자유에 관하여는 별도로 판단하지 않는다(2017.12.28, 2016헌마649).

❹ [X] 헌법 제22조 제1항이 보장하고 있는 학문의 자유와 헌법 제31조 제4항에서 보장하고 있는 대학의 자율성에 따라 대학이 학생의 선발 및 전형 등 대학입시제도를 자율적으로 마련할 수 있다 하더라도, 이러한 대학의 자율적 학생 선발권을 내세워 국민의 '균등하게 교육을 받을 권리'를 침해할 수 없으며, 이를 위해 대학의 자율권은 일정 부분 제약을 받을 수 있다(2017.12.28, 2016헌마649).

⑤ [O] 헌법 제31조 제1항은 취학의 기회에 있어서 고려될 수 있는 차별기준으로 '능력'을 제시함으로써, 능력 이외의 다른 요소에 의한 차별을 원칙적으로 제한하고 있다. 여기서 '능력'이란 '수학능력'을 의미하고 교육제도에서 '수학능력'은 개인의 인격발현과 밀접한 관계에 있는 인격적 요소이며, 학교 입학에 있어서 고려될 수 있는 합리적인 차별기준을 의미한다(2017.12.28, 2016헌마649).

19 정답 ①

❶ [O] 헌법 제31조 제1항의 교육을 받을 권리는, 국민이 능력에 따라 균등하게 교육받을 것을 공권력에 의하여 부당하게 침해받지 않을 권리와, 국민이 능력에 따라 균등하게 교육받을 수 있도록 국가가 적극적으로 배려하여 줄 것을 요구할 수 있는 권리로 구성되는바, 전자는 자유권적 기본권의 성격이, 후자는 사회권적 기본권의 성격이 강하다고 할 수 있다. 그런데 이 사건 규칙조항과 같이 검정고시 응시자격을 제한하는 것은, 국민의 교육받을 권리 중 그 의사와 능력에 따라 균등하게 교육받을 것을 국가로부터 방해받지 않을 권리, 즉 자유권적 기본권을 제한하는 것이므로, 그 제한에 대하여는 헌법 제37조 제2항의 비례원칙에 의한 심사, 즉 과잉금지원칙에 따른 심사를 받아야 할 것이다(2008.4.24, 2007헌마1456). 2017년 국가 7급

② [X] 이 사건 규칙조항에 의하여 제한받는 사익은 자신이 원하는 시기에 검정고시에 응시하여 학력인정을 취득하려는 것에 불과한 점, 그에 반하여 이 사건 규칙조항으로 달성하려는 공익은 고등학교 퇴학자의 응시 증가를 줄이고 정규 학교교육과정의 이수 유도라는 점 등을 감안하면, 피해의 최소성 및 법익균형성원칙에도 위배되지 않는다(2008.4.24, 2007헌마1456). 2012년 법원

③ [X] 「고등교육법」이 그 목적과 운영방법에서 전문대학과 대학을 구별하고 있는 이상, 전문대학과정의 이수와 대학과정의 이수를 반드시 동일하다고 볼 수 없어, 3년제 전문대학의 2년 이상 과정을 이수한 자에게 편입학 자격을 부여하지 아니한 것이 현저하게 불합리한 자의적인 차별이라고 볼 수 없다. 나아가 평생교육을 포함한 교육시설의 입학자격에 관하여는 입법자에게 광범위한 형성의 자유가 있다고 할 것이어서, 3년제 전문대학의 2년 이상의 이수자에게 의무교육기관이 아닌 대학에의 일반 편입학을 허용하지 않는 것이 교육을 받을 권리나 평생교육을 받을 권리를 본질적으로 침해하지 않는다(2010.11.25, 2010헌마144). 2016년 변시

④ [X] 헌법 제31조의 '능력에 따라 균등한 교육을 받을 권리'는 국가에 의한 교육제도의 정비·개선 외에도 의무교육의 도입 및 확대, 교육비의 보조나 학자금의 융자 등 교육영역에서의 사회적 급부의 확대와 같은 국가의 적극적인 활동을 통하여 사인간의 출발기회에서의 불평등을 완화해야 할 국가의 의무를 규정한 것이다. 그러나 위 조항은 교육의 모든 영역, 특히 학교교육 밖에서의 사적인 교육영역에까지 균등한 교육이 이루어지도록 개인이 별도로 교육을 시키거나 받는 행위를 국가가 금지하거나 제한할 수 있는 근거를 부여하는 수권규범이 아니다. 오히려 국가는 헌법이 지향하는 문화국가이념에 비추어, 학교교육과 같은 제도교육 외에 사적인 교육의 영역에서도 사인의 교육을 지원하고 장려해야 할 의무가 있는 것이다. 경제력의 차이 등으로 말미암아 교육의 기회에 있어서 사인간에 불평등이 존재한다면, 국가는 원칙적으로 의무교육의 확대 등 적극적인 급부활동을 통하여 사인 간의 교육기회의 불평등을 해소 할 수 있을 뿐, 과외교습의 금지나 제한의 형태로 개인의 기본권행사인 사교육을 억제함으로써 교육에서의 평등을 실현할 수는 없는 것이다(2000.4.27, 98헌가16)

20 정답 ③

① [X] 헌법 제31조 제1항에 의하여 모든 국민에게 균등한 교육을 받게 하고 특히 경제적 약자가 실질적인 평등교육을 받을 수 있도록 적극적 정책을 실현해야 하는 국가의 적극적인 의무가 인정된다고 하더라도, 그로부터 농·어촌학생 특별전형과 같은 특정한 대학입시제도에 있어서 자신의 교육시설 참여 기회가 축소될 수도 있다는 우려로 인하여 타인의 교육시설 참여 기회를 제한할 것을 청구

할 수 있는 권리가 도출된다거나, 자신의 교육시설 참여 기회가 축소될 수 있음을 이유로 지원자격을 확대하지 않도록 요구하는 것이 본래 균등한 취학 기회 보장을 목표로 하는 교육을 받을 권리의 내용이라고 볼 수는 없다. 따라서 서울대학교의 농·어촌학생 특별전형에 있어서 읍·면지역에 소재하는 청구인들의 서울대학교 합격 기회가 축소될 수 있다는 우려로 인하여 특별전형의 지원자격을 읍·면지역에 한정하고 2008년도 제2기 '신활력지역'으로 선정된 시지역으로까지 그 지원자격을 확대하지 않도록 요구하는 것은 교육을 받을 권리의 내용이라고 볼 수 없다. 그렇다면 이 사건 안내 자체가 직접 청구인들의 교육을 받을 권리를 침해할 가능성은 인정되지 않는다(2008.9.25, 2008헌마456).

② [X] 헌법 제31조 제1항에 의해서 보장되는 교육을 받을 권리는 교육영역에서의 기회균등을 내용으로 하는 것이지, 자신의 교육환경을 최상 혹은 최적으로 만들기 위해 타인의 교육시설 참여 기회를 제한할 것을 청구할 수 있는 기본권은 아니므로, 기존의 재학생들에 대한 교육환경이 상대적으로 열악해질 수 있음을 이유로 새로운 편입학 자체를 하지 말도록 요구하는 것은 교육을 받을 권리의 내용으로는 포섭할 수 없다(2003.9.25, 2001헌마814 등).

❸ [○] 일반적으로 기본권 침해 관련 영역에서는 급부행정영역에서보다 위임의 구체성의 요구가 강화된다는 점, 이 사건 응시 제한이 검정고시 응시자에게 미치는 영향은 응시자격의 영구적인 박탈인 만큼 중대하다고 할 수 있는 점 등에 비추어 보다 엄격한 기준으로 법률유보원칙의 준수 여부를 심사하여야 할 것인바, 고졸검정고시규칙과 고입검정고시규칙은 이미 응시자격이 제한되는 자를 특정적으로 열거하고 있으면서 달리 일반적인 제한사유를 두지 않고 또 그 제한에 관하여 명시적으로 위임한 바가 없으며, 단지 '고시의 기일·장소·원서접수 기타 고시 시행에 관한 사항' 또는 '고시 일시와 장소, 원서접수기간과 그 접수처 기타 고시 시행에 관하여 필요한 사항'과 같이 고시시행에 관한 기술적·절차적인 사항만을 위임하였을 뿐, 특히 '검정고시에 합격한 자'에 대하여만 응시자격 제한을 공고에 위임했다고 볼 근거도 없으므로, 이 사건 응시 제한은 위임받은 바 없는 응시자격의 제한을 새로이 설정한 것으로서 기본권 제한의 법률유보원칙에 위배하여 청구인의 교육을 받을 권리 등을 침해한다(2012.5.31, 2010헌마139 등).

④ [X] 교육을 받을 권리는 자신의 교육환경이 상대적으로 열악해질 수 있음을 이유로 또는 자신의 교육시설 참여 기회가 축소될 수 있다는 우려를 이유로 타인의 교육시설 참여 기회를 제한할 것을 청구할 수 있는 권리가 아니므로, 설혹 교육환경이 기존에 비해 열악해지거나 전공의 경쟁률 등이 높아져 교육시설 참여 기회가 축소될 수 있다는 우려가 있다고 하더라도 청구인들의 기존 교육시설에 대한 참여 기회가 실질적으로 봉쇄되어 동등하게 교육시설에 참여할 기회를 제한받는 정도에 이르렀다고 볼 만한 특별한 사정이 없는 이상 이러한 불이익은 사실상 불이익에 불과하여 교육을 받을 권리가 제한된다고 볼 수 없다(2019.2.28, 2018헌마37 등).

진도별 모의고사

근로의 권리 ~ 근로3권

정답

01	②	02	①	03	①	04	③
05	③	06	②	07	①	08	②
09	①	10	②	11	④	12	①
13	④	14	③	15	③	16	④
17	②	18	③	19	④	20	④

01 정답 ②

ㄱ. [O] 적정임금 보장은 1980년 개정헌법에 규정되었고, 최저임금 보장은 1987년 개정헌법에 규정되었다.

ㄴ. [X]

> **헌법 제32조** ④ 여자의 근로는 특별한 보호를 받으며, 고용·임금 및 근로조건에 있어서 부당한 차별을 받지 아니한다.
> ⑥ 국가유공자·상이군경 및 전몰군경의 유가족은 법률이 정하는 바에 의하여 우선적으로 근로의 기회를 부여받는다.

ㄷ. [X] ㄹ. [X]

> **헌법 제32조** ② 모든 국민은 근로의 의무를 진다. 국가는 근로의 의무의 내용과 조건을 민주주의원칙에 따라 법률로 정한다.
> ③ 근로조건의 기준은 인간의 존엄성을 보장하도록 법률로 정한다.

ㅁ. [O]

> **헌법 제32조** ① 모든 국민은 근로의 권리를 가진다. 국가는 사회적·경제적 방법으로 근로자의 고용의 증진과 적정임금의 보장에 노력하여야 하며, 법률이 정하는 바에 의하여 최저임금제를 시행하여야 한다.
> ④ 여자의 근로는 특별한 보호를 받으며, 고용·임금 및 근로조건에 있어서 부당한 차별을 받지 아니한다.
> ⑤ 연소자의 근로는 특별한 보호를 받는다.

ㅂ. [X] 헌법 제32조는 여자의 근로와 연소자의 근로에 대한 특별한 보호 규정을 두고 있으나, 장애인근로 보호에 관한 규정은 없다. 장애인의 근로는 제34조 제5항에 따라 보호될 수 있다.

ㅅ. [X] '노인'의 근로는 특별한 보호를 받는다는 규정은 없다.

02 정답 ①

❶ [O] 근로의 권리란 인간이 자신의 의사와 능력에 따라 근로관계를 형성하고, 타인의 방해를 받음이 없이 근로관계를 계속 유지하며, 근로의 기회를 얻지 못한 경우에는 국가에 대하여 근로의 기회를 제공하여 줄 것을 요구할 수 있는 권리를 말하는바, 이러한 근로의 권리는 생활의 기본적인 수요를 충족시킬 수 있는 생활수단을 확보해 주고, 나아가 인격의 자유로운 발현과 인간의 존엄성을 보장해 주는 기본권이다(2015.5.28, 2013헌마619). 2017년 법무사

② [X] 외국인근로자의 직장변경의 횟수를 제한하고 있는 법률조항 구 「외국인근로자의 고용 등에 관한 법률」 제25조 제4항은 외국인근로자의 사업장 최대변경가능횟수를 설정하고 있는바, 이로 인하여 외국인근로자는 일단 형성된 근로관계를 포기(직장이탈)하는 데 있어 제한을 받게 되므로 이는 직업선택의 자유 중 직장선택의 자유를 제한하고 있다. 근로의 권리를 제한하지는 않는다(2011.9.29, 2007헌마1083). 2018년 소방간부

③ [X] 대법원은 해고당한 근로자가 노동위원회에서 그 해고의 효력을 다투고 있다면 노조원으로서 지위를 상실하는 것이 아니라고 판시했다(대판 1992.3.31, 91다144). 2014년 서울 7급

④ [X] 「교원의 노동조합 설립 및 운영 등에 관한 법률」은 「국가공무원법」 제66조 제1항 및 「사립학교법」 제55조에도 불구하고 교원의 근로3권 보장을 위하여 제정된 법으로, 구체적으로 교원노조의 설립과 교원 및 교원노조의 단체교섭권, 단체행동권 등에 관해 「노동조합 및 노동관계조정법」에서 정하고 있는 사항과 달리 정할 사항을 정하고 있다. 이 사건 법률조항은 교원노조의 설립주체인 교원의 범위를 초·중등학교에 재직 중인 교원으로 한정하여, 「교육공무원법」에 따라 교사 자격을 취득하였으나 아직 임용 전이거나 구직 중에 있는 사람은 교원의 범위에서 제외된다. 한편, 이 사건 법률조항 단서에서는 교직에서 해고되는 경우에도 부당노동행위를 이유로 구제신청을 하고 중앙노동위원회의 재심판정이 있는 때까지의 교원에 한하여는 「교원의 노동조합 설립 및 운영 등에 관한 법률」상의 교원 지위를 인정하고 있다. 이에 따라 「교원지위향상을 위한 특별법」에 따른 교원소청심사청구절차나 행정소송으로 부당해고를 다투는 경우에는 「교원의 노동조합 설립 및 운영 등에 관한 법률」상의 교원에서 배제된다(2015.5.28, 2013헌마671 등).

03 정답 ①

❶ [X] 헌법 제32조 제1항은 "모든 국민은 근로의 권리를 가진다. 국가는 사회적·경제적 방법으로 근로자의 고용의 증진과 적정임금의 보장에 노력하여야 하며, 법률이 정하는 바에 의하여 최저임금제를 시행하여야 한다."라고 규정하고 있다. 이는 국가의 개입·간섭을 받지 않고 자유로이 근로를 할 자유와, 국가에 대하여 근로의 기회를 제공하는 정책을 수립해 줄 것을 요구할 수 있는 권리 등을 기본적인 내용으로 하고 있고, 이 때 근로의 권리는 근로자를 개인의 차원에서 보호하기 위한 권리로서 개인인 근로자가 근로의 권리의 주체가 되는 것이고, 노동조합은 그 주체가 될 수 없는 것으로 이해되고 있다(2009.2.26, 2007헌바27). 2012년 사시

② [O] 헌법상 근로의 권리는 '일할 자리에 관한 권리'만이 아니라 '일할 환경에 관한 권리'도 의미하는데, '일할 환경에 관한 권리'는 인간의 존엄성에 대한 침해를 방어하기 위한 권리로서 외국인에게도 인정되며, 건강한 작업환경, 일에 대한 정당한 보수, 합리적인 근로조건의 보장 등을 요구할 수 있는 권리 등을 포함한다. 여기서의 근로조건은 임금과 그 지불방법, 취업시간과 휴식시간 등 근로계약에 의하여 근로자가 근로를 제공하고 임금을 수령하는 데 관한 조건들이고, 이 사건 출국만기보험금은 퇴직금의 성질을 가지고 있어서 그 지급시기에 관한 것은 근로조건의 문제이므로 외국인인 청구인들에게도 기본권 주체성이 인정된다(2016.3.31, 2014헌마367).

③ [O] 산업연수생이 연수라는 명목하에 사업주의 지시·감독을 받으면서 사실상 노무를 제공하고 수당 명목의 금품을 수령하는 등 실질적인 근로관계에 있는 경우에도, 「근로기준법」이 보장한 근로기준 중 주요사항을 외국인 산업연수생에 대하여만 적용되지 않도록 하는

것은 자의적인 차별이라 아니할 수 없다(2007.8.30, 2004헌마670).

④ [O] 「산업재해보상보험법」상 외국인 근로자에게 그 적용을 배제하는 특별한 규정이 없는 이상 피재자가 외국인이라 할지라도 그가 「근로기준법」상의 근로자에 해당하는 경우에는 내국인과 마찬가지로 「산업재해보상보험법」상의 요양급여를 지급받을 수 있다(서울고법 1993.11.26, 93구16774)고 판시한 바 있다.

04

정답 ③

ㄱ. [O] 타인과의 사용종속관계하에서 근로를 제공하고 그 대가로 임금 등을 받아 생활하는 사람은 「노동조합 및 노동관계조정법」(이하 '노동조합법'이라 한다)상 근로자에 해당하고, 노동조합법상의 근로자성이 인정되는 한, 그러한 근로자가 외국인인지 여부나 취업자격의 유무에 따라 노동조합법상 근로자의 범위에 포함되지 아니한다고 볼 수는 없다(대판 전합체 2015.6.25, 2007두4995). 2017년 서울 7급

ㄴ. [X] 근로자가 퇴직급여를 청구할 수 있는 권리도 헌법상 바로 도출되는 것이 아니라 「근로자퇴직급여 보장법」 등 관련 법률이 구체적으로 정하는 바에 따라 비로소 인정될 수 있는 것이므로 계속근로기간 1년 미만인 근로자가 퇴직급여를 청구할 수 있는 권리가 헌법 제32조 제1항에 의하여 보장된다고 보기는 어렵다(2011.7.28, 2009헌마408). 2015년 법원

ㄷ. [X] 헌법 제15조의 직업의 자유 또는 헌법 제32조의 근로의 권리, 사회국가원리 등에 근거하여 실업방지 및 부당한 해고로부터 근로자를 보호하여야 할 국가의 의무를 도출할 수는 있을 것이나, 국가에 대한 직접적인 직장존속보장청구권을 근로자에게 인정할 헌법상의 근거는 없다. 이와 같이 우리 헌법상 국가에 대한 직접적인 직장존속보장청구권을 인정할 근거는 없으므로 근로관계의 당연승계를 보장하는 입법을 반드시 하여야 할 헌법상의 의무를 인정할 수 없다. 따라서 「한국보건산업진흥원법」 부칙 제3조가 기존 연구기관의 재산상의 권리·의무만을 새로이 설립되는 한국보건산업진흥원에 승계시키고, 직원들의 근로관계가 당연히 승계되는 것으로 규정하지 않았다 하여 위헌이라 할 수 없다(2002.11.28, 2001헌바50).

ㄹ. [O] 근로의 권리는 사회적 기본권으로서, 국가에 대하여 직접 일자리(직장)를 청구하거나 일자리에 갈음하는 생계비의 지급청구권을 의미하는 것이 아니라, 고용증진을 위한 사회적·경제적 정책을 요구할 수 있는 권리에 그친다. 헌법 제15조의 직업의 자유 또는 헌법 제32조의 근로의 권리, 사회국가원리 등에 근거하여 실업방지 및 부당한 해고로부터 근로자를 보호하여야 할 국가의 의무를 도출할 수는 있을 것이나, 국가에 대한 직접적인 직장존속보장청구권을 근로자에게 인정할 헌법상의 근거는 없다(2002.11.28, 2001헌바50). 2015년 사시

05

정답 ③

① [X] 헌법 제32조 제1항이 규정하는 근로의 권리는 사회적 기본권으로서 국가에 대하여 직접 일자리를 청구하거나 일자리에 갈음하는 생계비의 지급청구권을 의미하는 것이 아니라 고용증진을 위한 사회적·경제적 정책을 요구할 수 있는 권리에 그치며, 근로의 권리로부터 국가에 대한 직접적인 직장존속청구권이 도출되는 것도 아니다. 나아가 근로자가 퇴직급여를 청구할 수 있는 권리도 헌법상 바로 도출되는 것이 아니라 「근로자퇴직급여 보장법」 등 관련 법률이 구체적으로 정하는 바에 따라 비로소 인정될 수 있는 것이므로 계속근로기간 1년 미만인 근로자가 퇴직급여를 청구할 수 있는 권리가 헌법 제32조 제1항에 의하여 보장된다고 보기는 어렵다(2011.7.28, 2009헌마408).

② [X] 청구인들은 심판대상조항이 기존 직장에서 계속 근무하기를 원하는 기간제근로자들에게 정규직으로 전환되지 않는 한 2년을 초과하여 계속적으로 근무할 수 없도록 함으로써 직업선택의 자유, 근로의 권리를 침해하고 있다고 주장한다. 이러한 청구인들의 주장은 기간제근로자라 하더라도 한 직장에서 계속해서 일할 자유를 보장해야(근로관계의 존속보장) 한다는 취지로 읽힌다. 그런데 헌법 제15조 직업의 자유와 제32조 근로의 권리는 국가에게 단지 사용자의 처분에 따른 직장 상실에 대하여 최소한의 보호를 제공해 줄 의무를 지울 뿐이고, 여기에서 직장 상실로부터 근로자를 보호하여 줄 것을 청구할 수 있는 권리가 나오지는 않는다. 따라서 직업의 자유, 근로의 권리 침해 문제는 이 사건에서 발생하지 않는다. 다만, 청구인들이 위와 같은 주장을 하는 것은 심판대상조항이 청구인들로 하여금 기간제근로자로서 2년을 근무하는 이상 동일한 직장에서 동일한 사용자와의 사이에 2년을 초과하여 기간제 근로계약을 체결할 수 없도록 하고 있는 것에 기인한 것인데, 일반적으로 사용자와 근로자 사이의 고용관계는 양자 사이의 근로계약을 통해 형성된다는 점에서 심판대상조항은 2년을 초과하여 기간제 근로계약을 체결할 자유, 즉 헌법 제10조로부터 파생되어 나오는 계약의 자유를 제한하고 있다고 볼 수 있으므로 이에 대해 살펴본다(2013.10.24, 2010헌마219 등).

❸ [O] 헌법 제32조 제1항이 규정하는 근로의 권리는 사회적 기본권으로서 국가에 대하여 직접 일자리를 청구하거나 일자리에 갈음하는 생계비의 지급청구권을 의미하는 것이 아니라 고용증진을 위한 사회적·경제적 정책을 요구할 수 있는 권리에 그치며, 근로의 권리로부터 국가에 대한 직접적인 직장존속청구권이 도출되는 것도 아니다. 나아가 근로자가 퇴직급여를 청구할 수 있는 권리도 헌법상 바로 도출되는 것이 아니라 「근로자퇴직급여 보장법」 등 관련 법률이 구체적으로 정하는 바에 따라 비로소 인정될 수 있는 것이므로 계속근로기간 1년 미만인 근로자가 퇴직급여를 청구할 수 있는 권리가 헌법 제32조 제1항에 의하여 보장된다고 보기는 어렵다(2011.7.28, 2009헌마408). 2019년 서울 7급 1차

④ [X] 헌법 제15조 직업의 자유와 제32조 근로의 권리는 국가에게 단지 사용자의 처분에 따른 직장 상실에 대하여 최소한의 보호를 제공해 줄 의무를 지울 뿐이고, 여기에서 직장 상실로부터 근로자를 보호하여 줄 것을 청구할 수 있는 권리가 나오지는 않는다(2002.11.28, 2001헌바50).

06

정답 ②

ㄱ. [O] 헌법 제10조에 의하여 보장되는 행복추구권 속에는 일반적 행동자유권이 포함되고, 이 일반적 행동자유권으로부터 계약 체결의 여부, 계약의 상대방, 계약의 방식과 내용 등을 당사자의 자유로운 의사로 결정할 수 있는 계약의 자유가 파생된다. 헌법은 제15조에서 직업의 자유를 보장하고 있고 여기에는 기업의 설립과 경영의 자유를 의미하는 기업의 자유가 포함된다. 각 최저임금고시 부분은 임금의 수준에 관한 청구인들의 근로자와의 계약 내용을 제한한다는 측면에서는 계약의 자유를, 근로자를 고용하여 기업을 운영하는 청구인들의 경영활동을 제한한다는 측면에서는 기업의 자유를 각 제한한다(2019.12.27, 2017헌마1366 등).

ㄴ. [X] 헌법 제32조 제1항은 '법률이 정하는 바에 의하여 최저임금제를 시행하여야 한다'고 규정하고 있어 최저임금제에 대한 헌법상 근거 규정이 존재할 뿐만 아니라, 각 최저임금고시 부분이 사용자가 근로자에게 지급하여야 할 최저임금액을 정한 것은 불가분의 긴밀한 관계를 형성하고 있는 사용자와 근로자 사이의 상반되는 사적 이해를 조정하기 위한 것으로서, 개인의 본질적이고 핵심적인 자유 영

역에 관한 것이라기보다 사회적 연관관계에 놓여 있는 경제 활동을 규제하는 사항에 해당한다고 볼 수 있으므로 그 위헌성 여부를 심사함에 있어서는 완화된 심사기준이 적용된다(2019.12.27, 2017헌마1366 등).

ㄷ. [O] 최저임금고시 부분으로 달성하려는 공익은 열악한 근로조건 아래 놓여 있는 저임금 근로자들의 임금에 일부나마 안정성을 부여하는 것으로서 근로자들의 인간다운 생활을 보장하고 나아가 이를 통해 노동력의 질적 향상을 꾀하기 위한 것으로서 제한되는 사익에 비하여 그 중대성이 덜하다고 볼 수는 없다(2019.12.27, 2017헌마1366 등).

ㄹ. [O] 헌법 제119조 제1항은 대한민국의 경제질서에 관하여, 제123조 제3항은 국가의 중소기업 보호·육성의무에 관하여 규정한 조항이고, 제126조는 사영기업의 국·공유화에 대한 제한을 규정한 조항으로서 경제질서에 관한 헌법상의 원리나 제도를 규정한 조항들이다. 「헌법재판소법」 제68조 제1항에 의한 헌법소원에 있어서 헌법상의 원리나 헌법상 보장된 제도의 내용이 침해되었다는 사정만으로 바로 청구인들의 기본권이 직접 현실적으로 침해된 것이라고 할 수 없다(2019.12.27, 2017헌마1366 등).

ㅁ. [X] 법원이 통상임금의 개념적 징표로 '정기성', '일률성', '고정성'이라는 비교적 일관된 판단기준을 제시하고 있어, 법관의 보충적 해석을 통하여 무엇이 통상임금에 해당하는지에 관하여 합리적 해석기준을 얻을 수 있으므로, 심판대상조항은 명확성원칙에 위반되지 않는다(2014.8.28, 2013헌바172 등).

ㅂ. [O] 공무원이 국가 또는 지방자치단체에 대하여 어느 수준의 보수를 청구할 수 있는 권리는 단순한 기대이익에 불과하여 재산권의 내용에 포함된다고 볼 수 없으므로, 청구인이 주장하는 특정한 보수수준이 법령에 의하여 구체적으로 형성된 바 없는 이상, 이 사건 병의 봉급표가 그 보수수준보다 낮은 봉급월액을 규정하고 있다고 하여 청구인의 재산권을 침해한다고 볼 수는 없다(2012.10.25, 2011헌마307).

ㅅ. [O] 적정임금은 근로자와 그 가족이 인간다운 생활을 할 정도의 임금을 뜻하며, 적정임금을 받을 구체적 권리가 인정되는 것이 아니므로 적정임금을 받기 위하여 소를 제기할 수는 없다. 최저임금제는 최저한의 생활 보호에 필요한 최저임금이며 헌법상 국가를 구속하는 제도이다. 이를 위해 「최저임금법」이 제정되어 있다.

07 정답 ①

ㄱ. [X] 근로관계 종료 전 사용자로 하여금 근로자에게 해고예고를 하도록 하는 것은 개별 근로자의 인간 존엄성을 보장하기 위한 최소한의 근로조건 가운데 하나에 해당하므로, 해고예고에 관한 권리는 근로의 권리의 내용에 포함된다(2015.12.23, 2014헌바3). 2017년 서울 7급

ㄴ. [X] 해고예고제도의 적용대상 근로자의 범위를 어떻게 정할 것인지 또 예고기간을 어느 정도로 정할 것인지 여부 등에 대해서는 입법자에게 입법형성의 재량이 주어져 있다. 하지만 이러한 입법형성의 재량에도 한계가 있고, 근로조건의 기준은 인간의 존엄성을 보장하도록 법률로 정하도록 규정한 헌법 제32조 제3항에 위반되어서는 안 된다. 따라서 위 조항이 청구인의 근로의 권리를 침해하는지 여부는, 입법자가 해고예고제도를 형성함에 있어 해고로부터 근로자를 보호할 의무를 전혀 이행하지 아니하거나 그 내용이 현저히 불합리하여 헌법상 용인될 수 있는 재량의 범위를 벗어난 것인지 여부에 달려 있다(2015.12.23, 2014헌바3).

ㄷ. [O] 해고예고제도의 적용대상 등을 결정하는 것이 입법정책에 관한 문제로 입법자에게 입법형성권이 있다 하더라도, 근로의 권리를 보호하여야 하는 입법자로서는 해고예고제도를 마련함에 있어 사용자와 근로자의 이익을 고려하여 조화와 균형을 유지하여야 한다. 근무기간이 6개월 미만인 월급근로자의 경우 해고예고제도 적용대상에서 제외되면 전형적 상용근로자임에도 불구하고 단지 근무기간이 6개월이 되지 아니하였다는 이유만으로 아무런 예고 없이 직장을 상실하게 될 수 있다. 결론적으로 헌법상 허용되는 재량의 범위를 현저히 벗어나 합리적 이유 없이 '월급근로자로서 6개월이 되지 못한 자'를 해고예고제도의 적용에서 제외하고 있는 심판대상조항은, 청구인의 근로의 권리를 침해하여 헌법에 위반된다(2015.12.23, 2014헌바3).

ㄹ. [O] 해고예고제도는 30일 전에 예고를 하거나 30일분 이상의 통상임금을 해고예고수당으로 지급하도록 하고 있는바, 일용근로계약을 체결한 후 근속기간이 3개월이 안 된 근로자를 해고할 때에도 이를 적용하도록 한다면 사용자에게 지나치게 불리하다는 점에서도 심판대상조항이 입법재량의 범위를 현저히 일탈하였다고 볼 수 없다. 따라서 심판대상조항이 청구인의 근로의 권리를 침해한다고 보기 어렵다(2017.5.25, 2016헌마640).

08 정답 ②

ㄱ. [O] 연차유급휴가는 근로자의 건강하고 문화적인 생활의 실현에 이바지할 수 있도록 여가를 부여하는 데 그 목적이 있는 것으로, 인간의 존엄성을 보장하기 위한 합리적인 근로조건에 해당하므로 연차유급휴가에 관한 권리는 근로의 권리의 내용에 포함된다(2015.5.28, 2013헌마619). 2017년 지방 7급

ㄴ. [O] 이 사건 법령조항은 정직처분을 받은 공무원에 대하여 정직일수를 연차유급휴가인 연가일수에서 공제하도록 규정하고 있는바, 연차유급휴가는 일정 기간 근로의무를 면제함으로써 근로자의 정신적·육체적 휴양을 통하여 문화적 생활의 향상을 기하려는 데 그 의의가 있으므로 근로의무가 면제된 정직일수를 연가일수에서 공제하였다고 하여 이 사건 법령조항이 현저히 불합리하다고 보기 어렵다. 또한 정직기간을 연가일수에서 공제할 때 어떠한 비율에 따라 공제할 것인지에 관하여는 입법자에게 재량이 부여되어 있다 할 것이므로 정직기간의 비율에 따른 일수가 공제되는 일반휴직자와 달리, 공무원으로서 부담하는 의무를 위반하여 징계인 정직처분을 받은 자에 대하여 입법자가 정직일수 만큼의 일수를 연가일수에서 공제하였다고 하여 재량을 일탈한 것이라고 볼 수 없으므로 이 사건 법령조항이 청구인의 근로의 권리를 침해한다고 볼 수 없다(2008.9.25, 2005헌마586). 2017년 국가 7급 생활안전

ㄷ. [X] 연차유급휴가는 인간의 존엄성을 보장받기 위한 최소한의 근로조건으로서 근로의 권리에 포함되고, 이와 동일한 맥락에서 비록 연차유급휴가의 요건을 충족하지는 못하였더라도 일정 기간 계속적으로 근로를 제공한 경우에는 최소한의 휴양 기회를 보장받을 수 있어야 할 것이므로 이 역시 연차유급휴가에 상응하는 권리로서 근로의 권리 내용에 포함된다. … 유급휴가권의 구체적 내용을 형성함에 있어 입법자는 국가적 노동상황, 경영계(사용자)의 의견, 국민감정, 인정대상자의 업무와 지위, 기타 여러 가지 사회적·경제적 여건 등을 함께 고려해야 할 것이므로 유급휴가를 어느 범위에서 인정하고, 어느 경우에 제한할 것인지 등에 대하여는 입법자 또는 입법에 의하여 다시 위임을 받은 행정부 등 해당 기관의 재량에 맡겨져 있다고 할 것이다. 따라서 이 사건 법률조항이 근로연도 중도퇴직자의 중도퇴직 전 근로에 대해 유급휴가를 보장하지 않음으로써 청구인의 근로의 권리를 침해하는지 여부는 이것이 현저히 불합리하여 헌법상 용인될 수 있는 재량의 범위를 명백히 일탈하고 있는지 여부에 달려 있다고 할 수 있다(2015.5.28, 2013헌마619). 2017년 경찰승진 변형

ㄹ. [X] 연차유급휴가는 매년 일정 기간 근로의무를 면제하여 근로자에게 정신적·육체적 휴양의 기회를 부여하려는 것으로, 「근로기준법」 제60조 제1항이 15일의 연차유급휴가를 부여함에 있어 근로연도 1년간 재직과 출근율 80% 이상일 것을 요건으로 정한 것은 근로자의 정신적·육체적 휴양의 필요성이 기본적으로는 상당기간 계속되는 근로의무의 이행과 불가분의 관계에 있다는 점을 고려한 것이다. 연차유급휴가의 판단기준으로 근로연도 1년간의 재직요건을 정한 이상, 이 요건을 충족하지 못한 근로연도 중도퇴직자의 중도퇴직 전 근로에 관하여 반드시 그 근로에 상응하는 등의 유급휴가를 보장하여야 하는 것은 아니므로, 근로연도 중도퇴직자의 중도퇴직 전 근로에 대해 1개월 개근시 1일의 유급휴가를 부여하지 않더라도 이것이 청구인의 근로의 권리를 침해한다고 볼 수 없다(2015.5.28, 2013헌마619). 2016년 사시

09 정답 ①

❶ [X] 근로3권은 국가공권력에 대하여 근로자의 단결권의 방어를 일차적인 목표로 하지만, 근로3권의 보다 큰 헌법적 의미는 근로자단체라는 사회적 반대세력의 창출을 가능하게 함으로써 노사관계의 형성에 있어서 사회적 균형을 이루어 근로조건에 관한 노사간의 실질적인 자치를 보장하려는 데 있다. 근로자는 노동조합과 같은 근로자단체의 결성을 통하여 집단으로 사용자에 대항함으로써 사용자와 대등한 세력을 이루어 근로조건의 형성에 영향을 미칠 수 있는 기회를 가지게 되므로 이러한 의미에서 근로3권은 '사회적 보호기능을 담당하는 자유권' 또는 '사회권적 성격을 띤 자유권'이라고 말할 수 있다(1998.2.27, 94헌바13 등).

➡ 헌법재판소는 근로3권의 법적 성격에 대해 자유권적 성격을 강조하고 있다.

② [O] 근로자는 노동조합과 같은 근로자단체의 결성을 통하여 집단으로 사용자에 대항함으로써 사용자와 대등한 세력을 이루어 근로조건의 형성에 영향을 미칠 수 있는 기회를 가지게 되므로 이러한 의미에서 근로3권은 '사회적 보호기능을 담당하는 자유권' 또는 '사회권적 성격을 띤 자유권'이라고 말할 수 있다(1998.2.27, 94헌바13).

③ [O] 근로3권의 성격은 국가가 단지 근로자의 단결권을 존중하고 부당한 침해를 하지 아니함으로써 보장되는 자유권적 측면인 국가로부터의 자유뿐이 아니라, 근로자의 권리 행사의 실질적 조건을 형성하고 유지해야 할 국가의 적극적인 활동을 필요로 한다. 이는 곧, 입법자가 근로자단체의 조직, 단체교섭, 단체협약, 노동쟁의 등에 관한 노동조합 관련 법의 제정을 통하여 노사간의 세력균형이 이루어지고 근로자의 근로3권이 실질적으로 기능할 수 있도록 하기 위하여 필요한 법적 제도와 법규범을 마련하여야 할 의무가 있다는 것을 의미한다(1998.2.27, 94헌바13).

④ [O] 헌법 제33조 제1항으로부터 나오는 입법자의 법적 제도 및 법규범 정비의무의 내용은 노동 관련 법제 및 법규범의 정비의무를 의미하는 것으로서, 사용자의 부당노동행위와 관련한 근로자의 법적 구제절차, 근로3권의 행사시 근로자의 사용자에 대한 민사책임의 면제 등 노동쟁의에 대한 구제절차와 같은 입법조치들이 그 예가 된다. 그러나 노동조합이 비과세 혜택을 받을 권리는 헌법 제33조 제1항이 당연히 예상한 권리에 포함된다고 보기 어렵고, 위 헌법 조항으로부터 그러한 권리가 파생된다거나 이에 상응하는 국가의 조세법규범 정비의무가 발생한다고 보기도 어렵다(2009.2.26, 2007헌바27).

10 정답 ②

① [O] 근로자는 노동조합과 같은 근로자단체의 결성을 통하여 집단으로 사용자에 대항함으로써 사용자와 대등한 세력을 이루어 근로조건의 형성에 영향을 미칠 수 있는 기회를 갖게 된다는 의미에서 단결권은 '사회적 보호기능을 담당하는 자유권' 또는 '사회권적 성격을 띈 자유권'으로서의 성격을 가지고 있고 일반적인 시민적 자유권과는 질적으로 다른 권리로서 설정되어 헌법상 그 자체로서 이미 결사의 자유에 대한 특별법적인 지위를 승인받고 있다(2005.11.24, 2002헌바95 등).

❷ [X] 근로3권은 성질상 사인 간에도 적용되는 권리이다.

③ [O]

> **헌법 제33조** ① 근로자는 근로조건의 향상을 위하여 자주적인 단결권·단체교섭권 및 단체행동권을 가진다.

④ [O] 노동력을 제공하는 사람과 그 대가를 지급하는 사람이 동일인이어서는 안 된다. 따라서 개인택시업자, 소상인은 주체가 안 된다.

11 정답 ④

ㄱ. [X] ㄴ. [O] 「노동조합 및 노동관계조정법」(이하 '노동조합법'이라 한다) 제2조 제1호, 제5조, 제9조, 구 「출입국관리법」의 내용이나 체계, 취지 등을 종합하면, 노동조합법상 근로자란 타인과의 사용종속관계하에서 근로를 제공하고 그 대가로 임금 등을 받아 생활하는 사람을 의미하며, 특정한 사용자에게 고용되어 현실적으로 취업하고 있는 사람뿐만 아니라 일시적으로 실업 상태에 있는 사람이나 구직 중인 사람을 포함하여 노동3권을 보장할 필요성이 있는 사람도 여기에 포함되는 것으로 보아야 한다. 그리고 출입국관리 법령에서 외국인고용 제한규정을 두고 있는 것은 취업활동을 할 수 있는 체류자격 없는 외국인의 고용이라는 사실적 행위 자체를 금지하고자 하는 것뿐이지, 나아가 취업자격 없는 외국인이 사실상 제공한 근로에 따른 권리나 이미 형성된 근로관계에서 근로자로서의 신분에 따른 노동 관계법상의 제반 권리 등의 법률효과까지 금지하려는 것으로 보기는 어렵다. 따라서 타인과의 사용종속관계하에서 근로를 제공하고 그 대가로 임금 등을 받아 생활하는 사람은 노동조합법상 근로자에 해당하고, 노동조합법상의 근로자성이 인정되는 한, 그러한 근로자가 외국인인지 여부나 취업자격의 유무에 따라 노동조합법상 근로자의 범위에 포함되지 아니한다고 볼 수는 없다(대판 전합체 2015.06.25, 2007두4995).

ㄷ. [X] 헌법상의 근로의 권리(제32조 제1항)는 근로자 개인을 보호하기 위한 것이므로 노동조합이 그 주체가 될 수 없고, 근로3권(제33조 제1항) 규정으로부터 입법자가 노동조합에 대해 사업소세 비과세 혜택을 부여하는 규정을 두어야 할 의무가 당연히 발생한다고 볼 수 없으므로 해당 「지방세법」 조항이 노동조합의 근로의 권리 또는 근로3권을 침해한다고 할 수 없고, 해당 「지방세법」 조항은 조세 우대조치를 선택함에 있어 입법자에게 주어진 합리적 재량의 범위 내의 것이라고 할 것이어서 평등원칙에 위반된다고 보기도 어렵다는 것이다(2009.2.26, 2007헌바27).

ㄹ. [O] 헌법 제33조 제1항에 의하면 단결권의 주체는 단지 개인인 것처럼 표현되어 있지만, 만일 헌법이 개인의 단결권만을 보장하고 조직된 단체의 권리를 인정하지 않는다면, 즉 국가가 임의로 단체의 존속과 활동을 억압할 수 있다면 개인의 단결권 보장은 무의미하게 된다. 따라서 헌법 제33조 제1항은 근로자 개인의 단결권만이 아니라 단체 자체의 단결권도 보장하고 있는 것으로 보아야 한다(1999.11.25, 95헌마154). 2012년 국회 8급

12 정답 ①

ㄱ. [X] 우리 헌법은 제33조 제1항에서 근로자의 자주적인 노동3권을 보장하고 있으면서도, 같은 조 제2항에서 공무원인 근로자에 대하여는 법률에 의한 제한을 예정하고 있는바, 이는 공무원의 국민 전체에 대한 봉사자로서의 지위 및 그 직무상의 공공성을 고려하여 합리적인 공무원제도의 보장과 이와 관련된 주권자의 권익을 공공복리의 목적 아래 통합 조정하려는 것이다. 따라서 국회는 헌법 제33조 제2항에 따라 공무원인 근로자에게 단결권·단체교섭권·단체행동권을 인정할 것인가의 여부, 어떤 형태의 행위를 어느 범위에서 인정할 것인가 등에 대하여 광범위한 입법형성의 자유를 가진다(2008.12.26, 2005헌마971 등). 2017년 국가 7급 생활안전

ㄴ. [X] 헌법 제33조 제2항에 따라 법률이 정하는 자 이외의 공무원은 노동3권의 주체가 되지 못하므로 '법률이 정하는 자' 이외의 공무원에 대해서도 노동3권이 인정됨을 전제로 하여 헌법 제37조 제2항의 과잉금지원칙을 적용할 수는 없는 것이다. 한편 국회는 헌법 제33조 제2항에 따라 공무원인 근로자에게 노동3권을 인정할 것인가의 여부, 어떤 형태의 행위를 어느 범위에서 인정할 것인가 등에 대하여 광범위한 입법형성의 자유를 가지는바, 「국가공무원법」 제66조 제1항이 근로3권이 보장되는 공무원의 범위를 사실상 노무에 종사하는 공무원에 한정한 것이 입법자에게 허용된 입법재량권의 범위를 벗어난 것이라 할 수 없다(2007.8.30, 2003헌바51 등).

ㄷ. [O] 우리 헌법은 제33조 제1항에서 "근로자는 근로조건의 향상을 위하여 자주적인 단결권·단체교섭권 및 단체행동권을 가진다."라고 규정하여 근로자의 자주적인 노동3권을 보장하고 있으면서도, 같은 조 제2항에서는 "공무원인 근로자는 법률이 정하는 자에 한하여 단결권·단체교섭권 및 단체행동권을 가진다."라고 규정하여 공무원인 근로자에 대하여는 일정한 범위의 공무원에 한하여서만 노동3권을 향유할 수 있도록 함으로써 기본권의 주체에 관한 제한을 두고 있다. 공무원인 근로자 중 법률이 정하는 자 이외의 공무원에게는 그 권리 행사의 제한뿐만 아니라 금지까지도 할 수 있는 법률제정의 가능성을 헌법에서 직접 규정하고 있다는 점에서 헌법 제33조 제2항은 특별한 의미가 있다. 헌법 제33조 제2항이 규정되지 아니하였다면 공무원인 근로자도 헌법 제33조 제1항에 따라 노동3권을 가진다 할 것이고, 이 경우에 공무원인 근로자의 단결권·단체교섭권·단체행동권을 제한하는 법률에 대해서는 헌법 제37조 제2항에 따른 기본권 제한의 한계를 준수하였는가 하는 점에 대한 심사를 하는 것이 헌법원리로서 상당할 것이나, 헌법 제33조 제2항이 직접 '법률이 정하는 자'만이 노동3권을 향유할 수 있다고 규정하고 있어서 '법률이 정하는 자' 이외의 공무원은 노동3권의 주체가 되지 못하므로, 노동3권이 인정됨을 전제로 하는 헌법 제37조 제2항의 과잉금지원칙은 적용이 없는 것으로 보아야 할 것이다(2008.12.26, 2005헌마971 등).

ㄹ. [O] 공무원이란 직접 또는 간접적으로 국민에 의하여 선출 또는 임용되어 국가나 공공단체와 공법상의 근무관계를 맺고 공공적 업무를 담당하고 있는 사람들을 가리킨다고 할 수 있고, 공무원도 각종 노무의 대가로 얻는 수입에 의존하여 생활하는 사람이라는 점에서는 통상적인 의미의 근로자적인 성격을 지니고 있으므로, 헌법 제33조 제2항 역시 공무원의 근로자적 성격을 인정하는 것을 전제로 규정하고 있다(2005.10.27, 2003헌바50 등).

13 정답 ④

① [O] 헌법 제33조 제2항이 직접 '법률이 정하는 자'만이 노동3권을 향유할 수 있다고 규정하고 있어서 '법률이 정하는 자' 이외의 공무원은 노동3권의 주체가 되지 못하므로, '법률이 정하는 자' 이외의 공무원에 대해서도 노동3권이 인정됨을 전제로 하여 헌법 제37조 제2항의 과잉금지원칙을 적용할 수는 없는 것이다(2007.8.30, 2003헌바51 등).

② [O] 공무원이 쟁의행위를 통하여 공무원 집단의 이익을 대변하는 것은 국민전체에 대한 봉사자로서의 공무원의 지위와 특성에 반하고 국민전체의 이익추구에 장애가 되며, 공무원의 보수 등 근무조건은 국회에서 결정되고 그 비용은 최종적으로 국민이 부담하는바, 공무원의 파업으로 행정서비스가 중단되면 국가기능이 마비될 우려가 크고 그 손해는 고스란히 국민이 부담하게 되며, 공공업무의 속성상 공무원의 파업에 대한 정부의 대응수단을 찾기 어려워 노사간 힘의 균형을 확보하기 어렵다. 따라서 공무원에 대하여 일체의 쟁의행위를 금지한 위 조항은 헌법 제33조 제2항에 따른 입법형성권의 범위 내에 있다(2008.12.26, 2005헌마971 등).

③ [O] 정책결정에 관한 사항이나 기관의 관리·운영사항이 근무조건과 직접 관련되지 않을 때 이를 교섭대상에서 제외하도록 한 이유는, 이 사항들은 모두 국가 또는 지방자치단체가 행정책임주의 및 법치주의원칙에 따라 자신의 권한과 책임 하에 전권을 행사하여야 할 사항으로서 이를 교섭대상으로 한다면 행정책임주의 및 법치주의원칙에 반하게 되고, 설령 교섭대상으로 삼아 단체협약을 체결한다 하더라도 무효가 되어 교섭대상으로서의 의미를 가지지 못하기 때문이다. 이러한 상황이 발생하는 것을 방지하기 위해서는 위 사항들을 교섭대상에서 제외하는 것이 부득이하므로 이 사건 규정이 과잉금지원칙에 위반된다고 볼 수 없다(2013.6.27, 2012헌바169 등).

❹ [X] 1980년 헌법 제31조 제2항은 공무원인 근로자는 법률로 인정된 자를 제외하고는 단결권, 단체교섭권, 단체행동권을 가질 수 없다고 규정하여 공무원인 근로자의 경우에 노동3권을 원칙적으로 부정하였으나 현행헌법 제33조 제2항은 공무원의 단체행동권을 전면적으로 제한하거나 부인하는 것이 아니라 일정 범위 내의 공무원인 근로자의 단결권, 단체교섭권, 단체행동권을 갖는 것을 전제로 하여 그 구체적 범위를 법률에 위임하고 있는 것이다. 이 사건 법률조항은 모든 공무원의 노동3권을 부인하고 있어 헌법 제33조 제2항에 저촉된다(1993.3.11, 88헌마5 등).

14 정답 ③

① [X] 헌법 제33조 제2항이 직접 '법률이 정하는 자'만이 노동3권을 향유할 수 있다고 규정하고 있어서 '법률이 정하는 자' 이외의 공무원은 노동3권의 주체가 되지 못하므로, '법률이 정하는 자' 이외의 공무원에 대해서도 노동3권이 인정됨을 전제로 하여 헌법 제37조 제2항의 과잉금지원칙을 적용할 수는 없는 것이다. 한편, 법 제66조 제1항은 근로3권이 보장되는 공무원의 범위를 사실상 노무에 종사하는 공무원에 한정하고 있으나, 이는 헌법 제33조 제2항에 근거한 것이고, 전체 국민의 공공복리와 사실상 노무에 공무원의 직무의 내용, 노동조건 등을 고려해 보았을 때 입법자에게 허용된 입법재량권의 범위를 벗어난 것이라 할 수 없다(2007.8.30, 2003헌바51). 2010년 사시

② [X] 헌법 제33조 제2항이 직접 '법률이 정하는 자'만이 노동3권을 향유할 수 있다고 규정하고 있어서 '법률이 정하는 자' 이외의 공무원은 노동3권의 주체가 되지 못하므로, 노동3권이 인정됨을 전제로 하는 헌법 제37조 제2항의 과잉금지원칙은 적용이 없는 것으로 보아야 할 것이다(2008.12.26, 2005헌마971 등). 2012 국회 9급

❸ [O] 헌법 제33조는 제1항에서 근로3권을 규정하되, 제2항 및 제3항에서 '공무원인 근로자' 및 '법률이 정하는 주요방위산업체 근로자'에 한하여 근로3권의 예외를 규정한다. 그러므로 헌법 제37조 제2항 전단에 의하여 근로자의 근로3권에 대해 일부 제한이 가능하

다 하더라도, '공무원 또는 주요방위사업체 근로자'가 아닌 근로자의 근로3권을 전면적으로 부정하는 것은 헌법 제37조 제2항 후단의 본질적 내용 침해금지에 위반된다(2015.3.26, 2014헌가5). 2017년 국가 7급 생활안전

④ [X] 법 제117조 제1항은 "지방자치단체는 주민의 복리에 관한 사무를 처리하고 재산을 관리하며, 법령의 범위 안에서 자치에 관한 규정을 제정할 수 있다."라고 규정하여 법률의 위임이 있는 경우에는 조례에 의하여 소속 공무원에 대한 인사와 처우를 스스로 결정하는 권한이 있다고 할 것이므로, 사실상 노무에 종사하는 공무원의 범위에 관하여 당해 지방자치단체에 조례제정권을 부여하고 있다고 하여 헌법에 위반된다고 할 수 없다(2005.10.27, 2003헌바50 등).

15 정답 ③

ㄱ. [O] 「지방공무원법」 제58조 제1항이 근로3권이 보장되는 공무원의 범위를 사실상 노무에 종사하는 공무원에 한정하고 있는 것은 근로3권의 향유주체가 될 수 있는 공무원의 범위를 법률로 정하도록 위임하고 있는 헌법 제33조 제2항에 근거한 것으로 입법자에게 부여하고 있는 형성적 재량권의 범위를 벗어난 것이라고는 볼 수 없으므로, 위 법률조항이 근로3권을 침해한 것으로 위헌이라 할 수 없다(2005.10.27, 2003헌바50). 2017년 비상업무

ㄴ. [X] 소방공무원은 특정직공무원으로서 「소방공무원법」에 의하여 신분보장이나 대우 등 근로조건의 면에서 일반직공무원에 비하여 두텁게 보호받고 있다. 따라서 심판대상조항이 헌법 제33조 제2항의 입법형성권의 한계를 일탈하여 소방공무원인 청구인의 단결권을 침해한다고 볼 수 없다(2008.12.26, 2006헌마462). 2011년 법무사

ㄷ. [O] 정책결정에 관한 사항이나 기관의 관리·운영 사항이 근무조건과 직접 관련되지 않을 때 이를 교섭대상에서 제외하도록 한 이유는, 이 사항들은 모두 국가 또는 지방자치단체가 행정책임주의 및 법치주의원칙에 따라 자신의 권한과 책임 하에 전권을 행사하여야 할 사항으로서 이를 교섭대상으로 한다면 행정책임주의 및 법치주의원칙에 반하게 되고, 설령 교섭대상으로 삼아 단체협약을 체결한다 하더라도 무효가 되어 교섭대상으로서의 의미를 가지지 못하기 때문이다. 이러한 상황이 발생하는 것을 방지하기 위해서는 위 사항들을 교섭대상에서 제외하는 것이 부득이하므로 이 사건 규정이 과잉금지원칙에 위반된다고 볼 수 없다(2013.6.27, 2012헌바169). 2014년 지방 7급

ㄹ. [O] 헌법은 공무원인 근로자는 법률에 정하는 자에 한하여 단결권·단체교섭권 및 단체행동권을 가진다고 규정하고(헌법 제33조 제2항), 주요방위산업체에 종사하는 근로자의 단체행동권을 법률이 정하는 바에 의해 제한하거나 인정하지 아니할 수 있다고 규정할 뿐(헌법 제33조 제3항), 사립학교 교원의 단체행동권을 제한하는 명문규정을 두고 있지 않다.

> **「교원의 노동조합 설립 및 운영 등에 관한 법률」 제8조 【쟁의행위의 금지】** 노동조합과 그 조합원은 파업, 태업 또는 그 밖에 업무의 정상적인 운영을 방해하는 일체의 쟁의행위를 하여서는 아니 된다.

16 정답 ④

① [X] 「교원의 노동조합 설립 및 운영 등에 관한 법률」은 국·공립교원과 사립교원에게 동일하게 적용되며 단결권과 단체교섭권이 인정되고 쟁의행위는 금지된다. 2017년 비상업무

② [X] ③ [X]

> **「교원의 노동조합 설립 및 운영 등에 관한 법률」 제2조 【정의】** 이 법에서 '교원'이란 다음 각 호의 어느 하나에 해당하는 사람을 말한다.
> 1. 「유아교육법」 제20조 제1항에 따른 교원
> 2. 「초·중등교육법」 제19조 제1항에 따른 교원
> 3. 「고등교육법」 제14조 제2항 및 제4항에 따른 교원. 다만, 강사는 제외한다.

❹ [O] 이 사건 법률조항 단서는 교원의 노동조합활동이 임면권자에 의하여 부당하게 제한되는 것을 방지함으로써 교원의 노동조합활동을 보호하기 위한 것이고, 해직 교원에게도 교원노조의 조합원 자격을 유지하도록 할 경우 개인적인 해고의 부당성을 다투는 데 교원노조의 활동을 이용할 우려가 있으므로, 해고된 사람의 교원노조 조합원 자격을 제한하는 데에는 합리적 이유가 인정된다. 한편, 교원이 아닌 사람이 교원노조에 일부 포함되어 있다는 이유로 이미 설립신고를 마치고 활동 중인 노동조합을 법외노조로 할 것인지 여부는 법외노조 통보조항이 정하고 있고, 법원은 법외노조 통보조항에 따른 행정당국의 판단이 적법한 재량의 범위 안에 있는 것인지 충분히 판단할 수 있으므로, 이미 설립신고를 마친 교원노조의 법상 지위를 박탈할 것인지 여부는 이 사건 법외노조 통보조항의 해석 내지 법 집행의 운용에 달린 문제라 할 것이다. 따라서 이 사건 법률조항은 침해의 최소성에도 위반되지 않는다. 이 사건 법률조항으로 인하여 교원 노조 및 해직 교원의 단결권 자체가 박탈된다고 할 수는 없는 반면, 교원이 아닌 자가 교원노조의 조합원 자격을 가질 경우 교원노조의 자주성에 대한 침해는 중대할 것이어서 법익의 균형성도 갖추었으므로, 이 사건 법률조항은 청구인들의 단결권을 침해하지 아니한다(2015.5.28, 2013헌마671 등).

17 정답 ②

ㄱ. [O] 이 사건의 쟁점은 이와 같이 근로기본권의 핵심적인 권리인 단결권조차 인정되지 아니하는 대학 교원에 대한 기본권의 제한이 헌법적으로 정당화될 수 있는지 여부이다. 평등원칙 위배에 관한 제청이유는 초·중등 교원과 달리 대학 교원의 단결권 등을 인정하지 않는 것의 위헌성에 관한 주장으로서, 단결권 침해의 위헌성에 대한 주장과 실질적으로 같다고 할 것이므로 별도로 살펴보지 아니한다(2018.8.30, 2015헌가38).

ㄴ. [X] 교육공무원인 대학 교원에 대하여 보더라도, 교육공무원의 직무수행의 특성과 헌법 제33조 제1항 및 제2항의 정신을 종합해 볼 때, 교육공무원에게 근로3권을 일체 허용하지 않고 전면적으로 부정하는 것은 합리성을 상실한 과도한 것으로서 입법형성권의 범위를 벗어나 헌법에 위반된다(2018.8.30, 2015헌가38).

ㄷ. [X] 교육공무원인 대학 교원과 공무원 아닌 대학 교원으로 나누어, 각각의 단결권 침해가 헌법에 위배되는지 여부에 관하여, 공무원 아닌 대학 교원에 대해서는 과잉금지원칙 준수 여부를 기준으로, 교육공무원인 대학 교원에 대해서는 입법형성의 범위를 일탈하였는지 여부를 기준으로 나누어 심사하기로 한다(2018.8.30, 2015헌가38).

ㄹ. [O] 헌법 제33조 제2항이 직접 '법률이 정하는 자'만이 노동3권을 향유할 수 있다고 규정하고 있어서 '법률이 정하는 자' 이외의 공무원은 노동3권의 주체가 되지 못하므로, '법률이 정하는 자' 이외의 공무원에 대해서도 노동3권이 인정됨을 전제로 하여 헌법 제37조 제2항의 과잉금지원칙을 적용할 수는 없는 것이다(2007.8.30, 2003헌바51 등).

ㅁ. [X] 심판대상조항은 입법형성의 범위를 벗어난 입법이어서 교육공무원인 대학 교원의 단결권을 침해한다. 심판대상조항은 과잉금지원

칙에 위배되어 공무원 아닌 대학 교원의 단결권을 침해한다(2018. 8.30, 2015헌가38).

18 정답 ③

① [X] 사건 시정요구로 인하여 청구인 전교조는 해직 교원을 조합원에서 배제하고 관련 규약을 시정할 의무를 지게 되므로, 이 사건 시정요구는 청구인 전교조의 권리·의무에 변동을 일으키는 행정행위에 해당한다. 그런데 청구인 전교조는 이 사건 시정요구에 대하여 다른 불복절차를 거치지 아니하고 곧바로 헌법소원심판을 청구하였으므로, 이 사건 시정요구에 대한 헌법소원은 보충성 요건을 결하였다. 따라서 이 사건 시정요구에 대한 심판청구 부분도 부적법하다(2015.5.28, 2013헌마671 등).

② [X] 국제 노동기구(ILO)의 '결사의 자유 위원회', 경제협력개발기구(OECD)의 '노동조합자문위원회' 등이 우리나라에 대하여 재직 중인 교사들만이 노동조합에 참여할 수 있도록 허용하는 것은 결사의 자유를 침해하는 것이므로 이를 국제기준에 맞추어 개선하도록 권고한 바 있다. 하지만 이러한 국제기구의 권고를 위헌심사의 척도로 삼을 수는 없고, 국제기구의 권고를 따르지 않았다는 이유만으로 이 사건 법률조항이 헌법에 위반된다고 볼 수 없다(2015.5. 28, 2013헌마671 등).

❸ [O] 이 사건 법률조항은 교원의 근로조건에 관하여 정부 등을 상대로 단체교섭 및 단체협약을 체결할 권한을 가진 교원노조를 설립하거나 그에 가입하여 활동할 수 있는 자격을 초·중등학교에 재직 중인 교원으로 한정하고 있으므로, 해직 교원이나 실업·구직 중에 있는 교원 및 이들을 조합원으로 하여 교원노조를 조직·구성하려고 하는 교원노조의 단결권을 제한한다(2015.5.28, 2013헌마671 등).

④ [X] 교원노조는 교원을 대표하여 단체교섭권을 행사하는 등 교원의 근로조건에 직접적이고 중대한 영향력을 행사하고, 교원의 근로조건의 대부분은 법령이나 조례 등으로 정해지므로 교원의 근로조건과 직접 관련이 없는 교원이 아닌 사람을 교원노조의 조합원 자격에서 배제하는 것이 단결권의 지나친 제한이라고 볼 수 없고, 교원으로 취업하기를 희망하는 사람들이 「노동조합 및 노동관계조정법」 따라 노동조합을 설립하거나 그에 가입하는 데에는 아무런 제한이 없으므로 이들의 단결권이 박탈되는 것도 아니다(2015.5.28, 2013 헌마671 등).

19 정답 ④

ㄱ. [X] 법률이 정하는 주요방위산업체에 종사하는 근로자에 대해서는 단체행동권만을 제한할 수 있으며 단결권 및 단체교섭권은 헌법규정상 제한할 수 없다.

> **헌법 제33조** ③ 법률이 정하는 주요방위산업체에 종사하는 근로자의 단체행동권은 법률이 정하는 바에 의하여 이를 제한하거나 인정하지 아니할 수 있다.

ㄴ. [O] 「방위산업에 관한 특별조치법」에 의하여 지정된 방위산업체에 종사하는 근로자에 대하여 쟁의행위를 금지시키고 있는 구 「노동쟁의조정법」 제12조 제2항은 "주요방위산업체에 종사하는 근로자의 단체행동권은 법률이 정하는 바에 의하여 이를 제한하거나 인정하지 아니할 수 있다."라고 규정한 헌법 제33조 제3항의 명문에 반하지 아니한다(1998.2.27, 95헌바10). 2001년 사시

ㄷ. [X] 청원경찰은 일반근로자일 뿐 공무원이 아니므로 원칙적으로 헌법 제33조 제1항에 따라 근로3권이 보장되어야 한다. 청원경찰은 제한된 구역의 경비를 목적으로 필요한 범위에서 경찰관의 직무를 수행할 뿐이며, 그 신분 보장은 공무원에 비해 취약하다. 헌법은 주요방위산업체 근로자들의 경우에도 단체행동권만을 제한하고 있고, 「경비업법」은 무기를 휴대하고 국가중요시설의 경비업무를 수행하는 특수경비원의 경우에도 쟁의행위를 금지할 뿐이다. 청원경찰은 특정 경비구역에서 근무하며 그 구역의 경비에 필요한 한정된 권한만을 행사하므로, 청원경찰의 업무가 가지는 공공성이나 사회적 파급력은 군인이나 경찰의 그것과는 비교하여 견주기 어렵다. 그럼에도 심판대상조항은 군인이나 경찰과 마찬가지로 모든 청원경찰의 근로3권을 획일적으로 제한하고 있다. 이상을 종합하여 보면, 심판대상조항이 모든 청원경찰의 근로3권을 전면적으로 제한하는 것은 과잉금지원칙을 위반하여 청구인들의 근로3권을 침해하는 것이다(2017.9.28, 2015헌마653).

ㄹ. [O] 국가의 행정관청이 사법상 근로계약을 체결한 경우 그 근로계약관계의 권리·의무는 행정주체인 국가에 귀속되므로, 국가는 그러한 근로계약관계에 있어서 「노동조합 및 노동관계조정법」 제2조 제2호에 정한 사업주로서 단체교섭의 당사자의 지위에 있는 사용자에 해당한다(대판 2008.9.11, 2006다40935).

ㅁ. [X] 대법원도 "구 「노동조합법」(1996.12.31. 법률 제5244호로 폐지되기 이전의 것) 제39조 제2호 단서 소정의 조항, 이른바 유니언 샵 협정은 노동조합의 단결력을 강화하기 위한 강제의 한 수단으로서 근로자가 대표성을 갖춘 노동조합의 조합원이 될 것을 '고용조건'으로 하고 있는 것이므로 단체협약에 유니언 샵 협정에 따라 근로자는 노동조합의 조합원이어야만 된다는 규정이 있는 경우에는 다른 명문의 규정이 없더라도 사용자는 노동조합에서 탈퇴한 근로자를 해고할 의무가 있다."라고 판시하고 있다(대판 1998.3.24, 96누16070).

ㅂ. [X] 근로자에게 보장되는 적극적 단결권이 단결하지 아니할 자유보다 특별한 의미를 갖고 있고, 노동조합의 조직강제권도 이른바 자유권을 수정하는 의미의 생존권(사회권)적 성격을 함께 가지는 만큼 근로자 개인의 자유권에 비하여 보다 특별한 가치로 보장되는 점 등을 고려하면, 노동조합의 적극적 단결권은 근로자 개인의 단결하지 않을 자유보다 중시된다고 할 것이고, 또 노동조합에게 위와 같은 조직강제권을 부여한다고 하여 이를 근로자의 단결하지 아니할 자유의 본질적인 내용을 침해하는 것으로 단정할 수는 없다(2005.11.24, 2002헌바95 등).

20 정답 ④

① [X] 헌법 제33조 제1항은 "근로자는 근로조건의 향상을 위하여 자주적인 단결권·단체교섭권 및 단체행동권을 가진다."라고 규정하고 있다. 여기서 헌법상 보장된 근로자의 단결권은 단결할 자유만을 가리킬 뿐이고, 단결하지 아니할 자유 이른바 소극적 단결권은 이에 포함되지 않는다고 보는 것이 우리 재판소의 선례라고 할 것이다. 그렇다면 근로자가 노동조합을 결성하지 아니할 자유나 노동조합에 가입을 강제당하지 아니할 자유, 그리고 가입한 노동조합을 탈퇴할 자유는 근로자에게 보장된 단결권의 내용에 포섭되는 권리로서가 아니라 헌법 제10조의 행복추구권에서 파생되는 일반적 행동의 자유 또는 제21조 제1항의 결사의 자유에서 그 근거를 찾을 수 있다(2005.11.24, 2002헌바95 등).

② [X] 헌법 제33조 제1항은 "근로자는 근로조건의 향상을 위하여 자주적인 단결권·단체교섭권 및 단체행동권을 가진다."라고 규정하고 있다. 여기서 헌법상 보장된 근로자의 단결권은 단결할 자유만을 가리킬 뿐이고, 단결하지 아니할 자유 이른바 소극적 단결권은 이에 포함되지 않는다고 보는 것이 우리 재판소의 선례라고 할 것이다. 그렇다면 근로자가 노동조합을 결성하지 아니할 자유나 노동조합에 가입을 강제당하지 아니할 자유, 그리고 가입한 노동조합

을 탈퇴할 자유는 근로자에게 보장된 단결권의 내용에 포섭되는 권리로서가 아니라 헌법 제10조의 행복추구권에서 파생되는 일반적 행동의 자유 또는 제21조 제1항의 결사의 자유에서 그 근거를 찾을 수 있다(2005.11.24, 2002헌바95 등).

③ [X] 헌법상 보장된 근로자의 단결권은 단결할 자유만을 가리킬 뿐이고, 단결하지 아니할 자유 이른바 소극적 단결권은 이에 포함되지 않는다고 보는 것이 우리 재판소의 선례라고 할 것이다. 그렇다면 근로자가 노동조합을 결성하지 아니할 자유나 노동조합에 가입을 강제당하지 아니할 자유, 그리고 가입한 노동조합을 탈퇴할 자유는 근로자에게 보장된 단결권의 내용에 포섭되는 권리로서가 아니라 헌법 제10조의 행복추구권에서 파생되는 일반적 행동의 자유 또는 제21조 제1항의 결사의 자유에서 그 근거를 찾을 수 있다(2005.11.24, 2002헌바95 등). 2020년 5급 승진

❹ [O] 근로3권 중 단결권에는 개별 근로자가 노동조합 등 근로자단체를 조직하거나 그에 가입하여 활동할 수 있는 개별적 단결권뿐만 아니라 근로자단체가 존립하고 활동할 수 있는 집단적 단결권도 포함된다(2015.5.28, 2013헌마671). 2021년 경찰승진

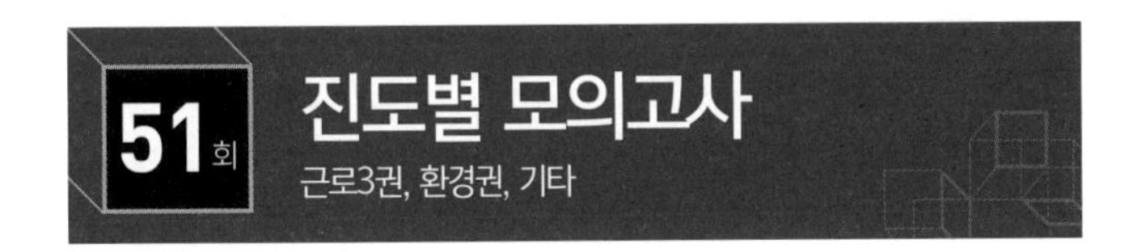

정답

01	①	02	①	03	④	04	③
05	①	06	③	07	②	08	②
09	③	10	②	11	④	12	③
13	②	14	⑤	15	④	16	③
17	①	18	③	19	②	20	②

01 정답 ①

❶ [X] 쟁의행위는 업무의 저해라는 속성상 그 자체 시민형법상의 여러 가지 범죄의 구성요건에 해당될 수 있음에도 불구하고 그것이 정당성을 가지는 경우에는 형사책임이 면제되며, 민사상 손해배상책임도 발생하지 않는다. 이는 헌법 제33조에 당연히 포함된 내용이라 할 것이며, 정당한 쟁의행위의 효과로서 민사 및 형사면책을 규정하고 있는 현행 「노동조합 및 노동관계조정법」 제3조와 제4조 및 구 「노동쟁의조정법」 제8조, 구 「노동조합법」 제2조 등은 이를 명문으로 확인한 것이라 하겠다(1998.7.16, 97헌바23).

② [O] 비록 단체행동권의 행사가 본질적으로 위력성을 가져 외형상 업무방해죄의 구성요건에 해당한다고 하더라도 그것이 헌법과 법률이 보장하고 있는 범위 내의 행사로서 정당성이 인정되는 경우에는 위법성이 조각되어 처벌할 수 없다는 것으로 헌법이 보장하는 근로3권의 내재적 한계를 넘어선 행위(헌법의 보호영역 밖에 있는 행위)를 규제하는 것일 뿐 정당한 권리 행사까지 처벌함으로써 본인의 의사에 반하여 강제노역을 강요하거나 근로자라는 신분만으로 불합리한 차별을 하는 것은 아니라고 판단되므로, 위 대법원의 해석방법이 헌법상의 강제노역금지원칙, 근로3권 및 평등권 등을 침해하지 않는다(1998.7.16, 97헌바23). 2011년 법원

③ [O] 필수공익사업장에서의 노동쟁의로 인하여 국민생활 영위에 필수적인 재화와 용역의 공급이 갑자기 중단된다면 중대한 사회적 혼란이 야기되고 국민의 기초적 일상생활이나 심한 경우 그 생명과 신체에까지 심각한 해악을 초래하며 나아가 국민경제를 현저히 위태롭게 할 수 있다. 이러한 위험상황을 방지하여 공익과 국민경제를 유지할 필요가 발생하는 경우에는 노동위원회의 직권에 의한 중재를 사전에 거치게 하는 것이 극단적으로 치닫는 노동쟁의를 상호 간 감정의 대립을 더 이상 격화시키지 아니한 채 합리적 방향으로 신속하고 원만하게 타결하도록 하는 효과적 수단이 될 수 있다. 또한 법상 별도로 인정되고 있는 긴급조정과 이에 따른 강제중재의 제도는 단체행동권이 행사되어 파업 등이 진행되고 난 이후에만 발동될 수 있으며 이 때에는 이미 국민에 대한 필수서비스가 전면 중단되어 사회기능이 마비되고 난 이후일 것이므로 이미 공익과 국민경제에 대한 중대한 타격이 가하여지고 난 다음의 사후 구제책으로서의 기능을 할 뿐이고 이러한 사후적 제도만으로는 국민생활과 국가경제를 안정시키기에 충분하지 못하다. 따라서 이 사건 법률조항들이 필수공익사업장에서의 노동쟁의를 노동위원회의 직권으로 중재에 회부함으로써 파업에 이르기 전에 노사분쟁을 해결하는 강제중재제도를 채택하고 있는 것은 그 방법상 헌법상 정당한 목적을 추구하기 위하여 필요하고 적합한 수단의 하나가 된다고 할 것이므로 과잉금지원칙상의 수단의 적합성이 인정된다(2003.5.15, 2001헌가31). 2005년 행시

④ [O] 단체행동권은 근로조건의 향상을 위한 목적으로 행사되어야 한다. 따라서 순수한 정치파업은 할 수 없다. 그러나 노동 관계 법령의 개폐와 같은 근로자의 지위 등에 직접 관계되는 사항을 쟁점으로 하는 산업적 정치파업은 가능하다. 2003년 행시

02 정답 ①

❶ [O] 쟁의행위는 업무의 저해라는 속성상 그 자체 「형법」상의 여러 가지 범죄의 구성요건에 해당될 수 있음에도 불구하고 그것이 정당성을 가지는 경우에는 형사책임이 면제되며, 민사상 손해배상책임도 발생하지 않는다. 이는 헌법 제33조에 당연히 포함된 내용이라 할 것이며, 정당한 쟁의행위의 효과로서 민사 및 형사책임면제를 규정하고 있는 현행 「노동조합 및 노동관계조정법」 제3조와 제4조 및 구 「노동쟁의조정법」 제8조, 구 「노동조합법」 제2조 등은 이를 명문으로 확인한 것이라 하겠다. 2005년 행시

② [X] 제3자 개입금지에 대해 헌법재판소는 합헌결정하였다.

> **관련 판례** 제3자개입금지조항은 노동자 측으로의 개입뿐만 아니라 사용자 측으로의 개입에 대하여서도 마찬가지로 규정하고 있고, 노동자들이 변호사나 공인노무사 등의 조력을 받는 것과 같이 노동삼권을 행사함에 있어 자주적 의사결정을 침해받지 아니하는 범위안에서 필요한 제삼자의 조력을 받는 것을 금지하는 것이 아니므로 근로자와 사용자를 실질적으로 차별하는 불합리한 규정이라고 볼 수 없다(1990.1.15, 89헌가103). 2005년 행시

③ [X] 국민건강보험공단의 인사, 보수 등에 관한 규정이 효력을 가지려면 보건복지부장관의 승인을 얻도록 한 것국민건강보험공단(이하 '공단')의 인사, 보수 등에 관한 규정이 효력을 가지려면 건설교통부장관의 승인을 얻도록 한 것은 공단 이사장의 권한 행사 및 공단 운영에 대한 적절한 규제를 통하여 국가사업을 대행하는 공법인의 원활한 사업추진을 도모하고, 국민의 세금인 정부출연금과 연계되는 인사·예산·보수 등에서 방만한 운영이 발생하지 않도록 공단에 대한 보건복지부장관의 지도·감독권한을 확보하기 위한 것으로서 그 목적이 정당하며, 공단의 단체협약 중 보수, 인사에 관한 사항은 단체협약 당사자 사이의 단순한 단체협약이라는 의미를 넘어 국고 부담의 증가를 초래함으로써 결과적으로 공단의 사업계획과 예산의 변경을 수반할 수밖에 없으므로 보수, 인사에 관한 사항을 단체협약으로 정하거나 이를 변경하는 경우에도 보건복지부장관의 승인을 얻도록 하는 것은 불가피한 제한이고, 인사 및 보수 등에 관한 규정을 보건복지부장관이 승인하지 않는 경우에는 장관의 불승인 처분에 대하여 행정소송으로 다툴 수 있으므로, 보건복지부장관의 자의적인 불승인에 대하여 이를 시정할 방법이 있다. 그렇다면 단체교섭권에 대한 제한의 정도가 공단의 공익성에 비추어 타당한 범위 내로서 과도한 제한으로 볼 수 없다(2004.8.26, 2003헌바58 등).

④ [X]

> **「노동조합 및 노동관계조정법」 제46조 【직장폐쇄의 요건】** ① 사용자는 노동조합이 쟁의행위를 개시한 이후에만 직장폐쇄를 할 수 있다.

03 정답 ④

① [O] 2014년 서울 7급

> 「노동조합 및 노동관계조정법」 제2조 【정의】 이 법에서 사용하는 용어의 정의는 다음과 같다.
> 6. '쟁의행위'라 함은 파업·태업·직장폐쇄 기타 노동관계 당사자가 그 주장을 관철할 목적으로 행하는 행위와 이에 대항하는 행위로서 업무의 정상적인 운영을 저해하는 행위를 말한다.

② [O] 위 제10조 제1항은 공무원노조에게 단체협약체결권을 인정하면서도 단체협약의 내용 중 법령·조례·예산 등에 위배되는 내용에 대하여는 단체협약의 효력을 부정하고 있는바, 공무원의 경우 민간부문과 달리 근무조건의 대부분은 헌법상 국민 전체의 의사를 대표하는 국회에서 법률, 예산의 형태로 결정되는 것으로서, 그 범위 내에 속하는 한 정부와 공무원노동단체 간의 자유로운 단체교섭에 의하여 결정될 사항이라 할 수 없다. 따라서 노사 간 합의로 체결된 단체협약이라 하더라도 법률·예산 및 그의 위임에 따르거나 그 집행을 위한 명령·규칙에 규정되는 내용보다 우선하는 효력을 인정할 수는 없으며, 조례는 지방의회가 제정하는 것으로 해당 지방자치단체와 그 공무원을 기속하므로, 단체협약에 대하여 조례에 우선하는 효력을 부여할 수도 없다. 한편, 위 조항은 법령·조례 또는 예산 등과 저촉되는 부분에 한하여 단체협약으로서의 효력만 부인할 뿐, 교섭 자체를 할 수 없게 하거나 단체협약의 체결을 금지하지는 않고, 위 법 제10조 제2항은 정부교섭대표에게 그 내용이 이행될 수 있도록 성실히 노력할 의무를 부과하고 있으므로, 위 법 제10조 제1항이 국회의 입법재량권의 한계를 일탈하여 청구인들의 단체협약체결권을 침해한다고 보기 어렵다(2008.12.26, 2005헌마971 등).

③ [O] 노동관계 당사자가 쟁의행위를 함에 있어서는 그 목적, 방법 및 절차상의 한계를 존중하지 않으면 아니 되며 그 한계를 벗어나지 아니한 범위 안에서 관계자들의 민사상 및 형사상 책임이 면제되는 것이다. … 쟁의행위는 노동관계 당사자가 임금 및 근로조건 등을 정하는 단체협약을 체결함에 있어서 보다 유리한 결과를 자신에게 가져오게 하기 위하여 행사하는 최후의 강제수단이다. 따라서, 쟁의행위는 주로 단체협약의 대상이 될 수 있는 사항을 목적으로 하는 경우에만 허용되는 것이고, 단체협약의 당사자가 될 수 있는 자에 의하여서만 이루어져야 하는 것이다(1990.1.15, 89헌가103).

❹ [X] 사납금제를 금지하기 위하여 택시운송사업자의 운송수입금 전액 수납의무와 운수종사자의 운송수입금 전액 납부의무를 규정한 구 「자동차운수사업법」 제24조 제3항 및 제33조의5 제2항은 일반택시운송에 종사하는 근로자의 생활안정을 부수적인 목적으로 하고 있다. 위와 같은 목적의 달성을 위한 이 조항들에 의한 단체협약의 자유에 대한 제한은 헌법이 입법자에게 부과한 과제의 이행을 위하여 필요한 범위 안에서 이루어진 것이며, 따라서 이 조항들이 노사의 단체협약체결의 자유를 필요이상으로 과도하게 제한하여 헌법에 위반된다고 볼 수 없다(1998.10.29, 97헌마345).

04 정답 ③

① [O] 정당한 이유 없는 불성실한 단체교섭 내지 단체협약체결의 거부 금지라는 합리적으로 제한된 범위 내의 기본권 제한에 그치고 있으므로, 법익 간의 균형성이 침해된 것이라 할 수 없다(2002.12.18, 2002헌바12).

② [O] 비록 헌법이 위 조항에서 '단체협약체결권'을 명시하여 규정하고 있지 않다고 하더라도 근로조건의 향상을 위한 근로자 및 그 단체의 본질적인 활동의 자유인 '단체교섭권'에는 단체협약체결권이 포함되어 있다고 보아야 한다(1998.2.27, 94헌바13).

❸ [X] 단체협약 중 보수, 인사에 관한 사항은 단체협약 당사자 사이의 단순한 단체협약이라는 의미를 넘어 국고 부담의 증가를 초래함으로써 결과적으로 공단의 사업계획과 예산의 변경을 수반할 수밖에 없으므로 보수, 인사에 관한 사항을 단체협약으로 정하거나 이를 변경하는 경우에도 보건복지부장관의 승인을 얻도록 하는 것은 불가피한 제한이고, 인사 및 보수 등에 관한 규정을 보건복지부장관이 승인하지 않는 경우에는 장관의 불승인 처분에 대하여 행정소송으로 다툴 수 있으므로, 보건복지부장관의 자의적인 불승인에 대하여 이를 시정할 방법이 있다. 그렇다면 단체교섭권에 대한 제한의 정도가 공단의 공익성에 비추어 타당한 범위 내로서 과도한 제한으로 볼 수 없다(2004.8.26, 2003헌바58 등).

④ [O] 단체협약의 내용 중 국고부담의 증가를 초래하여 예산의 변경을 수반할 수밖에 없는 경우 건설교통부장관의 승인을 얻도록 하는 것은 한국고속철도건설공단의 원활한 운영을 위하여 불가피한 것으로 단체교섭권 침해라고 볼 수 없다(2004.8.26, 2003헌바28).

05 정답 ①

ㄱ. [X] 정당한 이유 없는 불성실한 단체교섭 내지 단체협약체결의 거부를 방지하기 위하여 사용자가 노동조합의 대표자 또는 노동조합으로부터 위임을 받은 자와의 단체협약체결 기타의 단체교섭을 정당한 이유 없이 거부하거나 해태하는 행위를 할 수 없도록 한 「노동조합 및 노동관계조정법」은 헌법에 위반되지 않는다(2002.12.18, 2002헌바12). 2019년 국회 9급

ㄴ. [X] 교섭창구단일화제도는 근로조건의 결정권이 있는 사업 또는 사업장 단위에서 복수 노동조합과 사용자 사이의 교섭절차를 일원화하여 효율적이고 안정적인 교섭체계를 구축하고, 소속 노동조합과 관계없이 조합원들의 근로조건을 통일하기 위한 것으로, 교섭대표노동조합이 되지 못한 소수 노동조합의 단체교섭권을 제한하고 있지만, 소수 노동조합도 교섭대표 노동조합을 정하는 절차에 참여하게 하여 교섭대표 노동조합이 사용자와 대등한 입장에 설 수 있는 기반이 되도록 하고 있으며, 그러한 실질적 대등성의 토대 위에서 이뤄낸 결과를 함께 향유하는 주체가 될 수 있도록 하고 있으므로 노사대등의 원리 하에 적정한 근로조건의 구현이라는 단체교섭권의 실질적인 보장을 위한 불가피한 제도라고 볼 수 있다(2012.4. 24, 2011헌마338).

ㄷ. [X] 전몰군경의 유가족을 제외한 국가유공자의 가족이 헌법적 근거를 지닌 보호대상에서 제외되지만, 입법자는 위 조항 및 헌법 전문(前文)에 나타난 대한민국의 건국이념 등을 고려하여 취업보호대상자를 국가유공자 등의 가족에까지 넓힐 수 있는 입법정책적 재량을 지니며, 이 사건 조항 역시 그러한 입법재량의 행사에 해당하는 것이다. 그러나 그러한 보호대상의 확대는 어디까지나 법률 차원의 입법정책에 해당하며 명시적 헌법적 근거를 갖는 것은 아니다(2006.2.23, 2004헌마675 등).

ㄹ. [X] 개정된 「국가유공자 등 예우 및 지원에 관한 법률」에서는 고엽제후유의증환자도 참전유공자로서 국가유공자에 포함하고 있기는 하나, 헌법 제32조 제6항의 엄격한 해석에 의할 때 전몰군경의 유가족을 제외한 국가유공자의 가족은 위 헌법조항에 의한 보호대상에 포함된다고 할 수 없으므로, 고엽제후유의증환자의 가족을 교육지원과 취업지원의 대상에서 배제한다고 하여 헌법 제32조 제6항의 우선적 근로의 기회 제공의무를 위반한 것이라고 할 수는 없다(2011.6.30, 2008헌마715 등).

ㅁ. [X] 오늘날 가산점의 대상이 되는 국가유공자와 그 가족의 수가 과거에 비하여 비약적으로 증가하고 있는 현실과, 취업보호대상자에서 가

족이 차지하는 비율, 공무원시험의 경쟁이 갈수록 치열해지는 상황을 고려할 때, 헌법 제32조 제6항의 폭넓은 해석은 필연적으로 일반 응시자의 공무담임의 기회를 제약하게 되는 결과가 될 수 있으므로 위 조항은 엄격하게 해석할 필요가 있다. 이러한 관점에서 위 조항의 대상자는 조문의 문리해석대로 '국가유공자', '상이군경', 그리고 '전몰군경의 유가족'이라고 봄이 상당하다(2006.2.23, 2004헌마675 등).

ㅂ. [X]

> **헌법 제32조** ④ 여자의 근로는 특별한 보호를 받으며, 고용·임금 및 근로조건에 있어서 부당한 차별을 받지 아니한다.
> ⑥ 국가유공자·상이군경 및 전몰군경의 유가족은 법률이 정하는 바에 의하여 우선적으로 근로의 기회를 부여받는다.

ㅅ. [O] 노동3권 중 근로자의 단결권은 결사의 자유가 근로의 영역에서 구체화된 것으로서, 근로자의 단결권에 대해서는 헌법 제33조가 우선적으로 적용된다. 근로자의 단결권도 국민의 결사의 자유 속에 포함되나, 헌법이 노동3권과 같은 특별규정을 두어 별도로 단결권을 보장하는 것은 근로자의 단결에 대해서는 일반 결사의 경우와 다르게 특별한 보장을 해준다는 뜻으로 해석된다. 근로자의 단결권이 근로자 단결체로서 사용자와의 관계에서 특별한 보호를 받아야 할 경우에는 헌법 제33조가 우선적으로 적용되지만, 그렇지 않은 통상의 결사 일반에 대한 문제일 경우에는 헌법 제21조 제2항이 적용되므로 노동조합에도 헌법 제21조 제2항의 결사에 대한 허가제 금지원칙이 적용된다(2012.3.29, 2011헌바53). 2014년 지방 7급

06 정답 ③

ㄱ. [O] 위법·부당하여 취소될 수도 있는 이러한 확정되지 않은 구제명령과, 또 구제명령이 위법·부당하여 재심 또는 행정소송으로 취소된 경우까지 이를 신속히 이행하지 않았다 하여 그 이행 확보 내지 그 제재방법으로 징역형을 택하여 그 위반자인 사용자를 교도소에 장기간 수감하는 등으로 물심양면의 고통을 가하거나 형벌인 벌금형으로 처벌함은, 위에서 본 바와 같이 정의에 반하고 행정명령의 이행 확보수단으로서 최후적·보충적이어야 하는 점에 비추어도 합리성과 정당성이 없다고 할 것이다. 뿐만 아니라 이는 이 사건 규정에 의하여 달성하려는 구제명령의 이행 확보수단으로서도 적절치 못하며, 기본권 제한이 필요한 최소한도에 그쳤다고도 할 수 없다(1995.3.23, 92헌가14).

ㄴ. [O] 이 사건 법률조항들에 의한 직권중재의 대상은 도시철도를 포함한 철도, 수도, 전기, 가스, 석유정제 및 석유공급, 병원, 한국은행, 통신의 각 사업에 한정되어 있다. 태업, 파업 또는 직장폐쇄 등의 쟁의행위가 이러한 필수공익사업에서 발생하게 되면 비록 그것이 일시적이라 하더라도 그 공급중단으로 커다란 사회적 혼란을 야기함은 물론 국민의 일상생활 심지어는 생명과 신체에까지 심각한 해악을 초래하게 되고 국민경제를 현저히 위태롭게 하므로, 현재의 우리나라의 노사여건하에서는 위와 같은 필수공익사업에 한정하여 쟁의행위에 이르기 이전에 노동쟁의를 신속하고 원만하게 타결하도록 강제중재제도를 인정하는 것은 공익과 국민경제를 유지·보전하기 위한 최소한의 필요한 조치로서 과잉금지의 원칙에 위배되지 아니한다(1996.12.26, 90헌바19 등).

ㄷ. [X] 노동조합 설립신고에 대한 심사와 그 신고서 반려는 근로자들이 자주적이고 민주적인 단결권을 행사하도록 하기 위한 것으로서 만약 노동조합의 설립을 단순한 신고나 등록 등으로 족하게 하고, 노동조합에 요구되는 자주성이나 민주성 등의 요건에 대해서는 사후적으로 차단하는 제도만을 두게 된다면, 「노동조합 및 노동관계조정법」상의 특권을 누릴 수 없는 자들에게까지 특권을 부여하는 결과를 야기하게 될 뿐만 아니라 노동조합의 실체를 갖추지 못한 노동조합들이 난립하는 사태를 방지할 수 없게 되므로 노동조합이 그 설립 당시부터 노동조합으로서 자주성 등을 갖추고 있는지를 심사하여 이를 갖추지 못한 단체의 설립신고서를 반려하도록 하는 것은 과잉금지원칙에 위반되어 근로자의 단결권을 침해한다고 볼 수 없다(2012.3.29, 2011헌바53). 2015년 서울 7급

ㄹ. [O] 청구인이 주장하는 것과 같은 노동조합이 비과세 혜택을 받을 권리는 노사 간의 세력 균형을 이루게 하고 근로3권이 실질적으로 기능하게 하기 위하여 헌법 제33조 제1항이 당연히 예상한 권리의 내용에 포함된다고 보기 어렵고, 또 근로3권을 규정한 헌법 제33조 제1항으로부터 노동조합이 조세법상 비과세 혜택을 받을 권리가 파생한다거나 이에 상응하는 국가의 조세법규범 정비의무가 발생한다고 보기도 어렵다(2009.2.26, 2007헌바27). 2011년 법원

ㅁ. [X] 이 사건 법률조항은 노동조합의 재정 집행과 운영의 적법성, 투명성, 공정성, 민주성 등을 보장하기 위한 것으로서 정당한 입법목적을 달성하기 위한 적절한 수단이다. 이 사건 법률조항의 실제 운용현황을 볼 때 행정관청에 의하여 자의적이거나 과도하게 남용되고 있다고 보기는 어려우며, 노동조합의 내부 운영에 대한 행정관청의 개입과 그로 인한 노동조합의 운영의 자유에 대한 제한을 최소화하고 있다고 할 것이므로 피해최소성 또한 인정된다. 이 사건 법률조항이 달성하려는 노동조합 운영의 적법성, 민주성 등의 공익은 중대한 반면 이 사건 법률조항으로 말미암아 제한되는 노동조합의 운영의 자유는 그다지 크지 아니하므로, 법익균형성 또한 인정된다. 따라서 이 사건 법률조항은 노동조합의 단결권을 침해하지 아니한다(2013.7.25, 2012헌바116). 2014년 지방 7급

ㅂ. [X] 이 사건 법률조항은 '정당한 이유'라는 다소 추상적인 내용을 가진 용어를 해고 제한의 기준으로 사용하고 있지만, 오랜 기간 판례 등이 집적되어 '해고'에 있어서 '정당한 이유'란 사회통념상 고용관계를 계속할 수 없을 정도로 근로자에게 책임 있는 사유를 의미하게 되었고, 일신상 이유, 행태상 이유, 경영상 이유 등으로 유형화되어 전체적 윤곽을 파악할 수 있을 정도에 이르렀다. 따라서 이 사건 법률조항은 비록 일반추상적 용어를 사용하고 있으나 보충적인 가치판단을 통해서 그 의미 내용을 확인할 수 있으므로 공정한 고지를 통한 예측가능성이 있고, 집행자에게 합리적 기준을 제시하여 자의적으로 해석·적용될 여지가 크지 않으며, 입법기술적으로도 개선이 곤란하고, 변화하는 사회에 대한 법규범의 적응력 확보를 위하여 보충적 해석과 판례의 집적을 통하여 의미를 확인·발전시키는 것이 부적절한 것도 아니므로 명확성원칙에 위배되지 않는다(2013.12.26, 2012헌바375).

ㅅ. [O] 정당한 이유의 유무는 개별적 사안에 따라 구체적으로 결정될 일이지만 그 일반적 내용은 해당 근로자와 사용자 사이의 근로관계를 계속 유지할 수 없을 정도의 이유, 즉 해당 근로자와의 근로관계의 유지를 사용자에게 더 이상 기대할 수 없을 정도의 것이 되어야 하는 것이다. 여기에는 업무에 대한 적성에 흠이 있거나 직무능력이 부족한 경우, 계약상의 노무급부를 곤란하게 하는 질병, 사업상의 기밀누설의 가능성, 무단결근이나 지각·조퇴, 근로 제공의 거부, 업무능력을 갖추었음에도 불구하고 불완전급부 내지 열등한 급부의 제공, 범법행위의 초래, 특정 신조나 사상과 밀접히 연관된 소위 경향사업에 있어서 근로자가 이러한 경향성을 상실한 경우 등이 일반적으로 이러한 정당한 이유에 해당하는 것으로 인정되고 있다(2005.3.31, 2003헌바12 등).

07 정답 ②

① [O] 헌법 제33조는 제1항에서 근로3권을 규정하되, 제2항 및 제3항에서 '공무원인 근로자' 및 '법률이 정하는 주요방위산업체 근로자'에 한하여 근로3권의 예외를 규정한다. 그러므로 헌법 제37조 제2항

전단에 의하여 근로자의 근로3권에 대해 일부 제한이 가능하다 하더라도, '공무원 또는 주요방위사업체 근로자'가 아닌 근로자의 근로3권을 전면적으로 부정하는 것은 헌법 제37조 제2항 후단의 본질적 내용 침해금지에 위반된다. 그런데 심판대상조항은 단체교섭권·단체행동권이 제한되는 근로자의 범위를 구체적으로 제한함이 없이, 단체교섭권·단체행동권의 행사요건 및 한계 등에 관한 기본적 사항조차 법률에서 정하지 아니한 채, 그 허용 여부를 주무관청의 조정결정에 포괄적으로 위임하고 이에 위반할 경우 형사처벌하도록 하고 있는바, 이는 모든 근로자의 단체교섭권·단체행동권을 사실상 전면적으로 부정하는 것으로서 헌법에 규정된 근로3권의 본질적 내용을 침해하는 것이다(2015.3.26, 2014헌가5).

❷ [X] '공무원 또는 주요방위사업체 근로자'가 아닌 근로자의 근로3권을 전면적으로 부정하는 것은 헌법 제37조 제2항 후단의 본질적 내용 침해금지에 위반된다. 그런데 심판대상조항은 단체교섭권·단체행동권이 제한되는 근로자의 범위를 구체적으로 제한함이 없이, 단체교섭권·단체행동권의 행사요건 및 한계 등에 관한 기본적 사항조차 법률에서 정하지 아니한 채, 그 허용 여부를 주무관청의 조정결정에 포괄적으로 위임하고 이에 위반할 경우 형사처벌하도록 하고 있는바, 이는 모든 근로자의 단체교섭권·단체행동권을 사실상 전면적으로 부정하는 것으로서 헌법에 규정된 근로3권의 본질적 내용을 침해하는 것이다(2015.3.26, 2014헌가5).

③ [O] 국가비상사태의 선포를 규정한 특별조치법 제2조는 헌법에 한정적으로 열거된 국가긴급권의 실체적 발동요건 중 어느 하나에도 해당되지 않은 것으로서 '초헌법적 국가긴급권'의 창설에 해당되나, 그 제정 당시의 국내외 상황이 이를 정당화할 수 있을 정도의 '극단적 위기상황'이라 볼 수 없다. 또한 국가비상사태의 해제를 규정한 특별조치법 제3조는 대통령의 판단에 의하여 국가비상사태가 소멸되었다고 인정될 경우에만 비상사태선포가 해제될 수 있음을 정하고 있을 뿐 국회에 의한 민주적 사후통제절차를 규정하고 있지 아니하며, 이에 따라 임시적·잠정적 성격을 지녀야 할 국가비상사태의 선포가 장기간 유지되었다. 그렇다면 국가비상사태의 선포 및 해제를 규정한 특별조치법 제2조 및 제3조는 헌법이 인정하지 아니하는 초헌법적 국가긴급권을 대통령에게 부여하는 법률로서 헌법이 요구하는 국가긴급권의 실체적 발동요건, 사후통제절차, 시간적 한계에 위반되어 위헌이고, 이를 전제로 한 특별조치법상 그 밖의 규정들도 모두 위헌이다(2015.3.26, 2014헌가5).

④ [O] 헌법은 원칙적으로 모든 근로자에게 단결권·단체교섭권·단체행동권을 부여하되(헌법 제33조 제1항), 예외적으로 '공무원인 근로자' 또는 '법률이 정하는 주요방위산업체에 종사하는 근로자'에 한하여 이러한 근로3권이 인정되지 아니할 수 있음을 규정하고 있다(헌법 제33조 제2항). 따라서 공무원인 근로자 또는 법률이 정하는 주요방위산업체에 종사하는 근로자가 아닌 근로자의 경우에는 헌법상 근로3권이 철저하게 보장되어야 하고, 비록 국가안전보장·질서유지·공공복리를 위하여 필요한 경우에 법률로써 일부 제한될 수 있다고 하더라도(헌법 제37조 제2항 전단), 근로자의 근로3권을 사실상 전면적으로 부정하는 등 그 본질적인 내용을 침해하는 것은 헌법상 허용되지 아니 한다(2015.3.26, 2014헌가5).

08

정답 ②

① [O] 독일의 경우 독일 기본법에 환경에 관한 규정이 있으나, 국가목표규정의 형태로 규정되어 있고, 일본의 경우에는 법률상의 권리로서 보장되지 않고 각 도시조례에서 쾌적한 생활을 영위할 권리를 가짐을 강조하고 있는바, 우리나라 헌법처럼 환경권을 명문으로 규정한 입법례는 흔하지 않다. 환경권은 우리나라 제8차 개정헌법에 도입되었다.

❷ [X]

> **헌법 제35조** ① 모든 국민은 건강하고 쾌적한 환경에서 생활할 권리를 가지며, 국가와 국민은 환경보전을 위하여 노력하여야 한다.

③ [O] 헌법 제35조 제1항은 "모든 국민은 건강하고 쾌적한 환경에서 생활할 권리를 가지며, 국가와 국민은 환경보전을 위하여 노력하여야 한다."라고 규정하여, 국민의 환경권을 보장함과 아울러 국가와 국민에게 환경보전을 위하여 노력할 의무를 부과하고 있다. 이 헌법조항은 환경정책에 관한 국가적 규제와 조정을 뒷받침하는 헌법적 근거가 되며, 국가는 환경정책 실현을 위한 재원 마련과 환경침해적 행위를 억제하고 환경보전에 적합한 행위를 유도하기 위한 수단으로 환경부담금을 부과·징수하는 방법을 선택할 수 있는 것이다(2007.12.27, 2006헌바25).

④ [O] 법인과 단체는 쾌적한 환경을 느낄 수 없으므로 환경권의 주체가 되지 않는다. 1999년 사시

09

정답 ③

① [O] 수형자는 국민의 한 사람으로서 건강하고 쾌적한 환경에서 생활할 권리를 가지고, 수형자의 환경에 대한 권리 중 특히 구금시설 내에서의 환경에 대한 권리의 내용과 행사에 관하여는 「형의 집행 및 수용자의 처우에 관한 법률」에서 정하고 있다. 즉 청구인과 같은 수형자는 그 법적 지위의 특성상 일반인들과는 달리 강제로 격리되어 수용의 목적과 기능에 맞도록 설치된 구금시설에서 생활하여야 하나, 「형의 집행 및 수용자의 처우에 관한 법률」 규정에 따라 '적정한 수준의 공간과 채광·통풍·난방을 위한 시설이 갖추어진 거실에서 건강하게 생활할 권리'를 가지고 있다고 할 수 있다(2014.6.26, 2011헌마150).

② [O] 대법원 판례는 '수녀원은 인간이 아니므로 환경권의 주체가 될 수 없다'고 한다(대판 2012.6.28, 2010두2005).

❸ [X] 외국인을 포함한 자연인은 주체가 된다. 한편, 법인이 환경권주체가 되느냐에 대해 학설이 대립하고 있으나 환경권의 성질상 부정하는 것이 다수설이다.

④ [O] 환경권은 명문의 법률규정이나 관계 법령의 규정취지 및 조리에 비추어 권리의 주체, 대상, 내용, 행사방법 등이 구체적으로 정립될 수 있어야만 인정되는 것이므로, 사법상의 권리로서의 환경권을 인정하는 명문의 규정이 없는데도 환경권에 기하여 직접 방해배제청구권을 인정할 수 없다(대판 1997.7.22, 96다56153). 2018년 법무사

10

정답 ②

① [X] 생활환경조성권은 쾌적한 생활환경을 만들고 보전해 줄 것을 국가에 요구할 수 있는 권리이다. 여기에서 생활환경은 자연환경보전뿐 아니라 인공환경(도로, 교통 등)과 쾌적한 주거환경을 조성하고 보전하는 것까지 포함한다. 하지만 생활환경조성권에서 환경정책의 결정에 참여할 권리가 나오는 것은 아니다.

❷ [O] '건강하고 쾌적한 환경에서 생활할 권리'를 보장하는 환경권의 보호대상이 되는 환경에는 자연환경뿐만 아니라 인공적 환경과 같은 생활환경도 포함된다. 환경권을 구체화한 입법이라 할 「환경정책기본법」 제3조에서도 환경을 자연환경과 생활환경으로 분류하면서, 생활환경에 소음·진동 등 사람의 일상생활과 관계되는 환경을 포함시키고 있다. 그러므로 일상생활에서 소음을 제거·방지하여 정온한 환경에서 생활할 권리는 환경권의 한 내용을 구성한다

(2008.7.31, 2006헌마711). 2013년 법행

③ [X] '건강하고 쾌적한 환경에서 생활할 권리'를 보장하는 환경권의 보호대상이 되는 환경에는 자연환경뿐만 아니라 인공적 환경과 같은 생활환경도 포함되므로, 일상생활에서 소음을 제거·방지하여 정온한 환경에서 생활할 권리는 환경권의 한 내용을 구성한다(2017.12.28, 2016헌마45). 2021년 비상업무

④ [X] 국가가 국민의 건강하고 쾌적한 환경에서 생활할 권리에 대한 보호의무를 다하지 않았는지 여부를 헌법재판소가 심사할 때에는 국가가 이를 보호하기 위하여 적어도 적절하고 효율적인 최소한의 보호조치를 취하였는가 하는 이른바 '과소보호금지원칙'의 위반 여부를 기준으로 삼아야 한다(2019.12.27, 2018헌마730). 2021년 법원서기보

11 정답 ④

① [X] 환경권은 대국가적 효력뿐 아니라 사인 간에도 효력이 있다. 사인 간에 직접 적용된다는 견해와 간접 적용된다는 견해가 대립하고 있다. 1997년 지방고시

② [X] 국가가 국민의 기본권을 적극적으로 보장하여야 할 의무가 인정된다는 점, 헌법 제35조 제1항이 국가와 국민에게 환경보전을 위하여 노력하여야 할 의무를 부여하고 있는 점, 환경 침해는 사인에 의해서 빈번하게 유발되므로 입법자가 그 허용범위에 관해 정할 필요가 있다는 점, 환경 피해는 생명·신체의 보호와 같은 중요한 기본권적 법익 침해로 이어질 수 있다는 점 등을 고려할 때, 일정한 경우 국가는 사인인 제3자에 의한 국민의 환경권 침해에 대해서도 적극적으로 기본권 보호조치를 취할 의무를 진다(2019.12.27, 2018헌마730). 2020년 법행

③ [X] 환경오염으로 인한 손해는 과실을 요건으로 하지 않는다.

> **「환경정책기본법」 제44조【환경오염의 피해에 대한 무과실책임】** ① 환경오염 또는 환경훼손으로 피해가 발생한 경우에는 해당 환경오염 또는 환경훼손의 원인자가 그 피해를 배상하여야 한다.

❹ [O]

> **「환경정책기본법」 제44조【환경오염의 피해에 대한 무과실책임】** ① 환경오염 또는 환경훼손으로 피해가 발생한 경우에는 해당 환경오염 또는 환경훼손의 원인자가 그 피해를 배상하여야 한다.
> ② 환경오염 또는 환경훼손의 원인자가 둘 이상인 경우에 어느 원인자에 의하여 제1항에 따른 피해가 발생한 것인지를 알 수 없을 때에는 각 원인자가 연대하여 배상하여야 한다.

12 정답 ③

① [X] 한편, 환경영향평가 대상지역 밖의 주민이라 할지라도 공유수면매립면허처분 등으로 인하여 그 처분 전과 비교하여 수인한도를 넘는 환경피해를 받거나 받을 우려가 있는 경우에는, 공유수면매립면허처분 등으로 인하여 환경상 이익에 대한 침해 또는 침해우려가 있다는 것을 입증함으로써 그 처분 등의 무효확인을 구할 원고적격을 인정받을 수 있다고 할 것이다(대판 전합체 2006.3.16, 2006두330).

② [X] 헌법 제35조 제1항에서 정하고 있는 환경권에 관한 규정만으로는 그 권리의 주체·대상·내용·행사방법 등이 구체적으로 정립되어 있다고 볼 수 없고, 「환경정책기본법」 제6조도 그 규정 내용 등에 비추어 국민에게 구체적인 권리를 부여한 것으로 볼 수 없다는 이유로, 환경영향평가 대상지역 밖에 거주하는 주민에게 헌법상의 환경권 또는 「환경정책기본법」에 근거하여 공유수면매립면허처분과 농지개량사업 시행인가처분의 무효확인을 구할 원고적격이 없다(대판 2006.3.16, 2006두330).

❸ [O] 공유수면매립과 농지개량사업시행으로 인하여 직접적이고 중대한 환경피해를 입으리라고 예상되는 환경영향평가 대상지역 안의 주민들이 전과 비교하여 수인한도를 넘는 환경 침해를 받지 아니하고 쾌적한 환경에서 생활할 수 있는 개별적 이익까지도 이를 보호하려는 데에 있다고 할 것이므로, 위 주민들이 공유수면매립면허처분 등과 관련하여 갖고 있는 위와 같은 환경상의 이익은 주민 개개인에 대하여 개별적으로 보호되는 직접적·구체적 이익으로서 그들에 대하여는 특단의 사정이 없는 한 환경상의 이익에 대한 침해 또는 침해우려가 있는 것으로 사실상 추정되어 공유수면매립면허처분 등의 무효확인을 구할 원고적격이 인정된다. 한편, 환경영향평가 대상지역 밖의 주민이라 할지라도 공유수면매립면허처분 등으로 인하여 그 처분 전과 비교하여 수인한도를 넘는 환경피해를 받거나 받을 우려가 있는 경우에는, 공유수면매립면허처분 등으로 인하여 환경상 이익에 대한 침해 또는 침해우려가 있다는 것을 입증함으로써 그 처분 등의 무효확인을 구할 원고적격을 인정받을 수 있다(대판 2006.3.16, 2006두330). 2005년 사시

④ [X] 환경피해가 수인한도를 벗어나야 가해자의 행위는 위법이 되어 배상책임 등이 인정된다.

13 정답 ②

① [O] 소음에 의하여 침해되는 법익과 관련하여 건강권 및 신체를 훼손당하지 않을 권리도 침해되는 것인지 문제될 수 있으나 이에 관한 판단은 환경권 침해 여부의 판단에 포함되므로 건강권 및 신체를 훼손당하지 않을 권리 침해 여부에 대해서는 별도로 판단하지 아니한다(2019.12.27, 2018헌마730).

❷ [X] 일정한 경우 국가에 대하여 건강하고 쾌적한 환경에서 생활할 수 있도록 요구할 수 있는 권리가 인정되기도 하는바, 환경권은 그 자체 종합적 기본권으로서의 성격을 지닌다. 환경권의 내용과 행사는 법률에 의해 구체적으로 정해지는 것이기는 하나(헌법 제35조 제2항), 이 헌법조항의 취지는 특별히 명문으로 헌법에서 정한 환경권을 입법자가 그 취지에 부합하도록 법률로써 내용을 구체화하도록 한 것이지 환경권이 완전히 무의미하게 되는데도 그에 대한 입법을 전혀 하지 아니하거나, 어떠한 내용이든 법률로써 정하기만 하면 된다는 것은 아니다. 그러므로 일정한 요건이 충족될 때 환경권 보호를 위한 입법이 없거나 현저히 불충분하여 국민의 환경권을 침해하고 있다면 헌법재판소에 그 구제를 구할 수 있다고 해야 할 것이다(2019.12.27, 2018헌마730).

③ [O] '건강하고 쾌적한 환경에서 생활할 권리'를 보장하는 환경권의 보호대상이 되는 환경에는 자연환경뿐만 아니라 인공적 환경과 같은 생활환경도 포함되므로(「환경정책기본법」 제3조), 일상생활에서 소음을 제거·방지하여 '정온한 환경에서 생활할 권리'는 환경권의 한 내용을 구성한다(2019.12.27, 2018헌마730).

④ [O] 헌법 제10조의 규정에 의하면, 국가는 개인이 가지는 불가침의 기본적 인권을 확인하고 이를 보장할 의무를 지고 기본권은 공동체의 객관적 가치질서로서의 성격을 가지므로, 적어도 생명·신체의 보호와 같은 중요한 기본권적 법익 침해에 대해서는 그것이 국가가 아닌 제3자로서의 사인에 의해서 유발된 것이라고 하더라도 국가가 적극적인 보호의 의무를 진다(2019.12.27, 2018헌마730).

14

정답 ⑤

① [X] 국가가 국민의 건강하고 쾌적한 환경에서 생활할 권리를 보호할 의무를 진다고 하더라도, 국가의 기본권 보호의무를 입법자 또는 그로부터 위임받은 집행자가 어떻게 실현하여야 할 것인가 하는 문제는 원칙적으로 권력분립과 민주주의의 원칙에 따라 국민에 의하여 직접 민주적 정당성을 부여받고 자신의 결정에 대하여 정치적 책임을 지는 입법자의 책임범위에 속한다. 헌법재판소는 단지 제한적으로만 입법자 또는 그로부터 위임받은 집행자에 의한 보호의무의 이행을 심사할 수 있다(2019.12.27, 2018헌마730).

② [X] ③ [X] 국가가 국민의 건강하고 쾌적한 환경에서 생활할 권리에 대한 보호의무를 다하지 않았는지 여부를 헌법재판소가 심사할 때에는 국가가 이를 보호하기 위하여 적어도 적절하고 효율적인 최소한의 보호조치를 취하였는가 하는 이른바 '과소보호금지원칙'의 위반 여부를 기준으로 삼아야 한다(2019.12.27, 2018헌마730).

④ [X] ❺ [O] 확성장치의 최고출력 내지 소음 규제기준에 관한 규정을 두지 아니한 것은, 국민이 건강하고 쾌적하게 생활할 수 있는 양호한 주거환경을 위하여 노력하여야 할 국가의 의무를 부과한 헌법 제35조 제3항에 비추어 보면, 적절하고 효율적인 최소한의 보호조치를 취하지 아니하여 국가의 기본권 보호의무를 과소하게 이행한 것으로서, 청구인의 건강하고 쾌적한 환경에서 생활할 권리를 침해하므로 헌법에 위반된다.

15

정답 ④

① [X] 국가의 국민보건에 관한 보호의무를 명시한 헌법 제36조 제3항에 의한 권리를 헌법소원을 통하여 주장할 수 있는 자는 직접 자신의 보건이나 의료문제가 국가에 의해 보호받지 못하고 있는 의료 수혜자적 지위에 있는 국민이라고 할 것이므로 의료시술자적 지위에 있는 안과의사가 자기 고유의 업무범위를 주장하여 다투는 경우에는 위 헌법규정을 원용할 수 없다(1993.11.25, 92헌마8).

② [X] 보건에 관한 국가의 의무와 관련하여 「마약류 관리에 관한 법률」 제3조의2(국가의 책임), 같은 법 제40조, 「마약류중독자 치료보호규정」 제9조 제3항 및 구 「정신보건법」 등에 의하여 국민의 건강을 유지하는 데 필요한 국가적 급부와 배려가 이루어지고 있다는 점을 감안하면, 구 「치료감호법」 제4조 제1항이 피고인의 치료감호청구권을 인정하지 않고 있다 하더라도 국민의 보건에 관한 권리를 침해하는 것이라고는 볼 수 없다(2010.4.29, 2008헌마622).

③ [X] 헌법 제36조 제3항은 "모든 국민은 보건에 관하여 국가의 보호를 받는다."라고 하여, 국민이 자신의 건강을 유지하는 데 필요한 국가적 급부와 배려를 요구할 수 있는 권리인 이른바 '보건에 관한 권리'를 규정하고 있고, 이에 따라 국가는 국민의 건강을 소극적으로 침해하여서는 아니될 의무를 부담하는 것에서 한 걸음 더 나아가 적극적으로 국민의 보건을 위한 정책을 수립하고 시행하여야 할 의무를 부담한다(2021.1.28, 2019헌가24 등). 2021년 행시

❹ [O] 「정신건강증진 및 정신질환자 복지서비스 지원에 관한 법률」, 「형의 집행 및 수용자의 처우에 관한 법률」에 있는 다른 제도들을 통하여 국민의 정신건강을 유지하는 데에 필요한 국가적 급부와 배려가 이루어지고 있으므로, 이 사건 법률조항들에서 치료감호대상자의 치료감호청구권이나 법원의 직권에 의한 치료감호를 인정하지 않는다 하더라도 국민의 보건에 관한 국가의 보호의무에 반한다고 보기 어렵다(2021.1.28, 2019헌가24 등).

16

정답 ③

① [X] 교육을 받게 할 의무의 주체는 취학아동을 둔 친권자 또는 후견인이다. 국가기관은 교육을 받을 권리에 대응하는 의무교육의 주체이지 교육을 받게 할 의무의 주체는 아니다(다수설). 또한 외국인은 교육을 받게 할 의무를 지지는 않는다.

② [X] 병역의무를 부과하게 되면 그 의무자의 기본권은 여러 가지 면에서(일반적 행동의 자유, 신체의 자유, 거주이전의 자유, 직업의 자유, 양심의 자유 등) 제약을 받으므로, 법률에 의한 병역의무의 형성에도 헌법적 한계가 없다고 할 수 없고 헌법의 일반원칙, 기본권보장의 정신에 의한 한계를 준수하여야 한다(2010.7.29, 2008헌가28).

❸ [O] 국방의 의무는 외부 적대세력의 직·간접적인 침략행위로부터 국가의 독립을 유지하고 영토를 보전하기 위한 의무로서, 현대전이 고도의 과학기술과 정보를 요구하고 국민 전체의 협력을 필요로 하는 이른바 총력전인 점에 비추어 ⓐ 단지 「병역법」에 의하여 군복무에 임하는 등의 직접적인 병력형성의무만을 가리키는 것이 아니라, ⓑ 「병역법」·「향토예비군설치법」·「민방위기본법」·「비상대비에 관한 법률」 등에 의한 간접적인 병력형성의무 및 ⓒ 병력형성 이후 군작전명령에 복종하고 협력하여야 할 의무도 포함하는 개념이다(2002.11.28, 2002헌바45).

④ [X] 헌법 제39조 제2항은 병역의무를 이행한 사람에게 보상조치를 취하거나 특혜를 부여할 의무를 국가에게 지우는 것이 아니라, 법문 그대로 병역의무의 이행을 이유로 불이익한 처우를 하는 것을 금지하고 있을 뿐이다. 그리고 이 조항에서 금지하는 '불이익한 처우'라 함은 단순한 사실상, 경제상의 불이익을 모두 포함하는 것이 아니라 법적인 불이익을 의미하는 것으로 보아야 한다(1999.12.23, 98헌바33).

17

정답 ①

ㄱ. [O] 경찰대학의 입학 연령을 21세 미만으로 제한하고 있는 것이 경찰대학에 진학하여서 연구할 자유를 침해하고 있거나 병역의무 이행 그 자체를 이유로 불이익을 부과하고 있는 것이 아니므로 청구인의 학문의 자유와 병역의무 이행으로 인한 불이익 처우금지 등을 침해하였다고 볼 수 없다(2009.7.30, 2007헌마991). 2011년 사시

ㄴ. [O] 청구인이 1일간의 예비군 교육훈련에 참가하는 과정에서 일부 비용을 자신이 부담함으로써 입게 되는 경제상의 불이익은 헌법에서 보장하는 재산권의 범위에 포함된다고 볼 수 없으므로, 헌법상의 재산권조항으로부터 피청구인의 청구인에 대한 훈련보상의무가 도출된다고 할 수 없고, … 「병역법」(제48조 제1항, 제52조 제1항)과 「향토예비군설치법」(제5조, 제6조)은 예비군의 동원훈련과 교육훈련의 개념을 명확히 구분하고 있기 때문에, 청구인의 경우처럼 일반 교육훈련에 소집된 예비군에 대하여도 병력동원 훈련소집에 따라 입영한 예비군에 준하는 실비변상 등을 해 주는 규정을 마련하여야 할 입법의무가 입법자인 국회에 있는지 여부는 별론으로 하고 집행기관인 피청구인에게는 그와 같은 실비변상 등 일정한 보상을 하여야 할 법적인 의무가 존재하지 않으므로, 헌법상의 평등권조항으로부터도 피청구인의 청구인에 대한 훈련보상의무가 도출된다고 할 수 없다. 결국, 이 사건 헌법소원은 헌법의 명문상으로나 해석상으로도 피청구인의 작위의무가 인정되지 않는 공권력의 불행사에 대한 심판청구이므로 부적법하다(2003.6.26, 2002헌마484).

ㄷ. [X] 국방의 의무 이행으로 불이익한 처우를 받지 아니한다고 제39조 제2항은 규정하고 있는데 군법무관 출신에 대해 개업지를 제한한 「변호사법」 제10조 제2항은 동 조항을 위반한 것이라고 「헌법재판소」는 판시한 바 있다(1989.11.20, 89헌가102).

ㄹ. [X] 현역을 마친 예비역이 「병역법」에 의하여 병력동원훈련 등을 위하여 소집을 받는 것은 위에서 본 바와 같이 헌법과 법률에 따른 국방의 의무를 이행하는 것이고, 소집되어 실역에 복무하는 동안 「군형법」의 적용을 받는 것 또한 국방의 의무를 이행하는 중에 범한 군사상의 범죄에 대하여 형벌이라는 제재를 받는 것이므로 어느 것이나 헌법 제39조 제1항에 규정된 국방의 의무를 이행하느라 입는 불이익이라고 할 수는 있을지언정, 이를 가리켜 병역의무의 이행으로 불이익한 처우를 받는 것이라고는 할 수 없다(1999.2.25, 97헌바3). 2011년 사시

18 정답 ③

① [O] 교육을 받게 할 의무의 주체는 국민이다. 외국인은 교육을 받게 할 의무의 주체는 아니다.

② [O] 법률이 있어야 납세의무가 성립된다. 조세의 종목과 세율을 법률로 정해야 납세의무는 성립하지, 헌법조항만으로는 성립하지 않는다.

❸ [X] 납세의무는 자연인이면 내·외국인(내·외법인 포함)도 국내에 재산이 있거나 과세대상이 되는 행위를 한 경우에는 납세의무를 부담한다는 데 이론이 없다. 2011년 법행

④ [O] 2002.1.31, 2000헌바35 2011년 법행

19 정답 ②

① [O] 헌법 제31조 제1항의 교육을 받을 권리는, 국민이 능력에 따라 균등하게 교육받을 것을 공권력에 의하여 부당하게 침해받지 않을 권리와, 국민이 능력에 따라 균등하게 교육받을 수 있도록 국가가 적극적으로 배려하여 줄 것을 요구할 수 있는 권리로 구성되는바, 전자는 자유권적 기본권의 성격이, 후자는 사회권적 기본권의 성격이 강하다고 할 수 있다. 그런데 이 사건 규칙조항과 같이 검정고시응시자격을 제한하는 것은, 국민의 교육받을 권리 중 그 의사와 능력에 따라 균등하게 교육받을 것을 국가로부터 방해받지 않을 권리, 즉 자유권적 기본권을 제한하는 것이므로, 그 제한에 대하여는 헌법 제37조 제2항의 비례원칙에 의한 심사, 즉 과잉금지원칙에 따른 심사를 받아야 할 것이다(2008.4.24, 2007헌마1456).

❷ [X] 체계정당성 위반은 비례의 원칙이나 평등원칙 위반 내지 입법자의 자의금지 위반 등 일정한 위헌성을 시사하기는 하지만 아직 위헌은 아니고, 그것이 위헌이 되기 위해서는 결과적으로 비례의 원칙이나 평등의 원칙 등 일정한 헌법의 규정이나 원칙을 위반하여야 한다(2005.6.30, 2004헌바40 등).

③ [O] 청구인들은 심판대상조항이 체계정당성에 위배된다고 주장한다. 체계정당성 위반은 그 자체 헌법 위반으로 귀결되는 것이 아니라 비례원칙이나 평등원칙 위반을 시사하는 징후에 불과한데, 청구인들의 주장은 심판대상조항이 과잉금지원칙에 위배된다는 주장과 실질적으로 동일하므로, 과잉금지원칙 위배 여부를 판단하는 이상 체계정당성 위반에 대해서는 별도로 살피지 않는다(2017.5.25, 2014헌바459).

④ [O] 2018.5.31, 2013헌바322 등

20 정답 ②

① [O] 헌법 제21조 제2항의 검열금지원칙은 검열을 절대적으로 금지하는 원칙이다(2002.8.30, 2000헌가9).

❷ [X] 헌법 제21조 제2항의 검열검지원칙은 헌법 제37조 제2항의 과잉금지원칙보다 1차적 심사기준이다. 표현의 자유를 규제하는 법률이 검열금지원칙에 위배되지 않아도 과잉금지원칙에 위반될 수 있다.

③ [O] 진정소급입법은 예외적으로 허용한다.

④ [O] 「국가보안법」 위반죄 등 일부 범죄혐의자를 법관의 영장 없이 구속, 압수, 수색할 수 있도록 규정하고 있던 구 「인신구속 등에 관한 임시 특례법」 제2조 제1항 우리 헌법제정권자가 제헌헌법(제9조) 이래 현행헌법(제12조 제3항)에 이르기까지 채택하여 온 영장주의의 본질은 신체의 자유를 침해하는 강제처분을 함에 있어서는 인적·물적 독립을 보장받는 제3자인 법관이 구체적 판단을 거쳐 발부한 영장에 의하여야만 한다는 데에 있으므로, 우선 형식적으로 영장주의에 위배되는 법률은 곧바로 헌법에 위반되고, 나아가 형식적으로는 영장주의를 준수하였더라도 실질적인 측면에서 입법자가 합리적인 선택범위를 일탈하는 등 그 입법형성권을 남용하였다면 그러한 법률은 자의금지원칙에 위배되어 헌법에 위반된다고 보아야 한다(2012.12.27, 2011헌가5).

해커스공무원
gosi.Hackers.com

해커스공무원 황남기 헌법 진도별 모의고사

중간 테스트

정답 및 해설

정답

01	④	02	②	03	④	04	①
05	②	06	②	07	②	08	③
09	②	10	②	11	③	12	③
13	③	14	③	15	④	16	②
17	①	18	④	19	①	20	②
21	②	22	④	23	②	24	④
25	④	26	③	27	①	28	③
29	④	30	②	31	②	32	②
33	①	34	④	35	①	36	①
37	④	38	④	39	③	40	①

01 정답 ④

① [O] 국회의원에 대한 징계는 헌법 제64조 제4항에 따라 법원에 제소할 수 없으나, 지방의원에 대한 징계에 대해 항고소송을 제기할 수 있다.

② [O] 「지방자치법」 제40조 월정수당이 도입됨에 따라 지방의원의 임기가 종료되었다 하더라도 취소나 무효확인을 하면 월정수당을 받을 수 있으므로 소의 이익이 인정된다.

> **「지방자치법」 제40조 【의원의 의정활동비 등】** ① 지방의회의원에게는 다음 각 호의 비용을 지급한다.
> 1. 의정 자료를 수집하고 연구하거나 이를 위한 보조활동에 사용되는 비용을 보전하기 위하여 매월 지급하는 의정활동비
> 2. 지방의회의원의 직무활동에 대하여 지급하는 월정수당
> 3. 본회의 의결, 위원회 의결 또는 지방의회의 의장의 명에 따라 공무로 여행할 때 지급하는 여비

③ [O]

> **「지방자치법」 제43조 【겸직 등 금지】** ① 지방의회의원은 다음 각 호의 어느 하나에 해당하는 직(職)을 겸할 수 없다.
> 1. 국회의원, 다른 지방의회의원
> 2. 헌법재판소 재판관, 각급 선거관리위원회 위원
> 3. 「국가공무원법」 제2조에 따른 국가공무원과 「지방공무원법」 제2조에 따른 지방공무원(「정당법」 제22조에 따라 정당의 당원이 될 수 있는 교원은 제외한다)
> 4. 「공공기관의 운영에 관한 법률」 제4조에 따른 공공기관(한국방송공사, 한국교육방송공사 및 한국은행을 포함한다)의 임직원
> 5. 「지방공기업법」 제2조에 따른 지방공사와 지방공단의 임직원
> 6. 농업협동조합, 수산업협동조합, 산림조합, 엽연초생산협동조합, 신용협동조합, 새마을금고(이들 조합·금고의 중앙회와 연합회를 포함한다)의 임직원과 이들 조합·금고의 중앙회장이나 연합회장
> 7. 「정당법」 제22조에 따라 정당의 당원이 될 수 없는 교원
> 8. 다른 법령에 따라 공무원의 신분을 가지는 직
> 9. 그 밖에 다른 법률에서 겸임할 수 없도록 정하는 자

④ [X]

> **「지방자치법」 제53조 【정례회】** ① 지방의회는 매년 2회 정례회를 개최한다.

02 정답 ②

ㄱ. [X] 합헌적 법률해석은 입법자 존중정신에 입각한 법률해석이론이므로 사법소극주의의 표현이다.

ㄴ. [O]

<합헌적 법률해석의 연혁>

> - 미국 연방대법원은 1827년 Ogden v. Saunder사건에서 합헌성 추정의 원칙을 확립하여 합헌적 법률해석을 해왔다.
> - 이러한 영향 아래 독일 헌법재판소도 합헌적 법률해석을 확립했다.
> - 우리나라 헌법재판소와 대법원도 합헌적 법률해석을 재판에 원용하고 있다.

ㄷ. [X] 헌법재판소는 한정위원결정과 한정합헌결정으로 합헌적 법률해석을 구체화하고 있다.

ㄹ. [O] 헌법재판소가 법률이 재판의 전제가 되는 요건을 갖추고 있는지의 여부를 심판함에 있어서 제청법원의 견해가 명백하게 불합리하여 유지될 수 없는 경우가 아닌 한 그것을 존중하는 이유는 사실관계의 인정, 그에 대한 일반법률의 해석·적용은 헌법재판소보다 당해 사건을 직접 재판하고 있는 제청법원이 보다 정확하게 할 수 있다는 고려뿐만 아니라 일반법률의 해석·적용과 그를 토대로 한 위헌 여부 심사의 기능을 나누어 전자는 법원이 후자는 헌법재판소가 각각 중심적으로 담당한다는 우리 헌법의 권력분립적 기능분담까지 고려한 것이다. 따라서 헌법재판소는 법원이 일반법률의 해석·적용을 충실히 수행한다는 것을 전제하고, 합헌적 법률해석의 요청에 의하여 위헌심사의 관점이 법률해석에 바로 투입되는 경우가 아닌 한 먼저 나서서 일반법률의 해석·적용을 확정하는 일을 가급적 삼가는 것이 바람직하다(2007.4.26, 2004헌가29 등).

ㅁ. [X] 법률이 합헌인 것과 위헌인 것으로 다양한 해석이 가능할 때 법률을 합헌적으로 해석하는 합헌적 법률해석은 헌법재판소뿐 아니라 법원도 재판과정에서 할 수 있다.

03 정답 ④

① [O] ② [O]

> **헌법 제128조** ① 헌법개정은 국회 재적의원 과반수 또는 대통령의 발의로 제안된다.
>
> **제130조** ① 국회는 헌법개정안이 공고된 날로부터 60일 이내에 의결하여야 하며, 국회의 의결은 재적의원 3분의 2 이상의 찬성을 얻어야 한다.
> ② 헌법개정안은 국회가 의결한 후 30일 이내에 국민투표에 붙여 국회의원 선거권자 과반수의 투표와 투표자 과반수의 찬성을 얻어야 한다.

③ [O] 국회의 의결과 국민투표를 모두 거쳐 개정된 헌법은 제6차 및 제9차 개정헌법이고, 여야합의로 개정된 것은 제3차 및 제9차 개정헌법이다.

❹ [X]

> **헌법 부칙 제1조** 이 헌법은 1988년 2월 25일부터 시행한다. 다만, 이 헌법을 시행하기 위하여 필요한 법률의 제정·개정과 이 헌법에 의한 대통령 및 국회의원의 선거 기타 이 헌법 시행에 관한 준비는 이 헌법 시행 전에 할 수 있다.

04 정답 ①

❶ [X] 입헌국가에서 수도여부의 판단을 위해 당해 도시에 소재하여야 할 주요기관들과 기능에 대하여 다음과 같이 설명하였다. ⓐ 수도는 국민의 대의기관인 의회를 통한 입법기능이 수행되는 곳으로서 입법기관의 소재지라는 점은 수도의 중요한 요소의 하나이며, ⓑ 국가의 대표기능 내지 통합기능을 담당하는 국가원수인 대통령의 활동이 수행되는 장소는 국민정서상의 상징가치를 가지고 심리적으로 국가통합의 계기를 이루는 것으로 수도성 판단의 본질적인 중요성을 가진다. 나아가 ⓒ 수도는 정부(좁은 의미의 정부로서 행정부)기능을 수행하는 국가기관들의 활동 장소로서 이러한 정부의 기능은 그것이 행사되고 현실화되는 장소에 대하여 수도적인 것의 하나의 계기를 부여한다. 다만, 정부조직의 분산배치는 정책적 고려가 가능하다. 그 밖에 ⓓ 사법권이 행사되는 장소와 도시의 경제적 능력 등은 수도의 필수적인 요소에 해당하지 않는다(2005.11.24, 2005헌마579 등).

② [O] 행정중심복합도시에는 상당수 행정기관들이 국가행정의 중요한 부분을 담당하더라도 위 도시가 수도로서의 지위를 획득하는 것으로 볼 수 없다(2005.11.24, 2005헌마579 등).

③ [O] 대통령과 국무총리가 서울이라는 하나의 도시에 소재하고 있어야 한다는 관습헌법의 존재를 인정할 수 없다는 것이 헌법재판소 판례이므로 국무총리를 세종시로 이전하는 것은 법률로도 가능하다.

④ [O] 국무총리제도가 채택된 이후 대통령과 국무총리가 서울이라는 하나의 도시에 소재하는 것은 관습헌법에 해당하지 않는다(2005.11.24, 2005헌마579 등).

05 정답 ②

① [O] 제7차 개정헌법은 긴급조치권을, 제8차 개정헌법은 비상조치권을 각각 규정하였다.

❷ [X] 비상시 헌법수호방법으로는 국가긴급권과 저항권이 있다. 우리 헌법 제76조와 제77조는 긴급재정경제처분 및 명령, 긴급명령, 계엄권을 국가긴급권으로 규정하고 있다. 국가긴급권은 대통령이 행사하므로 비상시 헌법수호자는 대통령이다. 헌법재판소의 헌법재판권은 평상시 헌법보호수단이다.

③ [O] 형식적 의미의 헌법은 물론 실질적 의미의 헌법도 보호대상이지만, 모든 헌법조항이 보호의 대상이 되는 것은 아니다.

④ [O] 위헌법률심사제는 평상시 헌법 보장제도이고, 저항권과 계엄선포권은 비상시적 헌법 보장제도이다.

06 정답 ②

① [O] 혁명은 목적이 적극적이고, 저항권은 소극적이다.

❷ [X] 저항권은 민주적 기본질서의 유지, 회복에 있는 것이지 집권이라는 적극적인 목적을 위해서는 사용될 수 없으므로, 이 부분은 저항권 행사가 폭력수단에 의한 집권을 의미하는 것은 아닌지 의심된다. 물론 이러한 주장을 헌법상 인정될 수 있는 이른바 저항권적 상황에서 저항권의 행사에 의하여 기존의 위헌적인 정권을 물러나게 함으로써 민주적 기본질서를 회복하고 그 이후에 민주적인 방법에 의한 집권을 하겠다는 취지로 해석할 여지가 없지는 않다(2014.12.19, 2013헌다1).

③ [O] 헌법의 기본원리 침해시 저항권 행사가 가능하다고 하여 저항권은 인정하였으나, 입법절차상의 하자는 저항권 행사의 대상이 되지 않는다.

> **관련 판례** 저항권은 국가권력에 의하여 헌법의 기본원리에 대한 중대한 침해가 행하여지고 그 침해가 헌법의 존재 자체를 부인하는 것으로서 다른 합법적인 구제수단으로는 목적을 달성할 수 없을 때에 국민이 자기의 권리·자유를 지키기 위하여 실력으로 저항하는 권리이므로, 「국회법」 소정의 협의 없는 개의시간의 변경과 회의일시를 통지하지 아니한 입법과정의 하자는 저항권 행사의 대상이 되지 아니한다(1997.9.25, 97헌가4).

④ [O] 따라서 소수의 특수집단을 중심으로 한 쿠데타는 국민적 정당성을 확보할 수 없다.

07 정답 ②

① [O] 1962년 헌법은 인간의 존엄과 가치를 최초로 명문화하고 신체의 자유와 관련하여 고문금지와 자백의 증거능력 제한규정이 추가되었다. 또한 직업선택의 자유와 인간다운 생활을 할 권리를 신설하기도 했다.

❷ [X] 1987년 헌법은 국가가 최저임금제를 시행할 의무를 처음으로 규정하였고, 1980년 헌법은 국가가 근로자의 적정임금의 보장에 노력하여야 할 의무와 환경권을 규정하였다.

③ [O] 행복추구권이 신설된 것은 제8차 개정헌법이다.

④ [O] 제8차 개정헌법은 재외국민 보호조항을 신설하였고, 제9차 개정헌법은 국가의 재외국민 보호의무를 신설하였다.

08 정답 ③

① [O] 1948년 헌법 제8장 지방자치

② [O] 헌법재판소의 결정에 의하여 해산될 수 있도록 규정하였다.

❸ [X] 정당해산심판조항은 제3차 개정헌법에서 최초로 규정하였고 그동안 삭제되지 않은 채 현행헌법까지 유지되고 있다.

④ [O]

> **1960년 개정헌법 제78조** ① 대법원장과 대법관은 법관의 자격이 있는 자로써 조직되는 선거인단이 이를 선거하고 대통령이 확인한다.
> ② 제1항 이외의 법관은 대법관회의의 결의에 따라 대법원장이 임명한다.

09 정답 ②

① [O]

<우리나라헌법의 국정감사·조사의 연혁>

구분	1공화국	2공화국	3공화국	4공화국	5공화국	현행헌법
국정감사	○	○	○	X	X	○
국정조사	X	X	X	X	○	○

➡ 국정조사는 국회의 당연한 권한이므로 헌법에 규정되어 있지 않은 경우에도 행해져 왔다.

❷ [X] 1962년 헌법은 헌법개정안의 의결에 국민투표제를 도입하였으며 국민발안제도도 유지하였다. 국민발안제는 제7차 개헌에서 폐지되었다.

③ [O]

> **1962년 개정헌법 제59조** ① 국회는 국무총리 또는 국무위원의 해임을 대통령에게 건의할 수 있다.
> ③ 제1항과 제2항에 의한 건의가 있을 때에는 대통령은 특별한 사유가 없는 한 이에 응하여야 한다.

④ [O] 현행헌법은 적법절차조항, 체포·구속시 고지 및 가족에의 통지의무, 형사피해자의 재판절차진술권, 범죄피해자의 국가구조청구권, 최저임금제 실시, 쾌적한 주거생활권 등을 신설하였다.

10 정답 ②

① [O] 대통령제를 채택한 건국헌법은 대통령의 유고시를 대비해서 부통령제를 두면서도, 의원내각제적 요소를 가미하여 국회의 사후승인을 얻어 임명되는 국무총리를 두고, 대통령·국무총리·국무위원 등으로 조직되는 국무원이 대통령의 권한에 속하는 중요 정책의 의결기관으로 기능하게 하였다.

❷ [X] 제3차 개정헌법은 의원내각제, 대통령 국회간선제, 헌법재판소의 설치 등을 규정하였다.

③ [O]

> **1962년 개정헌법 제61조** ① 대통령·국무총리·국무위원·행정각부의 장·법관·중앙선거관리위원회 위원·감사위원 기타 법률에 정한 공무원이 그 직무집행에 있어서 헌법이나 법률을 위배한 때에는 국회는 탄핵의 소추를 의결할 수 있다.
> ② 전항의 탄핵소추는 국회의원 30인 이상의 발의가 있어야 하며, 그 의결은 재적의원 과반수의 찬성이 있어야 한다.
>
> **1969년 개정헌법 제61조** ① 대통령·국무총리·국무위원·행정각부의 장·법관·중앙선거관리위원회 위원·감사위원 기타 법률에 정한 공무원이 그 직무집행에 있어서 헌법이나 법률을 위배한 때에는 국회는 탄핵의 소추를 의결할 수 있다.
> ② 전항의 탄핵소추는 국회의원 30인 이상의 발의가 있어야 하며, 그 의결은 재적의원 과반수의 찬성이 있어야 한다. 다만, 대통령에 대한 탄핵소추는 국회의원 50인 이상의 발의와 재적의원 3분의 2 이상의 찬성이 있어야 한다.

④ [O]

> **1962년 개정헌법 제64조** ① 대통령은 국민의 보통·평등·직접·비밀선거에 의하여 선출한다. 다만, 대통령이 궐위된 경우에 잔임 기간이 2년미만인 때에는 국회에서 선거한다.
>
> **제69조** ① 대통령의 임기는 4년으로 한다.
> ② 대통령이 궐위된 경우의 후임자는 전임자의 잔임기간 중 재임한다.

11 정답 ③

① [O] 현행헌법 제4조는 자유민주적 기본질서에 입각한 평화적 통일정책을 수립하고 이를 추진한다고 신설했다. 통일원칙은 제7차 개정헌법부터 규정되어 왔다.

② [O] 1980년 헌법에 신설된 규정: 정당운영자금의 국고보조조항, 행복추구권, 연좌제 금지, 사생활의 비밀과 자유, 적정임금조항, 환경권, 징계처분에 의한 법관의 파면을 배제, 재외국민 보호의무규정

❸ [X] 선거는 비밀선거원칙 때문에 무기명으로 한다.

④ [O] 4·19 의거는 제5차 개정헌법 때 도입되고, 제8차 개정헌법 때는 삭제되었다가 현행헌법에 불의에 항거한 4·19 민주이념 계승으로 도입되었다.

12 정답 ③

① [O]

> **1948년 제헌헌법 제87조** ① 중요한 운수, 통신, 금융, 보험, 전기, 수리, 수도, 까스 및 공공성을 가진 기업은 국영 또는 공영으로 한다. 공공필요에 의하여 사영을 특허하거나 또는 그 특허를 취소함은 법률의 정하는 바에 의하여 행한다.

② [O]

> **헌법 제70조** 대통령의 임기는 5년으로 하며, 중임할 수 없다.

❸ [X] 헌법재판제도는 제헌헌법에서 규정하였고, 헌법재판소는 1960년 (제2공화국) 헌법에서 최초로 규정하였다.

④ [O] 대통령의 선출방식은 1948년 헌법의 국회간선제, 1952년 헌법의 직선제, 1960년 헌법의 간선제, 1962년 헌법의 직선제, 1972년 헌법의 통일주체국민회의 간선제, 1980년 헌법의 선거인단간선제, 1987년 헌법의 직선제로 변화되어 왔다.

13 정답 ③

① [X] 1962년과 1969년 제3공화국 헌법은 정당국가적 경향이 강하였다. 따라서 국회의원의 입후보에 정당추천을 의무화하였을 뿐만 아니라 임기 중 당적을 이탈하거나 변경하면 의원직을 상실하도록 되어 있었다.

② [X] 1960년 제3차 개정헌법은 정당조항을 신설, 즉 정당에 대한 국가의 보호규정을 신설하였고 아울러 위헌정당해산제도도 채택하였다. 우리나라는 1962년 제5차 개정헌법에서 정당국가적 경향이 강화되어 대통령과 국회의원의 입후보에 소속 정당의 추천을 받도록 하고, 국회의원의 당적이탈·변경 또는 정당해산시 의원직을 상실하도록 규정한 바 있다.

❸ [O]

> **1980년 개정헌법 제57조** ① 대통령은 국가의 안정 또는 국민 전체의 이익을 위하여 필요하다고 판단할 상당한 이유가 있을 때에는 국회의장의 자문 및 국무회의의 심의를 거친 후 그 사유를 명시하여 국회를 해산할 수 있다. 다만, 국회가 구성된 후 1년 이내에는 해산할 수 없다.
>
> **제99조** ① 국회는 국무총리 또는 국무위원에 대하여 개별적으로 그 해임을 의결할 수 있다. 다만, 국무총리에 대한 해임의결은 국회가 임명동의를 한 후 1년 이내에는 할 수 없다.
> ③ 제2항의 의결이 있을 때에는 대통령은 국무총리 또는 당해 국무위원을 해임하여야 한다. 다만, 국무총리에 대한 해임의결이 있을 때에는 대통령은 국무총리와 국무위원 전원을 해임하여야 한다.

④ [X] 국군의 정치적 중립성 준수는 현행헌법에서 최초로 규정되었다.

14 정답 ③

① [O] 4·19 부정선거에 대한 반성으로 제2공화국 헌법(1960년 헌법)에서 중앙선거관리위원회를 헌법기관으로 규정했다. 각급 선거관리위원회는 제5차 개정헌법에서 규정되었다.

② [O] 제2공화국 헌법(1960년 헌법)에서 중앙선거관리위원회가 처음 도입되었다.

❸ [X]

> **1962년 개정헌법 제36조** ② 국회의원의 수는 150인 이상 200인 이하의 범위 안에서 법률로 정한다.

④ [O] 제5차 개정헌법과 제6차 개정헌법만 헌법상 대통령과 국회의원 후보자에 대해 정당추천을 받도록 규정하였다. 따라서 정당국가적 경향이 강한 헌법으로 평가받는다.

15 정답 ④

① [X]

> **「국적법」 제2조 【출생에 의한 국적취득】** ① 다음 각 호의 어느 하나에 해당하는 자는 출생과 동시에 대한민국 국적을 취득한다.
> 1. 출생 당시에 부 또는 모가 대한민국의 국민인 자

➡ 「국적법」은 부모양계혈통주의를 취하고 있다.

② [X]

> **「국적법」 제2조 【출생에 의한 국적취득】** ① 다음 각 호의 어느 하나에 해당하는 자는 출생과 동시에 대한민국의 국적을 취득한다.
> 1. 출생한 당시에 부 또는 모가 대한민국의 국민인 자
> 2. 출생하기 전에 부가 사망한 경우에는 그 사망 당시에 부가 대한민국의 국민이었던 자
> 3. 부모가 모두 분명하지 아니한 경우나 국적이 없는 경우에는 대한민국에서 출생한 자

③ [X]

> **「국적법」 제2조 【출생에 의한 국적취득】** ① 다음 각 호의 어느 하나에 해당하는 자는 출생과 동시에 대한민국의 국적을 취득한다.
> 1. 출생한 당시에 부 또는 모가 대한민국의 국민인 자
> 2. 출생하기 전에 부가 사망한 경우에는 그 사망 당시에 부가 대한민국의 국민이었던 자

❹ [O] 「국적법」상 부모가 모두 국적이 없는 경우라도 대한민국에서 출생한 자는 출생과 동시에 대한민국 국적을 취득한다.

> **「국적법」 제2조 【출생에 의한 국적취득】** ① 다음 각 호의 어느 하나에 해당하는 자는 출생과 동시에 대한민국 국적을 취득한다.
> 3. 부모가 모두 분명하지 아니한 경우나 국적이 없는 경우에는 대한민국에서 출생한 자

16 정답 ②

ㄱ. [X] 인지는 신고제이고, 귀화는 허가제이다.

ㄴ. [X] ㅁ. [O]

> **「국적법」 제3조 【인지에 의한 국적취득】** ① 대한민국의 국민이 아닌 자로서 대한민국의 국민인 부 또는 모에 의하여 인지된 자가 다음 각 호의 요건을 모두 갖추면 법무부장관에게 신고함으로써 대한민국의 국적을 취득할 수 있다.
> 1. 대한민국의 「민법」상 미성년일 것
> 2. 출생 당시에 부 또는 모가 대한민국의 국민이었을 것

ㄷ. [X]

> **「국적법」 제3조 【인지에 의한 국적취득】** ② 제1항에 따라 신고한 자는 그 신고를 한 때에 대한민국의 국적을 취득한다.

ㄹ. [X] 법무부장관에게 인지신고한다.

17 정답 ①

❶ [O] 체계정당성의 원리는 동일 규범 내에서 또는 상이한 규범 간에 그 규범의 구조나 내용 또는 규범의 근거가 되는 원칙 면에서 상호 배치되거나 모순되어서는 안 된다는 하나의 헌법적 요청이며, 국가공권력에 대한 통제와 이를 통한 국민의 자유와 권리의 보장을 이념으로 하는 법치주의원리로부터 도출되는데, 이러한 체계정당성 위반은 비례의 원칙이나 평등의 원칙 등 일정한 헌법의 규정이나 원칙을 위반하여야만 비로소 위헌이 되며, 체계정당성의 위반을 정당화할 합리적인 사유의 존재에 대하여는 입법재량이 인정된다(2004.11.25, 2002헌바66).

② [X] 체계정당성(Systemgerechtigkeit)의 원리란 '규범 상호 간의 구조와 내용 등이 모순됨이 없이 체계와 균형을 유지하도록 입법자를 기속하는 헌법적 원리'로 풀이 될 수 있다. 체계정당성의 위반을 정당화할 합리적인 사유의 존재에 대하여는 입법의 재량이 인정되어야 한다. 다양한 입법의 수단 가운데서 어느 것을 선택할 것인가 하는 것은 원래 입법의 재량에 속하기 때문이다. 그러므로 이러한 점에 관한 입법의 재량이 현저히 한계를 일탈한 것이 아닌 한 위헌의 문제는 생기지 않는다고 할 것이다(2010.6.24, 2007헌바101 등).

③ [X] '책임 없는 자에게 형벌을 부과할 수 없다'는 형벌에 관한 책임주의는 형사법의 기본원리로서, 헌법상 법치국가의 원리에 내재하는 원리인 동시에 헌법 제10조의 취지로부터 도출되는 원리이고, 법인의 경우도 자연인과 마찬가지로 책임주의원칙이 적용된다(2016.3.31, 2016헌가4).

④ [X] 명확성원칙은 기본권을 제한하는 법규범의 내용은 명확하여야 한다는 헌법상의 원칙인바, 만일 법규범의 의미 내용이 불확실하다면 법적 안정성과 예측가능성을 확보할 수 없고 법집행당국의 자의적인 법해석과 집행을 가능하게 할 것이기 때문이다. 다만 법규범의 문언은 어느 정도 일반적·규범적 개념을 사용하지 않을 수 없기 때문에 기본적으로 최대한이 아닌 최소한의 명확성을 요구하는 것으로서, 법문언이 법관의 보충적인 가치판단을 통해서 그 의미 내용을 확인할 수 있고, 그러한 보충적 해석이 해석자의 개인적인 취향에 따라 좌우될 가능성이 없다면 명확성원칙에 반한다고 할 수 없다(2011.9.29, 2010헌마68).

18 정답 ④

① [X]

경찰청장이 2009.6.3. 경찰버스들로 서울특별시 서울광장을 둘러싸 통행을 제지한 행위(2011.6.30, 2009헌마406)

법정의견 '과잉금지원칙에 위배되어 일반행동의 자유를 침해했다고 보았다.

보충의견 「경찰관 직무집행법」 제2조 제7호의 일반수권조항(기타 공공의 안녕과 질서유지)은 국민의 기본권을 구체적으로 제한 또는 박탈하는 행위의 근거조항으로 삼을 수는 없으므로 위 조항 역시 이 사건 통행제지행위 발동의 법률적 근거가 된다고 할 수 없다. 법률에 근거가 없으므로 법률유보원칙에도 위배된다.

반대의견 경찰 임무의 하나로서 '기타 공공의 안녕과 질서유지'를 규정한 「경찰법」 제3조 및 「경찰관 직무집행법」 제2조는 일반적 수권조항으로서 경찰권 발동의 법적 근거가 될 수 있다고 할 것이므로, 위 조항들에 근거한 이 사건 통행제지행위는 법률유보원칙에 위배된 것이라고 할 수 없다.

➡ 법률유보 전부 X

② [X] 집회·시위 현장에서는 무기나 최루탄 등보다 살수차가 집회 등 해산용으로 더 빈번하게 사용되고 있다. 한편, 신체의 자유는 다른 기본권 행사의 전제가 되는 핵심적 기본권이고, 집회의 자유는 인격 발현에 기여하는 기본권이자 표현의 자유와 함께 대의민주주의 실현의 기본요소다. 집회나 시위 해산을 위한 살수차 사용은 이처럼 중요한 기본권에 대한 중대한 제한이므로, 살수차 사용요건이나 기준은 법률에 근거를 두어야 한다. … 집회나 시위 해산을 위한 살수차 사용은 집회의 자유 및 신체의 자유에 대한 중대한 제한을 초래하므로 살수차 사용요건이나 기준은 법률에 근거를 두어야 하고, 살수차와 같은 위해성 경찰장비는 본래의 사용방법에 따라 지정된 용도로 사용되어야 하며 다른 용도나 방법으로 사용하기 위해서는 반드시 법령에 근거가 있어야 한다. 혼합살수방법은 법령에 열거되지 않은 새로운 위해성 경찰장비에 해당하고 이 사건 지침에 혼합살수의 근거규정을 둘 수 있도록 위임하고 있는 법령이 없으므로, 이 사건 지침은 법률유보원칙에 위배되고 이 사건 지침만을 근거로 한 이 사건 혼합살수행위 역시 법률유보원칙에 위배된다. 따라서 이 사건 혼합살수행위는 청구인들의 신체의 자유와 집회의 자유를 침해한다(2018.5.31, 2015헌마476).

③ [X] 자동차 등을 이용한 범죄행위의 모든 유형이 기본권 제한의 본질적인 사항으로서 입법자가 반드시 법률로써 규율하여야 하는 사항이라고 볼 수 없고, 법률에서 운전면허의 필요적 취소사유인 살인, 강간 등 자동차 등을 이용한 범죄행위에 대한 예측가능한 기준을 제시한 이상, 심판대상조항은 법률유보원칙에 위배되지 아니한다(2015.5.28, 2013헌가6 등).

➡ 다만, 과잉금지원칙 위반하여 직업의 자유는 침해한다.

❹ [O] 헌법재판소는 TV수신료 관련 판례에서 "오늘날 법률유보원칙은 단순히 행정작용이 법률에 근거를 두기만 하면 충분한 것이 아니라, 국가공동체와 그 구성원에게 기본적이고도 중요한 의미를 갖는 영역, 특히 국민의 기본권 실현에 관련된 영역에 있어서는 행정에 맡길 것이 아니라 국민의 대표자인 입법자 스스로 그 본질적 사항에 대하여 결정하여야 한다는 요구까지 내포하는 것으로 이해하여야 한다."라고 그 의의를 밝혔으며 계속해서 "TV 수신료 금액은 이사회가 심의결정하고, 공사가 공보처 장관의 승인을 얻어 이를 부과 징수한다."라고 규정한 「한국방송공사법」 제36조 제1항은 국민의 재산권 보장 측면에서 기본권 실현에 관련된 영역임에도 불구하고 그 수신료 금액결정에 국회의 관여와 결정을 배제한 채 공사로 하여금 수신료 금액을 결정하기로 하고 있으므로 "법률유보원칙에 반한다."라고 하여 헌법불합치결정을 내렸다(1999.5.27, 98헌바70).

19 정답 ①

❶ [X] 형벌불소급의 원칙은 '행위의 가벌성' 즉 형사소추가 '언제부터 어떠한 조건하에서' 가능한가의 문제에 관한 것이고, '얼마 동안' 가능한가의 문제에 관한 것은 아니므로, 과거에 이미 행한 범죄에 대하여 공소시효를 정지시키는 법률이라 하더라도 그 사유만으로 헌법 제12조 제1항 및 제13조 제1항에 규정한 죄형법정주의의 파생원칙인 형벌불소급의 원칙에 언제나 위배되는 것으로 단정할 수는 없다(1996.2.16, 96헌가2 등). 2018년 서울 7급

② [O] 보안처분은 형벌과는 달리 행위자의 장래 재범위험성에 근거하는 것으로서, 행위시가 아닌 재판시의 재범위험성 여부에 대한 판단에 따라 보안처분 선고를 결정하므로 원칙적으로 재판 당시 현행법을 소급적용할 수 있다고 보는 것이 타당하고 합리적이다. 그러나 보안처분의 범주가 넓고 그 모습이 다양한 이상, 보안처분에 속한다는 이유만으로 일률적으로 소급입법금지원칙이 적용된다거나 그렇지 않다고 단정해서는 안 되고, 보안처분이라는 우회적인 방법으로 형벌불소급의 원칙을 유명무실하게 하는 것을 허용해서도 안 된다. 따라서 보안처분이라 하더라도 형벌적 성격이 강하여 신체의 자유를 박탈하거나 박탈에 준하는 정도로 신체의 자유를 제한하는 경우에는 소급입법금지원칙을 적용하는 것이 법치주의 및 죄형법정주의에 부합한다(2014.8.28, 2011헌마28 등). 2018년 변시

③ [O] 디엔에이신원확인정보의 수집·이용은 수형인 등에게 심리적 압박으로 인한 범죄예방효과를 가진다는 점에서 보안처분의 성격을 지니지만, 처벌적인 효과가 없는 비형벌적 보안처분으로서 소급입법금지원칙이 적용되지 않는다(2014.8.28, 2011헌마28). 2019년 행시

④ [O] 전자장치 부착명령은 전통적 의미의 형벌이 아닐 뿐 아니라, 성폭력범죄자의 성행교정과 재범방지를 도모하고 국민을 성폭력범죄로부터 보호한다고 하는 공익을 목적으로 하며, 의무적 노동의 부과나 여가시간의 박탈을 내용으로 하지 않고 전자장치의 부착을 통해서 피부착자의 행동 자체를 통제하는 것도 아니라는 점에서 처벌적인 효과를 나타낸다고 보기 어렵다. 또한 부착명령에 따른 피부착자의 기본권 침해를 최소화하기 위하여 피부착자에 관한 수신자료의 이용을 엄격하게 제한하고, 재범의 위험성이 없다고 인정되는 경우에는 부착명령을 가해제할 수 있도록 하고 있다. 그러므로 이 사건 부착명령은 형벌과 구별되는 비형벌적 보안처분으로서 소급효금지원칙이 적용되지 아니한다(2012.12.27, 2010헌가82 등). 2020년 법행

20 정답 ②

① [○] 수형자가 「형법」에 규정된 형 집행경과기간요건을 갖춘 것만으로 가석방을 요구할 권리를 취득하는 것은 아니므로, 10년간 수용되어 있으면 가석방 적격심사대상자로 선정될 수 있었던 구 「형법」(1953.9.18. 법률 제293호로 제정되고, 2010.4.15. 법률 제10259호로 개정되기 전의 것, 이하 '구 「형법」'이라 한다) 제72조 제1항에 대한 청구인의 신뢰를 헌법상 권리로 보호할 필요성이 있다고 할 수 없다. 가석방제도의 실제 운용에 있어서도 구 「형법」 제72조 제1항이 정한 10년보다 장기간의 형 집행 이후에 가석방을 해 왔고, 무기징역형을 선고받은 수형자에 대하여 가석방을 한 예가 많지 않으며, 2002년 이후에는 20년 미만의 집행기간을 경과한 무기징역형 수형자가 가석방된 사례가 없으므로, 청구인의 신뢰가 손상된 정도도 크지 아니하다. 그렇다면 죄질이 더 무거운 무기징역형을 선고받은 수형자를 가석방할 수 있는 형 집행 경과기간이 개정 「형법」 시행 후에 유기징역형을 선고받은 수형자의 경우와 같거나 오히려 더 짧게 되는 불합리한 결과를 방지하고, 사회를 방위하기 위한 이 사건 부칙조항이 신뢰보호원칙에 위배되어 청구인의 신체의 자유를 침해한다고 볼 수 없다(2013.8.29, 2011헌마408).

❷ [X] 일반적으로 법률은 현실상황의 변화나 입법정책의 변경 등으로 언제라도 개정될 수 있는 것이기 때문에, 원칙적으로 이에 관한 법률의 개정은 예측할 수 있다고 보아야 한다(2002.11.28, 2002헌바45).

③ [○] 이 사건 오염원인자조항은 위 조항 시행 이전의 양수자에게까지 오염원인자의 인적 범위를 시적으로 확장하여 토양오염을 신속하고 확실하게 제거·예방하고, 그로 인한 손해를 배상한다는 공익을 달성하고자 하는 것이다. 그런데 환경오염책임법제가 정비되기 이전의 토양오염에 대해서는 「민법」상의 불법행위규정에 의해서만 책임을 부담한다는 데 대한 일반적인 신뢰가 존재하고, 폐기물에 대한 공법적 규제가 시작된 1970년대 이전까지는 자신이 직접 관여하지 않은 토양오염에 대해서 공법상의 책임을 부담할 수 있음을 예측하기 어려웠다. 또, 2002.1.1. 이전에 토양오염관리대상시설을 양수한 자에 대해서는 선의이며 무과실인 양수자에 대한 면책규정이 사실상 의미가 없고, 사실상 우선 책임을 추궁당한 양수자가 손해배상 및 토양정화책임을 무한책임으로서 부담하게 되는 경우도 많다. 이처럼 이 사건 오염원인자조항은 예측하기 곤란한 중대한 제약을 사후적으로 가하고 있으면서도, 그로 인한 침해를 최소화 할 다른 제도적 수단을 마련하고 있지 않으므로, 이 사건 오염원인자조항이 2002.1.1. 이전에 이루어진 토양오염관리대상시설의 양수에 대해서 무제한적으로 적용되는 경우에는 이 사건 오염원인자조항이 추구하는 공익만으로는 신뢰이익에 대한 침해를 정당화하기 어렵다(2012.8.23, 2010헌바28). 2017년 입시

④ [○] 해당 법률조항은 종전의 규정에 의한 폐기물재생처리신고업자의 신뢰이익을 충분히 보호하고 있는 것으로서 과잉금지의 원칙에 위반하여 청구인들의 직업결정의 자유를 침해하는 것이라고 볼 수 없다(2000.7.20, 99헌마452). 2017년 국회 8급

21 정답 ②

① [○] 「노인장기요양보험법」은 요양급여의 실시와 그에 따른 급여비용 지급에 관한 기본적이고도 핵심적인 사항을 이미 법률로 규정하고 있다. 따라서 '시설 급여비용의 구체적인 산정방법 및 항목 등에 관하여 필요한 사항'을 반드시 법률에서 직접 정해야 한다고 보기는 어렵고, 이를 보건복지부령에 위임하였다고 하여 그 자체로 법률유보원칙에 반한다고 볼 수는 없다(2021.8.31, 2019헌바73).

❷ [X] 이 사건 부칙조항은 이 사건 법률조항의 공익적 목적을 달성하기 위하여 그 시행일을 2018.1.1.로 정하고 변호사의 세무사 자격에 관한 경과조치를 규정한 것이다. 청구인들의 신뢰는 입법자에 의하여 꾸준히 축소되어 온 세무사 자격 자동부여제도에 관한 것으로서 그 보호의 필요성이 크다고 보기 어렵다. 나아가 설령 그것이 보호가치가 있는 신뢰라고 하더라도 변호사인 청구인들은 「변호사법」 제3조에 따라 변호사의 직무로서 세무대리를 할 수 있으므로 신뢰이익을 침해 받는 정도가 이 사건 부칙조항이 달성하고자 하는 공익에 비하여 크다고 보기 어렵다. 따라서 이 사건 부칙조항은 신뢰보호원칙을 위배하여 청구인들의 직업선택의 자유를 침해하지 않는다(2021.7.15, 2018헌마27).

③ [○] **건설폐기물 수집·운반업자가 건설폐기물을 임시보관장소로 수집·운반할 수 있는 사유 중 하나로 '매립대상 폐기물을 반입규격에 맞게 절단하기 위한 경우'를 포함하지 않고 있는 「건설폐기물의 재활용촉진에 관한 법률」 제13조의2 제2항이 신뢰보호원칙에 반하여 직업수행의 자유를 침해하는지 여부(소극)**

절단을 위한 임시보관장소 수집·운반행위는 원래 허용되지 않고 있다가 2009년부터 규제유예제도의 일환으로 허용되었던 점, 허용되었던 시기에는 비산먼지, 소음 등으로 인근 주민의 피해가 발생하였고 매립대상 폐기물의 절단행위뿐만 아니라 모든 폐기물의 분리·선별·파쇄행위까지 행해지는 경우도 있었던 점, 2017년 이를 다시 금지하는 법 개정이 이루어진 뒤 2년의 유예기간을 둔 점 등을 고려하면, 심판대상조항은 신뢰보호원칙에 반하여 직업수행의 자유를 침해하지 않는다(2021.7.15, 2019헌마406).

④ [○] 본래의 용도 및 사용구역을 벗어나 관리선을 낚시어선으로 사용할 수 있게 하는 「낚시 관리 및 육성법 시행령」 규정이 유지되리라는 청구인들의 신뢰의 보호가치가 강하다고 볼 수 없고, 낚시어선업 신고의 유효기간이 최대 3년인 점을 고려할 때 5년의 유예기간을 부여한 것은 청구인들의 신뢰를 충분히 고려한 것이다. 따라서 심판대상조항은 신뢰보호원칙에 반하여 청구인들의 직업의 자유를 침해하지 않는다(2021.12.23, 2019헌마475).

⑤ [○] 심판대상조항의 입법목적, 의약 분야의 전반에 걸친 약국개설자 등의 주의의무 및 준수사항을 규정한 구 「약사법」 관련 조항들의 내용, 심판대상조항의 수범자는 의약품의 관리 및 취급에 관한 전문가라는 점 등을 종합하면, 하위법령에 규정될 '유통체계 확립과 판매질서 유지에 필요한 사항'이란 '의약품을 적정하게 공급·판매하여 국민보건에 위해를 끼치지 않고, 의약시장에서의 공정한 경쟁질서나 의약제도의 취지에 어긋나는 행위를 하지 아니할 것'에 관한 사항이라는 점을 예측할 수 있으므로 심판대상조항은 포괄위임금지원칙에 위배되지 아니한다(2021.10.28, 2019헌바50).

22 정답 ④

① [○] 운전면허 취소 또는 정지처분의 요건으로서 구호조치를 취하지 않은 경우의 개별적 유형을 입법자가 반드시 법률로 규율하여야 하는 것은 아니다. 따라서 이 사건 취소조항이 기본권 제한의 본질적인 사항을 하위법령에 위임함으로써 법률유보원칙에 위배된다고 할 수 없다(2019.8.29, 2018헌바4).

② [○] 기본권 제한에 관한 법률유보원칙은 '법률에 근거한 규율'을 요청하는 것이고, 심판대상조항은 학교법인의 회계규칙 기타 예산 또는 회계에 관하여 필요한 사항은 교육부장관이 정하도록 한 「사립학교법」 제33조, 이를 사립학교경영자에게 준용하도록 한 「사립학교법」 제51조에 근거한 것이므로 법률유보원칙에 위반된다고 볼 수 없다(2019.7.25, 2017헌마1038).

③ [○] 사립유치원은 「교육기본법」, 「초·중등교육법」, 「유아교육법」에 따른 학교로서 이 사건 규칙 제정 당시부터 그 적용을 받아 왔고, 그 회계의 예산과목에 대하여 심판대상조항 신설 이전에도 [별표 3],

[별표 4]의 적용을 받아왔는바, 사립유치원 설립자의 자율적인 경영 및 이윤추구가 가능하다는 신뢰가 형성되었다거나 그러한 신뢰가 보호할 만한 정도에 이르렀다고 보기는 어려우므로, 심판대상조항이 신뢰보호의 원칙에 위반된다고 볼 수 없다(2019.7.25, 2017헌마1038 등).

❹ [X] 어업면허의 우선순위에 관하여 청구인에게 헌법상 보호가치 있는 신뢰이익이 존재한다고 보기 어렵고, 존재하더라도 그 보호가치가 크다고 볼 수 없다. 반면 심판대상조항은 어업인의 공동이익과 일정한 지역의 어업개발을 위하여 어촌계 등에 어업면허를 함으로써 어민들의 소득향상과 어촌사회의 발전을 도모하기 위한 규정으로서 공익적인 가치를 지닌다. 따라서 심판대상조항은 신뢰보호원칙에 반하지 아니한다(2019.7.25, 2017헌바133).

23

정답 ②

① [O] 이 사건 부칙조항은 헌법 제13조 제2항이 금하는 소급입법에 해당하지 아니하고, 다만 총포소지허가를 받은 자가 해당 공기총을 직접 보관할 수 있을 것이라고 종래의 법적 상태의 존속을 신뢰한 청구인에 대한 신뢰보호가 문제될 뿐이다(2019.6.28, 2018헌바400).

❷ [X] 이 사건 부칙조항은 이미 총포소지허가를 받은 자들에 대하여 기존에 받은 허가를 취소하거나 여기에 어떠한 변경을 가하는 것이 아니고, 종전에는 직접 보관하던 공기총을 앞으로는 별도의 지정된 장소에 보관하도록 한 조항에 불과하다. 즉, 이 사건 부칙조항은 개정된 법률이 시행되기 전에 있었던 총포보관행위를 규율하는 것이 아니라 그 시행 이후의 총포보관행위를 규율하는 규정에 해당한다 할 것이므로, 이를 가지고서 과거에 이미 확정된 법률관계에 소급하여 적용하는 것이라 할 수는 없다. 따라서 이 사건 부칙조항은 헌법 제13조 제2항이 금하는 소급입법에 해당하지 아니하고, 다만 총포소지허가를 받은 자가 해당 공기총을 직접 보관할 수 있을 것이라고 종래의 법적 상태의 존속을 신뢰한 청구인에 대한 신뢰보호가 문제될 뿐이다(2019.6.28, 2018헌바400).

③ [O] 이 사건 법률조항은 1990년 개정 「민법」 시행일 이후에 비로소 완성되는 법률관계를 규율대상으로 하는 것일 뿐 1990년 개정 「민법」 시행 이전에 이미 완성된 법률관계인 계모의 사망에 따른 상속관계를 규율하여 이전의 지위를 박탈하는 것이 아니므로, 헌법 제13조 제2항이 금하는 소급입법에 해당하지 아니한다(2020.2.27, 2017헌바249).

④ [O] 법 위반행위가 행해지고 아무리 오랜 시간이 경과하더라도 그 위반행위의 결과가 현존하는 한 이를 시정하거나 원상회복해야 할 공익상 필요는 중대하므로, 이 사건 부칙조항은 신뢰보호원칙에 위반되지 아니한다(2019.11.28, 2016헌바459).

24

정답 ④

① [X]

> **헌법 제119조** ② 국가는 균형 있는 국민경제의 성장 및 안정과 적정한 소득의 분배를 유지하고, 시장의 지배와 경제력의 남용을 방지하며, 경제주체 간의 조화를 통한 경제의 민주화를 위하여 경제에 관한 규제와 조정을 할 수 있다.

② [X] 헌법 제121조 제1항은 "국가는 농지에 관하여 경자유전의 원칙이 달성될 수 있도록 노력하여야 하며, 농지의 소작제도는 금지된다."라고 규정하고 있다. 이는 전근대적인 법률관계인 소작제도의 청산을 의미하며, 부재지주로 인하여 야기되는 농지 이용의 비효율성을 제거하기 위하여 경자유전의 원칙을 국가의 의무로서 천명한 것이다(2013.6.27, 2011헌바278). 2020년 변시

> **헌법 제121조** ① 국가는 농지에 관하여 경자유전의 원칙이 달성될 수 있도록 노력하여야 하며, 농지의 소작제도는 금지된다.
> ② 농업생산성의 제고와 농지의 합리적인 이용을 위하거나 불가피한 사정으로 발생하는 농지의 임대차와 위탁경영은 법률이 정하는 바에 의하여 인정된다.

③ [X] 2018년 소방간부

> **헌법 제121조** ① 국가는 농지에 관하여 경자유전의 원칙이 달성될 수 있도록 노력하여야 하며, 농지의 소작제도는 금지된다.

❹ [O] 2010년 국가 7급

> **헌법 제120조** ② 국토와 자원은 국가의 보호를 받으며, 국가는 그 균형있는 개발과 이용을 위하여 필요한 계획을 수립한다.

25

정답 ④

① [O] 항의전화 횟수, 그와 더불어 행해진 홈페이지 글남기기 등과 어울려 조직적으로 계획된 비정상적인 전화공세는 그 내용의 정당성 여부를 떠나서 계속해서 걸려오는 전화 그 자체만으로도 심리적 압박과 두려움을 느낄 정도의 물리력 행사로서 사회통념의 허용한도를 벗어난 피해자의 자유의사를 제압하기에 족한 '위력'이 될 수도 있기 때문이다(2011.12.29, 2010헌바5 등).

② [O] 현행헌법이 보장하는 소비자 보호운동이란 '공정한 가격으로 양질의 상품 또는 용역을 적절한 유통구조를 통해 적절한 시기에 안전하게 구입하거나 사용할 소비자의 제반 권익을 증진할 목적으로 이루어지는 구체적 활동'을 의미하고, 단체를 조직하고 이를 통하여 활동하는 형태, 즉 근로자의 단결권이나 단체행동권에 유사한 활동뿐만 아니라, 하나 또는 그 이상의 소비자가 동일한 목표로 함께 의사를 합치하여 벌이는 운동이면 모두 이에 포함된다 할 것이다(2011.12.29, 2010헌바54 등).

③ [O] 소비자불매운동이란 '하나 또는 그 이상의 운동주도세력이 소비자의 권익을 향상시킬 목적으로 개별 소비자들로 하여금 시장에서 특정 상품의 구매를 억지하거나 제3자로 하여금 그렇게 하도록 설득하는 조직화된 행위'를 의미하고, 잠재적으로 소비자가 될 가능성이 있다면 누구나 소비자불매운동의 주체가 될 수 있다. 한편, 불매운동의 목표로서의 '소비자의 권익'이란 원칙적으로 사업자가 제공하는 물품이나 용역의 소비생활과 관련된 것으로서 상품의 질이나 가격, 유통구조, 안전성 등 시장적 이익에 국한된다. '소비자불매운동의 대상'은 물품 등을 공급하는 사업자나 공급자를 직접 상대방으로 하는 경우가 대부분이지만, 해당 물품 등의 사업자를 고립시키기 위하여 그 사업자의 거래상대방인 제3자에 대하여 사업자와의 거래를 단절하도록 요구하고 이를 관철하기 위하여 사업자의 거래상대방을 대상으로 불매운동을 실행하는 경우도 예상할 수 있다. 나아가, 불매운동이 예정하고 있는 '불매행위'에는 단순히 불매운동을 검토하고 있다는 취지의 의견을 표현하는 행위뿐만 아니라, 다른 소비자들에게 불매운동을 촉구하는 행위, 불매운동 실행을 위한 조직행위, 직접적으로 불매를 실행하는 행위 등이 모두 포괄될 수 있다(2011.12.29, 2010헌바54 등).

❹ [X] 헌법이 보장하는 소비자 보호운동에도 위에서 본 바와 같은 헌법적 허용한계가 분명히 존재하는 이상, 헌법이 보장하는 근로3권의

내재적 한계를 넘어선 쟁의행위가 형사책임 및 민사책임을 면할 수 없는 것과 마찬가지로, 헌법과 법률이 보장하고 있는 한계를 넘어선 소비자불매운동 역시 정당성을 결여한 것으로서 정당행위 기타 다른 이유로 위법성이 조각되지 않는 한 업무방해죄로 형사처벌할 수 있다고 할 것이다(2011.12.29, 2010헌바54 등).

26 정답 ③

① [X] 법 제119조 제2항에 규정된 '경제주체 간의 조화를 통한 경제민주화'의 이념도 경제영역에서 정의로운 사회질서를 형성하기 위하여 추구할 수 있는 국가목표로서 개인의 기본권을 제한하는 국가행위를 정당화하는 헌법규범이다(2003.11.27, 2001헌바35).

② [X] 헌법 제119조 제2항은 국가가 경제영역에서 실현하여야 할 목표의 하나로서 '적정한 소득의 분배'를 들고 있지만, 이로부터 반드시 소득에 대하여 누진세율에 따른 종합과세를 시행하여야 할 구체적인 헌법적 의무가 조세입법자에게 부과되는 것이라고 할 수 없다(1999.11.25, 98헌마55).

❸ [O] 헌법 제124조에서는 소비자 보호운동을 보장하고 있으나, 헌법에서 직접적으로 소비자의 권리를 명시하고 있지는 않다.

④ [X] 이 사건 법률조항들의 입법취지는 중소기업을 대상으로 하여 그 영업을 규제하려는 것이 아니며, 그 내용도 중소기업에 대해 제한을 가하는 것이 아니므로, 헌법 제123조 제3항에 규정된 국가의 중소기업 보호·육성의무를 위반하였다고 볼 수 없다(2014.4.24, 2012헌마811).

27 정답 ①

❶ [X] 국회의 동의는 비준 전에 받아야 하고 조약의 국내법적 효력발생요건이나 조약은 대통령의 비준 후에 그 효력이 발생한다.

② [O] 국회의 동의는 사전동의이다.

③ [O] 한미무역협정은 우호통상항해조약의 하나로서 국회의 동의가 필요한 조약으로서 법률의 효력을 가진다. 그러나 성문헌법의 효력을 개정하는 효력이 없으므로 국민투표권 침해가능성은 없다(2013.11.29, 2012헌마166).

④ [O] 이 사건 조약은 그 명칭이 '협정'으로 되어 있어 국회의 관여 없이 체결되는 행정협정처럼 보이기도 하나 우리나라의 입장에서 볼 때에는 외국군대의 지위에 관한 것이고, 국가에게 재정적 부담을 지우는 내용과 입법사항을 포함하고 있으므로 국회의 동의를 요하는 조약으로 취급되어야 한다(1999.4.29, 97헌가14).

28 정답 ③

① [X] 헌법 제6조 제1항의 일반적으로 승인된 국제법규에는 성문국제법규, 국제관습법, 우리나라가 체결한 조약이 아니라도 국제사회에서 일반적으로 규범력이 인정되고 있는 조약이 포함된다.

② [X] 강제노동의 폐지에 관한 국제노동기구(ILO)의 제105호 조약은 우리나라가 비준한 바가 없고, 「헌법」 제6조 제1항에서 말하는 일반적으로 승인된 국제법규로서 헌법적 효력을 갖는 것이라고 볼 만한 근거도 없으므로 이 사건 심판대상규정의 위헌성심사의 척도가 될 수 없다(1998.7.16, 97헌바23).

❸ [O] 국제노동기구 산하 '결사의 자유위원회'의 권고는 국내법과 같은 효력이 있거나 일반적으로 승인된 국제법규라고 볼 수 없고, 이 사건 「노동조합 및 노동관계조정법」 조항들이 국제노동기구의 관련 협약 및 권고와 충돌하지 않는 이유와 마찬가지로 개정 「노동조합 및 노동관계조정법」에서 노조전임자가 사용자로부터 급여를 지급받는 것을 금지함과 동시에 그 절충안으로 근로시간 면제제도를 도입한 이상 이 사건 「노동조합 및 노동관계조정법」 조항들이 결사의 자유위원회의 권고 내용과 배치된다고 보기도 어렵다(2014.5.29, 2010헌마606).

④ [X] 일반적으로 승인된 국제법규는 우리나라가 체결·공포한 조약이 아니므로 별다른 절차 없이 국내법적으로 효력을 가지게 된다.

29 정답 ④

ㄱ. [O] 권한쟁의심판의 청구인은 청구인의 권한 침해만을 주장할 수 있도록 하고 있을 뿐, 국가기관의 부분 기관이 자신의 이름으로 소속기관의 권한을 주장할 수 있는 '제3자 소송담당'의 가능성을 명시적으로 규정하고 있지 않은 현행법체계에서 국회의 구성원인 청구인들은 국회의 '예산 외에 국가의 부담이 될 계약'의 체결에 있어 동의권의 침해를 주장하는 권한쟁의심판을 청구할 수 없다(2008.1.17, 2005헌라10).

ㄴ. [X] 국회의 동의권이 침해되었다고 하여 동시에 국회의원의 심의·표결권이 침해된다고 할 수 없고, 국회의원의 심의·표결권은 국회의 대내적인 관계에서 행사되고 침해될 수 있을 뿐 다른 국가기관과의 대외적인 관계에서는 침해될 수 없는 것이므로, 국회의원들 상호 간 또는 국회의원과 국회의장 사이와 같이 국회 내부적으로만 직접적인 법적 연관성을 발생시킬 수 있을 뿐이고, 대통령 등 국회 이외의 국가기관과의 사이에서는 권한 침해의 직접적인 법적 효과를 발생시키지 아니한다. 따라서 피청구인인 대통령이 국회의 동의 없이 조약을 체결·비준하였다 하더라도 국회의 조약 체결·비준에 대한 동의권이 침해될 수는 있어도 국회의원인 청구인들의 심의·표결권이 침해될 가능성은 없다(2011.8.30, 2011헌라2).

ㄷ. [O] 피청구인(국회 상임위원회 위원장)이 청구인(소수당 소속 상임위원회 위원)들의 출입을 봉쇄한 상태에서 이 사건 회의를 개의하여 한미 FTA비준동의안을 상정한 행위 및 위 동의안을 법안심사소위원회에 심사회부한 행위는 헌법 제49조 의 다수결의 원리, 헌법 제50조 제1항의 의사공개의 원칙과 이를 구체적으로 구현하는 「국회법」 제54조 , 제75조 제1항 에 반하는 위헌, 위법한 행위라 할 것이고, 그 결과 청구인들은 이 사건 동의안 심의과정(대체토론)에 참여하지 못하게 됨으로써, 이 사건 상정·회부행위로 인하여 헌법에 의하여 부여받은 이 사건 동의안의 심의권을 침해당하였다 할 것이다(2010.12.28, 2008헌라7 등). 2017년 입시

ㄹ. [X] 국회의원의 심의·표결권은 국회의 대내적인 관계에서 행사되고 침해될 수 있을 뿐 다른 국가기관과의 대외적인 관계에서는 침해될 수 없는 것이므로, 국회의원들 상호 간 또는 국회의원과 국회의장 사이와 같이 국회 내부적으로만 직접적인 법적 연관성을 발생시킬 수 있을 뿐이고 대통령 등 국회 이외의 국가기관과 사이에서는 권한침해의 직접적인 법적 효과를 발생시키지 아니한다. 따라서 피청구인인 대통령이 국회의 동의 없이 조약을 체결·비준하였다 하더라도 국회의 조약 체결·비준에 대한 동의권이 침해될 수는 있어도 국회의원인 청구인들의 심의·표결권이 침해될 가능성은 없다(2007.7.26, 2005헌라8). 2017년 법무사

ㅁ [X] 국회의 동의권이 침해되었다고 하여 동시에 국회의원의 심의·표결권이 침해된다고 할 수 없고, 또 국회의원의 심의·표결권은 국회의 대내적인 관계에서 행사되고 침해될 수 있을 뿐 다른 국가기관과의 대외적인 관계에서는 침해될 수 없는 것이므로, 국회의원들 상호 간 또는 국회의원과 국회의장 사이와 같이 국회 내부적으로만 직접적인 법적 연관성을 발생시킬 수 있을 뿐이고 대통령 등 국회 이외의 국가기관과 사이에서는 권한 침해의 직접적인 법적 효과를 발생

시키지 아니한다(2008.1.17, 2005헌라10). 2017년 입시

30 정답 ②

① [O] GATT조약에 위반된 조례안 '1994년 관세 및 무역에 관한 일반협정'('GATT'라 한다)은 1994.12.16. 국회의 동의를 얻어 1997.1.3. 공포 시행된 조약으로서 각 헌법 제6조 제1항에 의하여 국내법령과 동일한 효력을 가지므로 지방자치단체가 제정한 조례가 GATT에 위반되는 경우에는 그 효력이 없다. 특정 지방자치단체의 초·중·고등학교에서 실시하는 학교급식을 위해 위 지방자치단체에서 생산되는 우수 농수축산물과 이를 재료로 사용하는 가공식품을 우선적으로 사용하도록 하고 그러한 우수농산물을 사용하는 자를 선별하여 식재료나 식재료 구입비의 일부를 지원하며 지원을 받은 학교는 지원금을 반드시 당해 지방자치단체의 우수농산물을 구입하는 데 사용하도록 하는 것 을 내용으로 하는 위 지방자치단체의 조례안이 내국민대우원칙을 규정한 '1994년 관세 및 무역에 관한 일반협정'(General Agreement on Tariffs and Trade 1994)에 위반되어 그 효력이 없다(대판 2005.9.9, 2004추10). 2010년, 2012년 사시

❷ [X] 2019년 소방간부

> **헌법 제6조** ① 헌법에 의하여 체결·공포된 조약과 일반적으로 승인된 국제법규는 국내법과 같은 효력을 가진다.

③ [O] 국제통화기금은 법률의 효력을 가지는 조약으로서 위헌법률심판의 대상이 된다(2001.9.27, 2000헌바20).

④ [O] 한미무역협정은 우호통상항해조약의 하나로서 국회동의가 필요한 조약으로서 법률의 효력을 가진다. 그러나 성문헌법의 효력을 개정하는 효력이 없으므로 한미무역협정을 국민투표에 부의하지 않았다고 하더라도 국민투표권 침해가능성은 없다(2013.11.29, 2012헌마166).

31 정답 ②

① [O] 헌법 전문은 헌법의 이념 내지 가치를 제시하고 있는 헌법규범의 일부로서 헌법으로서의 규범적 효력을 나타내기 때문에 구체적으로는 헌법소송에서의 재판규범인 동시에 헌법이나 법률해석에서의 해석기준이 되고, 입법형성권 행사의 한계와 정책결정의 방향을 제시하며, 나아가 모든 국가기관과 국민이 존중하고 지켜가야 하는 최고의 가치규범이다. 우리 헌법 전문은 "유구한 역사와 전통에 빛나는 우리 대한민국은 3·1 운동으로 건립된 대한민국 임시정부의 법통 … 을 계승하고"라고 하여, 대한민국헌법이 성립된 유래와 대한민국이 대한민국 임시정부의 법통을 계승하고 있음을 밝히고 있다(2006.3.30, 2003헌마806).

❷ [X] 과세요건법정주의 및 과세요건명확주의를 포함하는 조세법률주의가 지배하는 조세법의 영역에서는 경과규정의 미비라는 명백한 입법의 공백을 방지하고 형평성의 왜곡을 시정하는 것은 원칙적으로 입법자의 권한이고 책임이지 법문의 한계 안에서 법률을 해석·적용하는 법원이나 과세관청의 몫은 아니다. 뿐만 아니라 구체적 타당성을 이유로 법률에 대한 유추해석 내지 보충적 해석을 하는 것도 어디까지나 '유효한' 법률조항을 대상으로 할 수 있는 것이지 이미 '실효된' 법률조항은 그러한 해석의 대상이 될 수 없다.

③ [O]

> 「국적법」 제9조 **【국적회복에 의한 국적취득】** ② 법무부장관은 국적회복허가신청을 받으면 심사한 후 다음 각 호의 어느 하나에 해당하는 사람에게는 국적회복을 허가하지 아니한다.
> 1. 국가나 사회에 위해를 끼친 사실이 있는 사람
> 2. 품행이 단정하지 못한 사람
> 3. 병역을 기피할 목적으로 대한민국 국적을 상실하였거나 이탈하였던 사람
> 4. 국가안전보장·질서유지 또는 공공복리를 위하여 법무부장관이 국적회복을 허가하는 것이 적당하지 아니하다고 인정하는 사람

④ [O] 헌법전으로부터 관계되는 헌법조항을 삭제함으로써 폐지되는 성문헌법규범과는 구분된다. 한편 이러한 형식적인 헌법개정 외에도, 관습헌법은 그것을 지탱하고 있는 국민적 합의성을 상실함에 의하여 법적 효력을 상실할 수 있다. 관습헌법은 주권자인 국민에 의하여 유효한 헌법규범으로 인정되는 동안에만 존속하는 것이며, 관습법의 존속요건의 하나인 국민적 합의성이 소멸되면 관습헌법으로서의 법적 효력도 상실하게 된다. 관습헌법의 요건들은 그 성립의 요건일 뿐만 아니라 효력 유지의 요건이다(2004.10.21, 2004헌마554).

32 정답 ②

① [X]

> **헌법 제129조** 제안된 헌법개정안은 대통령이 20일 이상의 기간 이를 공고하여야 한다.

❷ [O]

> **헌법 제130조** ① 국회는 헌법개정안이 공고된 날로부터 60일 이내에 의결하여야 하며, 국회의 의결은 재적의원 3분의 2 이상의 찬성을 얻어야 한다.

③ [X]

> **헌법 제130조** ② 헌법개정안은 국회가 의결한 후 30일 이내에 국민투표에 붙여 국회의원 선거권자 과반수의 투표와 투표자 과반수의 찬성을 얻어야 한다.

④ [X]

> **헌법 제128조** ② 대통령의 임기연장 또는 중임변경을 위한 헌법개정은 그 헌법개정 제안 당시의 대통령에 대하여는 효력이 없다.

33 정답 ①

❶ [O]

> **헌법 제41조** ② 국회의원의 수는 법률로 정하되, 200인 이상으로 한다.

② [X]

> **헌법 제48조** 국회는 의장 1인과 부의장 2인을 선거한다.

③ [X]

> **헌법 제67조** ④ 대통령으로 선거될 수 있는 자는 국회의원의 피선거권이 있고 선거일 현재 40세에 달하여야 한다.

④ [X]

> **헌법 제98조** ① 감사원은 원장을 포함한 5인 이상 11인 이하의 감사위원으로 구성한다.

⑤ [X]

> **헌법 제105조** ③ 대법원장과 대법관이 아닌 법관의 임기는 10년으로 하며, 법률이 정하는 바에 의하여 연임할 수 있다.

34 정답 ④

① [O] 민주주의원리는 개인의 자율적 판단능력을 존중하고 사회의 자율적인 의사결정이 궁극적으로 올바른 방향으로 전개될 것이라는 신뢰를 바탕으로 하고 있다. 이 신뢰는 국민들이 공동체의 최종적인 정치적 의사를 책임질 수 있다는, 즉 국민들이 주권자로서의 충분한 능력과 자격을 동등하게 가진다는 규범적 판단에 기초한다. 따라서 국민 각자는 서로를 공동체의 대등한 동료로 존중해야 하고, 자신의 의견이 옳다고 믿는 만큼 타인의 의견에도 동등한 가치가 부여될 수 있음을 인정해야 한다. 민주주의는 정치의 본질이 피치자에 대한 치자의 지배나 군림에 있는 것이 아니라, 타인과 공존할 수 있는 동등한 자유, 그리고 대등한 동료시민들 간의 존중과 박애에 기초한 자율적이고 협력적인 공적 의사결정에 있는 것이다(2014.12.19, 2013헌다1 등).

② [O] 헌법 제8조 제4항이 의미하는 '민주적 기본질서'는 개인의 자율적 이성을 신뢰하고 모든 정치적 견해들이 각각 상대적 진리성과 합리성을 지닌다고 전제하는 다원적 세계관에 입각한 것으로서, 모든 폭력적·자의적 지배를 배제하고, 다수를 존중하면서도 소수를 배려하는 민주적 의사결정과 자유·평등을 기본원리로 하여 구성되고 운영되는 정치적 질서를 말하며, 구체적으로는 국민주권의 원리, 기본적 인권의 존중, 권력분립제도, 복수정당제도 등이 현행헌법상 주요한 요소라고 볼 수 있다(2014.12.19, 2013헌다1).

③ [O] 정당은 국민과 국가의 중개자로서 정치적 도관(導管)의 기능을 수행하여 주체적·능동적으로 국민의 다원적 정치의사를 유도·통합함으로써 국가정책의 결정에 직접 영향을 미칠 수 있는 규모의 정치적 의사를 형성하고 있다. 정당은 국민의 정치적 의사형성의 담당자이며 매개자이자 민주주의에 있어서 필수불가결한 요소이기 때문에, 정당의 자유로운 설립과 활동은 민주주의 실현의 전제조건이라고 할 수 있다(2014.1.28, 2012헌가19 등).

❹ [X] 모든 정당의 존립과 활동은 최대한 보장되며, 설령 어떤 정당이 민주적 기본질서를 부정하고 이를 적극적으로 공격하는 것으로 보인다 하더라도 국민의 정치적 의사형성에 참여하는 정당으로서 존재하는 한 우리 헌법에 의해 최대한 두텁게 보호되므로, 단순히 행정부의 통상적인 처분에 의해서는 해산될 수 없고, 오직 헌법재판소가 그 정당의 위헌성을 확인하고 해산의 필요성을 인정한 경우에만 정당정치의 영역에서 배제된다는 것이다(2014.12.19, 2013헌다1 등).

35 정답 ①

❶ [X] ② [O] 국민의 개별적 기본권이 아니라 할지라도 기본권 보장의 실질화를 위하여서는 영토조항만을 근거로 하여 독자적으로는 헌법소원을 청구할 수 없다 할지라도, 모든 국가권능의 정당성의 근원인 국민의 기본권 침해에 대한 권리구제를 위하여 그 전제조건으로서 영토에 관한 권리를, 이를테면 영토권이라 구성하여, 이를 헌법소원의 대상인 기본권의 하나로 간주하는 것은 가능한 것으로 판단된다.

③ [O] 우리 헌법이 "대한민국의 영토는 한반도와 그 부속도서로 한다."라는 영토조항(제3조)을 두고 있는 이상 대한민국의 헌법은 북한지역을 포함한 한반도 전체에 그 효력이 미치고 따라서 북한지역은 당연히 대한민국의 영토가 되므로, 북한을 법 소정의 '외국'으로, 북한의 주민 또는 법인 등을 '비거주자'로 바로 인정하기는 어렵지만, 개별법률의 적용 내지 준용에 있어서는 남북한의 특수관계적 성격을 고려하여 북한지역을 외국에 준하는 지역으로, 북한 주민 등을 외국인에 준하는 지위에 있는 자로 규정할 수 있다고 할 것이다(2005.6.30, 2003헌바114).

④ [O] 당해 사건과 같이 남한과 북한 주민 사이의 외국환 거래에 대하여는 법 제15조 제3항에 규정되어 있는 '거주자 또는 비거주자' 부분 즉 대한민국 안에 주소를 둔 개인 또는 법인인지 여부가 문제되는 것이 아니라, 「남북교류협력에 관한 법률」(이하 '남북교류법'이라 한다) 제26조 제3항의 '남한과 북한' 즉 군사분계선 이남지역과 그 이북지역의 주민인지 여부가 문제되는 것이다. 즉, 외국환거래의 일방 당사자가 북한의 주민일 경우 그는 이 사건 법률조항의 '거주자' 또는 '비거주자'가 아니라 남북교류법의 '북한의 주민'에 해당하는 것이다. 그러므로, 당해사건에서 아태위원회가 법 제15조 제3항에서 말하는 '거주자'나 '비거주자'에 해당하는지 또는 남북교류법상 '북한의 주민'에 해당하는지 여부는 법률해석의 문제에 불과한 것이고, 헌법 제3조의 영토조항과는 관련이 없다(2005.6.30, 2003헌바114).

36 정답 ①

> **헌법 전문** 유구한 역사와 전통에 빛나는 우리 대한국민은 3·1 운동으로 건립된 대한민국 임시정부의 법통과 불의에 항거한 4·19 민주이념을 계승하고, 조국의 민주개혁과 평화적 통일의 사명에 입각하여 정의·인도와 동포애로써 민족의 단결을 공고히 하고, 모든 사회적 폐습과 불의를 타파하며, 자율과 조화를 바탕으로 자유민주적 기본질서를 더욱 확고히 하여 정치·경제·사회·문화의 모든 영역에 있어서 각인의 기회를 균등히 하고, 능력을 최고도로 발휘하게 하며, 자유와 권리에 따르는 책임과 의무를 완수하게 하여, 안으로는 국민생활의 균등한 향상을 기하고 밖으로는 항구적인 세계평화와 인류공영에 이바지함으로써 우리들과 우리들의 자손의 안전과 자유와 행복을 영원히 확보할 것을 다짐하면서 1948년 7월 12일에 제정되고 8차에 걸쳐 개정된 헌법을 이제 국회의 의결을 거쳐 국민투표에 의하여 개정한다.

37 정답 ④

ㄱ. [X] 「대일항쟁기 강제동원 피해조사 및 국외강제동원 희생자 등 지원에 관한 특별법」은 국민이 부담하는 세금을 재원으로 하여 국외강제동원 희생자와 그 유족에게 위로금 등을 지급함으로써 그들의 고통과 희생을 위로해 주기 위한 법으로서 국가가 유족에게 일방적

인 시혜를 베푸는 것이므로, 그 수혜범위에서 외국인인 유족을 배제하고 대한민국 국민인 유족만을 대상으로 한 것이다. 따라서 청구인과 같이 자발적으로 외국 국적을 취득하여 결과적으로 대한민국 국민으로서의 법적 지위와 권리·의무를 스스로 포기한 유족을 위로금 지급대상에서 제외하였다고 하여 이를 현저히 자의적이거나 불합리한 것으로서 평등원칙에 위배된다고 볼 수 없다. 사할린 지역 강제동원 희생자의 범위를 1990.9.30.까지 사망 또는 행방불명된 사람으로 제한하고, 대한민국 국적을 갖고 있지 않은 유족을 위로금 지급대상에서 제외한 것은 합리적 이유가 있어 입법재량의 범위를 벗어난 것으로 볼 수 없으므로, 심판대상조항이 '정의·인도와 동포애로써 민족의 단결을 공고히' 할 것을 규정한 헌법 전문의 정신에 위반된다고 볼 수 없다(2015.12.23, 2011헌바139).

ㄴ. [X] 우리 헌법은 전문에서 '3·1 운동으로 건립된 대한민국 임시정부의 법통'의 계승을 천명하고 있는바, 비록 우리 헌법이 제정되기 전의 일이라 할지라도 국가가 국민의 안전과 생명을 보호하여야 할 가장 기본적인 의무를 수행하지 못한 일제강점기에 일본군 위안부로 강제 동원되어 인간의 존엄과 가치가 말살된 상태에서 장기간 비극적인 삶을 영위하였던 피해자들의 훼손된 인간의 존엄과 가치를 회복시켜야 할 의무는 대한민국 임시정부의 법통을 계승한 지금의 정부가 국민에 대하여 부담하는 가장 근본적인 보호의무에 속한다고 할 것이다(2011.8.30, 2006헌마788).

ㄷ. [O] '헌법전문에 기재된 3·1 정신'은 우리나라 헌법의 연혁적·이념적 기초로서 헌법이나 법률해석에서의 해석기준으로 작용한다고 할 수 있지만, 그에 기하여 곧바로 국민의 개별적 기본권성을 도출해 낼 수는 없다고 할 것이므로, 헌법소원의 대상인 '헌법상 보장된 기본권'에 해당하지 아니한다(2001.3.21, 99헌마139 등).

ㄹ. [O] 헌법은 국가유공자 인정에 관하여 명문 규정을 두고 있지 않으나 전문(前文)에서 '3·1 운동으로 건립된 대한민국 임시정부의 법통을 계승'한다고 선언하고 있다. 이는 대한민국이 일제에 항거한 독립운동가의 공헌과 희생을 바탕으로 이룩된 것임을 선언한 것이고, 그렇다면 국가는 일제로부터 조국의 자주독립을 위하여 공헌한 독립유공자와 그 유족에 대하여는 응분의 예우를 하여야 할 헌법적 의무를 지닌다(2005.6.30, 2004헌마859).

38

정답 ④

① [O] 조세법의 영역에 있어서는 국가가 조세·재정정책을 탄력적·합리적으로 운용할 필요성이 매우 큰 만큼, 조세에 관한 법규·제도는 신축적으로 변할 수밖에 없다는 점에서 납세의무자로서는 구법질서에 의거한 신뢰를 바탕으로 적극적으로 새로운 법률관계를 형성하였다든지 하는 특별한 사정이 없는 한 원칙적으로 현재의 세법이 변함없이 유지되리라고 기대하거나 신뢰할 수는 없다(2014.2.27, 2012헌바424).

② [O] 법률의 개정시 구법질서에 대한 당사자의 신뢰가 합리적이고도 정당하며 법률의 개정으로 야기되는 당사자의 손해가 극심하여 새로운 입법으로 달성하고자 하는 공익적 목적이 그러한 당사자의 신뢰의 파괴를 정당화할 수 없다면 그러한 새 입법은 신뢰보호의 원칙상 허용될 수 없다. 그러나 사회환경이나 경제여건의 변화에 따른 필요성에 의하여 법률은 신축적으로 변할 수밖에 없고, 변경된 새로운 법질서와 기존의 법질서 사이에는 이해관계의 상충이 불가피하다. 따라서 국민이 가지는 모든 기대 내지 신뢰가 헌법상 권리로서 보호될 것은 아니고, 신뢰의 근거 및 종류, 상실된 이익의 중요성, 침해의 방법 등에 의하여 개정된 법규·제도의 존속에 대한 개인의 신뢰가 합리적이어서 권리로서 보호할 필요성이 인정되어야 한다(2002.2.28, 99헌바4).

③ [O] 국민이 어떤 법률이나 제도가 장래에도 그대로 존속될 것이라는 합리적인 신뢰를 바탕으로 하여 일정한 법적 지위를 형성한 경우, 국가는 그와 같은 법적 지위와 관련된 법규나 제도의 개폐에 있어서 법치국가의 원칙에 따라 국민의 신뢰를 최대한 보호하여 법적 안정성을 도모하여야 한다. 법률의 제정이나 개정시 구법질서에 대한 당사자의 신뢰가 합리적이고 정당하며, 법률의 제정이나 개정으로 야기되는 당사자의 손해가 극심하여 새로운 입법으로 달성하고자 하는 공익적 목적이 그러한 당사자의 신뢰의 파괴를 정당화할 수 없다면, 그러한 새로운 입법은 신뢰보호의 원칙을 위배한다(2004.12.16, 2003헌마226 등).

❹ [X] 개인의 신뢰이익에 대한 보호가치는 ⓐ 법령에 따른 개인의 행위가 국가에 의하여 일정 방향으로 유인된 신뢰의 행사인지, ⓑ 아니면 단지 법률이 부여한 기회를 활용한 것으로서 원칙적으로 사적 위험부담의 범위에 속하는 것인지 여부에 따라 달라진다. 만일 법률에 따른 개인의 행위가 단지 법률이 반사적으로 부여하는 기회의 활용을 넘어서 국가에 의하여 일정 방향으로 유인된 것이라면 특별히 보호가치가 있는 신뢰이익이 인정될 수 있고, 원칙적으로 개인의 신뢰보호가 국가의 법률개정이익에 우선된다고 볼 여지가 있다(2002.11.28, 2002헌바45).

39

정답 ③

① [O] 헌법 제66조 제2항 및 제69조에 규정된 대통령의 '헌법을 준수하고 수호해야 할 의무'는 헌법상 법치국가원리가 대통령의 직무집행과 관련하여 구체화된 헌법적 표현이다. '헌법을 준수하고 수호해야 할 의무'가 이미 법치국가원리에서 파생되는 지극히 당연한 것임에도, 헌법은 국가의 원수이자 행정부의 수반이라는 대통령의 막중한 지위를 감안하여 제66조 제2항 및 제69조에서 이를 다시 한번 강조하고 있다. 이러한 헌법의 정신에 의한다면, 대통령은 국민 모두에 대한 '법치와 준법의 상징적 존재'인 것이다(2004.5.14, 2004헌나1).

② [O] 위임의 구체성·명확성의 요구 정도는 그 규율대상의 종류와 성격에 따라 달라질 것이지만, 처벌법규나 조세를 부과하는 조세법규와 같이 국민의 기본권을 직접적으로 제한하거나 침해할 소지가 있는 법규에서는 구체성·명확성의 요구가 강화되어 그 위임의 요건과 범위가 더 엄격하게 규정되어야 하는 반면에, 일반적인 급부행정이나 조세감면혜택을 부여하는 조세법규의 경우에는 위임의 구체성 내지 명확성의 요구가 완화되어 그 위임의 요건과 범위가 덜 엄격하게 규정될 수 있으며, 그리고 규율대상이 지극히 다양하거나 수시로 변화하는 성질의 것일 때에는 위임의 구체성·명확성의 요건이 완화되어야 할 것이다. 또한 위임조항 자체에서 위임의 구체적 범위를 명백히 규정하고 있지 않다고 하더라도 당해 법률의 전반적 체계와 관련규정에 비추어 위임조항의 내재적인 위임의 범위나 한계를 객관적으로 분명히 확정할 수 있다면 이를 포괄적인 백지위임에 해당하는 것으로는 볼 수 없다(2005.4.28, 2003헌가23).

❸ [X] 자사고는 「초·중등교육법」 제61조에 따른 학교인데 위 조항은 신입생 선발시기에 관하여 자사고에 특별한 신뢰를 부여하였다고 볼 수 없다. 또한 입학전형에 관한 사항은 고등학교 교육에 대한 수요 및 공급의 상황과 각종 고등학교별 특성 등을 고려하여 정할 필요성이 있고, 전기학교로 규정할 것인지 여부는 특정 분야에 재능이나 소질을 가진 학생을 후기학교보다 먼저 선발할 필요성이 인정되는지에 따라 달라질 수 있는 가변적인 성격을 가지고 있다. 자사고가 당초 도입취지와 달리 운영되고 있음은 앞서 본 바와 같고 자사고가 전기학교로 유지되리라는 기대 내지 신뢰는 자사고의 교육과정을 도입취지에 충실하게 운영할 것을 전제로 한 것이므로 그 전제가 충족되지 않은 이상 청구인 학교법인의 신뢰를 보호하여야 할 가치나 필요성은 그만큼 약하다. 고교서열화 및 입시경쟁 완화라는 공익은 매우 중대하고, 자사고를 전기학교로 유지할 경

우 우수학생 선점 문제를 해결하기 곤란하여 고교서열화 현상을 완화시키기 어렵다는 점, 청구인 학교법인의 신뢰의 보호가치가 작다는 점을 고려하면 이 사건 동시선발조항은 신뢰보호원칙에 위배되지 아니한다(2019.4.11, 2018헌마221).

④ [O] 소급입법은 새로운 입법으로 이미 종료된 사실관계 또는 법률관계에 작용케 하는 진정소급입법과 현재 진행 중인 사실관계 또는 법률관계에 작용케 하는 부진정소급입법으로 나눌 수 있는바, 부진정소급입법은 원칙적으로 허용되지만 소급효를 요구하는 공익상의 사유와 신뢰보호의 요청 사이의 교량과정에서 신뢰보호의 관점이 입법자의 형성권에 제한을 가하게 되는데 반하여, 기존의 법에 의하여 형성되어 이미 굳어진 개인의 법적 지위를 사후입법을 통하여 박탈하는 것 등을 내용으로 하는 진정소급입법은 개인의 신뢰보호와 법적 안정성을 내용으로 하는 법치국가원리에 의하여 특단의 사정이 없는 한 헌법적으로 허용되지 아니하는 것이 원칙이고, 다만 일반적으로 국민이 소급입법을 예상할 수 있었거나 법적 상태가 불확실하고 혼란스러워 보호할 만한 신뢰이익이 적은 경우와 소급입법에 의한 당사자의 손실이 없거나 아주 경미한 경우 그리고 신뢰보호의 요청에 우선하는 심히 중대한 공익상의 사유가 소급입법을 정당화하는 경우 등에는 예외적으로 진정소급입법이 허용된다(1999.7.22, 97헌바76 등).

40 정답 ①

❶ [O] 이 사건 지원배제지시는 특정한 정치적 견해를 표현한 청구인들을, 그러한 정치적 견해를 표현하지 않은 다른 신청자들과 구분하여 정부 지원사업에서 배제하여 차별적으로 취급한 것인데, 헌법상 문화국가원리에 따라 정부는 문화의 다양성·자율성·창조성이 조화롭게 실현될 수 있도록 중립성을 지키면서 문화를 육성하여야 함에도, 청구인들의 정치적 견해를 기준으로 이들을 문화예술계 지원사업에서 배제되도록 한 것은 자의적인 차별행위로서 청구인들의 평등권을 침해한다(2020.12.23, 2017헌마416).

② [X] 우리나라는 건국헌법 이래 문화국가의 원리를 헌법의 기본원리로 채택하고 있다(2004.5.27, 2003헌가1 등).

③ [X] 문화국가원리의 이러한 특성은 문화의 개방성 내지 다원성의 표지와 연결되는데, 국가의 문화육성의 대상에는 원칙적으로 모든 사람에게 문화창조의 기회를 부여한다는 의미에서 모든 문화가 포함된다. 따라서 엘리트문화뿐만 아니라 서민문화, 대중문화도 그 가치를 인정하고 정책적인 배려의 대상으로 하여야 한다(2004.5.27, 2003헌가1 등).

④ [X] 헌법은 문화국가를 실현하기 위하여 보장되어야 할 정신적 기본권으로 양심과 사상의 자유, 종교의 자유, 언론·출판의 자유, 학문과 예술의 자유 등을 규정하고 있는바, 개별성·고유성·다양성으로 표현되는 문화는 사회의 자율영역을 바탕으로 한다고 할 것이고, 이들 기본권은 견해와 사상의 다양성을 그 본질로 하는 문화국가원리의 불가결의 조건이라고 할 것이다. 문화국가원리의 실현과 문화정책문화국가원리는 국가의 문화국가실현에 관한 과제 또는 책임을 통하여 실현되는바, 국가의 문화정책과 밀접 불가분의 관계를 맺고 있다. 과거 국가절대주의사상의 국가관이 지배하던 시대에는 국가의 적극적인 문화간섭정책이 당연한 것으로 여겨졌다. 그러나 오늘날에 와서는 국가가 어떤 문화현상에 대하여도 이를 선호하거나, 우대하는 경향을 보이지 않는 불편부당의 원칙이 가장 바람직한 정책으로 평가받고 있다(2004.5.27, 2003헌가1 등).

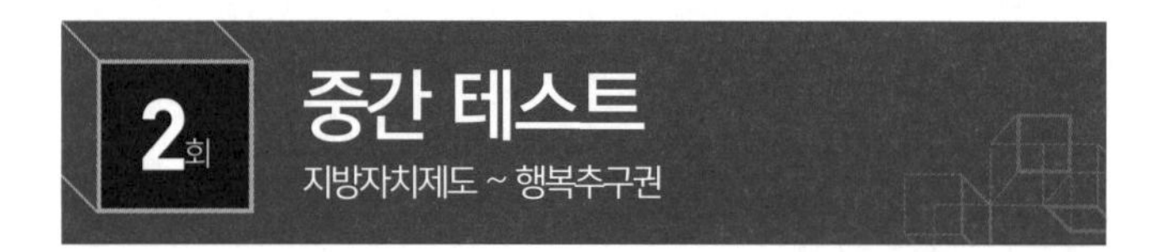

2회 중간 테스트

지방자치제도 ~ 행복추구권

정답

01	④	02	①	03	②	04	①
05	③	06	④	07	②	08	②
09	②	10	④	11	①	12	①
13	③	14	②	15	③	16	③
17	③	18	①	19	③	20	①
21	④	22	①	23	②	24	②
25	④	26	④	27	④	28	①
29	②	30	④	31	①	32	②
33	④	34	①	35	③	36	①
37	④	38	③	39	④	40	①

01 정답 ④

ㄱ. [O]

> 「주민투표법」 제7조 【주민투표의 대상】 ① 주민에게 과도한 부담을 주거나 중대한 영향을 미치는 지방자치단체의 주요결정사항으로서 그 지방자치단체의 조례로 정하는 사항은 주민투표에 부칠 수 있다.
> ② 제1항의 규정에 불구하고 다음 각 호의 사항은 이를 주민투표에 부칠 수 없다.
> 6. 동일한 사항(그 사항과 취지가 동일한 경우를 포함한다)에 대하여 주민투표가 실시된 후 2년이 경과되지 아니한 사항

ㄴ. [X]

> 「주민투표법」 제7조 【주민투표의 대상】 ① 주민에게 과도한 부담을 주거나 중대한 영향을 미치는 지방자치단체의 주요결정사항으로서 그 지방자치단체의 조례로 정하는 사항은 주민투표에 부칠 수 있다.

ㄷ. [O]

> 「주민투표법」 제24조 【주민투표 결과의 확정】 ① 주민투표에 부쳐진 사항은 주민투표권자 총수의 4분의 1 이상의 투표와 유효투표수 과반수의 득표로 확정된다. 다만, 다음 각 호의 어느 하나에 해당하는 경우에는 찬성과 반대 양자를 모두 수용하지 아니하거나, 양자택일의 대상이 되는 사항 모두를 선택하지 아니하기로 확정된 것으로 본다.
> 1. 전체 투표수가 주민투표권자 총수의 4분의 1에 미달되는 경우
> 2. 주민투표에 부쳐진 사항에 관한 유효득표수가 동수인 경우

ㄹ. [X]

> 「지방자치법」 제18조 【주민투표】 ① 지방자치단체의 장은 주민에게 과도한 부담을 주거나 중대한 영향을 미치는 지방자치단체의 주요결정사항 등에 대하여 주민투표에 부칠 수 있다.

ㅁ. [X] **주민투표권 행사를 위한 요건으로 주민등록을 요구함으로써 국내거소신고만 할 수 있고 주민등록을 할 수 없는 국내거주 재외국민에 대하여 주민투표권을 인정하지 않고 있는 「주민투표법」 제5조 제1항 중 '그 지방자치단체의 관할 구역에 주민등록이 되어 있는 자'에 관한 부분이 국내거주 재외국민의 평등권을 침해하는지 여부(적극)**

주민투표권은 헌법상의 열거되지 아니한 권리 등 그 명칭의 여하를 불문하고 헌법상의 기본권성이 부정된다는 것이 우리 재판소의 일관된 입장이라 할 것인데, 이 사건에서 그와 달리 보아야 할 아무런 근거를 발견할 수 없다. 그렇다면 이 사건 심판청구는 「헌법재판소법」 제68조 제1항의 헌법소원을 통해 그 침해 여부를 다툴 수 있는 기본권을 대상으로 하고 있는 것이 아니므로 그러한 한에서 이유 없다. 하지만 주민투표권이 헌법상 기본권이 아닌 법률상의 권리에 해당한다 하더라도 비교집단 상호 간에 차별이 존재할 경우에 헌법상의 평등권 심사까지 배제되는 것은 아니다. 이 사건 법률조항 부분은 주민등록만을 요건으로 주민투표권의 행사 여부가 결정되도록 함으로써 '주민등록을 할 수 없는 국내거주 재외국민'을 '주민등록이 된 국민인 주민'에 비해 차별하고 있고, 나아가 '주민투표권이 인정되는 외국인'과의 관계에서도 차별을 행하고 있는바, 그와 같은 차별에 아무런 합리적 근거도 인정될 수 없으므로 국내거주 재외국민의 헌법상 기본권인 평등권을 침해하는 것으로 위헌이다(2007.6.28, 2004헌마643).

02 정답 ①

❶ [X] 모든 지방자치단체를 전면적으로 폐지하거나 지방자치단체인 시·군이 수행해 온 자치사무를 국가의 사무로 이관하는 것이 아니라면, 지방자치단체의 중층구조를 어떻게 형성할 것인가에 관한 판단도 역시 입법자의 선택범위에 들어간다(2019.8.29, 2018헌마129).

② [O] 행정구 주민이 지방자치단체로서의 행정구 대표자를 선출할 수 없다고 하더라도, 여전히 기초자치단체인 시와 광역자치단체인 도의 대표자 선출에 참여할 수 있어, 행정구에서도 지방자치행정에 대한 주민 참여가 제도적으로 동일하게 유지되고 있다. 따라서 임명조항이 주민들의 민주적 요구를 수용하는 지방자치제와 민주주의의 본질과 정당성을 훼손할 위험이 있다고 단정할 수 없다(2019.8.29, 2018헌마129).

③ [O] 헌법 제117조 제2항은 지방자치단체의 종류를 법률로 정하도록 규정하고 있을 뿐 지방자치단체의 종류 및 구조를 명시하고 있지 않으므로 이에 관한 사항은 기본적으로 입법자에게 위임된 것이다(2019.8.29, 2018헌마129).

④ [O] 인구가 적거나 비슷한 다른 기초자치단체 주민에 비하여, 행정구에 거주하는 청구인이 행정구의 구청장이나 구의원을 선출하지 못하는 차이가 있지만, 이러한 차별취급이 자의적이거나 불합리하다고 보기 어려우므로, 임명조항은 행정구 주민의 평등권을 침해하지 아니한다(2019.8.29, 2018헌마129).

03 정답 ②

① [O]

> 「지방자치법」 제54조 【임시회】 ① 지방의회의원 총선거 후 최초로 집회되는 임시회는 지방의회 사무처장·사무국장·사무과장이 지방의회의원 임기 개시일부터 25일 이내에 소집한다.
> ② 지방자치단체를 폐지하거나 설치하거나 나누거나 합쳐 새로운 지

방자치단체가 설치된 경우에 최초의 임시회는 지방의회 사무처장·사무국장·사무과장이 해당 지방자치단체가 설치되는 날에 소집한다.

❷ [X]

「지방자치법」 제57조 【의장·부의장의 선거와 임기】 ① 지방의회는 지방의회의원 중에서 시·도의 경우 의장 1명과 부의장 2명을, 시·군 및 자치구의 경우 의장과 부의장 각 1명을 무기명투표로 선출하여야 한다.

③ [O]

「지방자치법」 제62조 【의장·부의장 불신임의 의결】 ① 지방의회의 의장이나 부의장이 법령을 위반하거나 정당한 사유 없이 직무를 수행하지 아니하면 지방의회는 불신임을 의결할 수 있다.
② 제1항의 불신임 의결은 재적의원 4분의 1 이상의 발의와 재적의원 과반수의 찬성으로 한다.

④ [O]

「지방자치법」 제72조 【의사정족수】 ① 지방의회는 재적의원 3분의 1 이상의 출석으로 개의한다.

04 정답 ①

❶ [X]

「지방자치법」 제28조 【조례】 ① 지방자치단체는 법령의 범위에서 그 사무에 관하여 조례를 제정할 수 있다. 다만, 주민의 권리 제한 또는 의무 부과에 관한 사항이나 벌칙을 정할 때에는 법률의 위임이 있어야 한다.

② [O] 「지방자치법」 제28조, 「행정규제기본법」 제4조 제3항에 의하면 지방자치단체가 조례를 제정함에 있어 그 내용이 주민의 권리 제한 또는 의무 부과에 관한 사항이나 벌칙인 경우에는 법률의 위임이 있어야 하므로, 법률의 위임 없이 주민의 권리 제한 또는 의무 부과에 관한 사항을 정한 조례는 효력이 없다(대판 2012.11.22, 2010두19270).

③ [O] 「지방자치법」 제28조 단서에 따라 주민의 권리 제한, 의무 부과, 벌칙을 정하려면 법률의 위임이 있어야만 하나, 수익적 조례(권리 실현)는 법률의 위임이 없어도 가능하다.

「지방자치법」 제28조 【조례】 지방자치단체는 법령의 범위에서 그 사무에 관하여 조례를 제정할 수 있다. 다만, 주민의 권리 제한 또는 의무 부과에 관한 사항이나 벌칙을 정할 때에는 법률의 위임이 있어야 한다.

④ [O] 법령보다 생활보호의 대상을 확대하는 조례는 생활보호법에 반하지 않으나(대판 1997.4.25, 96추244), 상위법령보다 더 높은 수준의 자동차등록기준을 정하는 차고지확보제도에 관한 조례안은 상위법령에 반한다(대판 1997.4.25, 96추251).

05 정답 ③

① [X]

「지방자치법」 제192조 【지방의회 의결의 재의와 제소】 ⑤ 주무부장관이나 시·도지사는 재의결된 사항이 법령에 위반된다고 판단됨에도 불구하고 해당 지방자치단체의 장이 소를 제기하지 아니하면 시·도에 대해서는 주무부장관이, 시·군 및 자치구에 대해서는 시·도지사(제2항에 따라 주무부장관이 직접 재의 요구 지시를 한 경우에는 주무부장관을 말한다)가 그 지방자치단체의 장에게 제소를 지시하거나 직접 제소 및 집행정지결정을 신청할 수 있다.

② [X]

「지방자치법」 제189조 【지방자치단체의 장에 대한 직무이행명령】 ① 지방자치단체의 장이 법령에 따라 그 의무에 속하는 국가위임사무나 시·도위임사무의 관리와 집행을 명백히 게을리하고 있다고 인정되면 시·도에 대해서는 주무부장관이, 시·군 및 자치구에 대해서는 시·도지사가 기간을 정하여 서면으로 이행할 사항을 명령할 수 있다.

❸ [O]

「지방자치법」 제123조 【부지사·부시장·부군수·부구청장】 ② 특별시·광역시 및 특별자치시의 부시장, 도와 특별자치도의 부지사는 대통령령으로 정하는 바에 따라 정무직 또는 일반직 국가공무원으로 보한다. 다만, 제1항 제1호 및 제2호에 따라 특별시·광역시 및 특별자치시의 부시장, 도와 특별자치도의 부지사를 2명이나 3명 두는 경우에 1명은 대통령령으로 정하는 바에 따라 정무직·일반직 또는 별정직 지방공무원으로 보하되, 정무직과 별정직 지방공무원으로 보할 때의 자격기준은 해당 지방자치단체의 조례로 정한다.
③ 제2항의 정무직 또는 일반직 국가공무원으로 보하는 부시장·부지사는 시·도지사의 제청으로 행정안전부장관을 거쳐 대통령이 임명한다. 이 경우 제청된 사람에게 법적 결격사유가 없으면 시·도지사가 제청한 날부터 30일 이내에 임명절차를 마쳐야 한다.

④ [X]

「지방자치법」 제123조 【부지사·부시장·부군수·부구청장】 ④ 시의 부시장, 군의 부군수, 자치구의 부구청장은 일반직 지방공무원으로 보하되, 그 직급은 대통령령으로 정하며 시장·군수·구청장이 임명한다.

06 정답 ④

① [X] 「지방자치법」 개정을 통하여 자치사무에 대한 감사를 축소한 경위 등을 살펴보면, 자치사무에 관한 한 중앙행정기관과 지방자치단체의 관계가 상하의 감독관계에서 상호보완적 지도·지원의 관계로 변화되었다(2009.5.28, 2006헌라6).

② [X] 중앙행정기관이 구 「지방자치법」 제158조 단서 규정상의 감사에 착수하기 위해서는 자치사무에 관하여 특정한 법령 위반행위가 확인되었거나 위법행위가 있었으리라는 합리적 의심이 가능한 경우이어야 하고, 또한 그 감사대상을 특정해야 한다. 따라서 전반기 또는 후반기 감사와 같은 포괄적·사전적 일반감사나 위법사항을 특정하지 않고 개시하는 감사 또는 법령 위반사항을 적발하기 위한 감사는 모두 허용될 수 없다(2009.5.28, 2006헌라6).

③ [X] 2019년 행시

> 「지방자치법」 제190조 【지방자치단체의 자치사무에 대한 감사】 ① 행정안전부장관이나 시·도지사는 지방자치단체의 자치사무에 관하여 보고를 받거나 서류·장부 또는 회계를 감사할 수 있다. 이 경우 감사는 법령 위반사항에 대해서만 한다.

❹ [O] 중앙행정기관이 구 「지방자치법」 제158조 단서규정상의 감사에 착수하기 위해서는 자치사무에 관하여 특정한 법령 위반행위가 확인되었거나 위법행위가 있었으리라는 합리적 의심이 가능한 경우이어야 하고, 또한 그 감사대상을 특정해야 한다. 따라서 전반기 또는 후반기 감사와 같은 포괄적·사전적 일반감사나 위법사항을 특정하지 않고 개시하는 감사 또는 법령 위반사항을 적발하기 위한 감사는 모두 허용될 수 없다(2009.5.28, 2006헌라6).

07 정답 ②

① [X] 프랑스와 달리 미국은 기본권을 국가권력에 대한 방어적 의미로서 이해하여 기본권의 객관적 질서로서의 성격은 인정되고 있지 않다.

❷ [O] 칼슈미트는 국가로부터의 자유를 강조하고 국가의 부작위를 강조하다보니 국가의 작위가 요구되는 사회적 기본권과 기본권의 대사인적 효력을 설명하기에는 어려움이 있다.

③ [X] 오늘날 개인의 자유와 권리는 국가에 의해서만 침해되는 것이 아니라 사회적 세력이나 단체 또는 개인에 의해서도 침해될 뿐만 아니라 그 수가 점차 증가하고 있다. 따라서 이들에 대해서도 기본권을 보호해야 할 현실적 필요성에 따라 즉 기본권의 대사인적 효력의 문제가 대두되게 되었다. 2010년 사시

④ [X] 기본권은 법률안의 자유가 아니다. 기본권은 법률의 범위 내에서 효력이 인정되는 것이 아니라 입법권을 구속한다.

08 정답 ②

① [X] 「출입국관리법」에 따른 영주의 체류자격 취득일 후 3년이 경과한 외국인으로서 해당 지방자치단체의 외국인등록대장에 올라 있는 사람은 그 구역에서 선거하는 지방자치단체의 의회의원 및 장의 선거권이 있다(「지방자치법」 제15조 제2항 제3호). 그러나 지방자치단체장의 선거권은 헌법상의 기본권이 아니다.

❷ [O] 종교의 자유나 양심의 자유, 언론, 집회, 결사의 자유는 19세 미만이라도 행사능력이 인정된다. 따라서 기본권 행사능력은 「민법」의 성년을 기준으로 하지 않는다.

③ [X] 미성년자는 서신비밀의 자유와 결사의 자유의 주체가 되나, 행사능력은 부모에 의해 제한받을 수 있다.

④ [X] 거소지정권으로 제한되는 기본권의 유형은 헌법 제14조 거주·이전의 자유이다.

09 정답 ②

ㄱ. [X] 헌법에 저항권에 대한 명시적 규정은 없다.

ㄴ. [X] 헌법에 소비자 권리에 대한 명시적 규정은 없다.

> 헌법 제124조 국가는 건전한 소비행위를 계도하고 생산품의 품질향상을 촉구하기 위한 소비자 보호운동을 법률이 정하는 바에 의하여 보장한다.

ㄷ. [X] 헌법에 명시적 규정은 없지만, 자연법적 권리이자 헌법 제10조 등에서 도출되는 기본권이다.

ㄹ. [X] 우리 헌법은 생명권을 직접 규정하고 있지는 않다.

ㅁ. [X] 독일 헌법은 법인의 기본권 주체성을 직접 규정하고 있다.

ㅂ. [X] 재판을 받을 권리는 헌법에 규정되어 있지만 '공정한'이라는 규정은 명문에 없다. 물론 당연히 공정한 재판을 받을 권리도 헌법상 기본권이다.

ㅅ. [O]

> 헌법 제31조 ① 모든 국민은 능력에 따라 균등하게 교육을 받을 권리를 가진다.

ㅇ. [X] 교사의 수업권은 헌법에 직접 규정되어 있지는 않다. 헌법재판소는 헌법 제31조에서 도출되는 것에서는 부정적이었다.

ㅈ. [X] 헌법에 규정은 없고 「공공기관 정보공개에 관한 법률」 규정이 있다.

ㅊ. [X] 헌법에 규정은 없고 헌법재판소 판례에서 인정되고 있다.

ㅋ. [X] 기본권은 헌법상 권리를 뜻하나, 헌법에 규정은 없고 「헌법재판소법」 제68조 제1항에 규정이 있다.

ㅌ. [X]

> 헌법 제18조 모든 국민은 통신의 비밀을 침해받지 아니한다.

ㅍ. [O] 현행헌법 제12조 제1항과 제3항에 최초로 규정되었다.

ㅎ. [X] 장애인의 우선적으로 취업의 기회 보장을 받을 권리는 명시적 규정은 없다.

> 헌법 제32조 ① 모든 국민은 근로의 권리를 가진다. 국가는 사회적·경제적 방법으로 근로자의 고용의 증진과 적정임금의 보장에 노력하여야 하며, 법률이 정하는 바에 의하여 최저임금제를 시행하여야 한다.
> ② 모든 국민은 근로의 의무를 진다. 국가는 근로의 의무의 내용과 조건을 민주주의원칙에 따라 법률로 정한다.
> ③ 근로조건의 기준은 인간의 존엄성을 보장하도록 법률로 정한다.
> ④ 여자의 근로는 특별한 보호를 받으며, 고용·임금 및 근로조건에 있어서 부당한 차별을 받지 아니한다.
> ⑤ 연소자의 근로는 특별한 보호를 받는다.
> ⑥ 국가유공자·상이군경 및 전몰군경의 유가족은 법률이 정하는 바에 의하여 우선적으로 근로의 기회를 부여받는다.

10 정답 ④

① [O] 원고는 대한민국에서 출생하여 오랜 기간 대한민국 국적을 보유하면서 거주한 사람이므로 이미 대한민국과 실질적 관련성이 있거나 대한민국에서 법적으로 보호가치 있는 이해관계를 형성하였다고 볼 수 있다. 또한 재외동포의 대한민국 출입국과 대한민국 안에서의 법적 지위를 보장함을 목적으로 「재외동포의 출입국과 법적 지위에 관한 법률」이 특별히 제정되어 시행 중이다. 따라서 원고는 이 사건 사증발급 거부처분의 취소를 구할 법률상 이익이 인정되므로, 원고적격 또는 소의 이익이 없어 이 사건 소가 부적법하다는 피고의 주장은 이유 없다(대판 2019.7.11, 2017두38874).

② [O] 사증발급 거부처분을 다투는 외국인은, 아직 대한민국에 입국하지 않은 상태에서 대한민국에 입국하게 해달라고 주장하는 것으로, 대한민국과의 실질적 관련성 내지 대한민국에서 법적으로 보호가치 있는 이해관계를 형성한 경우는 아니어서, 해당 처분의 취소를 구할 법률상 이익을 인정하여야 할 법정책적 필요성도 크지 않다. 반면, 「국적법」상 귀화불허가처분이나 「출입국관리법」상 체류자격변경 불허가처분, 강제퇴거명령 등을 다투는 외국인은 대한민국에 적법하게 입국하여 상당한 기간을 체류한 사람이므로, 이미 대한민국과의 실질적 관련성 내지 대한민국에서 법적으로 보호가치 있는 이해관계를 형성한 경우이어서, 해당 처분의 취소를 구할 법률상 이익이 인정된다고 보아야 한다. 나아가 중화인민공화국 출입경관리법 제36조 등은 외국인이 사증발급 거부 등 출입국 관련 제반 결정에 대하여 불복하지 못하도록 명문의 규정을 두고 있으므로, 국제법의 상호주의원칙상 대한민국이 중국 국적자에게 우리 출입국관리 행정청의 사증발급 거부에 대하여 행정소송 제기를 허용할 책무를 부담한다고 볼 수는 없다. 이와 같은 사증발급의 법적 성질, 「출입국관리법」의 입법목적, 사증발급신청인의 대한민국과의 실질적 관련성, 상호주의원칙 등을 고려하면, 우리 「출입국관리법」의 해석상 외국인에게는 사증발급 거부처분의 취소를 구할 법률상 이익이 인정되지 않는다고 봄이 타당하다(대판 2018.5.15, 2014두42506).

③ [O] 외국 국적의 동포들 사이에 「재외동포의 출입국과 법적 지위에 관한 법률」 수혜대상에서 차별하는 것이 평등권 침해라는 것으로서 성질상 위와 같은 제한을 받는 것이 아니고 상호주의가 문제되는 것도 아니므로, 청구인들에게 기본권 주체성을 인정함에 아무런 문제가 없다(2001.11.29.99 헌마494).

❹ [X] 청구인들이 불법체류 중인 외국인들이라 하더라도, 불법체류라는 것은 관련 법령에 의하여 체류자격이 인정되지 않는다는 것일 뿐이므로, '인간의 권리'로서 외국인에게도 주체성이 인정되는 일정한 기본권에 관하여 불법체류 여부에 따라 그 인정 여부가 달라지는 것은 아니다. 청구인들이 침해받았다고 주장하고 있는 신체의 자유, 주거의 자유, 변호인의 조력을 받을 권리, 재판청구권 등은 성질상 인간의 권리에 해당한다고 볼 수 있으므로, 위 기본권들에 관하여는 청구인들의 기본권 주체성이 인정된다. 그러나 '국가인권위원회의 공정한 조사를 받을 권리'는 헌법상 인정되는 기본권이라고 하기 어렵고, 이 사건 보호 및 강제퇴거가 청구인들의 노동3권을 직접 제한하거나 침해한 바 없음이 명백하므로, 위 기본권들에 대하여는 본안판단에 나아가지 아니한다(2012.8.23, 2008헌마430).

11 정답 ①

❶ [X] 현대법치국가에서는 국가와 특별한 관계에 있는 국민에 대해 기본권 보호의 사각지대를 인정한 특별권력관계이론은 더 이상 정당성을 인정받지 못하는 이론이다. 모든 국가기관이 기본권의 구속을 받는 헌법국가에서 기본권의 구속으로부터 자유로운 국가행위의 영역은 인정되지 않는다(2001.3.21, 99헌마139 등).

② [O] 국가의 사경제적 행위 또는 국고작용은 국가가 사인과 대등한 지위에서 행한 행위이므로 국가를 우대해서는 안 되므로 평등권은 국가를 구속한다. 다만, 국가의 사경제적 행위 또는 국고작용은 공권력 행사는 아니므로 헌법소원의 대상이 되지 않는다.

③ [O] 관리작용에 기본권의 효력이 미친다는 점에 대해서는 별 이견이 없으나, 국고작용에 기본권의 대국가적 효력이 미치는지에 대해서는 부정설과 긍정설이 대립하며 긍정설이 다수설이다.

④ [O] 비록 고도의 정치적 결단에 의하여 행해지는 국가긴급권의 행사라고 할지라도 그것이 국민의 기본권 침해와 직접 관련되는 경우에는 헌법재판소의 심판대상이 될 수 있다(1996.2.29, 93헌마186).

12 정답 ①

ㄱ. [X] 심판대상조항은 정신질환자의 보호의무자 2인의 동의와 정신과전문의 1인의 진단만 있으면 정신질환자를 본인의 의사에 반하여 6개월까지 정신의료기관에 입원시킬 수 있도록 하고 있으므로, 정신질환자의 신체의 자유를 제한한다. 그런데 위와 같이 기본권을 제한하기 위해서는 헌법 제37조 제2항에 따른 과잉금지원칙을 준수하여야 하는바, 심판대상조항이 과잉금지원칙을 위반하여 정신질환자의 신체의 자유를 침해하는지 여부를 살펴본다(2016.9.29, 2014헌가9).

ㄴ. [X] 자동차를 도로에서 운전하는 중에 좌석안전띠를 착용할 것인가의 여부의 생활관계가 개인의 전체적 인격과 생존에 관계되는 '사생활의 기본조건'이라거나 자기결정의 핵심적 영역 또는 인격적 핵심과 관련된다고 보기 어렵다. 그렇다면 운전할 때 운전자가 좌석안전띠를 착용하는 문제는 더 이상 사생활영역의 문제가 아니어서 사생활의 비밀과 자유에 의하여 보호되는 범주를 벗어난 행위라고 볼 것이므로, 이 사건 심판대상조항들은 청구인의 사생활의 비밀과 자유를 침해하는 것이라 할 수 없다(2003.10.30, 2002헌마518). 따라서 본 결정은 일반적 행동자유권의 침해 여부와 관련된 사안이다.

ㄷ. [O] 이 사건 시행령 조항은 지문정보의 수집에 관한 규정이고, 개인의 고유성, 동일성을 나타내는 지문은 그 정보주체를 타인으로부터 식별가능하게 하는 개인정보이므로, 시장, 군수 또는 구청장이 개인의 지문정보를 수집하는 것은 청구인들의 개인정보자기결정권을 제한한다. 청구인들은 이 밖에도 인간의 존엄과 가치, 행복추구권, 일반적 행동자유권, 사생활의 비밀과 자유, 양심의 자유가 침해되었다고 주장하나, 위 조항과 관련된 주된 기본권이 개인정보자기결정권이므로 이를 중심으로 하여 판단하기로 한다(2015.5.28, 2011헌마731).

ㄹ. [O] 청구인은 이 사건 보험가입조항이 재산권을 침해하고 헌법 제119조에도 위배된다고 주장하나, 이 사건 보험가입조항으로 인한 청구인 재산의 감소는 계약의 자유를 제한하는 데서 부수적으로 발생하는 것이고, 헌법 제119조 제1항이 규율하는 개인의 경제상 자유의 하나가 계약의 자유이므로(2006.3.30, 2005헌마349 참조), 위 주장에 관하여서는 별도로 판단하지 않는다. 한편, 청구인은 심판대상조항이 헌법 제34조에도 위배된다는 취지로 주장하나, 이 사건은 헌법 제34조 제1항의 인간다운 생활을 할 권리 등과 직접적인 관련이 없으므로, 위 주장에 관하여서도 별도로 판단하지 않는다(2016.7.28, 2015헌마915).

13 정답 ③

① [X]

<기본권의 경합과 충돌 비교>

구분	기본권 경합	기본권 충돌
기본권 침해주체	국가	사인
기본권의 효력	대국가적 효력	대사인적 효력과 대국가적 효력

② [X] 두 기본권이 충돌하는 경우 그 해법으로는 기본권의 서열이론, 법익형량의 원리, 실제적 조화의 원리(= 규범조화적 해석) 등을 들 수 있다. 헌법재판소는 기본권 충돌의 문제에 관하여 충돌하는 기본권의 성격과 태양에 따라 그때그때마다 적절한 해결방법을 선택, 종합하여 이를 해결하여 왔다. 예컨대, 「국민건강증진법 시행규칙」 제7조 위헌확인 사건에서 흡연권과 혐연권의 관계처럼 상하의 위계질서가 있는 기본권끼리 충돌하는 경우에는 상위 기본권

우선의 원칙에 따라 하위 기본권이 제한될 수 있다고 보아서 흡연권은 혐연권을 침해하지 않는 한에서 인정된다고 판단한 바 있다(2004.8.26, 2003헌마457). 또, 「정기간행물의 등록 등에 관한 법률」 제16조 제3항 등 위헌 여부에 관한 헌법소원사건에서 동법 소정의 정정보도청구권(반론권)과 보도기관의 언론의 자유가 충돌하는 경우에는 헌법의 통일성을 유지하기 위하여 상충하는 기본권 모두가 최대한으로 그 기능과 효력을 발휘할 수 있도록 하는 조화로운 방법이 모색되어야 한다고 보고, 결국은 정정보도청구제도가 과잉금지의 원칙에 따라 그 목적이 정당한 것인가 그러한 목적을 달성하기 위하여 마련된 수단 또한 언론의 자유를 제한하는 정도가 인격권과의 사이에 적정한 비례를 유지하는 것인가의 관점에서 심사를 한 바 있다(2005.11.24, 2002헌바95 등).

❸ [O] 이 사건 법률조항에 대한 청구인의 주장과 입법자 동기를 고려하면 계약의 자유와 가장 밀접한 관계가 있고 재산권 제한은 2차적으로 발생하는 문제이므로 계약의 자유를 중심으로 이 사건 법률조항의 위헌 여부를 심판하기로 한다(2013.12.26, 2011헌바234 등).

④ [X] 이 사건 규정이 결과적으로 청구인의 경우 신 공사만을 통해 방송광고 판매를 하도록 강제한다는 점에서 계약의 자유를 제한하는 측면이 없는 것은 아니나, 이 사건 규정은 개별 방송광고 판매에 대한 제한에 초점이 있다기보다 청구인 사업목적의 하나인 방송광고 판매를 신 공사라는 공영미디어렙을 통해서만 할 수 있도록 하여 그 방송광고 판매업무 전체의 수행방식을 제한한다는 점에서 직업수행의 자유 제한과 더 밀접하게 관련이 있다고 할 것이므로 이 문제와 관련해서는 직업수행의 자유를 중심으로 살펴본다(2013.9.26, 2012헌마271).

⑤ [X] 특정한 노동조합의 조합원이 될 것을 고용조건으로 할 경우 근로자의 단결하지 아니할 자유 뿐 아니라 단결선택권도 제한된다. 근로자의 단결선택권과 노동조합의 집단적 단결권이 충돌하는 경우 어느 기본권이 더 상위기본권이라고 단정할 수 없다. 이 사건 법률조항이 근로자의 단결선택권을 제한하고 있으나 근로자의 3분의 2 이상을 대표하는 노동조합에 한해 근로자의 노동조합 가입을 강제함으로써 근로자의 단결선택권과 노동조합의 집단적 단결권 사이에 균형을 도모하고 있으므로 비례원칙에 위반되지 아니한다(2005.11.24, 2002헌바95 등).

14

정답 ②

① [X]

<법익형량과 규범조화적 해석 비교>

구분	법익형량(이익형량)	규범조화적 해석
기본권 간의 위계질서 전제	O	X
해결이론	• 상위기본권 우선 • 생명권, 존엄성 우선 • 자유권과 인격권 우선	• 과잉금지 • 대안식 해결 • 최후수단 억제성

❷ [O] 기본권 간에 우열이 있는 경우도 있지만 종교의 자유와 언론의 자유처럼 우열을 인정하기 힘든 경우도 있어 기본권의 서열을 전제로 하는 이익형량은 제한적 해결방식이다. 2007년 사시

③ [X] 기본권 충돌의 문제해결은 우선 유사충돌과 기본권 충돌을 구분해야 한다. 유사충돌인 경우에는 기본권을 남용한 자의 기본권은 인정될 수 없으므로 규범조화적 해석이나 법익형량원칙은 적용되지 않는다.

④ [X] 기본권 충돌시 법익형량은 구체적 상황에서 법익을 형량해서 법익이 더 큰 기본권을 우선적으로 보장하는 해결방식이다.

15

정답 ③

ㄱ. [X] 양 기본권의 조정이 가능하면 규범조화적 해석, 조정이 불가하다면 법익형량에 따라 기본권 충돌을 해결해야 한다.

ㄴ. [O] 고등학교 평준화정책에 따른 학교 강제배정제도가 위헌이 아니라고 하더라도 여전히 종립학교(종교단체가 설립한 사립학교)가 가지는 종교교육의 자유 및 운영의 자유와 학생들이 가지는 소극적 종교행위의 자유 및 소극적 신앙고백의 자유 사이에 충돌이 생기게 되는데, 이와 같이 하나의 법률관계를 둘러싸고 두 기본권이 충돌하는 경우에는 구체적인 사안에서의 사정을 종합적으로 고려한 이익형량과 함께 양 기본권 사이의 실제적인 조화를 꾀하는 해석 등을 통하여 이를 해결하여야 하고, 그 결과에 따라 정해지는 양 기본권 행사의 한계 등을 감안하여 그 행위의 최종적인 위법성 여부를 판단하여야 한다(대판 2010.4.22, 2008다38288).

ㄷ. [O] 친양자 입양은 친생부모의 기본권과 친양자가 될 자의 기본권이 서로 대립·충돌하는 관계라고 볼 수 있다. 그리고 이들 기본권은 공히 가족생활에 대한 기본권으로서 그 서열이나 법익의 형량을 통하여 어느 한쪽의 기본권을 일방적으로 우선시키고 다른 쪽을 후퇴시키는 것은 부적절하다(2012.5.31, 2010헌바87).

ㄹ. [X] 교사의 수업권은 교사의 지위에서 생겨나는 직권인데, 그것이 헌법상 보장되는 기본권이라고 할 수 있느냐에 대하여서는 이를 부정적으로 보는 견해가 많으며, 설사 헌법상 보장되고 있는 학문의 자유 또는 교육을 받을 권리의 규정에서 교사의 수업권이 파생되는 것으로 해석하여 기본권에 준하는 것으로 간주하더라도 수업권을 내세워 수학권을 침해할 수는 없으며 국민의 수학권의 보장을 위하여 교사의 수업권은 일정 범위 내에서 제약을 받을 수밖에 없는 것이다(1992.11.12, 89헌마88).

ㅁ. [X] 이 사건 법률조항은 사생활의 비밀 또는 자유를 침해할 우려가 있는 정보를 비공개대상으로 할 수 있도록 함으로써, 국민의 알 권리(정보공개청구권)와 개인정보주체의 사생활의 비밀과 자유가 서로 충돌하게 된다. 이 경우에 기본권의 서열이나 법익의 형량을 통하여 어느 한 쪽의 기본권을 우선시키고 다른 쪽의 기본권을 후퇴시킬 수는 없다. 양자는 모두 자유권적 기본권에 해당하므로 어느 하나를 상위 기본권이라거나 또는 어느 쪽이 우월하다고 할 수는 없기 때문이다. 따라서 헌법의 통일성을 유지하기 위하여 상충하는 기본권 모두가 최대한으로 그 기능과 효력을 발휘할 수 있도록 조화로운 방법을 모색하되(규범조화적 해석), 법익형량의 원리, 입법에 의한 선택적 재량 등을 종합적으로 참작하여 심사하여야 한다(2010.12.28, 2009헌바258).

ㅂ. [O] 이 사건과 같이 두 기본권이 충돌하는 경우 헌법의 통일성을 유지하기 위하여 상충하는 기본권 모두 최대한으로 그 기능과 효력을 발휘할 수 있도록 조화로운 방법이 모색되어야 하므로, 위에서 본 바와 같이 정당한 목적을 위한 적합한 수단인 이 사건 인가처분이 청구인 엄○모의 직업선택의 자유를 제한하는 정도와 대학의 자율성을 보호하는 정도 사이에 적정한 비례를 유지하고 있는지를 살펴본다(2013.5.30, 2009헌마514).

16

정답 ③

ㄱ. [O] 헌법은 처분적 법률로서 개인대상법률 또는 개별사건법률의 정의를 따로 두고 있지 않음은 물론, 처분적 법률의 제정을 금하는 명문의 규정도 두고 있지 않은바, 특정 규범이 개인대상 또는 개별사건 법률에 해당한다고 하여 그것만으로 바로 헌법에 위반되는 것은 아니다. 따라서 연합뉴스사를 위한 심판대상조항의 차별적 규율이 합리적인 이유로 정당화되는 경우에는 이러한 처분적 법률도 허용된다(2005.6.30, 2003헌마841). 2014년 사시, 2018년 경찰승진

ㄴ. [X] 청구인들은, 이 법률조항은 '연기·공주'라는 특정 지역에 거주하는 주민이면서 특정 범위의 국민인 청구인들에 대하여만 특별한 희생을 강요하는 처분적 법률이며, '연기·공주지역'의 주민들을 다른 지역의 주민들에 비하여 합리적인 근거 없이 차별적 대우를 하는 것으로서 평등권을 침해한다고 주장한다. 우선, 이 법률조항은 이 사건 처분을 매개로 하여 집행된다는 점에서 처분적 법률이라고 할 수 없으므로, 이 부분 주장은 더 나아가 살필 것 없이 이유 없다(2009.2.26, 2007헌바41). 2014년 사시, 2018년 경찰승진

ㄷ. [X] 청구인들은 이 사건 귀속조항이 처분적 법률이므로 위헌이라고 주장하나, 우리 헌법은 처분적 법률로서 개인대상법률 또는 개별사건법률의 정의를 따로 두고 있지 않음은 물론, 이러한 처분적 법률의 제정을 금하는 명문의 규정도 두고 있지 않은바, 특정 규범이 개인대상 또는 개별사건법률에 해당한다고 하여 그것만으로 바로 헌법에 위반되는 것은 아니라고 할 것이다. 따라서 처분적 법률이므로 위헌이라는 청구인들의 주장은 주장 자체로 이유 없고, 나아가 이 사건 법률조항들은 친일반민족행위자의 친일재산에 일반적으로 적용되는 것이므로 위 법률조항들을 처분적 법률로 보기도 어렵다. 그러므로 청구인들의 이 부분 주장은 받아들일 수 없다(2011.3.31, 2008헌바141 등).

ㄹ. [○] 이 사건 법률 제2조가 처분적 법률에 해당한다는 청구인들의 주장은 결국 위 조항으로 인하여 청구인들의 평등권이 침해되었다는 주장으로 볼 것인바, … 그 판단에는 본질적으로 국회의 폭넓은 재량이 인정된다. 따라서 국회가 여러 사정을 고려하여 이 사건 법률 제2조가 규정하고 있는 사안들에 대하여 특별검사에 의한 수사를 실시하도록 한 것이 명백히 자의적이거나 현저히 부당한 것이라고 단정하기 어렵다. 처분적 법률의 성격을 가지는 이 사건 법률 제2조에 의한 차별적 규율은 위와 같이 정당화되므로 청구인들이 위 조항에 의하여 이 사건 법률에 의한 수사대상이 되어 심문을 받게 되더라도 그러한 심문을 가리켜 적법절차원칙 내지 과잉금지원칙에 위반되는 불법적인 심문, 즉 위헌적인 혹은 위법한 심문이라 할 수 없고, 따라서 이 사건 법률 제2조에 의하여 청구인들의 신체의 자유, 즉 불법적인 심문을 받지 않을 권리가 침해되었다고 볼 수 없다(2008.1.10, 2007헌마1468). 2014년 사시, 2018년 경찰승진

ㅁ. [X] 개별인 법률도 합리적 이유가 있다면 허용된다.

ㅂ. [○] 기본권을 제한하는 법률은 일반성과 추상성을 띠어야 한다. 법률의 일반성은 규범수신인이 불특정 다수인이라는 것을 의미한다. 추상성은 규율대상사건이 불특정 다수라는 것을 의미한다. 즉, 일정한 요건이 충족되면 모든 사건에 적용되는 법률의 성질이다. 이에 비해 개별인적 법률과 개별사건적 법률과 같은 처분적 법률은 평등권을 침해할 소지가 있으므로 처분적 법률로 기본권을 제한하는 것은 원칙적으로 금지된다. 다만, 현대적 평등은 합리적 차별이 가능한 원리이므로 처분적 법률에 의한 기본권 제한이 합리적 차별에 해당하는 경우라면 예외적으로 허용될 수 있다.

17

정답 ③

ㄱ. [○] 「헌법재판소법」 제68조 제1항에서 공권력의 불행사에 대한 헌법소원심판의 청구를 허용하고 있으며 위 규정의 공권력 중에는 입법권도 당연히 포함되므로 입법부작위에 대한 헌법소원이 허용되나, 헌법에서 기본권 보장을 위해 법령에 명시적으로 입법위임을 하였음에도 불구하고 입법자가 이를 이행하지 않고 있는 경우 또는 헌법 해석상 특정인의 기본권을 보호하기 위한 국가의 입법의무가 발생하였음이 명백함에도 불구하고 입법자가 전혀 아무런 입법조치를 취하지 않고 있는 경우에 한하여 그 입법부작위가 헌법소원의 대상이 된다 함이 우리 헌법재판소의 판례이므로, 이 사건의 입법부작위는 본안에 대한 판단에서 보는 바와 같이 대상적격이 있다고 해석된다(1994.12.29, 89헌마2). 2005년 법행

ㄴ. [○] 헌법에서 기본권 보장을 위해 법령에 명시적인 입법위임을 하였음에도 입법자가 이를 이행하지 않을 때, 그리고 헌법 해석상 특정인에게 구체적인 기본권이 생겨 이를 보장하기 위한 국가의 행위의무 내지 보호의무가 발생하였음이 명백함에도 불구하고 입법자가 전혀 아무런 입법조치를 취하고 있지 않은 경우가 여기에 해당될 것이며, 이때에는 입법부작위가 헌법소원의 대상이 된다고 봄이 상당할 것이다(1989.3.17, 88헌마1). 2008년 사시

ㄷ. [X] 대한민국은 위 군정법령에 근거한 수용에 대하여 보상에 관한 법률을 제정하여야 하는 입법자의 헌법상 명시된 입법의무가 발생하였으며, 위 폐지법률이 시행된 지 30년이 지나도록 입법자가 전혀 아무런 입법조치를 취하지 않고 있는 것은 입법재량의 한계를 넘는 입법의무 불이행으로서 보상청구권이 확정된 자의 헌법상 보장된 재산권을 침해하는 것이므로 위헌이다(1994.12.29, 89헌마2). 2005년 법행

ㄹ. [X] 기본권 보장을 위한 법규정이 불완전하여 보충을 요하는 경우에는 그 불완전한 법규 자체를 대상으로 하여 그것이 헌법 위반이라는 적극적인 헌법소원을 청구함은 별론으로 하고, 입법부작위를 헌법소원의 대상으로 삼을 수는 없다(1999.1.28, 97헌마9). 2005년 법행

ㅁ. [X] 삼권분립의 원칙, 법치행정의 원칙을 당연한 전제로 하고 있는 우리 헌법하에서 행정권의 행정입법 등 법집행의무는 헌법적 의무라고 보아야 할 것이다. 그런데 이는 행정입법의 제정이 법률의 집행에 필수불가결한 경우로서 행정입법을 제정하지 아니하는 것이 곧 행정권에 의한 입법권 침해의 결과를 초래하는 경우를 말하는 것이므로, 만일 하위 행정입법의 제정 없이 상위법령의 규정만으로도 집행이 이루어질 수 있는 경우라면 하위행정입법을 하여야 할 헌법적 작위의무는 인정되지 아니한다(2013.5.30, 2011헌마198). 2016년 변시

ㅂ. [○] 삼권분립의 원칙, 법치행정의 원칙을 당연한 전제로 하고 있는 우리 헌법하에서 행정권의 행정입법 등 법집행의무는 헌법적 의무라고 보아야 할 것이다(2013.5.30, 2011헌마198). 2016년 변시

18

정답 ①

ㄱ. [○] 국가가 소극적 방어권으로서의 기본권을 제한하는 경우 그 제한은 헌법 제37조 제2항에 따라 국가안전보장·질서유지 또는 공공복리를 위하여 필요한 경우에 한하고, 자유와 권리의 본질적인 내용을 침해할 수는 없으며 그 형식은 법률에 의하여야 하고 그 침해범위도 필요최소한도에 그쳐야 한다. 그러나 국가가 적극적으로 국민의 기본권을 보장하기 위한 제반조치를 취할 의무를 부담하는 경우에는 설사 그 보호의 정도가 국민이 바라는 이상적인 수준에 미치지 못한다고 하여 언제나 헌법에 위반되는 것으로 보기 어렵다. 국가의 기본권 보호의무의 이행은 입법자의 입법을 통하여 비로소 구체화되는 것이고, 국가가 그 보호의무를 어떻게 어느 정도로 이행할 것인지는 입법자가 제반 사정을 고려하여 입법정책적으로 판단하여야 하는 입법재량의 범위에 속하는 것이기 때문이다(2008.7.31, 2004헌바81).

ㄴ. [○] 일정한 경우 국가는 사인인 제3자에 의한 국민의 환경권 침해에 대해서도 적극적으로 기본권 보호조치를 취할 의무를 지나, 헌법재판소가 이를 심사할 때에는 국가가 국민의 기본권적 법익 보호를 위하여 적어도 적절하고 효율적인 최소한의 보호조치를 취했는가 하는 이른바 '과소보호금지원칙'의 위반 여부를 기준으로 삼아야 한다(2008.7.31, 2006헌마711).

ㄷ. [X] 국민의 기본권에 대한 국가의 적극적 보호의무는 궁극적으로 입법자의 입법행위를 통하여 비로소 실현될 수 있는 것이기 때문에, 입법자의 입법행위를 매개로 하지 아니하고 단순히 기본권이 존재한다는 것만으로 헌법상 광범위한 방어적 기능을 갖게되는 기본권의

소극적 방어권으로서의 측면과 근본적인 차이가 있다. 즉 기본권에 대한 보호의무자로서의 국가는 국민의 기본권에 대한 침해자로서의 지위에 서는 것이 아니라 국민과 동반자로서의 지위에 서는 점에서 서로 다르다. 따라서 국가가 국민의 기본권을 보호하기 위한 충분한 입법조치를 취하지 아니함으로써 기본권 보호의무를 다하지 못하였다는 이유로 입법부작위 내지 불완전한 입법이 헌법에 위반된다고 판단하기 위하여는, 국가권력에 의해 국민의 기본권이 침해당하는 경우와는 다른 판단기준이 적용되어야 마땅하다(1997.1.16, 90헌마110 등).

ㄹ. [X] 입법자가 기본권 보호의무를 최대한 실현하는 것이 이상적이지만, 그러한 이상적 기준이 헌법재판소가 위헌 여부를 판단하는 심사기준이 될 수는 없으며, 헌법재판소는 권력분립의 관점에서 소위 '과소보호금지원칙'을, 즉 국가가 국민의 기본권 보호를 위하여 적어도 적절하고 효율적인 최소한의 보호조치를 취했는가를 기준으로 심사하게 된다(2008.7.31, 2004헌바81).

ㅁ. [X] 국가의 보호의무를 입법자가 어떻게 실현하여야 할 것인가 하는 문제는 입법자의 책임범위에 속하므로, 헌법재판소는 권력분립의 관점에서 소위 과소보호금지원칙을, 즉 국가가 국민의 법익보호를 위하여 적어도 적절하고 효율적인 최소한의 보호조치를 취했는가를 기준으로 심사하게 된다(1997.1.16, 90헌마110 등).

19 정답 ③

① [O]

> 「국가인권위원회법」 제10조 【위원의 겸직금지】 ① 위원은 재직 중 다음 각 호의 직을 겸하거나 업무를 할 수 없다.
> 1. 국회 또는 지방의회의 의원의 직
> ② 위원은 정당에 가입하거나 정치운동에 관여할 수 없다.

② [O]

> 「국가인권위원회법」 제8조 【위원의 신분 보장】 위원은 금고 이상의 형의 선고에 의하지 아니하고는 본인의 의사에 반하여 면직되지 아니한다. 다만, 위원이 장기간의 심신쇠약으로 직무를 수행하기가 극히 곤란하게 되거나 불가능하게 된 경우에는 전체 위원 3분의 2 이상의 찬성에 의한 의결로 퇴직하게 할 수 있다.

❸ [X]

> 「국가인권위원회법」 제28조 【법원 및 헌법재판소에 대한 의견 제출】 ① 위원회는 인권의 보호와 향상에 중대한 영향을 미치는 재판이 계속 중인 경우 법원 또는 헌법재판소의 요청이 있거나 필요하다고 인정할 때에는 법원의 담당 재판부 또는 헌법재판소에 법률상의 사항에 관하여 의견을 제출할 수 있다.

④ [O]

> 「국가인권위원회법」 제49조 【조사와 조정 등의 비공개】 위원회의 진정에 대한 조사·조정 및 심의는 비공개로 한다. 다만, 위원회의 의결이 있을 때에는 공개할 수 있다.

20 정답 ①

❶ [X]

> 「국가인권위원회법」 제3조 【국가인권위원회원 설립과 독립성】 ① 이 법에서 정하는 인권의 보호와 향상을 위한 업무를 수행하기 위하여 국가인권위원회를 둔다.
> ② 위원회는 그 권한에 속하는 업무를 독립하여 수행한다.

② [O] 청구인이 수행하는 업무의 헌법적 중요성, 기관의 독립성 등을 고려한다고 하더라도, 국회가 제정한 「국가인권위원회법」에 의하여 비로소 설립된 청구인은 국회의 위 법률개정행위에 의하여 존폐 및 권한범위 등이 좌우되므로, 헌법 제111조 제1항 제4호 소정의 헌법에 의하여 설치된 국가기관에 해당한다고 할 수 없다(2010.10.28, 2009헌라6).

③ [O]

> 「국가인권위원회법」 제5조 【위원회의 구성】 ② 위원은 다음 각 호의 사람을 대통령이 임명한다.
> 1. 국회가 선출하는 4명(상임위원 2명을 포함한다)
> 2. 대통령이 지명하는 4명(상임위원 1명을 포함한다)
> 3. 대법원장이 지명하는 3명
> ⑦ 위원은 특정 성(性)이 10분의 6을 초과하지 아니하도록 하여야 한다.

④ [O] 수사처의 설치와 독립성을 규정한 「고위공직자 범죄수사처 설치 및 운영에 관한 법률」 제3조 제1항, 제2항은 「국가인권위원회법」 제3조 제1항, 제2항과 유사하고, 예산 관련 업무를 수행하는 경우 수사처장을 중앙관서의 장으로 본다고 규정한 「고위공직자 범죄수사처 설치 및 운영에 관한 법률」 제17조 제6항은 「국가인권위원회법」 제6조 제5항과 유사하다. 그런데 헌법재판소는 국가인권위원회의 성격과 관련하여, "국가인권위원회는 중앙행정기관에 해당하고, 국가인권위원회와 타 부처와의 갈등이 생길 우려가 있는 경우 대통령의 명을 받아 행정각부를 통할하는 국무총리나 대통령에 의해 분쟁이 해결될 수 있다."라고 판시하여(2010.10.28, 2009헌라6 참조), 국가인권위원회가 대통령을 수반으로 하는 행정부에 속한다고 보았다(2021.1.28, 2020헌마264 등).

21 정답 ④

ㄱ. [O] 태아가 모체를 떠난 상태에서 독자적으로 생존할 수 있는 시점인 임신 22주 내외에 도달하기 전이면서 동시에 임신 유지와 출산 여부에 관한 자기결정권을 행사하기에 충분한 시간이 보장되는 시기(이하 착상시부터 이 시기까지를 '결정가능기간'이라 한다)까지의 낙태에 대해서는 국가가 생명보호의 수단 및 정도를 달리 정할 수 있다고 봄이 타당하다(2019.4.11, 2017헌바127).

ㄴ. [X] 선지는 단순위헌의견이다. 헌법재판소는 헌법불합치결정하였고 헌법재판소 법정의견은 사회적 경제적 사유가 낙태 정당화사유에 포함되어 있지 않다고 하면서 법개정으로 사회적 경제적 사유를 추가할 것을 요구하는 헌법불합치결정하였다. 그러나 단순위헌의견은 임신 제1삼분기에는 어떠한 사유를 요구함이 없이 낙태를 허용하자고 하였다.

단순위헌의견 '임신 제1삼분기(first trimester, 대략 마지막 생리기간의 첫날부터 14주 무렵까지)'에는 어떠한 사유를 요구함이 없이 임신한 여성이 자신의 숙고와 판단 아래 낙태할 수 있도록 하여야 한다는 점, 자기낙태죄조항 및 의사낙태죄조항에 대하여 단순위헌결정을 하여야 한다는 점에서 헌법불합치의견과 견해를 달리한다(2019.4.11, 2017헌바127).

ㄷ. [O] 업무상 동의낙태죄와 자기낙태죄는 대향범이므로, 임신한 여성의 자기낙태를 처벌하는 것이 위헌이라고 판단되는 경우에는 동일한 목표를 실현하기 위해 부녀의 촉탁 또는 승낙을 받아 낙태하게 한 의사를 형사처벌하는 의사낙태죄조항도 당연히 위헌이 되는 관계에 있다. 자기낙태죄조항은 「모자보건법」에서 정한 사유에 해당하지 않는다면, 결정가능기간 중에 다양하고 광범위한 사회적·경제적 사유로 인하여 낙태갈등상황을 겪고 있는 경우까지도 예외 없이 임신한 여성에게 임신의 유지 및 출산을 강제하고, 이를 위반하여 낙태한 경우 형사처벌한다는 점에서 위헌이므로, 동일한 목표를 실현하기 위하여 임신한 여성의 촉탁 또는 승낙을 받아 낙태하게 한 의사를 처벌하는 의사낙태죄조항도 같은 이유에서 위헌이라고 보아야 한다(2019.4.11, 2017헌바127).

ㄹ. [X] 「모자보건법」에서 정한 자기낙태의 위법성을 조각하는 정당화사유는 ⓐ 본인이나 배우자의 우생학적·유전학적 정신장애나 신체질환, ⓑ 본인이나 배우자의 전염성 질환, ⓒ 강간 또는 준강간에 의한 임신, ⓓ 혼인할 수 없는 혈족 또는 인척 간의 임신, ⓔ 모체의 건강에 대한 위해나 위해 우려이다. 위 사유들은 대부분 「형법」 제22조의 긴급피난이나 제20조의 정당행위로서 위법성조각이 가능하거나, 임신의 유지와 출산에 대한 기대가능성이 없음을 이유로 책임조각이 가능하다고 보는 시각까지 있을 정도로 매우 제한적이고 한정적인 사유들이다. 위 사유들에는 '임신 유지 및 출산을 힘들게 하는 다양하고 광범위한 사회적·경제적 사유에 의한 낙태갈등상황'이 전혀 포섭되지 않는다.

22 정답 ①

❶ [X] 헌법 제10조로부터 도출되는 일반적 인격권에는 개인의 명예에 관한 권리도 포함되는바, 이때 '명예'는 사람이나 그 인격에 대한 '사회적 평가', 즉 객관적·외부적 가치평가를 말하는 것이지 단순히 주관적·내면적인 명예감정은 법적으로 보호받는 명예에 포함된다고 할 수 없다. 왜냐하면, 헌법이 인격권으로 보호하는 명예의 개념을 사회적·외부적 징표에 국한하지 않는다면 주관적이고 개별적인 내심의 명예감정까지 명예에 포함되어 모든 주관적 명예감정의 손상이 법적 분쟁화될 수 있기 때문이다. 따라서 주관적·내면적·정신적 사항은 객관성과 구체성이 미약한 것이므로 법적인 개념이나 이익으로 파악하는 데는 대단히 신중을 기해야 한다(2005.10.27, 2002헌마425).

② [O] 사람은 누구나 자신의 얼굴 기타 사회통념상 특정인임을 식별할 수 있는 신체적 특징에 관하여 함부로 촬영 또는 그림묘사되거나 공표되지 아니하며 영리적으로 이용당하지 않을 권리를 가지는데, 이러한 초상권은 우리 헌법 제10조 제1문에 의하여 헌법적으로도 보장되고 있는 권리이다(대판 2013.2.14, 2010다103185).

③ [O] 이동전화번호를 구성하는 숫자가 개인의 인격 내지 인간의 존엄과 관련성을 가진다고 보기 어렵고, 이 사건 이행명령으로 인하여 청구인들의 개인정보가 청구인들의 의사에 반하여 수집되거나 이용되지 않으며, 이동전화번호는 유한한 국가자원으로서 청구인들의 번호이용은 사업자와의 서비스 이용계약관계에 의한 것일 뿐이므로 이 사건 이행명령으로 청구인들의 인격권, 개인정보자기결정권, 재산권이 제한된다고 볼 수 없다(2013.7.25, 2011헌마63 등)

④ [O] 친일반민족행위반민규명위원회의 조사대상자 선정 및 친일반민족행위결정이 이루어지면, 조사대상자의 사회적 평가에 영향을 미치므로 헌법 제10조에서 유래하는 일반적 인격권이 제한받는다. 다만 이러한 결정에 있어서 대부분의 조사대상자는 이미 사망하였을 것이 분명하나, 조사대상자가 사자(死者)의 경우에도 인격적 가치에 대한 중대한 왜곡으로부터 보호되어야 한다. 사자(死者)에 대한 사회적 명예와 평가의 훼손은 사자(死者)와의 관계를 통하여 스스로의 인격상을 형성하고 명예를 지켜온 그들의 후손의 인격권, 즉 유족의 명예 또는 유족의 사자(死者)에 대한 경애추모의 정을 제한하는 것이다(2010.10.28, 2007헌가23).

23 정답 ②

ㄱ. [X] 지문의 내용은 '「방송법」 제100조 제1항 제1호 위헌제청(2012.8.23, 2009헌가27)' 사건에서 재판관 1인의 반대의견의 내용이다. 즉, 헌법재판소는 법인도 그 성질에 반하지 않는 범위 내에서 인격권의 한 내용인 사회적 신용이나 명예 등의 주체가 될 수 있다는 것이지 반대의견의 내용처럼 법률이 법인에게 인격권 유사의 내용을 인정할 때에만 법률적 수준의 인격권적 권리만을 누릴 수 있는 것은 아니다. 법인도 법인의 목적과 사회적 기능에 비추어 볼 때 그 성질에 반하지 않는 범위 내에서 인격권의 한 내용인 사회적 신용이나 명예 등의 주체가 될 수 있고 법인이 이러한 사회적 신용이나 명예 유지 내지 법인격의 자유로운 발현을 위하여 의사결정이나 행동을 어떻게 할 것인지를 자율적으로 결정하는 것도 법인의 인격권의 한 내용을 이룬다고 할 것이다. 그렇다면 이 사건 심판대상조항은 방송사업자의 의사에 반한 사과행위를 강제함으로써 방송사업자의 인격권을 제한한다(2012.8.23, 2009헌가27).

ㄴ. [O] 헌법소원의 대상이 되는 규범에 의하여 여러 기본권이 동시에 제약을 받는 기본권 경합의 경우에는 기본권 침해를 주장하는 청구인의 의도 및 기본권을 제한하는 입법자의 객관적 동기 등을 참작하여 사안과 가장 밀접한 관계에 있고, 또 침해의 정도가 큰 주된 기본권을 중심으로 해서 그 제한의 한계를 검토하면 족한 것이고, 관련 기본권을 모두 심사할 필요는 없다. 징계결정 공개조항과 가장 밀접하게 관련되고 가장 침해 정도가 큰 기본권은 일반적 인격권이므로 이를 중심으로 과잉금지원칙 위반 여부를 판단한다. 청구인은 이외에도 이 사건 징계결정 공개조항으로 인하여 청구인의 재산권이 침해된다고 주장한다. 그러나 청구인이 주장하는 변호사 영업에의 타격은 인격권의 침해에 따른 사실적 효과에 불과하고, 징계결정 공개조항이 직접 청구인의 재산권을 제한하는 것은 아니다(2018.7.26, 2016헌마1029).

ㄷ. [O] 헌법 제10조로부터 도출되는 일반적 인격권에는 각 개인이 그 삶을 사적으로 형성할 수 있는 자율영역에 대한 보장이 포함되어 있음을 감안할 때, 장래 가족의 구성원이 될 태아의 성별정보에 대한 접근을 국가로부터 방해받지 않을 부모의 권리는 이와 같은 일반적 인격권에 의하여 보호된다고 보아야 할 것이다(2008.7.31, 2004헌마1010 등).

ㄹ. [X] **「형법」 제304조 중 '혼인을 빙자하여 음행의 상습 없는 부녀를 기망하여 간음한 자' 부분이 헌법 제37조 제2항의 과잉금지원칙을 위반하여 남성의 성적자기결정권 및 사생활의 비밀과 자유를 침해하는지 여부(적극)**

이 사건 법률조항이 혼인빙자간음행위를 형사처벌함으로써 남성의 성적 자기결정권을 제한하는 것임은 틀림없고, 나아가 이 사건 법률조항은 남성의 성생활이라는 내밀한 사적 생활영역에서의 행위를 제한하므로 우리 헌법 제17조가 보장하는 사생활의 비밀과 자유 역시 제한하는 것으로 보인다(2009.11.26, 2008헌바58).

ㅁ. [O] 개인의 인격권, 행복추구권에는 개인의 자기운명결정권이 전제되는 것이고, 이 자기운명결정권에는 성행위 여부 및 그 상대방을 결정할 수 있는 성적 자기결정권이 또한 포함되어 있으며, 간통죄의 규정이 개인의 성적 자기결정권을 제한하는 것임은 틀림없다(1990.9.10, 89헌마82).

ㅂ. [O] 구입명령제도는 소주판매업자의 직업의 자유는 물론 소주제조업자의 경쟁 및 기업의 자유, 즉 직업의 자유와 소비자의 행복추구권에서 파생된 자기결정권을 지나치게 침해하는 위헌적인 규정이다. 소주시장과 다른 상품시장, 소주판매업자와 다른 상품의 판매업자, 중소소주제조업자와 다른 상품의 중소제조업자 사이의 차별을 정당화할 수 있는 합리적인 이유를 찾아 볼 수 없으므로 이 사건 법률조항은 평등원칙에도 위반된다. 지방소주제조업자는 신뢰보호를 근거로 하여 구입명령제도의 합헌성을 주장할 수는 없다 할 것이고, 다만 개인의 신뢰는 적절한 경과규정을 통하여 고려되기를 요구할 수 있는 데 지나지 않는다(1996.12.26, 96헌가18).

24

정답 ②

① [O] 법인의 대리인·사용인 기타의 종업원이 그 법인의 업무에 관하여 근로자가 노동조합을 조직 또는 운영하는 것을 지배하거나 이에 개입하는 행위를 한 때에는 그 법인에 대하여도 벌금형을 과하도록 한 「노동조합 및 노동관계조정법」은 다른 사람의 범죄에 대하여 그 책임 유무를 묻지 않고 형사처벌하는 것이므로 헌법상 법치국가원리로부터 도출되는 책임주의원칙에 위배된다(2019.4.11, 2017헌가30).

❷ [X] 「부정청탁 및 금품등 수수의 금지에 관한 법률」 신고조항과 제재조항은 배우자의 행위와 본인 사이에 아무런 관련성이 없는데도 오로지 배우자라는 사유만으로 불이익한 처우를 가하는 것이거나 배우자가 법률을 위반하였다는 이유만으로 청구인들에게 불이익을 주는 것이 아니다. 배우자가 위법한 행위를 한 사실을 알고도 공직자 등이 신고의무를 이행하지 아니할 때 비로소 그 의무 위반행위를 처벌하는 것이다. 따라서 신고조항과 제재조항은 연좌제에 해당하지 아니하며 자기책임원리에도 위배되지 않는다(2016.7.28, 2015헌마236 등).

③ [O] 교통사고는 본질적으로 우연성을 내포하고 있고 사고의 원인도 다양하며, 이는 운전기술의 미숙함으로 인한 것일 수도 있으나, 졸음운전이나 주취운전과 같이 운전기술과 별다른 연관이 없는 경우도 있다. 이 사건 조항이 운전전문학원의 귀책사유를 불문하고 수료생이 일으킨 교통사고를 자동적으로 운전전문학원의 법적 책임으로 연관시키고 있는 것은 운전전문학원이 주체적으로 행해야 하는 자기책임의 범위를 벗어난 것이며, 교통사고율이 높아 운전교육이 좀 더 충실히 행해져야 하며 오늘날 사회적 위험의 관리를 위한 위험책임제도가 필요하다는 사정만으로 정당화될 수 없다(2005.7.29, 2004헌가30).

④ [O] 「상호신용금고법」 제37조의3이 달성하고자 하는 바가 금고의 경영부실 및 사금고화로 인한 금고의 도산을 막고 이로써 예금주를 보호하고자 하는 데에 있다면, 이를 실현하기 위한 입법적 수단이 적용되어야 하는 인적 범위도 마찬가지로 '부실경영에 관련된 자'에 제한되어야 한다. 부실경영을 방지하는 다른 수단에 대하여 부가적으로 민사상의 책임을 강화하는 이 사건 법률조항은 원칙적으로 '최소침해의 원칙'에 부합하나, 부실경영에 아무런 관련이 없는 임원이나 과점주주에 대해서도 연대변제책임을 부과하는 것은 입법목적을 달성하기 위하여 필요한 범위를 넘는 과도한 제한이다(2002.8.29, 2000헌가5 등).

25

정답 ④

① [X] '연명치료 중단에 관한 자기결정권'을 보장하는 방법으로서 '법원의 재판을 통한 규범의 제시'와 '입법' 중 어느 것이 바람직한가는 입법정책의 문제로서 국회의 재량에 속한다 할 것이다. 그렇다면 헌법 해석상 '연명치료 중단 등에 관한 법률'을 제정할 국가의 입법의무가 명백하다고 볼 수 없다(2009.11.26, 2008헌마385). 2020년 입시

② [X] 환자가 장차 죽음에 임박한 상태에 이를 경우에 대비하여 미리 의료인 등에게 연명치료 거부 또는 중단에 관한 의사를 밝히는 등의 방법으로 죽음에 임박한 상태에서 인간으로서의 존엄과 가치를 지키기 위하여 연명치료의 거부 또는 중단을 결정할 수 있다 할 것이고, 위 결정은 헌법상 기본권인 자기결정권의 한 내용으로서 보장된다 할 것이다(2009.11.26, 2008헌마385).

③ [X] 연명치료 중단에 관한 결정 및 그 실행이 환자의 생명단축을 초래한다 하더라도 이를 생명에 대한 임의적 처분으로서 자살이라고 평가할 수 없고, 오히려 인위적인 신체 침해행위에서 벗어나서 자신의 생명을 자연적인 상태에 맡기고자 하는 것으로서 인간의 존엄과 가치에 부합한다 할 것이다. 그렇다면 환자가 장차 죽음에 임박한 상태에 이를 경우에 대비하여 미리 의료인 등에게 연명치료 거부 또는 중단에 관한 의사를 밝히는 등의 방법으로 죽음에 임박한 상태에서 인간으로서의 존엄과 가치를 지키기 위하여 연명치료의 거부 또는 중단을 결정할 수 있다 할 것이고, 위 결정은 헌법상 기본권인 자기결정권의 한 내용으로서 보장된다 할 것이다(2009.11.26, 2008헌마385).

❹ [O] 환자의 사전의료지시가 없는 상태에서 회복불가능한 사망의 단계에 진입한 경우에는 환자에게 의식의 회복가능성이 없으므로 더 이상 환자 자신이 자기결정권을 행사하여 진료행위의 내용 변경이나 중단을 요구하는 의사를 표시할 것을 기대할 수 없다. 그러나 환자의 평소 가치관이나 신념 등에 비추어 연명치료를 중단하는 것이 객관적으로 환자의 최선의 이익에 부합한다고 인정되어 환자에게 자기결정권을 행사할 수 있는 기회가 주어지더라도 연명치료의 중단을 선택하였을 것이라고 볼 수 있는 경우에는, 그 연명치료 중단에 관한 환자의 의사를 추정할 수 있다고 인정하는 것이 합리적이고 사회상규에 부합된다(2009.5.21, 2009다17417).

26

정답 ④

ㄱ. [O] 오늘날 생명공학 등의 발전과정에 비추어 인간의 존엄과 가치가 갖는 헌법적 가치질서로서의 성격을 고려할 때 인간으로 발전할 잠재성을 갖고 있는 초기배아라는 원시생명체에 대하여도 위와 같은 헌법적 가치가 소홀히 취급되지 않도록 노력해야 할 국가의 보호의무가 있음을 인정하지 않을 수 없다 할 것이다(2010.5.27, 2005헌마346).

ㄴ. [X] 배아생성자의 배아에 대한 결정권은 헌법상 명문으로 규정되어 있지는 아니하지만, 헌법 제10조로부터 도출되는 일반적 인격권의 한 유형으로서의 헌법상 권리라 할 것이다(2010.5.27, 2005헌마346).

ㄷ. [X] 배아생성자는 배아에 대해 자신의 유전자정보가 담긴 신체의 일부를 제공하고, 또 배아가 모체에 성공적으로 착상하여 인간으로 출생할 경우 생물학적 부모로서의 지위를 갖게 되므로, 배아의 관리 또는 처분에 대한 결정권을 가진다. 이러한 배아생성자의 배아에 대한 결정권은 헌법상 명문으로 규정되어 있지는 아니하지만, 헌법 제10조로부터 도출되는 일반적 인격권의 한 유형으로서의 헌법상 권리라 할 것이다(2010.5.27, 2005헌마346).

ㄹ. [O] 법학자, 윤리학자, 철학자, 의사 등의 직업인으로서, 이 사건 심판대상조항들로 인해 직업활동수행에 방해를 받고 생명존중의 가치관이 훼손될 가능성이 있으며 유전자 정보가 공개될 가능성이 있다는 등의 이유로 자신들의 인간의 존엄과 가치, 양심의 자유, 직업수행의 평등권이 침해된다고 주장한다. 그러나 이 사건 심판대상조항들로 인해 위 청구인들이 위와 같은 불편을 겪는다고 하더라도 이는 사실적·간접적 불이익에 불과한 것이고, 인공수정배아 및 체세포복제배아에 관한 이 사건 심판대상조항의 규율과 관련하여 위 청구인들에 대한 기본권 침해의 가능성 및 자기관련성을 인정하기 어렵다(2010.5.27, 2005헌마346).

27 정답 ④

① [O] 「헌법재판소법」 제68조 제1항은 공권력의 행사 또는 불행사로 인하여 기본권을 침해받은 자가 헌법소원의 심판을 청구할 수 있다고 규정하고 있으므로, 기본권의 주체가 될 수 있는 자만이 헌법소원을 청구할 수 있고, 이때 기본권의 주체가 될 수 있는 '자'라 함은 통상 출생 후의 인간을 가리키는 것이다(2010.5.27, 2005헌마346).

② [O] 이 사건 법률조항들의 경우에도 '살아서 출생한 태아'와는 달리 '살아서 출생하지 못한 태아'에 대해서는 손해배상청구권을 부정함으로써 후자에게 불리한 결과를 초래하고 있으나 이러한 결과는 사법(私法)관계에서 요구되는 법적 안정성의 요청이라는 법치국가이념에 의한 것으로 헌법적으로 정당화된다 할 것이므로, 그와 같은 차별적 입법조치가 있다는 이유만으로 곧 국가가 기본권 보호를 위해 필요한 최소한의 입법적 조치를 다하지 않아 그로써 위헌적인 입법적 불비나 불완전한 입법상태가 초래된 것이라고 볼 수 없다(2008.7.31, 2004헌바81).

③ [O] 오늘날 생명공학 등의 발전과정에 비추어 인간의 존엄과 가치가 갖는 헌법적 가치질서로서의 성격을 고려할 때 인간으로 발전할 잠재성을 갖고 있는 초기배아라는 원시생명체에 대하여도 위와 같은 헌법적 가치가 소홀히 취급되지 않도록 노력해야 할 국가의 보호의무가 있음을 인정하지 않을 수 없다 할 것이다(2010.5.27, 2005헌마346).

❹ [X] 일반적 행동자유권은 적극적으로 자유롭게 행동을 하는 것은 물론 소극적으로 행동을 하지 않을 자유도 포함되고, 가치있는 행동만 보호영역으로 하는 것은 아닌 것인바, 개인이 대마를 자유롭게 수수하고 흡연할 자유도 헌법 제10조의 행복추구권에서 나오는 일반적 행동자유권의 보호영역에 속한다. 이 사건 법률조항은 대마의 흡연과 수수를 금지하고 그 위반행위에 대하여 형벌을 가함으로써 청구인의 행복추구권을 제한하고 있다(2005.11.24, 2005헌바46).

28 정답 ①

ㄱ. [O] 18세 미만자의 당구장 출입 등은 일반적 행동자유권에 속한다. 당구장 출입금지는 18세 미만자의 행복추구권을 침해한다.

ㄴ. [X] 육아휴직신청권은 헌법상 권리가 아니라 법률상 권리이다(2008.10.30, 2005헌마1156). 2014년 국가 7급

ㄷ. [O] 헌법에 열거되지 아니한 기본권을 새롭게 인정하려면, 그 필요성이 특별히 인정되고, 그 권리 내용(보호영역)이 비교적 명확하여 구체적 기본권으로서의 실체 즉, 권리 내용을 규범 상대방에게 요구할 힘이 있고 그 실현이 방해되는 경우 재판에 의하여 그 실현을 보장받을 수 있는 구체적 권리로서의 실질에 부합하여야 할 것이다(2009.5.28, 2007헌마369).

ㄹ. [O] 헌법 제10조 전문은 행복추구권을 보장하고 있고, 행복추구권은 그의 구체적인 표현으로서 일반적인 행동자유권과 개성의 자유로운 발현권을 포함한다. 일반적 행동자유권에는 적극적으로 자유롭게 행동을 하는 것은 물론 소극적으로 행동을 하지 않을 자유 즉, 부작위의 자유도 포함된다. 일반적 행동자유권은 가치있는 행동만 그 보호영역으로 하는 것은 아닌 것으로, 그 보호영역에는 개인의 생활방식과 취미에 관한 사항도 포함되며, 여기에는 위험한 스포츠를 즐길 권리와 같은 위험한 생활방식으로 살아갈 권리도 포함된다(2003.10.30, 2002헌마518).

ㅁ. [O] 이 사건 법률조항은 '의료행위'를 개인의 경제적 소득활동의 기반이자 자아실현의 근거로 삼으려는 청구인의 기본권, 즉 직업선택의 자유를 제한하거나, 또는 청구인이 의료행위를 지속적인 소득활동이 아니라 취미, 일시적 활동 또는 무상의 봉사활동으로 삼는 경우에는 헌법 제10조의 행복추구권에서 파생하는 일반적 행동의 자유를 제한하는 규정이다(2002.12.18, 2001헌마370). 2011년 법행

ㅂ. [O] 수형자가 갖는 접견교통권은 가족 등 외부와 연결될 수 있는 통로를 적절히 개방하고 유지함으로써 가족 등 타인과 교류하는 인간으로서의 기본적인 생활관계가 인신의 구속으로 완전히 단절되어 정신적으로 황폐하게 되는 것을 방지하기 위하여 반드시 보장되지 않으면 안 되는 인간으로서의 기본적인 권리에 해당하므로 성질상 헌법상의 기본권에 속한다. 이러한 수형자의 접견교통권은 비록 헌법에 열거되지는 아니하였지만, 헌법 제10조의 행복추구권에 포함되는 기본권의 하나로서의 일반적 행동자유권으로부터 나온다고 할 것이다(1998.10.15, 98헌마168).

29 정답 ②

ㄱ. [O] 성전환자도 인간으로서의 존엄과 가치를 향유하며 행복을 추구할 권리와 인간다운 생활을 할 권리가 있고 이러한 권리들은 질서유지나 공공복리에 반하지 아니하는 한 마땅히 보호받아야 한다(헌법 제10조, 제34조 제1항, 제37조 제2항). 지속적인 성적 귀속감의 형성, 의학적 치료와 나아가 수술을 통하여 전환된 성에 부합하는 성기와 신체 및 외관을 갖추고 사회적인 역할도 그와 동일하게 수행하고 있어 사회통념상 전환된 성을 가진 자로 인식되어 법률적으로 전환된 성으로 평가될 수 있는 성전환자임이 명백함에도 불구하고, 막상 호적의 성별란 기재는 물론 이에 따라 부여된 주민등록번호가 여전히 종전의 성을 따라야 한다면 사회적으로 비정상적인 사람으로 취급되고 취업이 제한됨으로써 결국, 이들의 헌법상 기본권이 침해될 우려가 있다고 할 것이다. 한편, 성전환자의 호적이 정정됨으로써 그 개인이 주변의 멸시 및 신분상의 불이익에서 벗어나서 정상적인 사회구성원으로 받아들여지고 전환된 성에 따라 법률적인 지위를 인정받고 사회적인 활동을 할 수 있는 등 장래에 향유하게 될 이익은 사회적 혼란의 방지 등 호적정정을 불허함으로써 얻어지는 공공의 이익에 비하여 현저히 크다고 할 것이다. 그런데도 법령상 절차규정의 미비를 이유로 성전환자임이 명백한 사람에 대한 호적의 정정을 허용하지 않는다면 위 헌법정신을 온전히 구현할 수 없게 된다고 할 것이다(대결 전합체 2006.6.22, 2004스42). 2016년 변시

ㄴ. [O] 2005.2.3, 2004헌바10 2014년 국가 7급

ㄷ. [X] 행복추구권은 국민이 행복을 추구하기 위하여 필요한 급부를 국가에게 적극적으로 요구할 수 있는 것을 내용으로 하는 것이 아니라, 국민이 행복을 추구하기 위한 활동을 국가권력의 간섭 없이 자유롭게 할 수 있다는 자유권으로서의 성격을 가지는바, 주민투표권 행사의 절차를 형성함에 있어서 투표일 현재 주소지에서 투표할 자유를 요구하는 것은 행복추구권의 보호범위에 포함된다고 볼 수 없다(2013.7.25, 2011헌마676).

ㄹ. [X] 사회복지법인의 법인운영의 자유는 헌법 제10조에서 보장되는 일반적 행동자유권 내지 사적 자치권으로 보장된다(2005.2.3, 2004헌바10).

➡ 헌법 제31조 제1항·제4항에서도 보호된다.

ㅁ. [O] 혼인외 출생자는 생부 또는 생모가 살아있는 동안에는 제소기간의 제한 없이 인지청구의 소를 제기할 수 있고, 사망 사실을 안 날로부터 1년 이내에 부모와 사이에 친자관계가 존재함을 아는 것은 그리 어렵지 않으므로 이 사건 법률조항은 혼인외 출생자의 행복추구권 침해라고 볼 수 없다(2001.5.31, 98헌바9).

ㅂ. [O] 직계비속을 제외하면서 직계존속만을 취소청구권자로 규정한 것은 가부장적·종법적인 사고에 바탕을 두고 있고, 직계비속이 상속권 등과 관련하여 중혼의 취소청구를 구할 법률적인 이해관계가 직계존속과 4촌 이내의 방계혈족 못지않게 크며, 그 취소청구권자의 하나로 규정된 검사에게 취소청구를 구한다고 하여도 검사로 하여금 직권발동을 촉구하는 것에 지나지 않은 점 등을 고려할 때, 합리적인 이유 없이 직계비속을 차별하고 있어, 평등원칙에 위반된다(2010.7.29, 2009헌가8).

30 정답 ④

① [O] 이미 발생한 피해자의 생명·신체에 대한 피해 구호와 안전한 교통의 회복이라는 공익은 운전자 등이 제한당하는 사익보다 크므로, 심판대상조항은 법익균형성을 갖추었다. 따라서 심판대상조항은 청구인의 일반적 행동자유권을 침해하지 않는다(2019.4.11, 2017헌가28).

② [O] "차량의 교통으로 인하여 사람을 사상하거나 물건을 손괴(이하 '교통사고'라 한다)한 때에는 그 차의 운전자 등은 경찰공무원이 현장에 있는 때에는 그 경찰공무원에게, 경찰공무원이 현장에 없는 때에는 가장 가까운 경찰관서(경찰지서, 파출소, 출장소를 포함한다)에 지체 없이 사고가 난 곳, 사상자 수 및 부상 정도, 손괴한 물건 및 손괴 정도 그 밖의 조치상황 등을 신속히 신고하여야 한다."라고 규정한 구 「도로교통법」 제50조는 피해자의 구호 및 교통질서의 회복을 위한 조치가 필요한 상황에만 적용되는 것이고 형사책임과 관련되는 사항에는 적용되지 아니하는 것으로 해석하는 한 헌법에 위반되지 아니한다(1990.8.27, 89헌가118).

③ [O] 이 사건 취소조항은 사상 후 미조치를 운전면허의 임의적 취소사유로 규정하여 구체적·개별적 사정을 고려할 수 있는 길을 열어 두고 있으므로, 위 조항이 침해최소성원칙에 반한다고 할 수 없다. 이 사건 취소조항으로 인하여 제한되는 사익에 상응하는 정도 이상의 중대한 공익이 인정되므로, 법익균형성 요건 또한 충족하였다. 그렇다면 이 사건 취소조항이 과잉금지원칙에 반하여 일반적 행동의 자유 또는 직업의 자유를 침해한다고 할 수 없다(2019.8.29, 2018헌바4).

❹ [X] 이륜자동차 고속도로 운행금지는 행복추구권에서 우러나오는 일반적 행동의 자유를 제한하는 것이지 거주이전의 자유를 제한하는 것은 아니다. 퀵서비스 배달업의 직업수행행위를 직접적으로 제한하는 것이 아니므로 이륜자동차의 고속도로 통행금지는 직업의 자유를 직접 제한하지는 않는다(2008.7.31, 2007헌바90 등).

31 정답 ①

❶ [O] 청구인들은 오랜 기간 동일한 이동전화번호를 사용하여 온 사람들로서 개인별로 특별한 의미와 사연이 있는 이동전화번호를 계속하여 사용하기를 원하고 있다. 이러한 번호를 바꾸게 하는 것은 청구인들의 행복추구권을 침해한다고 볼 수 있는 여지가 있다. 그런데 전기통신번호는 국가와 전기통신사업자가 관리하는 유한한 국가자원으로서 이동전화번호의 관리에 있어 피청구인에게 넓은 범위의 형성의 자유가 부여되어 있다. 그러므로 이 사건에서는 피청구인이 자신에게 부여된 형성의 범위를 벗어나 자의적으로 이행명령을 함으로써 청구인들의 행복추구권을 침해하였는지 여부가 문제된다(2013.7.25, 2011헌마63 등).

② [X] 구 통신위원회의 2006.4.17.자 의결 및 방송통신위원회의 2010.9.15.자 의결은 이동전화의 번호통합과 번호이동에 관한 사항을 내부적으로 결정한 행위이고, 방송통신위원회의 홈페이지 게시는 번호통합정책 및 번호이동제도를 국민들에게 널리 알리고자 한 것일 뿐이어서, 모두 청구인들의 법적 지위에 영향을 미치지 아니하는 것이므로 공권력 행사에 해당한다고 볼 수 없다(2013.7.25, 2011헌마63 등).

③ [X] 지문은 각하의견을 가진 반대의견이다. 헌법재판소는 행복추구권을 침해하였는지 여부를 심사하여 기각하였다.

> **반대의견** 2006.6.경부터 010 번호를 사용하는 이용자에 한하여만 기존 번호를 그대로 유지한 채 2세대 서비스에서 3세대 서비스로의, 이른바 '번호이동'이 허용되었고, 청구인들과 같이 010 이외의 번호 사용자들에게는 번호이동이 허용되지 않았다. 그런데 이 사건 이행명령은 010 이외의 번호를 사용하는 2세대 서비스 이용자의 경우에도 한시적으로 기존번호를 그대로 유지하면서 3세대 서비스를 이용할 수 있도록 번호이동을 허용하는 것이므로, 이는 010 이외의 번호 이용자에게 편의를 제공해 주는 수혜적인 조치이다. 따라서 이 사건 이행명령으로 인하여, 청구인들의 기본권이 침해될 가능성이나 위험성이 없다(2013.7.25, 2011헌마63 등).

④ [X] 이동전화번호를 구성하는 숫자가 개인의 인격 내지 인간의 존엄성과 어떠한 관련을 가져 이러한 숫자의 변경이 개인의 인격 내지 인간의 존엄성에 영향을 미친다고 보기는 어렵다. 따라서 위 이행명령에 의하여 청구인들의 인격권이 제한된다고 볼 수 없다. 또한 위 이행명령으로 인해 청구인들의 의사에 반해서 개인정보를 수집하거나 이용할 가능성이 발생하는 것은 아니다. 따라서 자신에 관한 정보가 언제 누구에게 어느 범위까지 알려지고 또 이용되도록 할 것인지를 그 정보주체가 스스로 결정할 수 있는 권리가 위 이행명령에 의하여 제한된다고 볼 수도 없다. 나아가 이동전화번호는 유한한 국가자원으로서, 청구인들이 오랜 기간 같은 이동전화번호를 사용해 왔다 하더라도 이는 국가의 이동전화번호 관련 정책 및 이동전화사업자와의 서비스 이용계약관계에 의한 것일 뿐, 청구인들이 이동전화번호에 대하여 사적 유용성 및 그에 대한 원칙적 처분권을 내포하는 재산가치 있는 구체적 권리인 재산권을 가진다고 볼 수 없다. 따라서 위 이행명령에 의하여 청구인들의 재산권이 제한된다고 할 수도 없다. 청구인들은 오랜 기간 동일한 이동전화번호를 사용하여 온 사람들로서 개인별로 특별한 의미와 사연이 있는 이동전화번호를 계속하여 사용하기를 원하고 있다. 이러한 번호를 바꾸게 하는 것은 청구인들의 행복추구권을 침해한다고 볼 수 있는 여지가 있다. 그런데 전기통신번호는 국가와 전기통신사업자가 관리하는 유한한 국가자원으로서 이동전화번호의 관리에 있어 피청구인에게 넓은 범위의 형성의 자유가 부여되어 있다. 그러므로 이 사건에서는 피청구인이 자신에게 부여된 형성의 범위를 벗어나 자의적으로 이행명령을 함으로써 청구인들의 행복추구권을 침해하였는지 여부가 문제된다(2013.7.25, 2011헌마63 등).

32 정답 ②

ㄱ. [O] 청구인들은 심판대상조항이 언론의 자유, 사학의 자유, 교원지위 법정주의, 교육의 자주성·전문성을 침해한다는 취지의 주장도 한

다. 그러나 심판대상조항은 언론인과 취재원의 통상적 접촉 등 정보의 획득은 물론 보도와 논평 등 의견의 전파에 이르기까지 자유로운 여론 형성과정에서 언론인의 법적 권리에 어떤 제한도 하고 있지 않다(2016.7.28, 2015헌마236 등).

ㄴ. [X] 청구인 사단법인 한국기자협회는 전국의 신문·방송·통신사 소속 현직 기자들을 회원으로 두고 있는 「민법」상 비영리 사단법인으로서, 「언론중재 및 피해구제에 관한 법률」 제2조 제12호에 따른 언론사에는 해당한다. 그런데 심판대상조항은 언론인 등 자연인을 수범자로 하고 있을 뿐이어서 청구인 사단법인 한국기자협회는 심판대상조항으로 인하여 자신의 기본권을 직접 침해당할 가능성이 없다. 또 사단법인 한국기자협회가 그 구성원인 기자들을 대신하여 헌법소원을 청구할 수도 없으므로, 위 청구인의 심판청구는 기본권 침해의 자기관련성을 인정할 수 없어 부적법하다(2016.7.28, 2015헌마236 등).

ㄷ. [O] 사립학교 관계자의 교육의 자유나 사립학교 운영의 법적 주체인 학교법인만이 향유할 수 있는 사학의 자유를 제한하고 있지도 아니하다. 청구인들 주장과 같이 국가권력에 의해 「부정청탁 및 금품등 수수의 금지에 대한 법률」이 남용될 경우 언론의 자유나 사학의 자유가 일시적으로 위축될 소지는 있다. 하지만 이 문제는 취재 관행과 접대 문화의 개선, 그리고 의식 개혁이 뒤따라가지 못함에 따른 과도기적인 사실상의 우려에 불과하며, 심판대상조항에 의하여 직접적으로 언론의 자유와 사학의 자유가 제한된다고 할 수는 없다. 이 부분 청구인들의 주장은 해당 조항이 과잉금지원칙에 위배하여 청구인들의 일반적 행동자유권 등을 침해하고 있는지 여부를 판단하면서 함께 살펴보기로 한다(2016.7.28, 2015헌마236 등).

ㄹ. [X] 청구인들은 신고조항과 제재조항이 청구인들의 양심의 자유를 침해한다는 주장도 한다. 그러나 신고조항과 제재조항은 배우자가 수수금지금품 등을 받거나 그 제공의 약속 또는 의사표시를 받았다는 객관적 사실 즉, 배우자를 통해 부적절한 청탁을 시도한 사람이 있다는 것을 고지할 의무를 부과할 뿐이다. 신고조항이 개인의 세계관·인생관·주의·신조 등이나 내심에서의 윤리적 판단을 고지대상으로 하는 것은 아니다. 따라서 신고조항과 제재조항이 청구인들의 양심의 자유를 직접 제한한다고 볼 수 없다. 이 부분 주장도 신고조항과 제재조항이 과잉금지원칙에 위배하여 청구인들의 일반적 행동자유권을 침해하고 있는지 여부를 판단하면서 함께 살펴본다(2016.7.28, 2015헌마236 등).

ㅁ. [O] 부정청탁금지조항에 규정된 '부정청탁', '법령', '사회상규'라는 용어가 다소 포괄적이고 추상적이어서 어느 정도 가치 판단이 필요한 일반개념이지만, 부정청탁금지조항의 입법배경 및 입법취지와 관련 조항 등을 고려한 법관의 보충적 해석으로 충분히 그 의미 내용을 확인할 수 있다. 그렇다면 부정청탁금지조항은 건전한 상식과 통상적 법감정을 가진 사람이라면 그 내용을 예측할 수 있으므로 불명확하다 할 수 없고 법을 해석·집행하는 기관이 이를 자의적으로 해석하거나 집행할 우려도 크지 않으므로, 죄형법정주의의 명확성원칙에 위배된다고 보기 어렵다(2016.7.28, 2015헌마236 등).

ㅂ. [O] 부패가 감소하면 경제가 발전한다는 것은 여러 나라에서 실증적으로 증명되고 있다. 우리 사회의 청렴도를 높이고 부패를 줄이는 과정에서 일시적으로 어려움을 겪는 분야가 있을 수 있다는 이유로 부패의 원인이 되는 부정청탁 및 금품수수 관행을 방치할 수는 없다. 부정청탁금지조항과 금품수수금지조항은 법익의 균형성도 충족한다(2016.7.28, 2015헌마236 등).

ㅅ. [O] 과태료는 행정질서벌에 해당할 뿐 형벌이 아니므로 죄형법정주의의 규율대상에 해당하지 아니한다. 따라서 위임조항이 죄형법정주의에 위반된다는 주장은 더 나아가 살펴 볼 필요 없이 받아들일 수 없다(2016.7.28, 2015헌마236 등).

ㅇ. [O] 배우자가 위법한 행위를 한 사실을 알고도 공직자 등이 신고의무를 이행하지 아니할 때 비로소 그 의무 위반행위를 처벌하는 것이다. 따라서 신고조항과 제재조항은 헌법 제13조 제3항에서 금지하는 연좌제에 해당하지 아니하며 자기책임원리에도 위배되지 않는다(2016.7.28, 2015헌마236 등).

33 정답 ④

① [O] 청구인이 공적인 인물의 부적절한 언행을 비판하면서 모욕적인 표현을 1회 사용한 행위는 청구인이 글을 게시한 동기, 청구인이 게시한 글의 전체적인 맥락 등을 고려할 때 비판의 범위 내에 있는 것으로 평가될 수 있어 사회상규에 위배되지 아니하는 행위로서 정당행위에 해당한다고 볼 여지가 있다. 그럼에도 불구하고 정당행위 여부를 판단하지 않고 청구인에 대한 모욕 혐의를 인정한 이 사건 기소유예처분은 자의적인 검찰권의 행사로서 청구인의 평등권과 행복추구권을 침해하였다(2020.9.24, 2019헌마1285).

② [O] 미수범처벌조항과 가장 밀접한 기본권은 일반적 행동자유권이다. 미수범처벌조항은 과잉금지원칙을 위반하여 일반적 행동자유권을 침해하지 아니한다(2019.11.28, 2017헌바182 등).

③ [O] 이 사건 각 심판대상조항은 응급환자 본인의 의료에 관한 자기결정권을 직접 제한하거나 그러한 제한을 규범의 목적으로 하고 있지 않다. 응급환자 본인의 행위가 위법성이 인정되지 않는 범위 내에 있다면 이 사건 각 심판대상조항에 의한 규율의 대상이 되지 아니하므로 자기결정권 내지 일반적 행동의 자유의 제한 문제가 발생하지 않는다(2019.06.28, 2018헌바128).

❹ [X] 부정취득한 운전면허는 그 요건이 처음부터 갖추어지지 못한 것으로서 해당 면허를 박탈하더라도 기본권이 추가적으로 제한된다고 보기 어려워 법익의 균형성원칙에도 위배되지 않는다(2020.6.25, 2019헌가9 등).

34 정답 ①

ㄱ. [O] 위법이나 비난의 정도가 미약한 사안을 포함한 모든 경우에 부정취득하지 않은 운전면허까지 필요적으로 취소하고 이로 인해 2년 동안 해당 운전면허 역시 받을 수 없게 하는 것은 공익의 중대성을 감안하더라도 지나치게 기본권을 제한하는 것이므로, 법익의 균형성원칙에도 위배된다. 따라서 심판대상조항 중 각 '거짓이나 그 밖의 부정한 수단으로 받은 운전면허를 제외한 운전면허'를 필요적으로 취소하도록 한 부분은 과잉금지원칙에 반하여 일반적 행동의 자유 또는 직업의 자유를 침해한다(2020.6.25, 2019헌가9 등).

ㄴ. [O] 우리 재판소는 '사생활의 자유'란 사회공동체의 일반적인 생활규범의 범위 내에서 사생활을 자유롭게 형성해 나가고 그 설계 및 내용에 대해서 외부로부터의 간섭을 받지 아니할 권리이며, 사생활과 관련된 사사로운 자신만의 영역이 본인의 의사에 반해서 타인에게 알려지지 않도록 할 수 있는 권리인 '사생활의 비밀'과 함께 헌법상 보장되고 있는 것이라고 판시한 바 있다. 즉, 헌법 제17조가 보호하고자 하는 기본권은 '사생활영역'의 자유로운 형성과 비밀유지라고 할 것이며, 공적인 영역의 활동은 다른 기본권에 의한 보호는 별론으로 하고 사생활의 비밀과 자유가 보호하는 것은 아니라고 할 것이다(2003.10.30, 2002헌마518).

ㄷ. [O] 헌법 제10조는 "모든 국민은 인간으로서의 존엄과 가치를 가지며, 행복을 추구할 권리를 가진다."라고 규정하여 모든 기본권 보장의 종국적 목적(기본이념)이라 할 수 있는 인간의 본질이며 고유한 가치인 개인의 인격권과 행복추구권을 보장하고 있다. 그리고 개인의 인격권, 행복추구권에서 개인의 자기결정권이 파생된다(1990.9.10, 89헌마82 참조). 만일 자신의 사후에 시체가 본인의 의사와

는 무관하게 처리될 수 있다고 한다면 기본권 주체인 살아있는 자의 자기결정권이 보장되고 있다고 보기는 어렵다. 따라서 본인의 생전 의사에 관계없이 인수자가 없는 시체를 해부용으로 제공하도록 규정하고 있는 이 사건 법률조항은 청구인의 시체의 처분에 대한 자기결정권을 제한한다고 할 것이다(2015.11.26, 2012헌마940).

ㄹ. [O] 형제자매는 언제나 이해관계를 같이 하는 것은 아니므로 형제자매가 본인에 대한 개인정보를 오남용 또는 유출할 가능성은 얼마든지 있다. 그런데 이 사건 법률조항은 증명서 발급에 있어 형제자매에게 정보주체인 본인과 거의 같은 지위를 부여하고 있으므로, 이는 증명서 교부청구권자의 범위를 필요한 최소한도로 한정한 것이라고 볼 수 없다. 이 사건 법률조항은 청구인의 개인정보자기결정권을 침해한다(2016.6.30, 2015헌마924).

ㅁ. [O] 구입명령제도는 소주판매업자의 직업의 자유는 물론 소주제조업자의 경쟁 및 기업의 자유, 즉 직업의 자유와 소비자의 행복추구권에서 파생된 자기결정권을 지나치게 침해하는 위헌적인 규정이다. 소주시장과 다른 상품시장, 소주판매업자와 다른 상품의 판매업자, 중소소주제조업자와 다른 상품의 중소제조업자 사이의 차별을 정당화할 수 있는 합리적인 이유를 찾아 볼 수 없으므로 이 사건 법률조항은 평등원칙에도 위반된다. 지방소주제조업자는 신뢰보호를 근거로 하여 구입명령제도의 합헌성을 주장할 수는 없다 할 것이고, 다만 개인의 신뢰는 적절한 경과규정을 통하여 고려되기를 요구할 수 있는데 지나지 않는다(1996.12.26, 96헌가18).

ㅂ. [O] 헌법 제119조 제2항의 규정은 대한민국의 경제질서가 개인과 기업의 창의를 존중함을 기본으로 하도록 하고 있으나, 그것이 자유방임적 시장경제질서를 의미하는 것은 아니다. 따라서 입법자가 외국 영화에 의한 국내 영화시장의 독점이 초래되고, 국내 영화의 제작업은 황폐하여진 상태에서 외국영화의 수입업과 이를 상영하는 소비시장만이 과도히 비대하여질 우려가 있다는 판단하에서, 이를 방지하고 균형있는 영화산업의 발전을 위하여 국산 영화의무상영제를 둔 것이므로, 이를 들어 헌법상 경제질서에 반한다고는 볼 수 없다(1995.7.21, 94헌마125).

ㅅ. [O] **탁주의 공급구역제한제도를 규정하고 있는 「주세법」 제5조 제3항이 헌법에 위반되는지 여부(소극, 재판관 5인의 위헌의견이 있으나, 법률의 위헌결정을 위한 심판정족수에는 이르지 못하여 합헌결정된 사례**

국민보건에 직접적인 영향을 미치는 주류의 특성상 주류제조·판매와 관련되는 직업의 자유 내지 영업의 자유에 대하여는 폭넓은 국가적 규제가 가능하고, 또 입법자의 입법형성권의 범위도 광범위하게 인정되는 분야라고 할 수 있다. 탁주의 공급구역 제한제도는 국민보건위생을 보호하고, 탁주제조업체 간의 과당경쟁을 방지함으로써 중소기업보호·지역경제육성이라는 헌법상의 경제목표를 실현한다는 정당한 입법목적을 가진 것으로서 그 입법목적을 달성하기에 이상적인 제도라고까지는 할 수 없을지라도 전혀 부적합한 것이라고 단정할 수 없고, 탁주의 공급구역 제한제도가 비록 탁주제조업자나 판매업자의 직업의 자유 내지 영업의 자유를 다소 제한한다고 하더라도 그 정도가 지나치게 과도하여 입법형성권의 범위를 현저히 일탈한 것이라고 볼 수는 없다(1999.7.22, 98헌가5).

35

정답 ③

① [X] ② [X] 심판대상조항은 청구인의 신체의 자유를 제한하는 것은 아니다. 심판대상조항은 위험성을 가진 재화의 제조·판매조건을 제약함으로써 최고속도 제한이 없는 전동킥보드를 구입하여 사용하고자 하는 소비자의 자기결정권 및 일반적 행동자유권을 제한할 뿐이다(2020.2.27, 2017헌마1339).

❸ [O] 전동킥보드는 배기량 125cc 이하의 이륜자동차와 성능이나 이용 행태가 전혀 다르므로 제품 제조·수입상의 안전기준 수립 문제에 관한 한, 둘은 동일하게 취급되어야 하는 비교집단이라 볼 수 없다. 전동모터보드와 같은 새로운 개인형 이동수단(스마트 모빌리티)과 전동킥보드는 이 사건 고시 부속서 32에서 각각 동일한 최고속도 제한기준을 두고 있으므로, 차별취급이 존재하지 않는다(2020.2.27, 2017헌마1339).

④ [X] **심판대상조항이 전동킥보드에 대해서만 최고속도 제한기준을 둠으로써 그와는 제한기준이 30km/h로 다른 전기자전거, 또는 그러한 제한기준이 없는 배기량 125cc 이하의 이륜자동차나 새로운 개인형 이동수단(스마트 모빌리티) 및 해외제조 전동킥보드와 비교하여 평등권을 제한하는지 여부(소극)**

심판대상조항이 해외제조 전동킥보드에 대하여 최고속도 제한을 적용하지 않는 것으로 인해 국내 전동킥보드 제조자의 평등권이 문제될 수는 있을지언정, 소비자인 청구인의 입장에서 최고속도 제한이 없거나 더 빠른 전동킥보드를 구입하려면 해외에서 제조되어 정식 수입이 아닌 구매대행 경로만을 이용하여야 하는 불편을 이유로 그의 평등권이 침해되었다고 볼 수 없다(2020.2.27, 2017헌마1339).

36

정답 ①

❶ [X] 일반적으로 부모의 그러한 교육권으로부터 바로 학부모의 학교참여권(참가권)이 도출된다고 보기는 어렵겠지만, 학부모가 미성년자인 학생의 교육과정에 참여할 당위성은 부정할 수 없다. 그러므로 입법자가 학부모의 집단적인 교육참여권을 법률로써 인정하는 것은 헌법상 당연히 허용된다고 할 것이다. 설사 이 사건 조항에 의하여 사립학교 교육의 자주성·전문성이 어느 정도 제한된다고 하더라도, 그 제한이 법률에 의한 것이며 사립학교의 자주성·전문성 내지 자율성과 공공성을 조화시키는 범위 내에서 규정된 것이라면 그 제한이 헌법에 반한다고 하기 어렵다(2001.11.29, 2000헌마278). 2008년 사시

② [O] 거주지별로 중·고등학교를 강제 배정하는 것은 과열된 입시경쟁으로 말미암아 발생하는 부작용을 방지한다는 차원에서 정당한 목적이고, 부모의 학교선택권을 침해하는 것은 아니다(1995.2.23, 91헌마204). 2004년 사시

③ [O] 교육감 추첨에 의한 입학전형에서는 학교분포와 통학거리 등을 고려하여 학생들을 인근 학교에 갈 수 있도록 하는 것이 가장 합리적이고 보편적인 방법이며, 「초·중등교육법 시행령」에서는 학생과 학부모의 학교선택권에 대한 제한을 완화하기 위하여 선복수지원·후추첨방식과 같은 여러 보완책을 두고 있으므로, 이 사건 조항이 거주지에 의하여 학부모의 학교선택권을 과도하게 제한한다고 보기는 어렵다(2009.4.30, 2005헌마514). 2016년 5급 승진

④ [O] 부모는 자녀의 교육에 관하여 전반적인 계획을 세우고 자신의 인생관·사회관·교육관에 따라 자녀의 교육을 자유롭게 형성할 권리를 가지므로 학부모의 학교선택권에는 종교학교선택권도 포함된다. 그런데 고교평준화지역에서 일반계 고등학교에 진학하는 학생을 교육감이 학교군별로 추첨에 의하여 배정하도록 하는 「초·중등교육법 시행령」은 추첨에 의하여 신입생을 배정함으로써 특정 종교학교에 진학하거나 특정 종교학교를 회피할 수 있는 학부모의 종교학교선택권을 제한하고 있다(2009.4.30, 2005헌마514).

⑤ [O] 부모의 학교선택권은 미성년인 자녀의 교육을 받을 권리를 실효성 있게 보장하기 위한 것이므로, 미성년인 자녀의 교육을 받을 권리의 근거규정인 헌법 제31조 제1항에서 헌법적 근거를 찾을 수 있을 것이다(1995.2.23, 91헌마204). 2007년 사시

비교 판례 부모의 자녀에 대한 교육권은 비록 헌법에 명문으로 규정되어 있지는 아니하지만, 혼인과 가족생활을 보장하는 헌법 제36조 제1항, 행복추구권을 보장하는 헌법 제10조 및 헌법 제37조 제1항에서 나오는 중요한 기본권이며, 이러한 부모의 자녀교육권이 학교영역에서는 자녀의 교육진로에 관한 결정권 내지는 자녀가 다닐 학교를 선택하는 권리로 구체화된다(2009.4.30, 2005헌마514).

37

정답 ④

① [O] 선거범죄를 신속하고 효율적으로 단속하고 자료를 확보함으로써 공정하고 자유로운 선거의 실현을 달성하고자 하는 공익은 허위자료가 아닌 자료를 제출해야 함으로써 제한되는 피조사자의 일반적 행동자유권에 비해 결코 작다고 볼 수 없다. 그러므로 심판대상조항은 과잉금지원칙에 위배되어 피조사자의 일반적 행동자유권을 침해한다고 볼 수 없다(2019.9.26, 2016헌바381).

② [O] 심판대상조항이 판결확정시점을 기준으로 실효 여부를 판단하도록 규정함으로써 선고유예기간 전에 범죄를 저지르고 유예기간 중에 판결이 확정되는 경우에도 선고유예가 실효되도록 한 것은 법질서상 부정적으로 평가할 만한 행위를 한 자에 대하여 책임주의를 구현하는 것으로서 책임주의원칙에 반하지 아니한다. 나아가 심판대상조항이 범죄의 시기를 기준으로 하지 않고 그 확정판결이 유예기간 중에 있었는지를 기준으로 실효사유로 규정한 것은 형벌권의 적정한 행사라는 측면에서 충분히 납득할 수 있고, 초범에 대한 은혜적 조치라는 선고유예제도의 취지에 부합한다. 따라서 심판대상조항은 책임주의에 위반되지 아니한다(2019.9.26, 2017헌바265 등).

③ [O] 교통사고로 인하여 사람을 사상한 후 교통상의 위험과 장해를 제거하거나 방지하기 위한 구호조치를 하지 않은 사람은 자동차 등 운전에 요구되는 안전의식 및 책임의식이 결여되어 있음을 징표하는 행위를 한 사람이므로 이러한 자들을 교통 관여에서 배제하는 것은 일응 불가피한 측면이 있다. 그렇다면 이 사건 취소조항이 과잉금지원칙에 반하여 일반적 행동의 자유 또는 직업의 자유를 침해한다고 할 수 없다(2019.8.29, 2018헌바4).

❹ [X] 선불식 할부거래업자의 임원이나 지배주주는 회사의 주요 의사결정과 업무집행에 지배적 영향력을 가진 사람이다. 이미 선불식 할부거래업을 계속 영위하는 데 부적절한 사유가 있어 등록이 취소된 회사의 임원 또는 지배주주는 그 역할과 지배적 영향력에 비추어 볼 때 동일한 유형의 선불식 할부거래업을 영위하는 또 다른 회사의 운영과 관련해서도 비슷한 문제를 야기할 가능성이 높다. 그러므로 심판대상조항은 자기책임원칙에 위배되지 않는다(2019.8.29, 2018헌바210).

38

정답 ③

① [O] 미수범처벌조항과 가장 밀접한 기본권은 일반적 행동자유권이다. 미수범처벌조항은 과잉금지원칙을 위반하여 일반적 행동자유권을 침해하지 아니한다(2019.11.28, 2017헌바182 등).

② [O] 이 사건 각 심판대상조항은 응급환자 본인의 의료에 관한 자기결정권을 직접 제한하거나 그러한 제한을 규범의 목적으로 하고 있지 않다. 응급환자 본인의 행위가 위법성이 인정되지 않는 범위 내에 있다면 이 사건 각 심판대상조항에 의한 규율의 대상이 되지 아니하므로 자기결정권 내지 일반적 행동의 자유의 제한 문제가 발생하지 않는다(2019.06.28, 2018헌바128).

❸ [X] 부정 취득한 운전면허는 그 요건이 처음부터 갖추어지지 못한 것으로서 해당 면허를 박탈하더라도 기본권이 추가적으로 제한된다고 보기 어려워 법익의 균형성원칙에도 위배되지 않는다(2020.6.25, 2019헌가9 등).

④ [O] 위법이나 비난의 정도가 미약한 사안을 포함한 모든 경우에 부정 취득하지 않은 운전면허까지 필요적으로 취소하고 이로 인해 2년 동안 해당 운전면허 역시 받을 수 없게 하는 것은 공익의 중대성을 감안하더라도 지나치게 기본권을 제한하는 것이므로, 법익의 균형성원칙에도 위배된다. 따라서 심판대상조항 중 각 '거짓이나 그 밖의 부정한 수단으로 받은 운전면허를 제외한 운전면허'를 필요적으로 취소하도록 한 부분은 과잉금지원칙에 반하여 일반적 행동의 자유 또는 직업의 자유를 침해한다(2020.6.25, 2019헌가9 등).

⑤ [O] 총기의 안전관리를 강화하여 국민의 생명·신체를 보호하고자 하는 공익은 총포를 소지하여 사용하고자 하는 사람에게 제한되는 사익보다 훨씬 크므로, 심판대상조항이 과잉금지원칙에 반하여 직업의 자유 및 일반적 행동의 자유를 침해한다고 할 수 없다(2018.4.26, 2017헌바341).

39

정답 ④

① [O] 이미 발생한 피해자의 생명·신체에 대한 피해 구호와 안전한 교통의 회복이라는 공익은 운전자 등이 제한당하는 사익보다 크므로, 심판대상조항은 법익균형성을 갖추었다. 따라서 심판대상조항은 청구인의 일반적 행동자유권을 침해하지 않는다(2019.4.11, 2017헌가28).

② [O] "차량의 교통으로 인하여 사람을 사상하거나 물건을 손괴(이하 '교통사고'라 한다)한 때에는 그 차의 운전자 등은 경찰공무원이 현장에 있는 때에는 그 경찰공무원에게, 경찰공무원이 현장에 없는 때에는 가장 가까운 경찰관서(경찰지서, 파출소, 출장소를 포함한다. 이하 같다)에 지체 없이 사고가 난 곳, 사상자 수 및 부상 정도, 손괴한 물건 및 손괴 정도 그 밖의 조치상황 등을 신속히 신고하여야 한다."라고 규정한 구 「도로교통법」 제50조는 피해자의 구호 및 교통질서의 회복을 위한 조치가 필요한 상황에만 적용되는 것이고 형사책임과 관련되는 사항에는 적용되지 아니하는 것으로 해석하는 한 헌법에 위반되지 아니한다(1990.8.27, 89헌가118).

③ [O] 법인의 대리인·사용인 기타의 종업원이 그 법인의 업무에 관하여 근로자가 노동조합을 조직 또는 운영하는 것을 지배하거나 이에 개입하는 행위를 한 때에는 그 법인에 대하여도 벌금형을 과하도록 한 「노동조합 및 노동관계조정법」은 다른 사람의 범죄에 대하여 그 책임 유무를 묻지 않고 형사처벌하는 것이므로 헌법상 법치국가원리로부터 도출되는 책임주의원칙에 위배된다(2019.4.11, 2017헌가30).

❹ [X] 법인이 대표자를 통하여 재산국외도피를 하였다면 그 자체로 법인 자신의 법규 위반행위로 평가할 수 있다. 심판대상조항 중 법인의 대표자 관련 부분은 법인의 직접책임을 근거로 하여 법인을 처벌하므로 책임주의원칙에 반하지 아니한다(2019.4.11, 2015헌바443).

⑤ [O] 이 사건 각 심판대상조항이 폭행, 협박, 위계, 위력, 그 밖의 방법에 의한 응급진료에 대한 방해 행위를 제재하고 있다고 하여 응급환자로 하여금 응급의료종사자의 모든 조치에 수긍할 의무를 부과하거나 응급의료종사자의 진료를 거부할 수 없도록 하는 것이 아니다. 즉, 이 사건 각 심판대상조항은 응급환자 본인의 의료에 관한 자기결정권을 직접 제한하거나 그러한 제한을 규범의 목적으로 하고 있지 않다. 응급환자 본인의 행위가 위법성이 인정되지 않는 범위 내에 있다면 이 사건 각 심판대상조항에 의한 규율의 대상이 되지 아니하므로 자기결정권 내지 일반적 행동의 자유의 제한 문제가 발생하지 않는다(2019.06.28, 2018헌바128).

40 정답 ①

ㄱ. [O] 2018.7.26, 2017헌마1238

ㄴ. [O] 2018.6.28, 2017헌마181

ㄷ. [O] 의료사고로 사망의 결과가 발생한 경우 의료분쟁 조정절차를 자동으로 개시하도록 한 심판대상조항이 청구인의 일반적 행동의 자유를 침해한다고 할 수 없다(2021.5.27, 2019헌마321).

ㄹ. [O] 심판대상조항으로 행위자는 구성요건의 엄격한 해석하에 일반적 행동자유권을 제한받는 데 반하여, 이를 통해 피해자 개인의 '함부로 촬영당하지 않을 자유'를 보호하고 사회 일반의 건전한 성적 풍속 및 성도덕을 보호하며 공공의 혐오감과 불쾌감을 방지할 수 있으므로, 결국 보호하여야 할 공익이 더욱 크다고 할 수 있다. 따라서 심판대상조항이 과잉금지원칙에 위배되어 청구인의 일반적 행동자유권을 침해한다고 볼 수 없다(2017.6.29, 2015헌바243). 2018년 입시

ㅁ. [O] 부착명령에 따른 피부착자의 기본권 침해를 최소화하기 위하여 피부착자에 관한 수신자료의 이용을 엄격하게 제한하고, 재범의 위험성이 없다고 인정되는 경우에는 부착명령을 가해제할 수 있도록 하고 있다. 그러므로 이 사건 부착명령은 형벌과 구별되는 비형벌적 보안처분으로서 소급효금지원칙이 적용되지 아니한다(2012.12.27, 2010헌가82 등).

ㅂ. [O] 이 사건 국가항공보안계획은 이미 출국 수속과정에서 일반적인 보안검색을 마친 승객을 상대로, 촉수검색(patdown)과 같은 추가적인 보안 검색 실시를 예정하고 있으므로 이로 인한 인격권 및 신체의 자유 침해 여부가 문제된다. 이 사건 국가항공보안계획은 민간항공 보안에 관한 국제협약의 준수 및 항공기 안전과 보안을 위한 것으로 입법목적의 정당성 및 수단의 적합성이 인정되고, 항공운송사업자가 다른 체약국의 추가 보안검색 요구에 응하지 않을 경우 항공기의 취항 자체가 거부될 수 있으므로 이 사건 국가항공보안계획에 따른 추가 보안검색 실시는 불가피하며, 관련 법령에서 보안검색의 구체적 기준 및 방법 등을 마련하여 기본권 침해를 최소화하고 있으므로 침해의 최소성도 인정된다. 또한 국내외적으로 항공기 안전사고와 테러 위협이 커지는 상황에서, 민간항공의 보안 확보라는 공익은 매우 중대한 반면, 추가 보안검색 실시로 인해 승객의 기본권이 제한되는 정도는 그리 크지 아니하므로 법익의 균형성도 인정된다. 따라서 이 사건 국제항공보안계획은 헌법상 과잉금지원칙에 위반되지 않으므로, 청구인의 기본권을 침해하지 아니한다(2018.2.22, 2016헌마780).

3회 중간 테스트

행복추구권 ~ 신체의 자유

정답

01	③	02	①	03	②	04	①
05	②	06	②	07	④	08	①
09	②	10	①	11	②	12	②
13	③	14	②	15	③	16	①
17	②	18	①	19	②	20	④
21	②	22	①	23	①	24	①
25	①	26	①	27	②	28	②
29	①	30	④	31	①	32	②
33	③	34	②	35	②	36	④
37	①	38	③	39	①	40	②

01 정답 ③

ㄱ. [O] 심판대상조항으로 인하여 공공수역의 수질오염을 방지할 있으므로 달성되는 공익은 중대한 반면, 감량분쇄기의 판매·사용은 허용되며, 음식물 찌꺼기 등이 부패하기 전에 종량제봉투방식 등으로 음식물류 폐기물 거점수거용기에 수시로 배출할 수 있다는 점 등을 고려하면 청구인들에게 발생한 불이익이 감수할 수 없을 정도로 크다고 보기 어렵다. 따라서 심판대상조항은 법익의 균형성원칙도 충족한다(2018.6.28, 2016헌마1151). 2019년 변시

ㄴ. [O] 이 사건 법률조항은 보험계약자 측의 중과실로 인한 사고에 있어서 보험자의 면책을 인정하지 않음으로써 소비자인 인보험의 보험계약자 측, 특히 생명보험의 보험수익자로 되는 유족의 생활 보장을 도모하는 데에 그 입법취지가 있으므로 그 입법목적의 정당성은 인정된다. 중과실과 경과실의 구별이 상대적이며, 그 경계가 모호한 데다가 보험계약자 측이 현저히 약자의 지위에 있어 보호의 필요성이 있음에 비추어 볼 때, 이 사건 법률조항에 의하여 자유를 제한하는 정도는 상반되는 법익과의 균형을 해할 정도로 과도하지는 않아 입법재량의 범위를 벗어났다고 볼 수 없으므로 보험자의 영업의 자유, 보험자와 보험계약자 사이의 계약의 자유를 침해하였다고 할 수 없다(1999.12.23, 98헌가12). 2008년 사시

ㄷ. [O] 행복추구권도 국가안전보장·질서유지 또는 공공복리를 위하여 제한될 수 있는 것이므로, 목적의 정당성, 방법의 적정성 등의 요건을 갖추고 있는 위 조항들이 청구인이나 18세 미만의 청소년들의 행복추구권을 침해한 것이라고 할 수 없다(1996.2.29, 94헌마13).

ㄹ. [X] 부동산을 양수한 자는 특별한 사정이 없는 이상 소유권이전등기를 할 것인지 여부를 스스로 결정할 자유가 있다 할 것이고, 이러한 자유는 헌법 제10조에 규정된 행복추구권에 함축되어 있는 일반적 행동의 자유권의 한 내용을 이루고 있는 것이다. 소유권이전등기신청을 의무화하고 그 위반에 대하여 과태료를 부과하도록 한 「부동산등기 특별조치법」 제11조 제1항이 과잉금지의 원칙에 어긋나게 일반적 행동자유권을 제한한 것이라 할 수 없다(1998.5.28, 96헌바83).

ㅁ. [X] 우리 사회는 전통적으로 사망한 사람의 시신이나 무덤을 경원하고 기피하는 풍토와 정서를 가지고 살아왔다. 입법자는 학교 부근의 납골시설이 현실적으로 학생들의 정서교육에 해로운 영향을 끼칠 가능성이 있다고 판단하고 학생들에 대한 정서교육의 환경을 보호하기 위하여 학교 부근의 납골시설을 규제하기로 결정한 것이다. 납골시설을 기피하는 풍토와 정서가 과학적인 합리성이 없다고 하더라도, 그러한 풍토와 정서가 현실적으로 학생들의 정서발달에 해로운 영향을 끼칠 가능성이 있는 이상, 규제하여야 할 필요성과 공익성을 부정하기 어렵다. 학교 정화구역 내에 납골시설을 금지할 필요성은 납골시설의 운영주체가 국가·지방자치단체 등의 공공기관이거나 개인·문중·종교단체·재단법인이든 마찬가지라고 할 것이다. 따라서 납골시설의 유형이나 설치주체를 가리지 아니하고 일률적으로 금지한다고 하여 불합리하거나 교육환경에 관한 입법형성권의 한계를 벗어났다고 보기 어렵다. 결국, 이 사건 법률조항은 입법목적을 달성하기 위하여 필요한 한도를 넘어서 종교의 자유, 행복추구권 및 직업의 자유를 과도하게 제한하여 헌법 제37조 제2항에 위반된다고 보기 어렵다(2009.7.30, 2008헌가2). 2014년 사시

ㅂ. [O] 국민으로 하여금 건강보험에 강제로 가입하도록 한 것은 경제적인 약자에게 기본적인 의료서비스를 제공하고 소득재분배 및 위험분산의 효과를 거두기 위하여 적합하고도 반드시 필요한 조치이므로 이 사건 강제가입조항은 청구인의 행복추구권 및 재산권을 침해하지 아니한다(2013.7.25, 2010헌바51). 2014년 사시

02 정답 ①

❶ [O] 「보건범죄 단속에 관한 특별조치법」 제5조는 의료행위를 의사의 면허 없이 '영리를 목적'으로 '업'으로 행하는 자에게 무기 또는 2년 이상의 징역형과 100만 원 이상 1천만 원 이하의 벌금형을 병과하도록 하여 가중하고 있다. 이는 국민의 생명과 건강에 직결되는 의료행위의 중요성에 비추어 비난가능성과 무면허의료업자에 대한 일반예방적 효과를 달성하려는 형사정책적 고려에서 입법자가 국민보건의 향상을 위하여 필요 최소한의 범위 내에서 형벌을 가중한 것이어서 입법형성의 범위 내의 것이다. 이 사건 법률조항이 무기 또는 2년 이상의 징역형과 100만 원 이상 1천만 원 이하의 벌금형을 병과하도록 규정하고 있는 점만으로는 그것이 곧 전체 형벌체계상 현저히 균형을 잃게 되어 다른 범죄자 특히 「의료법」상 무면허의료행위자와의 관계에 있어서 헌법 제11조가 보장하는 평등의 원리에 반한다고 할 수 없고, 그러한 유형의 범죄에 대한 형벌 본래의 기능과 목적을 달성함에 있어 필요한 정도를 일탈함으로써 헌법 제37조 제2항의 과잉입법금지원칙에 위배된다고 할 수도 없을 뿐만 아니라, 나아가 그 법정형이 지나치게 가혹하여 인간으로서의 존엄과 가치 및 국가의 기본권 보호의무를 보장한 헌법 제10조에 위반되는 것이라고 볼 수도 없다(2001.11.29, 2000헌바37). 2016년 변시

② [X] 여가생활 또는 오락으로 잠수용 스쿠버다이빙을 즐기면서 수산자원을 포획하거나 채취하지 못함으로 인하여 청구인이 입는 불이익에 비해 수산자원을 보호해야 할 공익은 현저히 크다고 할 것이므로, 이 사건 규칙조항은 침해의 최소성과 법익의 균형성도 갖추었다. 따라서 이 사건 규칙조항은 청구인의 일반적 행동의 자유를 침해하지 아니한다(2016.10.27, 2013헌마450). 2018년 국회 8급

③ [X] 사립학교 관계자나 언론인은 금품수수금지조항에 따라 종래 받아오던 일정한 금액 이상의 금품이나 향응 등을 받지 못하게 되는 불이익이 발생할 수는 있으나 이런 불이익이 법적으로 보호받아야 하는 권익의 침해라 보기 어렵다. 국가권력이 「부정청탁 및 금품등 수수의 금지에 관한 법률」을 남용할 것을 두려워하여 사학의 자유나 언론의 자유가 위축될 우려도 있으나, 이러한 염려나 제약에 따라 침해되는 사익이 부정청탁금지조항이 추구하는 공익보다 크다고 볼 수는 없다. 우리 사회의 청렴도를 높이고 부패를 줄이는

과정에서 일시적으로 어려움을 겪는 분야가 있을 수 있다는 이유로 부패의 원인이 되는 부정청탁 및 금품수수 관행을 방치할 수도 없다. 부정청탁금지조항과 금품수수금지조항이 추구하는 공익이 매우 중대하므로 법익의 균형성도 충족한다. 부정청탁금지조항과 금품수수금지조항이 과잉금지원칙을 위반하여 청구인들의 일반적 행동자유권을 침해한다고 보기 어렵다(2016.07.28, 2015헌마236).

④ [X] 지원금 상한조항으로 인하여 일부 이용자들이 종전보다 적은 액수의 지원금을 지급받게 될 가능성이 있다고 할지라도, 이러한 불이익에 비해 이동통신산업의 건전한 발전과 이용자의 권익을 보호한다는 공익이 매우 중대하다고 할 것이므로, 지원금 상한조항은 법익의 균형성도 갖추었다. 따라서 지원금 상한조항은 청구인들의 계약의 자유를 침해하지 아니한다(2017.5.25, 2014헌마844). 2018년 국회 8급

03 정답 ②

ㄱ. [O] 이 사건 규칙조항은 수산자원을 유지·보존하고 어업인들의 재산을 보호함으로써, 단기적으로는 어업인의 생계를 보장하고 장기적으로는 수산업의 생산성을 향상시키고자 함에 그 목적이 있는바 이러한 입법목적에는 정당성이 인정되며, 비어업인이 잠수용 스쿠버장비를 사용하여 수산자원을 포획·채취하는 것을 금지하는 것은 이러한 입법목적을 달성하기 위한 적절한 수단이다. 잠수용 스쿠버장비를 사용하여 잠수하는 경우에는 해수면 상에서 잠수 여부를 쉽게 확인할 수 없고, 잠수시간이 길어 단속을 쉽게 피할 수 있으므로, 잠수용 스쿠버장비의 사용을 허용하면서 구체적인 행위태양이나 포획·채취한 수산자원의 종류와 양, 포획·채취가 이루어진 지역 등을 통제하는 것은 현실적으로 거의 불가능하다. 그리고 여가생활 또는 오락으로 잠수용 스쿠버다이빙을 즐기면서 수산자원을 포획하거나 채취하지 못함으로 인하여 청구인이 입는 불이익에 비해 수산자원을 보호해야 할 공익은 현저히 크다고 할 것이므로, 이 사건 규칙조항은 침해의 최소성과 법익의 균형성도 갖추었다. 따라서 이 사건 규칙조항은 청구인의 일반적 행동의 자유를 침해하지 아니한다(2016.10.27, 2013헌마450). 2017년 국가 7급

ㄴ. [X] (1) 헌법 제19조에서 보호하는 양심은 옳고 그른 것에 대한 판단을 추구하는 가치적·도덕적 마음가짐으로, 개인의 소신에 따른 다양성이 보장되어야 하고 그 형성과 변경에 외부적 개입과 억압에 의한 강요가 있어서는 아니 되는 인간의 윤리적 내심영역이다. 따라서 단순한 사실관계의 확인과 같이 가치적·윤리적 판단이 개입될 여지가 없는 경우는 물론, 법률해석에 관하여 여러 견해가 갈리는 경우처럼 다소의 가치관련성을 가진다고 하더라도 개인의 인격형성과는 관계가 없는 사사로운 사유나 의견 등은 그 보호대상이 아니다. 이 사건의 경우와 같이 경제규제법적 성격을 가진 「독점규제 및 공정거래에 관한 법률」에 위반하였는지 여부에 있어서도 각 개인의 소신에 따라 어느 정도의 가치판단이 개입될 수 있는 소지가 있고 그 한도에서 다소의 윤리적 도덕적 관련성을 가질 수도 있겠으나, 이러한 법률판단의 문제는 개인의 인격형성과는 무관하며, 대화와 토론을 통하여 가장 합리적인 것으로 그 내용이 동화되거나 수렴될 수 있는 포용성을 가지는 분야에 속한다고 할 것이므로 헌법 제19조에 의하여 보장되는 양심의 영역에 포함되지 아니한다.

(2) 「독점규제 및 공정거래에 관한 법률」 위반행위의 내용 및 형태에 따라서는 일반 공중이나 관련 사업자들이 그 위반 여부에 대한 정보와 인식의 부족으로 말미암아 공정거래위원회의 시정조치에도 불구하고 위법사실의 효과가 지속되는 사례가 발생할 수 있고, 이러한 경우 조속히 법 위반에 관한 중요 정보를 공개하는 등의 방법으로 일반 공중이나 관련 사업자들에게 널리 경고함으로써 계속되는 공공의 손해를 종식시키고 위법행위가 재발하는 것을 방지하는 조치를 할 필요가 있다. 그러기 위해서는 일반 공중이나 관련 사업자들의 의사결정에 중요하거나, 그 권리를 보호하기 위하여 실질적으로 필요하고 적절하다고 인정될 수 있는 구체적 정보 내용을 알려주는 것이 보다 효과적일 것이다. 그런데 소비자 보호를 위한 이러한 보호적, 경고적, 예방적 형태의 공표조치를 넘어서 형사재판이 개시되기도 전에 공정거래위원회의 행정처분에 의하여 무조건적으로 법 위반을 단정, 그 피의사실을 널리 공표토록 한다면 이는 지나치게 광범위한 조치로서 앞서 본 입법목적에 반드시 부합하는 적합한 수단이라고 하기 어렵다. 나아가 '법 위반으로 인한 시정명령을 받은 사실의 공표'에 의할 경우, 입법목적을 달성하면서도 행위자에 대한 기본권 침해의 정도를 현저히 감소시키고 재판 후 발생가능한 무죄로 인한 혼란과 같은 부정적 효과를 최소화할 수 있는 것이므로, 법 위반사실을 인정케 하고 이를 공표시키는 이 사건과 같은 명령형태는 기본권을 과도하게 제한하는 것이 된다(일반적 행동의 자유 및 명예권을 침해).

(3) 공정거래위원회의 고발조치 등으로 장차 형사절차 내에서 진술을 해야 할 행위자에게 사전에 이와 같은 법 위반사실의 공표를 하게 하는 것은 형사절차 내에서 법 위반사실을 부인하고자 하는 행위자의 입장을 모순에 빠뜨려 소송수행을 심리적으로 위축시키거나, 법원으로 하여금 공정거래위원회 조사 결과의 신뢰성 여부에 대한 불합리한 예단을 촉발할 소지가 있고 이는 장차 진행될 형사절차에도 영향을 미칠 수 있다. 결국 법 위반사실의 공표명령은 공소제기조차 되지 아니하고 단지 고발만 이루어진 수사의 초기단계에서 아직 법원의 유무죄에 대한 판단이 가려지지 아니하였는데도 관련 행위자를 유죄로 추정하는 불이익한 처분이 된다(2002.1.31, 2001헌바43). 2021년 국가 7급

ㄷ. [O] 심판대상조항을 통하여 선거범죄를 신속하고 효율적으로 단속하고 자료를 확보함으로써 공정하고 자유로운 선거의 실현을 달성하고자 하는 공익은 허위자료가 아닌 자료를 제출해야 함으로써 제한되는 피조사자의 일반적 행동자유권에 비해 결코 작다고 볼 수 없다. 그러므로 심판대상조항은 과잉금지원칙에 위배되어 피조사자의 일반적 행동자유권을 침해한다고 볼 수 없다(2019.9.26, 2016헌바381).

ㄹ. [O] 재정 확보를 위한 모금행위가 단체의 결성이나 결성된 단체의 활동과 유지에 있어서 중요한 의미를 가질 수 있기 때문에 기부금품 모집행위의 제한이 결사의 자유에 영향을 미칠 수 있다는 것은 인정된다. 그러나 결사의 자유에 대한 제한은 「기부금품모집금지법」 제3조가 가져오는 간접적이고 부수적인 효과일 뿐이다. 법 제3조가 규율하려고 하는 국민의 생활영역은 기부금품의 모집행위이므로, 모집행위를 보호하는 기본권인 행복추구권이 우선적으로 적용된다(1998.5.28, 96헌가5).

ㅁ. [O] 이 사건 허가조항은 헌법 제37조 제2항의 과잉금지원칙에 위반하여 기부금품을 모집할 일반적 행동의 자유를 침해하지 않는다. … 나아가 「재해구호법」 등 관련 법률의 유사한 법위반행위에 대한 법정형과 비교할 때 형벌의 체계균형성에 반한다고 보기도 어렵다. 결국 이 사건 처벌조항은 입법재량의 범위를 넘어 과도한 제재를 과하는 것이라 볼 수 없다(2010.2.25, 2008헌바83).

ㅂ. [O] 「기부금품모집금지법」은 제3조에 규정된 경우가 존재하는 때에만 행정청이 허가를 하도록 규정하여 그 규정에 열거한 사항에 해당하지 아니한 경우에는 허가할 수 없다는 것을 소극적으로 밝히면서 한편, 어떠한 경우에 행정청이 허가를 할 의무가 있는가 하는 구체적인 허가요건을 규정하지 아니하고, 허가 여부를 오로지 행정청의 자유로운 재량행사에 맡기고 있다. 따라서 기부금품을 모

집 하고자 하는 자는 비록 법 제3조에 규정된 요건을 충족시킨 경우에도 허가를 청구할 법적 권리가 없다. 법 제3조는 기부금품을 모집하고자 하는 국민에게 허가를 청구할 법적 권리를 부여하지 아니 함으로써 국민의 기본권인 행복추구권을 침해하는 위헌적인 규정이다(1998.5.28, 96헌가5).

04 정답 ①

❶ [X] 범죄수사를 위한 인터넷회선 감청은 수사기관이 범죄수사목적으로 전송 중인 정보의 수집을 위해 당사자 동의 없이 집행하는 강제처분으로 법은 수사기관이 일정한 요건을 갖추어 법원의 허가를 얻어 집행하도록 정하고 있다. 이와 관련하여, 청구인은 인터넷회선 감청을 위해 법원의 허가를 얻도록 정하고 있으나, 패킷감청의 기술적 특성으로 해당 인터넷회선을 통하여 흐르는 모든 정보가 감청대상이 되므로 개별성, 특정성을 전제로 하는 영장주의가 유명무실하게 되고 나아가 집행단계나 그 종료 후에 법원이나 기타 객관성을 담보할 수 있는 기관에 의한 감독과 통제수단이 전혀 마련되어 있지 않으므로, 이 사건 법률조항은 헌법상 영장주의 내지 적법절차원칙에 위반된다고 한다. 그러나 헌법 제12조 제3항이 정한 영장주의가 수사기관이 강제처분을 함에 있어 중립적 기관인 법원의 허가를 얻어야 함을 의미하는 것 외에 법원에 의한 사후통제까지 마련되어야 함을 의미한다고 보기 어렵고, 청구인의 주장은 결국 인터넷회선 감청의 특성상 집행단계에서 수사기관의 권한 남용을 방지할 만한 별도의 통제장치를 마련하지 않는 한 통신 및 사생활의 비밀과 자유를 과도하게 침해하게 된다는 주장과 같은 맥락이므로, 이 사건 법률조항이 과잉금지원칙에 반하여 청구인의 기본권을 침해하는지 여부에 대하여 판단하는 이상, 영장주의 위반 여부에 대해서는 별도로 판단하지 아니한다(2018.8.30, 2016헌마263).

② [○] 헌법 제12조 제1항은 "… 법률과 적법한 절차에 의하지 아니하고는 처벌·보안처분 또는 강제노역을 받지 아니한다."라고 규정하여 적법절차원칙을 선언하고 있는데, 이 원칙은 형사소송절차에 국한되지 않고 모든 국가작용 전반에 대하여 적용된다고 할 것이므로, 전투경찰순경의 인신구금을 그 내용으로 하는 영창처분에 있어서도 헌법상 적법절차원칙이 준수될 것이 요청된다(2016.3.31, 2013헌바190).

③ [○] 헌법 제12조 제4항 본문의 문언 및 헌법 제12조의 조문체계, 변호인조력권의 속성, 헌법이 신체의 자유를 보장하는 취지를 종합하여 보면 헌법 제12조 제4항 본문에 규정된 '구속'은 사법절차에서 이루어진 구속뿐 아니라, 행정절차에서 이루어진 구속까지 포함하는 개념이다. 따라서 헌법 제12조 제4항 본문에 규정된 변호인의 조력을 받을 권리는 행정절차에서 구속을 당한 사람에게도 즉시 보장된다. 종래 이와 견해를 달리하여 헌법 제12조 제4항 본문에 규정된 변호인의 조력을 받을 권리는 형사절차에서 피의자 또는 피고인의 방어권을 보장하기 위한 것으로서 「출입국관리법」상 보호 또는 강제퇴거의 절차에도 적용된다고 보기 어렵다고 판시한 우리 재판소 결정은, 이 결정취지와 저촉되는 범위 안에서 변경한다(2018.5.31, 2014헌마346).

④ [○] 헌법 제12조에 규정된 '신체의 자유'는 수사기관뿐만 아니라 일반 행정기관을 비롯한 다른 국가기관 등에 의하여도 직접 제한될 수 있으므로, 헌법 제12조 소정의 '체포·구속' 역시 포괄적인 개념으로 해석해야 한다고 하면서, 모든 형태의 공권력 행사기관이 '체포' 또는 '구속'의 방법으로 '신체의 자유'를 제한하는 사안에 대하여는 체포·구속적부심사청구권을 규정한 헌법 제12조 제6항이 적용된다(2004.3.25, 2002헌바104).

05 정답 ②

① [X] 고등학교 교사들이 이 사건 계획에 따라 EBS 교재를 참고하여 하는 부담을 질 수는 있지만, 이는 사실상의 부담에 불과할 뿐 EBS 교재를 참고하여야 하는 법적 의무를 부담하는 것도 아니다. 따라서 심판대상계획은 고등학교 교사인 청구인들에 대해 기본권 침해가능성이 인정되지 않는다(2018.2.22, 2017헌마691).

❷ [○] 심판대상계획이 성년의 자녀를 둔 부모의 자녀교육권을 제한한다고 볼 수 없으므로, 성년의 자녀를 둔 청구인에 대해서는 기본권 침해가능성이 인정되지 않는다(2018.2.22, 2017헌마691).

③ [X] 심판대상계획은 자신의 교육에 관하여 스스로 결정할 권리, 즉 교육을 통한 자유로운 인격발현권을 제한받는 것으로 볼 수 있다. 한편, 청구인들은 심판대상계획으로 인해 교육을 받을 권리가 침해된다고 주장하지만, 심판대상계획이 헌법 제31조 제1항의 능력에 따라 균등하게 교육을 받을 권리를 직접 제한한다고 보기는 어렵다.(2018.2.22, 2017헌마691).

④ [X] 국가의 공권력 행사가 학생의 자유로운 인격발현권을 제한하는 경우에도 헌법 제37조 제2항에 따른 한계를 준수하여야 한다. 다만, 국가는 수능시험 출제 방향이나 원칙을 정할 때 폭넓은 재량권을 가지므로, 심판대상계획이 청구인들의 기본권을 침해하는지 여부를 심사할 때 이러한 국가의 입법형성권을 감안하여야 한다(2018.2.22, 2017헌마691).

⑤ [X] 심판대상계획이 추구하는 학교교육 정상화와 사교육비 경감이라는 공익은 매우 중요한 반면, 심판대상계획에 따라 수능시험을 준비하는 사람들이 안게 되는 EBS 교재를 공부하여야 하는 부담은 상대적으로 가볍다. 심판대상계획은 법익 균형성도 갖추었다(2018.2.22, 2017헌마691).

06 정답 ②

① [X] 비교집단이 교육공무원 임용에 있어서 상충하는 이해관계를 가지고 서로 경쟁하는 관계에 놓여 있고, 가산점의 혜택에서 배제되는 자에게 발생할 수 있는 불이익은 승진 등 단순히 공무수행상의 제약이 아니라 공직취임상의 제약이라는 성격을 가지므로, 관련 기본권에 대한 중대한 제한을 초래하게 되는 경우에 해당한다고 보아 비례원칙에 따른 심사를 함이 상당하다(2014.4.24, 2010헌마747).

❷ [○] 이 사건 조항은 7급 공무원시험 응시자 간에 소지한 기술·기능 분야의 자격증 종류에 따라 가산점 유무를 달리 함으로써, 그들의 공직에 취임할 수 있는 기회를 차별하고 있다. 행정자치부의 의견서에 나타난 통계에 의하면 2002년도 7급 공개채용 총 합격인원 623명 중 자격증 가산점을 받은 사람은 453명(72.7%)이며, 가산점 없이 합격한 사람은 88명(14.1%)에 불과하다. 그러므로 가산점의 취득 여부는 합격 여부에 중대한 영향을 미치는 것으로 보인다. 이러한 가산점제도는 승진, 봉급 등 공직 내부에서의 차별이 아니라 공직에의 진입 자체를 어렵게 함으로써 공직선택의 균등한 기회를 박탈하는 것이 될 수 있다. 그러므로 이 사건에서 문제된 가산점상의 차별취급에 대해서는 그 목적과 수단 간에 엄격한 비례성이 요구된다(2003.9.25, 2003헌마30).

③ [X] 이 사건 복수·부전공 가산점은 헌법이 정하고 있는 차별금지사유나 영역에는 해당하지 아니하므로, 평등실현 요청에 위배되는지 여부를 심사하기 위한 기준을 설정함에 있어서는 이 사건 복수·부전공 가산점으로 인한 차별이 공직취임에 대한 중대한 제한인지 여부가 문제된다. 그런데 중등교사 임용시험에서 이 사건 복수·부전공 가산점을 받지 못하는 자가 입을 수 있는 불이익은 공직에 진입하는 것 자체에 대한 제약이라는 점에서 당해 기본권에 대한

중대한 제한이므로 이 사건 복수·부전공 가산점규정의 위헌 여부에 대하여는 엄격한 심사척도를 적용함이 상당하다(2006.6.29, 2005헌가13).

④ [X] 국가유공자 가족에 대한 가산점은 헌법 제32조 제6항에 근거하고 있지 않아 엄격한 비례심사를 해야 하나 국가유공자, 상이군경, 전몰군경의 유가족에 대한 가산점에 대한 가산점제도는 헌법 제32조 제6항에 근거를 두고 있으므로 완화된 비례심사기준(중간심사)을 적용함이 타당하다.

07

정답 ④

① [O] 청구인들은 복무기간에 산입되지 않은 군사교육소집기간 동안 거주·이전의 자유를 침해받았다는 취지로도 주장하나, 이는 심판대상조항이 아니라 공중보건의사의 직장이탈금지의무를 규정한 「농어촌 등 보건의료를 위한 특별조치법」 제8조 제1항에 따른 제한이므로, 더 나아가 판단하지 않는다(2020.9.24, 2019헌마472 등).

② [O] ③ [O] 심판대상조항으로 인해 청구인들의 수련 시작이 늦어져 이 점이 개별 수련병원 별로 진행되는 채용경쟁상 불리한 요소로 작용할 수 있다고 하더라도, 이는 개별 수련병원의 구체적 사정에 따른 사실상의 불이익에 불과할 뿐이다. 그렇다면 심판대상조항으로 인해 청구인들의 직업의 자유가 침해될 여지는 없으므로, 위 주장은 더 나아가 판단하지 않는다(2020.9.24, 2019헌마472 등).

❹ [X] 학생도 연구에 참여하는 가능성을 배제할 수 없으므로, 이러한 점에서는 학문의 자유의 주체가 될 수 있지만, 단순히 대학생으로서 수학하는 것은 학문의 개념을 충족시키지 못하므로 학문의 자유에 의하여 보호되지 않는다(2020.9.24, 2019헌마472 등).

⑤ [O] 전문연구요원은 공중보건의사와 동일한 병역 유형인 보충역에 속하고, 동일한 기간과 내용으로 군사교육을 받으며, 병역의무자의 전문 분야와 관련된 내용으로 병역의무를 수행한다는 점에서, 공중보건의사와 본질적으로 유사한 집단으로서 비교집단이 된다. 그런데 전문연구요원은 군사교육소집기간을 의무복무기간에 산입하고 있는 반면(「병역법」 제39조 제2항), 공중보건의사는 심판대상조항에 따라 군사교육소집기간을 의무복무기간에 산입하지 않고 있으므로, 양 집단 사이에 차별취급이 존재한다.
청구인들은 병역을 필하였거나 면제받은 의사들, 그리고 앞서 비교집단으로 삼기로 한 전문연구요원 외의 다른 보충역들도 비교집단으로 주장하고 있으나, '병역을 필하였거나 면제받은 의사들'은 청구인들과 같이 병역의무를 이행하고 있는 공중보건의사와는 그 전제가 되는 기본적 사실관계가 서로 달라 '본질적으로 동일한 비교집단'이라고 할 수 없으므로 차별취급 여부를 논할 수 없다. 전문연구요원 외의 다른 보충역들과 관련해서도, 보충역에는 병역판정검사전담의사, 공익법무관, 공중방역수의사 등 공중보건의사 외에도 군사교육소집기간이 복무기간에 산입되지 않는 보충역이 존재하므로, 공중보건의사와 비교할 때 법률효과 측면에서 일률적으로 차별이 발생한 비교집단으로 보기 어렵다(2020.9.24, 2019헌마472 등).

08

정답 ①

❶ [X] '신 앞의 평등'이 근대 합리주의적 자연법사상의 영향을 받아 '법 앞의 평등'의 원칙으로 발전하였다. 또한 '법 앞에'의 규범적 의미에 관하여는 법적용평등설과 법내용평등설이 대립한다. 연혁적으로 볼 때 평등권은 법률을 집행하거나 적용하는 과정에서 국가로부터 차별대우를 받지 않는 것을 그 주된 내용으로 하였으나 오늘날에는 마땅히 입법자까지 구속한다는 것이 정설로 되었다. 헌법 제11조 제1항의 법은 국회의결을 거친 형식적 의미의 법률에 한하지 않으며, 실질적 의미의 법 또한 이에 포함된다.

② [O] 국민과 유사한 지위에 있는 '외국인'은 원칙적으로 기본권의 주체가 될 수 있다(1994.12.29, 93헌마120). 청구인들이 침해되었다고 주장하는 인간의 존엄과 가치, 행복추구권은 대체로 '인간의 권리'로서 외국인도 주체가 될 수 있다고 보아야 하고, 평등권도 인간의 권리로서 참정권 등에 대한 성질상의 제한 및 상호주의에 따른 제한이 있을 수 있을 뿐이다(「재외동포의 출입과 법적 지위에 관한 법률」 사건에서). 청구인들이 주장하는 바는 대한민국 국민과의 관계가 아닌, 외국 국적의 동포들 사이에 「재외동포의 출입과 법적 지위에 관한 법률」의 수혜대상에서 차별하는 것이 평등권 침해라는 것으로서 성질상 위와 같은 제한을 받는 것이 아니고 상호주의가 문제되는 것도 아니므로, 청구인들에게 기본권 주체성을 인정함에 아무런 문제가 없다(2001.11.29, 99헌마494). 평등권은 국민과 법인, 외국인 모두가 주체가 될 수 있다. 2005년 법행

③ [O] 병역의무를 이행하고 있는 남성 단기복무군인과 달리 장교를 포함한 여성 단기복무군인은 지원에 의하여 직업으로서 군인을 선택한 것이므로, 남성 단기복무장교를 육아휴직 허용대상에서 제외하고 있는 이 사건 법률조항이 육아휴직과 관련하여 단기복무군인 중 남성과 여성을 차별하는 것은 성별에 근거한 차별이 아니라 의무복무군인과 직업군인이라는 복무형태에 따른 차별로 봄이 타당하다(2008.10.30, 2005헌마1156).

④ [O] 헌법 제11조 제2항에서의 '사회적 특수계급'이란 신분계급 등을 의미하는 것이며, 헌법 제11조 제3항이 영전의 세습을 부정하는 것은 영전으로 말미암은 특권을 부인하는 의미이므로, 친일반민족행위자 측의 친일재산을 국가에 귀속시키는 것을 두고 신분계급을 창설하였다거나 영전의 세습을 인정하였다고 보기 어렵다(2011.3.31, 2008헌바141 등).

09

정답 ②

① [O] 법정형의 종류와 범위를 정할 때 보호법익이 다르면 법정형이 다를 수 있고 보호법익이 같아도 죄질이 다르면 그에 따라 법정형의 내용이 달라질 수 있다. 그러므로 보호법익이나 죄질이 서로 다른 둘 또는 그 이상의 범죄를 같은 선 위에 놓고 그중 어느 한 범죄의 법정형을 기준으로 단순한 평면적인 비교로 다른 범죄의 법정형의 과중 여부를 판정하면 안 된다(2015.3.26, 2013헌바140).

❷ [X] 이 사건에서는 입법자의 이러한 헌법상의 입법의무가 존재한다고 보기 어렵고, 가사 입법자가 청구인에 대하여 특별조치법의 적용을 받는 해직공무원에 상응하는 보상청구권을 보장하기 위한 입법조치를 취하지 아니함으로써 평등원칙에 위반하였음을 인정한다 하더라도 이를 근거로 입법자에게 헌법상의 입법의무가 발생한 것으로도 볼 수 없다. 평등원칙은 원칙적으로 입법자에게 헌법적으로 아무런 구체적인 입법의무를 부과하지 않기 때문이다. 다만, 입법자가 평등원칙에 반하는 일정 내용의 입법을 하게 되면, 이로써 피해를 입게 된 자는 직접 당해 법률조항을 대상으로 하여 평등원칙의 위반 여부를 다툴 수 있을 뿐이다(1996.11.28, 93헌마258).

③ [O] 헌법 제11조 제1항은 "모든 국민은 법 앞에 평등하다."라고 선언하면서, 이어서 "누구든지 성별·종교 또는 사회적 신분에 의하여 정치적·경제적·사회적·문화적 생활의 모든 영역에 있어서 차별을 받지 아니한다."라고 규정하고 있다. 그러나 헌법 제11조 제1항 후문의 위와 같은 규정은 불합리한 차별의 금지에 초점이 있고, 예시한 사유가 있는 경우에 절대적으로 차별을 금지할 것을 요구함으로써 입법자에게 인정되는 입법형성권을 제한하는 것은 아니다(2011.6.30, 2010헌마460).

④ [O] 헌법재판소와 입법자는 모두 헌법에 기속되나, 그 기속의 성질은 서로 다르다. 헌법은 입법자와 같이 적극적으로 형성적 활동을 하는 국가기관에게는 행위의 지침이자 한계인 행위규범을 의미하나, 헌법재판소에게는 다른 국가기관의 행위의 합헌성을 심사하는 기준으로서의 재판규범, 즉 통제규범을 의미한다. 평등원칙은 행위규범으로서 입법자에게, 객관적으로 같은 것은 같게 다른 것은 다르게, 규범의 대상을 실질적으로 평등하게 규율할 것을 요구하고 있다. 그러나 헌법재판소의 심사기준이 되는 통제규범으로서의 평등원칙은 단지 자의적인 입법의 금지기준만을 의미하게 되므로 헌법재판소는 입법자의 결정에서 차별을 정당화할 수 있는 합리적인 이유를 찾아 볼 수 없는 경우에만 평등원칙의 위반을 선언하게 된다. 즉, 헌법에 따른 입법자의 평등실현의무는 헌법재판소에 대하여는 단지 자의금지원칙으로 그 의미가 한정 축소된다. 따라서 헌법재판소가 행하는 규범에 대한 심사는 그것이 가장 합리적이고 타당한 수단인가에 있지 아니하고 단지 입법자의 정치적 형성이 헌법적 한계 내에 머물고 있는가 하는 것에 국한시켜야 하며, 그럼으로써 입법자의 형성의 자유와 민주국가의 권력 분립적 기능질서가 보장될 수 있다(1997.1.16, 90헌마110 등).

10 정답 ①

❶ [X] 종전의 결정에서 헌법 제32조 제6항의 "국가유공자·상이군경 및 전몰군경의 유가족은 법률이 정하는 바에 의하여 우선적으로 근로의 기회를 부여받는다."라는 규정을 넓게 해석하여, 이 조항이 국가유공자 본인뿐만 아니라 가족들에 대한 취업 보호제도(가산점)의 근거가 될 수 있다고 보았으나 국가유공자 가족 수의 증가 등을 고려하여 위 조항을 엄격히 해석하여 국가유공자, 상이군경 그리고 전몰군경 유가족으로 봄이 상당하다. 국가유공자 가족 등으로 보호대상을 확대하는 것은 법률적 차원의 입법정책에 해당하며 헌법적 근거를 갖는 것은 아니다(2006.2.23, 2004헌마675 등).

② [O] 가산점의 혜택에서 배제되는 자에게 발생할 수 있는 불이익이 승진, 봉급 등 공직내부에서의 공무수행상의 제약이 아니라 공직에의 진입 자체를 어렵게 하여 관련 기본권에 대한 중대한 제한을 초래한다고 보아 비례원칙에 따른 심사를 해 왔다. 이 사건의 경우에도 직업상담사 자격증을 소지한 집단과 직업상담사 자격증을 소지하지 못한 청구인들은 공무원 임용에서 상충하는 이해관계를 가지고 서로 경쟁하는 관계에 있고, 가산점 혜택에서 배제되는 자에게 발생할 불이익이 공직취임 자체의 제약이 되는 것이므로, 관련 기본권에 대한 중대한 제한을 초래하는 경우로 보아 비례원칙에 따른 심사를 할 필요가 있다. 한편 헌법재판소는 공무담임권도 국가안전보장·질서유지 또는 공공복리를 위하여 필요한 경우 법률로써 제한될 수 있으나, 그 경우에도 이를 불평등하게 또는 과도하게 침해하거나 본질적 내용을 침해하여서는 안 된다고 판시하여, 공무담임권 제한의 위헌 여부에 대하여도 마찬가지로 비례원칙에 따른 심사를 하고 있다. 그 심사기준이 같고 판단하는 내용이 다르지 아니하므로, 공무담임권과 평등권 침해 여부를 함께 살펴보기로 한다(2018.8.30, 2018헌마46).

③ [O] 이 사건 조항의 위헌성은 국가유공자 등과 그 가족에 대한 가산점 제도가 입법정책상 전혀 허용될 수 없다는 것이 아니고 차별의 효과가 지나치다는 점에 기인하므로 가산점 수치와 수의 대상자 범위를 조정하는 방법으로 위헌성을 치유할 수 있으므로 헌법불합치 결정을 하고 법적용대상자의 법적 혼란을 방지하기 위하여 2007년 6월 30일까지 잠정적용을 명한다(2006.2.23, 2004헌마675 등).

④ [O] 선발예정인원이 3명 이하인 경우에도 취업지원대상자는 선발예정인원을 초과하여 동점자가 발생하는 경우 동점자 중 우선하여 합격자로 결정되고(「국가유공자 등 예우 및 지원에 관한 법률」 제31조 제4항), 더욱이 「국가유공자 등 예우 및 지원에 관한 법률」상 보상금급여와 의료보호, 교육지원 등의 기타 지원이 이루어지고 있다는 점을 감안하면, 「국가유공자 등 예우 및 지원에 관한 법률」상 가산점제도의 적용이 선발예정인원이 3명 이하인 채용시험에서 제한된다 하더라도 여전히 국가유공자 등을 배려하는 입법을 하고 있다는 점에서 합리성을 결여한 것이라고 단정하기 곤란하다(2016.9.29, 2014헌마541).

11 정답 ②

ㄱ. [X] 청구인들은 이 사건 입법부작위로 인하여 직업의 자유, 평등권, 재산권, 행복추구권이 침해되었다고 주장한다. 그런데 시행령이 제정되지 않아 법관, 검사와 같은 보수를 받지 못한다 하더라도, 직업의 자유에 '해당 직업에 합당한 보수를 받을 권리'까지 포함되어 있다고 보기 어려우므로 청구인들의 직업선택이나 직업수행의 자유가 침해되었다고 할 수 없다. 또한 이 사건 입법부작위가 평등권을 침해한다고 보기도 어렵다. 군법무관이 처음부터 법관, 검사와 똑같은 보수를 받을 권리를 가진다고 전제하기 어렵고, 달리 시행령 제정상의 차별이라는 비교 관점도 성립하기 어려운 것이다. 그러나 이 사건 입법부작위는 청구인들의 재산권을 침해하고 있는 것이라 할 것이다(2004.2.26, 2001헌마718).

ㄴ. [X] 헌법 제13조 제1항의 이중처벌금지원칙은 대한민국 내에서 구속력을 가지므로 외국에서 형의 전부 또는 일부의 집행을 받은 자에 대하여 형을 감경 또는 면제할 수 있도록 규정한 「형법」 제7조는 헌법상 이중처벌금지원칙에 반하지 않는다. 따라서 동일한 범죄로 외국에서 형의 집행을 받고 다시 국내에서 처벌을 받은 자와 국내에서만 형의 집행을 받은 자는 '본질적으로 동일한 비교집단'이라고 할 수 없어 차별취급 여부를 논할 수 없다(2015.5.28, 2013헌바129).

ㄷ. [O] 이 사건 도서관 규정은 대학구성원이 아닌 사람에 대하여 도서 대출이나 열람실 이용을 확정적으로 제한하는 것이 아니다. 청구인은 이 사건 도서관 규정으로 인하여 도서 대출 및 열람실 이용을 하지 못하는 것이 아니고 피청구인들의 승인 거부 회신에 따라 비로소 이 사건 도서관 이용이 제한된 것이므로, 이 사건 도서관 규정은 기본권 침해의 직접성이 인정되지 아니한다(2016.11.24, 2014헌마977).

ㄹ. [X] 대학도서관은 교수와 학생, 직원에게 도서관 서비스를 제공하는 것을 주된 목적으로 하는 도서관이다. 이 사건 도서관은 일반인에게 자료를 열람할 수 있도록 하고 있으며, 대학구성원이 연구와 교육에 필요한 도서를 열람하는 데 지장이 초래되지 않도록 일반인에 대한 도서 대출을 제한한 것이며, 이 사건 도서관이 보유하는 자료는 공공도서관 등에서도 접근이 가능하다. 이 사건 도서관의 좌석 수는 학생 수에 비하여 적어, 대학구성원이 이용하는 데도 부족한 사정이 인정되고, 이 사건 도서관의 인근 공공도서관에도 열람실이 운영되고 있어 청구인이 이용할 수 있다. 그러므로 대학구성원이 아닌 청구인에게 도서 대출 또는 열람실 이용을 제한하는 것이 현저히 불합리하거나 자의적인 차별이라고 할 수 없으므로, 청구인의 평등권을 침해하지 아니한다(2016.11.24, 2014헌마977).

ㅁ. [X] 심판대상조항이 공중보건의사로 편입되어 군사교육 소집된 자에게 군사교육 소집기간 동안의 보수를 지급하지 않도록 규정하였다고 하더라도 이는 한정된 국방예산의 범위 내에서 효율적인 병역제도의 형성을 위하여 공중보건의사의 신분, 복무 내용, 복무환경, 전체 복무기간 동안의 보수수준 및 처우, 군사교육의 내용 및 기간 등을 종합적으로 고려하여 결정한 것이므로, 평등권을 침해한다고 보기 어렵다(2020.9.24, 2017헌마643).

ㅂ. [O] 청구인들은 의사·약사 등 다른 자격시험과 변호사시험을 비교하면서 평등권을 침해받았다고 주장한다. 그러나 위 자격시험들은 응시자에게 요구하는 능력과 이를 평가하는 방식이 변호사시험과 다르

고, 변호사시험과 달리 장기간 시험 준비로 인한 인력 낭비 문제의 심각성, 전문대학원에서의 교육과 자격시험 간 연계의 중요성 등의 문제가 나타나고 있지 않다. 따라서 이 사건 한도조항에 관하여 청구인들이 주장하는 평등권 침해 문제는 발생하지 않는다(2020.9.24, 2018헌마739 등).

12 정답 ②

ㄱ. [X] 참정권과 같은 경우에는 대통령 선거에서 일정한 연령에 달하면 누구나 1인1표의 원칙에 따라 동일한 투표를 부여하므로 절대적 평등이 적용될 수 있다. 그러나 일반적으로 사회적·경제적 기본권 영역에서는 절대적 평등보다는 경제적 능력 등을 고려한 합리적 이유 있는 차별이 허용되는 것이 일반적이다. 따라서 절대적 평등이 적용될 가능성이 줄어든다.

ㄴ. [X] 시행령이 제정되지 않아 법관, 검사와 같은 보수를 받지 못한다 하더라도, 직업의 자유에 '해당 직업에 합당한 보수를 받을 권리'까지 포함되어 있다고 보기 어려우므로 청구인들의 직업선택이나 직업수행의 자유가 침해되었다고 할 수 없다. 또한 이 사건 입법부작위가 평등권을 침해한다고 보기도 어렵다. 군법무관이 처음부터 법관, 검사와 똑같은 보수를 받을 권리를 가진다고 전제하기 어렵고, 달리 시행령제정상의 차별이라는 비교 관점도 성립하기 어려운 것이다. 그러나 이 사건 입법부작위는 청구인들의 재산권을 침해하고 있는 것이라 할 것이다(2004.2.26, 2001헌마718).

ㄷ. [O] 훈장 등의 영전은 이를 받은 자에게만 효력이 있고 어떠한 특권도 이에 따르지 아니한다(헌법 제11조 제3항). 훈장에 수반되는 연금지급은 헌법 제11조 제3항에 반하지 않으나 조세감면, 처벌면제는 특권에 해당하여 위헌이다.

ㄹ. [X] 헌법 제11조 제2항에서의 '사회적 특수계급'이란 신분계급 등을 의미하는 것이며, 헌법 제11조 제3항이 영전의 세습을 부정하는 것은 영전으로 말미암은 특권을 부인하는 의미이므로, 친일반민족행위자 측의 친일재산을 국가에 귀속시키는 것을 두고 신분계급을 창설하였다거나 영전의 세습을 인정하였다고 보기 어렵다(2011.3.31, 2008헌바141 등).

ㅁ. [O]

> **헌법 제11조** ② 사회적 특수계급의 제도는 인정되지 아니하며, 어떠한 형태로도 이를 창설할 수 없다.

13 정답 ③

① [O] 헌법 제11조 제1항은 "모든 국민은 법 앞에 평등하다."라고 선언하면서, 이어서 "누구든지 성별·종교 또는 사회적 신분에 의하여 정치적·경제적·사회적·문화적 생활의 모든 영역에 있어서 차별을 받지 아니한다."라고 규정하고 있다. 그러나 헌법 제11조 제1항 후문의 위와 같은 규정은 불합리한 차별의 금지에 초점이 있고, 예시한 사유가 있는 경우에 절대적으로 차별을 금지할 것을 요구함으로써 입법자에게 인정되는 입법형성권을 제한하는 것은 아니다(2011.6.30, 2010헌마460).

② [O] 이 사건 법률조항이 헌법이 특별히 평등을 요구하는 경우나 관련 기본권에 중대한 제한을 초래하는 경우의 차별취급을 그 내용으로 하고 있다고 보기 어려운 점, 징집대상자의 범위 결정에 관하여는 입법자의 광범위한 입법형성권이 인정되는 점에 비추어, 이 사건 법률조항이 평등권을 침해하는지 여부는 완화된 심사척도에 따라 자의금지원칙 위반 여부에 의하여 판단하기로 한다(2011.6.30, 2010헌마460).

❸ [X] 사회적 신분은 선천적 신분과 후천적으로 장기간 점하는 지위(직업 등)이다. 따라서 전과자·귀화인·노동자·공무원 등도 사회적 신분에 해당한다. 다만, 누범에 대한 형의 가중처벌은 합리적인 이유가 있는 것으로서 위헌이 아니다.

④ [O] 「의료법」 처벌조항이 의료기기 관련 리베이트를 다른 영역에 비해 엄격하게 처벌하는 것은 의료기기의 특수성으로 인하여 그 유통 및 판매질서에 대한 공적인 규제의 필요성이 크다는 데 기인하는 것이지 수범자가 의료인이기 때문은 아니므로 이를 사회적 신분에 의한 차별이라고 할 수 없다(2018.1.25, 2016헌바201 등).

14 정답 ②

ㄱ. [O] 자의금지원칙에 입각하여 비교집단으로서 청구인 회사와 연합뉴스사가 국가기간뉴스통신사의 지정 및 뉴스통신사의 진흥을 위한 우선적 처우와 관련하여 본질적으로 어떻게 구별되고, 그러한 차이점이 심판대상조항이 정한 차별취급을 정당화할 정도의 합리적 이유를 가지고 있는지 여부에 관하여 본다(2005.6.30, 2003헌마841).

➡ 위 결정에서 비례성심사(엄격한 심사)를 하지 않았다.

ㄴ. [O] 행정법규 위반자에 대한 행정제재의 종류와 범위를 선택하는 문제는 기본적으로 당해 행정목적과 위반행위의 태양 등 여러 사정을 고려하여 입법자가 결정할 사항으로 원칙적으로 폭넓은 입법재량 내지 입법형성권의 범위 내에 있는 것이므로, 「도로교통법」상 정기적성검사를 받지 아니한 자에 대한 벌칙조항 관련 평등권 심사의 경우 자의금지원칙에 위배되는지 여부를 판단하면 될 것이다(2015.2.26, 2012헌바268).

ㄷ. [X] 이 사건은 헌법재판소가 평등 위반심사를 함에 있어 엄격한 심사를 하여야 할 경우로서 제시한 헌법이 차별의 근거로 삼아서는 아니되는 기준 또는 차별을 금지하고 있는 영역을 제시하고 있음에도 그러한 기준을 근거로 한 차별이나 그러한 영역에서의 차별, 차별적 취급으로 인하여 관련 기본권에 대한 중대한 제한을 초래하게 되는 경우의 어디에도 해당하지 않는다. 따라서 이 사건에는 완화된 심사기준, 즉 차별기준 내지 방법의 합리성 여부가 헌법적 정당성 여부의 판단기준이 된다. 이와 같이 구분을 한 입법자의 판단이 명백히 불합리하다거나 자의적인 것으로는 판단되지 않는다(2001.6.28, 2001헌마132).

ㄹ. [X] 이 사건 고시로 인한 장애인가구와 비장애인가구의 차별취급은 헌법에서 특별히 평등을 요구하는 경우 내지 차별대우로 인하여 자유권의 행사에 중대한 제한을 받는 경우에 해당한다고 볼 수 없는 점, 국가가 국민의 인간다운 생활을 보장하기 위하여 행하는 사회부조에 관하여는 입법부 내지 입법에 의하여 위임을 받은 행정부에게 사회보장, 사회복지의 이념에 명백히 어긋나지 않는 한 광범위한 형성의 자유가 부여된다는 점을 고려하면, 이 사건 고시로 인한 장애인가구와 비장애인가구의 차별취급이 평등 위반인지 여부를 심사함에 있어서는 완화된 심사기준인 자의금지원칙을 적용함이 상당하다(2004.10.28, 2002헌마328).

ㅁ. [X] 이 사건 규칙조항은 가석방심사에 있어서 심사방법에 관한 내용을 정한 것으로 이는 행형당국의 광범위한 재량이 인정되는 분야에 속하고, 이 문제에 관하여 헌법이 특별히 차별금지를 규정하고 있지도 아니하다. 또한 앞서 살펴본 바와 같이 준법서약제에 관한 이 사건 규칙조항은 당해 수형자의 양심의 자유 등 기본권을 침해하고 있지 아니하므로 차별적 취급으로 관련 기본권에 대한 중대한 제한을 초래하는 것도 아니다. 따라서 이 사건 규칙조항에 대한 평등 위반 여부를 심사함에 있어서는 특별히 엄격한 심사척도가 적용되어야 하는 것이 아니며 완화된 합리성 심사에 의하는 것으로

족하다고 할 것이다(2002.4.25, 98헌마425 등).

ㅂ. [X] 공무담임권의 제한의 경우는 그 직무가 가지는 공익실현이라는 특수성으로 인하여 그 직무의 본질에 반하지 아니하고 결과적으로 다른 기본권의 침해를 야기하지 아니하는 한 상대적으로 강한 합헌성이 추정될 것이므로, 주로 평등의 원칙이나 목적과 수단의 합리적인 연관성 여부가 심사대상이 될 것이며, 법익형량에 있어서도 상대적으로 다소 완화된 심사를 하게 된다. 따라서 이 사건 법률조항에 대한 평등권 심사는 합리성 심사로 족하다. 같은 선출직 공무원인 지방의회의원 등과 비교해볼 때, 지방자치의 민주성과 능률성, 지방의 균형적 발전의 저해요인이 될 가능성이 상대적으로 큰 지방자치단체장의 장기 재임만을 규제대상으로 삼아 달리 취급하는 데에는 합리적인 이유가 있다고 할 것이므로, 평등권을 침해하지 않는다(2006.2.23, 2005헌마403).

ㅅ. [X] 헌법원리로부터 도출되는 차별금지의 명령은 헌법 제11조 제1항의 평등원칙과 결합하여 혼인과 가족을 부당한 차별로부터 보호하고자 하는 목적을 지니고 있고, 따라서 특정한 조세 법률조항이 혼인이나 가족생활을 근거로 부부 등 가족이 있는 자를 혼인하지 아니한 자 등에 비하여 차별취급하는 것이라면 비례의 원칙에 의한 심사에 의하여 정당화되지 않는 한 헌법 제36조 제1항에 위반된다 할 것이다(2011.11.24, 2009헌바146).

15 정답 ③

① [X] 가산점의 혜택에서 배제되는 자에게 발생할 수 있는 불이익이 승진, 봉급 등 공직 내부에서의 공무수행상의 제약이 아니라 공직에의 진입 자체를 어렵게 하여 관련 기본권에 대한 중대한 제한을 초래한다고 보아 비례원칙에 따른 심사를 해 왔다. 한편 헌법재판소는 공무담임권도 국가안전보장·질서유지 또는 공공복리를 위하여 필요한 경우 법률로써 제한될 수 있으나, 그 경우에도 이를 불평등하게 또는 과도하게 침해하거나 본질적 내용을 침해하여서는 안 된다고 판시하여, 공무담임권 제한의 위헌 여부에 대하여도 마찬가지로 비례원칙에 따른 심사를 하고 있다. 그 심사기준이 같고 판단하는 내용이 다르지 아니하므로, 공무담임권과 평등권 침해 여부를 함께 살펴보기로 한다(2018.8.30, 2018헌마46).

② [X] 헌법에서 특별히 평등을 요구하고 있는 경우나 차별적 취급으로 인하여 관련 기본권에 중대한 제한을 초래하는 경우 이외에는 완화된 심사척도인 자의금지원칙에 의하여 심사하면 족하다(2011.10.25, 2010헌마661).

❸ [O] 자의금지원칙을 평등원칙의 심사기준으로 하다 보면 지나치게 입법자의 재량을 넓게 확보해 주고, 형식적 심사만을 하게 되었다는 비판이 제기됨으로써 독일 헌법재판소는 비례원칙을 도입하게 된다. 우리 헌법재판소는 독일 연방헌법재판소의 이중 심사기준(자의금지원칙, 비례의 원칙)을 원칙적으로 수용하여, 제대군인가산점 사건에서 남녀차별에 대해서 엄격한 심사를 하였다(1993.12.23, 98헌마363).

➡ 또한 병역의무사건에서는 자의심사를 한 바 있다.

④ [X] 국가유공자, 상이군경, 전몰군경의 유가족에 대한 가산점제도는 헌법 제32조 제6항에 근거가 있으므로 완화된 비례원칙을 심사기준으로 한다.

16 정답 ①

ㄱ. [O] 헌법 제36조 제1항은 혼인과 가족생활을 스스로 결정하고 형성할 수 있는 자유를 기본권으로서 보장한다. 친양자 입양의 경우에도 친양자로 될 사람이 그의 의사에 따라 스스로 입양의 대상이 될 것인지 여부를 결정할 수 있는 자유가 보장되므로, 친양자로 될 사람은 자신의 양육에 보다 적합한 가정환경에서 양육받을 것을 선택할 권리를 가진다. 친양자 입양을 하려는 사람도 친양자 입양 여부에 대한 의사결정의 주체이자 친양자 입양으로 새롭게 형성될 가족의 구성원이므로 친양자가 될 사람과 마찬가지로 그의 의사에 따라 친양자 입양을 할지 여부를 결정할 수 있는 자유를 갖고, 양자의 양육에 보다 적합한 가정환경에서 양자를 양육할 것을 선택할 권리를 가진다(2013.9.26, 2011헌가42).

ㄴ. [O] 부모가 자녀의 이름을 지어주는 것은 자녀의 양육과 가족생활을 위하여 필수적인 것이고, 가족생활의 핵심적 요소라 할 수 있으므로, '부모가 자녀의 이름을 지을 자유'는 혼인과 가족생활을 보장하는 헌법 제36조 제1항과 행복추구권을 보장하는 헌법 제10조에 의하여 보호받는다(2016.7.28, 2015헌마964).

ㄷ. [X] 부모의 자녀에 대한 교육권은 비록 헌법에 명문으로 규정되어 있지는 아니하지만, 혼인과 가족생활을 보장하는 헌법 제36조 제1항, 행복추구권을 보장하는 헌법 제10조 및 "국민의 자유와 권리는 헌법에 열거되지 아니한 이유로 경시되지 아니한다."라고 규정하는 헌법 제37조 제1항에서 나오는 중요한 기본권이며, 이러한 부모의 자녀교육권이 학교영역에서는 자녀의 교육진로에 관한 결정권 내지는 자녀가 다닐 학교를 선택하는 권리로 구체화된다(2009.4.30, 2005헌마514).

ㄹ. [X] 이 사건 법률조항이 정한 공동사업합산과세제도는 공동사업이라는 특정한 사업형태에 대한 소득세 조세규율에 있어 조세회피방지라는 목적을 위해 특수한 관계에 있는 자들을 예외적으로 규율하는 것으로 이러한 관계 속에 배우자나 가족이 들어간다 하여도 이것이 혼인이나 가족관계를 결정적 근거로 한 차별취급이라고 볼 수 없으며 단지 합리적인 조세제도 운용에 있어 파생된 부수적인 결과물이다. 또한, 공동사업은 이것을 영위하는 것처럼 가장하여 소득분산을 기도할 개연성이 높고 그 입증이 쉽지 않으므로 이러한 특성을 고려하여 입법자는 공동사업을 위장하여 소득분산을 추구할 개연성이 높은 집단의 조세회피행위에 대처하기 위한 입법정책상의 강한 필요에 따라 이들을 달리 취급하도록 규정한 것이며 그러한 집단을 선정함에 있어 혼인이나 가족관계를 특별히 차별취급하려는 것이 아니라 위장 분산의 개연성이 높고 그 입증이 쉽지 않을 것으로 예상되는 여러 집단 중의 하나로 규정한 것으로 이 사건 법률조항은 헌법 제36조 제1항에 위반되지 않는다. 또한 부부나 가족관계를 기준으로 한 공동사업자합산과세제도는 헌법 제36조 제1항이 헌법 제11조 제1항의 평등원칙과 결합하여 부당한 차별로부터 혼인과 가족생활을 특별히 더 보호하도록 하는 헌법상 국가의 의무와 상충되지 않으며 헌법에 위반되지 않는다(2006.4.27, 2004헌가19).

17 정답 ②

ㄱ. [X]

관련 판례 친고죄의 경우든 비친고죄의 경우든 이 사건 법률조항이 재판절차진술권의 중대한 제한을 초래한다고 보기는 어려우므로 평등원칙 위반 여부는 완화된 자의심사에 따라 판단하면 족하다(2011.2.24, 2008헌바56).

관련 판례 이 사건 법률조항은 중혼의 취소청구권자를 규정하면서 직계비속을 취소청구권자에 포함시키지 아니한 것인데, 앞서 본 바와 같이 중혼의 취소청구권자를 어느 범위까지 포함할 것인지 여부에 관하여는 입법자의 입법재량의 폭이 넓은 영역이라 할 것이어서, 이 사건 법률조항이 평등원칙을 위반했는지 여부를 판단함에 있어서는 자의금지원칙 위반 여부를 심사하는 것으로 족하다고 할 것이다(2010.7.29, 2009헌가8).

ㄴ. [○] 부계혈통주의조항은 성별에 대한 차별이고 헌법 제11조는 성별에 의한 차별을 금지하고 있으므로 이 사건 심사에는 비례원칙을 적용하여야 한다(2000.8.31, 97헌가12).

ㄷ. [X] 특정한 조세 법률조항이 혼인이나 가족생활을 근거로 부부 등 가족이 있는 자를 혼인하지 아니한 자 등에 비하여 차별취급하는 것이라면 비례의 원칙에 의한 심사에 의하여 정당화되지 않는 한 헌법 제36조 제1항에 위반된다 할 것인데, 종합부동산세의 과세방법을 '인별 합산'이 아니라 '세대별 합산'으로 규정한 것은 혼인한 자 또는 가족과 함께 세대를 구성한 자를 비례의 원칙에 반하여 개인별로 과세되는 독신자, 사실혼관계의 부부, 세대원이 아닌 주택 등의 소유자 등에 비하여 불리하게 차별하여 취급하고 있으므로, 헌법 제36조 제1항에 위반된다(2008.11.13, 2006헌바112 등).

ㄹ. [○] 헌법 제36조 제1항은 "혼인과 가족생활은 개인의 존엄과 양성의 평등을 기초로 성립되고 유지되어야 하며, 국가는 이를 보장한다."라고 규정하여 혼인과 가족생활에 있어서 특별히 양성의 평등대우를 명하고 있다. 그러므로 처(妻) 사망시 부(夫)의 유족연금수급자격을 부(夫)가 60세 이상이거나 장애등급 2급 이상에 해당하는 경우로 한정한 구 「국민연금법」 제63조 제1항 제1호 단서에 대하여는 엄격한 심사척도를 적용하여 비례성원칙에 따른 심사를 행하여야 할 것이다(2008.11.27, 2006헌가1).

18 정답 ①

❶ [○] 소년심판절차의 전 단계에서 검사가 관여하고 있고, 소년심판절차의 제1심에서 피해자 등의 진술권이 보장되고 있다. 또한 소년심판은 형사소송절차와는 달리 소년에 대한 후견적 입장에서 소년의 환경조정과 품행교정을 위한 보호처분을 하기 위한 심문절차이며, 보호처분을 함에 있어 범행의 내용도 참작하지만 주로 소년의 환경과 개인적 특성을 근거로 소년의 개선과 교화에 부합하는 처분을 부과하게 되므로 일반 형벌의 부과와는 차이가 있다. 위와 같은 소년심판절차의 특수성을 감안하면, 차별대우를 정당화하는 객관적이고 합리적인 이유가 존재한다고 할 것이어서 이 사건 법률조항은 청구인의 평등권을 침해하지 않는다(2012.7.26, 2011헌마232).

② [X] **유예기간 중 자격정지 이상의 형에 처한 판결이 확정되면 집행유예를 실효시키는 「형법」 제61조 제1항**

「형법」이 규정하는 고유한 종류의 제재로서 집행유예와 그 법적 성격 및 요건·효과에 있어서 근본적으로 차이가 있으므로, 집행유예에 비하여 선고유예의 실효사유를 넓게 규정하는 것이 형평의 원칙에 부합하는 측면이 있다. 입법자가 선고유예의 입법취지, 실효의 효력 발생시기·효과 등을 감안하여 선고유예의 실효사유를 집행유예와 서로 다르게 규정하였다고 하더라도 이를 반드시 불합리한 차별이라고 보기는 어렵다. 종전의 합헌 선례(2007헌가19)를 변경할 만한 사정이 없으므로 헌법상 평등원칙에 위반되지 아니한다(2019.9.26, 2017헌바265 등).

③ [X] 반의사불벌죄에서의 자복은 형사소추권의 행사 여부를 좌우할 수 있는 자에게 자신의 범죄를 알리는 행위란 점에서 자수와 그 구조 및 성격이 유사하므로, 이 사건 법률조항이 청구인과 같이 반의사불벌죄 이외의 죄를 범하고 피해자에게 자복한 사람에 대하여 반의사불벌죄를 범하고 피해자에게 자복한 사람과 달리 임의적 감면의 혜택을 부여하지 않고 있다 하더라도 이를 자의적인 차별이라고 보기 어렵다(2018.3.29, 2016헌바270). 2019년 지방 7급

④ [X] '효'라는 우리 고유의 전통규범을 수호하기 위하여 비속이 존속을 고소하는 행위의 반윤리성을 억제하고자 이를 제한하는 것은 합리적인 근거가 있는 차별이라고 할 수 있다. 따라서, 이 사건 법률조항은 헌법 제11조 제1항의 평등원칙에 위반되지 아니한다(2011.2.24, 2008헌바56). 2018년 경찰승진

19 정답 ②

① [X] 주거침입이라는 다른 행위요소가 더해지면 강제추행의 경우도 주거침입 강간이나 유사강간에 비하여 그 보호법익이나 불법의 정도, 비난가능성 등에 있어 별다른 차이가 없다고 보고 그 법정형을 동일하게 정한 것이다. 또한 법관의 양형으로 불법과 책임을 일치시킬 수 있으면 법정형이 내포하고 있는 약간의 위헌성은 극복될 수 있는 것이므로, 만약 구체적인 사건에서 주거침입강제추행죄와 주거침입강간죄에 대한 법정형이 동일한 결과 형량에 있어 불합리성이 나타난다면, 이는 법관이 구체적인 양형을 통하여 시정하면 된다. 따라서 이 사건 법률조항이 현저히 형벌체계상의 정당성이나 균형성을 상실하여 평등원칙에 위반된다고 할 수 없다(2013.7.25, 2012헌바320).

❷ [○] 「형법」 제261조(특수폭행), 제284조(특수협박), 제369조(특수손괴)(이하 모두 합하여 '「형법」 조항들'이라 한다)의 '위험한 물건'에는 '흉기'가 포함된다고 보거나, '위험한 물건'과 '흉기'가 동일하다고 보는 것이 일반적인 견해이며, 심판대상조항의 '흉기'도 '위험한 물건'에 포함되는 것으로 해석된다. 그렇다면 심판대상조항의 구성요건인 '흉기 기타 위험한 물건을 휴대하여'와 「형법」 조항들의 구성요건인 '위험한 물건을 휴대하여'는 그 의미가 동일하다. 그런데 심판대상조항은 「형법」 조항들과 똑같은 내용의 구성요건을 규정하면서 징역형의 하한을 1년으로 올리고, 벌금형을 제외하고 있다. 심판대상조항은 형벌체계상의 정당성과 균형을 잃은 것이 명백하므로, 인간의 존엄성과 가치를 보장하는 헌법의 기본원리에 위배될 뿐만 아니라 그 내용에 있어서도 평등원칙에 위배된다(2015.9.24, 2014헌바154 등).

③ [X] 상습범은 범행의 반복을 통해 높은 사회불안을 야기하고, 이를 방치할 경우 범행의 수법이 발전하고 대담해져 더 큰 강력범죄로 발전할 위험성이 있어 비난가능성이 크므로 일반범죄에 비해 가중처벌할 필요가 있다. 심판대상조항은 상습절도의 형을 기본범죄에 정한 형의 2분의 1까지 가중한다고 정하고 있으나 이는 법정형의 범위를 넓히는 것일 뿐 선고형을 2분의 1 가중하는 것이 아니고, 법관은 구체적 사실관계를 기초로 행위에 상응하는 책임을 물을 수 있으며, 절도죄의 법정형은 하한이 정해져 있지 아니하여 사안에 따라 집행유예의 선고도 할 수 있다. 따라서 「형법」 조항이 형벌에 관한 입법재량이나 형성의 자유를 현저히 일탈하여 책임과 형벌의 비례원칙에 위배된다고 할 수 없다(2016.10.27, 2016헌바31).

④ [X] 헌재 2014헌가16 등 결정 이후에 심판대상조항은 법률이 처벌하고자 하는 행위에 상습절도가 포함되는지 여부에 대하여 수범자가 예견할 수 없고, 범죄의 성립 여부에 대하여 법률전문가에게조차 법해석상 혼란을 야기할 수 있을 정도로 불명확한 상태로 존속하게 되었으므로, 심판대상조항의 구성요건은 죄형법정주의의 명확성원칙에 위배된다. 심판대상조항은 그 법정형에 대하여 "그 죄에 대하여 정한 형의 단기의 2배까지 가중한다."라고 규정하고 있는데, 여기서 '그 죄에 대하여 정한 형'이 「특정범죄 가중처벌 등에 관한 법률」 제5조의4 제1항의 죄에 대하여 정한 형을 가리키는 것인지, 「형법」 제332조가 정한 형을 가리키는 것인지 불명확하다. 심판대상조항은 법정형이 불명확하다는 측면에서도 죄형법정주의의 내용인 형벌법규의 명확성원칙에 위배된다(2015.11.27, 2013헌바343).

➡ 주의: 절도죄 누범 가중처벌은 합헌이다(2016.9.29, 2016헌바44).

20 정답 ④

① [○] 경찰·검찰의 수사단계에서부터 제1심 판결선고 전까지의 기간이 고소인과 피고소인 상호 간에 숙고된 합의를 이루어낼 수 없을 만큼 부당하게 짧은 기간이라고 하기 어렵고, 현행 「형사소송법」상 제1심과 제2심이 모두 사실심이기는 하나 제2심은 제1심에 대한 항소심인 이상 두 심급이 근본적으로 동일하다고 볼 수는 없다. 따라서 이 사건 법률조항이 항소심단계에서 고소 취소된 사람을 자의적으로 차별하는 것이라고 할 수는 없다(2011.2.24, 2008헌바40).

② [○] 「검찰청법」상 항고제도의 인정 여부는 기본적으로 입법정책에 속하는 문제로서 그 주체, 대상의 범위 등의 제한도 그것이 현저히 불합리하지 아니한 이상 헌법에 위반되는 것이라 할 수 없고, 고소인·고발인과 피의자는 기본적으로 대립적 이해관계에서 기소유예처분에 불복할 이익을 지니며, 「검찰청법」상 항고제도의 성격과 취지 및 한정된 인적·물적 사법자원의 측면, 그리고 이 사건 법률조항이 헌법소원심판청구 등 피의자의 다른 불복수단까지 원천적으로 봉쇄하는 것은 아닌 점 등을 종합하면, 이 사건 법률조항이 피의자를 고소인·고발인에 비하여 합리적 이유 없이 차별하는 것이라 할 수 없다(2012.7.26, 2010헌마642).

③ [○] 어음 발행인과 달리 부도수표 발행인에 대하여만 형사처벌하는 규제를 두었다고 하더라도, 수표는 현금의 대용물로서 금전지급증권이라는 수표 고유의 특성 때문에 어음과는 본래적 성질을 달리 하므로, 수표 발행인과 어음 발행인 사이에는 본질적으로 동일한 집단에 대한 차별취급이 인정되지 않거나, 또는 이들에 대한 차별취급에 합리적 이유가 있다고 할 것이다. 따라서 이 사건 법률조항은 평등원칙에 위배되지 아니한다(2011.7.28, 2009헌바267). 2013년 국회 8급

❹ [X] **유예기간 중 자격정지 이상의 형에 처한 판결이 확정되면 집행유예를 실효시키는 「형법」 제61조 제1항**

「형법」이 규정하는 고유한 종류의 제재로서 집행유예와 그 법적 성격 및 요건·효과에 있어서 근본적으로 차이가 있으므로, 집행유예에 비하여 선고유예의 실효사유를 넓게 규정하는 것이 형평의 원칙에 부합하는 측면이 있다. 입법자가 선고유예의 입법취지, 실효의 효력 발생시기·효과 등을 감안하여 선고유예의 실효사유를 집행유예와 서로 다르게 규정하였다고 하더라도 이를 반드시 불합리한 차별이라고 보기는 어렵다. 종전의 합헌 선례(2009.3.26, 2007헌가19)를 변경할 만한 사정이 없으므로 헌법상 평등원칙에 위반되지 아니한다(2019.9.26, 2017헌바265 등).

21 정답 ②

① [○] 소년심판절차의 전 단계에서 검사가 관여하고 있고, 소년심판절차의 제1심에서 피해자 등의 진술권이 보장되고 있다. 또한 소년심판은 형사소송절차와는 달리 소년에 대한 후견적 입장에서 소년의 환경조정과 품행교정을 위한 보호처분을 하기 위한 심문절차이며, 보호처분을 함에 있어 범행의 내용도 참작하지만 주로 소년의 환경과 개인적 특성을 근거로 소년의 개선과 교화에 부합하는 처분을 부과하게 되므로 일반 형벌의 부과와는 차이가 있다. 위와 같은 소년심판절차의 특수성을 감안하면, 차별대우를 정당화하는 객관적이고 합리적인 이유가 존재한다고 할 것이어서 이 사건 법률조항은 청구인의 평등권을 침해하지 않는다(2012.7.26, 2011헌마232).

❷ [X] 반의사불벌죄에서의 자복은 형사소추권의 행사 여부를 좌우할 수 있는 자에게 자신의 범죄를 알리는 행위란 점에서 자수와 그 구조 및 성격이 유사하므로, 이 사건 법률조항이 청구인과 같이 반의사불벌죄 이외의 죄를 범하고 피해자에게 자복한 사람에 대하여 반의사불벌죄를 범하고 피해자에게 자복한 사람과 달리 임의적 감면의 혜택을 부여하지 않고 있다 하더라도 이를 자의적인 차별이라고 보기 어렵다(2018.3.29, 2016헌바270).

③ [○] 집행유예는 실형보다 죄질이나 범정이 더 가벼운 범죄에 관하여 선고하는 것이 보통인데, 이 사건 구법조항은 집행유예보다 중한 실형을 선고받고 집행이 종료되거나 면제된 경우에는 자격에 관한 법령의 적용에 있어 형의 선고를 받지 아니한 것으로 본다고 하여 공무원 임용 등에 자격 제한을 두지 않으면서 집행유예를 선고받은 경우에 대해서는 이와 같은 특례조항을 두지 아니하여 불합리한 차별을 야기하고 있다. 또한 집행유예기간은 실형의 2배로 정해지는 것이 법원의 실무례인바, 이 기간 동안 집행유예 중이라는 이유로 공무원 임용 등 자격을 제한한다면 실형보다 오히려 긴 기간 동안 자격을 제한하게 되어 범죄에 대한 책임과 자격의 제한이 비례하지 않을 가능성이 높다. 더욱이 집행유예기간을 경과한 자의 경우에는 원칙적으로 형의 선고에 의한 법적 효과가 장래를 향하여 소멸하고 향후 자격 제한 등의 불이익을 받지 아니함에도, 이 사건 구법 조항에 따르면 집행유예를 선고받은 자의 자격 제한을 완화하지 아니하여 집행유예기간이 경과한 경우에도 그 후 일정 기간 자격 제한을 받게 되었으므로, 명백히 자의적인 차별에 해당하여 평등원칙에 위반된다(2018.1.25, 2017헌가7 등).

④ [○] 경찰·검찰의 수사단계에서부터 제1심 판결선고 전까지의 기간이 고소인과 피고소인 상호 간에 숙고된 합의를 이루어낼 수 없을 만큼 부당하게 짧은 기간이라고 하기 어렵고, 현행 「형사소송법」상 제1심과 제2심이 모두 사실심이기는 하나 제2심은 제1심에 대한 항소심인 이상 두 심급이 근본적으로 동일하다고 볼 수는 없다. 따라서 이 사건 법률조항이 항소심단계에서 고소 취소된 사람을 자의적으로 차별하는 것이라고 할 수는 없다(2011.2.24, 2008헌바40).

22 정답 ①

❶ [○] 심판대상조항(「출입국관리법」 제4조 제1항 제1호)에 따른 법무부장관의 출국금지결정은 형사재판에 계속 중인 국민의 출국의 자유를 제한하는 행정처분일 뿐이고, 영장주의가 적용되는 신체에 대하여 직접적으로 물리적 강제력을 수반하는 강제처분이라고 할 수는 없다. 따라서 심판대상조항이 헌법 제12조 제3항의 영장주의에 위배된다고 볼 수 없다(2015.9.24, 2012헌바302). 2017년 변시

② [X] 심판대상조항은 법무부장관으로 하여금 피고인의 출국을 금지할 수 있도록 하는 것일 뿐 피고인의 공격·방어권 행사와 직접 관련이 있다고 할 수 없고, 공정한 재판을 받을 권리에 외국에 나가 증거를 수집할 권리가 포함된다고 보기도 어렵다. 따라서 심판대상조항은 공정한 재판을 받을 권리를 침해한다고 볼 수 없다(2015.9.24, 2012헌바302). 2017년 변시

③ [X] 심판대상조항은 형사재판에 계속 중인 사람이 국가의 형벌권을 피하기 위하여 해외로 도피할 우려가 있는 경우 법무부장관으로 하여금 출국을 금지할 수 있도록 하는 것일 뿐으로, 무죄추정의 원칙에서 금지하는 유죄 인정의 효과로서의 불이익, 즉 유죄를 근거로 형사재판에 계속 중인 사람에게 사회적 비난 내지 응보적 의미의 제재를 가하려는 것이라고 보기 어렵다. 따라서 심판대상조항은 무죄추정의 원칙에 위배된다고 볼 수 없다(2015.9.24, 2012헌바302). 2017년 변시

④ [X] 심판대상조항으로 인하여 형사재판에 계속 중인 사람이 입게 되는 불이익은 일정 기간 출국이 금지되는 것인 반면, 심판대상조항을 통하여 얻는 공익은 국가형벌권을 확보함으로써 실체적 진실발견과 사법정의를 실현하고자 하는 것으로서 중대하므로 법익의 균형성도 충족된다. 따라서 심판대상조항은 과잉금지원칙에 위배되어 출국의 자유를 침해하지 아니한다(2015.9.24, 2012헌바302). 2017년 변시

23

정답 ①

❶ [X] 2015년 「국가유공자 등 예우 및 지원에 관한 법률」이 개정되면서 1998.1.1. 이후 다른 유족이 보상금을 지급받은 적이 있는 유자녀에 대하여도 자녀수당을 지급하게 되었으나, 그들에게 지급하는 자녀수당 지급액을 다른 유자녀에 대한 지급액보다 적게 정한 것은 1997.12.31. 이전에 연금지급이 종결되어 직접적으로든 간접적으로든 충분한 혜택을 받지 못한 유자녀에 대한 보상의 필요성이 우선한다고 입법자가 판단한 결과이며, 시간의 경과에 따라 다른 유자녀에 대한 보훈급여금 총액이 1998.1.1. 이후 다른 유족이 보상금을 지급받은 적이 있는 유자녀에 대한 보훈급여금 총액을 초과하는 역전현상이 나타날 수 있으나, 이는 수혜적 급부에 있어서 수급권자에 포함되지 못한 사람에게 나타나는 불가피한 현상이다. 나아가 「국가유공자 등 예우 및 지원에 관한 법률」은 국가유공자에 대하여 교육지원·취업 보호·의료 보호 등의 각종 지원을 마련하고 있는 점도 고려되어야 한다. 그렇다면 심판대상조항으로 인하여 다른 유자녀와의 사이에 생기는 차별은 그 나름대로 합리성을 갖추고 있고, 심판대상조항이 청구인의 평등권을 침해한다고 볼 수 없다(2019.9.26, 2018헌마315).

② [O] 교장은 인사관리를 포함하여 교무를 총괄하고 소속 교직원을 지도·감독할 임무를 부여받은 반면, 수석교사는 교사의 교수·연구 활동을 지원하는 임무를 부여받고 있다. 따라서 교사 근무성적의 평정자·확인자 권한을 교장 등에게만 부여하더라도 이러한 차별에는 합리적인 이유가 있으므로, 심판대상조항들은 청구인들의 평등권을 침해하지 않는다(2019.4.11, 2017헌마601).

③ [O] 성과상여금 등의 지급과 관련하여 수석교사를 교장 등, 장학관 등과 달리 취급하는 것에는 합리적인 이유가 있으므로, 심판대상조항들은 청구인들의 평등권을 침해하지 않는다(2019.4.11, 2017헌마602).

④ [O] 수석교사제도는 기존에 교사들이 관리직으로의 승진에만 몰두하였던 교육계의 폐단을 시정하기 위해 도입되었다. 여전히 많은 교원들이 장학관 등의 교육전문직을 교원이 승진하여 도달하는 지위로 인식하고 있다는 점을 고려하면, 장학관 등 특별채용과 관련하여 교장 등의 경력과 수석교사 경력을 동일하게 취급하는 경우 수석교사직이 장학관 등의 임용을 위한 수단으로 변질되어 수석교사제도의 본래 도입취지가 몰각될 우려도 있다. 이러한 점들을 고려하면 심판대상조항들이 수석교사를 교장 등과 달리 취급하는 것에는 합리적인 이유가 있으므로 청구인들의 평등권을 침해하지 않는다(2019.4.11, 2017헌마603).

24

정답 ①

ㄱ. [X] 토지소유자를 중심으로 볼 때 환지처분의 경우에는 종전 토지의 소유권이 그대로 새로운 토지에 남게 되는바, 이를 '자산이 유상으로 사실상 이전되는 양도'의 범위에 포함시킬 수 없으므로, 협의수용을 '양도'로 보고 양도소득세를 과세하는 것과 환지처분을 '양도'로 보지 않아 양도소득세를 비과세하는 것은 본질적으로 다른 것을 다르게 취급하는 것으로서 이로 인해 차별이 존재한다고 볼 수 없다(2007.4.26, 2006헌바71).

ㄴ. [X] 상속은 상속인의 의사와 상관없이 피상속인의 사망이라는 우발적인 사정에 의하여 피상속인이 생전에 가지고 있던 재산상의 권리·의무가 포괄적으로 승계되는 것인 반면, 증여는 당사자가 증여의 시기나 증여 여부를 선택할 수 있다는 점에서 상속과 증여는 엄연히 구분되는 점, 상속의 경우는 증여와 비교할 때 변칙증여의 수단으로 악용될 가능성이 없는 데다가, 비상장주식을 상속받은 자의 물납신청은 비상장주식 이외의 다른 상속재산이 없는 경우 등에 한하여 극히 예외적으로 허용하고 있는 점, 물납제도는 조세의 현금납부원칙에 대한 예외로 특별히 인정된 것으로서 물납의 허용범위를 정하는 것은 입법정책적 재량의 영역에 속하는 것으로 보아야 하는 점 등을 고려하여 보면, 비상장주식을 증여받는 경우와는 달리 이를 상속받은 경우에만 예외적으로 물납을 허용하는 데에는 합리적인 이유가 있다. 따라서 이 사건 법률조항이 평등원칙에 위배된다고 할 수 없다(2015.4.30, 2013헌바137).

ㄷ. [X] 이 사건 직장보육시설 설치의무 등은 경제적 여건이나 종업원 수 등 사업장의 규모 등을 고려하여 일정 규모 이상의 사업주에게만 그 의무를 부담시키고 있다. 이는 아동 보육에 대한 수요가 어느 정도 클 것으로 예상되는 사업주에게만 그 의무를 부담시키므로 자의적인 차별이라고는 보기 어려우므로 평등원칙에 위반되지 아니한다(2011.11.24, 2010헌바373).

ㄹ. [X] 법학전문대학원 정원 2,000명 중 과반수 이상이 서울 권역 법학전문대학원 소속인 점, 지방 권역별 법학전문대학원 소속 응시자들의 접근성 측면에서 볼 때 항공·육상 교통의 중심지인 서울이 다른 지역에 비하여 상대적으로 접근에 더 용이한 점, 다수 응시자의 편의, 시험사고의 위험성, 가용한 인적·물적 자원 등을 전문적으로 판단하여 시험장을 선정하는 시험주관청의 재량 등을 고려할 때, 피청구인이 '변호사시험이 집중실시될 지역으로 서울을 선택한 것'은 합리적 이유가 있다. 따라서 이 사건 시험장 선정행위는 합리적 이유 있는 공권력 행사로서 청구인들의 평등권을 침해하지 아니한다(2013.9.26, 2011헌마782 등).

ㅁ. [O] **7급 교정직공무원으로의 승진시험 응시횟수를 3회로 제한하고 있는 '교정직공무원 승진임용 규정'**

통상 공무원의 직급은 담당하는 직무의 난이도·책임의 정도 등에 따라 구분되는 점, 5급 교정직공무원으로의 승진은 시험승진방식에 의해서만 가능하나, 7급 교정직공무원으로의 승진은 승진소요 최저연수 2년을 포함하여 7년 이상 8급에서 재직하면 근속승진을 할 수 있는 점을 고려하면, 이 사건 제한조항은 청구인의 평등권을 침해하지 아니한다(2018.7.26, 2016헌마930).

25

정답 ①

ㄱ. [O] 경찰공무원은 그 직무범위와 권한이 포괄적인 점, 특히 경사 계급은 현장수사의 핵심인력으로서 직무수행과 관련하여 많은 대민접촉이 이루어지므로 민사 분쟁에 개입하거나 금품을 수수하는 등의 비리 개연성이 높다는 점 등을 종합하여 보면, 대민접촉이 거의 전무한 교육공무원이나 군인 등과 달리 경찰업무의 특수성을 고려하여 경사 계급까지 등록의무를 부과한 것은 합리적인 이유가 있는 것이므로 위 조항이 경사인 청구인의 평등권을 침해한다고 볼 수 없다(2010.10.28, 2009헌마544).

ㄴ. [O] 「경찰공무원임용령 시행규칙」상의 계급환산기준표 및 호봉획정을 위한 공무원경력의 상당계급기준표에 의하면 경장인 청구인의 계급에 상당하는 군인 계급은 중사인바, 경찰공무원인 경장의 1호봉 봉급월액은 중사의 1호봉 봉급월액보다 적으므로 상응하는 계급인 경장과 중사 간에 봉급월액에 대한 차별취급이 존재한다. 그러나 경찰공무원과 군인은 업무를 수행하는 과정에서 생명과 신체에 대한 상당한 위험을 부담한다는 점에서 유사한 측면이 존재하지만, 법률에 의하여 부여된 고유 업무는 서로 다르고, 그에 따라 업무수행 중에 노출되는 위험상황의 성격과 정도에 있어서도 서로 일치한다고는 볼 수 없다. 또한 경찰공무원과 군인은 직종 간 특성에 따라 다른 계급체계 및 인사운영체계를 가지고 있고, 이에 따라 봉급월액을 다르게 정하고 있다. 따라서 경찰공무원 중 경장의 봉급월액이 이에 대응하는 군인계급인 중사의 봉급월액보다 적게 규정되었다고 하여 이를 합리적 이유 없는 차별에 해당한다고 볼 수

없다(2008.12.26, 2007헌마444).

ㄷ. [X] 군인이나 경찰·소방 공무원이 직무수행이나 교육훈련 중 상이를 입었다 하더라도, '국가의 수호·안전보장 또는 국민의 생명·재산 보호와 직접적인 관련이 있는 직무수행이나 교육훈련 중 상이를 입은 자'와 '그렇지 아니한 자'는 국민으로부터 존경과 예우를 받아야 할 희생·공헌의 정도나 그에 대한 국민감정 등에 있어 큰 차이가 있으므로, '국가의 수호·안전보장 또는 국민의 생명·재산 보호와 직접적인 관련이 없는 직무수행이나 교육훈련 중 상이를 입은 자'를 국가유공자에서 배제하는 것이 현저히 불합리하다고 볼 수 없다(2016.12.29, 2016헌바263).

ㄹ. [X] 경력공무원에 대하여 행정사 자격시험 중 일부를 면제하는 것은 상당 기간 행정의 실무 경험을 갖춘 공무원의 경우 행정에 관련된 전문 지식이나 능력을 이미 갖춘 것으로 볼 수 있기 때문이다. 15년 이상 공무원으로 근무하면서 7급 이상의 직에 근무한 경험이 있거나, 5급 이상 공무원의 지위에서 5년 이상 근무하였다면, 행정절차 및 사무관리에 관하여 상당한 수준의 경험 및 전문지식을 갖춘 것으로 볼 수 있으므로, 제2차 시험 중 행정절차론 및 사무관리론을 면제한 시험면제조항은 합리적인 이유가 있다. 국·공립학교 교사나 직업군인을 비롯하여 대부분의 공무원들은 직렬이나 담당 업무를 불문하고 일정한 행정업무를 담당하고 있고, 그와 같은 행정경험이 행정사 업무수행에 기여할 것이라는 입법자의 판단이 현저하게 잘못되었다고 보기 어렵다. 따라서 시험면제조항은 일반 응시자인 청구인들의 평등권이나 직업선택의 자유를 침해하지 아니한다(2016.2.25, 2013헌마626).

26 정답 ①

❶ [X] 이 사건 법률조항에서 말하는 구속기간은 이를 순수하게 문언 그대로 해석하면, '법원이 피고인을 구속한 상태에서 재판할 수 있는 기간'을 의미한다고 볼 것이고, 이와는 달리 '법원이 형사재판을 할 수 있는 기간' 내지 '법원이 구속사건을 심리할 수 있는 기간'을 의미한다고 볼 수는 없다. 즉, 이 사건 법률조항은 미결구금의 부당한 장기화로 인하여 피고인의 신체의 자유가 침해되는 것을 방지하기 위한 목적에서 미결구금기간의 한계를 설정하고 있는 것이지, 신속한 재판의 실현 등을 목적으로 법원의 재판기간 내지 심리기간 자체를 제한하려는 규정이라 할 수는 없다. 이는 구속기간이 만료되더라도 보석을 허가하여 구속피고인을 석방한 다음 불구속 상태에서 재판을 계속 진행할 수 있다는 점에서도 충분히 뒷받침된다(2001.6.28, 99헌가14).

② [O] 이 사건 법률규정이 과잉금지의 원칙에 위배되는지 여부를 심사함에 있어서는 그 제한되는 기본권의 중요성이나 기본권 제한방식의 중첩적·가중적 성격에 비추어 엄격한 기준에 의할 것이 요구된다. 국가안보와 직결되는 사건과 같이 수사를 위하여 구속기간의 연장이 정당화될 정도의 중요사건이라면 더 높은 법률적 소양이 제도적으로 보장된 군검찰관이 이를 수사하고 필요한 경우 그 구속기간의 연장을 허용하는 것이 더 적절하기 때문에, 군사법경찰관의 구속기간을 연장까지 하면서 이러한 목적을 달성하려는 것은 부적절한 방식에 의한 과도한 기본권의 제한이라고 아니할 수 없다(2003.11.27, 2002헌마193).

③ [O] 「국가보안법」 제7조(찬양·고무 등) 및 제10조(불고지)의 죄는 구성요건이 특별히 복잡한 것도 아니고 사건의 성질상 증거수집이 더욱 어려운 것도 아니어서 굳이 수사기관에서 일반형사사건의 최장구속기간 30일보다 더 오래 피의자를 구속할 필요가 있다고 인정되지 아니한다. 그럼에도 불구하고, 「국가보안법」 제19조가 제7조 및 제10조의 범죄에 대하여서까지 「형사소송법」상의 수사기관에 의한 피의자 구속기간 30일보다 20일이나 많은 50일을 인정한 것은 국가형벌권과 국민의 기본권과의 상충관계 형량을 잘못하여 불필요한 장기구속을 허용하는 것이어서 입법목적의 정당성만을 강조한 나머지 방법의 적정성 및 피해의 최소성의 원칙 등을 무시한 것이라고 아니할 수 없고 결국 헌법 제37조 제2항의 기본권 제한입법의 원리로서 요구되는 과잉금지의 원칙을 현저하게 위배하여 피의자의 신체의 자유, 무죄추정의 원칙 및 신속한 재판을 받을 권리를 침해하는 것임이 명백하다(1992.4.14, 90헌마82).

④ [O] 1991.5.31. 개정 전후의 「국가보안법」 제3조, 제5조, 제8조, 제9조에 해당하는 범죄에 대한 수사에 있어서는 그 피의자들에 대한 구속기간을 최소한의 범위 내에서 연장할 상당한 이유가 있으며, 또 그 구속기간의 연장에는 지방법원 판사의 허가를 받도록 되어 있어서 수사기관의 부당한 장기구속에 대한 법적 방지장치도 마련되어 있으므로 「국가보안법」 제19조 중 위 각 죄에 관한 구속기간의 연장 부분은 헌법에 규정된 평등의 원칙, 신체의 자유, 무죄추정의 원칙 및 신속한 재판을 받을 권리 등을 침해하는 위헌법률조항이라고 할 수 없다(1997.6.26, 96헌가8 등).

27 정답 ②

① [O] 형벌불소급은 소급입법을 절대로 금지하는 원칙이다.

❷ [X]

> **1960년 제4차 개정헌법 부칙** 이 헌법 시행 당시의 국회는 단기 4293년 3월 15일에 실시된 대통령, 부통령 선거에 관련하여 불정행위를 한 자와 그 불정행위에 항의하는 국민에 대하여 살상 기타의 불정행위를 한 자를 처벌 또는 단기 4293년 4월 26일 이전에 특정지위에 있음을 이용하여 현저한 반민주행위를 한 자의 공민권을 제한하기 위한 특별법을 제정할 수 있으며 단기 4293년 4월 26일 이전에 지위 또는 권력을 이용하여 불정한 방법으로 재산을 축적한 자에 대한 행정상 또는 형사상의 처리를 하기 위하여 특별법을 제정할 수 있다.

③ [O] 헌법 제13조 제2항은 진정소급입법만을 금지하고 부진정소급입법을 금지하고 있지는 않다. 진정소급이법은 원칙은 금지되나, 예외적으로 허용된다.

④ [O] 공소시효는 형벌이 아니므로 헌법 제13조 제1항은 적용되지 않는다. 헌법 제13조 제2항의 소급입법금지원칙은 적용되나 예외적인 경우에 해당하여 합헌결정되었다.

28 정답 ②

① [O] 전자장치 부착명령은 제도의 목적, 요건, 보호관찰 부가 등 관련 규정의 내용에 비추어 형벌과 구별되고, 형벌과는 목적이나 심사대상 등을 달리하는 보안처분에 해당한다(2013.7.25, 2011헌마781).

❷ [X] 보안처분은 형벌과는 달리 행위자의 장래 재범위험성에 근거하는 것으로서, 행위시가 아닌 재판시의 재범위험성 여부에 대한 판단에 따라 보안처분 선고를 결정하므로 원칙적으로 재판 당시 현행법을 소급적용할 수 있다고 보는 것이 타당하고 합리적이다. 그러나 보안처분의 범주가 넓고 그 모습이 다양한 이상, 보안처분에 속한다는 이유만으로 일률적으로 소급입법금지원칙이 적용된다거나 그렇지 않다고 단정해서는 안 되고, 보안처분이라는 우회적인 방법으로 형벌불소급의 원칙을 유명무실하게 하는 것을 허용해서도 안 된다. 따라서 보안처분이라 하더라도 형벌적 성격이 강하여 신체의 자유를 박탈하거나 박탈에 준하는 정도로 신체의 자유를 제한하는 경우에는 소급입법금지원칙을 적용하는 것이 법치주의 및

죄형법정주의에 부합한다(2014.8.28, 2011헌마28 등).

③ [○] 보호감호처분도 신체에 대한 자유박탈을 내용으로 하는 점에서, 실질에 있어 형사적 제재의 한 태양이라고 볼 것이므로 소급입법에 의한 보호감호는 허용될 수 없다(1989.7.14, 88헌가5 등).

④ [○] 보호관찰은 형벌이 아니라 보안처분의 성격을 갖는 것으로 그에 대하여 반드시 행위 이전에 규정되어 있어야 하는 것은 아니며 재판시의 규정에 의하여 보호관찰을 받을 것을 명할 수 있다고 보아야 할 것이고 이러한 해석이 형벌불소급의 원칙에 위배되는 것은 아니다(대판 1997.6.13, 97도703).

29 정답 ①

ㄱ. [X] 명확성의 원칙은 모든 법률에서 동일한 정도로 요구되는 것은 아니고 개개의 법률이나 법조항의 성격에 따라 요구되는 정도에 차이가 있을 수 있고, 각 구성요건의 특수성과 그러한 법률이 제정되게 된 배경이나 상황에 따라 달라질 수 있다. 일반적으로 어떠한 규정이 수익적 성격을 가지는 경우에는 부담적 성격을 가지는 경우에 비하여 명확성의 요구가 완화되어 요구된다(2009.3.26, 2007헌마1327 등).

ㄴ. [X] 명확성의 원칙은 민주주의·법치주의 원리의 표현으로서 모든 기본권제한입법에 요구되는 것이나, 표현의 자유를 규제하는 입법에 있어서는 더욱 중요한 의미를 지닌다(2010.12.28, 2008헌바157 등).

ㄷ. [X] 명확성의 원칙은 기본적으로 최대한이 아닌 최소한의 명확성을 요구하는 것이다(1998.4.30, 95헌가16).

ㄹ. [X] 명확성의 원칙은 모든 법률에 있어 동일한 정도로 요구되는 것은 아니고 개개의 법률이나 법조항의 성격에 따라 요구되는 정도가 다르며 어떤 규정이 부담적 성격을 가지는 경우에는 수익적 성격을 가지는 경우에 비하여 명확성의 원칙이 더욱 엄하게 요구된다고 할 것이다(1992.2.25, 89헌가104).

ㅁ. [X] 이러한 예시적 입법형식의 경우, 구성요건의 대전제인 일반조항의 내용이 지나치게 포괄적이어서 법관의 자의적인 해석을 통하여 그 적용범위를 확장할 가능성이 있다면, 죄형법정주의의 원칙에 위배될 수 있다. 따라서, 예시적 입법형식이 법률명확성의 원칙에 위배되지 않으려면, 예시한 개별적인 구성요건이 그 자체로 일반조항의 해석을 위한 판단지침을 내포하고 있어야 할 뿐만 아니라, 그 일반조항 자체가 그러한 구체적인 예시를 포괄할 수 있는 의미를 담고 있는 개념이 되어야 한다(2002.6.27, 2001헌바70).

ㅂ. [X] 헌법 제12조 및 제13조를 통하여 보장되고 있는 죄형법정주의의 원칙은 범죄와 형벌이 법률로 정하여져야 함을 의미하고, 이러한 죄형법정주의에서 파생되는 명확성의 원칙은 법률이 처벌하고자 하는 행위가 무엇이며 그에 대한 형벌이 어떠한 것인지를 누구나 예견할 수 있게 하여, 그에 따라 자신의 행위를 결정할 수 있도록 구성요건을 명확하게 규정할 것을 요구하고 있는 것이다. … 공무원의 쟁의행위에 대한 형사처벌을 규정한 「공무원의 노동조합 설립 및 운영 등에 관한 법률」 제18조는 위 조항의 보호법익, 「형법」상 업무방해죄에 관한 대법원의 해석 등을 참조하여 통상의 해석방법에 의하여 그 보호법익과 금지된 행위 및 처벌의 종류와 정도를 알 수 있어, 죄형법정주의의 한 내용인 형벌법규의 명확성의 원칙에 반한다고 할 수 없다(2008.12.26, 2005헌마971 등).

30 정답 ④

① [○] '공용될 우려가 있는'은 '사용될 위험성이 있는'의 뜻으로, 역시 흉기나 그 밖의 위험한 물건의 종류, 그 물건을 휴대한 이유, 휴대하게 된 경위, 휴대 전후의 정황 등에 따라 판단할 수 있다. 그렇다면 심판대상조항은 죄형법정주의의 명확성원칙에 위배되지 않는다(2018.5.31, 2016헌바250) 2020년 국가 7급

② [○] 심판대상조항은 알몸을 '지나치게 내놓는' 것이 무엇인지 그 판단 기준을 제시하지 않아 무엇이 지나친 알몸 노출행위인지 판단하기 쉽지 않고, '가려야 할 곳'의 의미도 알기 어렵다. 심판대상조항 중 '부끄러운 느낌이나 불쾌감'은 사람마다 달리 평가될 수밖에 없고, 노출되었을 때 부끄러운 느낌이나 불쾌감을 주는 신체부위도 사람마다 달라 '부끄러운 느낌이나 불쾌감'을 통하여 '지나치게'와 '가려야 할 곳' 의미를 확정하기도 곤란하다. 심판대상조항은 '선량한 성도덕과 성풍속'을 보호하기 위한 규정인데, 이러한 성도덕과 성풍속이 무엇인지 대단히 불분명하므로, 심판대상조항의 의미를 그 입법목적을 고려하여 밝히는 것에도 한계가 있다. 대법원은 "신체노출행위가 단순히 다른 사람에게 부끄러운 느낌이나 불쾌감을 주는 정도에 불과한 경우 심판대상조항에 해당한다."라고 판시하나, 이를 통해서도 '가려야 할 곳', '지나치게'의 의미를 구체화할 수 없다. 심판대상조항의 불명확성을 해소하기 위해 노출이 허용되지 않는 신체부위를 예시적으로 열거하거나 구체적으로 특정하여 분명하게 규정하는 것이 입법기술상 불가능하거나 현저히 곤란하지도 않다. 따라서 심판대상조항은 죄형법정주의의 명확성원칙에 위배된다(2016.11.24, 2016헌가3). 2017년 경찰승진 변형

③ [○] 살인죄의 경우 범행의 동기 등 정상에 참작할 만한 사유가 있는 경우도 흔히 있고 그 행위태양이 다양함에도 불구하고 단일조항으로 처단하고 있어 형 선택의 폭을 비교적 넓게 규정한 것은 수긍할 만한 합리적 이유가 있고, 그와 비교할 때 강도상해죄는 행위태양이나 동기도 비교적 단순하여 죄질과 정상의 폭이 넓지 않고 일반적으로 행위자의 책임에 대한 비난가능성도 크다고 할 것이므로, 강도상해죄의 법정형의 하한이 살인죄의 그것보다 높다고 해서 합리성과 비례성의 원칙을 위반하였다고 볼수 없다. 그리고 어떤 범죄에 대한 법정형의 종류와 범위를 정하는 것은 기본적으로 입법자의 형성의 자유에 속하는 사항으로서, 강도상해의 범행을 저지른 자에 대하여는 법률상 다른 형의 감경사유가 있다는 등 특단의 사정이 없는 한 장기간 사회에서 격리시키도록 한 입법자의 판단은 기본적으로 존중되어야 하므로, 심판대상조항은 형벌체계상의 정당성과 균형성을 상실하여 헌법에 위반된다고 할 수 없다(2016.9.29, 2014헌바183). 2017년 경찰승진 변형

❹ [X] 이 사건 법률조항이 규정한 범죄 구성요건은 '행정관청이 단체협약 중 위법한 내용에 대하여 노동위원회의 의결을 얻어 그 시정을 명한 경우에 그 명령에 위반한 행위'로서, 범죄의 구성요건과 그에 대한 형벌을 법률에서 스스로 규정하고 있으므로 죄형법정주의의 법률주의에 위반된다고 할 수 없고, 행정관청의 시정명령은 그 성격상 단체협약 중 위법하다고 판단한 부분을 구체적으로 특정하여 시정하도록 요구하는 내용이 될 수밖에 없으므로 단체협약 중 위법한 내용이 있는 경우가 광범위하고 다양할 수 있다고 해서 처벌되는 행위가 불명확하다거나 그 범위가 지나치게 포괄적이고 광범위하다고 할 수 없어 형벌법규의 명확성원칙에 반한다고 볼 수 없다(2012.8.23, 2011헌가22).

31 정답 ①

ㄱ. [○] 이 사건 법률조항이 포괄위임입법금지의 원칙이나 죄형법정주의의 명확성원칙에 위배되어 청구인들의 기본권을 침해한다고 볼 수 없다(2009.9.24, 2007헌마949).

ㄴ. [○] 심판대상조항이 규정하고 있는 '시정 또는 변경' 명령은 「영유아보육법」 제38조 위반행위에 대하여 그 위법사실을 시정하도록 함으로써 정상적인 법질서를 회복하는 것을 목적으로 행해지는 행정작용'으로, 여기에는 과거의 위반행위로 인하여 취득한 필요경비 한도 초

과액에 대한 환불명령도 포함됨을 어렵지 않게 예측할 수 있다. 따라서 심판대상조항은 명확성원칙에 위배되지 않는다(2017.12.28, 2016헌바249).

ㄷ. [X] 구 「법관징계법」 제2조 제2호가 '품위 손상', '위신 실추'와 같은 추상적인 용어를 사용하고 있기는 하나, 수범자인 법관이 구체적으로 어떠한 행위가 이에 해당하는지를 충분히 예측할 수 없을 정도로 그 적용범위가 모호하다거나 불분명하다고 할 수 없다(2012.2.23, 2009헌바34).

ㄹ. [O] '공개할 경우 행정심판위원회의 심리·의결의 공정성을 해할 우려가 있는 사항'을 비공개대상으로 규정하면서 구체적인 비공개대상의 지정은 대통령령에게 위임하고 있는바, 이 사건 조항의 입법목적 및 위임기준 그리고 관련 법률조항을 종합하여 판단하면, 이 사건 조항으로부터 대통령령으로 정하여질 비공개대상정보가 무엇인가 하는 대강의 내용을 충분히 예측할 수 있으므로, 이 사건 조항은 입법위임의 명확성을 요청하는 헌법 제75조에 위반되지 않는다(2004.8.26, 2003헌바81등).

ㅁ. [O] 이 사건 법률조항에 사용된 '위반행위', '얻은', '이익' 등의 개념 자체는 애매하거나 모호한 점이 없으며, 이 사건 규정은 '위반행위로 얻은 이익'이라고 표현하고 있을 뿐 위반행위와 직접적인 인과관계가 있는 이익만을 의미하는 것으로 한정하여 규정하고 있지 않으므로, 건전한 상식과 통상의 법감정을 가진 일반인의 입장에서 '위반행위로 얻은 이익'을 위반행위가 개입된 거래에서 얻은 총수입에서 총비용을 공제한 액수(시세차익)로 파악하는데 별다른 어려움이 없으므로, 이 사건 법률조항은 죄형법정주의에서 파생된 명확성원칙에 위배되지 않는다(2003.9.25, 2002헌바69 등).

ㅂ. [O] 「의료법」의 입법목적, 의료인의 사명에 관한 「의료법」상의 여러 규정, 의료행위의 개념에 관한 대법원 판례 등을 종합하여 보면, 이 사건 법률조항들 중 '의료행위'는 사람의 생명, 신체 또는 일반공중위생에 밀접하고 중대한 관계가 있는 행위로서 질병의 치료와 예방에 관한 행위는 물론, 의학상의 기능과 지식을 가진 의료인이 하지 아니하면 보건위생상 위해를 가져올 우려가 있는 일체의 행위라고 할 것이고, 이는 건전한 일반상식을 가진 자에 의하여 일의적으로 파악되기 어렵다거나 법관에 의한 적용단계에서 다의적으로 해석될 우려가 있다고 보기 어려우므로, 죄형법정주의의 명확성원칙에 위배된다고 할 수 없다(2007.4.26, 2003헌바71). 2017년 법원

32 정답 ②

ㄱ. [O] 마약류사범에 대한 다른 처우는 마약류에 대한 중독성 및 높은 재범률 등 마약류사범의 특성에 대한 전문적 이해를 필요로 하므로 하위 법령에 위임할 필요성이 인정되고, 그 요건으로서 '시설의 안전과 질서유지를 위하여 필요한 범위'라 함은 마약류사범에 의한 교정시설 내 마약류 반입 및 이로 인한 교정사고의 발생을 차단하기 위한 범위를 의미하며, 그 방법으로서 '다른 수용자와의 접촉을 차단하거나 계호를 엄중히 하는 등'이란 다른 수용자와의 대면 또는 서신수수의 제한, 물품교부의 원칙적 금지 등 강화된 기본권 제한조치는 물론 마약류사범의 특성을 고려한 재활교육, 치료 등의 조치를 의미함을 충분히 예측할 수 있으므로, 이 사건 법률조항은 포괄위임금지원칙에 위배되지 아니한다(2013.7.25, 2012헌바63). 2014년 지방 7급

ㄴ. [X] 당초 학원설립·운영의 등록을 하였다가 변경사항을 등록하지 않아 벌금형을 선고받고 그 등록의 효력이 상실된 경우, 다시 학원설립·운영의 등록을 하지 아니한 채 학원을 운영하였다면 이 사건 처벌조항이 적용되는 것은 명백하다고 할 것이므로, 이 사건 처벌조항은 죄형법정주의의 명확성원칙에 반하지 아니한다(2014.1.28, 2011헌바252).

ㄷ. [O] 토지의 형질변경은 단순히 토지를 원래대로의 형상과 성질을 유지하면서 이용 및 관리하는 행위가 아니라 절토, 성토, 정지 또는 포장 등으로 토지의 형상과 성질을 변경하는 행위와 공유수면을 매립하는 행위로서, 산지를 농지로 개간하거나 토지를 대지화하는 등 개발제한구역 지정 당시의 토지의 형상을 사실상 변형시키고 또 그 원상회복을 어렵게 하는 행위를 의미하는 것이고 이는 건전한 상식과 통상적인 법감정을 가진 사람이라면 쉽사리 알 수 있고 법원에서도 구체적이고 일관된 해석기준을 제시하고 있어, 그 의미 및 처벌대상이 불명확하다고 볼 수 없다. 그렇다면 이 사건 조항은 헌법상 죄형법정주의의 명확성원칙에 위반되지 않는다(2011.3.31, 2010헌바86). 2019년 경찰승진

ㄹ. [O] 이 사건 법률조항 중 '건전한 통신윤리'라는 개념은 다소 추상적이기는 하나, 전기통신회선을 이용하여 정보를 전달함에 있어 우리 사회가 요구하는 최소한의 질서 또는 도덕률을 의미하고, 위와 같은 함축적인 표현은 불가피하다고 할 것이어서, 이 사건 법률조항이 명확성의 원칙에 반한다고 할 수 없다(2012.2.23, 2011헌가13).

ㅁ. [X] 건전한 상식과 통상적인 법감정을 가진 사람으로서는 금지되는 직업소개의 대상을 위와 같은 '공중도덕상 유해'라는 기준에 맞추어 특정하거나 예측한다는 것은 매우 어렵다고 할 것이므로 이 사건 법률조항은 죄형법정주의에서 파생된 명확성의 원칙을 충족시키고 있다고 할 수 없다(2005.3.31, 2004헌바29.) 2017년 서울 7급

ㅂ. [O] 이 사건 규정이 범죄의 중함 정도나 고의성 여부 측면을 전혀 고려하지 않고 자동차 등을 범죄행위에 이용하기만 하면 운전면허를 취소하도록 하고 있는 것은 그 포섭범위가 지나치게 광범위한 것으로서 명확성원칙에 위반된다고 할 것이다(2005.11.24, 2004헌가28).

ㅅ. [O] 「영화진흥법」 제21조 제3항 제5호는 '제한상영가' 등급의 영화를 '상영 및 광고·선전에 있어서 일정한 제한이 필요한 영화'라고 규정하고 있는데, 이 규정은 제한상영가 등급의 영화가 어떤 영화인지를 말해주기보다는 제한상영가 등급을 받은 영화가 사후에 어떠한 법률적 제한을 받는지를 기술하고 있는바, 이것으로는 제한상영가 영화가 어떤 영화인지를 알 수가 없고, 따라서 「영화진흥법」 제21조 제3항 제5호는 명확성원칙에 위배된다(2008.7.31, 2007헌가4).

33 정답 ③

① [X] '공갈하여'는 폭행 또는 협박을 수단으로 상대방에게 공포심을 일으켜 의사결정에 영향을 주는 행위를 의미하고, 이 경우 '협박'이란 타인의 생명, 신체, 자유 또는 재산 등에 관하여 상대방에게 공포심을 일으켜 의사결정에 영향을 주기에 충분한 정도의 해악을 고지하는 행위를 의미하며, 고지된 해악의 구체적 내용, 고지된 해악과 상대방과의 관계, 전후 상황 등을 종합적으로 고려하여 판단한다. '이득액'은 범죄행위로 자기가 취득하거나 제3자로 하여금 취득하게 한 재물 또는 재산상 이익의 가액으로서, 통상 시장가치인 객관적 교환가치를 의미한다. 구체적 사건에서 법관의 합리적인 해석에 의하여 해당 여부가 판단될 수 있으므로, 심판대상조항은 죄형법정주의의 명확성원칙에 위배되지 아니한다(2021.2.25, 2019헌바128 등).

② [X] 심판대상조항이 규제하는 상표에는 상표 그 자체, 또는 상표가 지정상품에 부착되면서 가지는 의미, 또는 어떠한 상표를 등록하여 사용하는 행위가 공정한 상품유통질서나 국제적 신의·명예훼손 등 일반 법질서를 해칠 우려가 있거나 상도덕이나 윤리질서에 반할 우려가 있는 상표 등이 포함되리라 예측할 수 있다. 상표는 형태가 다양하고 사회 환경의 변화에 따라 그 표현도 달라지기 마련이므로, 변화하는 사회에 대한 법규범의 적응력을 확보하기 위하여는

어느 정도 망라적인 의미를 가지는 내용으로 입법하는 것이 필요하고, 그 의미를 합리적인 해석기준을 통하여 판단할 수 있는 이상 심판대상조항이 명확성원칙에 위반된다고 할 수 없다(2014.3.27, 2012헌바55).

❸ [O] '대부'와 '광고'의 의미에 관하여 「대부업 등의 등록 및 금융이용자 보호에 관한 법률」에서 정의한 내용, '조건'과 '등'의 일반적 의미, 대부업법의 입법취지 및 관련 규정 등을 종합적으로 고려하면, 심판대상조항의 '대부조건 등'은 대부업자가 자신의 용역에 관한 대부계약을 소비자와 체결하기에 앞서 내놓는 중요한 사항과 대부계약 체결시 거래의 상대방을 보호하기 위하여 대부업자에게 요구해야 할 중요한 사항을 가리키는 것으로, 어느 경우든 '대부계약'을 전제하고 있다고 해석되므로, 심판대상조항의 '대부조건 등에 관한 광고'는 '대부계약에 대한 청약의 유인으로서의 광고'를 의미한다고 합리적으로 해석할 수 있으므로 심판대상조항은 명확성원칙에 위배되지 않는다(2013.7.25, 2012헌바67).

④ [X] 정당한 명령 또는 규칙을 준수할 의무가 있는 자가 이를 위반하거나 준수하지 아니한 때에 형사처벌을 하도록 규정한 것은 죄형법정주의의 명확성원칙에 위배되지 않는다(2011.3.31, 2009헌가12).

34 정답 ②

① [O] 사업자단체가 구성사업자의 활동을 부당하게 제약한 경우 공정거래위원회가 법원의 판결 이전에 법 위반사실의 공표를 명할 수 있도록 한 「독점규제 및 공정거래에 관한 법률」 제27조는 아직 법원의 유·무죄에 대한 판단이 가려지지 아니하였는데도 관련 행위자를 유죄로 추정하는 불익한 처분이라고 아니할 수 없다(2002.1.31, 2001헌바43).

❷ [X] 공소의 제기가 있는 피고인이라도 유죄의 확정판결이 있기까지는 원칙적으로 죄가 없는 자에 준하여 취급하여야 하고, 불이익을 입혀서는 안 된다고 할 것으로 가사 그 불이익을 입힌다 하여도 필요한 최소한도에 그치도록 비례의 원칙이 존중되어야 하는 것이 헌법 제27조 제4항의 무죄추정의 원칙이며, 여기의 불이익에는 형사절차상의 처분뿐만 아니라 그 밖의 기본권 제한과 같은 처분도 포함된다고 할 것이다(1994.7.29, 93헌가3 등).

③ [O] 실형의 판결, 형의 면제, 선고유예와 집행유예 모두 유죄에 해당한다. 따라서 확정된 경우 무죄로 추정되지 않는다.

④ [O] 피고인은 무죄로 추정되므로 범죄사실의 입증책임은 검사가 부담해야 한다. 따라서 피고인이 무죄임을 입증해야 하는 것은 아니다. 또한 범죄에 대한 확증이 없을 때, 의심스러울 때에는 피고인의 이익으로(in dubio pro reo)라는 원칙에 따라 법원은 무죄 판결을 해야 한다.

35 정답 ②

① [O] 문화재는 원칙적으로 사적 소유권의 객체가 될 수 있고, 문화재의 은닉이나 도굴된 문화재인 정을 알고 보유 또는 보관하는 행위의 태양이 매우 다양함에도 구체적 행위 태양이나 적법한 보유권한의 유무 등에 관계없이 필요적 몰수형을 규정한 것은 형벌 본래의 기능과 목적을 달성함에 있어 필요한 정도를 현저히 일탈하여 지나치게 과중한 형벌을 부과하는 것으로 책임과 형벌 간의 비례원칙에 위배된다(2007.7.26, 2003헌마377).

❷ [X] 심판대상조항의 '추행'이란 강제추행죄의 '추행'과 마찬가지로, 객관적으로 일반인에게 성적 수치심이나 혐오감을 일으키게 하고 선량한 성적 도덕관념에 반하는 행위로서 피해자의 성적 자기결정권을 침해하는 것을 뜻한다. 공중밀집장소의 특성을 이용하여 유형력을 행사하는 것 이외의 방법으로 이루어지는 추행행위를 처벌하기 위한 심판대상조항의 입법목적 및 추행의 개념에 비추어 볼 때, 건전한 상식과 통상적인 법감정을 가진 사람이라면 심판대상조항에 따라 처벌되는 행위가 무엇인지 파악할 수 있으므로, 심판대상조항 중 '추행' 부분은 죄형법정주의의 명확성원칙에 위반되지 아니한다(2021.3.25, 2019헌바413).

③ [O] 심판대상조항은 법정형의 하한이 징역 3년으로 피고인의 책임에 상응하는 형의 선고가 가능하다. 한편, 마약범죄는 유통되는 마약류의 가액에 따라 국가와 사회에 미치는 병폐가 가중되는 특징을 보이는바, 가액의 다과는 죄의 경중을 가늠하는 중요한 기준이므로 이를 기준으로 가중처벌하는 것은 충분히 수긍할 수 있다. 따라서 심판대상조항은 책임과 형벌 사이의 비례원칙에 위배된다고 볼 수 없다(2021.4.29, 2019헌바83).

④ [O] 아동학대범죄를 발견하고 신고하여야 할 법적 의무를 지고 있는 「초·중등교육법」상 교원이 오히려 자신이 보호하는 아동에 대하여 아동학대범죄를 저지르는 행위에 대해서는 높은 비난가능성과 불법성이 인정되는 점, 심판대상조항이 각 죄에 정한 형의 2분의 1을 가중하도록 하고 있다고 하더라도 이는 법정형의 범위를 넓히는 것일 뿐이어서, 법관은 구체적인 행위의 태양, 죄질의 정도와 수법 등을 고려하여 법정형의 범위 내에서 행위자의 책임에 따른 적절한 형벌을 과하는 것이 가능한 점 등을 종합하여 보면, 심판대상조항이 책임과 형벌 간의 비례원칙에 어긋나는 과잉형벌을 규정하였다고 볼 수 없다(2021.3.25, 2018헌바388).

36 정답 ④

ㄱ. [X] 심판대상조항에 따른 과태료는 국가의 형벌권 실행으로서의 과벌에 해당하지 아니하며, 구 「조세범 처벌법」 제4조 제3항은 '면세유의 용도 외 반출로 인한 조세 포탈'을 처벌하는 조항인 반면 심판대상조항은 '용도 외로 반출된 면세유의 판매를 통한 부정 유통'을 규율하는 조항이어서 두 조항이 동일한 행위를 제재한다고 볼 수도 없다. 따라서 심판대상조항은 이중처벌금지원칙에 위배되지 아니한다(2020.11.26, 2019헌바12).

ㄴ. [O] 헌법 제13조 제1항이 정한 '이중처벌금지의 원칙'은 동일한 범죄행위에 대하여 국가가 형벌권을 거듭 행사할 수 없도록 함으로써 국민의 기본권 특히 신체의 자유를 보장하기 위한 것이므로, 그 '처벌'은 원칙으로 범죄에 대한 국가의 형벌권 실행으로서의 과벌을 의미하는 것이고, 국가가 행하는 일체의 제재나 불이익처분을 모두 그에 포함된다고 할 수는 없다(1994.6.30, 92헌바38). 2018년 경찰경채

ㄷ. [X]

<이중위험금지원칙과 일사부재리원칙의 비교>

구분	이중위험금지원칙	일사부재리원칙
적용국가	영·미법계	대륙법계
성격	절차상 원리	실체법상 원리
적용시기	일정한 공판절차	확정판결 후
검사의 상소	X (피고인의 상소는 허용됨)	O
적용범위	>	

ㄹ. [O] 무죄판결이 확정되어 기판력이 발생한 다음에는 검사는 동일한 사건에 대해서는 다시 기소할 수 없다.

ㅁ. [O] 이중위험금지의 원칙은 미국 연방헌법 수정 제5조에 규정되어 있다.

ㅂ. [O] 이중위험금지원칙은 절차상 원리인 반면, 일사부재리원칙은 실체법상 원리이다.

ㅅ. [X] 집행유예의 취소시 부활되는 본형은 집행유예의 선고와 함께 선고되었던 것으로 판결이 확정된 동일한 사건에 대하여 다시 심판한 결과 부과되는 것이 아니므로 일사부재리의 원칙과 무관하고, 사회봉사명령 또는 수강명령은 그 성격, 목적, 이행방식 등에서 형벌과 본질적 차이가 있어 이중처벌금지원칙에서 말하는 '처벌'이라 보기 어려우므로, 이 사건 법률조항은 이중처벌금지원칙에 위반되지 아니한다(2013.6.27, 2012헌바345 등).

ㅇ. [X] 유사석유제품을 제조하여 조세를 포탈한 자를 처벌하도록 규정한 구 「조세범 처벌법」 제5조는 유사석유제품을 제조하여 그에 따른 세금을 포탈한 때 비로소 구성요건에 해당하는 것이므로, 양자는 처벌의 대상이 되는 행위를 달리한다. 따라서 심판대상조항은 이중처벌금지원칙에 위배되지 아니한다(2017.7.27, 2012헌바323).

37 정답 ①

❶ [X] 배우자의 중대 선거범죄를 이유로 후보자의 당선을 무효로 하는 이 사건 법률조항은 배우자가 죄를 저질렀다는 이유만으로 후보자에게 불이익을 주는 것이 아니라, 후보자와 불가분의 선거운명공동체를 형성하여 활동하게 마련인 배우자의 실질적 지위와 역할을 근거로 후보자에게 연대책임을 부여한 것이므로 헌법 제13조 제3항에서 금지하고 있는 연좌제에 해당하지 아니한다(2005.12.22, 2005헌마19).

② [O] 선거사무장 또는 회계책임자가 기부행위를 한 죄로 징역형을 선고받는 경우에 그 후보자의 당선이 무효로 되는 것은 「공직선거 및 선거부정방지법」 제265조의 규정에 의한 것일 뿐이고, 그들에 대하여 징역형을 선고하는 것이 연좌제를 금지한 헌법 위반이라고 할 수는 없다(대판 1997.7.11, 96도3451).

③ [O] 이 사건 법률조항은 후보자에게 회계책임자의 형사책임을 연대하여 지게 하는 것이 아니라, 선거의 공정성을 해치는 객관적 사실(회계책임자의 불법행위)에 따른 선거 결과를 교정하는 것에 불과하고, 또한 후보자는 「공직선거법」을 준수하면서 공정한 경쟁이 되도록 할 의무가 있는 자로서 후보자 자신뿐만 아니라 최소한 회계책임자 등에 대하여는 선거범죄를 범하지 않도록 지휘·감독할 책임을 지는 것이므로, 이 사건 법률조항은 후보자 '자신의 행위'에 대하여 책임을 지우고 있는 것에 불과하기 때문에, 헌법상 자기책임의 원칙에 위반되지 아니한다(2010.3.25, 2009헌마170).

④ [O] 자유시장 경제질서를 기본으로 하면서도 사회국가원리를 수용하고 있는 우리 헌법의 이념에 비추어 일반불법행위책임에 관하여는 과실책임의 원리를 기본원칙으로 하면서 「자동차손해배상 보장법」 제3조 단서 제2호와 같은 특수한 불법행위책임에 관하여 위험책임의 원리를 수용하는 것은 입법정책에 관한 사항으로서 입법자의 재량에 속한다고 할 것이다. 따라서 이 조항이 운행자의 재산권을 본질적으로 제한하거나 평등의 원칙에 위반되지 아니하는 이상 위험책임의 원리에 기하여 무과실책임을 지운 것만으로 헌법 제119조 제1항의 자유시장 경제질서나 (청구인이 주장하는) 헌법 전문 및 헌법 제13조 제3항의 연좌제금지의 원칙에 위반된다고 할 수 없다(1998.5.28, 96헌가4 등).

38 정답 ③

ㄱ. [O] 심판대상조항이 국토교통부장관이 운임수입 배분에 관한 결정을 하기 전에 거쳐야 하는 일반적인 절차에 대해 따로 규정하고 있지는 않지만, 「행정절차법」은 처분의 사전통지, 의견제출의 기회, 처분의 이유 제시 등을 규정하고 있고, 이는 국토부장관의 결정에 적용되므로, 심판대상조항이 별도로 이를 규정하고 있지 않더라도 절차적 보장이 이루어진다. 따라서 심판대상조항은 적법절차원칙에 위배되지 아니한다(2019.06.28, 2017헌바135).

ㄴ. [O] 2019.2.28, 2017헌바196

ㄷ. [X] 적법절차원칙 위반 여부를 판단하면서 심판대상조항이 정한 추천방식의 정당성과 합리성을 판단하는 이상 평등원칙 위반 여부나 공정한 재판을 받을 권리 침해 여부에 대하여는 별도로 판단하지 아니한다(2019.2.28, 2017헌바196).

ㄹ. [O] 특별검사의 정치적 중립성과 독립성 확보를 위한 여러 보완장치 등을 고려할 때 심판대상조항이 당시 여당을 특별검사후보자 추천권자에서 배제하고 교섭단체를 구성하고 있는 두 야당으로 하여금 특별검사후보자 2명을 추천하도록 규정하였다고 하여 합리성과 정당성을 잃은 입법이라고 볼 수 없다(2019.2.28, 2017헌바196).

ㅁ. [X] 강제퇴거명령 및 보호에 관한 단속, 조사, 심사, 집행업무를 동일한 행정기관에서 하게 할 것인지, 또는 서로 다른 행정기관에서 하게 하거나 사법기관을 개입시킬 것인지는 입법정책의 문제이므로, 보호의 개시나 연장단계에서 사법부의 판단을 받도록 하는 절차가 규정되어 있지 않다고 하여 곧바로 적법절차원칙에 위반된다고 볼 수는 없다. 강제퇴거대상자는 행정소송 등을 통해 사법부로부터 보호의 적법 여부를 판단받을 수 있고, 강제퇴거 심사 전 조사, 이의신청이나 행정소송과정에서 자신의 의견을 진술하거나 자료를 제출할 수 있다. 따라서 심판대상조항은 헌법상 적법절차원칙에 위반된다고 볼 수 없다(2018.2.22, 2017헌가29).

반대의견 이의신청이나 보호기간 연장에 대한 법무부장관의 심사 및 판단은 보호의 적법성을 담보하기 위한 통제절차로서의 의미를 갖는다고 보기 어렵다. 행정소송 등 일반적·사후적인 구제수단으로는 외국인의 신체의 자유를 보장하기에 미흡하고, 「출입국관리법」 등 관련 법령에 의할 때 보호명령을 받는 자가 자신에게 유리한 진술을 하거나 의견을 제출할 수 있는 기회가 전혀 없다. 따라서 심판대상조항은 헌법상 적법절차원칙에 위반된다(2018.2.22, 2017헌가29).

ㅂ. [X] 이 사건 법률조항은 수거에 앞서 청문이나 의견제출 등 절차 보장에 관한 규정을 두고 있지 않으나, 행정상 즉시강제는 목전에 급박한 장해에 대하여 바로 실력을 가하는 작용이라는 특성에 비추어 사전적 절차와 친하기 어렵다는 점을 고려하면, 이를 이유로 적법절차의 원칙에 위반되는 것으로는 볼 수 없다(2002.10.31, 2000헌가12).

39 정답 ①

❶ [X] 현행헌법 제12조 제1항 후문과 제3항 본문은 위에서 본 바와 같이 적법절차의 원칙을 헌법상 명문규정으로 두고 있는데, 이는 개정 전의 헌법 제11조 제1항의 "누구든지 법률에 의하지 아니하고는 체포·구금·압수·수색·처벌·보안처분 또는 강제노역을 당하지 아니한다."라는 규정을 제9차 개정한 현행헌법에서 처음으로 영미법계의 국가에서 국민의 인권을 보장하기 위한 기본원리의 하나로 발달되어 온 적법절차의 원칙을 도입하여 헌법에 명문화한 것이며, 이 적법절차의 원칙은 역사적으로 볼 때 영국의 마그나카르타(대헌장) 제39조, 1335년의 에드워드 3세 제정법률, 1628년 권리청원 제4조를 거쳐 1791년 미국 수정헌법 제5조 제3문과 1868년 미국 수정헌법 제14조에 명문화되어 미국헌법의 기본원리의 하나로 자리잡고 모든 국가작용을 지배하는 일반원리로 해석·적용되는 중요한 원칙으로서, 오늘날에는 독일 등 대륙법계의 국가에서도 이에 상응하여 일반적인 법치국가 원리 또는 기본권 제한의 법률유보 원리로 정립되게 되었다(1992.12.24, 92헌가8).

② [O] 구 「산업단지 민·허가 절차 간소화를 위한 특례법」은 지정권자가

환경영향평가 대상지역 주민들에게 환경영향평가서 초안에 대하여 적절한 고지를 하고, 이에 따라 주민 등이 환경영향평가서 초안을 산업단지계획안과 종합적·유기적으로 파악하여 그에 대한 의견을 제출할 기회를 부여함으로써 주민의 절차적 참여를 보장해 주고 있으므로, 의견청취동시진행조항이 환경영향평가서 초안에 대한 주민의견청취를 산업단지계획안에 대한 주민의견청취와 동시에 진행하도록 규정하고 있다고 하더라도, 헌법상의 적법절차원칙에 위배된다고 할 수 없다(2016.12.29, 2015헌바280).

③ [O] 헌법 제12조 제1항이 '처벌, 보안처분 또는 강제노역'을 나란히 열거하고 있는 규정형식에 비추어 보면 처벌 또는 강제노역에 버금가는 심대한 기본권의 제한을 수반하는 보안처분에는 위에서 본 좁은 의미의 적법절차의 원칙이 엄격히 적용되어야 할 것이나, 보안처분의 종류에는 「사회보호법」상의 보호감호처분이나 구 「사회안전법」상의 보안감호처분과 같이 피감호자를 일정한 감호시설에 수용하는 전면적인 자유박탈적인 조치부터 이 법상의 보안관찰처분과 같이 단순히 피보안관찰자에게 신고의무를 부과하는 자유제한적인 조치까지 다양한 형태와 내용의 것이 존재하므로 각 보안처분에 적용되어야 할 적법절차의 원리의 적용범위 내지 한계에도 차이가 있어야 함은 당연하다 할 것이어서, 결국 각 보안처분의 구체적 자유박탈 내지 제한의 정도를 고려하여 그 보안처분의 심의·결정에 법관의 판단을 필요로 하는지 여부를 결정하여야 한다고 할 것이다(1997.11.27, 92헌바28).

④ [O] 이 사건 법률조항은 피의자의 신원확인을 원활하게 하고 수사활동에 지장이 없도록 하기 위한 것으로, 수사상 피의자의 신원확인은 피의자를 특정하고 범죄경력을 조회함으로써 타인의 인적 사항 도용과 범죄 및 전과사실의 은폐 등을 차단하고 형사사법제도를 적정하게 운영하기 위해 필수적이라는 점에서 그 목적은 정당하고, 지문채취는 신원확인을 위한 경제적이고 간편하면서도 확실성이 높은 적절한 방법이다. 또한 이 사건 법률조항은 형벌에 의한 불이익을 부과함으로써 심리적·간접적으로 지문채취를 강제하고 그것도 보충적으로만 적용하도록 하고 있어 피의자에 대한 피해를 최소화하기 위한 고려를 하고 있으며, 지문채취 그 자체가 피의자에게 주는 피해는 그리 크지 않은 반면 일단 채취된 지문은 피의자의 신원을 확인하는 효과적인 수단이 될 뿐 아니라 수사절차에서 범인을 검거하는 데에 중요한 역할을 한다. 한편, 이 사건 법률조항에 규정되어 있는 법정형은 「형법」상의 제재로서는 최소한에 해당되므로 지나치게 가혹하여 범죄에 대한 형벌 본래의 목적과 기능을 달성함에 필요한 정도를 일탈하였다고 볼 수도 없다(2004.9.23, 2002헌가17 등).

40 정답 ②

ㄱ. [X] 법원이 직권으로 발부하는 영장과 수사기관의 청구에 의하여 발부하는 구속영장의 법적 성격은 같지 않다. 즉, 전자는 명령장으로서의 성질을 갖지만 후자는 허가장으로서의 성질을 갖는 것으로 이해되고 있다(1997.3.27, 96헌바28 등).

ㄴ. [O] 법원이 피고인의 구속 또는 그 유지 여부의 필요성에 관하여 한 재판의 효력이 검사나 다른 기관의 이견이나 불복이 있다 하여 좌우되거나 제한받는다면 이는 영장주의에 위반된다고 할 것인바, 구속집행정지결정에 대한 검사의 즉시항고를 인정하는 이 사건 법률조항은 검사의 불복을 그 피고인에 대한 구속집행을 정지할 필요가 있다는 법원의 판단보다 우선시킬 뿐만 아니라, 사실상 법원의 구속집행정지결정을 무의미하게 할 수 있는 권한을 검사에게 부여한 것이라는 점에서 헌법 제12조 제3항의 영장주의원칙에 위배된다(2012.6.27, 2011헌가36).

ㄷ. [X] 헌법 제12조 제3항 본문은 동조 제1항과 함께 적법절차원리의 일반조항에 해당하는 것으로서, 형사절차상의 영역에 한정되지 않고 입법, 행정 등 국가의 모든 공권력의 작용에는 절차상의 적법성뿐만 아니라 법률의 구체적 내용도 합리성과 정당성을 갖춘 실체적인 적법성이 있어야 한다는 적법절차의 원칙을 헌법의 기본원리로 명시하고 있는 것이므로 헌법 제12조 제3항에 규정된 영장주의는 구속의 개시시점에 한하지 않고 구속영장의 효력을 계속 유지할 것인지 아니면 취소 또는 실효시킬 것인지의 여부도 사법권 독립의 원칙에 의하여 신분이 보장되고 있는 법관의 판단에 의하여 결정되어야 한다는 것을 의미하고, 따라서 「형사소송법」 제331조 단서 규정과 같이 구속영장의 실효 여부를 검사의 의견에 좌우되도록 하는 것은 헌법상의 적법절차의 원칙에 위배된다(1992.12.24, 92헌가8).

ㄹ. [O] 공판단계에서의 영장발부에도 검사의 신청이 필요한 것으로 해석하는 것은 신체의 자유를 보장하기 위한 사법적 억제의 대상인 수사기관이 사법적 억제의 주체인 법관을 통제하는 결과를 낳아 오히려 영장주의의 본질에 반한다고 할 것이기 때문이다. 따라서 이 심판대상 조항들은 헌법 제12조 제3항에 위반되지 아니하고 그 밖에 헌법의 다른 부분에 위반된다고 보이지도 아니한다(97.3.27, 96헌바28).

ㅁ. [O] 행정상 즉시강제에는 원칙적으로 영장주의가 적용되지 아니하므로 이 사건 법률조항은 영장주의에 위배되지 아니한다(2002.10.31, 2000헌가12).

정답

01	①	02	①	03	④	04	①
05	①	06	②	07	③	08	③
09	②	10	①	11	②	12	②
13	④	14	④	15	①	16	③
17	①	18	②	19	①	20	②
21	④	22	①	23	②	24	②
25	④	26	①	27	①	28	②
29	②	30	②	31	①	32	①
33	④	34	④	35	④	36	①
37	③	38	④	39	②	40	①

01 정답 ①

❶ [X] 헌법 제16조가 보장하는 주거의 자유는 개방되지 않은 사적 공간인 주거를 공권력이나 제3자에 의해 침해당하지 않도록 함으로써 국민의 사생활영역을 보호하기 위한 권리이므로, 주거용 건축물의 사용·수익관계를 정하고 있는 이 사건 법률조항이 주거의 자유를 제한한다고 볼 수도 없다(2015.11.26, 2013헌바415).

② [O] 일반적으로 대학교의 강의실은 그 대학당국에 의하여 관리되면서 그 관리업무나 강의와 관련되는 사람에 한하여 출입이 허용되는 건조물이지 누구나 자유롭게 출입할 수 있는 곳은 아니다(대판 1992.9.25, 92도1520).

③ [O] 호텔이나 여관의 재산권의 주체는 소유자이나 주거의 자유 주체는 투숙객이다. 따라서 여관객실은 투숙객의 사생활 공간이므로 여관주인의 허락을 받고 투숙객의 허락 없이 여관방을 수색한 것은 위법이다.

④ [O] 헌법 제16조가 보장하는 주거의 자유는 개방되지 않은 사적 공간인 주거를 공권력이나 제3자에 의해 침해당하지 않도록 함으로써 국민의 사생활영역을 보호하기 위한 권리이므로, 주거용 건축물의 사용·수익관계를 정하고 있는 「도시 및 주거환경정비법」 제49조 제6항이 주거의 자유를 제한한다고 볼 수 없다(2014.7.24, 2012헌마662).

02 정답 ①

❶ [O] 외국인은 인간의 권리인 사생활의 비밀과 자유의 주체가 되나, 법인은 주체가 되지 아니한다.

② [X] 국가기관이 행정목적 달성을 위하여 언론에 보도자료를 제공하는 등 이른바 행정상 공표의 방법으로 실명을 공개함으로써 타인의 명예를 훼손한 경우, 그 공표된 사람에 관하여 적시된 사실의 내용이 진실이라는 증명이 없더라도 국가기관이 공표 당시 이를 진실이라고 믿었고 또 그렇게 믿을 만한 상당한 이유가 있다면 위법성이 없는 것이고, 이 점은 언론을 포함한 사인에 의한 명예훼손의 경우에서와 마찬가지이다(대판 1993.11.26, 93다18389).

③ [X]

> 「국세징수법」 제114조 【고액·상습체납자의 명단 공개】 ① 국세청장은 「국세기본법」 제81조의13에도 불구하고 체납 발생일부터 1년이 지난 국세의 합계액이 2억 원 이상인 경우 체납자의 인적 사항 및 체납액 등을 공개할 수 있다. 다만, 체납된 국세와 관련하여 심판청구등이 계속 중이거나 그 밖에 대통령령으로 정하는 경우에는 공개할 수 없다.

④ [X]

> 「국정감사 및 조사에 관한 법률」 제8조 【감사 또는 조사의 한계】 감사 또는 조사는 개인의 사생활을 침해하거나 계속 중인 재판 또는 수사중인 사건의 소추에 관여할 목적으로 행사되어서는 아니 된다.

03 정답 ④

① [O] 결혼동거목적거주 사증의 심사는 다른 목적의 사증심사와는 달리 위장 및 사기 결혼의 여부를 확인하는 것이 주 목적인데, 중국 관공서 명의로 발급되는 각종 공문서가 위조 또는 변조되는 경우가 많기 때문에 이 사건 결혼경위 등의 기재서류가 없으면 혼인의 진실성을 확인하는 것이 사실상 어렵다는 점에서 이 사건 결혼경위 등 요구행위는 사증심사의 목적을 달성하는 데 필요한 최소한의 조치라고 보아야 할 것이다. 따라서 피청구인의 이 사건 결혼경위 등 기재요구행위는 과잉금지원칙에 어긋나지 아니한다(2005.3.31, 2003헌마87). 2009년 법행

② [O] 공적 인물에 대하여는 사생활의 비밀과 자유가 일정한 범위 내에서 제한되어 그 사생활의 공개가 면책되는 경우도 있을 수 있으나, 이는 공적 인물은 통상인에 비하여 일반 국민의 알 권리의 대상이 되고 그 공개가 공공의 이익이 된다는 데 근거한 것이므로, 일반 국민의 알 권리와는 무관하게 국가기관이 평소의 동향을 감시할 목적으로 개인의 정보를 비밀리에 수집한 경우에는 그 대상자가 공적 인물이라는 이유만으로 면책될 수 없다(대판 1998.7.24, 96다42789). 2008년 사시

③ [O] 피해자가 자신을 알아볼 수 없도록 해 달라는 조건하에 사생활에 관한 방송을 승낙하였는데 방영 당시 피해자의 모습이 그림자 처리되기는 하였으나 그림자에 옆모습 윤곽이 그대로 나타나고 음성이 변조되지 않는 등 방송기술상 적절한 조치를 취하지 않음으로써 피해자의 신분이 주변 사람들에게 노출된 사안에서, 피해자의 승낙범위를 초과하여 승낙 당시의 예상과는 다른 방법으로 부당하게 피해자의 사생활의 비밀을 공개하였다(대판 1998.9.4, 96다11327). 2006년 사시

❹ [X] 이 사건 재산등록조항은 금융감독원 직원의 비리유혹을 억제하고 업무 집행의 투명성 및 청렴성을 확보하기 위한 것으로 입법목적이 정당하고, 금융기관의 업무 및 재산상황에 대한 검사 및 감독과 그에 따른 제재를 업무로 하는 금융감독원의 특성상 소속 직원의 금융기관에 대한 실질적인 영향력 및 비리 개연성이 클 수 있다는 점을 고려할 때 일정 직급 이상의 금융감독원 직원에게 재산등록의무를 부과하는 것은 적절한 수단이다. 재산등록제도는 재산공개제도와 구별되는 것이고, 재산등록사항의 누설 및 목적 외 사용금지 등 재산등록사항이 외부에 알려지지 않도록 보호하는 조치가 마련되어 있다. 재산등록대상에 본인 외에 배우자와 직계존비속도 포함되나 이는 등록의무자의 재산은닉을 방지하기 위하여 불가피한 것이며, 고지 거부제도 운용 및 혼인한 직계비속인 여자, 외조부모 등을 대상에서 제외함으로써 피해를 최소화하고 있다. 또한 이

사건 재산등록조항에 의하여 제한되는 사생활영역은 재산관계에 한정됨에 비하여 이를 통해 달성할 수 있는 공익은 금융감독원 업무의 투명성 및 책임성 확보 등으로 중대하므로 법익균형성도 충족하고 있다. 따라서 이 사건 재산등록조항은 청구인들의 사생활의 비밀과 자유를 침해하지 아니한다(2014.6.26, 2012헌마331). 2020년 국가 7급

04 정답 ①

❶ [O] 이를 통해 달성할 수 있는 보호자와 어린이집 사이의 신뢰회복 및 어린이집 아동학대 근절이라는 공익의 중대함에 반하여, 제한되는 사익이 크다고 보기 어렵다. 따라서 「영유아보육법」 제15조의5 제1항 제1호는 과잉금지원칙을 위반하여 어린이집 보육교사 등의 개인정보자기결정권 및 어린이집 원장의 직업수행의 자유를 침해하지 아니한다(2017.12.28, 2015헌마994). 2020년 경찰경채

② [X] 성폭력범죄는 일단 발생하면 그 피해회복이 어렵고, 특히 피해자가 아동이나 청소년인 경우에는 피해자에게 육체적·정신적으로 평생 회복할 수 없는 상처를 남길 수 있으므로, 성폭력범죄자의 재범으로부터 아동·청소년을 보호할 공익은 매우 크다. 따라서 미성년자를 상대로 한 성폭력범죄자에 대하여 전자장치 부착기간의 하한을 2배 가중하여 그의 인격권, 신체의 자유 등을 제한하더라도, 그 제한으로 인한 불이익이 부착기간 가중으로 달성하려는 공익에 비하여 결코 중하다고 볼 수 없으므로, 법익 균형성도 인정된다. 결국 부착기간 가중조항이 과잉금지원칙을 위반하여 피부착자의 사생활의 비밀과 자유, 개인정보자기결정권, 신체의 자유, 인격권을 침해한다고 볼 수는 없다(2016.5.26, 2014헌바164 등). 2018년 비상업무 하

③ [X] 안전하고 건전한 학교생활 보장 및 학생 보호라는 공익은 학교폭력의 가해자인 학생이 입게 되는 기본권 제한의 정도에 비해 그 보호가치가 결코 작지 않으므로, 법익의 균형성도 인정된다. 따라서 이 사건 기재조항 및 보존조항은 과잉금지원칙에 위배되어 청구인의 개인정보자기결정권을 침해하지 않는다(2016.4.28, 2012헌마630). 2016년 국가 7급

④ [X] 데이터베이스에 수록된 디엔에이신원확인정보를 수형인 등이 사망할 때까지 관리하여 범죄수사 및 범죄예방에 이바지하고자 하는 이 사건 삭제조항은 입법목적의 정당성과 수단의 적합성이 인정된다. 디엔에이신원확인정보를 장래의 범죄수사 등에 신원확인을 위하여 이용함으로써 달성할 수 있게 되는 공익은 중요하고, 그로 인한 청구인의 불이익에 비하여 더 크다고 보아야 할 것이므로, 법익 균형성원칙에도 위반되지 않는다. 그러므로 이 사건 삭제조항은 과잉금지원칙을 위반하여 디엔에이신원확인정보 수록대상자의 개인정보자기결정권을 침해한다고 볼 수 없다(2014.8.28, 2011헌마28 등). 2021년 행시

05 정답 ①

❶ [O] 본인인증조항을 통하여 달성하고자 하는 게임과몰입 및 중독 방지라는 공익은 매우 중대하므로 법익의 균형성도 갖추었다. 따라서 본인인증조항은 청구인들의 일반적 행동의 자유 및 개인정보자기결정권을 침해하지 아니한다(2015.3.26, 2013헌마517) 2019년 법행

② [X] 헌법재판소는 2015. 12. 23. 주민등록번호 변경에 관한 규정을 두고 있지 않은 「주민등록법」 제7조는 과잉금지원칙을 위반하여 원고들의 개인정보자기결정권을 침해한다는 이유로 「주민등록법」 제7조는 헌법에 합치되지 아니한다. 위 조항은 2017. 12. 31.을 시한으로 입법자가 개정할 때까지 계속 적용된다'고 선고하였다. 2016. 5. 29. 법률 제14191호로 개정된 「주민등록법」은 제7조의4 (주민등록번호의 변경), 제7조의5(주민등록번호변경위원회) 등 규정들을 신설하여 유출된 주민등록번호로 인하여 생명·신체 또는 재산에 위해를 입거나 입을 우려가 있다고 인정되는 사람 등의 일정한 경우에 주민등록번호의 변경을 신청할 수 있도록 허용하고 있다(대판 2017.6.15, 2013두2945).

③ [X] 피해자의 의사와 무관하게 주민등록번호가 유출된 경우에는 조리상 주민등록번호의 변경을 요구할 신청권을 인정함이 타당하고, 구청장의 주민등록번호 변경신청 거부행위는 항고소송의 대상이 되는 행정처분에 해당한다(대판 2017.6.15, 2013두2945).

④ [X] 2006년 입시

> **「개인정보 보호법」 제23조【민감정보의 처리 제한】** 개인정보처리자는 사상·신념, 노동조합·정당의 가입·탈퇴, 정치적 견해, 건강, 성생활 등에 관한 정보, 그 밖에 정보주체의 사생활을 현저히 침해할 우려가 있는 개인정보로서 대통령령으로 정하는 정보(이하 '민감정보'라 한다)를 처리하여서는 아니 된다. 다만, 다음 각 호의 어느 하나에 해당하는 경우에는 그러하지 아니하다.
> 1. 정보주체에게 제15조 제2항 각 호 또는 제17조 제2항 각 호의 사항을 알리고 다른 개인정보의 처리에 대한 동의와 별도로 동의를 받은 경우
> 2. 법령에서 민감정보의 처리를 요구하거나 허용하는 경우

06 정답 ②

ㄱ. [X] 민감한 정보라고 보기 어려운 성명, 생년월일, 졸업일자 정보만을 NEIS에 보유하고 있는 것은 목적의 달성에 필요한 최소한의 정보만을 보유하는 것이라 할 수 있고, 「공공기관의 개인정보 보호에 관한 법률」에 규정된 개인정보 보호를 위한 법규정들의 적용을 받을 뿐만 아니라 피청구인들이 보유목적을 벗어나 개인정보를 무단 사용하였다는 점을 인정할 만한 자료가 없는 한 NEIS라는 자동화된 전산시스템으로 그 정보를 보유하고 있다는 점만으로 피청구인들의 적법한 보유행위 자체의 정당성마저 부인하기는 어렵다(2005.7.21, 2003헌마282 등).

ㄴ. [O] 소송서류의 내용적 정보가 아니라 소송서류와 관련된 외형적이고 형식적인 사항들로서 개인의 인격과 밀접하게 연관된 민감한 정보라고 보기는 어렵고, 이 사건 소송서류 등재가 수형자의 편의를 도모하기 위한 측면이 있음에 비추어 볼 때, 이 사건 소송서류 등재가 청구인의 개인정보자기결정권을 침해하였다고 볼 수 없다(2014.9.25, 2012헌마523).

ㄷ. [O] 이 사건 통보행위는 교정시설 내 안전과 질서를 유지하고, 미결수용자에 대한 적정한 양형을 실현하기 위한 것으로서 그 목적의 정당성 및 수단의 적절성이 인정된다. 이 사건 통보행위로 인하여 제공되는 개인정보의 내용은 개인의 인격이나 내밀한 사적 영역과 밀접하게 연관된 정보라고 보기 어려우므로 그 자체로 엄격한 보호의 대상이 되는 개인정보에 해당하지 아니하고, 이 사건 통보행위로 인해 제공되는 정보의 성격이나 제공 상대방의 한정된 범위 등을 고려할 때 그로 인한 기본권 제한의 정도가 크지 않은 데 비해, 이 사건 통보행위로 달성하고자 하는 공익이 훨씬 크다고 할 수 있으므로, 법익의 균형성 요건 또한 충족하였다. 결국 이 사건 통보행위는 과잉금지원칙에 위배되어 청구인의 개인정보자기결정권을 침해하였다고 할 수 없다(2016.4.28, 2012헌마549 등).

ㄹ. [O] 디엔에이신원확인정보는 개인식별을 위한 최소한의 정보인 단순한 숫자에 불과하여 이로부터 개인의 유전정보를 확인할 수 없는 것이어서 개인의 존엄과 인격권에 심대한 영향을 미칠 수 있는 민

감한 정보라고 보기 어렵고, 디엔에이신원확인정보를 범죄수사 등에 이용함으로써 달성할 수 있는 공익의 중요성에 비하여 청구인의 불이익이 크다고 보기 어려워 법익균형성도 갖추었다. 따라서 이 사건 삭제조항이 과도하게 개인정보자기결정권을 침해한다고 볼 수 없다(2014.8.28, 2011헌마28 등).

ㅁ. [O] 요양기관명을 포함한 총 38회의 요양급여내역은 건강에 관한 정보로서 「개인정보 보호법」 제23조 제1항이 규정한 민감정보에 해당한다(2018.8.30, 2014헌마368).

ㅂ. [X] 2018년 비상업무 하

> **「개인정보 보호법」 제23조 【민감정보의 처리 제한】** ① 개인정보처리자는 사상·신념, 노동조합·정당의 가입·탈퇴, 정치적 견해, 건강, 성생활 등에 관한 정보, 그 밖에 정보주체의 사생활을 현저히 침해할 우려가 있는 개인정보로서 대통령령으로 정하는 정보(이하 '민감정보'라 한다)를 처리하여서는 아니 된다. 다만, 다음 각 호의 어느 하나에 해당하는 경우에는 그러하지 아니하다.
> 〈각 호 생략〉

07

정답 ③

① [O] 이 사건 법률조항은 가정폭력 가해자에 대한 별도의 제한 없이 직계혈족이기만 하면 사실상 자유롭게 그 자녀의 가족관계증명서와 기본증명서의 교부를 청구하여 발급받을 수 있도록 함으로써, 그로 인하여 가정폭력 피해자인 청구인의 개인정보가 가정폭력 가해자인 전 배우자에게 무단으로 유출될 수 있는 가능성을 열어놓고 있다. 따라서 과잉금지원칙에 위배되어 청구인의 개인정보자기결정권을 침해한다(2020.8.28, 2018헌마927).

② [O] 영유아 보육을 위탁받아 행하는 어린이집에서의 아동학대근절과 보육환경의 안전성 확보는 단순히 보호자의 불안을 해소하는 차원을 넘어 사회적·국가적 차원에서도 보호할 필요가 있는 중대한 공익이다. 이 조항으로 보육교사 등의 기본권에 가해지는 제약이 위와 같은 공익에 비하여 크다고 보기 어려우므로 법익의 균형성도 인정된다. 따라서 법 제15조의4 제1항 제1호 및 제15조의5 제2항 제2호 중 '녹음기능을 사용하거나' 부분은 과잉금지원칙을 위반하여 청구인들의 기본권을 침해하지 않는다(2017.12.28, 2015헌마994).

❸ [X]

> **「개인정보 보호법」 제25조 【영상정보처리기기의 설치·운영 제한】** ② 누구든지 불특정 다수가 이용하는 목욕실, 화장실, 발한실, 탈의실 등 개인의 사생활을 현저히 침해할 우려가 있는 장소의 내부를 볼 수 있도록 영상정보처리기기를 설치·운영하여서는 아니 된다. 다만, 교도소, 정신보건시설 등 법령에 근거하여 사람을 구금하거나 보호하는 시설로서 대통령령으로 정하는 시설에 대하여는 그러하지 아니하다.

④ [O]

> **「개인정보 보호법」 제25조 【영상정보처리기기의 설치·운영 제한】** ⑤ 영상정보처리기기운영자는 영상정보처리기기의 설치목적과 다른 목적으로 영상정보처리기기를 임의로 조작하거나 다른 곳을 비춰서는 아니 되며, 녹음기능은 사용할 수 없다.

08

정답 ③

① [X] 「지방세법」 제138조 제1항 제3호가 법인의 대도시 내 부동산등기에 대하여 통상세율의 5배를 규정하고 있다 하더라도 목적 달성을 위하여 인구와 경제력 집중의 효과가 큰 법인의 대도시 내 활동을 직접 제한하지 아니하고 법인이 대도시 내에서 그 설립 등을 위하여 하는 부동산등기에 대하여 통상보다 높은 세율의 등록세를 부과함으로써 간접적으로 이를 억제하려는 방법을 선택하고 있고 … 현대 산업사회에 있어서 대도시 주민의 생활환경을 보호하고 지역 간의 균형있는 발전을 도모하는 것은 전체 국가사회의 긴요한 공익적 요청이라고 할 것이므로 이를 위하여 인구와 경제력의 대도시 집중이라는 강한 역효과가 예상되는 법인의 대도시 내 부동산 취득에 대하여 통상보다 높은 세율의 등록세를 부과하였다고 하여 위 조항에 의하여 보호되는 공익과 제한되는 기본권 사이에 현저한 불균형이 있다고 볼 수 없으므로 법익의 균형성을 갖추었다(1998.2.27, 97헌바79). 2009년 사시

② [X] 학부모는 원하는 경우 언제든지 자유로이 거주지를 이전할 수 있으므로 그와 같은 생활상의 불이익만으로는 이 사건 규정이 거주이전의 자유를 제한한다고는 할 수 없고, 설혹 이 사건 규정이 거주이전의 자유를 다소 제한한다고 하더라도 앞서 본 바와 같이 그 입법목적 및 입법수단이 정당하므로 그 제한의 정도는 기본권의 본질적인 내용을 침해하였다거나 이를 과도하게 제한한 경우에 해당하지 않으므로 헌법 제14조 및 헌법 제37조 제2항에 위반되지 아니한다고 할 것이어서, 이 사건 규정이 청구인의 거주이전의 자유를 침해하는 것이라고는 할 수 없다(1995.2.23, 91헌마204). 2009년 사시

❸ [O] 체류자격 변경허가는 신청인에게 당초의 체류자격과 다른 체류자격에 해당하는 활동을 할 수 있는 권한을 부여하는 일종의 설권적 처분의 성격을 가지므로, 허가권자는 신청인이 관계 법령에서 정한 요건을 충족하였더라도, 신청인의 적격성, 체류목적, 공익상의 영향 등을 참작하여 허가 여부를 결정할 수 있는 재량을 가진다(대판 2016.7.14, 2015두48846). 2019년 법행

④ [X] 해직공무원의 보상금산출기간 산정에 있어 이민을 제한사유로 한 경우 헌법상 거주·이전의 자유 속에 국외거주의 자유가 포함된다고 하여도 「1980년 해직공무원의 보상 등에 관한 특별조치법」 제2조 제5항은 그 자체 청구인이나 대한민국 국민 누구에게도 거주이전의 자유를 제한하는 것이라거나 국외이주를 제한하는 규정이 아니므로, 동 조항에 따른 보상의 차별이 있더라도 동 규정이 헌법상 재외국민의 평등권을 침해하였다고 할 수 없는 것과 마찬가지로 거주이전의 자유를 침해한 것이라 할 수 없다(1993.12.23, 89헌마189).

09

정답 ②

① [O] 이 사건 법률조항은 국가의 근본요소 중 하나인 국민을 결정하는 기준이 되는 국적의 중요성을 고려하여, 귀화허가신청자의 진실성을 담보하고, 국적 관련 행정의 적법성을 확보하기 위한 것으로서 입법목적은 정당하고, 거짓이나 그 밖의 부정한 방법에 의해 귀화허가를 받은 경우 그 허가를 취소하는 것은 입법목적 달성을 위해 적절한 방법이다. … 귀화허가가 취소된다고 하더라도 외국인으로서 체류허가를 받아 계속 체류하거나 종전의 하자를 치유하여 다시 귀화허가를 받을 수 있으므로, 이 사건 법률조항이 귀화허가 취소권의 행사기간을 제한하지 않았다고 하더라도 침해의 최소성원칙에 위배되지 아니한다. 한편, 귀화허가가 취소되는 경우 국적을 상실하게 됨에 따른 불이익을 받을 수 있으나, 국적 관련 행정의 적법성 확보라는 공익이 훨씬 더 크므로 법익균형성의 원칙에도 위배되지 아니한다. 따라서 이 사건 법률조항은 거주·이전의 자유

및 행복추구권을 침해하지 아니한다(2015.9.24, 2015헌바26). 2016년 법행 변형

❷ [X] 청구인은 이 사건 처벌조항으로 인하여 청구인의 직업의 자유가 침해된다고 주장한다. 청구인과 같이 국제 인도주의 비정부기구 소속으로 국외 위험지역에서 근무하는 직업을 가진 사람으로서는 이 사건 처벌조항으로 인하여 직업수행에 제한을 받을 수 있다. 그러나 이 사건 처벌조항이 청구인이 국외에서 국제 인도주의 비정부기구 소속으로 국외 위험지역에서 근무하는 직업을 수행할 자유를 일반적으로 제한하는 것은 아니고, 청구인에 대한 직업의 자유 제한은 이 사건 처벌조항이 예외적 여권사용 등의 허가 없이 여행금지국가를 방문하는 등의 행위를 금지하여 국민의 국외이전의 자유를 일시적으로 제한하는 결과 발생하는 부수적인 결과일 뿐이다. 따라서 아래에서는 이 사건 처벌조항이 청구인의 거주·이전의 자유를 침해하는지 여부를 중심으로 살펴보기로 한다(2020.2.27, 2016헌마945).

③ [O] 국외 위난상황이 우리나라의 국민 개인이나 국가·사회에 미칠 수 있는 피해는 매우 중대한 반면, 이 사건 처벌조항으로 인한 불이익은 완화되어 있으므로, 이 사건 처벌조항은 법익의 균형성원칙에도 반하지 않는다. 그러므로 이 사건 처벌조항은 과잉금지원칙에 반하여 청구인의 거주·이전의 자유를 침해하지 않는다.

④ [O] 이 사건 법률조항은 1세대 1주택에 대한 양도소득세 비과세를 적용함에 있어 임대주택을 당해 거주자의 소유주택으로 보지 아니한다고 규정하여 정책적 목적에서 양도소득세 비과세 혜택의 적용범위를 확대하고 있을 뿐, 직접적으로 청구인에게 어떠한 의무를 부과하거나 어떠한 행위를 금지하는 내용을 규정하고 있지 아니하므로, 청구인이 위 조항의 적용대상에 포함되지 아니한다고 하여 바로 거주이전의 자유가 제한된다고 보기는 어렵다(2015.4.30, 2011헌바269).

10 정답 ①

❶ [X] 주택 등에 대한 종합부동산세의 부과로 거주·이전의 자유가 사실상 제약당할 여지가 있으나, 이는 위의 기본권에 대한 침해가 아니라 주택 등의 재산권에 대한 제한이 수반하는 반사적인 불이익에 지나지 아니하므로 구 「종합부동산세법」 제7조 제1항, 제8조, 제9조 전단, 「종합부동산세법」 제7조 제1항 전문 중 괄호 부분을 제외한 부분, 제8조 제1항, 제9조 제1항, 제2항이 거주·이전의 자유를 침해한다고 보기 어렵다 할 것이다(2008.11.13, 2006헌바112 등).

② [O] 청구인은 심판대상조항이 노인들의 거주·이전의 자유 및 인간다운 생활을 할 권리를 침해한다고 주장한다. 그러나 심판대상조항은 종교단체에서 운영하는 양로시설도 일정 규모 이상의 경우 신고하도록 한 규정일 뿐, 거주·이전의 자유나 인간다운 생활을 할 권리의 제한을 불러온다고 볼 수 없으므로 이에 대해서는 별도로 판단하지 아니한다(2016.6.30, 2015헌바46).

③ [O] 거주·이전의 자유가 국민에게 그가 선택할 직업 내지 그가 취임할 공직을 그가 선택하는 임의의 장소에서 자유롭게 행사할 수 있는 권리까지 보장하는 것은 아니다. 물론 직업에 관한 규정이나 공직취임의 자격에 관한 제한규정에 의하여 헌법 제15조의 직업의 자유 내지 헌법 제25조의 공무담임권이 제한될 수는 있어도 헌법 제14조의 거주·이전의 자유가 제한되었다고 볼 수 없다(1996.6.26, 96헌마200). 2016년 법행 변형

④ [O] 법인 등의 경제주체는 헌법 제14조에 의하여 보장되는 거주·이전의 자유의 주체로서 기업 활동의 근거지인 본점이나 사무소를 어디에 둘 것인지, 어디로 이전할 것인지 자유로이 결정할 수 있고, 한편 본점이나 사무소의 설치·이전은 통상적인 영업활동에 필수적으로 수반되는 것이므로 그 설치·이전의 자유는 헌법 제15조에 의하여 보장되는 직업의 자유의 내용에 포함되기도 한다(2000.12.14, 98헌바104).

11 정답 ②

① [X] 자유로운 의사소통은 통신 내용의 비밀을 보장하는 것만으로는 충분하지 아니하고 구체적인 통신관계의 발생으로 야기된 모든 사실관계, 특히 통신관여자의 인적 동일성·통신장소·통신횟수·통신시간 등 통신의 외형을 구성하는 통신이용의 전반적 상황의 비밀까지도 보장한다. 따라서 이 사건 요청조항은 통신의 자유를 제한한다(2018.06.28, 2012헌마538).

❷ [O]

> 「통신비밀보호법」 제8조 【긴급통신제한조치】 ① 검사, 사법경찰관 또는 정보수사기관의 장은 국가안보를 위협하는 음모행위, 직접적인 사망이나 심각한 상해의 위험을 야기할 수 있는 범죄 또는 조직범죄 등 중대한 범죄의 계획이나 실행 등 긴박한 상황에 있고 제5조 제1항 또는 제7조 제1항 제1호의 규정에 의한 요건을 구비한 자에 대하여 제6조 또는 제7조 제1항 및 제3항의 규정에 의한 절차를 거칠 수 없는 긴급한 사유가 있는 때에는 법원의 허가 없이 통신제한조치를 할 수 있다.
> ② 검사, 사법경찰관 또는 정보수사기관의 장은 제1항의 규정에 의한 통신제한조치(이하 '긴급통신제한조치'라 한다)의 집행착수 후 지체 없이 제6조 및 제7조 제3항의 규정에 의하여 법원에 허가청구를 하여야 하며, 그 긴급통신제한조치를 한 때부터 36시간 이내에 법원의 허가를 받지 못한 때에는 즉시 이를 중지하여야 한다.

③ [X]

> 「통신비밀보호법」 제8조 【긴급통신제한조치】 ③ 사법경찰관이 긴급통신제한조치를 할 경우에는 미리 검사의 지휘를 받아야 한다. 다만, 특히 급속을 요하여 미리 지휘를 받을 수 없는 사유가 있는 경우에는 긴급통신제한조치의 집행착수 후 지체 없이 검사의 승인을 얻어야 한다.

④ [X]

> 「통신비밀보호법」 제9조의2 【통신제한조치의 집행에 관한 통지】 ① 검사는 제6조 제1항 및 제8조 제1항의 규정에 의한 통신제한조치를 집행한 사건에 관하여 공소를 제기하거나, 공소의 제기 또는 입건을 하지 아니하는 처분을 한 때에는 그 처분을 한 날부터 30일 이내에 우편물 검열의 경우에는 그 대상자에게, 감청의 경우에는 그 대상이 된 전기통신의 가입자에게 통신제한조치를 집행한 사실과 집행기관 및 그 기간 등을 서면으로 통지하여야 한다. 〈단서 생략〉

12 정답 ②

ㄱ. [O] 기지국수사의 허용과 관련하여서는 유괴·납치·성폭력범죄 등 강력범죄나 국가안보를 위협하는 각종 범죄와 같이 피의자나 피해자의 통신사실 확인자료가 반드시 필요한 범죄로 그 대상을 한정하는 방안, 위 요건에 더하여 다른 방법으로는 범죄수사가 어려운 경우(보충성)를 요건으로 추가하는 방안 등을 검토함으로써 수사에 지장을 초래하지 않으면서도 불특정 다수의 기본권을 덜 침해하는 수단이 존재하는 점을 고려할 때, 이 사건 요청조항은 침해의 최소성과 법익의 균형성이 인정되지 아니한다. 따라서 이 사건 요청조항은 과잉금지원칙에 반하여 청구인의 개인정보자기결정권과 통

신의 자유를 침해한다(2018.6.28, 2012헌마538). 2020년 비상업무 하, 2021년 행시

ㄴ. [X] 이 사건 법률조항이 불법취득한 타인간의 대화 내용을 공개한 자를 처벌함에 있어 「형법」 제20조(정당행위)의 일반적 위법성조각사유에 관한 규정을 적정하게 해석 적용함으로써 공개자의 표현의 자유도 적절히 보장될 수 있는 이상, 이 사건 법률조항에 「형법」 상의 명예훼손죄와 같은 위법성조각사유에 관한 특별규정을 두지 아니하였다는 점만으로 기본권 제한의 비례성을 상실하였다고는 볼 수 없다(2011.8.30, 2009헌바42). 2021년 법원서기보

ㄷ. [O] 미결수용자인 청구인이 변호인 아닌 자와의 접견시 그 대화 내용을 녹음·녹화할 수 있도록 하는 「형의 집행 및 수용자의 처우에 관한 법률」 조항은 수용자의 증거인멸의 가능성 및 추가범죄의 발생가능성을 차단하고, 교정시설 내의 안전과 질서유지를 위한 것으로 목적의 정당성이 인정되며, 수용자는 증거인멸 또는 형사법령 저촉행위를 할 경우 쉽게 발각될 수 있다는 점을 예상하여 이를 억제하게 될 것이므로 수단의 적합성도 인정된다. 미결수용자는 접견시 지인 등을 통해 자신의 범죄에 대한 증거를 인멸할 가능성이 있고, 마약류 사범의 경우 그 중독성으로 인하여 교정시설 내부로 마약을 반입하여 복용할 위험성도 있으므로 교정시설 내의 안전과 질서를 유지할 필요성은 매우 크다. 또한, 교정시설의 장은 미리 접견 내용의 녹음 사실 등을 고지하며, 접견기록물의 엄격한 관리를 위한 제도적 장치도 마련되어 있는 점 등을 고려할 때 침해의 최소성 요건도 갖추고 있다. 나아가 청구인의 접견 내용을 녹음·녹화함으로써 증거인멸이나 형사법령 저촉행위의 위험을 방지하고, 교정시설 내의 안전과 질서유지에 기여하려는 공익은 미결수용자가 받게 되는 사익의 제한보다 훨씬 크고 중요하므로 법익의 균형성도 인정된다. 따라서 위 조항은 과잉금지원칙에 위배되어 청구인의 사생활의 비밀과 자유 및 통신의 비밀을 침해하지 아니한다(2016.11.24, 2014헌바401).

ㄹ. [X] 개인정보자기결정권, 통신의 자유가 제한되는 불이익과 비교했을 때, 명의도용피해를 막고, 차명휴대전화의 생성을 억제하여 보이스피싱 등 범죄의 범행도구로 악용될 가능성을 방지함으로써 잠재적 범죄 피해 방지 및 통신망 질서유지라는 더욱 중대한 공익의 달성효과가 인정된다. 따라서 심판대상조항은 청구인들의 개인정보자기결정권 및 통신의 자유를 침해하지 않는다(2019.9.26, 2017헌마1209). 2021년 법원서기보

13 정답 ④

① [X]

> **관련 판례** 제재를 받지 않기 위하여 어쩔 수 없이 좌석안전띠를 매었다 하여 청구인이 내면적으로 구축한 인간양심이 왜곡·굴절되고 청구인의 인격적 존재가치가 허물어진다고 할 수는 없어, 운전 중 운전자가 좌석안전띠를 착용할 의무는 청구인의 양심의 자유를 침해하는 것이라 할 수 없다(2003.10.30, 2002헌마518).

> **관련 판례** 음주측정요구와 그 거부는 양심의 자유의 보호영역에 포괄되지 아니하므로 이 사건 법률조항을 두고 헌법 제19조에서 보장하는 양심의 자유를 침해하는 것이라고 할 수 없다(1997.3.27, 96헌가11).

② [X] 지문을 날인할 것인지 여부의 결정이 선악의 기준에 따른 개인의 진지한 윤리적 결정에 해당한다고 보기는 어려워, 열 손가락 지문날인의 의무를 부과하는 이 사건 시행령조항에 대하여 국가가 개인의 윤리적 판단에 개입한다거나 그 윤리적 판단을 표명하도록 강제하는 것으로 볼 여지는 없다고 할 것이므로, 이 사건 시행령조항에 의한 양심의 자유의 침해가능성 또한 없는 것으로 보인다(2005.5.26, 99헌마513 등). 2010년 지방 7급, 2013년 국회 9급

③ [X] 양심은 윤리적 결정이므로 사실적 지식은 양심이 아니다. 진술거부권, 신문기자의 취재원에 관한 증언 거부, 재판절차에서 증인의 증언 거부 등은 사실적 지식의 문제이므로 침묵의 자유에 의해 보장되지 아니한다. 2018년 입시

❹ [O] 입법목적과 필요성에 따라 대간첩작전의 수행을 임무로 하는 전투경찰순경을 현역병으로 입영하여 복무 중인 군인에서 전임시켜 충원할 수 있도록 한 이 사건 법률조항들이 그 자체로서 청구인의 행복추구권 및 양심의 자유를 침해한 것이라고 볼 수 없다(1995.12.28, 91헌마80).

14 정답 ④

① [O] 병역종류조항에 대체복무제가 마련되지 아니한 상황에서, 양심상의 결정에 따라 입영을 거부하거나 소집에 불응하는 이 사건 청구인 등이 현재의 대법원 판례에 따라 처벌조항에 의하여 형벌을 부과받음으로써 양심에 반하는 행동을 강요받고 있으므로, 이 사건 법률조항은 '양심에 반하는 행동을 강요당하지 아니할 자유', 즉, 부작위에 의한 양심실현의 자유를 제한하고 있다(2018.6.28, 2011헌바379 등). 2019년 변시

② [O] 양심적 병역 거부의 허용 여부는 헌법 제19조 양심의 자유 등 기본권 규범과 헌법 제39조 국방의 의무 규범 사이의 충돌·조정 문제가 된다. 국방의 의무는 법률이 정하는 바에 따라 부담한다(헌법 제39조 제1항). 즉, 국방의 의무의 구체적인 이행방법과 내용은 법률로 정할 사항이다. 그에 따라 「병역법」에서 병역의무를 구체적으로 정하고 있고, 「병역법」 제88조 제1항에서 입영의무의 불이행을 처벌하면서도 한편으로는 '정당한 사유'라는 문언을 두어 입법자가 미처 구체적으로 열거하기 어려운 충돌 상황을 해결할 수 있도록 하고 있다. 따라서 양심적 병역 거부에 관한 규범의 충돌·조정 문제는 「병역법」 제88조 제1항에서 정한 '정당한 사유'라는 문언의 해석을 통하여 해결하여야 한다(대판 전합체 2018.11.1, 2016도10912). 2020년 법행

③ [O] 따라서 '양심적' 병역 거부라는 용어를 사용한다고 하여 병역의무 이행은 '비양심적'이 된다거나, 병역을 이행하는 병역의무자들과 병역의무 이행이 국민의 숭고한 의무라고 생각하는 대다수 국민들이 '비양심적'인 사람들이 되는 것은 결코 아니다(2018.06.28, 2011헌바379 등).

❹ [X] 개인의 양심은 사회 다수의 정의관·도덕관과 일치하지 않을 수 있으며, 오히려 헌법상 양심의 자유가 문제되는 상황은 개인의 양심이 국가의 법질서나 사회의 도덕률에 부합하지 않는 경우이므로, 헌법에 의해 보호받는 양심은 법질서와 도덕에 부합하는 사고를 가진 다수가 아니라 이른바 '소수자'의 양심이 되기 마련이다. 특정한 내적인 확신 또는 신념이 양심으로 형성된 이상 그 내용 여하를 떠나 양심의 자유에 의해 보호되는 양심이 될 수 있으므로, 헌법상 양심의 자유에 의해 보호받는 '양심'으로 인정할 것인지의 판단은 그것이 깊고, 확고하며, 진실된 것인지 여부에 따르게 된다. 그리하여 양심적 병역 거부를 주장하는 사람은 자신의 '양심'을 외부로 표명하여 증명할 최소한의 의무를 진다(2018.6.28, 2011헌바379 등).

15 정답 ①

❶ [X] 양심적 병역 거부를 주장하는 피고인은 자신의 병역 거부가 그에 따라 행동하지 않고서는 인격적 존재가치가 파멸되고 말 것이라는 절박하고 구체적인 양심에 따른 것이며 그 양심이 깊고 확고하며

진실한 것이라는 사실의 존재를 수긍할 만한 소명자료를 제시하고, 검사는 제시된 자료의 신빙성을 탄핵하는 방법으로 진정한 양심의 부존재를 증명할 수 있다. 이때 병역 거부자가 제시해야 할 소명자료는 적어도 검사가 그에 기초하여 정당한 사유가 없다는 것을 증명하는 것이 가능할 정도로 구체성을 갖추어야 한다(대판 전합체 2018.11.1, 2016도10912).

② [O] 양심적 병역 거부자에게 병역의무의 이행을 일률적으로 강제하고 그 불이행에 대하여 형사처벌 등 제재를 하는 것은 양심의 자유를 비롯한 헌법상 기본권 보장체계와 전체 법질서에 비추어 타당하지 않을 뿐만 아니라 소수자에 대한 관용과 포용이라는 자유민주주의 정신에도 위배된다. 따라서 진정한 양심에 따른 병역 거부라면, 이는 「병역법」 제88조 제1항의 '정당한 사유'에 해당한다. 현재 대체복무제가 마련되어 있지 않다거나 향후 대체복무제가 도입될 가능성이 있더라도, 「병역법」 제88조 제1항을 위반하였다는 이유로 기소되어 재판을 받고 있는 피고인에게 「병역법」 제88조 제1항이 정하는 정당한 사유가 인정된다면 처벌할 수 없다고 보아야 한다(대판 전합체 2018.11.1, 2016도10912).

③ [O] 병역종류조항에 대해 단순위헌 결정을 할 경우 병역의 종류와 각 병역의 구체적인 범위에 관한 근거규정이 사라지게 되어 일체의 병역의무를 부과할 수 없게 되므로, 용인하기 어려운 법적 공백이 생기게 된다. 더욱이 입법자는 대체복무제를 형성함에 있어 그 신청절차, 심사주체 및 심사방법, 복무 분야, 복무기간 등을 어떻게 설정할지 등에 관하여 광범위한 입법재량을 가진다. 따라서 병역종류조항에 대하여 헌법불합치결정을 선고하되, 다만 입법자의 개선입법이 이루어질 때까지 계속적용을 명하기로 한다. 입법자는 늦어도 2019.12.31.까지는 대체복무제를 도입하는 내용의 개선입법을 이행하여야 하고, 그때까지 개선입법이 이루어지지 않으면 병역종류조항은 2020.1.1.부터 효력을 상실한다(2018.06.28, 2011헌바379).

④ [O] 구체적인 「병역법」 위반사건에서 피고인이 양심적 병역 거부를 주장할 경우, 그 양심이 과연 위와 같이 깊고 확고하며 진실한 것인지 가려내는 일이 무엇보다 중요하다. 인간의 내면에 있는 양심을 직접 객관적으로 증명할 수는 없으므로 사물의 성질상 양심과 관련성이 있는 간접사실 또는 정황사실을 증명하는 방법으로 판단하여야 한다. 예컨대 종교적 신념에 따른 양심적 병역 거부 주장에 대해서는 종교의 구체적 교리가 어떠한지, 그 교리가 양심적 병역 거부를 명하고 있는지, 실제로 신도들이 양심을 이유로 병역을 거부하고 있는지, 그 종교가 피고인을 정식 신도로 인정하고 있는지, 피고인이 교리 일반을 숙지하고 철저히 따르고 있는지, 피고인이 주장하는 양심적 병역 거부가 오로지 또는 주로 그 교리에 따른 것인지, 피고인이 종교를 신봉하게 된 동기와 경위, 만일 피고인이 개종을 한 것이라면 그 경위와 이유, 피고인의 신앙기간과 실제 종교적 활동 등이 주요한 판단요소가 될 것이다. 피고인이 주장하는 양심과 동일한 양심을 가진 사람들이 이미 양심적 병역 거부를 이유로 실형으로 복역하는 사례가 반복되었다는 등의 사정은 적극적인 고려요소가 될 수 있다. 그리고 위와 같은 판단과정에서 피고인의 가정환경, 성장과정, 학교생활, 사회경험 등 전반적인 삶의 모습도 아울러 살펴볼 필요가 있다. 깊고 확고하며 진실한 양심은 그 사람의 삶 전체를 통하여 형성되고, 또한 어떤 형태로든 그 사람의 실제 삶으로 표출되었을 것이기 때문이다. 정당한 사유가 없다는 사실은 범죄구성요건이므로 검사가 증명하여야 한다(대판 접합체 2018.11.1, 2016도10912).

16 정답 ③

ㄱ. [O] 종교의 자유에서 종교에 대한 적극적인 우대조치를 요구할 권리가 직접 도출되거나 우대할 국가의 의무가 발생하지 아니한다. 종교시설의 건축행위에만 기반시설부담금을 면제한다면 국가가 종교를 지원하여 종교를 승인하거나 우대하는 것으로 비칠 소지가 있어 헌법 제20조 제2항의 국교금지·정교분리에 위배될 수도 있다고 할 것이므로 종교시설의 건축행위에 대하여 기반시설부담금 부과를 제외하거나 감경하지 아니하였더라도, 종교의 자유를 침해하는 것이 아니다(2010.2.25, 2007헌바131 등). 2017년 법원

ㄴ. [X] 공교육체계의 헌법적 도입과 우리의 고등학교 교육 현실 및 평준화정책이 고등학교 입시의 과열과 그로 인한 부작용을 막기 위하여 도입된 사정, 그로 인한 기본권의 제한 정도 등을 모두 고려한다면, 고등학교 평준화정책에 따른 학교 강제배정제도에 의하여 학생이나 학교법인의 기본권에 일부 제한이 가하여진다고 하더라도 그것만으로는 위 제도가 학생이나 학교법인의 기본권을 본질적으로 침해하는 위헌적인 것이라고까지 할 수는 없다(대판 전합체 2010.4.22, 2008다38288). 2014년 법행

ㄷ. [X] 2010년 법무사

헌법 제20조 국교는 인정되지 아니하며, 종교와 정치는 분리된다.

ㄹ. [X] 청구인들의 아가니스탄에서의 선교행위가 제한된 것은, 이 사건 여권의 사용 제한 등 조치를 통하여 국민의 국외이전의 자유를 일시적으로 제한함으로써 부수적으로 나타난 결과일 뿐, 청구인들이 국내·국외를 포함한 다른 지역에서의 기독교를 전파할 자유를 일반적으로 제한하는 것은 아니라 할 것이므로 이 사건 고시가 직접적으로 청구인들의 선교의 자유를 침해하였다고 보기도 어렵다(2008.6.26, 2007헌마1366).

ㅁ. [O] 종교에 대한 비판은 성질상 어느 정도의 편견과 자극적인 표현을 수반하게 되는 경우가 많으므로, 타 종교의 신앙의 대상에 대한 모욕이 곧바로 그 신앙의 대상을 신봉하는 종교단체나 신도들에 대한 명예훼손이 되는 것은 아니고, 종교적 목적을 위한 언론·출판의 자유를 행사하는 과정에서 타 종교의 신앙의 대상을 우스꽝스럽게 묘사하거나 다소 모욕적이고 불쾌하게 느껴지는 표현을 사용하였더라도 그것이 그 종교를 신봉하는 신도들에 대한 증오의 감정을 드러내는 것이거나 그 자체로 폭행·협박 등을 유발할 우려가 있는 정도가 아닌 이상 허용된다고 보아야 한다(대판 2014.9.4, 2012도13718).

ㅂ. [O] 종교의 자유의 내용 중 신앙의 자유는 초자연적·초인간적 존재나 본질에 대하여 이를 경외하고 숭배하거나 믿는 개개인의 주관적 확신, 즉 신앙을 적극적으로 가지거나 이를 가지지 않을 자유를 말한다. 이는 구체적으로 어느 종교를 믿을 자유, 종교를 믿지 않을 무종교의 자유와 신앙을 변경할 자유, 즉 신앙의 형성, 변경, 포기의 자유가 포함된다. 따라서 무신앙의 자유 역시 종교의 자유에 의해 보호된다.

ㅅ. [O] 종교의 자유는 일반적으로 신앙의 자유, 종교적 행위의 자유 및 종교적 집회·결사의 자유 등 3요소로 구성되어 있다고 한다. 그중 종교적 집회·결사의 자유는 종교적 목적으로 같은 신자들이 집회하거나 종교단체를 결성할 자유를 말하는데, 이 사건 종교집회 참석 제한 처우는 청구인이 종교집회에 참석하는 것을 제한한 행위이므로 청구인의 종교의 자유, 특히 종교적 집회·결사의 자유를 제한한다(2014.6.26, 2012헌마782). 2016년 법원

17 정답 ①

ㄱ. [O] 종교의 자유에는 절대적 자유인 신앙의 자유와 상대적 자유인 종교적 행위의 자유가 있다. 신앙선택의 자유, 신앙변경(개종)의 자유 및 신앙을 포기할 자유는 내심의 자유인 신앙의 자유로서 법률로써도 제한할 수 없는 절대적 자유에 속한다. 2006년 행시

ㄴ. [X] 종교의 자유의 내용 중 신앙의 자유는 초자연적·초인간적 존재나 본질에 대하여 이를 경외하고 숭배하거나 믿는 개개인의 주관적 확신, 즉 신앙을 적극적으로 가지거나 이를 가지지 않을 자유를 말한다. 이는 구체적으로 어느 종교를 믿을 자유, 종교를 믿지 않을 무종교의 자유와 신앙을 변경할 자유, 즉 신앙의 형성, 변경, 포기의 자유가 포함된다. 따라서 무신앙의 자유 역시 종교의 자유에 의해 보호된다. 2010년 사시

ㄷ. [O] 공군참모총장이 전 공군을 지휘·감독할 지위에서 수하의 장병들을 상대로 단결심의 함양과 조직의 유지·관리를 위하여 계몽적인 차원에서 군종장교로 하여금 교계에 널리 알려진 특정 종교에 대한 비판적 정보를 담은 책자를 발행·배포하게 한 행위가 특별한 사정이 없는 한 정교분리의 원칙에 위반하는 위법한 직무집행에 해당하지 않는다(대판 2007.4.26, 2006다87903). 문화국가원리에 부합하며 정교분리원칙에 위배되지 않는다.

ㄹ. [O] 구 「교육법」 제85조 제1항 및 「학원의 설립·운영에 관한 법률」 제6조가 종교교육을 담당하는 기관들에 대하여 예외적으로 인가 혹은 등록의무를 면제하여 주지 않았다고 하더라도, 헌법 제31조 제6항이 교육제도에 관한 기본사항을 법률로 입법자가 정하도록 한 취지, 종교교육기관이 자체 내부의 순수한 성직자 양성기관이 아니라 학교 혹은 학원의 형태로 운영될 경우 일반 국민들이 받을 수 있는 부실한 교육의 피해의 방지, 현행 법률상 학교 내지 학원의 설립절차가 지나치게 엄격하다고 볼 수 없는 점 등을 고려할 때, 위 조항들이 청구인의 종교의 자유 등을 침해하였다고 볼 수 없고, 또한 위 조항들 로 인하여 종교교단의 재정적 능력에 따라 학교 내지 학원의 설립상 차별을 초래한다고 해도 거기에는 위와 같은 합리적 이유가 있으므로 평등원칙에 위배된다고 할 수 없다(2000.3.30, 99헌바14). 2021년 소방간부

ㅁ. [O] 종교단체의 권징결의는 교인으로서 비위가 있는 자에게 종교적인 방법으로 징계 제재하는 종교단체 내부의 규제에 지나지 아니하므로, 이는 사법심사의 대상이 되지 아니하고, 그 효력과 집행은 교회 내부의 자율에 맡겨져야 할 것이다(대판 1981.9.22, 81다276). 2001년 행시

ㅂ. [O] 이 사건 법률조항은 선거범죄를 범하여 형사처벌을 받은 교원에 대하여 일정한 신분상 불이익을 가하는 규정일 뿐 청구인의 연구·활동 내용이나 그러한 내용을 전달하는 방식을 규율하는 것은 아니므로 청구인의 교수의 자유를 침해하지 아니한다(2008.4.24, 2005헌마857). 2017년 국회 8급

18 정답 ②

① [O] 이 사건 법률조항은 극장운영자의 표현의 자유 및 예술의 자유도 필요한 이상으로 과도하게 침해하고 있으며, 표현·예술의 자유의 보장과 공연장 및 영화상영관 등이 담당하는 문화국가형성의 기능의 중요성을 간과하고 있다. 따라서 이 사건 법률조항은 표현의 자유 및 예술의 자유를 침해하는 위헌적인 규정이다(2004.5.27, 2003헌가1 등).

❷ [X] 구 「음반에 관한 법률」 제3조 제1항이 비디오물을 포함하는 음반제작자에 대하여 일정한 시설을 갖추어 문화공보부에 등록할 것을 명하는 것은 음반제작에 필수적인 기본시설을 갖추지 못함으로써 발생하는 폐해방지 등의 공공복리 목적을 위한 것으로서 헌법상 금지된 허가제나 검열제와는 다른 차원의 규정이고, 예술의 자유나 언론·출판의 자유를 본질적으로 침해하였다거나 헌법 제37조 제2항의 과잉금지의 원칙에 반한다고 할 수 없다(1993.5.13, 91헌바17).

③ [O] 구 「음반에 관한 법률」 제3조 제1항 각 호에 규정한 시설은 임차 또는 리스 등에 의하여도 갖출 수 있으므로, 동항 및 그 처벌조항인 동법 제13조 제1항 제1호는 동법 제3조 제1항 각 호에 규정한 시설을 자기소유이어야 하는 것으로 해석하는 한, 헌법상 금지된 허가제의 수단으로 남용될 우려가 있으므로 예술의 자유, 언론·출판의 자유, 평등권을 침해할 수 있게 되고, 죄형법정주의에 반하는 결과가 된다(1993.5.13, 91헌바17).

④ [O] 영화도 의사표현의 한 수단이므로 영화의 제작 및 상영은 다른 의사표현수단과 마찬가지로 헌법에 의한 보장을 받음은 물론 영화는 학문적 연구 결과를 발표하는 수단이 되기도 하고, 예술표현의 수단이 되기도 하므로 그 제작 및 상영은 학문·예술의 자유를 규정하고 있는 헌법 제22조 제1항에 의하여도 보장을 받는다(1996.10.4, 93헌가13).

19 정답 ①

❶ [X] 해당 방송사업자에게는 해당 프로그램의 신뢰도 하락에 따른 시청률 하락 등의 불이익을 줄 수 있다. 또한, '시청자에 대한 사과'에 대하여는 '명령'이 아닌 '권고'의 형태를 취할 수도 있다. 이와 같이 기본권을 보다 덜 제한하는 다른 수단에 의하더라도 이 사건 심판대상조항이 추구하는 목적을 달성할 수 있으므로 이 사건 심판대상조항은 침해의 최소성원칙에 위배된다. 또한 이 사건 심판대상조항은 시청자 등 국민들로 하여금 … 그 사회적 신용이나 명예를 저하시키고 법인격의 자유로운 발현을 저해하는 것인바, 방송사업자의 인격권에 대한 제한의 정도가 이 사건 심판대상조항이 추구하는 공익에 비해 결코 작다고 할 수 없으므로 이 사건 심판대상조항은 법익의 균형성원칙에도 위배된다(2012.8.23, 2009헌가27).

② [O] 방송매체의 특수성을 고려하면 방송의 기능을 보장하기 위한 규율의 필요성은 신문 등 다른 언론매체보다 높다. 그러므로 입법자는 자유민주주의를 기본원리로 하는 헌법의 요청에 따라 국민의 다양한 의견을 반영하고 국가권력이나 사회세력으로부터 독립된 방송을 실현할 수 있도록 광범위한 입법형성재량을 갖고 방송체제의 선택을 비롯하여, 방송의 설립 및 운영에 관한 조직적, 절차적 규율과 방송운영주체의 지위에 관하여 실체적인 규율을 행할 수 있다. 입법자가 방송법제의 형성을 통하여 민영방송을 허용하는 경우 민영방송사업자는 그 방송법제에서 기대되는 방송의 기능을 보장받으며 형성된 법률에 의해 주어진 범위 내에서 주관적 권리를 가지고 헌법적 보호를 받는다(2003.12.18, 2002헌바49).

③ [O] 헌법 제21조 제1항은 '모든 국민은 언론·출판의 자유와 집회·결사의 자유를 가진다'고 규정하였다. 같은 규정에 의해 보장되는 언론·출판의 자유에는 방송의 자유가 포함된다. 방송의 자유는 주관적인 자유권으로서의 특성을 가질 뿐 아니라 다양한 정보와 견해의 교환을 가능하게 함으로써 민주주의의 존립·발전을 위한 기초가 되는 언론의 자유의 실질적 보장에 기여한다는 특성을 가지고 있다. 방송매체에 대한 규제의 필요성과 정당성을 논의함에 있어서 방송사업자의 자유와 권리뿐만 아니라 수신자(시청자)의 이익과 권리도 고려되어야 하는 것은 방송의 이와 같은 공적 기능 때문이다(2003.12.18, 2002헌바49).

④ [O] 방송의 자유는 주관적 권리로서의 성격과 함께 자유로운 의견형성이나 여론형성을 위해 필수적인 기능을 행하는 객관적 규범질서로서 제도적 보장의 성격을 함께 가지고, 방송의 자유의 보호영역에는, 단지 국가의 간섭을 배제함으로써 성취될 수 있는 방송프로그램에 의한 의견 및 정보를 표현, 전파하는 주관적인 자유권 영역 외에 그 자체만으로 실현될 수 없고 그 실현과 행사를 위해 실체적, 조직적, 절차적 형성 및 구체화를 필요로 하는 객관적 규범질서의 영역이 존재하며, 더욱이 방송매체의 특수성을 고려하면 방송의 기능을 보장하기 위한 규율의 필요성은 신문 등 다른 언론매체보다 높다. 그러므로 입법자는 자유민주주의를 기본원리로 하는 헌법의 요청에 따라 국민의 다양한 의견을 반영하고 국가권력이나

사회세력으로부터 독립된 방송을 실현할 수 있도록 광범위한 입법형성재량을 갖고 방송체제의 선택을 비롯하여, 방송의 설립 및 운영에 관한 조직적, 절차적 규율과 방송운영주체의 지위에 관하여 실체적인 규율을 행할 수 있다. 입법자가 방송법제의 형성을 통하여 민영방송을 허용하는 경우 민영방송사업자는 그 방송법제에서 기대되는 방송의 기능을 보장받으며 형성된 법률에 의해 주어진 범위 내에서 주관적 권리를 가지고 헌법적 보호를 받는다(2003.12.18, 2002헌바49). 2019년 비상업무

20 정답 ②

① [O] '허위사실의 표현'도 헌법 제21조가 규정하는 언론·출판의 자유의 보호영역에는 해당하되, 다만 헌법 제37조 제2항에 따라 국가 안전보장·질서유지 또는 공공복리를 위하여 제한할 수 있는 것이라고 해석하여야 할 것이다(2010.12.28, 2008헌바157 등). 2019년 국회 9급

❷ [X] 의사표현의 자유은 자신의 의사를 표현할 자유이다. 단순한 사실전달은 자신의 의사가 아니어서 의사표현의 자유에서 보호되지 않고 보도의 자유에서 보호된다.

③ [O] 영화도 의사형성적 작용을 하는 한 의사의 표현·전파의 형식의 하나로 인정되며, 결국 언론·출판의 자유에 의해서 보호되는 의사표현의 매개체라는 점은 의문의 여지가 없다(2001.8.30, 2000헌가9).

④ [O] 의료에 관한 광고는 표현의 자유의 보호영역에 속하지만 사상이나 지식에 관한 정치적, 시민적 표현행위와는 차이가 있고, 한편 직업수행의 자유의 보호영역에도 속하지만 인격발현과 개성신장에 미치는 효과가 중대한 것은 아니므로 의료에 관한 광고의 규제에 대한 과잉금지원칙 위배 여부를 심사함에 있어, 그 기준을 완화하는 것이 타당하다(2016.9.29, 2015헌바325). 2018년 변시

21 정답 ④

① [O] 국민의 알 권리는 국민 누구나가 일반적으로 접근할 수 있는 모든 정보원으로부터 정보를 수집할 수 있는 권리로서 정보수집의 수단에는 제한이 없는 권리이다(2002.12.18, 2000헌마764).

② [O] 헌법재판소는 「공공기관의 정보공개에 관한 법률」이 제정되기 이전에 이미, 정부가 보유하고 있는 정보에 대하여 정당한 이해관계가 있는 자가 그 공개를 요구할 수 있는 권리를 알 권리로 인정하면서 이러한 알 권리는 표현의 자유에 당연히 포함되는 기본권임을 선언한 바 있다(2010.12.28, 2009헌마466).

③ [O] 이러한 '알 권리'의 보장의 범위와 한계는 헌법 제21조 제4항, 제37조 제2항에 의해 제한이 가능하고 장차는 법률에 의하여 그 구체적인 내용이 규정되겠지만, '알 권리'에 대한 제한의 정도는 청구인에게 이해관계가 있고 타인의 기본권을 침해하지 않으면서 동시에 공익실현에 장애가 되지 않는다면 가급적 널리 인정하여야 할 것이고 적어도 직접의 이해관계가 있는 자에 대하여는 특단의 사정이 없는 한 의무적으로 공개하여야 한다고 할 것이다(1991.5.13, 90헌마133). 2020년 법행

❹ [X] 알 권리의 생성기반을 살펴볼 때 이 권리의 핵심은 정부가 보유하고 있는 정보에 대한 국민의 '알 권리', 즉 국민의 정부에 대한 일반적 정보공개를 구할 권리라고 할 것이다. 이러한 알 권리의 실현은 법률의 제정이 뒤따라 이를 구체화시키는 것이 충실하고도 바람직하지만, 그러한 법률이 제정되어 있지 않다고 하더라도 불가능한 것은 아니고 헌법 제21조에 의해 직접 보장될 수 있다고 하는 것이 헌법재판소의 확립된 판례인 것이다(1991.5.13, 90헌마133).

22 정답 ①

ㄱ. [O] 알 권리란 일반적 정보원으로부터 정보를 수집하고, 수집된 정보를 취사, 선택할 수 있는 자유와 정보공개를 청구할 권리이다. 국민인 자연인, 외국인, 법인, 권리능력 없는 사단·재단도 알 권리의 주체가 될 수 있다. 이해당사자만이 아니라 모든 국민은 정보공개 청구권을 가진다.

ㄴ. [O] 국민은 헌법상 보장된 알 권리의 한 내용으로서 국회에 대하여 입법과정의 공개를 요구할 권리를 가지며, 국회의 의사에 대하여는 직접적인 이해관계 유무와 상관없이 일반적 정보공개청구권을 가진다고 할 수 있다(2009.9.24, 2007헌바17).

ㄷ. [O] 헌법 제21조 등에서 도출되는 기본권인 알 권리는 모든 정보원으로부터 일반적 정보를 수집하고 이를 처리할 수 있는 권리를 말하는데, 여기서 '일반적'이란 신문, 잡지, 방송 등 불특정 다수인에게 개방될 수 있는 것을, '정보'란 양심, 사상, 의견, 지식 등의 형성에 관련이 있는 일체의 자료를 말한다(2010.10.28, 2008헌마638).

ㄹ. [X] 정보의 전파는 알 권리가 아니라 표현의 자유에 의해 보장된다. 알 권리는 정보의 획득에 한정되는 것이다.

ㅁ. [O] '음란'의 개념과는 달리 '저속'의 개념은 그 적용범위가 매우 광범위할 뿐만 아니라 법관의 보충적인 해석에 의한다 하더라도 그 의미내용을 확정하기 어려울 정도로 매우 추상적이다. 이 '저속'의 개념에는 출판사등록이 취소되는 성적 표현의 하한이 열려 있을 뿐만 아니라 폭력성이나 잔인성 및 천한 정도도 그 하한이 모두 열려 있기 때문에 출판을 하고자 하는 자는 어느 정도로 자신의 표현 내용을 조절해야 되는지를 도저히 알 수 없도록 되어 있어 명확성의 원칙 및 과도한 광범성의 원칙에 반한다(1998.4.30, 95헌가16). 2018년 행시

ㅂ. [O] 시험의 관리에 있어서 가장 중요한 것은 정확성과 공정성이므로, 이를 위하여 시험문제와 정답, 채점기준 등 시험의 정확성과 공정성에 영향을 줄 수 있는 모든 정보는 사전에 엄격하게 비밀로 유지되어야 할 뿐만 아니라, 공공기관에서 시행하는 대부분의 시험들은 평가대상이 되는 지식의 범위가 한정되어 있고 그 시행도 주기적으로 반복되므로 이미 시행된 시험에 관한 정보라 할지라도 이를 제한없이 공개할 경우에는 중요한 영역의 출제가 어려워지는 등 시험의 공정한 관리 및 시행에 영향을 줄 수밖에 없다고 할 것이므로, 이 사건 법률조항이 시험문제와 정답을 공개하지 아니할 수 있도록 한 것이 과잉금지원칙에 위반하여 알 권리를 침해한다고 볼 수 없다(2011.3.31, 2010헌바291).

ㅅ. [O] **공시대상정보로서 교원의 교원단체 및 노동조합 가입현황(인원 수)만을 규정할 뿐 개별 교원의 명단은 규정하고 있지 아니한 구 「교육관련기관의 정보공개에 관한 특례법 시행령」 제3조 제1항 [별표 1] 제15호 아목 중 '교원' 부분이 과잉금지원칙에 반하여 학부모들의 알 권리를 침해하는지 여부(소극)**

이 사건 시행령조항은 공시대상정보로서 교원의 교원단체 및 노동조합 '가입현황(인원 수)'만을 규정할 뿐 개별 교원의 명단은 규정하고 있지 아니한바, 교원의 교원단체 및 노동조합 가입에 관한 정보는 「개인정보 보호법」상의 민감 정보로서 특별히 보호되어야 할 성질의 것이고, 인터넷 게시판에 공개되는 '공시'로 말미암아 발생할 교원의 개인정보 자기결정권에 대한 중대한 침해의 가능성을 고려할 때, 이 사건 시행령조항은 학부모 등 국민의 알 권리와 교원의 개인정보자기결정권이라는 두 기본권을 합리적으로 조화시킨 것이라 할 수 있으므로, 학부모들의 알 권리를 침해하지 않는다(2011.12.29, 2010헌마293). 2014년 사시

ㅇ. [O] 공판조서 기재의 정확성 유무가 더 이상 문제되지 아니하는 시기, 즉 재판의 확정일 이후에도 속기록 등을 보관한다면 무용한 일을 위하여 사법자원을 낭비하는 것이 된다. 위 규칙은 이를 방지하고자 하는 것으로서 목적의 정당성이나 수단의 적정성이 인정된다. 그리

고 「형사소송법」상 피고인 등은 재판이 확정되기 전에는 언제든지 비용을 부담하고 속기록 등의 사본을 청구할 수 있는 점, 공판조서의 정확성을 담보하기 위한 여러 장치가 마련되어 있는 점 등을 고려할 때, 위 규칙조항은 피해의 최소성의 요건도 갖추고 있다. 나아가 위 규칙조항으로 인한 알 권리의 제한에 비하여 속기록 등의 무용한 보관으로 인한 사법자원의 낭비 방지라는 공익이 더 크므로 법익의 균형성 요청도 충족한다. 따라서 위 규칙조항은 청구인의 알 권리를 침해하지 아니한다(2012.3.29, 2010헌마599).

23 정답 ②

① [O] 표현의 자유를 규제하는 입법에 있어서 명확성의 원칙은 특별히 중요한 의미를 지닌다. 현대 민주사회에서 표현의 자유가 국민주권주의 이념의 실현에 불가결한 것인 점에 비추어 볼 때, 불명확한 규범에 의한 표현의 자유의 규제는 헌법상 보호받는 표현에 대한 위축효과를 일으키고, 그로 인하여 다양한 의견이나 견해 등의 표출을 통해 상호 검증을 거치도록 한다는 표현의 자유의 본래 기능을 상실케 한다. 따라서 표현의 자유를 규제하는 법률은 규제되는 표현의 개념을 세밀하고 명확하게 규정할 것이 헌법적으로 요구된다.

❷ [X] 심판대상조항의 입법목적, 「공직선거법」 관련 조항의 규율 내용을 종합하면, 건전한 상식과 통상적인 법 감정을 가진 사람이면 자신의 글이 정당·후보자에 대한 '지지·반대'의 정보를 게시하는 행위인지 충분히 알 수 있으므로, 실명확인조항 중 '인터넷언론사' 및 '지지·반대' 부분은 명확성원칙에 반하지 않는다(2021.1.28, 2018헌마456 등).

③ [O] 실명확인조항은 인터넷언론사에게 인터넷홈페이지 게시판 등을 운영함에 있어서 선거운동기간 중 이용자의 실명확인조치의무, 실명인증표시조치의무 및 실명인증표시가 없는 게시물에 대한 삭제의무를 부과하여 인터넷언론사의 직업의 자유도 제한하고, 과태료조항은 인터넷언론사가 실명확인조치의무나 실명인증표시가 없는 게시물에 대한 삭제의무를 이행하지 않는 경우 그에 대하여 과태료를 부과하는 것을 그 내용으로 하므로 인터넷언론사의 직업의 자유를 제한한다. 인터넷언론사의 기본권 가운데 이 사건과 가장 밀접한 관계에 있으며 또 침해의 정도가 큰 주된 기본권은 실명확인조항에 의하여 제한되는 언론의 자유라고 할 것이므로 직업의 자유 제한의 정당성 여부에 관하여는 따로 판단하지 않는다. 또한 인터넷언론사의 언론의 자유 제한은 게시판 등 이용자의 정치적 익명표현의 자유의 제한에 수반되는 결과라고 할 수 있으므로 이하에서는 게시판 등 이용자의 정치적 익명표현의 자유 침해 여부를 중심으로 하여 인터넷언론사의 언론의 자유 등 침해 여부를 함께 판단하기로 한다(2021.1.28, 2018헌마456 등).

④ [O] 심판대상조항은 정치적 의사표현이 가장 긴요한 선거운동기간 중에 인터넷언론사 홈페이지 게시판 등 이용자로 하여금 실명확인을 하도록 강제함으로써 익명표현의 자유와 언론의 자유를 제한하고, 모든 익명표현을 규제함으로써 대다수 국민의 개인정보자기결정권도 광범위하게 제한하고 있다는 점에서 이와 같은 불이익은 선거의 공정성 유지라는 공익보다 결코 과소평가될 수 없다. 그러므로 심판대상조항은 과잉금지원칙에 반하여 인터넷언론사 홈페이지 게시판 등 이용자의 익명표현의 자유와 개인정보자기결정권, 인터넷언론사의 언론의 자유를 침해한다(2021.1.28, 2018헌마456 등).

24 정답 ②

① [X] 반대의견에서 제시된 내용이다. 법정의견은 사전검열금지원칙에 위반된다고 보았다(2020.8.28, 2017헌가35 등).

❷ [O] ③ [X] 현행헌법상 사전검열은 표현의 자유 보호대상이면 예외 없이 금지된다. 의료기기에 대한 광고는 의료기기의 성능이나 효능 및 효과 또는 그 원리 등에 관한 정보를 널리 알려 해당 의료기기의 소비를 촉진시키기 위한 상업광고로서 헌법 제21조 제1항의 표현의 자유의 보호대상이 됨과 동시에 같은 조 제2항의 사전검열 금지원칙의 적용대상이 된다(2020.8.28, 2017헌가35 등).

④ [X] 광고의 심의기관이 행정기관인지 여부는 기관의 형식에 의하기보다는 그 실질에 따라 판단되어야 하고, 행정기관의 자의로 민간심의기구의 심의업무에 개입할 가능성이 열려 있다면 개입가능성의 존재 자체로 헌법이 금지하는 사전검열이라고 보아야 한다. 의료기기와 관련하여 심의를 받지 아니하거나 심의받은 내용과 다른 내용의 광고를 하는 것을 금지하고 이를 위반한 경우 행정제재와 형벌을 부과하도록 한 「의료기기법」은 사전검열금지원칙에 위반된다(2020.8.28, 2017헌가35 등).

25 정답 ④

① [X] 이 사건 특정 구역 안에서 업소별로 표시할 수 있는 옥외광고물의 총수량을 원칙적으로 1개로 제한한 것을 두고 위임의 한계를 일탈하였다고 볼 수 없다. 따라서 광고물 총수량조항이 법률유보원칙에 위배되어 청구인들의 표현의 자유 및 직업수행의 자유를 침해한다고 보기 어렵다(2016.3.31, 2014헌마794). 2018년 경찰경채

② [X] 「옥외광고물등관리법」은 옥외광고물의 표시장소·표시방법과 게시시설의 설치·유지 등에 관하여 필요한 사항을 규정함으로써 미관풍치와 미풍양속을 유지하고 공중에 대한 위해를 방지함을 목적으로 하고 있는바, 자동차에 무제한적으로 광고를 허용하게 되면, 교통의 안전과 도시미관을 해칠 수가 있으며 운전자들의 운전과 보행자들에게 산란함을 야기하여 운전과 보행에 방해가 됨으로써 도로안전에 영향을 미칠 수 있다. 따라서 도로안전과 환경·미관을 위하여 자동차에 광고를 부착하는 것을 제한하는 것은 일반 국민들과 운전자들의 공공복리를 위한 것이라 할 수 있고, 이러한 이유로 제한이 가능하다 할 것이다. 또한 「옥외광고물등관리법 시행령」은 모든 광고를 전면적으로 금지하는 것이 아니라, 자동차 소유자 자신에 관한 내용의 광고는 허용하면서 타인에 관한 내용의 광고를 금지하고 있다. 이 사건 시행령조항이 자동차소유자 자신에 관한 광고는 허용하면서 타인에 관한 광고를 금지하는 것은 일견하여 표현 내용에 따른 규제로 볼 수도 있으나, 이 사건 시행령조항이 자신에 관한 광고와 타인에 관한 광고를 구분하여 규제의 기준으로 삼은 것은, 광고의 매체로 이용 될 수 있는 차량을 제한함으로써 자동차를 이용한 광고행위의 양을 도로교통의 안전과 도시미관을 해치지 않는 적정한 수준으로 제한하려고 한 것이다. 따라서 표현의 자유를 침해한다고 볼 수 없다(2002.12.18, 2000헌마764).

③ [X] 「전기통신사업법」 제53조 제1항은 '공공의 안녕질서 또는 미풍양속을 해하는 내용의 통신'을 금하는바, 여기서의 '공공의 안녕질서'와 '미풍양속'은 너무나 불명확한 개념이어서 수범자인 국민으로 하여금 어떤 내용의 통신이 금지되는 것인지 고지하여 주지 못하므로 명확성원칙에 위배되고, 필연적으로 규제되지 않아야 할 표현까지 다함께 규제하게 되므로 과잉금지원칙에 어긋난다(2002.6.27, 99헌마480).

❹ [O] 이 사건 「정보통신망 이용촉진 및 정보보호 등에 관한 법률」 조항에서 '범죄를 목적으로 하거나 교사 또는 방조하는 내용의 정보'의 유통을 금지하는 목적이 불특정인을 상대로 신속하고 광범위한 정보유통이 가능한 온라인매체를 범죄에 이용하거나 범죄를 조장하는 데 이용하는 경우 그 위험이 매우 크기 때문에 이를 조기에 차단하려는 데 있다는 점을 감안하면, 정보게시자가 범행에 착수하였거나 혹은 교사 또는 방조된 정범이 범행에 착수하였을 필요는 없다고 할 것이다. 그렇다면 이 사건 「정보통신망 이용촉진 및 정

보보호 등에 관한 법률」 조항은 수범자의 예견가능성을 해하거나 행정기관이 자의적 집행을 가능하게 할 정도로 불명확하다고 할 수 없으므로, 명확성원칙에 위배되지 아니한다(2012.2.23, 2008헌마500). 2013년 국가 7급

26

정답 ①

❶ [O] 긴급조치 제1호, 제2호는 국가긴급권의 발동이 필요한 상황과는 전혀 무관하게 헌법과 관련하여 자신의 견해를 단순하게 표명하는 모든 행위까지 처벌하고, 처벌의 대상이 되는 행위를 전혀 구체적으로 특정할 수 없으므로, 표현의 자유 제한의 한계를 일탈하여 국가형벌권을 자의적으로 행사하였고, 죄형법정주의의 명확성원칙에 위배되며, 국민의 헌법개정권력의 행사와 관련한 참정권, 국민투표권, 영장주의 및 신체의 자유, 법관에 의한 재판을 받을 권리 등을 침해한다(2013.3.21, 2010헌바132 등). 2016년 사시

② [X] 「영화진흥법」 제21조 제3항 제5호는 '제한상영가' 등급의 영화를 '상영 및 광고·선전에 있어서 일정한 제한이 필요한 영화'라고 정의하고 있는데, 이 규정은 제한상영가 등급의 영화가 어떤 영화인지를 말해주기보다는 제한상영가 등급을 받은 영화가 사후에 어떠한 법률적 제한을 받는지를 기술하고 있으므로, 제한상영가 영화가 어떤 영화인지 이 규정만 가지고는 도대체 짐작하기가 쉽지 않다(2008.7.31, 2007헌가4).

③ [X] 상영에 있어서 일정한 제한이 필요한 영화를 제한상영가로 분류하는 것은 명확성원칙에 위반된다. 다만, 상영 자체가 금지되는 것은 아니므로 검열금지의 원칙에 위반되는 것은 아니다.

④ [X] 방송통신위원회의 취급 거부·정지·제한명령은 행정처분으로서 행정소송을 통한 사법적 사후심사가 보장되어 있고, 그 자체가 법원의 재판이나 고유한 사법작용이 아니므로 사법권을 법원에 둔 권력분립원칙에 위반되지 아니한다. 「국가보안법」에서 금지하는 행위를 수행하는 내용의 정보는 '그 자체로서 불법성이 뚜렷하고 사회적 유해성이 명백한 표현물'에 해당하는 점, 정보를 직접 유통한 작성자를 형사처벌하는 것이 아니라 해당 정보의 시정요구, 취급거부 등을 통하여 그 정보의 삭제 등을 하는 데 불과한 점, 서비스제공자 등에 대하여도 방송통신심의위원회의 시정요구 및 방송통신위원회의 명령을 이행하지 아니한 때 비로소 형사책임을 묻는 점, 이의신청 및 의견진술기회 등을 제공하고 있는 점, 사법적 사후심사가 보장되어 있는 점 등에 비추어 보면, 과도하게 언론의 자유를 침해하지 아니한다(2014.9.25, 2012헌바325).

27

정답 ①

ㄱ. [O] '저작자 아닌 자를 저작자로 하여 실명·이명을 표시하여 저작물을 공표한 자'를 처벌하는 「저작권법」은 금지되는 행위가 불명확하다고 할 수 없으므로, 심판대상조항은 죄형법정주의의 명확성원칙에 위배되지 아니한다. '저작자 아닌 자를 저작자로 하여 실명·이명을 표시하여 저작물을 공표한 자'를 처벌하는 「저작권법」은 저작자 및 자신의 의사에 반하여 저작자로 표시된 사람의 권리를 보호하기 위한 것으로 표현의 자유 또는 일반적 행동의 자유를 침해하지 아니한다(2018.8.30, 2015헌바158).

ㄴ. [O] 프로그램의 활발한 유통과 안정적 창작을 위하여 법인 등의 기획하에 피용자가 통상적인 업무의 일환으로 보수를 지급받고 컴퓨터프로그램저작물을 작성한 경우 그 저작자를 법인 등으로 정하도록 하되, 계약 또는 근무규칙으로 저작자를 달리 정할 수 있도록 한 입법자의 판단은 합리적인 이유가 있으므로, 법인·단체 그 밖의 사용자(이하 '법인 등'이라 한다)의 기획하에 법인 등의 업무에 종사하는 자가 업무상 작성하는 컴퓨터프로그램저작물의 저작자는 계약 또는 근무규칙 등에 다른 정함이 없는 때에는 그 법인 등이 된다고 규정한 「저작권법」은 입법형성권의 한계를 일탈하였다고 보기 어렵다(2018.8.30, 2016헌가12).

ㄷ. [O] 금융지주회사의 영업 관련 정보 및 자료에 대한 배타적 권리를 보호하고, 정확한 정보의 공개를 보장함으로써, 금융지주회사의 경영 및 재무 건전성과, 금융산업의 공정성 및 안정성 확보를 도모하기 위한 것이므로 입법목적의 정당성이 인정된다. 공익을 위해 정보나 자료를 외부에 공개하는 경우에는 「공익신고자 보호법」이나 「노동조합 및 노동관계조정법」 등에 의해 면책될 수도 있다. 따라서 심판대상조항은 표현의 자유를 침해하지 아니한다(2017.8.31, 2016헌가11).

ㄹ. [X] 액세스(access)권은 그 주체, 객체, 내용 등, 구체적인 권리로서의 실질이 명확하게 확립된 개념이라고 볼 수 없고, 청구인의 위와 같은 주장은 심판대상조항이 신문, 방송 등 매스미디어의 잘못된 보도에 대하여 신청에 의한 시정권고를 규정하지 않아 당해 매스미디어를 이용하여 이를 비판할 수 있는 청구인의 표현의 자유를 침해하였다는 주장으로 포섭할 수 있으므로, 심판대상조항이 표현의 자유를 침해하는지 여부를 중심으로 살펴본다(2015.4.30, 2012헌마890).

ㅁ. [X]

<Access권과 알 권리 비교>

구분	Access권	알 권리
주된 기본권 효력	대사인적 효력	대국가적 효력
관련 법률	「언론중재 및 피해구제에 관한 법률」	「공공기관의 정보공개에 관한 법률」

28

정답 ②

ㄱ. [X] 헌법재판소판례에 따르면 법원이 언론사에 사죄광고를 명하는 것은 인격권 등을 침해하여 헌법에 위반된다고 한다.

ㄴ. [X]

> **「언론중재 및 피해구제 등에 관한 법률」 제30조 【손해의 배상】** ① 언론 등의 고의 또는 과실로 인한 위법행위로 인하여 재산상 손해를 입거나 인격권 침해 또는 그 밖의 정신적 고통을 받은 자는 그 손해에 대한 배상을 언론사 등에 청구할 수 있다.

ㄷ. [O] 반론보도는 보도 내용의 진실 여부와 상관없이 그 청구를 할 수 있다.

ㄹ. [X] 반론보도청구권은 보도 내용의 진실 여부와 관계없이 반박권이어서 언론사의 입장에서는 종전 입장을 바꿀 필요 없이 지면만 할애해 주면 족한 경우도 있을 수 있으므로 가처분절차에 의하여 신속하게 절차를 진행할 필요가 있다. 그런데 정정보도청구의 소에서, 승패의 관건인 '사실적 주장에 관한 언론보도가 진실하지 아니함'이라는 사실의 입증에 대하여, 통상의 본안절차에서 반드시 요구하고 있는 증명을 배제하고 그 대신 간이한 소명으로 이를 대체하는 것인데 이것은 소송을 당한 언론사의 방어권을 심각하게 제약하므로 공정한 재판을 받을 권리를 침해한다. 정정보도청구를 가처분절차에 따라 소명만으로 인용할 수 있게 하는 것은 나아가 언론의 자유를 매우 위축시킨다(2006.6.29, 2005헌마165 등).

ㅁ. [X] **정정보도청구의 요건으로 언론사의 고의·과실이나 위법성을 요하지 않도록 규정한 「언론중재 및 피해구제에 관한 법률」(소극)**

허위의 신문보도로 피해를 입었을 때 반론보도청구권을 인정하는 것만으로는 충분한 피해구제가 되지 못한다. 정정보도청구권은 그

내용이나 행사방법에 있어 필요 이상으로 신문의 자유를 제한하고 있지도 않다. 따라서 표현의 자유를 침해한다고 할 수 없다(2006. 6.29, 2005헌마165 등).

29 정답 ②

① [O] 2015년 법원

> 「집회 및 시위에 관한 법률」 제5조【집회 및 시위에 관한 법률】 ① 누구든지 다음 각 호의 어느 하나에 해당하는 집회나 시위를 주최하여서는 아니 된다.
> 1. 헌법재판소의 결정에 따라 해산된 정당의 목적을 달성하기 위한 집회 또는 시위

❷ [X] 옥외집회와 시위에 신고제가 적용된다. 옥내집회는 신고제가 적용되지 않는다.

③ [O]

> 「집회 및 시위에 관한 법률」 제6조【옥외집회 및 시위의 신고 등】 ① 옥외집회나 시위를 주최하려는 자는 그에 관한 다음 각 호의 사항 모두를 적은 신고서를 옥외집회나 시위를 시작하기 720시간 전부터 48시간 전에 관할 경찰서장에게 제출하여야 한다. 〈단서 생략〉
> ③ 주최자는 제1항에 따라 신고한 옥외집회 또는 시위를 하지 아니하게 된 경우에는 신고서에 적힌 집회 일시 24시간 전에 그 철회사유 등을 적은 철회신고서를 관할 경찰관서장에게 제출하여야 한다.

④ [O] 2020년 행시

> 「집회 및 시위에 관한 법률」 제2조【정의】 이 법에서 사용하는 용어의 뜻은 다음과 같다.
> 1. '옥외집회'란 천장이 없거나 사방이 폐쇄되지 아니한 장소에서 여는 집회를 말한다.

30 정답 ②

① [O] 헌법의 민주적 기본질서에 조금이라도 위배되는 측면이 있다면 이 사건 제3호 부분에 의하여 처벌이 가능하게 될 수 있는바, 이와 같이 집회·시위를 광범위하게 규제하는 것은 집회의 자유에 대한 필요최소한의 제한을 넘는 것이다. 나아가 '위배되는'의 해석 여하에 따라서는 집회·시위의 내용이나 목적이 민주적 기본질서와 부합하지 않는 부분이 경미하게라도 존재하기만 하면 처벌을 면할 수 없다는 결론도 가능하다. 따라서 이 사건 제3호 부분은 과잉금지원칙을 위반하여 집회의 자유를 침해한다(2016.9.29, 2014헌가3 등).

❷ [X] 사실상 재판과 관련된 집단적 의견표명 일체가 불가능하게 됨으로써 초래되는 집회의 자유에 대한 제한 정도는 매우 중대하다. 그럼에도 불구하고 위 조항은 구체적인 상황을 고려하여 상충하는 법익 간의 조화를 이루려는 어떠한 노력도 기울이지 아니하여 법익의 균형성도 갖추지 못하였다. 따라서 이 사건 제2호 부분은 과잉금지원칙을 위반하여 집회의 자유를 침해한다(2016.9.29, 2014헌가3 등).

③ [O]

> 「집회 및 시위에 관한 법률」 제5조【집회 및 시위의 금지】 ① 누구든지 다음 각 호의 어느 하나에 해당하는 집회나 시위를 주최하여서는 아니 된다.
> 2. 집단적인 폭행, 협박, 손괴, 방화 등으로 공공의 안녕질서에 직접적인 위협을 끼칠 것이 명백한 집회 또는 시위

④ [O] 국회의 기능을 직접 저해할 가능성이 거의 없는 '소규모 집회', 국회의 업무가 없는 '공휴일이나 휴회기 등에 행하여지는 집회', '국회의 활동을 대상으로 한 집회가 아니거나 부차적으로 국회에 영향을 미치고자 하는 의도가 내포되어 있는 집회'처럼 옥외집회에 의한 국회의 헌법적 기능이 침해될 가능성이 부인되거나 또는 현저히 낮은 경우에는, 입법자로서는 심판대상조항으로 인하여 발생하는 집회의 자유에 대한 과도한 제한가능성이 완화될 수 있도록 그 금지에 대한 예외를 인정하여 집회가 허용되어야 한다. 그럼에도 불구하고 심판대상조항은 예외 없이 국회의사당 인근에서의 집회를 금지하고 있는바, 이 또한 입법목적의 달성에 필요한 범위를 넘는 과도한 제한이다(2018.5.31, 2013헌바322 등).

31 정답 ①

ㄱ. [O] 법원 인근에서 옥외집회나 시위가 열릴 경우 해당 법원에서 심리 중인 사건의 재판에 영향을 미칠 위협이 존재한다는 일반적 추정이 구체적 상황에 따라 부인될 수 있는 경우라면, 입법자로서는 각급 법원 인근일지라도 예외적으로 옥외집회·시위가 가능하도록 관련 규정을 정비하여야 한다. 법원 인근에서의 집회라 할지라도 법관의 독립을 위협하거나 재판에 영향을 미칠 염려가 없는 집회도 있다. 예컨대 법원을 대상으로 하지 않고 검찰청 등 법원 인근 국가기관이나 일반법인 또는 개인을 대상으로 한 집회로서 재판업무에 영향을 미칠 우려가 없는 집회가 있을 수 있다(2018.7.26, 2018헌바137).

ㄴ. [O] 심판대상조항은 각급 법원 인근에서의 옥외집회와 시위를 절대적으로 금지하고 이를 위반한 경우에는 형벌을 예정하고 있으므로 집회의 자유를 장소적으로 제한하고 있다. 심판대상조항의 옥외집회·시위 장소의 제한은 입법에 의한 것이므로 헌법 제21조 제2항의 '사전허가제금지'에 위반되지는 않지만, 헌법 제37조 제2항이 정하는 기본권 제한의 한계 안에 있는지 여부가 문제된다(2018.7.26, 2018헌바137).

ㄷ. [X] 법관의 독립은 공정한 재판을 위한 필수 요소로서 다른 국가기관이나 사법부 내부의 간섭으로부터의 독립뿐만 아니라 사회적 세력으로부터의 독립도 포함한다. 심판대상조항의 입법목적은 법원 앞에서 집회를 열어 법원의 재판에 영향을 미치려는 시도를 막으려는 것이다. 이런 입법목적은 법관의 독립과 재판의 공정성 확보라는 헌법의 요청에 따른 것이므로 정당하다. 각급 법원 인근에 집회·시위금지장소를 설정하는 것은 입법목적 달성을 위한 적합한 수단이다. 법원을 대상으로 하지 않고 검찰청 등 법원 인근 국가기관이나 일반법인 또는 개인을 대상으로 한 집회로서 재판업무에 영향을 미칠 우려가 없는 집회가 있을 수 있다. 법원을 대상으로 한 집회라도 사법행정과 관련된 의사표시 전달을 목적으로 한 집회 등 법관의 독립이나 구체적 사건의 재판에 영향을 미칠 우려가 없는 집회도 있다. … 심판대상조항은 입법목적을 달성하는 데 필요한 최소한도의 범위를 넘어 규제가 불필요하거나 또는 예외적으로 허용 가능한 옥외집회·시위까지도 일률적·전면적으로 금지하고 있으므로, 침해의 최소성원칙에 위배된다(2018.7.26, 2018헌바137 등).

ㄹ. [X] 법원 인근에서 옥외집회나 시위가 열릴 경우 해당 법원에서 심리 중인 사건의 재판에 영향을 미칠 위협이 존재한다는 일반적 추정이 구체적 상황에 따라 부인될 수 있는 경우라면, 입법자로서는 각급 법원 인근일지라도 예외적으로 옥외집회·시위가 가능하도록 관련 규정을 정비하여야 한다. 법원 인근에서의 집회라 할지라도 법관의 독립을 위협하거나 재판에 영향을 미칠 염려가 없는 집회도 있다. 예컨대 법원을 대상으로 하지 않고 검찰청 등 법원 인근 국가기관이나 일반법인 또는 개인을 대상으로 한 집회로서 재판업무에 영향을 미칠 우려가 없는 집회가 있을 수 있다. 법원을 대상으로 한 집회라도 사법행정과 관련된 의사표시 전달을 목적으로 한 집회 등 법관의 독립이나 구체적 사건의 재판에 영향을 미칠 우려가 없는 집회도 있다. 한편 「집회 및 시위에 관한 법률」은 심판대상조항 외에도 집회·시위의 성격과 양상에 따라 법원을 보호할 수 있는 다양한 규제수단을 마련하고 있으므로, 각급 법원 인근에서의 옥외집회·시위를 예외적으로 허용한다고 하더라도 이러한 수단을 통하여 심판대상조항의 입법목적은 달성될 수 있다. 심판대상조항은 입법목적을 달성하는 데 필요한 최소한도의 범위를 넘어 규제가 불필요하거나 또는 예외적으로 허용가능한 옥외집회·시위까지도 일률적·전면적으로 금지하고 있으므로, 침해의 최소성원칙에 위배된다(2018.7.26, 2018헌바137 등). 2020년 소방간부

ㅁ. [X]

관련 판례 입법자가 외교기관 인근에서의 집회의 경우에는 이 장소에서의 집회를 원칙적으로 금지할 수는 있으나, 일반·추상적인 법규정으로부터 발생하는 과도한 기본권 제한의 가능성이 완화될 수 있도록 일반적 금지에 대한 예외조항을 두어야 할 것이다. 그럼에도 불구하고 이 사건 법률조항은 전제된 위험상황이 구체적으로 존재하지 않는 경우에도 예외 없이 금지하고 있는데, 이는 입법목적을 달성하기에 필요한 조치의 범위를 넘는 과도한 제한인 것이다. 그러므로 이 사건 법률조항은 최소침해의 원칙에 위반되어 집회의 자유를 과도하게 침해하는 위헌적인 규정이다(2003.10.30, 2000헌바67 등).

관련 판례 법원 인근에서의 집회라 할지라도 법관의 독립을 위협하거나 재판에 영향을 미칠 염려가 없는 집회도 있다. 예컨대 법원을 대상으로 하지 않고 검찰청 등 법원 인근 국가기관이나 일반법인 또는 개인을 대상으로 한 집회로서 재판업무에 영향을 미칠 우려가 없는 집회가 있을 수 있다. 법원을 대상으로 한 집회라도 사법행정과 관련된 의사표시 전달을 목적으로 한 집회 등 법관의 독립이나 구체적 사건의 재판에 영향을 미칠 우려가 없는 집회도 있다. 한편 「집회 및 시위에 관한 법률」은 심판대상조항 외에도 집회·시위의 성격과 양상에 따라 법원을 보호할 수 있는 다양한 규제수단을 마련하고 있으므로, 각급 법원 인근에서의 옥외집회·시위를 예외적으로 허용한다고 하더라도 이러한 수단을 통하여 심판대상조항의 입법목적은 달성될 수 있다. 심판대상조항은 입법목적을 달성하는 데 필요한 최소한도의 범위를 넘어 규제가 불필요하거나 또는 예외적으로 허용가능한 옥외집회·시위까지도 일률적·전면적으로 금지하고 있으므로, 침해의 최소성원칙에 위배된다(2018.7.26, 2018헌바137).

32 정답 ①

❶ [O] ⑤ [X] 입법자가 '외교기관 인근에서의 집회의 경우에는 일반적으로 고도의 법익충돌위험이 있다'는 예측판단을 전제로 하여 이 장소에서의 집회를 원칙적으로 금지할 수는 있으나, 일반·추상적인 법규정으로부터 발생하는 과도한 기본권 제한의 가능성이 완화될 수 있도록 일반적 금지에 대한 예외조항을 두어야 할 것이다. … 그럼에도 불구하고 이 사건 법률조항은 전제된 위험상황이 구체적으로 존재하지 않는 경우에도 이를 함께 예외 없이 금지하고 있는데, 이는 입법목적을 달성하기에 필요한 조치의 범위를 넘는 과도한 제한인 것이다. 그러므로 이 사건 법률조항은 최소침해의 원칙에 위반되어 집회의 자유를 과도하게 침해하는 위헌적인 규정이다(2003.10.30, 2000헌바67 등).

② [X] 이 사건 법률조항은 외교기관의 경계 지점으로부터 반경 100미터 이내 지점에서의 집회 및 시위를 원칙적으로 금지하되, 그 가운데에서도 외교기관의 기능이나 안녕을 침해할 우려가 없다고 인정되는 세 가지의 예외적인 경우에는 이러한 집회 및 시위를 허용하고 있는바, 이는 입법기술상 가능한 최대한의 예외적 허용규정이며, 그 예외적 허용범위는 적절하다고 보이므로 이보다 더 넓은 범위의 예외를 인정하지 않는 것을 두고 침해의 최소성원칙에 반한다고 할 수 없다. 그리고 이 사건 법률조항으로 달성하고자 하는 공익은 외교기관의 기능과 안전의 보호라는 국가적 이익이며, 이 사건 법률조항은 법익충돌의 위험성이 없는 경우에는 외교기관 인근에서의 집회나 시위도 허용함으로써 구체적인 상황에 따라 상충하는 법익간의 조화를 이루고 있다. 따라서 이 사건 법률조항이 청구인의 집회의 자유를 침해한다고 할 수 없다(2010.10.28, 2010헌마111).

③ [X] 집회와 표현의 자유가 국민의 기본권으로 보장된 자유민주주의국가에서, 국민이 자신의 견해를 집단적으로 표현하기 위하여 집회에 참가하는 행위는 민주시민생활의 일상에 속하는 것이자 보편적으로 인정되는 가치이므로, 국민의 일부가 외교기관 인근에서 평화적인 방법으로 자신의 기본권을 행사하였다고 하여 '외국과의 선린관계'가 저해된다고 볼 수 없다. 즉 '외국과의 선린관계'란 법익은 외교기관 인근에서 국민의 기본권 행사를 금지할 수 있는 합리적인 이유가 될 수 없는 것이다. 따라서 이 사건 법률조항의 입법목적은 외교기관 인근에서의 당해 국가에 대한 부정적인 견해를 표명하는 집회를 금지함으로써 외국과의 선린관계를 유지하고자 하는 것이 아니라, 그 본질적인 내용은 궁극적으로 '외교기관의 기능 보장'과 '외교공관의 안녕보호'에 있는 것으로 판단된다(2003.10.30, 2000헌바67 등).

④ [X] 외교기관을 대상으로 하는 외교기관 인근에서의 옥외집회나 시위는 이해관계나 이념이 대립되는 여러 당사자들 사이의 갈등이 극단으로 치닫거나, 물리적 충돌로 발전할 개연성이 높고, 다른 장소와 비교할 때 외교기관의 기능 보호라는 중요한 보호법익이 관련되는 고도의 법익충돌상황을 야기할 수 있다(2010.10.28, 2010헌마111).

33 정답 ④

① [O]

관련 판례 변리사 부분이 청구인의 결사의 자유와 직업수행의 자유를 제한한 것은 비례의 원칙에 위배되지 않으므로 청구인의 결사의 자유와 직업수행의 자유를 침해하지 않으며, 청구인의 평등권도 침해하지 않는다(2008.7.31, 2006헌마666).

관련 판례 안마사들은 시각장애로 말미암아 공동의 이익을 증진하기 위하여 개인적으로나 이익단체를 조직하여 활동하는 것이 용이하지 않고, 안마사들로 하여금 하나의 중앙회에 의무적으로 가입하도록 하여 전국적인 차원의 단체를 존속시키는 것은 그들 사이에 정보를 교환하고 친목을 도모하며 직업수행능력을 높일 수 있고, 시각장애인으로 하여금 직업활동을 효과적으로 수행하도록 하기 위하여 국가가 적극적으로 개입하는 것도 가능하고 또 필요하다 할 것이다. 또한 이 사건 법률조항으로 안마사회에 의무적으로 가입하고 정관을 준수하고 회비를 납부하게 되지만 과다한 부담이라고 단정하기 어렵다. … 이 사건

법률조항은 안마사들의 결사의 자유를 침해하지 않는다(2008.10.30, 2006헌가15).

② [O] 상공회의소는 사법인이므로 결사의 자유에서 보호된다. … 광역시의 상공회의소가 더 종합적이고 풍부한 지원활동을 상공업자에게 제공할 수도 있는 점 등에 비추어 볼 때, 광역시에 속한 '군'에 따로 상공회의소를 설립하지 못하게 한 이 사건 법률조항은 결사의 자유를 제한함에 있어 비례성을 현저히 상실하였다고 보기 어렵고 입법재량을 현저히 일탈한 것이라고 할 수 없으므로, 결사의 자유를 침해한 것이라고 볼 수 없다(2006.5.25, 2004헌가1).

③ [O] 심판대상조항은 입주자대표회의의 구성원으로서 동별 대표자가 가지는 지위와 역할의 공공성과 공익성을 고려한 것으로, 그 직무와 관련한 각종 비리 및 업무 경직 등의 부작용을 개선하며 입주자로 하여금 공동주택 관리에 보다 관심을 가지도록 하는 등 복합적인 필요성에서 기인한 것인 반면에, 동별 대표자의 임기는 2년으로 중임을 하게 될 경우 최대 4년 동안 동별 대표자의 직무를 수행할 수 있고, 심판대상조항은 이를 초과하는 부분에 한하여 그 직무를 수행하는 것을 제한하고 있는 것이며, 제한되는 사익을 보완하는 관련 규정들도 찾을 수 있으므로 심판대상조항이 법익의 균형성원칙에 어긋난다고 볼 수 없다. 따라서 심판대상조항은 과잉금지원칙에 위배되어 청구인의 결사의 자유를 침해하지 아니한다(2017.12.28, 2016헌마311).

❹ [X] 「교원의 노동조합 설립 및 운영 등에 관한 법률」 제6조 제1항이 개별 학교법인은 단체교섭의 상대방이 될 수 없도록 함으로써 교원노조로 하여금 개별 학교의 운영에 관여하지 못하도록 한 것은, 개별 학교차원의 교섭으로 인한 혼란을 방지하고자 하는 것이라고 할 것이므로, 그 입법목적의 정당성 및 방법의 적절성을 인정할 수 있다. 또한 개별 학교법인에게 단체교섭의 상대방이 될 수 있도록 한다면 전국 단위 또는 시·도 단위 교원노조가 모든 개별 학교법인과 단체교섭을 해야 하므로 이는 불필요한 인적·물적 낭비요인이 될 뿐만 아니라, 단체교섭의 결과인 단체협약의 내용이 개별 학교마다 다르다면 각 학교 사이에서 적지 않은 혼란이 야기될 수도 있으므로 위 조항은 침해의 최소성 요건을 충족한다. 그리고 위 조항이 추구하고자 하는 공익은 개별 학교법인이 단체교섭의 상대방이 되지 못함으로 인하여 발생할 수 있는 결사의 자유의 제한보다 크다고 할 것이므로 법익의 균형성도 충족한다. 따라서 위 조항은 사립학교의 경영자인 청구인들의 결사의 자유를 침해하지 아니한다(2006.12.28, 2004헌바67).

34 정답 ④

① [O] 심판대상조항들이 달성하고자 하는 조합장 선거의 공정성 확보라는 공익은 조합장 선거의 후보자가 예비후보자제도나 합동연설회 또는 공개토론회의 개최 등을 통하여 충분한 선거운동을 할 수 없게 되는 불이익보다 훨씬 크다. 따라서 심판대상조항들은 후보자 및 선거인인 조합원의 결사의 자유 등을 침해하지 아니한다(2017.7.27, 2016헌바372).

② [O] 심판대상조항은 지역축산업협동조합이 그 설립목적과 취지에 맞게 운영되도록 하기 위해 조합의 구성원 운영에 관한 결사의 자유를 일부 제한하고 있으나, 불가항력적인 사유로 조합원의 지위가 일시적으로 상실되는 경우까지 당연 탈퇴되도록 규정하고 있지 않고, 이사회의 확인절차를 통해 조합원의 법적 지위의 혼란을 방지하고 있으므로 과도한 제한이라고 할 수 없다. 그러므로 심판대상조항은 과잉금지원칙을 위반하여 청구인의 결사의 자유 등을 침해하지 아니한다(2018.1.25, 2016헌바315).

③ [O] 예비후보자제도의 도입과 같은 사전선거운동을 허용하게 되면, 현시점에서는 선거운동 장기화에 따른 선거의 과열·혼탁 등의 심각한 부작용이 초래될 우려가 있다. 심판대상조항들이 달성하고자 하는 조합장 선거의 공정성 확보라는 공익은 조합장 선거의 후보자가 예비후보자제도나 합동연설회 또는 공개토론회의 개최 등을 통하여 충분한 선거운동을 할 수 없게 되는 불이익보다 훨씬 크다. 따라서 심판대상조항들은 후보자 및 선거인인 조합원의 결사의 자유 등 기본권을 침해하지 아니한다(2017.7.27, 2016헌바372).

❹ [X] 농협은 기본적으로 사법인의 성격을 지니지만, 「농업협동조합법」에서 정하는 특정한 국가적 목적을 위하여 설립되는 공공성이 강한 법인으로, 그 수행하는 사업 내지 업무가 국민경제에서 상당한 비중을 차지하고 국민경제 및 국가 전체의 경제와 관련된 경제적 기능에 있어서 금융기관에 준하는 공공성을 가진다. … 공적인 역할을 수행하는 결사 또는 그 구성원들이 기본권의 침해를 주장하는 경우에 과잉금지원칙 위배 여부를 판단할 때에는, 순수한 사적인 임의결사의 기본권이 제한되는 경우의 심사에 비해서는 완화된 기준을 적용할 수 있다(2012.12.27, 2011헌마562).

35 정답 ④

① [O] 상호신용금고의 임원과 과점주주에게 법인의 채무에 대하여 연대변제책임을 부과하는 「상호신용금고법」 제37조의3 규정은 구체적 재산권적 지위의 사용·수익·처분 등을 제한하는 것이 아니라, 단지 임원과 과점주주의 재산의 감소를 가져올 뿐이다. 결과적으로 재산감소의 효과가 있다고 하여 이를 곧 재산권에 대한 제한으로 볼 수 있는 것은 아니나, 헌법재판소는 종래 다수의 결정에서 재산권의 보호범위를 폭넓게 파악하여 '재산 그 자체'도 재산권 보장의 보호대상으로 판단하였고, 구체적 재산권적 지위에 대한 제한이 존재하지 않음에도 헌법 제23조의 재산권을 법률의 위헌성을 심사하는 기준으로 삼아 왔으므로, 이 사건의 경우 재산권도 제한된 기본권으로 간주된다(2002.8.29, 2000헌가5 등).

② [O] 심판대상조항은 정형적인 우편사고에 있어서 손해배상의 청구권자를 신속히 확정하여 손해배상이 용이하게 이루어질 수 있도록 하고, 이를 통하여 공평하고 적정한 우편역무 제공을 도모하기 위한 것이므로, 입법목적의 정당성 및 수단의 적절성이 인정된다. 「우편법」 제38조에 따른 손해배상청구권을 수취인에 대하여도 제한 없이 인정한다면, 국가는 우편물의 처리과정에서 생길 수 있는 모든 사고에 대하여 발송인과 수취인 중 누가 손해배상청구권을 갖는지에 대하여 일일이 조사하여야 하는바, 그 과정에서 많은 노력과 비용이 들 수 있어 공평하고 적정한 우편역무의 제공이라는 「우편법」의 목적에 반할 수 있다. 수취인이 발송인의 승인을 받은 경우 손해배상청구를 할 수 있도록 규정함으로써 수취인의 재산권 침해를 최소화하고 있고, 수취인은 다른 법률에 의한 손해배상청구를 할 수도 있다. 따라서 심판대상조항은 과잉금지원칙에 위반되어 청구인의 재산권을 침해하는 것으로 볼 수 없다(2015.4.30, 2013헌바383).

③ [O] 일본국에 의하여 광범위하게 자행된 반인도적 범죄행위에 대하여 일본군 위안부 피해자들이 일본에 대하여 가지는 배상청구권은 헌법상 보장되는 재산권이다(2011.8.30, 2006헌마788). 2013 국회 8급

❹ [X] 이 사건 심판대상조항이 유족의 범위를 일정한 친족 등으로 제한하고 이러한 유족이 없을 경우 유족이 아닌 직계비속에게만 급여수급권을 인정한 것은 사회보장제도의 실시에 따른 재원의 한계, 사회보장의 필요성 및 우리나라 가족관계의 특성 등을 종합하여 입법형성권의 범위 내에서 입법자가 유족급여수급권이라는 사회보장수급권과 재산권을 합리적인 기준에 따라 형성하고 구체화한 것이므로, 재산권 제한의 입법형성의 한계를 일탈하여 헌법에 위반된다고 볼 수 없다(2010.4.29, 2009헌바102).

36

정답 ①

ㄱ. [O] 입법자가 연령과 장애상태를 독자적 생계유지가능성의 판단기준으로 삼아 대통령령이 정하는 정도의 장애 상태에 있지 아니한 19세 이상의 자녀를 유족의 범위에서 제외하였음을 들어 유족급여수급권의 본질적 내용을 침해하였다거나 입법형성권의 범위를 벗어났다고 보기 어렵다(2019.11.28, 2018헌바335).

ㄴ. [X] 형의 선고의 효력을 상실하게 하는 특별사면 및 복권을 받았다 하더라도 그 대상인 형의 선고의 효력이나 그로 인한 자격상실 또는 정지의 효력이 장래를 향하여 소멸되는 것에 불과하고, 형사처벌에 이른 범죄사실 자체가 부인되는 것은 아니므로, 공무원 범죄에 대한 제재수단으로서의 실효성을 확보하기 위하여 특별사면 및 복권을 받았다 하더라도 퇴직급여 등을 계속 감액하는 것을 두고 현저히 불합리하다고 평가할 수 없다. 나아가 심판대상조항에 의하여 퇴직급여 등의 감액대상이 되는 경우에도 본인의 기여금 부분은 보장하고 있다. 따라서 심판대상조항은 그 합리적인 이유가 인정되는바, 재산권 및 인간다운 생활을 할 권리를 침해한다고 볼 수 없어 헌법에 위반되지 아니한다(2020.4.23, 2018헌바402).

ㄷ. [O] 명예퇴직수당은 공무원의 조기퇴직을 유도하기 위한 특별장려금이고, 퇴직 전 근로에 대한 공로보상적 성격도 갖는다고 할 것이어서, 입법자가 명예퇴직수당 수급권의 구체적인 지급요건·방법·액수 등을 형성함에 있어서 상대적으로 폭넓은 재량이 허용되고, 공무원으로 하여금 국민 전체에 대한 봉사자로서 재직 중 성실하고 청렴하게 근무하도록 유도하기 위한 것으로서 그 목적의 정당성과 수단의 적합성이 인정된다. 또한, 명예퇴직수당은 예산이 허용하는 범위 내에서 처분권자의 재량에 따라 지급되는 점, 직무와 관련 없는 사유 중에도 법률적·사회적 비난가능성이 큰 범죄가 존재하는 점, 과실범 등과 관련하여서는 형사재판과정에서 해당 사유를 참작한 법관의 양형에 의하여 구체적 부당함이 보정될 수 있는 점, 명예퇴직 희망자가 제출하여야 하는 명예퇴직수당 지급신청서에 금고 이상의 형을 받는 경우에는 명예퇴직수당을 반납하여야 한다고 기재되어 있는 점 등에 비추어 볼 때, 이 사건 법률조항은 피해의 최소성 및 법익균형성을 갖추었다고 할 것이어서, 재산권을 침해하지 않는다(2010.11.25, 2010헌바93).

ㄹ. [O] 이 사건 시행령조항이 공무원에게 금고 이상의 형이 있는 경우 재직기간 5년을 기준으로 퇴직급여 감액의 정도를 달리한 것은, 퇴직급여 산정방법상 재직기간이 짧을수록 급여액 중 본인의 기여금이 차지하는 비율이 상대적으로 높은 것을 감안하여 재직기간이 짧은 사람의 경우에는 감액의 수준을 낮게 하고 재직기간이 긴 사람은 감액의 수준을 높게 하여 감액의 정도를 실질화한 것이고, 퇴직급여를 감액하는 경우에도 이미 낸 기여금 및 그에 대한 이자의 합산액 이하로는 감액할 수 없다고 하여 공무원의 퇴직급여를 보호하는 장치도 마련하고 있는바, 재직 중의 사유로 금고 이상의 형을 받은 경우 재직기간이 5년 이상인 공무원에 대하여 그 퇴직급여를 2분의 1 감액하도록 한 것은 입법재량의 한계를 넘은 것이라고 보기 어려우므로, 이 사건 시행령조항은 재산권, 인간다운생활을 할 권리, 평등권을 침해하지 아니한다(2019.2.28, 2017헌마403 등).

ㅁ. [O] 퇴직연금수급권은 전체적으로 재산권적 보호의 대상이기는 하지만, 이 제도는 기본적으로 그 목적이 퇴직 후의 소득상실보전에 있고, 그 제도의 성격이 사회보장적인 것이므로, 연금수급권자에게 임금 등 소득이 퇴직 후에 새로 생겼다면 이러한 소득과 연계하여 퇴직연금 일부의 지급을 정지함으로써 지급 정도를 입법자가 사회정책적 측면과 국가의 재정 및 기금의 상황 등 여러 가지 사정을 참작하여 폭넓은 재량으로 축소하는 것은 원칙적으로 가능한 일이어서 퇴직연금지급정지제도 자체가 위헌이라고 볼 수는 없다(2003.9.25, 2000헌바94 등).

37

정답 ③

ㄱ. [O] 청구인들의 영업활동은 원칙적으로 자신의 계획과 책임하에 행위하면서 법제도에 의하여 반사적으로 부여되는 기회를 활용한 것에 지나지 않는다 할 것이므로, 청구인들이 주장하는 영업권은 헌법 제23조 제1항 및 제13조 제2항이 말하는 재산권의 범위에 속하지 아니한다. 그러므로 「폐기물관리법」 부칙 제5조 제2항으로 인하여 청구인들의 재산권이 침해되었다거나, 소급입법에 의하여 재산권이 박탈되었다고 할 수 없다(2000.7.20, 99헌마452).

ㄴ. [O] 상공회의소가 설립될 수 있는 행정구역에서 광역시에 속해 있는 군을 제외하고 있는 「상공회의소법」은 기존의 상공회의소의 재산에 변동을 일으키지 않으므로 상공회의소에게는 어떠한 재산권의 침해도 없다. 또한 상공회의소의 의결권 또는 회원권은 상공회의소라는 법인의 의사형성에 관한 권리일 뿐 이를 따로 떼어 헌법상 보장되는 재산권이라고 보기 어렵고, 상공회의소의 재산은 법인인 상공회의소의 고유재산이지 회원들이 지분에 따라 반환받을 수 있는 재산이라고 보기 어려워서, 상공업자들의 재산권 제한과도 무관하다(2006.5.25, 2004헌가1).

ㄷ. [O] 사업계획승인권에 대한 원칙적 처분권을 보유한다고 보기도 어려우며, 사업계획승인은 해당 체육시설이 법령에서 정한 시설기준을 갖출 수 있는지를 비롯한 제반 사업수행능력에 대한 승인에 해당하므로, 여기에 어떠한 재산적 가치가 내포되어 있다고 할 수도 없다. 따라서 위 사업계획승인권은 헌법상 보호되는 재산권에 해당되지 않는다(2010.4.29, 2007헌바40). 2012년 사시

ㄹ. [X] 이 사건 적립금의 경우, 법률이 조합의 해산이나 합병시 적립금을 청구할 수 있는 조합원의 권리를 규정하고 있지 않을 뿐만 아니라, 공법상의 권리인 사회보험법상의 권리가 재산권 보장의 보호를 받기 위해서는 법적 지위가 사적 이익을 위하여 유용한 것으로서 권리주체에게 귀속될 수 있는 성질의 것이어야 하는데, 적립금에는 사법상의 재산권과 비교될 만한 최소한의 재산권적 특성이 결여되어 있다. 따라서 의료보험조합의 적립금은 헌법 제23조에 의하여 보장되는 재산권의 보호대상이라고 볼 수 없다. 그리고 의료보험수급권은 「의료보험법」상 재산권의 보장을 받는 공법상의 권리이다. 그러나 적립금의 통합이 의료보험수급권의 존속을 위태롭게 하거나 「의료보험법」 제29조 내지 제46조에 규정된 구체적인 급여의 내용을 직장가입자에게 불리하게 변경하는 것이 아니므로, 적립금의 통합에 의하여 재산권인 의료보험수급권이 제한되는 것은 아니다(2000.6.29, 99헌마289). 2007년 사시

ㅁ. [X] 청구인은 심판대상조항이 재산권도 제한한다고 주장한다. 그런데 심판대상조항으로 인하여 확인대상사업자가 세무사 등으로부터 그 확인서를 받기 위해 비용을 지출한다 하더라도 이는 성실신고확인서 제출의무에 따른 간접적이고 반사적인 경제적 불이익에 불과하고, 세무사가 납세자와 사이에 세무대리계약 체결을 거절하여 재산상의 손해를 입는다 하더라도 이 역시 간접적이고 사실적인 불이익에 불과하여 재산권의 내용에 포함된다고 보기 어렵다(2019.7.25, 2016헌바392).

38

정답 ④

① [O] 「공익사업을 위한 토지 등의 취득 및 보상에 관한 법률」 제70조 제4항, 구 「공익사업을 위한 토지 등의 취득 및 보상에 관한 법률」 제70조 제1항 및 구 「부동산가격공시 및 감정평가에 관한 법률」 제9조 제1항 제1호가 공시지가를 기준으로 수용된 토지에 대한 보상액을 산정하도록 규정한 것은, 이 법률조항들에 의한 공시지가가 공시기준일 당시 표준지의 객관적 가치를 정당하게 반영하는 것이고, 표준지와 지가산정 대상토지 사이에 가격의 유사성을 인

정할 수 있도록 표준지의 선정이 적정하며, 공시기준일 이후 수용시까지의 시가변동을 산출하는 시점보정의 방법이 적정한 것으로 보이므로, 헌법 제23조 제3항이 규정한 정당보상원칙에 위배되지 아니한다(2010.3.25, 2008헌바102).

② [O] 공익사업의 시행으로 지가가 상승하여 발생하는 개발이익은 사업시행자의 투자에 의한 것으로서 피수용자인 토지소유자의 노력이나 자본에 의하여 발생하는 것이 아니어서 피수용 토지가 수용 당시 갖는 객관적 가치에 포함된다고 볼 수 없고, 따라서 그 성질상 완전보상의 범위에 포함되는 피수용자의 손실이라고 볼 수 없으므로, 「공익사업을 위한 토지 등의 취득 및 보상에 관한 법률」 제67조 제2항이 이러한 개발이익을 배제하고 손실보상액을 산정한다 하여 헌법이 규정한 정당보상의 원칙에 어긋나는 것이라고 할 수 없다(2010.3.25, 2008헌바102).

③ [O] 해당 공익사업과는 관계없는 다른 사업의 시행으로 인한 개발이익은 이를 포함한 가격으로 평가하여야 하고, 개발이익이 해당 공익사업의 사업인정고시일 후에 발생한 경우에도 마찬가지이다(대판 2014.2.27, 2013두21182).

❹ [X] 토지의 수용으로 인한 재산적 손실만 보상대상이 된다.

39 정답 ②

① [X] 광업권이 토지소유권과 독립한 독자적 권리이고 광업의 수행방법이 가지는 특성으로 인하여 광업권은 당해 토지 또는 인접 토지의 통상적인 이용과의 관계에서 충돌이 발생할 가능성이 예정되어 있는바, 위 조항은 그러한 경우에 충돌하는 권리의 양립을 도모하기 위해, 광업권의 전부 또는 일부를 소멸시키는 대신, 채굴행위를 일부 제한하는 규정이다. 따라서 위 조항은 이미 형성된 구체적인 재산권을 공익을 위하여 개별적·구체적으로 박탈하거나 제한하는 것으로서 보상을 요하는 헌법 제23조 제3항의 수용·사용 또는 제한을 규정한 것이라고 할 수는 없고, 입법자가 광업권에 관한 권리와 의무를 일반·추상적으로 확정하는, 재산권의 내용과 한계를 정하는 규정인 동시에 공익적 요청에 따른 재산권의 사회적 제약을 구체화하는 규정이라고 보아야 한다(헌법 제23조 제1항 및 제2항)(2014.2.27, 2010헌바483).

❷ [O] 개발제한구역지정 후 토지를 종래의 목적으로 사용할 수 있는 경우에는 헌법 제23조 제2항의 사회적 제약의 범위 내의 재산권 제한이고, 재산권의 내용과 한계를 비례원칙에 부합하게 합헌적으로 규정한 것이므로 보상할 필요는 없다. 또한 자신의 토지를 건축이나 개발목적으로 사용할 수 있으리라는 기대가능성이나 신뢰 및 이에 따른 지가 상승의 기회는 재산권의 보호범위에 속하지 않으므로 개발제한구역지정으로 지가가 상승하지 않았다 하더라도 가혹한 부담이 발생했다고 볼 수 없다(1998.12.24, 89헌마214 등).

③ [X] 도축장 사용정지·제한명령은 구제역과 같은 가축전염병의 발생과 확산을 막기 위한 것이고, 도축장 사용정지·제한명령이 내려지면 국가가 도축장 영업권을 강제로 취득하여 공익목적으로 사용하는 것이 아니라 소유자들이 일정 기간 동안 도축장을 사용하지 못하게 되는 효과가 발생할 뿐이다. 이와 같은 재산권에 대한 제약의 목적과 형태에 비추어 볼 때, 도축장 사용정지·제한명령은 공익목적을 위하여 이미 형성된 구체적 재산권을 박탈하거나 제한하는 헌법 제23조 제3항의 수용·사용 또는 제한에 해당하는 것이 아니라, 도축장 소유자들이 수인하여야 할 사회적 제약으로서 헌법 제23조 제1항의 재산권의 내용과 한계에 해당한다. 따라서 이에 대한 보상금은 도축장 사용정지·제한명령으로 인한 도축장 소유자들의 경제적인 부담을 완화하고 그러한 명령의 준수를 유도하기 위하여 지급하는 시혜적인 급부에 해당한다(2015.10.21, 2012헌바367).

④ [X] 공공용지의 귀속에 관한 구 「토지구획정리사업법」 제63조는 그 규율형식의 면에서 토지구획정리사업의 시행으로 새로이 설치될 공공시설의 부지를 '개별적이고 구체적으로' 박탈하려는 데 그 본질이 있는 것이 아니라, 토지구획정리사업의 시행으로 새로이 설치된 공공시설 부지의 소유관계를 '일반적이고 추상적으로' 규율하고자 한 것이고, 그 규율목적의 면에서도 사업주체의 공공시설 부지에 대한 재산권을 박탈·제한함에 그 본질이 있는 것이 아니라, 사업지구 내 공공시설 부지의 소유관계를 정함으로써 사업주체의 지위를 장래를 향하여 획일적으로 확정하고자 하는 것이므로, 재산권의 내용과 한계를 정한 것으로 이해함이 타당하다. 이와같이 귀속조항에 따른 학교교지의 소유권 귀속은 헌법 제23조 제3항의 수용에 해당하지 않고, 유상조항이 수용에 대한 보상의 의미를 가지는 것도 아니므로, 그 위헌 여부에 관하여 정당한 보상의 원칙에 위배되는지는 문제되지 않는다(2021.4.29, 2019헌바444).

40 정답 ①

❶ [O] 도축장 사용정지·제한명령은 구제역과 같은 가축전염병의 발생과 확산을 막기 위한 것이고, 도축장 사용정지·제한명령이 내려지면 국가가 도축장 영업권을 강제로 취득하여 공익목적으로 사용하는 것이 아니라 소유자들이 일정 기간 동안 도축장을 사용하지 못하게 되는 효과가 발생할 뿐이다. 이와 같은 재산권에 대한 제약의 목적과 형태에 비추어 볼 때, 도축장 사용정지·제한명령은 공익목적을 위하여 이미 형성된 구체적 재산권을 박탈하거나 제한하는 헌법 제23조 제3항의 수용·사용 또는 제한에 해당하는 것이 아니라, 도축장 소유자들이 수인하여야 할 사회적 제약으로서 헌법 제23조 제1항의 재산권의 내용과 한계에 해당한다. 따라서 이에 대한 보상금은 도축장 사용정지·제한명령으로 인한 도축장 소유자들의 경제적인 부담을 완화하고 그러한 명령의 준수를 유도하기 위하여 지급하는 시혜적인 급부에 해당한다(2015.10.21, 2012헌바367).

② [X] 「도시 및 주거환경정비법」 제65조 제2항은 정비기반시설의 설치와 관련된 비용의 적정한 분담과 그 시설의 원활한 확보 및 효율적인 유지·관리의 관점에서 정비기반시설과 그 부지의 소유·관리·유지 관계를 정한 규정인데, 같은 항 전단에 따른 정비기반시설의 소유권 귀속은 헌법 제23조 제3항의 수용에 해당하지 않고, 이 사건 법률조항이 그에 대한 보상의 의미를 가지는 것도 아니므로, 이 사건 법률조항에 관하여 정당한 보상의 원칙이 적용될 여지가 없다(2013.10.24, 2011헌바355).

③ [X] 청중이나 관중으로부터 당해 공연에 대한 반대급부를 받지 아니하는 경우에는 상업용 목적으로 공표된 음반 또는 상업용 목적으로 공표된 영상저작물을 재생하여 공중에게 공연할 수 있다고 규정한 「저작권법」 제29조 제2항 본문 및 저작인접권의 목적이 되는 실연·음반 및 방송에 관하여 공연권 제한조항은 헌법 제23조 제1항, 제2항에 따라 장래에 있어서 일반·추상적인 형식으로 재산권의 내용을 형성하고 확정하는 규정이자 재산권의 사회적 제약을 구체화하는 규정으로 볼 수 있다(2019.11.28, 2016헌마1115 등).

④ [X] '역사문화미관지구' 내에 나대지나 건물을 소유한 자들이 아무런 층수 제한이 없는 건축물을 건축, 재축, 개축하는 것을 보장받는 것까지 재산권의 내용으로 요구할 수는 없다. 국토해양부장관, 시·도지사가 도시관리계획으로 '역사문화미관지구'를 지정하고 그 경우 해당 지구 내 토지소유자들에게 지정목적에 맞는 건축 제한 등 재산권 제한을 부과하면서도 아무런 보상조치를 규정하지 않은 이 사건 법률조항들로 인하여 부과되는 재산권의 제한 정도는 사회적 제약 범위를 넘지 않고 공익과 사익 간에 적절한 균형이 이루어져 있으므로, 비례의 원칙에 반하지 아니한다(2012.7.26, 2009헌바328).

5회 중간 테스트

직업의 자유 ~ 선거제도

정답

01	②	02	①	03	①	04	③
05	②	06	①	07	②	08	④
09	④	10	④	11	③	12	④
13	③	14	④	15	④	16	②
17	③	18	②	19	②	20	②
21	③	22	④	23	③	24	④
25	②	26	④	27	②	28	①
29	①	30	③	31	①	32	②
33	③	34	③	35	①	36	③
37	③	38	③	39	②	40	①

01 정답 ②

① [O]

관련 판례 직업선택의 자유는 자신이 원하는 직업 내지 직종을 자유롭게 선택하고, 선택한 직업을 자유롭게 수행할 수 있음을 그 내용으로 하는 것이지, 특정인에게 배타적·우월적인 직업선택권이나 독점적인 직업활동의 자유까지 보장하는 것은 아니다(2001.9.27, 2000헌마152).

관련 판례 헌법 제15조는 모든 국민은 직업선택의 자유를 가진다고 규정하고 있는데 그 뜻은 누구든지 자기가 선택한 직업에 종사하여 이를 영위하고 언제든지 임의로 그것을 바꿀 수 있는 자유와 여러 개의 직업을 선택하여 동시에 함께 행사할 수 있는 자유, 즉 겸직의 자유도 가질 수 있다는 것이다(1997.4.24, 95헌마90).

❷ [X] 청구인들은 노조전임자가 사용자의 노무관리업무 대행이라는 근로 제공에 대하여 당연히 대가를 수령할 권리가 있음에도 노조전임자 급여금지 등을 규정한 「노동조합 및 노동관계조정법」 조항들에 의하여 근로에 대한 적정한 대가를 받지 못함으로써 직업의 자유를 침해당한다고 주장한다. 그러나 노조전임자 자체를 하나의 직업 유형으로 볼 수는 없으므로 직업의 자유가 제한된다고 보기 어렵다(2014.5.29, 2010헌마606).

③ [O] 이 사건 법률조항은 게임 결과물의 환전업을 영위하는 자들을 형사 처벌하도록 규정하여 국민의 직업선택의 자유를 제한하고 있다. 청구인은, 이 사건 법률조항이 게임 결과물의 환전행위를 영업으로 하는 행위를 처벌하는 것은 게임 결과물의 환전업자가 환전행위를 통하여 얻을 수 있는 재산권을 침해하는 것이라고 주장한다. 청구인이 주장하는 게임이용자들과 사이의 게임 결과물의 매수 및 판매행위, 즉 환전행위를 통하여 얻을 수 있는 재산권의 실체는 결국 게임 결과물의 환전업이라는 직업수행에 따른 단순한 이익이나 재화의 획득에 관한 기회에 불과하여 우리 헌법상 재산권 보장의 대상이 아니라 할 것이다(2010.2.25, 2009헌바38).

④ [O] 헌법 제10조의 행복추구권에서 파생되는 일반적 행동자유권의 보호영역에는 개인의 생활방식과 취미에 관한 사항이 포함된다(2008.4.24, 2006헌마954). 이 사건 규칙조항은 비어업인이 잠수용 스쿠버장비를 사용하여 수산자원을 포획·채취하는 것을 규제함으로써, 지속적인 소득활동이 아니라 취미나 오락을 위하여 자신이 원하는 방법으로 수산자원을 포획·채취하고자 하는 청구인의 일반적 행동의 자유를 제한한다(2016.10.27, 2013헌마450).

02 정답 ①

❶ [X] 시험제도란 본질적으로 응시자의 자질과 능력을 측정하는 것이며, 합격자의 결정을 상대평가(정원제)와 절대평가 중 어느 것에 의할 것인지는 측정방법의 선택의 문제일 뿐이고, 이 사건 법률조항이 사법시험의 합격자를 결정하는 방법으로 정원제를 취한 이유는 상대평가라는 방식을 통하여 응시자의 자질과 능력을 검정하려는 것이므로 이는 객관적 사유가 아닌 주관적 사유에 의한 직업선택의 자유의 제한이다(2010.5.27, 2008헌바110).

② [O] 구 「외국인근로자의 고용 등에 관한 법률」 제25조 제4항은 외국인근로자의 사업장 최대변경가능횟수를 설정하고 있는바, 이로 인하여 외국인근로자는 일단 형성된 근로관계를 포기(직장이탈) 하는 데 있어 제한을 받게 되므로 이는 직업선택의 자유 중 직장 선택의 자유를 제한하고 있다. 근로의 권리를 제한하지는 않는다(2011.9.29, 2007헌마1083 등).

③ [O] 농협의 조합장은 조합을 대표하며 업무를 집행하는 사람으로서, 총회와 이사회의 의장이 된다. 이 사건에서 문제된 농협의 경우 조합장을 상임으로 하고, 그 보수는 규약으로 정하고 있다. 이를 종합하면, 조합장 선거에 입후보하여 당선되는 것은 그 자체가 직업선택의 한 방법으로서, 농협의 조합장은 헌법 제15조에 의하여 보호되는 직업에 속하는바, 위 부칙조항으로 인하여 현 조합장의 임기가 연장되어 차기 조합장 선거의 시기가 늦춰지게 되면 조합장으로 선출될 기회가 늦춰질 수밖에 없으므로, 위 부칙조항은 차기 조합장 선거에 입후보하려고 하는 청구인들의 직업의 자유를 제한한다(2012.12.27, 2011헌마562 등).

④ [O] 음주측정 거부로 인하여 운전면허가 필요적으로 취소되는 경우, 이는 자동차 등의 운전을 필수불가결한 요건으로 하고 있는 일정한 직업군의 사람들에 대하여 종래에 유지하던 직업을 계속 유지하는 것을 불가능하게 하거나 장래를 향하여 그와 같은 직업을 선택하는 것을 불가능하게 하며 자동차 운행이 필요한 직업을 가진 사람들에 대하여 직업을 수행하는 방법에 제한을 가하게 되므로 위 조항은 좁은 의미의 직업선택의 자유와 직업수행의 자유를 포함하는 직업의 자유를 제한하는 조항이라고 할 것이고, 한편 자동차 등의 운전을 직업으로 하지 않는 자에 대하여는 운전면허가 필요적으로 취소됨으로써 적법하게 자동차 등을 운전하지 못하게 되므로 위 조항은 행복추구권의 보호영역 내에 포함된 일반적 행동의 자유를 제한하는 조항이라고 할 것이다(2007.12.27, 2005헌바95).

03 정답 ①

ㄱ. [O] 주관적 사유에 의한 직업선택의 자유 제한은 시험이나 자격을 기준으로 한다.

ㄴ. [O] 공인회계사시험에 합격한 사람에 한하여 공인회계사 자격을 취득할 수 있는데, 위 조항에 의한 학점이수요건을 갖추지 못할 경우 공인회계사시험에 응시할 수 없으므로, 위 조항은 학점이수요건을 갖추지 아니한 상태에서 공인회계사를 직업으로 선택하고자 하는 청구인의 직업선택의 자유를 제한한다(2012.11.29, 2011헌마801).

ㄷ. [X] 기본권 주체에게 요청된 모든 전제조건들을 충족시킨 경우에도 객관적 사유로 직업을 선택할 수 없는 경우이다. 객관적 사유에 의한 직업의 자유 제한은 개인의 능력이나 자격이 직업선택에 영향을 미치지 아니하므로 가장 엄격한 제한이다. 따라서 이러한 제한은 월등하게 중요한 공익에 대한 명백하고 확실한 위험을 방지하기 위해 그 필요성이 있다는 것이 엄격히 입증되어야 한다. 엄격한 비례의 원칙이 그 심사척도가 된다(2002.4.25, 2001헌마614). 2005년 사시

ㄹ. [O] 공무원시험이나 대학수학능력시험과 같은 시험제도는 주관적 사유에 의한 직업선택의 자유 제한이다. 그러나 법무사시험을 실시할 수 있도록 한 대법원규칙으로 시험 자체가 없었으므로 노력으로 극복할 수 없으므로 객관적 사유에 의한 직업선택의 자유 제한이다.

04 정답 ③

① [X] 민간자격의 남발로 인한 국민의 피해를 예방하기 위한 것으로서 국민의 생명·건강에 직결되는 민간자격신설금지조항은 과잉금지원칙에 위배되지 아니하고, 직업선택의 자유, 일반적 행동의 자유 등을 침해하지도 아니한다(2010.7.29, 2009헌바53 등).

② [X] 직업선택의 자유는 특정인에게 배타적·우월적인 직업선택권이나 독점적인 직업활동의 자유까지 보장하는 것은 아니므로, 국세 관련 경력공무원에 대한 세무사 자격의 부여 여부는 정책적 판단에 따라 결정될 입법정책의 과제이다. 따라서 자격제도를 시행함에 있어서 자격요건의 구체적인 내용은 업무의 내용과 제반 여건 등을 종합적으로 고려하여 입법자가 결정할 사항이다. 다만 그것이 재량의 범위를 넘어 명백히 불합리한 경우에만 비로소 위헌의 문제가 생길 수 있는 바, 국세 관련 경력공무원에 대하여 세무사 자격을 부여하지 않도록 개정된 「세무사법」 제3조는 그 목적의 정당성이 인정되고, 그 내용이나 방법에 있어서 합리성을 결여한 것도 아니다. 따라서 위 법률조항이 청구인들의 직업선택의 자유를 침해하는 것은 아니다(2001.9.27, 2000헌마152). 2006년 행시

❸ [O] 관세사 자격을 부여함에 있어 공개경쟁시험제도를 통한 자격 부여 이외에 20년 이상을 관세행정 분야에서 근무한 자라면 관세사로서의 직무수행을 위한 전문지식이 있다고 보아 일반직공무원으로 20년 이상 관세행정에 종사한 자에게 일정한 절차를 거쳐 관세사 자격을 부여하는 특별전형제도도 아울러 택한 입법자의 정책적 판단은 입법목적의 정당성과 수단의 합리성이 인정되므로 전문 분야 자격제도에 대한 입법형성권의 범위를 넘는 명백히 불합리한 것이라고 볼 수 없다(2001.1.18, 2000헌마364). 2017년 국회 8급

④ [X] 교통사고예방을 위하여 시력 0.5 이상을 운전면허의 취득요건으로 한 것은 직업의 자유 침해가 아니다(2003.6.26, 2002헌마677). 2007년 사시

05 정답 ②

ㄱ. [O] 헌법 제13조 제1항 전단은 소급적인 범죄구성요건의 제정과 소급적인 형벌의 가중을 엄격히 금하고 있다. 헌법재판소는 이 형벌불소급원칙을 엄격히 해석하여, 비형벌적 보안처분에는 이 원칙이 적용되지 않는다고 판단해 왔다. 「아동·청소년의 성보호에 관한 법률」이 정하고 있는 취업 제한제도로 인해 성범죄자에게 일정한 직종에 종사하지 못하는 제재가 부과되기는 하지만, 위 취업 제한제도는 「형법」이 규정하고 있는 형벌에 해당하지 않으므로, 헌법 제13조 제1항 전단의 형벌불소급원칙이 적용되지 않는다(2016.3.31, 2013헌마585 등).

ㄴ. [O] 심판대상조항은 성인대상 성범죄자에 대하여 일정 기간 아동·청소년 관련 학원을 운영하거나 그 기관에 취업하는 것을 제한하여 아동·청소년들과의 접촉을 차단함으로써, 아동·청소년을 성범죄로부터 보호하는 동시에, 아동·청소년 관련 학원의 윤리성과 신뢰성을 높여 아동·청소년 및 그 보호자가 이들 기관을 믿고 이용하거나 따를 수 있도록 하려는 입법목적을 지니는바, 이러한 입법목적은 정당하다. 성인대상 성범죄자에 대하여 일정 기간 아동·청소년 관련 학원에 취업 제한을 하는 것은 위와 같은 입법목적을 달성할 수 있는 하나의 방안이 될 수 있으므로, 수단의 적합성도 인정된다. 그런데 심판대상조항은 앞서 본 바와 같이 성범죄 전력에 기초하여 어떠한 예외도 없이 그 대상자의 재범위험성을 당연시할 뿐 아니라, 형의 집행이 종료된 때부터 10년이 경과하기 전에는 결코 재범의 위험성이 소멸하지 않는다는 입장이라고 할 수 있다. 이처럼 심판대상조항이 성범죄 전력만으로 재범의 위험성이 있다고 간주하고 일률적으로 아동·청소년 관련 학원에 10년간 취업 제한을 하는 것은 지나친 기본권 제한에 해당한다(2016.3.31, 2013헌마585 등).

ㄷ. [O] 신체적 접촉이 있는 다른 직업들, 예컨대 예술가나 체육지도자, 혹은 의료기관에서 일하는 의료기사의 경우에는 의료인과 같은 취업 제한을 두고 있지 않은 것이 평등권 침해라고 주장한다. 그런데 이러한 청구인들의 주장은 의료인에게 일률적인 취업제한의 제재를 가하고 있는 이 사건 법률조항이 과도한 제한을 하고 있다는 취지에 다름 아니므로, 전술한 바와 같이 과잉금지원칙 위반 여부를 판단한 이상 이 주장에 대하여 따로 판단하지 않는다(2016.3.31, 2013헌마585 등).

ㄹ. [X] ㅁ. [O] 아동학대 관련 범죄전력자의 취업 제한을 하기에 앞서, 그러한 대상자들에게 재범의 위험성이 있는지 여부, 만약 있다면 어느 정도로 취업 제한을 해야 하는지를 구체적이고 개별적으로 심사하는 절차가 필요하다. 이 심사의 세부적 절차와 심사권자 등에 관해서는 추후 심도 있는 사회적 논의가 필요하겠지만, 10년이라는 현행 취업 제한기간을 기간의 상한으로 두고 법관이 대상자의 취업 제한기간을 개별적으로 심사하는 방식도 하나의 대안이 될 수 있다(2016.3.31, 2013헌마585 등 ; 2018.6.28, 2017헌마130).

ㅂ. [O]

> **관련 판례** 이 사건 법률조항은 오직 성인대상 성범죄 전과에 기초해 10년이라는 기간 동안 일률적으로 취업 제한의 제재를 부과하며, 이 기간 내에는 취업 제한대상자가 그러한 제재로부터 벗어날 수 있는 어떠한 기회도 존재하지 않는 점, 재범의 위험에 대한 사회적 차원의 대처가 필요하다 해도 이 위험의 경중에 대한 고려가 있어야 하는 점 등에 비추어 침해의 최소성 요건을 충족했다고 보기 힘들다(2016.7.28, 2013헌바389 ; 2016.10.28, 2014헌마709).

> **관련 판례** 아동학대 관련 범죄전력자가 아동 관련 기관인 체육시설 등을 운영하거나 학교에 취업하는 것을 형이 확정된 때부터 형의 집행이 종료되거나 집행을 받지 아니하기로 확정된 후 10년까지의 기간 동안 제한하는 것은 직업의 자유를 침해한다(2018.06.28, 2017헌마130 등).

06 정답 ①

❶ [X] 자격정지의 형을 선고받은 청원경찰이 이 사건 법률조항에 따라 당연퇴직되어 입게 되는 직업의 자유에 대한 제한이라는 불이익이 자격정지의 형을 선고받은 자를 청원경찰직에서 당연퇴직시킴으로써 청원경찰에 대한 국민의 신뢰를 제고하고 청원경찰로서의 성실하고 공정한 직무수행을 담보하려는 공익에 비하여 더 중하다고 볼 수는 없으므로, 법익균형성도 지켜지고 있다. 따라서 이 사건 법률조항은 과잉금지원칙을 위반하여 청구인의 직업의 자유를 침해하지 아니한다(2011.10.25, 2011헌마85).

② [○] 청원경찰이 금고 이상의 형의 선고유예를 받은 경우 당연퇴직되도록 규정한 「청원경찰법」은 직업의 자유를 침해한다(2018.1.25, 2017헌가26).

③ [○] 그런데 제소된 사안의 심각한 정도, 증거의 확실성 여부 및 예상되는 판결의 내용 등을 고려하지 아니하고 약식명령을 청구한 사건 이외의 형사사건으로서 공소가 제기된 경우, 당해 교원이 자기에게 유리한 사실의 진술이나 증거를 제출할 방법조차 없이 일률적으로 판결의 확정시까지 직위해제처분을 하는 것은, 징계절차에서도 청문의 기회가 보장되고 정직처분도 3월 이하만 가능한 사정 등과 비교하면, 「사립학교법」 제58조의2 제1항 단서규정은 방법의 직정성·피해의 최소성·법익의 균형성을 갖추지 못하였다고 할 것이므로, 헌법 제15조, 제27조 제4항 및 제37조 제2항에 위반되어 위헌이다(1994.7.29, 93헌가3 등). 2019년 법행

④ [○] 이 사건 법률조항은 금고 이상의 형의 집행유예를 받은 자를 사립학교 교직에서 당연퇴직시킴으로써 교원의 사회적 책임 및 교직에 대한 국민의 신뢰를 제고하고 교원으로서의 성실한 직무수행을 담보하기 위한 법적 조치로서 그 입법목적이 정당하고, 금고 이상의 형의 집행유예를 받은 자를 교직에서 배제하도록 한 것은 위와 같은 입법목적을 달성하기 위한 효과적이고 적절한 수단이 될 수 있다. 나아가 위와 같은 입법목적을 효과적으로 달성하기 위한 덜 제약적인 대체적 입법수단의 존재가 명백하지 아니하고, 비록 이 사건 법률조항으로 인하여 교원 지위가 박탈된다고 하여도 그것이 위와 같은 공익에 비해 더 비중이 크다고 단정하기 어렵다. 결국 금고 이상의 형에 대한 집행유예 판결에 내포된 사회적 비난가능성과 공교육을 담당하는 교원에게 요구되는 사회적 책임 및 교직 수행에 대한 신뢰의 수준 등을 종합적으로 고려할 때, 금고 이상의 형의 집행유예를 사립학교 교원의 당연퇴직사유로 하고 있는 이 사건 법률조항이 헌법 제37조 제2항에 위배하여 청구인의 직업선택의 자유를 침해한다고 볼 수는 없다(2010.10.28, 2009헌마442). 2021년 국회 8급

07 정답 ②

ㄱ. [○] 「마약류 관리에 관한 법률」을 위반하여 금고 이상의 실형을 선고받고 그 집행이 끝나거나 면제된 날부터 20년이 지나지 아니한 것을 택시운송사업의 운전업무 종사자격의 결격사유 및 취소사유로 정한 심판대상조항은 구체적 사안의 개별성과 특수성을 고려할 수 있는 여지를 일체 배제하고 그 위법의 정도나 비난가능성의 정도가 미약한 경우까지도 획일적으로 20년이라는 장기간 동안 택시운송사업의 운전업무 종사자격을 제한하는 것이므로 침해의 최소성원칙에 위배되며, 법익의 균형성원칙에도 반한다. 따라서 직업선택의 자유를 침해한다(2015.12.23, 2014헌바446). 2017년 국회 8급

ㄴ. [○] 법원이 범죄의 모든 정황을 고려한 다음 금고 이상 형의 집행유예를 선택하였다면 사회적 비난가능성도 적지 않다. 이러한 점을 종합하면 임의적 운전자격 취소만으로는 입법목적을 달성하는 데 충분하다고 보기 어려우므로, 침해의 최소성도 인정된다. 운전자격이 취소되더라도 집행유예기간이 경과하면 다시 운전자격을 취득할 수 있으므로 운수종사자가 받는 불이익은 제한적인 반면, 심판대상조항으로 달성되는 입법목적은 매우 중요하므로, 법익의 균형성 요건도 충족한다. 따라서 심판대상조항은 과잉금지원칙에 위배되지 않는다(2018.5.31, 2016헌바14 등).

ㄷ. [X] 제조업의 직접생산 공정업무 등을 제외하고 전문지식, 기술 또는 경험 등을 필요로 하는 업무 등에 대해서는 파견근무를 허용하고 있고, 파견근무가 허용되지 않는 경우에도 출산 등으로 결원이 생기는 등 일정한 사유가 발생하면 일정 기간 동안 파견근로를 허용하고 있다. 제조업의 직접생산공정업무에 파견근로를 허용할 경우 제조업 전체가 간접고용형태의 근로자로 바뀜으로써 고용이 불안해지는 등 근로조건이 열악해질 가능성이 높고, 건설공사업무, 하역업무, 선원업무 등은 모두 유해하거나 위험한 성격의 업무로서 개별 사업장에서 파견근로자가 사용사업주의 지휘, 명령에 따라야 하는 근로자파견의 특성상 파견업무로 부적절하므로 이들 업무를 근로자파견 허용대상에서 제외할 필요성은 충분히 인정된다. 과태료나 이행강제금은 금전적 부담만을 지우게 되므로 위법을 통하여 얻을 수 있는 금전적 이익이 과태료보다 큰 경우 이를 납부하고서라도 위법한 근로자파견계약을 유지할 동기가 있다는 점 등을 고려하면, 과태료나 이행강제금 등의 단순한 행정상의 제재수단만으로 이 사건 법률조항들의 입법목적을 달성하는 데에 충분하다고 단정하기 어렵다. 따라서 이 사건 법률조항들은 근로자파견을 행하려는 자들의 직업의 자유를 침해하지 아니한다(2013.7.25, 2011헌바395). 2018년 국회 8급

ㄹ. [○] 외국인 근로자의 사업장 변경허가기간을 신청일로부터 2개월로 제한한 것은, … 외국인근로자의 사업장 변경 자체를 금지하는 것이 아니라 허가기간을 제한한 것에 불과하여 지나치게 불합리하여 자의적이라고 할 수 없으므로 청구인의 직장 선택의 자유를 침해하지 아니한다(2011.9.29, 2009헌마351). 2013년 국회 8급

ㅁ. [○] 심판대상조항은 일반적으로 화장품 판매 영업을 제한하는 것이 아니라, 처음부터 판매하지 않을 목적으로 제조 또는 수입된 화장품에 대한 판매만을 금지할 뿐이고, 그 수범자도 '소비자에게 화장품을 판매하는 자'로 한정하고 있다. 심판대상조항과 상관없이, 샘플화장품을 본래 목적인 마케팅수단으로 무상 제공하는 것은 얼마든지 가능하다. 따라서 심판대상조항은 과잉금지원칙을 위반하여 직업수행의 자유를 침해하지 아니하고, 책임과 형벌 간 비례원칙에도 위배되지 아니한다(2017.5.25, 2016헌바408). 2018년 입시

ㅂ. [X] 투명하고 공정한 거래질서를 확립하고 현금거래가 많은 업종의 과세표준을 양성화하려는 공익은 현금영수증 의무발행업종 사업자가 입게 되는 불이익보다 훨씬 크므로 법익균형성도 충족한다(2019.8.29, 2018헌바265).

ㅅ. [○] 이 사건 국산영화의무상영제로 말미암아 청구인들과 같은 공연장의 경영자에게 가해지는 직업선택의 자유에 대한 제한은 국산영화의 존립과 진흥의 발판을 확보하여 장래의 발전을 도모하려는 입법목적의 달성을 위한 필요한 최소한도의 제한이라 아니할 수 없고, 이러한 제한으로 인하여 입게 되는 손해는 그 대가로서 기대되는 민족공동체 전체의 이익과 합리적인 비례의 관계에 있다고 할 수 있어 과잉금지의 원칙에 반한다고는 볼 수 없다(1995.7.21, 94헌마125). 2005년 사시

08 정답 ④

ㄱ. [X] 이 사건 법률조항들의 입법목적을 달성하기 위하여 직무정지라는 불이익을 가한다고 하더라도 그 사유는 형이 확정될 때까지 기다릴 수 없을 정도로 조합장직무의 원활한 운영에 대한 '구체적인' 위험을 야기할 것이 명백히 예상되는 범죄 등으로 한정되어야 한다. 그런데 이 사건 법률조항들은 조합장이 범한 범죄가 조합장에 선출되는 과정에서 또는 선출된 이후 직무와 관련하여 발생하였는지 여부, 고의범인지 과실범인지 여부, 범죄의 유형과 죄질이 조합장의 직무를 수행할 수 없을 정도로 공공의 신뢰를 중차대하게 훼손하는지 여부 등을 고려하지 아니하고, 단순히 금고 이상의 형을 선고받은 모든 범죄로 그 적용대상을 무한정 확대함으로써 기본권의 최소침해성원칙을 위반하였다. 또한 이 사건 법률조항들에 의하여 달성하려는 공익은 모호한 반면에, 금고 이상의 형이 선고되었다는 이유만으로 형의 확정이라는 불확정한 시기까지 직무수행을 정지당하는 조합장의 불이익은 실질적이고 현존하는 기본권 침해로서 위와 같은 공익보다 결코 작다고 할 수 없으므로 이 사건 법률조항들은 법익균형성 요건도 충족하지 못하였다. 따라서 이 사건 법률조항들은 과잉금지원칙에 위반하여 청구인들의 직업수행의 자유를

침해한다(2013.8.29, 2010헌마562 등). 2016년 사시

ㄴ. [O] 이 사건의 쟁점은 영업으로 성매매를 알선하는 행위를 처벌하는 이 사건 알선조항이 과잉금지원칙에 위배되어 이를 업으로 하고자 하는 사람들의 직업선택의 자유를 침해하는지 여부이다. 직업선택의 자유에 대한 제한은 헌법 제37조 제2항에서 도출되는 과잉금지의 원칙에 따라, 반드시 법률로써 하여야 할 뿐 아니라 국가안전보장·질서유지·공공복리라는 공공의 목적을 달성하기 위하여 필요하고 적정한 수단·방법에 의해서만 가능하다(2016.9.29, 2015헌바65).

ㄷ. [O] 방송문화진흥회가 최다출자자인 방송사업자의 경우 한국방송광고공사의 후신인 한국방송광고진흥공사가 위탁하는 방송광고에 한하여 방송광고를 할 수 있도록 한 「방송광고판매대행 등에 관한 법률」 제5조 제2항 구 방송법령에 대한 종전 헌법불합치결정의 취지는 한국방송광고공사가 독점하던 방송광고판매대행업에 제한적이나마 실질적인 경쟁체제가 이루어질 수 있도록 하여야 한다는 것이었고, 이 결정에 따라 새로 제정된 「방송광고판매대행 등에 관한 법률」에서는 공영미디어렙인 한국방송광고진흥공사 이외에 민영미디어렙도 방송광고판매대행업을 할 수 있도록 제한 경쟁체제를 도입하고 있으므로, 이 사건 심판대상조항이 구 방송법령에 대한 헌법불합치 결정의 기속력에 반한다고 볼 수 없다(2013.9.26, 2012헌마271).

ㄹ. [X] 주방에서 발생하는 음식물 찌꺼기 등을 분쇄하여 오수와 함께 배출하는 주방용 오물분쇄기의 판매와 사용을 금지하는 '주방용 오물분쇄기의 판매·사용금지'는 공공수역의 수질오염을 방지하기 위한 것으로 직업수행의 자유를 침해한다고 볼 수 없다(2018.6.28, 2016헌마1151).

ㅁ. [X] 심판대상조항은 15세 이상 34세 이하인 사람에게 공공기관 취업에 혜택을 줌으로써 여기에 해당하지 않는 사람들의 직업선택의 자유와 평등권이 제한된다. 이와같이 입법자가 일정한 집단에게 혜택을 줌으로써 여기에 포함되지 않는 집단이 제한받는 직업선택의 문제와 불평등 처우의 문제는 서로 밀접하게 결합되어 있으므로, 직업선택의 자유에 대한 제한 문제와 차별취급의 정당성은 함께 심사하는 것이 타당하다. 청년할당제는 일정 규모 이상의 기관에만 적용되고, 전문적인 자격이나 능력을 요하는 경우에는 적용을 배제하는 등 상당한 예외를 두고 있다. 더욱이 3년 간 한시적으로만 시행하며, 청년할당제가 추구하는 청년실업 해소를 통한 지속적인 경제성장과 사회 안정은 매우 중요한 공익인 반면, 청년할당제가 시행되더라도 현실적으로 35세 이상 미취업자들이 공공기관 취업기회에서 불이익을 받을 가능성은 크다고 볼 수 없다. 따라서 이 사건 청년할당제가 청구인들의 평등권, 공공기관 취업의 자유를 침해한다고 볼 수 없다(2014.8.28, 2013헌마553).

ㅂ. [X] 심판대상조항은 '금융투자업자가 불확실한 사항에 대하여 단정적 판단을 제공하거나 확실하다고 오인하게 할 소지가 있는 내용을 알리는 행위' 자체를 부당·불법한 것으로 보아 처벌하고, 일반투자자는 물론 전문투자자에게 불확실한 사항에 대하여 단정적 판단을 제공하는 등의 행위를 한 경우도 처벌대상에 포함시킨다. 이는 투자자의 개인적 법익 보호뿐만 아니라 자본시장의 공정성·신뢰성·효율성이라는 사회적 법익을 보호하기 위한 것이다. 심판대상조항의 적용범위는 '투자자의 합리적인 투자판단 또는 해당 금융투자상품의 가치에 영향을 미칠 수 있는 사항'으로 한정되고, '단정적 판단 또는 확실하다고 오인하게 할 소지가 있는 내용'에의 해당 여부는 구체적인 투자자의 주관적 사정이 아니라 통상의 주의력을 가진 평균적 투자자를 기준으로 규범적으로 판단하므로, 금융투자업자의 영업활동에 대한 제한범위는 입법목적의 달성을 위하여 필요한 범위 내에 있다. 입법자는 과태료 등 다른 경미한 수단으로는 금융투자업자의 불확실한 사항에 대한 단정적 판단 제공행위 등을 억제하기가 어렵다고 정책적으로 판단한 것이므로 단지 형벌을 부과하였다는 사정만으로 침해의 최소성에 위반한다고 단정할 수 없다. 심판대상조항으로 인하여 청구인이 받는 불이익은 여러 불확정한 요소에 의한 위험성을 동반할 수밖에 없는 금융투자영역에서 불확실한 사항에 대하여 단정적 판단을 제공하는 등의 특정한 방식으로 투자권유를 하는 것이 금지·처벌되는 것에 그친다. 반면, 심판대상조항으로 달성하려는 공익은 투자자를 보호함과 아울러 자본시장의 공정성·신뢰성·효율성을 유지·확보한다는 것으로서 매우 중대하다. 따라서 심판대상조항은 과잉금지원칙에 위배되지 아니한다(2017.5.25, 2014헌바459).

09 정답 ④

ㄱ. [O] 이 사건 법률조항은 국민의 금융편의를 도모하고 거래의 투명화를 통한 탈세를 방지함으로써 국민경제의 발전에 이바지하기 위한 것으로 입법목적이 정당하다. 그리고 신용카드가맹점에 대하여 신용카드 수납의무 및 차별금지의무를 부과하는 것은 입법목적 달성에 효과적인 수단이므로 수단의 적합성도 인정된다. 이 사건 법률조항에 의하여 달성하려는 공익은 신용카드가맹점이 영업활동을 함에 있어 결제수단을 자유로이 선택하지 못하거나 결제수단별로 차별취급하지 못함으로 인하여 제한되는 사익보다 중대하므로 이 사건 법률조항은 법익의 균형성도 갖추고 있다. 그러므로 이 사건 법률조항은 과잉금지원칙에 반하여 직업수행의 자유를 침해하지 아니한다(2014.3.27, 2011헌마744).

ㄴ. [X] 심판대상조항은 상조서비스의 이행을 담보할 방안을 마련하고 부당한 계약해지나 과다한 위약금청구와 같은 불공정거래를 방지하기 위하여 입법된 것으로, 심판대상조항에 의한 등록 취소는 선불식 할부거래업을 영위하는 회사가 건전하게 운영되도록 하고 가입자의 신뢰를 확보하며 피해를 사전에 방지하는 유효적절한 수단이다. 선불식 할부거래업을 영위하는 회사의 건전한 운영과 가입자의 신뢰확보, 피해 방지의 공익은 회사가 입는 불이익보다 훨씬 크다. 따라서 심판대상조항은 과잉금지원칙에 위배되어 청구인들의 직업의 자유를 침해하지 않는다(2019.8.29, 2018헌바210).

ㄷ. [X] 이 사건 법률조항이 학교환경위생 정화구역 내에서 이 사건 「청소년 보호법」 조항에 규정된 영업을 일절 금지하는 것은 주위환경으로부터 바람직하지 못한 유해요인을 제거하여 학습에 전념할 수 있는 분위기를 갖추어 주고자 하는 「학교보건법」의 입법목적을 위하여 필요한 범위 내의 것이므로 청구인들의 직업수행의 자유를 침해하지 아니한다(2016.10.27, 2015헌바360 등).

ㄹ. [X] (1) **유치원 주변의 당구장설치금지(위헌)**
유치원 주변에 당구장시설을 허용한다고 하여도 이로 인하여 유치원생이 학습을 소홀히 하거나 교육적으로 나쁜 영향을 받을 위험성이 있다고 보기 어려우므로, 기본권 제한의 한계를 벗어난 것이다.

(2) **초등학교, 중학교, 고등학교 주변의 당구장설치금지(합헌)**
초등학교, 중학교, 고등학교 기타 이와 유사한 교육기관의 학생들은 당구장의 유해환경으로부터 나쁜 영향을 받을 위험성이 크므로 이들을 이러한 위험으로부터 보호할 필요가 있는바, 과도하게 직업(행사)의 자유를 침해하는 것이라 할 수 없다(1997.3.27, 94헌마196 등).

ㅁ. [X] 자격제도이고 자신의 노력이나 능력으로 극복할 수 있는 사안이므로 주관적 사유에 의한 직업선택의 자유 제한이다.

ㅂ. [O] 직업선택의 자유와 직업수행의 자유는 기본권 주체에 대한 그 제한의 효과가 다르기 때문에 제한에 있어서 적용되는 기준도 다르며, 특히 직업수행의 자유에 대한 제한의 경우 인격발현에 대한 침해의 효과가 일반적으로 직업선택 그 자체에 대한 제한에 비하여 작기 때문에 그에 대한 제한은 폭넓게 허용된다. 다만, 그렇다고 하더라도 직업수행의 자유에 대한 제한이 헌법 제37조 제2항에 의거한 비례의 원칙(과잉금지의 원칙)에 위배되어서는 안 된다

(2019.11.28, 2016헌마40).

ㅅ. [X] 지방자치단체의 장이 다른 지방자치단체의 장의 동의를 얻어 그 소속 공무원을 전입함에 있어 지방공무원 본인의 동의가 필요하지 않다고 해석한다면, 그 지방공무원의 의사에 반한 전출명령 및 전입임용으로 자신이 선택한 직업(지방공무원)을 수행해 나가기 위한 직장(지방자치단체)을 옮기도록 강요하는 것이므로, 지방공무원의 직업선택의 자유, 그 중에서도 직장선택의 자유를 침해하는 것이 된다(2002.11.28, 98헌바101).

ㅇ. [O] 최저임금 적용을 위한 임금의 시간급 환산시 법정주휴시간 수를 포함한 시간 수로 나누어야 하는지에 관하여 종전에 대법원 판례와 고용노동부의 해석이 서로 일치하지 아니하여 근로 현장에서 혼란이 초래되었다. 이 사건 시행령조항은 그와 같은 불일치와 혼란을 해소하기 위한 것으로서, 그 취지와 필요성을 인정할 수 있다. 비교대상 임금에는 주휴수당이 포함되어 있고, 주휴수당은 근로기준법에 따라 주휴시간에 대하여 당연히 지급해야 하는 임금이라는 점을 감안하면, 비교대상 임금을 시간급으로 환산할 때 소정근로시간 수 외에 법정주휴시간 수까지 포함하여 나누도록 하는 것은 그 합리성을 수긍할 수 있다. 「근로기준법」이 근로자에게 유급주휴일을 보장하도록 하고 있다는 점을 고려할 때, 소정근로시간 수와 법정주휴시간 수 모두에 대하여 시간급 최저임금액 이상을 지급하도록 하는 것이 그 자체로 사용자에게 지나치게 가혹하다고 보기는 어렵다. 따라서 이 사건 시행령조항은 과잉금지원칙에 위배되어 사용자의 계약의 자유 및 직업의 자유를 침해한다고 볼 수 없다(2020.6.25, 2019헌마15). 2021년 국회 8급

10 정답 ④

① [O] 국가는 건전한 소비행위를 계도하고 생산품의 품질향상을 촉구하기 위한 소비자 보호운동을 법률이 정하는 바에 따라 보장하여야 하며(헌법 제124조), 소비자는 물품 또는 용역을 선택하는 데 필요한 지식 및 정보를 제공받을 권리와 사업자의 사업활동 등에 대하여 소비자의 의견을 반영시킬 권리가 있다(「소비자기본법」 제4조) (대판 2012.11.29, 2012도10392).

② [O] 영업시간 제한 등 규제로 인하여 침해되는 원고들의 영업의 자유는 직업의 자유 중 상대적으로 폭넓은 제한이 가능한 직업수행의 자유에 해당하고, 소비자들의 선택권은 헌법 제37조 제2항에 따라 '공공복리'를 위하여 필요한 경우 법률로 제한할 수 있는 기본권에 속한다. 그런데 이 사건 각 처분 중 영업시간 제한처분은 소비자의 이용빈도가 비교적 낮은 심야나 새벽시간대의 영업만을 제한하는 것이고 의무휴업일 지정처분은 한 달에 2일의 의무휴업만을 명하는 것이어서, 그로 인하여 원고들의 영업의 자유나 소비자의 선택권의 본질적 내용이 침해되었다고 보기는 어렵다(대판 전합체 2015.11.19, 2015두295).

③ [O] 소주구입명령제도는 소주판매업자의 직업의 자유는 물론 소주제조업자의 경쟁 및 기업의 자유, 즉 직업의 자유와 소비자의 행복추구권에서 파생된 자기결정권을 지나치게 침해하는 위헌적인 규정이다. 소주시장과 다른 상품시장, 소주판매업자와 다른 상품의 판매업자, 중소소주제조업자와 다른 상품의 중소제조업자 사이의 차별을 정당화할 수 있는 합리적인 이유를 찾아 볼 수 없으므로 이 사건 법률조항은 평등원칙에도 위반된다. 지방소주제조업자는 신뢰보호를 근거로 하여 구입명령제도의 합헌성을 주장할 수는 없다 할 것이고, 다만 개인의 신뢰는 적절한 경과규정을 통하여 고려되기를 요구할 수 있는 데 지나지 않는다(1996.12.26, 96헌가18).

❹ [X] 소비자는 모든 물품과 용역으로부터 생명과 신체를 보호할 안전의 권리, 물품용역에 대한 알 권리, 자유로운 물품·용역선택권, 국가 등의 정책과 사업자의 사업활동에 의견을 반영할 권리, 물품·용역에 의한 피해보상청구권, 합리적인 소비생활을 영위하는데 필요한 교육을 받을 권리, 소비자의 권익 보호를 위해 단결과 단체활동의 권리를 가진다.

⑤ [O] 소비자피해의 효율적인 구제를 위해서는 무과실책임의 인정, 입증책임전환이론, 개연성이론의 도입, 당사자적격의 확대, 사업자들의 연대책임의 인정, 소액재판제도의 채택, 미국과 같은 Class Action 제도와 독일의 단체소송의 도입을 할 필요가 있다.

11 정답 ③

① [X] 오늘날 대의민주주의에서 차지하는 정당의 이러한 의의와 기능을 고려하여, 헌법 제8조 제1항은 국민 누구나가 원칙적으로 국가의 간섭을 받지 아니하고 정당을 설립할 권리를 기본권으로 보장함과 아울러 복수정당제를 제도적으로 보장하고 있다. 따라서 입법자는 정당설립의 자유를 최대한 보장하는 방향으로 입법하여야 하고, 헌법재판소는 정당설립의 자유를 제한하는 법률의 합헌성을 심사할 때에 헌법 제37조 제2항에 따라 엄격한 비례심사를 하여야 한다(2014.1.28, 2012헌마431 등).

② [X] 입법자가 정당설립과 관련하여 형식적 요건을 설정할 수는 있으나, 일정한 내용적 요건을 구비해야만 정당을 설립할 수 있다는 소위 '허가절차'는 헌법적으로 허용되지 아니한다는 것을 뜻한다(1999.12.23, 99헌마135).

❸ [O] 자유민주적 기본질서를 부정하고 이를 적극적으로 제거하려는 조직도, 국민의 정치적 의사형성에 참여하는 한, '정당의 자유'의 보호를 받는 정당에 해당하며, 오로지 헌법재판소가 그의 위헌성을 확인한 경우에만 정당은 정치생활의 영역으로부터 축출될 수 있다(1999.12.23, 99헌마135).

④ [X] 정당의 민주적 운영에 대한 헌법적 요청, 이 사건 법률조항의 입법목적 및 그 제한의 정도를 종합적으로 고려하면, 이 사건 법률조항이 정당의 후보자 추천과 관련된 금품수수 등을 금지하는 것은 대의제 민주주의에서 정당 운영의 투명성과 공명정대한 선거문화 확립을 위하여 필요한 것이라 할 것이므로, 헌법 제8조 제3항 전단의 정당 보호조항에 위반되었다거나, 헌법상 정당활동의 자유의 본질적 내용을 침해하는 것이라고 볼 수 없다(2009.10.29, 2008헌바146 등).

12 정답 ④

ㄱ. [O] 이 사건 법률조항이 비록 정당으로 등록되기에 필요한 요건으로서 5개 이상의 시·도당 및 각 시·도당마다 1,000명 이상의 당원을 갖출 것을 요구하고 있기 때문에 국민의 정당설립의 자유에 어느 정도 제한을 가하는 점이 있는 것은 사실이나, 이러한 제한은 '상당한 기간 또는 계속해서', '상당한 지역에서' 국민의 정치적 의사형성과정에 참여해야 한다는 헌법상 정당의 개념표지를 구현하기 위한 합리적인 제한이라고 할 것이므로, 그러한 제한은 헌법적으로 정당화된다고 할 것이다(2006.3.30, 2004헌마246).

ㄴ. [X]

> **「정당법」 제37조 【활동의 자유】** ② 정당이 특정 정당이나 공직선거의 후보자(후보자가 되고자 하는 자를 포함한다)를 지지·추천하거나 반대함이 없이 자당의 정책이나 정치적 현안에 대한 입장을 인쇄물·시설물·광고 등을 이용하여 홍보하는 행위와 당원을 모집하기 위한 활동(호별 방문을 제외한다)은 통상적인 정당활동으로 보장되어야 한다.

ㄷ. [O]

「정당법」 제38조 【정책연구소의 설치·운영】 ① 「정치자금법」 제27조(보조금의 배분)의 규정에 의한 보조금 배분대상정당은 정책의 개발·연구활동을 촉진하기 위하여 중앙당에 별도 법인으로 정책연구소를 설치·운영하여야 한다.

ㄹ. [X] 2019년 비상업무

「정당법」 제37조 【활동의 자유】 ③ 정당은 국회의원 지역구 및 자치구·시·군, 읍·면·동별로 당원협의회를 둘 수 있다. 다만, 누구든지 시·도당 하부조직의 운영을 위하여 당원협의회 등의 사무소를 둘 수 없다.

관련 판례 「정당법」 조항은 임의기구인 당원협의회를 둘 수 있도록 하되, 사무소를 설치할 수 없도록 하는 「정당법」은 달성하고자 하는 고비용 저효율의 정당구조 개선이라는 공익은 위와 같은 불이익에 비하여 결코 작다고 할 수 없어 제청신청인의 정당활동의 자유를 침해하지 아니한다(2016.3.31, 2013헌가22).

ㅁ. [X] 대법원은 '합당의 경우에 합당으로 인한 권리의무의 승계조항은 강행규정으로서 합당 전 정당들의 해당 기관의 결의나 합동회의의 결의로써 달리 정하였더라도 그 결의는 효력이 없다(대판 2002.2.8, 2001다68969)'고 판시하였다. 2008년 사시

ㅂ. [X]

「정당법」 제33조 【정당소속 국회의원의 제명】 정당이 그 소속 국회의원을 제명하기 위해서는 당헌이 정하는 절차를 거치는 외에 그 소속 국회의원 전원의 2분의 1 이상의 찬성이 있어야 한다.

13 정답 ③

ㄱ. [O]

「정당법」 제29조 【정당의 기구】 ② 중앙당은 정당의 예산과 결산 및 그 내역에 관한 회계검사 등 정당의 재정에 관한 사항을 확인·검사하기 위하여 예산결산위원회를 두어야 한다.

ㄴ. [O] ㄹ. [X]

「정당법」 제37조 【활동의 자유】 ③ 정당은 국회의원 지역구 및 자치구·시·군, 읍·면·동별로 당원협의회를 둘 수 있다. 다만, 누구든지 시·도당 하부조직의 운영을 위하여 당원협의회 등의 사무소를 둘 수 없다.

관련 판례 「정당법」 조항은 임의기구인 당원협의회를 둘 수 있도록 하되, 사무소를 설치할 수 없도록 하는 「정당법」은 달성하고자 하는 고비용 저효율의 정당구조 개선이라는 공익은 위와 같은 불이익에 비하여 결코 작다고 할 수 없어 제청신청인의 정당활동의 자유를 침해하지 아니한다(2016.3.31, 2013헌가22).

ㄷ. [X] 지구당을 강화할 것인가의 여부에 관한 선택은 법적인 문제라기보다는 헌법의 테두리 안에서 입법자가 합목적적으로 판단할 문제로서 헌법의 테두리를 벗어나지 않는 한 그 선택의 재량을 갖는다고 할 수 있다. 따라서 가사 지구당을 폐지함으로써 일부 바람직하지 않은 결과가 파생된다 하더라도 그것이 헌법의 테두리를 벗어나지 않는 한, 이는 당·부당의 문제에 그치고 합헌·위헌의 문제로까지 되는 것은 아니므로, 그 구체적인 선택의 당부를 엄격하게 판단하여 위헌 여부를 가릴 일은 아니다. 결국 지구당을 폐지한 것에 수단의 적정성이 있는가 하는 것을 판단함에 있어서는 상대적으로 완화된 심사기준에 의하여 판단하여야 한다(2004.12.16, 2004헌마456).

ㅁ. [O] 정당에서 제명된 의원은 정당원의 자격만 상실되고, 의원직을 유지한다. 국회에서의 제명에는 국회의원 재적 3분의 2 이상의 찬성이 요구되고, 국회 제명으로 국회의원직은 상실된다.

14 정답 ④

ㄱ. [X]

「정당법」 제47조 【해산공고 등】 제45조(자진해산)의 신고가 있거나 헌법재판소의 해산결정의 통지나 중앙당 또는 그 창당준비위원회의 시·도당 창당승인의 취소통지가 있는 때에는 당해 선거관리위원회는 그 정당의 등록을 말소하고 지체 없이 그 뜻을 공고하여야 한다.

ㄴ. [X] ㄷ. [X]

「정당법」 제33조 【정당소속 국회의원의 제명】 정당이 그 소속 국회의원을 제명하기 위해서는 당헌이 정하는 절차를 거치는 외에 그 소속 국회의원 전원의 2분의 1 이상의 찬성이 있어야 한다.

ㄹ. [O]

「정당법」 제19조 【합당】 ① 정당이 새로운 당명으로 합당하거나 다른 정당에 합당될 때에는 합당을 하는 정당들의 대의기관이나 그 수임기관의 합동회의의 결의로써 합당할 수 있다.

ㅁ. [X]

「정당법」 제32조 【서면결의의 금지】 ① 대의기관의 결의와 소속 국회의원의 제명에 관한 결의는 서면이나 대리인에 의하여 의결할 수 없다.

15 정답 ④

① [X] 6가지 헌법재판 중 법률의 위헌판결과 탄핵판결만 심판관 6인 이상의 찬성을 요하므로 나머지 심판은 종국심리 과반수로 결정한다.

1960년 개정헌법 제83조의3 헌법재판소는 다음 각 호의 사항을 관장한다.
1. 법률의 위헌 여부 심사
2. 헌법에 관한 최종적 해석
3. 국가기관 간의 권한쟁의
4. 정당의 해산
5. 탄핵재판
6. 대통령, 대법원장과 대법관의 선거에 관한 소송

제83조의4 헌법재판소의 심판관은 9인으로 한다. 법률의 위헌판결과 탄핵판결은 심판관 6인 이상의 찬성이 있어야 한다.

② [X]

> **1962년 개정헌법 제7조** ③ 정당은 국가의 보호를 받는다. 다만, 정당의 목적이나 활동이 민주적 기본질서에 위배될 때에는 정부는 대법원에 그 해산을 제소할 수 있고, 정당은 대법원의 판결에 의하여 해산된다.

③ [X]

> **1972년 개정헌법 제7조** ③ 정당은 법률이 정하는 바에 의하여 국가의 보호를 받는다. 다만, 정당의 목적이나 활동이 민주적 기본질서에 위배되거나 국가의 존립에 위해가 될 때에는 정부는 헌법위원회에 그 해산을 제소할 수 있고, 정당은 헌법위원회의 결정에 의하여 해산된다.

❹ [O]

> **1972년 개정헌법 제111조** ① 헌법위원회에서 법률의 위헌결정, 탄핵의 결정 또는 정당해산의 결정을 할 때에는 위원 6인 이상의 찬성이 있어야 한다.

16　　정답 ②

① [X]

> **헌법 제8조** ④ 정당의 목적이나 활동이 민주적 기본질서에 위배될 때에는 정부는 헌법재판소에 그 해산을 제소할 수 있고, 정당은 헌법재판소의 심판에 의하여 해산된다.
>
> **제113조** ① 헌법재판소에서 법률의 위헌결정, 탄핵의 결정, 정당해산의 결정 또는 헌법소원에 관한 인용결정을 할 때에는 재판관 6인 이상의 찬성이 있어야 한다.

❷ [O] 자유민주적 기본질서를 부정하고 이를 적극적으로 제거하려는 조직도, 국민의 정치적 의사형성에 참여하는 한, '정당의 자유'의 보호를 받는 정당에 해당하며, 오로지 헌법재판소가 그의 위헌성을 확인한 경우에만 정당은 정치생활의 영역으로부터 축출될 수 있다(1999.12.23, 99헌마135). 2011년 국회 8급

③ [X]

> **「헌법재판소법」 제60조 【결정의 집행】** 정당의 해산을 명하는 헌법재판소의 결정은 중앙선거관리위원회가 「정당법」에 따라 집행한다.

④ [X]

> **「헌법재판소법」 제58조 【청구 등의 용지】** ② 정당해산을 명하는 결정서는 피청구인 외에 국회, 정부 및 중앙선거관리위원회에도 송달하여야 한다.

17　　정답 ③

① [O] 우리 헌법 제8조 제4항이 의미하는 민주적 기본질서는 개인의 자율적 이성을 신뢰하고 모든 정치적 견해들이 각각 상대적 진리성과 합리성을 지닌다고 전제하는 다원적 세계관에 입각한 것으로서, 모든 폭력적·자의적 지배를 배제하고, 다수를 존중하면서도 소수를 배려하는 민주적 의사결정과 자유·평등을 기본원리로 하여 구성되고 운영되는 정치적 질서를 말하며, 구체적으로는 국민주권의 원리, 기본적 인권의 존중, 권력분립제도, 복수정당제도 등이 현행헌법상 주요한 요소라고 볼 수 있다(2014.12.19, 2013헌다1).

② [O] 헌법재판소는 자유민주적 기본질서 중 하나로 의회제도와 선거제도를 들고 있으므로 정당의 목적이나 활동이 의회제도와 선거제도를 부정하는 경우 해산사유에 해당한다.

> **헌법 제8조** ④ 정당의 목적이나 활동이 민주적 기본질서에 위배될 때에는 정부는 헌법재판소에 그 해산을 제소할 수 있고, 정당은 헌법재판소의 심판에 의하여 해산된다.

❸ [X] 정당해산심판제도가 비록 정당을 보호하기 위한 취지에서 도입된 것이라 하더라도 이는 정당의 강제적 해산가능성을 헌법적으로 허용하는 것이므로, 그 운영 여하에 따라 민주주의에 대한 해악이 될 수 있다. 따라서 정치적 비판자들을 탄압하기 위한 용도로 남용되는 일이 생기지 않도록 정당해산심판제도는 매우 엄격하고 제한적으로 운용되어야 한다(2014.12.19, 2013헌다1).

④ [O] 그 밖의 정당에 속한 개인이나 단체의 활동은 그러한 활동이 이루어진 구체적인 경위를 살펴서 그것을 정당의 활동으로 볼 수 있는 사정이 있는지를 판단해야 한다. 예컨대, 활동을 한 개인이나 단체의 지위 등에 비추어 볼 때 정당이 그러한 활동을 할 권한을 부여하거나 그 활동을 독려하였는지 여부, 설령 그러한 권한의 부여 등이 없었다 하더라도 사후에 그 활동을 적극적으로 옹호하는 등 그 활동을 사실상 정당의 활동으로 추인한 것과 같다고 볼 수 있는 사정이 있는지 여부, 혹은 사전에 그 정당이 그러한 활동의 계획을 알았더라도 이를 정당 차원에서 지원하고 지지했을 것이라고 가정적으로 판단할 수 있는 사정이 있는지 여부 등을 구체적으로 살펴 전체적이고 종합적으로 판단해야 한다. 반면, 정당대표나 주요 관계자의 행위라 하더라도 개인적 차원의 행위에 불과한 것이라면 이러한 행위에 대해서까지 정당해산심판의 심판대상이 되는 활동으로 보기는 어렵다(2014.12.19, 2013헌다1).

18　　정답 ②

ㄱ. [X]

> **헌법 제8조** ③ 정당은 법률이 정하는 바에 의하여 국가의 보호를 받으며, 국가는 법률이 정하는 바에 의하여 정당운영에 필요한 자금을 보조할 수 있다.

ㄴ. [X] 국회의원 선거의 예비후보자 및 그 예비후보자에게 후원금을 기부하고자 하는 자와 광역자치단체장 선거의 예비후보자 및 이들 예비후보자에게 후원금을 기부하고자 하는 자를 계속하여 달리 취급하는 것은, 불합리한 차별에 해당하고 입법재량을 현저히 남용하거나 한계를 일탈한 것이다(2019.12.27, 2018헌마301 등).

ㄷ. [X] 심판대상조항 중 자치구의회의원 선거의 예비후보자에 관한 부분은 청구인들 중 자치구의회의원 선거의 예비후보자 및 이들 예비후보자에게 후원금을 기부하고자 하는 자의 평등권을 침해한다고 볼 수 없다(2019.12.27, 2018헌마301 등).

ㄹ. [X] (1) 「정치자금법」 제6조 제6호 중 '특별시장·광역시장·특별자치시장·도지사·특별자치도지사 선거의 예비후보자'에 관한 부분은 헌법에 합치되지 아니한다. 위 법률조항은 2021.12.31.을 시한으로 입법자가 개정할 때까지 계속 적용된다.
(2) 「정치자금법」 제6조 제6호 중 '자치구의 지역구의회의원 선거의 예비후보자'에 관한 부분에 대한 심판청구를 모두 기각한다(2019.12.27, 2018헌마301 등).

ㅁ. [O] 국회의원이 국민의 대표로서 그 활동범위가 국정 전반에 걸치고 정치를 전업으로 하는 데 반해 시·도의원은 그 활동범위가 해당 시·도의 지역사무에 국한되고 무보수 명예직으로서 정치는 비전업의 부업에 지나지 않는다. 같은 정치활동이라 하더라도 그 질과 양에서 근본적인 차이가 있고 그에 수반하여 정치자금을 필요로 하는 정도나 소요자금의 양에서도 현격한 차이가 있으므로 국회의원에 대해서는 개인후원회를 허용하면서 시·도의원에게는 이를 금지하였다 하여 평등의 원칙에 위반된다고 할 수 없다(2000.6.1, 99헌마576).

ㅂ. [O] 정당제 민주주의하에서 정당에 대한 재정적 후원이 전면적으로 금지됨으로써 정당이 스스로 재정을 충당하고자 하는 정당활동의 자유와 국민의 정치적 표현의 자유에 대한 제한이 매우 크다고 할 것이므로, 이 사건 법률조항은 정당의 정당활동의 자유와 국민의 정치적 표현의 자유를 침해한다(2015.12.23, 2013헌바168). 2018년 법원

ㅅ. [X] 2018년 비상업무

> 「정치자금법」 제11조【후원인의 기부한도 등】 ① 후원인이 후원회에 기부할 수 있는 후원금은 연간 2천만 원을 초과할 수 없다.

19 정답 ②

① [X] 헌법이 채택하고 있는 국민투표 가운데 임의적 국민투표제에 관하여는 의결정족수규정이 없으나, 필수적 국민투표제에 관한 헌법상의 의결정족수규정을 유추적용할 수 있다.

> **헌법 제130조** ② 헌법개정안은 국회가 의결한 후 30일 이내에 국민투표에 붙여 국회의원 선거권자 과반수의 투표와 투표자 과반수의 찬성을 얻어야 한다.

❷ [O] 헌법은 명시적으로 규정된 국민투표 외에 다른 형태의 재신임 국민투표를 허용하지 않는다. 이는 주권자인 국민이 원하거나 또는 국민의 이름으로 실시하더라도 마찬가지이다. 국민은 선거와 국민투표를 통하여 국가권력을 직접 행사하게 되며, 국민투표는 국민에 의한 국가권력의 행사방법의 하나로서 명시적인 헌법적 근거를 필요로 한다. 따라서 국민투표의 가능성은 국민주권주의나 민주주의원칙과 같은 일반적인 헌법원칙에 근거하여 인정될 수 없으며, 헌법에 명문으로 규정되지 않는 한 허용되지 않는다(2004.5.14, 2004헌나1). 2006년 사시

③ [X] 국민투표의 대상으로서 중요정책은 제7차 개정헌법에서, 외교·국방·통일 기타 국가안위에 관한 중요정책은 제8차 개정헌법에서 규정되어 왔다. 2014년 국가 7급

> **1972년 개정헌법 제49조** 대통령은 필요하다고 인정할 때에는 국가의 중요한 정책을 국민투표에 붙일 수 있다.

④ [X] 특정의 국가정책에 대하여 다수의 국민들이 국민투표를 원하고 있음에도 불구하고 대통령이 이러한 희망과는 달리 국민투표에 회부하지 아니한다고 하여도 이를 헌법에 위반된다고 할 수 없고 국민에게 특정의 국가정책에 관하여 국민투표에 회부할 것을 요구할 권리가 인정된다고 할 수도 없다(2005.11.24, 2005헌마579 등).

20 정답 ②

ㄱ. [O] 대통령이 단순히 특정 정책에 대한 국민의 의사를 확인하는 것을 넘어서 자신의 정책에 대한 추가적인 정당성을 확보하거나 정치적 입지를 강화하는 등, 국민투표를 정치적 무기화하고 정치적으로 남용할 수 있는 위험성을 안고 있다. 이러한 점을 고려할 때, 대통령의 부의권을 부여하는 헌법 제72조는 가능하면 대통령에 의한 국민투표의 정치적 남용을 방지할 수 있도록 엄격하고 축소적으로 해석되어야 한다(2004.5.14, 2004헌나1).

ㄴ. [X] 우리 헌법은 국민에 의하여 직접 선출된 국민의 대표자가 국민을 대신하여 국가의사를 결정하는 대의민주주의를 기본으로 하고 있어, 중요 정책에 관한 사항이라 하더라도 반드시 국민의 직접적인 의사를 확인하여 결정해야 한다고 보는 것은 전체적인 헌법체계와 조화를 이룰 수 없다(2005.11.24, 2005헌마579 등).

ㄷ. [X] 대통령이 위헌적인 재신임 국민투표를 단지 제안만 하였을 뿐 강행하지는 않았으나, 헌법상 허용되지 않는 재신임 국민투표를 국민들에게 제안한 것은 그 자체로서 헌법 제72조에 반하는 것으로 헌법을 실현하고 수호해야 할 대통령의 의무를 위반한 것이다(2004.5.14, 2004헌나1).

ㄹ. [O] 대통령은 헌법상 국민에게 자신에 대한 신임을 국민투표의 형식으로 물을 수 없을 뿐만 아니라, 특정 정책을 국민투표에 붙이면서 이에 자신의 신임을 결부시키는 대통령의 행위도 위헌적인 행위로서 헌법적으로 허용되지 않는다(2004.5.14, 2004헌나1).

ㅁ. [X] 헌법재판소는 신임을 묻는 국민투표인 플레비시트(Plebiscite)를 인정하고 있지 않다.

> **관련 판례** 헌법은 명시적으로 규정된 국민투표 외에 다른 형태의 재신임 국민투표를 허용하지 않는다. 이는 주권자인 국민이 원하거나 또는 국민의 이름으로 실시하더라도 마찬가지이다. 국민은 선거와 국민투표를 통하여 국가권력을 직접 행사하게 되며, 국민투표는 국민에 의한 국가권력의 행사방법의 하나로서 명시적인 헌법적 근거를 필요로 한다. 따라서 국민투표의 가능성은 국민주권주의나 민주주의원칙과 같은 일반적인 헌법원칙에 근거하여 인정될 수 없으며, 헌법에 명문으로 규정되지 않는 한 허용되지 않는다(2004.5.14, 2004헌나1). 2008년 사시

21 정답 ③

① [X] 헌법 제24조는 모든 국민은 '법률이 정하는 바에 의하여' 선거권을 가진다고 규정함으로써 법률유보의 형식을 취하고 있다. 하지만 이것은 국민의 선거권이 '법률이 정하는 바에 따라서만 인정될 수 있다'는 포괄적인 입법권의 유보 아래 있음을 뜻하는 것이 아니다. 민주주의 국가에서 국민주권과 대의제 민주주의의 실현수단으로서 선거권이 갖는 이 같은 중요성으로 인해 한편으로 입법자는 선거권을 최대한 보장하는 방향으로 입법을 하여야 하며, 또 다른 한편에서 선거권을 제한하는 법률의 합헌성을 심사하는 경우에는 그 심사의 강도도 엄격하여야 한다(2014.1.28, 2012헌마409 등). 2021년 국회 8급

② [X] 모사전송 시스템을 이용한 선상투표와 같은 제도는 국외를 항해하는 대한민국 선원들의 선거권을 충실히 보장하기 위한 입법수단으로 충분히 수용될 수 있고, 입법자는 비밀선거원칙을 이유로 이를 거부할 수 없다 할 것이다. 그러므로 국외 구역을 항해하는 선박에 장기 기거하는 선원들에 대하여 어떠한 선거권 행사방법도 규정하지 않고 있는 것은 헌법에 합치되지 않는다(2007.6.28, 2005헌마772).

❸ [O] 선거는 국가의 존속과 국민 전체의 이익을 위하여 국가의 공적 업무를 수행할 국민의 대표자를 선출하는 행위이므로 이에 소요되는 비용은 원칙적으로 국가가 부담하는 것이 바람직하다. 특히, 선거에 소요되는 비용을 후보자 개인에게 모두 부담시키는 것은 경제적으로 넉넉하지 못한 자의 입후보를 어렵거나 불가능하게 하여, 국민의 공무담임권을 부당하게 제한함은 물론 유능한 인재가 국가를 위하여 봉사할 수 없게 되는 결과를 초래할 수도 있다. 선거공

영제는 이러한 목적을 위하여 선거의 관리·운영에 필요한 비용을 후보자 개인에게 부담시키지 않고 국민 모두의 공평부담으로 하고자 하는 것이다(2010.5.27, 2008헌마491). 2015년 법행

④ [X] 헌법 제116조 제2항은 "선거에 관한 경비는 법률이 정하는 경우를 제외하고는 정당 또는 후보자에게 부담시킬 수 없다."라고 하여 선거비용의 국가부담원칙을 규정하고 있다. 선거비용을 '원칙적으로 정당 또는 후보자의 기탁금에서 공제하는 것'이 아니다(「공직선거법」 제122조의2 제1항 참조). 2005년 법행 변형

22 정답 ④

① [O] 예비후보자의 선거비용을 보전대상에서 제외하고 있는 「공직선거법」은 예비후보자 선거비용을 보전해줄 경우 선거가 조기에 과열되어 예비후보자제도의 취지를 넘어서 악용될 수 있고, 탈법적인 선거운동 등을 단속하기 위한 행정력의 낭비도 증가할 수 있는 반면, 선거비용 보전 제한조항으로 인하여 후보자가 받는 불이익은 일부 경제적 부담을 지는 것인데, 후원금을 기부받아 선거비용을 지출할 수 있으므로 그 부담이 경감될 수 있다. 따라서 선거비용 보전 제한조항은 법익균형성원칙에도 반하지 않는다. 그러므로 선거비용 보전 제한조항은 청구인들의 선거운동의 자유를 침해하지 않는다(2018.7.26, 2016헌마524 등).

② [O] 이 사건 법률조항은 선거범죄를 억제하고 공정한 선거문화를 확립하고자 하는 목적으로 선거법에 대한 제재를 규정한 것인바, 선거범죄를 범하여 형사처벌을 받은 자에게 가할 불이익에 관하여는 기본적으로 입법자가 결정할 것이고, 이 사건 법률조항이 선고형에 따라 제재대상을 정함으로써 사소하고 경미한 선거범과 구체적인 양형사유가 있는 선거범을 제외하고 있는 등의 사정을 종합해 볼 때, 과잉금지원칙을 위반한 재산권 침해라고 할 수 없다(2011.4.28, 2010헌바232).

③ [O] 선거공영제는 선거 자체가 국가의 공적 업무를 수행할 국민의 대표자를 선출하는 행위이므로 이에 소요되는 비용은 원칙적으로 국가가 부담하는 것이 바람직하다는 점과 선거경비를 개인에게 모두 부담시키는 것은 경제적으로 넉넉하지 못한 자의 입후보를 어렵거나 불가능하게 하여 국민의 공무담임권을 부당하게 제한하는 결과를 초래할 수 있다는 점을 고려하여, 선거의 관리·운영에 필요한 비용을 후보자 개인에게 부담시키지 않고 국민 모두의 공평부담으로 하고자 하는 원칙이다. 한편 선거공영제의 내용은 우리의 선거문화와 풍토, 정치문화 및 국가의 재정상황과 국민의 법감정 등 여러 가지 요소를 종합적으로 고려하여 입법자가 정책적으로 결정할 사항으로서 넓은 입법형성권이 인정되는 영역이라고 할 것이다(2010.5.27, 2008헌마491).

❹ [X] 지방선거사무는 지방자치단체의 자치사무에 해당하지만, 지방선거는 주민의 대의기관을 구성하는 민주적 방법인 동시에 대표기관으로 하여금 민주적 정당성을 확보케 함으로써 대의민주주의를 실현하기 위한 불가결한 수단이라 할 것인 바, 선거와 투표에 대한 관리가 공정하게 이루어지도록 하기 위해서는 선거와 투표관리 등의 집행업무 담당기관을 일반행정기관과는 별도의 독립기관으로 구성하여 지방선거를 관리하도록 할 필요가 있고, 이에 이 사건 지방선거사무도 국가기관인 구·시·군 선거관리위원회가 담당하고 있다. 한편, 구 「지방자치법」이나 「지방재정법」에 비추어 보면, 지방자치단체의 사무를 다른 기관이 맡아 하고 있는 경우에도 그 비용은 원칙적으로 당해 지방자치단체가 부담하여야 할 것이므로 이 사건의 경우와 같이 지방선거의 선거사무를 구·시·군 선거관리위원회가 담당하는 경우에도 그 비용은 지방자치단체가 부담하여야 하고, 이에 피청구인 대한민국 국회가 지방선거의 선거비용을 지방자치단체가 부담하도록 「공직선거법」을 개정한 것은 지방자치단체의 자치권한을 침해한 것이라고 볼 수 없다(2008.6.26, 2005헌라7).

23 정답 ③

ㄱ. [X] 국회의원 선거제도와 지방의회의원선거제도의 제도적 취지가 다르고, 투표가치 평등의 헌법적 의미 역시 다르게 적용되므로, 위 두 선거구 구역표 사이에 통일성을 확보해야 할 특별한 이유는 없다(2014.10.30, 2012헌마190 등).

ㄴ. [O] 선거구의 획정은 사회적·지리적·역사적·경제적·행정적 연관성 및 생활권 등을 고려하여 특단의 불가피한 사정이 없는 한 인접지역이 1개의 선거구를 구성하도록 함이 상당하며, 이 또한 선거구획정에 관한 국회의 재량권의 한계이다(1995.12.27, 95헌마224 등).

ㄷ. [X] 인구편차에 의한 투표가치의 불평등은 이 사건 선거구 구역표 중 용인시 제1, 3, 4선거구 및 군산시 제1선거구 부분의 획정에서 뿐만 아니라 인구비례가 아닌 행정구역별로 시·도의원 정수를 2인으로 배분하고 있는 「공직선거법」 제22조 제1항에서 시원적으로 생기고 있으므로 「공직선거법」 제22조 제1항도 결과적으로 청구인들의 헌법상 보장된 선거권과 평등권을 침해한다고 할 것이다(2007.3.29, 2005헌마985 등).

ㄹ. [X] 선거구구역표는 전체가 유기적 성격을 가지므로 한 선거구가 위헌이면 그 선거구에 한해 위헌인 것이 아니라 전체 선거구가 위헌의 하자를 띠는 것으로 보는 것이 헌법재판소 판례이다. 따라서 한 선거구가 위헌이라도 헌법재판소는 주문에서 전체 선거구 구역표가 위헌이라는 결정을 하고 있다.

ㅁ. [X] 선투표수비율과 의원당선자의 비율이 비례하지 아니한다는 이유만으로 사표가 된 투표를 한 선거권자가 법적으로 차별 받았다거나, 일정한 선거구에서 특정지역의 선거인들이 지지하는 후보가 당선되지 않았다는 사실만으로 바로 선거구획정이 차별적인 것이라고 할 수는 없다. 국회가 형성한 선거구획정은 그것이 자의적이어서 합리성을 결여하고 있음이 명백한 경우가 아닌 한, 헌법에 위반된다고 볼 수는 없기 때문이다(1998.11.26, 96헌마54).

24 정답 ④

① [O]

> **「공직선거법」 제167조 【투표의 비밀보장】** ③ 선거인은 자신이 기표한 투표지를 공개할 수 없으며, 공개된 투표지는 무효로 한다.

② [O]

> **「공직선거법」 제167조 【투표의 비밀보장】** ② 선거인은 투표한 후보자의 성명이나 정당명을 누구에게도 또한 어떠한 경우에도 진술할 의무가 없으며, 누구든지 선거일의 투표마감시각까지 이를 질문하거나 그 진술을 요구할 수 없다. 다만, 텔레비전방송국·라디오방송국·「신문 등의 진흥에 관한 법률」 제2조 제1호 가목 및 나목에 따른 일간신문사가 선거의 결과를 예상하기 위하여 선거일에 투표소로부터 50미터 밖에서 투표의 비밀이 침해되지 않는 방법으로 질문하는 경우에는 그러하지 아니하며 이 경우 투표마감시각까지 그 경위와 결과를 공표할 수 없다.

③ [O] 투표했는지 여부와 투표 결과가 알려지면 비난받거나 또는 매수당할 수 있으므로 투표했는지 여부 어느 후보자에게 투표했는지는 비밀로 한다.

❹ [X] 모사전송 시스템 등 대한민국 국외의 구역을 항해하는 선박에서 장기 기거하는 선원들이 선거권을 행사할 수 있도록 하는 효과적이고 기술적인 방법이 존재함에도 불구하고, 선거의 공정성이나 선거기술상의 이유만을 들어 선거권 행사를 위한 아무런 법적 장치도 마련하지 않

고 있는 것은, 그 입법목적이 국민들의 선거권 행사를 부인할만한 '불가피한 예외적인 사유'에 해당하는 것이라 볼 수 없고, 나아가 기술적인 대체수단이 있음에도 불구하고 선거권을 과도하게 제한하고 있어 피해의 최소성원칙에 위배된다(2007.6.28, 2005헌마772).

25 정답 ②

① [O] 모사전송 시스템을 이용한 선상투표와 같은 제도는 국외를 항해하는 대한민국 선원들의 선거권을 충실히 보장하기 위한 입법수단으로 충분히 수용될 수 있고, 입법자는 비밀선거원칙을 이유로 이를 거부할 수 없다 할 것이다. 그러므로 국외 구역을 항해하는 선박에 장기 기거하는 선원들에 대하여 어떠한 선거권 행사방법도 규정하지 않고 있는 것은 헌법에 합치되지 않는다(2007.6.28, 2005헌마772). 2013년 국회 8급

❷ [X] 심판대상조항으로 인해 청구인이 받는 불이익은 투표보조인이 가족이 아닌 경우 2인을 동반해야 하므로, 투표보조인이 1인인 경우에 비하여 투표의 비밀이 더 유지되기 어렵고, 투표보조인을 추가로 섭외해야 한다는 불편에 불과하므로, 심판대상조항은 법익의 균형성원칙에 반하지 않는다(2020.5.27, 2017헌마867).

③ [O]

> 「공직선거법」 제6조【선거권 행사의 보장】② 각급 선거관리위원회(읍·면·동선거관리위원회는 제외한다)는 선거인의 투표참여를 촉진하기 위하여 교통이 불편한 지역에 거주하는 선거인 또는 노약자·장애인 등 거동이 불편한 선거인에 대한 교통편의 제공에 필요한 대책을 수립·시행하여야 하고, 투표를 마친 선거인에게 국·공립 유료시설의 이용요금을 면제·할인하는 등의 필요한 대책을 수립·시행할 수 있다. 이 경우 공정한 실시방법 등을 정당·후보자와 미리 협의하여야 한다.

④ [O] 자유선거의 원칙은 비록 우리 헌법에 명시되지는 않았지만 민주국가의 선거제도에 내재하는 법원리인 것으로서 국민주권의 원리, 의회민주주의의 원리 및 참정권에 관한 규정에서 그 근거를 찾을 수 있다. 이러한 자유선거의 원칙은 선거의 전 과정에 요구되는 선거권자의 의사형성의 자유와 의사실현의 자유를 말하고, 구체적으로는 투표의 자유, 입후보의 자유, 나아가 이탈의 자유를 뜻한다(1994.7.29, 93헌가4 등).

26 정답 ④

① [O]

> 「공직선거법」 제24조【국회의원 선거구획정위원회】② 국회의원선거구획정위원회는 중앙선거관리위원회에 두되, 직무에 관하여 독립의 지위를 가진다.

② [O]

> 「공직선거법」 제24조【국회의원 선거구획정위원회】① 국회의원지역선거구의 공정한 획정을 위하여 임기만료에 따른 국회의원 선거의 선거일 전 18개월부터 해당 국회의원 선거에 적용되는 국회의원 지역선거구의 명칭과 그 구역이 확정되어 효력을 발생하는 날까지 국회의원 선거구획정위원회를 설치·운영한다.

③ [O] 국회의원이 지역구에서 선출되더라도 추구하는 목표는 지역구의 이익이 아닌 국가 전체의 이익이어야 한다는 원리는 이미 논쟁의 단계를 넘어선 확립된 원칙으로 자리 잡고 있으며, 이러한 원칙은 양원제가 아닌 단원제를 채택하고 있는 우리 헌법하에서도 동일하게 적용된다(2014.10.30, 2012헌마190 등).

❹ [X]

> 「공직선거법」 제24조【국회의원선거구획정위원회】⑦ 국회의원 및 정당의 당원(제1항에 따른 국회의원선거구획정위원회의 설치일부터 과거 1년 동안 정당의 당원이었던 사람을 포함한다)은 위원이 될 수 없다.

27 정답 ②

① [X] 심판대상조항과 달리 선거권 연령 산정기준일을 선거일 이전이나 이후의 특정한 날로 정할 경우, 이를 구체적으로 언제로 할지에 관해 자의적인 판단이 개입될 여지가 있고, 「공직선거법」 제15조 제2항이 개정되어 선거권 연령 자체가 18세로 하향 조정된 점까지 아울러 고려하면, 심판대상조항은 입법형성권의 한계를 벗어나 청구인의 선거권이나 평등권을 침해하지 않는다(2021.9.30, 2018헌마300).

❷ [O] 기탁금제도의 실효성을 확보하기 위해서는 기탁금 반환에 대하여 일정한 요건을 정하여야 하는데, 유권자의 의사가 반영된 유효투표 총수를 기준으로 하는 것은 합리적인 방법이며, 유효투표 총수의 100분의 10 또는 15 이상을 득표하도록 하는 것이 지나치게 높은 기준이라고 보기 어려우므로, 기탁금 반환조항은 청구인의 평등권을 침해하지 아니한다(2021.9.30, 2020헌마899).

③ [X] 정부가 출연을 하였을 뿐 출자를 하지 않아 지분을 가지고 있지 않은 ○○정책연구원은 '정부가 100분의 50 이상의 지분을 가지고 있는 기관'에 해당하지 않으므로 ○○정책연구원의 원장 직을 국회의원 선거일 30일이 경과한 후 그만두고 국회의원 후보로 등록하여 당선된 자에게 당선무효사유가 존재하지 않는다. 그러므로 중앙선거관리위원회가 당선무효를 공고하고 통지할 「공직선거법」상 의무도 존재하지 아니한다. 따라서 청구인이 다투는 중앙선거관리위원회의 부작위는 헌법소원의 대상이 되는 공권력의 불행사에 해당되지 아니한다(2021.8.31, 2020헌마802).

④ [X] 선거운동방법의 다양화로 포괄적인 규제조항을 두는 것이 불가피한 측면이 있다. 선거운동이 금지되는 기간은 선거일 0시부터 투표마감시각 전까지로 하루도 채 되지 않고, 선거일 전일까지 선거운동기간 동안 선거운동이 보장되는 등 사정을 고려하면, 이 사건 처벌조항으로 인해 제한되는 정치적 표현의 자유가 선거운동의 과열을 방지하고 유권자의 올바른 의사형성에 대한 방해를 방지하는 공익에 비해 더 크다고 보기 어렵다. 따라서 이 사건 처벌조항이 과잉금지원칙을 위반하여 정치적 표현의 자유를 침해한다고 할 수 없다(2021.12.23, 2018헌바152).

28 정답 ①

❶ [O] 지방교육자치에도 '교육의 자주성·전문성·정치적 중립성'이 요구되는 점에 비추어 교육감선거에 있어 선거운동을 제한하더라도 과도한 제한으로 볼 수 없으므로, 교육공무원에 대한 선거운동금지가 과잉금지원칙에 위반되지 않는다(2019.11.28, 2018헌마222).

② [X]

> 「공직선거법」 제2조【적용범위】이 법은 대통령 선거·국회의원 선거·지방의회의원 및 지방자치단체의 장의 선거에 적용한다.

③ [X] 선거에서도 합리적 이유가 있는 차별은 허용된다.

④ [X] 선거권 연령의 구분이 입법자의 몫이라 하여도, 선거권 연령에 이르지 못한 국민들의 선거권이 제한되고 그들과 선거권 연령 이상의 국민들 사이에 차별취급이 발생하므로, 이에 관한 입법은 국민의 기본권을 보장하여야 한다는 헌법의 기본이념과 연령에 의한 선거권 제한을 인정하는 보통선거제도의 취지에 따라 합리적인 이유와 근거에 터잡아 합목적적으로 이루어져야 할 것이며, 그렇지 아니한 자의적 입법은 헌법상 허용될 수 없는 것이다(1997.6.26, 96헌마89).

29 정답 ①

❶ [X] 이 사건의 경우 청구인에 대하여 「산림법」 위반의 죄의 벌금형에 「공직선거법」 위반의 죄의 벌금형을 경합가중하여 벌금 150만원으로 형을 정한 것은 청구인의 선거권과 피선거권을 제한하려는 법원의 판단이 내재된 것으로 보지 않을 수 없다. 따라서 이 사건 법률조항은 입법목적 달성을 위하여 입법부에게 부여된 선택의 범위내로 합리적인 이유와 근거가 있다 할 것이고, 「공직선거법」 위반의 죄와 선거범 아닌 죄에 대하여 따로 재판을 하는 경우와 경합범으로 재판하는 경우와를 비교하여 현저히 불합리하게 차별하는 불공정한 자의적인 입법이라고 단정할 수 없고 입법부에 주어진 합리적인 재량의 한계를 벗어난 것으로 볼 수도 없는 것이다(1997.12.24, 97헌마16).

② [O] 당선무효조항은 결과적으로 국민이 직접 선출한 국회의원이라는 신분을 법원의 100만 원 이상 벌금형 선고로써 박탈할 수 있도록 한 것이고, 이는 국민이 선출한 국회의원 신분의 상실이라는 중대한 법익의 침해에 관련되는 것이므로, 당선무효조항에 의한 공무담임권의 제한에 대하여는 그에 상응하는 비례의 원칙 심사가 엄격하게 이루어져야 한다(2011.12.29, 2009헌마476).

③ [O] 민주주의 국가에서 국민주권과 대의제 민주주의의 실현수단으로서 선거권이 갖는 이 같은 중요성으로 인해 한편으로 입법자는 선거권을 최대한 보장하는 방향으로 입법을 하여야 하며, 또 다른 한편에서 선거권을 제한하는 법률의 합헌성을 심사하는 경우에는 그 심사의 강도도 엄격하여야 한다(2014.1.28, 2012헌마409 등).

④ [O] 선거권은 법률이 정하는 바에 의하여 보장되는 것으로서 선거법의 제정에 따라 비로소 구체화된다. 그런데 개표절차에 이 사건 투표지분류기 등과 같은 기계장치 및 전산조직을 이용할 것인지의 문제는 기본적으로 입법자가 국민의 의식수준, 선거풍토, 개표를 위한 기술적 수준, 개표환경 등 여러 가지 사항을 종합하여 결정하는 것이다. 결국 이 사건 투표지분류기 등 이용 문제는 선거권 자체의 제한이라기보다, 선거권 행사를 위해 요구되는 개표절차를 입법을 통해 형성하는 것으로서 입법정책에 속하는 문제다. 따라서 입법권이 자의적으로 행사되어 현저하게 불합리하고 불공정한 입법이 되었다고 인정되지 않는 한 헌법에 위반된다고 볼 수 없다(2013.8.29, 2012헌마326).

30 정답 ③

ㄱ. [O] ㄴ. [O] 2011년 법무사, 2019년 행시

> 「공직선거법」 제18조 【선거권이 없는 자】 ① 선거일 현재 다음 각 호의 어느 하나에 해당하는 사람은 선거권이 없다.
> 3. 선거범, 「정치자금법」 제45조(정치자금부정수수죄) 및 제49조(선거비용 관련 위반행위에 관한 벌칙)에 규정된 죄를 범한 자 또는 대통령·국회의원·지방의회의원·지방자치단체의 장으로서 그 재임중의 직무와 관련하여 「형법」(「특정범죄 가중처벌 등에 관한 법률」 제2조에 의하여 가중처벌되는 경우를 포함한다) 제129조(수뢰, 사전수뢰) 내지 제132조(알선수뢰)·「특정범죄 가중처벌 등에 관한 법률」 제3조(알선수재)에 규정된 죄를 범한 자로서, 100만 원 이상의 벌금형의 선고를 받고 그 형이 확정된 후 5년 또는 형의 집행유예의 선고를 받고 그 형이 확정된 후 10년을 경과하지 아니하거나 징역형의 선고를 받고 그 집행을 받지 아니하기로 확정된 후 또는 그 형의 집행이 종료되거나 면제된 후 10년을 경과하지 아니한 자(형이 실효된 자도 포함한다)

ㄷ. [X] 선거범으로서, 100만 원 이상의 벌금형의 선고를 받고 그 형이 확정된 후 5년 또는 형의 집행유예의 선고를 받고 그 형이 확정된 후 10년을 경과하지 아니하거나 징역형의 선고를 받고 그 집행을 받지 아니하기로 확정된 후 또는 그 형의 집행이 종료되거나 면제된 후 10년을 경과하지 아니한 자(형이 실효된 자도 포함)를 선거범으로 의제함으로써 선거권 및 피선거권이 제한되도록 한 것은 과잉제한금지원칙에 위반되지 아니한다(1997.12.24, 97헌마16). 2018년 국가 7급

ㄹ. [X] 「국민투표법」 위반은 선거범이므로 「공직선거법」 제18조 제1항 제3호가 적용된다. 벌금형이 확정된 후 5년이 지나야 선거권이 있는데, 4년 밖에 지나지 않았으므로 선거권이 없다. 2017년 서울 7급

ㅁ. [X] 「정치자금법」 제45조(정치자금부정수수죄) 위반 범죄는 「공직선거법」 제18조 제1항 제3호가 적용된다. 10년이 경과했어야 선거권이 있는데, 9년 밖에 경과하지 않았으므로 선거권이 없다. 2017년 서울 7급

31 정답 ①

❶ [O] 단지 주민등록이 되어 있는지 여부에 따라 선거인명부에 오를 자격을 결정하여 그에 따라 선거권 행사 여부가 결정되도록 함으로써 엄연히 대한민국의 국민임에도 불구하고 「주민등록법」상 주민등록을 할 수 없는 재외국민의 선거권 행사를 전면적으로 부정하고 있는 법 제37조 제1항은 어떠한 정당한 목적도 찾기 어려우므로 헌법 제37조 제2항에 위반하여 재외국민의 선거권과 평등권을 침해하고 보통선거원칙에도 위반된다(2007.6.28, 2004헌마644 등). 2008년 사시 변형

② [X] 입법자는 재외선거제도를 형성하면서, 잦은 재·보궐선거는 재외국민으로 하여금 상시적인 선거체제에 직면하게 하는 점, 재외 재·보궐선거의 투표율이 높지 않을 것으로 예상되는 점, 재·보궐선거 사유가 확정될 때마다 전 세계 해외공관을 가동하여야 하는 등 많은 비용과 시간이 소요된다는 점을 종합적으로 고려하여 재외선거인에게 국회의원의 재·보궐선거권을 부여하지 않았다고 할 것이고, 이와 같은 선거제도의 형성이 현저히 불합리하거나 불공정하다고 볼 수 없다. 따라서 재외선거인 등록신청조항은 재외선거인의 선거권을 침해하거나 보통선거원칙에 위배된다고 볼 수 없다(2014.7.24, 2009헌마256 등). 2021년 경찰승진

③ [X] 입법자가 선거 공정성 확보의 측면, 투표용지 배송 등 선거기술적인 측면, 비용 대비 효율성의 측면을 종합적으로 고려하여, 인터넷투표방법이나 우편투표방법을 채택하지 아니하고 원칙적으로 공관에 설치된 재외투표소에 직접 방문하여 투표하는 방법을 채택한 것이 현저히 불공정하고 불합리하다고 볼 수는 없으므로, 재외선거투표절차조항은 재외선거인의 선거권을 침해하지 아니한다(2014.7.24, 2009헌마256 등). 2015년 법행

④ [X] 재외국민으로서 「주민등록법」에 따라 주민등록표에 3개월 이상 계속하여 올라 있는 자는 대통령 선거권과 국회의원 선거권도 가진다.

32 　　　　정답 ②

① [○] 직업이나 학문 등의 사유로 자진 출국한 자들이 선거권을 행사하려고 하면 반드시 귀국해야 하고 귀국하지 않으면 선거권 행사를 못하도록 하는 것은 헌법이 보장하는 해외체류자의 국외 거주·이전의 자유, 직업의 자유, 공무담임권, 학문의 자유 등의 기본권을 희생하도록 강요한다는 점에서 부적절하며, 가속화되고 있는 국제화시대에 해외로 이주하여 살 가능성이 높아지고 있는 상황에서, 그것이 자발적 계기에 의해 이루어졌다는 이유만으로 국민이면 누구나 향유해야 할 가장 기본적인 권리인 선거권의 행사가 부인되는 것은 타당성을 갖기 어렵다는 점에 비추어 볼 때, 선거인명부에 오를 자격이 있는 국내거주자에 대해서만 부재자신고를 허용함으로써 재외국민과 단기해외체류자 등 국외거주자 전부의 국정선거권을 부인하고 있는 법 제38조 제1항은 정당한 입법목적을 갖추지 못한 것으로 헌법 제37조 제2항에 위반하여 국외거주자의 선거권과 평등권을 침해하고 보통선거원칙에도 위반된다(2007.6.28, 2004헌마644). 2016년 지방 7급

❷ [X] 선거인명부에 오를 자격이 있는 국내거주자에 대해서만 부재자신고를 허용함으로써 재외국민과 단기해외체류자 등 국외거주자 전부의 국정선거권을 부인하고 있는 법 제38조 제1항은 정당한 입법목적을 갖추지 못한 것으로 헌법 제37조 제2항에 위반하여 국외거주자의 선거권과 평등권을 침해하고 보통선거원칙에도 위반된다(2007.6.28, 2004헌마644). 2009년 국회 8급

③ [○]

> **헌법 제65조** ④ 탄핵결정은 공직으로부터 파면함에 그친다. 그러나, 이에 의하여 민사상이나 형사상의 책임이 면제되지는 아니한다.
>
> **제68조** ② 대통령이 궐위된 때 또는 대통령 당선자가 사망하거나 판결 기타의 사유로 그 자격을 상실한 때에는 60일 이내에 후임자를 선거한다.

④ [○]

> **「공직선거법」 제35조 【보궐선거 등의 선거일】** ① 대통령의 궐위로 인한 선거 또는 재선거(제3항의 규정에 의한 재선거를 제외한다. 이하 제2항에서 같다)는 그 선거의 실시사유가 확정된 때부터 60일 이내에 실시하되, 선거일은 늦어도 선거일 전 50일까지 대통령 또는 대통령권한대행자가 공고하여야 한다.

33 　　　　정답 ③

① [○] 당내경선에도 직접·평등·비밀투표 등 일반적인 선거원칙이 그대로 적용되고 대리투표는 허용되지 않는다(대판 2013.11.28, 2013도5117). 2015년 국가 7급

② [○] **여론조사 결과를 반영한 정당의 후보자추천**

정당이 공권력 행사의 주체가 아니고, 정당의 대통령 선거 후보선출은 자발적 조직 내부의 의사결정에 지나지 아니하므로, 청구인들 주장과 같이 한나라당이 대통령 선거 후보경선과정에서 여론조사 결과를 반영한 것을 일컬어 헌법소원심판의 대상이 되는 공권력의 행사에 해당한다 할 수 없다(2007.10.30, 2007헌마1128). 2016년 소방간부

❸ [X] 2014년 국회 8급

> **「공직선거법」 제57조의2 【당내경선의 실시】** ② 정당이 당내경선[당내경선(여성이나 장애인 등에 대하여 당헌·당규에 따라 가산점 등을 부여하여 실시하는 경우를 포함한다)의 후보자로 등재된 자(이하 '경선후보자'라 한다)를 대상으로 정당의 당헌·당규 또는 경선후보자간의 서면합의에 따라 실시한 당내경선을 대체하는 여론조사를 포함한다]을 실시하는 경우 경선후보자로서 당해 정당의 후보자로 선출되지 아니한 자는 당해 선거의 같은 선거구에서는 후보자로 등록될 수 없다. 다만, 후보자로 선출된 자가 사퇴·사망·피선거권 상실 또는 당적의 이탈·변경 등으로 그 자격을 상실한 때에는 그러하지 아니하다.

④ [○] 경선을 포기한 대통령 선거 경선후보자에 대하여도 정치자금의 적정한 제공이라는 입법목적을 실현할 필요가 있는 것이며, 이들에 대하여 후원회로부터 지원받은 후원금 총액을 회수함으로써 경선에 참여한 대통령 선거 경선후보자와 차별하는 이 사건 법률조항의 차별은 합리적인 이유가 있는 차별이라고 하기 어렵다(2009.12.29, 2007헌마1412). 2015년 변시

34 　　　　정답 ③

① [○] 외국인에 대한 부분은 옳은 지문이다(「공직선거법」 제60조 제1항 제1호 단서 참조)

② [○] (1) 「공직선거법」 제60조 제1항 단서에서 제1호에 해당하는 사람(외국인)이 예비후보자·후보자의 배우자인 경우에는 그러하지 아니한다고 규정하고 있어 선거운동이 가능하다.

(2) 「공직선거법」 제60조 제1항 단서에서 제4호부터 제8호까지의 규정에 해당하는 사람이 예비후보자·후보자의 배우자이거나 후보자의 직계존비속인 경우에는 그러하지 아니하다고 규정하고 있어 제4호의 경력직 공무원이 선거운동할 수 있다.

❸ [X] 미성년자의 경우에는 「공직선거법」 제60조 제1항 단서에서 예외를 규정하고 있지 않아 선거운동이 전면 금지되어 있다.

④ [○] 「공직선거법」 제60조 제1항 제4호 단서에서 국회의원과 지방의회의원외의 정무직공무원의 선거운동이 금지되어 있다.

35 　　　　정답 ①

❶ [X] 국회 회의 방해죄의 경우 「공직선거법」 제18조 제1항 제2호가 적용되어 1년 이상의 징역 또는 금고의 형의 선고를 받고 집행 중인 자는 선거권을 가지지 않는다.

② [○] 국회 회의 방해죄의 경우 「공직선거법」 제19조 제4호 다목이 적용되어 형집행 후 10년이 경과되지 않으면 피선거권을 가지지 못한다.

③ [○] 국회 회의 방해죄의 경우 「공직선거법」 제18조 제1항 제2호가 적용되므로 선거권을 가진다. 국회 회의 방해죄의 경우 「공직선거법」 제19조 제4호 가목이 적용되어 국회 회의 방해죄로 500만 원 이상의 벌금형이 확정되면 피선거권을 상실한다.

④ [○] 국회 회의 방해죄의 경우 「공직선거법」 제18조 제1항 제2호 단서가 적용되어 징역 2년의 집행유예 3년형이 확정된 경우 선거권을 가진다. 그러나 국회 회의 방해죄의 경우 「공직선거법」 제19조 제4호 나목이 적용되어 피선거권을 상실한다.

36

정답 ③

① [O] 당선자의 결정방식은 사회적, 경제적, 기술적 여건 등 여러 가지 요건을 종합적으로 고려하여 입법자가 결정할 사항으로 입법형성의 자유가 인정되는 부분이며, 당선인이 반드시 일정비율 이상의 득표를 해야 민주적 정당성이나 대표성을 획득한다고 볼 수도 없다(2016.10.27, 2014헌마797).

② [O] 후보자가 1명일 경우에도 투표를 실시하도록 하면 당선자가 없어 재선거를 하게 되는 경우도 발생할 수 있는데 이 경우 재선거 실시에 따르는 새로운 후보자 확보가능성의 문제, 행정적인 번거로움과 시간·비용의 낭비는 물론이고 지방자치단체의 장 업무의 공백 역시 필연적으로 뒤따르게 된다. 입법자가 위와 같은 사정을 고려하여 후보자가 1명일 경우 투표를 실시하지 않고 해당 후보자를 지방자치단체의 장 당선자로 정하도록 결단한 것은 입법목적 달성에 필요한 범위를 넘은 과도한 제한이라 할 수 없으므로 심판대상조항은 청구인의 선거권을 침해하지 않는다(2016.10.27, 2014헌마797).

❸ [X] 비례대표제는 그것이 적절히 운용될 경우 사회세력에 상응한 대표를 형성하고, 정당정치를 활성화하며, 정당간의 경쟁을 촉진하여 정치적 독점을 배제하는 장점을 가질 수 있다.

④ [O] 다수대표제는 일반적으로 소선거구제와 결합되고 소수대표제는 일반적으로 대선거구제와 결합된다. 우리나라에서 국회의원 선거, 시·도의원 선거는 소선거구제이고, 시·군·구의원 선거는 중선거구제이다.

37

정답 ③

① [X] 「공직선거법」은 지방의회의원 및 지방자치단체의 장의 선거에서는 소청절차를 경유하지 아니하면 선거소송을 할 수 없도록 하고 있다. 2015년 지방 7급

> 「공직선거법」 제222조 【선거소송】 ② 지방의회의원 및 지방자치단체의 장의 선거에 있어서 선거의 효력에 관한 제220조의 결정에 불복이 있는 소청인(당선인을 포함한다)은 해당 소청에 대하여 기각 또는 각하 결정이 있는 경우(제220조 제1항의 기간 내에 결정하지 아니한 때를 포함한다)에는 해당 선거구선거관리위원회 위원장을, 인용결정이 있는 경우에는 그 인용결정을 한 선거관리위원회 위원장을 피고로 하여 그 결정서를 받은 날부터 10일 이내에 비례대표 시·도의원 선거 및 시·도지사 선거에 있어서는 대법원에, 지역구 시·도의원 선거, 자치구·시·군의원 선거 및 자치구·시·군의 장 선거에 있어서는 그 선거구를 관할하는 고등법원에 소를 제기할 수 있다.

② [X] 소청절차는 지방선거에 있으며 대통령 선거와 국회의원 선거에는 없다.

> 「공직선거법」 제222조 【선거소송】 ① 대통령 선거 및 국회의원 선거에 있어서 선거의 효력에 관하여 이의가 있는 선거인·정당(후보자를 추천한 정당에 한한다) 또는 후보자는 선거일부터 30일 이내에 당해 선거구선거관리위원회 위원장을 피고로 하여 대법원에 소를 제기할 수 있다.

❸ [O] 2001년 사시

> 「공직선거법」 제223조 【당선소송】 ① 대통령 선거 및 국회의원 선거에 있어서 당선의 효력에 이의가 있는 정당(후보자를 추천한 정당에 한한다) 또는 후보자는 당선인결정일부터 30일 이내에 제52조 제1항·제3항 또는 제192조 제1항부터 제3항까지의 사유에 해당함을 이유로 하는 때에는 당선인을, 제187조(대통령 당선인의 결정·공고·통지) 제1항·제2항, 제188조(지역구국회의원 당선인의 결정·공고·통지) 제1항 내지 제4항, 제189조(비례대표국회의원 의석의 배분과 당선인의 결정·공고·통지) 또는 제194조(당선인의 재결정과 비례대표국회의원 의석 및 비례대표지방의회의원 의석의 재배분) 제4항의 규정에 의한 결정의 위법을 이유로 하는 때에는 대통령 선거에 있어서는 그 당선인을 결정한 중앙선거관리위원회 위원장 또는 국회의장을, 국회의원 선거에 있어서는 당해 선거구선거관리위원회 위원장을 각각 피고로 하여 대법원에 소를 제기할 수 있다.

④ [X] ⑤ [X] 2012년 법무사, 2021년 경찰승진

> 「공직선거법」 제222조 【선거소송】 ① 대통령 선거 및 국회의원 선거에 있어서 선거의 효력에 관하여 이의가 있는 선거인·정당(후보자를 추천한 정당에 한한다) 또는 후보자는 선거일부터 30일 이내에 당해 선거구선거관리위원회 위원장을 피고로 하여 대법원에 소를 제기할 수 있다.

38

정답 ③

ㄱ. [X] 정당의 경우 후보자를 추천한 정당에 한한다. 2017년 법행

> 「공직선거법」 제222조 【선거소송】 ① 대통령 선거 및 국회의원 선거에 있어서 선거의 효력에 관하여 이의가 있는 선거인·정당(후보자를 추천한 정당에 한한다) 또는 후보자는 선거일부터 30일 이내에 당해 선거구선거관리위원회 위원장을 피고로 하여 대법원에 소를 제기할 수 있다.

ㄴ. [O] 당선무효소송이라고 하는 것은 선거가 하자 없이 적법 유효하게 실시된 것을 전제로 선거관리위원회의 당선인 결정만이 잘못되었다고 하는 경우에 그 당선인 결정의 무효를 청구하는 소송인 바 이 사건에서는 동해시 선거관리위원회가 피고 홍○○의 후보등록신청이 위 설시와 같이 위법인 것을 간파하지 못하고 그 등록을 유효로 보아 입후보자가 4인 것으로 하여 투표하도록 하였으니 그 선거의 관리와 집행은 위법이라고 할 수 밖에 없는 것이고 그 위법은 선거의 결과에 영향이 미쳤다고 봄이 상당하므로 적법유효한 선거관리로 투표가 실시된 것을 전제로 하는 당선무효소송은 받아들일 수 없다(대판 1989.3.14, 88수47). 2012년 법무사

ㄷ. [X] 당선소송(「공직선거법」 제223조)은 당선의 효력(개표부정이나 착오 등)에 관하여 이의가 있을 때 정당, 후보자가 제기하는 소송인 반면, 선거소송(「공직선거법」 제222조)은 선거의 효력(전부나 일부무효)에 관하여 이의가 있을 때 선거인, 정당, 후보자가 제기하는 소송을 말한다. 2012년 국회 8급

ㄹ. [X] 2018년 경찰승진

> 「공직선거법」 제223조 【당선소송】 ① 대통령 선거 및 국회의원 선거에 있어서 당선의 효력에 이의가 있는 정당(후보자를 추천한 정당에 한한다) 또는 후보자는 당선인결정일부터 30일 이내에 제52조(등록무효) 제1항·제3항 또는 제192조 제1항부터 제3항까지의 사유에 해당함을 이유로 하는 때에는 당선인을, 제187조(대통령당선인의 결정·공고·통지) 제1항·제2항, 제188조(지역구국회의원당선인의 결정·공고·통지) 제1항 내지 제4항, 제189조(비례대표국회의원 의석의 배분과 당선인의 결정·공고·통지) 또는 제194조(당선인의 재결정과 비례대표국회의원 의석 및 비례대표지방의회의원 의

석의 재배분) 제4항의 규정에 의한 결정의 위법을 이유로 하는 때에는 대통령 선거에 있어서는 그 당선인을 결정한 중앙선거관리위원회 위원장 또는 국회의장을, 국회의원 선거에 있어서는 당해 선거구선거관리위원회 위원장을 각각 피고로 하여 대법원에 소를 제기할 수 있다.

39 정답 ②

① [O] 지방의회의원이 정당을 대표하며, 선거운동의 주체로서 그에게는 선거에서의 정치적 중립성이 요구될 수 없으므로, 선거 결과에 영향을 미치는 행위를 금지하는 「공직선거법」 제9조의 공무원에 포함되지 않는다고 해석된다(2020.3.26, 2018헌바3).

❷ [X] 구 「공직선거법」 제85조 제2항이 지방의회의원에 대한 명시적인 배제규정을 두고 있지 않음에도 불구하고, 공무원의 지위를 이용한 선거운동이 금지되는 대상에서 지방의회의원이 제외된다고 해석할 수 없다(2020.3.26, 2018헌바3).

③ [O] 선거에서의 공무원의 정치적 중립의무는 국민 전체에 대한 봉사자로서 공무원의 지위를 규정하는 헌법 제7조 제1항, 자유선거원칙을 규정하는 헌법 제41조 제1항, 제67조 제1항 및 정당의 기회균등을 보장하는 헌법 제116조 제1항으로부터 나오는 헌법적 요청이다. 특히 직무의 기능이나 영향력을 이용하여 선거에서 국민의 자유로운 의사형성과정에 영향을 미치고 정당간의 경쟁관계를 왜곡할 가능성은 정부나 지방자치단체의 집행기관에 있어서 더욱 크므로, 대통령, 지방자치단체의 장 등에게는 다른 공무원보다도 선거에서의 정치적 중립성이 특히 요구된다(2020.3.26, 2018헌바90).

④ [O] 국회의원이나 지방의회의원은 그 지휘·감독을 받는 공무원 조직이 없어 공무원의 선거관리에 영향을 미칠 가능성이 높지 않으므로 국회의원과 지방의회의원이 지방자치단체의 장과 달리 심판대상조항의 적용을 받지 않는 것은 합리적인 차별이라고 할 것이어서, 심판대상조항은 평등원칙에 반하지 않는다(2020.3.26, 2018헌바90).

40 정답 ①

❶ [O] 경선운동을 위해 확성장치를 사용하여 지지호소행위를 할 수 있다고 볼 수 없음은 명백하다. 그렇다면 경선운동방법조항들이 죄형법정주의 명확성원칙에 위배된다고 할 수 없다(2019.4.11, 2016헌바458, 2017헌바219 등).

② [X] 확성장치를 사용한 지지호소행위가 금지되는 것을 비롯하여 경선운동방법이 엄격하게 제한되고 있기는 하나, 허용되는 방법을 통해서도 충분히 경선후보자가 자신의 능력이나 자질, 공약 등을 알릴 수 있는 기회가 보장되어 있으므로, 경선운동방법조항들이 과잉금지원칙을 위반하여 정치적 표현의 자유를 침해한다고 할 수 없다(2019.4.11, 2016헌바458 등).

「공직선거법」 제58조 【정의 등】 ② 누구든지 자유롭게 선거운동을 할 수 있다. 그러나 이 법 또는 다른 법률의 규정에 의하여 금지 또는 제한되는 경우에는 그러하지 아니하다.

③ [X] 당내경선의 형평성과 공정성을 확보하기 위한 심판대상조항의 목적의 정당성 및 수단의 적합성이 인정된다. 그러나 이 사건 공단의 상근직원은 이 사건 공단의 경영에 관여하거나 실질적인 영향력을 미칠 수 있는 권한을 가지고 있지 아니하므로, 경선운동을 한다고 하여 그로 인한 부작용과 폐해가 크다고 보기 어렵다. 또한 「공직선거법」은 이미 이 사건 공단의 상근직원이 당내경선에 직·간접적으로 영향력을 행사하는 행위들을 금지·처벌하는 규정들을 마련하고 있다. 이 사건 공단의 상근직원이 그 지위를 이용하여 경선운동을 하는 행위를 금지·처벌하는 규정을 두는 것은 별론으로 하고, 이 사건 공단의 상근직원의 경선운동을 일률적으로 금지·처벌하는 것은 정치적 표현의 자유를 과도하게 제한하는 것이다. 정치적 표현의 자유의 중대한 제한에 비하여, 이 사건 공단의 상근직원이 당내경선에서 공무원에 준하는 영향력이 있다고 볼 수 없는 점 등을 고려하면 심판대상조항이 당내경선의 형평성과 공정성의 확보라는 공익에 기여하는 바가 크다고 보기 어렵다. 따라서 심판대상조항은 과잉금지원칙에 반하여 정치적 표현의 자유를 침해한다(2021.4.29, 2019헌가11).

④ [X] 당내경선은 공직선거 자체와는 구별되는 정당 내부의 자발적인 의사결정에 해당하고, 경선운동은 원칙적으로 공직선거에서의 당선 또는 낙선을 위한 행위인 선거운동에 해당하지 않는다. 따라서 당내경선의 형평성과 공정성을 담보하기 위해서 국가가 개입하여야 하는 정도가 공직선거와 동등하다고 보기 어려우므로, 심판대상조항이 과잉금지원칙에 반하는지 여부를 판단할 때에는 엄격한 심사기준이 적용되어야 한다(2021.4.29, 2019헌가11).

6회 중간 테스트

공무담임권 ~ 환경권

정답

01	②	02	①	03	④	04	①
05	②	06	③	07	④	08	②
09	②	10	④	11	③	12	③
13	④	14	③	15	⑤	16	④
17	①	18	②	19	④	20	①
21	①	22	③	23	④	24	①
25	③	26	②	27	②	28	②
29	③	30	①	31	①	32	①
33	①	34	①	35	②	36	④
37	③	38	①	39	①	40	④

01 정답 ②

① [O] 당선무효조항은 결과적으로 국민이 직접 선출한 국회의원이라는 신분을 법원의 100만 원 이상 벌금형 선고로써 박탈할 수 있도록 한 것이고, 이는 국민이 선출한 국회의원 신분의 상실이라는 중대한 법익의 침해에 관련되는 것이므로, 당선무효조항에 의한 공무담임권의 제한에 대하여는 그에 상응하는 비례의 원칙 심사가 엄격하게 이루어져야 한다(2011.12.29, 2009헌마476).

❷ [X] 심판대상조항은 국회의원으로 당선된 자에게 사립대학 교원의 직에서 사직할 의무를 부과하고 있어 사립대학 교원이라는 직업선택의 자유를 제한함과 동시에, 청구인과 같이 사립대학 교원의 직에 있는 상태에서 향후 국회의원 선거에 출마하려는 자에게는 국회의원 출마 자체를 주저하게 만듦으로써 공무담임권의 행사에 적지 않은 위축효과도 가져온다. 따라서 이 사건 심판대상조항은 공무담임권과 직업선택의 자유라는 두 가지 기본권을 모두 제한하고 있다(2015.4.30, 2014헌마621). 2017년 서울 7급

③ [O] 지방교육에 있어서 경력요건과 교육전문가의 참여 범위에 관한 입법재량의 범위를 일탈하여 그 합리성이 결여되어 있다거나 필요한 정도를 넘어 청구인들의 공무담임권을 침해하는 것이라 볼 수 없다(2020.9.24, 2018헌마444).

④ [O] 이 사건 법률조항과 같이 그 퇴직 후 일정 기간 동안 공직에의 임명을 제한하는 특별규정이 존재하지 아니하며, 검찰총장이나 경찰청장의 경우 그 퇴직 후 공직취임 등을 제한하도록 규정하였던 유사 법률조항들은 이미 우리 재판소가 모두 위헌이라고 결정하여 효력을 상실한 바 있다. 따라서 이 사건 법률규정이 유독 국가인권위원회 위원에 대해서만 퇴직한 뒤 일정 기간 공직에 임명되거나 선거에 출마할 수 없도록 제한한 것은 아무런 합리적 근거 없이 동 위원이었던 자만을 차별하는 것으로서 공무담임권 및 평등의 원칙에도 위배된다(2004.1.29, 2002헌마788). 2012년 국회 9급

02 정답 ①

❶ [O] 공무원의 보수 등은 국가예산에서 지급되는 것이므로 헌법 제54조에 따라 예산안 심의·확정권한을 가진 국회가 예산상의 고려가 함께 반영된 법률로써 공무원의 근무조건을 정하도록 할 필요가 있기 때문이다. 그리고 「공무원보수규정」 제31조에 따라 공무원의 수당 등 보수는 예산의 범위에서 지급되는데, 여기서 '예산의 범위에서'란 문제 되는 보수항목이 국가예산에 계상되어 있을 것을 요한다는 의미이다. 이와 같이 공무원 보수 등 근무조건은 법률로 정하여야 하고, 국가예산에 계상되어 있지 아니하면 공무원 보수의 지급이 불가능한 점 등에 비추어 볼 때, 공무원이 국가를 상대로 실질이 보수에 해당하는 금원의 지급을 구하려면 공무원의 '근무조건 법정주의'에 따라 국가공무원법령 등 공무원의 보수에 관한 법률에 지급근거가 되는 명시적 규정이 존재하여야 하고, 나아가 해당 보수 항목이 국가예산에도 계상되어 있어야만 한다(대판 2016.8.25, 2013두14610).

② [X] 기본권 보장은 '최대한 보장의 원칙'이 적용됨에 반하여, 제도적 보장은 그 본질적 내용을 침해하지 아니하는 범위 안에서 입법자에게 제도의 구체적 내용과 형태의 형성권을 폭넓게 인정한다는 의미에서 '최소한 보장의 원칙'이 적용될 뿐이다(1997.4.24, 95헌바48). 2021년 소방간부

③ [X] 헌법 제7조 제1항의 공무원은 최광의의 공무원이나 헌법 제7조 제2항의 신분이 보장되는 공무원은 경력직공무원이다. 2011년 국가 7급

> **관련 판례** 직업공무원제도에서 말하는 공무원은 국가 또는 공공단체와 근로관계를 맺고 이른바 공법상 특별관계 아래 공무를 담당하는 것을 직업으로 하는 협의의 공무원을 말하며 정치적 공무원이라든가 임시직 공무원은 포함되지 아니한다(1989.12.18, 89헌마32 등).

④ [X] 헌법 제25조는 … 공무담임권을 보장하고 있는바, 공무담임권은 각종 선거에 입후보하여 당선될 수 있는 피선거권과 공직에 임명될 수 있는 공직취임권을 포괄하고 있다. 공무담임권도 국가안전보장·질서유지 또는 공공복리를 위하여 필요한 경우 법률로써 제한될 수 있으나 그 경우에도 이를 불평등하게 또는 과도하게 침해하거나 본질적인 내용을 침해하여서는 아니 된다. 선거직공직과 달리 직업공무원에게는 정치적 중립성과 더불어 효율적으로 업무를 수행할 수 있는 능력이 요구되므로, 직업공무원으로의 공직취임권에 관하여 규율함에 있어서는 임용희망자의 능력·전문성·적성·품성을 기준으로 하는 이른바 능력주의 또는 성과주의를 바탕으로 하여야 한다. 헌법은 이 점을 명시적으로 밝히고 있지 아니하지만, 헌법 제7조에서 보장하는 직업공무원제도의 기본적 요소에 능력주의가 포함되는 점에 비추어 헌법 제25조의 공무담임권조항은 모든 국민이 누구나 그 능력과 적성에 따라 공직에 취임할 수 있는 균등한 기회를 보장함을 내용으로 한다고 할 것이다. … 따라서 공직자 선발에 관하여 능력주의에 바탕한 선발기준을 마련하지 아니하고 해당 공직이 요구하는 직무수행능력과 무관한 요소, 예컨대 성별·종교·사회적 신분·출신지역 등을 기준으로 삼는 것은 국민의 공직취임권을 침해하는 것이 된다. 다만, 헌법의 기본원리나 특정 조항에 비추어 능력주의원칙에 대한 예외를 인정할 수 있는 경우가 있다. 그러한 헌법원리로는 우리 헌법의 기본원리인 사회국가원리를 들 수 있고, 헌법조항으로는 여자·연소자근로의 보호, 국가유공자·상이군경 및 전몰군경의 유가족에 대한 우선적 근로기회의 보장을 규정하고 있는 헌법 제32조 제4항 내지 제6항, 여자·노인·신체장애자 등에 대한 사회보장의무를 규정하고 있는 헌법 제34조 제2항 내지 제5항 등을 들 수 있다. 이와 같은 헌법적 요청이 있는 경우에는 합리적 범위 안에서 능력주의가 제한될 수 있다(1999.12.23, 98헌바33).

03 정답 ④

① [O] 금고형이 벌금형보다 무거운 형이므로 벌금형의 선고유예판결을 공무원 결격사유로 아니하면서 금고형의 선고유예판결을 결격사유로 하였다고 해서 위 규정이 합리성과 형평에 반한다고 볼 수 없다(1990.6.25, 89헌마220).

② [O] 국민의 생명·신체와 재산에 대한 보호, 범죄의 예방과 수사를 주된 임무로 하는 경찰공무원은 그 직무의 성격상 고도의 직업적 윤리성이 요청되는바, 이러한 경찰공무원직의 특수성과 중요성을 고려할 때 이 사건 법률조항이 징계에 의하여 해임처분을 받은 공무원에 대해 경찰공무원으로의 임용을 영구히 금지하고 있다고 하여 과잉금지원칙에 위배되어 공무담임권에 대한 과도한 제한이라고 할 수는 없다(2010.9.30, 2009헌바122).

③ [O] 경찰공무원이 자격정지 이상의 형의 선고유예를 받은 경우 공무원직에서 당연퇴직하도록 규정하고 있는 이 사건 법률조항은 자격정지 이상의 선고유예판결을 받은 모든 범죄를 포괄하여 규정하고 있을 뿐만 아니라 심지어 오늘날 누구에게나 위험이 상존하는 교통사고 관련 범죄 등 과실범의 경우마저 당연퇴직의 사유에서 제외하지 않고 있으므로 최소침해성의 원칙에 반한다. 또한, 오늘날 사회국가 원리에 입각한 공직제도의 중요성이 강조되면서 개개 공무원의 공무담임권 보장의 중요성은 더욱 큰 의미를 가지고 있다. 일단 공무원으로 채용된 공무원을 퇴직시키는 것은 공무원이 장기간 쌓은 지위를 박탈해 버리는 것이므로 같은 입법목적을 위한 것이라고 하여도 당연퇴직사유를 임용결격사유와 동일하게 취급하는 것은 타당하다고 할 수 없다. 따라서 이 사건 법률조항은 헌법 제25조의 공무담임권을 침해한 위헌법률이다(2004.9.23, 2004헌가12). 2015년 법행

❹ [X] 헌법 제7조 제2항에 반한다고 본 것이 아니라 헌법 제25조의 공무담임권 침해로 보았다.

> **관련 판례** 공무원이 금고 이상의 형의 선고유예를 받은 경우에는 공무원직에서 당연히 퇴직하는 것으로 규정하고 있는 이 사건 법률조항은 금고 이상의 선고유예의 판결을 받은 모든 범죄를 포괄하여 규정하고 있을 뿐 아니라, 심지어 오늘날 누구에게나 위험이 상존하는 교통사고 관련 범죄 등 과실범의 경우마저 당연퇴직의 사유에서 제외하지 않고 있으므로 최소침해성의 원칙에 반한다. 오늘날 사회구조의 변화로 인하여 '모든 범죄로부터 순결한 공직자 집단'이라는 신뢰를 요구하는 것은 지나치게 공익만을 우선한 것이며, 오늘날 사회국가원리에 입각한 공직제도의 중요성이 강조되면서 개개 공무원의 공무담임권 보장의 중요성이 더욱 큰 의미를 가지고 있다. 일단 공무원으로 채용된 공무원을 퇴직시키는 것은 공무원이 장기간 쌓은 지위를 박탈해 버리는 것이므로 같은 입법목적을 위한 것이라고 하여도 당연퇴직사유를 임용결격사유와 동일하게 취급하는 것은 타당하다고 할 수 없다. 결국, 「지방공무원법」 제61조 중 제31조 제5호 부분은 헌법 제25조의 공무담임권을 침해하였다고 할 것이다(2002.8.29, 2001헌마788 등). 2018년 서울 7급 1차

04 정답 ①

❶ [X] 이 사건 정당가입금지조항이 초·중등학교 교원에 대해서는 정당가입의 자유를 금지하면서 대학의 교원에게 이를 허용한다 하더라도, 이는 기초적인 지식전달, 연구기능 등 양자 간 직무의 본질과 내용, 근무 태양이 다른 점을 고려한 합리적인 차별이므로 평등원칙에 위배되지 않는다(2020.4.23, 2018헌마551).

② [O] 정치단체의 가입 등은 헌법이 보장하는 표현의 자유를 집단적 형태로 구현하는 것이다. 헌법 제21조 제1항은 "모든 국민은 언론·출판의 자유와 집회·결사의 자유를 가진다."라고 규정하여, 타인과의 의견교환을 위한 기본권인 표현의 자유, 집회의 자유, 결사의 자유를 함께 국민의 기본권으로 보장하고 있다. 「국가공무원법」 조항 중 '그 밖의 정치단체'에 관한 부분은 이러한 정치적 표현의 자유, 결사의 자유를 제한한다(2020.4.23, 2018헌마551).

③ [O] 「국가공무원법」 조항 중 '그 밖의 정치단체'에 관한 부분은, '그 밖의 정치단체'가 무엇인가에 대하여 규범 내용을 확정할 수 없는 불명확한 개념을 사용하고 있어, 표현의 자유를 규제하는 법률조항, 형벌의 구성요건을 규정하는 법률에 대하여 헌법이 요구하는 명확성원칙의 엄격한 기준을 충족하지 못하였다(2020.4.23, 2018헌마551).

④ [O] 「국가공무원법」 조항 중 '그 밖의 정치단체'에 관한 부분은 어떤 단체에 가입하는가에 관한 집단적 형태의 '표현의 내용'에 근거한 규제이므로, 더욱 규제되는 표현의 개념을 명확하게 규정할 것이 요구된다. 그럼에도 위 조항은 '그 밖의 정치단체'라는 불명확한 개념을 사용하여, 수범자에 대한 위축효과와 법 집행 공무원의 자의적 판단 위험을 야기하고 있다. 위 조항이 명확성원칙에 위배된다(2020.4.23, 2018헌마551).

⑤ [O] 3인의 인용의견은 명확성원칙에 위배되나 과잉금지원칙에도 위배된다고 한 바 있다. 한편, 재판관 유남석, 재판관 이영진, 재판관 문형배는 명확성원칙에 위배된다고는 하였으나 과잉금지원칙에 위배되어 나머지 청구인들의 정치적 표현의 자유, 결사의 자유를 침해하는지 여부에 대하여는 더 나아가 판단하지 않는다고 하여 과잉금지원칙 위반에 대해 판단하지 않았다(2020.4.23, 2018헌마551).

05 정답 ②

① [O] 학교운영위원의 지위는 그 신분에 있어서 「국가공무원법」상의 결격사유가 적용되기는 하나 어디까지나 무보수 봉사직의 성격을 가지므로 헌법상 보호되는 피선거권의 대상으로서의 공무원으로 보기 어려우므로 이 사건 법률조항은 피선거권과 관련되지 않는다(2007.3.29, 2005헌마1144).

❷ [X] 금고 이상의 형을 받았다는 이유만으로 이미 공직에서 퇴출당할 공무원에게 더 나아가 일률적으로 그 생존의 기초가 될 퇴직급여 등까지 반드시 감액하도록 규정한다면 그 법률조항은 침해되는 사익에 비해 지나치게 공익만을 강조한 입법이라고 아니할 수 없다. 나아가 이 사건 법률조항은 퇴직급여에 있어서는 「국민연금법」상의 사업장 가입자에 비하여, 퇴직수당에 있어서는 「근로기준법」상의 근로자에 비하여 각각 차별대우를 하고 있는바, 이는 자의적인 차별에 해당한다(2007.3.29, 2005헌바33).

③ [O] 심판대상조항으로 인하여 청구인이 입는 불이익은 예비전력관리 업무담당자·선발시험 또는 군무원 특별채용시험에 응시할 수 있는 기회가 전역 후 일정 기간 내로 제한되는 것이다. 반면에 시험응시 기간을 설정함으로써 달성할 수 있는 공익은 전역군인이 가지고 있는 전문성을 활용하여 예비전력관리업무 및 군무원 업무의 효율성과 적시성을 극대화하는 것으로서 청구인이 입는 불이익보다 중대하다. 따라서 심판대상조항은 법익의 균형성원칙을 준수하고 있다. 그러므로 심판대상조항은 청구인의 공무담임권을 침해하지 아니한다(2016.10.27, 2015헌마734).

④ [O] 아동·청소년과 상시적으로 접촉하고 밀접한 생활관계를 형성하여 이를 바탕으로 교육과 상담이 이루어지고 인성발달의 기초를 형성하는 데 지대한 영향을 미치는 초·중등학교 교원의 업무적인 특수성과 중요성을 고려해 본다면, 최소한 초·중등학교 교육현장에서 성범죄를 범한 자를 배제할 필요성은 어느 공직에서보다 높다고 할 것이고, 아동·청소년대상 성범죄의 재범률까지 고려해 보면 미성년자에 대하여 성범죄를 범한 자는 교육현장에서 원천적으로 차단할 필요성이 매우 크다. 성인에 대한 성폭력범죄의 경우 미성년

자에 대하여 성범죄를 범한 것과 달리, 성폭력범죄행위로 인하여 형을 선고받기만 하면 곧바로 교원임용이 제한되는 것이 아니고, 100만 원 이상의 벌금형이나 그 이상의 형을 선고받고 그 형이 확정된 사람에 한하여 임용을 제한하고 있는바, 법원이 범죄의 모든 정황을 고려한 다음 벌금 100만 원 이상의 형을 선고하여 그 판결이 확정되었다면, 이는 결코 가벼운 성폭력범죄행위라고 볼 수 없다. 이처럼 이 사건 결격사유조항은 성범죄를 범하는 대상과 확정된 형의 정도에 따라 성범죄에 관한 교원으로서의 최소한의 자격기준을 설정하였다고 할 것이고, 같은 정도의 입법목적을 달성하면서도 기본권을 덜 제한하는 수단이 명백히 존재한다고 볼 수도 없으므로, 이 사건 결격사유조항은 과잉금지원칙에 반하여 청구인의 공무담임권을 침해하지 아니한다(2019.7.25, 2016헌마754).

06 정답 ③

① [X] 청원 내용을 어떻게 처리할 것인지는 국가기관의 재량이다. 2012년 국회 9급

② [X] 헌법상 보장된 청원권은 공권력과의 관계에서 일어나는 여러 가지 이해관계, 의견, 희망 등에 관하여 적법한 청원을 한 모든 당사자에게 국가기관이 청원을 수리할 뿐만 아니라 이를 심사하여 청원자에게 그 처리 결과를 통지할 것을 요구할 수 있는 권리를 말하나, 청원사항의 처리 결과에 심판서나 재결서에 준하여 이유를 명시할 것까지를 요구하는 것은 청원권의 보호범위에 포함되지 아니하므로 청원 소관 관서는 「청원법」이 정하는 절차와 범위 내에서 청원사항을 성실·공정·신속히 심사하고 청원인에게 그 청원을 어떻게 처리하였거나 처리하려고 하는지를 알 수 있는 정도로 결과통지함으로써 충분하고, 비록 그 처리 내용이 청원인이 기대하는 바에 미치지 않는다고 하더라도 헌법소원의 대상이 되는 공권력의 행사 내지 불행사라고는 볼 수 없다(1997.7.16, 93헌마239).

❸ [O] 2012년 국회 9급

> **헌법 제26조** ① 모든 국민은 법률이 정하는 바에 의하여 국가기관에 문서로 청원할 권리를 가진다.

④ [X] 교도소 수용자라 하더라도 원칙적으로 자유롭게 청원할 권리가 보장되나 서신을 통한 수용자의 청원을 아무런 제한 없이 허용한다면 수용자가 이를 악용하여 검열 없이 외부에 서신을 발송하는 탈법수단으로 이용할 수 있게 되므로 이에 대한 검열은 수용목적 달성을 위한 불가피한 것으로서 청원권의 본질적 내용을 침해한다고 할 수 없다(2001.11.29, 99헌마713).

07 정답 ④

ㄱ. [X] 헌법상 보장된 청원권은 공권력과의 관계에서 일어나는 여러 가지 이해관계, 의견, 희망 등에 관하여 적법한 청원을 한 모든 당사자에게 국가기관이 청원을 수리할 뿐만 아니라 이를 심사하여 청원자에게 그 처리 결과를 통지할 것을 요구할 수 있는 권리를 말하나, 청원사항의 처리 결과에 심판서나 재결서에 준하여 이유를 명시할 것까지를 요구하는 것은 청원권의 보호범위에 포함되지 아니하므로 청원 소관 관서는 「청원법」이 정하는 절차와 범위 내에서 청원사항을 성실·공정·신속히 심사하고 청원인에게 그 청원을 어떻게 처리하였거나 처리하려고 하는지를 알 수 있는 정도로 결과를 통지함으로써 충분하고, 비록 그 처리 내용이 청원인이 기대하는 바에 미치지 않는다고 하더라도 헌법소원의 대상이 되는 공권력의 행사 내지 불행사라고는 볼 수 없다(1997.7.16, 93헌마239). 2016년 국회 9급

ㄴ. [O] 2021년 변시

> **「국회법」 제123조【청원서의 제출】** ① 국회에 청원을 하려는 자는 의원의 소개를 받거나 국회규칙으로 정하는 기간 동안 국회규칙으로 정하는 일정한 수 이상의 국민의 동의를 받아 청원서를 제출하여야 한다.

ㄷ. [X] 청원권은 국민이 국가기관에 대하여 자신의 희망이나 의견을 진술할 수 있는 기본권이므로 근로자도 사용자에 관한 사항으로서 널리 공공기관의 권한에 속하는 사항에 대하여는 청원할 수 있음은 당연하고, 다만 그 청원서의 내용이 허위의 사실이거나 사용자를 비방하는 것이라면 사용자의 인격, 비밀, 명예, 신용 등을 훼손하여서는 아니되는 성실의무에 반하여 징계사유가 된다고 할 것이고, 이는 청원행위 자체를 이유로 한 불이익처분이 아니므로 「청원법」 제11조에 반하는 것이라고 할 수 없다(대판 1999.9.3, 97누2528, 2535). 2014년 법행

ㄹ. [O] 패소할 것이 명백한 경우에 소송구조에서 제외하는 「민사소송법」은 재판청구권에 대한 침해라고 할 수는 없다. 소송비용을 지출할 자력이 없는 국민이 적절한 소송구조를 받기만 한다면 훨씬 쉽게 재판을 받아서 권리구제를 받거나 적어도 권리의 유무에 관한 정당한 의혹을 풀어볼 가능성이 있다고 할 경우에는 소송구조의 거부가 재판청구권 행사에 대한 '간접적인 제한'이 될 수도 있고 경우에 따라서는 이것이 재판청구권에 대한 본질적인 침해까지로 확대평가될 여지도 있을 수 있다. 그러나 이러한 '간접적인 제한'의 여부가 논의될 수 있는 경우라는 것은 어디까지나 재판에 의한 권리구제의 가능성이 어느 정도 있는 경우에 한하는 것이므로 그와 같은 가능성이 전혀 없는 경우, 바꾸어 말하면 패소의 가능성이 명백한 경우는 애당초 여기에 해당할 수 없는 것이다. 이렇게 볼 때에 법 제118조 제1항 단서가 "다만, 패소할 것이 명백한 경우에는 그러하지 아니하다."라고 규정하여 소송구조의 불허가 요건을 정하고 있는 것은 재판청구권의 본질을 침해하는 것이 아니다(2001.2.22, 99헌바74). 2003년 사시

08 정답 ②

ㄱ. [O] 헌법소원의 보충성원칙과 관련하여 재정신청의 대상범죄에 대한 제한이 없어진 후에는 재정신청을 거쳐야 했고, 재정신청을 거친 경우에는 법원의 재판에 대한 헌법소원심판청구가 되어 허용되지 않는 결과가 되었다. 2017년 법행

ㄴ. [X] 고소하지 않은 피해자의 경우 다른 법률의 구제절차를 거치지 아니하고 헌법소원을 청구할 수 있다. 2017년 법행

ㄷ. [X] 피청구인이 위 사건에 관하여 현저히 정의와 형평에 반하는 수사를 하였거나, 헌법의 해석, 법률의 적용 또는 증거판단에 있어서 불기소처분의 결정에 영향을 미친 중대한 잘못이 있었다고 보이지 아니하며, 달리 피청구인의 위 불기소처분이 헌법재판소가 관여할 정도의 자의적인 처분이라고 볼 자료도 없으므로 이로 말미암아 청구인 주장의 기본권이 침해되었다고 볼 수 없다(2004.1.29, 2003헌마242). 고소하지 아니한 형사피해자는 다른 법률의 구제절차를 거치지 아니하고 바로 헌법소원을 청구할 수 있다. 2005년, 2013년 법행

ㄹ. [O] 만일 피의사건을 수사한 결과 공소를 제기하기에 충분한 범죄혐의가 없거나 소송조건이 구비되어 있지 아니하여 협의의 불기소처분으로 수사절차를 종결해야 하는 사안임에도 검사가 자의적으로 이를 인정하고 기소유예처분을 한 경우 이에 의하여 평등권과 행복추구권이 침해될 수 있다. 이러한 경우에 「헌법재판소법」 제68조 제1항에 의한 헌법소원심판절차가 마련되어 기소유예 처분의 사실관계나 법령해석에 관한 불복사유의 심리를 통하여 그 구제가 이루어지고 있는 이상, 헌법 제27조 제1항이 규정한 재판청구권이나 헌법 제12조 제1항에

규정된 적법절차원칙이 입법자에게 반드시 기소유예처분을 받은 피의자가 무죄를 주장하여 일반법원에서 법관에 의한 재판을 받을 수 있는 절차를 마련해야 할 입법자의 행위의무 내지 보호의무를 부여한다고 볼 수 없다(2013.9.26, 2011헌마472). 2017년 법무사

09 정답 ②

① [X] 청구인과 헌법소원사건의 국선대리인인 변호사의 접견 내용에 대해서는 접견의 목적이나 접견의 상대방 등을 고려할 때 녹음, 기록이 허용되어서는 아니 될 것임에도, 이를 녹음, 기록한 행위는 청구인의 재판을 받을 권리를 침해한다(2013.9.26, 2011헌마398). 2018년 국회 9급

❷ [O] 형사비용보상은 형사사법절차에 내재하는 불가피한 위험에 대하여 형사사법기관의 귀책사유를 따지지 않고 보상을 하는 것으로, 형사비용보상에서는 민사소송에서의 '소송목적의 값'과 같은 비용 상환 기준을 제시하기가 어렵고, 국선변호인의 보수는 사안의 난이·수행 직무의 내용 등을 참작하여 증액될 수도 있으며, 사법기관의 귀책사유가 있는 경우에는 국가배상청구 등을 통해 추가로 배상받을 수 있으므로 이 사건 법률조항은 침해최소성 및 법익균형성의 원칙에 반하지 않는다. 따라서 이 사건 법률조항은 과잉금지원칙에 위배하여 청구인의 재판청구권을 침해하지 아니한다(2013.8.29, 2012헌바168). 2017년 행시

③ [X] 이 사건 조항에 의한 사법보좌관제도는 이의절차 등에 의하여 법관이 사법보좌관의 소송비용액 확정결정절차를 처리할 수 있는 장치를 마련함으로써 적정한 업무처리를 도모함과 아울러 사법보좌관의 처분에 대하여 법관에 의한 사실확정과 법률의 해석적용의 기회를 보장하고 있는바, 이는 한정된 사법 인력을 실질적 쟁송에 집중하도록 하면서 궁극적으로 국민의 재판받을 권리를 실질적으로 보장한다는 입법목적 달성에 기여하는 적절한 수단임을 인정할 수 있다. 따라서 사법보좌관에게 소송비용액 확정결정절차를 처리하도록 한 이 사건 조항이 그 입법재량권을 현저히 불합리하게 또는 자의적으로 행사하였다고 단정할 수 없으므로 헌법 제27조 제1항에 위반된다고 할 수 없다(2009.2.26, 2007헌바8 등).

④ [X] 형사소송에서 배심원제도를 채택할 것을 우리 헌법이 명시적으로 입법 위임한 바 없을 뿐 아니라 헌법의 해석을 통해서도 입법자에게 그와 같은 입법의무가 인정되는 것으로 볼 수 없다(2006.4.27, 2006헌마187). 2011년 국회 8급

10 정답 ④

① [O] 대법원은 법률심으로서 사실관계에 대한 판단을 하지 아니하므로, 법무부 징계위원회의 사실확정을 토대로 재판을 할 수밖에 없어, 징계위원회의 결정에 대해 대법원에 상고하도록 한 「변호사법」은 법관에 의하여 사실확정을 받을 권리를 보장하는 재판청구권 침해이다(2000.6.29, 99헌가9).

② [O] 청소년보호위원회 등에 의한 청소년유해매체물의 결정은 그것이 이 사건 법률조항에 따라 그 위임의 범위 내에서 행하여지는 이상 법률상 구성요건의 내용을 보충하는 것에 불과하므로 이를 토대로 재판이 행하여진다 하더라도 그로 인하여 사실확정과 법률의 해석·적용에 관한 법관의 고유권한이 박탈된 것이라 할 수 없으며, 더욱이 법관은 청소년보호위원회 등의 결정이 적법하게 이루어진 것인지에 관하여 독자적으로 판단하여 이를 기초로 재판할 수도 있으므로 청소년유해매체물의 결정권한을 청소년보호위원회 등에 부여하고 있다고 하여 법관에 의한 재판을 받을 권리를 침해하는 것이라고는 볼 수 없다(2000.6.29, 99헌가16)

③ [O] 「법원조직법」 및 「사법보좌관규칙」 등에서 전문성과 능력을 갖춘 사법보좌관을 선발할 수 있도록 객관적인 선발자격 및 절차에 관하여 규정하고 있고, 사법보좌관에 관한 법관의 구체적 감독권, 사법보좌관에 대한 제척·기피·회피절차 등 사법보좌관의 공정성과 중립성을 확보할 수 있는 여러 보장 장치를 마련하고 있다. 따라서 이 사건 「법원조직법」 조항이 입법재량권의 한계를 벗어난 자의적인 입법으로 법관에 의한 재판받을 권리를 침해한다고 할 수 없다(2020.12.23, 2019헌바353).

❹ [X] 특별조치법은 궐석재판에 따라 재판이 이루어질 수 있고, 이 경우 변호인마저 출석할 수 없도록 되어 있어 피고인 측이 판결선고 사실 자체를 전혀 알지 못할 가능성이 매우 높은데도 불구하고 피고인의 귀책사유 없이 상소제기기간이 도과한 경우 상소권회복청구를 할 수 없도록 한 것은 재판청구권 침해이다(1993.7.29, 90헌바35).

11 정답 ③

① [X] 객관적으로 법률적 중요성을 가지는 사건에 한하여 상고를 허가하도록 함으로써 상고심재판을 제한한 것은 상고제도를 법질서의 통일 및 법의 발전이라는 목적에 부합하게 운영하려는 것이므로 결코 비합리적이거나 자의적인 차별이라고 할 수 없다(1995.1.20, 90헌바1).

② [X] 심리불속행재판의 판결이유를 생략할 수 있도록 규정한 「상고심절차에 관한 특례법」 제4조 제1항 및 제5조 제1항 중 제4조에 관한 부분은 비록 국민의 재판청구권을 제약하고 있기는 하지만 심급제도와 대법원의 기능에 비추어 볼 때 헌법이 요구하는 대법원의 최고법원성을 존중하면서 민사, 가사, 행정 등 소송사건에 있어서 상고심재판을 받을 수 있는 객관적 기준을 정함에 있어 개별적 사건에서의 권리구제보다 법령해석의 통일을 더 우위에 둔 규정으로서 그 합리성이 있다고 할 것이므로 헌법에 위반되지 아니한다(2009.4.30, 2007헌마589).

❸ [O] 위 조항은 사실인정이나 형의 양정을 전권사항으로 하는 하급심과 법령의 해석·적용의 통일을 기하는 상고심 간의 재판기능에 따라 사법자원을 적절히 분배하고, 불필요한 상고제기를 방지하며, 하급심의 충실한 재판을 도모하는 동시에 소송경제도 꾀하기 위한 필요하고도 합리적인 제한이라 할 수 있고, 한정된 사법자원을 효율적으로 분배하고 상고심재판의 법률심 기능을 제고할 필요성, 제1심과 제2심에서 사실오인이나 양형부당을 다툴 충분한 기회가 부여되어 있다는 점 등을 감안할 때, 이로 인해 당사자가 입게 되는 불이익과 이로써 달성하고자 하는 공익을 법익형량함에 있어 현저히 합리성을 결하였다고 할 수도 없으므로, 과잉금지원칙에 위반하여 당사자의 재판받을 권리를 침해한 것으로 볼 수 없다(2012.5.31, 2010헌바90 등).

④ [X] 헌법 제27조에서 규정한 재판을 받을 권리에 상고법원의 구성법관에 의한, 상고심절차에 의한 재판을 받을 권리까지도 포함된다고 할 수는 없다. 따라서 「소액사건심판법」 제3조가 소액사건에 대하여 상고의 이유를 제한하였다고 하여 그것만으로 재판청구권을 침해하였다고 볼 수 없다(대결 2004.8.20, 2003카기33).

12 정답 ③

① [X] ② [X] ❸ [O] ④ [X] 2019년 경찰경채, 2020년 행시

> **헌법 제109조** 재판의 심리와 판결은 공개한다. 다만, 심리는 국가의 안전보장 또는 안녕질서를 방해하거나 선량한 풍속을 해할 염려가 있을 때에는 법원의 결정으로 공개하지 아니할 수 있다.

13 정답 ④

① [O] 공제회는 이처럼 공법인적 성격과 사법인적 성격을 겸유하고 있는데, 공제회가 일부 공법인적 성격을 갖고 있다고 하더라도 공무를 수행하거나 고권적 행위를 하는 경우가 아닌 사경제주체로서 활동하는 경우나 조직법상 국가로부터 독립한 고유업무를 수행하는 경우, 그리고 다른 공권력주체와의 관계에서 지배복종관계가 성립되어 일반 사인처럼 그 지배하에 있는 경우 등에는 기본권 주체가 될 수 있다(2015.7.30, 2014헌가7).

② [O] 공제중앙회는 공제회의 상급기관이라거나 지휘·감독기관으로 볼 수 없으므로 공제중앙회 소속 재심위원회의 재심사절차는 제3자적 입장에서 공제회와 재심사청구인 사이의 사법적 분쟁을 해결하기 위한 간이분쟁해결절차에 불과하다. 따라서 이러한 재심사절차에서 공제회는 재심사청구인과 마찬가지로 공제급여의 존부 및 범위에 관한 법률상 분쟁의 일방당사자의 지위에 있으므로, 공제회 역시 이에 관하여 법관에 의하여 재판받을 기회를 보장받아야 함에도 불구하고 이를 박탈하는 것은 헌법상 용인될 수 없다. 그런데 합의간주조항은 실질적으로 재심사청구인에게만 재결을 다툴 수 있도록 하고 있으므로, 합리적인 이유 없이 분쟁의 일방당사자인 공제회의 재판청구권을 침해한다(2015.7.30, 2014헌가7).

③ [O] 제청법원은 장해급여조항이 「국가배상법」을 준용하여 전 손해에 대한 보상이 이루어지도록 함으로써 공제회의 안정적인 기금 운용에 어려움을 유발하므로 헌법 제23조의 재산권이 제한된다고 주장한다. 공제회가 관리·운용하는 기금은 학교안전사고보상공제 사업 등에 필요한 재원을 확보하고, 공제급여에 충당하기 위하여 설치 및 조성되는 것으로서 학교안전법령이 정하는 용도에 사용되는 것일 뿐, 각 공제회에 귀속되어 사적 유용성을 갖는다거나 원칙적 처분권이 있는 재산적 가치라고 보기 어렵고, 공제회가 갖는 기금에 대한 권리는 법에 의하여 정해진 대로 운영할 수 있는 법적 권능에 불과할 뿐 사적 이익을 위해 권리주체에게 귀속될 수 있는 성질의 것이 아니므로, 이는 헌법 제23조 제1항에 의하여 보호되는 공제회의 재산권에 해당되지 않는다(2015.7.30, 2014헌가7).

❹ [X] 「학교안전법」상 장해급여조항이 「국가배상법」을 준용하여 노동능력상실률에 따른 일실수입 전액을 보상하도록 규정한 것은 학교안전사고로 입은 피해를 충분히 보상하도록 함으로써 조속하게 분쟁을 해소하여 교원과 학생을 교육현장으로 신속히 복귀시킴으로써 교육현장을 조기에 안정시키고자 하는 것이므로 그 차별에 합리적 이유가 없다고 단정할 수 없다. 따라서 장해급여조항은 평등원칙에 반하지 아니한다(2015.7.30, 2014헌가7).

14 정답 ③

ㄱ. [X] 1987.10.29. 헌법 제10호로 개정된 현행헌법 제27조 제2항은 군사법원의 평시 일반 국민에 대한 재판권 중에서 '군사시설에 관한 죄'를 삭제하였고, 유해음식물공급이 아닌 유독음식물공급죄를 범한 경우로 군사법원의 재판권을 축소하였다(2013.11.28, 2012헌가10).

ㄴ. [O] 비상계엄시가 아닌 평시에 일반 국민에 대한 군사법원의 재판권 행사에 있어서, 이러한 군의 특수성을 강조하기는 어렵다. 일반 국민에 대한 군사법원의 재판은 헌법 제27조 제1항이 보장하는 '헌법과 법률이 정한 법관'에 의하여 재판을 받을 권리의 예외이며, 헌법 제27조 제2항의 취지는 평시 일반 국민에 대한 군사법원의 재판권을 제한하려는 것이므로, 일반 국민에 대한 군사법원의 재판권 범위를 규정한 헌법 제27조 제2항은 엄격하게 해석하여야 할 것이다. 그럼에도 불구하고 군사법원의 재판권의 범위를 넓게 해석한다면, 군의 자율성과 특수성을 강조한 나머지 일반 국민에 대한 인권보장과 사법정의실현에 미흡한 결과를 초래할 우려가 있다(2013.11.28, 2012헌가10).

ㄷ. [X] 헌법개정의 취지, 군사법원의 재판권범위에 대한 엄격해석의 필요성 등을 종합하면, 현행헌법 제27조 제2항의 '군용물'은 '군사시설'을 포함하지 아니하는 것으로 해석함이 상당하다(2013.11.28, 2012헌가10).

ㄹ. [X] 이 사건 법률조항은 '군사시설' 중 '전투용에 공하는 시설'을 손괴한 일반 국민이 항상 군사법원에서 재판을 받도록 하고 있다. 이는 명시적으로 헌법개정을 통하여 비상계엄이 선포된 경우를 제외하고는 '군사시설'에 관한 죄를 범한 일반 국민은 군사법원의 재판을 받지 아니하게 하여 군사법원의 신분적 재판권의 범위를 축소한 헌법개정권력자의 의도와 배치된다. 따라서 이 사건 법률조항은 헌법 제27조 제2항에 위반되어, 군인 또는 군무원이 아닌 일반 국민의 헌법과 법률이 정한 법관에 의한 재판을 받을 권리를 침해한다(2013.11.28, 2012헌가10).

> **별개의견** 헌법 제27조 제2항의 '군용물'은 '군사상의 용도로 사용되고 있거나 사용될 가능성이 있는 물건'을 통칭하므로, '군사시설'도 포함한다. 다만 헌법 제27조 제2항은 '중대한' 군용물에 관한 죄 중 '법률이 정한 경우'에 한하여 평시 군사법원의 재판권을 인정한다. 이 사건 법률조항은 군사적인 중요성과 관계없이 '전투용에 공하는 시설'을 평시에 손괴한 일반인을 모두 군사법원에서 재판받도록 함으로써, 군사법원의 재판에 의하지 아니하면 군의 조직과 기능을 보존하기 어렵다는 특별한 사정이 있는 유형과 내용의 중대한 범죄로 그 범위를 한정하지 아니하므로, 국민이 일반법원에서 재판받을 권리를 침해한다.

15 정답 ⑤

① [O]

> **「국민의 형사재판 참여에 관한 법률」 제41조 【배심원의 절차상 권리와 의무】** ① 배심원과 예비배심원은 다음 각 호의 행위를 할 수 있다.
> 1. 피고인·증인에 대하여 필요한 사항을 신문하여 줄 것을 재판장에게 요청하는 행위
> 2. 필요하다고 인정되는 경우 재판장의 허가를 받아 각자 필기를 하여 이를 평의에 사용하는 행위
>
> ② 배심원과 예비배심원은 다음 각 호의 행위를 하여서는 아니 된다.
> 1. 심리 도중에 법정을 떠나거나 평의·평결 또는 토의가 완결되기 전에 재판장의 허락 없이 평의·평결 또는 토의 장소를 떠나는 행위
> 2. 평의가 시작되기 전에 당해 사건에 관한 자신의 견해를 밝히거나 의논하는 행위
> 3. 재판절차 외에서 당해 사건에 관한 정보를 수집하거나 조사하는 행위
> 4. 이 법에서 정한 평의·평결 또는 토의에 관한 비밀을 누설하는 행위

② [O]

> **「국민의 형사재판 참여에 관한 법률」 제44조 【배심원의 증거능력 판단 배제】** 배심원 또는 예비배심원은 법원의 증거능력에 관한 심리에 관여할 수 없다.

③ [O]

> **「국민의 형사재판 참여에 관한 법률」 제46조 【재판장의 설명·평의·평결·토의 등】** ① 재판장은 변론이 종결된 후 법정에서 배심원에게 공소사실의 요지와 적용법조, 피고인과 변호인 주장의 요지, 증거능

력, 그 밖에 유의할 사항에 관하여 설명하여야 한다. 이 경우 필요한 때에는 증거의 요지에 관하여 설명할 수 있다.

형사소송법 제194조의3 【비용보상의 절차 등】 ② 제1항에 따른 청구는 무죄판결이 확정된 사실을 안 날부터 3년, 무죄판결이 확정된 때부터 5년 이내에 하여야 한다.

④ [O]

「국민의 형사재판 참여에 관한 법률」 제46조 【재판장의 설명·평의·평결·토의 등】 ② 심리에 관여한 배심원은 제1항의 설명을 들은 후 유·무죄에 관하여 평의하고, 전원의 의견이 일치하면 그에 따라 평결한다. 다만, 배심원 과반수의 요청이 있으면 심리에 관여한 판사의 의견을 들을 수 있다.
③ 배심원은 유·무죄에 관하여 전원의 의견이 일치하지 아니하는 때에는 평결을 하기 전에 심리에 관여한 판사의 의견을 들어야 한다. 이 경우 유·무죄의 평결은 다수결의 방법으로 한다. 심리에 관여한 판사는 평의에 참석하여 의견을 진술한 경우에도 평결에는 참여할 수 없다.

❺ [X]

「국민의 형사재판 참여에 관한 법률」 제46조 【재판장의 설명·평의·평결·토의 등】 ④ 제2항 및 제3항의 평결이 유죄인 경우 배심원은 심리에 관여한 판사와 함께 양형에 관하여 토의하고 그에 관한 의견을 개진한다. 재판장은 양형에 관한 토의 전에 처벌의 범위와 양형의 조건 등을 설명하여야 한다.

16

정답 ④

① [X]

「형사보상 및 명예회복에 관한 법률」 제8조 【보상청구의 기간】 보상청구는 무죄재판이 확정된 사실을 안 날부터 3년, 무죄재판이 확정된 때부터 5년 이내에 하여야 한다.

제28조 【피의자보상의 청구 등】 ③ 피의자보상의 청구는 불기소처분 또는 불송치결정의 고지 또는 통지를 받은 날부터 3년 이내에 하여야 한다.

② [X]

「형사보상 및 명예회복에 관한 법률」 제8조 【보상청구의 기간】 보상청구는 무죄재판이 확정된 사실을 안 날부터 3년, 무죄재판이 확정된 때부터 5년 이내에 하여야 한다.

③ [X] 이 사건 법률조항이 비용보상청구에 관한 제척기간을 규정한 것은 비용보상에 관한 국가의 채무관계를 조속히 확정하여 국가재정을 합리적으로 운영하기 위한 것으로 입법목적의 정당성 및 수단의 적합성이 인정된다. 비용보상청구권은 그 보상기준이 법령에 구체적으로 정해져 있어 비용보상청구인은 특별한 증명책임이나 절차적 의무의 부담 없이 객관적 재판 진행상황에 관한 간단한 소명만으로 권리의 행사가 가능하므로 이 사건법률조항에 규정된 제척기간이 현실적으로 비용보상청구권 행사를 불가능하게 하거나 현저한 곤란을 초래할 정도로 지나치게 짧다고 단정할 수 없다. 이 사건 법률조항을 통해 달성하려고 하는 비용보상에 관한 국가채무관계를 조기에 확정하여 국가재정을 합리적으로 운영한다는 공익이 청구인 등이 입게 되는 경제적 불이익에 비해 작다고 단정하기도 어려워 법익의 균형성도 갖추었다. 따라서 이 사건 법률조항은 과잉금지원칙에 위반되어 청구인의 재판청구권 및 재산권을 침해하지는 않는다(2015.4.30, 2014헌바408 등).

❹ [O] 보상액의 산정에 기초되는 사실인정이나 보상액에 관한 판단에서 오류나 불합리성이 발견되는 경우에도 그 시정을 구하는 불복신청을 할 수 없도록 하는 것은 형사보상청구권 및 그 실현을 위한 기본권으로서의 재판청구권의 본질적 내용을 침해하는 것이라 할 것이고, 나아가 법적 안정성만을 지나치게 강조함으로써 재판의 적정성과 정의를 추구하는 사법제도의 본질에 부합하지 아니하는 것이다. 또한, 불복을 허용하더라도 즉시항고는 절차가 신속히 진행될 수 있고 사건수도 과다하지 아니한 데다 그 재판 내용도 비교적 단순하므로 불복을 허용한다고 하여 상급심에 과도한 부담을 줄 가능성은 별로 없다고 할 것이어서, 이 사건 불복금지조항은 형사보상청구권 및 재판청구권을 침해한다고 할 것이다(2010.10.28, 2008헌마514).

「형사보상 및 명예회복에 관한 법률」 제20조 【불복신청】 ① 제17조 제1항에 따른 보상결정에 대하여는 1주일 이내에 즉시항고(즉시항고)를 할 수 있다.
② 제17조 제2항에 따른 청구기각결정에 대하여는 즉시항고를 할 수 있다.

17

정답 ①

ㄱ. [X] 2004년 행시

프랑스	프랑스의 참사원이 1973년 Blanco판결에서 국가배상책임을 공법적 책임으로 최초로 확인하였다.
독일	독일에서 1910년 국가배상책임법으로 입법화되었으며 1919년 바이마르헌법에 의해 최초로 헌법차원에서 국가배상책임을 국가대위책임으로 인정하였다.
영국·미국	영·미계에서는 국가배상책임을 인정하지 않다가 제2차 세계대전 후 일련의 법률을 제정하면서 인정하게 되었다.

ㄴ. [X] 2018년 지방 7급

「국가배상법」 제4조 【양도 등 금지】 생명·신체의 침해로 인한 국가배상을 받을 권리는 양도하거나 압류하지 못한다.

ㄷ. [O] 입법부가 법률로써 행정부에게 특정한 사항을 위임했음에도 불구하고 행정부가 정당한 이유 없이 이를 이행하지 않는다면 권력분립의 원칙과 법치국가 내지 법치행정의 원칙에 위배되는 것으로서 위법함과 동시에 위헌적인 것이 되는바, … 행정부가 정당한 이유 없이 시행령을 제정하지 않은 것은 위 보수청구권을 침해하는 불법행위에 해당한다(대판 2007.11.29, 2006다3561). 2017년 법행

ㄹ. [O] 배상의 범위는 가해행위와 상당한 인과관계에 있는 모든 손해의 배상이다. 따라서 적극적 손해뿐 아니라 소극적 손해까지 포함시켜야 한다.

ㅁ. [O]

「국가배상법」 제3조의2 【공제액】 ① 제2조 제1항을 적용할 때 피해자가 손해를 입은 동시에 이익을 얻은 경우에는 손해배상액에서 그 이익에 상당하는 금액을 빼야 한다.

18 정답 ②

① [O] 「국가배상법」 제2조는 고의 또는 과실을 요하나, 제5조는 이를 요하지 않는다.

❷ [X] 「국가배상법」 제2조 제2항은 국가나 지방자치단체가 배상을 한 경우, 공무원에 대해 구상권을 행사를 규정한 것이다. 공무원은 경과실로 인한 손해에 대해서는 배상책임을 지지 않으므로 국가나 지방자치단체가 공무원에게 구상권을 행사할 수 없다는 의미이다. 그러나 공무원은 경과실로 인한 손해에 대해서는 배상책임을 지지 않으므로 공무원이 경과실로 인한 손해를 배상을 했다면 국가나 지방자치단체가 공무원에게 구상권을 행사할 수 있다.

③ [O] 신호기 사무의 귀속자는 대전시이므로 대전시는 「국가배상법」 제5조에 따라 배상책임을 진다. 충남경찰청 공무원의 봉급을 부담하는 대한민국은 「국가배상법」 제5조에 따라 배상책임을 진다.

④ [O] 「국가배상법」 제2조는 국가나 지방자치단체가 배상책임의 주체이므로 한국토지주택공사의 위법행위로 인한 손해는 「국가배상법」 제2조가 아니라 「민법」상 배상책임이 적용된다.

19 정답 ④

① [O] 심판대상조항이 수화방송 등을 할 수 없는 예외사유를 보다 제한적으로 구체화하여 규정하는 것이 바람직하다고 볼 수는 있겠지만, 이 사건에서 심판대상조항이 입법자의 입법형성의 범위를 벗어난 것으로서 청구인들의 참정권, 평등권 등 헌법상 기본권을 침해하는 정도의 것이라고 볼 수 없다(2009.5.28, 2006헌마285).

② [O] 장애인의 복지를 향상해야 할 국가의 의무가 다른 다양한 국가과제에 대하여 최우선적인 배려를 요청할 수 없을 뿐 아니라, 나아가 헌법의 규범으로부터는 '장애인을 위한 저상버스의 도입'과 같은 구체적인 국가의 행위의무를 도출할 수 없는 것이다. 국가에게 헌법 제34조에 의하여 장애인의 복지를 위하여 노력을 해야 할 의무가 있다는 것은, 장애인도 인간다운 생활을 누릴 수 있는 정의로운 사회질서를 형성해야 할 국가의 일반적인 의무를 뜻하는 것이지, 장애인을 위하여 저상버스를 도입해야 한다는 구체적 내용의 의무가 헌법으로부터 나오는 것은 아니다(2002.12.18, 2002헌마52). 2014년 사시

③ [O] 「공무원연금법」상의 연금수급권과 같은 사회보장수급권은 헌법 제34조로부터 도출되는 사회적 기본권의 하나이다. 이와 같이 사회적 기본권의 성격을 지니는 연금수급권은 국가에 대하여 적극적으로 급부를 요구하는 것으로서 법률에 의한 형성을 필요로 하고, 연금수급권의 구체적인 내용, 즉 수급요건, 수급권자의 범위, 급여금액 등은 법률에 의하여 비로소 확정된다(2014.6.26, 2012헌마459). 2017년 입시

❹ [X] 보건복지부장관이 2002년도 최저생계비를 고시함에 있어 장애로 인한 추가지출비용을 반영한 별도의 최저생계비를 결정하지 않은 채 가구별 인원 수만을 기준으로 최저생계비를 결정한 것은 생활능력 없는 장애인가구 구성원의 인간의 존엄과 가치 및 행복추구권, 인간다운 생활을 할 권리, 평등권을 침해하였다고 할 수 없다(2004.10.28, 2002헌마328).

20 정답 ①

❶ [O] 사회적 기본권과 경쟁적 상태에 있는 국가의 다른 중요한 헌법적 의무와의 관계에서나 아니면 개별적인 사회적 기본권 규정들 사이에서의 경쟁적 관계에서 보나, 입법자는 사회·경제정책을 시행하는 데 있어서 서로 경쟁하고 충돌하는 여러 국가목표를 균형있게 고려하여 서로 조화시키려고 시도하고, 매 사안마다 그에 적합한 실현의 우선순위를 부여하게 된다. 국가는 사회적 기본권에 의하여 제시된 국가의 의무와 과제를 언제나 국가의 현실적인 재정·경제능력의 범위 내에서 다른 국가과제와의 조화와 우선순위결정을 통하여 이행할 수밖에 없다. 그러므로 사회적 기본권은 입법과정이나 정책결정과정에서 사회적 기본권에 규정된 국가목표의 무조건적인 최우선적 배려가 아니라 단지 적절한 고려를 요청하는 것이다. 이러한 의미에서 사회적 기본권은 국가의 모든 의사결정과정에서 사회적 기본권이 담고 있는 국가목표를 고려하여야 할 국가의 의무를 의미한다(2002.12.18, 2002헌마52). 2016년 법행

② [X] 생활이 어려운 국민에게 필요한 급여를 행하여 이들의 최저생활을 보장하기 위해 제정된 「국민기초생활 보장법」은 부양의무자에 의한 부양과 다른 법령에 의한 보호가 이 법에 의한 급여에 우선하여 행하여지도록 하는 보충급여의 원칙을 채택하고 있는바, 「형의 집행 및 수용자의 처우에 관한 법률」에 의한 교도소·구치소에 수용 중인 자는 당해 법률에 의하여 생계유지의 보호를 받고 있으므로 이러한 생계유지의 보호를 받고 있는 교도소·구치소에 수용 중인 자에 대하여 「국민기초생활 보장법」에 의한 중복적인 보장을 피하기 위하여 개별가구에서 제외키로 한 입법자의 판단이 헌법상 용인될 수 있는 재량의 범위를 일탈하여 인간다운 생활을 할 권리를 침해한다고 볼 수 없다(2011.3.31, 2009헌마617 등).

③ [X] 인간다운 생활을 할 권리로부터 인간의 존엄에 상응하는 최소한의 물질적인 생활의 유지에 필요한 급부를 요구할 수 있는 구체적인 권리가 상황에 따라서는 직접 도출될 수 있다고 할 수는 있어도, 동 기본권이 직접 그 이상의 급부를 내용으로 하는 구체적인 권리를 발생케 한다고는 볼 수 없다고 할 것이다. 이러한 구체적 권리는 국가가 재정형편 등 여러 가지 상황들을 종합적으로 감안하여 법률을 통하여 구체화할 때에 비로소 인정되는 법률적 차원의 권리라고 할 것이다. 그러므로 전공상자 등에게 인간다운 생활에 필요한 최소한의 물질적 수요를 충족시켜 주고 헌법상의 사회보장, 사회복지의 이념과 국가유공자에 대한 우선적 보호이념에 명백히 어긋나지 않은 한 입법자는 광범위한 입법재량권을 행사할 수 있다고 할 것이다(1998.2.27, 97헌가10 등).

④ [X] 이 사건 고시는 장애인가구의 추가지출비용을 반영한 별도의 최저생계비를 결정하지 않은 채 일률적으로 가구별 인원 수만을 기준으로 한 최저생계비를 결정함으로써 사회부조의 일종인 보장법상의 생계급여를 지급받을 자격을 갖춘 생활능력 없는 장애인가구와 비장애인가구에게 동일한 최저생계비를 기준으로 하여 생계급여를 지급받게 하였다는 점에서 본질적으로 다른 것을 같게 취급하는 상황을 초래하였다고 볼 수 있다(2004.10.28, 2002헌마328).

21 정답 ①

ㄱ. [O] 생활이 어려운 국민에게 필요한 급여를 행하여 이들의 최저생활을 보장하기 위해 제정된 「국민기초생활 보장법」은 부양의무자에 의한 부양과 다른 법령에 의한 보호가 이 법에 의한 급여에 우선하여 행하여지도록 하는 보충급여의 원칙을 채택하고 있는바, 「형의 집행 및 수용자의 처우에 관한 법률」에 의한 교도소·구치소에 수용 중인 자는 당해 법률에 의하여 생계유지의 보호를 받고 있으므로 이러한 생계유지의 보호를 받고 있는 교도소·구치소에 수용 중인 자에 대하여 「국민기초생활 보장법」에 의한 중복적인 보장을 피하기 위하여 개별가구에서 제외키로 한 입법자의 판단이 헌법상 용인될 수 있는 재량의 범위를 일탈하여 인간다운 생활을 할 권리를 침해한다고 볼 수 없다(2011.3.31, 2009헌마617 등). 2005년, 2016년 5급 승진

ㄴ. [O] 「국민건강보험법」 제63조 제2항이 휴직자도 직장가입자의 자격을 유지함을 전제로 기존의 보험료 부담을 그대로 지우고 있는 것은 일시적·잠정적 근로관계의 중단에 불과한 휴직제도의 본질, 보험

공단의 재정부담 등 여러가지 사정을 고려한 것으로서, 사회국가 원리에 어긋난다고 볼 수 없다(2003.6.26, 2001헌마699). 2006년 경찰승진

ㄷ. [O] 「군인연금법」상 퇴역연금수급권은 사회보장수급권과 재산권이라는 두 가지 성격이 불가분적으로 혼화되어, 전체적으로 재산권의 보호대상이 되면서도 순수한 재산권만이 아닌 특성을 지니므로, 비록 퇴역연금수급권이 재산권으로서의 성격을 일부 지닌다고 하더라도 사회보장법리에 강하게 영향을 받을 수밖에 없다. 입법자로서는 퇴역연금수급권의 구체적 내용을 정할 때 재산권보다 사회보장수급권적 요소에 중점을 둘 수 있고 이 점에 관하여 입법형성의 자유가 있다. 따라서 퇴역연금수급자에게 소득이 있는 경우 어느 범위에서 퇴역연금수급을 제한할 것인지에 대해서는 국가의 재정능력, 국민 전체 소득 및 생활수준, 그 밖에 여러 가지 사회·경제적 여건 등을 종합하여 합리적 수준에서 결정할 수 있고, 그 결정이 현저히 자의적이거나 사회적 기본권의 최소한 내용마저 보장하지 않은 경우에 한하여 헌법에 위반된다고 할 수 있다(2015.7.30, 2014헌바371). 2018년 변시

ㄹ. [O] 이 사건 시행령조항으로 인하여 기초연금수급액이 「국민기초생활 보장법」상 이전소득에 포함된다는 사정만으로, 국가가 노인가구의 생계보호에 관한 입법을 전혀 하지 아니하였다거나 그 내용이 현저히 불합리하여 헌법상 용인될 수 있는 재량의 범위를 명백히 일탈하였다고 보기는 어렵다. 따라서 이 사건 시행령조항은 청구인들의 인간다운 생활을 할 권리를 침해하지 않는다(2019.12.27, 2017헌마1299).

ㅁ. [O] 의료보험요양기관의 직업수행의 자유를 제한하는 것이므로, 국회는 그 취소의 사유에 관하여 국민들의 정당한 의료보험수급권의 보호·보험재정의 보호 및 의료보험수급질서의 확립이라는 공공복리 내지 질서유지의 필요와 그 지정 취소로 인하여 의료기관 등이 입게 될 불이익 등을 비교형량하여 일반 국민이 그 기준을 대강이라도 예측할 수 있도록 법률로서 명확히 정하여야 하고, 하위 법령에 위임하는 경우에도 그 구체적인 범위를 정하였어야 한다. 그럼에도 불구하고 위 법률조항에서는 그 지정 취소사유의 대강이라도 예측할 수 있게 규정하지 아니한 채 보건복지부장관에게 포괄적으로 백지위임하고 있으므로, 이는 헌법상 위임입법의 한계를 일탈한 것으로서 헌법 제75조 및 제95조에 위반되고, 나아가 우리 헌법상의 기본원리인 권력분립의 원리, 법치주의의 원리, 의회입법의 원칙 등에 위배된다고 할 것이다(1998.5.28, 96헌가1).

ㅂ. [O] 「의료보험법」 제31조(분만급여) 제1항에서 분만급여를 실시할 것을 규정한 이상 그 범위, 상한기준까지 반드시 법률로써 정하여야 하는 사항은 아니며, 「의료보험법」의 전반적 체계를 종합해 보면 내재적인 위임의 범위나 한계를 예측할 수 있으므로, 분만급여의 범위·상한기준을 보건복지부장관이 정하도록 위임한 「의료보험법」 제31조 제2항이 분만급여의 범위나 상한기준을 더 구체적으로 정하지 아니하였다고 하여 포괄위임에 해당한다고 할 수는 없다(1997.12.24, 95헌마390).

ㅅ. [O] 이 사건 시행령조항은 조건 부과 유예대상자로 '대학원에 재학 중인 사람'과 '부모에게 버림받아 부모를 알 수 없는 사람'을 규정하고 있지 않다. 그런데 「국민기초생활 보장법」은 조건 부과 유예대상자에 해당하지 않는다고 하더라도, 수급자의 개인적 사정을 고려하여 근로조건의 제시를 유예할 수 있는 제도를 별도로 두고 있으므로, '대학원에 재학 중인 사람' 또는 '부모에게 버림받아 부모를 알 수 없는 사람'이 조건 제시 유예사유에 해당하면 자활사업 참여 없이 생계급여를 받을 수 있다. 여기에, 「고등교육법」과 「법학전문대학원 설치·운영에 관한 법률」이 장학금제도를 규정하고 있는 점, 생계급여제도 이외에도 의료급여와 같은 각종 급여제도 등을 통하여서도 인간의 존엄에 상응하는 생활에 필요한 '최소한의 물질적인 생활'을 유지하는 데 도움을 받을 수 있는 점 등을 종합하여 보면, 이 사건 시행령조항은 청구인의 인간다운 생활을 할 권리도 침해하지 않는다(2017.11.30, 2016헌마448).

ㅇ. [X] 공직에 대한 국민의 신뢰, 공무원연금제도의 인사행정적 기능 및 공직사회의 질서 유지, 그리고 공무원연금제도의 사회보장적 성격 등을 고려하면 위 조항이 임용결격공무원을 배제하고 적법하게 임용된 공무원만을 한정하여 공무원 퇴직연금수급권을 부여하는 것은 그 목적이 정당하고, 이미 납부한 기여금은 임용결격공무원에게 퇴직시 반환이 되고 임용결격공무원인 청구인이 「근로기준법」에 따른 퇴직금 상당의 금액을 반환 받을 수 있는 법적 구제가능성이 열려있으며, 임용결격사유가 있음에도 불구하고 공무원으로 임용된 청구인의 신뢰를 보호할 필요성은 크지 않은 반면에 공무원의 고도의 윤리성·도덕성 및 공직사회에 대한 국민의 신뢰, 공무원연금재정 문제 등의 공익은 상당히 중요하므로 위 조항은 청구인의 인간다운 생활을 할 권리를 침해하지 않는다(2012.8.23, 2010헌바425).

22 정답 ③

① [O] 청구인들은 심판대상조항이 재산권을 침해한다고 주장한다. 헌법 제23조 제1항이 보장하고 있는 재산권은 사적 유용성 및 그에 대한 원칙적 처분권을 내포하는 재산가치 있는 구체적 권리이므로, 구체적인 권리가 아닌 단순한 이익이나 재화의 획득에 관한 기회 등은 재산권 보장의 대상으로 볼 수 없다. 「지뢰피해자 지원에 관한 특별법」 위로금과 같이 수급권의 발생요건이 법정되어 있는 경우 법정요건을 갖춘 후 발생하는 위로금수급권은 구체적인 법적 권리로 보장되는 경제적·재산적 가치가 있는 공법상의 권리라 할 것이지만, 그러한 법정요건을 갖추기 전에는 헌법이 보장하는 재산권이라고 할 수 없다. 지뢰사고로 인한 피해자 또는 그 유족의 위로금수급권에 관한 지위는 수급권 발생에 필요한 법정요건을 갖춘 후에 비로소 재산권인 위로금수급권을 취득할 수 있다는 기대이익을 갖는 것에 불과하므로 심판대상조항에 의하여 청구인들의 재산권이 제한된다고 볼 수 없다(2019.12.27, 2018헌바236 등).

② [O] 지뢰사고로 인한 피해자 또는 그 유족의 위로금수급권에 관한 지위는 수급권 발생에 필요한 법정요건을 갖춘 후에 비로소 재산권인 위로금수급권을 취득할 수 있다는 기대이익을 갖는 것에 불과하므로 심판대상조항에 의하여 청구인들의 재산권이 제한된다고 볼 수 없다(2019.12.27, 2018헌바236 등).

❸ [X] 청구인 정○○, 권○○은 심판대상조항이 지뢰피해자의 생명권, 신체의 자유, 인간의 존엄 등 기본권을 보호하는 데 매우 불충분하여 국가의 기본권 보호의무를 위반한 것이라고 주장한다. 그런데 이는 결국 심판대상조항이 위로금을 산정함에 있어 사고 당시의 월평균임금을 기준으로 하고 조정지급액의 상한을 2천만 원으로 한정한 것이 인간다운 생활을 할 권리를 침해한다는 주장과 다르지 아니하다. 뿐만 아니라, 헌법 제10조 후문이 규정하는 국가의 기본권 보호의무란 기본권적 법익을 기본권 주체인 사인에 의한 위법한 침해 또는 침해의 위험으로부터 보호하여야 하는 국가의 의무를 말하며, 주로 사인인 제3자에 의한 개인의 생명이나 신체의 훼손에서 문제되는바(2009.2.26, 2005헌마764 등 참조), 이 사건은 제3자에 의한 개인의 생명이나 신체의 훼손이 문제되는 사안이 아니므로, 이에 관하여 별도로 판단하지 아니한다(2019.12.27, 2018헌바236 등).

④ [O] 사망 또는 상이 당시의 월평균임금을 기준으로 위로금을 산정함으로 인하여 피해시기에 따라 위로금 액수에 현격한 차이가 나는 문제를 보완하기 위해 입법자는 「지뢰피해자 지원에 관한 특별법」 제정 당시 고려한 국가재정부담 정도를 현저히 초과하지 아니하는 범위 내에서 2천만 원을 조정상한금액으로 정하여 위로금 격차 해소를 위한 보완책을 마련하였다. 따라서 심판대상조항이 인간다운 생활을 할 권리를 침해한다고 볼 수 없다(2019.12.27, 2018헌바236 등).

23 정답 ④

ㄱ. [X] 재학 중인 학교의 법적 형태를 법인이 아닌 공법상 영조물인 국립대학으로 유지해 줄 것을 요구할 권리는 학생의 교육을 받을 권리에서 포함되지 않는다(2014.4.24, 2011헌마612).

ㄴ. [O] 헌법 제31조 제2항 소정의 '법률'은 형식적 의미의 법률뿐만 아니라 그러한 법률의 위임에 근거하여 제정된 대통령령도 포함하는 실질적 의미의 법률로 해석하여야 한다(1991.2.11, 90헌가27).

ㄷ. [O] 중학교 의무교육의 실시 여부와 연한은 본질적 사항이므로 국회가 반드시 법률로 정해야 할 사항이나 중학교 의무교육의 실시 시기와 범위는 비본질적 사항이므로 반드시 법률로 정해야 하는 것은 아니다. 헌법 제31조 제2항의 '법률이 정하는 교육을 받게 할 의무'에서 법률은 형식적 의미의 법률과 이에 근거한 대통령령도 포함하는 실질적 의미의 법률이므로 중등학교 의무교육의 시기와 범위를 대통령령에 위임한 「교육법」 제8조의2는 헌법 제31조 제2항에 위반되지 않는다(1991.2.11, 90헌가27).

ㄹ. [X] 의무교육제도는 교육의 자주성·전문성·정치적 중립성 등을 지도원리로 하여 국민의 교육을 받을 권리를 뒷받침하기 위한, 헌법상의 교육기본권에 부수되는 제도 보장이라 할 것이다(1991.2.11, 90헌가27).

24 정답 ①

❶ [X] 의무교육의 무상원칙을 규정한 헌법 제31조 제3항은 초등교육에 관하여는 직접적인 효력규정으로서 개인이 국가에 대하여 입학금·수업료 등을 면제받을 수 있는 헌법상의 권리라고 볼 수 있으나, 무상의 중등교육을 받을 권리는 법률에서 중등교육을 의무교육으로서 시행하도록 규정하기 전에는 헌법상 권리로서 보장되는 것은 아니다(1991.2.11, 90헌가27).

② [O] 의무교육에 있어서 무상의 범위에는 의무교육이 실질적이고 균등하게 이루어지기 위한 본질적 항목으로, 수업료나 입학금의 면제, 학교와 교사 등 인적·물적 시설 및 그 시설을 유지하기 위한 인건비와 시설유지비 등의 부담 제외가 포함되고, 그 외에도 의무교육을 받는 과정에 수반하는 비용으로서 의무교육의 실질적인 균등보장을 위해 필수불가결한 비용은 무상의 범위에 포함된다. 이러한 비용 이외의 비용을 무상의 범위에 포함시킬 것인지는 국가의 재정상황과 국민의 소득수준, 학부모들의 경제적 수준 및 사회적 합의 등을 고려하여 입법자가 입법정책적으로 해결해야 할 문제이다(2012.4.24, 2010헌바164).

③ [O] 국가 및 지방자치단체에게 사립유치원에 대한 교사 인건비, 운영비 및 영양사 인건비를 예산으로 지원하라는 헌법상 명문규정이 없음은 분명하다. 그리고 헌법 제31조 제1항은 국민의 교육을 받을 권리를 보장하고 있지만 그 권리는 통상 국가에 의한 교육조건의 개선·정비와 교육기회의 균등한 보장을 적극적으로 요구할 수 있는 권리로 이해되고 있을 뿐이고, 그로부터 위와 같은 작위의무가 헌법해석상 바로 도출된다고 볼 수 없다. 또한 사립유치원 운영자 등의 영업의 자유나 평등권을 보장하는 헌법규정으로부터도 위와 같은 작위의무가 도출된다고 볼 수 없다(2006.10.26, 2004헌마13).

④ [O] <u>학교운영지원비는</u> 그 운영상 교원연구비와 같은 교사의 인건비 일부와 학교회계직원의 인건비 일부 등 의무교육과정의 인적 기반을 유지하기 위한 비용을 충당하는 데 사용되고 있다는 점, 학교회계의 세입상 현재 의무교육기관에서는 국고지원을 받고 있는 입학금, 수업료와 함께 같은 항에 속하여 분류되고 있음에도 불구하고 학교운영지원비에 대해서만 학생과 학부모의 부담으로 남아있다는 점, 학교운영지원비는 기본적으로 학부모의 자율적 협찬금의 외양을 갖고 있음에도 그 조성이나 징수의 자율성이 완전히 보장되지 않아 기본적이고 필수적인 학교 교육에 필요한 비용에 가깝게 운영되고 있다는 점 등을 고려해보면 <u>위 세입조항은 헌법 제31조 제3항에 규정되어 있는 의무교육의 무상원칙에 위배되어 헌법에 위반된다</u>(2012.8.23, 2010헌바220).

25 정답 ③

① [O] 의무교육에 있어서 본질적이고 필수불가결한 비용 이외의 비용을 무상의 범위에 포함시킬 것인지는 국가의 재정상황과 국민의 소득수준, 학부모들의 경제적 수준 및 사회적 합의 등을 고려하여 입법자가 입법정책적으로 해결해야 한다(2012.4.24, 2010헌바164).

② [O] 교사의 수업권은 전술과 같이 교사의 지위에서 생겨나는 직권인데, 그것이 헌법상 보장되는 기본권이라고 할 수 있느냐에 대하여서는 이를 부정적으로 보는 견해가 많으며, 설사 헌법상 보장되고 있는 학문의 자유 또는 교육을 받을 권리의 규정에서 교사의 수업권이 파생되는 것으로 해석하여 기본권에 준하는 것으로 간주하더라도 수업권을 내세워 수학권을 침해할 수는 없으며 국민의 수학권의 보장을 위하여 교사의 수업권은 일정 범위 내에서 제약을 받을 수밖에 없는 것이다(1992.11.12, 89헌마88). 2012년 법원

❸ [X] 「지방교육재정교부금법」 제11조 제1항에서 의무교육 경비를 교부금과 지방자치단체의 일반회계로부터의 전입금으로 충당토록 규정한 것 및 같은 조 제2항 제3호에서 서울특별시·부산광역시와 그 밖의 지방자치단체를 구분하여 서울특별시의 경우에는 당해 시·도세 총액의 100분의 10에 해당하는 금액을 일반회계예산에 계상하여 교육비특별회계로 전출하도록 규정한 것은 교육재정제도를 형성함에 있어 의무교육을 받을 권리를 골고루 실질적으로 보장하라는 헌법의 위임취지에 명백히 반하는 자의적인 것이라 할 수 없어 위헌이 아니다(2005.12.22, 2004헌라3). 2012년 국회 8급

④ [O] **시·도교육위원회를 시·도의회의 상임위원회로 설치하고, 구성에서도 일반 시·도의회의원을 포함하며 교육의원을 주민의 직선으로 선출하되 광역단위에서 소수의 정수만을 정하고 있는 「지방교육자치에 관한 법률」(2006.12.20. 법률 제8069호로 전부 개정된 것, 이하 '법'이라 한다) 제4조, 제5조, 제13조 제1항, 제5조에 의한 [별표] 중 서울특별시 부분(이하 '심판대상조항'이라 한다)이 현 교육위원 또는 교육의원 출마예정자인 청구인들의 공무담임권 내지 공무담임에 있어서의 평등권 침해와 현재관련성을 가지는지 여부(소극)**

법 부칙 제2조, 제3조 제1항에 의하면 심판대상조항의 시행 당시 종전의 규정에 따라 설치되어 있는 교육위원회 및 교육위원은 교육위원 임기만료일인 2010.8.31.까지 종전의 규정에 따르도록 되어 있으므로, 현 교육위원인 청구인이 심판대상조항으로 말미암아 공무담임권이나 공무담임에 있어서의 평등권을 현재 침해당하고 있다고 볼 수 없다. 현 교육위원이거나 교육의원 출마예정인 청구인들이 법에 따라 새로 실시될 교육의원 선거에 입후보할 의사를 가지고 있다 하더라도, 심판대상조항이 위 청구인들의 공무담임권이나 공무담임에 있어서의 평등권을 침해할 가능성이 있게 되는 것은 장차 위 청구인들이 교육의원 선거에 입후보하여 교육의원에 당선된 이후라고 할 것이므로, 기본권 침해의 현재성이 인정되지 아니한다(2009.3.26, 2007헌마359). 2012년 사시

26 정답 ②

ㄱ. [O] <u>사립학교를 위하여 출연된 재산에 대한 소유권은 학교법인에 있고</u>, 설립자는 학교법인이 설립됨으로써, 그리고 종전이사는 퇴임함으로써 <u>학교운영의 주체인 학교법인과 사이에 더 이상 구체적인</u>

법률관계가 지속되지 않는다 할 것이어서, 종전이사 등이 사립학교 운영에 대해 가지는 재산적 이해관계는 법률적인 것이 아니라 사실상의 것에 불과하다 할 것이므로, 청구인들의 위 주장은 나아가 살펴볼 필요 없이 이유 없다(2013.11.28, 2011헌바136 등).

> 「사립학교법」 제25조 【임시이사의 선임】 ① 관할청은 다음 각 호의 어느 하나에 해당되는 경우에는 이해관계인의 청구에 의하여 또는 직권으로 조정위원회의 심의를 거쳐 임시이사를 선임하여야 한다.

ㄴ. [X] 일반적으로 기본권 침해 관련 영역에서는 급부행정영역에서보다 위임의 구체성의 요구가 강화된다는 점, 이 사건 응시 제한이 검정고시 응시자에게 미치는 영향은 응시자격의 영구적인 박탈인 만큼 중대하다고 할 수 있는 점 등에 비추어 보다 엄격한 기준으로 법률유보원칙의 준수 여부를 심사하여야 할 것인바, 고졸검정고시규칙과 고입검정고시규칙은 이미 응시자격이 제한되는 자를 특정적으로 열거하고 있으면서 달리 일반적인 제한사유를 두지 않고 또 그 제한에 관하여 명시적으로 위임한 바가 없으며, 단지 '고시의 기일·장소·원서접수 기타 고시 시행에 관한 사항' 또는 '고시 일시와 장소, 원서접수기간과 그 접수처 기타 고시 시행에 관하여 필요한 사항'과 같이 고시 시행에 관한 기술적·절차적인 사항만을 위임하였을 뿐, 특히 '검정고시에 합격한 자'에 대하여만 응시자격 제한을 공고에 위임했다고 볼 근거도 없으므로, 이 사건 응시 제한은 위임받은 바 없는 응시자격의 제한을 새로이 설정한 것으로서 기본권 제한의 법률유보원칙에 위배하여 청구인의 교육을 받을 권리 등을 침해한다(2012.5.31, 2010헌마139 등).

ㄷ. [X] 이 사건 규칙조항에 의하여 제한받는 사익은 자신이 원하는 시기에 검정고시에 응시하여 학력인정을 취득하려는 것에 불과한 점, 그에 반하여 이 사건 규칙조항으로 달성하려는 공익은 고등학교 퇴학자의 응시 증가를 줄이고 정규 학교교육과정의 이수 유도라는 점 등을 감안하면, 피해의 최소성 및 법익 균형성원칙에도 위배되지 않는다(2008.4.24, 2007헌마1456).

ㄹ. [O] 대안교육이 학교 형태로 시행될 때 필요한 시설기준과 교육과정 등에 대한 최소한의 기준을 국가가 마련하여 학교설립인가를 받게 하는 것은 입법자의 입법재량범위 안에 포함되며, 이를 방치할 경우 생길 수 있는 사회적 폐해를 고려하여 설립인가제로써 최소한의 규제를 하는 것이므로 이 사건 법률조항은 사립학교 설립의 자유 등 기본권을 침해한다고 볼 수 없다(2020.10.29, 2019헌바374).

27 정답 ②

① [O] 이 사건 해산명령조항은 학교법인으로 하여금 사립학교의 설치·경영이라는 목적 달성에 충실하도록 하며, 비정상적으로 운영되는 사립학교의 존립가능성을 사전에 차단함으로써, 전체 교육의 수준을 일정 수준 이상으로 유지하기 위한 것이다. 이 사건 해산명령조항에 따라 학교법인이 해산됨으로써 달성할 수 있는 공익이, 학교법인 해산으로 인하여 발생하게 될 불이익보다 작다고 할 수도 있다. 따라서 이 사건 해산명령조항은 과잉금지원칙에 반하지 않는다(2018.12.27, 2016헌바217).

❷ [X] 제한되는 기본권 및 심사기준 사립학교 운영의 자유가 헌법 제10조, 제31조 제1항, 제4항에서 도출되는 기본권이기는 하나, 사립학교도 공교육의 일익을 담당한다는 점에서 국·공립학교와 본질적인 차이가 있을 수 없기 때문에 공적인 학교제도를 보장하여야 할 책무를 진 국가가 일정한 범위 안에서 사립학교의 운영을 감독·통제할 권한과 책임을 지는 것 또한 당연하다고 할 것이고, 그 규율의 정도는 그 시대의 사정과 각급 학교의 형편에 따라 다를 수밖에 없는 것이므로, 교육의 본질을 침해하지 않는 한 궁극적으로는 입법자의 형성의 자유에 속하는 것이라고 할 수 있다. 따라서 이 사건 법률조항들이 사립학교 운영의 자유를 제한하고 있다 하더라도 그 위헌 여부는 입법자가 기본권을 제한함에 있어 합리적인 입법한계를 벗어나 자의적으로 그 본질적인 내용을 침해하였는지 여부에 따라 판단하여야 할 것이다(2013.11.28, 2011헌바136 등).

③ [O] 조정위원회의 심의 결과에 대하여 법률상 이해관계가 있는 학교구성원 등은 그 심의 결과에 따른 행정처분에 대하여 다툴 수 있고, 그 쟁송절차에서 조정위원회의 심의결과나 심의과정 중 절차상 하자에 대하여 다툴 수 있으므로, 별도의 이의제기절차를 마련할 필요성은 그다지 크지 않다. 정상화 조항은 학교법인의 정상화에 관하여 조정위원회에 주도적인 역할을 부여하면서, 학교구성원들의 참여절차를 마련하고 있지 않지만, 「사립학교법 시행령」 등에 따라 조정위원회가 임직원 및 학교의 교직원, 그 밖의 이해관계인으로부터 의견을 청취할 수 있으므로 설치·기능조항 및 정상화조항이 학교구성원의 대학의 자율성의 본질적인 부분을 침해한다고 볼 수는 없다(2015.11.26, 2012헌바300).

④ [O] 사립학교에 있어 교육을 위한 재산 확보는 필수적이며 그 물적기반이 부실하여 학교의 존립이 위태롭게 되는 경우 수많은 학생, 학부모 등의 생활에 미치는 부작용이 이루 헤아릴 수 없을 만큼 크다. 따라서 국민이 교육을 받고 부모의 자녀교육권이 적절하게 보장되도록 하기 위하여 사립학교의 재산관리에 국가개입은 불가피하고 긴요한 것으로서 그 정당성은 충분히 인정된다(2001.1.18, 99헌바63).

28 정답 ②

① [O] 산업재해를 입은 근로자에 대한 보상을 어떻게 할 것인가의 문제도 헌법 제32조 제3항이 의미하는 근로조건에 관한 기준의 한 문제로 볼 수 있다. 그렇다고 하더라도 헌법 제32조 제3항이 그에 관한 모든 문제를 국회가 정하는 법률로 규정할 것을 요구한다고는 볼 수 없다. 즉, 헌법 제32조 제3항이 헌법 제75조에 정한 위임입법의 한계를 유월하지 않는 한도에서 위 문제에 관한 대강의 기준을 국회가 제정하는 법률로 정하고 기타 상세한 사항은 하위법령으로 정하도록 위임하는 것을 전면적으로 금지하고 있는 것은 아니라고 해석된다(1996.8.29, 95헌바36).

❷ [X] 이 사건 출국만기보험금이 근로자의 퇴직 후 생계 보호를 위한 퇴직금의 성격을 가진다고 하더라도 불법체류가 초래하는 여러 가지 문제를 고려할 때 불법체류 방지를 위해 그 지급시기를 출국과 연계시키는 것은 불가피하므로 심판대상조항이 청구인들의 근로의 권리를 침해한다고 보기 어렵다(2016.3.31, 2014헌마367).

③ [O] 이 사건 법률조항에서 '계속근로기간이 1년 미만인 근로자'를 퇴직급여 대상에서 제외하여 '계속근로기간이 1년 이상인 근로자'와 차별취급하는 것은, 퇴직급여가 1년 이상 장기간 근속한 근로자의 공로를 보상하고 업무의 효율성과 생산성의 증대 등을 위해 장기간 근무를 장려하기 위한 것으로 볼 수 있으며, 그 차별에 합리적 이유가 있으므로 청구인의 평등권이 침해되었다고 보기 어렵다(2011.7.28, 2009헌마408).

④ [O] 헌법 제32조 제1항이 규정하는 근로의 권리는 사회적 기본권으로서 국가에 대하여 직접 일자리를 청구하거나 일자리에 갈음하는 생계비의 지급청구권을 의미하는 것이 아니라 고용증진을 위한 사회적·경제적 정책을 요구할 수 있는 권리에 그치며, 근로의 권리로부터 국가에 대한 직접적인 직장존속청구권이 도출되는 것도 아니다. 나아가 근로자가 퇴직급여를 청구할 수 있는 권리도 헌법상 바로 도출되는 것이 아니라 「근로자퇴직급여 보장법」 등 관련 법률이 구체적으로 정하는 바에 따라 비로소 인정될 수 있는 것이므로 계속근로기간 1년 미만인 근로자가 퇴직급여를 청구할 수 있는 권리가 헌법 제32조 제1항에 의하여 보장된다고 보기는 어렵다(2011.7.28, 2009헌마408).

29 정답 ③

① [X] 헌법 제15조의 직업의 자유 또는 헌법 제32조의 근로의 권리, 사회국가원리 등에 근거하여 실업방지 및 부당한 해고로부터 근로자를 보호하여야 할 국가의 의무를 도출할 수는 있을 것이나, 국가에 대한 직접적인 직장존속보장청구권을 근로자에게 인정할 헌법상의 근거는 없다. 이와 같이 우리 헌법상 국가에 대한 직접적인 직장존속보장청구권을 인정할 근거는 없으므로 근로관계의 당연승계를 보장하는 입법을 반드시 하여야 할 헌법상의 의무를 인정할 수 없다. 따라서 「한국보건산업진흥원법」 부칙 제3조가 기존 연구기관의 재산상의 권리·의무만을 새로이 설립되는 한국보건산업진흥원에 승계시키고, 직원들의 근로관계가 당연히 승계되는 것으로 규정하지 않았다 하여 위헌이라 할 수 없다(2002.11.28, 2001헌바50).

② [X] 헌법 제32조 제1항이 규정하는 근로의 권리는 사회적 기본권으로서 국가에 대하여 직접 일자리를 청구하거나 일자리에 갈음하는 생계비의 지급청구권을 의미하는 것이 아니라 고용증진을 위한 사회적·경제적 정책을 요구할 수 있는 권리에 그치며, 근로의 권리로부터 국가에 대한 직접적인 직장존속청구권이 도출되는 것도 아니다(2011.7.28, 2009헌마408). 2018년 경찰경채

❸ [O] 헌법 제32조 제1항 후단은 "국가는 사회적·경제적 방법으로 근로자의 고용의 증진과 적정임금의 보장에 노력하여야 하며, 법률이 정하는 바에 의하여 최저임금제를 시행하여야 한다."라고 규정하고 있어서 근로자가 최저임금을 청구할 수 있는 권리도 헌법상 바로 도출되는 것이 아니라 「최저임금법」 등 관련 법률이 구체적으로 정하는 바에 따라 비로소 인정될 수 있다(2012.10.25, 2011헌마307).

④ [X] 무노동·무임금의 원칙이란 파업시간 또는 근로시간 중의 노조활동이나 노조전임자에 대하여는 임금을 지급하지 아니한다는 원칙이다. 임금이분설은 노동력을 제공한 대가를 받는 교환적 부분과 생활보장적 부분으로 임금이 구성된다는 입장이다. 현행법과 판례는 무노동·무임금을 원칙으로 하고 있다.

> **관련 판례** 대법원은 임금이분설에 근거하여 쟁의행위로 인하여 사용자에게 근로를 제공하지 아니한 근로자는 근로를 제공한데 대하여 받는 교환적 부분은 받지 못하지만 근로자로서의 지위에서 받는 생활보장적 부분은 받는다고 판시했으나 95년 판례에서는 입장을 바꾸어 무노동 무임금설을 채택하였다(대판 전합체 1995.12.21, 94다26721).

30 정답 ①

❶ [O] 헌법 제33조의 근로3권은 근로조건을 향상을 위한 권리이므로 근로조건과 무관한 행위는 헌법 제33조의 근로 3권에서 보호되지 않는다.

② [X] 사용자는 근로3권의 주체가 될 수 없다.

③ [X] 타인과의 사용종속관계하에서 근로를 제공하고 그 대가로 임금 등을 받아 생활하는 사람은 「노동조합 및 노동관계조정법」상 근로자에 해당하고, 「노동조합 및 노동관계조정법」상의 근로자성이 인정되는 한, 그러한 근로자가 외국인인지 여부나 취업자격의 유무에 따라 「노동조합 및 노동관계조정법」상 근로자의 범위에 포함되지 아니한다고 볼 수는 없다(대판 전합체 2015.06.25, 2007두4995).

④ [X] 이 사건 「노동조합 및 노동관계조정법」 조항은 적법한 노동조합을 적극적으로 보호하고, 형식적인 요건을 갖추지 못한 단결체에 대하여는 노동조합의 명칭을 사용하지 못하게 하는 등 보호의 대상에서 제외하여 적법한 노동조합의 설립을 유도하기 위한 것으로 정당한 목적 달성을 위한 적절한 수단에 해당한다. 한편 명칭의 사용을 금지하는 것은 단결체의 형성에 직접적인 제약을 가하거나, 활동을 제한하는 것은 아니므로 노동조합의 명칭을 사용할 수 없다고 하여 헌법상 근로자들의 단결권이나 단체교섭권의 본질적인 부분이 침해된다고 볼 수 없다(2008.7.31, 2004헌바9).

31 정답 ①

❶ [X]

> **헌법 제33조** ② 공무원인 근로자는 법률이 정하는 자에 한하여 단결권·단체교섭권 및 단체행동권을 가진다.

② [O] 운영비 원조행위로 인하여 노동조합의 자주성이 저해되거나 저해될 현저한 위험이 있는지 여부는 그 목적과 경위, 원조된 운영비의 내용, 금액, 원조방법, 원조된 운영비가 노동조합의 총수입에서 차지하는 비율, 원조된 운영비의 관리 방법 및 사용처 등에 따라 달리 판단될 수 있다. 그럼에도 불구하고 운영비 원조금지조항은 단서에서 정한 두 가지 예외를 제외한 일체의 운영비 원조행위를 금지함으로써 노동조합의 자주성이 저해되거나 저해될 위험이 현저하지 않은 경우까지도 금지하고 있으므로, 그 입법목적 달성을 위해서 필요한 범위를 넘어서 노동조합의 단체교섭권을 과도하게 제한하고 있다(2018.05.31, 2012헌바90).

③ [O] 이 사건 「노동조합 및 노동관계조정법」 조항들은 노조전임자에 대한 비용을 원칙적으로 노동조합 스스로 부담하도록 함으로써 노동조합의 자주성 및 독립성 확보에 기여하는 한편, 사업장 내에서의 노동조합활동을 일정 수준 계속 보호·지원하기 위한 것이다. 위 조항들이 노조전임자의 급여 수령을 일절 금지하고, 근로시간 면제 한도를 초과하는 요구 등을 금지하고 있지만, 기존의 노조전임자는 새로 도입된 근로시간 면제제도를 통하여 노동조합활동을 일정 수준 계속 보장받을 수 있다. 한편, 법에서 근로시간 면제범위의 최소한을 보장하고 이를 초과하는 범위에 대해서는 노사의 자율적 결정에 맡기는 것이 바람직한 방안일 수 있으나, 이는 기업별 노동조합이 주를 이루어왔고 노조전임자의 급여를 사용자가 부담해 온 오랜 관행을 시정하기 위한 입법취지를 무색하게 할 우려가 있다. 또한 위 조항들은 근로시간 면제 한도를 초과하는 노동조합의 활동에 대한 유급 처리에 한해서만 단체교섭권 및 단체행동권을 제한한다. 따라서 위 조항들이 과잉금지원칙에 위반되어 청구인들의 단체교섭권 및 단체행동권을 침해한다고 볼 수 없다(2014.5.29, 2010헌마606).

④ [O] **하나의 사업 또는 사업장에 두 개 이상의 노동조합이 있는 경우 단체교섭에 있어 그 창구를 단일화하도록 하고, 교섭대표가 된 노동조합에게만 단체교섭권을 부여하는 「노동조합 및 노동관계조정법」 제29조 제2항 및 제29조의2 제1항이 소수 노동조합의 교섭권을 침해하지 아니한다고 본 사례**

교섭창구단일화제도는 복수 노동조합과 사용자 사이의 교섭절차를 일원화하여 효율적이고 안정적인 교섭체계를 구축하고, 조합원들의 근로조건을 통일하기 위한 제도로서 소수 노동조합도 교섭대표노동조합을 정하는 절차에 참여하게 하고, 그러한 실질적 대등성의 토대 위에서 이루어낸 결과를 함께 향유하는 주체가 될 수 있도록 하고 있으므로 단체교섭권의 실질적 보장을 위한 불가피한 제도이다. 또한 사용자의 동의가 경우에는 자율교섭도 가능하고, 필요에 따라 교섭단위를 분리할 수 있도록 하는 한편, 소수노동조합을 보호하기 위해 사용자와 교섭대표노동조합에게 공정대표의무를 부과하고 있고, 청구인이 주장하는 자율교섭제도가 교섭창구단일화제도보다 단체교섭권을 덜 침해하는 제도라고 단언할 수 없다. 따라서 위 조항들이 과잉금지원칙에 위배된다고 볼 수 없다(2012.4.24, 2011헌마338).

32 정답 ①

❶ [X] 학교교육의 수행자인 교원은 학생을 지도·교육한다는 노무에 종사하고 그 대가로 받는 수입에 의하여 생활한다는 점에서 통상적인 근로자의 성격을 가지고 있다(1991.11.25, 90헌가5).

② [O] 노조전임자 및 근로시간 면제 제도는 특정 근로자의 개인적 근로조건에 관한 문제가 아니라 전체 조합원들의 이해와 관련된 집단적 노사관계에 관한 사항으로, 근로3권의 행사목적인 '근로조건의 유지·개선과 근로자의 경제적·사회적 지위의 향상'에 관한 사항에 해당하므로, 결국 노조전임자에 대한 급여 지급 요구나 근로시간 면제 한도를 초과하는 요구를 하고 이를 관철하기 위한 쟁의행위를 금지하는 이 사건 「노동조합 및 노동관계조정법」 조항들은 헌법상 보장된 청구인들의 단체교섭권 및 단체행동권을 제한한다. 다만, 노사합의에 따라 노조전임자를 두는 것 자체에는 아무런 제한이 없고(「노동조합 및 노동관계조정법」 제24조 제1항), 이 사건 「노동조합 및 노동관계조정법」 조항들이 근로자가 노동조합을 결성하거나 노동조합에 가입할 권리 내지 가입하지 아니할 권리인 단결권을 직접적으로 제한하고 있지는 아니하므로, 단결권의 침해 여부는 별도로 판단하지 아니한다(2014.5.29, 2010헌마606).

③ [O] 이 사건 법률조항이 달성하려는 노동조합 운영의 적법성, 민주성 등의 공익은 중대한 반면 이 사건 법률조항으로 말미암아 제한되는 노동조합의 운영의 자유는 그다지 크지 아니하므로, 법익균형성 또한 인정된다. 따라서 이 사건 법률조항은 노동조합의 단결권을 침해하지 아니한다(2013.7.25, 2012헌바116).

④ [O] 1980년 헌법 제31조 제2항은 공무원인 근로자는 법률로 인정된 자를 제외하고는 단결권, 단체교섭권, 단체행동권을 가질 수 없다고 규정하여 공무원인 근로자의 경우에 노동3권을 원칙적으로 부정하였으나 현행헌법 제33조 제2항은 공무원의 단체행동권을 전면적으로 제한하거나 부인하는 것이 아니라 일정 범위 내의 공무원인 근로자의 단결권, 단체교섭권, 단체행동권을 갖는 것을 전제로 하여 그 구체적 범위를 법률에 위임하고 있는 것이다. 이 사건 법률조항은 모든 공무원의 노동3권을 부인하고 있어 헌법 제33조 제2항에 저촉된다(1993.3.11, 88헌마5).

33 정답 ①

❶ [O] 이 사건 법률조항 단서에서는 교직에서 해고되는 경우에도 부당노동행위를 이유로 구제신청을 하고 중앙노동위원회의 재심판정이 있는 때까지의 교원에 한하여는 「교원의 노동조합 설립 및 운영 등에 관한 법률」상의 교원 지위를 인정하고 있다. 이에 따라 「교원지위향상을 위한 특별법」에 따른 교원소청심사청구절차나 행정소송으로 부당해고를 다투는 경우에는 「교원의 노동조합 설립 및 운영 등에 관한 법률」상의 교원에서 배제된다(2015.5.28, 2013헌마671 등).

② [X] 국·공립 교원은 공무원이므로 헌법 제33조 제2항에 따라 근로3권을 제한할 수 있다. 사립학교 교원은 공무원이 아니므로 헌법 제31조 6항에 근거하여 근로3권을 제한 할 수 있다(1991.7.22, 89헌가106).
➡ 교원노조의 단체행동권은 인정되지 않는다.

③ [X]

> 「교원의 노동조합 설립 및 운영 등에 관한 법률」 제4조 【노동조합의 설립】 ① 제2조 제1호 제2호에 따른 교원은 특별시·광역시·도·특별자치도(이하 '시·도'라 한다) 단위 또는 전국 단위로만 노동조합을 설립할 수 있다.

④ [X] 현행헌법이 공익사업체에 종사하는 근로자의 단체행동권에 관한 제한규정을 두고 있지 않다고 하더라도, 헌법 제37조 제2항의 일반유보조항에 따른 기본권 제한의 원칙에 의하여 단체행동권을 제한할 수 있음은 의문의 여지가 없다(1996.12.26, 90헌바19 등).

34 정답 ①

❶ [O] 헌법 제33조 제2항은 공무원의 노동3권을 전면적으로 부정하는 것은 아니고 일정한 범위 내 공무원의 노동3권을 인정하고 그 범위를 입법자에게 위임하고 있다.

② [X] 이 사건 법률조항으로 말미암아 교원노조와의 단체교섭을 위하여는 전국 단위 또는 시·도 단위의 교섭단의 구성원으로 사실상 강제로 참여해야 하는 것이므로 이 사건 법률조항은 청구인들의 '소극적 의미'의 결사의 자유를 제한하고 있다(2006.12.28, 2004헌바67).

③ [X]

> 헌법 제33조 ③ 법률이 정하는 주요방위산업체에 종사하는 근로자의 단체행동권은 법률이 정하는 바에 의하여 이를 제한하거나 인정하지 아니할 수 있다.

④ [X] 특수경비원 업무의 강한 공공성과 특히 특수경비원은 소총과 권총 등 무기를 휴대한 상태로 근무할 수 있는 특수성 등을 감안할 때, 특수경비원의 신분이 공무원이 아닌 일반근로자라는 점에만 치중하여 특수경비원에게 근로3권, 즉 단결권, 단체교섭권, 단체행동권 모두를 인정하여야 한다고 보기는 어렵고, 적어도 특수경비원에 대하여 단결권, 단체교섭권에 대한 제한은 전혀 두지 아니하면서 단체행동권 중 '경비업무의 정상적인 운영을 저해하는 일체의 쟁위행위'만을 금지하는 것은 입법목적 달성에 필요불가결한 최소한의 수단이라고 할 것이어서 침해의 최소성원칙에 위배되지 아니한다(2009.10.29, 2007헌마1359).

35 정답 ②

① [O]

> 「환경정책기본법」 제7조 【오염원인자 책임원칙】 자기의 행위 또는 사업활동으로 환경오염 또는 환경훼손의 원인을 발생시킨 자는 그 오염·훼손을 방지하고 오염·훼손된 환경을 회복·복원할 책임을 지며, 환경오염 또는 환경훼손으로 인한 피해의 구제에 드는 비용을 부담함을 원칙으로 한다.
>
> 제44조 【환경오염의 피해에 대한 무과실책임】 ① 환경오염 또는 환경훼손으로 피해가 발생한 경우에는 해당 환경오염 또는 환경훼손의 원인자가 그 피해를 배상하여야 한다.
> ② 환경오염 또는 환경훼손의 원인자가 둘 이상인 경우에 어느 원인자에 의하여 제1항에 따른 피해가 발생한 것인지를 알 수 없을 때에는 각 원인자가 연대하여 배상하여야 한다.

❷ [X] 사인의 환경 침해 배제를 국가에게 청구하였음에도 국가기관이 방치하거나 부적절한 조치를 취한 경우 국가나 국가기관을 상대로 소를 제기할 수 있다.

③ [O] 「환경정책기본법」 제44조는 과실을 요건으로 하지 않아 사인에 의해 환경권이 침해되어 피해가 발생했을 경우에는 무과실책임이 인정하고 있다. 1996 입시

④ [O] 2010년 법행 변형

「환경정책기본법」 제44조 【환경오염의 피해에 대한 무과실책임】 ① 환경오염 또는 환경훼손으로 피해가 발생한 경우에는 해당 환경오염 또는 환경훼손의 원인자가 그 피해를 배상하여야 한다.
② 환경오염 또는 환경훼손의 원인자가 둘 이상인 경우에 어느 원인자에 의하여 제1항에 따른 피해가 발생한 것인지를 알 수 없을 때에는 각 원인자가 연대하여 배상하여야 한다.

36 정답 ④

① [O] 「실화책임에 관한 법률」(이하 '실화책임법'이라 한다)에 대하여 단순위헌을 선언하기보다는 헌법불합치를 선고하여 개선입법을 촉구하되, 실화책임법을 계속 적용할 경우에는 경과실로 인한 실화피해자로서는 아무런 보상을 받지 못하게 되는 위헌적인 상태가 계속되므로, 입법자가 실화책임법의 위헌성을 제거하는 개선 입법을 하기 전에도 실화책임법의 적용을 중지시킴이 상당하다. 이 결정과 달리 실화책임법이 헌법에 위반되지 아니한다고 결정한 92헌가4 등 결정은 이 결정의 견해와 저촉되는 한도에서 변경한다(2007.8.30, 2004헌가25).

② [O] 이 사건 법률조항이 헌법에 위반된다는 의견이 5인이고, 헌법에 합치되지 아니한다는 의견이 1인이므로 「헌법재판소법」 제23조 제2항 제1호에 따라 이 사건 법률조항은 헌법에 합치되지 아니한다고 선언하고, 아울러, 종전에 헌법재판소가 이 결정과 견해를 달리하여 이 사건 법률조항에 해당하는 구 「지방자치법」 조항이 과잉금지원칙을 위반하여 자치단체장의 공무담임권을 제한하는 것이 아니고 무죄추정의 원칙에도 저촉되지 않는다고 판시하였던 2002헌마699 등 결정은, 이 결정과 저촉되는 범위 내에서 변경한다(2010.9.2, 2010헌마418).

③ [O] 자기낙태죄조항과 의사낙태죄조항이 헌법에 위반된다는 단순위헌의견이 3인이고, 헌법에 합치되지 아니한다는 헌법불합치의견이 4인이므로, 단순위헌의견에 헌법불합치의견을 합산하면 법률의 위헌결정을 함에 필요한 심판정족수에 이르게 된다. 따라서 위 조항들에 대하여 헌법에 합치되지 아니한다고 선언하되, 2020.12.31.을 시한으로 입법자가 개선입법을 할 때까지 계속 적용을 명한다. 아울러 종전에 헌법재판소가 이와 견해를 달리하여 자기낙태죄조항과 「형법」(1995.12.29, 법률 제5057호로 개정된 것) 제270조 제1항 중 '조산사'에 관한 부분이 헌법에 위반되지 아니한다고 판시한 2010헌바402 결정은 이 결정과 저촉되는 범위 내에서 변경하기로 한다(2019.4.11, 2017헌바127).

❹ [X] 「병역법」 제5조의 병종조항은 헌법불합치결정되었으나 「병역법」 제88조의 병역기피자 처벌조항은 합헌결정으로 판례가 그대로 유지되었다.

37 정답 ③

① [X] 헌법재판소는 제대군인 가산점제도는 제도 그 자체를 평등권을 침해한다고 보았다. 한편, 국가유공자의 가족의 가산점제도는 헌법에 위반되지 않으나 국가유공자의 가족에게 가산점 10%를 부여하는 것에 대해서는 최소성원칙에 위배된다고 보았다.

② [X] 태아성별을 의사가 감지하고 부모에게 고지하는 것을 금지하는 것 자체가 인격권을 침해한다는 위헌결정의견은 있었다. 헌법재판소의 법정의견은 헌법불합치결정이었는데, 고지금지 그 자체가 위헌이 아니라 임신기간 전기간에 걸친 고지금지가 위헌이라는 의견이었다.

❸ [O] 국적 관련 부계혈통주의제도는 성별에 의한 차별로서 헌법 제36조의 혼인가족생활에서의 평등원칙에 위배된다.

④ [X] 부성주의는 합헌이나, 부가 외국인인 경우에 한해 모성을 따르도록 한 것이 위헌이었다.

38 정답 ①

❶ [X] 이 사건 법률조항에 대하여 단순위헌을 선언하는 경우에는 기간임용제 자체까지도 위헌으로 선언하는 결과를 초래하게 되므로, 단순위헌결정 대신 헌법불합치결정을 하는 것이다. 입법자는 되도록 빠른 시일 내에 이 사건 법률조항 소정의 기간임용제에 의하여 임용되었다가 그 임용기간이 만료되는 대학 교원이 재임용 거부되는 경우에 그 사전절차 및 그에 대해 다툴 수 있는 구제절차규정을 마련하여 이 사건 법률조항의 위헌적 상태를 제거하여야 할 것이다(2003.2.27, 2000헌바26).

② [O] 헌법재판소는 개발제한구역제도 자체는 합헌이나, 개발제한구역의 지정으로 가혹한 부담이 생긴 토지소유자에 대한 보상 등 규정이 없었다는 이유로 헌법불합치결정하였다.

③ [O] 외교기관 100미터 이내, 국회 의사당 100미터 이내 옥외집회금지 그 자체가 위헌인 것은 아니나 그 예외를 두지 않은 것이 헌법에 위반된다.

④ [O] 야간시위금지 그 자체가 위헌이 아니라 일몰부터 24시까지 시위금지가 헌법에 위반되었다고 하여 한정위헌결정하였다.

39 정답 ①

ㄱ. [X] 개별사건법률금지의 원칙이 법률제정에 있어서 입법자가 평등원칙을 준수할 것을 요구하는 것이기 때문에, 특정 규범이 개별사건법률에 해당한다 하여 곧바로 위헌을 뜻하는 것은 아니며, 특정 법률 또는 법률조항이 단지 하나의 사건만을 규율하려고 한다 하더라도 이러한 차별적 규율이 합리적인 이유로 정당화될 수 있는 경우에는 합헌적일 수 있으므로, 개별사건법률의 위헌 여부는 그 형식만으로 가려지는 것이 아니라, 평등의 원칙이 추구하는 실질적 내용이 정당한지 아닌지를 따져야 비로소 가려진다(1996.2.16, 96헌가 등).

ㄴ. [O] 우리 헌법은 개별사건법률에 대한 정의를 하고 있지 않음은 물론 개별사건법률의 입법을 금하는 명문의 규정도 없다. 개별사건법률금지의 원칙은 "법률은 일반적으로 적용되어야지 어떤 개별사건에만 적용되어서는 아니 된다."라는 법원칙으로서 헌법상의 평등원칙에 근거하고 있는 것으로 풀이되고, 그 기본정신은 입법자에 대하여 기본권을 침해하는 법률은 일반적 성격을 가져야 한다는 형식을 요구함으로써 평등원칙 위반의 위험성을 입법과정에서 미리 제거하려는 데 있다 할 것이다. 개별사건법률은 개별사건에만 적용되는 것이므로 원칙적으로 평등원칙에 위배되는 자의적인 규정이라는 강한 의심을 불러일으킨다. 그러나 개별사건법률금지의 원칙이 법률제정에 있어서 입법자가 평등원칙을 준수할 것을 요구하는 것이기 때문에, 특정 규범이 개별사건법률에 해당한다 하여 곧바로 위헌을 뜻하는 것은 아니다. 비록 특정 법률 또는 법률조항이 단지 하나의 사건만을 규율하려고 한다 하더라도 이러한 차별적 규율이 합리적인 이유로 정당화될 수 있는 경우에는 합헌적일 수 있다. 따라서 개별사건법률의 위헌 여부는, 그 형식만으로 가려지는 것이 아니라, 나아가 평등의 원칙이 추구하는 실질적 내용이 정당한지 아닌지를 따져야 비로소 가려진다(1996.2.16, 96헌가2 등).

ㄷ. [O] 2001헌마882 사건에서 과잉금지원칙 위반은 보충의견이었다.

ㄹ. [O] (1) 이 사건 규칙조항은 안마사의 자격인정을 받을 수 있는 자를 일정한 범위의 '앞을 보지 못하는' 사람으로 한정하는, 이른바 비맹제외기준을 설정함으로써 시각장애인이 아닌 일반인으로 하여금 안마사 자격을 받을 수 없도록 규정하고 있다. 이는 시각장애인이 아닌 일반인이 안마사 직업을 선택할 수 있는 자유를 원천적으로 제한하는 것으로서, 기본권 제한에 관한 법률유보원칙이나 과잉금지원칙에 위배하여 일반인의 직업선택의 자유를 침해하고 있으므로 헌법에 위반된다(2006.5.25, 2003헌마715).

(2) 이 사건 자격조항은 시각장애인에게 안마업을 독점시킴으로써 그들의 생계를 지원하고 직업활동에 참여할 수 있는 기회를 제공하는 것인바, 신체장애자 보호에 대한 헌법적 요청에 의하여 시각장애인의 생계, 인간다운 생활을 할 권리를 보장하기 위한 것으로서 정당한 목적 달성을 위한 적절한 수단이 된다. 시각장애인의 생존권 보장을 위한 불가피한 선택에 해당하는 점, 이에 반하여 일반 국민은 안마업 외에도 선택할 수 있는 직업이 많다는 점 등을 고려하면 이 사건 자격조항이 최소침해성원칙에 반한다고 할 수 없다. 또한 시각장애인 안마사제도는 생활 전반에 걸쳐 시각장애인에게 가해진 유·무형의 사회적 차별을 보상해 주고 실질적인 평등을 이룰 수 있는 수단이며, 이 사건 자격조항은 시각장애인과 비시각장애인을 둘러싼 여러 상황을 적절하게 형량한 것으로서 법익 불균형이 발생한다고 할 수 없으므로, 이 사건 자격조항이 비시각장애인을 시각장애인에 비하여 비례의 원칙에 반하여 차별하는 것이라고 할 수 없을 뿐 아니라, 비시각장애인의 직업선택의 자유를 과도하게 침해하여 헌법에 위반된다고 보기도 어렵다(2013.6.27, 2011헌가39 등).

ㅁ. [O] 2015.5.28, 2013헌가6

ㅂ. [O] 2015.12.23, 2014헌마1149

ㅅ. [O] 2016.10.27, 2015헌마1206 등

ㅇ. [O] 2008.7.31, 2007헌가4

40 정답 ④

ㄱ. [O] 재판청구권과 같은 절차적 기본권은 원칙적으로 제도적 보장의 성격이 강하기 때문에, 자유권적 기본권 등 다른 기본권의 경우와 비교하여 볼 때 상대적으로 광범위한 입법형성권이 인정되므로, 관련 법률에 대한 위헌심사기준은 합리성원칙 내지 자의금지원칙이 적용된다. 따라서 이 사건 심판대상조항이 청구인의 재판을 받을 권리를 침해하는지 여부를 판단하기 위해서는, 피고적격이 인정되지 않는다 해도 청구인의 재판절차에의 접근 기회가 충분한 정도로 보장되고 있는지의 측면, 그러한 재판에서 실체법이 정한 내용대로 재판을 받을 수 있는지의 측면에서 입법자가 절차 형성에 있어서의 입법재량을 일탈하였는지 여부를 심사하여야 할 것이다(2014.2.27, 2013헌바178). 2010년 사시

ㄴ. [O] 출입국관리에 관한 사항 중 외국인의 입국에 관한 사항은 주권국가로서의 기능을 수행하는데 필요한 것으로서 광범위한 정책재량의 영역이므로, 심판대상조항들이 청구인 김○철의 평등권을 침해하는지 여부는 자의금지원칙 위반 여부에 의하여 판단하기로 한다(2014.4.24, 2011헌마474). 2019년 변시

ㄷ. [O] 「공직선거법」 제15조는 형성입법이고, 「공직선거법」 제18조는 선거권 제한입법이다.

ㄹ. [X] 사립학교 운영의 자유가 헌법 제10조, 제31조 제1항, 제4항에서 도출되는 기본권이기는 하나, 사립학교도 공교육의 일익을 담당한다는 점에서 국·공립학교와 본질적인 차이가 있을 수 없기 때문에 공적인 학교제도를 보장하여야 할 책무를 진 국가가 일정한 범위 안에서 사립학교의 운영을 감독·통제할 권한과 책임을 지는 것 또한 당연하다고 할 것이고, 그 규율의 정도는 그 시대의 사정과 각급 학교의 형편에 따라 다를 수밖에 없는 것이므로, 교육의 본질을 침해하지 않는 한 궁극적으로는 입법자의 형성의 자유에 속하는 것이라고 할 수 있다. 따라서 이 사건 법률조항들이 사립학교 운영의 자유를 제한하고 있다 하더라도 그 위헌 여부는 입법자가 기본권을 제한함에 있어 합리적인 입법한계를 벗어나 자의적으로 그 본질적인 내용을 침해하였는지 여부에 따라 판단하여야 할 것이다(2013.11.28, 2011헌바136 등).

ㅁ. [X] 국가가 인간다운 생활을 보장하기 위한 헌법적인 의무를 다하였는지의 여부가 사법적 심사의 대상이 된 경우에는, 국가가 생계보호에 관한 입법을 전혀 하지 아니하였다든가 그 내용이 현저히 불합리하여 헌법상 용인될 수 있는 재량의 범위를 명백히 일탈한 경우에 한하여 헌법에 위반된다고 할 수 있다(1997.5.29, 94헌마33).

ㅂ. [X] 입법자는 일정한 전문 분야에 관한 자격제도를 마련함에 있어서 그 제도를 마련한 목적을 고려하여 정책적인 판단에 따라 그 내용을 구성할 수 있고, 마련한 자격제도의 내용이 불합리하고 불공정하지 않은 한 입법자의 정책판단은 존중되어야 하며, 자격제도에서 입법자에게는 그 자격요건을 정함에 있어 광범위한 입법재량이 인정되는 만큼, 자격요건에 관한 법률조항은 합리적인 근거 없이 현저히 자의적인 경우에만 헌법에 위반된다(2006.4.27, 2005헌마997).

ㅅ. [X] 상업광고는 표현의 자유의 보호영역에 속하지만 사상이나 지식에 관한 정치적, 시민적 표현행위와는 차이가 있고, 한편 직업수행의 자유의 보호영역에 속하지만 인격발현과 개성신장에 미치는 효과가 중대한 것은 아니다. 그러므로 상업광고 규제에 관한 비례의 원칙 심사에 있어서 '피해의 최소성'원칙은 같은 목적을 달성하기 위하여 달리 덜 제약적인 수단이 없을 것인지 혹은 입법목적을 달성하기 위하여 필요한 최소한의 제한인지를 심사하기보다는 '입법목적을 달성하기 위하여 필요한 범위 내의 것인지'를 심사하는 정도로 완화되는 것이 상당하다(2005.10.27, 2003헌가3).

ㅇ. [O] 상업광고에 대한 규제에 의한 표현의 자유 내지 직업수행의 자유의 제한은 헌법 제37조 제2항에서 도출되는 비례의 원칙(과잉금지원칙)을 준수하여야 하지만, 상업광고는 사상이나 지식에 관한 정치적, 시민적 표현행위와는 차이가 있고, 인격발현과 개성신장에 미치는 효과가 중대한 것은 아니므로, 비례의 원칙 심사에 있어서 '피해의 최소성'원칙은 '입법목적을 달성하기 위하여 필요한 범위 내의 것인지'를 심사하는 정도로 완화되는 것이 상당하다(2005.10.27, 2003헌가3).

ㅈ. [X] 국가가 기본권의 보호의무를 다하지 않았는지를 헌법재판소가 심사할 때에는 과소보호금지원칙의 위반 여부를 기준으로 삼아야 한다. 국민의 민주적 의사를 최대한 표출하도록 해야 할 선거에서 확성장치를 사용한 선거운동으로부터 발생하는 불편은 어느 정도 감수해야 할 측면이 있는바, 「공직선거법」이 선거운동의 기간, 확성장치의 사용장소, 사용대수, 사용방법 등에 대한 규정까지 두고 있는 이상, 확성장치 소음규제기준을 정하지 않았다는 것만으로 청구인의 정온한 환경에서 생활할 권리를 보호하기 위한 입법자의 의무를 과소하게 이행하였다고 평가할 수는 없다(2008.7.31, 2006헌마711).

해커스공무원

황남기 헌법 진도별 모의고사 기본권편

해설

초판 2쇄 발행 2023년 3월 15일
초판 1쇄 발행 2022년 6월 17일

지은이	황남기
펴낸곳	해커스패스
펴낸이	해커스공무원 출판팀
주소	서울특별시 강남구 강남대로 428 해커스공무원
고객센터	1588-4055
교재 관련 문의	gosi@hackerspass.com 해커스공무원 사이트(gosi.Hackers.com) 교재 Q&A 게시판 카카오톡 플러스 친구 [해커스공무원 노량진캠퍼스]
학원 강의 및 동영상강의	gosi.Hackers.com
ISBN	해설: 979-11-6880-357-2 (14360) 세트: 979-11-6880-355-8 (14360)
Serial Number	01-02-01